CB068234

Comentário Bíblico
Pentecostal
Novo Testamento
Volume 2

Editado por French L. Arrington e Roger Strostad
Membros da Comissão Editorial da *Bíblia de Estudo Pentecostal*

Comentário Bíblico Pentecostal
novo testamento
Volume 2

11ª impressão

CPAD

Rio de Janeiro
2024

Todos os direitos reservados. Copyright © 2003 para a língua portuguesa da Casa Publicadora das Assembleias de Deus. Aprovado pelo Conselho de Doutrina.

É proibida a duplicação ou reprodução deste volume, no todo ou em parte, sob quaisquer formas ou meios (eletrônico, mecânico, gravação, fotocópia, distribuição na web e outros), sem permissão expressa da Editora.

Título do original em inglês: *Full Life Bible Commentary to the New Testament* Zondervan Publishing House
Grand Rapids, Michigan, EUA
Primeira edição em inglês: 1999
Tradução: Luís Aron de Macedo (Mateus a Romanos) e Degmar Ribas Júnior (1 Coríntios a Apocalipse)

Preparação de originais e revisão: Isael de Araujo, Joel Dutra, Alexandre Coelho, Luciana Alves, Kleber Cruz e Daniele Pereira
Capa: Rafael Paixão
Projeto gráfico: Rodrigo Sobral Fernandes
Editoração: Alexandre Soares

CDD: 220 – Bíblia
ISBN: 978-85-263-0962-3

As citações bíblicas foram extraídas da versão Almeida Revista e Corrigida, Edição de 1995, da Sociedade Bíblica do Brasil, salvo indicação em contrário.

Para maiores informações sobre livros, revistas, periódicos e os últimos lançamentos da CPAD, visite nosso site: https//www.cpad.com.br.

SAC – Serviço de Atendimento ao Cliente: 0800-021-7373

Casa Publicadora das Assembleias de Deus
Av. Brasil, 34.401, Bangu, Rio de Janeiro - RJ
CEP: 21.852-002

11ª impressão: 2024
Impresso no Brasil
Tiragem: 1.000

SUMÁRIO

Lista de Colaboradores vi
Prefácio vii
Fotos, Mapas, Quadros e Diagramas ix
Abreviaturas xi

Romanos 1
1 Coríntios 123
2 Coríntios 261
Gálatas 319
Efésios 385
Filipenses. 469
Colossenses 513
1 Tessalonicenses 559
2 Tessalonicenses 607
1 Timóteo 631
2 Timóteo 681
Tito 703
Filemom 713
Hebreus 725
Tiago 851
1 Pedro 887
2 Pedro 927
1 João 945
2 João 991
3 João 997
Judas 1003
Apocalipse 1013

LISTA DE COLABORADORES

Romanos	Van Johnson	Decano do Canadian Pentecostal Seminary, em Toronto, Ontário, Canadá
1 Coríntios	Anthony Palma	Professor aposentado do Assemblies of God Theological Seminary, em Springfield, Missouri, Estados Unidos
2 Coríntios	James Hernando	Professor do Assemblies of God Theological Seminary, em Springfield, Missouri, Estados Unidos
Gálatas	William Simmons	Professor da Lee University, em Cleveland, Tennessee, Estados Unidos
Efésios	J. Wesley Adams	Professor e Presidente da School of the Word, no Grace Training Center, em Kansas City, Missouri, Estados Unidos, com Donald Stamps, autor das notas da *Bíblia de Estudo Pentecostal* e missionário no Brasil (falecido)
Filipenses	David Demchuk	Administrador da Broadway Pentecostal Church, em Vancouver, Colúmbia Britânica, Canadá
Colossenses	Sven K. Soderlund	Professor da Regent College, Vancouver, Colúmbia Britânica, Canadá
1 e 2 Tessalonicenses	Brian Glubish	Professor da Central Pentecostal College, em Saskatoon, Saskatchewan
As Epístolas Pastorais	Deborah Menken Gill	Pastora Sênior da Church of the Living Hope, em Shoreview, Minnesota, Estados Unidos
Filemom	Sven K. Soderlund	Professor da Regent College, Vancouver, Colúmbia Britânica, Canadá
Hebreus	J. Wesley Adams	Professor e Presidente da School of the Word, no Grace Training Center, em Kansas City, Missouri, Estados Unidos
Tiago	Timothy B. Cargal	Ex-professor da Western Kentucky University; atualmente pastor da Igreja Presbiteriana de Northwood, em Silver Springs, Maryland, Estados Unidos
1 e 2 Pedro	Roger Stronstad	Decano Acadêmico da Western Pentecostal Bible College, em Clayburn, Colúmbia Britânica, Canadá
1, 2 e 3 João	Robert Berg	Professor da Evangel University, em Springfield, Missouri, Estados Unidos
Judas	Roger Stronstad	Decano Acadêmico da Western Pentecostal Bible College, em Clayburn, Colúmbia Britânica, Canadá
Apocalipse	Timothy P. Jenney	Professor da North Central University, em Mineápolis, Minnesota, Estados Unidos

PREFÁCIO

O que o saudoso Donald Stamps, autor das notas da *Bíblia de Estudo Pentecostal* (BEP), declarou sobre a referida Bíblia continua verdadeiro para este comentário:

O propósito [...] é conduzir o leitor [...] a uma fé mais profunda na mensagem apostólica do Novo Testamento, a qual proporciona ao crente grande confiança de alcançar a mesma experiência dos crentes do Novo Testamento, mediante a plenitude do Cristo vivo na Igreja, como corpo (Ef 4.13), e a plenitude do Espírito Santo no crente individualmente (At 2.4; 4.31).

A *Bíblia de Estudo Pentecostal* e o *Comentário Bíblico Pentecostal* são volumes companheiros. Ou seja, este comentário foi planejado e escrito para complementá-la. Claro que a BEP lida com assuntos e temas proeminentes das Escrituras, ao passo que este comentário enfoca o plano de fundo dos livros do Novo Testamento e sua exposição. Cada volume é exclusivo, completo em si mesmo e pode ser usado independentemente. Um enriquece o outro, e usados juntos, a BEP e este comentário formam uma pequena biblioteca para o estudo bíblico.

A equipe de colaboradores deste comentário está em grande débito com os estudiosos da Bíblia do passado e do presente, pois tem aprendido com suas obras e *insights* da Palavra de Deus. Eles aceitam a Bíblia como a Palavra de Deus inspirada e autorizada, e vêm de formações que acentuam a importância da presença e dons do Espírito Santo na Igreja dos dias atuais. Nossos colaboradores deram o máximo de si para não serem apologéticos, polêmicos ou excessivamente técnicos. A meta foi usar um estilo e um vocabulário que tornassem a mensagem do Novo Testamento acessível a todos os que lerem o comentário.

A tradução deste comentário foi baseada na versão de João Ferreira de Almeida, Revista e Corrigida, edição de 1995 (RC), da Sociedade Bíblica do Brasil, mas os escritores ao comporem a exposição dos livros citam outras versões bíblicas onde uma ou mais traduções ajudam a esclarecer o significado. Em alguns lugares o texto grego é citado. Mesmo assim quando a língua original é mencionada, é fornecida uma transliteração para que os leitores leiam e pronunciem as palavras. Também é freqüente uma explicação estar imediatamente ao lado da transliteração. A intenção é expressar com precisão e de modo interessante o significado do Novo Testamento. Embora não seja explicitamente devocional, este comentário proporciona uma interpretação do texto que é a base perfeita para uso devocional e aplicação prática. Será útil para professores de Escola Dominical e obreiros cristãos, mas também de ajuda considerável para pregadores e, em particular, para estudantes de Teologia.

Os comentários deste volume focalizam os livros do Novo Testamento. Cada colaborador oferece uma introdução do livro, um esboço, uma interpretação seção por seção e uma breve bibliografia. As introduções dão as informações e orientações necessárias para o estudo. A interpretação foi baseada na estrutura, língua e plano de fundo do livro. O propósito ao abordar a interpretação desta maneira foi preservar o poder e o significado que o evangelho teve durante o século I – os quais ainda hoje tem.

Com gratidão lembramos Donald Stamps pela devoção manifestada a Deus e à sua Palavra. Estamos em imensa dívida com ele por prover uma Bíblia de Estudo para cristãos pentecostais. Sua visão e obra na BEP são em grande parte responsáveis pelo ímpeto e inspiração na preparação deste *Comentário Bíblico Pentecostal*.

Fazemos referência distinta às aptidões e labores do *staff* editorial da Zondervan Publishing House. A pessoa que merece menção especial é o doutor Verlyn D. Verbrugge, o editor sênior, que desde sua concepção inicial à sua forma final carregou "a parte do leão" do encargo de fazer com que este comentário se tornasse realidade. Seu conhecimento, habilidades e leitura cuidadosa de todos os manuscritos foram vitais à conclusão e qualidade do trabalho. Foi um prazer estar associado com ele. Outrossim na complementação de nossa tarefa queremos agradecer a todos os colaboradores deste volume por sua cooperação, paciência, generosidade e trabalho.

Oferecemos este comentário com a oração de que ele venha a ser uma grande bênção a todos os que o usarem, sobretudo aos que buscam a vontade de Deus para suas vidas estando "cheios com o Espírito Santo", e com a convicção de que a obra do Espírito Santo não está limitada aos tempos bíblicos. O Espírito ainda dá poder aos cristãos e faz "sinais e maravilhas" como Ele o fez no ministério de Jesus e continuou fazendo no ministério dos apóstolos. Desde o derramamento inicial do Espírito Santo no Dia de Pentecostes, o ministério do Espírito permanece o mesmo. Sua obra ainda é: exaltar Jesus Cristo, conduzir-nos a toda verdade e capacitar-nos ao seu serviço e para o evangelismo.

French L. Arrington e Roger Stronstad
Editores

N. do E.: As citações de livros não canônicos por parte dos comentaristas não têm nenhum caráter de autoridade bíblico-doutrinário, apenas valor histórico-informativo.

FOTOS, MAPAS, QUADROS E DIAGRAMAS

Cronologia da vida de Paulo 2
Roma no tempo de Paulo 16
Grandes doutrinas em Paulo 44
Passagens indicando a deidade
de Cristo 82,83
Os dons do Espírito Santo 112,113
Corinto no tempo de Paulo 124
Acrocorinto 125
A cruz numa capela em Kursi 133
Ruínas em Corinto 166
Templo de Afrodite 166
Monte Sinai 192
Mulher beduína 198
Mosaico da Última Ceia 203
Estrada Lecheon em Corinto 233
A interação de Paulo
com Corinto 263
Mapa da Ásia 273
O Bema 291
Pedra do batistério em Tabgha 293
Éfeso 297
Palavras de Jesus não
encontradas nos Evangelhos 308
Galácia 321
O fruto do Espírito 375
Éfeso no tempo de Paulo 387
Mapa de Éfeso 388
O teatro de Éfeso 403
Diagrama do Templo de
Herodes 417
Estrada Curetes 421
Dons ministeriais do
Espírito Santo. 434
Comparações entre Éfesios
e Colossenses 446,447
Estátua de Artemis 449
Filipos no tempo de Paulo 469
Mapa de Filipos 470
Ruínas em Filipos 484
Cruz cristã 503
Mapa de Colossos 514
O Grande Fórum 527
A heresia de Colossos 537
Cânticos no Novo Testamento 553
Mapa de Laodicéia e Hierápolis 558
Mapa de Tessalônica 559
Torre Branca 575

Antigo teatro em Atenas 590
O Areópago 608
Quarta viagem missionária
de Paulo 647
Qualificações para presbíteros/
supervisores e diáconos 659
Scriptorium..663
Rolo 663
O Coliseu em Roma 697
Ilha de Creta 704
Mausoléu em Roma 714
Seção do antigo muro romano 727
O "maior que" em Hebreus 743
Vinha na Judéia 772
O tabernáculo concretizado
em Jesus 785
Paredes pintadas nas catacumbas 799
Beduínos nômades 811
Mosteiro de Santa Catarina 833
Capela do monte Sinai............................833
Tiago e as palavras de Jesus 859
Monte Gerizim 871
Busto de Nero 888
Mapa da Ásia Menor 889
Flores no deserto do Sinai 900
Muro Ocidental do Templo
do Monte 902
As qualidades segundo Pedro
para um bom crente 931
Principais descobertas arqueológicas
relacionadas ao Novo Testamento 939
Características dos falsos mestres
em 2 Pedro 940
Contraste de caráter em 2 Pedro 944
O Evangelho de João e a Primeira
Carta de João 947
Evidências bíblicas da Trindade 981
A Basílica de Augusto
em Éfeso 992
Patmos 1014
A estrutura de Ap 6.1— 16.21..............1025
As sete igrejas da Ásia 1035
Jarra sextavada 1039
Fontes de águas quentes
em Laodicéia 1051
Três "listas de pecados"
em Apocalipse 1073

FOTOS, MAPAS, QUADROS E DIAGRAMAS

Shofhar, Menorá,
shovel de incenso 1081

Interpretações e perspectivas
teológicas sobre Apocalipse 1109

Todas as fotos, salvo indicação em contrário, são de Neal e Joel Bierling.

ABREVIATURAS

1QM	Rolo da Guerra
1QS	Normas da Comunidade
AB	Anchor Bible
Ant.	Flávio Josefo, *Antiguidades Judaicas*
ARA	Almeida Revista e Atualizada
ARC	Almeida Revista e Corrigida
ASV	American Standard Version
b.	Talmude Babilônico
BAGD	Bauer, W. F. Arndt e F. W. Gingrich, *A Greek-English Lexicon of the New Testament and Other Early Christian Literature*, Chicago, 1979
BEP	Bíblia de Estudo Pentecostal
BJ	Bíblia de Jerusalém
CBQ	Catholic Biblical Quarterly
CGTC	Cambridge Greek Testament Commentary
CTJ	Calvin Theological Journal
DJG	*Dictionary of Jesus and the Gospels*, eds. J. B. Green e S. McKnight, Downers Grove, 1992
DPL	*Dictionary of Paul and His Letters*
DSB	Daily Study Bible
EBC	*Expositor's Bible Commentary*
EDNT	*Exegetical Dictionary of the New Testament*, eds. H. Balz e G. Schneider, Grand Rapids, 1990-1993
EGGNT	Exegetical Guide to the Greek New Testament
EGT	The Expositor's Greek Testament
EvQ	Evangelical Quarterly
ExpTim	Expository Times
GNB	Good News Bible
Hist. Ecl.	Eusébio, *História Eclesiástica*
HNTC	Harper New Testament Commentary
ICC	International Critical Commentary
Interp	Interpretação
JBL	*Journal of Biblical Literature*
JBP	Tradução de J. B. Phillips
JETS	Journal of the Evangelical Theological Society
JSNT	Journal for the Study of the New Testament
KJV	King James Version

ABREVIATURAS

LXX	Septuaginta
m.	Misná
Meg.	Megilá
Mek.	Mequilta
MNTC	Moffatt New Testament Commentary
NAB	New American Bible
NAC	New American Commentary
NASB	New American Standard Bible
NCB	New Century Bible
NCBC	New Century Bible Commentary
NEB	New English Bible
Neot	*Neotestamentica*
NIBC	New International Biblical Commentary
NICNT	New International Commentary on the New Testament
NIDNTT	*New International Dictionary of New Testament Theology*, ed. C. Brown, 4 vols., Grand Rapids, 1975-1985
NIDOTTE	*New International Dictionary of Old Testament Theology and Exegesis*, ed. W. A. VanGemeren, 5 vols., Grand Rapids, 1997
NIGTC	New International Greek Testament Commentary
NJB	New Jerusalem Bible
NKJV	New King James Version
NovT	Novum Testamentum
NRSV	New Revised Standard Version
NTS	New Testament Studies
NVI	Nova Versão Internacional
RC	Almeida Revista e Corrigida, Edição de 1995
REB	Revised English Bible
RevExp	Review and Expositor
RSV	Revised Standard Version
RV	Revised Version
SBLDS	Society of Biblical Literature Dissertation Series
SEÅ	Svensk exegtisk Årsbok
SJLA	Studies in Judaism in Late Antiquity
TDNT	*Theological Dictionary of the New Testament*, eds. G. Kittel e G. Friedrich, Grand Rapids, 1964-1976
TEV	Today's English Version
TNTC	Tyndale New Testament Commentary
TS	Theological Studies
WBC	Word Biblical Commentary
WTJ	Westminster Theological Journal

ROMANOS
Van Johnson

INTRODUÇÃO

1. Autor

A fim de realçar nossa leitura de Romanos, algumas questões pertinentes sobre o autor — Paulo, o apóstolo judeu para os gentios — serão tratadas brevemente:

a) A Chamada de Paulo

"Cristianismo não é religião; é relação". Eis a declaração favorita dos protestantes. Paulo não teria nenhuma querela com esta caracterização da vida cristã, visto que, para ele, o cristianismo era intensamente pessoal. O que mais esperaríamos, considerando a natureza de sua "conversão"? Ele não foi ganho em meio a debates ou por ouvir testemunhos de crentes. Nem ao ver Estêvão ser apedrejado por sua fé a convicção de Paulo sobre o cristianismo foi mudada (At 7.54—8.1). Ele foi surpreendido pelo próprio Jesus, que o enfrentou na estrada de Damasco, e o chamou (At 9.1-9). Por conseguinte, ele se caracteriza como "chamado [...] apóstolo" e "servo de Jesus Cristo" (Rm 1.1).

O passado judaico de Paulo já o tinha predisposto a ver a fé em termos relacionais. Em nenhum lugar isto é mais evidente do que na idéia do concerto. Deus entrou em concerto com Abraão, ou seja, Ele estabeleceu uma relação com Abraão a fim de criar para si mesmo um povo. O conceito do Antigo Testamento acerca da justiça de Deus, que é o tema mais importante de Romanos, diz respeito à maneira pela qual Deus age para cumprir os termos desta relação estabelecida pelo concerto. Israel tinha de responder em amor e obediência àquEle que não só deu início à relação, mas também a manteve mediante sua justiça.

Este entendimento relacional da fé foi intensificado por Paulo quando ele encontrou o Cristo vivo. O fato de essa verdade do evangelho ter vindo a Paulo através de um encontro pessoal, afetou a maneira pela qual ele mais tarde a descreve. Citemos exemplos de cada seção de Romanos:

- O tema supramencionado da justiça de Deus (e.g., Rm 1.17) enfatiza os atos salvadores de Deus para trazer as pessoas em relação com Ele (e.g., Rm 3.21-31).
- A ira de Deus cai sobre os que rejeitam a relação que Ele oferece (Rm 1.18-23; 2.4,5).
- A paz com Deus (Rm 5.1), que é resultado da justificação pela fé, refere-se à restauração da relação entre a humanidade e Deus.
- Paulo descreve que a vida está relacionada com Adão ou com Cristo (Rm 5.12-21).
- Nossa relação com Cristo é tamanha que nós, na verdade, tomamos parte em sua vida de certo modo que vai além da natureza das relações humanas — nós morremos com Cristo e ressuscitaremos com Ele (Rm 6.2-10).
- O Espírito que habita em nós faz com que a presença de Jesus se torne real para nós (Rm 8.9,10). Fomos adotados no povo de Deus, e essa adoção nos é confirmada pelo testemunho do Espírito (Rm 8.14-17) e garantida pela obra salvadora de Deus e de Cristo (Rm 8.31-39).
- A seção parentética da carta começa com a premissa de que vivemos nossa vida em resposta à misericórdia de Deus (Rm 12.1,2).
- A seção parenética também descreve como nossa relação com Deus e Cristo será vivenciada em nossas relações com as pessoas (Rm 12.3—15.13). Em outras palavras, vivemos em resposta à relação que Ele graciosamente iniciou.

A chamada de Paulo não foi só pessoal, mas também específica: Ele tinha de ser apóstolo para os gentios (Rm 1.5; cf. Gl 1.15,16). Embora Pedro, João e Tiago tivessem reconhecido que Paulo fora chamado para este tipo de minis-

CRONOLOGIA DA VIDA DE PAULO

5 d.C.	Nascimento de Saulo entre 6 a.C. e 10 d.C., mas provavelmente em cerca de 5 d.C. (baseado nos termos "jovem" [At 7.58] e "velho" [Fm 9])
35	Martírio de Estêvão (At 7.57-60)
	Conversão de Saulo (At 9.1-19)
35-38	A viagem pela região árabe (Gl 1.17) encaixa-se com At 9.23, durante os "muitos dias"
38	Visita de duas semanas a Jerusalém (At 9.26-29; Gl 1.18,19)
38-43	Ministério na Síria e Cilícia (At 9.30; Gl 1.21)
43	Chegada a Antioquia da Síria (At 11.25,26)
43/44	Visita da fome (At 11.27-30; 12.25; Gl 2.1-10[?]); a morte de Herodes, que ocorreu em 44 d.C., está intercalada entre as viagens para e de Jerusalém (At 12.19-23)
46-48	Primeira Viagem Missionária (At 13.2—14.28)
48/49	Escrita de Gálatas(?) em Antioquia da Síria
49/50	Conferência de Jerusalém (At 15.1-29; Gl 2.1-10[?])
50-52	Segunda Viagem Missionária (At 15.40—18.23)
51	Escrita de 1 Tessalonicenses em Corinto
51/52	Escrita de 2 Tessalonicenses em Corinto
51/52	Comparecimento perante Gálio (At 18.12-17)
51/52	Escrita de Gálatas(?) em Corinto
52	Retorno a Jerusalém e Antioquia da Síria (At 18.22)
53	Escrita de Gálatas(?) em Antioquia da Síria
53-57	Terceira Viagem Missionária (At 18.23—21.17)
53-55	Em Éfeso (At 19.1—20.1)
55	Escrita de 1 Coríntios em Éfeso
55	Escrita de 2 Coríntios na Macedônia
57	Escrita de Romanos em Cencréia ou Corinto
57	Prisão em Jerusalém (At 21.27—22.30)
57-59	Encarceramento cesareno (At 23.23—26.32)
59	Viagem náufraga para Roma (At 27.1—28.16)
59-61/62	Primeiro encarceramento romano (At 28.16-31)
60	Escrita de Éfeso em Roma
60	Escrita de Colossenses em Roma
60	Escrita de Filemom em Roma
61	Escrita de Filipenses em Roma
62	Soltura do encarceramento romano
62-67	Quarta Viagem Missionária incluindo o ministério em Creta (Tt 1.5)
63-66	Escrita de 1 Timóteo e Tito em Filipos
67/68	Segundo encarceramento romano (2 Tm 4.6-8)
67/68	Escrita de 2 Timóteo no calabouço de Mamertime (2 Tm 4.6-8)

tério (Gl 2.9), sua mensagem aos gentios acerca da liberdade em Cristo, sem consideração das observâncias judaicas, suscitou a crítica de judeus de dentro e de fora da Igreja. Em conseqüência, no transcurso da redação de de Romanos, Paulo esmera-se em defender a natureza do seu apostolado (e.g., veja Rm 1.1-6). O apóstolo afirma seu amor por seu povo (Rm 9.1-3; 10.1), e também descobre que ele vê sua missão gentia como meio de instigar o ciúme dos judeus para que eles se cheguem a Cristo (Rm 11.13-15).

b) A Escatologia Apocalíptica de Paulo.

O ponto de vista escatológico (o termo *escatológico* tem a ver com os fins dos tempos) de Paulo foi fator decisivo na formação de sua teologia. Há pontos de semelhança entre sua escatologia e a escatologia apocalíptica, a qual ganhou merecida fama nos círculos judaicos do século II a.C. e permaneceu influente até o começo do século II d.C. Não há espaço para dar um tratamento pleno ao tópico da escatologia apocalíptica, mas alguns de seus aspectos e sua relação com as idéias paulinas serão brevemente delineados aqui.

A escatologia apocalíptica acentuava que o fim dos tempos traria a solução para os infortúnios de Israel. Ao contrário de uma visão teológica proeminente no Antigo Testamento, a qual tendia a ver a elaboração das recompensas e punições de Deus dentro do curso da história, a escatologia apocalíptica era mais inclinada a ver a concessão da justiça divina no mundo porvir. Certamente esta visão da vida após a morte tinha suas raízes no Antigo Testamento (e.g., Is 26.19; Dn 12.1,2), mas muitas das idéias que cercavam a natureza da vida após a morte foram debatidas e desenvolvidas por escritores apocalípticos. Eles escreveram sobre a esperança futura para confortar os oprimidos e exortá-los a permanecer fiéis (cf. Rm 5.3-5; 8.18-25; 13.11-14). Em particular, era sua ênfase no iminente fim deste mundo que deu aos seus escritos tal poder de consolar e encorajar.

Em quase todos os escritos apocalípticos judaicos o julgamento final figura proeminentemente como o momento quando a justiça de Deus é imposta. Nessa época, os justos seriam recompensados e os pecadores, punidos. O julgamento seria o momento de vindicação para aqueles que foram fiéis a Deus, quando o mundo inteiro veria quem eram e quem não eram os verdadeiros justos (cf. Rm 8.19). A ênfase de Paulo na justificação que ocorre no julgamento corresponde a esta visão (Rm 3.20; 5.9,10,19; cf. também Is 45.25; 50.8,9). Nesse tempo, o juiz divino dará sua decisão sobre quem é absolvido e quem é condenado. Isto significa que ainda que se possa dizer que a justificação seja algo que já ocorreu para o crente (Rm 5.1), é apenas um benefício presente, porque tem-se a garantia de que é uma realidade futura.

O dualismo é outra característica da cosmovisão apocalíptica. A realidade é descrita em uma de duas formas: Há um mundo presente e um mundo porvir, e há somente dois tipos de pessoas — os pecadores e os justos. Semelhante a isto, Paulo argumentará que o indivíduo está em Adão ou em Cristo (Rm 5.12-21), está sob o poder do pecado ou vivo em Cristo (Rm 6.1-23) e está na carne ou no Espírito (Rm 8.1-39).

Mas é em termos de dualismo temporal, a divisão entre esta era e a próxima, que a escatologia de Paulo difere da concepção apocalíptica popular. Para Paulo, a era futura já irrompeu na era presente. Até à Vinda do Senhor, viveremos na sobreposição de eras. Sua compreensão da obra de Cristo o leva a mover o começo da era futura *para o presente*. Embora a conclusão da obra salvadora de Deus venha a se dar no final desta era, a morte e ressurreição de Cristo fornecem benefícios imediatos. Por causa da sua morte, aqueles que estão em Cristo já são salvos: Eles morreram para o pecado e estão numa nova relação com Deus. Por causa da ressurreição, aqueles que estão em Cristo já experimentam algo do poder da ressurreição no meio de um mundo que agoniza (Rm 5—6). Esta visão de duas eras é comumente chamada estrutura escatológica "já, mas ainda não". Em outras palavras, a obra de Deus do fim dos tempos já começou, mas não estará completa até que a era nova chegue, quando a atual terminar.

c) A Visão que Paulo Tinha da Lei.

Uma das revoluções primárias nos estudos do Novo Testamento durante as últimas décadas é uma nova visão do Judaísmo do Segundo Templo e o papel que a lei desempenhava nele. A compreensão anterior do judaísmo como religião de obras-justiça foi grandemente abandonada. Embora esta reavaliação do judaísmo tenha começado mais no início deste século, foi o livro *Paul and Palestinian Judaism* (Paulo e o Judaísmo Palestino), de E. P. Sanders (1977), que colocou a erudição do Novo Testamento num novo curso. Sanders argumentou que podemos analisar uma religião olhando como a pessoa entra e fica nessa religião. Examinando os primeiros escritos palestinos, ele concluiu que a lei funcionava no judaísmo não como meio de obter entrada no concerto (salvação), mas como meio de manter um lugar dentro do povo do concerto. Os judeus entenderam que eles estavam numa relação de concerto com Deus, porque Deus os tinha elegido. Concordantemente, a observância da lei era vista como resposta à iniciativa graciosa de Deus. Sanders tipificava este padrão de religião como "nomismo de concerto". Esta não era uma religião legalista, se entendermos que legalismo é um sistema no qual o favor de Deus é obtido pelas obras.

O problema para o intérprete de Paulo — e particularmente para o leitor de Romanos, onde a discussão do judaísmo e da lei é essencial para o argumento da carta — é avaliar o que ele escreveu levando em conta esta nova perspectiva sobre o judaísmo. O ponto de vista que tem dominado a exegese protestante na era da pós-Reforma é que Paulo criticava a crença de que se poderia obter justiça observando a lei. Em outras palavras, Paulo estava atacando o mesmo tipo de judaísmo que Sanders demonstrou que nunca existiu.

Várias soluções foram propostas para o debate sobre Paulo e a lei:

1) Uma sugestão é que Paulo não entendeu o judaísmo. A dificuldade óbvia com esta idéia é que propõe que nós, no século XX, podemos compreender o que Paulo, um participante, não entendia.

2) Paulo torceu o judaísmo intencionalmente para diferençar o cristianismo de suas raízes judaicas. Ao representar o judaísmo como religião de obras-justiça, ele pôde mostrar que a mensagem de salvação do cristianismo através da graça pela fé é única — e superior. Mas é difícil explicar como Paulo pensava que esta tática de descrição enganosa poderia ser bem-sucedida, quando ele escrevia à congregações onde havia judeus.

3) A abordagem mais popular nas últimas décadas é ver o problema que se acha não em como Paulo via o judaísmo, mas em como nós vemos Paulo. De acordo com esta linha de pensamento, a sombra do ensino da Reforma que se avulta em nosso passado teológico fez-nos levar avante um engano do argumento de Paulo contra a lei. Os reformadores interpretavam a crítica de Paulo ao judaísmo levando em conta a batalha que empreendiam com a Igreja Católica Romana. Assim, eles interpretavam Paulo como se ele estivesse discutindo contra o mesmo tipo de sistema religioso que eles: um sistema no qual as obras estão conectadas com a salvação. Em suma, o judaísmo não ensinava como obter a justiça pelas obras; a Igreja Católica Romana sim.

Embora haja ampla variedade de interpretações que advogam que a visão que Paulo tinha da lei e do judaísmo foi mal-entendida, muitos compartilham a idéia de que Paulo atacava o judaísmo caracterizado pelo "nomismo do concerto". Descreverei com brevidade o argumento de um proeminente estudioso do Novo Testamento que defende essa noção. J. Dunn apresenta argumentos em seu comentário de Romanos (veja esp. pp. lxiii-lxxii), mostrando que o assunto em Romanos não é sobre como a pessoa entra no povo do concerto de Deus mediante a observância da lei (o que é uma má interpretação do judaísmo e da abordagem de Paulo a isso). Antes, os judeus advogavam que certas obras, ou marcadores de concerto, eram críticas para eles manterem seu lugar no concerto. Estes marcadores de identidade serviam para separar os judeus do resto do mundo como povo escolhido de Deus. Era a observância destas obras — a circuncisão, as leis dietéticas e a observância do sábado e outros dias santos judaicos — que Paulo estava atacando. O argumento de Paulo é este: Agora que Cristo veio, os judeus já não podem presumir que aqueles que observam essas obras serão declarados justos. Em outras palavras, eles não podem presumir que a membresia no povo de Deus lhes conceda vantagem no julgamento sobre todas as outras nações.

4) Mas há outra abordagem no debate sobre Paulo e a lei, a qual parece preferível: O judaísmo era mais pluralista em seu entendimento e prática da lei do que o que o conceito de "nomismo de concerto" transmite. Isto não é para disputar a existência de nomistas de concerto do século I, que viam a observância da lei como meio de expressar o amor a Deus, que, por sua graça, os fez seu povo. Mas há razão para questionar se esta visão da lei era universalmente defendida e praticada, afinal, hoje quase todos os estudiosos concordam que não havia um único tipo de judaísmo no século I. Ademais, o argumento de Paulo em Romanos não se empresta facilmente à interpretação de Dunn, que arrazoava que Paulo estava atacando um sistema no qual fazer as obras da lei estava ficando cada vez mais associado com observar certas práticas. Das práticas que Dunn identifica como as três principais — a circuncisão, as leis dietéticas e o sábado — só a primeira vem à baila para discussão quando ele argumenta a não observar a lei (cap. 2).

Antes da publicação da obra referencial de Sanders em 1977, a obra de R. Longenecker identificou duas abordagens à lei no Judaísmo do Segundo Templo, uma das quais era o "nomista reagente". Semelhante à idéia de "nomista de concerto" que Sanders apresentaria e tornaria famosa, Longenecker escreveu que a reação nomista era o judeu que guardava a lei em resposta à misericórdia de Deus. Muitas expressões do século I dos judeus devotos mostram um entendimento de que a graça precede as obras, isto é, que guardar o concerto é uma resposta amorosa à misericórdia de Deus. Há outros escritos que mostram outra motivação para fazer as obras da lei — para *obter* a justiça ou o favor de Deus (pp. 66-70). Esta é a abordagem do "legalista agente".

Uma religião baseada na lei como o judaísmo estaria propensa a tais respostas diversas, mesmo com um corpo impressionante de literatura que proclamava a lei como resposta à graça. Os protestantes deveriam entender isso. A despeito do fato de que a salvação pela graça é proclamada em seus púlpitos, há uma tendência naqueles que ouvem e aceitam a mensagem a cair no legalismo, como se o que eles fazem obtivesse ou preservasse o lugar deles no Reino. Qualquer fé pode degenerar em legalismo, particularmente aquelas na qual a lei e códigos de santidade são centrais às expressões de devoção.

O elemento comum para o "nomista regente" e o "legalista agente" é a guarda da lei, por qualquer motivação. Para ambos, a justiça está associada à lei. O argumento de Paulo em Romanos trata de ambos os grupos em que separa completamente a justiça das obras da lei, quer estas sejam entendidas como obtentoras de justiça ou como a resposta adequada à graça de Deus. Quer dizer, seu argumento é que com a vinda de Cristo, o papel da lei em termos de justiça chegou ao fim (Rm 10.4).

2. Destinatários

Paulo era somente um viajante entre muitos que tomaram a resolução: "Importa-me ver também Roma" (At 19.21). Roma, o centro do Império Romano, atraía visitantes e colonos de todo o império e além fronteiras. A composição do grupo de crentes que se encontravam na grande cidade refletia seu *status* como cidade imperial e cosmopolita. De fato, as várias distinções humanas que Paulo declarava inválidas em Cristo — "não há judeu nem grego; não há servo [escravo] nem livre; não há macho nem fêmea" (Gl 3.28) — descrevem habilmente a audiência de Paulo. Por exemplo, julgando pela alta porcentagem dos que em Roma tinham sido escravos, ou ainda o eram, e pela quantidade de nomes de escravos que aparece na lista de crentes romanos no capítulo 16, o contingente cristão dos que tinham formação escrava era bastante grande (veja os comentários sobre Rm 6.15-23).

O primeiro contingente de crentes romanos era predominantemente judaico. Como era o padrão em outros lugares, o estabelecimento de uma igreja cristã aconteceu dentro da comunidade judaica. Sabemos por Atos que a missão cristã foi centrada inicialmente na sinagoga sempre e onde quer que fosse possível (e.g., At 11.19-21; 13.5,14). Do estimado um milhão de pessoas que morava em Roma no século I d.C., algo entre quarenta e cinqüenta mil eram judeus. Das evidências das catacumbas judaicas em Roma, a população judaica foi segregada em várias comunidades, cada qual se centralizava numa sinagoga local e tinha seu próprio corpo administrativo (Schürer, vol. 3, pp. 95-96).

Este era o ambiente no qual o cristianismo floresceu em Roma. Os cristãos-judeus primitivos teriam permanecido associados às suas sinagogas locais, em decorrência das várias igrejas formadas nas casas dos crentes, que teriam crescido em volta do bairro judaico. Este legado ainda é evidente quando Paulo escreve aos Romanos. Na saudação aos crentes em Roma ele identifica vários agrupamentos de pessoas que presumivelmente representam igrejas que se reuniam em casa (Rm 16.5,10,11,14,15). O fato de que não havia um corpo de crentes em Roma pode explicar a razão de Paulo nunca se referir aos crentes romanos como igreja.

A despeito da tradição da igreja primitiva, Pedro não estabeleceu a igreja romana. Não há evidência bíblica que apóie esta teoria. Atos nos leva a crer que o ministério de Pedro permaneceu centrado em Jerusalém durante o tempo em que o cristianismo começou a penetrar a cidade imperial no período depois do Pentecostes. Além disso, se Pedro tivesse fundado a igreja, então se esperaria alguma referência de Paulo a ele.

O aparecimento do cristianismo em Roma foi precedido por relatórios de judeus que viajavam da Judéia a Roma sobre o que foi dito e feito por Jesus de Nazaré. Outrossim, havia os judeus romanos em Jerusalém, que celebraram o Pentecostes logo após a crucificação de Jesus. Alguns deles testemunharam o resultado de o Espírito Santo ter vindo sobre os cento e vinte crentes (At 1.15; 2.1-4,10,11), e eles com certeza teriam informado o que viram e ouviram quando voltaram para casa. Realmente, pode ter havido alguns judeus romanos entre os três mil que foram batizados em resposta ao sermão de Pedro naquele dia (At 2.41). Em todo caso, não demoraria a que outros judeus que creram em Cristo viajassem a Roma. É quase certo que foi assim que a comunidade cristã foi estabelecida na capital.

Isto não quer dizer que a primeira fase do cristianismo foi completamente judaica ou que permaneceu principalmente judaica por muito tempo. Ligados às sinagogas estavam os gentios atraídos ao judaísmo. Estes "tementes a Deus" estariam abertos ao evangelho porque estavam ligados com a fé judaica e proclamavam a aceitação por Deus sem todas as exigências da lei.

Nos dias em que Paulo escreveu Romanos, as igrejas que se reuniam em casa estavam assumindo um caráter cada vez mais gentio. Se estivermos corretos em colocar a data da escrita da carta em meados dos anos cinqüenta, então este é o período no qual muitos judeus, inclusive cristãos, estavam voltando a Roma e tentando reintegrar-se na sociedade romana. Em 49 d.C., o imperador Cláudio tinha decretado que os judeus fossem expulsos de Roma por causa de distúrbios no bairro judaico. Como o historiador romano Suetônio escreveu setenta anos depois do evento, "porque os judeus de Roma estavam se entregando a constantes revoltas sob a instigação de Cresto, ele os expulsou da cidade" (*Cláudio*). Visto que é amplamente crido que "Cresto" seja alusão a "Cristo", a perturbação provavelmente tinha algo a ver com a oposição entre certos judeus à mensagem do evangelho. Atos 18.2 registra que dois dos judeus expulsos foram Áqüila e Priscila. O decreto teria caducado com a morte de Cláudio em 54 d.C., se não antes, e assim os judeus predispostos a voltar teriam começado a fazê-lo. Um dos desafios que Paulo enfrentou nesta carta era tratar do problema que estes judeus cristãos teriam tido ao voltar a igrejas que tinham se tornado menos judaicas com a ausência deles.

3. Data e Lugar

É muito mais simples estabelecer o lugar da carta de Romanos dentro da vida e obra de Paulo do que ser específico sobre a data em que a carta foi escrita. Há um consenso geral de que a escrita de Romanos ocorreu em algum tempo em meados a fins dos anos cinqüenta.

Há um acordo muito difundido de que Paulo estava em Corinto quando ele ditou Romanos a Tércio (Rm 16.22). Paulo estava na região da Macedônia e Acaia na época da escrita, visto que ele tinha acabado de fazer a coleta para os santos de Jerusalém das igrejas daquela região, mas ainda não tinha começado a viagem a Jerusalém (Rm 15.25-28). Além disso, algumas das pessoas que ele menciona na lista de saudações sugerem que ele estava em Corinto quando escreveu.

1) Febe, a mensageira que levou a carta de Paulo para Roma, era diaconisa em Cencréia — o porto oriental de Corinto, a uns onze quilômetros de distância (Rm 16.1,2).
2) Gaio, o anfitrião de Paulo na época da escrita (Rm 16.23), pode ser o mesmo Gaio a quem Paulo batizou em Corinto (1 Co 1.14).
3) Erasto, que enviou saudações junto com Gaio para a igreja romana (Rm 16.23), pode ser o indivíduo associado com Corinto em Atos 19.22 e 2 Timóteo 4.20.

Para o intérprete de Romanos, um entendimento de onde esta carta se encaixa no contexto da vida e ministério de Paulo é de muito maior importância que uma solução para o problema de onde e quando Romanos foi escrito. Antes de ele escrever esta carta, o apóstolo já expressara aos coríntios seu desejo de pregar o Evangelho nas terras além deles (2 Co 10.16) — presumivelmente, Paulo quis dizer sobre as regiões mais a oeste da Acaia. Uma das razões de Paulo escrever à igreja romana é para informá-la de que seu antigo desejo está a ponto de se concretizar. Em Romanos 15.17-24, Paulo explica que ele já teria ido viajar a oeste, para Roma, mas foi atrasado por causa de sua meta em completar sua pregação à leste deles, isto é, a região de Jerusalém ao Ilírico (parte da região da ex-Iugoslávia). Quanto à possibilidade de Paulo ter ministrado no Ilírico (não mencionado em Atos), ou até às suas fronteiras, é ponto discutível.

Mas antes de o apóstolo ir a Roma, ele deve ter entregue aos santos em Jerusalém a coleta que ele reuniu das igrejas predominantemente gentias na Macedônia e Acaia (Rm 15.25,26). Sabemos pela correspondência de Paulo com os coríntios que ele dava grande importância a esta coleta (1 Co 16.1-4; 2 Co 8—9). Não é surpresa que ele esteja um pouco ansioso acerca da viagem a Jerusalém agora que está imediatamente diante dele. Ele pede as orações dos crentes romanos para a viagem, porque ele tem inimigos na Judéia e porque está apreensivo de que a coleta não seja considerada aceitável pelos santos de lá.

Por trás de sua preocupação que a dádiva das igrejas gentias seja considerada aceitável por seus destinatários está a constante tensão entre Paulo, o apóstolo para os gentios, e outros crentes judeus que discordavam das práticas missionárias de Paulo. ele já tinha enfrentado oposição dos cristãos judeus que estavam centrados em Jerusalém (At 15; Gl 2). De significância aqui é o fato de que um dos resultados do Concílio de Jerusalém — uma reunião convocada para debater a questão sobre o que os gentios são obrigados a fazer depois da conversão — foi o requisito de que eles se lembrassem dos pobres (Gl 2.10; i.e., os pobres de Jerusalém). Antes de Paulo empreender nova fase ministerial, ele está ansioso em cumprir essa exigência e levar a um encerramento adequado de seu ministério no leste, oferecendo uma expressão generosa da preocupação das igrejas gentias pelos irmãos judeus. Isto, Paulo espera, fixará as relações entre as igrejas da Diáspora e a Igreja em Jerusalém, num sólido fundamento antes que ele deixe a região.

Quando ele escreve aos Romanos, não presente que um dia ele chegará a Roma em cadeias. Mas seu receio sobre a viagem a Jerusalém são bem fundadas. Certos judeus da Ásia incitaram tanta oposição a Paulo em Jerusalém que ele foi preso e subseqüentemente enviado a Cesaréia como prisioneiro para ser julgado por Félix, o procurador da província romana da Judéia. Paulo permanece prisioneiro em Cesaréia por pelo menos dois anos (At 24.27), em cujo tempo Félix é substituído por Festo. Paulo apela a César quando comparece perante Festo e, assim, o apóstolo finalmente chega a Roma como prisioneiro a espera de julgamento (At 25.1—28.31).

4. Ocasião e Propósito

Antes de discutirmos por que Paulo escreveu Romanos, devemos enfatizar que Romanos é uma carta. Desde a obra de A. Deissmann (1912), que comparou os documentos do Novo Testamento com textos do mundo greco-romano, é comum diferençar entre epístola e carta. Uma epístola é uma composição escrita na forma de carta, mas diferentemente de uma carta em si, não trata das particulares de uma situação local. Ainda que Romanos tenha semelhança mais próxima de uma epístola que quaisquer das outras cartas de Paulo, é uma carta. Foi ocasionada pelas situações do apóstolo e da comunidade cristã em Roma. De fato, como veremos, a razão por que Romanos se assemelha tão de perto a uma epístola relaciona-se diretamente com as circunstâncias do escritor e dos destinatários.

Não há consenso entre os estudiosos sobre o propósito de Romanos. A confusão começa com Paulo: Ele cita diferentes razões para escrever no começo da carta do que ele faz no fim. Os estudiosos diferem freqüentemente sobre qual destas razões é o verdadeiro propósito da carta. Mas se for retirada a presunção de que deve haver um único propósito de Romanos, então a tarefa é simplificada. Por que deveríamos presumir que Paulo só tem uma razão em mente para compor esta carta? Afinal de contas, seus propósitos derivam de sua situação e da dos crentes romanos.

Paulo é um missionário com aspirações de futuro trabalho evangelístico na Espanha. As congregações romanas que se reuniam em casa são importantes para o apóstolo, porque ele quer que Roma sirva de base de apoio para este novo projeto (Rm 15.23-29). Mas Paulo não tem autoridade apostólica sobre a comunidade romana de crentes, visto que ele nunca ministrou lá. Um dos propósitos desta carta é apresentar seu ministério e mensagem. É por isso que, como observamos antes, grande parte de Romanos é tão sistemática. Paulo está desenvolvendo uma explicação longa e lógica de sua mensagem. Contudo, não é um tratado sistemático porque ele nunca perde de vista sua audiência romana. Sua consciência deles e suas preocupações particulares brotam em vários pontos, mesmo quando ele está no meio de um argumento extenso.

Paulo espera que esta carta venha a ser bem recebida e pavimente o caminho para sua chegada. Ele não tem garantia de uma recepção positiva, considerando que a crítica do seu ministério e mensagem circulou amplamente em conseqüência da oposição dos judeus. Assim, esta carta é mais que uma explicação de sua mensagem; é também uma defesa.

Mas Paulo tem algo mais em mente do que apenas usar a igreja romana como ponto de partida ou como sede de seus empreendimentos evangelísticos alhures. Há um propósito pastoral por trás desta correspondência. No início da carta ele os informa de sua intenção em lhes dar um dom espiritual. Como será discutido no comentário, a carta de Paulo representa o começo do seu ministério apostólico para eles. Paulo está ciente da tensão entre cristãos judeus e gentios em Roma, e é por isso que ele se sente compelido a lhes oferecer o tipo de ministério para o qual ele, apóstolo judeu para os gentios, foi chamado. Seguramente ele tem essa situação em mente enquanto apresenta os argumentos nos capítulos 1 a 11 sobre a igualdade de judeus e gentios em termos de justiça. E ele mostra que tem conhecimento da tensão entre eles quando aplica a mensagem dos capítulos 1 a 11 nos capítulos 12 a 15, onde a relação entre judeus e gentios é o ponto focal destes últimos capítulos.

5. Tema

Desde a Reforma é comum identificar a justificação pela fé como tema de Romanos e do centro da teologia paulina. Não obstante, isto é exagerar seu papel em Romanos e sua importância para o pensamento paulino. A justificação pela fé é central ao argumento de Paulo em Romanos 1.18 a 5.21 que judeus e gentios são igualmente culpados diante de Deus, com o resultado de que ambos só podem ser salvos pela fé. É com base na fé em Cristo que o indivíduo será declarado justo, ou será justificado, no julgamento.

A justificação pela fé é um conceito dominante em só duas cartas paulinas: Romanos e Gálatas. Há uma razão para isso. A justificação é um conceito do Antigo Testamento, e é aplicável nessas cartas, porque ambas lidam com assuntos de importância particular para os judeus. Pela mesma razão, Paulo faz uso extenso de citações do Antigo Testamento e alusões em ambas as cartas (veja esp. Rm 9—11, onde o tópico é a justiça de Deus para Israel). Quando Paulo se dirige a uma congregação gentia, ou pelo menos uma na qual assuntos judaicos não são significativos, ele prefere falar de crentes como aqueles que estão em Cristo em vez daqueles que foram justificados pela fé.

Se procurarmos um tema que se sobressaia na carta, então teremos o conceito da justiça de Deus. De fato, a justificação pela fé é um aspecto deste tema mais amplo. Em Romanos 1.16,17, Paulo delineia o assunto da carta: "[No evangelho] se descobre a justiça de Deus". O que Paulo faz em Romanos é descrever a natureza da justiça ou da obra salvadora de Deus (veja comentários em Rm 1.16,17). Podemos resumir o conteúdo da carta assim:

- A justiça de Deus cancela a pena do pecado (Rm 1.18—5.21).
- A justiça de Deus quebra o poder do pecado pela morte de Cristo e pela capacitação do Espírito que habita em nós (Rm 6.1—8.39).
- A justiça de Deus é atuante hoje e no futuro para com seu povo escolhido (Rm 9.1—11.36).
- A justiça de Deus, sua obra salvadora, vivenciada por judeus e gentios igualmente (Rm 12.1—15.13).

6. Forma Original de Romanos

Há uma teoria de que o capítulo 16 não fazia originalmente parte da carta aos Romanos. Entre as várias razões dadas para esta posição estão a presença de uma bênção ao término do capítulo 15 e o fato de que o capítulo 16 contém uma longa lista de pessoas saudadas por Paulo, o que sugere que este capítulo não pode ter sido escrito para Roma, um lugar onde ele nunca estivera. Argumentou-se que a lista extensa de conhecidos indica uma igreja onde ele tinha passado um tempo no ministério, como Éfeso. Assim, a teoria efésia sustenta que o capítulo 16 era uma carta separada enviada aos efésios, a qual em algum momento foi unida à carta romana.

Contra esta teoria há muitos fatores decisivos.

1) Os vários elementos contidos no capítulo 16 — saudações, doxologia e notas finais — são típicos da seção final de uma carta escrita por Paulo, e seria surpreendente se Romanos também não os contivesse em sua conclusão.
2) C. H. Dodd (p. 14) observou que quando Paulo escreve para uma igreja ele só saúda indivíduos se está escrevendo a uma assembléia que não visitou (e.g., Colossenses). Ao saudar indivíduos específicos, Paulo estabelece pontos de contato com a igreja. Em outras palavras, estes indivíduos são suas referências pessoais. O fato de Paulo conhecer tantas pessoas que tinham se mudado para Roma é resultado do *status*

daquela cidade como destino primário dentro do império ("todos os caminhos levam a Roma"), com boas estradas e paz política que facilitam viagens freqüentes de e para a capital.

7. Metodologia

Alguns pontos devem ser destacados sobre a abordagem que está sendo feita nesta seção do *Comentário Bíblico Pentecostal*.

1) Num curto comentário como este, duras decisões devem ser constantemente tomadas em termos do que será e não será incluído. Romanos é tão rico em conteúdo que estas decisões são particularmente difíceis, e, é claro, tudo em Romanos é a palavra de Deus. O leitor deve estar cônscio de que há muitos e bons comentários extensos, que dão maiores detalhes e explicações sobre todos os assuntos críticos que cercam determinados textos (veja Bibliografia). Minha abordagem é dar a certos capítulos mais atenção, por causa (a) de seu papel crítico dentro do argumento da carta como um todo, e/ou (b) de sua relevância para a entrada dos cristãos no terceiro milênio. Em particular, os capítulos 3, 6 a 8, 12 e 14 são tratados mais extensivamente que os outros.

2) O fato de Romanos ser uma carta levanta algumas considerações hermenêuticas. O recurso primário para interpretar Romanos é a própria carta. Quando Paulo escreve às congregações em Roma, ele não presume que elas tenham à disposição uma coletânea de suas cartas — este é o seu primeiro contato direto com elas. Ele supõe que o que ele escreve será entendido pelo contexto da carta. Onde eu faço referência a tópicos e frases semelhantes nas outras cartas de Paulo, será em benefício da comparação em vez da interpretação. Embora outras cartas nos ajudem em nossos esforços em completar a natureza do pensamento paulino, a prioridade sempre deve ser interpretar a carta por seus próprios dizeres. Por exemplo, não devemos pressupor que Paulo argumenta da mesma maneira em todas as suas cartas, ou que ele usa palavras e frases só de um modo de uma carta para outra. Cartas são documentos ocasionais, nos quais o tipo de comunicação que elas contêm é determinado pelas situações do escritor e destinatário.

Há outra consideração hermenêutica aqui. Prestaremos atenção à estrutura de Carta aos Romanos. Há pistas que nos ajudam a determinar as ênfases de Paulo na carta, como também seu propósito em escrever para Roma (veja comentários de abertura sobre Rm 1.1-17).

3) Este não é um comentário crítico. Não se esmera em se ocupar com extensos argumentos ou interagir em certa extensão com o mundo da erudição. Procura apresentar um comentário claro e pertinente sobre a carta de Paulo aos crentes romanos. Mas para dar ao leitor uma idéia das controvérsias e debates que estão em circulação hoje, interagirei em particular com alguns comentários modernos e influentes ao longo da exposição. Isto proporcionará ao leitor um senso das posições várias que estão sendo atualmente discutidas. Atenção especial será dada aos comentários de D. Moo e J. D. G. Dunn, e ao livro *God's Empowering Presence* (A Presença Capacitadora de Deus), de Fee, que é uma exposição de cada versículo paulino que lida com o Espírito Santo.

4) Em relação ao método de anotação, os números de páginas dos comentários não serão dados se o conteúdo a que se refere aparecer naqueles volumes sob o versículo que estamos discutindo. Quer dizer, se estou explicando Romanos 8.28 e cito Moo, o leitor acha a referência no comentário de Moo no mesmo capítulo e versículo. Os números de páginas serão usados para livros ou para a matéria introdutória nos comentários.

ESBOÇO

1. Abertura da Carta (1.1-17)
    1.1. Saudação (1.1-7).
    1.2. Oração de Agradecimento (1.8-10).
    1.3. Primeiro Diálogo de Viagem (1.11-15).
    1.4. Tema da Carta (1.16,17).

2. Corpo da Carta: A Justiça de Deus Revelada no Evangelho
    (1.18—15.13)

2.1. A Justiça de Deus Cancela a Pena do Pecado (1.18—5.21).
2.1.1. A Situação Difícil da Humanidade sob a Ira de Deus (1.18—3.20).
2.1.1.1. A Ira de Deus sobre a Humanidade (1.18-32).
2.1.1.2. A Ira de Deus sobre os Judeus (2.1—3.20).
2.1.1.2.1. O Julgamento Imparcial de Deus (2.1—11).
2.1.1.2.2. O Julgamento e a Lei (2.12-16).
2.1.1.2.3. O Predicamento Judaico (2.17-24).
2.1.1.2.4. O Julgamento e a Circuncisão (2.25-29).
2.1.1.2.5. Objeções (3.1-8).
2.1.1.2.6. Resumo: Todas as Pessoas Estão Sujeitas à Ira (3.9-20).
2.1.2. A Salvação da Humanidade pela Fé em Jesus Cristo (3.21—4.25).
2.1.2.1. A Salvação pela Morte de Cristo (3.21-26).
2.1.2.2. A Salvação pela Fé (3.27—4.25).
2.1.2.2.1. O Conceito Básico de Fé (3.27-31).
2.1.2.2.2. Ilustração: A Fé de Abraão (4.1-25).
2.1.3. A Esfera da Graça (5.1-21).
2.1.3.1. A Vida na Esfera da Graça (5.1-11).
2.1.3.1.1. Os Benefícios da Graça (5.1-5).
2.1.3.1.2. A Expressão Última da Graça (5.6-8).
2.1.3.1.3. A Meta da Graça (5.9-11).
2.1.3.2. O Triunfo da Graça sobre o Pecado e a Morte (5.12-21).
2.2. A Justiça de Deus Quebra o Poder do Pecado (6.1—8.39).
2.2.1. O Poder sobre o Pecado (6.1—7.6).
2.2.1.1. Morrer para Viver (6.1-14).
2.2.1.2. Morrer para Servir (6.15-23).
2.2.1.3. Morrer para a Lei (7.1-6).
2.2.2. A Lei e o Pecado: Uma Defesa da Lei (7.7-25).
2.2.2.1. A Morte pela Lei (7.7-12).
2.2.2.2. A Ineficácia da Lei e da Carne (7.13-25).
2.2.3. O Espírito de Vida que Dá Poder sobre o Pecado e a Morte (8.1-13).
2.2.4. O Espírito de Adoção (8.14-17).
2.2.5. A Esperança da Glória (8.18-39).
2.2.5.1. A Esperança da Glória: Presente no Sofrimento (8.18-27).
2.2.5.2. A Esperança da Glória: Garantida pela Justiça de Deus (8.28-39).
2.3. A Justiça de Deus para com Israel (9.1—11.36).
2.3.1. O Problema (9.1-5).
2.3.2. O Propósito de Deus (9.6-29).
2.3.3. O Fracasso de Israel (9.30—10.21).
2.3.4. Salvando o Remanescente; Endurecendo os Outros (11.1-10).
2.3.5. O Presente e o Futuro de Deus para Israel (11.11-32).
2.3.5.1. O Propósito do Endurecimento (11.11-16).
2.3.5.2. Como Ver os Judeus (11.17-24).
2.3.5.3. A Salvação de Israel (11.25-32).
2.3.6. Em Louvor de Deus (11.33-36).
2.4. A Justiça de Deus Vivenciada por Judeus e Gentios e entre Eles (12.1—15.13).
2.4.1. Vivendo em Resposta à Justiça de Deus (12.1,2).
2.4.2. As Relações na Igreja (12.3-13a).
2.4.2.1. O Pensamento Correto sobre Relações (12.3-5).
2.4.2.2. Os Dons Individuais (12.6-8).
2.4.2.3. Exortações Gerais sobre Relações com Outros na Igreja (12.9-13a).
2.4.3. A Relação com o Mundo (12.13b—13.14).
2.4.3.1. A Relação com o Mundo em Geral (12.13b-21).
2.4.3.2. A Relação com o Governo (13.1-7).
2.4.3.3. A Relação com o Próximo (13.8-10).
2.4.3.4. Vivenciando as Relações com a Urgência Escatológica (13.11-14).
2.4.4. As Relações entre Judeus e Gentios (14.1—15.13).
2.4.4.1. Aceitem-se uns aos Outros; Não se Julguem (14.1-12).
2.4.4.2. Ajam com Amor uns pelos Outros; Não Escandalizem (14.13-23).
2.4.4.3. Cristo, o Modelo para os Fracos e para os Fortes (15.1-6).
2.4.4.4. Resumo (15.7-13).

3. Fechamento da Carta (15.14—16.27)
3.1. Segundo Diálogo de Viagem (15.14-33).
3.1.1. A Missão de Paulo (15.14-22).

3.1.2. Antes da Espanha: A Coleta para os Santos (15.23-33).
3.2. Elogio a Febe (16.1,2).
3.3. Saudações aos Conhecidos de Paulo (16.3-16).
3.4. Advertência Final (16.17-20).
3.5. Saudações dos Associados de Paulo (16.21-23).
3.6. Doxologia Final (16.25-27).

COMENTÁRIO

1.Abertura da Carta (1.1-17).

Como era habitual no século I, a abertura da Carta aos Romanos começa com uma saudação e um agradecimento. Paulo não apenas adota estas convenções epistolares, mas as adapta de acordo com seus propósitos apostólicos.

1.1. Saudação (1.1-7)

Os elementos e a ordem na saudação de Romanos conformam-se com as convenções comuns das cartas helenísticas — a identificação do remetente, a especificação do destinatário e uma saudação. Paulo adapta estes elementos formais envolvendo-os com temas teológicos e assuntos de interesse pessoal, que servem para indicar o que vem a seguir na carta.

A saudação, que não é muito mais longa que a saudação típica dos dias atuais, é a mais extensa segundo os padrões paulinos. É significativo que as outras duas cartas paulinas onde as saudações são mais longas que a norma paulina (1 Coríntios e Gálatas) sejam cartas nas quais Paulo expressa pungente preocupação sobre as congregações a que escreve. A longa saudação em Romanos nos avisa a não ver esta carta, como às vezes ocorre, como um tratamento sistemático e imparcial de assuntos teológicos.

Esta abertura da carta mostra uma preocupação premente na mente do escritor, não tanto com a situação romana, mas com a própria situação de Paulo em face das igrejas romanas, levando-se em conta sua visita iminente. O apóstolo tinha oponentes, e a saudação revela que ele conjecturava que a crítica que eles faziam dele tinha se espalhado por Roma. A seção de abertura é muito longa, porque Paulo imediatamente insere na estrutura uma defesa do evangelho que ele prega e do seu apostolado. Sua preocupação sobre a visita se torna explícita nos diálogos de viagem que ele põe intercala no corpo da carta (Rm 1.11-15 e 15.14-33).

Num afastamento da forma epistolar estabelecida, Paulo se identifica no versículo 1 de duas maneiras: "servo de Jesus Cristo" e "chamado [...] apóstolo". Mais típico é sua singular autodefinição como "apóstolo" (veja 1 Co 1.1; 2 Co 1.1; Ef 1.1; Cl 1.1; 2 Tm 1.1; em Fp 1.1, ele se chama "servo", e em Fm 1, "prisioneiro"). O único outro lugar onde a dupla designação de servo e apóstolo aparece é em Tito 1.1, mas ali, "apóstolo" está sem a palavra "chamado". (Paulo também se dirige aos crentes romanos com uma dupla definição no v. 7.)

A dupla referência enfática ao *status* de Paulo como apóstolo e servo é apropriada para uma introdução, ou — levando em conta a crítica que é apontada contra o evangelho que Paulo prega — uma apologia, a uma igreja que ele está a ponto de visitar pela primeira vez. Estes termos merecem comentário breve, pois nos contam a maneira na qual Paulo desejava ser entendido.

1) O ponto mais importante é que Paulo é "servo" ou "escravo" (*doulos*) de Jesus. Usando para si a familiar terminologia "servo" a partir de referências bíblicas a Moisés, Davi e muitos dos profetas, Paulo mostra sua identificação com a obra de Deus iniciada entre os judeus. Na sua explanação de que ele é servo de Cristo Jesus, ele mostra sua devoção absoluta ao Messias.

2) Ele é "chamado para apóstolo". Por trás desta frase acha-se a dramática chamada de Paulo na estrada de Damasco (At 9), quando o Senhor ressurreto lhe apareceu e o comissionou. Esta experiência permitiria Paulo se incluir entre o grupo apostólico, pois ser testemunha ocular de Jesus era condição prévia para a membresia (cf. 1 Co 9.1; 15.7,8).

Depois de se apresentar no versículo 1 e antes de identificar o destinatário — o que era típico, numa carta do século I, vir imediatamente em seguida — Paulo passa a tratar de qualquer concepção errônea que poderia estar circulando em Roma a respeito dele e de sua pregação. De acordo com muitos comentaristas dos dias hodiernos, as frases curtas e equilibradas nos versículos 3 e 4 são retiradas de uma primitiva confissão cristã. O fato de Paulo incluir uma declaração confessional serve primeiramente para notificar sua audiência de que seu evangelho — apesar do que eles poderiam ter ouvido — estava em linha com a tradição do evangelho que lhe fora entregue.

O evangelho para o qual Paulo foi separado (v. 1) declara o cumprimento do que foi prometido no Antigo Testamento pelos profetas (v. 2) concernente a Jesus, o Messias, o que é descrito em duas frases complementares. Quanto à sua natureza humana, Ele era da linhagem de Davi (v. 3; cf. Is 11.1). Quanto à sua existência espiritual no céu, Ele vive "em poder" (em vez da fraqueza associada com a forma humana; cf. 1 Co 15.35-55).

A tradução da NVI sugere que o "Espírito de santificação" (o Espírito Santo) desempenhou um papel na exaltação de Cristo. Talvez é melhor entender esta frase (lit., "segundo o Espírito de santidade") — como fizemos acima — como funcionando em paralelo com a frase no versículo 3 (lit., "segundo a carne ") para contrastar os dois âmbitos de existência. O estado terreno é vivido de acordo com as limitações humanas, ao passo que o estado pós-ressurreição é uma existência espiritual caracterizada por poder. É, "por excelência, uma vida do Espírito" (Fee, 1994, p. 481). Este último tema será explorado mais tarde quando Paulo descrever as atuais implicações para aqueles que vivem na esfera do Espírito (Rm 5; 8).

A ressurreição efetuou a passagem de Cristo de um estado para o outro. Não que esta seqüência de eventos ocasionou sua Filiação, como o começo do versículo 3 deixa claro, mas que seu pleno estado de Filho — ou, como "nosso Senhor" — é agora inaugurado, porque Ele reina dos céus juntamente com o Pai.

É deste Senhor que Paulo recebeu (o "nós" [oculto] é provavelmente referência estilística a ele) "a graça e o apostolado" (v. 5). Os dois termos estão estreitamente relacionados. "Graça", tema predominante em Romanos, denota aqui o ato de Deus por meio do qual um perseguidor da Igreja foi comissionado pelo Senhor ressurreto para ser seu apóstolo. A particular missão apostólica de Paulo era chamar os gentios à mesma submissão a Cristo que ele próprio experimentara no encontro com Cristo na estrada de Damasco. Assim, ele se dirige aos romanos na qualidade daqueles que, dentre as nações, foram chamados à fé em Jesus Cristo (v. 6).

Quando ele chega ao segundo elemento formal da saudação, no versículo 7, a identificação dos destinatários, ele usa duas frases descritivas (que equilibram as duas designações que ele usou para si mesmo): "amados de Deus" e "chamados santos". A segunda frase é paralela à autodefinição de Paulo como "chamado para [ser] apóstolo". Assim como ele foi chamado para ser apóstolo, da mesma forma eles foram chamados para serem santos, ou seja, aqueles que por causa da convocação de Deus foram separados para servi-lo.

"Graça [*charis*] e paz" é a saudação padrão de Paulo, em combinação com uma variação da palavra grega *chairein* ("saudação") com a palavra grega traduzida pela típica saudação hebraica, *shalom* ("paz").

1.2. Oração de Agradecimento (1.8-10)

Nas cartas do século I a saudação era costumeiramente seguida por um agradecimento e um desejo de oração, tipicamente pela saúde do destinatário. Também era costume Paulo incluir neste ponto uma expressão de agradecimento a Deus pelos destinatários da carta (exceto em Gálatas). Incluía não só assuntos pelos quais o apóstolo vinha orando pela congregação à qual ele escreve, mas também tópicos que ele quer agora tratar. Quer dizer, a oração de agradecimento servia para o leitor como notificação sobre o que estava à frente. O fato de Paulo em Romanos passar sem demora de sua palavra de agradecimento para seus planos de viagem não é uma quebra da forma. Indica o significado do diálogo de viagem de Paulo para o propósito da carta.

O elogio que Paulo faz aos crentes romanos pela difundida reputação de fé que eles mantêm, é expressa como ação de graças a Deus por Jesus Cristo. "Assim como é por meio de Cristo que a graça de Deus é transmitida aos homens (v. 5), assim é por meio de Cristo que a gratidão dos homens é transmitida a Deus" (Bruce, 1985).[1] Não é de surpreender que Paulo destacasse a fé dos cristãos romanos no versículo 8, por causa de sua preocupação missionária em levar os gentios a um ponto de fé (Rm 1.5). O que surpreende é a mudança abrupta de tom que é introduzida pelo juramento do versículo 9. O apóstolo chama Deus como testemunha para sua afirmação de que ele constantemente orava por eles. Por trás de tal fórmula solene jaz a apreensão do apóstolo, de que sua declaração de preocupação por eles não venha a ser crida, visto que ele nunca os tinha visitado.

Paulo imediatamente diz qual era seu pedido de oração: "Que, nalgum tempo, pela vontade de Deus, se me ofereça boa ocasião de ir ter convosco" (v. 10). Paulo era sensível à crítica, que já fora levantada contra ele (2 Co 1.17), que o que ele diz nem sempre ele faz. A conclusão que Paulo quer que seja tirada do pedido de oração é que o próprio Deus tinha atrasado sua viagem à capital do Império Romano. Sua diligência sobre o assunto surge à tona novamente no versículo 13, onde ele usa uma fórmula de revelação — "Não quero, porém, irmãos, que ignoreis" —, para acentuar que seus repetidos planos de ir tinham sido obstaculizados.

Também digno de nota aqui é a qualificação de Paulo no versículo 9, de que serve a Deus "em meu espírito". O que ele quer dizer com esta frase é provavelmente explicada pelo contraste que ele faz em Romanos 12.1, onde Paulo usa a imagem retirada do sistema sacrifical do Antigo Testamento para mostrar as diferenças entre a dinâmica espiritual atuante no novo concerto e na lei. Identificamos contraste semelhante no plano de fundo do versículo 9, onde "em meu espírito" significa que as exigências de Deus agora estão em grande medida internalizadas do que era o caso nas exigências escritas da lei.

1.3. Primeiro Diálogo de Viagem (1.11-15)

O diálogo de viagem era uma característica comum na carta paulina. Servia para informar aos leitores acerca de seus planos de viagem ou de seus companheiros. É particularmente proeminente em Romanos, aparecendo na abertura e no fechamento da carta (Rm 15.14-33); a razão de ele escrever a carta está estreitamente vinculada à sua visita iminente.

O expresso propósito de Paulo em desejar vê-los é para que ele possa lhes dar "algum dom espiritual" (*ti charisma pneumatikon*, v. 11). "Dom" (*charisma*), que é derivado de *charis* ("graça"), é melhor definido como expressão concreta da graça de Deus. Esta graça se refere a algo tão vasto quanto a obra de Deus em Cristo (e.g., Ef 2.8) ou à provisão da vida eterna (Rm 6.23). Também pode expressar, como aqui, uma forma de graça que é individualizada para quem a recebe. É freqüente chamarmos estas aptidões espiritualmente capacitadas de "dons espirituais" (elas estão alistadas em Rm 12, 1 Co 12 e Ef 4; cf. Fee, 1993, pp. 339-347).

O pronome indefinido "algum" (*ti*) implica que Paulo não tem em mente um "dom espiritual" específico. A combinação de graça e apostolado no versículo 5 — uma associação que ainda estaria soando nos ouvidos dos seus leitores — lhes sugeriria que o dom espiritual que ele quer dar relaciona-se com seu apostolado. Presumivelmente, ele quer dizer o tipo de ministério que sua chamada e autoridade como apóstolo para os gentios o capacita a levar a eles. Nesta carta, ele já está partilhando com eles o dom espiritual (cf. Fee, 1994, pp. 486-489).

Paulo antecipa que o partilhamento do dom espiritual com eles produzirá um "fruto" (*karpos*). Em outras palavras, ele espera que seu trabalho com os romanos venha a ter os mesmos resultados que ele teve entre outros gentios. Pois como ele deixa claro, seu mandato é alcançar todos os gentios, quer "gregos" quer "bárbaros" (não-gregos), "sábios" ou "ignorantes". O contraste do apóstolo aqui não é apenas entre raças ou geografias, mas também entre classes. A palavra "bárbaro" viera a designar, de maneira derrogatória, todas as pessoas do império que não eram "gregas" em termos de educação e cultura. Paulo está declarando que o evangelho é para todos.

Para que não soe presunçoso que só eles precisem do seu ministério, ele imediatamente qualifica com estas palavras sua intenção declarada de lhes dar um dom: "Isto é, para que juntamente convosco eu seja consolado pela fé mútua, tanto vossa como minha" (v. 12). É mais que uma maneira cortês de falar. Como seu ensino em Romanos 12.3-8 ilustra, Paulo vê cada membro do corpo de Cristo atuando numa relação mutuamente dependente. Colocando em palavras mais simples, Paulo está pondo em prática sua crença de que os crentes precisam uns dos outros.

Para resumir, esta carta era mais que uma carta de apresentação para obter a aprovação de uma congregação cuja ajuda ele precisava para cumprir sua missão na Espanha. Também era o começo do tipo de ênfase ministerial, ou dom espiritual, que ele tencionava levar a Roma — sua mensagem da unidade de judeus e gentios em Cristo.

1.4. Tema da Carta (1.16,17)

Paulo conclui sua extensa abertura da carta, na qual ele se esmerou em se apresentar a si mesmo e ao evangelho que ele prega, com uma declaração temática sobre a natureza do seu evangelho. Por causa da oposição que sua mensagem instigava, tanto dentro de círculos cristãos (cf. Rm 3.8) quanto fora, ele prefacia sua declaração com forte afirmação: "[Eu] não me envergonho do evangelho de Cristo". Usando esta frase, Paulo identifica sua pregação com o mesmo evangelho do qual Jesus ordenou que seus seguidores não tivessem vergonha (Mc 8.38; Lc 9.26).

Paulo não se envergonha do evangelho porque nada mais é que o veículo do "poder [*dynamis*] de Deus", capacitando todos os que crêem a serem salvos da ira, tanto agora (cf. v. 18) como no tempo do fim. O evangelho, a proclamação da obra de Deus em Cristo, efetua a salvação que descreve. Como afirma Wright: "O evangelho [...] não é apenas sobre o poder de Deus que salva pessoas. *É o poder de Deus em ação para salvar pessoas*" (1997, p. 61). Quando o evangelho é pregado, vidas são tocadas e transformadas pelo poder de Deus.

A ordem de salvação dada ao término do versículo 16: "Primeiro do judeu e também do grego", reflete a primazia dos judeus como povo escolhido de Deus. A ordem aparece neste contexto não tanto como uma declaração de prioridade, mas como uma proclamação da abrangência do evangelho. Dito de outra maneira, Paulo está dizendo que este é o meio exclusivo de salvação para judeus e gentios. O que ele quer dizer com isso ficará evidente na carta: A lei já não é um fator na equação da justiça.

O versículo 17 discorre sobre o que torna o evangelho o poder de Deus. Revela "a justiça de Deus", em outras palavras, sua atividade salvadora. O conceito da justiça de Deus nas cartas de Paulo tem sido entendido de muitas formas pelos comentaristas do Novo Testamento (veja Wright, 1997, pp. 100-110). A visão comum encontrada nos escritos da Reforma era que a justiça de Deus se refere a uma justiça que recebemos de Deus. Em outras palavras, é sua justiça a nós imputada. Em contraste, a visão assumida por muitos estudiosos de hoje é que a compreensão de Paulo reflete o conceito do Antigo Testamento da justiça de Deus, o que põe ênfase em Deus agir fielmente no concerto. Em outras palavras, a revelação da justiça de Deus no versículo 17 significa a revelação de sua atividade salvadora.

Há outro aspecto da justiça de Deus. Embora a tônica da frase esteja na atividade

A perseguição neroniana movida em 64 d.C. foi uma tentativa transparente feita pelo imperador para culpar os cristãos pelo grande incêndio que destruiu grande parte da cidade de Roma. A populaça culpava Nero e lamentava por aqueles que eram injustamente torturados na arena (cf. Tácito, *Anais*).

Roma
nos Dias de Paulo

Em termos de importância política, posição geográfica e magnificência cabal, a cidade superlativa do império era Roma, a capital. Situada numa série de contrafortes protuberantes e eminências baixas (os "sete montes") a leste de uma curva do rio Tibre, a uns vinte e oito quilômetros do Mediterrâneo, Roma era célebre por seus impressionantes edifícios públicos, aquedutos, banhos, teatros e vias públicas, muitas das quais ligavam províncias distantes. A cidade dos cristãos do século I tinha se expandido muito além dos seus muros sérvios do século IV a.C. e permanece sem muros, confiante de sua grandeza.

As características mais proeminentes eram o monte Capitolino, com templos para Júpiter e Juno, e o vizinho Palatino, adornado com palácios imperiais, incluindo a "Casa Dourada" de Nero. Ambos os montes davam vista ao Fórum Romano, o ponto central do império.

Alternativamente descrito como a gloriosa aquisição culminante do gênero humano e como o esgoto do universo, onde a escória de todo canto do império se reunia, Roma tinha razões para ter orgulho cívico por causa de sua arquitetura e vergonha por atordoantes problemas sociais urbanos, não diferentes dos das cidades dos dias modernos.

O apóstolo Paulo entrou na cidade pelo sul, pela Via Ápia. Primeiramente ele morou sob prisão domiciliar e, mais tarde, após um período de liberdade, como prisioneiro condenado no calabouço Mamertime, próximo do Fórum. Extraordinariamente, Paulo pôde proclamar o Evangelho entre todas as classes de pessoas, do palácio à prisão. De acordo com a tradição, ele foi executado em um ponto da Via Óstia, fora de Roma, em 63 d.C.

salvadora de Deus, o plano de fundo do Antigo Testamento nos adverte a não estabelecermos uma separação muito rígida entre o que Deus faz e o resultado de sua ação. No Antigo Testamento, a fidelidade de Deus ao concerto é expressa por sua ação em manter a relação que Ele iniciou com o seu povo. A justiça de Deus resulta em relação. A justiça de Deus que está sendo revelada é sua atividade em colocar homens e mulheres numa relação com Ele e em sustentar essa relação por sua graça (veja Dunn; Moo).

Como devemos entender a revelação da justiça de Deus? O que está sendo revelado? Está de acordo com o plano salvador de Deus em Jesus Cristo? Com certeza observamos o plano de fundo para esta visão nos escritos apocalípticos judaicos, que mostram Deus revelando aspectos do seu plano para o homem e a terra, fato que não poderia ser conhecido de outro modo. Alguém poderia fazer bom argumento afirmando que o que está sendo revelado é o modo de salvação em Cristo, que desvia completamente a lei e é recebido somente pela fé.

Ou, em concordância com o conceito da revelação da ira de Deus que aparece no versículo 18 — a qual se refere à concessão da ira, — será que a revelação da sua justiça no versículo 17 é uma manifestação de sua obra de salvação? Em outras palavras, o Deus em ação está sendo revelado? Como argumentamos acima, quando consideramos o evangelho como o poder de Deus, os dois sentidos estão provavelmente envolvidos aqui. No evangelho, a justiça de Deus está sendo explicada, ou seja, seus meios de salvação são revelados. Mas o que está sendo explicado é o que Deus está fazendo, e que sua justiça possa ser experimentada pela fé.

A centralidade da fé como meio pelo qual a pessoa responde à obra salvadora de Deus é enfatizada nos versículos 16 e 17. A salvação é para "todo aquele que crê" (v. 16). Com efeito, porque é efetivada pela fé, e não por outros critérios que poderiam excluir alguns — como a lei ou a raça —, a justiça de Deus é acessível a todos. A importância da fé está resumida na frase "de fé em fé" (v. 17). Habacuque 2.4 (que também aparece em Gl 3.11 e Hb 10.38) é apresentado para fundamentar seu papel crítico. Ele afirma que o justo é aquele que vive dentro do contexto da fé. Habacuque 2.4 é traduzido diferentemente no texto hebraico em relação à Septuaginta (ou LXX, a tradução grega do Antigo Testamento). No primeiro texto, é a fidelidade do ser humano que está em vista, ao passo que no último é a fidelidade ou justiça de Deus. A referência na frase precedente à nossa resposta de fé sugere que é o texto hebraico que está na mente de Paulo.

2. Corpo da Carta: A Justiça de Deus Revelada no Evangelho (1.18—15.13).

A declaração temática nos versículos 16 e 17 sobre como o evangelho revela a justiça de Deus, agora é elaborada em detalhes no corpo da carta:

- A justiça de Deus, ou sua obra de salvação, cancela a pena do pecado (Rm 1.18—5.21).
- A obra de salvação de Deus quebra o poder do pecado pela morte de Cristo e pela capacitação do Espírito que habita em nós (Rm 6.1—8.39).
- A obra de salvação de Deus atua hoje e no futuro para com seu povo escolhido (Rm 9.1—11.36).
- A obra de salvação de Deus, sua justiça, é vivenciada por judeus e gentios igualmente (Rm 12.1—15.13).

2.1. A Justiça de Deus Cancela a Pena do Pecado (1.18—5.21)

2.1.1. A Situação Difícil da Humanidade sob a Ira de Deus (1.18—3.20). Visto que o argumento principal da carta começa no versículo 18, o leitor é abruptamente trazido à terra desde as sublimes alturas da declaração de Romanos 1.16,17 acerca do poder salvador do evangelho, pois outro processo está atuando simultaneamente com a revelação da justiça de Deus: a revelação da sua ira sobre aqueles que retêm a verdade em injustiça. Ambos os processos são realidades contínuas que antecipam o julgamento final, quando ambos chegarão a um ponto de completude — a salvação final ou a condenação final. É informativo que Paulo exponha o indiciamento divino da humanidade pecadora (Rm 1.18—3.20) antes de ele discutir o plano divino de salvação (Rm 3.21—5.21). A pessoa não pode compreender a salvação sem primeiro confrontar o julgamento.

O tema da ira de Deus é desenvolvido nos próximos capítulos, onde o apóstolo volta a atenção primeiro para os gentios e depois para os judeus. O que o ocupa à medida que o argumento progride é a preocupação de que os judeus possam interpretar erroneamente seu *status* como povo escolhido de Deus, com o significado de que eles receberam isenção especial da ira de Deus, o que os gentios não gozam.

2.1.1.1. A Ira de Deus sobre a Humanidade (1.18-32).

Paulo começa seu argumento explicando que o indiciamento divino do gênero humano é resultado de a humanidade rejeitar a revelação recebida de Deus. O destino de cada indivíduo gira na aceitação ou na rejeição da revelação divina. Agora a natureza da revelação de Deus e as conseqüências de rejeitá-la serão descritas.

Porque Deus se revelou a si mesmo (pois, caso contrário, Ele é incognoscível) por meio de sua criação; homens e mulheres são moralmente responsáveis pelo que pode ser conhecido acerca dEle (Rm 1.19,20). É o que os teólogos chamam "revelação natural", ou seja, a revelação de Deus pelo mundo físico. O que é revelado é o "poder eterno" e a "natureza divina" do Criador. Esta "verdade", ou seja, a realidade de que há um Criador a quem a criação deve responder, é suprimida por sua criação à medida que homens e mulheres vivem de modo a rejeitar a supremacia de Deus.

Em resumo, eles são "inescusáveis" (v. 20) e merecem a ira que está sobre eles. A humanidade não é acusada por não ter encontrado Deus, mas por não ter respondido à iniciativa de Deus. Como Käsemann escreve (p. 42): "A rebelião é vista como a assinatura da realidade humana antes e à parte de Cristo".

O que o leitor moderno não entenderia em Romanos 1.18-32 é o eco dos argumentos sendo usados durante os dias de Paulo por apologistas judeus, que tentavam convencer os gentios da verdade do judaísmo. Nos versículos 18 a 20 Paulo utiliza este material à medida que ele interage com uma forma popular de filosofia grega — o estoicismo. A expressão "se entendem e claramente se vêem" (v. 20) parece ser referência direta à crença estóica de que a existência do Deus invisível poderia ser entendida pela mente racional (cf. Dunn). Paulo adota esta idéia para afirmar que os gentios não vivenciaram o que sabiam.

Para muitos leitores da atualidade, o darwinismo lança uma sombra de dúvida num ponto apologético como este. Todavia, a assinatura do Criador no mundo físico tem sido testemunha da sua existência durante séculos, e até hoje o testemunho do que foi feito ainda exige uma resposta.

A rejeição da humanidade da revelação de Deus e suas conseqüências desastrosas são narradas com alguns detalhes (vv. 21-32). A espiral descendente do pecado humano começa com a humanidade rejeitando o conhecimento que já possui de Deus. Prossegue à medida que as pessoas desempenham a rejeição trocando o divino pelo profano. Este padrão de rejeição voluntariosa seguida por ação rebelde é repetido à medida que homens e mulheres se afundam cada vez mais na depravação.

O que é particularmente notável sobre este processo é o grau no qual Deus está ativo, e não passivo. A tripla repetição "Deus os entregou" (vv. 24, 26 "Deus os abandonou", v. 28) reforça o ponto desejado no versículo 18 de que a ira de Deus está sendo dispensada, e também específica como é dispensada. Essa ira é dada em doses à medida que Ele libera a humanidade para os efeitos do pecado.

No plano de fundo dos versículos 21 e 22 está o pecado primitivo de Adão, que conheceu Deus, mas não agiu de acordo. O resultado de seus esforços em se elevar a um novo nível de sabedoria independente de Deus sentenciou-o a um estado inferior. Paulo resume a história da raça de Adão nestes versículos como a perpetração repetida indefinidamente deste pecado primitivo. A cada vez o resultado é o mesmo: "Dizendo-se sábios, tornaram-se loucos" (v. 22).

A pena por não responder com honra e louvor a revelação de Deus é sofrer uma paralisia das faculdades dadas por Deus. Com a rejeição da verdade, pensar se torna fútil; com a rejeição da luz da revelação, o coração, ou a essência do ser humano, se escurece (v. 21). Sem Deus, a raça humana é sentenciada a procurar no escuro; sem Deus, a vida é "vaidade, e aflição de espírito" (Ec 2.26).

A prática da idolatria (proibida no Segundo Mandamento) figura proeminentemente nesta passagem. Havia uma polêmica estabelecida no judaísmo (originada no Antigo Testamento e continuada ao longo do Segundo Período do Templo, e.g., Sabedoria de Salomão 11—14) contra a prática pagã da idolatria. Paulo a utiliza aqui e no restante do capítulo, porque a idolatria serve para ilustrar a que nível profundo homens e mulheres caem quando rejeitam a revelação do verdadeiro Deus. Eles mudam "a glória do Deus incorruptível" (v. 23), a qual é vista na criação (v. 20), por imagens (ou semelhanças) das coisas criadas, quer de um ser humano quer de um animal.

Não há melhor ilustração contemporânea de como a prática da idolatria continua nos dias de hoje do que a oferecida pela filosofia do movimento da Nova Era. Em total desconsideração pelo Deus verdadeiro, advoga um potencial divino no próprio ser humano, dizendo que é permitido que cada indivíduo se torne o próprio criador de sua realidade.

A combinação de "glória" e "imagem" no versículo 23 lembra 1 Coríntios 11.7, onde o homem é descrito como "a imagem e glória de Deus". O casal original arruinou a imagem de Deus na qual foram criados (Gn 1.27,28) ao tentarem ser deuses comendo o fruto da árvore proibida. Esta resposta rebelde à revelação de Deus fez com que a imagem fosse manchada. Se a pessoa adota uma falsa imagem de Deus, então a falsificação da imagem de Deus nessa pessoa é inevitavelmente o resultado. Os versículos a seguir ilustram esta verdade.

O julgamento de Deus sobre a humanidade quando substituiu a imagem de Deus pelas imagens criadas é implementada à medida que Deus os libera ("Deus os entregou") para os efeitos da rejeição — "para desonrarem o seu corpo entre si", ou seja, "à imundícia [sexual]" (vv. 24,25). Que "Deus os entregou às concupiscências do seu coração" não significa que Ele cria o desejo pecador. Antes, Ele reage a isso. Por exemplo, faraó endurecia o coração repetidamente diante da ordem de Deus (Êx 8.15,19,32) antes de Deus o liberar para que assim agisse ("o SENHOR endureceu o coração de Faraó", Êx 9.12; 10.20,27; cf. Êx 10.1) e viesse a colher as conseqüências de sua resolução pecadora.

Paulo repete a razão para a situação difícil e desesperadora da humanidade. "A verdade de Deus" — o que Deus deixou claro para eles (cf. Rm 1.20) — foi trocada pela "mentira". A conseqüência de aceitar a mentira que diz que há verdade fora da revelação de Deus (uma repetição do pecado de Adão e Eva) é esta: A criação é servida em vez do Criador. Digno de nota é a observação de Dunn de que este versículo revela a predisposição humana em servir algo ou alguém.

O relato da criação ensina que homens e mulheres foram criados para viver em relação com o Criador e uns com os outros. O fato de a humanidade rejeitar uma relação com o Criador resulta na perversão de todas as outras relações. O que Deus declarou bom, isto é, que homem e mulher vivessem juntos numa relação como uma só carne (Gn 2.18-25), é trocado por relações nas quais os homens se engajam em relações sexuais com outros homens, e mulheres com outras mulheres (vv. 26,27). Estes atos são "contrário[s] à natureza", ou seja, eles infringem a ordem criada. A frase no versículo 27, "cometendo torpeza", mostra que o que é condenado é o ato homossexual ou lésbico, não a tentação em si. O contexto também deixa claro que a razão de a homossexualidade ser abordada aqui não é porque seja mais perversa que os outros tipos de pecado sexual. Antes, Paulo a usa para mostrar como o pecado perverte a ordem criada de macho e fêmea.

O versículo 28 segue o mesmo padrão que já vimos acima: O ato de a humanidade rejeitar o conhecimento de Deus que lhes está disponível conduz à punição divina. Há um jogo de palavras no original grego que reforça o argumento de Paulo de que a punição se ajusta ao pecado. Porque "eles se não importaram" (*dokimazo*) em reter o verdadeiro conhecimento de Deus, "Deus os entregou a um sentimento perverso [*adokimos*]".

A lista de vícios que se segue denota os tristes efeitos da perda da capacidade de a humanidade ver a verdade. A linha introdutória da lista de maus comportamentos: "Estando cheios de toda iniquidade" (v. 29), indica que o apóstolo quer que a lista seja considerada como um todo. O ponto dos versículos 29 a 31 não deve ser achado examinando cada ação mencionada. A ênfase está em como o vasto alcance da depravação humana pode ser remontado à rejeição voluntariosa de Deus. Listas de vícios como esta eram comuns em escritos do período, tanto em escritos judaicos quanto helenistas.

Três pontos completarão satisfatoriamente nossa discussão do capítulo 1:
1) Causa surpresa ao leitor moderno que estes vícios sejam tão comuns hoje quanto eram nos dias do apóstolo.
2) Paulo se esmerou em remontar o pecado à decisão feita acerca de Deus. O que a pessoa pensa sobre Deus e como ela responde a esse conhecimento determinam o ciclo de comportamento. Isto é tão verdadeiro para nós hoje quanto era para os romanos e para Adão e Eva.
3) O versículo final resume habilmente o ciclo descendente de pecado descrito nos versículos 18 a 32. Ainda que homens e mulheres tenham conhecimento do indiciamento de Deus acerca do pecado deles, eles continuam no pecado. Mas o versículo 32 também chega a outro ponto desejado: A condição humana afundou para outro nível, quando as pessoas não só fazem o que é errado, mas até aprovam semelhante comportamento. Infelizmente, tal condição é uma epidemia moderna.

2.1.1.2. A Ira de Deus sobre os Judeus (2.1—3.20).

Embora Paulo continue o discurso sobre a revelação da ira de Deus em Romanos 2.1 a 3.20, a divisão do capítulo em Romanos 2.1 marca mudança abrupta de estilo. Ele passa da terceira pessoa para a segunda quando se dirige a um parceiro ou interlocutor de diálogo imaginário. O homem com quem Paulo entabula conversação é judeu, cuja identidade é explícita no versículo 17. Esta maneira de argumentar em forma de diálogo, conhecida como diatribe, era praticada regularmente nas escolas filosóficas. (O estudo mais definitivo até hoje feito sobre o uso que Paulo faz de diatribes nesta carta é o de S. K. Stowers [1981]).

A mudança de estilo em Romanos 2.1 marca uma fase diferente no argumento. No capítulo 1, Paulo descreveu o engano prevalecente entre os gentios sobre a natureza de Deus e o consequente comportamento pecador. Em Romanos 2.1 a 3.20, ele volta a tratar do engano prevalecente entre os judeus de que o *status* como eleitos de Deus lhes concedeu um padrão mais indulgente de julgamento. Ainda que conhecessem os justos decretos de Deus e as consequências sérias da desobediência, os judeus não só continuaram desobedecendo, mas de fato se desculparam no processo (cf. Rm 1.32). No momento em que o apóstolo concluir Romanos 3.20, ele terá apresentado argumentos repetidos de que judeus e gentios estão num mesmo pé de igualdade diante do tribunal.

2.1.1.2.1. O Julgamento Imparcial de Deus (2.1-11).

No início do capítulo 2, Paulo abruptamente destaca um integrante de sua audiência — o judeu que estava em total acordo com a condenação de Paulo das práticas gentias em Romanos 1.18-32. Os integrantes judeus da audiência teriam recuado repugnados diante da menção de idolatria e homossexualidade. Eles teriam assentido com a cabeça aprovando o argumento de Paulo de que estes comportamentos gentios mostram que a ira de Deus já está sobre eles. De fato, eles teriam reconhecido que Paulo estava apresentando razões utilizando argumentos judaicos tradicionais contra as crenças e práticas dos gentios. Assim, o contingente judeu em Roma teria ficado surpreendido com tal reversão rápida e inesperada do argumento. Paulo agora se volta para o judeu e o acusa de condenar injustamente os outros por aquilo que ele mesmo prática.

Ainda que o judeu "justo" pudesse se distanciar de pecados como a homossexualidade e a idolatria, as ações alistadas em Romanos 1.29-31 representam vasta gama de pecados humanos cometidos por judeus e gentios igualmente. Por conseguinte, quando o judeu condena o gentio por práticas pecadoras, ele se condena no processo. Paulo sabe que sua audiência tem de concordar que o julgamento de Deus vem com justiça ("segundo a verdade", RC) sobre os malfeitores (v. 2). Como o profeta Malaquias advertiu os judeus dos seus dias: Uma coisa é conclamar o julgamento de Deus sobre os inimigos; outra, é estar pronto para enfrentá-lo pessoalmente (Ml 2.17—3.5).

O fato de Paulo estar atacando a presunção judaica que se baseia na relação de concerto com Deus é prontamente evidente pela pergunta retórica no versículo 4. Os judeus estavam cometendo o erro fatal de interpretar erroneamente o fato de que eles foram poupados da ira de Deus como prova de serem justos. Paulo os acusa de mostrar desprezo pela misericórdia de Deus tomando vantagem disto mediante comportamento pecador. A bondade de Deus tem o propósito de dar oportunidade de arrependimento e não licença para pecar. Pensamento similar ocorre em Sabedoria de Salomão 11.23 — onde a graça de Deus é expressa como sua boa vontade em fazer vistas grossas aos pecados das pessoas, de modo que elas possam se arrepender —, mas ali o escritor quer dizer a misericórdia de Deus para com as nações. Paulo está desafiando diretamente a pressuposição judaica de que era *somente* os gentios que precisavam de tal oferecimento gracioso da misericórdia divina.

A tentação em condenar nos outros o que se desculpa em si mesmo é universal. A pessoa sempre encontra razão para se justificar a si mesma ou ao próprio grupo, mas essa ação nunca é justificada. Para o judeu, tinha a ver com ser eleito de Deus. Para o cristão, pode ser que a herança cristã seja mal-entendida como crédito que permite se engajar em certos pecados sem ter de arcar com as conseqüências. Ou pode ser um entendimento inapropriado da graça, como a liberdade em Cristo que é usada como desculpa para se engajar em ações que são condenadas nos outros (cf. Gl 5.13).

Embora o julgamento seja temporariamente posposto para o povo escolhido de Deus, sua severidade eventual aumenta neste ínterim à medida que judeus com corações impenitentes acumulam ira contra si mesmos (v. 5). O Antigo Testamento advertiu repetidamente que um coração endurecido é condição grave, o que deve ser evitado pelo arrependimento (e.g., Dt 10.16). "O dia da ira de Deus" (uma expressão do Antigo Testamento para aludir a julgamento, e.g., Is 13.9; Sf 1.14,15) é o Dia em que Deus "recompensará cada um segundo as suas obras" (Rm 2.6; cf. Sl 62.12; Pv 24.12).

Os versículos 7 a 10 estão firmemente construídos em estilo quiasmático. Quer dizer, os versículos 7 e 10 falam de recompensa, ao passo que os versículos 8 e 9, de condenação. Dois pontos nesta seção são reiterados dos versículos 1 a 6:
1) Judeus e gentios estão em pé de igualdade no julgamento, e
2) O julgamento é baseado em ações. A ordem de salvação dada em Romanos 1.16 — primeiro o judeu e depois o gentio — reaparece aqui com nova reversão. Por um lado, eles são os primeiros em linha para a vida eterna (v. 10); por outro, eles são os primeiros em linha para o julgamento (v. 9).

O contraste nos versículos 7 a 10 é entre os judeus e os gentios que, "com perseverança em fazer bem", buscam o que Deus deseja para a humanidade — "glória, e honra, e incorrupção" (cf. Sl

8.5) — e os judeus e gentios que, por ambição egoísta, ocasionam o que é mau. O texto não descreve as condições vigentes após a morte que confrontam estes dois grupos. Isto é digno de nota, porque a especulação sobre a natureza do reino dos mortos era muito difundida em alguns setores do Judaísmo do Segundo Templo. Os escritores apocalípticos judeus deste período apresentavam descrições várias e freqüentemente detalhadas sobre a natureza da vida após a morte. Paulo está de acordo em parar com a afirmação de que há recompensa e punição para todos depois da morte.

Esta passagem suscita a questão sobre como um julgamento pelas obras se relaciona com um tema central em Romanos — a justificação pela fé. Antes de comentarmos esse assunto, o ponto central aqui não deve ser perdido. Ambos os versículos 6 e 11 afirmam claramente que Deus é um juiz imparcial. As ações são avaliadas sem levar em conta o *status* religioso ou étnico. O judeu não deve ficar pensando que há um padrão distinto apropriado para ele.

A idéia de um julgamento de acordo com as obras é um conceito do Novo Testamento como também do Antigo Testamento. É encontrada nos Evangelhos (Mt 16.27), nas cartas petrinas (1 Pe 1.17), em Apocalipse 2.23 e em outros lugares na correspondência paulina (2 Co 5.10). Este conceito não está em conflito com a doutrina de salvação mediante a graça pela fé. A prevalência no Novo Testamento do ensino sobre um julgamento pelas obras reflete a compreensão muito difundida de que as ações são um componente indispensável da vida cristã. Obras não obtêm a salvação (Rm 3.20), mas são a resposta normativa que os crentes dão à obra da graça de Deus em suas vidas (Rm 6.1-23), e tal viver justo só é possível pelo Espírito (Rm 8.4,10,13).

2.1.1.2.2. O Julgamento e a Lei (2.12-16). A primeira referência à lei (*nomos*) em Romanos aparece nesta seção, à medida que Paulo dá prosseguimento à discussão começada em Romanos 2.1-11 sobre a imparcialidade do julgamento de Deus. Ele chega ao principal ponto desejado nesta seção logo no início: O julgamento cai sobre todos os que pecam independente de a pessoa possuir a lei mosaica ou não (v. 12). Os que vivem sob a lei são julgados por ela; os que vivem sem a lei são julgados conforme a resposta às demandas da lei escritas no coração (vv. 14,15).

A declaração de Paulo de que os gentios "para si mesmos são lei" (v. 14) não significa que os gentios se tornam a própria lei. Ele não está argumentando que há duas leis em operação — a lei mosaica para os judeus e uma lei natural para os gentios. Antes, os requisitos de uma lei de Deus são expressos na consciência moral, o que todo homem e mulher tem "naturalmente". A prova da existência da lei escrita no coração (cf. Jr 31.33) é a maneira na qual a consciência condena certas atividades e até defende outras (v. 15).

A discussão em Romanos 2.12-16 não é sobre a lei natural ou o destino no julgamento do gentio que foi fiel a essa lei pela direção de sua consciência. O texto não trata da questão do destino eterno do indivíduo moralmente reto que nunca ouviu a mensagem do evangelho. A preocupação de Paulo aqui é estabelecer que *o judeu* não pode reivindicar *status* especial no dia da ira em resultado de possuir a lei.

Esta é a razão por que Paulo eleva a situação dos gentios. Eles ilustram que há aqueles sem a vantagem de ter a lei que, não obstante, mostram uma sensibilidade moral que reflete as exigências da lei. A posse da lei e a lei por si mesma não têm valor salvador. Somente os que cumprem a lei, em vez dos que somente os que a ouvem ou a possuem (cf. Gl 3.12; Tg 1.22,23), serão declarados justos, quer dizer, serão absolvidos no Dia do Julgamento (v. 13).

Este aspecto futuro para a justificação — ou seja, a absolvição que vem no julgamento final — não invalida seu aspecto presente ou realizado. O crente foi justificado pela fé (Rm 5.1). Mas resta um aspecto futuro, quando no julgamento será lida a sentença final de "inocente". Semelhantemente, a salvação é algo que recebemos no ponto da fé, mas Paulo muitas vezes prefere falar sobre a salvação como evento futuro (cf. Rm 5.9,10; a salvação da ira final). O que isto nos diz é que a obra de Deus com o crente é contínua. Os crentes não são deixados com seus próprios dispositivos depois do evento inicial de salvação. Deus continua a obra de salvação para os que confiam nEle (veja Rm 5.1-11).

Num pequeno comentário como este, o leitor deve estar alerta ao fato de que a simplicidade da explicação que dou aqui por necessidade disfarça a complexidade de algumas questões levantadas pelo texto. Uma dessas questões, que permanece como alvo de ardentes debates é se a idéia discutida em Romanos 2.13 — que há uma justiça que pode ser obtida fazendo a lei — circulava no judaísmo do século I. A Introdução deve ser consultada sobre este assunto (veja "A Visão que Paulo Tinha da Lei"), como também comentários mais extensos. É suficiente dizer para nosso propósito: O que Paulo suscita como possibilidade teórica em Romanos 2.13 é deduzido como inacessível, por causa da fraqueza humana no capítulo 3. A conclusão dada, a qual o leitor ainda não vê, é que *todas* as tentativas de achar favor com Deus são, em última instância, insuficientes sem Jesus Cristo.

2.1.1.2.3. O Predicamento Judaico (2.17-24). Considerando que a seção anterior atacou a concepção errônea de que possuir a lei dava algum tipo de imunidade à ira de Deus, esta seção discorda do orgulho judaico acerca de ser o povo da lei. O estilo de diatribe introduzido em Romanos 2.1-4 reaparece quando Paulo retoma sua conversa com um judeu representativo. Paulo narra para seu parceiro de conversa várias atitudes que os judeus mantêm como povo da lei (vv. 17-20), e depois contrasta estas atitudes com o que eles realmente fazem (vv. 21-24).

Paulo emprega um dispositivo retórico para enfatizar a disparidade entre o que eles professam e o que eles fazem. Os versículos 17 a 20 formam um anacoluto ou oração inacabada. Esta quebra gramatical acentuada, vindo diretamente depois de uma lista de suas atitudes, sublinha a descontinuidade entre o que os judeus pensavam de si mesmos e como eles viviam.

Paulo identifica vários aspectos do orgulho judeu: orgulho em saber que ter a lei os capacita, em distinção de todas as outras nações, a conhecer Deus e discernir sua vontade (vv. 17,18), e orgulho por seu papel como mestre para as nações (vv. 19,20). Não há dúvida de que estas caracterizações dão um retrato preciso da autopercepção judaica nos dias de Paulo. A identificação que Filon fez de Israel como profeta e sacerdote para todas as nações (*Sobre Abraão*) é apenas uma referência entre muitas que podem ser citadas sob este aspecto. As frases no versículo 19: "Guia dos cegos, luz dos que estão em trevas", fazem eco ao papel dado para ao Servo do Senhor em Isaías 42.6,7, um papel que os judeus prontamente tomam como seu (cf. 1 Enoque 105.1; Sabedoria de Salomão 18.4). A declaração feita no versículo 20, de que a ciência e a verdade estão incorporadas na lei, refletia a crença de que a sabedoria buscada pelas nações tinha sido graciosamente dada a eles por Deus (e.g., 1 Baruque 4.1-4).

Ainda que Paulo não dispute o papel único de Israel dentro do plano de salvação, ele faz indiciamento, numa série de perguntas retóricas (vv. 21-23), de que o povo judeu falhou em suas atribuições. Pois o que os judeus condenam, eles praticam. Paulo agora desenvolve a acusação feita em Romanos 2.1 ("pois tu, que julgas, fazes o mesmo") mencionando alguns pecados específicos.

Entre os pecados mencionados (roubo, adultério e roubo de templos), é o último que é difícil entender: "Abominas os ídolos e lhes roubas os templos?" (ARA). A dificuldade acha-se em determinar a que se refere a ofensa de roubar templos, e que relação pode haver entre esta ofensa e a idolatria. "Roubar templos" pode ser considerado literalmente com o significado do uso de metais preciosos que vinham de artigos surrupiados de templos pagãos (Moo). Ou a acusação pode ser entendida metaforicamente como algum tipo de sacrilégio (RC). Por exemplo, Fitzmyer interpreta este pecado como a elevação da lei a um nível impróprio.

De qualquer modo, o ponto é claro e irônico. O que Paulo quer dizer diz respeito à disparidade entre o padrão nacional e as ações de judeus individuais. A ironia é que o judaísmo era conhecido por seus altos padrões morais, e era esta característica que tinha atraído alguns gentios para a sinagoga. O que os outros louvavam e os judeus exultavam, Paulo ataca.

O cristão do século XXI pode facilmente se identificar com este predicamento. Por um lado, o cristianismo é conhecido por seus altos padrões morais. Esses padrões, que freqüentemente estão em oposição às normas socias, atraem elogios de algumas partes da sociedade e críticas de outras. Por outro lado, a acusação que é feita contra os cristãos é que eles não praticam o que pregam. Infelizmente, a critica mordaz muitas vezes repetida de que "a Igreja está cheia de hipócritas" tem alguma base.

Para selar o argumento, Paulo cita Isaías 52.5 (cf. Ez 36.22), que testemunha a derrisão ocasionada acerca do nome de Deus em resultado do estado exílico do seu povo (Rm 2.24). A citação reforça a declaração do versículo 23 de que Deus está sendo desonrado pela desobediência do seu povo. Mas este versículo resumido também leva o leitor de volta ao ponto principal: O que importa para Deus é fazer a lei em vez de possuí-la. A referência ao exílio nesta citação do Antigo Testamento tem o efeito particular de lembrar os judeus que o próprio exílio foi devido ao pecado de Israel (e.g., Ez 36.17-23). Ser o povo da lei não evitou o exílio, nem evitará o julgamento final.

2.1.1.2.4. O Julgamento e a Circuncisão (2.25-29). Tendo discutido a lei, Paulo levanta o tópico da circuncisão — outro grande símbolo do concerto que o Senhor fez com os judeus. A circuncisão foi instituída como sinal do concerto no tempo de Abraão (Gn 17.10,11), e a importância deste rito para os judeus só tinha crescido em importância no período que segue a Guerra dos Macabeus (início do século II a.C.). Tinha se tornado símbolo de resistência nacional contra o helenismo.

Também tinha se tornado proteção contra o inferno. Os escritos rabínicos contêm numerosas garantias de que o indivíduo circuncidado evitaria a geena (e.g., *Escritos Rabínicos sobre Gênesis* 48 [30a]; *Escritos Rabínicos sobre Êxodo* 19 8.1c).

De acordo com Paulo, a circuncisão não desempenha nenhum papel direto em determinar o destino da pessoa no Dia do Julgamento. Ele desenvolve sua posição em fases.

1) Ser circuncidado e a circuncisão em si não têm mérito espiritual. Seu valor está ligado a guardar a lei (v. 25). Da mesma forma que possuir a lei só é de valor último se for obedecida, ser circuncidado não tem valor a menos que seja acompanhado por obediência. Ao separar o fazer a lei do rito da circuncisão, o apóstolo desafia todo pensamento de que o indivíduo guarda a lei por ser circuncidado. Paulo teria feito o mesmo argumento sobre outros atos considerados características definidoras dos judeus, como observar as leis dietéticas e guardar as festas e dias santos.

2) A circuncisão não é garantia de uma decisão favorável no julgamento. O indivíduo que guarda a lei sem ser circuncidado (cf. Rm 2.14,15) está em melhor vantagem do que o indivíduo que é circuncidado, mas não a guarda: "E a incircuncisão que por natureza o é, se cumpre a lei, não te julgará, porventura, a ti, que pela letra e circuncisão és transgressor da lei?" (v. 27). O pano de fundo para esta declaração precisa ser apreciado antes que sua força seja sentida. Era crença comum na literatura judaica que os injustos seriam condenados e que os judeus justos seriam vindicados na presença dos seus inimigos (Dn 12.2,3; 1 Enoque 62; 63; 104; 108.11-15; 2 Baruque 49—51). E era pressuposição comum durante os dias de Paulo de que "os justos" eram os judeus observantes que resistiam comprometer-se com o mundo helenístico, e que "os pecadores" eram os gentios e os judeus que tinham se tornado como eles. O apóstolo desafia estas categorias.

3) Há outro tipo de circuncisão que marca o povo de Deus (vv. 28,29). Porquanto seja verdade que Paulo não era o primeiro judeu a exigir uma circuncisão do coração

como complemento para o rito físico (Dt 10.16; 30.6; Jr 4.4; Jubileu 1.23; Normas da Comunidade 5.5,6), é sua insistência em afirmar que ser circuncidado e a circuncisão em si não têm valor salvífico, o que coloca em distinção sua abordagem.

Até este ponto do capítulo, o foco não está no meio de salvação, embora a possibilidade de salvação pelas obras tenha sido levantada mais de uma vez. A discussão é sobre a igualdade de todos os indivíduos diante do julgamento; os versículos 25 a 27 reiteram isso. No final, dois versículos do capítulo Paulo indica o que ele irá desenvolver depois. Há um padrão para ser o povo de Deus o qual é interno e não externo, e tem a ver com a circuncisão do coração — uma circuncisão executada pelo Espírito em vez de ser pela lei escrita. Assim, o capítulo termina com a idéia de que aquele a quem Deus aceita como seu, um membro verdadeiro do povo escolhido, foi submetido a uma obra espiritual que substitui todas as obras físicas.

2.1.1.2.5. Objeções (3.1-8). O parceiro de diálogo responde ao argumento de Paulo com perguntas próprias. No diálogo retórico que se segue em Romanos 3.1-8, ouvimos o eco dos debates de Paulo com os judeus, tanto dos que estão dentro como dos que estão fora do grupo cristão. Paulo foi criticado pelos oponentes judeus por causa de sua "acomodação" aos gentios em assuntos que eram considerados essenciais à relação de concerto que Deus fizera com os judeus (cf. Gl 1.10). Sua desvalorização da observância da lei e, em particular, sua recusa em ordenar que os gentios convertidos fossem circuncidados ou que guardassem as leis dietéticas significava que a oposição o perseguia tenazmente aonde quer que ele fosse. A resposta de Paulo às objeções judaicas sobre seu evangelho é encontrada aqui e no capítulo 6; sua explicação por que os judeus rejeitaram o evangelho acha-se nos capítulos 9 a 11.

A primeira pergunta responde às razões elaboradas no capítulo 2 contra a pressuposição judaica (Rm 3.1). Se não há posição especial para o judeu circuncidado em relação ao julgamento, então que vantagem há em ser judeu? Em outras palavras, o evangelho de Paulo acaba inteiramente com os benefícios da eleição de Deus? Levando em conta a discussão precedente, a resposta de Paulo de que a vantagem de ser judeu é "muita, em toda maneira" (v. 2) é um tanto quanto surpreendente. Mas sua resposta nos alerta para o fato de que a polêmica do apóstolo não é sobre o concerto como tal. Antes, é sobre a presunção de que o concerto assegura algum tipo de imunidade nacional à ira de Deus.

A primeira vantagem (não há segunda menção aqui — a lista continua em Rm 9.4,5) é que aos judeus "as palavras de Deus lhe[s] foram confiadas" (v. 2) — ou seja, as inspiradas declarações das Escrituras. Paulo está afirmando o que os judeus defendiam ser um privilégio especial (e.g., 1 Baruque 4.4 proclama: "Felizes somos nós, ó Israel, porque sabemos o que agrada a Deus").

A segunda pergunta do judeu que objeta é incitada pela resposta anterior. Isto é prontamente evidente no texto grego onde a segunda pergunta (v.3) faz um jogo de palavras com "confiadas" (uma forma de *pisteuo*) no versículo 2, usando outras palavras que derivam desta mesma raiz grega (*pist-*); elas podem ser traduzidas por "fé" ou "fidelidade" no versículo 3a e por "falta de fé" ou "infidelidade" no versículo 3b. Levando em conta o versículo anterior que identificou os judeus como aqueles a quem foram confiadas as palavras de Deus, a pergunta subseqüente diz respeito à sua fidelidade em cumprir a responsabilidade ligada a este privilégio. O ponto da pergunta é o que acontece com o privilégio de ser confiado com as palavras de Deus, se "alguns judeus" (não todos) não lidaram apropriadamente com o que lhes foi confiado.

Com duas citações do Antigo Testamento (Sl 116.11 e 51.4), Paulo responde que a verdade de Deus (cf. Rm 1.18.25; 2.8), ou sua fidelidade, permanece a despeito da falsidade ou infidelidade do seu povo escolhido (Rm 3.4). Quer dizer, Deus mantém-se verdadeiro ao concerto abraâmico. Mas isto não significa, como deixa claro a referência no Salmo 51.4 ao julgamento de Deus, que porque Ele é fiel, não os julgará.

A justaposição da fidelidade de Deus com a infidelidade dos judeus levanta outra objeção, que é repetida duas vezes (vv. 5,7). Se a fidelidade de Deus é vista mais claramente contra o pano de fundo da falha do povo, então por que eles são punidos por algo que "abundou mais a verdade de Deus para glória sua"? A lacônica resposta de Paulo indica o caráter de Deus. Deus não pode julgar o mundo se isso for um ato injusto. Até mencionando a possibilidade de que Deus é injusto faz Paulo acrescentar uma retratação: "Falo como homem".

É informativo que Paulo introduza em sua discussão sobre a fidelidade do concerto de Deus o fato de que sua pregação estava sendo criticada por promover um estilo de vida imoral (v. 8). Mostra-nos que esta porção do diálogo era mais que uma construção hipotética. Os judeus cristãos tinham levantado acusações contra o apóstolo de que sua pregação sobre a salvação pela fé, sem as obras da lei, importava em autorização para pecar (Gl 1.10; 2.17). Essa objeção aparece aqui: Se a graça de Deus cobre tudo, então por que o mal não faz assim para que a graça de Deus seja vista mais claramente? (Os fins não justificam os meios?) Paulo retoma a esta objeção veementemente em Romanos 6.1: "Permaneceremos no pecado, para que a graça seja mais abundante?"

2.1.1.2.6. Resumo: Todas as Pessoas Estão Sujeitas à Ira (3.9-20). Paulo, tendo completado sua digressão sobre a fidelidade de Deus (Rm 3.1-8), agora sumaria seu longo discurso sobre a ira de Deus. Seu sumário introduz conceitos e expressões que ele retomará mais tarde na carta: "debaixo do pecado" (Rm 3.9; cf. Rm 6; 7), "pelas obras da lei" (Rm 3.20; cf. Rm 3; 4) e o papel da lei em tornar a pessoa ciente do pecado (Rm 4; 5; 7).

A pergunta em Romanos 3.9 é difícil traduzir, quanto mais interpretar. Grande parte da dificuldade envolve o verbo grego *proecho* que só aparece aqui no Novo Testamento. A tradução "Somos nós mais excelentes?" é preferida por alguns comentaristas (e.g., Barrett; Cranfield; Käsemann) e encontrada em muitas versões (veja RC; "Temos nós qualquer vantagem?", ARA).

Há outro modo de ler este verbo que dá ao versículo um sentido diferente. Entre outros, Stuhlmacher e Dunn o traduzem de tal modo que a pergunta tem a ver com dar desculpas ou fazer uma defesa. Por exemplo, a tradução de Stuhlmacher é: "Estamos dando desculpas?" Há problemas com todas estas traduções, e nenhuma tentativa será feita aqui para sopesar os argumentos em favor de cada leitura (Cranfield tem uma discussão detalhada).

Se seguirmos a ARA, então o ponto da questão e a resposta no versículo 9 parecem contradizer o que lemos nos versículos 1 e 2: "Qual é [...] a vantagem do judeu? [...] Muita, sob todos os aspectos" (Rm 3.1,2, ARA); "Temos nós qualquer vantagem? Não, de forma alguma" (Rm 3.9, ARA). A tensão produzida por esta leitura do versículo 9 é uma das razões por que Dunn rejeita esta tradução. A última parte do versículo 9 esclarece o que Paulo quer dizer quando alega que os judeus não estão em vantagem: "Pois já temos demonstrado que todos, tanto judeus como gregos, estão debaixo do pecado". Embora o judeu tenha certas vantagens como eleito de Deus, estas vantagens não contam em nada diante do tribunal de Deus. Como Barrett conclui, Paulo está sendo paradoxal, não contraditório.

A expressão "debaixo do pecado" (v. 9), que descreve a condição comum de judeus e gentios, é notável. Expressa um aspecto central da teologia paulina. Homens e mulheres não apenas pecam; eles estão *debaixo do poder do* pecado. Eles precisam mais que perdão; eles precisam de libertação. O que liberta a humanidade de tal dominação ainda será descrito.

Para estabelecer o indiciamento universal de que todos estão "debaixo do pecado", Paulo recita nos versículos 10 a 18 uma série de citações bíblicas tomadas principalmente dos Salmos. Observe os seguintes pontos sobre esta seção.

1) Moo reparou que esta é a mais longa série de citações do Antigo Testamento nas

cartas paulinas. Em ponto tão crucial, no qual se apóia o restante da mensagem do evangelho de Paulo, Paulo amontoa textos bíblicos de prova.

2) A ocorrência repetida de "ninguém" e "não há" nestes textos do Antigo Testamento reforça a afirmação do versículo 9 de que "todos estão debaixo do pecado".

3) Estas citações cobrem vasta gama de pecados humanos.

4) Algumas destas referências do Antigo Testamento foram retiradas de contextos nos quais seus indiciamentos de pecado foram dirigidos contra os gentios, não contra os judeus justos. A reutilização de Paulo dessas referências para descrever a condição dos judeus como gentios promove sua agenda em estabelecer que todos caem sob o mesmo indiciamento.

5) As últimas citações sumariam a causa do pecado humano: "Não há temor de Deus perante os seus olhos" (Sl 36.1). Quando Deus não é reconhecido como Deus, o resultado é comportamento pecaminoso. Isto nos faz lembrar do indiciamento anterior dos gentios (Rm 1.18-32), "que detêm a verdade em injustiça" (Rm 1.18).

Nos versículos 19 e 20, por via de resumo final antes de passar para a prescrição de Deus para o predicamento humano, Paulo descreve uma sala de tribunal, na qual primeiro os judeus ("aos que estão debaixo da lei") e depois o restante da humanidade ("todo o mundo") são identificados como réus. Deus é a parte ofendida e o Juiz da ofensa. Cranfield explica o raciocínio do apóstolo: "Com a prova de que os judeus (o povo que poderia ter razão para se considerar exceção) não são exceção, a prova de que todo o gênero humano acha-se debaixo do julgamento de Deus é finalmente completada". A culpa coletiva é exposta quando lhes é dada a oportunidade de falar em benefício próprio. Mas eles ficam mudos diante de Deus, porque o testemunho da lei (dado nos vv. 10-18) os deixa sem defesa.

O que a lei diz sobre a pecaminosidade de todas as pessoas (como mostrou a longa série de citações do Antigo Testamento) tem de ser aplicado aos que estão "dentro da lei" (tradução preferível do que "debaixo da lei"; a preposição é *en*, não *hypo*).

Paulo está condenando todo pensamento de que os que estão dentro da lei — isto é, os que vivem dentro de suas fronteiras — devem ser tratados diferentemente diante do julgamento de Deus. O mesmo ponto é reiterado no versículo 20: "Nenhuma carne será justificada diante dele pelas obras da lei" (cf. Sl 143.2: "À tua vista não se achará justo nenhum vivente").

A frase "pelas obras da lei" (v. 20; *ex ergon nomou*) denota o serviço requerido pela lei (cf. Gl 2.16). Quais são estas obras? Dunn argumenta que as "obras da lei" dizem respeito a essas obras particulares que foram vistas a distinguir o judeu em contraste com o gentio (e.g., a circuncisão, Rm 2.25-29). É a observância deste tipo de leis que Paulo está atacando.

As referências anteriores nesta carta sobre observar a lei não são restritas a observar certas leis que eram consideradas características distintivas do povo judeu, como a circuncisão e as regulamentações dietéticas. Por exemplo, a distinção em Romanos 2.25,26 entre a circuncisão e a prática da lei nos adverte a não comparar o que Paulo tem em mente, quando ele fala sobre guardar a lei, com a circuncisão e algumas outras práticas distintivas. (Para mais detalhes sobre o assunto, consulte a seção "A Visão que Paulo Tinha da Lei", na Introdução.)

O que surpreende o leitor é o contraste que este resumo cria com a discussão anterior sobre obter vida eterna fazendo o que é certo (Rm 2.7-10,13-16). Agora parece que obter a salvação por tal meio, ainda que uma possibilidade hipotética, é uma impossibilidade prática por causa da falibilidade humana.

A resposta ao predicamento humano não é guardar a lei. Isto não solapa o valor da lei. A lei expõe a necessidade de salvação que vem por outro canal.

2.1.2. A Salvação da Humanidade pela Fé em Jesus Cristo (3.21—4.25)

2.1.2.1. A Salvação pela Morte de Cristo (3.21-26). A precedente apresentação de Paulo da situação difícil e desesperadora da humanidade pecadora perante um Deus justo cria um senso de desespero. Este é o efeito intencional. Pois a plena glória do plano de salvação de Deus só é completamente apreciada do ponto do desespero. Paulo agora revela, embora de forma condensada, um sumário da justiça de Deus, ou seja, sua atividade salvadora em favor de homens e mulheres.

O fato de que a seção sobre a ira de Deus concernente à condição humana ser muito mais longa (Rm 1.18—3.20) que sua apresentação da justiça de Deus requer comentário. Deve ser mantido em mente que esta é uma carta, não um tratado sistemático (veja "Ocasião e Propósito", na Introdução). Ainda que Paulo esteja descrevendo a mensagem do evangelho em forma um tanto quanto sistemática, ele nunca esquece que entre sua audiência encontram-se judeus que poderiam fazer objeções a esta apresentação. A crença de Paulo de que o judeu pudesse reivindicar não ter vantagem especial sobre o gentio em termos de pecado e julgamento tinha atraído oposição anteriormente. Assim, ele persegue esta linha de argumento de modo extenso em Romanos 2.1 a 3.8.

Mas quando ele passa a descrever a forma como a justiça de Deus foi expressa em Jesus Cristo, ele apresenta um entendimento teológico do significado da morte de Jesus que era compartilhado por cristãos judeus e gentios igualmente. Em conseqüência disso, este tópico requer menos atenção. De fato, a maneira sucinta com a qual ele descreve o meio de salvação em Romanos 3.21-26 sugere que ele está repetindo matéria que era conhecida por estes crentes. É comumente suposto que Paulo está utilizando expressões de credo da igreja primitiva nos versículos 25 e 26a, e, talvez, também no versículo 24 (uma das razões para esta visão é o número de palavras não-paulinas nesta seção). O leitor notará que o único aspecto da salvação que Paulo irá enfatizar é o que diz respeito à fé somente (Rm 3.27—4.25), visto que o assunto era controverso.

A declaração de abertura de Paulo (v. 21) — de que o modo de salvação de Deus é "sem a lei" e também em concordância com "o testemunho da Lei e dos Profetas" — indica sua preocupação de que sua posição sobre a lei seja entendida corretamente. Por um lado, a justiça não deve ser obtida através do sistema definido pela lei ou mediante a pessoa ser integrante do povo da lei. Por outro lado, as Escrituras do Antigo Testamento testificam sobre a justiça de Deus e como ela pode ser obtida. O tempo presente de "ter o testemunho" denota que o testemunho das Escrituras continua falando aos judeus e a todos os que derem ouvidos (cf. Rm 1.2; 3.2; 4.23,24), mesmo em nossos dias.

Em Romanos 1.17,18, a justiça de Deus e sua ira foram apresentadas como duas atividades divinas simultâneas e contínuas que são reveladas para o mundo. Aqui, quando Paulo abre o tópico da justiça de Deus, ele especifica que "se manifestou" (v. 21). Ele está se referindo não ao processo, mas ao evento essencial que o inaugurou — a crucificação de Cristo, "ao qual Deus propôs para propiciação" (v. 25).

A tradução de *hilasterion* ("propiciação") continua sendo ponto de debate. A tradução da NVI ("sacrifício para propiciação") sugere que Cristo é o meio da propiciação (veja Dunn, Morris, 1955-1956, pp. 33-43), ao passo que muitos comentaristas preferem "lugar de expiação/propiciação" ou "lugar/ assento de misericórdia; propiciatório" (e.g., Fitzmyer; Stuhlmacher; Gundry-Volf, pp. 282-283) — que é o que significa em sua única outra ocorrência no Novo Testamento (Hb 9.5, "propiciatório"). É difícil escolher entre estas opções. Black e Dunn insistem que estas duas opções não devem ser consideradas mutuamente exclusivas.

Felizmente para nós, ainda que o verdadeiro referente de *hilasterion* seja difícil determinar, a verdade teológica não é. Quer *hilasterion* se refira ao propiciatório que tampa a arca na qual o sangue da oferta do pecado pela nação era aspergido anualmente no Dia da Expiação (Lv 16), quer se refira ao sacrifício oferecido a Deus por propiciação, é o sistema sacrifical judaico que está sendo lembrado. Está claro, como a referência a "no seu sangue" confirma (Rm 3.25b), que a morte sacrifical de Cristo está sendo representada por esta imagem. Assim como o que era oferecido no altar era sacrificado para pagar a punição de quem tinha pecado, assim Cristo foi oferecido para suportar a pena pelo pecado da humanidade.

Chamamos isso de doutrina da expiação substitutiva. Cristo foi morto como o substituto por todos os homens e mulheres. Nosso pecado foi transferido para Ele; sua vida, ou justiça, nos é dada (cf. Rm 8.3; 2 Co 5.21; Gl 3.13). Este entendimento da morte de Cristo vigorava nos dias da igreja primitiva. Paulo disse aos coríntios que a tradição que ele recebera declarava "que Cristo morreu por nossos pecados, segundo as Escrituras" (1 Co 15.3b).

O sacrifício para propiciação é "pela fé no seu sangue" (Rm 3.25). Embora não haja uma vírgula que separa "pela fé" e "no seu sangue", é melhor entender estas frases separadamente. Como argumenta Käsemann, "pela fé no seu sangue" não tem paralelo no Novo Testamento, e nas cartas de Paulo o termo *pistis* (fé) não é seguido pela preposição *en* (em). O que Paulo está dizendo é que o "sacrifício para propiciação" é apropriado pela fé e alcançado no seu sangue, quer dizer, pela morte sacrifical de Cristo.

Debates vigoram nos círculos teológicos acerca deste ponto: O sacrifício para propiciação deve ser entendido como "expiação" ou como "propiciação". Expiação diz respeito à remoção do pecado; propiciação, ao apaziguamento de Deus ou à satisfação de sua ira. C. H. Dodd mostra que o conceito de propiciação fora totalmente perdido no uso da LXX do termo grego *hilasterion* e seu cognatos, e que a noção de propiciação era mais um conceito pagão que um ensino bíblico. O sacrifício de Cristo, de acordo com Dodd, deve ser entendido como sacrifício expiatório que tratou do pecado e da culpa humana.

O argumento de Dodd tem enfrentado muita oposição. Um dos seus críticos primários é L. Morris (1955, pp. 167-194), que defende a visão mais tradicional de que *hilasterion* envolve propiciação. Entre os vários argumentos que ele apresenta, há um que é retirado do contexto precedente. Depois de três capítulos sobre a ira de Deus, o termo *hilasterion* tem de dar alguma indicação sobre como a ira é desviada do crente.

Parece inconcebível (levando em conta Rm 1.18—3.20) que a solução apresentada por Paulo do pecado humano não trate desta realidade. E certamente temos de entender que o sacrifício de Cristo é suficiente para afastar a ira de Deus do crente. Contudo, Gundry-Volf (pp. 281-282) arrazoa que não se conclui necessariamente que devamos entender este processo como a obtenção de uma mudança na disposição de um Deus irado. É porque a mensagem repetida em Romanos 3 é que Deus, em sua misericórdia, tomou a iniciativa de prover uma solução efetiva: "*Deus o apresentou* como sacrifício para propiciação" (v. 25a, NVI; "*ao qual Deus propôs* para propiciação", RC; ênfase minha).

A idéia de que sua atividade salvadora é apresentada ou posta em exibição pública representa significativa transição na história de salvação. Os lugares da obra de salvação de Deus ultrapassaram as velhas fronteiras da nação de Israel. O seu método de tratar do pecado humano já não se limitava ao Santíssimo Lugar do templo, onde só um homem podia entrar uma vez por ano. Sua justiça moveu-se para fora, ao ar livre, onde todos têm acesso; em cima de um monte, onde todos podem ver; numa cruz, onde todo o mundo pode se ajoelhar ao seu pé.

Nesta passagem, é traçada outra distinção entre a natureza do sacrifício feita no templo e o sacrifício de Cristo. A morte de Cristo alcançou o que todas as repetidas ofertas do passado não fizeram: tratar do pecado de forma definitiva e cabal. Paulo diz que Deus ignorou os pecados do passado (v. 25). Em outras palavras, Deus, "na sua tolerância" (NVI; i.e., restrição; "sob a paciência", RC), não exigiu a pena pelos pecados cometidos. Enquanto que o primeiro *hilasterion* era suficiente por um tempo, o pagamento total pelo pecado foi feito na cruz.

Quando Paulo chega ao fim deste tratamento condensado do significado da morte de Cristo, ele afirma duas vezes que era "para demonstrar a sua justiça" (vv. 25b,26a) que Deus apresentou Cristo como sacrifício para propiciação. A palavra grega *dikaiosyne* é traduzida aqui por "justiça".

O que Deus demonstrou a respeito de sua justiça? Ela trata do passado e do presente, e de tal modo que é vista como justa (v. 26b):
1) É mostrado que Deus é justo em suas ações para com as pessoas do concerto no passado, porque Ele havia "deixado impunes os pecados anteriormente cometidos" (v. 25, ARA). Quer dizer, a oferta do sacrifício perfeito, Jesus Cristo, era a medida apropriada para tratar definitivamente dessas transgressões que tinham sido tratadas pelo sistema sacrifical, mas que haviam, de algum modo, permanecidas impunes (veja Dunn).
2) Mas também é mostrado que Deus é justo em suas ações no presente, pois o sacrifício para propiciação é a plena provisão para o pecado de todo o mundo, e não só dos judeus.

Nosso foco neste ponto foi no motivo do *hilasterion*, com seu plano de fundo no sacrifício que era feito no templo. Há duas metáforas que Paulo usa aqui para explicar o significado da morte de Cristo:
1) Uma, retirada do tribunal de justiça, é a linguagem da justificação ou absolvição (v. 24). Por causa da cruz, o crente é declarado "inocente".
2) A outra vem do mundo da escravidão. A libertação do crente do cativeiro do pecado é transmitida com o termo *redenção* (*apolytrosis*). Comum ao conceito de redenção vigente no século I, estava a idéia de soltar alguém da escravidão mediante pagamento de um preço ou resgate (L. Morris, 1993, p. 785). No Antigo Testamento, Deus é descrito como o Redentor do seu povo, aquEle que o redime da escravidão, quer do Egito (e.g., Dt 7.8) quer da Babilônia (e.g., Is 52.3). Em tais referências, o aspecto da metáfora que nos é transmitida é a idéia de libertação em vez de pagamento de um resgate. Isto também ocorre no uso que Paulo faz do termo. Morris faz distinção útil aqui: Não há nada no pensamento de Paulo acerca de alguém a quem o pagamento possa ser feito. Mas isso não significa que não havia custo — o custo foi a vida de Cristo.

Fé é o meio pelo qual todo indivíduo sem exceção entra na salvação oferecida por Deus através de Jesus Cristo. É porque o indivíduo não tem outro meio disponível. O esforço humano é insuficiente, pois "todos pecaram e destituídos estão da glória de Deus" (v. 23). A glória de Deus tem figurado proeminentemente na carta até aqui, como algo que é rejeitado por muitos (Rm 1.21) e buscado por poucos (Rm 2.7,10). Romanos 3.23 revela que esta busca, provindo da iniciativa humana, é vã.

O que é esta glória que os seres humanos buscam, mas ficam aquém dela? No Judaísmo do Segundo Templo, a glória tinha sido associada com a justiça que o casal original conheceu no jardim do Éden antes da queda (e.g., em Ap Mos 21.6, Adão diz a Eva: "Tu me alienaste da glória de Deus"). Conseqüentemente, os escritores apocalípticos descreviam a esperança dos judeus fiéis em termos de restauração da glória (1 Enoque 50.1; 4 Esdras 7.122-125; 2 Baruque 51.1). Este é o plano de fundo da "glória" em Romanos 3.23. A glória que as pessoas careciam é o estado de relação certa com Deus que caracterizava a experiência de Adão e Eva no jardim do Éden.

2.1.2.2. A Salvação pela Fé (3.27—4.25). É-nos significativo que Paulo volta ao tópico da fé em Romanos 3.27-31 e no capítulo 4. Não é a teologia do resgate do versículo 24, ou a imagem do sacrifício para propiciação no versículo 25, ou qualquer uma das idéias apresentadas na seção precedente que ele revisita para dar mais explicações e validação. Isto é expressivo, porque mostra que aspecto da sua mensagem de salvação o apóstolo considerava contencioso — o aspecto da fé.

Não era a mensagem de fé ou confiança em Deus em si que era controverso. Era a insistência de Paulo de que a mensagem de fé significava que *a consecução ou manutenção da justiça estava completamente desassociada da prática da lei*. É isto que provocava a oposição de alguns judeus e gentios a quem eles tinham influenciado. E é com esta audiência em mente que Paulo destaca a centralidade e a natureza bíblica da fé.

2.1.2.2.1. O Conceito Básico de Fé (3.27-31). Nestes versículos, Paulo volta ao estilo dialógico. O ouvinte antecipa que a "conversa" a seguir é mais uma vez entre Paulo e um judeu representativo. Diferente dos diálogos precedentes, aqui é mais problemático distinguir entre os dois falantes. Contudo, isto não obsta nossa compreensão porque o significado do diálogo vem à tona por si mesmo.

A pergunta e resposta de abertura sobre a legitimidade da jactância ("Onde está, logo, a jactância? É excluída", v. 27a) leva a discussão de volta ao assunto do orgulho judaico em ser o povo da lei — atitude que Paulo atacava como perigosa e enganosa em Romanos 2.17-24. O que é interessante aqui é a maneira na qual o diálogo no versículo 27b é redigido: "Por qual lei?" (NVI: "Baseado em que princípio?"); "Das obras?" (NVI: "No da obediência à lei?"). O uso típico de Paulo da palavra "lei" (*nomos*) neste ponto da carta tem referência à lei mosaica. É o caso aqui, visto que também não há boa razão para interpretar de outro modo.

Mas é em resposta a esta pergunta — que traduzida literalmente é: "Não, mas por [a] lei da fé" — que Paulo parece estar fazendo um jogo de palavras com "lei" para denotar algo diferente. O que Paulo está dizendo é que a jactância não é excluída pela lei das obras, que é, a lei judaica, mas pela "lei" ou princípio da fé.

Enquanto muitos comentaristas preferem "lei da fé" como referência à lei do Antigo Testamento (e.g., Dunn: "a lei entendida em termos de fé"; Cranfield: "a lei que convocava as pessoas à fé"), esta interpretação entra em dificuldade quando chegamos à pergunta no versículo 31. Se Paulo está afirmando o valor da lei judaica definindo-a como a "lei da fé", no versículo 27, então por que perguntar no versículo 31 se a lei é invalidada pela fé?

A jactância não é permitida de acordo com o princípio da fé, porque prevalece que a pessoa é justificada (feita justa) com base na fé sem observar a lei (v. 28). Em outras palavras, a jactância só entra em cena com os esforços humanos. Nas palavras de Barrett: "A jactância e a fé são mutuamente exclusivas".

O versículo 28 desempenhou papel essencial na teologia protestante. Era a este versículo que Lutero adicionou a palavra "só" em sua tradução da frase "justificado pela fé". (Ele não foi o primeiro a acrescentar este termo [veja Fitzmyer para verificar uma lista], mas a adição ficou ligada ao seu nome.) O ensino deste versículo que é resumido no axioma da Reforma *sola fide* ("só pela fé"), continua a definir o entendimento protestante de salvação. Assim, a pregação protestante apresentou suas razões dizendo que se até a lei que Deus deu para os judeus não pode salvar, certamente nenhuma outra lei ou sistema religioso tem qualquer mérito salvífico diante de um Deus justo.

Paulo agora insiste na validade da justificação pela fé fazendo sua argumentação a partir da crença judaica no monoteísmo (v. 29). Porque há só um Deus, os judeus concederiam que Deus é o Deus dos gentios no ponto em que Ele é o Criador e Juiz de todos. Não obstante, a relação de concerto que eles tinham com Deus significava que os judeus viam Deus como *seu* Deus particular. Paulo está desafiando diretamente a exclusividade desta visão, mostrando que Deus não pode ser o Deus dos gentios a menos que Ele lhes provesse o mesmo meio de justificação que Ele provê para os judeus (vv. 29,30). Conclui-se, então, que tal meio de justiça não pode ser baseado na lei, pois excluiria o mundo gentio.

A pergunta final desta conversa vai ao centro da questão para os judeus ou cristãos judeus. O evangelho da fé invalida a lei (cf. Mt 5.17)? Paulo responde a pergunta com a sua expressão característica *me genoito*, uma forte negação que é traduzida literalmente por "que não seja" (cf. Rm 3.4,6; 6.2,15; 7.7,13; 9.14; 11.1,11; 1 Co 6.15; Gl 2.17; 3.21). Sua resposta secreta: "Antes, estabelecemos a lei" (Rm 3.31), leva-nos a ficar nos perguntando o que exatamente Paulo quis dizer com esta frase. Não obstante, refutando a noção de que seu evangelho invalida a lei, ele afirma uma função permanente para a lei.

Moo categoriza três modos diferentes nos quais o papel permanente da lei pode ser entendido:
1) Testifica da fé (Cranfield);
2) Convence, de modo que a pessoa vê a necessidade da fé em Cristo (cf. Rm 3.19,20; Harrison);
3) exige obediência — quer dizer, a fé cumpre as demandas da lei (cf. Rm 8.4; Moo). A segunda opção tem a seu favor a referência precedente nos versículos 19 e 20 à obra convincente da lei. Mas a terceira opção também deve ser considerada. A idéia de que a fé cumpre as demandas da lei é explicitada mais tarde em Romanos 8.4: "Para que a justiça da lei se cumprisse em nós". O fato de Romanos 8.4 estar tão longe de Romanos 3.31 não deve obliterar imediatamente a aplicabilidade desta interpretação. Como já vimos, o autor não hesita em apresentar um assunto resumidamente para então deixar seu desenvolvimento para depois (e.g., a vantagem do judeu: Rm 3.1,2; 9.4,5).

2.1.2.2.2. Ilustração: A Fé de Abraão (4.1-25). A divisão de capítulo marca uma transição em vez de mudança de assunto. A defesa de Paulo da justificação pela fé continua quando ele chama ao banco das testemunhas uma testemunha impressionante: Abraão, o pai da nação de Israel. Se o exame deste grande patriarca prova que sua justiça foi outorgada com base na fé e não nas suas obras, então as razões de Paulo em favor da natureza bíblica do seu evangelho — que é um evangelho que tem "o testemunho da Lei e dos Profetas", Rm 3.21) — tornam-se forçosas.

Mas há outra razão para Abraão ser destacado por tal atenção. Ele era importante dentro do judaísmo, porque foi ele quem primeiro aceitou o concerto e suas condições; foi ele quem aceitou a circuncisão como sinal do concerto (Gn 17). De acordo com a tradição judaica, Deus lhe deu justiça por causa de sua *fidelidade* (não por causa de sua fé), uma fidelidade que ele demonstrou por sua disposição em oferecer Isaque como sacrifício (Eclesiástico 44.20; 1 Macabeus 2.52). Foi Abraão também que, de acordo com essa mesma tradição, guardou a lei mosaica antes mesmo que fosse escrita (e.g., Jubileu 16.28; 2 Baruque 57.1,2).[2]

Para argumentar contra esta caracterização do patriarca e a natureza de sua justiça, Paulo adota o tipo de metodologia usado por seus oponentes. A extensa exposição sobre Gênesis 15.6 dada aqui conforma-se com os princípios e práticas da exegese bíblica no Período do Segundo Templo. A exposição de Gênesis 15.6 — "E creu ele [Abraão] no SENHOR, e foi-lhe imputado isto como justiça" — focaliza-se em duas palavras-chaves: "creu" e "imputado".

Considerando que Paulo está argumentando contra uma interpretação judaica de Abraão, o estilo dialógico que ele usa para interagir com um integrante de conversa judeu continua no capítulo 4. Como na seção anterior (Rm 3.27-31), fica cada vez mais difícil identificar se é Paulo ou o interlocutor judeu que está fazendo as perguntas. Parece que Paulo está não só respondendo as perguntas, mas também fazendo-as.

A pergunta de abertura é o que Abraão alcançou (v. 1). Quer dizer, o que Abraão descobriu sobre o meio de justiça? Dunn observa que o verbo grego *heurisko* ("ter alcançado") que Paulo usou aparece freqüentemente na LXX na frase "achar favor [ou graça]" (esp. em Gênesis, e.g., Gn 18.3). Por conseguinte, Paulo parece estar notificando antecipadamente quanto ao que ele apresentará argumentos em favor da natureza da descoberta de Abraão (veja Rm 4.4).

O fato de Abraão não ter alcançado a justiça pelas obras é substanciado com citação do texto de origem: Gênesis 15.6. Contrário à visão judaica de que este texto dizia respeito à fidelidade ou obediência de Abraão, Paulo argumenta que a imputação da justiça foi em resposta à sua fé. Gênesis 15 define a fé de Abraão como crença na promessa que Deus lhe deu, que dizia que ele, embora ainda sem herdeiro, seria o pai de uma grande nação. O ponto é que se Abraão não podia se orgulhar de suas obras (cf. Rm 2.17,23; 3.27) — ele, que de acordo com a tradição judaica guardou a lei antes de ser dada a Moisés — então quem pode (Calvert, p. 7)?

Nos versículos 4 a 8, Paulo começa sua exposição de Gênesis 15.6 com uma explicação da importância da palavra "imputado" ou "creditado" ou "considerado" (*elogisthe*, uma forma do verbo grego *logizo*). Para ilustrar seu significado em Gênesis 15.6, Paulo se beneficia do sentido comercial desta palavra em vigor no mundo greco-romano a fim de traçar uma analogia do mundo dos negócios. A comparação que ele faz não é claramente evidente, porque ele não detalhou completamente os componentes correspondentes. A chave para interpretar Romanos 4.4,5 é notar a antítese ao término do versículo 4 entre "galardão" (*charis*; lit., "graça") e "dívida". A pessoa que trabalha ganha um salário. Em outras palavras, o empregador é obrigado a imputar (creditar) ao trabalhador um salário. Mas a justiça não é ganha assim. Antes, é imputada (creditada) como presente ao indivíduo que crê. Paulo proveu aqui a resposta para a pergunta que ele fez no versículo 1. O que Abraão alcançou? Ele descobriu que é pela graça que a pessoa é aceita por Deus.

A natureza da fé recebe uma definição no versículo 5: É crendo em Deus "que justifica o ímpio". É difícil imaginar uma expressão de graça mais dissonante. Afinal de contas, Paulo tinha declarado anteriormente que a ira de Deus é manifestada sobre o ímpio (Rm 1.18). Além disso, aqueles que estavam familiarizados com o Antigo Testamento e a subseqüente literatura judaica estavam acostumados a ouvir sobre como Deus justifica o piedoso e pune o ímpio (Êx 23.7; Sl 1; Pv 17.15; Is 5.22,23; 1 Enoque 108). Não é outro senão Abraão, o pai dos judeus, que é a justificação para tal expressão de graça. Ele era, de acordo com a tradição judaica, o gentio que se afastou da idolatria para seguir o único Deus (Jubileu 12.1-21; Apocalipse de Abraão 1—8).

A maravilhosa proclamação do evangelho que Deus justifica o ímpio ainda ressoa nos ouvidos dos ouvintes. A vida cotidiana constantemente reforça o princípio de que a pessoa recebe o que merece: "Você recebe pelo que paga"; "o almoço não está incluso". Mas os olhos da fé têm de ver além do mundo da recompensa para se fixar em Deus que recompensa com graça aqueles que não a merecem.

Para ampliar a natureza da graça, Paulo cita o Salmo 32.1,2 em Romanos 4.7,8, que é outro texto no qual o verbo grego *logizo* ("imputa", v. 8) aparece: "Bem-aventurado o homem a quem o Senhor não imputa o pecado". Esta metodologia de interpretar um versículo por outro que contém a mesma palavra-chave era comum na exegese judaica. A citação de Paulo de algumas linhas do salmo de contrição de Davi reforça o ponto há pouco abordado que "imputar", em Gênesis 15.6, não tem nada a ver com o mérito humano ou o pagamento de dívida. A relação entre o perdão de pecados, no Salmo 32, e a imputação de justiça, em Gênesis 15, é somente esta: Ambos ocorrem pela graça. Assim como o perdão é dado independente da ação humana, assim é a justiça.

Nos versículos 9 a 12, Paulo retoma a palavra "bem-aventurado" na citação do Salmo 32 e pergunta quem poderia conhecer tal bem-aventurança? O restante do argumento neste capítulo busca estabelecer que tal bem-aventurança está disponível ao judeu e ao gentio, ao circunciso e ao incircunciso. Ele passa a fazer isto concentrando-se na segunda das duas palavras de Gênesis 15.6 que ele escolheu examinar: "creu" (*pisteuo*). Porque é crendo, ou pela fé, que todos podem ser imputados com a justiça de Deus.

À medida que o apóstolo continua seu ataque na presunção judaica de que a justiça de Deus era exclusivamente para os de dentro do concerto, ele volta ao assunto da circuncisão (veja Rm 2.25-29). Não é de causar surpresa numa discussão sobre Abraão. Foi ele quem aceitou o sinal do concerto (a circuncisão) em resposta ao concerto que Deus fizera com ele (Gn 17). Entre os judeus, supunha-se que a observância da circuncisão era parte integrante para obter a justiça. A agenda paulina aqui é cortar esta conexão.

O apóstolo faz isto com um argumento cronológico: A justiça foi imputada a Abraão *antes* que ele aceitasse o rito da circuncisão. Não se pode dizer que a circuncisão foi a base de sua justiça. A circuncisão foi dada como sinal ou marca distintiva do fato de que Abraão já tinha sido justificado. Era, para usar as palavras de Dunn, "uma ratificação de que Abraão tinha sido aceito por Deus".

Stuhlmacher observa que o argumento de Paulo segue o princípio da exegese judaica, de que a prioridade no tempo indica a prioridade da importância. Na vida de Abraão, crer era o evento crucial e não a circuncisão. Por conseguinte, Abraão deveria ser considerado o "pai de todos os que crêem" (v. 11), quer seja de um gentio que crê, quer seja de um judeu que crê (v. 12). A natureza graciosa de tal observação é evidente no comentário de W. D. Davies (p. 177), de que "até os prosélitos não tinham permissão de chamar Abraão de 'nosso pai'."

Paulo argumenta que justificar Abraão desta maneira era o propósito de Deus desde o princípio ("a fim de que", no v. 11, indica propósito), porque este também devia ser seu meio de justificar todos os outros. A marca identificadora do povo de Deus é a fé.

O contexto mais amplo de Gênesis 15.6, a promessa de que Deus deu a Abraão que ele seria o pai de uma grande nação, é posta em evidência em Romanos 4.13-17. A referência a Abraão como "herdeiro do mundo", no versículo 13, reflete crença judaica comum (Eclesiástico 44.21; Jubileu 22.14; 32.19). Tendo mostrado em Romanos 2 e 3 a separação da lei e da justiça, Paulo agora apresenta argumentos de que a promessa atua independentemente da lei. Com base em Gênesis 15.6, Paulo afirma que a promessa veio a Abraão por sua fé, não por sua obediência à lei (Rm 4.13). Pois em que Abraão cria, quando lhe foi imputada a justiça, era a promessa.

Esta ainda é a maneira na qual a promessa vem a seus descendentes — judeus e gentios (vv. 13,16). Assim como veio pela fé de acordo com o desígnio divino, assim continua a vir pela fé, a fim de que seus termos sempre sejam entendidos como originários da graça de Deus em vez da realização humana (v. 16). E porque judeus e gentios são sua semente, pode-se dizer que a promessa de Gênesis 17.5 é cumprida, a qual diz: "Por pai de muitas nações te constituí" (Rm 4.17a).

Para o judeu, o cumprimento da promessa de Deus estava ligado à observância da lei, considerando que a lei proveu o meio pelo qual o judeu pôs em prática os termos do concerto e, assim, tornou-se herdeiro da promessa. Mas Paulo mostra que "se os que são da lei são herdeiros, logo a fé é vã e a promessa é aniquilada" (v. 14). Deus imputou ou creditou a justiça àquele que *creu* na promessa. Retirar a fé e substituir as obras é tornar a fé irrelevante e invalidar a promessa original.

De fato, o papel da lei não é transmitir a promessa, mas condenar. O assunto da função da lei, referido pela última vez em Romanos 3.31, reaparece. A declaração de que "onde não há lei também não há transgressão" (Rm 4.15b) é significativa para a discussão da ira de Deus em Romanos 1.18 a 3.20. É a presença da lei de Deus que explica sua ira.

O Deus no qual Abraão colocou a fé foi caracterizado em Romanos 4.5 como o "[Deus] que justifica o ímpio". Mais adiante, em Romanos 4.17, Deus é definido como o "[Deus que] vivifica os mortos" e que "chama as coisas que não são como se já fossem". Calvert (p. 7) destaca que estas frases, no versículo 17, eram correntes na literatura judaica. Deus era descrito como aquele que tinha "habilidade criativa para chamar à existência aquilo que existia a partir do que não existia" (e.g., 2 Baruque 21.4; 48.8; 2 Macabeus 7.28). A segunda frase tinha relevância particular para a defesa de Paulo da visão de que os gentios foram incluídos entre os justos pelo critério da fé. A idéia de dar vida aos mortos já tinha sido usada como metáfora para a conversão dos gentios (Jos. Asen. 27.10).

As duas frases usadas no versículo 17b para descrever Deus enfatizam que seu poder atua no reino da impossibilidade humana. O cumprimento da promessa que Deus tinha feito a Abraão era humanamente impossível. Avançado em idade, a capacidade reprodutiva de Abraão e Sara era "tão boa quanto morta" (veja Gn 18). Mas Abraão estava "certíssimo de que o que ele tinha prometido também era poderoso para o fazer" (Rm 4.21), e "[Abraão] em esperança, creu" (v. 18), "dando glória a Deus" (v. 20). Abraão era diferente do pecador descrito em Romanos 1.21, que se recusou a responder a Deus como Deus e a lhe dar glória.

Foi justamente por causa da confiança de Abraão no ponto da impossibilidade humana que Paulo usa essa situação para atacar o entendimento da justiça vigente no judaísmo. Não foi pela fidelidade ou obras de Abraão que ele obteve o crédito da justiça. Antes, foi sua confiança em Deus somente — sua confiança num Deus que faria o que só Ele poderia fazer. Foi precisamente porque era humanamente impossível Abraão ter um filho que sua decisão retrata a natureza da fé. A fé bíblica é a confiança na capacidade de Deus fazer o que não podemos. Levando em conta Romanos 3.21 a 4.25, é nossa fé em sua capacidade de fazer o que só Ele pode — nos tornar justos.

No versículo 22, Paulo cita novamente Gênesis 15.6 à guisa de sumário. Recitar o versículo outra vez tem o efeito no ouvinte de permitir que ele o ouça uma última vez com o significado que o argumento anterior deu. O que deve ser ouvido é que a justiça de Deus foi imputada a Abraão, não por causa de sua obras, mas porque ele confiava em Deus que tinha o poder para fazer o que prometera. O argumento deste capítulo está sumariado em uma das últimas cartas de Paulo. "Porque pela graça sois salvos, por meio da fé; e isso não vem de vós mesmos; é dom de Deus. Não vem das obras, para que ninguém se glorie" (Ef 2.8,9).

Nos versículos finais de Romanos 4 (vv. 23-25), Paulo aplica a exposição de Gênesis 15.6 à sua audiência nas igrejas romanas que se reuniam em casa. Seu ensino é "também por nós". A fé de Abraão é o protótipo para a fé de todos os crentes em Deus. Assim como Abraão creu no Deus que trouxe a vida da morte (Rm 4.17-21) — ou seja, dar-lhes um filho quando era fisicamente impossível ocorrer uma gravidez —, assim o cristão crê em Deus que ressuscitou Jesus dos mortos (v. 24; cf. Rm 10.9). O que Paulo fez foi traçar um paralelo entre os dois acontecimentos, que são, "em termos de história de salvação [...] literalmente acontecimentos que criam época" (Dunn). Estes dois acontecimentos celebram o poder de Deus, que dá vida. No caso de Abraão, a ênfase estava no fato de que Deus graciosamente fez o que nenhum ser humano poderia fazer. Só restava a Abraão crer. O que Abraão alcançou (v. 1) foi a graça; assim devemos nós. Tudo o que podemos fazer pela salvação é crer que pela graça de Deus Ele torna o injusto em justo e dá vida aos mortos.

Uma declaração final sobre a obra de Cristo completa a discussão, trazendo de volta ao foco central o assunto com o qual Paulo iniciou sua discussão sobre a justiça de Deus em Romanos 3.21. A primeira frase em Romanos 4.25 reflete o entendimento da igreja primitiva sobre a morte de Cristo. Jesus "foi entregue". O uso do verbo grego *paradidomi* na voz passiva pode ser considerado de dois modos:
1) O modo mais importante é que deve ser entendido como passivo divino: Foi Deus que entregou Jesus. A influência de Isaías 53.12 (na LXX): "E foi entregue por causa das iniqüidades deles", está provavelmente no plano de fundo.
2) A voz passiva também reflete a traição de Judas que entregou Cristo às autoridades.

A segunda frase no versículo 25 emparelha a justificação e a ressurreição. Embora o emparelhamento seja bastante incomum — a justificação é tipicamente falada em termos da cruz —, ele se ajusta ao contexto, no qual a história da justificação de Abraão é ligada com sua crença na capacidade de Deus trazer vida da morte. Este emparelhamento também nos lembra a obra salvífica de Cristo vai além da cruz ao túmulo vazio. Porquanto seja verdade que esta obra é explicada da perspectiva da cruz, a ressurreição sempre está no pano de fundo como a completude dessa obra.

2.1.3. A Esfera da Graça (5.1-21). Romanos 5 marca um ponto decisivo na carta. Funciona como resumo dos argumentos já apresentados sobre o pecado e a ira de Deus, e sobre a fé e a justificação. Também serve para notificar que Paulo está a ponto de mudar de andamento quando passa a dar atenção à vida do crente individual. Dunn observou que o movimento nas duas seções deste capítulo — de um enfoque no crente individual (vv. 1-11) para a perspectiva global da história de salvação (vv. 12-21) —, estabelece a ordem para o que vem a seguir nos capítulos 6 a 11. O crente individual é o assunto dos capítulos 6 a 8; a humanidade, judeus e gentios, é o enfoque dos capítulos 9 a 11.

Há uma correspondência entre as duas seções no capítulo 5. Por exemplo, uma frase semelhante aparece ao término de cada seção: "por nosso Senhor Jesus Cristo" (v. 11) e "por Jesus Cristo, nosso Senhor" (v. 21). O que é particularmente surpreendente é a ênfase repetida que Paulo dá ao tema da graça ao longo do capítulo. Embora até aqui a graça tenha desempenhado um papel importante na carta — sobretudo para descrever como a justiça de Deus é dada a homens e mulheres (Rm 3.24; 4.1-4,16) —, o enfoque nela ao longo deste capítulo de transição, projetado a resumir e prever, lhe dá proeminência particular. Paulo volta ao tópico da graça neste ponto estratégico para enfatizar que não é nada menos que a "maravilhosa graça" que define nossa existência como crentes.

2.1.3.1. A Vida na Esfera da Graça (5.1-11).
Os benefícios pertencentes aos que são justificados, ou seja, ao que entram na esfera da graça, são descrito em duas partes (vv. 1-5 e 9-11), as quais iniciam com "sendo [...] justificados". Separando as duas partes é uma explicação da base objetiva na qual estes benefícios experimentais são fundamentados: a morte de Cristo como expressão última da graça de Deus (vv. 6-8).

2.1.3.1.1. Os Benefícios da Graça (5.1-5).
Com o ponto a que se desejou fazer no capítulo 4, que somos justificados da mesma maneira que Abraão (Rm 4.23-25), Paulo agora destaca os benefícios que todos nós que entramos nesse estado de justiça desfrutamos. O primeiro é a "paz com Deus" (cf. Is 32.17: "O efeito da justiça será paz"). Dois pontos devem ser estabelecidos aqui:
1) Esta paz não é um sentimento interior de bem-estar, embora certamente seja um dos subprodutos da paz com Deus. A paz com Deus se refere à restauração da relação; já não somos inimigos de Deus, sujeitos à sua ira (cf. Rm 5.9-11). Deus tomou a iniciativa de tratar da divisão causada pela rebelião humana através da morte do seu Filho (cf. Cl 1.21,22).
2) No Antigo Testamento, a paz era definida em termos nacionais, ou seja, o que Deus provocaria entre Israel e seus vizinhos. O ensino de Paulo redireciona o conceito da paz verticalmente para com Deus. Não obstante, a dimensão horizontal da paz não é desconsiderada, por causa do fato de que nossa paz com Deus estabelece a base para a paz com os outros (Ef 2.14).

A entrada do crente num novo estado de existência, que foi descrito com o conceito da justificação no versículo 1, é expressa novamente no versículo 2 com a linguagem da graça. É porque a graça é a base na qual a justificação (Rm 3.24), como também todos os outros benefícios, são dados ao crente. Por Cristo, Paulo declara que "também temos entrada pela fé a esta graça, na qual estamos firmes". Diferente daqueles que não têm fé em Cristo, não estamos debaixo da ira. Estamos na esfera da graça.

Para os judeus, a imagem de obter acesso a Deus sugeriria que a espessa cortina no santuário, a qual escondia a presença de Deus, foi tirada. Para os gregos, a imagem teria sugerido mais prontamente a corte de um rei. A pessoa só obtinha acesso ao rei mediante seu favor ou graça. O indivíduo favorecido seria conduzido à sua presença com a ajuda do camarista real. Cristo foi quem nos conduziu à presença de Deus, "apresentando-nos como aqueles que lhe pertencem e, assim, ao Pai" (Harrison).

Estar na esfera da graça significa experimentar a ininterrupta atividade do poder de Deus, e ficar lá nos dá a esperança de que o futuro será uma completude da obra de Deus já em desenvolvimento (v. 2). A esperança do cristão é esta: que o que humanidade perdeu no jardim do Éden — a glória de Deus — será restaurado aos homens e mulheres quando eles forem trazidos de volta em conformidade com a imagem de Deus, a qual foi arruinada pelo pecado (cf. Rm 8.29).

O verbo grego traduzido por "nos gloriamos" (*kauchaomai*) retoma as ocorrências anteriores de várias formas da mesma palavra, quando foi traduzido por "gloriar-se" ou "jactância" (Rm 2.17,23; 3.27). Visto que a jactância foi desencorajada, um contraste deliberado está sendo feito aqui entre dois tipos de jactância. Por um lado, é ilegítimo jactar-se na realização humana. Paulo criticou a jactância judaica na posição dos judeus diante de Deus. É legítimo jactar-se no que Deus realiza para aqueles que vivem na esfera da graça.

A vida é transformada para aquele que está na esfera da graça. Até o sofrimento é radicalmente afetado. É por isto que Paulo faz do sofrimento como também da esperança uma razão para alegrar-se (vv. 2,3). O sofrimento, o qual é visto no Novo Testamento como "a experiência normal do cristão" (Bruce, 1985), é considerada positivamente porque produz resultados. Na esfera da graça, sofrer não é sem sentido, porque inicia um processo pelo qual o caráter é formado. O sofrimento produz paciência (ou perseverança), e a paciência (ou perseverança), experiência (ou caráter) e a experiência (ou caráter), esperança (vv. 3,4). O termo teológico para este processo no qual o caráter da pessoa é colocado em conformidade com a imagem de Deus é *santificação*, a qual Paulo tratará extensivamente no próximo capítulo.

Paulo sabe por experiência própria que há valor no sofrimento. Pelo espinho na carne, ele experimentou a graça de graça (2 Co 12.7-10). A graça só é plenamente experimentada quando chegamos a um lugar de desespero, uma situação na qual nos achamos completamente dependentes de Deus. A teologia pentecostal ressalta corretamente o poder de Deus para nos livrar das tribulações. O que nem sempre é ressaltado é o poder de Deus liberado para favorecer a resistência da pessoa. Esta contínua obra da graça é tão milagrosa, se não mais, quanto ao ato singular da libertação que livra a pessoa da dificuldade. Deus sempre livra o crente, mas às vezes Ele livra através da aflição em vez de livrá-la dela.

Paulo diz que "sabendo" (v. 3) por experiência própria que suportar as provações produz em nós a qualidade da "paciência [ou perseverança]" — qualidade altamente apreciada nos dias de Paulo pelos estóicos e judeus igualmente. A paciência é uma qualidade ativa, não uma resignação passiva ao destino. Envolve manter a posição durante a coação. É evidente pelas muitas referências de Paulo a esta qualidade, que ele a considerava indispensável para a vida cristã (veja Rm 2.7; 5.3,4; 8.25; 15.4,5; também, e.g., 2 Co 6.4; Cl 1.11).

A paciência produz "experiência [ou caráter]" (*dokime*) — "a qualidade de ser aprovado" (Bauer, W. F. Arndt e F. W. Gingrich, *A Greek-English Lexicon of the New Testament and Other Early Christian Literature*, Chicago, 1979). A imagem evocada pelo termo é testar o ouro pelo fogo. A idéia é que as tribulações da vida, se enfrentadas com paciência (ou perseverança), purificam o caráter da pessoa.

O resultado final deste processo é a produção de "esperança" (v. 4). A reaparição da esperança torna evidente que a justaposição da esperança e sofrimento nos versículos 2b e 3a era sugestiva de uma relação integrante entre eles. A esperança da restauração final da glória de Deus em nossa vida (v. 2) é fortalecida no presente, porque o crente vê que o que ele espera já foi iniciado em sua vida pelo processo que começa com o sofrimento. À medida que o cristão vive na esfera da graça, o sofrimento é transformado, a experiência (ou o caráter) é formada e a esperança é aumentada para que Deus termine a obra que Ele começou.

Mas há algo mais em nossa experiência que também forma nossa confiança de que nosso futuro está garantido: O amor de Deus foi "derramado em nosso coração" (v. 5). O verbo grego traduzido por "derramar" (*ekcheo*) retrata o amor que desce sobre nós como uma chuvarada. O meio de tal profunda experiência de amor é, como podemos esperar, o Espírito Santo, pois o Espírito é a pessoa da deidade que aplica a obra do Pai e do Filho em nós.

Paulo presume que este aguaceiro de amor é experiência vívida o bastante para os crentes que serve de fonte de garantia sobre a obra de Deus em suas vidas (Gl 3.2-5). Qual é esta experiência à qual ele se refere? O pano de fundo da associação do verbo grego *ekcheo* com o Espírito Santo é encontrado em Joel 2.28-30, onde a promessa é dada em relação ao Espírito ser derramado sobre toda a carne (veja Fee, 1994, p. 497, n. 70; Dunn). De fato, esta profecia do Antigo Testamento foi citada no Dia de Pentecostes como interpretação do que tinha acontecido naquele dia (At 2). Esta mesma associação aparece na descrição da descida do Espírito sobre a casa de Cornélio em Atos 10.45.

Por conseguinte, seria o caso de Paulo estar descrevendo o que os pentecostais chamam "batismo com o Espírito". O verbo grego *ekcheo* está no tempo perfeito aqui. Este tempo grego significa um estado presente que é resultado de um acontecimento passado. O que Paulo quer dizer é que o impacto inicial do derramamento de amor continua reverberando na vida cotidiana do cristão. Fee comenta que o efeito do batismo com o Espírito sobre as pessoas que ele conheceu em sua educação pentecostal teve o mesmo efeito que Paulo descreve aqui nos versículos 2 a 5: Deu uma garantia "do amor de Deus e da própria glória futura deles" (1994, p. 497, n. 71).

2.1.3.1.2. A Expressão Última da Graça (5.6-8).

Enquanto o versículo 5 fala sobre o amor de Deus como experiência subjetiva, os versículos 6 a 8 deixam claro que é mais do que isso. Deus demonstrou seu amor por nós tangivelmente através da morte de Cristo (v. 8). A conversa sobre a morte domina esta passagem. Ainda que não seja evidente pelo texto em nosso idioma, cada uma das quatro frases desta seção termina com a palavra "morrer" (*apothnesko*). É porque a morte de Cristo representa o último ato de graça e a prova mais constrangedora do amor de Deus.

O que Paulo nos mostra aqui numa série de contrastes é a natureza da "maravilhosa graça".

1) Há um contraste total entre o que Deus nos dá e o que é de fato merecido. A cruz representou a extensão do seu amor àqueles que menos a mereciam. A morte de Cristo ocorreu "a seu tempo", ou seja, citando as palavras de Bruce (1985), "em tempo de maior necessidade" — quando ainda éramos fracos e incapazes por causa de nossa impiedade (v. 6).

2) Há um contraste completo entre o amor divino e o humano. O amor humano tende a ser condicional; o amor divino, incondicional. Ainda que alguém morra por outrem que tenha algum mérito (v. 7), Cristo morreu pelos destituídos de mérito — Ele morreu pelos pecadores (v. 8; cf. Rm 4.5). A frase "Cristo morreu por nós" (Rm 5.8) expressa sua morte sacrifical em nosso favor. Este entendimento tradicional da morte de Cristo ("Primeiramente vos entreguei o que também recebi: que Cristo morreu por nossos pecados" [1 Co 15.3]) foi ampliado em Romanos 3.21-26.

2.1.3.1.3. A Meta da Graça (5.9-11).

Depois de estabelecer nos versículos 6 a 8 que nossa posição na esfera da graça foi possibilitada pela morte de Cristo, Paulo retorna à sua discussão sobre os benefícios que pertencem aos que vivem nessa esfera. Os versículos 9 e 10 enfatizam, mediante o uso de uma forma rabínica de argumentação conhecida por *a minori ad maius* (do menor para o maior), que a salvação futura do crente está garantida. Em outras palavras, se Deus já começou sua obra em favor dos crentes na justificação, então Ele certamente completará essa obra com a salvação no futuro (v. 9). Paulo chega a semelhante ponto no versículo seguinte, mas desta vez com linguagem mais acentuada: Se Deus reconciliou seus inimigos — se Ele chegou a esse ponto —, com certeza Ele salvará esses mesmos no futuro (v. 10).

Enquanto os protestantes tendem a falar da salvação como um ponto decisivo no passado, é significativo notar a perspectiva de Paulo. Tipicamente em seus escritos, a salvação é descrita como uma obra contínua que será concluída ao término desta era. É certamente apropriado falar de termos sido salvos, mas é até mais certo dizermos que estamos sendo salvos. Na esfera da graça, o poder de Deus continua agindo além do ponto inicial de conversão.

Muitos pentecostais advogam um entendimento de salvação arminiano, o qual inclui a crença de que o cristão pode perder a fé, ou seja, pode apostatar. O ponto é levantado não para disputar esta doutrina, mas para fazer lembrar aos que estão nesse campo teológico que não devemos menosprezar o poder mantenedor da graça. Os crentes que presumem que o ônus está sobre eles a fim de que mantenham a salvação já que são salvos, ou os crentes que freqüentemente respondem ao convite de salvação depois de uma semana difícil, não entenderam a graça. Somos salvos pela graça e mantidos pela graça.

Paulo termina esta seção da mesma maneira que começou — com o assunto da reconciliação. Como sempre no Novo Testamento, nossa reconciliação com Deus, ou nossa paz com Ele, é descrita nos versículos 10 e 11 como uma iniciativa divina. A obra de reconciliação foi feita por Deus através de Cristo; nossa função é somente recebê-la. Há um termo teológico para isto: graça. É por isto que nossa jactância não está apenas em nossa esperança futura (v. 2), nem em nossos sofrimentos atuais (v. 3), mas em Deus mesmo, que por Cristo é o único responsável pela posição vantajosa daquele que está na esfera da graça.

2.1.3.2. O Triunfo da Graça sobre o Pecado e a Morte (5.12-21). Nesta seção, Paulo muda o foco do crente individual para a humanidade em geral a fim de recontar a história do pecado e da salvação. Esta história é dividida em duas eras: a era de Adão e a era de Cristo. Comparando estes dois homens e os efeitos que causaram na humanidade, Paulo resume o conteúdo da carta neste ponto relativo à situação difícil e desesperadora de toda a humanidade e a provisão graciosa da salvação de Deus. Esta seção também trabalha em continuidade com Romanos 5.1-11, já que revisa, agora numa escala cósmica, a verdade da justificação e da graça. A idéia central desta porção da carta é o triunfo da graça sobre o pecado e a morte.

Paulo faz, no versículo 12, uma comparação entre a obra de Adão e a de Cristo, a qual permanece incompleta até os versículos 18 e 19. Depois de expor o primeiro elemento, o pecado de Adão, ele imediatamente divaga para discutir a relação de pecado e da morte e seu efeito desastroso no gênero humano. Depois, ao término do versículo 14, quando ele se prepara para retomar a comparação entre Adão e Cristo, ele faz uma pausa para fazer a qualificação nos versículos 15 a 17 de que a obra de Cristo substitui a de Adão. Mais tarde, ao retomar a comparação começada no versículo 12, ele a completa com duas orações paralelas (vv. 18,19) e resume a totalidade nos versículos 20 a 21.

O termo "como" que começa o versículo 13 introduz a avaliação que Paulo faz da história de salvação. Ele imediatamente se desvia, quando resolve se expandir no conteúdo do termo de abertura concernente à natureza do pecado e da morte.

A inter-relação entre o pecado e a morte tem uma longa história. A conexão feita no versículo 12 entre o pecado e a morte (cf. Rm 1.32) — primeiro, o pecado entra no mundo, e depois, pelo pecado, a morte — reconta a história de Gênesis sobre a queda da humanidade (Gn 2—3). A história da rebelião da humanidade que Paulo narrou em Romanos 1.18-32, a qual foi caracterizada como a repetição do pecado de Adão (veja comentários sobre Rm 1.21,22), recebe seu pano de fundo histórico em Romanos 5.12-19.

O pecado no jardim do Éden resultou na interrupção da relação íntima que existia entre Deus e o casal humano original. O fato de terem sido expulsos do jardim, onde eles tinham andado com Deus, fornece ilustração gráfica da perda de intimidade. Tendo perdido a relação perfeita que tinham conhecido com Deus, a perda da vida se lhes tornou o destino subseqüente. Em outras palavras, a morte espiritual resultou em morte física.

De acordo com o pensamento bíblico, a vida é mais que a presença de sinais vitais, e a morte mais do que sua ausência. A vida é vivida numa relação com Deus; a morte é a ausência dessa relação. A morte pode ser experimentada deste lado do sepulcro (Sl 6.5; 9.17; 30; 115.17). Por exemplo, o Antigo Testamento descreve que algumas pessoas estavam na esfera da morte enquanto ainda viviam, porque seu relacionamento com Deus fora destruído (Sl 88; Is 38.10-19; Jn 2.1-9; para mais detalhes sobre o tópico da visão bíblica da vida e da morte, veja Johnson, pp. 25-34, 84-95). Em concordância com o ensino bíblico, Paulo está falando da morte em Romanos 5 como um fenômeno espiritual com conseqüências físicas.

Romanos 5.12, junto com os versículos 18 a 19, são os textos primários do Novo Testamento para o conceito de "pecado original", ou seja, que todas as pessoas nascem em pecado por causa do pecado de Adão. Ou, como se diz freqüentemente, todos herdam uma natureza depravada. Este não é o lugar para uma discussão extensa sobre o pecado original ou para uma revisão do debate que cerca o tópico. Para isto, os comentários mais longos e textos teológicos devem ser consultados.[3]

Sem ficar atolado em debates, podemos tirar com segurança algumas conclusões deste texto:

1) Paulo estabelece uma conexão entre o pecado de Adão e o nosso (v. 19a: "Pela desobediência de um só homem, muitos foram feitos pecadores"). Ele o faz sem especificar a natureza da conexão. Está claro, no mínimo, que ele quis ensinar que o pecado de Adão liberou o poder do pecado no mundo. Este poder — independente de como se entenda que seja feita sua transmissão — é impossível a pessoa resistir.

2) Paulo também assevera que cada um de nós é responsável pelo estado em que nos encontramos — "a morte passou a todos os homens, por isso que todos pecaram" (v. 12). Nenhum de nós é dispensado da responsabilidade pessoal por causa de Adão. Nenhum de nós pode dizer: "Foi Adão quem me fez fazer isso". Nascemos num mundo arruinado pelo pecado e pela morte, mas não podemos dizer: "Foi a sociedade que nos fez fazer isso".

3) Esta tensão entre os efeitos herdados do pecado de Adão e a responsabilidade individual reflete tensão semelhante dentro dos escritos judaicos desse mesmo período. A idéia de responsabilidade individual é encontrada em Eclesiástico 15.14,15; 2 Baruque 54.19; Normas da Comunidade 4; a idéia da depravação herdada, em Eclesiástico 25.24; 4 Esdras 7.116-126; Normas da Comunidade 11. Para citar um exemplo, lemos em 2 Baruque 54.15,19 (c. 100 d.C.): "Pois, embora Adão tenha pecado primeiro e trazido morte a todos que não viviam em seu tempo, contudo cada um que nasceu dele se prepara para o tormento próximo. [...] Portanto, Adão não é a causa, exceto para si mesmo, mas cada um de nós se tornou nosso próprio Adão".

4) Em Romanos 5.12-21, Paulo está mais preocupado com o que chamaríamos a morte original do que com o pecado original (veja Dunn). Por causa de Adão, todas as pessoas nascem e ficam presas na esfera da morte. Esta passagem mostra que a morte não era o plano original para a humanidade. Adão e Eva foram criados para ter uma relação com o Criador, que se estende pela eternidade. Mas este fato da vida pecadora não nos leva a um ponto de desespero. Antes, como esta passagem afirma como um todo, pela morte de Cristo a esfera da graça venceu a esfera da morte.

Nos versículos 13 e 14, Paulo faz um esclarecimento sobre o papel da lei em relação ao pecado (veja Rm 5.20). O advento da lei mosaica não provocou o aparecimento do pecado e da culpa, pois o pecado e a culpa já estavam presentes desde o tempo de Adão. Por conseguinte, a frase "o pecado não é imputado não havendo lei" (v. 13) não significa que as pessoas que viveram no período anterior à lei dada no monte Sinai não eram responsáveis por suas ações. O advento da lei significou que o pecado não devia ser avaliado por uma balança diferente. Esta interjeição sobre a lei mostra que Paulo nunca perdeu de vista os integrantes judeus de sua audiência em Roma e o papel dominante que a lei desempenhou na compreensão que eles tinham de pecado e salvação.

A última frase do versículo 14 identifica Adão como "figura", ou padrão, tipo (*typos*), de Cristo. Quer dizer, há uma semelhança entre os dois homens. Adão e Cristo inauguraram uma era na história da salvação, e suas ações determinaram a natureza da existência para aqueles que vive em cada era. Este tópico Paulo desenvolverá em plena comparação nos versículos 18 e 19, mas antes de explicar a relação tipológica, ele apresenta uma qualificação. Ele quer que seja entendido que as ações dos dois não devem ser vistas em condições iguais.

Dois contrastes são dados nos versículos 15 e 16.

1) "Não é assim o dom [*charisma*] gratuito como a ofensa" (v. 15a). O dom, que representa a morte de Cristo (vv. 6-11), é dado aos homens e mulheres como uma superabundância da graça. Note o empilhamento das palavras "graça" aqui no versículo 15b: "graça" (*charis* — repetida duas vezes) e "dom" (*dorea*). "A característica da compreensão que Paulo tinha da 'graça' é que ela é abundante, mais do que suficiente" (Dunn). A ação de Adão, por contraste, simplesmente ocasionou o que merecia — a morte.

2) O dom não é como o resultado do pecado de Adão (v. 16a). Este segundo contraste destaca as conseqüências eternas que confrontam os que pertencem a Adão como opostos aos que pertencem a Cristo (vv. 16b,17). A condenação e o julgamento são postos em contraste contra a justificação. O contraste da condenação com a justificação no contexto do julgamento final mostra que a justificação é compreendida aqui como absolvição. Como no versículo 15b, a graça de Deus entra à frente neste segundo contraste. Enquanto um pecado recebeu sua justa punição, séculos de pecados acumulados foram graciosamente cobertos pelo ato de Cristo (v. 16b). Um pecado levou ao reinado da morte; a provisão da graça de Deus permite que os que a recebam reinem em vida — uma referência ao mundo por vir.

O leitor notará como Paulo passa livremente de "todos" para "muitos" ao longo de toda esta seção. Paulo provavelmente foi influenciado por Isaías 53.11 no uso da palavra "muitos": "O meu servo, o justo, justificará a muitos". O uso de *muitos* em oposição a *todos* não é significativo, porque Paulo usa os termos intercambiavelmente. Os "muitos" que morreram pela transgressão de um homem (v. 15) são certamente referência a todas as pessoas. E a natureza paralela dos versículos 18 e 19 sugere que o "todos" do versículo 18 é equivalente ao "muitos" do versículo 19.

Nos versículos 18 a 21, Paulo finalmente completa a comparação "assim como... assim" que ele havia deixado inacabada no versículo 12. Em duas orações grandemente paralelas, Paulo estabelece a relação tipológica de Adão e Cristo — uma relação que ele vem qualificando desde o versículo 15. Paulo mostra a maneira na qual o ato de Cristo inverteu as conseqüências do ato de Adão.

No versículo 18, o ato que trouxe condenação é colocado em oposição pelo ato justo que trouxe justificação (veja comentários acima sobre vv. 16,17). A justificação dá vida a todos, o que — levando em conta o contexto precedente (vv. 9,10,17) — representa vida no outro mundo. No versículo 19 é o ato da desobediência (o pecado de Adão) que é colocado em contraste com um ato de obediência (a morte de Cristo; veja vv. 6-10; cf. Fp 2.8: "Sendo obedientes até à morte").

Há duas esferas de existência — uma associada com Adão e a outra com Cristo. Os que não receberam a graça de Deus existem somente na esfera do pecado e da morte. Embora os crentes ainda sejam afetados pela esfera da morte que domina este mundo, eles não são dominados pelo pecado e pela morte. A influência primária sobre o cristão no período interposto antes da volta do Senhor é a esfera da graça na qual o poder de Deus é expresso em atos graciosos.

O uso de "todos" e "muitos" para descrever os que estão em solidariedade com Adão e Cristo levou alguns a concluir que Paulo está ensinando a salvação universal. Por exemplo, o versículo 18 diz que o pecado de Adão trouxe "juízo sobre todos os homens para condenação", mas "justificação de vida [...] sobre todos os homens" por Cristo. Por que não entendermos, como alguns argumentam, que a salvação é tão universal quanto a condenação ou a morte?

Em resposta, alguns estudiosos mostram que o que é provido para todas as pessoas é a *provisão* para a justificação, não a justificação em si (e.g., Lenski; Meyer). Moo apresenta forte argumento dizendo que a linguagem da justificação no versículo 18 sugere (como normalmente o faz) não um estado potencial baseado na obra da propiciação, mas um "estado de fato dado ao indivíduo". Moo mostra que o uso de Paulo da linguagem universal indica que ele queria enfatizar que o resultado da obra de Cristo se estende tão seguramente a todos os seus seguidores quanto a obra de Adão aos que o seguem. O argumento de Paulo, citando Moo, é "que Cristo afeta os que lhe pertencem tão certamente quanto Adão afeta os seus".

Dois argumentos adicionais podem ser apresentados contra a interpretação que afirma que estes versículos ensinam a salvação universal:

1) O versículo 17 estipula que as condições para reinar em vida são dadas somente aos que recebem o dom da justiça. Ainda que todos se achem automaticamente sob o reinado da morte como questão de ter nascido no gênero humano, o recebimento do ato da graça de Deus envolve escolha individual.
2) É difícil dar sentido à extensa discussão a respeito da ira de Deus sobre a humanidade pecadora e a respeito da salvação dessa ira por um ato de fé (Rm 1.18—4.25), se a salvação universal é o que Paulo realmente tinha em mente o tempo todo.

No versículo 20, pela segunda vez neste capítulo, o assunto da lei é abruptamente apresentado (cf. v. 13). Aqui, Paulo antecipa discussão adicional apresentada no capítulo 7 quando comenta que a lei foi dada "para que a ofensa abundasse" (cf. Gl 3.19). Esta seria declaração chocante para os judeus, que entendiam que a lei de Deus era o seu dom para eles a fim de que eles conhecessem a vontade de Deus e, assim, evitassem o pecado (Rm 2.17-24).

Em vez de neste ponto se estender sobre o assunto do papel da lei, Paulo volta ao tema central da graça que vence o pecado por Jesus Cristo nosso Senhor (v. 21). O que Paulo quer afirmar é que a lei não era o antídoto para o pecado. Era a graça: Como o pecado aumentou, assim a graça. Citando as palavras de Harrison: "O apóstolo fica quase extático à medida que se diverte na excelência superlativa do domínio divino, que faz o pecado servir um propósito gracioso".

2.2. A Justiça de Deus Quebra o Poder do Pecado (6.1—8.39)

A discussão de Paulo agora passa para o tópico de como a justiça de Deus, sua atividade salvadora, efetua mudança no estilo de vida do crente. Deus age não só para colocar a pessoa em relação certa com Ele, mas também para capacitar essa pessoa a agir conforme essa relação. Isto significa que Deus trata do poder do pecado através de Cristo e do Espírito Santo.

Podemos estimar prontamente que a mensagem do evangelho de Paulo "livre da lei" poderia causar mal-entendidos nos seus ouvintes. Pois há um perigo inerente na pregação do evangelho da graça — um perigo que é real para o cristão do século XXI como o era para o crente do século I. É que os que ouvem a mensagem do Evangelho com sua ênfase na graça podem interpretar que ela minimiza a gravidade do pecado e suas conseqüências. Se Deus perdoa livremente, se sua graça nos encontra no ponto de nosso fracasso, então por que nos esmerarmos para evitar o pecado?

Nos capítulos 6 a 8, descobrimos a refutação de Paulo de tal engano acerca da relação entre o pecado e a graça (cf. Gl

5). A graça não só trata da pena do pecado (Rm 5), mas, como veremos nesta seção, também do seu poder. É pela graça que a pena do pecado é cancelada através da justificação pela fé. E é por essa mesma graça que o poder do pecado é tratado pelo que chamamos santificação, a obra de Deus em nós para produzir conformidade crescente à imagem de Cristo (cf. Rm 8.29).

Especificamente, Paulo mostrará no capítulo 6 como a obra de Cristo possibilitou um viver justo e no capítulo 8 como o Espírito Santo tornou esse estado uma realidade na experiência do crente. É pela obra do Espírito Santo que ocorre o processo de santificação. No capítulo 7, ele explicará a relação entre a lei e o pecado—tópico levantado anteriormente, mas não desenvolvido por inteiro.

Os processos de justificação (posição correta diante de Deus) e santificação (viver correto diante de Deus), ainda que conceptualmente distintos, não devem ser distinguidos muito nitidamente. A tentativa de dividi-los temporalmente, como se a justificação fosse uma obra completa e a santificação uma obra perpétua, deixa escapar a ênfase de Paulo na salvação como ato contínuo da graça de Deus. A obra salvífica de Deus ou a justiça abrange o que chamamos justificação e santificação. Essa justificação é vista mais que um assunto liquidado em Romanos 6.16, onde a justificação ou a consecução da justiça é um acontecimento futuro para todos os crentes. A justificação final ocorre quando Cristo voltar.

Há também a tentativa de ver a justificação como iniciativa divina e a santificação como empenho humano. O que Paulo deixará claro no capítulo 6 é que nos tornamos como Cristo somente à medida que nos unirmos a Ele, ou quando estamos em Cristo. Em outras palavras, a graça de Deus continua disponível por Cristo, e essa graça efetua a mudança em nós. No capítulo 8, o apóstolo especificará que é o Espírito que transmite esta graça transformadora. Tendo dito tudo isso, os imperativos no capítulo 6 para pensarmos corretamente e agirmos corretamente ressaltam nossa responsabilidade em responder à graça e cooperar com a obra do Espírito Santo.

2.2.1. O Poder sobre o Pecado (6.1—7.6). Três perguntas semelhantes sobre a natureza do pecado e da graça estruturam este capítulo:

1) Devemos nos engajar no pecado de forma que a quantidade de glória que Deus recebe aumente à medida que Ele responde ao pecado, dispensando mais graça (v. 1)? Em resposta, Paulo insiste que continuar no pecado é impossível para os cristãos, porque nós morremos com Cristo para o pecado. Já não estamos sob seu poder. De fato, andamos em novidade de vida por causa da ressurreição de Cristo. Contudo, Paulo avisará nos versículos 11 a 14 que o que a obra de Cristo alcançou deve ser apropriado por cada indivíduo.

2) Na ausência da lei, o pecado se torna permissível (v. 15)? Devemos pecar por causa da graça? Não — responde o apóstolo —, pois os crentes passaram da escravidão ao pecado para a escravidão à justiça. O senhorio de Cristo exige que sirvamos a Ele, e não ao pecado.

3) Qual é o papel da lei na vida do crente (Rm 7.1-6)?

2.2.1.1. Morrer para Viver (6.1-14). A ocorrência de uma pergunta no começo desta seção nos remete ao formato de diálogo usado anteriormente (Rm 3.1-9,27-31; 4.1-12). E o assunto da pergunta nos faz voltar à objeção levantada por seu parceiro de diálogo em Romanos 3.7,8. Paulo está uma vez mais abordando a acusação feita contra ele de que sua proclamação do evangelho da graça estava promovendo o pecado. Desta feita, o assunto é tratado mais definitivamente.

Em resposta à objeção do versículo 1, de que o pecado também pode ser encorajado se ocasiona mais graça — objeção que surge da declaração em Romanos 5.20 de que à medida que o pecado aumentou, a graça aumentou ainda mais — Paulo imediatamente vai ao âmago do assunto: O crente não pode permanecer no pecado porque ele morreu para o pecado (v.2).

"Como viveremos ainda nele?" (v. 2b) não é um apelo moral, mas uma declaração de fato. Paulo não está perguntando:

AS GRANDES DOUTRINAS NOS ESCRITOS DE PAULO

O apóstolo Paulo é chamado o primeiro grande teólogo cristão. Seus escritos têm moldado a doutrina cristã desde o tempo em que ele escreveu as cartas. O quadro a seguir relaciona muitas das grandes doutrinas da Igreja e as principais passagens nos escritos de Paulo que exploram estas doutrinas. Claro que há muitas outras passagens nos escritos de Paulo que não foram relacionadas aqui e que abordam estas doutrinas, e há muitas outras passagens da Bíblia, não escritas por Paulo, que também exploram estes ensinos. Os textos relacionados aqui são os principais nos escritos de Paulo.

A Inspiração da Escritura	Gl 1.11,12; 2 Tm 3.14-17
A Eleição Divina	Rm 8.29,30; 9.6-33; Ef 1.3-14
O Plano de Deus para Israel	Rm 11.1-32
A Universalidade do Pecado Humano	Rm 1.18–3.20; 3.23; Tt 3.3
A Vitória sobre o Pecado e Satanás	Rm 6.11–7.6; 8.31-39; Ef 6.10-18
A Natureza Dual de Jesus Cristo	Rm 1.3,4; Fp 2.5-11
A Expiação Sacrifical de Cristo	Rm 3.25,26; 5.6-10; Gl 3.10-14
A Reconciliação entre os Seres Humanos e Deus	Rm 5.10,11; 2 Co 5.16-21; Cl 1.19-23
Cristo como o Segundo Adão	Rm 5.12-21; 1 Co 15.20-22, 42-49
O Senhorio Supremo de Jesus Cristo	Rm 10.9-13; Ef 1.15-23; Fp 2.9-11; Cl 1.15-20; 2.6-15
O Velho e o Novo Concerto	2 Co 3.1-18; Gl 3.15–4.7; 4.21-31
A Justificação através da Graça de Deus pela Fé	Rm 1.16,17; 3.21–4.25; Gl 2.16–3.14; Ef 2.1-10; Fp 3.7-11; 1 Tm 1.12-16; Tt 3.4-8
A Vida pelo Espírito Santo	Rm 8.1-17,26,27; Gl 5.16-26
A Vida de Amor do Cristão	Rm 12.9-21; 13.8-10; 1 Co 13.1-13; Gl 5.13-15; Cl 3.12-14
Os Dons do Espírito Santo	Rm 12.3-8; 1 Co 12.1-11,27-31; 14.1-40; Ef 4.7-12
O Casamento em Cristo	1 Co 7.1-40; Ef 5.22-33; Cl 3.18,19
A Liberdade Cristã	Rm 14.1–15.13; 1 Co 8.1-13; 10.23-33; Gl 5.1-12; Cl 3.16-23
A Unidade na Igreja	1 Co 1.10-17; Ef 2.11-21; 4.1-16
O Batismo	Rm 6.1-10; 1 Co 12.12,13; Cl 2.11,12
A Ceia do Senhor	1 Co 10.14-22; 11.17-34
A Morte para os Crentes	2 Co 5.1-8; Fp 1.19-26
A Ressurreição	1 Co 15.1-58; Fp 3.20,21
O Fim de História	1 Co 15.23-29; 2 Co 5.10; 1 Ts 5.1-11; 2 Ts 1.5–2.12; 2 Tm 3.1-9
A Segunda Vinda de Jesus Cristo	1 Co 15.51-57; Fp 3.20,21; 1 Ts 4.13-18; Tt 2.11-14

"Como viveremos?" Antes, sua pergunta implica: "Não vivemos!" Contudo, Paulo não está argumentando que o cristão é incapaz de cometer pecado (veja vv. 11-14), porque o "não vivemos" deriva do fato de ele entender que o pecado é um poder dominante (Rm 5.21). À medida que ele vai explicando, a morte do crente ao pecado significa que o domínio do pecado foi quebrado. Em suma, a resposta inicial de Paulo à acusação de que o evangelho promove o pecado é que a graça, ao invés de incentivar o pecado, na verdade provê o meio de escapar de suas garras fatais.

O que se segue (vv. 3-14) é comentário sobre a morte do crente ao pecado. Paulo usa o batismo nas águas, praticado pelos crentes desde o começo da Igreja (Mt 28.19; At 2.37-41), para explicar como o cristão morreu para o pecado (vv. 3,4). A linha do argumento de Paulo origina-se da pressuposição de que o rito do batismo está estreitamente ligado ao ato de a pessoa colocar a confiança em Cristo.

O leitor encontrará em comentários vasta gama de interpretações relativas à função e significado do batismo em águas com base nesta passagem. De fato, é um texto importante para formular um entendimento teológico do rito. Infelizmente para nós, Paulo não se ocupa numa discussão ampla sobre esse assunto, porque:
1) Ele presume que os romanos já estejam familiarizados com seu significado, e
2) Ele está preocupado em extrair somente os aspectos que apóiem seu argumento de que o crente morreu para o pecado. Parte da razão para a diversidade de interpretação deste texto é o tratamento parcial do batismo em águas que Paulo oferece aqui.

O que podemos respigar aqui sobre o significado do batismo em águas? Uma interpretação comum é que sendo abaixado e depois erguido da água simboliza a morte e a ressurreição do participante com Cristo. Quer dizer, é uma metáfora para a conversão que ilustra o fim da velha vida e o começo da nova. Este entendimento remonta pelo menos a Tertuliano (veja Moo), mas não é certo que esta fosse a concepção vigente no século I. Uma leitura cuidadosa de Romanos 6 revela que Paulo vincula o batismo com o ato de ser enterrado com Cristo, mas que ele não diz que o convertido foi ressuscitado com Cristo no batismo — o que permanece um acontecimento futuro (veja comentários sobre vv. 5-10). Assim, no mínimo, esta passagem ensina que o batismo simboliza a participação do crente na morte de Cristo. Contudo, o simbolismo mais pleno de morrer e ressuscitar com Cristo pode estar no plano de fundo, pois talvez Paulo tenha escolhido somente a parte da tradição que se refere à morte de Cristo, porque seu argumento diz respeito a morrer para o pecado.

A essência do batismo cristão é expressa na frase "batizados em Jesus Cristo" (v. 3). Ser batizado "em" (*eis*) Cristo significa união com Ele ou o estabelecimento da relação. Beasley-Murray (p. 61) apresenta argumentos em favor do significado por trás de ser batizado em nome de Jesus: "No batismo, [...] o Senhor se apropria do batizado para si mesmo e o batizado possui Jesus como Senhor e se submete ao Seu senhorio".

Nossa concepção de como o crente participa na vida de Cristo deve ser entendida em termos relacionais. Citando Beasley-Murray novamente (p. 62): "Porque o batismo significa a união com Cristo, Paulo via que o rito estendia a união de Cristo em suas ações redentoras". Visto que fomos colocados numa relação com Ele, participamos dos benefícios da sua vida: Fomos crucificados com Ele (v. 6), morremos e fomos sepultados com Ele (vv. 4,5,8) e seremos ressuscitados com Ele (vv. 5,8). Isto não quer dizer que tomamos parte na sua obra substitutiva ou que de algum modo místico estávamos de fato lá com Cristo, quando Ele foi crucificado. Nosso Senhor sofreu e morreu sozinho. Mas isso tem algo a dizer sobre o modo como Paulo via a conexão entre o Senhor e seus seguidores.

Pode-se fazer uma analogia das relações humanas. Quando a pessoa entra numa relação, ela fica envolvida com outra vida. Quanto mais íntima a relação, maior o grau de envolvimento. Semelhantemente, quando a pessoa entra numa relação com Cristo, ela começa a compartilhar sua vida — embora de maneira diferente do que ocorre até na mais íntima relação humana. Pois como se dá com qualquer analogia mundana das realidades espirituais, esta também fica aquém da glória que pretende transmitir.

1) Quando o crente é unido com Cristo, é unido com o Senhor. Isto requer submissão completa, não submissão mútua ou amigável (e assim a chamada à obediência começa no v. 11).
2) A pessoa atraída ao mundo do Senhor toma parte completa nas conseqüências das ações de Cristo em um grau sem paralelo nas relações humanas. Cristo é mais que alguém com quem nos relacionamos; Ele também é nosso representante.

É certamente apropriado dizer, como fazem muitos comentaristas dos dias de hoje, que participamos dos benefícios da vida de Cristo porque Ele é nosso representante. Assim como estávamos em Adão e, portanto, compartilhávamos as conseqüências do seu pecado, assim estando em Cristo compartilhamos os resultados da sua obra. Nossa solidariedade com Ele na função de nosso representante transfere seus atos para nós. Mas não devemos perder o sentido relacional mais pessoal que está por trás desta idéia. É porque o conhecemos que tomamos parte em sua vida.

Para resumir, Paulo começa o capítulo 6 mostrando que os crentes não podem permanecer sob o poder do pecado, porque eles morreram para o pecado. Ele se refere à experiência dos leitores com o batismo nas águas para estabelecer este ponto. Como ele o fez em Romanos 5.5 (quando usou a experiência do batismo com o Espírito para lhe garantir a esperança futura), aqui ele escolheu uma experiência vívida para convencê-los de uma realidade espiritual. O batismo em águas significa que a união com Cristo também é uma união com Ele na sua morte.

Quando ocorre a morte com Cristo na vida do convertido? Visto que Paulo usa o batismo para transmitir esta idéia e considerando que o batismo está associado com o começo da vida do cristão, presume-se que ocorre no momento da conversão. É "pelo [*dia*] batismo" (v. 4) que a pessoa é sepultada. Paulo diz "pelo batismo", não porque o próprio rito efetua a morte com Cristo. O rito apresenta em forma pública a decisão da pessoa em começar a vida com Cristo.

Entre as tradições que vêem o batismo como símbolo da experiência de salvação (e.g., os batistas, os pentecostais), e não sacramentalmente como meio da graça salvadora (e.g., os católicos romanos, os luteranos), há o perigo de que a importância e imperativo do rito sejam diminuídos. O que está em jogo é a perda da conexão do batismo em águas com o significado do começo da vida cristã.

A razão por que fomos sepultados com Cristo é dada ao término do versículo 4: de forma que "assim andemos nós também em novidade de vida". Estas não são as palavras que poderíamos esperar. Para complementar a declaração de que morremos com Cristo, esperaríamos Paulo dizer, depois de uma referência à ressurreição de Cristo, que nós também fomos ressuscitados com Ele. Mas ele diz que, por causa da ressurreição de Cristo, andamos agora em novidade de vida. Embora ainda venhamos a ser ressuscitados com Ele, já tomamos parte na vida da ressurreição. Estamos vivendo de acordo com as condições do mundo por vir conforme elas podem ser desfrutadas, visto que ainda vivemos segundo as restrições do presente mundo.

Esta é a maneira de Paulo entender a existência cristã neste período transitório (a chamada estrutura escatológica "já, mas ainda não") entre a nossa passada morte com Ele e a nossa ressurreição futura. (O papel do Espírito Santo em mediar a vida do Cristo ressurreto nos crentes será explicado em Rm 8 [veja também Rm 7.6].) A era de Cristo irrompeu na era de Adão, e o crente é transferido a esta era nova pela morte de Cristo. Nossa orientação foi para sempre alterada, pois a graça transformou nosso passado, presente e futuro.

Contudo, as condições da era nova não serão experimentadas completamente até à ressurreição futura dos crentes, quando a velha era tiver passado inteiramente. Nesse entretempo, ainda somos influenciados pelas condições mundanas postas em ação pelo que Adão fez. Ainda estamos sujeitos à morte física e ainda somos tentados pelo pecado. A perspectiva de Paulo acerca da sobreposição das duas eras (Rm 5.12-21) reflete a cosmovisão da escatologia apocalíptica (veja "A Escatologia Apocalíptica de Paulo", na Introdução).

No versículo 5, a imagem batismal é posta de lado, tendo servido seu propósito de ilustrar a morte do crente ao pecado. Em primeiro plano, há o motivo de morrer e ressuscitar com Cristo. Por duas vezes nos versículos 5 a 10 Paulo declara que, tão certo quanto a identificação com Cristo significa morte com Ele, assim também significa ser ressuscitado com Ele (vv. 5,8). Seu enfoque permanece no aspecto anterior, à medida que ele continua discutindo a natureza da morte do cristão ao pecado.

Note como o apóstolo descreve a situação escatológica do crente com o uso de tempos verbais diferentes. O verbo traduzido por "fomos", no versículo 5a, está no perfeito (*gegonamen*), significando que nossa união com Ele em sua morte é um acontecimento passado com efeito permanente. Esse efeito é a nossa liberdade do poder do pecado. Porém, a união do crente com a ressurreição de Cristo está no futuro ("seremos"). Alguns argumentam (e.g., Fitzmyer) que este é um futuro lógico (lógico no sentido de que segue nossa morte com Cristo e, assim, realmente denota nosso estado atual). Esta não é a melhor interpretação. Nem o futuro deve ser entendido como imperativo moral (o tipo de tempo futuro que vemos na maioria dos Dez Mandamentos) — ou seja, que temos de ser conformados à ressurreição de Cristo em nosso comportamento presente (Cranfield). Antes, este é um futuro real, expressando a verdade da ressurreição final (Tannehill; Dunn; Käsemann). É por isso que Paulo não coloca nossa ressurreição com Cristo no passado (cf. Ef 4.22-24; Cl 3.9-11, onde ele fala de uma ressurreição espiritual).

Tannehill (p. 12) explica os aspectos presente e futuro de ser ressuscitado com Cristo:

"O crente participa na nova vida no presente, mas Paulo tem cuidado em deixar claro que isso não se torna possessão do crente. É realizado mediante uma entrega ininterrupta das atividades da pessoa a Deus, um andar em novidade de vida e, ao mesmo tempo, permanece um dom de Deus para o futuro".

Os imperativos dos versículos 11 a 14 mostram que os benefícios da morte e ressurreição de Cristo têm de ser apropriadas no presente.

O modo como o crente morreu para o pecado é explicado nos versículos 6 e 7. A morte que o crente experimenta em união com Cristo significa que o indivíduo é transferido da era de Adão para a era de Cristo. Ou, como Paulo expressa, o "velho homem" foi crucificado (cf. Gl 2.20). O velho homem é o que a pessoa era em Adão (Barrett; Moo), e essa pessoa morreu. Por conseguinte, não devemos entender, como alguns entendem, que o cristão tem duas naturezas que constantemente empreendem uma batalha interna pela supremacia. A linguagem da crucificação tem o propósito de não deixar dúvida de que, o que a pessoa era em sua associação com Adão, ela deixou de ser. Embora não mencionado aqui, o novo homem — o que a pessoa é em Cristo — substituiu o velho homem (veja Cl 3.9,10). O crente vive no novo reino associado com Cristo.

O velho homem foi crucificado de forma que o "corpo do pecado seja desfeito" (v. 6). A expressão "corpo do pecado" não ensina que o corpo físico é em si pecador. A interpretação da palavra grega *soma* ("corpo") tem sido ponto de debate ao longo do século XX. Desde o tempo de R. Bultmann, é comum ver esta palavra como referência à pessoa inteira. Em contraste, uma diminuição de ênfase no corpo físico segundo o entendimento contemporâneo da palavra grega *soma* levou Gundry a defender em longa monografia que esta palavra grega denota só o corpo humano.

A posição mediadora de Harris é proveitosa. Ainda que ele tenha reconhecido a crítica de Gundry sobre a validade da equação de *soma* com a pessoa inteira, Harris (p. 120) arrazoa que a palavra ainda pode servir com o significado de uma pessoa como um todo, mas com ênfase nos aspectos corpóreos ou externos da pessoa. Em outras palavras, *soma* denota a pessoa em interação com este mundo. O "corpo do pecado" é a pessoa que está em solidariedade com Adão. Mas em Cristo, a pessoa que foi escravizada ao pecado já não existe.

Julga-se comumente que o versículo 7 seja uma máxima geral, o que pode explicar por que a frase que é incomum para Paulo aparece aqui — literalmente, "ser justificado do pecado". A versão americana da NVI traduz esta frase por "está livre do pecado" (cf. também Bauer, W. F. Arndt e F. W. Gingrich, *A Greek-English Lexicon of the New Testament and Other Early Christian Literature*, Chicago, 1979; Käsemann), o que se encaixa bem com o contexto, porque reforça o argumento de que o poder do pecado foi destruído. A terminologia da justificação pode significar que Paulo tem em mente a liberdade da pena (o tópico de Rm 5), em vez do poder do pecado. Dunn sugere a tradução: "É declarado livre do pecado". Quer dizer, o cristão já não está em escravidão a uma dívida esmagadora do passado. A apresentação da noção da liberdade da culpa na discussão sobre a destruição do poder do pecado não é descabida. Ambos os aspectos do domínio do pecado sobre a humanidade são tratados em Cristo.

A repetição do mesmo ponto no versículo 8 que Paulo abordara no versículo 5 — o crente morreu com Cristo e viverá com Ele — ocorre para efeito de ênfase. Paulo não quer deixar margem a dúvidas de que o evangelho da graça provê a solução para o problema do pecado — tanto de sua pena quando do seu poder. A pena e o poder do pecado foram tratados historicamente na morte e ressurreição de Cristo. Ele destruiu o reino do pecado e da morte; o pecado já não tem poder sobre Ele, a morte não tem domínio sobre Ele (v. 9). Ele vive agora para Deus; Ele não pode morrer novamente (v. 10). O que o leitor deve ouvir é que o mesmo é verdade para ele. O cristão morreu para o pecado, sendo unido a Cristo. E já que ele morreu, perdeu a vida. O problema, é claro, é viver conforme esta morte. Agora Paulo dedica atenção a esse dilema.

Nos versículos 11 a 14, a discussão toma direção diferente. Passa de uma declaração sobre *o que é verdadeiro* acerca do crente que está em Cristo (transmitido nos vv. 2-10 pelos verbos no indicativo) para *o que deve ser verdadeiro* em termos da vida cotidiana (agora os verbos estão no imperativo). Paulo muda para a segunda pessoa quando exorta os crentes romanos a agir conforme quem eles são em Cristo. Em outras palavras, citando a frase amplamente repetida: "Seja o que você é". Dunn sugere uma modificação: "Seja o que você está sendo", porque esta fraseologia captura o sentido de que cooperamos com o que o Espírito Santo está ocasionando em nós. A santificação não é resultado de esforços humanos tanto quanto a salvação não é. Temos de responder em obediência à graça, "a qual precede e torna possível todo o esforço moral" (Dunn).

O fato de os crentes precisarem se apropriar do que já lhes pertence é imperativo por causa do tempo no qual vivemos. Vivemos na sobreposição das duas eras de Adão e Jesus, nesse período entre a morte e a ressurreição dEle e a ressurreição de toda a humanidade. Nesse entretempo nossa vida é amoldada pelas novas realidades: Já participamos na morte de Cristo e na novidade de vida fundamentados na sua ressurreição, mas também continuamos sendo afetados pelas velhas realidades: a presença do pecado e a inevitabilidade da morte. É por isso que os crentes são responsáveis em se apropriar dos benefícios de estar em Cristo. Temos de agir em concordância com nossa morte para o pecado. E experimentamos os benefícios da vida da sua ressurreição no presente à medida que respondemos em obediência.

Romanos 7 é um capítulo popular visto que descreve a experiência comum de crentes que lutam continuamente com o pecado. A conversa de Paulo sobre a inevitabilidade de fazer ações que não são desejadas em vez das que são (Rm 7.14-25), reflete a experiência de muitos cristãos. Mas é aqui, no capítulo 6, que é explicada a luta moral que continua sendo empreendida pelos que morreram para o pecado. Ainda estamos no mundo e ainda somos tentados pelo poder que anteriormente servíamos.

A primeira palavra grega no versículo 11 (*houtos*, "assim também") identifica o que vem a seguir como conclusão prática do que Paulo declarou sobre a relação do crente com Cristo (Cranfield). Os que morreram com Cristo têm de se considerar mortos para o pecado e vivos para Deus. O verbo "considerar" está no imperativo presente, significando que o apóstolo está exigindo uma decisão ininterrupta em ver a si mesmo desta maneira. Paulo usou a mesma palavra na sua discussão sobre a justiça de Abraão, no capítulo 4 (onde é traduzido por "imputado"). Barrett observa a semelhança entre os dois textos: Assim como Abraão foi *imputado* com justiça quando ele não era tão visível, assim os crentes devem *se considerar* mortos para o pecado, mesmo que a morte com Cristo não tenha ocorrido no reino visível.

O versículo 11 transmite a necessidade absoluta de que a autopercepção dos crentes seja baseada nas realidades espirituais. Ação correta emana de pensamento correto (F 4.8,9). Não se trata de mera ginástica mental ou exercício de pensamento positivo ou, ainda, uma determinação em olhar o lado brilhoso das coisas; não, trata-se de pensar no lado certo da verdade. O modo como nos consideramos deve ser baseado no fato de nossa participação nas ações históricas de Cristo. É por esta razão que a porção final do versículo 11 especifica que este tipo de consideração seja apropriado para os que estão "em Cristo". É em Cristo que o poder do pecado se torna uma verdadeira possibilidade em vez de um sonho impossível.

O que significa considerar-se a si mesmo morto para o pecado está explicado nos versículos 12 e 13 com duas proibições e duas ordens positivas. O fato de o apóstolo ordenar certo comportamento ao mesmo tempo em que adverte contra outros cursos de ação, revela a pressuposição de que os que estão em Cristo têm a escolha de obedecer ou desobedecer. O velho homem não tinha tal liberdade, sendo incapaz de livrar-se do domínio do pecado. Mas ter morrido com Cristo torna possível viver em novidade de vida.

O fato de que permanece possível para o crente permitir que o pecado continue seu domínio é prontamente evidente no texto, como também o é por nossa experiência. Oferecer os membros do corpo ao pecado não diz respeito à submissão dos membros físicos, mas ao oferecimento das aptidões naturais da pessoa (Cranfield). Os que estão em Cristo não devem oferecer suas aptidões como "instrumentos [*hopla*, armas] de iniquidade", mas como "instrumentos de justiça". O sentido militar de *hopla* pode estar em vista aqui. Paulo não só está propenso a usar esta palavra com o significado de "armas" (Rm 13.12; 2 Co 6.7; 10.4), mas o contexto, com seu assoberbante tema do poder e domínio, indica que ele escolheu a palavra com este propósito. A idéia é que não devemos mais oferecer nossas aptidões para defender ou fomentar os interesses do reino da iniquidade, mas oferecê-los a serviço de Deus e sua justiça.

Paulo conclama os indivíduos a se apresentarem a Deus "como" (*hosei*) se eles tivessem sido trazidos da morte para a vida (v. 13). De novo, percebemos sua hesitação em descrever que os crentes já tomam parte plena da experiência da ressurreição de Cristo. Andamos mesmo em novidade de vida por causa da ressurreição (v. 4), mas a libertação completa da tentação do pecado e a reivindicação da morte em nossos corpos mortais somente serão nossas na ressurreição. Nesse entretempo, devemos viver em antecipação de nosso futuro estado ressurreto e agir de acordo.

A razão para continuarmos fazendo assim está contida no versículo 14: "O pecado não terá domínio sobre vós, pois não estais debaixo da lei, mas debaixo da graça". Mais uma vez Paulo se reporta à mudança de eras descrita na metade última de Romanos 5. A era da graça substituiu a era da lei (cf. Jo 1.17). Paulo não quer contrastar a graça e a lei em termos absolutos, como se antes de Cristo só houvesse a lei, e desde então, somente a graça. Afinal de contas, Paulo mostrou em Romanos 4 que Abraão achou graça. A lei é aludida porque atuava na velha era para aumentar o pecado (Rm 5.20).

Estar em Cristo significa que passamos para a era da graça, onde a graça reina, e não o pecado. É porque estamos na era da graça que Paulo pode declarar com confiança que o pecado já não terá domínio sobre nós. Esta declaração dá a resposta definitiva à pergunta feita no começo do capítulo. É inconcebível demonstrar que o pecado continua se ele promove a graça. Afinal, sob a lei o pecado aumenta; sob a graça, seu poder é aniquilado.

2.2.1.2. Morrer para Servir (6.15-23). Semelhante à pergunta de abertura do capítulo 6, a pergunta feita no versículo 15 também diz respeito à relação entre o pecado e a graça. Desta vez, a pergunta faz referência específica à lei — um tópico que foi reapresentado na discussão do versículo anterior. Se agora o padrão é a graça, e não a lei, o que proíbe o pecado? Tal "situação sem lei" parece instigar comportamento pecaminoso.

Os dois temas dominantes nos versículos 15 a 23 são a escravidão e a liberdade. Paulo argumentará repetidamente que a liberdade da escravidão ao pecado não significa liberdade para a pessoa viver como queira. Ao invés disso, a liberdade da escravidão ao pecado implica em escravidão a Deus. Embora "o pecado não [venha a ter] domínio sobre vós" (v. 14), *Deus terá*. Em lugar de incentivar o pecado, a graça prende a pessoa a serviço santo para Deus.

A metáfora da escravidão para representar a existência cristã nas duas eras teria sido particularmente pungente no contexto do mundo greco-romano. A. Rupprecht (p. 881) estima que nos séculos I e II d.C., tanto quanto "85 a 90 por cento dos habitantes de Roma e península italiana eram escravos ou eram de origem escrava". Para ser lógico, a maioria da audiência de Paulo em Roma tinha formação semelhante. De fato, alguns nomes que aparecem na lista de saudações no capítulo 16 eram típicos nomes de escravos (e.g., Andrônico e Urbano; veja Rupprecht, p. 882). Ainda que a sorte de muitos escravos em Roma teria sido muito melhor que as condições associadas à escravidão nos Estados Unidos antes da Guerra Civil, teria sido dissonante a contenção de Paulo de que liberdade significa outro tipo de escravidão.

Paulo mostra suas razões no versículo 16, dizendo que o crente é escravo do pecado ou de Deus e repetindo um fato bem conhecido: "Não sabeis vós que..." é expressão que Paulo usa para citar um ponto conhecido pela audiência. Ele está se referindo à prática na qual um indivíduo sob coação financeira se ofereceria como escravo para evitar ruína. Assim como este indivíduo se tornou escravo a quem ele se entregou, assim é com os que se oferecem ao pecado ou à obediência. Dizendo de outro modo, o que a pessoa faz tem conseqüências. Continuar em pecado é voltar à escravidão tudo de novo.

O resultado da escravidão ao pecado é a morte — hoje e eternamente, o resultado da escravidão à obediência é a justiça. Nós esperaríamos que Paulo falasse em escravidão a Deus ou a Cristo em vez de à obediência, mas, como ressalta Barrett, o aparecimento da obediência mostra a tônica que ele quer dar a este aspecto da vida cristã. Também é curioso o fato de que a justiça é identificada como produto final da obediência. Depois da forte argumentação apresentada em favor da salvação pela fé nos capítulos precedentes, o apóstolo sentiu obviamente que não havia perigo de ser mal-interpretado como a defender um tipo de justiça que é obtida pelas obras. O ponto é que na esfera definida pela graça e pela fé, também há o elemento crítico da resposta humana a tudo o que Deus fez e continuou fazendo por nós em Cristo. É por isso que ele proclama que a obediência leva à justiça, quer dizer, a justificação final (Cranfield; cf. Rm 2.13; Gl 5.5).

No versículo 17, pela segunda vez neste capítulo, Paulo se refere à experiência de conversão dos romanos para fazer uma exortação (que se acha no v. 19). Desta vez, ele não usa a imagem batismal como símbolo da iniciação à fé cristã (vv. 3,4). A maneira na qual ele se porta aqui merece atenção particular:

1) Paulo volta no versículo 17, como voltará no versículo 18, ao ponto central dos versículos 1 a 14: a morte do crente para o pecado. Esta repetição constante tem o propósito de martelar nos ouvintes um ponto que ele sabia que era essencial eles terem compreensão própria — como o é para a nossa. Somos constantemente bombardeados pela tentação — tanto que às vezes parece assoberbante, e é freqüente nossa resistência sucumbir à ilusão do pecado. Mas a tentação fundamental a ser evitada é a que incentiva o cristão a considerar que a luta contra o pecado é irremediável. Os que estão em Cristo não devem ceder ao desespero, visto que o domínio do pecado é história. Nas palavras do hino "This Is My Father's World" (Este é o Mundo de Meu Pai): "Que, embora o mal pareça muito forte, Deus ainda reina". Seu reinado está estabelecido nos que estão em Cristo, nos que morreram ao pecado com Ele. Devemos sempre nos lembrar das palavras de Paulo: Nós estamos mortos para o pecado.

2) Repare na proeminência do tema da obediência na descrição do que aconteceu no momento da conversão. Paulo não faz distinção entre aceitar Cristo pela fé como Salvador e se submeter a Ele como Senhor. Crer em Cristo é responder a quem Ele é: o próprio Senhor. Uma relação com Cristo demanda obediência.

3) A obediência é definida como obediência "à forma [ou padrão, *typos*] de doutrina a que fostes entregues" (v. 17b). Se Paulo está se referindo meramente ao ensino cristão, então qual é o significado da palavra *typos*? Muitos comentaristas entendem que o "padrão de ensino" seja alusão a um conjunto de verdades reunido pelos cristãos primitivos ao qual os convertidos aceitavam (e.g., Fitzmyer, um "sucinto resumo batismal de fé"). Dunn fica imaginando se havia um padrão de ensino já estabelecido em época tão inicial da história da Igreja, o qual teria sido conhecido por Paulo e pela comunidade romana de fé. A frase pode não estar se referindo a um conjunto específico de ensino tanto quanto estabelece um contraste com outro padrão de ensino, o do judaísmo. O ponto é que a mensagem do Evangelho, a despeito do que digam os críticos judeus, não está destituída de seu próprio ensino autorizado.

4) O fato de ser dito que o crente foi entregue a esta forma autorizada de ensino é uma virada de frase que tinha a intenção de prender a atenção do leitor. Embora o verbo grego *paradidomi* ("entregar, confiar") possa ser usado no sentido de passar tradição (e.g., 1 Co 11.2; 15.3), no meio romano transmitia a idéia de transferência de autoridade (e.g., da proteção de Deus para o domínio do pecado [Rm 11.24,26,28]; Cristo foi entregue às autoridades para ser morto [Rm 4.25]). Neste contexto, onde a escravidão é o tema central, este tipo de linguagem é oportuno. Considerando que os incrédulos são entregues à autoridade do pecado, os crentes são entregues à autoridade do ensino do Evangelho.

O versículo 18 esclarece o que Paulo estava abordando desde a pergunta no versículo 15. Ser liberto da escravidão ao pecado significa ir em escravidão à justiça. Substituir o velho poder é um novo poder autorizado — a justiça, que é o poder de Deus em ação na vida do crente.

Paulo estava cônscio do impacto que a justaposição da liberdade e escravidão teria causado na audiência. Esse emparelhamento não é menos chocante para o leitor moderno. A liberdade é estimada como valor supremo em nossa sociedade. Num nível social, é o clamor de reunião por inumeráveis causas. Num nível pessoal, é a meta de muitos indivíduos que se acham em situações das quais eles desejam se livrar. Infelizmente, ocorre às vezes que a liberdade é estimada acima da responsabilidade, com o resultado de as pessoas, em sua busca, deixarem o emprego, abandonarem a família e até acabarem com o casamento.

De acordo com esta seção da carta, a vida de liberdade de todas as exigências da vida é ilusória. Como Nygren escreveu: "É bem característico da escravidão ao pecado, que aquele que vive nela pensa que é livre e é senhor de si". Ou, citando a canção de Bob Dylan: "Pode ser o Diabo, ou pode ser o Senhor, mas você tem de servir alguém". O privilégio do cristão que foi liberto do pecado é estar livre para servir ao Senhor.

A ousadia da declaração no versículo 18 a respeito da liberdade ao pecado e da escravidão à justiça, traz à tona uma retratação imediata no versículo 19a. O apóstolo obviamente se sentia um tanto quanto incômodo em caracterizar a vida cristã como escravidão. Não obstante, ele transmite a imagem até o fim do capítulo. Sua base racional para agir assim é um pouco cética: "Falo como homem, pela fraqueza da vossa carne [*sarx*]". É esta uma fraqueza intelectual — um problema com o auto-engano (Cranfield)? Ou é este um problema da vontade — a tendência de as pessoas exigirem autonomia de tais coações (Käsemann)? De qualquer modo, Paulo julga tal imagem necessária para combater a tendência humana em evitar a submissão.

A exortação para a qual os versículos precedentes foram escritos é abordada no versículo 19b. Baseando no fato de o crente ser liberto do pecado e recolocado debaixo da autoridade da justiça (v. 18), Paulo exorta os ouvintes a uma comparação oportuna. Assim como outrora eles serviam à impureza, hoje da mesma maneira (ou como observa Moo, com o mesmo zelo) eles servem à justiça. A vida fora de Cristo é caracterizada por um ciclo de maldade crescente. Este é o resultado trágico da rejeição da revelação de Deus (Rm 1.18-32). Mas esse ciclo foi interrompido pela graça. Dentro da esfera da graça, a vida consiste numa progressão em santidade crescente.

Os versículos 20 a 23 atuam como apoio da urgência e importância eterna desta exortação. Embora os incrédulos tenham certa liberdade, é somente uma liberdade da justiça de Deus (v. 20), que permite à pessoa produzir um "fruto" da vergonha. O crente colhe o fruto que conduz à santidade, e a santidade conduz à vida eterna.

O versículo final (v. 23) resume habilmente o argumento do capítulo, ao mesmo tempo em que retoma a ênfase dada no capítulo 5 sobre o dom gracioso de Deus. As consequências eternas dos dois modos de vida são contrastadas novamente: a vida e a morte. Também são contrastadas as idéias de mérito e graça: o "salário" — que já nos dia de Paulo era usado para aludir a qualquer tipo de salário pago com dinheiro — é colocado em contraste com o "dom". No reino do pecado, recebemos o que ganhamos. Mas no reino da graça, recebemos o que não ganhamos — na verdade, não podemos ganhar. Qualquer pensamento avançado que o leitor tivesse do versículo 16, de que a obediência conduz à vida eterna, é debandado aqui. Recebemos o dom "por Cristo Jesus, nosso Senhor" — frase similar à estrutura usada por Paulo em discussão anterior sobre o dom de Jesus Cristo (Rm 5.11,21).

2.2.1.3. Morrer para a Lei (7.1-6). O capítulo 7 dá prosseguimento à discussão começada em Romanos 6.1 acerca de como pecado é neutralizado na era da graça. Agora é esclarecido o papel da lei neste processo. Paulo desenvolve declarações anteriores feitas sobre a lei (Rm 3.19,20,27,28; 4.13-15; 5.13,14,20) e, em particular, retoma a frase inexplicada em Romanos 6.14, de que a pessoa debaixo da graça não está debaixo da lei. Para descrever a transição entre estar debaixo da lei e estar debaixo da graça, Paulo usa o motivo de morrer e ressuscitar com Cristo, o que foi proeminente no capítulo 6.

A primeira quebra estrutural no capítulo 7 ocorre cedo. Paulo chegou ao ponto desejado e central no capítulo pelo versículo 6, isto é, que a morte com Cristo quer dizer a morte para a lei. O argumento dos versículos 7 a 25 atua unicamente no sentido de elucidar o que ele vem dizendo sobre a lei. É, como mostra Sanders, mais do que a lei "planta [...] no lado ruim da linha divisória entre os estão debaixo do pecado e os que estão debaixo de Cristo" (p. 72). Diferente de Gálatas 3 e 4, o papel da lei na antiga época é intensificado em Romanos 6 e 7, onde Paulo argumenta que serve como agente do pecado (Sanders, pp. 70-73). Mas isto não significa que a intenção de Paulo seja diminuir a lei. O capítulo 7 é uma defesa da lei.

Desde o início desta discussão é óbvio que Paulo está argumentando em favor de sua visão da lei contra as críticas que tinham surgido contra tal visão nos círculos judeus e judeu-cristãos. Se Paulo quer achar em Roma base para sua operação missionária na Espanha, ele sabe que tem de fazer com que os crentes romanos entendam e aceitem sua visão sobre a lei.

Percebemos a preocupação de Paulo para que sua visão da lei seja aceita:
1) pelo uso do termo "irmãos" (vv. 1,4), um termo de estima que apareceu pela última vez em Romanos 1.13, e
2) por referir-se a eles por "os que sabem a lei" (v. 1). A última referência não implica que a audiência de Paulo seja primariamente judaica (Barrett; Cranfield). Muitos dos primeiros convertidos ao cristianismo estavam familiarizados com a lei, porque eram "tementes a Deus" quando ouviram a mensagem de Cristo — quer dizer, eles eram adoradores regulares na sinagoga. Paulo apela para a audiência com base no conhecimento que ela tem da lei. Em outras palavras, ele sugere que a familiaridade que eles têm da lei deve levá-los a concordar com sua apresentação.

A frase "não sabeis vós [...] que..." indica que Paulo toma como certo que estas pessoas estão familiarizadas com o ponto que ele está prestes a fazer. Que a lei tem autoridade sobre a pessoa somente até o ponto da morte é conhecido pelos escritos judaicos (Talmude Babilônico Shabbat 30a; Pesiqta Rabati 51b). "A lei tem domínio" (lit., "a lei rege") significa que pelo menos até certo ponto, a lei tem a mesma liga com os outros poderes governantes da velha era (a morte [Rm 6.9] e o pecado [Rm 6.14]). Tal perspectiva sobre a lei deve ser mantida em mente quando interpretamos o que Paulo quer dizer ao afirmar que nós morremos para a lei (v. 4), ou que fomos libertos dela (v. 6).

A morte como livramento da obrigação legal é ilustrada com o exemplo dos laços matrimoniais (vv. 2,3). De acordo com a lei judaica (não a lei romana; veja Dunn), a mulher casada permanecia debaixo da autoridade do marido enquanto ele vivesse (cf. Dt 24.1). Ela era livre para casar com outra pessoa sem ser condenada como adúltera somente depois da morte do marido. O termo grego usado aqui para aludir à mulher casada, *hypandros*, significa "debaixo de um marido", o que continua o tema do poder governante do versículo 1.

O ponto é direto: Assim como a morte dissolve os laços matrimoniais, assim também quebra os laços da pessoa com a lei (v. 4). Os problemas interpretativos só surgem se tentarmos transformar a ilustração numa alegoria na qual o marido representa a Torá e a esposa, o crente. Pois na aplicação (v.4) não é a Torá (o marido) que morre, mas o crente (a esposa). Não obstante, Paulo escolheu esta particular ilustração do casamento porque queria afirmar no versículo 4 mais que a mera terminação da autoridade da lei no instante da morte. Como o final do versículo 3 indica, ele também quer dizer que a dissolução dos laços matrimoniais permite o casamento com outra pessoa.

No versículo 4, Paulo aplica a lógica dos versículos 1 a 3 à situação do crente frente a frente com a lei. Visto que o crente morreu (i.e., por participação na morte de Cristo, cf. Rm 6.3), então ele morreu no que diz respeito à lei. O domínio da lei é identificado com a velha era. Portanto, estar fora de debaixo da lei significa que a pessoa foi transferida pela morte para fora do reino no qual ela dominava.

Liberdade da lei significa liberdade para pertencer a outrem, ou seja, a Cristo. Aqui Paulo retoma a idéia de casar de novo mostrada no versículo 3. Assim como a mulher é livre para casar com outro homem somente depois que os laços com seu marido forem completamente desfeitos pela morte, assim só aqueles cujos laços com a lei foram cortados pela morte podem pertencer a Cristo. A metáfora do casamento como descrição da relação com Cristo aparece em outros lugares nos escritos de Paulo (1 Co 6.17; 2 Co 11.2; Ef 5.22-33).

A morte ("pelo corpo de Cristo") e a ressurreição ("ressuscitou de entre os mortos") de Cristo servem, como ocorreu repetidamente no capítulo 6, como acontecimentos definidores para a existência da natureza cristã. Embora tenhamos morrido com Cristo (Rm 6.2), mais uma vez Paulo refreia-se em dizer que ressuscitamos com Ele (veja Rm 6.1-14). Na ressurreição, o crente desfrutará completamente dos benefícios da era nova, os quais só podem ser parcialmente desfrutadas hoje.

O propósito da transferência da era da lei para a era de Cristo é "a fim de que demos fruto para Deus" (v. 4). A linguagem de dar frutos evoca Romanos 6.21,22, onde dois tipos de fruto foram contrastados. Romanos 6.22 diz que o fruto dos que são escravos de Deus leva à santidade. Aqui também o fruto tem a ver com caráter santo (cf. Gl 5.22,23) e o resultante comportamento.

Consistente com o padrão de Paulo de concluir uma linha de pensamento, enquanto simultaneamente antecipa uma linha futura, os versículos 5 e 6 ampliam o versículo 4, ao mesmo tempo em que reúnem idéias e termos que serão debatidos no próximo capítulo e meio. Em particular, a introdução do papel ativo da lei na velha era como agente do pecado desemboca nos versículos 7 a 25, ao passo que a menção do novo modo do Espírito em contraste com o velho modo do código escrito antecipa o argumento que começa em Romanos 8.2.

Dois modos de existência — um em Adão, o outro em Cristo — são postos em contraste, mas desta feita com atenção particular ao papel que a lei desempenhava no primeiro, que é o que se quer dizer com a frase "quando estávamos na [éramos controlados pela] carne [*sarx*]". A tradução "natureza pecaminosa" dá a impressão de que Paulo está se referindo à parte de uma pessoa. Na extensa discussão de Paulo sobre as duas esferas que encontramos aqui, "carne" denota vida no reino de Adão.

Da mesma maneira, devemos entender o contraste do Espírito com o antigo código escrito (v.6; cf. Rm 2.27-29). "Em novidade de espírito [NVI, "Espírito"]" representa a vida na era nova; "na velhice da letra" simboliza a vida na velha era. Mais uma vez é dito que o meio de transferência (i.e., ser livre da lei) é obtido através do nosso morrer com Cristo (cf. Rm 6.3,4). Aqui é transmitida a idéia de que a vida nova vem pelo Espírito, embora não seja descrita com detalhes gloriosos até o capítulo 8. Antes de chegar a esse tópico, Paulo quer dizer mais coisas sobre a lei.

Paulo já havia conectado a lei com um aumento do pecado e da ira (Rm 3.20; 4.15; 5.20). Agora ele argumenta que a lei na verdade trabalha favoravelmente para o pecado. A paixão pecadora é despertada pela lei, idéia que receberá maiores explicações nos versículos 7 a 12.

2.2.2. A Lei e o Pecado: Uma Defesa da Lei (7.7-25). Paulo tinha muito a dizer sobre o papel negativo que a lei desempenhava no plano de salvação de Deus. Esta porção da carta serve não só para desenvolver o que ele vem mostrando sobre a lei, mas também para elucidar que a lei é santa e boa, apesar de sua associação com o pecado. Sua defesa da lei consiste em pôr a culpa pela conexão entre o pecado e a lei com exatidão nos ombros do pecado — um poder capaz de manipular a lei em favor de seus propósitos — e na "carnalidade" da humanidade.

Alguns comentários introdutórios precisam ser feitos sobre esta seção, com uma discussão mais detalhada sobre suas dificuldades na exposição a seguir.
1) A imensa popularidade desta parte da carta deriva do fato de que os cristãos identificam-se prontamente com a descrição da luta contra o pecado. Dizer que esta seção mostra o dilema do cristão é uma interpretação que tem longa história na Igreja. Os reformadores viam-na deste modo; em particular, Lutero usou o capítulo 7 para demonstrar que esta passagem reflete a situação daquele que foi justificado pela fé. Considerando que a justificação muda

a posição da pessoa diante de Deus, mas não muda o caráter, esperam-se lutas com o pecado (Lutero, p. 327). Os que são de denominações com raízes no Movimento de Santidade do século XIX identificam a luta descrita aqui do mesmo modo, porque eles vêem nessa descrição a própria batalha em manterem-se fiéis ao código de santidade sob o qual eles vivem.

2) O tema central dos versículos 7 a 25 não é a luta humana com o pecado, mas uma defesa da lei. Em outras palavras, a chave para destrancar o ensino do capítulo 7 não está em determinar a identidade do "eu" — aquele que se desespera pela incapacidade de fazer o que deseja. Independente do debate sobre a identidade do falante, a mensagem desta porção da carta está clara, visto que tem a ver, como dissemos, com a lei. E o que o capítulo 7 diz sobre a lei está claro.

3) Tendo dito isso, não estamos satisfeitos em deixar a questão não resolvida sobre quem está sendo descrito em Romanos 7.7-25. Todos nós compartilhamos um interesse pessoal em saber se Paulo está expressando o dilema de uma pessoa não-regenerada ou de uma pessoa regenerada. Se Paulo está falando como crente, então nos ajuda a nos atracar em luta contra nossas próprias incapacidades e frustrações.

Além disso, para pastores e mestres, a maneira na qual este texto é explicado é de importante significação. Se ensinarmos que uma incapacidade permanente em fazer o que Deus deseja, acompanhado por um sentimento de desespero, porque o pecado está no controle, é normativo para os crentes, então a determinação e a esperança com as quais eles buscam a santidade serão afetadas. Mas se ensinarmos que este é o dilema dos que estão fora de Cristo, então o que os capítulos 6 e 8 dizem sobre o pecado pode ser considerado em seu pleno valor: O pecado já não mantém os crentes cativos e há liberdade em Cristo. Em outras palavras, os que pintam o cristão vitorioso como normativo em lugar do crente derrotado terão a tendência a buscar a santidade com maior fé e vigor. A verdade, como Jesus disse, libertará vocês (Jo 8.32). Mas qual interpretação reflete a verdade que Paulo estava comunicando?

4) Embora haja pontos a favor de ambas as interpretações, a visão de que Romanos 7.7-25 é acerca do crente enfrenta, no meu modo de pensar, obstáculo formidável. A maneira como o falante no capítulo 7 caracteriza sua situação é diametralmente oposta à descrição da vida cristã apresentada nos capítulos 5 e 6. Os cristãos estão "mortos para o pecado" (Rm 6.2); outrora escravos do pecado (Rm 6.17), agora são "libertados do pecado" (Rm 6.18). Contrariamente, o sujeito da metade final do capítulo 7 identifica-se como "vendido sob o pecado" (Rm 7.14).

Além disso, porquanto o crente já não está debaixo da autoridade da lei (Rm 6.14; 7.4-6), a luta do sujeito em Romanos 7.13-25 tem a ver com a incapacidade de guardar a lei. Por que Paulo descreveria uma tentativa do cristão em satisfazer as demandas da lei? Portanto, concluo que o sujeito de Romanos 7.7-25 é um não-cristão que luta sem sucesso para cumprir a lei.

5) O texto se divide em duas seções: os versículos 7 a 12 e os versículos 14 a 25, com o versículo 13 funcionando como versículo de transição. Nos versículos 7 a 12, a tradição de Adão é apresentada para explicar como o pecado manipulou a lei para trazer o pecado e a morte ao reino humano. Os versículos 14 a 25 mostram que o propósito da lei foi contestado não só pelo pecado, mas também pela fraqueza da carne humana. Em ambas as seções, a incapacidade de a lei dar vida é vividamente retratada. Falando na primeira pessoa, Paulo transmite vigorosamente a condição desesperadora enfrentada por todos os que estão debaixo da lei.

2.2.2.1. A Morte pela Lei (7.7-12).

A repetida associação que Paulo faz da lei com o pecado evoca a pergunta do versículo 7: "É a lei pecado?" Ou seja, a lei é má? A resposta é dada no versículo 12: Não, a lei é santa, justa e boa. Quer dizer, a lei reflete aqUele que a deu. Entre a pergunta e a resposta está a explicação sobre o quão santa a lei permaneceu imaculada, apesar de sua associação com o pecado e a morte. O pecado manipulou a lei, que resultou na introdução da morte no mundo.

Para fazer este argumento, Paulo utiliza o relato de Gênesis sobre a queda de Adão (Gn 2—3). O incidente do jardim do Éden teve efeito determinativo na relação da lei com o pecado e a morte na esfera humana. A discussão aqui é similar à de Romanos 5.12-21, onde está descrito que o ato de desobediência de Adão sentenciou todos os seus descendentes à esfera do pecado e da morte. Diferente de Romanos 5.12-21, Paulo mostra sua identificação com Adão pelo uso do pronome pessoal da primeira pessoa do singular "eu". Embora o nome não seja mencionado, é evidente pelo texto que Paulo está narrando a história de Adão; por exemplo: "E eu, nalgum tempo, vivia sem lei" (v. 9a); "Porque o pecado [...] me enganou" (v. 11).

É claro que esta não é a única interpretação do pronome pessoal "eu" em Romanos 7. A leitura mais natural do pronome pessoal "eu" é que Paulo está narrando a própria história. Mas a interpretação autobiográfica deixa várias perguntas sem resposta. Qual experiência no passado ele está descrevendo nos versículos 7 a 11? Será que é seu *bar mitzvah*, quando ele se tornou responsável perante a lei (e.g., Deissmann, 1927, p. 91)? O estado anterior à conversão como fariseu (e.g., Hodge, p. 224)? E qual crise espiritual ele está contando nos versículos 14 a 25? Ele está descrevendo seu dilema moral como não-cristão (e.g., Wesley, pp. 543-544), ou sua luta vigente como cristão com pecado (e.g., Calvino, pp. 264-275)?

Desde um estudo de 1929 feito por Kümmel, aceita-se amplamente que o uso do pronome pessoal "eu" não necessita ser autobiográfico, ou seja, Paulo não precisava recontar sua história pessoal. Kümmel (pp. 124, 132) apresentou argumentos que Paulo tinha adotado prática corrente usar o pronome pessoal "eu" como dispositivo retórico para descrever uma condição universal. Há exemplos de tal uso genérico da primeira pessoa do singular nos escritos de Paulo (e.g., Rm 3.7; 1 Co 13; Gl 2.18-20) e em outros lugares (e.g., Filo, *Somn*; e.g., veja Dunn e Stuhlmacher). Isto não significa que Paulo descrevia uma experiência que não tinha relação pessoal com ele. O uso do pronome pessoal "eu" é consoante com a idéia judaica de identidade corporativa, na qual a ação de uma figura representativa é considerada definitiva para os que estão relacionados com ela (veja Rm 5.12-21). Paulo fala em identificação com Adão, e fazendo assim, ele fala por todos nós que nascemos no reino de Adão. Para resumir, reapresenta o assunto da queda (aludida implicitamente em Rm 1.21-23 e explicitamente em Rm 5.12-21) para descrever a condição comum da humanidade debaixo da lei.

Os versículos 7 a 11 explicam em detalhes a natureza da relação entre a lei e o pecado narrando a queda de Adão, notando como o pecado impugnou o propósito da lei de Deus. Como mostrado acima, Paulo fala na primeira pessoa do singular para expressar sua e nossa solidariedade com Adão.

A lei não é pecado, como a pergunta no versículo 7a sugere, mas dá consciência do pecado (v. 7b), porque a lei define o que constitui o certo e o errado diante de Deus. Paulo oferece o exemplo do Décimo Mandamento no versículo 7c, mas de forma abreviada. Diferente de Êxodo 20.17 e Deuteronômio 5.21, onde várias possessões do próximo são especificadas como objetos de cobiça, nenhum objeto é citado no versículo 7. A conseqüência desta forma encurtada é ampliar o mandamento para incluir qualquer tipo de desejo ilícito.

A relevância deste mandamento para o propósito à mão é dupla:
1) Ajusta-se com a tentação de Adão e Eva. Eles foram tentados com o desejo do que era proibido: o conhecimento do bem e do mal. Na época de Paulo, a quebra do Décimo Mandamento era vista comumente como a raiz de todos os pecados (Apoc. Mos. 19.3: "A cobiça é a origem de todos os pecados"; Apoc. Abr. 24.9; cf. Tg 1.15).
2) Certa noção complementar também estava em circulação por essa época, qual seja, que esse mandamento era uma adição da lei mosaica (e.g., Filo, *De Decálogo*; Josefo, *Antigüidade Judaica*; 4 Esdras 7.11).

Levando em conta esta evidência, Paulo

via o mandamento dado a Adão e Eva como representativa da lei que um dia seria dada a Israel. De fato, em Romanos 5.14 Paulo fez uma comparação entre a transgressão de Adão e a quebra da lei (veja Dunn). Como Adão nos representa, assim o Décimo Mandamento representa a lei. Em resumo, o ato de desobediência de Adão definiu a relação do pecado com a lei e pôs em vigor as condições que seriam pertinentes a todos os seus descendentes debaixo da lei.

No versículo 8, Paulo se torna mais específico sobre como o pecado manipulou a lei. O mandamento dado a Adão forneceu a oportunidade ("tomando ocasião", *aphorme*) que o pecado precisava para ter entrada na esfera humana. A palavra grega *aphorme* era usada para aludir a uma base de operações militar ou uma cabeça de ponte. Considerando a personificação do pecado nestes capítulos como poder, esta nuança da palavra também é apresentada aqui. Não podemos deixar de notar que, qualquer que seja o poder que o pecado tenha sobre homens e mulheres, tal poder é derivado. Diferente do poder de Deus, que atua independentemente de todas as circunstâncias, o pecado precisa de uma oportunidade para lançar seu ataque. Está morto sem a lei, ou seja, "o pecado não tinha energia vital em si mesmo" (Stuhlmacher).

Foi a serpente no jardim do Éden que agarrou a oportunidade oferecida pela proibição acerca de não comer da árvore do conhecimento do bem e do mal (Gn 2.17). O mandamento, que tinha a intenção de privar o casal original de fazer o que era mau foi usado pelo pecado para produzir o desejo pela desobediência. Como Paulo descobriu que isso era verdadeiro em sua própria experiência, assim também nós. É indicativo da condição humana como definido por Adão, que desejou algo no instante em que foi proibido. As crianças ilustram este ponto. Diga não a uma criança e ela vai querer ainda mais o que é proibido. No que diz respeito ao assunto, crianças mais crescidas também ilustram o ponto. Nós, como Adão e Eva, resistimos às limitações; nós, como Adão e Eva, buscamos independência daquEle que nos fez. Tragicamente, o que desejamos é fatal.

A força deste argumento contra uma compreensão judaica da lei como solução para o pecado não deve ser esquecida. Paulo declara no versículo 10 que "o mandamento que era para vida, achei eu que me era para morte". Se Adão e Eva tivessem guardado o mandamento de Deus, então, presumivelmente, eles teriam podido ter comido da árvore da vida (Gn 3.22-24). Com a vinda do pecado, o que tinha a intenção de fomentar vida agora era o meio pelo qual a morte exercia seu poder sobre a existência humana. Chega-se ao mesmo ponto no versículo 11. Repetindo a frase do versículo 8a, Paulo declara que o pecado "tom[ou] ocasião pelo mandamento" dado a Adão. O resultado foi que o pecado, que é representado pela serpente, "me enganou e, por ele, me matou".

Assim, duas eras são postas em contraste nos versículos 8c a 10a. Antes da lei, o pecado estava morto e "eu" estava vivo. Depois da lei, o pecado se arremessou na vida e "eu" morri. Quer dizer, antes de Deus dar o mandamento a Adão, ele estava completamente vivo, ou seja, ele vivia numa relação irrompível com Deus. Depois que Deus deu o mandamento, com a condição requerida para a tentação oportuna, o pecado se arremessou na vida. Com seu ato de desobediência, Adão experimentou a morte (veja Rm 5.12-21), isto é, a morte espiritual — relação interrompida com o Criador. Por conseguinte, a morte física se tornou seu e nosso destino, pois Adão fora avisado de que "no dia em que dela comeres, certamente morrerás" (Gn 2.17).

Devemos notar que, por Cristo, as condições que existiam antes da quebra do mandamento de Deus serão restabelecidas. Está chegando o tempo em que o pecado e a morte já não existirão. Enquanto isso, os crentes estão vivos para Deus e, embora o pecado ainda exista, mortos para o pecado (Rm 6.2).

2.2.2.2. A Ineficácia da Lei e da Carne (7.13-25). Embora o tópico permaneça o mesmo nos versículos 13 a 25 que nos versículos 7 a 12 (a relação entre a lei e o pecado) e o narrador ainda é o "eu", a perspectiva muda. Mais ênfase é posta no papel que a "carne" (*sarx*) desempenhava na história da relação entre a lei e o pecado. Ainda que o pecado tirasse vantagem da lei, só podia fazê-lo por causa da cumplicidade da carne. O que temos aqui é uma continuação da defesa de Paulo sobre a inocência da lei.

Mas isso não é tudo. À medida que o argumento progride torna-se cada vez mais evidente que a preocupação de Paulo neste estágio da carta vai além de defender a lei. Ele também está desenvolvendo a discussão dos capítulos 5 a 8 relativa à maneira na qual o pecado é tratado na era da graça. Paulo declara que só a graça, não a lei, trataria do poder do pecado.

Agora encontramos os verbos no presente. Considerando que os versículos 7 a 11 descreveram o impacto inicial do pecado de Adão em nossa relação com a lei de Deus e como o pecado definiu a inter-relação da lei e do pecado na era adâmica, os versículos 13 a 25 dispõem as condições que hoje seus descendentes enfrentam. O predicamento humano é apresentado da perspectiva do "eu". Quer dizer, Paulo assume a voz de todos os que estão em Adão (os que estão debaixo da lei *e sem Cristo*). Embora haja ocasiões em que o que ele narra seja particularmente verdade acerca dos judeus (e.g., v. 22), este é o dilema universal de todos os que enfrentam o mandamento de Deus.

Esta seção (vv. 13-25) começa, como a anterior (vv. 7-12), com uma pergunta: "Logo, tornou-se-me o bom em morte?" O "bom" é a lei (cf. v. 12). Parafraseando a pergunta: Não se diria, com base no que foi argumentado, que a lei deve ser culpada pela condição da humanidade? Ela não produz morte?

Enquanto a resposta reitere nos versículos 7 a 11 a bondade da lei e a culpa do pecado, agora a soberania de Deus é posta em discussão. Uma das perguntas ainda não abordadas nesta discussão sobre o uso que o pecado faz da lei é: Onde está Deus em tudo isso? Duas frases no versículo 13 (ambas começando com *hina*: "para que" e "a fim de que") mostram como o propósito divino substitui o intento do pecado. Ao permitir que o pecado usasse a lei, Deus revela a verdadeira natureza do pecado. Esta "é parte da estratégia mais abrangente e mais profunda de Deus para pôr em relevo o caráter do pecado e de seu produto e pagamento finais — só morte" (Dunn).

O versículo 14 é uma declaração resumida sobre como o pecado pôde produzir a morte pela lei. A fraqueza que o pecado explorou não estava na lei, mas na "carnalidade" da humanidade. A caracterização de Paulo sobre a lei ser espiritual (*pneumatikos*) é sem precedente no Antigo Testamento, e um tanto quanto inesperada, considerando sua afiliação com o pecado nesta discussão. Usando o termo "espiritual", ele afirma a natureza divina da lei e estabelece forte contraste com o "eu" como "carnal" (*sarkino*). A última expressão, o equivalente de estar "na carne" (v. 5), caracteriza o não-cristão. O fato de que é o incrédulo que está em vista, e não o cristão (contra Cranfield, Murray), é evidente pela frase final do versículo: "vendido sob o pecado". Estar debaixo do domínio do pecado é a condição dos que estão fora de Cristo (veja Rm 3.9; 7.6; veja também a imagem da escravidão ao pecado no capítulo 6). Em outras palavras, ser carnal é estar em Adão.

Os versículos 15 a 20 desenvolvem o versículo 14 enfocando o conflito interno que infesta a pessoa em Adão: o conflito entre querer e fazer. Porque o não-cristão é "carnal", é impossível ele fazer o que a lei espiritual exige.

O dilema é retratado com linguagem enfática:
1) Em vez de fazer o que é desejado, aquele que está em Adão acaba fazendo o que é indesejado. Ele faz o que detesta (v. 15). Tal é o poder medonho do pecado.
2) A incapacidade de fazer o que a lei requer conduz a uma conclusão dogmática: "Eu sei que em mim, isto é, na minha carne, não habita bem algum" (v. 18). Essa é a conscientização terrível daquele que é controlado pelo pecado no momento do *insight* dado por Deus.

Indubitavelmente a maioria dos cristãos expressa sentimentos similares sobre a incapacidade de completar a intenção da vontade, mas esta passagem não trata da luta de um crente. O "eu" descrito aqui expressa tal absoluto desespero, que se origina de um encarceramento ao pecado, e é inconcebível que este seja o testemunho de um cristão. Embora todos os cristãos lutem com fazer a intenção da vontade, este texto descreve a situação de alguém que não vê esperança de libertação do poder do pecado.

A qualificação de Paulo apresentada no versículo 18 de que ele quer dizer que não há nada bom "na minha carne" requer comentário. Como citei no versículo 5, a tradução preferida por alguns "na minha natureza pecaminosa" (lit., "na minha carne") sugere que "na minha carne" denota parte da constituição de uma pessoa. "Na minha carne" designa algo externo — um âmbito. Estar na carne (igual a ser carnal, v. 14]) é estar em Adão. É ser controlado pelo reino do pecado e da morte — e neste reino não há nada de bom.

Paulo tira várias conclusões dos conflitos mentais que ele descreve.

1) Numa reviravolta surpreendente, ele mostra que sua incapacidade de fazer o que deseja não é prova de que ele rejeita a lei, mas que ele aceita sua validade. O fato de ele fazer o que ele não quer atesta que reconheça que a lei é boa e que deseja obedecê-la. O problema para Paulo não é acerca da vontade. Isto conduz à próxima conclusão.

2) Sua incapacidade (como homem em Adão) de fazer o que é desejado é prova de que há outro poder em ação. A disparidade entre pensamento e ação é o produto do pecado que habita no homem (vv. 17,20). De que outra forma Paulo pode explicar por que a vontade é consistentemente contrariada? Culpar o problema do pecado que habita no homem não é eximir a culpa do pecador. O argumento da carta sobre o pecado e a salvação pressupõe que todas as pessoas são individualmente responsáveis perante Deus, e serve para explicar o total fracasso que se aplica à tentativa de ser consistente.[4]

A representação vívida que encontramos aqui sobre o eu dividido que não pode fazer o que a lei demanda é a reflexão de Paulo sobre seu passado farisaico a partir de seu presente cristão. Em outras palavras, este provavelmente não é o modo como ele teria descrito sua vida quando ainda era fariseu. Mais representativo daquele período teria sido a auto-avaliação que ele ofereceu em Filipenses 3.6: "Segundo a justiça que há na lei, irrepreensível". Depois de ter sido cegado por Cristo na estrada de Damasco, ele viu sua experiência anterior com a lei sob nova luz.

No versículo 21, Paulo conclui a discussão sobre a batalha que assola o não-cristão que é "confrontado com a lei, mas governado pelo pecado" (Stuhlmacher). Paulo relata que ele descobriu a "lei" (*nomos*). Embora Paulo tenha sido consistente na carta usando o termo grego *nomos* para aludir à lei mosaica, neste versículo e nos imediatamente próximos ele varia a definição dessa palavra grega para causar efeito. A leitura mais natural do versículo 21 é entender "lei" como um "princípio" ou "norma", com a definição de que a norma é determinada no restante do versículo. O que Paulo descobriu é isto: A inevitabilidade de que o mal está presente quando a pessoa quer fazer o bem.

À medida que o argumento se dirige para o auge, a representação do conflito entre querer e fazer fica até mais dramática. Em primeiro lugar, o "eu" se delicia na lei de Deus no ser interior (v. 22). Dois comentários são pertinentes aqui:

1) Um dos argumentos suscitados contra a visão de que o não-cristão é o sujeito dos versículos 13 a 25, é que só um crente pode dizer que ele se deleita com a lei de Deus. Este argumento interpreta mal a natureza da devoção judaica. Em vez de ver a lei como fardo — que é como poderíamos vê-la —, a lei era venerada entre os judeus porque era vista como o dom de Deus para a nação de Israel. Os Salmos 19.7-11 e 119, por exemplo, transmitem este deleite, e Paulo menciona a doação da lei a Israel como uma das vantagens da nação (Rm 3.2; 9.4). Isto não quer dizer que todo judeu mostrava tal

prazer na lei, mas Paulo está representando seu povo sob a melhor luz. Ele os está representando como o tipo de judeu que o próprio Paulo era antes de ele conhecer Cristo. E tal representação estabelece forte contraste. É precisamente aquele que se encanta com a lei, esse mesmo que sofre da incapacidade de expressar esse amor em ação concreta.

2) O "homem interior" (v. 22) e o "entendimento" (v. 23) são expressões sinônimas da fonte do desejo pelo bem que Paulo vem descrevendo desde o versículo 15. Jeremias mostrou que a expressão era usada no mundo grego para aludir a uma pessoa em seu "lado imortal em direção a Deus" (*Theological Dictionary of the New Testament*, eds. G. Kittel e G. Friedrich, Grand Rapids, 1964-1976, vol. 1, p. 365). É este senso de inclinação "espiritual" que achamos aqui. Se Paulo estava descrevendo o dilema de um cristão nos versículos 13 a 25, então "em meu espírito" (em vez de "segundo o homem interior") teria sido a frase natural para descrever a fonte de um cristão que almeja Deus. Mas Paulo evita a linguagem "E/espírito" ao longo desta passagem, visto que não se aplica àquele que não pertence a Cristo (cf. Rm 8.9).

Considerando que Paulo começou a se referir a diferentes tipos de leis no versículo 21, a expressão "a lei de Deus", no versículo 22 (que é igual a "a lei do meu entendimento", v. 23), é necessária para esclarecer que a Torá está mais uma vez em mira. Esta é a lei na qual o homem interior se deleita. Mas há "outra lei", mencionada no versículo 23, que no mesmo versículo é definida como a "lei do pecado". Dunn argumenta que todas as referências a *nomos*, em Romanos 7, são à lei mosaica. As opiniões contrastantes de *nomos* refletem, não tipos diferentes de leis, mas a mesma lei vista de ângulos diferentes. Assim, para Dunn, a "lei do pecado" é a lei mosaica vista da perspectiva de sua manipulação pelo pecado.

Contudo, isto é improvável, considerando:

1) A tentativa demorada de Paulo ao longo deste capítulo de preservar a inocência da lei em oposição ao pecado, e

2) O fato de que a leitura mais natural sugere que Paulo tem duas leis em mira. Paulo contava que os romanos interpretassem estas descrições contrastantes da lei como dois lados da mesma lei? Paulo está distinguindo a lei de Deus, a qual é santa e boa (v. 12), da "lei" (ou autoridade ou princípio) do pecado.

A imagem militar — "batalha contra" e "me prende" — atua no versículo 23 a levar a um clímax a diagnose de Paulo da condição humana debaixo da lei do pecado. O otimismo humano veria que a batalha com o pecado é permanente. Poderia proclamar que compete ao entendimento de cada indivíduo suscitar e conquistar o poder do pecado. Mas a guerra terminou. O pecado ganhou a batalha contra Adão, levando em cativeiro todos os seus descendentes. O grito desesperado no versículo seguinte é o grito do cativo. Em outras palavras, a lei e a pessoa em Adão são impotentes contra o pecado. A solução para o poder do pecado tem de vir de algum lugar fora do reino do esforço humano e do reino da lei.

No versículo 24, o significado do termo "miserável" vai de "uma expressão de desespero ou condenação" ao "estado do homem puxado em duas direções" (Dunn). Qualquer nuança se ajusta bem ao contexto. Este é o clamor de alguém que está preso e não vê meio de saída. A pergunta: "Quem me livrará do corpo desta morte?", é, como Moo ressalta, incomum se esta é uma expressão de desespero cristão sobre a luta com o pecado. O que é incomum é o fato de que o capítulo 7 finda com uma nota solene, com uma reiteração do dilema humano sem Cristo. Tal final recompõe o problema antes que a solução seja dada no capítulo seguinte.

O salvador é "Deus por Jesus Cristo, nosso Senhor" (v. 25), o que nos remete para a discussão anterior sobre a libertação efetuada pela cruz em favor dos crentes (Rm 3.21-26). É interessante que Paulo menciona os dois outros membros da Trindade logo antes que o enfoque passa no capítulo 8 ao Espírito. A obra de todas as pessoas da deidade está envolvida para trazer salvação à humanidade.

2.2.3. O Espírito de Vida que Dá Poder sobre o Pecado e a Morte (8.1-13).

A nuvem de desespero que pairava sobre grande parte do capítulo 7 desaparece subitamente com a declaração de abertura do capítulo 8, de que não há condenação para os que estão em Cristo. O grito de desespero em Romanos 7.24 — o grito de alguém que está fora de Cristo e debaixo da lei, o grito de alguém que está sujeito à "lei do pecado e da morte" (Rm 8.2) —, é recebido com uma resposta. O grito de desespero fenece em segundo plano quando Paulo declara que há liberdade para os que estão em Cristo. Há vida no Espírito Santo agora e sempre. E não há ameaça de separação de Deus e do Seu amor.

O capítulo 8 trabalha em diversos níveis para reunir várias linhas teológicas de partes anteriores da carta. Retoma onde foi deixado em Romanos 7.6, que contrastava o velho modo debaixo da lei com o novo modo do Espírito. Paulo descreverá agora com detalhes gloriosos o que é a vida no Espírito. Quando ele descreve o papel do Espírito Santo em atualizar a obra de Cristo para o crente, ele aborda outra vez conceitos achados nos capítulos 5 a 7. Romanos 8.1-17 dá continuidade à argumentação começada no capítulo 6 de que a era da graça não implica a extinção da justiça, pois o Espírito Santo torna possível a vida de justiça. Os temas gêmeos de esperança e sofrimento, que foram justapostos em Romanos 5.3,4, tornam-se os temas dominantes de Romanos 8.18-39. A vida é tão transformada na era da graça que até o sofrimento é colocado dentro do reino da esperança.

Os primeiros treze versículos seguem um padrão que nos é conhecido pelo capítulo 6. Uma discussão sobre o que é verdade para os crentes — o novo estado dado aos que foram transferidos da era de Adão para a era de Cristo — é seguida por uma declaração sobre o que lhes deve verdade na prática. Diferente do capítulo 6, o papel do Espírito Santo em causar os benefícios da morte e ressurreição de Cristo nos crentes agora é colocado em primeiro plano.

"Portanto, agora, nenhuma condenação há para os que estão em Cristo Jesus" (v. 1). "Portanto" está declarando uma conclusão, mas de quê? É difícil determinar qual parte do argumento precedente Paulo tem em mente. Ele está pensando em Romanos 7.7-25, em Romanos 7.6 (Barrett), ou à argumentação exposta nos capítulos 5 a 7 (Moo)? Ou é um sumário do tema exacerbante da carta (i.e., a justiça de Deus) que remonta a Romanos 1.17? O papel que o capítulo 8 desempenha como resumo e clímax da explanação sobre a justiça de Deus para judeus e gentios, antes que o foco de Paulo se estreitasse para a justiça de Deus a Israel, indica que esta seção sumaria o tema predominante da carta.

"Condenação" (cf. também Rm 5.16,18) é termo jurídico, o qual neste contexto denota o resultado do julgamento de Deus. Como a morte, com a qual está unida em Romanos 5.12-21, diz respeito à separação eterna de Deus. Os que estão "em Cristo Jesus" podem se alegrar porque tal horror não os aguarda no julgamento. De fato, o capítulo 8 termina com a grandiosa declaração de que nada pode nos separar de Deus e Cristo — nada no presente e nada no futuro.[5]

A base da declaração de que não há nenhuma condenação é dada no versículo 2. Os crentes não enfrentam as conseqüências que aguardam os que estão debaixo do poder do pecado (i.e., morte ou condenação), porque eles foram libertos "da lei do pecado e da morte". Como em Romanos 7.21-25, onde Paulo usou a "lei" para denotar algo que não a lei mosaica, ele varia o sentido desta palavra para insistir neste ponto. A lei do pecado e da morte não é a lei judaica, vista do lado negativo (segundo Dunn), mas um "poder" ou "autoridade" que coloca homens e mulheres em escravidão. Semelhantemente, "a lei do Espírito de vida" representa o poder do Espírito Santo, que livra a humanidade da tirania do pecado e da morte. A frase "a lei do Espírito de vida" não ocorre em nenhuma outra parte nas cartas de Paulo. Deve ser a causa de Paulo cunhar esta frase aqui, porque ele está continuando o jogo de palavras com "lei" que ele começou no capítulo anterior.

As idéias de escravidão e liberdade e de pecado e morte como poderes governantes foram conhecidas pelos ouvintes de Paulo nos capítulos 5 e 6 (e, em menor medida, no cap. 7). Nos capítulos 5 e 6, a ênfase estava na morte de Cristo como o acontecimento que capacita a pessoa a ser transferida do reino do pecado e da morte. Aqui Paulo relaciona o papel do Espírito Santo à obra salvadora de Cristo. De fato, a expressão "em Cristo Jesus" foi justaposta à frase "a lei do Espírito de vida" para elucidar que não é o Espírito que efetua esta transferência independentemente. O que o Espírito faz está fundamentado na morte e ressurreição de Cristo.

A lei de Moisés entra em vista no versículo 3. Podemos estar seguros de que é a lei judaica que Paulo tem em mira neste versículo, porque, diferente do versículo 2, não há frase modificadora ligada à palavra "lei" (*nomos*) para indicar de outro modo. Outrossim, o teor do versículo recapitula o que Paulo disse sobre a lei no capítulo 7. O que a lei mosaica não podia fazer era tratar do problema do pecado; é o que Deus fez ao enviar seu Filho, ou seja, enviar Cristo para morrer por nossos pecados. Pela cruz, Deus "condenou o pecado na carne".

É difícil decidir qual "carne" Paulo tem em mente aqui: É a carne de Cristo (Cranfield) ou nossa própria carne pecadora? Talvez esta pergunta tenta dividir o que Paulo viu como duas partes de um todo. Cristo, como nosso substituto, suporta a condenação por nós na sua carne. Como resultado disso, a condenação que afronta todas as pessoas na carne é removida.

A morte sacrifical de Cristo também é mencionada pela frase que a NVI traduz por "como oferta pelo pecado" (lit., "concernente ao pecado"). Os tradutores da NVI concluíram, como nós, que "concernente ao pecado" ("do pecado", RC) denota uma oferta pelo pecado, visto que esta expressão era usada assim na LXX (veja Moo, Fee). Em suma, a condenação não virá sobre os que estão em Cristo, porque a ira de Deus já caiu em outro lugar — em Cristo.

Este versículo teologicamente denso precisa de mais dois comentários.
1) É significante a qualificação de Paulo de que Cristo entrou "em semelhança da carne do pecado" em vez de, como ele poderia ter dito, "na carne pecadora". A palavra grega *homoioma* ("semelhança") é usada para preservar uma distinção. Paulo quer afirmar que Cristo era um substituto apropriado para a humanidade, porque Ele veio na carne humana, mas o apóstolo também quer evitar o pensamento de que Cristo ficou pecador na encarnação. Por conseguinte, ele diz que Cristo veio em *semelhança* da carne pecadora.
2) A idéia que a lei "estava enferma pela carne" retoma a discussão no capítulo 7, onde Paulo argumentou que a lei não podia nos livrar do pecado. De fato, o aparecimento da lei deu ao pecado a oportunidade de se fixar fortemente na esfera humana (Rm 7.7-11). De modo similar aqui, embora a lei seja santa e boa (Rm 7.12), a humanidade não é. A "carne" humana está em escravidão ao pecado e morte, e tal escravidão a lei não tem força para quebrar.

O propósito em condenar o pecado na carne é para que "a justiça da lei se cumprisse em nós" (v. 4). A impressão de que Paulo poderia ter dado de que o propósito de Deus ao dar a lei tinha sido completamente evitado pela pecaminosidade humana é dissipada. Como Dunn argumenta: "Aqui, Paulo deliberada e provocativamente insiste na continuidade do propósito de Deus na lei e pelo Espírito".

Há duas linhas primárias de pensamento acerca de como este cumprimento ("se cumprisse") ocorre. Elas se dividem em se é Cristo ou o crente que é ativo no cumprimento desta exigência:
1) Numa visão, Cristo cumpriu as exigências da lei por sua obediência perfeita. Por sua morte, Ele tomou nossa condenação. Isto permite um "intercâmbio": "Cristo se torna o que nós somos para que nós nos tornemos o que Cristo é" (Moo).
2) Os cristãos cumprem a lei à medida que vivem "segundo o Espírito" (v. 4b). De

acordo com esta visão, a segunda parte do versículo explica como o cumprimento é feito. Não é que nós obedeçamos à lei, mas cumprimos seu propósito, que era causar justiça (Fee, 1994, pp. 534-558). Ainda que haja muito a ser dito sobre a primeira visão, parece que a leitura mais natural do versículo é considerar a frase subordinada que começa com "que não andamos" como explicação do tipo de cumprimento que ele quer dizer. Esta posição não tira a ênfase no que Deus faz e a coloca no que homens e mulheres fazem. Como Fee mostra, a ênfase ainda está no que o Espírito Santo faz para nos capacitar a viver em justiça (1994, p. 535).

Nos próximos nove versículos (vv. 5-13), o contraste entre a "carne" (*sarx*) e o "espírito" (*pneuma*) domina a discussão, à medida que é explicada a diferença entre andar segundo a carne em oposição a andar segundo o Espírito (v. 4b). O foco dos versículos 5 a 8 está naquele que vive na carne; o foco passa para o crente nos versículos 9 a 11. O dualismo carne/espírito é escatológico, não antropológico. É um contraste entre estados de existência em duas eras — a era de Adão e a era de Cristo (veja Rm 5.12-21). Não é sobre duas naturezas conflitantes dentro do indivíduo, mas uma comparação entre os que vivem e os que não vivem em Cristo.

Os quadros antes e depois exibidos aqui — da vida antes e fora de Cristo e depois da vida em Cristo — são descritos como opostos extremos. Tal nítido contraste fixa imagens vívidas na mente do leitor. Paulo quer que os cristãos romanos tenham um quadro claro do que eles eram em oposição ao que eles se tornaram. O propósito das imagens contrastantes nos versículos 5 a 11 é instigá-los a adotar um estilo de vida proporcional ao seu novo estado (vv.12,13).

Paulo começa comparando as orientações diferentes da mente ou da vontade (vv. 5,6). O que está sendo discutido é em que a mente é "atiçada" — não tanto no que a pessoa pensa, mas qual é sua orientação. A orientação de alguém na carne é deste mundo; a mente é fixa nos valores de um mundo que rejeitou Deus.

O não-cristão, em outras palavras, pode ser definido como alguém que é inimigo de Deus (v. 7). Isto não significa, obviamente, que todos os incrédulos agem conscientemente em inimizade para Deus. Mas no forte contraste dos dois modos de existência apresentados aqui, a pessoa é dirigida ao mundo da carne ou ao mundo do Espírito (cf. Mt 12.30: "Quem não é comigo é contra mim"). Paulo descreveu uma orientação semelhante e mundana em Romanos 1.18-32. A humanidade rejeita o conhecimento de Deus que lhes está disponível, resultando num ciclo de pensamento e ação que é uma perversão de tudo que Ele quis para a humanidade. Em suma, as pessoas com tal orientação "não podem agradar a Deus" (v. 8).

Devemos notar que agradar a Deus não nada tem a ver com ser uma pessoa "boa" ou "má" em si. Há incrédulos de bom caráter e integridade e há os que são maus. O ponto aqui, como tem sido desde Romanos 1.18, é que agradar a Deus não está, no final das contas, relacionado com o que fazemos, mas com o que Ele fez por nós em Cristo. Ou, dizendo de outra maneira, é sua justiça ou atividade salvadora que é a base da relação que temos com Deus.

O destino dos que são inimigos de Deus é a "morte" (v. 6), que é a morte espiritual com conseqüências físicas (veja Rm 5.12-21). A morte espiritual (ou separação de Deus) pode ser experimentada em ambos os lados do sepulcro. A alienação de Deus no presente se torna um estado eternamente permanente para os que permanecem fora de Cristo. A palavra de Cristo na cruz: "Deus meu, Deus meu, por que me desamparaste?" (Mt 27.46), sugere que Cristo conheceu não só a morte física, mas também a espiritual, quer dizer, separação da presença de Deus. Ele experimentou a morte completamente para que nós não precisássemos experimentá-la.

O modo de existência daqueles que estão em Cristo é oposto aos que estão em Adão. Aqueles cuja orientação é Deus, ou "para as coisas do Espírito" (v. 5), conhecem a vida e a paz (cf. Rm 5.1,12-21). Tendo sido libertos da lei do pecado e da morte, eles vivem numa relação com Deus por meio do "Espírito de vida" (v. 2). Há paz em vez de inimizade entre eles e Deus (cf. Rm 5.1). Paz e vida caracterizam o que podemos desfrutar hoje e o que saberemos para sempre, pois nem mesmo a morte pode nos separar de nossa relação com Deus (cf. Rm 8.35-39).

Nos versículos 9 a 11, a tônica passa para os que andam conforme o Espírito. Considerando que os não-crentes são caracterizados por estar na carne, os crentes estão "no Espírito". É um novo tipo de existência, onde o poder do Espírito, em vez do poder do pecado e da morte, está em ação. E, como declara o meio do versículo 9, os crentes são aqueles em quem o Espírito, e não o pecado (cf. Rm 7.20), mora. Concluímos, então, que o Espírito toma o lugar do pecado, tanto quanto na esfera na qual vivemos (i.e., o poder que nos controla) quanto na presença que habita em nós.

A mudança de "o Espírito de Deus" (v. 9a; cf. v. 11) para "o Espírito de Cristo" (v. 9b) reflete a ênfase dos versículos 9b e 10 na obra de Cristo. A frase "se Cristo está em vós" (v. 10a) não significa que Cristo e o Espírito habitam no crente, nem que os dois são indistinguíveis. Com Cranfield entendemos que "pela habitação do Espírito o próprio Cristo está presente em nós". Dizer que Cristo está presente em nós pelo Espírito não é tirar a ênfase da natureza pessoal de nossa relação com Cristo. O Espírito pode representar Cristo tão completamente, porque o Espírito também é uma pessoa. Não somos habitados por uma força, mas por um ser pessoal.

O ponto central dos versículos 9 a 11 é fazer mais elaborações sobre "a lei do Espírito de vida" (v. 2a), que é o poder do Espírito Santo em ação, dando vida agora e para sempre aos que estão em Cristo. O versículo 10 fala da vida no presente, ao passo que o versículo 11 trata da vida no futuro. Embora "o corpo [...] [esteja] morto por causa do pecado", o Espírito é vida por causa da justiça. O corpo está sujeito à morte por causa do pecado; a morte passou a todas as pessoas pelo pecado de Adão (Rm 5.12). Contudo, o Espírito é vida por causa da justiça; a

vida para todas as pessoas pela justiça de Cristo (Rm 5.18).

No versículo 10, é preferível a interpretação de *pneuma* (espírito) como o Espírito Santo (segundo Dunn; Moo) em lugar de o espírito humano. Barrett argumenta que esperaríamos que Paulo dissesse que "o espírito vive" (RC) se ele quisesse se referir ao espírito humano. Mas o que lemos no original grego é: "o espírito é vida", o que nos lembra imediatamente de "o Espírito de vida" (v. 2). O versículo 11 explica o significado da frase que estamos examinando, e há o Espírito que está sendo discutido (Moo).

Relativo à vida no futuro (v. 11), sabemos de Romanos 6.5 que, pelo fato de termos morrido com Cristo, também seremos ressuscitados com Ele. Aqui é identificado o papel do Espírito de vida em tornar certo este futuro para o crente. Deus efetua a ressurreição dos crentes pela agência do Espírito Santo. Paulo especifica que a ressurreição envolve até nossos corpos "mortais" — os mesmos corpos que no versículo 10 foram destinados à morte. A ressurreição envolve a totalidade da pessoa, não apenas o espírito. Uma ressurreição "espiritual" é o que os coríntios imaginavam, provavelmente em resultado da influência da idéia grega da imortalidade da alma. Acreditava-se que na morte a alma/espírito era liberta do corpo, o qual era descartado (1 Co 15). Escrevendo de Corinto, com a localização servindo de lembrança de uma controvérsia anterior, Paulo afirma que até o corpo é ressuscitado. (A formação de outros aspectos do mundo físico é descrita nos vv. 19-21.)

O imperativo (vv. 12,13)[6] que serve de resumo a um extenso discurso sobre o que é verdade cerca dos crentes (vv. 1-11) é um padrão conhecido nos escritos de Paulo. Como em Romanos 6.1-14, o apóstolo começa descrevendo o que Deus/Cristo fez por nós (Rm 8.1-11) e finda argumentando o que temos de fazer em resposta aos seus atos graciosos (Rm 8.12,13).

A idéia imperativa, em concordância com o que vem antes, está estruturada pelo contraste entre o Espírito e a carne, como também entre a vida e a morte. E, em concordância com o que vem antes, o Espírito e a carne se referem a dois modos contrários de existência. Quer dizer, esta seção da carta não diz respeito à luta interna no crente entre o lado dirigido a Deus e o lado dirigido ao pecado. Estar no Espírito em oposição a estar na carne é ser cristão em oposição a ser não-cristão.

A importância do que Paulo está a ponto de dizer é transmitida pela volta do emprego da palavra "irmãos" (veja Rm 7.1,4). Ele está escrevendo sobre uma obrigação incumbente aos crentes, que não é a mesma obrigação que outrora pressionava os que estavam debaixo do domínio do pecado e da morte. Voltar à vida anterior — quer dizer, viver de acordo com a carne — significa morte hoje e para sempre (v. 13a). Isto não quer dizer que a morte espera o cristão que comete um único pecado. O tempo presente do verbo "viver" na frase "se viverdes segundo a carne" aplica o aviso à pessoa que *continua no pecado*, que constantemente se comporta como se ela ainda estivesse na carne.

A obrigação do crente é viver como alguém que está no Espírito. Portanto, é imperativo que "as obras do corpo" sejam mortas. Esperaríamos ler "as obras da carne", visto que Paulo tem usado a carne com relação ao pecado e à morte. Fee comenta que "corpo" é apropriado aqui, porque os cristãos já não estão na carne (1994, p. 558).

Se quisermos evitar o desespero por causa de nossa contínua tentação ao pecado e nossa prática muito freqüente de ceder ante a tentação, temos de prestar atenção particular à expressão "pelo Espírito" (ARA). A noção de que a pessoa é salva pela graça, mas conservada por esforços próprios, é estranha a este texto. Se fosse assim, então estaríamos vivendo precariamente, e não com alegria, como que nos balançando constantemente à beira do abismo. Mas da mesma maneira que não ganhamos a salvação, assim não a mantemos por iniciativa própria. Em nós mesmos, somos impotentes para fazer o que Deus requer, mas o Espírito nos capacita a matar as más ações. Agora é dada a resposta ao problema do poder do pecado, que foi levantado em Romanos 6.1 e, desde então, esteve na vanguarda da discussão: É o Espírito.

2.2.4. O Espírito de Adoção (8.14-17). Embora o assunto mude de repente para o tema da adoção ou "filiação", no versículo 14, a conexão com o versículo 13 não deve ser perdida. O que o versículo 13 declara no negativo, o versículo 14a declara no positivo: Matar as ações do corpo é ser "[guiado] pelo Espírito de Deus". Ser guiado pelo Espírito é um conceito popular nos círculos carismáticos/ pentecostais. O que este texto nos diz é que ser guiado pelo Espírito tem a ver, primeiramente, com a maneira na qual Ele nos guia no viver justo. Como a expressão "pelo Espírito" (v. 13), o conceito de ser guiado pelo Espírito nos lembra outra vez de que, em termos de nossa santificação — ou seja, nosso andar adequadamente numa relação que Deus estabeleceu para nós por sua justiça —, o Espírito Santo é fundamental. Trabalhamos só à medida que Ele trabalha; seguimos à medida que Ele guia. "O fazer morrer diário e de hora em hora dos esquemas e empresas da carne pecadora por meio do Espírito é questão de ser guiado, dirigido, impelido, controlado pelo Espírito" (Cranfield).

Em Romanos 6.16-23, Paulo falou que os cristãos foram transferidos da escravidão ao pecado para a escravidão a Deus. A dureza da imagem de escravidão foi usada esse texto para ressaltar o ponto de que estar debaixo da graça em vez da lei não vincula a liberdade ao pecado. Em Romanos 8.15, a escravidão é apresentada como a antítese da vida no Espírito, porque Paulo quer contrastar a vida fora de Cristo com a vida em Cristo. Receber o Espírito não é receber um "espírito de escravidão" (isto não é um espírito, mas uma frase cunhada para chegar a um ponto desejado), que resulta em medo da condenação. Recebemos o Espírito como o "espírito de adoção de filhos". Receber o Espírito é ser adotado como filho de Deus (cf. Gl 4.4-6). Somos guiados pelo Espírito ao tipo de comportamento que é apropriado pelos que fazem parte da família de Deus (Rm 8.14).

O apóstolo está descrevendo o crente com terminologia que era entendida pelos judeus para aludir ao seu estado exclusivo perante Deus. Israel era o filho de Deus, e Deus, seu Pai (e.g., Êx 1.22,23; Dt 32.6; Is 63.16). Foi Israel que foi adotado: "Dos quais é a adoção de filhos" (Rm 9.4). O evangelho revela que por Cristo a membresia no povo de Deus foi aberta a todos, tanto para judeus quanto para gentios.

O aconchego da imagem familial impressiona o leitor com a verdade de que o Espírito nos dá garantia completa sobre nossa posição presente e futura com Deus. Somos filhos e filhas hoje; também somos herdeiros da glória futura. O grito "Aba" vem dos lábios de crentes quando são estimulados pelo Espírito Santo (v. 15; cf. Gl 4.6). Em outras palavras, o Espírito que habita em nós nos confirma a realidade da relação com Deus, e nós a proclamamos em volta alta. De acordo com a lei (Dt 19.15), exigiam-se duas testemunhas para estabelecer um assunto. Há duas testemunhas que estabelecem a verdade de nossa relação com Deus — o Espírito Santo e o nosso espírito.

A escolha de Paulo de "Aba, Pai" (v. 15) tinha o propósito de fazer eco à forma de tratamento usada pelo Filho único de Deus quando Ele orava (Mc 14.36). Embora seja verdade que naqueles dias Jesus já não era o único filho de Deus a fazer essa oração (veja Fitzmyer), o uso que Jesus faz desse termo é significativo. Revela-nos o nível de intimidade que o Filho tinha com o Pai, e sua reaparição aqui transmite que os que são adotados na família de Deus agora são convidados a compartilhar uma relação particular.

A natureza vigente de nosso estado adotado fica aquém da plena realização da "filiação" que será nossa um dia. Na verdade, "somos filhos", mas ainda não recebemos a herança futura (v. 17). Como Romanos 8.10,11 afirmou, a presença do Espírito de vida em nós é uma garantia da plenitude da vida na ressurreição, assim a atual "filiação" dos crentes, efetuada pelo Espírito, é nossa garantia de que os benefícios totais da herança nos serão dados.

Esta conversação sobre família e seus privilégios vem imediatamente em seguida à sua advertência sobre a pena de morte para aqueles que voltam às práticas da velha vida (vv. 12,13). Como integramos a rudeza do um com a sensação de segurança evocada pelo outro? Que tipo de "família" é esta, onde os filhos enfrentam ameaça constante de expulsão para o reino da morte? Para entendermos como deveríamos ver a interação destes dois aspectos, pode-se fazer uma analogia tirada de uma relação familiar típica. Um ato de desobediência por parte de um filho ou filha, ou mesmo uma série de desobediências, não resulta na expulsão de uma família. Mas um membro familiar pode escolher se rebelar, rejeitando as responsabilidades da vida familiar. Em tal caso, o indivíduo tem de enfrentar as conseqüências.

O versículo 17 recorda vários temas já tratados:

1) Estamos identificados com o Filho, uma identificação implícita no versículo 15 com sua referência a nosso privilégio de clamar a Deus como Jesus fez ("Aba"). Nós, os adotados, somos colocados ao lado de Cristo como co-herdeiros das promessas de Deus.

2) A herança está disponível além das fronteiras de Israel (Rm 4.13-17; Gl 3.16-18); todos os que têm o Espírito são herdeiros.

3) A esperança escatológica é justaposta com o sofrimento atual (veja Rm 5.3,4). Ser glorificado com Cristo no futuro vincula sofrimento com Ele no presente. Estar em relação com Cristo significa tomar parte na sua vida. Morremos com Ele no passado e seremos ressuscitados com Ele no futuro (Rm 6.3-5); nesse entretempo, compartilhamos a mesma esperança que Ele teve enquanto suportamos o sofrimento como Ele suportou (cf. Hb 12.2). O sofrimento no meio da esperança é o foco da próxima seção da carta.

2.2.5. A Esperança da Glória (8.18-39). O emparelhamento do sofrimento com a glória domina a discussão a seguir, junto com o tema da esperança. A esperança descreve nossa postura à medida que suportamos sofrimentos nos dias atuais em nossa espera da glória futura.

2.2.5.1. A Esperança da Glória: Presente no Sofrimento (8.18-27).

A estipulação dada no versículo 17 de que compartilhamento na sua glória requer compartilhamento no seu sofrimento evoca uma qualificação imediata no versículo 18. Embora os dois aspectos sejam parte da vida cristã, eles não são comparáveis. De fato, Paulo diz que eles "não são para [serem comparados]". A magnificência da glória futura torna o sofrimento atual insignificante (cf. 2 Co 4.17). A glorificação dos crentes os restabelecerá ao estado aperfeiçoado que Adão e Eva conheceram no jardim do Éden antes da queda. Ou, segundo as palavras de Romanos 8.29, a glória será "[conforme] à imagem de seu Filho". O pecado e a morte serão história; a relação irrompível com Deus, o Pai, e Cristo, o Filho, será a realidade eterna.

"As aflições deste tempo presente" (v. 18) são as dificuldades que suportamos nesta era de transição, quando a era nova de Cristo está sobreposta com a velha era de Adão (Michaelis, p. 934). Nós pertencemos à era de Cristo, contudo ainda vivemos num mundo cujas condições foram definidas pelo pecado de Adão. O que Paulo quer dizer por sofrimento vai além da idéia de perseguição por causa de Cristo, embora certamente inclua a idéia. O sofrimento é o resultado da pressão posta sobre nós pelos efeitos contínuos do pecado e da morte neste mundo. De certo modo, experimentamos alguns dos mesmos tipos de sofrimento que os não-cristãos. Mas de outro, nossa experiência é diferente, pois nossos sofrimentos são transformados pela esfera da graça (Rm 5.1-5) e cooperam para o bem da chamada de Deus (Rm 8.28,29).

Não é só os crentes que sofrem a tensão entre o "já" e o "mas ainda não", entre o que Deus fez e o que Ele fará. A própria criação, o mundo não-humano, espera com antecipação ansiosa "a manifestação dos filhos de Deus" (v. 19). A revelação diz respeito a tornar conhecido algum aspecto do plano de Deus que estava previamente escondido. A revelação dos filhos de Deus se refere ao tempo da Volta de Cristo quando o mundo inteiro verá quem são realmente os filhos de Deus.

A crença de que o fim do tempo revelará ao mundo a verdadeira identidade daqueles que eram fiéis a Deus e daqueles que não eram, era comum nos escritos apocalípticos judaicos. Com efeito, para pelo menos um escritor, esta revelação pública envolvia a transformação de todas as pessoas a fim de elas exporem suas verdadeiras identidades. O escritor de 2 Baruque previu que no fim os ímpios pareceriam mais ímpios, ao passo que os justos seriam glorificados em beleza resplandecente (2 Ba 51.1-6; cf. Dn 12.3). Semelhantemente, a redenção de nosso corpo (Rm 8.23) também diz respeito à transformação escatológica de corpos terrenos em corpos divinos (cf. 1 Co 15.51,52).

A razão por que se diz que a criação antecipa a revelação dos filhos de Deus é explicada no versículo 20: "A criação ficou sujeita à vaidade". A palavra "vaidade" (*mataiotes*, "vaidade, vacuidade, falta de propósito, sem objetivo") indica que a criação não podia cumprir seu propósito original (veja Cranfield). Mais uma vez, como em Romanos 1.21,22; 5.12-21; 7.8-11, a tradição de Adão entra em cena no argumento de Paulo. O propósito original da criação foi torcido pelo pecado de Adão e Eva (Gn 3.17,18). A conseqüência da introdução na criação do elemento estranho do pecado foi que o mundo caiu em "servidão da corrupção" (Rm 8.21). O que sujeitou a criação a esse estado de vaidade, ao mesmo tempo em que também dava a razão da esperança, foi Deus. Quer dizer, com a maldição — "maldita é a terra por causa de ti" (Gn 3.17) — veio a promessa da derrota de Satanás — "esta te ferirá a cabeça" (Gn 3.15). (O tema da esperança vem à tona novamente em Rm 16.20).

Nesse entretempo, a terra geme "com dores de parto até agora" (v. 22). A imagem de dores de parto, usado em outros lugares para descrever as condições dos últimos dias (Mt 24.8; Jo 16.21), é metáfora engenhosa porque transmite a sensação da dificuldade dos dias atuais e a esperança de que há um fim definido em mira. Gemer também é usado para descrever a expectação dos crentes (Rm 8.23), como também a maneira na qual o Espírito intercede em favor dos santos expectantes (vv. 26,27).

O versículo 23 marca o retorno, depois da descrição das dimensões cósmicas da antecipação escatológica nos versículos 19 a 22, ao assunto dos versículos 17b e 18: a antecipação dos crentes da glória futura em meio ao sofrimento do presente tempo. Como o mundo inanimado, eles também gemem enquanto esperam o fim desta era e a consumação plena da seguinte. Gemer expressa profundo desejo pelo cumprimento das promessas de Deus.

A "adoção"/filiação descrita no versículo 23 é uma esperança futura, em vez de ser, como no versículo 15, uma realidade presente. Isto não é contraditório: Já somos filhos e filhas, mas chegará o dia em que desfrutaremos desse estado em sua inteireza. A tensão que experimentamos no ínterim é o que devemos esperar, diz Paulo, pois "em esperança, somos salvos" (v. 24). Em outras palavras, a esperança do que não é visto (que é a única definição verdadeira de esperança) define a existência cristã do momento em que a pessoa chega ao conhecimento de Cristo.

Viver na esperança significa exercer resistência nesse entretempo (v. 25). É mais do que esperar "pacientemente", se entendemos que a paciência seja uma resignação passiva a esperar nela. É melhor traduzir a palavra grega *hypomone* por "resistência". Esperamos permanecendo firmemente na obra à qual Deus nos chamou. Esperamos, porque um fim glorioso está em mira.

O papel do Espírito Santo, tão proeminente nos versículos 1 a 17, agora entra novamente sob consideração em dois pontos relacionados com o tema "gemido". A presença do Espírito em nossa vida causa o nosso gemido, e a presença da fraqueza em nossa vida causa o gemido do Espírito. Examinemos cada aspecto por sua vez.

1) Embora possamos entender a frase "nós mesmos, que temos as primícias do Espírito" (v. 23) como concessiva, ou seja, "ainda que tenhamos as primícias do Espírito" (Godet), é preferível entender esta frase no sentido causal (Dunn). Quer dizer, gememos *porque* temos as primícias do Espírito". Neste contexto, as primícias (*aparche*) designam o começo da colheita escatológica. Quando usado em relação à colheita, o termo grego *aparche* se refere à primeira parte da colheita que é apresentada — as primeiras gavelas. As primícias, ou primeiros frutos, no versículo 23, representam o Espírito Santo. A idéia, então, é esta: Porque temos as primícias, já temos a presença do Espírito conosco e almejamos a conclusão da sua obra em nós. O gosto inicial nos faz desejar desfrutar tudo.

Há outro aspecto desta metáfora. As primícias assinalam que a colheita começou e que o restante da colheita virá. A presença do Espírito Santo é a garantia de que Deus irá completar em nós aquilo que começou. Dunn observa que a igreja primitiva fez uma conexão entre as primícias e o Espírito. A Festa de Pentecostes era a celebração dos primeiros frutos da colheita, e ocorreu quando o Espírito foi derramado sobre os cento e vinte reunidos no cenáculo (At 2).

2) Experimentamos a fraqueza que pertence aos que vivem nesta era. Este fato faz o Espírito gemer em intercessão (vv. 26,27). O Espírito que habita em nós não é somente a garantia de nossa vida futura; Ele também é participante em nossa vida presente. Descrever a oração pelo raro termo gemido é adequado a um contexto onde o gemido dos crentes e da criação é o tema da discussão. O Espírito nos ajuda na intercessão a nosso favor por causa de nossa fraqueza. O contexto, com a ênfase no sofrimento e no gemido que surge em nosso espírito em antecipação ao que vêm em seguida, leva-nos a pensar que esta fraqueza descreve nossa atual condição neste período de antecipação.

Assim, o problema não é que não *saibamos* orar, mas que nossas circunstâncias são tais que não sabemos *pelo que* orar. Há certa confusão que acompanha a vida simultânea em dois reinos. Pelo que vamos pedir quando as condições do presente tempo, ao qual já não pertencemos, parecem mais reais e prementes do que as condições do mundo que podemos experimentar hoje apenas parcialmente? Embora estejamos seguros da libertação da morte e livramento da tentação na ressurreição, como vamos orar neste entretempo quando o pecado e a morte ainda nos confrontam? Temos a garantia de que o Espírito está orando por nós "segundo [a vontade de] Deus". Além disso, ainda que não compreendamos o que o Espírito está pedindo, Deus compreende, porque Ele "sabe qual é a intenção do Espírito" (v. 27).

Agora nos dedicaremos à questão sobre como o Espírito nos ajuda em oração. Paulo está dizendo que oramos com a ajuda do Espírito, ou que o Espírito Santo ora por nós? Ou Paulo tem em mente uma combinação das duas idéias? Quer dizer, o fenômeno descrito aqui é o que conhecemos por orar em línguas (o qual, em 1 Co 14.14,15, Paulo chama orar com o Espírito), nas quais o Espírito Santo ora pelo indivíduo? Se for a última opção, então é de particular interesse aos leitores a quem esta experiência é real, sobretudo considerando que os textos bíblicos sobre o assunto são poucos.

Uma objeção inicial a esta abordagem é que Paulo usa a terminologia de gemer, em vez de orar em línguas ou no Espírito. Contudo, como observado acima, a terminologia de Paulo ao longo desta seção é influenciada pelo tema do gemido que ele introduziu no versículo 22. Por conseguinte, poderíamos esperar que ele se expressasse aqui de certo modo que ele não o faz em outro lugar. Há outras objeções a esta interpretação. Moo apresenta argumentos a não vermos línguas no versículo 26, porque:

1) Na sua visão, 1 Coríntios 12.30 limita o falar em línguas a certos indivíduos, ao passo que este texto pressupõe que todos os crentes têm a experiência descrita.
2) Além disso, ele interpreta a palavra grega *alaletois* ("inexprimíveis", RC) com o significado de "não dito", o que dominaria o falar em línguas. O que Paulo está descrevendo, de acordo com Moo, é "a língua de oração" do Espírito, a qual "é manifesta em nosso coração (cf. v. 27) até certo ponto imperceptível para nós".

Não há espaço para discutir este assunto com certa extensão. Todavia, há alguns pontos que devem ser abordados.

1) Para começar, não há interpretação pentecostal/carismática padrão para este texto. Alguns escritores pentecostais (e.g., Lim, p. 140, n. 3) concordam com a maioria dos estudiosos do Novo Testamento de que algo diferente de glossolalia está sendo discutido aqui. Fee, por outro lado, apresentou fortes razões em favor de vermos a atividade descrita aqui como orar no Espírito ou falar em línguas (o leitor deveria ler este argumento detalhado em inglês: 1994, pp. 575-586). Esta linha de interpretação não é nova ou de origem pentecostal — Orígenes a ensinou (*De Oração*) e outros desde então, notavelmente E. Käsemann (embora a natureza de suas argumentações não tenha ganhado muitos convertidos).

2) A palavra grega *alaletois* ("que palavras não podem expressar"), a qual Moo traduz por "não dito" e outros entendem por "inexprimível" (e.g., Fitzmyer), Fee interpreta por "sem palavras" (1994, p. 583). Os gemidos não são compreensíveis à mente humana, de acordo com Fee, porque eles não são expressos em palavras inteligíveis. Esta interpretação indica que o que Paulo está descrevendo é o mesmo fenômeno que orar no Espírito ou falar em línguas. Há duas semelhanças entre o que sabemos sobre o gemido do Espírito e a oração no Espírito: são expressões em oração que a mente não pode compreender (1 Co 14.2,6-11,13-19), e é o Espírito que ora. Em 1 Coríntios 14.2, Paulo fala de mistérios pronunciados "em espírito" (a NVI americana traduz por "com seu espírito", mas esta não é a melhor tradução — Fee, 1994, p. 218, n. 525). Ambos os textos descrevem o Espírito orando pelo crente enquanto este ora em línguas.

3) Finalmente, Romanos 8.26,27 é comentário sobre a declaração em 1 Coríntios 14.4 de que "o que fala língua estranha edifica-se a si mesmo". Somos ajudados em nossa fraqueza, ou seja, somos edificados, à medida que o Espírito intercede

por nós de acordo com a vontade de Deus. A natureza da vontade de Deus por nós é o assunto ao qual o apóstolo se dedica nos versículos 28 e 29.

2.2.5.2. A Esperança da Glória: Garantida pela Justiça de Deus (8.28-39).

O sujeito gramatical do versículo 28 não está claro no texto original grego. A RC torna "todas as coisas" o sujeito: "E sabemos que todas as coisas contribuem juntamente..." (assim também Barrett; Käsemann). A maioria dos estudiosos fornece "Deus" como sujeito, apesar do fato de que seu nome não aparece na primeira parte do versículo (e.g., NVI; Bruce, 1985). Assim, em todas as coisas Deus contribui para o bem do crente. Fee argumenta que "o Espírito" é o sujeito, embora, ao considerar Deus como o sujeito, o leitor tenha de ler o Espírito no versículo. Ele mostra que, pelo fato de o Espírito ser o sujeito nos versículos precedentes, a leitura mais natural o vê como sujeito deste versículo também (1994, pp. 589-590). Como observa Dunn, Paulo não se preocupou em retirar a ambigüidade, visto que o significado é o mesmo independente do sujeito do versículo.

Não devemos perder a ligação dos versículos 28 e 29 com a discussão precedente sobre a intercessão do Espírito de acordo com a vontade de Deus a ser efetuada em nossa vida. Estes versículos declaram não só qual é a vontade de Deus, mas também nos asseguram de que aquilo que o Espírito ora em nosso favor está sendo trabalhado em nossa vida diária. O bem ao qual todas as coisas contribuem está relacionado com o propósito para o qual fomos chamados: conformidade à semelhança (imagem) de Cristo. Sua vontade é que sejamos conformados a Cristo.

É a justiça de Cristo que garante este resultado glorioso. Sua atividade salvadora ininterrupta em nós é sua intervenção ativa em fazer com que todos os aspectos de nossa vida contribuam para essa meta. Em outras palavras, na esfera da graça a vida é transposta a um sentido mais sublime (veja comentários sobre Rm 5.2-5). A vida já não é uma longa série de acontecimentos sem sentido, uma seqüência ininterrupta de perseguições triviais ou uma sucessão de atos determinados pelo destino. Ainda que nem tudo o que experimentamos seja bom — por exemplo, o pecado e suas conseqüências —, todos os acontecimentos da vida cooperam para o bem, que é a formação da imagem de Cristo em nós. Estaremos completamente conformados a Cristo na ressurreição. Contudo, pela graça divina e pelos acontecimentos em nossa vida, a qualidade de Cristo já está sendo formada em nós (cf. 2 Co 3.18).

As palavras particulares que Paulo usa no versículo 29 — "dantes conheceu" e "predestinou" — têm gerado debate sobre a possibilidade de esta descrição de salvação abrir espaço para a resposta voluntária das pessoas à obra salvífica de Deus. Este não é o lugar para tentar resolver o debate entre calvinistas e arminianos. O que comentaremos são alguns poucos pontos básicos.

1) O ponto principal destes versículos é dar segurança acerca do futuro eterno do crente com base na soberania de Deus. O que Ele propôs ocorrerá. Para esse fim, Paulo apresenta a idéia que desde o começo era plano de Deus salvar os homens. Para que não haja o pensamento de que circunstâncias na terra frustrem o plano de Deus, o apóstolo mostra que Deus determinou este curso de ação antes que tivéssemos a oportunidade de responder.

2) A necessidade da resposta humana é dada no versículo 28 — "todas as coisas contribuem juntamente para o bem daqueles que amam a Deus".

3) Similar a Gálatas 4.9, onde a declaração de que conhecemos a Deus é imediatamente seguida pelo esclarecimento de que somos conhecidos por Ele, e, em concordância com a ênfase em Romanos na iniciativa que Deus toma na salvação, Paulo qualifica "aqueles que amam a Deus". Na frase seguinte, ele especifica que aqueles que amam a Deus são aqueles a quem Ele já chamou. Sua chamada em amor (cf. Rm 1.5-7) precede nossa resposta em amor.

4) Finalmente Paulo não explica o que ele quer dizer quando escreve que Deus "dantes [nos] conheceu" e nos "predestinou". Concordo com Dunn que estas duas expressões são difíceis de distinguir. Talvez a segunda te-

nha o propósito de esclarecer a primeira (Bultmann, *Theological Dictionary of the New Testament*, eds. G. Kittel e G. Friedrich, Grand Rapids, 1964-1976, vol. 1, p. 715). O que é certo, como mencionado acima, é que estas palavras mostram a predeterminação de Deus em salvar a humanidade e que tal predeterminação garante sua ocorrência. Talvez seja melhor dizer que o livre-arbítrio e a presciência de Deus sejam ambos compatíveis entre si. Quer dizer, podemos afirmar ambas as idéias sem comprometer a validade de qualquer uma das duas. (O tópico da predestinação retorna em Rm 9.)

O versículo 30, começando com o segundo verbo do versículo 29, retoma a descrição de Paulo sobre a ordem na qual a justiça de Deus é executada. A chamada é a chamada de salvação (Rm 1.5-7), à qual as pessoas têm de responder. A justificação, o tema predominante de Romanos 3.21 a 5.21, descreve o que Deus faz quando Ele nos declara justos aos seus olhos. A glorificação é a culminação do processo de salvação, no qual obtemos de novo a glória perdida no jardim do Éden pelo primeiro Adão tornando-nos como Cristo — o segundo Adão (1 Co 15.45).

A última seção do capítulo 8 (vv. 31-39) é um resumo triunfante da descrição de Paulo acerca da justiça ou atividade salvadora de Deus. Estes versículos evocam um modo de celebração à medida que eles acumulam exclamações ressonantes sobre a segurança do crente na esfera da graça. Eles oferecem resposta decisiva ao sentimento de desespero com que terminou a primeira seção principal da carta (Rm 3.9-20). Também proporcionam ao leitor um breve oásis antes que os argumentos detalhados nos capítulos 9 a 11 sejam apresentados.

Esta seção será tratada de forma sucinta porque, a esta altura, os temas já nos são familiares. Como obra de arte ou peça musical, esta seção é melhor apreciada tomando-a como um todo e experimentando seu impacto emocional. Minha vontade — à qual resisti — era simplesmente repetir os versículos 31 a 39 sem fazer comentário. Mas há certos elementos deste texto que apreciaremos mais com algumas explicações.

Nesta seção, Paulo começa com uma seqüência rápida de respostas breves a perguntas retóricas sobre a garantia que o crente tem da glória futura (vv. 31-34), depois do que, ele oferece a sua extensa proclamação final sobre o poder do amor de Deus e de Cristo (vv. 35-39). Tendo já feito a transição nos versículos 28 e 29 de um enfoque particular na obra do Espírito Santo, a parte restante do capítulo 8 celebra a obra de Deus e de Cristo.

A resposta dada no versículo 31 não é só a primeira, mas também a resposta mais definitiva a essas perguntas feitas acerca da garantia do crente em Cristo. Não há necessidade de dizer mais que: "Se Deus é por nós, quem será contra nós?" Mas esta é ocasião de comemorar, e Paulo está apenas se aquecendo.

A cruz é a demonstração mais convincente da crença de que Deus é por nós (v. 32). Há lugar para qualquer dúvida possível quando a cruz é o ponto de partida? A única dedução a ser feita é que sua graça continuará em nosso favor (cf. Rm 5.8,9). De fato, sua graça é o que nos dá a confiança de que receberemos decisão favorável perante o tribunal divino. Não haverá acusação bem-sucedida levantada contra os crentes, porque Deus é o juiz e os acusados são seus escolhidos (cf. Cl 3.12) — aqueles a quem Ele justificará (veja Rm 8.30).

No versículo 34, o tema do versículo 1, da condenação, reaparece, mas desta vez com elaboração adicional. Por trás da confiança de que não receberemos o que nossos pecados merecem, quando comparecermos perante Deus — quer dizer, que seremos justificados (v. 33), não está somente a morte de Cristo. Há também sua intercessão a nosso favor (o Espírito Santo também intercede por nós, vv. 26,27). Não é que a obra da cruz estivesse incompleta. A morte de Jesus era o suficiente. O que é abordado aqui é a questão se podemos estar seguros de que sua obra salvífica se aplica a cada um de nós no dia do julgamento. Podemos ter confiança completa porque Cristo tem uma posição exaltada no céu junto com Deus (estar à mão direita significa ter autoridade; cf. Sl 110.1), e Ele usa sua posição para ser nosso defensor. O verbo "interceder" no original grego está no tempo presente e indica que esta é uma obra contínua.

Em Romanos 5.2, Cristo foi retratado como aquEle que nos leva à presença Deus no momento de nossa salvação (por Cristo "temos entrada" na esfera da graça). Em Romanos 8.34, Ele está perante Deus de forma que possamos ficar na presença de Deus por toda a eternidade. Não haverá condenação ou separação de Deus no julgamento final. Cristo, como nosso grande sumo sacerdote (Hb 7.25; 1 Jo 2.1) é eficaz na intercessão, porque foi Ele quem morreu e ressuscitou em nosso favor. Como Pelágio comentou, o tipo de intercessão que Cristo oferece é uma apresentação de si mesmo (p. 113).

Os versículos 35 a 39, os quais contêm duas listas, são postos entre parênteses pelo pensamento de que nada nos separará do amor divino, quer seja do amor de Cristo (v. 35) ou de Deus (v. 39). A primeira lista de coisas que não podem nos separar do amor de Cristo (v. 35) são todas as condições, exceto a última ("espada"), que Paulo tinha suportado (2 Co 11.26,27; 12.10). Com a confiança que vem da experiência pessoal, Paulo declara que "em todas estas coisas somos mais do que vencedores" (Rm 8.37). Paulo descobriria mais tarde que mesmo a morte pela espada não poderia separá-lo de Cristo (cf. Fp 1.20-23). A citação no versículo 36 do Salmo 44.22 tem a intenção de lembrar o ouvinte que esta grande confiança é a esperança de quem sofre (Rm 8.17,18).

Esta grande confiança agora é expressa novamente nos versículos 38 e 39, quando Paulo enumera todo possível elemento que ameaçe a segurança do crente em Cristo. A segunda lista começa do modo como a primeira terminou: com a morte. É significativo que a morte seja caracterizada proeminentemente no clímax de uma lista e no ponto de partida de outra. Para a pessoa que está em Adão, morte significa separação de Deus; a morte é a ressalva final do pecado. Mas para a pessoa que está em Cristo, a morte é incapaz de destruir a relação da pessoa com Deus.

O elemento final na segunda seqüência, "nem qualquer outra coisa na criação" (NVI), é a frase que abrande tudo. Em essência, Paulo está dizendo: Se omiti algo, inclua-a aqui como outra coisa que não pode nos separar do amor de Deus. Quando você ler este versículo, coloque aqui qualquer aspecto da vida que lhe dá a maior causa de preocupação concernente à sua relação com Cristo.

Como resumir capítulo tão maravilhoso? Respondendo a pergunta feita no versículo 31 — "Que diremos, pois, a estas coisas?" — com uma palavra: "Aleluia!"

2.3. A Justiça de Deus para com Israel (9.1—11.36)

É um tanto quanto dissonante passar tão subitamente da celebração para a lamentação. A mudança abrupta de tom da conclusão do capítulo 8 para o começo do capítulo 9 assinala mudança de tópico. Tendo discutido nos primeiros oito capítulos a justiça de Deus para judeus e gentios igualmente, Paulo agora se concentra na justiça de Deus ou em sua atividade salvadora para com a nação de Israel. Por que o apóstolo discute Israel quando o que ele já discutiu também se aplica aos judeus? A resposta dos judeus ao evangelho — os mesmos a quem o evangelho foi "prometido pelos seus profetas" (Rm 1.2) —, foi bem retardada em relação à dos gentios. Esta situação suscitou perguntas. Se estes são o povo escolhido de Deus, então por que eles não responderam ao Messias escolhido por Deus? Por que os gentios estão entrando no reino em números crescentes, enquanto que a proporção de judeus na Igreja continua a declinar?

Em Romanos 9.6, Paulo sugere a possível implicação deste estado de coisas a fim de refutá-lo. Embora pareça que a Palavra de Deus (suas promessas inseridas no concerto para os judeus) tenha sido em vã, Paulo defenderá nos capítulos 9 a 11 que o contrário é que é verdade. É de suma importância para o apóstolo que ele demonstre que a rejeição de Israel ao evangelho não lança dúvida sobre a legitimidade do que Deus prometeu para esta nação. Tal conclusão desafiaria a própria natureza de Deus e afirmaria que sua justiça para com Israel falhara. E seria entender mal a mensagem do evangelho, o qual está arraigado nos propósitos de Deus proclamados primeiramente para os profetas. A exegese de Paulo do Antigo Testamento é crítica para seu comentário porque ele quer mostrar que este estado de coisas está de fato em concordância com as promessas de Deus.

Esta discussão teria relevância para gentios e judeus em casas onde a Igreja se reunia em Roma. Na Introdução ("Ocasião e Propósito"), expliquei que Paulo escreveu esta carta para familiarizar os cristãos em Roma com seu ministério e mensagem em preparação à sua primeira visita. Sua intenção era obter o apoio para sua viagem missionária à Espanha. Ele estava perfeitamente ciente de que distorções e críticas de sua mensagem tinham chegado à capital. E, é claro, ele não podia saber exatamente o que eles tinham ouvido e no quanto eles tinham acreditado. Assim, esta carta é uma tentativa de esclarecer as coisas diretamente.

O tipo de ataque que Paulo enfrentou tinha ido além da crítica da mensagem. Tinha se tornado mais pessoal. A maneira sincera e diligente na qual ele declara o amor por seu povo, em Romanos 9.1-3 e 10.1, dá a entender que o apóstolo dos gentios foi acusado de ter abandonado a sua própria gente. Pelo motivo de Paulo ter sido um dos responsáveis-chaves pela entrada dos gentios na Igreja, ele se tornara alvo principal do ressentimento entre os crentes judeus de que a Igreja estava perdendo suas raízes judaicas.

Não era só a mudança de números que criara a animosidade. Também era a maneira na qual Paulo tinha "acomodado" os gentios, retirando da mensagem que pregava os marcadores do concerto, como a circuncisão e as leis dietéticas. Não admira — conclusão feita por seus detratores judeus — que tantos gentios estejam sendo atraídos pelo evangelho de Paulo. Para eles, Paulo era uma ameaça e um traidor. Percebemos o significado da alegação em contrário afirmada por Paulo de que ele na verdade prevê o sucesso da missão para os gentios resultando na salvação dos judeus (Rm 10.19; 11.13,14).

O que Paulo faz nos capítulos 9 a 11 é informar judeus e gentios que eles precisam julgá-lo com justiça e, como Paulo espera, favoravelmente. O apóstolo tem outros interesses também. Ele está inteirado da posição precária dos judeus em Roma. Ele está cônscio da dificuldade que a reentrada dos judeus cristãos nas igrejas que se reuniam em casa, depois que Cláudio expulsara os judeus de Roma, criou para eles. Ele também pretende que esta seção venha a ajudar os judeus a atracar-se com as razões ideológicas para a rejeição da vasta maioria do seu povo e dar-lhes a esperança de que um futuro mais luminoso para a nação está em mira — "todo o Israel será salvo" (Rm 11.26).

Mas não há que duvidar que ele quer que os gentios ouçam esta discussão também. Isto é muito óbvio na última seção do capítulo 11, onde Paulo trata da atitude imprópria que surgiu entre os gentios por causa do predomínio que eles obtiveram dentro da igreja em expansão. Essa situação os predispôs a desprezar os judeus entre seu meio. Assim, Paulo os adverte sobre tomar como certa a adoção de filhos de Deus. Esta preocupação se transporta a Romanos 14.1 a 15.13, onde ele aborda novamente o problema da atitude quando fala sobre a sensibilidade que judeus e gentios deveriam ter uns aos outros em termos da observância das leis dietéticas e semelhantes. Contudo, ele está preocupado sobretudo com a atitude não-cristã dos gentios (note esp. Rm 15.1-9).

Em termos estruturais, Romanos 9.1-5 forma uma introdução para toda a seção, pois apresenta o dilema da rejeição judaica ao evangelho. Em Romanos 9.6, Paulo faz uma declaração de tese que em grande parte é defendida no restante destes três capítulos: "Não que a palavra de Deus haja faltado". Ele mostra o plano de Deus na história de salvação (Rm 9.6b-29) e argumenta que a maior parte de Israel não aceitou o evangelho, ao passo que os gentios aceitaram (Rm 9.30—10.21). Não obstante, a eleição de Israel significa a salvação subseqüente de Israel, apesar do endurecimento temporário (Rm 11.1-32). A soberania de Deus em tudo isso desemboca na doxologia climática de Romanos 11.33-36. Em suma, a justiça de Deus para com Israel não acabou, mas resultará por sua graça num dia glorioso de salvação que incluirá todo o Israel, tanto o remanescente quanto os que endureceram.

2.3.1. O Problema (9.1-5). O problema que Paulo levanta, como observamos acima, é como explicar a rejeição de Cristo pelo próprio povo a quem Deus deu as promessas de um Messias (Rm 1.2). Ele volta ao assunto numa nota pessoal apresentando um lamento apaixonado por Israel. Rememorativo do apelo que Moisés fez a Deus para que Este poupasse o povo (Êx 32.30-32), Paulo se oferece como substituto em favor dos judeus. Quer dizer, ele expressa o desejo de ser maldito (*anathema*) e separado (NVI) de "Cristo" (i.e., do Messias) a fim de que seus companheiros judeus sejam salvos (Rm 9.3). Como exatamente Paulo pensava que isso ocorresse, ou se ele o concebia como possibilidade, está além de nosso conhecimento. Não obstante, ele comunica claramente a angústia que sente pelo estado de sua raça (veja também Rm 10.1).

Outro aspecto da estrutura mental de Paulo aparece no versículo 1: a determinação de que sua expressão de intensa preocupação seja crida. Assim, ele declara em forma de juramento (cf. 2 Co 11.31; Gl 1.20; 1 Tm 2.7). Observe que o papel do Espírito Santo como testemunha da verdade da atestação de Paulo é semelhante ao que vimos em Romanos 8.16 (o Espírito testifica com o nosso espírito que somos filhos de Deus).

Recontando em Romanos 9.4,5 os muitos privilégios obtidos pelo concerto feito com Israel, Paulo expõe o cerne do problema com o qual ele está se engalfinhando aqui. Apesar do fato de que Israel recebeu todas estas prerrogativas, eles ainda permanecem opostos ao plano de Deus em Jesus Cristo. Esta lista de benefícios continua o que Paulo começou a enumerar em Romanos 3.1,2, onde, depois de afirmar que os privilégios da eleição são muitos, ele mencionou só a doação da lei.

Sem examinar individualmente cada um destes privilégios oferecidos pelo concerto (e certamente Paulo queria que eles os ouvissem como um todo para impressionar nos ouvintes tudo o que os judeus receberam), alguns deles nos saltam aos olhos por causa do significado que têm na carta.

1) A menção da lei lembra o leitor uma vez mais que, para Paulo, era a intenção de Deus que a lei fosse bênção para Israel (cf. Rm 7.12).
2) A inclusão da adoção como privilégio dos judeus, apesar do seu argumento de que a adoção é para todos os que estão em Cristo (Rm 8.13-17,23), faz saber que a adoção de Israel continua tendo significado. Em outras palavras, não há o pensamento aqui de que a Igreja suplantou Israel, a quem Deus escolheu como filho (e.g., Êx 4.22,23; Dt 14.1,2). Na realidade, o plano de Deus para seu filho escolhido ainda não se cumpriu (Rm 11).
3) Concluindo a lista com o fato de que a ascendência humana de Cristo era pelos judeus, ele destaca o paradoxo de eles rejeitarem alguém da própria raça.

2.3.2. O Propósito de Deus (9.6-29). Alguns vêem nesta seção forte argumento em favor do calvinismo, o qual considera que a soberania de Deus na eleição predetermina o destino eterno de todos os indivíduos, quer para a salvação, quer para a danação. Diferente de Romanos 8.29,30, a eleição de indivíduos não é o tópico aqui.[7] Antes, a eleição de Deus no capítulo 9 diz respeito à eleição de nações e de povos (Klein, pp. 197-198; Ellison, p. 43).

Os indivíduos nomeados nos versículos 7 a 13 são aqueles a quem Deus elegeu para cumprir funções necessárias para o avanço da sua obra com as nações. A ênfase não está no destino individual dos que foram nomeados, mas nos papéis históricos que eles desempenharam para as nações que eles representam. Podemos acrescentar que a eleição das nações feita por Deus não é determinativa para as pessoas dentro dessas nações. Por exemplo, considerando que a eleição de Israel era a decisão de Deus, a participação de um israelita nas bênçãos auferidas pelo concerto dependia da resposta desse indivíduo a Deus. Em resumo, Deus alcançará seus propósitos para as nações. A inclusão de um indivíduo em particular dentro da graça salvadora depende da resposta pessoal à misericórdia de Deus.

A declaração teológica central dos capítulos 9 a 11 é feita em Romanos 9.6; o que se segue é uma defesa e elaboração desta proposição. Asseverar que a Palavra de Deus não falhou é o assunto primário para Paulo. Como Stuhlmacher comenta, só depois de mostrar que o evangelho é efetivo para Israel é que "sua mensagem merece ser chamada o poder de salvação para *todo* aquele que crê, para os judeus primeiramente, mas também para os gentios, como ele o designou em Romanos 1.16,17".

A primeira fase da defesa de Paulo — de que a palavra ou promessa de Deus para Israel não se mostrou falsa pelo fato de Israel rejeitar Cristo — ocorre no versículo 6b. Com a frase "porque nem todos os que são de Israel são israelitas", o apóstolo faz distinção entre o Israel nacional e o verdadeiro Israel. Este é ponto crucial para sua argumentação. Se esta distinção for reconhecida, então permite que Paulo argumente que ainda que o Israel nacional tenha rejeitado o evangelho prometido, é o verdadeiro Israel que é o recebedor e beneficiário das promessas de Deus.

Para defender esta distinção das Escrituras, Paulo lembra dois momentos semelhantes na história da salvação, de duas gerações sucessivas (vv. 7-9, 10-13), quando Deus escolheu um entre dois irmãos para promover seu plano salvífico. Como ocorreu quando Paulo discutiu Adão e Cristo e seus papéis na história de salvação, estes dois conjuntos de irmãos servem de representantes. Diferente de Romanos 5.12-21, onde a ênfase estava no que Adão e Cristo fizeram e como suas ações definiram as eras velha e nova, o foco aqui está somente na eleição soberana de Deus. Quando Deus escolheu um irmão e rejeitou o outro, não foi com base no que um tinha feito, nem teve a ver com a salvação ou danação pessoal. A eleição divina desses indivíduos foi baseada no propósito divino, e dizia respeito aos destinos das entidades nacionais.

Não se pode, Paulo advoga, definir Israel com base unicamente na ascendência de Abraão. Claro que tal asserção era um desafio direto à crença dos judeus de que os membros do povo do concerto eram definidos assim:

1) A primeira prova bíblica desta proposição é esta: Abraão tinha dois descendentes, Isaque e Ismael, mas só Isaque foi escolhido para representar os filhos de Deus, os filhos da promessa. Como Gênesis 21.12 declara: "Em Isaque será chamada a tua descendência" (Rm 9.7).

A promessa que Deus fez a Abraão de lhe dar um filho, o que era um ponto focal em Romanos 4, figura proeminentemente em Romanos 9.8,9. Recordamos a discussão do capítulo 4 concernente à justificação de Abraão por graça, e não pelas obras. Deus ocasionou a promessa por iniciativa própria, visto que Abraão e Sara já tinham passado da época de terem filhos. A única estipulação impingida em Abraão era que ele aceitasse a promessa pela fé. Agora, ao reapresentar a promessa feita a Abraão, Paulo recorda a discussão feita no capítulo 4 e o grandioso tema da graça ali encontrado — um tema que ficará cada vez mais explícito à medida que o argumento progredir.

2) A segunda prova de Paulo de que unicamente a ascendência não é suficiente para definir o povo de Deus diz respeito à eleição de Deus de Jacó sobre Esaú (vv. 10-13). Para que ninguém pense que não há base de distinção entre Ismael e Isaque, porque eles eram meio-irmãos, Paulo dá o exemplo de dois indivíduos que tinham os mesmos pai e mãe e eram gêmeos. Deus escolheu apenas um irmão para continuar a linha da promessa meramente com base em sua vontade. De fato, sua seleção de Jacó sobre Esaú inverteu a hierarquia social

padrão, na qual se esperava que o mais jovem servisse o mais velho (cf. v. 12, que cita Gn 25.23).

A declaração bastante surpreendente do versículo 13: "Amei Jacó e aborreci Esaú" (citação de Ml 1.2,3), merece comentário:
1) Lembremo-nos do contexto aqui: comprovar que Israel não pode presumir que ser o eleito de Deus tem algo a ver com ascendência ou outro tipo de mérito.
2) O amor e ódio de Deus descritos aqui não são expressões de emoção. Eles têm a ver com as ações de Deus escolher um acima do outro (cf. Mt 6.24).
3) Jacó e Esaú representam Israel e os edomitas, respectivamente. A frase "o maior servirá o menor" é tirada de Gênesis 25.23, que começa identificando Jacó e Esaú como duas nações. Além disso, o contexto de Malaquias 1.2,3 também diz respeito aos edomitas e Israel.
4) A escolha de Jacó não significou que Deus se recusou a agir graciosamente para com os descendentes de Esaú. Por exemplo, o Senhor proibiu os israelitas de fazer guerra ou tirar vantagem dos edomitas quando Israel atravessou a região desse povo durante a peregrinação do êxodo (Dt 2.4-6).

A dupla ênfase nos versículos 11 a 12 de que a eleição de Deus não foi influenciada pelas ações humanas ("nem tendo feito bem ou mal"; "não por causa das obras") sublinha a soberania de Deus. Eu concordo com Dunn que, ao mencionar "obras", Paulo está colocando novamente a idéia da lei em vista. Ele acabara de lembrar o conteúdo do capítulo 4 (em Rm 9.7-9), onde a lei e as obras foram contrastadas com a graça e a fé. É esta associação de idéias que vem vindo desde então que explica a pergunta no versículo 14.

"Que diremos, pois?" (v. 14) aparece uma vez mais em contexto no qual o parceiro judeu no diálogo de Paulo levanta uma objeção (cf. Rm 3.5; 6.1; 7.7). A pergunta que se segue não é sobre a ética da eleição. A linguagem da justiça indica que aquele que objeta está perguntando sobre a fidelidade de Deus ao concerto (Wright, 1980, p. 211). Esta é uma objeção ao argumento de Paulo como um todo (Rm 9.6-13). Quer dizer, se Deus está fazendo uma distinção sobre a identidade do verdadeiro Israel, que não está baseado em ser descendente de Abraão, e se esta distinção não tem nada a ver com obras (i.e., guardar a lei exarada no concerto), então Deus está sendo fiel ao concerto?

A resposta está emoldurada pela "misericórdia de Deus" (vv. 15,16). O versículo 15 cita o que Deus disse a Moisés depois do incidente do bezerro de ouro. Em resposta ao pedido de Moisés para que Deus se revelasse, Deus concordou falando de sua compaixão e misericórdia. Paulo cita Êxodo 33.19 para arrazoar que a misericórdia de Deus, e não as considerações humanas, explicam sua eleição. Deus está agindo com justiça para com o povo do concerto, porque está age conforme sua misericórdia, que é como eles foram formados (Rm 9.7-13). E, como o apóstolo mostrará mais adiante, a misericórdia continua explicando como Deus ampliou o povo de Deus para incluir os gentios com judeus (vv. 24ss).

O propósito de Deus na história de salvação também é ilustrado pelo modo como Deus usou faraó (v. 17). Faraó foi levantado por Deus para que o poder divino fosse exibido e seu nome proclamado em toda a terra. O nome de Deus foi revelado às nações pelos procedimentos divinos com faraó. Os mágicos de faraó reconheceram o dedo de Deus (Êx 8.19); alguns egípcios saíram com os israelitas quando eles foram libertos (Êx 12.38); e os filisteus ouviram falar do poder de Deus por causa das pragas (1 Sm 4.8). Em suma, até o endurecimento de Deus é informado por sua misericórdia. Mais tarde, Paulo argumentará que Israel sofreu endurecimento semelhante, mas endurecimento temporário por causa da misericórdia de Deus (Rm 11).

Como mencionado anteriormente, Romanos 9 é freqüentemente usado para defender a doutrina da predestinação. O endurecimento de faraó é tomado como evidência de que Deus tem misericórdia de alguns para os salvar e endurece outros para os condenar. Devemos lembrar que no relato do Êxodo foi faraó que endureceu o próprio coração repetidas vezes (Êx 7.13,22; 8.19; 9.7) antes de Deus finalmente secundar o movimento (Êx 9.12). Além disso, o que Deus fez com faraó não era para determinar o destino final do monarca, mas para dar glória ao nome divino e libertar seu povo.

O versículo 19 lida com outra objeção ao argumento de Paulo. Se Deus elege, se Ele determina seu propósito para as nações, então por que as pessoas são culpadas? Afinal de contas, ninguém pode resistir ao que Deus determina. A resposta de Paulo (vv. 20,21) começa com uma série de perguntas retóricas que derivam principalmente da metáfora do Antigo Testamento do oleiro e do barro (Is 29.16; 45.9; Jr 18.1-6). Questionar o Criador a respeito de seus desígnios para as diferentes partes da criação é tão inane quanto o vaso exigir uma explicação do oleiro.

O versículo 22 começa com a aplicação da ilustração do vaso, mas a presença da palavra grega *de* ("mas"; não traduzida na RC) no começo deste versículo informa o ouvinte que o modo de Deus para com a humanidade é um pouco diferentes do modo de um oleiro para com a massa de barro. Enquanto o oleiro forma o barro para propósitos que vão desde o nobre ao comum (v. 21), Deus não cria vasos para a destruição.

No entanto, como a frase "que para glória já dantes preparou" denota a eleição de Deus para a salvação, assim a frase "preparados para destruição" é considerada no sentido de que Deus elege alguns para a danação (Moo). Mas há uma diferença significativa no modo como Paulo descreve o procedimento de Deus para com os vasos da ira (v. 22) e os vasos de misericórdia (v. 23). São somente os vasos de misericórdia que já dantes estão preparados para a glória ("dantes preparou", *proetoimazo*; cf. Rm 8.17,30). O verbo grego que Paulo usa no versículo 22, o qual é traduzido por "preparados", é *katartizo*. Como destaca Dunn, o uso habitual de Paulo deste verbo, que significa "ajustar-se junto" ou "restabelecer" (e.g., 1 Co 1.10; 2 Co 13.11; Gl 6.1; 1 Ts 3.10), não transmite a idéia de que estes vasos foram criados de fato para a destruição. Antes, eles estão sendo habilitados para a destruição. Em outras palavras, a ênfase não está no que tornou estas pessoas injustas, mas em como Deus está respondendo a essa injustiça.

Romanos 1.18-28 ajuda a explicar o que Paulo quer dizer aqui. A ira de Deus está atualmente sendo derramada nos pecadores à medida que Ele os solta para os resultados dos seus desejos maus. Eles estão sendo habilitados para a destruição enquanto permanecem na espiral descendente de pecado. Ainda há uma ira final por vir (que é o que a "destruição" [*apoleia*] denota), mas ainda há tempo de evitá-la.

Parece que Paulo tem em mente as declarações introdutórias de Romanos 1.16-18 enquanto dita estes versículos. O aspecto dual do propósito de Deus dado em Romanos 9.22 — "mostrar a sua ira e dar a conhecer o seu poder" — espelha este texto anterior. O evangelho é o poder de Deus para salvação (Rm 1.16), e é o que Deus está revelando ao mundo; mas Ele também manifesta sua ira nos pecadores impenitentes. Para que o mundo conheça seu poder salvador, Deus suporta "com muita paciência os vasos da ira" (Rm 9.22). Quer dizer, sua paciência dá oportunidade de arrependimento (veja Rm 2.4). É esta oportunidade de arrependimento, esta expressão de misericórdia, que Deus está sustentando para os gentios e para os judeus (Rm 11.23,24).

A resposta à objeção no versículo 19 é similar à dada à objeção do versículo 14. Ambas focalizam a misericórdia de Deus, que é o contexto no qual os planos eletivos de Deus são concebidos e executados. O crítico dos procedimentos de Deus para com a humanidade recebe a resposta de que Deus não lida com homens e mulheres como eles merecem, mas com misericórdia. Nós merecemos nosso castigo justo; não há a coação que requeira a paciência de Deus para conosco.

Aqueles que já estavam preparados de antemão para a glória (v. 23) são os que Deus chamou, judeus e gentios (v. 24). O argumento em Romanos 9.6b-24 estabeleceu que a chamada de Deus não está sujeita a raça ou obras, mas flui de sua misericórdia. Ele é livre para chamar gentios e judeus, como os textos do Antigo Testamento demonstram.

Os textos do Antigo Testamentos provam o que Paulo asseverou em Romanos 9.6a — a Palavra de Deus não falhou. Embora a maioria dos judeus tenha rejeitado a mensagem do evangelho e os gentios a estejam recebendo com alegria, esta situação não é indicação de que as promessas de Deus foram quebradas. Sua Palavra não falhou porque os profetas falaram só de um remanescente de Israel que será salvo (vv. 27-29) e da salvação dos gentios (vv. 25,26).

As duas referências que Paulo seleciona para mostrar a chamada dos gentios são retiradas de Oséias (Os 2.23 e 1.10). O que as faz notáveis é que Oséias estava escrevendo sobre a redenção das tribos do norte de Israel, não sobre os gentios. Mas Paulo vê em Oséias o princípio de que Deus reúne pessoas que não eram do seu povo, as que estavam alienadas dEle, para estabelecer uma relação com Ele através de sua chamada graciosa.

2.3.3. O Fracasso de Israel (9.30—10.21).

A primeira linha de defesa de Paulo para sua declaração de tese em Romanos 9.6a, de que a palavra de Deus não fracassou, foi focalizar o propósito de Deus (Rm 9.6b-29). A objeção que diz que a palavra de Deus fracassou, argumenta Paulo, não entende qual é o verdadeiro propósito. Contudo, essa argumentação não diz tudo. Agora Paulo examina o outro lado da equação. A razão de os gentios, em vez dos judeus, estarem inundando o Reino de Deus também tem a ver com o fracasso judaico.

Embora a divisão de capítulo sugira que Romanos 10.1 seja o ponto onde o argumento toma outra direção, Romanos 9.30 a 10.21 forma uma unidade de pensamento coesiva. A nova linha de argumentação é iniciada com a frase agora já familiar: "Que diremos, pois?", a qual foi usada para sinalizar que outra objeção ao ensino de Paulo está prestes a ser tratada. Os versículos 30 e 31 declaram o grande paradoxo que Paulo está tentando explicar. Os gentios que não estavam buscando justiça a obtiveram; os judeus, que estavam procurando "a lei da justiça", não atingiram a meta.

Isto não contradiz o que Paulo disse anteriormente em Romanos 2.14,15 de que há alguns gentios que assumem comportamento recomendável. A justiça para Paulo não é questão de ética. Diz respeito menos ao viver correto do que à relação correta, porque a justiça só é obtida numa relação com Deus — uma relação que Ele possibilita pelo que Ele faz, ou seja, por sua justiça. O que Paulo quer dizer aqui é que os gentios não estavam buscando a justiça por estarem fora da relação oferecida pelo concerto. Era somente dentro do concerto que a relação com Deus era possível. Mas eles a obtêm porque o evangelho proclama que a justiça de Deus é trazer as pessoas em relação com Ele fora das antigas fronteiras estabelecidas pelo concerto. Em outras palavras, o povo de Deus já não é definido por raça, mas pela fé em Jesus.

Por outro lado, os judeus tinham buscado uma lei que prometia justiça e a buscavam com zelo (Rm 10.2), mas fracassaram na busca porque eles não sabem ("têm zelo de Deus, mas não com entendimento") que a justiça de Deus vem por seu Filho (Rm 10.2,3). Eles a buscam pelas obras em vez de fazê-lo pela fé em Jesus Cristo (cf. Rm 3.20). É a reação da pessoa a Cristo — a pedra em Romanos 9.33 — que é crucial. Paulo funde duas passagens de Isaías (Is 28.16 e 8.14) para estabelecer o ponto. Em Isaías 8.14, o Senhor Deus é a pedra, e tropeçar nEle é sinal de julgamento. Para Paulo, tropeçar em Cristo é desviar do caminho que conduz à justiça.

A declaração de que os judeus não conhecem a justiça de Deus (Rm 10.3) soa estranha, visto se tratar do povo a quem Deus deu a lei. Mas a referência à justiça de Deus não é referência a um padrão ético. A justiça de Deus, como a interpretamos ao longo da carta, é sua atividade salvadora que traz as pessoas em relação com Ele. O que Israel não entende é que a atividade salvadora de Deus está agora em Cristo. Eles não percebem que Cristo é "o fim da lei" (Rm 10.4). Não que Ele dê um fim ao valor da lei. Toda a Escritura, certamente incluindo o Antigo Testamento, tem o propósito de ensinar (1 Co 10.6,11; 2 Tm 3.16). Além disso, há aspectos da lei que Cristo confirma em seu ministério, dando-lhes relevância contínua na era do Novo Testamento (veja, e.g., Mt 5.17-48, onde Jesus fortaleceu as leis individuais ampliando-as e aprofundando-as).

Cristo é o fim da lei em *termos de justiça*. Quer dizer, a lei já não tem papel a desempenhar em obter ou manter a justiça. É o que o versículo 4 ensina. Cristo é o fim (*telos*) da lei com a conseqüência de que a justiça pode ser dada a todos pela fé. A lei já não é a barreira que separa os que têm e os que não têm acesso à justiça.

A frase "a justiça que é pela lei" é mencionada no versículo 5, onde Paulo cita Levítico 18.5, a fim de fazer um contraste com "a justiça que é pela fé" (Rm 10.6). É com a última frase que está seu interesse nos próximos versículos. "Não digas em teu coração" é frase tirada de Deuteronômio 9.4, passagem na qual os israelitas estavam sendo avisados sobre a reação que teriam quando tomassem posse da Terra Prometida. Eles não deveriam presumir que o sucesso tinha a ver com a justiça própria.

O que está em Romanos 10.6b a 8a é adaptado de Deuteronômio 30.12-14, onde está escrito que não era muito difícil os israelitas obedecerem a lei, porque ela estava presente com eles. A lei não estava além do alcance deles; não estava no céu ou no abismo. Em Romanos 10.7, ao usar a palavra grega *abyssos* ("abismo"), Paulo está seguindo a concepção popular de que o *sheol* (palavra hebraica para se referir ao reino dos mortos) estava associado com o abismo.

Paulo cita Deuteronômio 30.12-14 por causa de sua aplicabilidade em descrever o evangelho daquele que é o fim da lei (cf. Rm 10.4). É a revelação de Cristo que lhes está imediatamente acessível. Não há necessidade de subir ao céu para encontrar o Messias (Ele veio na encarnação), nem de descer ao reino dos mortos (Ele subiu de lá). Assim como se disse que a palavra da lei estava na boca e no coração dos israelitas, assim é mais verdade com relação à "palavra da fé" (Rm 10.8), quer dizer, a proclamação do evangelho que requer fé (Cranfield).

Jeremias tinha predito que no novo concerto, a lei seria escrita no coração humano (Jr 31.31-34). O que este profeta previu acerca do dia em que a vontade de Deus estaria mais imediata ao seu povo é possibilitada agora na era de Cristo. AquEle que cumpriu a lei torna-se presente para nós à medida que o Espírito Santo o revela. De fato, Cristo habita em nós pela presença do Espírito Santo (veja Rm 8.9-11).

Paulo transporta duas expressões de Deuteronômio 30.14, "na tua boca" e "em teu coração", para Romanos 10.9,10 e mantém a mesma ordem na qual estas expressões aparecem em Deuteronômio. Ele quer elucidar duas coisas que "a palavra da fé" proclama.

1) A salvação vem aos que, com a boca confessam que Jesus é Senhor (ARA). Esta era a confissão da Igreja desde o início (At 2.36; 1 Co 12.3; 16.22; Fp 2.11). É igualmente a confissão dos que estão a ponto de começar a vida com Cristo, que confessam que só Jesus é digno de ser adorado e servido.

2) Além disso, a salvação vem aos que crêem no coração que Deus ressuscitou Jesus dos mortos. Crer de coração é crer do fundo do ser. Crer que Deus ressuscitou Cristo dos mortos é crer que Ele conquistou a morte e o inferno e crer também que os que têm fé nEle conquistarão a morte e o inferno, pois eles estão unidos com Ele (Rm 6.2-10). O foco na ressurreição de Cristo é não ignorar a cruz, mas colocar a ênfase no acontecimento que culminou na obra salvífica de Cristo.

Aqui precisamos nos lembrar de que Paulo está formando estes versículos conforme o modelo de Deuteronômio 30.14. Portanto, ainda que confissão e crença sejam respostas necessárias ao evangelho, não devemos entender que são os dois passos à salvação ou que a confissão, de alguma maneira, precede a crença. Paulo sempre enfatiza a fé ou crença como critério para receber a salvação. Não obstante, a confissão pública é a resposta necessária a um compromisso interior, e há um sentido no qual a decisão do crente em confiar em Cristo é solidificada na mente a ponto de confessar a outrem.

Nos versículos 11 a 13, Paulo aborda outra vez um tema central de Romanos: a igualdade de judeus e gentios com respeito à salvação. Como eles estão em pé de igualdade perante Deus em termos da ira de Deus (Rm 1.18—3.20), assim eles estão em termos de salvação (Rm 3.21—4.25). Cristo é o Senhor de judeus e gentios (cf. Rm 3.29,30); ambos recebem a salvação invocando-o. Pela graça, nossa invocação é atendida com suas bênçãos espirituais. Ele fez a primeira chamada (Rm 8.28,29; 9.24-26), e respondemos invocando-o.

Em Romanos 10.14-21, Paulo nos leva de volta à discussão começada em Romanos 9.30 sobre o fracasso dos judeus em responder ao evangelho. Se todos os que invocam Jesus são salvos (Rm 10.1-13), então por que os judeus não estão invocando? Paulo rastreia nos versículos 14 e 15 os passos que precedem o momento em que o indivíduo invoca ao Senhor. Antes de invocar, a pessoa tem de crer; antes de crer, tem de ouvir; antes de ouvir, alguém tem de pregar; antes de pregar, alguém deve ser enviado a pregar.

É assim que o apóstolo Paulo entende seu ministério. Ele foi chamado ou enviado por Cristo — um "apóstolo" é alguém que foi enviado — para pregar o evangelho (Rm 1.1,5; 1 Co 15.8-11). Mas apesar do fato de que ele e outros pregassem as boas-novas, "nem todos" os israelitas as aceitavam. "Quão formosos os pés dos que anunciam a paz, dos que anunciam coisas boas" foram palavras escritas por Isaías (Is 52.7) como proclamação da libertação do exílio. Paulo vê no evangelho uma proclamação de salvação para os judeus mediante o Messias, mas é esta mensagem que eles não estão recebendo. Assim, Paulo cita Isaías 53.1: "Senhor, quem creu na nossa pregação?" (versículo que também foi usado em Jo 12.38 para descrever a incredulidade dos judeus).

Em Romanos 10.17,18, Paulo volta ao assunto de ouvir a fim de estabelecer o fato de que a recusa dos judeus em aceitar Cristo não pode ser explicada pela ignorância. O evangelho saiu "até aos confins do mundo" (Sl 19.4). Paulo sabe que há povos que ainda não ouviram — por exemplo, ele quer levar o evangelho à Espanha —, mas o ponto é que a mensagem do evangelho está sendo proclamada por toda parte. Portanto, ninguém pode dizer que não sabia por não ter ouvido.

O fracasso de os judeus aceitarem Cristo não pode ser atribuído à falta de entendimento. O que Paulo diz que eles sabem está detalhado nas citações do Antigo Testamento nos versículos 19 a 21. Eles devem entender várias coisas pelas Escrituras:

1) Deus usará outro povo, uma "não-nação" privada de entendimento, para lhes incitar inveja (v. 19; cf. Dt 32.21) — Paulo aborda esta idéia novamente em Romanos 11.11.
2) Deus se revelará aos que não o buscam (Rm 10.20; cf. Is 65.1).
3) Finalmente, o que impede os judeus de receberem a salvação que lhes é oferecida é sua própria obstinação (Rm 10.21; cf. Is 65.2).

O capítulo conclui com forte nota de graça: "Todo o dia estendi as minhas mãos" (v. 21). Como o capítulo seguinte mostra, essas mãos serão estendidas aos judeus novamente.

2.3.4. Salvando o Remanescente; Endurecendo os Outros (11.1-10).

A pergunta de abertura do capítulo 11 nos informa que Paulo ainda está preocupado em defender a declaração que ele fez em Romanos 9.6 — a Palavra de Deus não falhou. Para parafrasear a pergunta: Se Deus se revelou aos gentios e eles estão respondendo, mas os judeus — a quem Deus estendeu as mãos — não estão (Rm 10.19-21), então Deus põe de lado os judeus? Paulo não é o primeiro judeu a fazer essa pergunta, durante tempos dificultosos na história de Israel, se Deus rejeitou os israelitas — nem seria o último (cf. 2 Rs 21.14; Jr 7.29). A resposta de Paulo aos judeus é enfática, visto que ele é prova viva de que o contrário é verdade: *Deus não o rejeitou*. Ele é parte do remanescente de Israel (veja Rm 9.27-29), e há outros também, como ilustra a história de Elias (Rm 11.3-5).

Os israelitas ainda são o povo de Deus, argumenta Paulo, porque Deus os conheceu de antemão (v. 2; cf. Rm 8.29). Quer dizer, a posição dos judeus apóia-se na eleição e não no fazer (veja Rm 9.10-16). A conclusão a que chegamos é esta: Se Deus os escolhe sem consideração pelo que fazem, então Ele não os rejeitará com base nisso. Há um termo teológico para esta ação da parte de Deus, e Paulo a usa quatro vezes em Romanos 11.5,6: *graça*. É somente pela graça que um remanescente está sendo preservado.

A figura de Elias é alguém com quem Paulo se identifica prontamente (veja Dunn). Pois assim como Elias foi resistido pela maioria dos judeus ("e só eu fiquei, e buscam a minha alma", Rm 11.3), assim Paulo também foi resistido pela nação. Ademais, ambos tiveram a vida ameaçada. E finalmente, como Elias, Paulo foi chamado por Deus num momento crítico da história da nação.

O que foi indicado no capítulo 9 — que Paulo estava levantando a idéia do endurecimento de faraó para explicar o que ocorreu no Israel nacional —, agora está explícito. Assim como Deus endureceu o coração de faraó para promover o propósito soberano (Rm 9.17,18), assim agora Ele está fazendo a nação sofrer perda de sensibilidade espiritual (Rm 11.7-10), a qual Paulo explica aqui.

Em concordância com a argumentação rabínica, Paulo justifica a posição citando textos do que se considerava as três partes do Antigo Testamento: a Torá (Dt 29.4 é citado em Rm 11.8b: "Olhos para não verem e ouvidos para não ouvirem, até ao dia de hoje"); os Profetas (Is 29.10 supre a frase: "Deus lhes deu espírito de profundo sono", em Rm 11.8a); e os Escritos (Sl 69.22,23 é citado em Rm 11.9,10). Estes textos do Antigo Testamento servem de prova de que a Palavra de Deus não falhou (Rm 9.6); a rejeição do evangelho por Israel está de acordo com a revelação da Escritura.

2.3.5. O Presente e o Futuro de Deus para Israel (11.11-32). Esta última seção principal apresenta numerosos retornos surpreendentes para o argumento começado em Romanos 9.1.

1) A coisa mais importante é que Paulo enceta nova linha de argumento em defesa da tese de Romanos 9.6 de que a Palavra de Deus para os judeus não falhou. O apóstolo já argumentou que Deus se mostra fiel à sua Palavra preservando um remanescente de Israel. Agora ele dá mais um passo no argumento, afirmando que o pano futuro de Deus para a restauração do remanescente de Israel também estabelece a verdade da palavra do concerto de Deus (veja Donaldson, p. 177).

2) É óbvio que o público-alvo do autor nesta exposição extensa sobre Israel não são apenas os judeus. No versículo 13, ele notifica os leitores que agora está se dirigindo ao contingente gentio em Roma. Paulo mostra profunda preocupação sobre a atitude dos gentios para com os judeus. A natureza do argumento dá a entender que ele está ciente de que o papel cada vez mais dominante que os gentios estão assumindo na Igreja crescente tem afetado negativamente a resposta que eles dão a cristãos e não-cristãos judeus. Esta é uma das razões por que Paulo declara repetidamente ao longo destes capítulos que tem uma paixão pessoal pelo estado dos seus companheiros judeus (Rm 9.1-3; 10.1). E é por isso que ele diz aos gentios que ele diligentemente prossegue seu trabalho como evangelista para os gentios, porque ele acredita que o sucesso que terá levará alguns judeus a ficar com ciúmes (Rm 11.14). O que Paulo quer corrigir é o conceito equivocado de que o apóstolo dos gentios rejeitou o seu povo.

2.3.5.1. O Propósito do Endurecimento (11.11-16). É seguro conjeturar que os gentios, que ouviram esta seção da carta, imaginaram que esta era primariamente uma discussão entre Paulo e os crentes judeus. Antecipando-se a isso, Paulo dita o versículo 13 para Tércio (cf. Rm 16.22): "Porque convosco falo, gentios..." O apóstolo para os gentios quer que eles prestem atenção e sejam afetados pela abordagem que ele fizera do povo judeu, e ele mantém a atenção deles usando "vós" ao longo do restante desta seção. Depois de prender a atenção, Paulo declara sua esperança de que o sucesso do ministério entre os gentios venha a promover a meta da aceitação judaica do evangelho.

PASSAGENS QUE INDICAM A DEIDADE DE CRISTO

Muitas passagens do Antigo e do Novo Testamento ajudam a demonstrar que Jesus Cristo é plenamente Deus, ensino este negado por grupos e cultos sectários. Neste quadro temos a compilação das principais passagens que apóiam esta importante doutrina cristã.

No Antigo Testamento

O Filho de Deus regerá no trono à mão direita de Deus, igual em poder com o Pai	Sl 2.7-12; 110.1,2
O Messias prometido será o "Emanuel" (i.e., "Deus conosco")	Is 7.4 (cf. Mt 1.23)
O Messias prometido será o "Deus Forte", que reinará eternamente	Is 9.6,7
O Rei nascido em Belém é originário de toda a eternidade	Mq 5.2
O renovo justo de Davi é chamado "o SENHOR, Justiça Nossa"	Jr 23.5,6; 33.15,16
Aquele que aparecerá no templo é "o Senhor"	Ml 3.1

Auto-Afirmações de Jesus

Ele é "Senhor" do sábado, tendo-o criado	Mt 12.8; Mc 2.28; Lc 6.5
Ele é o "Eu Sou" de Êxodo 3.14	Jo 8.57,58
Ele é um com o Pai	Jo 10.30
Ele é o Juiz dos vivos e dos mortos	Mt 25.31,32; Jo 5.22,27 (cf. Sl 98.9)
Ele merece a mesma honra que o Pai	Jo 5.23
Ele se fez igual a Deus	Jo 5.16-18; 10.33
Ele, como Deus, está presente em todos os lugares	Mt 28.20
Ele, como Deus, é Todo-poderoso	Mt 28.18
Ele, como Deus, é sabedor de todas as coisas	Jo 1.47-50 (cf. Jo 2.22,23)
Ele tem a autoridade que só a Deus pertence: perdoar pecados	Mt 9.2-7; Mc 2.5-12; Lc 5.20-25
Crer nEle e crer em Deus são a mesma coisa	Jo 14.1
Conhecê-lo é conhecer o Pai, e vice-versa	Mt 11.27; Lc 10.22
Ele é o único caminho ao Pai, e vê-lo é ver o Pai	Jo 14.6-10

Outros Testemunhos nos Evangelhos e em Atos dos Apóstolos

Jesus é a Palavra eterna de Deus (o Verbo)	Jo 1.1
Jesus estava presente na hora da criação	Jo 1.2,3
Jesus é o Filho Único de Deus	Jo 1.18

Tomé confessou Jesus como "Senhor meu, e Deus meu!"	Jo 20.28
Espíritos malignos reconheceram Jesus como "o Santo de Deus" (termo usado no Antigo Testamento para se referir a Deus)	Mc 1.24 (cf. Is 6.3; 30.15)
Jesus é "Senhor" (a mesma palavra grega que traduz "Javé" ["SENHOR"] na LXX)	At 2.36; 10.36
Jesus é o Santo e o Justo	At 3.14 (cf. Is 6.3; 30.15; Jr 23.6)
Jesus é o Juiz vindouro	At 10.42; 17.31 (cf. Sl 98.9)

O Testemunho de Paulo

Jesus é Deus sobre todos	Rm 9.5
Jesus é, em sua própria natureza, Deus e igual com Deus	Fp 2.6
Jesus é "Senhor" (a mesma palavra grega que traduz "Javé" ["SENHOR"] na LXX)	Rm 10.9; 1 Co 2.8; Fp 2.11; Cl 2.6
Jesus é a plenitude da deidade	Cl 1.19; 2.9
Jesus estava presente na hora da criação	Cl 1.16
Jesus é o único Deus e Senhor	1 Co 8.5,6; Ef 4.5,6
Jesus é nosso grande Deus e Salvador	Tt 2.13 (cf. 1 Tm 4.10; 2 Tm 1.10)

O Testemunho em outras Cartas do Novo Testamento

O Filho é a representação exata de Deus	Hb 1.3
O Filho é Deus	Hb 1.8
Deus ordena que os anjos adorem o Filho, ato que pertence somente a Deus	Hb 1.6 (cf. Mt 4.10; Ap 19.10; 22.8,9)
Jesus, como Deus, é imutável	Hb 13.8 (cf. Ml 3.6)
Jesus é "nosso Deus e Salvador"	2 Pe 1.1
Jesus é "nosso Senhor e Salvador"	2 Pe 1.11; 2.20; 3.18
Jesus Cristo é o "Justo"	1 Jo 2.1 (cf. Jr 23.5)
Confessar o Filho é confessar o Pai	1 Jo 2.23
O Filho Jesus Cristo é "o verdadeiro Deus"	1 Jo 5.20

O Testemunho em Apocalipse

Jesus é "o Alfa e o Ômega", "o Princípio e o Fim" (termos atribuídos a Deus no Antigo Testamento)	Ap 1.8; 2.8; 21.6; 22.13 (cf. Is 44.6; 48.12)
Jesus é "o Todo-poderoso"	Ap 1.8
Jesus é "o que vive"	Ap 1.18 (cf. Js 3.10; Sl 42.2; 84.2)
Jesus tem a chave de Davi (atribuído a Deus no Antigo Testamento)	Ap 3.7 (cf. Is 22.22)
Jesus é "o Senhor dos senhores"	Ap 17.14; 19.16
Jesus recebe adoração das pessoas, ato que pertence somente a Deus	Ap 5.11-14 (cf. Ap 19.10; 22.8,9)

Paulo redeclara (vv. 14,15) o que ele declarara nos versículos 11 e 12 para que eles ouçam tudo outra vez: A rejeição dos judeus ao evangelho significa bênção para os gentios (o evangelho foi proclamado para eles), mas Deus ainda não terminou de tratar dos judeus. De fato, o futuro dos crentes gentios, como também a criação em si, permanece sujeita ao futuro da nação judaica. Quando os judeus aceitarem Cristo, terá o resultado de numa bênção ainda maior para todos os cristãos — a ressurreição.

Quatro pontos precisam ser apresentados sobre estes versículos importantes.

1) A pergunta de abertura (v. 11) permite Paulo declarar que o endurecimento falado nos versículos 7 a 10 não é permanente. A salvação dos gentios não é o resultado final (ou o único propósito de Deus) do endurecimento de Israel, porque Deus usará a salvação dos gentios para restabelecer Israel (v. 11). Paulo tira a idéia de Deuteronômio 32.21 (citado em Rm 10.19) de que a extensão da misericórdia de Deus para os gentios provocará ciúme em Israel. Em suma, o endurecimento dos corações dos judeus é uma fase temporária no plano mais amplo de Deus trazer os gentios à salvação, o que por sua vez resultará na salvação dos judeus.
As duas metáforas no versículo 16 servem para enfatizar duplamente que o que Deus começou com os judeus Ele continuará até o fim. Os comentaristas discordam sobre o referente de cada metáfora (e.g., as "primícias" se referem aos patriarcas, como "a raiz" na metáfora correspondente? [Moo]; ou, eles representam o remanescente dos judeus cristãos? [Cranfield]). Não obstante, o ponto global está claro. A segurança da salvação futura dos judeus acha-se no que Deus já iniciou entre seu povo.

2) Paulo não faz elaborações sobre como o endurecimento dos judeus leva à salvação dos gentios (v. 15). Uma teoria comum diz que Deus removeu os judeus para abrir espaço para a entrada dos gentios — "a lógica do deslocamento espacial" (Donaldson, p. 223). Mas é difícil entender por que não há lugar suficiente para judeus e gentios no Reino de Deus. A visão de Donaldson é preferível, pois diz que a rejeição de Israel tornou disponível a salvação para os gentios, porque lhes deu tempo para se arrependerem antes do fim desta era — "a lógica da demora temporal". O fato de Cristo ser aceito pelos judeus está associado no versículo 15 com a ressurreição. Portanto, Donaldson argumenta que é a demora nessa aceitação dos judeus — este período de endurecimento — que deu aos gentios uma janela de oportunidade para entrarem no Reino antes da ressurreição e do fim desta era. Se os judeus tivessem aceitado a Cristo imediatamente, o fim desta era teria chegado e os gentios não teriam tido tal oportunidade.

3) A relação descrita entre a nação de Israel e os gentios no plano de salvação de Deus sugere que Paulo pensa que os judeus cumprirão seu papel divinamente designado de trazer bênçãos para as nações (Gn 12.3b) de dois modos diferentes: (a) Como já estava acontecendo, a transgressão dos judeus dá tempo de salvação para os gentios. Certamente Israel previa que seria sua fidelidade a Deus e a bênção divina ao responderem que atrairia as nações para o Senhor. Mas mesmo na transgressão é preservada a centralidade de Israel para a salvação de Deus às nações. (b) O fato de Israel aceitar Cristo significará riquezas ainda maiores para as nações (v. 12), isto é, a ressurreição (v. 15). A bênção grande e final de Israel para o mundo será desencadeada no final desta era e no começo do mundo porvir.

4) O conceito apocalíptico de "plenitude" (*pleroma*) é aplicado a judeus (v. 12) e gentios (v. 25). Podemos entender sua palavra no sentido qualitativo, como cumprimento, ou no sentido quantitativo, como número completo. Certamente o último significado que é apropriado em relação à plenitude dos gentios, visto que o versículo 25 se refere à plenitude como algo que está vindo. Esta palavra sugere que há um número predeterminado de gentios que devem ser salvos antes que o período do endurecimento dos judeus acabe. Se a plenitude dos gentios está relacionada com um número preordenado, então podemos conjecturar que o mesmo diz respeito com a plenitude dos judeus no versículo 12. Assim, certo número de

judeus deve ser salvo antes que o mundo acabe. Era concepção comum entre os escritores apocalípticos que a inauguração do mundo dependia da consecução de certo número de eleitos a quem Deus tinha predeterminado que fossem salvos (e.g., 4 Esdras 4.35-37; 1 Enoque 47.4).

2.3.5.2. Como Ver os Judeus (11.17-24).

Paulo continua nesta seção a lidar com a atitude dos gentios para com os judeus — tanto os de dentro quanto os de fora da Igreja. É como se o apóstolo estivesse mirando uma arrogância espiritual, nascida pelo fato de que a presença gentia na Igreja crescia, ao passo que a dos judeus declinava. Pelo atual padrão de crescimento da Igreja, pode ser tentador os gentios concluírem que o próprio Deus retirou sua atenção salvífica dos judeus e a colocou nos gentios. O que perturba Paulo é que os gentios poderiam cair no mesmo pecado de orgulho espiritual que infestava os judeus (veja Rm 2.17).

Ele desafia com três considerações a atitude de superioridade dos gentios.

1) Eles têm uma dívida de gratidão e respeito para com os judeus que vieram antes. Os judeus são a raiz; eles foram escolhidos por Deus para ser seu povo e com quem Ele estabeleceu uma relação baseada no concerto. É através deles que Deus mais uma vez estende para os gentios privilégios exclusivos do povo do concerto. Assim, Paulo assevera que os judeus são quem sustentam os ramos (os gentios) que foram enxertados (vv. 17,18).

2) Visto que os gentios se tornaram parte do povo de Deus pela fé, eles também podem ser tirados por falta de fé (vv. 19-22). Por conseguinte, temor, e não arrogância, é a postura que os gentios devem assumir (v. 20). Temer a Deus não é viver com um sentimento de terror (veja Rm 8, com suas garantias concernentes à nossa adoção na família de Deus). Mas conota, em concordância com o conceito do Antigo Testamento, a atitude reverente de alguém que nunca esquece que o Senhor é Deus e todo o mais não. Acerca deste aspecto, note também que a fé se expressa respondendo à graça de Deus — "se permaneceres na sua benignidade" (v. 22). Isto foi tratado teologicamente nos capítulos 6 a 8 e será tratado em condições práticas nos capítulos 12 a 15. Romanos 12.1 declara que a misericórdia de Deus é o altar no qual o sacrifício de nossa vida deve ser oferecido.

3) Se Deus fez o milagre de enxertar os gentios (ramos de oliveira selvagem) numa base judaica, então há alguma razão para Deus não poder enxertar os judeus de volta na sua própria árvore (oliveira cultivada)?

A aplicação de tudo isso para nós é óbvia. Talvez a tentação que esses primeiros gentios enfrentavam nos seja até mais pungente. Pelo menos os crentes em Roma poderiam dar uma olhada ao redor e ver um contingente saudável de cristãos judeus, que seriam lembrança ininterrupta de que a fundação da Igreja fora posta na obra de Deus com os judeus. Quanto mais difícil nos é lembrar disso quando vivemos num mundo cristão quase inteiramente gentio! Mas recordação não é o bastante. Precisamos de paixão semelhante à de Paulo. Se Deus não se esqueceu dos judeus, então nós também não.

2.3.5.3. A Salvação de Israel (11.25-32).

Como conclusão para a discussão dos capítulos 9 a 11, Paulo revela o que lhe foi revelado — um "mistério" (*mysterion*). É freqüente Paulo se referir à revelação de um mistério quando ele fala sobre algum aspecto do plano de salvação de Deus (e.g., Rm 16.25; Ef 1.9,10; Cl 1.26,27; 2.2). O termo *mistério* nos escritos de Paulo não denota algo misterioso, além da compreensão humana. Antes, diz respeito a algo previamente escondido dos mortais na deliberação de Deus, mas que agora é revelado nos últimos dias ao seu povo.[8]

Não é óbvio o que Paulo considera que seja o teor deste mistério. É o endurecimento de Israel, o número completo dos gentios que aceitam a salvação, ou é a subseqüente salvação de "todo o Israel"? Se aventarmos que o apóstolo está revelando o que ele não discutiu anteriormente na carta, então deveríamos pensar que o mistério envolve o papel gentio no reavivamento do tempo do fim entre os judeus. Afinal de contas, o endurecimento de Israel e sua ulterior restauração já foram discutidos neste capítulo. Paulo está revelando o conceito de que o número completo dos gentios deve ser alcançado antes que cesse o endurecimento dos judeus.

Como mencionado no comentário sobre Romanos 11.12, os escritores apocalípticos judeus diziam que Deus tinha em mente um número de eleitos que seria salvo antes que o fim viesse. Mas para eles os eleitos eram os judeus; era a salvação deles que iniciava o fim. Paulo, é verdade, fala sobre a plenitude dos judeus que precede o momento da ressurreição (Rm 11.12-15), mas aqui é destacado o papel essencial dos gentios na história de salvação. Os judeus não aceitarão a salvação em grande medida até que os gentios já a tenham aceitado.

O ponto que Paulo está impingindo na audiência gentia é que a missão gentia, a qual ele espera que eles venham apoiar quando ele passar para a Espanha, promove uma faceta maior do plano de Deus. A salvação dos gentios não é o clímax da história de salvação, mas seu acontecimento penúltimo. Assim, aos gentios está sendo dada a oportunidade de serem uma bênção espiritual para os judeus. À medida que promovem o evangelho, o número dos gentios fica cada vez mais perto do total necessário para que todo o Israel seja salvo.

"Todo o Israel" é o Israel como um todo, ou seja, não apenas o remanescente de Israel, mas os demais também — os ramos que foram cortados (Rm 11.17). A citação nos versículos 26 e 27 combina Isaías 59.20,21 com uma frase de Isaías 27.9 ("quando eu tirar os seus pecados"). A modificação nesta citação, a qual é bem parecida com alguns manuscritos da LXX, é que em Romanos 11.27 o Libertador *virá de Sião*, ao passo que no texto hebraico de Isaías 59.20, Ele *entra em Sião*. Esta pode ser tentativa em reforçar o ponto abordado no início de toda esta discussão em Romanos 9.5, que aquele a quem os judeus rejeitavam era um do seu povo. Mas Paulo dá a garantia de que virá o dia em que eles perceberão que Jesus é Messias. Naquele momento, o Senhor completará a relação baseada no concerto feito com os judeus, o qual foi estabelecido com os patriarcas (Rm 11.28,29), perdoando-lhes os seus pecados (v. 27).

Nos versículos 28 a 32, encontramos resumo sucinto dos capítulos 9 a 11. Paulo reconfigura o paradoxo que lançou a discussão. Aqueles a quem Deus chamou irrevogavelmente para ser seu povo, e a quem Ele deu os dons do privilégio advindo pelo concerto (veja Rm 9.4,5), são aqueles que são indispostos contra o evangelho ou lhe são inimigos (Rm 11.28,29). Paulo redeclara como Deus está usando a desobediência dos judeus para trazer os gentios à salvação, e como, por sua vez, Ele usará a misericórdia que teve dos gentios para oferecer essa misericórdia aos judeus. Note que nos versículos 30 e 31, o meio pelo qual Deus oferece a misericórdia é a desobediência judaica, mas é a misericórdia de Deus, e não a obediência dos gentios, que figura no outro lado da equação. Não é a justiça dos gentios que alcança os propósitos de Deus, mas apenas a misericórdia de Deus.

A frase "para também alcançarem misericórdia" (v. 31) indica que era expectativa de Paulo que o período temporário do endurecimento judaico terminasse logo. É com esta convicção em mente que Paulo determina fazer grande parte do seu ministério aos gentios, "para ver se de alguma maneira posso incitar à emulação os da minha carne e salvar alguns deles" (Rm 11.13,14). Para esse propósito, ele está em relação a Jerusalém, então Roma e depois Espanha.

Numa declaração final, que introduz uma doxologia, Paulo declara o plano misericordioso de Deus: Encerrar "a todos debaixo da desobediência, para com todos usar de misericórdia" (v. 32). Em uma frase ele resume três capítulos e reforça um tema dominante da carta: a igualdade de judeus e gentios em termos da ira de Deus e em termos da sua graça. E a misericórdia soa a primeira nota da seção parenética da carta que começa em Romanos 12.1.

2.3.6. Em Louvor a Deus (11.33-36). Paulo usa doxologias para pontuar partes da carta em vez de concluí-las (e.g., Gl 1.5; Ef 3.21; Fp 4.20; 1 Tm 1.17; 2 Tm 4.18). De fato, a única carta onde uma doxologia forma a conclusão é Romanos (Rm 16.25-27), embora haja disputa quanto ao fato desta doxologia realmente concluir a carta original. As cartas de Paulo eram lidas em público, quando os crentes se reuniam para o culto; assim, as doxologias, como também as bênçãos, cumpririam a função de exaltar o serviço de adoração.

A doxologia de Romanos 11.33-36 expressa louvor a Deus e maravilha diante dos mistérios e sabedoria dos seus julgamentos. Ainda que Paulo tenha recebido revelação sobre o desdobrar do plano salvífico de Deus (Rm 11.25), isso é apenas um vislumbre parcial do grande mistério da vontade divina. Dunn observa que louvar a Deus por receber *insight* sobre seus caminhos era resposta tipicamente judaica.

2.4. A Justiça de Deus Vivenciada por Judeus e Gentios e entre Eles (12.1—15.13)

Paulo começa a seção da carta (Rm 12.1—15.13) onde a precedente discussão teológica recebe aplicação prática. O tema de Romanos, a revelação da justiça de Deus no evangelho (Rm 1.17), continua nesta seção principal. A justiça de Deus é seu poder oferecido para salvar da pena do pecado por meio de Jesus Cristo (Rm 1.18—5.21), como também transformar o indivíduo à imagem de Cristo pelo Espírito que habita nele (Rm 8). Em outras palavras, a justiça não é um conceito estático. Descreve o que Deus fez pela morte de Cristo, e também o que Ele continua fazendo por meio daqueles com quem Ele estabeleceu uma relação consigo. Assim, a justiça de Deus afeta a vida cotidiana do crente.

Parênese (derivada da palavra grega que significa "conselho") é o termo usado para designar a seção na qual Paulo compromete os leitores com exortação moral, visando a vida cotidiana de cada um. Às vezes, parênese aparece no trecho mais final da carta paulina (e.g., Gl 4.12—6.10; Ef 4.1—6.20; Cl 3.1—4.6). Em outras, as exortações práticas de Paulo estão espalhadas ao longo da carta (e.g., 1 Co; Fp). A parênese em Romanos explica como a nova relação de judeus e gentios perante Deus — uma relação inaugurada pela obra de Cristo e vivenciada no Espírito, e não sob as condições da lei — deve ser posta em prática nas relações uns com os outros (Rm 12.3-13a; 14.1—15.13) e com o mundo que os rodeia (Rm 12.13b—13.14).

A fim de refletir as ênfases desta parte da carta, duas seções receberão atenção particular: Romanos 12.1,2, porque dá o tema para a parênese; e Romanos 14.1 a 15.13, porque é o clímax da exortação de Paulo, onde ele aborda extensamente um problema entre os cristãos judeus e gentios que ameaçava a sobrevivência da igreja primitiva em Roma. De fato, é um problema que ainda ameaça a vida da Igreja.

2.4.1. Vivendo em Resposta à Justiça de Deus (12.1,2).
Nestes dois versículos, Paulo estabelece o tema para a seção parenética: A misericórdia de Deus obriga uma resposta ininterrupta de sacrifício pessoal, quer dizer, uma vida de adoração. A conduta requerida por tal sacrifício diário é informada pela mente renovada.

O imperativo de abertura deriva sua força dos atos graciosos de Deus: "Rogo-vos, pois, irmãos, pela compaixão de Deus, que apresenteis o vosso corpo em sacrifício vivo" (v. 1a). Paulo coloca esta exortação no contexto da misericórdia de Deus, não como forma polida de tratamento — ou seja, o equivalente teológico de dizer "por favor" —, mas por necessidade teológica. A história da interação de Deus com o gênero humano segue o mesmo padrão: Deus age; nós reagimos. Deus age, não por compulsão, mas de acordo com seu amor gracioso; nós reagimos compelidos pelos atos de Deus, rejeitando ou aceitando seus avanços misericordiosos.

Note semelhantemente que, quando Paulo resumiu seu breve discurso sobre a história da eleição dos judeus feita por Deus, ele disse: "Assim, pois, isto não depende do que quer, nem do que corre, mas de Deus, que se compadece" (Rm 9.16). Quando descreveu o plano salvífico de Deus para o mundo, ele declarou:

"Cristo morreu por nós, sendo nós ainda pecadores" (Rm 5.8b). Por conseguinte, é teologicamente correto Paulo construir sua exortação em Romanos 12.1 a 15.13 sobre o fundamento da misericórdia de Deus — tema que ocorre periodicamente nas seções precedentes da carta (e.g., Rm 4—6) e que domina a última metade do capítulo 11 (Rm 11.25-32).

A resposta apropriada à misericórdia de Deus é oferecer "o vosso corpo em sacrifício vivo, santo e agradável a Deus, que é o vosso culto racional" (v. 1b). Embora o sacrifício de animais e frutos era comum no mundo greco-romano (e.g., o problema de comer carne em Corinto estava relacionado com a presença de cultos sacrificais pagãos [1 Co 8; 10]), o pano de fundo para esta linguagem sacrifical está no Antigo Testamento. Ao escolher esta metáfora para expressar a natureza do culto cristão, Paulo pode contrastar a vida sob a lei com a vida no Espírito.

O "culto racional" requerido aqui — ou a adoração apropriada para aquele que vive no Espírito — transpõe a adoração para um patamar mais sublime. Considerando que o sistema sacrifical judaico exigia que o adorador oferecesse no templo um animal ou fruto, a vida no Espírito exige que o adorador se ofereça. Para os que levam algo para o altar, o ato de adoração finda quando a oferta é consumida; para os que se oferecem, o ato sacrifical é só o começo. O cristão é um "sacrifício vivo", o que significa que a adoração é transferida do templo para as ruas. Em resumo, o grau de responsabilidade pessoal é ressaltado para aquele que anda no Espírito, e não de acordo com a lei.

O que Paulo quer dizer por "culto racional [*logiken*]" tem sido motivo de debate. A palavra grega *logikos* (forma léxica de *logiken*), a qual Paulo não usa em outra parte dos seus escritos, era extensamente usada por filósofos gregos. Denotava "racionalidade", quer dizer, as características que distinguem os seres humanos dos animais. A expressão "culto racional" preserva este sentido. Outros estudiosos (e.g., Bruce) preferem "espiritual", pois vêem neste uso do termo *logiken* um contraste com os "aspectos externos" do culto sacrifical, ou seja, um contraste entre a adoração espiritual e o ritual religioso. Mas se fosse isso que Paulo queria dizer, ele teria usado *pneumatikos*, a palavra menos ambígua para aludir a "espiritual" (cf. "sacrifícios espirituais" em 1 Pe 2.5).

Em outras palavras, Paulo arrazoa em favor de um culto que seja lógico ou apropriado para os que vivem no Espírito (cf. Fee, 1994, p. 601), os quais, como veremos no versículo seguinte, são guiados num comportamento apropriado pela mente renovada. O contraste que Paulo está fazendo com os pecadores descritos em Romanos 1.18-32, os quais, por ignorar a evidência da revelação natural, são fúteis em seus pensamentos (veja Thompson, pp. 79-83). Podemos dizer que o corpo da carta começa com uma descrição dos que andam em futilidade; a parênese, com os que andam no Espírito.

A linguagem sacrifical do versículo 1 também serve para reforçar um contraste feito anteriormente entre os que servem a Deus e os que servem ao pecado. A exortação para apresentar o corpo lembra o leitor da injunção de Romanos 6.13, onde a mesma palavra grega traduzida pelo verbo "apresentar" aparece duas vezes: "Nem tampouco apresenteis os vossos membros ao pecado [...]; mas apresentai-vos a Deus, como vivos dentre mortos".

No versículo 2, Paulo declara o meio pelo qual perceberemos o empuxo imperativo do versículo 1. É a transformação efetuada pela mente renovada que permite o cristão viver em sacrifício diariamente. A mente renovada — a qual, embora não seja declarada aqui, é resultado da obra do Espírito Santo (cf. 2 Co 3.18; Tt 3.5; veja Dunn; Bruce; Fee, 1994, p. 602) — tem a capacidade de discernir a vontade de Deus conforme ela se aplica à vida cotidiana. Considerando que os julgamentos de Deus em seus procedimentos para com a humanidade são "insondáveis" (Rm 11.33,34), a mente que está sendo renovada (o uso do tempo presente sugere um processo contínuo) pode determinar qual é "a boa, agradável e perfeita vontade de Deus" para o viver diário.

Em resumo, a responsabilidade exaltada do cristão envolve uma vida de adoração que vai além de determinados tempos e lugares de sacrifício, e também vincula uma responsabilidade pessoal para determinar como tal vida deve ser vivenciada. Em contraste com o judaísmo, no qual a lei prescreve a conduta íntegra, o cristianismo requer um maior grau de discernimento pessoal.

Por conseguinte, é mediante uma mudança interior, e não a um apego fiel ao código exterior, que o cristão deve evitar conformidade com o padrão deste mundo. A transformação cristã trabalha de dentro para fora. Na seção seguinte, Paulo começará a demonstrar como o pensamento renovado deve ser aplicado nas diversas áreas da vida cristã.

2.4.2. As Relações na Igreja (12.3-13a)

2.4.2.1. O Pensamento Correto sobre Relações (12.3-5). A primeira questão que diz respeito à mente renovada é pensar corretamente acerca das relações na comunidade cristã (vv. 3-5). A conformidade da Igreja a uma mentalidade mundana nas relações humanas produz uma visão distorcida dos outros membros do corpo de Cristo. O pensamento mundano nas congregações romanas envolvia judeus e gentios avaliando excessivamente sua posição em comparação com a dos outros (v. 3a) — um porque tinha a lei, o outro porque não tinha.

A questão não parece a mesma que em Corinto, onde o problema se derivava de uma classificação ilegítima do valor dos diversos *charismata* (dons espirituais). Os que exerciam o dom de línguas viam-se em estado superior aos que tinham dons "menores" (1 Co 12—14). As advertências de Paulo em Romanos para os judeus (Rm 2—4) e para os gentios (Rm 11.1-32; 14.1—15.13), acerca da atitude de superioridade ou arrogância que eles tinham uns para com os outros, dá a entender que a exigência do pensamento sóbrio no capítulo 12 trata do problema ético e religioso em vez do entusiasmo carismático.

O tipo de pensamento renovado aqui em vista é o julgamento temperante que atua em concordância com "a medida da fé que Deus repartiu a cada um" (v. 3b). A "medida da fé" faz lembrar um tema recorrente: A graça de Deus apropria-se antecipadamente da jactância humana. A cruz é o grande igualador: todos têm de se ajoelhar na mesma sujeira ao pé da cruz a fim de receber o perdão de pecados. Por conseguinte, ninguém pode reivindicar outra posição no corpo de Cristo senão a posição de humildade com a qual o indivíduo entra no corpo de Cristo. Cada indivíduo entra pela fé e permanece pela fé e não por méritos pessoais.

Para ilustrar o ponto, Paulo usa a metáfora do corpo humano para representar a Igreja — imagem comum em suas cartas (1 Co 12.12-31; Ef 1.22,23; Cl 1.18; 2.19). O paralelo mais estreito ao que temos em Romanos 12.3-8 está em 1 Coríntios 12.12-31, onde Paulo também emprega uma analogia do corpo humano como parte da discussão sobre os dons espirituais. Lá, ele enfatiza que cada membro do corpo de Cristo, não importa que dom espiritual tenha, é igualmente vital para a vida da Igreja, da mesma forma que cada membro físico é necessário para o funcionamento adequado do corpo físico. Aqui, Paulo insiste que o crente com a mente renovada deve encarar a diversidade de judeus e gentios no corpo de Cristo, não como oportunidade para se postar acima do outro, mas como oportunidade para assumir a postura de servo. A membresia no corpo de Cristo tem suas responsabilidades, pois "individualmente somos membros uns dos outros" (Rm 12.5).

O que une o corpo de Cristo é sua diversidade. Cada membro é dependente uns dos outros, porque os dons são distribuídos pelo corpo de tal modo que nenhum membro é auto-suficiente. Por conseguinte, o corpo de Cristo funciona efetivamente apenas quando todos os membros utilizam quaisquer dons que eles tenham para o benefício dos demais.

2.4.2.2. Os Dons Individuais (12.6-8). Antes de examinar os dons individualmente, devemos enfatizar que para cada dom o ponto é o mesmo: Se você tem um dom, use-o. É por isso que a lista de dons é incompleta — de fato, nenhuma lista de dons feita por Paulo é exaustiva (1 Co 12.8-10,28; Ef 4.11). Embora a passagem diante de nós dê algumas explicações com no máximo uma frase sobre como esses dons devem ser usados, o propósito primário de Paulo é motivação, não instrução.

Isto não é incomum. Paulo não define os vários dons em nenhuma das passagens onde ele os alista. Ele presume um entendimento comum por parte da audiência sobre a natureza desses dons, os quais eles teriam recebido por ensino e por observância dos dons em ação. A exceção — isto é, a extensa discussão sobre a natureza de profecia e línguas, em 1 Coríntios 14 — não é uma tentativa de apresentar e definir estes dois dons, mas corrigir a percepção dos coríntios e o uso dos dons.

A lista de sete dons está dividida em duas partes pela estrutura gramatical da passagem que muda abruptamente com o quarto dom. Para cada um dos primeiros três dons, a frase na qual eles aparecem começa com "se"; os últimos quatro começam com "o que". Esta estrutura nos ajudará em nossa interpretação do sexto dom.

O que é digno de nota é que "profetizar" está em primeiro lugar — posição que concorda com a ênfase que Paulo dá a este dom em outros lugares (1 Co 14; 1 Ts 5.19,20). Em particular, nas listas de 1 Coríntios 12.28 e Efésios 4.11, a posição de profeta vem em segundo lugar depois da de apóstolo. O dom da profecia — o único dom que aparece em todas as listas paulinas de dons espirituais — é a capacidade de dar uma mensagem ou revelação imediata de Deus para o seu povo. Como ocorre com a profecia do Antigo Testamento, a profecia do Novo Testamento interessa-se primariamente em tratar da situação do povo de Deus no presente, em vez de predizer o futuro.

A profecia é qualificada com uma estipulação incomum — que seja usada "segundo a proporção da fé" (ARA). Este não é o mesmo tipo de fé mencionado no versículo 3 (a "medida [*metron*] da fé"). Aqui é a "proporção [*analogia*] da fé". "A fé" parece significar o evangelho (cf. Rm 14.1). Esta é opção que Käsemann aceita e Fee acha atraente, mas, em última instância, a rejeita, porque ele vê como advertência sem precedentes para o profeta testar a si mesmo (1994, pp. 608-609). Nada aqui requer tal interpretação. Paulo dá os critérios pelos quais uma profecia é julgada, não o que faz o julgamento (quanto a isso, veja 1 Co 14.29). "Segundo a proporção da fé" é o teste cabal de uma profecia: Deve estar *em concordância com a tradição do Evangelho*. Em suma, a importância do dom é vista em seu lugar proeminente na lista; os perigos potenciais da profecia, no teste da autenticidade que a regula.

"Serviço" (*diakonia*; RC: "ministério") pode ser definido como o papel apoiador do ministério. Nossa palavra "diácono" deriva desse termo grego. O papel crítico do serviço na Igreja foi reconhecido desde o início. A fim de prover cuidado adequado para as viúvas na Igreja em Jerusalém, enquanto ao mesmo tempo liberava os apóstolos para cumprir a chamada que tinham de oração e pregação, os apóstolos designaram sete homens cheios do Espírito para superintender este trabalho (At 6.1-6).

Diferente de profecia, nenhum critério de avaliação acompanha o dom de "ensinar" (v. 7b). Käsemann indica que entendia-se que o mestre estava ligado à tradição recebida da igreja primitiva, o que explica por que era assim. Enquanto o mestre está ligado às disciplinas de estudo e apresentação sistemática das verdades entregues, o profeta fala mensagens divinamente inspiradas e não-premeditadas. A liberdade que o profeta desfruta para reivindicar autoridade com base na inspiração divina (e os possíveis abusos de tal reivindicação) explica a reserva dos mestres para com os que praticam o dom profético.

O próximo termo (*paraklesis*, traduzido por "exortar"; é derivado do mesmo grupo de palavra que Paráclito, título dado ao Espírito Santo em Jo 16.7) tem vasta gama de significados, abrangendo, com base na raiz verbal de *parakaleo*:

1) convidar, invocar, conclamar;
2) exortar; e
3) confortar, consolar, encorajar (G. Braumann, p. 1.570). Os dois últimos significados são comuns nos escritos de Paulo (*paraklesis*, como consolação em Rm 15.4; 2 Co 1.3-7; *parakaleo*, como exortação em Rm 12.1; 15.30; 1 Co 4.16), e ambos devem ser vistos como modos diferentes de expressar este dom. Esta seção da carta (Rm 12.1—15.13) é a exortação de Paulo aos romanos, o que é evidente pelo conteúdo (exortações aos cristãos que vivem em resposta à misericórdia de Deus) e pelas palavras da seção: "Rogo-vos, pois, irmãos" (Rm 12.1).

Os últimos três dons — a cada um dos quais é dada uma descrição em uma frase sobre seu uso — envolvem atos de preocupação prática. Dar é compartilhar os recursos pessoais para o bem de outrem, quer comida, dinheiro ou possessões. Provavelmente não é tanto uma doação de tempo, pois isso está pressuposto no uso de cada dom. O dom deve ser dado "com liberalidade" ou, talvez melhor, "com simplicidade". Quer dizer, o que dá não deve fazê-lo por motivos misturados; simplicidade em dar significa fazer sem motivo de lucro pessoal. Dunn escreve: "O sentido aqui se amplia e abrange o pensamento de 'generosidade, liberalidade', [...] embora, nesse caso, não devamos nos esquecer de que é uma liberalidade que advém e é expressa pela simplicidade e sinceridade da pessoa da fé".

O penúltimo dom desta lista, *proïstemi*, é traduzido por "presidir". A palavra significa "colocar adiante, colocar acima". Denota liderança, mas também a função relacionada de tutela ou responsabilidade para os que são colocados sob a jurisdição da pessoa. O último sentido de cuidar ou ajudar é o que Paulo queria dizer (veja Dunn). A palavra está entre dois outros dons que expressam função semelhante, mas o dispositivo estrutural que Paulo usa nesse grupo de dons — cada dom é introduzido com as palavras "o que"—associa ainda com mais estreiteza estes três atos de cuidado. Este dom deve ser exercido "com cuidado", de forma que sejam satisfeitas as necessidades várias de uma congregação.

O último dom da lista "exercer misericórdia" é a capacidade de pôr a empatia em ação concreta. A pessoa que exerce este dom oferece misericórdia para os que estão em necessidade. Enquanto possa se referir a qualquer ato geral de misericórdia (veja Cranfield: "cuidar dos doentes, ajudar os pobres ou atender os idosos e incapacitados"), Paulo pode ter tido em mente uma atividade mais limitada, considerando o que ele já mencionou em "o que reparte". A exigência de que exercer misericórdia seja feito com alegria indica que o que está em vista aqui é dar esmolas para os pobres. Na tradição judaica, a alegria é regularmente desfrutada como maneira na qual a pessoa deve fazer isso (cf 2 Co 9.7).

2.4.2.3. Exortações Gerais sobre Relações com Outros na Igreja (12.9-13a). A estrutura de Romanos 12.9-21 está firmemente organizada. A seção está agrupada sob a exortação inicial de amar sem hipocrisia (v. 9). O que vem a seguir são dois conjuntos de exortações breves, postas entre parênteses pelo tema do bem e do mal (vv. 9b,21). O primeiro conjunto (Rm 12.9b-13a) dá continuidade à aplicação anterior do conceito de pensamento renovado para viver na comunidade cristã. O segundo conjunto (Rm 12.13b-21) dirige o pensamento cristão para as praças.

A chamada em favor do amor sincero, no versículo 9, é o lembrete do capítulo. Cada conjunto de exortações é introduzido por palavras compostas formadas com a palavra grega *philos*, "amor": *philadelphia* (amor fraternal) e *philostorgos* (devoção; honra), no versículo 10, e *philoxenia* (amor por estranhos; hospitalidade), no versículo 13. É significativo para nossa compreensão da proeminência dada ao amor, que Romanos tenha sido escrito em Corinto. Na sua primeira carta existente para a congregação coríntia, Paulo tratou do abuso dos dons do Espírito, insistindo que o amor deve acompanhar os dons para torná-los eficazes (1 Co 13). Assim, não é coincidência que o amor seja o primeiro tópico que venha em seguida a uma discussão sobre os dons, em Romanos. Como veremos nos próximos versículos, o amor serve para moldar as relações do crente dentro e fora da Igreja.

A frase na última parte do versículo 9: "Aborrecei o mal e apegai-vos ao bem", complementa o que precede e prefacia o que vem a seguir. (Injunção semelhante vem depois da menção de profecia em 1 Ts 5.20-22.) Agarrar-se ao bem e detestar o mal desafia os membros da comunidade carismática a trabalharem juntos sem hipocrisia, sem egoísmo, sem orgulho. Em outras palavras, a Igreja deve atuar com uma mente renovada em todos os aspectos da vida, quer seja no uso dos dons mencionados acima ou nas ações designadas abaixo. A forte terminologia que Paulo emprega aqui para aludir ao mal (*poneros* em vez do termo mais típico e menos severo *kakos* [usado no v. 21]), pode ser outra indicação de que as recordações da sua história em Corinto ainda estavam frescas na mente quando ele escrevia para os crentes romanos.

Nos versículos 10 a 13 estão nove frases sucessivas, a maioria das quais participais e todas, menos a última, começando com um dativo. As primeiras quatro estão no dativo instrumental (vv. 10,11b), quer dizer, "com amor fraternal", "em honra"; as últimas quatro estão no dativo locativo (vv. 12,13a), quer dizer, "alegrai-vos na esperança", "sede pacientes na tribulação" e assim sucessivamente. A única preocupação diz respeito à quinta (v. 11c): É instrumental (como as frases anteriores) — "servindo por meio do Senhor" — ou locativo (como os dativos seguintes) — "servindo no Senhor"? Ou deveria ser traduzido, como normalmente é, "servindo ao Senhor"? A estrutura da passagem torna uma das duas primeiras opções mais provável que a terceira.

O amor exigido no versículo 10a é o amor familiar. Com "amor fraternal" (*philadelphia*) o cristão deve expressar o tipo de devoção que um pai tem para um filho (*philostorgos*). Isto envolve preferência aos outros, dando-lhes honra (v. 10b), o que reforça a idéia abordada anteriormente no capítulo concernente à auto-avaliação sóbria da posição que a pessoa goza no corpo de Cristo. A tentação em humilhar os outros que são diferentes — quer, por exemplo, em virtude de dons ou raça — deve ser vencida por uma abordagem agressiva que, na verdade, põe os outros à frente de si mesmo em termos de honra e respeito (cf. Rm 12.3, que exige pensamento sóbrio sobre este assunto).

O versículo 11 especifica que atos amorosos na comunidade devem ser feitos com zelo, com o fogo do Espírito Santo e com a graça e dons do Senhor (i.e., servindo por meio do Senhor). Como Fee observa (1994, p. 611, n. 419), os comentaristas tendem a preferir uma referência ao Espírito Santo, ao passo que as traduções favorecem o espírito humano ("sede fervorosos no espírito"). O fervor que Paulo tem em mente é uma combinação de disciplina pessoal (lit., "com zelo, não indolente") com o poder do Espírito Santo (cf. At 1.8; 1 Ts 5.19).

A responsabilidade tripla do cristão em manter este zelo é dada no versículo 12: "Alegrai-vos na esperança, sede pacientes na tribulação, perseverai na oração". Estas não são exortações sem conexões. A esperança que dá alegria é nossa esperança futura em Cristo. Esta esperança provê a dureza mental para suportar as aflições terrenas. E a oração persistente se relaciona com ambos: Focaliza a esperança da pessoa no futuro glorioso ao invés do presente difícil, e, no ínterim, abre a pessoa ao consolo ininterrupto da força e sabedoria do Senhor.

O amor familial é novamente trazido à frente no versículo 13a, como será no próximo capítulo (Rm 13.8-14). Satisfazer as necessidades práticas dos membros da família de Deus é um dos meios de lhes ajudarmos a serem "pacientes na tribulação" (v. 12). Além disso, demonstra mais uma vez que nosso culto racional é expresso não apenas com as mãos levantadas, mas também com as mãos estendidas.

2.4.3. As Relações com o Mundo (12.13b—13.14)

2.4.3.1. A Relação com o Mundo em Geral (12.13b-21). A última metade do versículo 13 marca a transição das exortações de Paulo sobre atos de serviço amoroso na igreja para sua resolução relativa à interação com os de fora da família de Deus. A ordem "segui a hospitalidade" liga as seções naquela hospitalidade (*philoxenia*, lit., "amor de estranhos") que exige que atos de amor sejam estendidos aos de fora da família imediata de crentes. Por causa da reputação ruim de muitas pousadas, os cristãos itinerantes contavam com a hospitalidade de crentes. De fato, a prática da hospitalidade foi pressuposta por Jesus quando Ele enviou os discípulos (Mt 10.11).

Mas a hospitalidade também incluiria demandas que seriam feitas nos crentes locais por compatriotas, sobretudo em destino tão freqüente como Roma. Outra indicação de que com "segui a hospitalidade" Paulo começou a voltar a atenção à interação do crente com o incrédulo está no uso do verbo "seguir" (lit., "perseguir") neste versículo e no próximo. No versículo 14, este mesmo verbo significa seguir ou perseguir.

Quando Paulo aborda a relação dos crentes romanos com o mundo, ele o faz com a consciência da ameaça que as igrejas que se reuniam nas casas romanas enfrentavam na capital. Os romanos tinham expulsado os judeus em 49 d.C. durante o tempo de Cláudio. Paulo sabia que os cristãos primitivos, vistos pelas autoridades como uma seita judaica, não teriam garantia de melhor tratamento se eles fossem percebidos como ameaça à sociedade. Paulo tinha razão em se preocupar, porque a grande perseguição interposta por Nero logo viria. Por conseguinte, sua resolução nesta seção, como no próximo capítulo, é evitar toda provocação possível — "Se for possível, quanto estiver em vós, tende paz com todos os homens" (v. 18).

Mas esta resolução vai mais adiante e está em concordância com o ensino de Cristo (Lc 6.27,28). Ele exorta os cristãos romanos a abençoar os que os perseguem (Rm 12.14). Não se trata de resistência passiva, mas de resposta ativa à perseguição que devolve o mal com o bem (vv. 17-21). Os cristãos são chamados a abençoar aqueles com quem eles interagem, identificando-se com eles na alegria e na tristeza, em vez de se regozijarem nas dificuldades e se ressentirem no sucesso que tenham (v. 15). A injunção no versículo 16 para associar-se com pessoas de todos os níveis de vida, até com os de posição mais humilde, é aplicação às praças do princípio de preferir outros acima de si mesmos (ARA; cf. vv. 3,10).

Nos versículos 17 a 21, o crente deve devolver o mal pelo bem em vez de retribuir na mesma moeda. Deus vingará a injustiça (v. 19). Tal ação tem a intenção de vencer o mal (v. 21). A citação de Provérbios 25.21,22, no versículo 20, o qual na carta de Paulo termina com a declaração de que a extensão de um ato de generosidade a um inimigo é equivalente a amontoar brasas de fogo na cabeça do indivíduo, deve ser interpretado em concordância com esta ênfase. Paulo não está sugerindo que este seja o modo cristão de obter vingança, enquanto o prepara sob o disfarce da generosidade. As brasas de fogo não têm o significado de serem punitivas, mas redentoras. A vergonha que um inimigo experimenta neste cenário tem a intenção de levá-lo a um ponto de arrependimento. É significativo que havia um costume egípcio que uma pessoa carregaria brasas de fogo num prato sobre a cabeça como declaração pública de verdadeiro arrependimento (cf. Käsemann; Dunn). Em suma, na capital de Roma, onde as ações de uma igreja em crescimento seriam consideradas suspeitas, Paulo desejava que a comunidade cristã fosse conhecida pelo amor que tinha.

2.4.3.2. As Relações com o Governo (13.1-7). Nestes versículos, temos a discussão mais extensa de Paulo sobre as relações entre o crente e a autoridade terrena. Sua inserção neste momento da carta coloca-a no centro da discussão sobre como a mente renovada informa a interação do crente com o mundo. A ocasião para este tratamento deriva-se principalmente do ambiente sociopolítico das igrejas que se reuniam em casas romanas. Como observaremos mais adiante, Paulo formula esta seção com a consciência das realidades sociais e políticas que confrontavam os cristãos em Roma, o que constrangia uma resposta judiciosa dos crentes ao ambiente a fim de evitar perseguição desnecessária.

A visão de Paulo de que o governo foi ordenado por Deus tem gerado muito debate sobre a aplicabilidade desta passagem aos crentes que sofrem sob regimes políticos repressivos. Por exemplo, havia um debate vivaz acerca de Romanos 13 em regiões de língua alemã em resultado das atrocidades do Terceiro Reich (Käsemann). Uma interpretação tradicional deste texto (e.g., Conybeare e Howson, p. 529, n. 2; Reasoner, p. 722) insiste que a postura favorável de Paulo para com o estado reflete o período no qual Romanos foi escrito, ou seja, o período anterior à perseguição movida por Nero — um tempo quando os impulsos maus que depois se manifestariam no imperador foram mantidos sob controle por sua mãe, Agripina (a quem mais tarde ele matou), e pela influência do grande estadista e filósofo estóico Sêneca (que depois se aposentou). Käsemann arrazoou que o caráter particular do governo romano na época em que Paulo escreveu é irrelevante para interpretar a passagem, pois Paulo não estava falando sobre o Império Romano ou mesmo ao estado como tal, mas sobre as autoridades locais, ou seja, a polícia, os coletores de impostos e os magistrados.

Ainda que o espaço vede uma discussão ampla deste texto e suas ramificações para os crentes sob vários regimes políticos, alguns assuntos devem ser abordados antes de darmos uma breve interpretação do próprio texto.
1) O contexto para o tópico da relação do crente com o governo é o desenvolvimento de Paulo da idéia de que a justiça de Deus transforma todas as relações terrenas. Portanto, o pensamento renovado deve sido aplicado a toda faceta da vida cristã, quer seja a vida na assembléia de crentes ou na praça, pois tudo na vida é adoração. Como Paulo descreveu a natureza de uma resposta reverente a outros membros da Igreja (Rm 12.3-13a) e aos inimigos (Rm 12.13b-21), agora ele prescreve o modo no qual o cristão pode dar glória a Deus mediante sua conduta para com o estado.
2) Aqui não é tratada a questão concernente até que ponto os cristãos devem se submeter ao estado que abusa de poder. Paulo certamente teria qualificado sua declaração no versículo 2 de que "quem resiste à autoridade resiste à ordenação de Deus", se ele a tivesse escrito em 64 d.C., quando as luzes de cadáveres de cristãos em chamas, dispostos por Nero como tochas humanas, chamejavam pelas ruas de Roma. Visto que Romanos 13.1-7 prescreve como o cristão pode dar glória a Deus pela maneira na qual ele responde à autoridade, conclui-se que toda ação por parte do estado que proíbe a expressão de amor do cristão para Deus deve ser resistida. De fato, os discípulos, quando proibidos pelo Sinédrio de pregar a mensagem do Senhor ressurreto, responderam: "Mais importa obedecer a Deus do que aos homens" (At 5.29). A tensão inerente do cristão sob autoridade secular acha resolução no comentário de Bruce: "Os cristãos serão mais eficazes em expressar 'Não' às demandas não-autorizadas de César, se eles se mostrarem prontos a dizer 'Sim' a todas as demandas autorizadas" (1985).
3) Finalmente, Käsemann nos advertiu a não interpretar a atitude positiva de Paulo para com a autoridade política meramente com base no clima favorável que existia em Roma quando ele escreveu a carta. A importância da resolução de Paulo ultrapassa o contexto de um regime político benevolente. Mencionando Bruce novamente, embora "a experiência feliz [de Paulo] da justiça romana esteja indubitavelmente refletida" em Romanos 13.1-7, "os princípios colocados aqui eram até válidos quando as 'autoridades superiores' não eram tão benevolentes para os cristãos como Gálio tinha sido para Paulo".

Paulo está utilizando uma tradição estabelecida, desenvolvida no Antigo Testamento e em circulação nos escritos do Judaísmo do Segundo Templo, de que o povo de Deus devia dar o devido respeito e obediência a reis e governadores terrenos, quer tais governantes fossem reis judeus ou monarcas estrangeiros. Esta tradição tinha sua gênese na crença de que Deus designa a liderança humana. Daniel 2.21 declara que "[Deus] muda os tempos e as horas; ele remove os reis e estabelece os reis". Na literatura sapiencial do Segundo Período do Templo encontramos declarações da mesma tradição (e.g., Sabedoria de Salomão 6.3; Eclesiástico 17.17: "Ele estabeleceu a cada nação seu príncipe que a governasse").

Acompanhando a idéia de que Deus designa a liderança está a crença que Ele também os considera responsáveis pela mordomia da autoridade que lhes é dada. Daniel 4 afirma a autoridade divina concedida ao rei Nabucodonosor para reinar e também o julgamento que viria sobre ele por causa de arrogância. As parábolas de Enoque (contidas na obra compilada de 1 Enoque), provavelmente escrito na era do Novo Testamento, advirtem no capítulo 46, versículo 5, que Deus "deporá os reis de tronos e reinos. Pois eles não o exaltam e o glorificam, e nem o obedecem, a fonte da monarquia".

Esta postura para com o estado secular foi adotada amplamente pela igreja primitiva. Primeira Pedro 2.13-17 exorta os crentes a se submeter ao rei como também aos magistrados (cf. 1 Tm 2.1,2). Primeira Clemente — carta escrita a Corinto pelo bispo de Roma em cerca de 100 d.C. — contém uma oração que, embora escrita em resultado das perseguições movidas por Nero e Domiciano, repete os temas gêmeos de que a autoridade terrena é designada por Deus e a necessidade de os cristãos a obedecerem.

É significativo que Paulo viu esta postura política provada e testada como necessidade pelos crentes romanos, não por causa da benevolência do estado, mas por causa da ameaça constante que Roma posou para a igreja cristã. Se Cláudio expulsou os judeus de Roma em 49 d.C. devido a um conflito que surgiu no bairro judaico sobre as reivindicações de Cristo (veja "Destinatários", na Introdução), então a comunidade cristã poderia esperar o mesmo tratamento se ela fosse considerada uma ameaça à sociedade. Afinal de contas, a paz relativa que a Igreja Cristã tinha desfrutado naqueles primeiros anos era resultado da percepção das autoridades romanas de que os cristãos eram uma seita do judaísmo, uma religião reconhecida por lei romana (veja Bruce, 1985).

Em outro lugar, Paulo escreveu sobre a autoridade ordenada por Deus na Igreja (Ef 4.11,12; 1 Tm 3.1-7) e na casa (Ef 5.22—6.3). Aqui, em Romanos 13.1-5, ele ensina que Deus também instituiu a autoridade na sociedade como ato de graça para apoiar a ordem moral. Assim, para Paulo, "não há autoridade que não venha de Deus; e as autoridades que há foram ordenadas por Deus" (v. 1b).

Paulo retrata o papel do governo, nos versículos 2 a 5, em termos amplamente negativos como restringentes do mal. Os governantes tinham sacado a espada "para castigar o[s] que faz[em] o mal" (v. 4). Embora os crentes não devam buscar vingança (Rm 12.19), Deus designou a autoridade civil para impor sua ira aos que fazem o mal. Há, é verdade, um aspecto mais positivo para a função ordenada por Deus: Os governantes elogiam os que fazem o bem (v. 3c). Não obstante, a ênfase do texto no mal — particularmente a advertência sensata que os cristãos também enfrentarão a ira do estado se eles transgredirem (v. 4b) — trai a preocupação de Paulo pela posição precária da Igreja na capital do Império Romano. A perseguição por fazer o que é certo deve ser enfrentada, mas a perseguição acarretada por descuido flagrante da lei da terra pode ser evitada.

Paulo adverte os leitores a não pensar que, como súditos do Reino de Deus, eles estão isentos das realidades políticas de serem súditos do reino deste mundo. A palavra-chave que descreve a resposta do crente à autoridade ordenada por Deus é "sujeita" (*hypotasso*, no v. 1). Sujeição ou submissão envolve "pôr o próprio interesse debaixo do que é exigido para as relações com as autoridades civis" (Mott, p. 142). Visto que "não há autoridade que não venha de Deus; e as autoridades que há foram ordenadas por Deus" (v. 1b), a submissão às autoridades administrativas é a resposta apropriada do crente. Paulo conclui que "é necessário que lhe estejais sujeitos, não somente pelo castigo, mas também pela consciência" (v. 5).

A submissão define grande parte da vida cristã. Por conseguinte, a exigência de Paulo à submissão às autoridades terrenas nos remete de volta ao contexto de adoração de Romanos 12.1,2. Tudo na vida deve ser vivido em adoração a Deus. Como o Jesus terreno se submeteu ao Pai divino (Jo 14.31), assim nós devemos nos submeter ao senhorio de Cristo (Jo 15.10). Isto, por sua vez, acarreta necessariamente servir aos outros. Jesus se definiu como servo e ordenou os discípulos a se verem da mesma maneira (Mc 10.43-45). A submissão do crente a toda autoridade terrena é uma extensão de sua submissão a Cristo (veja, e.g., Cl 3.23).

Nos versículos 6 e 7 Paulo continua a discussão da relação do crente com o governo tratando do tópico do imposto. Alguns comentaristas vêem esta questão como o clímax de Romanos 13.17 (Dunn; Furnish, pp. 131-135) e não como consideração adicional ou ilustração específica do argumento precedente sobre a submissão às autoridades ordenadas por Deus. Em outras palavras, a preocupação urgente por trás do repetido conselho de Paulo contra a desobediência civil nos versículos 1 a 5, pode ter sido a questão de pagar impostos.

O interesse de Paulo na questão de impostos — tópico incomum para ele — pode ter se originado de relatos que ele recebeu sobre o crescente desassossego em Roma sobre os altos níveis de impostos. Baseado num relatório de Tácito em *Anais* que, em 58 d.C., havia um clamor popular contra o sistema de impostos, Dunn argumenta que havia uma crescente insatisfação entre a populaça ao longo dos anos que conduziram ao protesto — esse era o período no qual Paulo escreveu à Igreja em Roma.

A declaração "Por esta razão também pagais tributos" (v. 6a) torna explícita a conexão entre os versículos 6 e 7 e o argumento sobre a autoridade ordenada por Deus. Paulo explica detalhadamente: "Porque são ministros de Deus, atendendo sempre a isto mesmo" (v. 6b). O princípio há muito existente de que os servos de Deus devem ser compensados (aplicado no Antigo Testamento ao sacerdote, e por Paulo ao pregador do evangelho [1 Co 9.13,14]), aqui é estendido às autoridades civis. O ponto governante de Paulo — que tudo na vida deve ser vivido em adoração a Deus (Rm 12.1,2) — acha-se por trás deste texto. "Subordinação ao governo civil, particularmente no ato simbólico de pagar impostos, é um aspecto da chamada à adoração espiritual na vida cotidiana do mundo" (Mott, p. 142).

O eco do ensino de nosso Senhor sobre impostos em Marcos 12.13-17 é ouvido no imperativo do versículo 7: Dê a cada pessoa o que você deve, quer seja "tributo" (*phoros*), "imposto" (*telos*), "temor" (*phobos*) ou "honra" (*time*). A resposta de Jesus à pergunta espinhosa de pagar impostos a um governo estrangeiro foi: "Dai, pois, a César o que é de César e a Deus, o que é Deus" (Mc 12.17a). Como escreve Bruce: "Paulo vê no pagamento das dívidas de César a César uma forma de pagamento a Deus o que a Deus é devido" (1977, p. 109).

Há um equilíbrio cuidadoso preservado na lista das quatro obrigações no versículo 7 entre a dívida monetária e a atitude de deferência que é devida. A distinção entre *phoros* e *telos* pode diferenciar *phoros* como tributo (cf. Lc 20.22) — aquilo que povos subjugados no império deviam pagar, mas do qual a população na capital estava isenta — de *telos* como imposto, o que incluí direitos aduaneiros, taxas e pedágios (Harrison; Dunn). O ponto de Paulo não está na distinção, mas na maneira na qual os dois termos trabalham juntos para indicar todas as formas de taxação. Temor (*phobos*, lit., "medo"; cf. vv. 3,4) e honra (*time*), levando em conta o contexto, são devidos a todos a quem Deus deu autoridade (cf. Käsemann). Condescendendo aos representantes de Deus, a pessoa adora a Deus.

2.4.3.3. A Relação com o Próximo (13.8-10). Tendo tratado sobre como os cristãos devem ser guiados pelo pensamento renovado nas suas interações com os que os perseguem e as autoridades administrativas, Paulo termina a discussão sobre a resposta cristã à sociedade voltando-se à relação do crente com o próximo (Rm

13.8-10). Enquanto o crente deve temor e uma quantia em dinheiro em impostos ao governo, sua dívida contínua ao próximo é o amor (v. 8). Paulo reapresenta um tema que ele usava para definir a resposta cristã à perseguição. O amor define a interação do cristão com o mundo, quer ou não esse amor seja recíproco.

Paulo entrelaça os dois temas de amor e lei — o primeiro, o tema dominante da seção parenética, o último, um tema principal na parte anterior da carta. A idéia de que o amor é o cumprimento da lei agrupa Romanos 13.8-10. Reflete os pronunciamentos de Jesus concernentes, por um lado, à sua missão de cumprir em vez de abolir a lei (Mt 5.17-20), e, por outro, à essência da lei do Antigo Testamento como amor a Deus e ao próximo (Mc 12.28-34). Jesus citou Levítico 19.18b para chegar ao ponto desejado de que o amor ao próximo é um dos dois mais importantes mandamentos (Mc 12.31). Assim, nesta seção, onde Paulo está concluindo o ensino sobre a interação do crente com o mundo, ele invoca este mesmo versículo para definir a maneira na qual o crente pode cumprir a lei agindo em amor na vida cotidiana (cf. Rm 8.4).

A fim de defender sua afirmação de que "quem ama aos outros cumpriu a lei" (v. 8), Paulo alude a quatro mandamentos (as proibições contra o adultério, o assassinato, o roubo e a cobiça) que são pertinentes às relações sociais, e argumenta que estes mandamentos são resumidos no mandamento de amar o próximo como a si mesmo (vv. 9,10).

2.4.3.4. Vivenciando as Relações com a Urgência Escatológica (13.11-14).

"E isto digo, conhecendo o tempo" (v. 11a). Antes de Paulo voltar a atenção mais uma vez às relações na comunidade cristã (Rm 14.1—15.13), ele ressalta a intensidade das advertências já feitas alertando os romanos à urgência do tempo em que vivem. Ao longo das cartas, Paulo reforça os imperativos éticos com urgência escatológica destacando vários acontecimentos iminentes no calendário do tempo do fim; por exemplo, o retorno iminente de Jesus (Fp 3.17—4.1; Cl 3.4; 1 Ts 5.1-11), a proximidade da ressurreição (1 Co 15.51-58) e o julgamento vindouro (Cl 3.6).

Este mesmo modo de exortação aparece nos escritos dos pais da igreja primitiva — um corpo de umas quinze composições escrito entre 90 e 140 d.C. Estes documentos, que "podem ser considerados um eco bastante imediato da pregação dos apóstolos" (Quasten, p. 40), estão repletos de exortações éticas estabelecidas dentro de um contexto escatológico (e.g., 1 Clemente 21—23; Didaquê 16; Efésios de Inácio 11; 2 Clemente 3.2-4).

O interesse particular disto para os pentecostais acha-se no fato de que o movimento pentecostal moderno começou em um ambiente de destacada expectativa da proximidade da Vinda de Cristo. A restauração dos dons do Espírito foi vista pelos primitivos pentecostais como sinal de que os últimos dias tinham chegado; a profecia de Joel, citada no sermão de Pedro no Dia de Pentecostes, estava sendo cumprida na vida deles: "E nos últimos dias acontecerá, diz Deus, que do meu Espírito derramarei sobre toda a carne" (At 2.17). Como resultado disso, a ênfase no viver santo que foi trazida no pentecostalismo primitivo por suas raízes no Movimento de Santidade do século XIX, foi sustentada nos círculos pentecostais pelo tema constante de que os crentes têm de se purificar antes do retorno iminente de Cristo.

Paulo conclama os crentes romanos a oferecer o sacrifício de amor nas praças, porque "a nossa salvação está, agora, mais perto de nós do que quando aceitamos a fé" (v. 11c) e "a noite é passada, e o dia é chegado" (v. 12a). Esta ênfase dupla no retorno iminente de Cristo mostra que Paulo tinha retido no seu último ministério um tema que marcou o ministério de Jesus e que apareceu nas primeiras cartas do apóstolo (e.g., 1 Co 7.29; 16.22; 1 Ts 4.13—5.11). A noite, que representa esta era do mal, está em seus estágios finais; o dia, que significa a inauguração do Reino, é iminente (cf. Jo 1.4,5).

A "salvação" que os crentes esperam é a salvação final (veja Rm 8.18-25). Há um sentido no qual o crente já foi salvo, o qual começou no ponto "quando aceitamos a fé" (Rm 13.11c). Contudo, há outro sentido no qual o crente está sendo salvo, que é à medida que a justiça ou a atividade salvadora de Deus continua trabalhando a seu favor. Este processo de salvação será completado quando Cristo voltar (veja Rm 5.9,10).

Por trás da visão "já, mas ainda não" acha-se o entendimento escatológico de Paulo que vivemos no período da história humana na qual duas eras se sobrepõem: A era de Cristo irrompeu na era de Adão (Rm 5.12-21). Como crentes, já experimentamos algumas das bênçãos da era de Cristo, a qual ainda deve vir em sua plenitude, enquanto ainda permanecemos afetados pelas condições da era de Adão que está passando. Paulo conclama os crentes a viver de acordo com a realidade da era de Cristo a despeito da presença contínua da era de Adão.

Neste período de transição, o crente deve despertar do sono para viver como se o dia já tivesse chegado. Isto significa rejeitar "as obras das trevas" e vestir-se "das armas da luz" (v. 12b). Estas ações são dadas numa lista de vício de três parelhas de versículos (v. 13); estes seis pecados representam o alcance da tentação que os crentes romanos têm de resistir. A provisão dada aos crentes, enquanto esperam a consumação da salvação, são as armas da luz (cf. Ef 6.11; 1 Ts 5.8). Embora a batalha decisiva contra o pecado tenha sido ganha na cruz (Rm 3.21-26), e nós estejamos mortos com Cristo para o pecado (Rm 6.2), continuamos a ser influenciados pelas condições pecadoras de nossa era. Neste entretempo, nos engajamos em repetidas escaramuças com o pecado.

Para completar seus comentários sobre o que nos permite lutar com sucesso, no versículo 14 Paulo volta ao conceito de vestir roupas (cf. a primeira referência no v. 12). Desta vez, o apóstolo nomeia a vestimenta da batalha última para o crente: o Senhor Jesus Cristo (Gl 3.27; Ef 4.24). Paulo está usando esta imagem para transmitir a responsabilidade contínua que temos de viver de acordo com a imagem de Cristo, à qual estaremos completamente transformados algum dia (Rm 8.29).

Como temos argumentado em outras instâncias onde a palavra grega *sarx* aparece (e.g., Rm 7.5,6), é preferível entender que "carne" (v. 14b) denota não uma parte de nós — como se ainda houvesse uma natureza pecadora em nós —, mas o poder da velha era de Adão. Este poder continua a nos atrair a existir dentro do seu reino de destruição. Outrora vivíamos na carne, mas agora estamos em Cristo. É somente vivenciando nossa associação com Cristo que é possível responder com amor sacrifical, o qual é a antítese da satisfação egoísta.

2.4.4. As Relações entre Judeus e Gentios (14.1—15.13).

A porção parenética de Romanos começou em Romanos 12.1,2 com uma definição da vida cristã, isto é, que tudo na vida deve ser oferecido a Deus em resposta reverente às suas misericórdias. Esta declaração temática é posta em ação para afetar o restante da parênese em Romanos 14.1 a 15.13, o que nos remete de volta ao assunto de Romanos 12.3-13: As relações na comunidade da fé.

O que se segue é uma extensa discussão de como a liberdade e o amor devem atuar juntos para manter a unidade na comunidade composta por crentes judeus e gentios. A quantidade de espaço dado a este tópico e sua posição ao término da seção parenética indicam a preocupação especial que tal tópico tinha para Paulo. Dizer que toda a carta de Romanos serve de prefácio ao problema abordado em Romanos 14.1 a 15.13 (Watson, pp. 97-98) é avaliação excessiva da importância da seção em relação ao restante da carta. Contudo, é certamente apropriado dizer com Fee (1994, p. 616) que o que está em jogo neste texto é "a glória de Deus". Quer dizer, "o evangelho deve ser elaborado na vida real, nesta interseção de diferenças reais entre eles, se não vai dar em absolutamente nada".

Paulo tinha balizado seu ministério como apóstolo para os gentios no princípio de igualdade entre judeus e gentios em sua posição diante de Deus. Esta é uma asserção teológica central de Romanos. Mas este princípio tem de resultar numa igreja onde judeus e gentios realmente fiquem juntos em unidade diante de um mundo que é cético ao evangelho. A unidade expressa pelo amor é sinal para o mundo de que Jesus ainda está presente na Igreja (cf. Jo 13.35).

Esta seção é resposta pastoral a uma situação específica em Roma, não (como alguns argumentam) um discurso geral que adveio do conflito coríntio descrito em 1 Coríntios 8 a 10 (veja Karris, pp. 65-84). A extensão da discussão em Romanos e as diferenças entre os argumentos de 1 Coríntios 8 a 10 e Romanos 14.1 a 15.13 implicam que Paulo está respondendo a um problema vigente e não está tratando de generalizações de um conflito passado. Por exemplo, não há sugestão em Romanos acerca da preocupação coríntia com carne oferecida a ídolos.

Além disso, uma situação histórica provê o contexto para Romanos 14.1 a 15.13. Quando os judeus voltaram a Roma em meados dos anos cinquenta depois do lapso do édito de Cláudio, que os expulsou em 49 d.C., os crentes judeus começaram a se reintegrar nas diversas comunidades de crentes em Roma. Paulo estava ciente desta situação pelo contato que teve com Áquila e Priscila, que tinham sido parte do contingente judeu expulso de Roma (At 18.2). É revelador o fato de Paulo evidenciar maior preocupação pela reação dos gentios aos crentes judeus do que pela resposta dos judeus aos cristãos gentios. Isso mostra que Paulo está cônscio da desvantagem que os judeus enfrentaram ao voltar a uma igreja que tinha assumido caráter gentio mais pronunciado durante o período em que estiveram ausentes. Aqui, então, está uma aplicação prática da preocupação expressa em Romanos 11.17-21: Os crentes gentios não devem ser arrogantes em sua posição face a face com os judeus.

É evidente pelo texto que o problema confrontado aqui se originou de diferenças entre judeus e gentios em Roma (veja Moo para inteirar-se de uma revisão de várias outras opções). (1) Embora nem judeus nem gentios sejam tratados por nome ao longo de Romanos 14.1 a 15.6, a parte final desta seção (Rm 15.7-13), com sua referência explícita a estes dois grupos, torna certa esta suposição (Cranfield). (2) Grande parte da discussão no capítulo 14 diz respeito a certos tipos de alimentos que são imundos. A palavra grega *koinos* ("imundo, impuro") era usada pelos judeus para simbolizar o que era profano ao invés do que era sagrado (veja Mc 7.2,5 sobre o uso que Marcos faz desta palavra concernente a alimentos limpos e impuros). A proeminência deste conceito em Romanos 14 também sugere que a disputa dietética entre os crentes romanos estava sendo continuada entre judeus, que desejavam observar os regulamentos dietéticos, e os gentios, que não tinham interesse em tal restrição de liberdade (cf. Dunn).

A controvérsia na comunidade cristã em Roma gira em torno das práticas de comer carne, observar certos dias como mais santos que outros e beber vinho (a última atividade recebe menos ênfase no texto). Os que comiam carne, bebiam vinho e desconsideravam o valor particular ligado a certos dias são chamados de "fortes" (Rm 15.1); os que faziam o oposto são os "fracos" (Rm 15.1), ou aquele que "é débil na fé" (Rm 14.1, ARA; "está enfermo na fé", RC). A associação dos fracos com os que se privam de comer carne por causa das categorias de limpo e imundo (Rm 14.2,14) mostra que os judeus eram os que Paulo considerava fracos, e os gentios, fortes.

Claro que esta é uma simplificação do assunto. As divisões nas igrejas que se reuniam nas casas romanas não estavam tão nitidamente delineadas na linha étnica. Certamente havia judeus como Paulo que apoiavam os "fortes". Reciprocamente, havia alguns convertidos gentios ao cristianismo que, tendo entrado na Igreja pela sinagoga como pessoas tementes a Deus ou mesmo como prosélitos judeus, favoreciam a retenção das práticas judaicas que eles já tinham adotado. É natural que estas pessoas teriam esperado que os outros cristãos seguissem esse mesmo padrão de obediência à lei de

Deus. Não obstante, a generalização usada aqui que diz que esta disputa era entre judeus e gentios permanece útil; reflete a situação global, e é verdadeira à distinção que Paulo faz entre estes dois partidos em Romanos 15.8.

A preocupação dos fracos era com a preservação de certas práticas que eles consideravam expressões necessárias da fé cristã. A questão, como Paulo a vê, não é sobre legalismo — se for entendido como sistema no qual certos rituais são observados como meio de obter graça —, porque Paulo aborda os fracos como os que já foram aceitos por Deus (Rm 14.3; 15.7). O único meio de aceitação de Deus, como Paulo discutiu repetidamente em Romanos 3.21 a 5.21, é mediante a justificação pela fé e não por fazer as obras da lei.

Em outras palavras, a questão não é sobre como se tornar crente, mas como agir como tal. Nas palavras de Cranfield, estes crentes judeus sentiam que "era somente ao longo deste caminho particular que eles podiam expressar obedientemente sua resposta de fé à graça de Deus em Cristo". As leis dietéticas e a observância de dias santos, quer sejam sábados ou dias de festa, eram marcas identificadoras dos judeus na Palestina e na Diáspora. Era-lhes difícil conceber que estes identificadores, que tinham sido tão críticos para eles se verem como o povo do concerto de Deus, agora deviam ser abandonados.

De fato, embora houvesse outras práticas judaicas que distinguiam os judeus de outros povos no mundo heleno, a importância das leis dietéticas e a observância de certos dias santos tinham aumentado de importância nos períodos macabeu e pós-macabeu, quer dizer, os períodos imediatamente precedentes à época em que Paulo escreveu (cf. Dunn). A preocupação sobre dias santos é vista nas disputas calendáricas que ocorriam na datação formal das festas judaicas (e.g., 1 Enoque 74.10-12; Jubileu 6.32-35; Normas da Comunidade 1.14,15). De fato, Josefo nos fala que mesmo antes da era dos macabeus, "comer alimentos imundos e violar o sábado" eram considerados os dois atos primários de desobediência ao concerto (*Antiguidades Judaicas*).

Os assuntos que confrontavam Paulo não eram questões triviais. Os crentes judeus ainda se viam como povo escolhido de Deus, com seu *status* de cristãos em cumprimento direto das promessas dadas por Deus aos antepassados. Este entendimento de si mesmos explica por que as questões relativas às leis dietéticas do Antigo Testamento continuavam vindo à tona na igreja primitiva (At 10; 15; Gl 2.11-14).

É óbvio que para a maioria dos gentios estas práticas não tinham nem relevância cultural nem peso teológico. A recusa dos cristãos gentios, que se viam como pessoas livres em Cristo, em observar as práticas judaicas tinha o apoio do apóstolo Paulo. Contudo, Paulo sabia que algo mais que liberdade estava em jogo.

Antes de procedermos à interpretação do texto em si, faremos alguns comentários sobre as questões específicas que causavam conflitos entre os crentes romanos, começando com a controvérsia sobre comer carne. O vegetarianismo era praticado por vários grupos na antiguidade (veja Dunn). É interessante notar o registro de Eusébio feito no século IV de que Tiago, irmão de Jesus, era vegetariano (*História Eclesiástica*). É difícil determinar por que foi adotado por alguns em Roma.

Se o pano de fundo para a proibição de comer carne foi o mesmo em Roma e em Corinto, então o problema estava relacionado com a adoração de ídolos. Os fracos sustentavam que não se deveria comer a carne que tivesse sido contaminada ao ser apresentada a um ídolo (1 Co 8.7). O problema para o cristão ou judeu escrupuloso, que desejava evitar tal carne, era saber se determinado pedaço de carne tinha sido oferecido ou não. A carne não queimada ou comida nos recintos do templo poderia terminar no açougue. Visto que não havia etiqueta que identificasse seu paradeiro anterior, o único modo de estar cem por cento seguro de não comer carne contaminada era a abstinência total de sua ingestão.

Se esta sensibilidade à carne estava por trás da postura vegetariana assumida por uma facção em Roma, então a proibição contra beber vinho pode ser explicada de modo semelhante, pois o vinho também era oferecido nos templos pagãos como libação aos deuses. Contudo, Paulo nunca fala especificamente em Romanos 14 e 15 sobre "carne sacrificada a ídolo". É difícil explicar por que nunca é mencionada se a situação em Roma era igual à de Corinto.

Talvez a questão em Roma fosse sobre a preparação adequada da carne. Ainda que existissem certas carnes que os judeus não deviam comer, havia normas que regulamentavam a preparação das carnes que eram permitidas. O problema com esta interpretação é que Paulo parece estar lidando com um grupo que recusava carne de qualquer tipo. Contudo, embora a lei do Antigo Testamento permitisse a ingestão de certos tipos de carne, o judeu não estava seguro se determinado pedaço de carne tinha sido preparado de maneira *kosher*[9] pelo açougueiro. Será que era crença de que todas as carnes deviam ser evitadas levando em conta as dificuldades em determinar o estado de certo pedaço de carne?

Com relação a guardar as leis dietéticas, a observância de certos dias santos era amplamente praticada entre os judeus — não apenas na Palestina, mas também fora da região — como expressão de identidade judaica. A disputa na comunidade cristã em Roma pode ter tido a ver com guardar o sábado ou as festas judaicas, ou ambos. Qualquer que seja a situação, a guarda de certos dias sobre outros evitou a barreira à comunhão com os crentes gentios que não tinham inclinação para celebrar os dias santos judaicos.

Em suma, o problema que Paulo tenta resolver em Romanos 14.1 a 15.13 originou-se da tensão entre cristãos gentios e judeus acerca da questão da relevância contínua de certas práticas judaicas que os judeus julgavam críticas para permanecer dentro do povo de Deus. Embora a discussão trate de atitudes e ações incorretas por parte de ambas as partes, a preocupação pastoral do apóstolo focaliza-se nas respostas impróprias dos gentios. Pois é com eles que ele vê a maior esperança de solução.

Esta resposta pastoral dá grande relevância à Igreja de hoje. Sempre que há um movimento de afastamento de uma forma tradicional de expressão cristã ou uma reavaliação do que constitui o comportamento adequado para o crente, existirá tensão no corpo de Cristo. Por um lado, estarão os que insistem nos antigos métodos, e por outro, os que esposam o novo.

Por muito tempo as igrejas protestantes patrocinam um cristianismo que é marcado pela dinâmica da relação, e não pelo ritual da religião. Mais especificamente, há muito as igrejas pentecostais/carismáticas são as proponentes de liberdade na expressão de adoração. É irônico como certos rituais ou formas de devoção se tornam tão defendidas dentro de círculos protestantes e pentecostais. As tradições do Movimento de Santidade de muitos grupos pentecostais as tornam propensas a "canonizar" certas práticas do Movimento de Santidade como únicos métodos apropriados da pessoa vivenciar o cristianismo. As formas de adoração tão indicativas da adoração pentecostal — por exemplo, levantar as mãos e orar no Espírito — também podem ser vistas como únicos métodos verdadeiramente "espirituais" de adoração a Deus. Quando certas formas "religiosas" se tornam normativas, a Igreja precisa do toque renovador do Espírito. Facções formadas por "aqueles que fazem" e "aqueles que não fazem" ainda ameaçam a unidade da Igreja.

O argumento de Paulo pode ser resumido assim:
1) Aceitem-se uns aos outros; não se julguem (Rm 14.1-12);
2) Ajam com amor uns pelos outros; não escandalizem (Rm 14.13-23); e
3) Ajam como Cristo; não se agradem a si mesmos (Rm 15.1-13).

2.4.4.1. Aceitem-se uns aos Outros; Não se Julguem (14.1-12). A declaração de abertura de Paulo é uma exortação àqueles cuja fé é fraca, ou seja, aqueles cuja consciência não é "forte" o bastante para permitir uma maior liberdade de ação (o que nesta primeira seção significa uma falta de liberdade para comer carne). A razão para este apelo é dada no versículo

3c: Deus recebeu os fracos. O fato de a mesma palavra grega traduzida pelo verbo "receber" aparecer nos versículos 1 e 3 sublinha a reciprocidade entre nossa relação com Deus e uns com os outros. Devemos nos aceitar uns aos outros, porque Deus aceitou a cada um de nós. O fato de esta palavra aparecer mais duas vezes em exortação semelhante próximo do fim da discussão (Rm 15.7) — judeus e gentios devem aceitar uns aos outros assim como Cristo aceitou a ambos —, indica que a aceitação mútua é um tema que circunscreve a seção inteira.

Por causa da aceitação de Deus não há lugar para condenação na comunidade formada pela graça. Cristo, cuja morte na cruz efetuou a aceitação dos crentes perante Deus (Rm 5.10), fará os fracos estarem em pé (v. 4) — quer dizer, capazes de viver sem condenação diante do Senhor, tanto agora quanto no fim (Rm 8.1). Porque somos servos de Deus, cada um de nós "está em pé ou cai" perante Ele (v. 4). Seu julgamento é, em última instância, tudo o que importa. Então, a pergunta apropriada para todo membro da igreja é: "Quem és tu que julgas o servo alheio?" (v. 4a).

Embora a preocupação primária de Paulo em Romanos 14.1 a 15.13 seja com a reação gentia aos crentes judeus, no versículo 3 Paulo mostra sua consciência de que havia altitudes prejudiciais nos dois campos. Ambos estavam julgando o comportamento do outro de maneira diferente, mas igualmente prejudicial. Assim, Paulo pede que os fortes não desprezem os abstêmios, e que os fracos não julguem os que comem tudo o que querem. Os fortes menosprezavam os que não tiravam proveito da liberdade; os fracos, que se viam como justos por causa do seu código de comportamento mais rígido, condenavam os que não tinham os mesmos escrúpulos. Talvez por trás da condenação dos fortes sobre os crentes fracos ache-se a pressuposição de que os fortes não eram os cristãos.

Encontramos aqui uma representação precisa da natureza do facciosismo na Igreja Moderna. Comer carne já não é assunto constrangedor para a igreja contemporânea, mas atitudes divergentes para com outras áreas amorais de comportamento continuam dividindo os que fazem e os que não fazem. Não há unidade quando uma facção se considera superior à outra, ou quando uma facção questiona o mesmo cristianismo dos que não obedecem certos códigos de conduta.

No segundo parágrafo (vv. 5-8), Paulo continua formando suas razões apresentando outra fonte de fricção — o assunto dos dias santos (v. 5). A prática em questão aqui (como discutido acima) é a insistência judaico-cristã na observância continuada de certos dias considerados santos no judaísmo, como o sábado ou os dias de festas judaicos, ou ambos.

Paulo então coloca esta disputa sobre dias especiais, como também a controvérsia sobre comer carne, dentro de um contexto de adoração (vv. 6-8). Visto que tudo na vida deve ser oferecido em adoração (Rm 12.1, a declaração programática dada no início da seção parenética de Romanos), a conduta de cada crente deve ser avaliada adequadamente. "Cada um esteja inteiramente seguro em seu próprio ânimo" acerca da conveniência de suas ações (v. 5c), de forma que o que quer que a pessoa faça ou não faça seja feito "para o Senhor". É por isso que aquele que come e aquele que se priva são ambos retratados no versículo 6 como a oferecer uma bênção antes da refeição (cf. At 27.35; 1 Co 10.30). Isto ilustra vividamente que o crente que condena os outros pelo que eles comem está na posição perigosa de condenar, não um ato pecador, mas antes o ato de adoração da outra pessoa.

Paulo reitera sua preocupação pelo tipo de pensamento renovado que vê tudo na vida como adoração, nos versículos 7 e 8, o que está resumido pela frase: "De sorte que, ou vivamos ou morramos, somos do Senhor" (v. 8c). Mais adiante, Paulo adaptará este mesmo princípio para a situação dos crentes colossenses: "E, tudo quanto fizerdes, fazei-o de todo o coração, como ao Senhor e não aos homens, [...] porque a Cristo, o Senhor, servis" (Cl 3.23,24b; cf. 1 Co 10.31).

Em resumo, a função dos versículos 5 a 8 é dupla. Reforça o ponto feito anteriormente — que o cristão deve aceitar em vez de julgar alguém que é servo de Deus — enfatizando o fato de que criticar a ação de outro crente é criticar a adoração que essa pessoa dá a Deus. Como também implica o que se tornará explícito depois: Todo servo de Deus é responsável por determinar se sua ação pode ser oferecida a Deus como ato de adoração.

A menção da morte e ressurreição de Cristo, no versículo 9 — estes eventos que capacitaram Cristo a se tornar "Senhor tanto dos mortos como dos vivos" — é incitada pela asserção anterior de que vivemos e morremos para o Senhor. A referência ao senhorio de Cristo levanta a questão feita primeiramente no versículo 4: "Mas tu, por que julgas teu irmão?" (v. 10). Se Cristo é o Senhor, então não temos o direito de julgar quem é responsável a Ele. O julgamento vem em curtíssimo tempo, quando cada um receberá o que lhe é devido. O crente não tem o direito de usurpar a autoridade de Deus julgar, ou tentar adiantar o dia do julgamento.

Isto não quer dizer que não há julgamento para aquele que está em Cristo, "pois todos havemos de comparecer ante o tribunal de Cristo" (v. 10c). A citação do Antigo Testamento no versículo 11, uma combinação de Isaías 49.18 e 45.23, reforça o argumento de que cada servo é responsável e deve prestar contas ao Senhor. Deus julgará os outros crentes, mas Ele também julgará o indivíduo que se designou juiz dos outros. Uma coisa é esperar por justiça para ser cumprida nos outros; outra, é estar preparado para enfrentar o próprio julgamento. A introdução do tema da responsabilidade pessoal prepara o leitor para o próximo estágio da discussão.

2.4.4.2. Ajam com Amor uns pelos Outros; Não Escandalizem (14.13-23).
Enquanto o primeiro estágio do argumento de Paulo tratou de atitudes de julgamento, o segundo incita o ouvinte a considerar que tipo de ação é apropriado numa comunidade formada pela aceitação graciosa de Deus de todos os crentes. Há uma estrutura quiasmática rústica, ou seja, os pontos feitos na primeira parte dos versículos 13 a 23 são tratados novamente em ordem reversa na última parte (veja Thompson, pp. 201-204). O que observamos é uma repetição de temas dos versículos 13 a 15 nos versículos 20 a 23, e o "centro e, portanto, o ponto da ênfase" (Fee, 1994, p. 617) no meio da passagem (vv. 16-19). Diferente dos versículos 1 a 12, onde a exortação do apóstolo era dirigida aos fracos e fortes, é a maneira na qual Paulo enfoca a atenção para o restante do capítulo nos fortes. O que se segue é a diretiva aos membros gentios da igreja romana de que a liberdade deve ser confinada aos interesses do amor.

O versículo 13 marca uma transição na discussão. Ele resume o argumento precedente: "Assim que [i.e., com base na responsabilidade de cada crente a Cristo como Senhor e a Deus como Juiz] não nos julguemos mais uns aos outros" (v. 13a). E exige uma nova resolução: "Antes, seja o vosso propósito não pôr tropeço ou escândalo ao irmão" (v. 13b). Esta exigência de mudança de atitude é reforçada por um jogo de palavras: O apóstolo usa o mesmo verbo grego *krino* ("julgar") no versículo 13a e no versículo 13b. A tradução literal do grego é: "Assim que não nos julguemos mais uns aos outros; antes, julguem [i.e., resolvam ou determinem] isto — não pôr tropeço ou escândalo uns aos outros". O pensamento renovado rejeita as atitudes de julgamento e adota os pensamentos que promovem o bem-estar dos outros no corpo de Cristo (cf. Rm 12.3-9).

Os termos *tropeço* e *escândalo* são usados de modo sinônimo como metáforas para algo que faz alguém perder a fé. O "tropeço" é algo que pode fazer alguém tropeçar; um "escândalo", que se referia originalmente ao pedaço de madeira que mantinha aberta a armadilha para animais, é usado no Antigo e Novo Testamentos como algo que poderia levar a pessoa a pecar. A imagem é clara: O exercício aberto de liberdade pelos fortes apresenta uma tentação para os fracos, o que poderia resultar em queda no pecado.

Para ouvir a força da combinação destas palavras, temos de recordar o uso destes dois conceitos em Romanos 9.33, onde aparecem na citação de Isaías 8.14. Lá, o tropeço ("uma pedra que faz os homens tropeçarem") e o escândalo ("uma pedra que os faz cair") se referem a Cristo. Os judeus tropeçaram em Cristo, ou seja, eles ficaram ofendidos com Ele, e ao rejeitarem Jesus como Messias eles rejeitaram a iniciativa salvadora de Deus. Semelhantemente, em Romanos 14 Paulo exorta os gentios a evitar qualquer ação que possa levar outros judeus a perder a fé em Cristo. Desta vez, o tropeço é comer carne ou não observar certos dias santos.

O pronunciamento de Paulo de que "nenhuma coisa é de si mesma imunda" (v. 14) é prefaciado com a justificação: "Eu sei e estou certo, no Senhor Jesus que..." A combinação destas duas frases para apresentar a convicção do apóstolo sobre este assunto trai o sentimento de que seus pensamentos extrairiam veemente oposição dos fracos, a quem as normas dietéticas continuavam tendo significado no concerto. Alguns entendem a frase "no Senhor Jesus" como equivalente à expressão paulina "em Cristo", a qual é "o modo mais característico [de Paulo] definir sua relação com o Salvador" (Murray). De acordo com Dodd, Paulo está afirmando que sua convicção "é inseparável de sua experiência cristã".

Não obstante, o uso da palavra "Jesus" distingue esta expressão da frase "em Cristo" ou da expressão variante "no Senhor". Em outras palavras, Paulo cita o nome "Jesus", porque ele está pensando no ministério terreno de Jesus e não em sua relação com o Cristo ressurreto. O apóstolo está firmando sua posição no ensino de Jesus, que nos foi preservado em Marcos 7.15-23 (cf. Harrison; Fee, 1994, p. 619). No debate de Jesus com os fariseus sobre as tradições concernentes ao estado de limpo e imundo, ocasionado pela crítica de os discípulos não lavarem as mãos antes de comer (Mc 7.1-5), Jesus fez o pronunciamento de que nada que entra no homem o torna impuro, mas sim o que sai dele (Mc 7.15). O que Paulo está convencido "no Senhor Jesus" (Rm 14.14) é que os fracos não têm base teológica para firmar-se na insistência de que leis dietéticas sejam observadas pela comunidade cristã.

O apóstolo imediatamente qualifica a aplicabilidade da sua radical declaração da liberdade cristã, de que nenhuma comida é imunda, com o padrão estabelecido pela consciência individual. Enquanto comer carne não é em si mesmo nem correto nem pecador, é moralmente errado para a pessoa que acredita na abstinência como base espiritual. Em outras palavras, a moralidade cristã tem um componente subjetivo. Claro que não há o pensamento de que toda conduta ética seja subjetivamente determinada. Romanos 13.13, para citar um exemplo, contém uma lista de atividades proibidas a todo aquele que afirma estar andando na luz do dia.

Partindo da premissa de que a consciência individual desempenha um papel determinante para a conduta ética do indivíduo, pelo menos duas implicações ocorrem para os fortes:

1) A consciência dos fracos não deve ser menosprezada ou desconsiderada, mas antes levada em conta por causa do mandamento do amor. Comer na frente de alguém que considera a prática errada é cometer o engano de colocar o princípio da liberdade na frente do princípio do *agape*. "O amor", como Paulo escreveu em Romanos 13.10, "não faz mal ao próximo".

2) É não apenas ofensivo, mas potencialmente destrutivo os fortes desconsiderarem os sentimentos dos fracos. Paulo não poderia ter expressado esta advertência aos fortes sobre tal comportamento corruptor com maior força do que vemos ao término do versículo 15: "Não destruas por causa da tua comida aquele por quem Cristo morreu". Em uma frase Paulo confronta os fortes com o exemplo supremo do amor, o sacrifício de Cristo, o que expõe o egoísmo que está por trás da exibição franca de liberdade e os faz lembrar do valor inestimável daqueles por quem Cristo pagou com a vida.

A possibilidade de um irmão ser destruído por um abuso flagrante de liberdade revela o papel crítico que a consciência desempenha na vida cristã. Quando a consciência é minada numa área, torna-se vulnerável também em outras. Outras convicções podem se tornar abertas a dúvidas; outras práticas, anteriormente proibidas, começam a ser entretidas e então desfrutadas — inclusive as práticas que são intrinsecamente más. O fim do processo pode significar a destruição da alma.

A parênese na carta de Paulo para os romanos foi iniciada com uma chamada para que cada membro do corpo assumisse a responsabilidade pelos outros membros usando os dons em benefício do corpo inteiro (Rm 12.3-8). A exigência de sensibilidade para com as crenças de outros crentes no capítulo 14 nos mostra outro modo de assumir a responsabilidade pelo bem-estar de outros cristãos.

Nos versículos 16 a 19, o centro do argumento dos versículos 13 a 23, ocorrem diversas declarações que resumem e fundamentam o que precede e o que se segue. A incerteza do versículo 16: "Não seja, pois, blasfemado o vosso bem", tem resultado em várias interpretações. Por exemplo, Dunn vê nesta declaração uma advertência para que os não-cristãos não venham a menosprezar o Evangelho por causa de desarmonia na Igreja. Ele entende que a expressão "o vosso bem" seja referência ao Evangelho e vê a mudança da segunda pessoa do singular, no versículo 15, para o plural "vós", no versículo 16, como indicação de que os fracos e os fortes estão sendo admoestados a viver de tal modo que a Igreja não seja ultrajada por um mundo que é espectador.

A mudança do singular para o plural é muito sutil para servir de indicação de que a audiência em vista é agora a Igreja inteira, e não apenas os fortes. É preferível ver a mudança como artifício estilístico para dar ênfase (Cranfield). Além disso, a frase grega traduzida por "vosso bem" é uma expressão canhestra para aludir ao evangelho; mais naturalmente descreve o que os fortes entendiam como liberdade dentro da vontade de Deus (cf. Rm 12.2).

Os fortes devem evitar que a liberdade — ou o que eles sabem que é bom perante Deus — "seja [...] blasfemad[a]". O pensamento de blasfêmia remete de volta ao versículo 6, onde os atos de comer e abster-se são estabelecidos dentro de um contexto de adoração. O problema que Paulo antecipa é que o que os fortes consideram parte da adoração espiritual (Rm 12.1), os judeus consideram profano. Isto é similar à discussão de Paulo registrada em 1 Coríntios 10.30 sobre comer carne: "Se eu com graça participo, por que sou blasfemado naquilo por que dou graças?" Paulo está preocupado com o modo como os fortes vêem os fracos, e também como os fracos percebem os fortes, e esta preocupação se estende a Romanos 14.17.

A base teológica para o que Paulo está argumentando é dada no versículo 17: "Porque o Reino de Deus não é comida nem bebida, mas justiça, e paz, e alegria no Espírito Santo". A frase "o reino de Deus" aparece raramente nas cartas paulinas, o que é bastante surpreendente considerando sua ocorrência freqüente nos Evangelhos. Em vez de usar a terminologia do reino, Paulo tende a definir a esfera da existência cristã com frases como "em Cristo" e "andar no Espírito". O significado de "o reino de Deus" aqui, como Dunn comenta com perfeição, é indicado pela referência ao Espírito Santo no fim do versículo. A conexão do Espírito com o Reino de Deus é que "tanto para Jesus quanto para Paulo o Espírito *é* a presença do Reino, ainda no futuro em sua realização completa".

A frase "o Reino de Deus não é comida nem bebida" envia uma mensagem aos judeus e gentios. Para os gentios, significa que a essência do cristianismo é algo mais que insistir na liberdade de comer e beber. Colocando em terminologia mais moderna, o Reino não é a luta pelos direitos individuais. O que Paulo prescreve é o que ele praticou regularmente: "Sendo livre para com todos, fiz-me servo de todos, para ganhar ainda mais" (1 Co 9.19). Esta postura revela a verdadeira liberdade que o apóstolo descobriu. Como Bruce habilmente resumiu: "Ele era tão completamente emancipado da escravidão espiritual que nem mesmo era escravo da sua emancipação" (1985, p. 243).

Embora a abordagem de Paulo a esta seção continue sendo para os fortes, o versículo 17 também teria chamado a atenção dos fracos. Se Paulo pode dizer para os fortes que o Reino não é comida e bebida, então a implicação é que o Reino também não é abstinência, ou seja, não-comida e não-bebida. A lei já não tem papel a desempenhar na prescrição dos termos da justiça, porque Cristo é o fim da lei (Rm 10.4). A justiça não é ganha ou mantida por regulamentos dietéticos ou por qualquer outra prática de guarda da lei. Se os crentes judeus continuam sendo observando de certas leis, a única razão para tal é a preferência cultural, e não a exigência divina. Ao insistir que os gentios graciosamente aceitem as práticas dos judeus, Paulo está simultaneamente insistindo que os judeus não têm base teológica para tentar alterar os hábitos alimentares dos gentios.

Tendo estabelecido o que não é o Reino de Deus, o apóstolo passa a defini-lo em termos de relação: "Justiça, e paz, e alegria no Espírito Santo" (v. 17b). "No Espírito Santo" modifica os três substantivos que o precedem (cf. Käsemann) e não apenas o último, "alegria". Por conseguinte, estes substantivos descrevem vários aspectos de viver no Espírito. O problema está em determinar se estes aspectos da vida no Espírito serão entendidos como expressões de nossa relação vertical com Deus ou de nossa relação horizontal com os outros.

Se interpretarmos verticalmente a justiça, a paz e a alegria, então esta ocorrência final em Romanos da palavra "justiça" diz respeito à justiça forense, quer dizer, o resultado da justificação do crente feita por Deus que coloca o indivíduo em posição correta diante dEle (cf. Cranfield; Käsemann). "Paz" é a nossa paz com Deus (cf. Rm 5.1), e "alegria", a nossa resposta à obra de Deus em nosso favor.

Se entendermos que estes três aspectos descrevem nossa interação uns com os outros no corpo de Cristo, então a justiça no Espírito Santo é a "ação correta" (Sanday e Headlam; Barrett; Murray). Paz no Espírito Santo é a paz que temos de ter uns com os outros, com alegria que é o resultado. Como muitos comentaristas notaram, o paralelo desta referência à paz e alegria no Espírito é a lista do fruto do Espírito que está registrada em Gálatas 5.22,23.

O contexto sugere que estes três aspectos da vida no Espírito têm a ver com relações horizontais. A totalidade de Romanos 12.1 a 15.13 tem a intenção de explicar como os argumentos teológicos dos capítulos 1 a 11 devem atuar na vida da comunidade cristã em Roma. Além disso, os versículos que se seguem (Rm 14.18,19) ressaltam o servir e o fazer — isto é, o que se supõe que os cristãos devem fazer —, o que sugere que o versículo 17b também é referente a viver corretamente. Por fim, a frase que está em paralelo com "justiça, e paz, e alegria no Espírito Santo" diz respeito ao comportamento humano: comida e bebida (v. 17a). Fee vê no uso de Paulo do modificador "Santo" com "Espírito", uma combinação rara para ele, outra indicação de "que a justiça envolve essencialmente conduta" (1994, p. 621, n. 450).

Assim, Paulo está tratando da necessidade de ação comunitária que é indicativa da vida no Espírito, e não do tipo divisor de ação que coloca a liberdade à frente do amor. A definição de Paulo do Reino de Deus na imediatidade é agir com justiça, procurando a paz com os outros e vivendo na alegria que surge quando a ação correta leva à coexistência pacífica com outros membros do corpo de Cristo. Deveria ser notado, porém, que embora o enfoque no versículo 17 esteja na justiça ética, e não na justiça forense, seríamos insensatos em separá-los completamente. Pois é a obra de Deus em Cristo que coloca o indivíduo em relação certa com Deus, que forma a base para as relações no corpo de Cristo.

A idéia de que o pensamento renovado revela "a boa, agradável e perfeita vontade de Deus" (Rm 12.2) é revisitada no versículo 18. Para dar mais força à exortação no versículo 17, o apóstolo especifica que uma comunidade que vive com justiça na busca da paz está "agradando a Deus". O fato de Paulo reapresentar tal declaração neste ponto da carta dá a entender que, na sua mente, esta área estava em necessidade particular de pensamento renovado. Vivemos em dias que temas de direitos pessoais e liberdade são patrocinados acima da virtude do amor sacrifical, fato que sugere que precisamos da mesma renovação constante de nossa mente.

O versículo 19 conclama os crentes a buscar ações que promovam a "paz" e a "edificação de uns para com os outros". Como esta combinação indica, a paz entre os crentes é mais que a ausência de conflito; a paz é posta em prática na Igreja à medida que os membros vivem juntos em uma unidade que fortalece todos os crentes. Isto faz lembrar Romanos 12.3-8, onde Paulo aconselhou contra a natureza divisora do orgulho, exortando os crentes em Roma a se construírem uns nos outros pelo uso dos dons do Espírito.

Nos versículos restantes do capítulo 14 (vv. 20-23), são repetidos e ampliados pontos já mencionados nos versículos 13 a 15. As repercussões advindas da ofensa causada em outro cristão são agora descritas em escala mais ampla: Não é só a alma do indivíduo ofendido que está em risco (v. 15), mas também "a obra de Deus" (v. 20). No que diz respeito ao corpo de Cristo, um efeito produzido num membro afeta o restante do corpo.

A categoria de atos ofensivos é ampliada além da comida e observância de dias especiais com a introdução de beber vinho (v. 21) como possível ofensa à consciência fraca. (Para o pano de fundo sobre isto, veja comentários introdutórios a Rm 14.) Mais significativamente, Paulo escreve que "outras coisas" que causem um irmão a cair também devem ser evitadas. Esta qualificação importante alertará a igreja romana aos perigos de futuras áreas de conflito. Também serve para nos advertir a não pensarmos que uma passagem que lida com problemas históricos de uma igreja do século I não tenha relevância para nós. Nossas divisões podem não ser sobre questões entre comedores de carne e vegetarianos, mas nunca faltaram à Igreja assuntos novos para discutir e dividir.

Os versículos 22 e 23 contêm breve resumo do argumento para este ponto: Os fortes têm o direito de desfrutar a liberdade que têm — eles são bem aventurados por poderem agir com uma consciência limpa. Não obstante, por causa do corpo, esta liberdade não deve ser ostentada na frente dos fracos ou usada como *lobby* com o propósito de mudar os hábitos dos outros. Os fortes devem manter suas convicções entre si e Deus (v. 22).

Os fracos, por outro lado, são condenados se transgredirem suas crenças e, como a carta deixa explícito no versículo 23b, tais infrações não são só ofensas pessoais, mas também pecados contra Deus. Tudo o que não pode ser oferecido a Deus em adoração, "tudo o que não é de fé", é nada mais, nada menos que "pecado". Isto nos remete de volta ao decreto de Romanos 12.1,2, que a vida para o cristão não é determinada pela lei, mas pela relação — a relação estabelecida pela obra de Deus em Cristo e vivida no Espírito. É por isso que Paulo diz que dois crentes podem empreender a mesma atividade, mas apenas para um é pecado. Uma religião sujeita à lei não permitiria tal desvio; uma relação constituída pela fé com Deus tem de permitir tal coisa.

2.4.4.3. Cristo, o Modelo para os Fracos e para os Fortes (15.1-6). A divisão de capítulo em Romanos 15.1 dissimula o fato de que a discussão iniciada no capítulo 14 sobre a relação entre os fracos e fortes continua neste capítulo. Paulo agora resume e reforça seus pontos já firmados.

A função de Romanos 15.1,2, como Käsemann observou, é igual à de Romanos 14.13: Recapitula a seção precedente do argumento ao mesmo tempo em que focaliza a atenção nos fortes. A frase de abertura "nós que somos fortes" revela a identificação de Paulo com a postura teológica assumida pelos fortes. Ele continua a deixar perfeitamente claro que não apóia a maneira na qual eles estavam interagindo com os fracos. Os fortes são exortados a "suportar as fraquezas dos fracos".

A palavra grega traduzida por "fraquezas" denota debilidade, e não fraqueza moral. Os fracos são aqueles cuja fé é muito fraca ou muito limitada para permitir maior liberdade de conduta. Em concordância com Gálatas 6.2, os fortes são exortados a fazer mais que "suportar" ou "agüentar" os escrúpulos dos fracos; o verbo usado aqui tem um alcance de significado mais amplo e inclui a idéia de levar ou carregar.

O tipo de apoio que os fortes devem dar aos fracos é expresso negativamente: "Não agradar a nós mesmos" (v. 1), e depois positivamente, "agradar o próximo" (o que lembra a injunção de Lv 19.18, citada em Rm 13.9) "no que é bom para edificação" (v. 2). Paulo reforça esta segunda chamada ao amor (cf. Rm 14.15) e o fortalecimento dos outros (cf. Rm 14.19) colocando diante deles o maior modelo de altruísmo, Cristo: "Porque também Cristo não agradou a si mesmo" (Rm 15.3a). O motivo de Jesus como exemplo de fé e prática cristãs ocorre periodicamente ao longo do Novo Testamento (e.g., Mc 10.35-45; Jo 13.1-17; 1 Pe 2.21; 1 Jo 3.16). Como Filipenses 2.1-8, onde a humildade de Cristo que se estendeu até à morte numa cruz é colocada em oposição ao orgulho dos filipenses, Romanos 15.3 chega ao ponto desejado fazendo um contrate entre o sacrifício último de Cristo e a atitude egoísta dos fortes. A escolha de Paulo do título messiânico "Cristo" ressalta ainda mais o contraste. O ponto é: se Cristo fez tanto, como vocês não podem fazer isto? Todo sacrifício dos direitos pessoais empalidece em comparação quando colocado ao lado da cruz.

O sacrifício de Cristo é transmitido com uma citação no versículo 3 do Salmo 69.9, um salmo que era extensamente compreendido como messiânico pela igreja primitiva (Mc 15.23,36; Jo 2.17; 15.25). Este versículo dos Salmos expressa a situação difícil daquele que, por causa de sua fidelidade a Deus, suporta os insultos destinados a Deus; em Romanos 15.3, o Salmo transmite a paixão de Cristo, que, por causa de sua fidelidade a Deus, suportou a vergonha da cruz (cf. Fp 2.8).

A base racional para usar o Salmo 69 é dada no versículo seguinte: O Antigo Testamento "foi descrito para nosso ensino" (cf. 1 Co 10.6,11; 2 Tm 3.16). Esta declaração (que também explica o uso freqüente de Paulo do Antigo Testamento ao longo da carta) é tão pertinente para os crentes hoje como o era para a audiência original da carta. Embora a lei já não esteja em efeito para os que estão em Cristo, o Antigo Testamento continua tendo relevância direta para nós. As Escrituras provêem consolação para os crentes através das promessas seguras de Deus nelas contidas, e elas inspiram paciência pelos exemplos registrados daqueles que perseveraram por causa da fé em Deus.

Tal paciência e consolação produzem "esperança" em nós (v. 4c). A esperança cristã é orientada ao futuro; está focalizada na conclusão do plano de Deus ao término da era (e.g., Rm 8.18-25; Cl 1.5; 1 Ts 1.3). A esperança freqüentemente aparece junto da paciência nas cartas paulinas, particularmente em Romanos (Rm 2.7; 5.2-4; 8.24,25; 12.12; cf. também 1 Ts 1.3), como aquilo que insufla coragem para suportar o presente sofrimento. Porém, aqui, a conexão entre esperança e paciência é diferente. É a paciência do crente que lhe permite participar da esperança futura, a qual é retratada nos versículos 5 e 6 como o momento escatológico quando judeus e gentios estiverem unidos em adoração "para que concorde[m], a uma boca". A certeza daquele grande dia é confirmada pelo testemunho das referências do Antigo Testamento nos versículos 9 a 11. O fato de que um dia judeus e gentios desfrutarão juntos da culminação da justiça de Deus foi a conclusão de sua longa discussão nos capítulos 9 a 11 sobre a fidelidade de Deus para com Israel (Rm 11.25-32).

R. Jewett (pp. 18-34) qualificou os versículos 5 e 6 de "bênção homilética" — uma forma de pedido de oração usada normalmente ao término de um sermão, mas que Paulo usa aqui em Romanos (também em Rm 15.13) e na correspondência tessalonicense (1 Ts 3.11-13; 5.23; 2 Ts 2.16,17; 3.5,16) para resumir argumentos em forma de oração. Ele capsulou os pensamentos sobre os fracos e os fortes, sobre os judeus e os gentios, expressando um pedido fervoroso: Que os cristãos romanos, apesar das diferenças, participem naquele futuro glorioso quando judeus e gentios serão unidos em adoração vivendo juntos agora em "espírito de unidade". Vivendo em amor e em dependência mútua como expressão de unidade última é um prelúdio necessário ao final principal, no qual o louvor de "ao Deus e Pai de nosso Senhor Jesus Cristo" é o coro final.

2.4.4.4. Resumo (15.7-13). Não é logo evidente se devemos entender estes versículos como conclusão do argumento sobre as relações judaico-cristãs em Romanos 14.1 a 15.6, de todo o parênese (Rm 12.1—15.6) ou do corpo da carta que começou em Romanos 1.16. A confusão é o resultado do fato de que Romanos 15.7-13 retoma temas de cada um deles. Seríamos sensatos, então, em ver uma conclusão que resume a carta inteira, mas com referência particular ao que vem imediatamente antes.

As ligações entre Romanos 15.7-13 e 14.1—15.6 são numerosas. O assunto da relação entre os fortes e os fracos termina do modo como começou, com uma incumbência para que os crentes aceitem uns aos outros (Rm 14.1; 15.7). É significativo que esta advertência final — diferente de Romanos 14.1, que foi dirigida somente para os fortes — lembre *ambas* as partes de sua responsabilidade compartilhada. O corpo de Cristo só pode funcionar em unidade se todas as partes graciosamente receberem a outra "como também Cristo nos recebeu" (v. 7). Este apelo ao exemplo de Cristo é o segundo vínculo com os versículos precedentes (cf. Rm 15.3).

Um terceiro vínculo é o aparecimento da chamada de Paulo à unidade dentro de um contexto de adoração. O tema, "que Deus seja glorificado', conclui Romanos 14.1 a 15.6 e domina em Romanos 15.7-13. Os judeus e gentios devem ser unidos em louvor a Deus (vv. 5,6); a aceitação uns dos outros atribui honra a Ele (v. 7); a obra de Cristo permite que os gentios glorifiquem a Deus por sua misericórdia (vv. 8,9); e a coletânea de referências do Antigo Testamento nos versículos 9 a 12 reitera o tema de louvor a Deus. Este tema também nos remete de volta à abertura da parênese em Romanos 12.1,2. A esperança expressa em Romanos 12.2 — de que todos os cristãos se oferecem em resposta à sua misericórdia — é descrita em seu cumprimento escatológico em Romanos 15.7-13.

Contudo, há uma perspectiva mais ampla nesta seção que revisita muitos dos temas recorrentes como um todo na carta. Todas as quatro referências do Antigo Testamento nos versículos 9 a 12 prevêem um futuro no qual os gentios respondem ao Senhor Deus com fé e adoração, isto é, um futuro que inverte o passado no qual os gentios "não o glorificaram como Deus, nem lhe deram graças" (Rm 1.21). Estes textos do Antigo Testamento representam a Torá, os Escritos e os Profetas — Deuteronômio 32.43 (v. 10); Salmo 117.1 (v. 11) e 2 Samuel 22.50 (v. 9) e Isaías 11.10 (v. 12), respectivamente.

Em estilo rabínico de argumentação, uma interpretação era defendida selecionando textos de prova de cada uma destas seções das Escrituras hebraicas. Esta não era a primeira vez em que Paulo se serviu de tais versículos em defesa de sua missão. O último texto do Antigo Testamento (v. 12) profetiza o dia quando os gentios colocarão a esperança no Messias judeu, a raiz de Jessé. A ênfase neste aspecto dos últimos dias reflete a chamada do apóstolo, para quem "é a aceitação dos gentios é [...] o evento escatológico decisivo" (Käsemann).

Ao apontar Cristo como "ministro da circuncisão, por causa da verdade de Deus" (i.e., a fidelidade de Deus às promessas feitas aos patriarcas; cf. Rm 11.28,29), Paulo faz os crentes romanos lembrarem o que ele discutiu anteriormente; Deus não cortou relações com Israel (Rm 9—11). A ordem de salvação: "Primeiro do judeu e também do grego" (Rm 1.16), não foi esquecida. Cristo foi enviado aos circuncisos; e quando Ele voltou, voltou como ministro para cumprir a promessa do concerto. É incumbente aos gentios também servirem estes irmãos e irmãs, privando-se de aspectos da liberdade cristã para o bem deles.

Esta seção se encerra com outra "bênção homilética" (cf. Rm 15.5,6), que "o Deus de esperança" encha estes cristãos de toda a alegria e paz, de forma que eles superabundem em esperança (v. 13). A parte final "Pela virtude [poder] do Espírito Santo" modifica o versículo inteiro, indicando que a operação do Espírito está envolvida na produção de fruto e esperança. A menção de "gozo [alegria] e paz" no contexto da obra do Espírito revisita o argumento central em Romanos 14.17. A paz prevista aqui, levando em conta o uso em Romanos 14.17 e os versículos circunvizinhos, é a paz entre judeus e gentios, e a alegria mencionada é o resultado deste estado de paz. A estipulação que estas qualidades se desenvolvem à medida que o indivíduo exerce a confiança em Deus não deve negar sua fonte sobrenatural, mas destacar a maneira na qual o indivíduo é chamado a responder à obra do Espírito andando pela fé.

O poder do Espírito Santo também produz uma superabundância de esperança na vida do crente. Fee (1994, p. 624) notou a combinação um tanto quanto incomum de "virtude" e "Espírito Santo": "Para Paulo e a igreja primitiva, o Espírito e a virtude dizem respeito um ao outro; não se pode imaginar um (o Espírito) sem o outro. É por isso que é colocado tão raramente nesses termos". Para um abundar em esperança num mundo em grande parte privado disso representa uma obra milagrosa do Espírito Santo e é sinal para o mundo do poder de Deus.

3. Fechamento da Carta (15.14—16.27).

3.1. Segundo Diálogo de Viagem (15.14-33)

3.1.1. A Missão de Paulo (15.14-22). Assim como a abertura da carta terminou com um diálogo de viagem (Rm 1.8-15), assim a seção final da carta abre com outro diálogo de viagem. Os planos de viagem de Paulo figuram com tanta proeminência em Romanos porque eles têm a ver com os propósitos em escrever a carta. No início, Paulo declarou que ele estava pretendendo visitar Roma para lhes pregar (Rm 1.15) e, assim, repartir com eles algum dom espiritual (Rm 1.11), com a esperança de que ele fizesse uma colheita entre eles como o fizera entre os outros gentios (Rm 1.13).

Muito mais explícita e, ao mesmo tempo apologética, é a explicação em Romanos 15.14-33 de seus futuros planos de viagem. Será que depois de escrever tão extensamente, agora ele se sente compelido a justificar, como Fee afirma, "que ele devia *lhes* escrever uma carta tão longa, como se eles precisassem de suas instruções" (1994, p. 625)? Parece provável, porque Paulo começa acrescentando outro tributo ao que ele lhes deu anteriormente acerca da reputação que eles tinham da fé (Rm 1.8). Agora ele os credita com "cheios de todo o conhecimento, podendo admoestar-vos uns aos outros" (Rm 15.14). Este louvor necessariamente extrai o esclarecimento de que a carta, embora escrita "em parte [...] mais ousadamente" (referindo-se a Rm 14.1—15.6?), serve "como para vos trazer outra vez isto à memória" (Rm 15.15). Mas então o apóstolo imediatamente justifica seu interesse neles com base em seu papel único e designado por Deus como ministro entre os gentios. É a graça de Deus, mencionada como a base do seu ministério (Rm 1.5; 12.3), que lhe dá autoridade.

Eis uma tentativa de reconhecer a independência e maturidade das congregações romanas, às quais ele louva, e afirmar a necessidade que eles têm do ministério que ele apresenta na carta. Romanos representa mais que uma avaliação do ministério paulino. O ensino e exortação de Paulo nesta carta atuam como o começo do ministério aos crentes romanos — o que ele teria lhes dito pessoalmente se não fora atrasado por tanto tempo em ir a eles.

O que Paulo descreve nos versículos 15b e 16 é seu papel em ocasionar a visão apresentada nos versículos 9 a 12 de judeus e gentios adorando juntos. Ele simboliza sua parte neste grandioso esquema com imagem tirada do sistema sacrifical judaico. O apóstolo se descreve no versículo 16 como *leitourgos* ("ministro"), o que no contexto da passagem denota o ofício sacerdotal. Ele descreve seu ministério como sacerdote de Cristo Jesus para as nações, tendo em vista preparar os gentios como sacrifício santo a Deus, quer dizer, uma "oferta [...] santificada pelo Espírito Santo" (note o envolvimento da Trindade). A obra do Espírito Santo em incorporar um convertido no corpo de Cristo é descrita (cf. 1 Co 12.13) novamente com imagem sacerdotal, em termos de separar os gentios como sacrifício santo. Implícita nesta frase está a refutação a qualquer afirmação judaica da impureza ou indignidade dos gentios. O uso contínuo de imagem sacrifical trai o entendimento de Paulo do seu ministério entre os gentios como "completamente em continuidade e sucessão com a principal linha de revelação-salvação no Antigo Testamento" (Dunn).

Tendo descrito sua chamada pessoal, ele passa a escrever acerca da natureza do seu ministério, quer dizer: "[Eu] não ousaria dizer coisa alguma, que Cristo por mim não tenha feito, para obediência dos gentios, por palavra e por obras" (v. 18; cf. Rm 1.5). O caráter cristocêntrico do trabalho de Paulo é evidente: Não apenas a fidelidade de Cristo ao seu papel como ministro para os judeus preparou o caminho para a missão entre os gentios (veja Rm 15.8,9), mas agora avança somente à medida que Cristo faz a obra. Por conseguinte, os romanos devem ver sua missão apostólica como a do próprio Senhor, que trabalha através dele pelo poder do Espírito Santo.

Paulo categoriza duplamente seu método de ministério: por palavra e por obras (v. 18; cf. 2 Ts 2.17). Duas frases modificadoras no versículo 19 explicam a maneira na qual ele administrava este método ministerial. Eles leram, literalmente: "pelo poder dos sinais e prodígios" e "na virtude [poder] do Espírito de Deus". O primeiro esclarece o que Paulo quer dizer por obras — as ocorrências milagrosas que acompanham a pregação da palavra. Como Murray explica, "sinais e prodígios" não designam dois tipos de fenômenos, mas os mesmos atos vistos de pontos de vista diferentes: "Como sinal, indica a agência pela qual ocorre e tem caráter certificador; como prodígio, é enfatizada a maravilha do evento" (veja Dunn para inteirar-se do uso desta frase no Antigo Testamento e escritos judaicos do período do Segundo Templo).

Sabemos pelo Novo Testamento que as obras miraculosas acompanhavam regularmente a pregação do evangelho. Para proporcionar aos leitores evidência de que Jesus era o Messias, João relata no seu Evangelho alguns dos vários sinais (milagres) que Jesus fez (Jo 20.30,31). Lucas registra para nós a maneira na qual os milagres serviram para chamar a atenção à mensagem que era pregada, tanto entre os apóstolos (At 2.5-41; 3.1—4.4; 4.29,30; 5.12-16; 8.13 [Filipe]) quanto no ministério de Paulo (At 13.9-12; 14.3,8-18; 15.12; 16.25-34; 19.11-20). Era o ato milagroso que prendia a atenção das pessoas a quem não havia falta de opções religiosas e filosóficas.

O segundo modificador, "na virtude [poder] do Espírito de Deus", especifica como estas ações eram feitas. Mas não há razão para limitar a aplicabilidade da "virtude do Espírito de Deus" aos "sinais e prodígios" (veja Dunn; Murray; Fee, 1994, p. 629). Enquanto "sinais e prodígios" esclarecem as obras que Paulo tem em mente, a "virtude do Espírito de Deus" explica a dinâmica espiritual por trás do ministério por palavra e por obras.

Infelizmente, tal ênfase ministerial combinada está faltando em nosso evangelismo. O método ministerial do Novo Testamento ainda é aplicável em nosso mundo moderno e pluralista. Não haverá um retorno a tal dinâmica ministerial — na qual a proclamação poderosa da Palavra de Deus é acompanhada por uma demonstração de poder divino nas praças — que levará o evangelho ao estágio principal de um mundo distraído por exibições suplementares que são pseudo-espirituais e religiosas?

Os detalhes a respeito da estratégia missionária de Paulo nos versículos 19b—22 explicam por que, levando em conta sua preocupação pelos romanos transmitida nesta carta, só agora ele está vendo o caminho desimpedido para visitar Roma. Por um lado ele tinha se preocupado em evangelizar a região "desde Jerusalém e

OS DONS PESSOAIS DO ESPÍRITO SANTO

DOM	DEFINIÇÃO	REFERÊNCIAS GERAIS	EXEMPLOS ESPECÍFICOS
Palavra da Sabedoria	Expressão vocal do Espírito Santo na aplicação da Palavra de Deus ou de sua sabedoria a uma situação específica	At 6.3; 1 Co 12.8; 13.2,9,12	Estêvão: At 6.10;Tiago: At 15.13-21
Palavra da Ciência	Expressão vocal do Espírito Santo revelando conhecimento sobre pessoas, circunstâncias ou verdade bíblica	At 10.47,48; 13.2; 15.7-11; 1 Co 12.8; 13.2,9,12; 14.25	Pedro: At 5.9,10
Fé	Fé sobrenatural dada pelo Espírito Santo, capacitando o cristão a crer em Deus para a realização de feitos miraculosos	Mt 21.21,22; Mc 9.23,24; 11.22-24; Lc 17.6; At 3.1-8; 6.5-8; 1 Co 12.9; 13.2; Tg 5.14,15	Um centurião: Mt 8.5-10 Uma mulher doente: Mt 9.20-22 Dois cegos: Mt 9.27-29 Uma cananéia: Mt 15.22-28 Uma mulher pecadora: Lc 9.36-50 Um leproso: Lc 17.11-19
Curas e Operação	Restabelecer a saúde física de alguém ou alterar o curso da natureza através de meios divinamente sobrenaturais	Mt 4.23,24; 8.16; 9.35; 10.1,8; Mc 1.32-34; 6.13; 16.18; Lc 4.40,41; 9.1,2; Jo 6.2; 14.12; At 4.30; 5.15,16; 19.11,12; Rm 15.19; 1 Co 12.9,28,30; 2 Co 12.12; Gl 3.5	Jesus: Veja quadro "Os Milagres de Jesus" Os apóstolos: Veja quadro "Os Milagres dos Apóstolos de Maravilhas"
Profecia	Habilidade temporária especial de dar uma palavra, aviso, exortação ou revelação de Deus sob o impulso do Espírito Santo	Lc 12.12; At 2.17,18; 1 Co 12.10; 13.9; 14.1-33; Ef 4.11; 1 Ts 5.20,21; 2 Pe 1.20,21;1Jo 4.1-3	Isabel: Lc 1.40-45 Maria: Lc 1.46-55 Zacarias: Lc 1.67-79 Pedro: At 2.14-40; 4.8-12 Os doze homens de Éfeso: At 19.6 As quatro filhas de Filipe: At 21.9 Ágabo: At 11.27,28; 21.10,11

Discernimento de Espíritos	Habilidade especial de julgar se profecias e pronunciamentos são do Espírito Santo	1 Co 12.10; 14.23	Pedro: At 8.18-24 Paulo: At 13.8-12; 16.16-18
Variedade de Línguas	Expressar-se em certo nível em que o espírito da pessoa está sob a influência direta do Espírito Santo numa língua que ela não aprendeu e não sabe	1 Co 12.10,28,30; 13.1; 14.1-40	Discípulos: At 2.4-11 Cornélio e sua família: At 10.44,45; 11.17 Os crentes de Éfeso: At 19.2-7 Paulo: 1 Co 14.6; 15.18
Interpretação de Línguas	Habilidade especial de interpretar o que é falado em línguas	1 Co 12.10,30; 14.5,13,26-28	

arredores até ao Ilírico". Esta última era uma região na costa oriental do mar Adriático, ao norte da Macedônia. Embora não haja registro bíblico de um ministério paulino nesta região, Paulo pode ter ido lá durante a viagem missionária a Corinto ou durante a viagem missionária mencionada em Atos 20.1. Por outro lado, Paulo pode ter usado o Ilírico para designar as fronteiras de suas atividades, visto que a vizinha Macedônia tinha fora uma área de serviço.

Por trás da declaração de Paulo de que ele tinha "pregado o evangelho" nesta área não está a afirmação de que a área toda tinha sido completamente evangelizada. Ao invés disso, a declaração reflete sua compreensão de que ele tinha posto um fundamento para o evangelho nessa região. A estratégia missionária envolvia mirar centros urbanos em localidades estratégicas que serviam, então, como pontos de lançamento para evangelismo feito por outros nas áreas circunvizinhas (cf. 1 Co 3.10; 1 Ts 1.8-10).

O outro detalhe dado sobre sua estratégia missionária é a determinação de não construir "sobre fundamento alheio" (apoiado pela citação de Is 52.15), o que é importante para a explicação de Paulo da demora em ir a Roma — onde já havia uma Igreja estabelecida — e a motivação para a visita iminente. A visita não deve ser percebida como tentativa de mostrar autoridade sobre eles, o que infringiria o princípio há pouco declarado. Antes, ele chega a eles a caminho de um campo não-evangelizado a oeste da Itália.

3.1.2. Antes da Espanha: A Coleta para os Santos (15.23-33). Com a conclusão do trabalho na região de Jerusalém até Ilírico, surge o itinerário de longo alcance de Paulo: a tão antecipada visita a Roma, onde ele espera obter apoio para o destino final: Espanha (vv. 23,24). O apoio antecipado pode ter acarretado algo entre dinheiro a recrutamento de crentes dispostos a acompanhá–lo na viagem de Roma a uma região que lhe era totalmente desconhecida. A razão por que Paulo escolheu Espanha para a próxima viagem missionária não é declarado. Dunn sugere que a influência romana na Espanha nos séculos precedentes pode ter tornado a região mais atraente a cidadãos romanos como Paulo que outras áreas, como a Gália, a nordeste. Não há evidência firme de que Paulo tenha algum dia chegado à Espanha, apesar do relatório dado em 1 Clemente 5.7 de que ele pregou "às fronteiras mais distantes do oeste".

Mas Paulo não pôde começar a viagem à Espanha por Roma até que entreguasse aos santos em Jerusalém uma coleta reunida entre as igrejas que ele fundou e serviu. Esta viagem a Jerusalém é a fase final de um projeto longo comumente chamado "coleta para os pobres dentre os santos" (vv. 25-28; veja McKnight, pp. 143-147).

Alguma informação de pano de fundo é necessária para apreciar a pertinência desta viagem para o apóstolo e para a Igreja em Jerusalém. Em Gálatas 2.1-10, Paulo descreve uma visita que fez a Jerusalém quatorze anos depois de sua conversão (ou talvez, depois da primeira visita a Jerusalém), onde um acordo significativo foi obtido entre os apóstolos e Paulo quanto à legitimidade dos esforços missionários paulinos entre os gentios. O apóstolo relata que Tiago, Pedro e João enviaram Barnabé e ele aos gentios com "as destras, em comunhão", mas com a estipulação de que eles se lembrassem dos pobres, querendo dizer os pobres de Jerusalém (Gl 2.9,10). Quer seja por causa da fome (At 11.27-30), ou das despesas que as assembléias em Jerusalém podem ter arcado ao hospedar visitantes à cidade, ou, talvez, em conseqüência dos esforços da igreja primitiva em partilhar todas as coisas em comum, a Igreja em Jerusalém passava por necessidades. A preocupação há muito existente de Paulo em cumprir esta obrigação é evidente em suas cartas (1 Co 16.1-4; 2 Co 8—9), e sua expressividade pelo tamanho da delegação que o acompanhou (At 20.4-6).

Esta coleta também tinha grande importância para o apóstolo. Ele via esta oferta juntada predominantemente pelas igrejas gentias como meio de dar reconhecimento à dívida espiritual que eles, como crentes gentios, deviam aos judeus (Rm 15.27). Paulo lembrou os gentios no capítulo 11 que eles não tinham suplantado os judeus no plano salvífico de Deus: "Não és tu que sustentas a raiz, mas a raiz a ti" (Rm 11.18). Além disso, Paulo via a liberação desses recursos financeiros como ilustração da dependência mútua entre os crentes, fato que Paulo mostrou na parênese (Rm 12.5; 14.19; 15.2). Em outras palavras, era uma expressão prática da unidade no corpo de Cristo.

Não há que duvidar que esta coleta também consumiu muito do seu tempo e energia por razões mais pessoais. A entrega de dinheiro a Jerusalém teria provado a fidelidade de Paulo ao acordo feito entre ele e os apóstolos e teria servido como vindicação de seu trabalho entre os gentios. Pelo menos Paulo espera que a coleta venha a ser percebida de maneira positiva.

Mas, como trai seu pedido de oração nos versículos 30 a 32, ele não tem tal garantia. A linguagem forçosa usada para expressar este pedido ("rogo-vos [...] que combatais comigo") revela apreensões profundamente assentadas sobre a recepção que o espera. Ele não só está preocupado com seus inimigos lá ("os rebeldes") que tentaram matá-lo há alguns anos (At 9.29,30), mas também com os crentes judeus e a reação deles à dádiva. Será que é por isso que ele ressalta a obrigação dos gentios em sustentar os santos judeus, e menciona duas vezes que os gentios do norte do Mediterrâneo contribuíram com alegria, e não por senso de compulsão (Rm 15.26,27)? É esta maneira de refutar a noção de que a dádiva é simplesmente uma obrigação devida pela igreja de Jerusalém, em vez de, como Paulo pretendia, a demonstração do amor do Espírito em ação no corpo?

As apreensões do apóstolo para com os gentios acerca de sua chegada ao centro do mundo judaico são bem fundadas. As declarações otimistas que se acham ao lado das expressões de preocupação — "E bem sei que, indo ter convosco, chegarei com a plenitude da bênção do evangelho de Cristo" (v. 29) — e seu ardente desejo de que ele chegue "com alegria" (v. 32), depois de sua experiência divisora de águas em Jerusalém, soam uma nota de tristeza para o leitor moderno. Pois sabemos o que apóstolo apenas suspeita. Paulo será aprisionado em Jerusalém e subseqüentemente irá a Roma, não como evangelista prestes a embarcar na próxima fase de seu trabalho missionário, nem "com a plenitude da bênção do evangelho de Cristo" (pelo menos não da maneira que ele a antecipa), mas em correntes.

Algo da reação de Paulo à sua chegada à capital como prisioneiro é visto na carta que ele escreveu aos filipenses em sua cela romana (Fp 1.12-18). Para sua alegria, ele descobriu que sua presença em Roma como prisioneiro tinha inspirado alguns a pregar com nova coragem, por causa da consideração que eles tinham por ele. Para seu desânimo, ele também ouviu que Cristo estava sendo pregado com novo vigor por outros, porque eles viram sua prisão como oportunidade para ganhar convertidos às suas custas. Ele chegou a um ponto de resolução pessoal diante desta situação focalizando na resultante onda de pregação evangelística, quer por motivos de amor, quer por rivalidade. De fato, Paulo declarou que ele se regozijava por causa disso (Fp 1.18). Ele se achava numa posição onde tinha de vivenciar o princípio de Romanos 8.28 — de que todas as coisas contribuem para o bem — em frente dos mesmos a quem ele tinha escrito originalmente.

Romanos 15 finda com uma bênção (v. 33), mas, assim como as bênçãos homiléticas dadas anteriormente (Rm 15.5,6,13), esta também funciona como ponto de resumo e transição, e não como conclusão. Quando Paulo usa uma bênção para concluir uma carta, é tipicamente na forma "a graça de nosso Senhor Jesus Cristo seja convosco" (com variações secundárias; veja Rm 16.20b). O que é digno de nota é a escolha de Paulo da expressão "o Deus de paz" em Romanos 15.33 (cf. 2 Co 13.11; Fp 4.9), porque revela o resultado que ele deseja da viagem a Jerusalém.

3.2. Elogio a Febe (16.1,2)

A primeira questão dos assuntos finais de Paulo é recomendar Febe, a mulher que está levando esta carta a Roma (não havia sistema de correios públicos). Presumivelmente, Febe apanhará a carta de Paulo em trânsito por Corinto da casa dela em Cencréia, o porto oriental de Corinto. A recomendação de Paulo é importante porque abre as portas da hospitalidade e comunhão cristã para ela, o que também mitigará os perigos que confrontam uma mulher que viaja sozinha.

Alguns detalhes intrigantes, mas infelizmente secretos, são dados sobre Febe. Ela é diaconisa (*diakonos*) da igreja em Cencréia. A NVI traduz o termo grego *diakonos* por "serva", o que perde a função mais oficial sugerida pela gramática (veja Dunn; Käsemann; a RC diz: "a qual serve"). O tempo a partir do qual os ofícios foram reconhecidos na história da igreja primitiva é ponto discutível. Sabemos que alguns anos depois de a Carta aos Filipenses ser escrita, o ofício de diácono já tinha aparecido (Fp 1.1); 1 Timóteo, escrito um pouco mais tarde, alista os requisitos para o ofício de diácono, embora sem especificar a função. Não obstante, o que parece claro em Romanos 16.1 é a função um tanto quanto formal que Febe mantinha dentro da Igreja em Cencréia. Käsemann argumenta: "Na medida em que Febe tem um ministério permanente e reconhecido, como é enfatizado pelo particípio e pelo nome da posição, pode-se no mínimo ver uma fase anterior do que mais tarde se tornou ofício eclesiástico".

Febe também é identificada como "protetora" (ARA; a RC: "tem hospedado"), quer dizer, pessoa de certos haveres que oferecia influência e recursos financeiros a outros. Dunn é feliz em argumentar que o termo grego *prostatis* indica uma posição na comunidade cristã. Como protetora em Cencréia, seu trabalho beneficiou os crentes locais e os cristãos que viajavam por aquele porto coríntio, inclusive o próprio apóstolo (v. 2). Presumivelmente o corpo local de crentes se reunia na casa dela. Ressaltando seu valor para com os santos como diaconisa e protetora (talvez estes cargos estavam entrelaçados), Paulo está recomendando-a como pessoa merecedora de respeito.

3.3. Saudações aos Conhecidos de Paulo (16.3-16)

As saudações nesta seção não são apenas manutenção de contato. Ao mesmo tempo em que o apóstolo quer ser lembrado por aqueles que ele conhece, alguns bastante bem, a lista das pessoas identificadas por nome serve para estabelecer pontos de contato entre ele e as comunidades romanas de fé. Ele usa o que em seus dias era forma-padrão de saudação. Apesar da aparência na tradução, a forma era usada para estender as saudações diretamente à pessoa nomeada, ou seja, Paulo está dizendo "saudações a..." (Gamble, p. 93).

Por motivo de espaço, não examinaremos cada uma destas saudações individualmente. Ao invés disso, destacaremos alguns pontos de interesse particular:

1) No topo da lista encontramos um casal porque eles detiveram certa prioridade no trabalho missionário de Paulo. Priscila (ou Prisca, a forma diminuta) e Áquila, como fizeram em Éfeso (1 Co 16.19), também em Roma hospedavam a Igreja em casa. Eles trabalharam de perto com o apóstolo em Corinto, onde o conheceram (At 18.2,3). Depois o acompanharam a Éfeso (At 18.18,19). Talvez tenha sido lá, durante a revolta mencionada em Atos 19.23-41, que eles arriscaram a vida por ele (Rm 16.4). Paulo era o tipo de pessoa que poderia atrair semelhante lealdade e, reciprocamente, provocar oposição ferrenha (Rm 15.31).
2) Há outras assembléias locais de crentes identificadas nesta lista (Rm 16.10: "a casa de Aristóbulo" [ARA]; v. 11: "a casa de Narciso" [ARA]; v. 14: "os irmãos que estão com eles"; v. 15: "a todos os santos que com eles estão"), o que mostra que o que nos referimos como a Igreja em Roma era na verdade muitas igrejas que se reuniam em casas espalhadas pela cidade (veja "Destinatários", na Introdução).
3) Também digno de nota é a proeminência de mulheres na lista, onde Paulo "alista cerca de duas vezes mais homens que mulheres, mas recomenda mais que duas vezes mulheres que homens" (Keener, p. 589) — testemunho da importância vital das mulheres na igreja primitiva. De particular interesse sob este aspecto é a referência no versículo 7 a Júnias (ARA), que, junto com Andrônico, "se distinguiram entre os apóstolos". Há boas razões para traduzir este nome como nome feminino, Júnia (RC), embora muitos comentaristas o traduzam por Júnias, considerando-o como contração do nome masculino Juniano. Até à época dos dias atuais presumia-se que este era nome feminino. É significativo o fato de que "Júnia" seja amplamente atestado em inscrições do período, mas não há tal evidência para a existência da forma masculina "Júnias".

Além de sua designação comum dos Doze, o termo *apóstolo* tinha gama de significados mais ampla que incluía aqueles que se distinguiam na igreja primitiva (1 Co 15.5-7 diferencia entre os dois grupos). O que temos aqui é a evidência de que uma mulher estava entre o grupo maior de "apóstolos" (veja Stuhlmacher).

4) Os tipos de nomes que aparecem na lista revelam algo da composição social das assembléias romanas.[10] Muitos destes são nomes que se encontram entre as camadas mais baixas da sociedade romana, quer dizer, escravos e libertos (tanto homens quantos mulheres).
5) Finalmente, é tocante ver a referência à mãe de Rufo, a quem Paulo também diz ser sua mãe (v. 13). É digno de nota para entendermos o caráter de Paulo é o fato de que esta mulher tratou, de algum modo, o apóstolo como filho, e também que Paulo a reconhece e a proclama publicamente.

3.4. Advertência Final (16.17-20)

Paulo usa a oportunidade disposta na seção de encerramento da carta para fazer uma advertência. A mudança súbita de tom — de saudações cordiais para advertência séria — não é sem precedentes nas cartas paulinas (Gl 6.11-15; Fp 3.2-21). A menção da reputação de obediência dos crentes em Roma (Rm 16.19) indica que este presságio ainda não penetrara nas igrejas. A brevidade do tratamento de Paulo sobre a questão e a localização no pós-escrito também dão mostras de que esta advertência é uma medida preventiva.

Embora seja comum os intérpretes identificarem determinado partido ou filosofia que ocasionou esta advertência, as vários soluções são especulativas. Paulo adverte contra os falsos mestres sem especificar se ele tem em mente outros "cristãos" ou incrédulos, e sem explicar o teor do que ensinavam. Há quem sugira que os judaizantes estão em segundo plano — quer dizer, aqueles judeus cristãos que insistiam na obediência a certas práticas judaicas como parte necessária da vida cristã.

Não há indicação clara no texto de que Paulo esteja reagindo a uma agenda judaico-cristã. Käsemann argumenta que a falta de referência explícita nos versículos 17 a 20 à suprema preocupação dos romanos com as relações entre judeus e gentios é outra razão para duvidar que o capítulo 16 seja parte da cópia original de Romanos (veja Introdução, "Forma Original de Romanos"). Outros, porém, mostram que a natureza geral desta advertência tem o propósito de compensar a preocupação de Paulo com as relações entre judeus e gentios em Romanos. Ao chegar ao final da carta, ele se lembra de outra ameaça que os afronta (Dunn, pp. 901-902).

A frase "os tais não servem a nosso Senhor Jesus Cristo, mas ao seu ventre" (v. 18) oferece um contraste entre os que servem a Cristo e os que servem aos próprios desejos. Esta frase pode indicar que Paulo se preocupa com uma filosofia antinomiana, que poderia levar os crentes a exercer uma liberdade pecadora. Tal preocupação apareceu nos capítulos 6 a 8, onde Paulo se esmera em mostrar que sua mensagem de liberdade da lei não é um manifesto antinomiano.

Há similitudes entre as advertências dadas aqui e em Filipenses 3, mas só este fato não nos permite resolver a questão sobre a natureza da ameaça aos crentes romanos:

1) É difícil determinar quais eram os oponentes do Evangelho em Filipos, e
2) A presença de certas semelhanças (cf. "o deus deles é o ventre" [Fp 3.19] com Rm 16.18) não é suficiente para estabelecer que o mesmo tipo de oponente está em mira em ambas as situações.

Tendo dito tudo isso, é provavelmente melhor considerar esta seção como advertência geral a todo ensino que seja "contra a doutrina que aprendestes" (v. 17). A natureza geral da advertência não nos permite ignorar sua importância para os romanos e para nós. A fé cristã é construída nas verdades reveladas que foram passadas ao longo dos séculos. Com cada nova geração há o mesmo perigo que a mensagem do evangelho seja abandonada a favor de alguma outra abordagem que, ainda que envolta numa fraseologia atraente e símbolos culturalmente pertinentes, serve apenas a si mesma e, assim, no final das contas, é destrutiva. O teste de cada tendência religiosa e nova revelação é sua consistência com o ensino do evangelho que nos está preservado nas Escrituras.

O desejo final exposto em oração no versículo 20 — que "o Deus de paz esmagará em breve Satanás debaixo dos vossos pés" — coloca esta curta advertência na perspectiva escatológica. Embora o crente deva estar em guarda contra o mal, em breve virá o tempo em que Satanás será esmagado por Deus e mantido sob os pés (que é a postura simbólica do conquistador sobre o derrotado). Mas note que é debaixo dos pés do cristão que Satanás será colocado. Pela graça de Deus a Igreja tomará parte na vitória divina. Uma alusão a Gênesis 3.15 acha-se por baixo deste texto: A linguagem de esmagar com o pé evoca a profecia de que a descendência da mulher esmagará a cabeça da serpente, mas a advertência contra ser enganado é reforçada pela alusão ao ato de a serpente enganar Eva.

Quando ocorrerá este esmagamento de Satanás? Os comentaristas diferem sobre a cronologia deste evento. Uns vêem que sucederá depois da *parousia* (Käsemann; Black), ao passo que outros consideram como acontecimento presente. Quer dizer, há uma vitória pronta para o crente sobre Satanás imediatamente (Harrison). Entender a escatologia apocalíptica é útil. Uma de suas funções primárias era encorajar os que estivessem em angústia por meio de uma revelação de algum acontecimento iminente. A imagem atordoante de Satanás, a grande nêmesis da Igreja, ser imediatamente mantido debaixo dos pés dos crentes quando Cristo voltar, fortalece a resolução da pessoa continuar travando combate com o inimigo no presente. Estamos lutando uma batalha que sabemos que vamos ganhar.

3.5. Saudações dos Associados de Paulo (16.21-23)

Em um segundo conjunto de saudações, vários cooperadores de Paulo em Corinto são trazidos à memória da comunidade romana de crentes. Paulo, ao término das cartas, regularmente transmitia saudações de outros. Às vezes ele apenas identificava as partes designadas como um grupo: "os santos" (2 Co 13.12; Fp 4.22), "os irmãos" (1 Co 16.20; Fp 4.21), ou "todos" (Tt 3.15). Outras vezes, como aqui, os indivíduos são mencionados (Cl 4.10-14; 2 Tm 4.21; Fm 23,24).

As saudações a indivíduos particulares dadas nas cartas aos romanos e aos Colossenses partilham a função comum de estabelecer contato com uma assembléia que Paulo não tinha visitado. Este é o caso com as saudações que Paulo envia (Rm 16.3-16), mas também com as que seus associados enviam por meio dele. Estas duas cartas são as únicas que Paulo escreveu para igrejas nas quais há menção de indivíduos específicos que enviam saudações. Em outras palavras, a identificação das pessoas por nome (algumas delas conhecidas entre as assembléias endereçadas) promove a meta de formar uma ligação entre ele e essas assembléias.

No topo da lista está Timóteo, que foi de grande ajuda para Paulo em seu ministério na Macedônia e Acaia (At 17—18). Seu papel em lidar com a oposição que Paulo enfrentou da congregação coríntia nos é conhecida por 1 Coríntios 4.17; 16.10,11. Ele apropriadamente recebe o notável título de "meu cooperador". Três indivíduos, que são impossíveis de serem identificados com certeza, são todos chamados de "parentes": Lúcio, Jasom e Sosípatro. Como nos versículos 7 e 11, esta palavra denota judeus que, como Dunn sugere, podem ter sido parte da comitiva que acompanhou Paulo na missão de entregar a coleta para a Igreja em Jerusalém.

É fora do comum que a pessoa que escreveu a carta, Tércio, coloque a própria saudação (v. 22), mas não o fato de Paulo ter se servido de um secretário. Esta era prática habitual para o apóstolo. No fim de algumas de suas cartas, ele apanhou a caneta para dar um toque mais pessoal (1 Co 16.21; Gl 6.11; Cl 4.18; 2 Ts 3.17; Fm 19).

Também alistado entre os que desejam ser lembrados aos santos em Roma está Gaio, Erasto e Quarto. Embora ligar estes nomes com indivíduos conhecidos em outros lugares no Novo Testamento seja especulativo, podemos estar razoavelmente certos de que o Gaio mencionado aqui, que é recomendado pela generosidade em oferecer a casa para acomodar os crentes em Corinto, é a mesma pessoa que Paulo identifica por nome como um dos poucos que ele batizou nas águas durante seu ministério em Corinto (1 Co 1.14). Erasto é identificado como *oikonomos* (de onde derivamos a palavra "economista") da cidade, que pode ser uma posição mais baixa que "procurador da cidade" (RC; "administrador da cidade", NVI). O que é certo é que ele mantinha um tipo de posto financeiro em Corinto (veja ARA: "tesoureiro da cidade"); talvez ele seja incluído aqui por causa dos seus contatos em Roma.

3.6. Doxologia Final (16.25-27)

Há alguma disputa quanto à questão de esta doxologia final ser parte original da carta. Suas posições variegadas nos manuscritos (consulte os comentários mais longos) e a natureza não-paulina da linguagem usada são indicações para alguns

O ANTIGO TESTAMENTO NO NOVO TESTAMENTO

NT	AT	ASSUNTO
Rm 1.17	Hb 2.4	O justo vive pela fé
Rm 2.6	Sl 62.12; Pv 24.12	O justo julgamento de Deus
Rm 2.24	Is 52.5; Ez 36.22	O nome de Deus é amaldiçoado entre os gentios
Rm 3.4	Sl 51.4	O justo julgamento de Deus
Rm 3.10-18	Sl 5.9; 10.7; 14.1-3; 36.1; 53.1-3; 140.3; Ec 7.20; Is 59.7,8	O pecado da humanidade
Rm 4.3,9	Gn 15.6	A fé de Abraão
Rm 4.7,8	Sl 32.1,2	Bênçãos de perdão
Rm 4.17	Gn 17.5	Abraão como pai de muitos
Rm 4.18	Gn 15.5	A descendência de Abraão
Rm 4.22	Gn 15.6	Abraão e sua fé
Rm 7.7	Êx 20.17; Dt 5.21	O Décimo Mandamento
Rm 8.36	Sl 44.22	Ovelhas para o matadouro
Rm 9.7	Gn 21.12	A escolha de Deus de Isaque
Rm 9.9	Gn 18.10,14	Promessa para Sara
Rm 9.12	Gn 25.23	A escolha de Deus de Jacó
Rm 9.13	Ml 1.2,3	Amor por Jacó, e não por Esaú
Rm 9.15	Êx 33.19	A misericórdia de Deus
Rm 9.17	Êx 9.16	O propósito de Moisés
Rm 9.20	Is 29.16; 45.9	O oleiro e o barro
Rm 9.25,26	Os 1.10; 2.23	Agora povo de Deus
Rm 9.27-29	Is 1.9; 10.22,23	O remanescente
Rm 9.32,33	Is 8.14	Pedra na qual as pessoas tropeçam
Rm 9.33	Is 28.16	Confiar na pedra de esquina
Rm 10.5	Lv 18.5	Vivendo pela lei
Rm 10.6	Dt 30.12	A Palavra não está no céu
Rm 10.7	Dt 30.13	A Palavra não está no abismo
Rm 10.8	Dt 30.14	A Palavra está perto de você
Rm 10.11	Is 28.16	Confiar na pedra de esquina
Rm 10.13	Jl 2.32	A salvação no Senhor
Rm 10.15	Is 52.7	Pés formosos
Rm 10.16	Is 53.1	A incredulidade de Israel
Rm 10.18	Sl 19.4	Revelação geral
Rm 10.19	Dt 32.21	Causando inveja em Israel
Rm 10.20	Is 65.1	A salvação dos gentios
Rm 10.21	Is 65.2	Israel obstinado
Rm 11.3,4	1 Rs 19.10,14,18	O remanescente salvo
Rm 11.8	Dt 29.4	Mente equivocada
Rm 11.8	Is 29.10	Deus fecha os olhos
Rm 11.9,10	Sl 69.22,23	O julgamento dos inimigos
Rm 11.26,27	Is 59.20,21	O Libertador de Sião
Rm 11.27	Is 27.9	A plena remoção do pecado
Rm 11.34	Is 40.13	A mente do Senhor
Rm 11.35	Jó 41.11	Deus possui tudo
Rm 12.19	Dt 32.35	Deus vinga o pecado
Rm 12.20,21	Pv 25.21,22	Tratando dos inimigos
Rm 13.9	Êx 20.13; Dt 5.17	O Sexto Mandamento
Rm 13.9	Êx 20.14; Dt 5.18	O Sétimo Mandamento
Rm 13.9	Êx 20.15; Dt 5.19	O Oitavo Mandamento
Rm 13.9	Êx 20.17; Dt 5.21	O Décimo Mandamento
Rm 13.9	Lv 19.18	Amar o próximo com a si mesmo
Rm 14.11	Is 45.23	Todo o joelho se dobrará
Rm 15.3	Sl 69.9	Insultos lançados em Cristo
Rm 15.9	2 Sm 22.50; Sl 18.49	Louvor entre as nações
Rm 15.10	Dt 32.43	Alegrai-vos, gentios
Rm 15.11	Sl 117.1	Nações que louvam a Deus
Rm 15.12	Is 11.10	A raiz de Jessé
Rm 15.21	Is 52.15	Os gentios ouvem o evangelho

intérpretes de que esta doxologia não era da mão de Paulo. Além disso, todas as outras cartas paulinas no Novo Testamento terminam com uma bênção. Também há outro problema textual aqui: a posição da bênção no versículo 24. As evidências de manuscrito para sua inclusão são fracas.

Esta questão nos remete de volta ao assunto da história desta carta. Há algumas evidências de que esta carta, por causa de seu grande valor, possa ter circulado em muitas formas diferentes durante o período da igreja primitiva. Isto explicaria as diferenças nos finais da carta contidos nos manuscritos. É certamente possível que a doxologia que temos aqui tenha sido anexada em época posterior à escrita original.

Contudo, é difícil sustentar o argumento freqüentemente apresentado de que a linguagem e idiotismo da doxologia não sejam paulinos — por duas razões:
1) Não se deve esperar que Paulo use a mesma fraseologia na composição de uma doxologia, com sua estrutura poética, que ele tenha usado quando escreveu o restante da carta.
2) As conexões entre a doxologia e a carta são tão estreitas que sugerem que o autor tenha composto ambos.

Stuhlmacher apresenta fortes razões de que Paulo escreveu a doxologia para lembrar a abertura da carta em Romanos 1.1-7. Quer dizer, este louvor final a Deus reitera a intenção original da introdução: uma explicação de "o evangelho de Cristo que fora entregue a Paulo". A doxologia:
1) Resume a natureza do evangelho, aqui descrito como "mistério" — o plano de Deus trazer salvação a todas as nações, o que fora profetizado anteriormente (cf. Rm 1.2) e agora está sendo esclarecido na pregação de Jesus Cristo (cf. Rm 1.3,4); e
2) Redeclara sua meta: que todos, judeus e gentios igualmente, cheguem a um ponto de fé e obediência (cf. Rm 1.5).

A estrutura concisa da doxologia mostra a maneira cuidadosa na qual foi elaborada. As frases curtas e equilibradas dão a entender que foi projetada para ser usada liturgicamente. De fato, a linha final — "ao único Deus, sábio, seja dada glória por Jesus Cristo para todo o sempre. Amém!" — pode ter sido a resposta da congregação (Cranfield; Käsemann; Stuhlmacher). Tal nota de louvor na conclusão desta carta magnífica merece uma resposta: Amém, que assim seja!

NOTAS

[1] Quando são feitas referências a outros comentários de Romanos, os números de páginas não serão dados se a citação em questão puder ser encontrada na discussão daquele mesmo versículo daquele comentário.

[2] Para mais informações sobre a descrição de Abraão nos escritos canônicos e não-canônicos, veja N. L. Calvert, "Abraham", *Dictionary of Paul and His Letters*, pp. 1-9.

[3] Por exemplo, pode-se encontrar nos comentários de Moo e Bruce uma defesa tradicional da doutrina do pecado original. Moo concede que temos de considerar Romanos 5.12 junto com Romanos 5.18,19 para defender a idéia de que quando Adão pecou, toda a humanidade também morreu. Reciprocamente Stuhlmacher argumenta que não se pode encontrar tal doutrina aqui ou em outros lugares dos escritos de Paulo.

[4] A idéia de que um desejo mau residia no interior do indivíduo encontra-se no judaísmo dos dias de Paulo (veja T. Jud. 20.1ss; T. Ash. 1.3,4).

[5] Algumas traduções de Romanos 8.1 (veja ARA; NVI) contêm somente a primeira frase ("Portanto, agora, nenhuma condenação há para os que estão em Cristo Jesus"). Há boa razão para isso. Os manuscritos mais antigos dos disponíveis para certos tradutores não tinham a frase final: "que não andam segundo a carne, mas segundo o espírito". Parece que esta frase foi acrescentada em certo ponto da história da transmissão da carta para colocar o versículo em concordância com o final do versículo 4.

[6] Estritamente falando, não há imperativo no original grego em Romanos 12.12,13, mas a idéia imperativa está presente.

[7] Para inteirar-se de defesa vigorosa da idéia de que o capítulo 9 tem aplicabilidade

para o destino eterno dos indivíduos, veja o comentário de Moo sobre esta seção.

[8] O entendimento dos escritores apocalípticos judeus era similar, pois eles acreditavam que nos últimos dias Deus revelaria ao seu povo informação sobre o tempo do fim.

[9] Alimento preparado de acordo com a dietética judaica. (N. do T.)

[10] Veja a análise dos vários nomes e suas associações em comentários mais longos, como o de Dunn, Harrison e Käsemann.

BIBLIOGRAFIA

C. K. Barrett, *A Commentary on the Epistle to the Romans*, Harper New Testament Commentary (1957); G. R. Beasley-Murray, "Baptism", *Dictionary of Paul and His Letters*, pp. 60-66 (1993); M. Black, *Romans*, New Century Bible (1973); G. Braumann, "Exhort", *New International Dictionary of New Testament Theology*, editor C. Brown, 4 vols., Grand Rapids, 1975-1985, vol. 1, pp. 567-571 (1975); F. F. Bruce, *Paul: Apostle of the Heart Set Free* (1977); idem, *The Letter of Paul to the Romans*, Tyndale New Testament Commentary (1985); R. Bultmann, *Theological Dictionary of the New Testament*, editores G. Kittel e G. Friedrich, Grand Rapids, 1964-1976, vol. 1, pp. 715-716 (1964); N. Calvert, "Abraham", *Dictionary of Paul and His Letters*, pp. 1-9 (1993); J. Calvin, *Commentaries on the Epistle of Paul the Apostle to the Romans* (1947); J. Charlesworth, editor, *Old Testament Pseudepigrapha*, 2 vols. (1983, 1985); W. Conybeare e J. Howson, *The Life and Epistles of St. Paul* (1899); C. E. B. Cranfield, *A Critical and Exegetical Commentary on the Epistle to the Romans*, International Critical Commentary (1975, 1979); W. D. Davies, *The Gospel and the Land* (1974); A. Deissmann, *Paul: A Study in Social and Religious History* (1912; edição revista em 1927); C. H. Dodd, *The Epistle of Paul to the Romans*, Moffatt New Testament Commentary (1932); T. Donaldson, *Paul and the Gentiles: Remapping the Apostle's Convictional World* (1997); J. D. G. Dunn, *Romans 1—8; Romans 9—16* (1988); H. L. Ellison, *The Mystery of Israel: An Exposition of Romans 9—11* (1966); G. Fee, "Pauline Literature", *Dictionary of Pentecostal and Charismatic Movements*, pp. 665-683 (1988); idem, "Gifts of the Spirit", *Dictionary of Paul and His Letters*, pp. 339-347 (1993); idem, *God's Empowering Presence* (1994); J. A. Fitzmyer, *Romans*, Anchor Bible (1993); V. Furnish, *The Moral Teaching of Paul* (1979); H. Gamble, *The Textual History of the Letter to the Romans* (1977); F. Godet, *Commentary on Romans* (1879; reimpresso em 1977); R. Gundry, *Soma in Biblical Theology With Emphasis on Pauline Anthropology* (1976); J. Gundry-Volf, "Expiation, Propitiation, Mercy Seat", *Dictionary of Paul and His Letters*, pp. 279-284 (1993); M. J. Harris, *Raised Immortal: Resurrection and Immortality in the New Testament* (1983); E. F. Harrison, "Romans", *Expositor's Bible Commentary* (1976); C. Hodge, *Commentary on the Epistle to the Romans* (1886; reimpresso em 1950); J. Jeremias, *Theological Dictionary of the New Testament*, editores G. Kittel e G. Friedrich, Grand Rapids, 1964-1976, vol. 1, pp. 364-367; R. Jewett, "The Form and Function of the Homiletic Benediction", *Anglican Theological Review* 51 (1969), pp. 18-34; V. Johnson, "The Development of Sheol in the Jewish Apocalyptic Writings" (tese para Doutor em Teologia [Th.D.], Wycliffe College, University of Toronto, 1996); R. Karris, "Romans 14:1—15:13 and the Occasion of Romans", *The Romans Debate*, pp. 65-84 (edição revista, 1991); F. Käsemann, *Commentary on Romans* (1980); C. S. Keener, "Man and Woman", *Dictionary of Paul and His Letters*, pp. 583-592 (1993); W. W. Klein, *The New Chosen People: A Corporate View of Election* (1990); W. G. Kümmel, *Römer 7 und die Bekehrung des Paulus* (1929); R. C. Lenski, *Interpretation of St. Paul's Epistle to the Romans* (1945); D. Lim, *Spiritual Gifts: A Fresh Approach* (1991); R. Longenecker, *Paul, Apostle of Liberty* (1976); M. Luther, *Lectures on Romans: Glosses and Scholia* (1972); S. McKnight, "Collection for the Saints", *Dictionary of Paul and His Letters*, pp. 143-147 (1993); H. A. W. Meyer, *Critical and Exegetical Handbook to the Epistle to the Romans* (1884); W. Michaelis, *Theological Dictionary of the New Testament*, editores G. Kittel e G. Friedrich, Grand Rapids, 1964-1976, vol. 5, pp. 930-935; D. Moo, *The Epistle to the Romans*, New International Commentary on the New Testament (1996); L. Morris, "The Meaning of *hilasterion* in Romans 3:25", *New Testament Studies* 2 (1955-1956), pp. 33-43; idem,

The Apostolic Preaching of the Cross (1965); idem, "Redemption", *Dictionary of Paul and His Letters*, pp. 784-819 (1993); S. Mott, "Civil Authority", *Dictionary of Paul and His Letters*, pp. 141-143 (1993); J. Murray, *The Epistle to the Romans*, New International Commentary on the New Testament, 2 vols. (1959, 1965); A. Nygren, *Commentary on Romans* (1944); Pelagius, *Pelagius' Commentary on Romans*, editado por M. De Bruyn (1993); J. Quasten, *The Beginnings of Patristic Literature* (1950); M. Reasoner, "Political Systems", *Dictionary of Paul and His Letters*, pp. 718-723 (1993); A. Rupprecht, "Slave, Slavery", *Dictionary of Paul and His Letters*, pp. 881-883 (1993); W. Sanday e A. C. Headlam, *A Critical and Exegetical Commentary on the Epistle to the Romans*, International Critical Commentary (1902); E. P. Sanders, *Paul and Palestinian Judaism* (1977); idem, *Paul, the Law, and the Jewish People* (1983); E. Schürer, *The History of the Jewish People in the Age of Jesus Christ* (1973-1987); S. K. Stowers, *The Diatribe and Paul's Letter to the Romans* (1981); P. Stuhlmacher, *Paul's Letter to the Romans* (1994); R. C. Tannehill, *Dying and Rising With Christ: A Study in Pauline Theology* (1967); M. Thompson, *Clothed With Christ: The Example and Teaching of Jesus in Romans 12:1—15:13* (1991); F. Watson, Paul, Judaism and the Gentiles: A Sociological Approach (1986); J. Wesley, Explanatory Notes Upon the New Testament (1950); N. T. Wright, "The Messiah and the People of God" (dissertação para Doutor em Filosofia [Ph.D.], Oxford University, 1980); idem, What Saint Paul Really Said (1997).

I CORÍNTIOS
Anthony Palma

INTRODUÇÃO

1. Paulo e a Igreja em Corinto

Em sua Segunda Viagem Missionária, Paulo visitou Corinto (At 18.1-18) depois de pregar nas principais cidades da Macedônia e em Atenas. Ele permaneceu na cidade por um ano e meio (18.11). Pode ter chegado a Corinto na primavera do ano 50 d.C. e partido no outono de 51 d.C.

Logo depois de chegar a Corinto, Paulo encontrou Áquila e Priscila, com quem permaneceu. Ele testemunhou a respeito de Cristo a cada sábado na sinagoga, até que a resistência judia forçou-o a se retirar, mas não antes que Crispo, o principal da sinagoga, se convertesse juntamente com sua casa. Paulo então voltou-se aos gentios; em meio aos convertidos haveriam prosélitos do judaísmo e pessoas tementes a Deus, como também idólatras pagãos.

A oposição judaica culminou na acusação dos judeus contra Paulo diante de Gálio, o procônsul da Acaia. Gálio expulsou os judeus do tribunal (At 18.16) porque julgou que este era um assunto interno do judaísmo, que deveriam resolver entre si mesmos. A menção de Gálio fornece uma das poucas datas do Novo Testamento que pode ser averiguada com precisão razoável. Baseado em uma inscrição encontrada em Delfi, seu proconsulado provavelmente começou em julho de 51 d.C. Os judeus provavelmente apelaram a ele logo depois de sua posse.

Depois de deixar Corinto no outono de 51 d.C., Paulo fez uma breve parada em Éfeso antes de retornar a Antioquia na Síria. Visitou novamente Éfeso no verão de 52, e permaneceu ali por cerca de três anos (At 20.31).

2. A Correspondência Coríntia

Sabemos que Paulo escreveu pelo menos quatro cartas aos coríntios.
1) Durante sua longa permanência em Éfeso, escreveu uma carta anterior a 1 Coríntios, à qual faz alusão em 5.9. Esta carta foi perdida a menos que, como alguns acreditam, parte dela esteja em 2 Coríntios 6.14—7.1.
2) Mais tarde escreveu 1 Coríntios, possivelmente na primavera de 55 d.C., algum tempo antes do Pentecostes (1 Co 16.8).
3) Em 2 Coríntios ele se refere a uma carta que escrevera "em muita tribulação e angústia do coração, com muitas lágrimas" depois de ter escrito 1 Coríntios (2 Co 2.3-9; 7.8).
4) Sua última carta era 2 Coríntios, escrita possivelmente no outono de 56 d.C.

3. Ocasião da Escrita

A Epístola de 1 Coríntios é provavelmente a mais "ocasional" de todas cartas de Paulo, principalmente por causa das circunstâncias sob as quais foi escrita. O apóstolo foi motivado a escrever a carta depois de receber relatórios sobre condições perturbadoras na assembléia coríntia. Uma das fontes de informação eram os membros de casa do Cloe (1.11); os capítulos 1—6 são uma resposta aos seus relatórios. Outra fonte principal de informação era Estéfanas, Fortunato, e Acaico, membros da igreja coríntia, que entregaram uma carta da igreja a Paulo em Éfeso (16.15-17). A maior parte dos capítulos 7—16 responde a perguntas que foram formuladas naquela carta. A variedade de problemas que Paulo era compelido a tratar causaram as mudanças às vezes abruptas de um tópico a outro.

Os numerosos e sérios problemas na igreja coríntia provavelmente não eram típicos de todas as igrejas que Paulo fundou. Servem, não obstante, para evitar que o crente contemporâneo tenha alguma visão idealizada ou romantizada em relação à igreja primitiva. Os *tipos* de problemas, se não os próprios problemas específicos, vieram à tona na Igreja ao longo de sua história.

Os vários problemas na assembléia coríntia resultaram em um tremendo be-

I CORÍNTIOS

Corinto
No tempo de Paulo

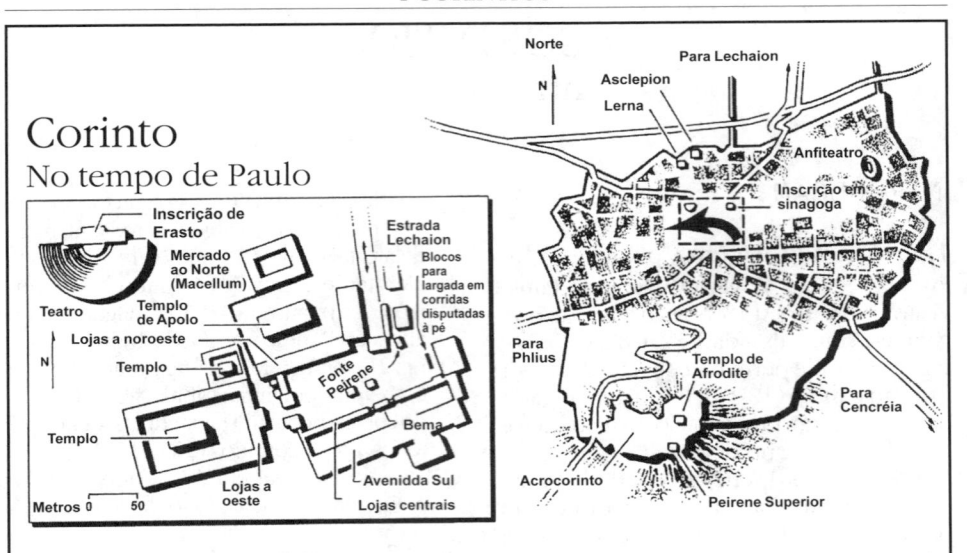

A cidade de Corinto, posicionada como os olhos de um titã caolho, transversalmente sobre o estreito istmo que liga o continente grego ao Peloponeso, já era um dos centros comerciais dominantes do mundo Helenístico no oitavo século a.C.

Nenhuma cidade na Grécia era mais favoravelmente situada para o comércio por terra e mar. Com uma alta e imponente cidadela à sua retaguarda, situa-se entre o golfo Sarônico e o mar Jônio aportando em Lechaion e Cencréia. Um *diolkos*, ou uma linha de pedra, para o transporte terrestre de navios, ligava os dois mares. No topo do Acrocorinto estava o templo de Afrodite, que era servido, de acordo com Strabo, por mais de 1.000 sacerdotisas-prostitutas pagãs.

Quando o evangelho alcançou Corinto, na primavera de 52 d.C., a cidade possuía uma orgulhosa história de liderança na Liga Acaia e um espírito de helenismo reavivado sob a dominação romana, após a destruição da cidade por Múmio em 146 a.C.

A longa estada de Paulo em Corinto colocou-o diretamente em contato com os principais monumentos da *Ágora*, muitos dos quais ainda permanecem. A casa da nascente, na fonte *Peirene*, o templo de Apolo, o *macellum* ou o mercado de carne (1 Co 10.25), o teatro, o *bema* (At 18.12) e a inexpressiva sinagoga, todos estes tiveram sua participação na experiência do apóstolo. Uma inscrição no teatro traz o nome do oficial da cidade, Erasto, provavelmente o amigo de Paulo mencionado em Romanos 16.23.

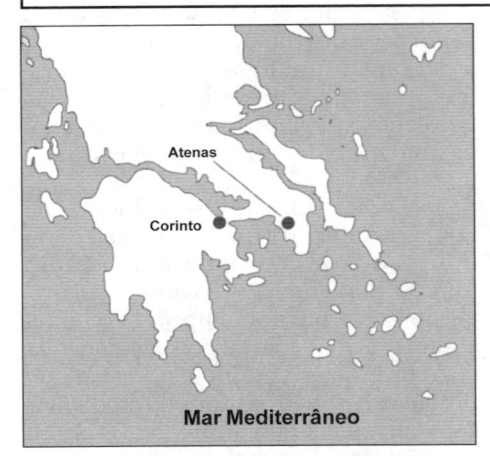

Após pregar na Macedônia e em Atenas, Paulo visitou Corinto e permaneceu ali por cerca de um ano e meio.

nefício para a Igreja como um todo. Se não fossem os seus problemas, estaríamos, por exemplo, sem um tratamento teológico da Ceia do Senhor, sem o grande capítulo do amor, sem o tratamento estendido aos dons espirituais, sem a clássica passagem a respeito da ressurreição do corpo, e sem as instruções relacionadas à disciplina da Igreja, ao casamento, e à ética Cristã.

4. A Cidade de Corinto

Nos tempos do Novo Testamento, Corinto era provavelmente a terceira maior cidade do Império Romano, aproximando-se de Roma e Alexandria. Sua população foi variavelmente estimada, mas pode ter chegado a aproximadamente meio

I CORÍNTIOS

Paulo visitou a cidade romana de Corinto em sua segunda viagem. Seu marco mais visível, o Acrocorinto, eleva-se a uma altura de cerca de 600metros e teve um templo para Afrodite no topo. As colunas no primeiro plano fazem parte das ruínas do Templo de Apolo, do quinto-século a.C. Corinto teve a reputação de uma cidade imoral.

milhão de pessoas. Era localizada no Peloponeso, uma pequena área de terra ligada a principal ilha grega por um istmo estreito. Situava-se a uma milha e meia ao sul do istmo.

Corinto alcançou o ápice de sua glória e prosperidade por volta do ano 600 a.C. Foi destruída pelos romanos em 146 a.C. Em 46 a.C. foi reconstruída por Júlio César, que designou-a como uma colônia romana e povoou-a com muitos cidadãos romanos livres. Augusto, o primeiro imperador romano (que morreu em 14 d.C.) fez de Corinto a capital da província da Acaia. Quando Paulo visitou a cidade pela primeira vez em 50 d.C., a população consistia em gregos nativos, romanos, judeus e também escravos.

Por causa de sua localização ideal, Corinto era o cruzamento de muitas rotas de comércio e daqueles que viajavam entre Roma e o Leste. Não era uma cidade à beira-mar, porém estava próxima a dois portos localizados no istmo-Cencréia, em direção ao mar Egeu (At 18.18; Rm 16.1) e Lechaeum para o Mar Adriático. Os capitães das embarcações escolheram tomar sua carga através do istmo em lugar de viajarem em torno do Peloponeso. Os navios menores seriam arrastados através do istmo estreito por meio de dispositivos especiais – a uma distância de aproximadamente três milhas e meia. A carga de navios maiores seria descarregada em um lado e recarregada sobre outro navio no outro lado. Um canal, cujas obras foram concluídas em 1893, agora corta através do istmo.

O marco mais proeminente da cidade é o Acrocorinto, que sobe para o sul a uma altura de cerca de 600 metros. Serviu como uma fortaleza efetiva controlando as rotas de comércio em e através do Peloponeso. O templo de Afrodite estava situado ali. Outros templos notórios na cidade eram dedicados aos deuses Apolo e Asclépios. As "prostitutas do templo" eram comuns, o que em parte contribuía para a reputação de Corinto como uma cidade imoral. Costumava-se empregar o verbo *korinthiazomai* (corintianizar), para se descrever um estilo de vida licencioso.

Os artigos arqueológicos de interesse incluem.
1) Uma inscrição contendo a palavra latina *macellum* ("mercado", veja 1 Co. 10.25);
2) Uma loja no mercado cujo degrau trazia a inscrição "Lúcio, o Açougueiro";
3) Uma estrutura ornamentada onde os funcionários públicos atendiam as pessoas;
4) Uma inscrição próxima a um edifício que portava a palavra latina *rostra,* equivalente ao termo grego *bema* ("assento de julgamento", At. 18.12) – provavelmente o lugar para onde Paulo foi trazido à presença de Gálio, o procônsul da Acaia.

Os Jogos do Istmo, que honravam a Poseidon, o deus grego do mar, eram realizados a cada dois anos. Ocupavam o segundo lugar em importância, só perdendo para os Jogos Olímpicos. Sua proximidade a Corinto é a causa das referências que Paulo faz ao atletismo nas cartas aos coríntios.

ESBOÇO

1. Introdução (1.1-9)
  1.1. Saudação (1.1-3)
  1.2. Ação de Graças (1.4-9)

2. Resposta às Notícias de Corinto (1.10-6.20)
  2.1. Sabedoria e Divisão em Corinto (1.10-4.21)
    2.1.1. Divisões na Igreja (1.10-17)
    2.1.2. A Sabedoria e o Poder de Deus (1.18-31)
    2.1.3. O Testemunho do Paulo (2.1-5)
    2.1.4. A Falsa e a Verdadeira Sabedoria (2.6-16)
    2.1.5. A Imaturidade Espiritual (3.1-4)
    2.1.6. Paulo e Apolo. Companheiros no Serviço ao Senhor (3.5-15)
    2.1.7. O Templo de Deus (3.16,17)
    2.1.8. O Pensamento Tolo e o Pensamento Sábio (3.18-23)
    2.1.9. A Obra dos Servos do Senhor (4.1-5)
    2.1.10. Os Verdadeiros Apóstolos (4.6-13)
    2.1.11. Paulo: Seu Pai Espiritual (4.14-21)
  2.2. A Imoralidade Sexual e a Igreja (5.1-13)
    2.2.1. O Irmão Incestuoso (5.1-8)
    2.2.2. A Associação com Crentes Imorais (5.9-13)
  2.3. Demandas Entre Crentes (6.1-11)
    2.3.1. Os Cristãos e os Tribunais Cíveis (6.1-6)
    2.3.2. A Atitude Correta quando Alguém Sofre um Prejuízo (6.7,8)
    2.3.3. Herdeiros do Reino (6.9-11)
  2.4. O Ensino Sobre a Imoralidade Sexual (6.12-20)
    2.4.1. A Natureza da Imoralidade Sexual (6.12-17)
    2.4.2. O Templo do Espírito Santo (6.18-20)

3. A Resposta a uma Carta de Corinto (7.1—16.4)
  3.1. O Casamento e as Questões Relacionadas (7.1-40)
    3.1.1. O Comportamento Adequado dentro do Casamento (7.1-7)
    3.1.2. Os Solteiros e as Viúvas (7.8,9)
    3.1.3. O Casal Cristão (7.10,11)
    3.1.4. Casamentos Mistos (7.12-16)
    3.1.5. A Permanência no Estado Presente (7.17-28)
    3.1.6. Razões para Permanecer no Estado Presente (7.29-35)
    3.1.7. As Virgens e as Viúvas (7.36-40)
  3.2. Os Alimentos Sacrificados a Ídolos (8.1—11.1)
    3.2.1. A Superioridade do Amor Acima da "Ciência" (8.1-8)
    3.2.2. O Pecado Contra um Irmão Fraco (8.9-13)
    3.2.3. Os Direitos de um Apóstolo (9.1-27)
    3.2.4. A História de Israel. Uma Advertência (10.1-13).
    3.2.5. A Ceia do Senhor e as Festas Idólatras (10.14-22)
    3.2.6. Comer Aquilo que se Vende no Mercado (10.23—11.1)
  3.3. A Adoração Cristã (11.2-34)
    3.3.1. O véu das Mulheres (11.2-16)
    3.3.2. A Ceia do Senhor (11.17-34)
  3.4. Os Dons Espirituais (12.1—14.40)
    3.4.1. O Ensino Básico Sobre os Dons (12.1-11)
      3.4.1.1. O Critério Geral para Determinar os Dons (12.1-3)
      3.4.1.2. A Variedade e a Base dos Dons (12.4-6)
      3.4.1.3. A Lista de Exemplos de Dons (12.7-11)
    3.4.2. Um Corpo, Muitos Membros (12.12-27)
    3.4.3. Dons Adicionais (12.28-31a)
    3.4.4. O Amor e sua Relação com os Dons (12.31b—13.13)
      3.4.4.1. Comentários Introdutórios sobre o Amor (12.31b—13.3)
      3.4.4.2. Características do Amor (13.4-7)
      3.4.4.3. O Amor em um Contexto Escatológico (13.8-13)
    3.4.5. A Necessidade de Inteligibilidade na Adoração (14.1-25)
      3.4.5.1. O Fundamento (14.1-5)
      3.4.5.2. Fortalecendo o Argumento (14.6-12)
      3.4.5.3. A Necessidade da Interpretação das Línguas (14.13-19)
      3.4.5.4. O Apelo aos Coríntios (14.20-25)
    3.4.6. A Necessidade de uma Metodologia na Adoração (14.26-40)
      3.4.6.1. A Variedade e a Espontaneidade na Adoração (14.26-33a)
      3.4.6.2. As mulheres na Adoração (14.33b-35)

3.4.6.3. A Conclusão sobre os Dons Espirituais (14.36-40)
Artigo A. Jesus se Tornou Maldito?
Artigo B. Os Dons Espirituais
Artigo C. A Operação de Milagres
Artigo D. O Dom da Profecia como Revelação
Artigo E. O Discernimento dos Espíritos
Artigo F. Glossolália – Lucas e Paulo Estão de Acordo?
Artigo G. Batizado *Pelo* e *No* Espírito Santo
Artigo H. Os Gemidos de Romanos 8.26
3.5. A Ressurreição (15.1-58)
3.5.1. Os Elementos do Evangelho (15.1-11)
3.5.2. A Negação da Ressurreição (15.12-19)
3.5.3. Cristo, as Primícias (15.20-28)
3.5.4. Os Argumentos da Experiência (15.29-34)
3.5.5. A Natureza da Ressurreição do Corpo (15.35-49)
3.5.6. O Triunfo dos Crentes sobre a Morte (15.50-58)
3.6. A Oferta (16.1-4)

4. Conclusão (16.5-24)
    4.1. Os Planos Pessoais de Paulo (16.5-9)
    4.2. Recomendações a Respeito de Alguns Crentes (16.10-18)
    4.3. Saudações Finais e a Bênção (16.19-24)

COMENTÁRIO

1. Introdução (1.1-9)

1.1. Saudação (1.1-3)

As palavras de abertura da carta possuem os elementos essenciais de uma saudação comum às cartas do primeiro século: identificação do escritor, identificação dos destinatários e votos de bem-estar.

Paulo lembra aos crentes de Corinto que foi "chamado apóstolo de Jesus Cristo" (*apostolos* significa "enviado"). Ele não é um apóstolo por sua própria escolha, mas "pela vontade de Deus". Deve ter recordado muitas vezes que antes de sua conversão, havia sido designado pelos anciões judeus em Jerusalém como seu "enviado" a Damasco para investigar e perseguir os seguidores de Cristo (At 9.1-3). Aqui há uma ironia divina. O "enviado" dos sacerdotes judeus contra os cristãos se tornou o "enviado" de Cristo Jesus. Como apóstolo de Cristo, ele tem o completo apoio, endosso, e a autoridade de Cristo. Ele retornará a este tema de seu apostolado em vários pontos críticos da carta.

Paulo é acompanhado por "nosso irmão Sóstenes" (literalmente, "Sóstenes, o irmão"). "O artigo implica que ele era bem conhecido por alguns coríntios" (Robertson e Plummer, 2). Ele possivelmente é o Sóstenes, principal da sinagoga em Corinto quando Paulo pregou naquela cidade, e que foi agredido pelos judeus que eram hostis a Paulo (At 18.17). Os primeiros cristãos identificaram-se freqüentemente como irmãos, que destacaram tanto a sua associação uns com os outros quanto a sua filiação a Deus (cf. Rm 16.23; 1 Co 16.12; 2 Co 1.1; Cl 1.1; Fm 1; Hb 13.23). O termo, porém, também foi usado em um sentido religioso em círculos judaicos e pagãos.

Os termos empregados por Paulo costumam identificar que os destinatários da carta são importantes. Eles são "a igreja de Deus", "santificados em Cristo Jesus", e "chamados santos". Mais adiante na carta, ele trata de vários aspectos da Igreja. A palavra grega traduzida como "igreja" *(ekklesia)* era comumente usada no mundo grego. Já havia sido usada na Septuaginta como uma designação para Israel (Dt 4.10; veja também At 7.38). Era geralmente empregada para designar uma reunião de pessoas, ou especificamente para o ajuntamento de funcionários da comunidade com o objetivo de administrar assuntos cívicos (At 19.32,39,41). Os primeiros crentes adotaram esta palavra como uma designação comum para um ajuntamento local de cristãos (por exemplo, 1 Co 4.17; 7.17; 11.16; 14.33; Gl 1.22) ou para o corpo universal de crentes (por exemplo, 1 Co 15.9; Ef 5.25). É a Igreja "de Deus"; isto é, pertence a Ele. Devido ao apego dos coríntios a vários líderes, Paulo pode estar insinuando que a Igreja não pertence a qualquer deles.

Os crentes são também "chamados para ser santos". Da mesma maneira que Paulo foi especificamente chamado por Deus para o apostolado, assim também todos os crentes são chamados para a santidade. A expressão referente àqueles que haviam sido santificados, no grego, está no tempo perfeito, indicando tanto uma ação passada quanto um estado contínuo. A designação de cristãos como santos é freqüentemente mal entendida. O termo "santo" no grego *(hagios)* é um adjetivo e significa "santo". Quando descreve uma pessoa e nenhum substantivo é usado, quer dizer "um santo" ou "santo". Deriva do verbo *hagiazo,* cujo significado básico é "separar".

Conseqüentemente, os cristãos são aqueles que foram separados por Deus de sua vida de pecado e rebelião para uma vida de serviço e devoção a Ele. Paulo mais tarde diz aos coríntios que estes foram santificados, juntamente com as expressões paralelas "lavados" e "justificados" (6.11). O Israel antigo era "uma nação santa" [separada] (Êx 19.5,6) apesar de suas imperfeições. Os crentes também são santos, apesar de suas imperfeições. De fato, Pedro refere-se aos crentes como "uma nação santa" (1 Pe 2.9).

Os crentes de Corinto não só foram chamados por Deus; eles, com todos os crentes em todos os lugares, foram chamados pelo nome do Senhor Jesus Cristo, e deste modo foram salvos (1.2; cf. Jl 2.32; Rm 10.13). Ser chamado pelo nome do Senhor quer dizer confessar fé nEle e destacar tudo que Ele é, pois na linguagem bíblica o nome designa freqüentemente a natureza ou o caráter da pessoa.

Paulo deseja "graça e paz" à Igreja, saudações gregas não-cristãs normalmente enviadas *(chairein)* a um amigo — uma palavra encontrada na saudação da carta que o conselho de Jerusalém enviou às igrejas dos gentios (At 15.23; cf. também Tg 1.1). A palavra de Paulo, "graça" *(charis),* deriva-se desta. O conceito de graça do Novo Testamento pode ser freqüentemente traçado a partir da idéia do Antigo Testamento, de um amor firme (ou mansidão); seu significado básico é o da bênção imerecida que é dada por Deus. O desejo de "paz" reflete a saudação judaica comum; *shalom,* que incorpora a idéia de inteireza e bem-estar. De acordo com Barrett (35), quando os cristãos desejam graça e paz a outro crente, estão orando para que "este possa apegar-se mais firmemente à graça de Deus em que já se encontra, e à paz de que já desfruta". Robertson e Plummer (4) sugerem que esta graça é a fonte, e a paz é a consumação.

Graça e paz vêm ambas de "Deus nosso Pai e do Senhor Jesus Cristo", seu Filho. O Pai é a fonte e Cristo é o mediador ou o agente pelo quais estas vêm a nós.

1.2. Ação de Graças (1.4-9)

Nesta seção de ação de graças, Paulo antecipa assuntos sobre os quais logo escreverá, tais como os sermões, o conhecimento, os dons espirituais, o conceito da Igreja e a Vinda do Senhor. Ele elogia os crentes coríntios, embora grande parte da carta seja de natureza corretiva. Procura novamente levá-los à sua experiência de conversão, menciona os dons espirituais com que haviam sido enriquecidos, e enfatiza a capacidade que Deus possui de mantê-los firmes até a Vinda do Senhor.

Paulo agradece a Deus pela vida dos coríntios, por causa da graça de Deus que estes experimentaram. Vale a pena notar vários pontos a respeito da graça divina.

1) É dada por Deus; não é algo que alguém alcance por seus próprios méritos (Rm 12.3, 6; 15.15; 1 Co 3.10; Gl 2.9; Ef 2.8; 3.7).
2) Está "em Cristo Jesus" — uma lembrança de que todas as bênçãos de Deus estão centralizadas em seu Filho. Nesta conexão, eles foram enriquecidos em todos os sentidos. Em várias outras ocasiões Paulo fala sobre a riqueza espiritual da vida cristã (2 Co 6.10; 8.2, 7, 9; 9.11).
3) Eles não tinham falta de qualquer dom espiritual *(charisma).* Um *carisma* é um dom recebido como o resultado da graça de Deus *(charis).*

Os crentes coríntios estavam colocando importância considerável em assuntos relacionados a "falar" e "conhecer" (v. 5), especialmente naquilo que estava relacionado aos dons espirituais. Eram cativados pelo dom de línguas e aparentemente avaliaram-no acima dos demais dons. Também tinham na mais alta conta o dom de profecia, outro dom de expressão. Além disso, orgulhavam-se por terem conhecimento *(gnosis)*, uma palavra que recebe muita atenção na correspondência de Paulo a eles (8.1, 7, 10-11; 12.8; 13.2, 8; 14.6; 2 Co 2.14; 4.6; 6.6; 8.7; 10.5; 11.6). Quando retorna a estes temas, não fala com desprezo dos dons ligados à fala e ao conhecimento, mas fornece um ensino corretivo porque os coríntios se excederam na ênfase, e os compreenderam de modo equivocado. Seria anacrônico dizer que os coríntios foram influenciados pelo sistema filosófico que veio a ser conhecido como gnosticismo, mas pode-se certamente detectar a influência incipiente do pensamento gnóstico, que "pode ser descrito como 'gnostizante', em lugar de 'gnóstico'" (Bruce, 31).

A declaração de que aos coríntios não falta nenhum dom espiritual (v. 7) tem sido entendida de vários modos.
1) Pode significar que eles, como uma congregação, possuíam todos os dons espirituais.
2) De um relacionamento próximo é a idéia que, potencialmente, se não de fato, todos os dons poderiam ser seus (cf. Robertson e Plummer [6], que entendem que a manutenção dos pontos de construção grega conduzem a um resultado *contemplado*).
3) Pode ainda significar que os coríntios jactavam-se de possuírem todos os dons, e que Paulo estivesse sendo sarcástico repetindo a sua reivindicação. Mas é improvável que Paulo reprove-os a este respeito. Tendo em vista o que escreveu nos capítulos 12-14, a segunda opção é a melhor.

"O dia de nosso Senhor Jesus Cristo" (v. 8) se refere à volta de Cristo, que Paulo chama de "a revelação de nosso Senhor Jesus Cristo" (v. 7) e que fala de sua vinda em glória (4.5; 15.23). Isto pode ser considerado como um corretivo para a idéia equivocada de alguns coríntios, de que já haviam experimentado a plenitude do final dos tempos, um assunto ao qual Paulo retorna por várias vezes. No Antigo Testamento, este fato é às vezes mencionado como "o dia do Senhor" (Jl 2.31; Am 5.18). Em lugar de serem aterrorizados pela idéia do julgamento próximo, os cristãos podem ser encorajados pelo pensamento de que o Senhor os manterá fortes, ou firmes, até o fim (v. 8). A palavra paralela de Paulo aos filipenses é: "Tendo por certo isto mesmo: que aquele que em vós começou a boa obra a aperfeiçoará até ao Dia de Jesus Cristo" (Fp 1.6).

Ser inocente ou irrepreensível na Vinda do Senhor (Cl 1.22) não depende do mérito dos cristãos, mas da fé que têm em Cristo, que se tornou "nossa justiça" (1 Co 1.30). Isto é alicerçado na verdade de que "Deus é fiel" — uma expressão favorita de Paulo (10.13; 1 Ts 5.24; 2 Ts 3.3; 2 Tm 2.13; veja também Hb 10.23; 11.11). "Se eles falharem, não será sua culpa" (Robertson e Plummer, 7). Uma bênção final que cada cristão desfruta é a de ser chamado por Deus "à comunhão" *(koinonia)* com seu Filho, que significa partilhar em e com Cristo.

2. Resposta às Notícias de Corinto (1.10—6.20)

Ao longo da carta Paulo lida com problemas na congregação coríntia. Uma fonte de seu conhecimento dos problemas eram os membros de casa do Cloe, que o visitaram em Éfeso. Havia também sido visitado por vários irmãos de Corinto (16.15-18).

2.1. Sabedoria e Divisão em Corinto (1.10—4.21)

2.1.1. Divisões na Igreja (1.10-17). Paulo trata primeiramente do problema das divisões dentro da congregação, mas Fee (47) alerta corretamente que pelo fato das divisões e disputas serem "o primeiro tópico de que Paulo fala, a maioria das pessoas tende a ler o restante da carta à luz dos capítulos 1-4". Paulo dirige-se aos crentes coríntios como "irmãos" *(adelphoi,* uma palavra que ele usa trinta e nove vezes nesta carta). Indica sua própria identificação espiritual com eles, em sua filiação ao Pai. Mas o utiliza para salientar ainda mais que um espírito fraterno deveria prevalecer no meio dos membros da Igreja, em lugar das divisões que existiam. Esta palavra é utilizada como uma inclusão (veja a obra de Fee, 53, fn.22).

Nos versos 10-12 Paulo declara a natureza do problema, que ele identifica como "dissensões" e "contendas". Embora a palavra grega para divisões *(schisma)* possa sugerir fragmentação, a idéia é de dissensão. O problema poderia ser expresso pelos grupos exclusivos de linguagem mais "contemporânea". A palavra grega empregada para contendas *(eris)* significa discussão ou discórdia. Paulo lista isto como um dos atos ou trabalhos da natureza pecaminosa (Gl. 5.19-21). Ele é o único escritor do Novo Testamento que utiliza esta palavra.

No verso 10, Paulo apela aos coríntios para que todos estivessem de acordo uns com os outros ("Rogo-vos, porém, irmãos, pelo nome de nosso Senhor Jesus Cristo, que digais todos uma mesma coisa"), porque dividiram-se em grupos ligados a diferentes líderes. Falar a "mesma coisa" traria dois resultados. Eliminaria as divisões que existiam, e os crentes seriam unidos em um mesmo sentido e em um mesmo parecer. O termo empregado para união *(katartizo)* é apropriado. Foi usado quando se falou em reparar ou restaurar redes (Mt 4.21; Mc 1.19), e referindo-se ao desejo de Paulo de prover ou completar o que estava faltando à fé dos Tessalonicenses (1 Ts 3.10; veja também 2 Co 13.11; Gl 6.1; Hb 13.21).

A unidade a que Paulo apela é de natureza interior. Falar a mesma coisa significa mais que simplesmente articular as mesmas palavras; é estar "unidos, em um mesmo sentido e em um mesmo parecer" (1 Co 1.10). Isto somente é possível à medida que os crentes relacionam-se não somente uns com os outros, mas com o Senhor Jesus Cristo, para cuja comunhão foram chamados (v. 9) e em cujo nome Paulo faz o seu apelo (v. 10).

A identidade de Cloe (v. 11.) é incerta. Ela era aparentemente rica, uma vez que as pessoas de sua casa provavelmente eram escravos ou empregados. Podem ter sido membros da congregação coríntia ou talvez a tenham visitado. Não está claro se Cloe viveu em Corinto ou em Éfeso, ou ainda se ela mesma era cristã, mas o relatório dos mensageiros era claro e preocupante. A natureza específica do problema envolvia uma propensão comum que os cristãos têm de identificar-se com um líder humano. Literalmente, as declarações dos grupos eram: "eu sou de Paulo", "eu de Apolo", etc. Algumas versões traduzem "eu sigo Paulo", etc.; outras, "eu pertenço a Paulo", etc. O problema não era que alguns preferiam um líder acima dos outros; a sua atitude era de divisão.

Alguns se identificaram com Paulo, provavelmente sentindo uma ligação especial a ele como o fundador da congregação. Mas tal ligação implica que existiam na igreja coríntia pessoas que se opunham a ele. A oposição a Paulo torna-se mais tarde evidente na carta, à medida que alguns desafiaram sua reivindicação ao apostolado (cap. 9). Ficou "completamente patente que a disputa quanto aos seus líderes não era somente *favorável* a Paulo ou Cefas, mas era, ao mesmo tempo, decididamente *contra* Paulo" (Fee, 49). Paulo rejeita por completo o espírito partidário, evidente em um "Partido Paulino" (veja vv. 13-17).

Apolo aparece pela primeira vez em Atos 18.24-28. Ele era um judeu de Alexandria, Egito, que visitou Éfeso e ali encontrou Priscila e Áquila. Era um homem instruído e eloqüente, e que possuía um completo conhecimento das Escrituras (v. 24). Tornou-se anteriormente um cristão, mas tinha um conhecimento incompleto do evangelho. Havia sido instruído no caminho do Senhor e ensinou com precisão o que sabia a respeito de Jesus (v. 25). Priscila e Áquila, porém, "lhe declararam mais pontualmente o caminho de Deus" (v. 26). Devemos notar que "o caminho" era uma designação especial para o movimento cristão no livro de Atos (9.2; 19.9, 23; 22.4; 24.14, 22).

De Éfeso, Apolo viajou para Corinto, onde muito ajudou os cristãos refutando poderosamente os oponentes judeus da Igreja, provando através das Escrituras que Jesus era realmente o Messias, o Cristo. Não é de se maravilhar, então, que alguns na congregação sentissem uma comunhão especial com este defensor eloqüente da fé. Contudo, Paulo não sugere em parte alguma que existissem quaisquer diferenças teológicas ou pessoais entre ele e Apolo. Mais tarde diz que ele e Apolo são trabalhadores e conservos do Senhor (3.5-9). Porém, uma vez que Paulo não era um orador eloqüente (2 Co 10.10; 11.6) e considerando que alguns dos coríntios tenham provavelmente sido convertidos através do ministério de Apolo, um grupo dentro da congregação ligou-se a Apolo.

Cefas é a forma aramaica do nome grego Pedro. Quando referindo-se a ele, Paulo normalmente opta por seu nome aramaico (por exemplo, 3.22; 9.5; 15.5; Gl 1.18; 2.9, 11, 14). Não existe nenhuma indicação clara de que Pedro tenha ido a Corinto. Porém, os partidários de Cefas podem tê-lo preferido acima de Apolo e Paulo, devido ao seu convívio com Jesus e sua liderança reconhecida no meio dos primeiros apóstolos, e no início de Igreja (At 1.15-17; 2.14, etc.). Pedro era reconhecido como o apóstolo aos judeus, e Paulo como o apóstolo aos gentios (Gl 2.7,8). Em Gálatas 2.11-21, Paulo conta como confrontou Pedro em Antioquia por causa da questão dos cristãos judeus que comiam com cristãos gentios. Mas não existia nenhuma diferença teológica significante entre os dois homens. Pode ser que alguém na igreja coríntia tenha preferido Pedro a Paulo porque, em seu julgamento, as reivindicações de Pedro quanto ao apostolado eram irrefutáveis. Talvez este grupo representasse uma tendência judaizante, que insistia nas restrições alimentares mencionadas em Atos 15.28,29 (cf. 1 Co 8; 10.25). Héring (5) diz que "este partido deve ter sido formado por cristãos judeus da Palestina, que provavelmente tenha sido batizado por Pedro".

O que podemos dizer sobre o quarto grupo, que é caracterizado por dizer: "eu sou de Cristo"? Talvez este grupo represente aqueles que olharam desdenhosamente para os outros três e, baseado em sua justiça própria, proclamou-se o seguidor de Jesus (Fee, 59). Mas assim fazendo, criaram um quarto partido e, deste modo, somavam-se ao espírito divisor que invadiu a congregação. Além disso, este grupo pode ter tido alguns ensinos distintivos sobre Cristo, por ter sido influenciado pela cultura helenística em que viveu (Bruce, 33). Leon Morris (41) resume habilmente estes poucos versos dizendo que Paulo não ataca o ensino de quaisquer destes partidos, mas simplesmente expõe o fato de existirem tais partidos. Não existe nada inerentemente errado com cristãos que identificam-se com líderes humanos. O perigo espiritual está em julgar que alguém é inferior, para ser superior a todos os outros. Alguém pode sentir uma afinidade com Lutero, Calvino, Wesley ou Menno Simons. Isto é compreensível, mas a soberba espiritual não. Devemos considerar os cristãos que têm tradições diferentes das nossas próprias como tão crentes quanto nós, mesmo reconhecendo pontos de diferença. No corpo de Cristo, a diversidade é permissível; as divisões não (veja também 1 Co 12 sobre este assunto).

Nos versos 13-17 Paulo reforça o que disse com a pergunta: "Está Cristo dividido?" (1 Co 1.13). Alguns o entendem como uma declaração ao invés de uma pergunta. "Cristo está dividido!" Isto seria possível se os manuscritos não tivessem a devida pontuação. Nesse caso, indicaria a exasperação de Paulo com a situação, dizendo aos coríntios que eles, na realidade, dividiram Cristo. Esta interpretação, porém, é improvável. O verbo *merizo* significa "dividir" (cf. Rm 12.3; 1 Co 7.17; 2 Co 10.13; Hb 7.2). Paulo está apontando para o absurdo que é pensar que Cristo seja divisível; sua resposta à pergunta é um sonoro não. Mais adiante ele falará a respeito da indivisibilidade de Cristo e da Igreja (1 Co 12).

"Foi Paulo crucificado por vós? Ou fostes vós batizados em nome de Paulo?" (1 Co 1.23). Estas são traduções mais precisas das próximas duas perguntas, ambas implicando uma resposta negativa. Ele falará um pouco mais adiante sobre "Cristo crucificado". No Novo Testamento, o batismo era normalmente administrado no nome de Jesus Cristo (veja At 2.38; 8.16). As pessoas eram batizadas em *(en)* ou no *(eis)* seu nome; as preposições sugerem a entrada em comunhão com Ele. O batismo estava baseado na autoridade do nome de Jesus, porque, conforme o uso bíblico, o nome de uma pessoa estava freqüentemente relacionado àquilo que ela era. O próprio Jesus ordenou que o batismo fosse realizado no nome do Pai, do Filho, e do Espírito Santo (Mt 28.19). O batismo retrata também a participação do crente na morte e ressurreição de Cristo (Rm 6.3,4). É possível, baseado na discussão de Paulo em 1 Coríntios 10.1-6, que os coríntios tivessem uma visão altamente mística do batismo (veja Héring, 7).

Devido à situação partidária que se desenvolveu, Paulo expressa gratidão por ter batizado poucos membros da congregação coríntia. Na melhor hipótese, somente estes poucos poderiam erroneamente reivindicar haver sido batizados em nome de Paulo (v. 17), uma idéia detestável para o apóstolo. Crispo era provavelmente o principal da sinagoga que se tornou um dos primeiros convertidos em Corinto (At. 18.8). Várias pessoas no Novo Testamento mencionam o nome Gaio (At 19.29; 20.4; Rm 16.23; 3 Jo 1); o Gaio aqui mencionado provavelmente é o homem que era hospitaleiro a Paulo e a toda a Igreja (Rm 16.23). Paulo recorda que batizou também a casa de Estéfanas (veja 1 Co 16.15-18); este possivelmente esteve presente na ocasião em que esta carta foi escrita.

Quem estava incluído na "família" *(oikos)* de Estéfanas? A palavra grega não é precisa; podia incluir todos os membros de uma família, além dos servidores ou escravos. Isto implica que Paulo batizou bebês ou crianças? Não é dado nenhum detalhe, porém, uma referência posterior ao conceito doméstico é instrutiva. Paulo diz que a casa de Estéfanas *(oikia,* um sinônimo) havia se "dedicado ao ministério dos santos" (16.15). Esta frase, é claro, exclui bebês e crianças do significado de casa nesta passagem.

Será que Paulo pensou que o batismo era relativamente sem importância, uma vez que batizou tão poucos convertidos e também diz: "Porque Cristo enviou-me *(apostello,* isto é, comissionou-me) não para batizar, mas para evangelizar"? (v.17) As evidências indicam o contrário. Atos 19.1-6 registra como Paulo explicou o batismo cristão para certos homens em Éfeso que já haviam participado do batismo associado a João Batista. Eles concordaram em ser batizados no nome de Jesus, e Paulo fez o batismo. Em 1 Coríntios 1.13-16 ele usou o verbo *baptizo* cinco vezes. Em 10.1,2 ele fala dos Israelitas sendo "batizados em Moisés", cuja realização tipológica é o batismo cristão. O batismo era realmente central para sua doutrina de salvação, pois ele diz que fomos sepultados com Cristo através do batismo em sua morte (Rm 6.3,4; Cl 2.12). Além disso, em algumas passagens é difícil separar o pensamento de ser batizado em Cristo, pelo que os crentes se tornam membros de seu corpo, do que algumas vezes é chamado de "batismo nas águas" (Gl 3.27; 1 Co 12.13; Ef 4.5).

Em outras palavras, Paulo, como Jesus, dava considerável importância ao batismo. Ainda que o próprio Jesus não tenha batizado seus seguidores, contudo, delegou o batizar a seus discípulos (Jo 4.1,2). Igualmente Paulo deve ter tido ajuda considerável (por exemplo, de Silas e Timóteo) para assegurar que aqueles novos convertidos fossem batizados. O batismo não exigia qualquer dom especial ou pessoal, mas a pregação sim. A ausência deste requisito não deprecia o batismo, que deve ser precedido pela pregação do evangelho (Robertson e Plummer, 15).

Cristo enviou Paulo para "pregar o evangelho" *(euangelizomai).* Esta palavra quer dizer "trazer boas novas". Foi usada no anúncio do anjo aos pastores: "eis aqui vos trago novas de grande alegria" (Lc 2.10), e é encontrada ao longo do Novo Testamento como a mensagem do evangelho divulgada por todo o mundo mediterrâneo. Paulo enfatiza que esta pregação não era "com palavras de sabedoria humana" ("em inteligência de fala"; "com sabedoria eloqüente"; "com sabedoria de palavras"). Ele não reivindica ser um orador, nem aspira ser. O apóstolo fala deste modo por causa da alta consideração dos gregos para com a sabedoria, a qual ele mostrará resumidamente que é extraviada, e realmente um impedimento para que recebessem o evangelho. Sua preocupação primária é comunicar o *conteúdo* das boas novas, e não a maneira como é comunicada.

As boas novas são a mensagem da "cruz de Cristo". Esta expressão não se refere ao instrumento de madeira de execução, em que Jesus foi pendurado. É uma figura de linguagem — uma metonímia, em que uma palavra ou termo é usado para algo que está prontamente associado. É como uma "taquigrafia teológica" que se refere à morte redentora de Jesus e acontece freqüentemente nos escritos de Paulo, ou como "a cruz" ou "a cruz de Cristo, ou a cruz de nosso Senhor Jesus Cristo" (Gl 5.11; 6.12, 14; Ef 2.16; Fp 2.8; 3.18; Cl 1.20; 2.14; Hb 12.2; veja como referências paralelas At 5.30; 10.39; 13.29; Gl 3.13; 1 Pe 2.24).

2.1.2. A Sabedoria e o Poder de Deus (1.18-31). Nos versos 18-25, Paulo divide a humanidade descrente em dois grupos: judeus e gregos. Freqüentemente no Novo Testamento, a designação "os gregos" é um modo de referir-se a todos os gentios (cf. v. 23), uma vez que o mundo do Novo Testamento era largamente um mundo de fala grega (veja Rm 1.16; 10.12; Gl 3.28; Cl 3.11). Ao longo do parágrafo Paulo coloca o enfoque em judeus e gentios. Porém, a designação "os gregos" tem uma importância especial, uma vez que Corinto era a capital provincial da Acaia, uma parte da Grécia atual, sendo bastante provável que a maioria de seus cidadãos fossem de etnia grega.

A mensagem da cruz tem um efeito duplo nos ouvintes. Para aqueles que a aceitam, significa salvação; para aqueles que a rejeitam, significa destruição. Não existe nenhum meio termo; uma pessoa é salva ou não. Paulo fala com mais precisão daqueles que "perecem" e dos "salvos". A salvação não é experimentada em sua plenitude nesta vida, nem a destruição espiritual é irreversível nesta vida. Existe um aspecto escatológico para cada situação; tanto a salvação quanto o julgamento têm aspectos presentes e futuros.

Para os judeus e gregos, a mensagem era "loucura" (v. 18). Era loucura para os gregos incrédulos porque não coincidiu com sua noção de sabedoria. Era debilidade e uma pedra de tropeço para os judeus incrédulos porque não coincidiu com sua noção de poder. Para um judeu, um Messias crucificado era uma contradição de termos, pelo fato de alguém ser pendurado ou crucificado indicar a maldição de Deus sobre si (Gl 3.13; cf. Dt 21.23).

Os coríntios atribuíam uma considerável importância à sabedoria; a Grécia antiga orgulhou-se de sua história de filósofos ilustres (ou literalmente eram "amantes da sabedoria"). Note o comentário de Lucas sobre a preocupação dos gregos com a sabedoria em Atos 17.21: "Pois todos os atenienses e estrangeiros residentes de nenhuma outra coisa se ocupavam senão de dizer e ouvir alguma novidade". A idéia de um Salvador crucificado não fazia sentido para eles, uma vez que não se adequava à idéia que tinham de um líder. "Onde está o sábio? Onde está o escriba? Onde está o inquiridor deste século?" O homem sábio é o filósofo grego; o escriba é o judeu estudioso da lei; o termo inquiridor ou debatedor é aplicável tanto para gregos quanto para judeus. "Deste século" [*aion*] era uma designação judaica que se referia ao tempo que precedia a "era vindoura", isto é, a era messiânica (Lc 18.30; 20.35). Paulo fala "deste século" somente em termos negativos (1 Co 2.6; 2 Co 4.4; Ef 2.2).

A cruz se tornou rapidamente um "figura" que representava a mensagem de Cristo. Esta cruz está em uma das colunas de uma capela em Kursi, que é o local onde se deu a história da "legião" de demônios que Jesus expulsou e que por sua permissão entrou em uma manada de porcos que se precipitou no mar da Galiléia, afogando-se.

A sabedoria humana é a sabedoria "do mundo" — uma frase sinônima à frase "deste século". Tal sabedoria não conduz a Deus. A diferença fundamental entre religião e fé cristã, reside no fato de que a religião é a tentativa da humanidade de elevar-se e conhecer a Deus; porém o mundo, através de sua própria sabedoria, não pode conhecê-lo (v. 21; veja Rm 1.18-31). As Escrituras enfatizam que Deus tomou a iniciativa de alcançar a humanidade, através da cruz, para levar-nos a si mesmo.

O evangelho de João registra um incidente em que alguns gregos pediram para conversar com Jesus (Jo 12.20-25). Não existe qualquer indicação de que Jesus tenha concedido a petição. Ao invés disso, Ele falou sobre sua morte iminente. Pode-se inferir que Jesus tenha respondido deste modo, porque estes gregos (possivelmente judeus helenísticos) eram atraídos a Ele por considerarem-no somente como um filósofo e grande mestre.

Os judeus incrédulos exigem sinais milagrosos como prova de que Jesus era realmente o Messias. Após Jesus ter alimentado os quatro mil, os fariseus pediram-lhe um sinal do céu (Mc 8.11,12), mas Jesus não os atendeu. Em outra ocasião alguns fariseus e doutores da lei disseram a Jesus: "Mestre, quiséramos ver da tua parte algum sinal" (Mt 12.38; veja também 16.4; Jo 4.48; 6.30). Novamente Jesus não atendeu aos seus desejos. Ao invés disto, disse que o único sinal que seria dado a "uma geração má e adúltera" era o sinal do profeta Jonas, que apontou para sua morte e sepultamento (Mt 12.39-41). A lição é clara: Nenhuma quantidade de milagres convencerá uma pessoa que se recusa a crer. O judeu de coração endurecido julgou impossível acreditar em um Messias crucificado.

O meio pelo qual os indivíduos são salvos é a "loucura da pregação" (1.21). Loucos, sim, a partir de um ponto de vista humano. Paulo não está falando aqui sobre o ato de pregar, mas a respeito do tema da pregação — Cristo crucificado (v. 23; veja 2.2; Gl 3.1). "Cristo não era pregado como um conquistador que agradasse ao judeu, nem como um filósofo que agradasse ao grego" (Robertson e Plummer, 22). Aprouve a Deus (*eudokeo*) ordenar a morte de Cristo como o meio pelo qual as pessoas podem ser salvas (v. 21). O tema relacionado àquilo que aprouve a Deus (o verbo *eudokeo*; e o substantivo, *eudokia*) é encontrado nos demais escritos de Paulo (Gl 1.15; Ef 1.5; Fp 2.13; Cl 1.19); e enfatiza a soberania de Deus, como também seu bom prazer em ordenar certas coisas.

Concluindo os versos 18-25, Paulo diz que aos gregos que Cristo é "a sabedoria de Deus", e aos judeus que Cristo é "o poder de Deus". A cruz é uma demonstração da sabedoria divina por trazer tanto a justiça quanto o amor de Deus. Por meio da cruz, Deus se mostra tanto justo quanto o que "justifica aquele que tem fé em Jesus" (Rm 3.26). A cruz é também uma demonstração do poder divino que triunfou acima das forças do mal, fornecendo redenção e libertação para todo aquele que responde em fé.

Nos versos 26-31 Paulo continua a demonstrar sua compreensão a respeito da composição da congregação coríntia. Para ilustrar a verdade daquilo que acabou de escrever, Paulo exorta os coríntios a considerarem a composição de sua Igreja. No momento em que foram chamados, não eram chamados "muitos sábios segundo a carne" ou pessoas "influentes" (literalmente, "poderosas"), nem muitos "nobres" por nascimento. A igreja primitiva não estava desprovida destes tipos de convertidos (veja At 17.4, 12, 34; Rm 16.23), mas esta não era a composição da maioria dos membros da igreja em Corinto (1 Co 7.21). Embora pessoas de todos os níveis sociais e econômicos tenham se tornado crentes, os registros históricos dão conta de que nos tempos do Novo Testamento o evangelho era mais prontamente recebido pelas classes mais baixas da sociedade.

A soberania de Deus aparece novamente, por três vezes, na ocorrência da palavra "escolheu" (vv. 27,28) "... Mas Deus escolheu as coisas loucas deste mundo para confundir as sábias; e Deus escolheu as coisas fracas deste mundo para confundir as fortes. E Deus escolheu as coisas vis deste mundo, e as desprezíveis, e as que não são para aniquilar as que são". Seu propósito em tudo isso é que "nenhuma carne se glorie perante ele". Deus determinou que somente Ele receberá a glória pela salvação da humanidade, pois esta é uma demonstração de sua graça e não se baseia em esforços humanos (Ef 2.8,9).

Os crentes são tanto de Deus quanto de Cristo Jesus (v. 30). Deus é a fonte de sua vida espiritual (Jo 1.12,13; 2 Co 5.17,18). Além disso, desfrutam uma relação íntima com Cristo. A expressão "em Cristo" é uma das favoritas de Paulo, e está intimamente associada ao conceito de ser parte do corpo de Cristo.

A íntima identificação dos crentes com Cristo faz com que recebam sabedoria, justiça, santidade e redenção. Cristo é realmente a "sabedoria de Deus" (v. 24), e nEle "estão escondidos todos os tesouros da sabedoria e da ciência" (Cl 2.3). Podemos dizer que Ele é a própria personificação da sabedoria de Deus. Em Provérbios, a sabedoria é personificada e está intimamente associada à criação (Pv 8.22-31). Este conceito é notavelmente paralelo ao que João diz sobre o papel do Logos na criação (Jo 1.1, 3). A sabedoria não é mais uma abstração ou uma busca humana, conforme muitas vezes declarado por Paulo (1 Co 1.17, 19, 21). Os cristãos agora possuem uma pessoa, Cristo, que representa a própria sabedoria de Deus.

As palavras sabedoria *(sophia)*, justiça *(dikaiosyne)*, santidade *(hagiasmos)*, e redenção *(apolytrosis)* (v. 30) podem coordenar-se umas com as outras, e representar os vários benefícios que um crente recebe. Mas é também possível aceitar a tradução da NIV, que toma as últimas três como uma elaboração de Cristo como a sabedoria de Deus (Robertson e Plummer, 27).

Cristo é realmente a "justiça" do cristão porque "àquele que não conheceu pecado, o fez pecado por nós; para que, nele, fôssemos feitos justiça de Deus" (2 Co 5.21). Cristo é o Justo (At 3.14; 22.14; 2 Tm 4.8; 1 Pe 3.18; 1 Jo 2.1, 29; 3.7). Devido à nossa identificação com Ele, participamos em sua justiça. A justiça é um termo legal ou forense que lembra a imagem da sala do tribunal, onde um transgressor está diante de um juiz. O transgressor é tido por culpado e deve ser punido, mas um terceiro intervém e paga a penalidade. Assim acontece com os pecadores na presença de Deus. A justiça de Cristo lhes é aplicada, de forma que passam a ter o direito de permanecer na presença de Deus. Quando aceitam a oferta de Cristo pela fé, sua fé lhes é imputada como justiça (Rm 1.17; 4.3; Gl 3.6).

Cristo tornou-se também a "santidade" ou a santificação do crente. Paulo chamou os crentes de "santificados em Cristo Jesus, chamados santos" (1.2). O apóstolo tem muito a dizer nesta carta sobre a conduta santa que Deus exige dos cristãos (veja também 1 Ts 4.37), mas a palavra aqui refere-se à identificação de um crente com Cristo, como àqUele que é Santo (Mc 1.24; Lc 1.35; 4.34; Jo 6.69; At 3.14; 4.27; Ap 3.7). Paulo fala de nossa experiência inicial de santidade, no momento da conversão, por meio da qual compartilhamos a santidade de Cristo (1 Co. 6.11). Quando se fala em santidade, lembramo-nos do templo como o lugar santo de Deus.

Finalmente, Cristo também é a "redenção" para o crente. A redenção envolve duas idéias: ser liberto de algo e o preço pago por esta liberdade. Posteriormente, Paulo escreve nesta carta: "fostes comprados por bom preço" (6.20; 7.23). Em outra passagem diz: "Em quem [Cristo] temos a redenção pelo seu sangue" (Ef 1.7). Pedro também enfatiza o altíssimo custo da redenção quando diz que não fomos redimidos com coisas perecíveis como prata ou ouro, mas com o precioso sangue de Cristo (1 Pe 1.18,19). O aspecto de libertação ou liberdade remonta à libertação de Israel da escravidão egípcia; lembra também a provisão do Antigo Testamento para a alforria de escravos. Paulo faz alusão a estas verdades em Gálatas 4.3-7, quando lembra aos crentes que outrora estavam em escravidão, mas agora foram redimidos, de forma que não são mais escravos, mas filhos de Deus. A imagem trazida à mente é de uma feira em uma cidade da antiguidade, onde os escravos eram freqüentemente vendidos em leilões.

Tendo em vista tudo o que disse, Paulo apela aos crentes para que reconheçam completamente a dívida de gratidão que cada um tem para com o Senhor. Nada daquilo que possuem em sua vida espiritual é motivo de jactância pessoal (1.31). Pelo contrário, o único motivo possível para a jactância é "no Senhor" (veja Jr 9.23,24).

2.1.3. O Testemunho do Paulo (2.1-5). Por causa da preocupação dos coríntios com a sabedoria humana, Paulo agora deixa claro sua posição quanto à relação entre a sabedoria humana e a pregação do evangelho. Cita a si mesmo como um exemplo de alguém que confiou no Espírito Santo, e não na eloqüência ou na sabedoria humana, para que sua mensagem fosse efetiva. De acordo com o que disse no fim do capítulo 1, o apóstolo se gloria no Senhor.

A primeira palavra do texto grego é enfática: *kago* (literalmente, "e eu"). Paulo não veio aos coríntios procurando demonstrar uma sabedoria superior (referindo-se aos processos envolvidos no pensamento) ou, semelhantemente, uma eloqüência exagerada (referindo-se à maneira de expressão). A natureza de sua mensagem era uma proclamação do "testemunho de Deus" (cf. "o testemunho de Cristo confirmado entre vós" em 1.6). Deus e Cristo estavam no centro de sua mensagem, e não a especulação humana ou filosófica.

Paulo falara previamente sobre a pregação do evangelho (*euangelizomai*, 1.17) e do (*kerysso*) Cristo crucificado (1.23). Agora usa outro sinônimo: "fui ter convosco, anunciando-vos (*katangello*) o testemunho de Deus". A primeira palavra grega incorpora a idéia das boas novas da salvação; a segunda, a atividade de um arauto ao fazer uma proclamação; e o terceiro, a idéia de que a comunicação é uma mensagem.

Paulo enfatiza novamente que o centro de sua mensagem é Jesus Cristo, especialmente sua crucificação (v. 2). "Crucificado" é um particípio perfeito em grego (cf. também 1.23). Esta forma do verbo é significativa porque retrata Cristo como crucificado no passado, com os benefícios de sua morte continuando no tempo presente. "A crucificação é permanente em sua eficácia" (Morris, 46).

Paulo visitou Corinto (At 18.1) logo após deixar Atenas, onde encontrou oposição e ridicularização. Lá os resultados eram pequenos comparados àqueles em outras cidades que visitou. Por isso alguns interpretaram seus comentários em 1 Coríntios 2.3,4 como defensivos, implicando que chegou a Corinto deprimido e derrotado, tendo percebido o fracasso de sua tentativa de ser sábio e persuasivo em Atenas. Deste modo, determinou não repetir tais erros. Esta interpretação, porém, é desnecessária e incorreta. Paulo está contrastando sua disposição mental e seu modo de se expressar, não com sua experiência em Atenas, mas com a arrogância e a aparente sabedoria e eloqüência que agradavam a muitos dos coríntios. Para ele, a pregação do evangelho era uma responsabilidade temerosa e assustadora; há uma pequena chance de que tenha feito isto com um sentimento de "fraqueza, temor, e tremor". Estas palavras descrevem seu modo habitual de pensar, quando pregava (cf. 1 Ts 1.5). Era um sentimento de completa inadequação diante da tarefa de evangelizar cidades como Corinto. "Esta é a base do encorajamento que lhe foi dado pelo Senhor em Atos 18.9 e seguintes" (Bruce, 37).

Longe de depender de seus próprios recursos ou de sua capacidade de persuasão, Paulo contava com o Espírito Santo. Sua mensagem não era transmitida por "palavras persuasivas de sabedoria humana". Antes, era uma "demonstração [*apodeixis*] do Espírito e de poder" (tradução literal). O termo *apodeixis* pode ser traduzido como "manifestação" (NASB); seu significado aqui é "prova do espírito e poder, isto é, uma prova que consistia em ter o Espírito e o poder de Deus" (BAGD, 89; cf. At 2.22; 25.7, onde a forma do verbo deste grupo de palavras aparece significando "provar" ou "atestar").

Várias outras passagens do Novo Testamento ligam o Espírito Santo ao poder (por exemplo, At 1.8; 10.38; Rm 15.13; 1 Ts 1.5). A frase "do Espírito e de poder" (aqui e em At 10.38) pode ser entendida de diversas maneiras. "Poder do espírito", "Espírito, isto é, poder", ou "Espírito poderoso". Os escritores não estão falando de duas idéias separadas, mas certamente estão formulando um pensamento em que dois substantivos podem estar tão relacionados a ponto de formarem uma única idéia (o termo técnico é *hendiadys*). Note que esta identificação do Espírito com o poder é paralela à frase "poder de Deus" (1 Co 2.5), implicando que o Espírito Santo é Deus. Esta identificação do Espírito com Deus recorda as declarações de Pedro a Ananias em Atos 5.3,4. "... para que *mentisses ao Espírito Santo...*" e "Não *mentiste* aos homens, mas *a Deus*".

Paulo conclui o parágrafo fazendo uma proclamação efetiva do evangelho dizendo que o poder do Espírito Santo produzirá a "fé" nos ouvintes. Tal fé não repousará na sabedoria humana, que pode mudar e que de fato muda constantemente, mas no poder de Deus. Estes versos contêm a primeira referência ao Espírito Santo nesta carta. Paulo falará muito mais sobre Ele no restante deste capítulo e em outros pontos chave da carta.

2.1.4. A Falsa e a Verdadeira Sabedoria (2.6-16). A palavra "sabedoria" (*sophia*) ocorre quinze vezes nos dois primeiros capítulos da carta e somente duas vezes em outras passagens (3.19; 12.8). Em 3.19, a frase "a sabedoria deste mundo" está de acordo com os comentários de Paulo, aqui, em contraste com a sabedoria de Deus na cruz; em 12.8, ela é considerada como um dos dons espirituais.

Os versos 6-9 trazem vários tópicos de suma importância. Paulo e outros verdadeiros proclamadores do evangelho (notem o pronome "nós" no verso 6) falam de sabedoria "entre os perfeitos [*teleioi*]". Quem são os perfeitos? [ou maduros]. Sob certo ponto de vista, este grupo está sendo diferenciado dos "meninos em Cristo" (3.1), e então se refere a cristãos que atingiram um grau mais elevado de espiritualidade (Héring, 15,16; Robertson e Plummer, 35). Se esta era a intenção de Paulo, então está reprovando os coríntios por seus conceitos errôneos sobre a maturidade espiritual, de forma que se colocaram acima dos outros cristãos. A verdadeira maturidade, segundo o apóstolo, é a aceitação não da sabedoria humana, mas da sabedoria da cruz. Alternativamente, a frase pode se referir a todos os que aceitaram a cruz como a sabedoria de Deus. Neste caso, o contraste não está entre os cristãos espiritualmente superiores e inferiores, mas entre aqueles que aceitam e aqueles que rejeitam a mensagem da cruz (Fee, 101-3). Destas duas interpretações, a segunda é a preferível.

A sabedoria humanamente gerada é negativamente caracterizada sob dois aspectos. é "deste mundo [*aion*]" e provém "dos príncipes deste mundo". Estas frases provavelmente se referem à origem desta sabedoria. Paulo já caracterizou a sabedoria humana como pertencente a este mundo [*aion*] (1.20). O apóstolo usou uma palavra sinônima (*kosmos*) ao falar sobre os mesmos tópicos (1.20, 21, 27). Em outra parte, caracteriza "este mundo" como perverso (Gl 1.4). Como um judeu, às vezes contrastou "este mundo" com "o mundo vindouro" o qual o judaísmo identificou como a era messiânica. Mas como para Paulo o Messias já tinha vindo, podia falar dos cristãos como aqueles "para quem já são chegados os fins dos séculos" (1 Co 10.11; veja também Hb 6.5).

Que são "os sábios [*archontes*] deste mundo? As opiniões estão divididas. Alguns os identificam como forças demoníacas ou espiritualmente negativas. O próprio Senhor Jesus chamou Satanás de "príncipe [*archon*] deste mundo [*kosmos*]" (Jo 12.31; 14.30; 16.11); Paulo o chama de "o Deus deste século [*aion*]" (2 Co 4.4) e "príncipe das potestades [*archon*] do ar" (Ef 2.2; cf. a palavra *arche* que está relacionada às forças demoníacas mencionadas em Rm 8.38; Ef 1.21; Cl 2.15). Héring os vê como poderes sobrenaturais, que não são perversos por natureza (16,17; cf. também Bruce, 38,39). Por outro lado, a frase é especificamente usada para autoridades terrenas em Atos 3.17; 4.5, 8, 26; 13.27; 14.5; e Romanos 13.3. Além disso, o verso 8 deste capítulo diz que os "príncipes deste mundo" não entenderam a sabedoria de Deus, e conseqüentemente crucificaram Jesus (cf. At 3.17; 13.27). Isto não pode ser dito dos demônios, já que estes sabiam quem era Jesus (Mc 1.24). É possível, porém, perceber uma conexão entre estas duas interpretações quando se observa o que Paulo disse: "... o deus deste século cegou os entendimentos dos incrédulos, para que não lhes resplandeça a luz do evangelho da glória de Cristo" (2 Co 4.4).

Os príncipes deste mundo "se aniquilam" (2.6). A palavra que Paulo usa aqui, *katargeo*, consta nove vezes nesta carta e dezesseis vezes em seus outros escritos. Nesta passagem, este termo significa "levar a nada, tornar-se ineficaz, invalidar" (como em 1.28). É importante notar que os príncipes deste mundo estão em um processo que não os levará a lugar algum. Seu fim, juntamente com a sabedoria que representam, é certo. Paulo está confiante de que a mensagem da cruz triunfará em última instância acima da sabedoria e dos príncipes deste mundo.

"A sabedoria de Deus, oculta em mistério" (v. 7) é literalmente a sabedoria de "Deus em um mistério". Notamos vários tópicos que se relacionam a esta expressão.
1) Existe uma qualidade secreta na sabedoria de Deus; é algo enigmático, impossível de ser compreendido. É oculto para aqueles que rejeitam o evangelho (2 Co 3.14; 4.3).
2) Isto estava nos planos de Deus. Era pré-ordenado, ou pré-destinado por Ele "antes dos séculos" (literalmente, "antes do mundo"). O propósito redentor de Deus em Cristo não era uma reflexão tardia (Ef 3.2-6).
3) Geralmente o uso da palavra mistério (*mysterion*) nos escritos de Paulo é algo que havia sido ocultado e agora estava sendo revelado por Deus (Rm 16.25,26; Ef 3.2-6; Cl 1.26,27). Ele atribui esta revelação ao Espírito Santo (1 Co 2.10).

O propósito de Deus em tudo isso é "nossa glória" (v. 7), uma expressão relacionada ao final dos tempos. No final, seremos transformados para ser conforme a imagem do Filho de Deus (Rm 8.29), que é o Senhor da glória (1 Co 2.8; cf. Tg 2.1). A expressão "Senhor da glória" consta diversas vezes no livro não canônico de 1 Enoque, como uma expressão que se refere a Deus (22.14; 25.3, 7; 27.3, 4; 63.2; 75.3); Paulo aplica esta expressão a Cristo. A completa transformação dos salvos na imagem do glorioso Filho de Deus acontecerá por ocasião de seu retorno (1 Jo 3.2), e incluirá a transformação do corpo do crente de forma que será como o corpo glorioso de Jesus (Fp 3.20,21; veja também Rm 8.18, 21; 2 Co 4.17). Paulo desenvolve este tema em 1 Coríntios 15; entretanto, mesmo no presente, os crentes estão no processo de serem transformados à semelhança de Cristo "de glória em glória", refletindo "a glória do Senhor" (2 Co 3.18).

Paulo agora apela para as Escrituras como seu apoio (v. 9). "As coisas que o olho não viu, e o ouvido não ouviu, e não subiram ao coração do homem são as que Deus preparou para os que o amam". A fórmula recorrente "está escrito" indica o quão profundamente arraigado o Novo Testamento está no Antigo — entretanto, às vezes é difícil para nós hoje vermos uma conexão entre um texto do Antigo Testamento citado no contexto do Novo Testamento. Não se sabe ao certo qual é a resposta para a pergunta "Que passagem do Antigo Testamento é citada no verso 9?" "É mais provável que a 'citação' seja uma amalgamação de textos do Antigo Testamento que já tenham sido unidos e refletidos no judaísmo apocalíptico (Fee, 109; veja Is 64.4; 65.17; também 52.15). Os escritores do primeiro século não se sentiram obrigados a transcrever literalmente as Escrituras; para eles o importante era não cometer alguma violação ao texto original".

Para o leitor do primeiro século, a frase: "o olho não viu, e o ouvido não ouviu, e não subiram ao coração [tradução literal] do homem", representava vários processos internos, dos quais um era a mente humana. O pensamento geral de Paulo está claro aqui. A humanidade, separadamente da ajuda do Espírito, é incapaz de compreender física ou intelectualmente a glória que Deus preparou para aqueles que o amam. Uma significativa mudança acontece em uma discussão de Paulo com os coríntios, cuja ênfase estava em conhecimento, sabedoria, e na habilidade em oratória; a ênfase de Paulo está em amar a Deus. O amor é o mais importante (8.1; 13.2). "Não a *gnosis* [conhecimento], mas o amor é a máxima da maturidade e espiritualidade cristã" (Barrett, 73).

Os versos 10-16 enfocam mais adiante o papel do Espírito Santo em tudo que aconteceu anteriormente. Ele é mencionado seis vezes nestes versos.

1) O Espírito é o meio pelo qual Deus revela a si mesmo e a seus propósitos (v. 10). Sozinhos, como seres humanos, somos incapazes de descobrir a Deus ou seus propósitos.
2) O Espírito penetra as profundezas de Deus (v. 10); não existe nada além de seu conhecimento. O fato de o Espírito conhecer os pensamentos de Deus (v. 11) demonstra novamente a sua divindade. A analogia de um ser humano e seus pensamentos é apropriada. Além do próprio Deus, ninguém é capaz de conhecer o interior de uma pessoa; somente o próprio espírito da pessoa. O mesmo ocorre com Deus e seu Espírito.
3) O ministério do Espírito está diretamente relacionado à habilitação dos crentes a compreender o que Deus lhes deu gratuitamente. Estas coisas já estão ocorrendo; o Espírito Santo as revela.

Muito do que Paulo diz sobre o Espírito Santo lembra um dos pensamentos de Jesus sobre a atividade do Paracleto, o Espírito de verdade. "[Ele] vos ensinará... e [Ele] vos fará lembrar..." (Jo 14.26). "Ele vos guiará em toda a verdade" (16.13). "Ele me glorificará" (16.14). O Espírito "há de receber do que é meu e vo-lo há de anunciar" (16.15).

Os cristãos receberam "o Espírito que provém de Deus" (Rm 8.14-16; Gl 3.2; 4.6), não "o espírito do mundo" (cf. também Rm 8.15; 2 Tm 1.7). "O espírito do mundo" às vezes é entendido como sendo Satanás, especialmente porque dois espíritos estão sendo contrastados nestas passagens (veja notas em 1 Co 2.6, acima). Paulo certamente acreditava na existência de Satanás e dos demônios, porém é mais provável que a frase se refira à atitude característica daqueles que confiam nos recursos e na sabedoria humana. A palavra grega para espírito (*pneuma*) pode significar, como no inglês e no português, uma entidade no reino não-físico, uma atitude ou disposição. Os cristãos são aqueles que idealmente não permitem que sua vida seja influenciada pelas atitudes que prevalecem no mundo incrédulo. Barrett (75) acrescenta que "o espírito do mundo" é quase indistinguível da sabedoria deste mundo" (1 Co 2.6). Ambas as expressões "sugerem uma referência à sabedoria" que é "egocêntrica", e que é uma condição que impede que alguém entenda a verdade divina manifestada no Cristo crucificado.

As palavras finais do verso 13 foram traduzidas de várias maneiras. Por exemplo:

— Expressando verdades espirituais com palavras espirituais (NIV)
— Comparando as coisas espirituais com espirituais (NKJV)
— Combinando pensamentos espirituais com palavras espirituais (NASB)
— Interpretando as coisas espirituais para aqueles que são espirituais (NRSV)

Duas palavras gregas são os pontos de discussão desta variação. A primeira é *synkrino*, que a NIV traduz como "expressando", e que pode significar:
1) Trazer consigo, combinar;
2) Comparar;
3) Explicar, interpretar (BAGD, 774).

A segunda palavra é *pneumatikos*, que a NIV traduz como "palavras espirituais". Devido à forma específica da palavra (dativo-plural), ela pode ser masculina ou neutra, e pode ser variavelmente traduzida como "para/por coisas espirituais", "pessoas espirituais", ou até "palavras espirituais" (já que o termo "palavra" [*logos*] é masculino). O ponto principal é que estas verdades são atribuídas ao Espírito Santo, e são comunicadas:
1) Por meio de palavras espirituais; ou
2) A pessoas espirituais. Se de fato as pessoas "espirituais" realmente forem os destinatários destas verdades, então isto leva naturalmente aos versos que se seguem.

Nos versos 14-16, Paulo contrasta "o homem espiritual" (*pneumatikos*, uma palavra baseada em *pneuma* [espírito]) com "o homem que não tem o Espírito Santo!". A frase "sem o Espírito", porém, é uma interpretação da NIV e não uma tradução da palavra grega *psychikos*, uma palavra baseada em psique (alma, vida). Os léxicos sugerem o significado de "um homem que não é espiritual, alguém que vive unicamente no plano material e que nunca foi tocado pelo Espírito de Deus" (BAGD, 894). "O *psychikos* é o 'homem não renovado', o 'homem natural'", é "diferente do homem que é movido pelo Espírito" (Robertson e Plummer, 49). Em passagens como esta, *psyche* e *pneuma* são antitéticos. A pessoa natural vive separada do Espírito de Deus e, conseqüentemente, é incapaz de aceitar as coisas que vêm do Espírito, considerando-as como tolice. Além disso, estas pessoas são incapazes de entender porque são "espiritualmente discernidas" (*anakrino*). Este verbo ocorre dez vezes em 1 Coríntios, freqüentemente com o significado de "avaliar, estimar, examinar, esmiuçar, julgar" (como em 14.24).

A pessoa espiritual, em contraste, tem a capacidade de julgar ou avaliar todas as coisas por causa do poder do Espírito Santo, que habita em seu interior, e que a dirige na tomada de decisões. Isto não implica infalibilidade ao fazer julgamentos, mas destaca que em assuntos espirituais tal pessoa entra em uma esfera completamente diferente daquela da pessoa natural. Paulo diz que a pessoa espiritual não está sujeita a qualquer julgamento humano: "... de ninguém é discernido" (v.15). Isto, porém, não faz com que o indivíduo se coloque acima das críticas. Mais tarde, Paulo enfatizará que as expressões verbais presumivelmente inspiradas devem ser julgadas por outros crentes (14.29). Deste modo, na passagem presente, qualquer julgamento do homem deve ser entendido como julgamento do homem natural, ou seja, qualquer um que vive separado do Espírito de Deus é incapaz de avaliar assuntos que estão no plano do Espírito.

Para sustentar este ponto, Paulo apela a Isaías 40.13, onde o texto hebraico fala do "Espírito do Senhor [*Yahweh*]". Mas no texto grego de 1 Coríntios 2.16 lê-se: a "mente do Senhor!", seguindo o grego da Septuaginta, ao invés do texto hebraico. A transição de Espírito para mente é fácil, já que em 2.10 Paulo disse: "Porque o Espírito penetra todas as coisas, ainda as profundezas de Deus", que é outro modo de falar sobre a mente de Deus (cf. Rm 11.34).

A conclusão é que "nós [enfatizado no grego] temos a mente de Cristo". O Espírito/consciência de *Jeová* na passagem de Isaías torna-se agora a mente de Cristo. Aqui está uma equação implícita de Cristo como o Deus/Senhor do Antigo Testamento; sendo assim, esta passagem está falando de sua divindade. O Espírito Santo é o Espírito de Deus; é também o Espírito de Cristo (Rm 8.9), que vive nos crentes (1 Co 3.16) e que revela Cristo. Pelo fato de cada crente ser interiormente habitado pelo Espírito e por Cristo, não têm a mente ou o espírito do mundo. No plano ideal são controlados pela mente ou Espírito de Cristo.

A doutrina da Trindade está implícita neste capítulo com sua menção de Deus, de Cristo e do Espírito Santo. Freqüentemente no Novo Testamento, e especialmente nas passagens que se referem implícita ou explicitamente à Trindade, o termo *Deus* se refere ao Pai e o termo *Senhor* se refere ao Filho (por exemplo, veja 12.4-6; 2 Co 13.13; Ef 4.4-6).

2.1.5. A Imaturidade Espiritual (3.1-4)

Paulo atribui os problemas da igreja coríntia — especificamente seu fascínio pela sabedoria mundana e seu espírito divisor — à imaturidade espiritual. Para não atrapalhar a exposição seguinte, a atenção deve ser primeiramente dada a três adjetivos importantes usados para descrever pessoas espiritualmente deficientes: *psychikos*, *sarkinos*, e *sarkikos*.

Psychikos consta em 2.14 para descrever a pessoa que é incapaz de receber ou entender as coisas que vêm do Espírito de Deus (veja a discussão acima). Esta palavra é contrastada com o "espírito" em várias passagens. No contexto da ressurreição dos crentes, o "corpo natural [*psychikos*]" é contrastado com o "corpo espiritual [*pneumatikos*]" (15.44, 46). Tiago diz que a sabedoria humana "não é a sabedoria que vem do alto, mas é terrena, animal [*psychikos*] e diabólica" (Tg 3.15). Judas usa a palavra para descrever pessoas que "não têm o Espírito" (Jd 19). Este adjetivo, quando aplicado a pessoas, diz respeito àqueles que não experimentaram a regeneração, a obra renovadora do Espírito Santo — isto é, são incrédulos.

Os adjetivos *sarkinos* e *sarkikos* derivam do substantivo *sarx*, freqüentemente traduzido como "carne". O termo *sarkinos* ocorre quatro vezes no Novo Testamento (Rm 7.14; 1 Co 3.1; 2 Co 3.3; Hb 7.16), e é encontrado em seis passagens (Rm 15.27; 1 Co 3.3; 9.11; 2 Co 1.12; 10.4; 1 Pe 2.11). Alguns não vêem nenhuma distinção entre eles em 1 Coríntios 3.1,3 (por exemplo, Barrett, 79, fn. 1; Héring, 22). Outros sustentam que uma distinção deveria ser observada (por exemplo, Morris, Fee, Robertson e Plummer), alegando que *sarkinos* é um termo neutro, que significa "feito de carne, carnal, pertencente ao reino da carne" (cf. 2 Co 3.3, onde é traduzido como "humano"). *Sarkikos*, por outro lado, tem freqüentemente implicações éticas referindo-se a algo que é fraco ou pecaminoso (cf. 1 Pe 2.11, "peço-vos... que vos abstenhais das concupiscências [*sarkikos*] carnais"). Esta distinção será observada aqui.

Pneumatikos (espiritual) é o adjetivo contrastado com os três acima (1 Co 2.13-15; 3.1). O incrédulo é *psychikos*; os crentes podem ser tanto *sarkinos* como *sarkikos*, embora possam considerar-se *pneumatikos*. O termo *pneumatikos* é aplicável a todos os crentes, embora na prática alguns podem não demonstrar que são completamente controlados pelo Espírito.

Paulo se dirige novamente a seus leitores como "irmãos" (cf. 1.10), o que faz vinte vezes nesta carta. Em três exemplos diz "meus irmãos" (1.11; 11.33; 14.39), e em uma ocasião diz "meus amados irmãos" (15.58). Isto é especialmente significativo em vista de seu tom corretivo, às vezes severo na carta. Não levando em consideração as faltas dos crentes coríntios, estes ainda são seus irmãos.

Os cristãos espirituais são cristãos maduros; são primeiramente distintos dos carnais (*sarkinos*), que são crianças em Cristo (v. 1). Paulo está aqui apontando para a primeira ocasião em que partilhou o evangelho com eles. O problema não é que os crentes espiritualmente imaturos estejam na igreja, porque todos os novos convertidos começam como crianças espirituais. Como tais, precisam de leite e não podem ser culpados por ainda não estarem prontos para ingerir o alimento sólido (cf. a metáfora do leite em Hb 5.11,12; 1 Pe 2.2). Mas o problema surge porque certos coríntios são culpados pela estagnação do desenvolvimento espiritual. Ainda não estão prontos para o alimento sólido porque são "carnais" [*sarkikos*] (1 Co 3.2,3).

Sua imaturidade espiritual é evidenciada pela "inveja, contendas e dissensões" (v. 3). A palavra grega *zelos* pode ter tanto um significado positivo quanto negativo. Positivamente, quer dizer cuidado ou fervor (Rm 10.2; 2 Co 7.7, 11; 9.2; Fp 3.6); negativamente quer dizer ciúme ou inveja (Rm 13.13; 2 Co 12.20). O ciúme forma uma dupla com a dissensão (*eris*, cf. 1 Co 1.11). "Ambos os termos apontam para a auto-asserção e rivalidades insalubres" (Morris, 62). Paulo inclui ambas as palavras nos atos da natureza pecadora do homem ("dissensões, inveja" Gl 5.20; veja também Rm 13.13; 2 Co 12.20). As contendas representam o resultado de uma disposição pessoal e interior (*zelos*).

O vocabulário grego da questão de Paulo no verso 3 requer uma resposta afirmativa. "Não sois, porventura, carnais [*sarkikos*] e não andais segundo os homens? O apóstolo está fazendo a mesma pergunta de duas maneiras diferentes. O andar é uma metáfora comum para a conduta de alguém (7.17; Gl 5.16; Ef 2.2; 4.1) Andar ou agir "como meros homens" (NIV, NASB) mostra o sentido da pergunta de Paulo. A conduta destas pessoas está em um plano terreno ou humano, e não em um plano espiritual.

O termo "quando" (*hotan* no v. 4), no original grego, implica que as expressões de divisão como "eu sou de..." mostram um problema contínuo. Paulo não menciona Cefas aqui porque:
1) Está somente dando um exemplo do Espírito de divisão; e
2) Tanto ele como Apolo estavam envolvidos no ministério em Corinto, um assunto que será discutido a seguir.

2.1.6. Paulo e Apolo: Companheiros no Serviço ao Senhor (3.5-15).

Paulo agora enfatiza que nem ele, nem Apolo, nem qualquer outra pessoa separada de Cristo deve ser seguida, porque ninguém pode levar o mérito pelo nascimento e crescimento da congregação de Corinto. Esta ênfase é seguida por uma forte lembrança do dia do juízo final, quando a obra de cada um será provada.

Os versos 5-9 enfocam os ministérios de Paulo e Apolo, e servem como diretrizes para aqueles que estão envolvidos com o ministério. "Quem é Paulo e quem é Apolo?" São "servos" (*diakonoi*), seguidores dos passos de Jesus, vieram não para ser servidos, mas para servir (Mc 10.45; Lc 22.25-27). O termo *diakonos* representava originalmente alguém que servia as mesas (por exemplo, um garçom) e implicava uma posição inferior à daqueles que estavam sendo servidos. É um termo freqüentemente utilizado nas Escrituras referindo-se ao serviço (*diakonia*) que deve ser prestado a Deus. Paulo e Apolo são, então, primeiramente servos do Senhor (1 Co 3.5), embora também exista um significado pelo qual são também servos do povo de Deus (2 Co 4.5). Foi por meio deles que os coríntios primeiramente creram.

Podemos perceber a implicação de que tanto Apolo como Paulo eram instrumentos de evangelização. A visita inicial de Paulo a Corinto está registrada em Atos 18.1-18, e a de Apolo em Atos 18.27—19.1. A frase "... conforme o que o Senhor deu a cada um [*hekastos*]" (que é uma paráfrase da NIV, para a frase literal: "o Senhor deu a cada um"), provavelmente seja a correta compreensão do intento de Paulo, e está de acordo com o que vem a seguir.

Isto lembra os diferentes ministérios da Palavra que Paulo menciona em outras passagens, onde diz que o Senhor "deu uns para apóstolos... profetas... evangelistas... pastores e doutores" (Ef 4.11). Robertson e Plummer [57] observam que *hekastos* (cada um ou todos) ocorre cinco vezes nos versos 5-13, enfatizando que Deus lida separadamente com cada indivíduo.

Paulo enfatiza que o seu ministério e o de Apolo eram complementares, não havendo competição, pois eram "cooperadores de Deus" (v. 9), não no sentido de trabalharem junto *com* Deus (embora isto fosse certamente a verdade), mas trabalhando um com o outro *para* o Senhor em sua obra (Bruce, 43). O apóstolo esclarece completamente este ponto usando duas metáforas — "lavoura de Deus" e "edifício de Deus". As metáforas da lavoura e do edifício são combinadas em Jeremias 18.9; 24.6; e Ezequiel 36.9. Ocorrem também juntas na literatura de Qumran. "O conselho da comunidade deve ser fundamentado na verdade, como uma eterna lavoura, uma casa santa para Israel" (1QS 8.5; cf. 8.7).

A resposta para as perguntas "Quem é Paulo e quem é Apolo? (v.5) é *nada* (v.7). O mérito pela existência da congregação pertence somente a Deus, pois na análise final, o povo de Deus é a "plantação do Senhor" (Is 61.3). Tendo a imagem agrária da Igreja como uma lavoura de Deus, Paulo se considera o semeador e Apolo o regador (v. 6). Ele é o evangelista que planta a semente, enquanto Apolo é o professor que cuida das plantas. Porém, esta aplicação não pode ser generalizada, já que Paulo foi freqüentemente um ensinador e Apolo também serviu como um evangelista. O principal é que ambos têm ministérios complementares em relação ao povo de Deus, mas a vida da semente vem de Deus, não deles. Deus é quem efetiva a germinação e o crescimento da semente (v. 6,7).

Paulo enfatiza a unidade e a interdependência de um servo para com o outro. Eles têm ministérios diferentes, mas "um mesmo propósito" (literalmente, "são um"). "Um" é neutro em gênero (*hen*) e pode significar também que são unidos em espírito. A mesma palavra consta na declaração de Jesus de que Ele e o Pai são um (Jo 10.30). Deste modo, Paulo e Apolo são companheiros de trabalho e conservos, amigos, não rivais. Estes temas relacionados à diversidade e unidade serão desenvolvidos mais tarde, no tratamento estendido à Igreja como o corpo de Cristo (1 Co 12.12-27).

Outro princípio importante é que cada um receberá uma recompensa (*misthos*) de Deus "segundo o seu trabalho" (v. 8). Esta recompensa não é baseada em qualquer conceito humano de sucesso. Sua natureza não é especificada, mas o significado básico da palavra grega é pagamento ou salário. Não é revelado o momento em que a recompensa ou o salário serão pagos, mas certamente inclui a bênção aguardada por aqueles que são servos fiéis do Senhor (cf. Mt 25.19-23).

Os versos 10-15 desenvolvem a metáfora da Igreja como o "edifício de Deus" (v. 9). Em alguns aspectos esta é análoga à metáfora do campo. Paulo plantou a semente; lançou os alicerces. Apolo regou a semente; edificou sobre os alicerces.

Paulo atribui à "graça de Deus" (*charis*) tudo aquilo que realizou em seu ministério (v. 10). Em um sentido geral, o termo graça refere-se à benevolência de Deus para com aqueles que não a merecem. Em um sentido mais restrito é a capacitação dada por Deus quando nos encontramos sob pressão ("A minha graça te basta" [2 Co 12.9]). O poder capacitador de Deus é parte do significado desta passagem. Além disto, este termo às vezes está ligado ao termo *charisma* (dom), cuja principal idéia é algo que tenha sido recebido como o resultado de uma graça (veja Rm 12.6; e também o verso 3). O dom de Paulo, nesta passagem, é o de um evangelista que está preparando o alicerce espiritual sobre o qual será construída uma Igreja (notamos nesta passagem que Paulo não costumava edificar sobre um alicerce preparado por outros [Rm 15.20]).

Paulo se descreve como um perito (*sophos*) ou um qualificado mestre de obras (*architekton* – veja Is 3.3, LXX). O significado básico de *sophos* é "sábio", embora aqui o significado entendido como perito ou qualificado seja o mais apropriado (cf. o uso desta palavra na Septuaginta [LXX] para descrever os homens que trabalhavam no tabernáculo, Êx 35.10, 25; 36.1, 4, 8); mas o uso desta palavra por Paulo pode ser também um ataque indireto aos coríntios, que se vangloriavam de sua sabedoria (cf cap. 2). Um mestre de obras [*architekton*] é alguém que supervisionava o trabalho de construção e que deveria ser diferenciado dos trabalhadores comuns. Mas em nenhuma instância a declaração autobiográfica de Paulo deve ser considerada como se ele não estivesse completamente engajado no trabalho de colocar os alicerces.

O único alicerce da Igreja é Jesus Cristo (veja Is 28.16; Rm 9.33; 1 Pe 2.6). Ele é a pedra sobre a qual a sua Igreja será edificada (Mt 16.18). Note que a declaração sobre "esta pedra" deve se voltar para confissão de Pedro a respeito de Jesus como "o Cristo, o Filho do Deus vivo" (16.16; veja os comentários sobre este versículo). Como alguns sugerem, é possível que um grupo de coríntios tenha reivindicado submissão a Pedro porque o consideravam, de algum modo, o fundador da Igreja de uma maneira geral. A ênfase de Paulo, de que Cristo é o único alicerce, destaca as reivindicações exclusivas do cristianismo de que Jesus é o único Salvador (Jo 14.6; At 4.12).

Este alicerce é sempre seguro; a questão depende de como se constrói sobre ele. "Mas veja cada um como edifica sobre ele" (v. 10). A expressão "cada um" também ocorre duas vezes no texto grego do versículo 13; ela sublinha a responsabilidade individual dos crentes por suas próprias ações. "Cada um de nós dará conta de si mesmo a Deus" (Rm 14.12). "Porque todos devemos comparecer ante o tribunal de Cristo, para que cada um receba segundo o que tiver feito por meio do corpo, ou bem ou mal" (2 Co 5.10). A palavra de precaução menciona *como* alguém constrói, e não *o que* alguém constrói, implicando que a motivação própria é a base sobre a qual as ações de alguém serão avaliadas, em última instância.

A imagem do edifício prossegue. Embora o alicerce já tenha sido estabelecido de uma vez por todas, a edificação está no processo de ser erguida sobre uma base pessoal (v.12). Os materiais de construção que os crentes usam são de duas categorias — uma que resistirá ao calor do julgamento ígneo de Deus, e outra que será consumida. Ouro, prata, pedras preciosas (jóias decorativas [veja Is 54.11,12; Ap 21.18-21] ou, pedras de construção valiosas como mármore) suportarão o dia do juízo. Materiais inflamáveis como madeira, feno e palha serão destruídos. Tentar identificar o que cada um dos seis materiais representa, vai muito além do propósito de Paulo. Sua preocupação é simplesmente discutir as duas categorias básicas.

O tempo da prova é chamado de "o Dia" (v. 13), conforme o conceito do Antigo Testamento de Dia do Senhor (Is 2.12; Jr 46.10; Ez 7.9,10; Am 5.18). Expressões comparáveis ocorrem freqüentemente nos escritos de Paulo como "o dia de Jesus Cristo" (por exemplo, Rm 2.16; 1 Co 1.8; 5.5; 2 Co 1.14; 1 Ts 5.2, 4; 2 Ts 2.2). Aquele dia será revelado "pelo fogo" (cf. Is 26.11; 31.9; Dn 7.9, 10; Ml 4.1; 2 Ts 1.7, 8; 2.8) e o propósito envolvido neste caso é duplo: para trazer à luz os materiais valiosos e para destruir os materiais corruptíveis.

Paulo uma vez mais menciona a recompensa (veja v. 8), desta vez para aqueles cujos materiais de construção resistem ao fogo. A natureza da recompensa não nos é revelada (veja Mt 25.21, 23 como sugestão), entretanto note que aqui Paulo não está se referindo à entrada de alguém no céu. Reciprocamente, as pessoas cujas obras forem totalmente queimadas "sofrerão detrimento". É importante observar que o fogo consome as obras da pessoa, e não a própria pessoa. Tal indivíduo ainda será salvo, "todavia como pelo fogo" (v.15). Paulo pode ter emprestado a imagem de passagens do Antigo Testamento que falam de ser arrebatado do fogo (Am 4.11; Zc 3.2). Estas pessoas perdem a recompensa que poderiam ter recebido se tivessem construído com ouro, prata, e pedras preciosas.

O propósito do fogo é testar as obras dos crentes, e não limpá-los ou purificá-los. Aqueles que apelam a esta passagem em defesa da doutrina do purgatório interpretam Paulo erroneamente. O julgamento do fogo não é purificador, iniciando-se no momento em que alguém morre. Antes, é um evento final que acontecerá no Dia do Senhor, quando Jesus retornar. Também não há qualquer indicação de um período de preparação após a morte, e sim que o crente entra no gozo da presença de Deus. Jesus disse ao ladrão arrependido, "hoje estarás comigo no Paraíso" (Lc 23.43).

2.1.7. O Templo de Deus (3.16,17).

A transição da Igreja como um edifício para a Igreja como um edifício específico, "o templo de Deus", é fácil. Paulo começa com uma pergunta que passa a idéia de: "Você conhece, não?" Esta tradução transporta o método grego de elaborar uma pergunta, de tal modo que a resposta esperada seja sim. Ele usa esta estrutura dez vezes na carta, como uma suave repreensão (3.16; 5.6; 6.2, 3, 9, 15, 16, 19; 9.13, 24). O Novo Testamento emprega duas palavras gregas para templo: *Hieron*, que é um termo mais amplo e inclui tudo que está nos limites do templo, *Naos* (que é a palavra usada aqui) é o santuário propriamente dito; sua raiz é *naio* (morar). Esta palavra, tanto por etimologia como também por uso, significa o lugar de habitação de uma divindade. Nas Escrituras suas raízes estão no livro de Êxodo; a tenda no deserto, o tabernáculo, era o precursor do templo de Salomão. A presença de Deus habitou no tabernáculo de um modo especial, assim como no templo. A glória de Deus se manifestou na dedicação de ambos os edifícios (Êx 40.34,35; 1 Rs 8.10,11).

Estas instituições do Antigo Testamento, porém, foram tipologicamente cumpridas e substituídas no Novo Testamento. Quando o Logos se tornou carne, habitou (*skenoo* – literalmente viveu em tendas ou tabernáculos) entre nós (Jo 1.14). O próprio Senhor Jesus indicou que Ele mesmo era o cumprimento do que o templo judeu pressagiou quando, no contexto da purificação do templo (Jo 2.19-21), se referiu a seu corpo como um templo. Na realidade, a presença especial de Deus na terra estava agora centrada em seu Filho, e não no prédio do templo.

Paulo agora faz uma ousada declaração: "vós... sois o templo de Deus e... o Espírito de Deus habita em vós" (v. 16). As duas declarações são complementares. A íntima identificação da morada do Espírito Santo com o templo espiritual não pode ser omitida, pois o Espírito, em uma conotação real, *é* a própria presença de Deus (note o paralelismo em Sl 51.11; 139.7) — o meio pelo qual Deus habita entre seu povo. Paulo terá outras oportunidades para usar a metáfora do templo (1 Co 6.19; 2 Co 6.16; Ef 2.21,22; cf. também 1 Pe 2.5).

"Vós" é plural, enquanto o termo "templo" está no singular (v. 16; note também o final do verso 17, onde "vós" é também plural). Pelo fato de o termo "templo" não aparecer como um artigo definido, duas opções são possíveis. Os melhores pontos da gramática grega indicam que o substantivo pode ainda ser entendido como querendo dizer "o templo" devido à sua posição na sentença; alternativamente, o substantivo pode estar indicando algo sobre o caráter ou a natureza do povo de Deus — os do templo. Coletivamente, os crentes constituem o templo de Deus. Esta é a ênfase de Paulo (cf. também 1 Pe 2.5); a única exceção é a referência de Paulo ao corpo individual do crente como um templo do Espírito Santo em 1 Coríntios 6.19.

A frase "Se alguém destruir o templo", pode parecer conflitante com a afirmação de Jesus de que as portas do inferno não prevalecerão contra a Igreja (Mt. 16.18). Mas na passagem presente, levando-se em conta o contexto, o templo de Deus é a congregação coríntia, que é uma expressão local do templo universal. A cláusula "se" pode ser interpretada de duas maneiras. Pode significar que é realmente possível uma congregação local ser destruída. Pode também significar que alguém esteja "determinado a — ou que tentará — destruir o templo". Devido à situação em Corinto, Paulo mantém sua opinião e preocupação de que o exaltar da sabedoria mundana pode resultar na ruína de uma assembléia local de crentes.

O verbo *phtheiro* (destruir) é repetido como o julgamento que sobrevém a alguém que destrói o templo de Deus. Isto pode certamente ser entendido como se referindo ao julgamento final e absoluto de Deus sobre tal pessoa, embora a palavra mais comum do Novo Testamento para isso seja *apollymi* (como em 1.18; 8.11; 15.18). Mas o significado de *phtheiro* é variado. A idéia básica de Paulo é que aquelas conseqüências assustadoras aguardam aqueles que destróem ou tentam destruir o templo de Deus. O castigo, seja qual for sua natureza específica, será de acordo com o crime. Ninguém deveria desprezar a possibilidade de uma "terrível ruína e de algum tipo de perda eterna" (Robertson e Plummer, 67). A razão é que o templo de Deus é "santo" (*hagios*), uma palavra previamente usada para designar o povo de Deus (1.2).

2.1.8. O Pensamento Tolo e o Pensamento Sábio (3.18-23). Este parágrafo resume, adiciona e conclui o tratamento de Paulo ao duplo problema dos coríntios: seu apego impróprio aos líderes humanos e sua fascinação pela sabedoria mundana.

O problema básico dos coríntios é que eles enganavam a si mesmos (v. 18). O verbo que Paulo usa aqui tem o significado adicional de "fraude" e, como o apóstolo indicará brevemente, é um caminho para falar da loucura dos coríntios. Estão enganando a si mesmos. Seu uso do tempo presente tem a força de: "Parem de enganar a si mesmos". A verdadeira sabedoria é alcançada somente quando alguém se torna tolo aos olhos do mundo — isto é, quando aceita a mensagem da cruz como a sabedoria de Deus (1.18).

Não só a sabedoria de Deus é loucura para o mundo, como também a suposta sabedoria do mundo (1.21; 2.6) é loucura para Deus (3.19). Paulo agora apela ao apoio de duas passagens do Antigo Testamento, embora as cotações não sejam literais.

1) "Ele [Deus] apanha os sábios na sua própria astúcia" (Jó 5.13). O termo astúcia (*panourgia*) denota engano ou trapaça; o uso desta palavra sugere que Paulo pode ter suspeitado de ardis dirigidos contra a sua pessoa (Barrett, 94). Está claro que

mais tarde alguns contestaram sua chamada apostólica e sua liderança. Ainda que tal astúcia fosse vista de modo positivo (a palavra pode ter esta conotação), ainda se trate de uma inclinação humana de confrontar a realidade espiritual. Mas os seres humanos não são capazes de alcançar a Deus por si mesmos; a mensagem da cruz mostra que Deus desceu até nós.

2) "O Senhor conhece os pensamentos dos sábios, que são vãos" (v. 20, uma citação de Sl 94.11, onde pode-se ler "homem" em lugar de "sábio"). O termo "vão" (*mataios*) significa "ocioso, estéril, inútil, e impotente" (BAGD, 495). Embora a palavra para "pensamentos" (*dialogismos*) seja freqüentemente usada em uma conotação neutra, pode ter também uma conotação negativa (Mt 15.19; Lc 5.22; 6.8; Tg 2.4). Esta conotação negativa sugere uma ligação com a declaração de Paulo em Romanos 1.21, usando estas mesmas duas palavras, para dizer que os gentios não glorificaram a Deus nem lhe deram graças: "em seus discursos se desvaneceram, e o seu coração insensato se obscureceu".

Tendo em vista estes detalhes, não há lugar para que alguém se glorie por qualquer ser humano — quer sejam sábios deste mundo ou até mesmo líderes da Igreja (v. 21). A única base para se gloriar legitimamente está "no Senhor" (1.31) ou "na cruz de nosso Senhor Jesus Cristo" (Gl 6.14). Por se gloriarem ou se apegarem a seres humanos, os coríntios estavam de fato prejudicando a si mesmos. "Porque tudo é vosso", diz Paulo, e continua a mostrar que os crentes têm todas as bênçãos de que necessitam. Os líderes separados a quem se apegaram lhes pertencem, porque estes líderes são os servos através de quem os coríntios vieram à fé (1 Co 3.6) — servos do Senhor, mas, também, em outra conotação, servos do povo do Senhor (2 Co 4.5). Esta idéia é completamente oposta ao espírito partidário que os coríntios demonstravam ("Eu sou de Paulo, e eu, de Apolo, e eu, de Cefas, e eu, de Cristo..." 1 Co 1.12).

O mundo, a vida, a morte, o presente, e as coisas futuras — estes também são deles por causa de sua relação com Cristo, que é Senhor acima de tudo (v. 22). Uma lista semelhante em Romanos 8.38,39 assegura aos crentes que nenhuma força — física, espiritual, temporal, cósmica — pode separá-los do amor de Deus em Cristo. Conseqüentemente, devem corresponder como realmente pertencentes a Ele, e não a si mesmos ou a algum líder humano.

Os crentes são "de Cristo" porque Cristo é "de Deus" (v. 23). A frase não indica que Cristo tenha uma posição inferior, pois Paulo indica claramente em seus escritos que Ele tem a mesma essência ou a mesma natureza do Pai (por exemplo, Fp 2.6; Cl 1.16-19), e age sempre de acordo com Ele (2 Co 13.13). Isto também não poderia ser aplicado a seu estado terreno em que, como um ser humano, mostrava-se freqüentemente dependente do Pai, e também subordinado a Ele; Paulo diz mais adiante que na consumação dos séculos, "o mesmo Filho se sujeitará àquele que todas as coisas lhe sujeitou" (1 Co 15.28). O relacionamento do Filho com o Pai deve ser visto como uma subordinação, e não como uma inferioridade de essência. Esta subordinação é funcional, e seu enfoque está no *papel* que o Senhor Jesus Cristo, como Filho, desempenha no plano divino; nada disto diminui a sua divindade e igualdade com o Pai (veja também 8.6; 11.3).

2.1.9. A Obra dos Servos do Senhor (4.1-5). O capítulo 4 é concluído com um extenso tratamento de Paulo dos dois problemas gerais e inter-relacionados na congregação: sua visão errônea da sabedoria e seu espírito divisor ao reivindicar lealdade a um líder em oposição a outros líderes. Agora o apóstolo visa mostrar como sua avaliação quanto aos líderes está equivocada, por estar em conflito com a de Deus. Fica mais claro que alguns na Igreja estavam rejeitando sua autoridade e também seu ensino.

Paulo aponta para o argumento do capítulo 3 dizendo: "Que..." ou "Assim pois..." (v. 1). Na seqüência, diz-lhes como deveria ser sua atitude em relação aos líderes espirituais. Seus comentários neste capítulo dão as diretrizes indispensáveis para a avaliação do ministério de uma pessoa. Na melhor hipótese, o próprio apóstolo e os demais líderes deveriam ser considerados como "servos" de Cristo (*hyperetes*, e não *diakonos* como em 3.5). Relembrando sua experiência de conversão, Paulo cita Jesus dizendo-lhe: "te apareci por isto, para te pôr como *hyperetes*..." (At 26.16). Estas duas palavras gregas são sinônimas, porém têm diferentes nuanças em seu significado. Nos dias de Paulo, *hyperetes* significava "servidor, ajudante, assistente" (BAGD, 842). João Marcos, que estava com Barnabé e Paulo em sua primeira viagem missionária, é chamado de seu "cooperador" (At. 13.5). Os dois termos gregos dirigem a atenção diretamente ao papel subordinado do servo. Paulo e seus companheiros ministros são "servos de Cristo".

Além de servos, eram também "despenseiros [*oikonomos*] dos mistérios de Deus" (v.1). Um *oikonomos* era alguém que administrava ou supervisionava uma grande propriedade (Lc 12.42; 16.1), mas as responsabilidades administrativas de uma pessoa de tamanha confiança não são a ênfase de Paulo nesta designação própria. Sua ênfase está, antes, na responsabilidade do administrador para com o seu mestre. Tal administrador deve provar ser fiel ou confiável (*pistos*). Jesus formulou e respondeu a seguinte pergunta: "Qual é, pois, o mordomo [*oikonomos*] fiel e prudente?" (Lc 12.42-44). A fidelidade, em sua conotação mais ampla, é exigida de todo o povo de Deus (Ap 2.10) e encontra-se na lista do fruto do Espírito, conforme o ensino de Paulo (Gl 5.22,23), onde a palavra *pistis* (que é um substantivo que vem de *pistos*) é melhor traduzida como "fidelidade, confiabilidade, integridade de caráter". Deus é fiel; esta verdade é declarada por várias vezes nas Escrituras (cf. 1 Co 1.9; 2 Co 1.18; 1 Ts 5.24; 2 Ts 3.3; 2 Tm 2.13). Ele é sempre fiel e capacitará o seu povo a também ser fiel.

Da mesma maneira que os recursos do dono da casa eram confiados a seu mordomo, Paulo diz que ele e seus companheiros ministeriais estavam incumbidos dos mistérios de Deus.

A palavra *mistério* ocorre vinte vezes em seus escritos. Paulo usa o plural somente neste livro (4.1; 13.2; 14.2), e não se sabe se o significado das últimas duas ocorrências coincide com o significado em 4.1. A forma plural da palavra aqui não difere materialmente do significado no singular (veja 2.7). Talvez, no pensamento de Paulo, o plural inclua os vários aspectos do plano redentor de Deus que agora havia sido revelado.

A expressão "despenseiros dos mistérios de Deus", é interpretada por alguns como mostrando o papel do ministro na administração dos sacramentos, ou ordenanças da Igreja. Porém, alguns entendem que esta passagem apresenta o termo *mistérios* com um significado incomum para o padrão do Novo Testamento, e provavelmente reflita uma visão "misteriosa" ou "mística" de seu cerimonial. Certamente nenhum significado como tal é encontrado no tratamento de Paulo quanto ao batismo e a Ceia do Senhor nesta carta (por exemplo, 1.13-17; 10.1-4; 11.23-32), onde não consta a palavra *mistério*.

Paulo continua a tratar da seguinte questão: Por quem o mordomo, o servo de Deus, é responsável? A resposta é óbvia, mas ele se sente compelido a elaborá-la em vista dos problemas prevalecentes na congregação. O verso 3 começa com a expressão "a mim"; sua posição no princípio da declaração torna-a enfática. Os coríntios podem ter considerado a reivindicação de Paulo quanto à sua autoridade apostólica, suficientemente importante para que fosse examinada ou julgada (conforme o termo *anakrino* que significa julgar). Este verbo às vezes era usado em um tribunal no processo de examinar minuciosamente uma testemunha, inclusive cruzando informações com a finalidade de verificar a sua veracidade. Este significado é destacado pela expressão "juízo humano" (literalmente "dia humano"). O apóstolo esperará que o Senhor promova o julgamento supremo e definitivo de seu ministério no "Dia" do Senhor (3.13). Note como mais tarde escreve aos Romanos, "Quem és tu que julgas o servo alheio? Para seu próprio senhor ele está em pé ou cai" (Rm 14.4; veja também 2.1, 19-21).

A ordem para não "julgar" ninguém deve ser entendida de acordo com o contexto.

Anteriormente Paulo havia usado esta palavra como um ato legítimo de uma pessoa espiritual (2.14,15), e posteriormente usa uma palavra semelhante, *krino* (por exemplo, 5.3, 12,13). Usa também outro cognato (*diakrino*) quando instrui os crentes a avaliarem corretamente o corpo do Senhor (11.19,31), e em expressões proféticas (14.29). Em outras palavras, não é exigido dos crentes que suspendam a avaliação ou o julgamento em todos os casos. O contexto presente o impõe devido ao orgulho e ao egocentrismo mostrados nesta situação. Esta é uma ordem de Jesus: "Não julgueis" (Mt 7.1); aquele que tem uma trave em seu olho, não deve criticar aquele que tem um cisco em seu olho (vv. 5,6). Jesus disse também: "Julgai segundo a reta justiça" [literalmente, fazei um julgamento justo] (Jo 7.24).

Surpreendentemente, Paulo continua dizendo: "nem eu tampouco a mim mesmo me julgo" (4.3). Isto poderia parecer contradizer sua declaração posterior com relação à observância da Ceia do Senhor, quando diz "Examine-se [*dokimazo*— um sinônimo para *anakrino*], pois, o homem a si mesmo, e assim coma deste pão, e beba deste cálice" (11.28). Ele não elimina o auto-exame ou a avaliação da própria caminhada espiritual, mas o contexto em 4.4 fala do Senhor como o Supremo Juiz em sua Vinda (2 Co 5.10). Paulo diz que sua auto-avaliação pode ser defeituosa, mesmo tendo a consciência limpa e dizendo: "Porque em nada me sinto culpado".

Ao contrário da opinião popular, uma consciência limpa não significa, necessariamente que a pessoa seja irrepreensível. Existe sempre a possibilidade de uma decepção, não intencional, pelo fato da "consciência" poder ser uma expressão da moralidade ou dos costumes deste mundo. Então Paulo diz que mesmo tendo uma consciência limpa, "nem por isso" se considerava "justificado" (literalmente "não estou, por isso, justificado"). O verbo usado aqui é *dikaioo*, "declarar inocente, absolver". Esta é a palavra favorita nos escritos de Paulo, quando exalta a graça de Deus que justifica as pessoas, contrastando-a com as suas tentativas de alcançar a justificação por meio de suas próprias obras. É um termo forense apropriado em um contexto que retrata Jesus como o supremo Juiz. É sábio, então, deixar o julgamento nas mãos daquele que é o Juiz por excelência. Ele é, afinal, "o Justo Juiz" que "naquele dia" premiará com a coroa da justiça "a todos os que amarem a sua vinda" (2 Tm 4.8).

A palavra *consciência* (*syneidesis*, um substantivo usado dezoito vezes por Paulo; por exemplo, em Rm 2.15; 9.1; 1 Co 8.7, 12; 10.25, 27-29) não aparece neste parágrafo, mas a tradução é baseada no verbo de que deriva — *synoida*, que significa "partilhar conhecimento com" (BAGD, 791). A NASB traduz "estou consciente de nada ter contra mim" (cf. também Jó 27.6 na Septuaginta). O significado básico do substantivo é de consciência ou, por extensão, consciência moral; porém, definido como consciência, é a habilidade de discernir entre o bem e o mal, e neste caso pode ser considerado uma função ou aspecto da imagem de Deus na humanidade. Mas devido à queda do homem, aquela imagem havia sido arruinada, desfigurada (alguns dizem, "apagada ou ofuscada"). Conseqüentemente, a consciência não pode ser um guia infalível, mesmo para os cristãos, já que ainda não estão completamente restaurados à imagem divina (Rm 8.29; 2 Co 3.18; 1 Jo 3.2).

Finalmente, os coríntios devem parar de julgar (observe a força do tempo presente do grego quando Paulo diz "nada julgueis"), uma indicação de que eram culpados por fazê-lo. Os crentes não devem julgar nada "antes de tempo" (v. 5), isto é, do fim desta era, quando os santos julgarão o mundo e os anjos (6.2,3). O "tempo", então, é identificado como o Dia do Senhor (1.8; 3.13), isto é, "até que o Senhor venha".

O supremo Juiz "trará à luz as coisas ocultas das trevas"; ou seja, Ele "manifestará os desígnios dos corações" (veja Sl. 139.11-12). Os pensamentos e a motivação interior, não apenas os atos, serão expostos e julgados naquele Dia — outra indicação de que os seres humanos, com suas limitações, são incapazes de sondar os corações humanos. A seu tempo, "cada um receberá de Deus o louvor", e não de outras pessoas; os coríntios eram culpados de louvar a Cefas, Apolo, Paulo, etc. Tudo que importa, em última instância, é ser exaltado por Deus.

2.1.10. Os Verdadeiros Apóstolos (4.6-13).

Paulo se dirige novamente aos coríntios como "irmãos", embora continue a admoestá-los e a reprová-los por seu orgulho pessoal e pelo orgulho ilegítimo que tinham de seus líderes. Lembra-lhes de que independente do que um cristão tenha, é pela graça de Deus. Prossegue com grande ironia comparando a presunção dos coríntios bem como sua atitude de auto-satisfação com as dificuldades suportadas por ele e pelos demais apóstolos.

Os versos 6 e 7 apresentam uma dificuldade de tradução na parte de abertura devido ao verbo incomum utilizado por Paulo *(metaschematizo)*. Este consta somente em outras quatro passagens no Novo Testamento. Os falsos apóstolos, Satanás e os seus servos se transformam ("se mascaram", NIV) (2 Co 11.13-15); Cristo transformará o nosso corpo abatido (Fp 3.21). Todas estas passagens têm a idéia de transformar ou mudar a forma de algo. Aqui são mostradas as atribuições desta parte do verso 6.

> Apliquei essas coisas, por semelhança, a mim e a Apolo (RC)
> Apliquei estas coisas a mim e a Apolo (NIV; NRSV)
> Estas coisas... apliquei figuradamente a mim e a Apolo (NASB)
> Estas coisas... transferi figuradamente a mim e a Apolo (NKJV)

A tradução em BAGD (513), com sua nota explicativa, será suficiente aqui: "Apliquei isto a Apolo e a mim mesmo = Ofereci meu próprio ensino, em forma de uma exposição relativa a Apolo e a mim mesmo". Isto é, Paulo usou Apolo e a si mesmo como uma ilustração daquilo que previamente indicou, ou seja, sobre as características de um verdadeiro servo do Senhor. O propósito desta atitude visava favorecer os coríntios, conforme a expressão de Paulo: "para que, em nós, aprendais..." — este era certamente o princípio da "liderança por meio do exemplo".

Paulo mostra que os coríntios deveriam aprender o significado da declaração "para que... aprendais a não ir além do que está escrito" (v. 6). A expressão, "está escrito" era comumente utilizada para introduzir citações do Antigo Testamento (cf. 1.19, 31; 2.9; 3.19). Deste modo, Paulo provavelmente faz alusão ao ensino do Antigo Testamento sobre este assunto, embora não cite a passagem. Certamente muito do que disse é encontrado em essência, se não em palavras exatas, no Antigo Testamento. Ele está exortando-os a viverem conforme as Escrituras. Não é necessário interpretar a declaração de Paulo, como alguns fazem, como referindo-se a alguma declaração secular bastante conhecida por ele ou pelos coríntios.

Tendo aprendido esta lição básica, a atitude dos coríntios deveria estar de acordo com as palavras do apóstolo: "não vos ensoberbecendo [*physioo* — tornar-se arrogante, NASB] a favor de um contra outro". Este verbo basicamente significa "explodir, inflar, inchar". Consta apenas sete vezes no Novo Testamento: seis nesta carta (4.6, 18, 19; 5.2; 8.1; 13.4) e uma vez em outra passagem (Cl 2.18). O pecado do orgulho era um problema genuíno entre os crentes coríntios. Até este ponto da carta seu orgulho estava em sua visão distorcida de sabedoria, e em seu apego a líderes selecionados. Brevemente Paulo os repreenderia pela indiferença na área da moral e da ética (1 Co 5.2), por seu "conhecimento" ou "ciência" (8.1) e, implicitamente, por sua falta de amor (13.4). Neste contexto, o orgulho dos coríntios consiste em se ensoberbecerem "a favor de um contra outro" — isto é, sua inclinação para colocar um líder contra outro, embora geralmente este orgulho se manifeste através do sentimento de superioridade espiritual de um crente sobre os demais. As diferenças realmente existem no meio do povo de Deus, mas são obras do próprio Deus. Se alguém parece ser superior a outro, não será seu mérito. "E que tens tu [singular no verso

7] que não tenhas recebido?", pergunta Paulo. O apóstolo havia anteriormente declarado que, como uma congregação, não lhes faltava dom espiritual algum (1.7); mas como explica em detalhes no capítulo 12, os dons e as funções dos membros do corpo de Cristo são distribuídos por Deus. Conseqüentemente, ninguém deveria se enso-berbecer ou se "gloriar" (*kauchaomai* — uma palavra freqüente em 1 e 2 Coríntios, juntamente com o substantivo *kauchema*). "Porque quem te diferencia?" A resposta é: Deus. "E que tens tu que não tenhas recebido?" A resposta é: Nada; "por que [então] te glorias?" A pergunta é retórica; a resposta é óbvia.

Os versos 8-13 contêm alguns dos comentários mais irônicos, talvez até mesmo sarcásticos, contidos nas Escrituras. Porventura seriam comentários impróprios em vista do estilo de Paulo? Se o desígnio de tal linguagem fosse simplesmente magoar ou causar dor, então seria moralmente questionável. Mas, uma vez que Paulo está se dirigindo a seus filhos espirituais (vv. 14-16), a quem também se dirige como "irmãos", usa a ironia para despertá-los, para que pensassem corretamente. "Não escrevo essas coisas para vos envergonhar; mas admoesto-vos como meus filhos amados" (v. 14).

A chave para a compreensão deste parágrafo é a palavra "já" (*ede*), que consta duas vezes no verso 8, juntamente com os dois tempos verbais. A expressão "Já estais fartos!" está no tempo perfeito do grego, indicando uma ação concluída, cujos resultados continuam no presente. É como se o apóstolo lhes dissesse: Vocês estavam e continuam saciados. A frase, "Já estais ricos!" está no aoristo grego (literalmente, "Vocês se tornaram ricos"). Os coríntios, em seu próprio pensamento, "já" haviam atingido a realização completa; não precisavam de nada adicional. Seu sentimento de auto-suficiência era semelhante ao ideal do estoicismo, completamente contrário ao espírito do Novo Testamento. Podiam unir-se à igreja em Laodicéia, dizendo: "Rico sou, e estou enriquecido, e de nada tenho falta" (Ap 3. 17).

Em outras palavras, os coríntios sentiam que não existia nenhum aspecto futuro para a sua salvação. Haviam alcançado o ápice da espiritualidade; não havia nada mais a esperar. Este ponto de vista pode ser chamado de *escatologia realizada*, e está em discrepância com o correto conceito da redenção, freqüentemente expresso em termos de "já/ainda não". Os crentes estão realmente salvos na atualidade ("pela graça sois salvos" [Ef 2.8]), mas existe também o aspecto futuro (veja 1 Co 15; cf. também Rm 8.23; Fp 3.20,21). Os crentes já receberam o Espírito Santo, mas isto é apenas um "penhor" de sua herança, garantindo o que está por vir (2 Co 1.22; cf. Ef 1.13,14). O reino de Deus é uma realidade presente (1 Co 4.20), mas também futura (6.9). O sentimento de auto-suficiência por parte dos coríntios era indubitavelmente responsável pelo impedimento de seu crescimento espiritual (3.1-4). Comportavam-se de modo completamente diferente de Paulo, que confessou que ainda estava "avançando para as [coisas]" que estavam diante de si, esforçando-se em direção à meta para alcançar a aprovação de Deus (Fp 3.13,14).

Os coríntios sentiam que já haviam entrado na era vindoura. Pensavam já estar reinando com Cristo. "Reinais!", diz Paulo. A expressão "sem nós reinais" pode significar sem nossa ajuda, ou separadamente de nós. A preferência deve ser dada à segunda interpretação devido à declaração que se segue: "que também nós reinemos convosco!" Parece que os coríntios estavam reivindicando algo que nem Paulo nem os demais apóstolos haviam alcançado.

Os versos 9-13 detalham algumas das dificuldades que Paulo havia suportado e ainda estava suportando em Éfeso. Como era diferente o suposto reinando dos coríntios! Como o próprio apóstolo desejava que tal reinado fosse uma realidade! (v. 8) Mas Deus, antes, em sentido figurado, colocou os apóstolos na arena. São como criminosos condenados, destinados a morrer nas mãos de outros ou por feras selvagens (veja 15.32). Nos dias de Paulo, os criminosos condenados eram freqüentemente exibidos ante uma multidão sanguinária durante um desfile pelas ruas, tornando-se em objetos de escárnio. Os apóstolos se tornaram um espetáculo "ao mundo". O mundo, ou o universo (*kosmos*) aqui inclui todos os seres inteligentes, angelicais e também humanos. Os anjos, às vezes, são retratados nas Escrituras como observando eventos humanos (por exemplo, 11.10; 1 Tm 3.16; 5.21; 1 Pe 1.12).

Paulo continua sua ironia com três pares de declarações contrastantes (v.10).

1) Os apóstolos são "loucos" por amor de (*dia*) Cristo (veja comentários em 1.18-25; 3.18; veja também 2 Co 4.11; Fp 3.7); os coríntios são "sábios em Cristo". Na declaração posterior Paulo repete sarcasticamente suas reivindicações.
2) Paulo prossegue: Os apóstolos são "fracos"; os coríntios são "fortes". A admissão da fraqueza por parte de um cristão é uma confissão da necessidade do auxílio divino. Esta atitude fornece a Deus uma ocasião para mostrar sua própria força (2 Co 12.9), e habilita os crentes a dizerem que podem todas as coisas em Cristo, que os fortalece (Fp 4.13). Por outro lado, a força alegada pelos coríntios é realmente fraqueza, já que é independente de Deus e se constitui de meras conversações (1 Co 4.19,20).
3) Eles são "ilustres"; os apóstolos são "vis". Eles são honrados por seus próprios padrões, enquanto os apóstolos são menosprezados.

Alguém pode notar nesta trilogia que os coríntios, através de sua própria estima, conferiram a si mesmos a sabedoria, a força, e a honra. Paulo, por outro lado, avalia a si e aos demais apóstolos em condições que são desagradáveis para aqueles que não são espirituais — são pessoas loucas, fracas e vis. Podem ser deste modo caracterizados e talvez caricaturados por aqueles que os medem por padrões humanos, mas na visão de Deus são verdadeiramente sábios, fortes, e honrados.

"Até esta presente hora", diz Paulo, ele e os demais "sofrem fome e sede... [e] estão nus" (v. 11). Estão brutalmente abatidos (*kolaphizo*), como estava Jesus (Mt 26.67); ele usa o mesmo verbo quando fala do mensageiro de Satanás que o atormentou (2 Co 12.7). Também não têm "pousada certa", o que nos faz lembrar as palavras Jesus. "O Filho do Homem não tem onde reclinar a cabeça" (Mt 8.20; Lc 9.58). Podemos comparar estas declarações com listagens semelhantes (por exemplo, 2 Co 6.4-10). Os apóstolos estão em boa companhia com seu Senhor!

Como uma vergonha adicional aos olhos dos coríntios, Paulo os lembra: "nos afadigamos [*kopiao*], trabalhando com nossas próprias mãos" (v. 12). O trabalho manual era menosprezado pelos gregos, e era especialmente repreensível para um professor estar envolvido com tais atividades. Mas Paulo não deseja agradar os seus leitores. Em suas viagens missionárias considerou seu comércio como necessário a fim de se sustentar (At 18.3; 20.34; 1 Co 9.6, 12, 15-18; 2 Co 11.7-9; 12.13; 1 Ts 2.9; 2 Ts 3.8). Em total contraste com o conceito grego, o trabalho manual era considerado honrado no judaísmo. O termo *kopiao* significa trabalhar arduamente, labutar, lutar; Paulo usa freqüentemente esta palavra quando fala do trabalho ministerial (por exemplo, 15.10; 16.16; Gl 4.11; Fp 2.16; Cl 1.29).

O ministério dos apóstolos chegou a ser amaldiçoado por alguns, perseguido e caluniado (v.12,13; cf. os ensinos de Jesus e seus exemplos em Mt 5.11,12, 39-45; Lc 6.28; 23.34; cf. Rm 12.14-21). Eles abençoavam aqueles que os amaldiçoavam, suportavam a perseguição, e falavam amavelmente com seus caluniadores. Chegaram a ser "como o lixo [*prikatharma*] deste mundo e como a escória [*peripsema*] de todos". Estas duas palavras gregas são semelhantes em seu significado. A primeira é baseada na palavra que tem o significado de limpar ou purificar e, por extensão, passou a denotar o sentido de bode expiatório. Era usada no mundo pagão para "denotar os meios pelos quais as pessoas ou as cidades poderiam ser moralmente ou religiosamente purificadas", às vezes com um sacrifício humano voluntário. Os homens mais desprezíveis vieram a ser usados como sacrifícios (Barrett, 112; veja também Héring, 31). Morris⁽⁷⁹⁾ escreve: "É a recusa, após uma purificação completa, da sujeira que é lançada fora". A segunda palavra significa sujeira ou escória. Paulo está enfatizando a opinião extremamente baixa que o mundo tem dos mensageiros do evangelho.

2.1.11. Paulo: seu Pai Espiritual (4.14-21). Paulo reverte seu tom severo. Neste parágrafo final do primeiro segmento de sua carta, dirige-se a seus leitores como "meus filhos amados" (v. 14). Não escreveu assim para fazer com que se sentissem envergonhados, mas, antes, para preveni-los ou, melhor ainda, para admoestá-los (*noutheteo*), (cf. Rm 15.14; Cl 1.28; 3.16; 1 Ts 5.12, 14; 2 Ts 3.15). É a "crítica amorosa" (Morris, 80), de um pai por seus filhos (cf. Ef 6.4); isto é apropriado neste contexto porque, como Paulo diz "pelo evangelho, vos gerei em Jesus Cristo" (v. 15). Como seu pai espiritual, sente a obrigação de corrigi-los; de fato, como seu único e legítimo pai espiritual, tem, sozinho, esta responsabilidade. Embora não desconsidere a idéia de que outros que vieram depois dele foram instrumentos usados por Deus na conversão de alguns deles. Mas seu ponto é que existe uma ligação ímpar entre ele e os coríntios.

Os coríntios podem ter "dez mil aios [*paidagogos*]" — um óbvio exagero para defender uma colocação (v.15). Naqueles dias o *paidagogos* (cf. também Gl 3.24) era um escravo de confiança, responsável por cuidar de um menino ou dos meninos em uma família. Era, literalmente, um "guia do menino... cujo dever era conduzir o menino ou o jovem... a ir e voltar da escola, devendo também orientar sua conduta geral" (BAGD, 603). A palavra não deve ser entendida como tratando-se, naquele contexto, de um professor, embora seja a raiz do termo *pedagogo* que comumente empregamos no sentido educacional. Paulo não desejava depreciar aqueles que nutriam os coríntios; isso seria contrário à sua ênfase na complementação dos ministérios (veja os comentários de 3.6-9). Contudo, o apóstolo deseja enfatizar que, como seu pai espiritual, é o único que está devidamente autorizado e qualificado para corrigi-los.

Paulo não está em desacordo com a ordem de Jesus: "A ninguém na terra chameis vosso pai" (Mt 23.9). A palavra "chameis" (*kaleo*) neste verso tem o significado de dirigir-se ou atribuir um título a alguém. Ninguém deve se dirigir a qualquer líder espiritual chamando-o de pai, "porque um só é o vosso Pai, o qual está nos céus". Ninguém deve ter a arrogância de aceitar que se refiram à sua pessoa com um termo religioso que pertence somente a Deus. Mas compreendemos que a passagem em 1 Coríntios 4.15 não proíbe uma relação entre pais espirituais e seus filhos entre os crentes.

Devido à relação especial que tinha com os coríntios, Paulo agora apressa-os a imitarem-no — um tema comum em seus escritos (11.1; Gl 4.12; Fp 3.17; 4.9; 1 Ts 1.6; 2 Ts 3.7, 9). Não escrevia um ditado comum: "Faça o que eu digo, e não o que eu faço". Sua liderança estava baseada em seu exemplo pessoal, sendo qualificada por uma declaração anterior: "Sede meus imitadores, como também eu, de Cristo" (11.1). Em outro contexto, Paulo diz: "Sede, pois, imitadores de Deus" (Ef 5.1). Por que os coríntios não podiam simplesmente seguir o exemplo de Cristo diretamente? Uma possibilidade é que talvez não conhecessem o bastante sobre sua vida, caráter, e ensinos. Mas uma razão mais óbvia é que o exemplo deixado por Cristo era concretizado em Paulo, e deste modo, o exemplo de Paulo, que refletia Cristo, era mais fácil de ser seguido.

"Por esta causa" Timóteo havia sido enviado por Paulo, isto é, para lembrar-lhes do modo como vivia e se comportava. "... vos lembrará os meus caminhos [literalmente, *modo*] em Cristo" (v. 17). Timóteo era um filho espiritual de Paulo, a quem o apóstolo amava e que lhe era fiel (*pistos* — veja comentários em 4.2) no Senhor. Era um dos mais íntimos cooperadores do ministério de Paulo (At 16.1-13; 1 Tm 1.2; 2 Tm 1.2-6), foi freqüentemente mencionado em seus escritos, e também em Atos e em Hebreus. Pode ter ajudado Paulo a fundar a Igreja em Corinto (2 Co 1.19). "Modo" ou "caminho" (no hebraico, *halakah*) era uma metáfora judaica comum para a conduta, o caminho moral que alguém seguia ou que deveria ser seguido. Timóteo já estava a caminho de Corinto passando pela Macedônia (na tradução da NIV a frase "vos mandei" tem o sentido de passado). Esta rota seria mais longa do que a rota marítima de Éfeso a Corinto, pela qual Paulo teria enviado a carta.

Embora Paulo esteja aqui lidando com problemas peculiares à congregação coríntia, não exige deles mais do que dos outros. O que lhes diz é o que também ensina "por toda parte... em cada igreja" (v. 17; veja também 7.17; 11.16; 14.33, 36).

É importante notar que alguns dos coríntios se "ensorbebeceram" (cf. v. 6), pensando que Paulo não retornaria, e então estavam livres para assumir a conduta que lhes agradasse (v. 18). O apóstolo se apressa a dizer-lhes que "em breve" iria ter com eles, com a seguinte condição "se o Senhor quiser" (cf. 16.7; também At 18.21; Hb 6.3; Tg 4.13-16). "Somente a restrição divina... o deterá" (Morris, 81). Os planos e movimentos dos filhos de Deus são sempre sujeitos a revisão, postergação, ou cancelamento por parte de Deus.

Retornando à arrogante fascinação dos coríntios expressa por "palavras", Paulo agora contrasta-a com a "virtude" (v. 20). Será que seu estilo de vida demonstra o poder do evangelho em uma vida justa, ou trata-se somente de uma questão de palavras? As palavras e as ações são contrastadas por Paulo em outras passagens (2.4, 13; 1 Ts 1.5). Observe também a declaração de Jesus: "Nem todo o que me diz: Senhor, Senhor! entrará no Reino dos céus, mas aquele que faz a vontade de meu Pai, que está nos céus" (Mt 7.21). João fala de maneira semelhante quando diz: "não amemos de palavra, nem de língua, mas por obra e em verdade" (1 Jo 3.18). De modo simples, as ações são mais importantes do que as palavras, e a conduta íntegra deve estar à altura da espiritualidade demonstrada por cada um. Não é difícil contrastar os comentários de Paulo em relação ao reino com a reivindicação dos coríntios relacionada a seu próprio governo (1 Co 4.8). Para Paulo, o reino de Deus era tanto presente (Rm 14.17) como futuro (1 Co 15.28).

A essência do reino de Deus é poder, e não palavras. O reino de Deus é um tópico freqüente do ensino de Jesus nos evangelhos sinópticos, e está freqüentemente associado ao poder (por exemplo, Lc 11.20). O poder divino está ligado ao Espírito Santo (veja nota em 2.4), que é, de acordo com Romanos 8, o meio pelo qual os filhos de Deus podem viver aceitavelmente. O reino de Deus não é um conceito proeminente nos escritos de Paulo (é mencionado somente por onze vezes, incluindo esta passagem; 6.9,10; 15.24, 50), e o reino de Cristo é mencionado só quatro vezes (Ef 5.5; Cl 1.13; 2 Tm 4.1, 18). Embora não use freqüentemente a terminologia do "reino", o que diz está de acordo com o ensino de Jesus. Em todas as coisas, Deus e Cristo devem ser supremos.

Os coríntios decidirão a condição em que Paulo virá a eles (v. 21). As alternativas são claras. Ele pode vir "com vara" e reprovar com severidade, ou "com amor e espírito de mansidão" (veja Mt 5.5; 11.29; Gl 6.1). A escolha é deles. Talvez a imagem de vir a eles com uma vara tenha a intenção de prepará-los para seu tom radical expresso no próximo capítulo.

2.2. A Imoralidade Sexual e a Igreja (5.1-13)

Às vezes se faz uma distinção entre os pecados do espírito e os pecados da carne. Jesus não fez esta distinção, porém podemos ver, por um lado, seu ensino sobre o assassinato e o adultério, e por outro seu ensino sobre a ira e a luxúria (Mt 5.21,22, 27,28). Não obstante, tal distinção pode ser útil para diferenciar os pecados de disposição interior dos pecados públicos. Mas isto não deve sugerir uma hierarquia de pecados, onde alguns são "piores" do que outros.

Até aqui Paulo lidou com os "pecados do espírito" — o espírito partidário, a arrogância e a fascinação pela sabedoria mundana. Agora deve tratar da questão da imoralidade sexual no meio da congregação. Se for perguntado ao apóstolo como a igreja coríntia podia tolerar tal conduta de um de seus membros, não é preciso ir muito longe para perceber que a Igreja contemporânea também enfrenta este tipo de problema.

2.2.1. O Irmão Incestuoso (5.1-8).

Esta passagem lida com o ato de disciplinar um irmão pecador. Uma suposição válida é que a mulher não era uma crente, e então não precisaria ser censurada pela congregação. No sentido exato, este pecado não pode ser chamado incesto (Barrett, 121), já que este implica uma relação de parentesco de sangue entre os parceiros sexuais. A mulher é a esposa do pai do homem; não é chamada sua mãe (isto é, é sua madrasta). É mais provável que o pai tenha se divorciado dela ou morrido. Paulo não chama este pecado de adultério (*moicheia*), já que o adultério envolve pelo menos um parceiro casado.

Os versos 1,2a mostram o problema conforme a visão de Paulo. O relatório que havia recebido era de que existia "imoralidade sexual" (*porneia*) na assembléia coríntia. No Novo Testamento o termo *porneia* inclui todos os tipos de atividade sexual ilícita. Este era um caso de alguém que abusava "da mulher de seu pai" (v.1) — um eufemismo para união sexual (Jo 4.18; cf. também 1 Co 7.2,3). O tempo presente do verbo "há" ("... há quem abuse...") indica que o pecado não ocorreu uma só vez. Os parceiros tinham uma atividade sexual regular; a vida marital ou o concubinato estavam provavelmente envolvidos (Barrett, 122; Robertson e Plummer, 96).

O Antigo Testamento proibia claramente a atividade sexual entre um homem e a esposa de seu pai (Lv 18.8; 20.11; Dt 22.30; 27.20), um pecado cuja punição era a morte. Tal conduta era tão repreensível que até os gentios pagãos, tanto gregos como romanos, se sentiam ofendidos. A lei romana proibia tal situação mesmo após a morte do pai (Héring, 34). Isto não significa que tal fato não acontecesse entre eles, mas que era condenável. É realmente estranho que uma conduta condenada pelos gentios fosse tolerada pela igreja coríntia.

Neste caso, Paulo diz: "estais inchados" (v. 2). Ele já os havia censurado por sua arrogância (veja o comentário de 4.6) ao dizer que se ensoberbeciam "a favor de um contra outro". Tal conduta manifesta-se agora de outro modo. Para eles, em seu estado de exaltação espiritual, "tudo era permissível" (veja comentários em 6.12; 10.23). Alcançaram o pináculo da espiritualidade; então já não importava o que faziam com seus corpos. Eram culpados do que é chamado fornicação, libertinagem ou antinomianismo. Colocaram-se acima de qualquer lei. Pode haver aqui sinais da influência do gnosticismo primitivo (veja comentários em 1.5). Uma vez que os gnósticos ensinavam que toda matéria é perversa, alguns de seus devotos acreditavam que aquilo que faziam com seus corpos não podia afetar seu estado espiritual, que era superior.

Os versos 2b-5 tratam da solução que Paulo trouxe ao problema. Em lugar de se orgulharem de sua liberdade extraviada, os coríntios deveriam ter levado em conta duas ações relacionadas nesta situação deplorável.

1) Deveriam estar cheios de pesar; esta era uma ocasião para luto, não para jactância.
2) Se estivessem verdadeiramente entristecidos, teriam excluído o membro pecador, entregando-o a Satanás (v.2b, 5).

Embora a igreja não tenha tomado qualquer atitude, Paulo o fez. Ele, é claro, não está fisicamente presente, mas está com eles "no espírito". Nos escritos de Paulo, às vezes é difícil saber se quando ele usa a palavra espírito se refere ao espírito humano ou ao Espírito Santo (por exemplo, 14.15); em alguns casos pode estar se referindo a ambos. Mas nesta passagem provavelmente se refere a seu próprio espírito em contraste com o seu corpo. A idéia parece ser que seus pensamentos estão voltados a eles (veja também o verso 4; Cl 2.5). A parte final do verso 3 é melhor traduzida da seguinte maneira. "estando presente" ao invés da tradução da NIV que diz: "como se estivesse presente". Paulo está realmente presente, em espírito (veja Fee, 204-5,39,41).

Embora os coríntios tenham se colocado acima de críticas ou julgamentos em relação ao homem imoral, Paulo diz que ele mesmo já havia sido julgado (*krino* — veja comentários em 4.15). Avaliou a situação e concluiu que o homem era culpado diante de Deus e deveria ser disciplinado. Leon Morris (84-85) lista sete

possíveis modos de interpretação para esta passagem. Servirá a nosso propósito observar os seguintes elementos chave:
1. Qualquer ação tomada contra o homem deve partir da congregação como um todo, e não somente de Paulo: "juntos vós e o meu espírito".
2. O Senhor Jesus é proeminente. Qualquer atitude deve ser tomada em seu nome (isto é, com sua autoridade) e com seu poder e capacitação.
3. Idealmente, o exercício da autoridade por parte da congregação será dirigido e endossado por Cristo.
4. Paulo estará com eles "no espírito".

Os pensamentos de Paulo a respeito de disciplinar um membro da Igreja são consistentes com o ensino mais extenso de Jesus sobre este assunto (Mt 18.15-20). Ambos colocam o assunto no contexto da assembléia de crentes, e ambos falam de uma ação coletiva. Ambos lidam com um crente que se recusa a se arrepender. Ambos orientam a exclusão do pecador impenitente da comunhão dos crentes. E nas duas passagens o Senhor está presente para honrar a decisão tomada pela congregação. O fundamento é a prática judaica de expulsar alguns seguidores de Jesus da sinagoga (Jo 9.22; 12.42; 16.2).

A expressão "seja entregue a Satanás" (v. 5), aparece também em 1 Timóteo 1.19,20. "Alguns fizeram naufrágio na fé. Entre esses foram Himeneu e Alexandre, os quais entreguei a Satanás, para que aprendam a não blasfemar". Esta é a idéia de excomunhão, isto é, expulsar uma pessoa da comunidade dos crentes (cf. 1 Co 5.7, 13). Tal indivíduo retorna ao domínio de Satanás, sob o qual já haviam estado (Cl 1.13), pois não existe nenhum meio termo para um crente obstinado, impenitente e pecador. Nada poderia ser mais decisivo do que a palavra final de Paulo neste capítulo: "Tirai, pois, dentre vós a esse iníquo". Este então se torna como os pagãos, vulnerável a Satanás (1 Jo 5.19), de um modo que os cristãos não podem ser (Robertson e Plummer, 99).

Satanás, para Paulo, é um ser espiritual, alguém inalteravelmente oposto a Deus e a seu povo. A palavra é de origem hebraica e significa "adversário". Além de outras alusões, o nome Satanás consta dez vezes nas cartas de Paulo (Rm 16.20; 1 Co 5.5; 7.5; 2 Co 2.11; 11.14; 12.7; 1 Ts 2.18; 2 Ts 2.9; 1 Tm 1.20; 5.15).

O irmão pecador deve ser entregue à "destruição [*olethros*] da carne [*sarx*]" (NRSV, NKJV). A palavra *sarx* tem sido interpretada como significando:
1) a natureza pecadora, ou
2) o corpo físico.

A NIV opta pelo primeiro: "de forma que a natureza pecadora [ou pecaminosa] possa ser destruída", e Fee concorda com esta tradução (210-12). A palavra freqüentemente transmite este significado, especialmente nos escritos de Paulo. É difícil, porém, ver como Satanás, o tentador e destruidor (*Apollyon*), do povo e dos propósitos de Deus (Ap 9.11), seria usado por Deus para destruir a natureza pecaminosa de uma pessoa. É mais fácil entender a palavra como um sinônimo de corpo (15.39). De acordo com esta interpretação, Satanás seria um instrumento de Deus no castigo físico da pessoa excluída.

A palavra "destruição" (*olethros*) tem uma finalidade neste caso. Provavelmente se refere à morte (Bruce, 55); ou no mínimo a uma doença física grave. Paulo falará mais tarde sobre cristãos que estão doentes ou que morreram por causa de pecados não confessados (11.30). A morte de Ananias e Safira é freqüentemente citada como um exemplo de tal "destruição da carne" (At 5.1-10). Alguém pode pensar na experiência de Jó, a quem Deus permitiu que Satanás atacasse fisicamente (Jó 1.9-12; 2.1-7), embora não se tratasse de um castigo por um pecado. Pode-se ainda considerar o espinho na carne de Paulo, que ele mesmo descreve como "um mensageiro de Satanás, para me esbofetear" (2 Co 12.7). No caso do pecador coríntio, se Paulo não está se referindo à morte, então está seguramente se referindo ao sofrimento nas mãos de Satanás.

Esta "destruição da carne" é a conseqüência imediata da expulsão da comunidade. Embora seja de natureza punitiva, é também projetada para trazer o homem ao seu juízo espiritual; infelizmente Paulo não explica como isto pode acontecer. Mas o objetivo é que o espírito do homem seja "salvo no Dia do Senhor Jesus" (cf. 1.8; 3.13). Alguns vêem uma seqüência deste incidente em 2 Coríntios 2.5-9, onde o irmão pecador de fato se arrependeu e procurou reintegrar-se à comunhão. Outros, como Bruce (55), pensam que isto é duvidoso. Em todo caso, o propósito da ação drástica recomendada por Paulo é a salvação final do irmão impenitente, não sua destruição eterna por ocasião do julgamento final.

Os versos 6-8 enfatizam que se um sério pecado na vida de um membro não for tratado, o efeito se difundirá e contaminará toda a congregação. Uma vez mais Paulo repreende os coríntios por seu orgulho de não tratar do problema (verso 6; veja comentário sobre o verso 2). O homem imoral deve ser expulso para seu próprio bem, mas existe uma razão adicional para fazê-lo. Deveriam saber (literalmente, "Você sabe, não?") que como a levedura na massa, o pecado se espalhará por toda a congregação. Como o conhecido ditado da maçã podre em um barril, deve-se saber que todas as outras maçãs serão contaminadas se a maçã podre não for removida. Alguns sugerem que o fermento era a jactância dos coríntios (v.6); se continuassem a ostentar sua tolerância a situações pecadoras, tal orgulho corroeria seus corações e como um câncer destruiria seu interior.

A frase "Um pouco de fermento faz levedar toda a massa", parece ter sido um provérbio famoso (Gl 5.9). Com algumas exceções (por exemplo, Mt 13.33; Lc 13.20,21), a levedura (ou o fermento) nas Escrituras representa o mal (por exemplo, Mt 16.6, 11,12; Mc 8.15; Lc 12.1). A metáfora recorda o Êxodo e a primeira Páscoa, quando os hebreus foram orientados a preparar pão sem fermento (Êx 12.15,16, 34-39; 13.3; 23.15). O costume judeu posterior era que na época da Páscoa todos os traços de levedura em uma casa deveriam ser lançados fora, para que a Festa dos Pães Asmos pudesse ser realizada. Depois da festa, a dona da casa podia novamente assar e comer o pão fermentado. Agora os coríntios são ordenados a "limparem-se" do fermento velho para que sejam "uma nova massa" (1 Co 5.7). Isto parece bastante simples para se entender, exceto a última declaração, que é seguida por outra aparentemente contraditória: "assim como estais sem fermento".

Em sua situação presente, como poderia Paulo caracterizar a congregação coríntia como fermentados e não fermentados? Existe um motivo especial nos escritos de Paulo; isso pode ser considerado no sentido paradoxal: "Torne-se o que você é". Isto está freqüentemente expresso em termos indicativos e imperativos (veja Barrett, 128; Fee, 217). Em geral, é dito que uma vez que uma pessoa é um filho de Deus, deve se comportar como tal. Para ilustrar, Paulo diz que os cristãos morreram com Cristo (Rm 6.8), e prossegue dizendo: "considerai-vos como mortos para o pecado" (v.11). Os cristãos coríntios são realmente não fermentados — limpos de seus pecados (6.11) — para quem "as coisas velhas já passaram; eis que tudo se fez novo" (2 Co 5.17). Agora devem agir assim, purificando sua comunidade do fermento encontrado em seu caminho.

Seguindo a analogia do Antigo Testamento, Paulo diz que "Cristo, nossa páscoa [*pascha*], foi sacrificado por nós" (v.7). *Pascha* pode significar tanto a Festa da Páscoa como o Cordeiro Pascal (BAGD, 633). Certamente Cristo é o cumprimento daquilo que era representado pelo animal sacrificial da Páscoa (Pe 1.19); sua morte correspondeu à morte dos cordeiros Pascais (Jo 19.14, 31; cf. Êx 12.16; Dt 16.6). Além disso, Cristo cumpriu tudo o que a Páscoa original pressagiou, inclusive a purificação do pecado e a libertação da morte e da escravidão. Por esta razão, a Igreja é exortada (Paulo se inclui nesta exortação) a continuar celebrando a Festa (observe a importância do tempo presente do verbo). Não deve ser celebrada com fermento velho, que significa malícia e maldade (dois sinônimos bastante relacionados), mas com o pão sem fermento, que significa sinceridade e verdade (sinônimos que envolvem a idéia de pureza, v.8).

Embora não necessariamente relacionados aos comentários teológicos de Paulo sobre a festa dos Pães Asmos e a Páscoa, é interessante conjecturar que Paulo escreveu sobre este assunto na época da Páscoa. Uma vez que estava escrevendo de Éfeso, disse que permaneceria lá até o Festa do Pentecostes (16.8), é possível que esta carta tenha sido escrita cerca de cinqüenta dias antes daquela festa.

2.2.2. A Associação com Crentes Imorais (5.9-13).

Parece que os coríntios não entenderam algo que Paulo havia escrito em uma carta anterior sobre o assunto de não associar-se a pessoas sexualmente imorais (v.9), uma carta que está agora perdida (embora alguns pensem que 2 Co 6.14—7.1 seja parte dela). O apóstolo se referiu claramente aos membros imorais da comunidade cristã, e não às pessoas imorais "deste mundo" (v.10). O verbo grego incomum utilizado aqui para "associado" ocorre no Novo Testamento somente nesta passagem (v. 9, 11) e em 2 Tessalonicenses 3.14. Seu significado literal é "se misturar".

Os homens deste mundo são descritos como devassos, avarentos, roubadores, e idólatras (v.10; cf. 6.9,10 para uma lista mais completa). É impossível que os cristãos se separem completamente de tais pessoas ("porque então vos seria necessário sair do mundo"), e isto também não é desejável, já que devem se associar a eles a fim de proclamar-lhes o evangelho. Como Jesus, cada cristão deve ser "amigo de publicanos e pecadores" (Mt 11.19).

As comunidades religiosas ao longo da história sentiram freqüentemente as necessidades da sociedade. Alguns o fazem como um protesto contra a perversidade do mundo; outros, para proteger-se desta perversidade e assim alcançar uma vida santificada; ainda outros, para procurar um estilo de vida contemplativo, individualmente ou coletivamente. O judaísmo dos dias de Paulo incluiu as comunidades dos Essênios, que conhecemos originalmente a partir dos rolos do Mar Morto, como a comunidade de Qumran, que se retirou para o deserto da Judéia para escapar da corrupção do mundo ao seu redor, e para protestar contra a corrupção do judaísmo dominante. A Igreja Cristã teve também os seus separatistas. Porém, como é evidente nos evangelhos, retirar-se por um período limitado do mundo e até da companhia de outros crentes é, às vezes, apropriado para que alguém seja renovado fisicamente e espiritualmente.

Para esclarecer ainda mais sua carta prévia, e em linguagem inconfundível, Paulo continua a dizer. "Mas, agora, escrevi que não vos associeis com aquele que, dizendo-se irmão..." (v.11). A conclusão inevitável é que uma pessoa na comunidade cristã, cujo estilo de vida seja "devasso, ou avarento, ou idólatra, ou maldizente, ou beberrão, ou roubador", tem cassado o direito a ser chamado irmão; sua conduta trai sua profissão de fé. O termo "maldizente" originário do mesmo termo grego somente é visto, em outra passagem no Novo Testamento, em 6.10. O substantivo grego relacionado ao ato de ultrajar acontece em 1 Timóteo 5.14 e 1 Pedro 3.9 (cf. o verbo em Jo 9.28; At 23.4; 1 Co 4.13; 1 Pe 2.23); a idéia básica é de abuso verbal: "O maldizente" é mais corretamente associado à palavra *diabolos*, usada no Novo Testamento tanto para descrever os seres humanos (por exemplo, 1 Tm 3.11; Tt 2.3) como o Diabo (por exemplo, Mt 4.1).

O "avarento ou roubador" (v. 10) constituem uma só classe; não só cobiçam, mas às vezes apoderam-se daquilo que cobiçam. Paulo lidará com a idolatria mais adiante (nos capítulos 8 e 10), mas considera também a cobiça, figuradamente, como sendo idolatria (Ef 5.5; Cl 3.5). Um beberrão é alguém que bebe em excesso; a embriaguez não era malvista no mundo mediterrâneo no meio dos pagãos, exceto no caso de mulheres ou se fosse responsável por vícios prejudiciais à sociedade.

Os cristãos não devem se retirar do mundo, mas da companhia de cristãos impenitentes culpados de tais pecados públicos. Certamente, todas as tentativas devem ser feitas para restabelecer um crente que caiu em pecado ("... se algum homem chegar a ser surpreendido nalguma ofensa...", Gl 6.1); mas quando houver resistência a tais tentativas, a exclusão da comunidade será o curso correto da ação. Mas, de qualquer modo, o irmão ou a irmã que se tornam pecadores impenitentes, devem ser distintos daqueles que sinceramente lutam para superar o pecado e experimentam retrocessos periódicos, estando genuinamente arrependidos; tais indivíduos necessitam encorajamento e apoio dos demais crentes.

Nem sequer comer com a pessoa impenitente (v. 11) parece sem conexão com a exclusão da congregação. Mas este assunto é tão sério que os crentes coríntios não deveriam ter nenhum relacionamento social com tal indivíduo. Note que no mundo bíblico, o ato dos crentes reunirem-se ao redor de uma mesa envolvia mais do que simplesmente compartilhar comida e bebida. Comer junto com alguém era sinônimo de comunhão. Este conceito não era aplicado somente às refeições particulares, mas também à Ceia do Senhor. Nos capítulos 10—11 Paulo desenvolverá a conexão entre as refeições comuns da igreja, incluindo a Ceia do Senhor, e o conceito de comunhão. A pessoa disciplinada é deste modo privada de um ato significativo, no qual os crentes compartilham a comunhão mútua. É então desnecessário pensar sobre a ação de expulsão como física, embora possa ser. É, antes, uma separação da pessoa de todo contato com a comunidade de crentes.

Isto implica, porém, e será declarado mais claramente adiante, que os crentes coríntios eram livres para comer com seus vizinhos pagãos (10.27).

Ao finalizar este assunto, Paulo fala de dois grupos — "os que estão de fora" e "os que estão dentro" (vv.12,13). Depois dos "que estão de fora", a tradução da NIV acrescentou a expressão "da igreja", que não consta no texto grego. O pensamento é correto, mesmo que a frase seja usada em outra passagem referindo-se a pagãos (Cl 4.5; 1 Ts 4.12). Deus julgará tais pessoas, pois Ele é "o Juiz de toda a terra" (Gn 18.25). O termo grego para "julgará" pode ser também conjugado no presente: "julga" (NASB, NKJV). A ortografia para ambos os tempos é a mesma; a diferença está no tipo de acento utilizado.

Mas já que os primeiros manuscritos não tinham marcas de acento, os tradutores estão livres para tomar sua própria decisão. Na realidade, ambos os significados são aplicáveis. Deus certamente julga no presente, e seu julgamento final será no Dia do Senhor.

Paulo continua a perguntar: "Não julgais vós os que estão dentro?" O teor grego exige uma resposta afirmativa. Uma vez que isto é verdade, "Tirai, pois, dentre vós a esse iníquo" (v.13). Paulo cita aqui Deuteronômio 13.5 e 17.7: "tirarás o mal do meio de ti". Sendo separada da comunidade cristã, a pessoa imoral será então contada com aquelas que estão "fora da igreja", e conseqüentemente estará sujeita ao julgamento de Deus.

As instruções para a igreja coríntia são relevantes para a Igreja de Deus de todas as épocas e em todos os lugares. O pecado deve ser identificado pelo que realmente é — rebelião contra Deus. Cristãos professos, porém impenitentes, que persistem em pecar, devem ser excluídos da comunhão da comunidade de crentes.

2.3. Demandas Entre Crentes (6.1-11)

Paulo acabou de lidar com o problema de um membro sexualmente imoral, concluindo o texto com o verbo "julgar" (*krino*) que aparece três vezes em 5.12,13. A palavra é um vínculo com o próximo problema tratado pelo apóstolo — cristãos levando outros cristãos aos tribunais, permitindo que sejam julgados por pagãos. O apóstolo presumivelmente recebeu esta informação dos membros da casa de Cloe (1.11) ou dos três irmãos coríntios que o visitaram (16.17). Conclui seu tratamento do problema dizendo que os coríntios enganam e causam danos uns aos outros (6.8). Isto o leva a declarar quem herdará o reino de Deus (v.9-11).

2.3.1. Os Cristãos e os Tribunais Cíveis (6.1-6). A palavra de abertura do texto grego (*tolmao*) é forte, significando ousar, presumir. "Ousa algum de vós, tendo algum negócio contra outro, ir a juízo perante os injustos e não perante os Santos?"

(v.1). No início, Paulo implica fortemente que é impróprio, realmente errado, um crente litigar contra outro nos tribunais cíveis. Afinal, os tribunais estão repletos de injustos (*adikos*) — aqueles que não experimentaram a justificação que vem de Deus. Paulo não está usando o termo *adikos* em um sentido pejorativo, mas para distingui-los dos crentes. Era um escândalo para aqueles que haviam sido declarados justos por Deus ("justificados", v.11), levarem seus problemas e resolverem suas questões internas diante do mundo.

É errado deduzir que Paulo tenha desprezado os romanos; a verdade é exatamente o contrário. O sistema jurídico era uma das áreas em que os romanos se distinguiam. O próprio Paulo apelou a este em uma situação apropriada (At 16.37-39; 25.10-12). Sua visão do papel das autoridades cíveis, de manter lei e a ordem, são claras (Rm 13.1-5). Eles "não são terror para as boas obras, mas para as más" (v.3), são "ministros ou servidores de Deus" (v.4).

Todavia, as disputas legais entre os membros da comunidade cristã deveriam ser levadas a julgamento perante os outros membros, "os santos" (*hagios* — veja comentário em 1.2). Os crentes são habitados pelo Espírito Santo (6.19); e têm "a mente de Cristo" (2.16). Deste modo, estão em uma posição superior para julgar tais disputas. A prática de membros de uma comunidade religiosa julgando suas próprias disputas internas é encontrada no judaísmo dos tempos do Novo Testamento. Os evangelhos e o livro de Atos mostram várias ocasiões em que os romanos permitiram que os judeus julgassem suas disputas internas, e ao longo do Império Romano toda a comunidade judaica teve seu próprio tribunal para o exercício da justiça civil. A comunidade de Qumran também tinha seus próprios procedimentos para ajustar os seus problemas internos.

Paulo pergunta novamente: "Não sabeis vós...?" (v.2), uma pergunta repetida por mais de cinco vezes neste capítulo (v. 3, 9, 15, 16, 19). Isto implica que os coríntios conhecem o assunto que se segue. Para fortalecer sua exposição, Paulo usa uma argumentação que procede de uma premissa principal a uma premissa secundária. A premissa principal é que os santos julgarão o mundo. Esta não contradiz sua declaração prévia de que nem ele nem os outros deveriam julgar aqueles que estão fora da Igreja (5.12); porém estava falando sobre o presente. A participação dos santos no julgamento do mundo é um evento futuro (veja Dn 7.18, 22; Sab Sal 3.7,8; 1 Enoque 1.9, 38; Jub 24.29; cf. também os escritos da comunidade de Qumran, 1QpHab 5.4). Jesus também ensinou algo semelhante, porém referindo-se ao julgamento das doze tribos de Israel (Mt 19.28; Lc 22.29,30; veja também Ap 20.4). Paulo fala de modo abrangente quando diz que os santos julgarão o mundo inteiro (*kosmos*).

Uma vez que os crentes participarão de um julgamento de tal magnitude, Paulo então pergunta: "sois, porventura, indignos de julgar as coisas mínimas?" As traduções diferem neste ponto, e argumentos válidos podem ser feitos a favor desta ou de outras opções, como:

> Não sois competentes para constituir tribunais menores? (NASB)
> Sois incompetentes para julgar casos triviais? (NRSV)
> Sois indignos de julgar as questões menores? (NKJV)

As razões para as diferentes traduções giram em torno de duas palavras. *Anaxios* pode significar incompetente, não adequado ou indigno; *kriterion* pode significar corte ou tribunal, processo ou ação legal (BAGD, 58, 453). Porém, o ponto principal é claro. Se os crentes terão uma participação tão efetiva no julgamento do mundo, seguramente deveriam ser capazes de resolver as disputas relativamente triviais entre eles.

Paulo usa o mesmo argumento básico quando diz: "Não sabeis vós que havemos de julgar os anjos?" (v.3). Ao incluir os anjos, está dizendo que os crentes, em última instância, julgarão todos os seres inteligentes, humanos e angelicais. As Escrituras referem-se a anjos bons e a anjos maus; Paulo está certamente se referindo aos anjos maus. O Novo Testamento fala em outras passagens do julgamento dos anjos perversos na consumação dos séculos (Mt 25.41; 2 Pe 2.4; Jd 6). Uma vez mais discutindo dos fatos maiores aos menores, Paulo diz: "Quanto mais as coisas pertencentes a esta vida?" — isto é, referindo-se àquilo que é ordinário, aos casos cotidianos.

A ênfase agora está no fracasso dos coríntios em resolver suas disputas internas (v.4). A expressão, "Se tiverdes *demandas* [*kriterion*] em juízo", aparece em algumas traduções como "Se tiverdes *negócios* em juízo" ou ainda "Se tiverdes *questões* em juízo" (cf. comentário sobre *kriterion*). A diferença não é crítica; o ponto principal de Paulo está claro. Quando existirem estes tipos de problemas, os crentes devem designar juízes, mesmo que sejam homens "de menos estima [*exoutheneo*] na igreja". Se esta tradução da NIV for aceita, Paulo está dizendo que há alguns cristãos "de menos estima". O verbo *exoutheneo* significa menosprezar ou desdenhar. É improvável que Paulo se referisse aos crentes deste modo. Uma tradução melhor seria. "Designais como juízes aqueles que não têm nenhuma posição na igreja?" (v. 4, NRSV; a palavra traduzida como "designar" tem o sentido de ordem, declaração ou pergunta).

Foi uma vergonha para os cristãos coríntios recorrerem aos tribunais cíveis para resolver suas disputas. Será que são tão carentes de sabedoria a ponto do apóstolo perguntar: "não há, pois, entre vós sábios, nem mesmo um, que possa julgar entre seus irmãos?" (v.5). Eram pessoas imensamente orgulhosas de sua sabedoria, no entanto pareciam incapazes de preparar um membro que pudesse arbitrar entre os crentes que tivessem qualquer desavença! A vergonhosa desgraça foi que os crentes tornaram público aos incrédulos as dificuldades que tinham de entender-se uns com os outros.

2.3.2. A Atitude Correta quando Alguém Sofre um Prejuízo (6.7,8). Destacando tudo que Paulo disse sobre este assunto, teremos um elemento fundamental da ética do Novo Testamento. Os cristãos não deveriam buscar qualquer compensação ou retaliação contra alguém que os tivesse prejudicado (Rm 12.17; 1 Ts 5.15). Instituindo processos e obtendo julgamentos contra irmãos crentes, os coríntios já estavam completamente derrotados. Poderiam ganhar um caso legalmente, mas estariam moralmente derrotados por não viverem à altura do ideal de Deus. O caminho que Paulo prescreve é o que Jesus ordenou: Não é "olho por olho", mas consiste em oferecer "a outra face"; não entregar somente sua vestimenta quando alguém o demandar, mas dar também a "sua capa" (Mt 5.38-40). "Por que não sofreis, antes, a injustiça? Por que não sofreis, antes, o dano?" As próprias perguntas trazem a resposta.

É como se os coríntios estivessem mais preocupados com seus próprios "direitos" do que com o direito dos outros. Embora estivessem acusando outros cristãos de interpretá-los mal e de enganá-los, alguns estavam interpretando mal e enganando aos outros (v.8).

Paulo aqui não faz nenhuma exceção ao lidar com o problema dos processos instituídos por cristãos. Será que não existiam? Ou será que a situação no meio dos coríntios se deteriorou a tal ponto que o apóstolo se sentiu compelido a falar em termos absolutos? Estas e outras questões continuarão a ser discutidas, mas é importante lembrar sua ênfase dominante:
1) É um testemunho vergonhoso e infame para o mundo, quando cristãos instituem ações legais contra outros cristãos.
2) A Igreja é responsável pela implantação de seu próprio sistema de julgamento de diferenças entre crentes.
3) É melhor sofrer algum prejuízo do que apelar até mesmo a um tribunal da Igreja.

2.3.3. Herdeiros do Reino (6.9-11). "Não sabeis que os injustos [*adikos*, veja o comentário sobre 6.1-6] não hão de herdar o Reino de Deus?" [veja o comentário sobre 4.20]. Os injustos não participam dos aspectos presentes do reino, e aqueles que morrem em um estado de maldade nunca o herdarão. Paulo exorta os coríntios a não serem enganados neste assunto, pela facilidade que alguns têm de argumentar que Deus não poderia ser tão exigente.

O apóstolo então prossegue mostrando uma lista das características dos injustos (veja também Gl 5.16-21). Seu pensamento está voltado a estilos de vida, e não a lapsos ocasionais de pecado (cf. 1 Co 5.2). Está certamente dizendo que se os membros da comunidade cristã praticarem estes estilos de vida, perderão sua herança eterna. Todos os cristãos são herdeiros, mas os herdeiros podem ser deserdados (Robertson e Plummer, 118; Fee, 229, 242). Paulo não parece estar preocupado com as perguntas que os teólogos mais recentes levantam, isto é, se tais pessoas seriam ou não salvas, ou se perderiam alguma recompensa, mas não sua salvação. Notamos novamente que, ao contrário da visão errônea de alguns dos coríntios que pensavem ter a completa posse do reino (cf. 4.8), Paulo aqui está falando do reino em seu aspecto futuro.

Cada um dos dez tipos de estilos de vida mencionados merece um estudo próprio. Este comentário, porém, levanta alguns comentários básicos e gerais. A idolatria está ligada aos pecados sexuais. Isto não é incomum. Embora a idolatria seja um pecado, a adoração idólatra era freqüentemente associada à imoralidade sexual (cf. Rm 1.21-28). As religiões pagãs dos tempos bíblicos freqüentemente combinavam os atos sexuais com a adoração. As prostitutas do templo eram dedicadas a deuses pagãos. Historicamente, a religião pagã em Corinto era notória neste aspecto. Foi anteriormente observado que *porneia* era um termo que denotava qualquer tipo de irregularidade sexual e podia, por extensão e aplicação, incluir pecados como estupro e pedofilia (veja comentários sobre 5.1). A lista inclui também os adúlteros, isto é, pessoas casadas culpadas de relações sexuais com alguém diferente de seu cônjuge. Os "efeminados e os sodomitas" são, respectivamente, os parceiros passivos e ativos na atividade homossexual.

Avarentos, ladrões, e roubadores são pessoas que cobiçam ou tomam o que não lhes pertence por direito, aquilo que não é completamente seu, seja por roubo, pensamento, engano ou força, respectivamente. A embriaguez existia até mesmo na congregação coríntia (11.21), e Paulo foi compelido a dizer aos cristãos efésios: "Não vos embriagueis com vinho" (Ef 5.18). Os maldizentes (veja comentário sobre 5.11) são pessoas verbalmente abusivas.

O cristão contemporâneo não deveria olhar com desdém para a congregação coríntia, para alguns de seus baixos padrões éticos e sua tolerância e comissão de pecados. Note que a maioria deles era de formação pagã; o orgulho moral por parte dos cristãos atuais pode ser da mesma maneira censurável, e talvez pior diante de Deus. Os pecados nesta lista não são peculiares ao contexto coríntio. Prevalecem hoje, e, alguns deles, infelizmente, estão sendo tolerados em algumas Igrejas. Em nossa época, a revolução sexual dos anos 60 tomou parte não somente na sociedade em geral, mas também dentro da Igreja. Mesmo não sendo freqüente, como algumas denominações podem ordenar ministros homossexuais? E como pode ser possível o surgimento de congregações lideradas por um pastor homossexual, cujos membros em sua maioria são publicamente homossexuais?

Paulo, porém, não concluirá a discussão nesta nota negativa, embora alguns destes pecados tenham existido dentro da comunidade coríntia de crentes. Ele os lembra dos dias de sua pré-conversão. "E é o que alguns têm sido" (v.11). Com todas as suas imperfeições, a igreja coríntia ainda testemunhou o poder do evangelho através de uma mudança radical na vida de seus convertidos. A forte conjunção grega *alla* introduz cada uma das próximas três declarações e contrasta seu estado presente, porém deficiente, com seu antigo estado. "Mas haveis sido lavados, mas haveis sido santificados, mas haveis sido justificados...". Este trio apresenta, de três modos diferentes, a obra que aconteceu em suas vidas no momento em que creram em Cristo (veja os comentários sobre 1.30 para um tratamento semelhante).

Foram "lavados" (*apolouo*) de seus pecados. A imagem lembra o batismo dos coríntios no momento da conversão (1.13-16). Paulo sabia, por sua própria experiência, que o batismo simbolizava a remoção do pecado. Podia facilmente recordar as palavras de Ananias. "Levanta-te, e batiza-te, e lava os teus pecados, invocando o nome do Senhor" (At 22.16). Estas palavras de Ananias contêm a única outra ocorrência da palavra *apolouo* no Novo Testamento. Sua forma de substantivo (*loutron*), usada simbolicamente, ocorre em Efésios 5.26, que fala de Cristo tendo purificado a Igreja, "purificando-a com a lavagem da água, pela palavra" e Tito 3.5, que diz que Deus "nos salvou pela lavagem da regeneração". A forma básica do verbo (*louo*) acontece em várias passagens que falam da limpeza literal pela água (por exemplo, Jo 13.10; At 9.37; 16.33; 2 Pe 2.22). Nas palavras "haveis sido lavados" existe certamente uma alusão ao batismo, mas é notório que Paulo aqui não tenha dito: "Fostes batizados". Talvez quisesse evitar o engano de que o batismo realmente removesse pecados, em lugar de ser um símbolo daquela remoção.

João ensina que o sangue de Cristo é o agente que purifica (*katharizo*) do pecado (1 Jo 1.7, 9; cf. também Hb 9.14), significado que sua morte é o meio para remover o pecado. Este verbo é um sinônimo de *louo* (lavar); Paulo usa ambos quando diz que Cristo purificou a Igreja lavando-a com a água (Ef 5.26). Mas não faz uma conexão direta entre o sangue de Cristo e a purificação do pecado. Para ele, o sangue de Cristo é o meio pelo qual a ira de Deus é aplacada (Rm 3.25), o crente é justificado (Rm 5.9), o preço da redenção é pago (Ef 1.7), a base para aproximar-se de Deus é fornecida (2.13), e a paz é estabelecida entre Deus e os pecadores (Cl 1.20). João e Paulo têm pensamentos complementares neste assunto. O *meio* é o sangue de Cristo; o batismo simboliza aquela purificação.

A declaração "haveis sido santificados" também está no passado, em grego. Neste contexto, santificação não é um processo contínuo, mas um fato realizado (veja comentários sobre 1.2) A posição desta declaração entre "lavado" e "justificado" estabelece que pode ser entendida como o ato específico de Deus de separar para si aqueles que vieram para a fé. Apesar de seus fracassos, os cristãos coríntios ainda poderão aperfeiçoar-se e ser de fato santos, ou santificados.

"Haveis sido justificados" (cf. comentários sobre 1.30) volta para o tempo da conversão dos coríntios, quando Deus os absolveu de seus pecados passados e colocou em seu crédito a justiça de Cristo.

Esta tripla ação de Deus a seu favor é concedida em "nome do Senhor Jesus" (veja 1.10; 5.4). Baseia-se em tudo que seu nome significa — seu caráter, sua autoridade, sua salvação (Mt 1.21).

Esta ação divina é também "pelo Espírito de nosso Deus". Uma tradução alternativa seria "por meio do Espírito do nosso Deus", indicando que a obra de Deus no crente pecador acontece no reino do Espírito. Embora isto seja realmente verdade, a primeira tradução é preferível, já que chama a atenção para o ministério do Espírito na conversão. Note como em Tito 3.5, a "lavagem da regeneração" é paralela à "renovação pelo Espírito Santo". Jesus falou de nascer do Espírito (Jo 3.5-8). Igualmente, a santificação é uma obra do Espírito Santo (Rm 15.16; 2 Ts 2.13). O mesmo pode ser dito em relação à justificação; Paulo diz: "a lei do Espírito de vida... (isto é, o Espírito Santo) me livrou da lei do pecado e da morte" (Rm 8.2).

Uma vez mais notamos um "Trinitarismo quase inconsciente" por parte de Paulo (Barrett, 143), seu "Trinitarismo moderado (ou discreto)" (Morris, 95), seu "Trinitarismo latente" (Fee, 246). Nas palavras finais do parágrafo, ele menciona o "Senhor Jesus", "o Espírito", e o "nosso Deus".

2.4. O Ensino Sobre a Imoralidade Sexual (6.12-20)

Paulo já lidou com a questão da imoralidade sexual com respeito ao irmão incestuoso; deu também instruções relativas aos crentes que se associam com os sexualmente imorais (cap. 5). Em 6.9-10 mencionou vários tipos de pessoas sexualmente imorais. Deve agora tratar o problema da imoralidade sexual com mais detalhes.

2.4.1. A Natureza da Imoralidade Sexual (6.12-17).

A frase "todas as coisas me são lícitas" provavelmente é uma declaração dos cristãos coríntios, que Paulo cita duas vezes aqui, e duas vezes em 10.23. Já que no primeiro século grego não havia o conceito de aspas, estas são providas por muitos comentaristas que interpretam a declaração deste modo. O mesmo é verdadeiro na declaração dos "manjares... ventre" no verso 13.

Alguns dos crentes de Corinto se colocaram acima das restrições morais. Eles "se posicionaram" espiritualmente; eram arrogantes; sentiam-se livres para fazer com seus corpos o que lhes agradasse, porque pensavam que estivessem vivendo no reino do Espírito. Se existisse uma influência gnóstica primitiva por trás de declarações como esta, seria baseada na idéia de que pessoas verdadeiramente espirituais podem, com impunidade, fazer o que desejam com seus corpos, já que o corpo, sendo material, é inerentemente mal, de qualquer modo. Mas enquanto Paulo ensina que o cristão é realmente livre, também diz: "Não useis, então, da liberdade para dar ocasião à carne" (Gl 5.13).

Em princípio, Paulo concorda com a declaração dos coríntios, mas as palavras "todas as coisas" devem ser entendidas no contexto do amor — amor a Deus e ao próximo. Por exemplo, o amor a Deus significa abstenção daquilo que Ele proibiu claramente, como a imoralidade sexual. Então Paulo procura estabelecer seu acordo com eles de dois modos. A frase "mas nem todas as coisas convêm" implica que algumas coisas, como a imoralidade, são espiritualmente prejudiciais. O que é benéfico é o amor (cf. 8.1). A conduta do crente deve ser guiada pelo que é espiritualmente benéfico, e não pelo que é "permissível". Em um assunto que não foi especificamente proscrito por Deus, e que pode não ser propriamente um pecado, a pergunta que os crentes devem se fazer não é: "Isto é permissível?" ou "Isso tudo é direito?", mas "Isto convém?", ou ainda, "Isto é benéfico?"

O segundo tópico de Paulo é: "eu não me deixarei dominar [*exousiazo*] por nenhuma". Este verbo é utilizado também em 7.4 e em Lucas 22.25. O apóstolo não permitirá que os apetites carnais ditem sua conduta. Seu único Mestre é Cristo, a quem ele se escravizou (Rm 1.1; veja também 1 Co 7.22). A ironia, de acordo com Paulo, é que aquele que exercita a liberdade desenfreada torna-se realmente um escravo desta liberdade, que não é outra coisa senão libertinagem.

Outro lema aparente dos coríntios era "os manjares são para o ventre, e o ventre, para os manjares" (v.13). Paulo não qualifica esta declaração, embora mais tarde argumente favoravelmente à abstenção de certos alimentos por amor a um irmão crente. Morris sugere que em seu pensamento "uma função carnal é muito parecida com a outra. A fornicação é tão natural quanto comer" (96). Esta interpretação provavelmente é correta, já que a declaração está no meio de uma seção que trata de imoralidade sexual. Mas a argumentação dos coríntios é defeituosa. Tanto o estômago como a comida são perecíveis, destinados a serem destruídos por Deus. O corpo humano, por outro lado, é "para o Senhor, e o Senhor para o corpo". Deus planejou o corpo humano para ser dedicado a Ele, e não à imoralidade sexual. Uma tradução estrita pode ser "Mas o corpo não é para a prostituição, senão para o Senhor". Mas o Senhor é também "para o corpo". O estômago será destruído; o corpo não. De fato, o corpo é para Deus pois será transformado na vinda do Senhor.

"Ora, Deus, que também ressuscitou o Senhor, nos ressuscitará a nós pelo seu poder (v.14), portanto, Deus também ressuscitará a cada cristão (veja também 15.44, 51; cf. Rm 1.4; 8.11; Fp 3.20,21). Este conceito é tão importante que Paulo o discute ao longo do capítulo 15, onde argumenta que a ressurreição de Jesus é fundamental para a esperança dos crentes quanto à sua própria ressurreição da morte. A ressurreição de Jesus era de importância suprema na pregação da igreja primitiva; o livro de Atos demonstra que era um elemento indispensável na proclamação do evangelho.

Procurando uma linha adicional de raciocínio, Paulo pergunta: "Não sabeis vós que os vossos corpos são membros [*melos*] de Cristo?" (v.15). *Melos* é uma palavra usada para partes do corpo humano (Rm 6.13, 19) e metaforicamente para partes do corpo de Cristo. Paulo usa esta metáfora do corpo e seus membros de vários modos diferentes quando fala sobre a relação dos crentes com Cristo. Em 12.12-27, cada pessoa é um membro do corpo (veja também Rm 12.5). Existe um só corpo, o corpo de Cristo (Ef 4.4), do qual Cristo é a cabeça (Cl 1.18, 24).

Os coríntios devem entender que seus corpos não lhes pertencem; pertencem ao Senhor porque Ele os comprou (v. 20). Seus corpos, como membros de Cristo, são uma parte integral dEle. É inconcebível "tomar os membros de Cristo e fazê-los membros de uma meretriz". As meras causas pensadas levam Paulo a reagir dizendo "Não!" ("Deus proíba", KJV). A expressão grega usada aqui, *me genoito*, significa literalmente, "pode não ser". Pode ser parafraseada por "Pereça o pensamento" ou "Em hipótese alguma". A idéia seria especialmente repugnante se a prostituta estivesse ligada a um templo pagão.

No verso 16, Paulo apela às Escrituras como apoio, que diz que o homem e sua esposa "serão ambos uma carne" (Gn 2.24, LXX). O apóstolo pergunta novamente, "Ou não sabeis que...?" A vontade de Deus é que a união sexual aconteça somente dentro do casamento. Quando acontece com uma prostituta, o homem se torna "um corpo" com ela. Em algumas passagens do Novo Testamento existe uma diferença teológica importante entre "carne" (*sarx*) e "corpo" (*soma*), mas nesta passagem estes termos são usados de modo intercambiável. Deste modo o homem imoral "se ajunta com a meretriz". Reciprocamente, "o que se ajunta com o Senhor é um mesmo espírito" com Ele. O crente desfruta de uma união espiritual com Cristo porque recebeu o Espírito de Cristo (Rm 8.9). O ponto que Paulo deseja ressaltar é a impossibilidade de pertencer a dois corpos ao mesmo tempo. Esta impossibilidade não é somente numérica, é moral (Héring, 46).

2.4.2. O Templo do Espírito Santo (6.18-20).

A ordem de Paulo, tendo em vista tudo o que foi dito anteriormente é: "Fugi da prostituição" (cf. sua ordem posterior, "fugi da idolatria", 10.14). Em ambos os exemplos a forma do verbo significa "continuar fugindo" ou, como Morris sugere (98), "Assuma o hábito de fugir". As tentações sexuais eram tão comuns em Corinto que este era o único caminho que os cristãos deveriam tomar. Deveriam manter tanta distância quanto possível entre si mesmos e a ocasião para pecar, quer se tratasse de uma casa de prostituição, de um templo de prostituição, ou de uma prostituta. A história de José, que foge da esposa de Potifar, vem prontamente à mente (Gn 39.7-12).

A advertência de Paulo para fugir deve ser distinta de sua advertência prévia de que os crentes não se desassociem dos "que se prostituem" (5.9-10). Neste exemplo, são exortados a fugir de imoralidade sexual, não de incrédulos que podem ser sexualmente imorais. Devem se abster de uma conduta sexualmente irregular, mas não devem evitar o convívio social normal com todas as pessoas, inclusive aquelas que são sexualmente imorais.

Os estudiosos concordam que a próxima declaração de Paulo é uma das mais difíceis de se interpretar. "Todo pecado que o homem comete é fora do corpo; mas o que se prostitui peca contra o seu próprio corpo" (v.18). Esta é realmente uma distinção válida? Os outros muitos pecados não são também contra o corpo — a embriaguez, o vício das drogas, a glutonaria, etc.? (note que a palavra "outro" no sentido de "qualquer outro pecado" não consta do texto grego e não aparece na NKJV e nem na NRSV; é acrescentada na NIV e, em itálicos, na NASB. A seguir apresentamos algumas explicações a título de exemplo.

1) Comparativamente, pecados sexuais são mais graves que outros pecados.
2) Outros pecados contra o corpo envolvem freqüentemente algo que vem de fora do corpo, mas o pecado sexual vem do interior da pessoa.
3) A primeira parte da sentença é um "slogan" de alguns cristãos coríntios que, em sua ar-

rogância espiritual, sentiam que a categoria de pecado não se aplicava a eles. "Todo pecado que o homem comete é fora do corpo". Isto se baseia na idéia de que a palavra "corpo" representa o ser por inteiro, a "personalidade", o mais íntimo do ser; assim sendo, qualquer coisa que seja classificada como pecado não se aplica a este.

4) Paulo está escrevendo de um modo geral, "livremente", e não como filósofo moral (Barrett, 150). Barrett cita João Calvino: "Estes outros pecados não deixam a mesma mancha imunda no corpo, como faz a fornicação".

5) O "caráter especial" da imoralidade sexual é que o homem remove seu corpo, o templo do Espírito Santo que é "para o Senhor", da união com Cristo, tornando-o um membro do corpo da mulher (Fee, 262).

As duas últimas opções parecem apresentar alguns problemas. Porém, não importa como Paulo seja compreendido neste assunto, o ponto principal é óbvio: o corpo é sagrado e é tão valorizado por Deus que Ele o ressuscitará.

A última pergunta de Paulo, "Ou não sabeis...?", diz respeito à relação do crente com o Espírito Santo. O corpo do crente é destinado à ressurreição, mas no presente é um templo do Espírito Santo (v. 19). Este fato fornece outra razão para se manter a pureza sexual. Não devemos contaminar o santuário de Deus. Neste contexto, cada crente, individualmente, é um templo (*naos*) do Espírito Santo recebido no momento em que creu em Cristo (Rm 8.15,16; Gl 4.6). Anteriormente, Paulo havia declarado que os cristãos são coletivamente o templo de Deus, e que são interiormente habitados por Ele (veja comentários em 3.16,17). As duas idéias são complementares; os crentes, tanto individualmente como a igreja (local ou universal), são o lugar da habitação especial de Deus na Terra.

Neste contexto existe um inter-relacionamento entre a ressurreição corpórea de cada crente e o fato de serem interiormente habitados pelo Espírito Santo. O Espírito é o primeiro sinal e o penhor de nossa herança eterna (Rm 8.23; 2 Co 1.21,22; Ef 1.13,14; 4.30), e é pelo poder do Espírito que seremos ressuscitados dos mortos (Rm 8.11). Alguns dos coríntios acreditavam que por terem recebido o Espírito, a despeito do que fizessem, não haveria qualquer conseqüência sobre o corpo. O argumento de Paulo é justamente o oposto.

"Não sois de vós mesmos" pode ser uma declaração adicional, ou pode ser uma continuação da pergunta "Ou não sabeis...?". Em ambos os casos, o ponto a destacar é que os crentes agora pertencem ao Senhor, foram "comprados por bom preço". São seus servos, e não seus próprios mestres. A imagem de um preço de resgate é uma importante figura pela qual o Novo Testamento retrata a obra salvadora de Deus (veja comentários sobre 1.30). Jesus disse que daria "a sua vida em resgate [*lytron*] de muitos (Mt 20.28; Mc 10.45). Outra forma do substantivo (*apolytrosis*) é encontrada em passagens que dizem que o preço de compra da redenção era o sangue de Cristo (Rm 3.24,25; Ef 1.7; veja também *lytroo* em 1 Pe 1.18,19). O verbo utilizado como "comprou" em 1 Coríntios 6.20 é *agorazo* (também usado em 7.23; 2 Pe 2.1; Ap 5.9; 14.3,4; cf. também Gl 3.13; 4.5, que usa uma forma intensificada, *exagorazo*).

A linha de raciocínio seguida por Paulo aqui é revolucionária. De acordo com Jean Héring (47), "provavelmente estamos testemunhando aqui a primeira tentativa na história do pensamento moral de refutar a libertinagem de algum outro modo que não pelos argumentos dos ascéticos, dos legalistas ou do tipo utilitário, que são tão comuns na filosofia grega".

Paulo conclui dizendo: "Glorificai, pois, a Deus no vosso corpo" (cf. Rm 12.1, "apresenteis o vosso corpo em sacrifício"). O termo "pois" traduz a pequena palavra *dè* que traz o sentido de uma "urgência maior" a exortações ou ordens (BAGD, 178). Não deveria existir nenhuma demora no assunto. A ordem para fugir da imoralidade sexual (v. 18), que traz um sentido de negação é agora equilibrada por esta ordem urgente e positiva. Paulo mais tarde amplia esta exortação final dizendo: "Portanto, quer comais, quer bebais ou façais outra qualquer coisa, fazei tudo para a glória de Deus" (10.31).

3. A Resposta a uma Carta de Corinto (7.1—16.4)

Paulo tem tratado de problemas que lhe foram trazidos por membros de casa de Cloe e outros. Agora enfoca as questões contidas em uma carta que recebeu da Igreja que estava em Corinto. A frase "Ora, quanto" (*peri de*), aparece seis vezes nos capítulos 7-16, introduzindo cada tópico separadamente (7.1, 25; 8.1, 12.1; 16.1, 12). Os assuntos incluem questões relacionadas ao casamento, às virgens, aos alimentos sacrificados a ídolos, aos dons espirituais, à oferta e a Apolo.

3.1. O Casamento e as Questões a ele Relacionadas (7.1-40)

O tratamento estendido de Paulo quanto à imoralidade sexual nos capítulos 5—6 leva facilmente a uma discussão sobre o casamento. O capítulo 7 é a passagem mais abrangente das Escrituras sobre este tema bem como sobre as questões rela-

Da altura do Acrocorinto, à direita, pode-se avistar abaixo a antiga cidade de Corinto. As ruínas desta fortaleza são uma mistura de diferentes eras, inclusive da romana. Os romanos destruíram a cidade em 148 a.C., reconstruindo-a, mais tarde, como uma Colônia. Abaixo estão as ruínas do templo de Afrodite, a deusa grega do amor e da beleza. Paulo advertiu os coríntios a não se associarem a pessoas sexualmente imorais.

cionadas. Nas notas seguintes, o termo "celibato" significa abstenção de relações sexuais, seja dentro, seja ou fora do casamento. Este esclarecimento é necessário porque um dos significados de celibato é simplesmente a abstenção do casamento, sem necessáriamente uma implicação de pureza sexual. O termo "continência" pode melhor servir para nosso propósito, mas não é extensamente usado em nossos dias. A castidade poderia ser uma boa alternativa, especialmente quando aplicada aos solteiros.

3.1.1. O Comportamento Adequado dentro do Casamento (7.1-7)

Em assuntos relacionados ao comportamento sexual, Paulo estava lutando em duas frentes. Uma facção em meio aos coríntios — os libertinos ou antinomianos — alegavam que o que a pessoa faz com seu corpo é moralmente indiferente. Mas outra facção adotou uma direção oposta — a do asceticismo. Este fato pode ter acontecido devido a uma influência pré-gnóstica que sustentava que nossos corpos, sendo físicos, são inerentemente maus, e que cada um de nós deve negar a si mesmo o prazer físico. Outros parecem ter pensado que uma vez que alcançaram o pináculo da espiritualidade, haviam entrado completamente no "mundo vindouro" (vejam os comentários sobre 4.8). Deste modo, não tinham nenhuma necessidade de satisfação sexual; estavam "acima" de tais coisas.

Parte do problema eram as "mulheres escatológicas" que, de acordo com Gordon Fee, estavam negando os direitos conjugais aos seus maridos. Pensavam que já haviam ressuscitado dos mortos e que, "sendo espíritos", já eram conseqüentemente "como os anjos" (11.2-16; 13.1), que não se casam nem se dão em casamento (Fee, 269). Esta passagem imediatamente após Paulo condenar aqueles que visitavam prostitutas, apoiava a idéia de que alguns maridos se sentiram compelidos a buscar a satisfação sexual fora de casa.

"Bom seria que o homem não se casasse" (v.1), não é uma tradução, mas uma interpretação (provavelmente correta) do texto grego, onde se lê literalmente, "Bom [bem, NRSV] seria que o homem não tocasse em mulher" (NASB, NKJV). "Tocar em mulher" é um eufemismo do Antigo Testamento para relações sexuais (veja Gn. 20.6, Pv. 6.29). Os versos 2-7 justificam a interpretação de que o casamento está em vista, embora a declaração expresse uma mentalidade geralmente ascética. A sentença que contém a frase "... não tocasse em mulher" era provavelmente uma citação da carta de Corinto endereçada a Paulo. É também possível, porém, traduzir o verso 1 como uma pergunta: "Seria bom que o homem não tocasse em mulher?" Neste caso os coríntios estariam pedindo uma opinião.

Várias observações podem ser feitas por meio de uma avaliação prévia do capítulo.
1) Paulo não discorda completamente da declaração sobre não tocar em mulher. Várias vezes neste capítulo indicará porque pensa que o estado de solteiro, ou celibatário, é preferível ao estado do matrimônio. Este se encontra sobre bases pragmáticas, mas não é moralmente superior, assim como o estado matrimonial não é mau. O celibato é um dom de Deus, mas o casamento também o é (v.7). Paulo sabia que "não é bom que o homem esteja só" (Gn 2.18) e que o casamento é uma instituição divina.
2) Ao dar preferência ao celibato, ao estado de solteiro, Paulo diverge do pensamento judeu convencional. No judaísmo, o casamento para homens não era uma opção, mas uma obrigação; esperava-se que todo homem jovem se casasse.
3) A atitude de Paulo em relação ao sexo é realista. O celibato, ao contrário do casamento, deveria ser mais a exceção do que a regra. O casamento é o meio divinamente designado para dar expressão ao impulso sexual. "O homem que escreveu Efésios 5.22, 23, 32, 33 não tinha uma visão ruim do casamento" (Robertson e Plummer, 133).
4) Um casamento sem sexo é uma contradição de termos. Não pode haver um casamento puramente espiritual.
5) O casamento envolve direitos e obrigações para ambos, marido e esposa.

I CORÍNTIOS 7

A imoralidade sexual não era incomum no meio dos crentes coríntios: "Mas, por causa da prostituição..." (literalmente, "por causa dos atos de imoralidade"), homens e mulheres deveriam ser casados, uma vez que a relação sexual só é permissível dentro do casamento. O casamento, então, deve ser a restrição para o mau-comportamento sexual. Existem, por certo, outras razões para se casar, mas esta precisa ser mencionada. O casamento é a norma; mais que isto, é um mandamento, embora possa haver exceções (v.7). Além disso, a monogamia está implícita, uma vez que Paulo diz: "cada um tenha a sua própria mulher, e cada uma tenha o seu próprio marido". O verbo "ter" é também um eufemismo para relações sexuais (veja comentários sobre 5.1).

Os versos 3 e 4 apresentam um notável avanço sobre as idéias sociais prevalecentes tanto nos círculos gentílicos como judaicos. O marido e a esposa são exortados de maneira paralela; o que se aplica a um se aplica igualmente ao outro. Através do casamento, marido e esposa se tornam "uma só carne" (6.16; Gn 2.24). Portanto, devem cumprir sua obrigação sexual um para com o outro. Os tempos verbais usados aqui sugerem que este deveria ser um padrão contínuo de comportamento. A ênfase está em dar de si mesmo ao seu cônjuge, e não em receber algo ou exigir "direitos" sobre o cônjuge.

Conseqüentemente, a regra geral é que os cônjuges no casamento não se "privem [*apostereo*] um ao outro", tratando-se da expressão sexual. O verbo também significa "defraudar" (causar "dano" em 6.7,8). A frase "Não vos priveis um ao outro" (NASB) traduz o tempo grego com mais precisão; isto é, alguns já eram culpados de privar o cônjuge de uma vida sexual normal. Existe uma exceção permissível, mas as diretrizes são claras. A abstinência sexual deve ser:
1) por consentimento mútuo,
2) temporária (por algum tempo NRSV),
3) com a finalidade de marido e esposa aplicarem-se à oração, e
4) contanto que ajuntem-se "outra vez".

Existem precedentes no Antigo Testamento para esta abstinência temporária para propósitos espirituais (Jl 2.16; Zc 12.12-14). Para concluir este assunto com um comentário sugestivo, parece plausível que, para que a abstinência possa ser interpretada como uma forma de jejum, deva ser limitada quanto ao tempo e sempre ligada à oração.

É necessário reassumir a atividade sexual normal "para que Satanás vos não tente pela vossa incontinência". A falta de autocontrole em questões sexuais é mencionada no verso 9 como uma base legítima para o casamento. Aqui o casal não deve permitir que o adversário, Satanás, venha tentá-los a expressar o impulso sexual de uma forma que os leve a um comportamento pecaminoso, tendo relações íntimas com alguém que não seja o seu cônjuge.

Pode-se interpretar de algumas maneiras a frase "Digo, porém, *isso* como que por permissão e não por mandamento" (v.6) dependendo do que Paulo quer dizer com o termo "isso". Várias opções são possíveis:
1) É aplicável ao que se segue no v. 7, que todos os homens poderiam ser como ele é.
2) Poderia estar se referindo à suspensão temporária das relações sexuais do casal, o que seria uma concessão parcial àqueles que defenderam a completa abstinência sexual no casamento (Héring, 50).
3) Poderia ser apenas aplicável à declaração contida no final do verso 5, que diz que o casal deve voltar a juntar-se.
4) Poderia aplicar-se aos versos 2-5, de forma que Paulo estivesse dizendo que não está ordenando que todos se casem, mas permitindo tal circunstância como uma concessão para aqueles que não podem permanecer celibatários (Robertson e Plummer, 135). A última opção apresenta menos dificuldades.

Paulo expressa agora sua preferência desejando que todos os homens fossem como ele mesmo (v.7). É provável que Paulo, como um judeu piedoso, tenha sido casado. Isto seria especialmente verdadeiro se tivesse alguma vez sido um membro do Sinédrio (como alguns entendem Atos 26.10), uma vez que geralmente se entende que era exigido que os membros daquele corpo fossem casados. Mas não se sabe com certeza se neste momento era viúvo, se sua esposa o havia deixado, ou se já havia sido casado. Uma vez que Paulo era um rabino, a última possibilidade está fora de cogitação. Ele reconhece, porém, que nem todos podem viver uma vida celibatária, pois o celibato é um "dom [*charisma* – veja comentários sobre 1.7] de Deus" (cf. Mt 19.11,12). Mas Paulo mostra que o casamento é também um dom de Deus quando diz: "mas cada um tem de Deus o seu próprio dom, um de uma maneira, e outro de outra" (v. 7; BAGD, 597-98. O conceito de *charisma* receberá atenção detalhada nos capítulos 12-14).

3.1.2. Os Solteiros e as Viúvas (7.8,9). Paulo tratou o tema do casamento de modo geral; agora dá atenção a categorias específicas de pessoas. As pessoas "não casadas" são, na terminologia contemporânea, as pessoas "solteiras" (cf. também v.11, 32, 34). Esta palavra tem um amplo significado. (1) Embora seja de gênero masculino, é gênero-inclusiva, conforme o uso grego; (2) inclui todos aqueles que não estão casados no momento — aqueles que nunca foram casados, os divorciados, e os viúvos. Mas por que Paulo então acrescentaria "e às viúvas"? Uma possibilidade é que sejam especificamente mencionadas "por sua particular vulnerabilidade e pela tentação de casarem-se novamente" (Morris, 105). Uma construção gramatical paralela ocorre em 9.5, onde Paulo fala dos "demais apóstolos... e Cefas"; Cefas, um apóstolo, recebe menção especial (veja também Marcos 16.7). Uma segunda possibilidade é que as viúvas neste momento já tivessem formado um grupo distinto em uma congregação, e seu estado tenha ocasionado discussões (veja 1 Tm 5.3-16; cf. Héring, 51).

A recomendação de Paulo é a seguinte: "é bom se ficarem como eu" (v.8). Uma vez mais, isto não implica que é pecado casar-se (veja comentários em v.1). É recomendado permanecer solteiro, se a pessoa tiver o dom do celibato (v.7). "Mas, se não podem conter-se" ou, "Mas se não tiverem domínio próprio" (NRSV), são traduções mais precisas do que "se não podem se controlar" (NIV), uma vez que as palavras, "não podem" não constam do texto grego (v.9). Parece que alguns dos solteiros e viúvas estavam cedendo às suas paixões sexuais. Tais pessoas deveriam se casar (v.2), "é melhor casar do que abrasar-se" (v.9).

Na NIV lemos: "do que arder nas chamas da paixão". Esta interpretação pode ser correta, já que Paulo usa a mesma palavra (*pyroo*) figurativamente em outra ocasião quando fala de seus próprios sentimentos intensos (2 Co 11.29), entretanto em um contexto que não se refere à vida sexual. Paulo, mais tarde, dá conselhos semelhantes às viúvas mais jovens (1 Tm 5.11-15). Uma alternativa é entender as chamas como o castigo eterno do inferno (*Gehenna*) que aguarda as pessoas imorais, já que estas não herdarão o reino de Deus (1 Co 6.9,10). Bruce cita duas passagens rabínicas relevantes: "Quem multiplica suas conversas com uma mulher... herdará no final o *Gehenna*", e um rabino comenta com outro ao verem uma mulher caminhando à sua frente: "Apressemo-nos e passemos à frente do *Gehenna*" (Bruce, 68). Existe verdade em ambas as interpretações; pode ser sábio não aceitar uma em exclusão à outra.

3.1.3. O Casal Cristão (7.10,11). Paulo não deu nenhuma ordem ao grupo anterior; porém, o faz aqui. Realmente, não é ele, mas o Senhor quem fala (v.10), pois o que ele diz ecoa o ensino básico de Jesus sobre a questão do divórcio e de um novo casamento (Mc 10.2-12). Paulo está se dirigindo a um casal onde ambos os cônjuges são cristãos.

Sua instrução é clara. A esposa não deve se separar (*chorizo* na voz passiva) de seu marido; o marido não deve se divorciar (*aphiemi*) de sua esposa. Os dois verbos são usados de modo intercambiável, como veremos mais tarde quando *aphiemi* é a ação da esposa e *chorizo* a do marido. A distinção moderna entre divórcio e separação não se aplica aqui, já que o contexto diz que a mulher que se separa não deverá casar-se novamente (v.11). Paulo não faz nenhuma exceção, como Jesus fez, permitindo o divórcio nos casos de imoralidade sexual

(Mt 5.32; 19.9). Uma explicação para isto é que Paulo está tratando uma situação particular em que uma esposa cristã sente que se elevou acima das obrigações sexuais do casamento (v.3-5). Outra possível explicação é que Paulo esteja proferindo um ensino geral, e não lidando com problemas específicos. Em todo caso, se a mulher se separa de seu marido, deve permanecer só ou se reconciliar com ele.

Paulo não amplia seus comentários sobre o marido cristão que se divorcia de uma esposa cristã; mas em vista de tudo que é enfatizado no capítulo sobre a igualdade dos cônjuges no casamento, o que se aplica à esposa se aplica igualmente ao marido. Este também deve permanecer só ou então se reconciliar com sua esposa.

Observamos que Paulo não comenta se o cônjuge que não iniciou o divórcio está livre para se casar novamente.

3.1.4. Casamentos Mistos (7.12-16).

As "regras" são diferentes quando somente um dos cônjuges é cristão. "Aos outros", significa outros na congregação (v.12). Uma aplicação do princípio. "Não vos prendais a um jugo desigual com os infiéis" (2 Co 6.14), é que um crente não deve se casar com uma pessoa incrédula. Certamente os "casamentos mistos" aqui referidos eram o resultado do casamento de um crente com um incrédulo, e não "mistos" pelo fato de um dos cônjuges de um casal pagão ter se tornado, subseqüentemente, um crente.

A declaração de Paulo, "digo eu, não o Senhor", é aberta a pelo menos três interpretações:
1) Está expressando sua própria opinião, e não a do Senhor; então o que está dizendo é uma sugestão, e não uma ordem;
2) Está dando a sua própria opinião, não a do Senhor; porém, mesmo assim está ensinando como, apóstolo e deve ser obedecido; ou
3) Jesus não disse nada sobre o assunto de casamentos mistos, já que seu ministério era quase completamente voltado aos judeus, e então Paulo não pode buscar apoio nos discursos de Jesus (Bruce, 69). A última opção é certamente verdadeira e deve ser combinada com a segunda, uma vez que Paulo se baseia em seu "julgamento" (*gnome*), em sua probidade (v.25), e apela também ao Espírito de Deus, em defesa de seu "julgamento" (*gnome*, novamente) (v.40).

O conselho para os cônjuges crentes é que não devem iniciar um divórcio se seu cônjuge incrédulo estiver disposto a viver com eles. A lei grega e romana permitiam que uma esposa se divorciasse de seu marido; a lei judaica não. O motivo que Paulo dá é que o incrédulo "é santificado" pelo (isto é, por meio do) cônjuge crente (v.14). Ao contrário do modo de pensar de alguns, um cônjuge pagão não contamina o casamento. O crente não é contaminado; o descrente é santificado. O crente já está santificado, é um santo separado por Deus e para Deus (veja comentários sobre 1.2, 30; 6.11), e o descrente participa dessa santificação, mas não em um sentido de salvação. De acordo com Morris (107), é um princípio das Escrituras que "as bênçãos que fluem da comunhão com Deus não estão limitadas aos seus destinatários imediatos, mas estendem-se a outros" (por exemplo, Gn 15.18; 17.7; 18.26 e seguintes; 1 Rs 15.4; Is 37.4). Bruce (69) chama isto de "santidade por associação".

O casamento misto de um cristão com um incrédulo está em uma categoria distinta e superior à de um casamento completamente pagão. Paulo pode estar sugerindo que há maior probabilidade de conversão em um casamento misto (v.16). O tempo perfeito do verbo grego indica que o incrédulo no casamento misto é santificado no momento da conversão do cônjuge, mesmo que continue descrente. A santificação do crente estende-se igualmente aos filhos do casamento; eles são "santos", não "imundos". Paulo não diz se podem ser considerados salvos, pelo menos até que sejam capazes de tomar uma decisão responsável, mas de algum modo são parte da comunidade da fé.

A iniciativa de romper os laços do casamento deve partir do descrente, por não estar disposto a viver tal situação (v.15). O texto grego é expressivo. "se o descrente se apartar, [*chorizo*, como no verso 10], aparte-se". O gênero masculino de "descrente" é usado de modo inclusivo, assim

como o restante do verso indica. "Neste caso o irmão, ou irmã, não está sujeito à servidão". Não está sujeito à servidão em que sentido? As respostas variam.
1) Não está sujeito a "uma retenção mecânica" de uma relação que o cônjuge deseja abandonar (Barrett, 166; Fee, 302);
2) Não está sujeito a tentar preservar o casamento às custas da harmonia doméstica, pois "Deus chamou-nos para a paz", ou
3) Não está sujeito a permanecer solteiro, mas livre para casar-se novamente (Héring 53; Bruce, 70). Mesmo existindo verdade nas duas primeiras, a última interpretação pode ser a melhor, já que Paulo não proíbe explicitamente o ato de casar-se novamente, como o faz no caso do divórcio, onde ambos são cristãos.

A solução ideal para o problema de um casamento misto é que o descrente se torne um cristão (v.16). A expressão "Ou, donde sabes..." tem uma contraparte virtual na Septuaginta, e é equivalente a "talvez" (veja 2 Sm 12.22; Et 4.14; Jl 2.14; Jn 3.9) (Bruce, 70). O cônjuge cristão exemplifica bem o estilo de vida esperado, o que resultará na salvação do descrente (veja 1 Pe 3.1). A frase, "se salvarás teu marido..." deve ser entendida com o significado de. "se você será o meio de salvação" (veja 9.22 como linguagem semelhante). Não existe nenhuma garantia, porém, de que o cônjuge incrédulo será salvo.

O que Paulo está dizendo não pode ser usado como um incentivo para que um crente se case com um incrédulo; mas se tal união acontecer, o crente deve viver conforme os ensinos bíblicos.

3.1.5. A Permanência no Estado Presente (7.17-28). Paulo passa então do ensino especificamente relacionado ao casamento, a uma discussão sobre permanecer contente no estado em que o Senhor colocou a cada um. Seu conselho é amplo, e como se dissesse. "Fique como está. Não é necessário que alguém se sinta compelido a mudar sua ocupação ou condição de vida simplesmente porque se tornou um cristão" (cf. v. 17) A não ser por uma situação que é incompatível com o Cristianismo, um crente não precisa se sentir obrigado a buscar qualquer mudança. A declaração pessoal de Paulo é apropriada aqui: "Já aprendi a contentar-me com o que tenho [com as minhas circunstâncias]" (Fp. 4.11).

O que o apóstolo prescreve para os coríntios prescreve também para "todas as igrejas" (veja também 11.16; 14.33). Baseia-se no fato de que "Deus repartiu" ou designou a cada um seu lugar específico na vida. A frase "Como o Senhor o chamou" suplementa a declaração prévia. O chamado divino aqui é para a salvação, mas parece incluir a vocação ou o lugar na vida em que as pessoas estavam no momento de sua conversão (v. 20, 24). "Cada um ande..." é uma tradução melhor que "cada um deveria reter seu lugar na vida" uma vez que "andar" (*peripateo*) é uma linguagem figurativa para a conduta (veja comentários sobre 3.3).

Paulo continua a ilustrar este ponto relacionando "o andar" cristão à circuncisão e à escravidão, "as grandes distinções religiosas e sociais que dividiram o mundo de seus dias" (Morris, 108), como também às virgens.

1) O circuncidado deveria permanecer circuncidado, e o não circuncidado, não deveria ser circuncidado. A circuncisão era o sinal distintivo dos judeus do sexo masculino, desde a ordem de Deus a Abraão (Gn 17.10-14); para a maioria de judeus, simbolizava a obediência à Lei como um todo. Um homem circuncidado deveria permanecer "circuncidado". A história judaica registra incidentes envolvendo alguns jovens que se submeteram a um tipo de procedimento cirúrgico que visava reverter o processo de circuncisão (1 Mac 1.14,15; Josefo, *Ant.* 12.241).

Semelhantemente, homens não circuncidados não deveriam procurar ser circuncidados. Paulo não está tratando aqui, como fez especialmente em Romanos e em Gálatas, das implicações teológicas e soteriológicas da circuncisão que foram questões levantadas pelos Judeus no início do Cristianismo. O que está dizendo é que um homem judeu que se converteu ao cristianismo não deveria negar sua origem judaica, e que os homens gentios convertidos deveriam permanecer gentios, e não desejar prender-se ao judaísmo, possivelmente sob as bases judaicas do cristianismo. Note que a circuncisão de Timóteo era um caso especial, porque sua mãe era judia, e seu estado de não circunciso era um obstáculo desnecessário ao trabalho de alcançar os judeus para o Senhor Jesus Cristo (At 16.1-3).

Nem a circuncisão nem a incircuncisão são de importância suprema diante de Deus. O que realmente conta é (a) "a observância dos mandamentos de Deus" (7.19); (b) "a fé que opera por caridade" (Gl 5.6); e (c) ser "uma nova criatura" (6.15). Os oponentes judeus poderiam objetar e insistir que a circuncisão é um dos mandamentos de Deus que deve ser mantido e obedecido. Paulo responderia que a "lei de Cristo" se sobrepõe a todas as outras leis (1 Co 9.21; Gl 6.2), e que judeus, cristãos ou não, poderiam se submeter à circuncisão com impunidade, já que esta não é essencial para a salvação deles próprios ou dos crentes gentios. A conclusão final é que estes dois grupos de pessoas deveriam continuar (literalmente, "permanecerem") em seu estado presente.

2) Paulo agora se volta aos escravos e às pessoas livres (v.20,21). Os escravos não deviam se sentir angustiados pelo fato de serem escravos no momento de seu chamado. O termo "chamado", aqui, muda de seu significado de condição de vida ou vocação (v.17) para um termo relacionado à conversão. Os escravos deveriam permanecer onde estavam já que Deus, que os chamou para si, pode dar-lhes a graça necessária para que sejam bons escravos. As diferenças na compreensão da próxima declaração de Paulo estão refletidas a seguir:

Se ainda podes ser livre, aproveita a ocasião (RC, NIV).

Se também for capaz de se tornar livre, então faça-o (NASB; cf. Bruce, 71,72).

Mas se puder se tornar livre, aproveite a oportunidade (NKJV; cf. Robertson e Plummer, 147; Fee, 317).

Se puder ganhar sua liberdade, faça uso de sua condição presente mais do que nunca (NRSV; cf. Héring, 55).

Embora possa ser capaz de se tornar livre, suporte ainda seu estado presente (Barrett, 170).

A interpretação mais razoável é que Paulo esteja dizendo, "Se você pode obter sua liberdade de um modo legítimo, aproveite a oportunidade. Embora sendo um escravo você já está liberto no Senhor, entretanto, se pode se tornar também um homem livre na sociedade, isto será muito bom". Ao longo deste capítulo Paulo geralmente admite exceções às regras que expõe. Por que iria objetar que um escravo cristão se tornasse livre? Por que se posicionaria contra a melhoria na condição dos cristãos? Contudo precisamos ter sempre em mente que o mais importante é o relacionamento de cada cristão com o Senhor (v.22), e não a condição de cada um nesta vida. Paulo também é claro ao dizer que o cristão, enquanto escravo, deve prestar o serviço que é devido a seu mestre (Ef 6.5-8; Cl 3.22-24; cf. 1 Pe 2.18-20).

Paulo distingue entre um homem liberto (um ex-escravo) e um homem livre (que nunca foi um escravo). Declara que um escravo é um homem liberto de Cristo, considerando que um homem livre é um escravo de Cristo. Mas o paradoxo é realmente que todos os cristãos são libertos por Cristo e ao mesmo tempo são seus servos. Foi assim que Paulo se considerou (Rm 1.1; Fp 1.1; Tt 1.1). Nossa liberdade foi obtida por um alto preço, o sangue de Cristo (veja comentários sobre 1 Co 6.20). Por esta razão, não devemos nos tornar "servos de homens" (7.23). Esta frase deve ser considerada em um sentido religioso, como estando livre da escravidão espiritual (2 Co 11.20; Gl 5.1; Cl 2.20-22). As Pessoas não podem ser servos espirituais de Cristo e de seres humanos, tendo assim dois senhores (veja Mt 6.24).

Separadamente da exceção permitida, este parágrafo é concluído da seguinte forma: "Irmãos, cada um fique diante de Deus no estado em que foi chamado" (1 Co 7.24).

3) As virgens formam a terceira categoria daqueles que deveriam permanecer em seu estado presente (vv. 25-28). O substantivo grego *parthenos* pode ser masculino (Ap 14.4) ou

feminino (todas as outras ocorrências em 1 Co 7 trazem o artigo feminino, vv. 28, 34, 36, 37, 38). No verso 25 Paulo provavelmente está se referindo a mulheres jovens, embora o substantivo e o acompanhamento do artigo (plural genitivo) sejam ambíguos (masculino ou feminino; podendo incluir ambos).

"Ora, quanto..." acontece pela segunda vez (cf. 7.1), uma indicação de que os coríntios escreveram para Paulo sobre a condição das virgens. As virgens aqui provavelmente são jovens noivas, mas não ainda casadas. O apóstolo não dá uma ordem, mas um "julgamento" — parecer (ou "opinião", NASB), baseado em sua probidade (*pistos*, "fidedigno" — veja comentários sobre 4.2, 17), que atribui à "misericórdia do Senhor".

A NIV não traduziu bem o verso 26b: "É bom que permaneçais como estais". No texto grego lê-se mais corretamente. "É bom para o homem [*anthropos*] o estar assim". Paulo enuncia novamente um princípio geral e, conforme o uso grego, utiliza o masculino em um gênero de modo inclusivo. Enquanto *anthropos* pode significar "homem", é também um termo genérico para um ser humano, e às vezes significa simplesmente "um" ou "uma pessoa" (por exemplo, veja 11.28, onde Paulo não quer isentar as mulheres de se examinarem na Ceia do Senhor). A declaração pode ser legitimamente entendida como "é bom que permaneçam". O termo "bom" não deve ser entendido em um sentido moral, como se o casamento fosse um pecado. Paulo diz claramente que se uma virgem se casa, não peca (v.28). "É aconselhável" seria uma paráfrase válida.

Para Paulo, tanto os homens como as mulheres deveriam permanecer solteiros por causa da presente crise [*ananke*]. As opiniões sobre a natureza da crise estão divididas. Um ponto de vista comum é que se refira às dificuldades que precederão o retorno de Cristo (cf. o uso desta palavra em Lucas 21.23). Provavelmente Paulo está dizendo que já estão naquele ponto, uma vez que "presente" pode significar iminente (2 Tm 3.1). Além disso, diz mais adiante que "o tempo se abrevia [literalmente, havia sido abreviado]" (1 Co 7.29; veja Mc 13.20). Porém Morris observa que Paulo fala freqüentemente da vinda do Senhor, porém nunca usa *ananke* em conexão com aquele evento. Um ponto de vista alternativo é que a crise consiste em algum tipo de sofrimento inexplicável, compulsão ou angústia que a Igreja estava experimentando (para este uso não escatológico de *ananke*, veja v.37; 9.16; também 2 Co 6.4; 9.7; 12.10; 1 Ts 3.7). Não é necessário, porém, escolher uma interpretação e excluir a outra, entretanto a primeira parece preferível.

Neste contexto da "presente crise", Paulo repete suas instruções anteriores sobre a permanência de cada um em seu estado presente. Uma pessoa casada não deveria buscar um divórcio; um homem solteiro não deveria procurar uma esposa. Mas ainda que alguém se case, não peca. A preocupação do apóstolo é pastoral: está tentando poupar os coríntios solteiros das tribulações desta vida (literalmente "tribulações na carne [*sarx*])" que teriam se eles se casassem. Qualquer que seja a natureza da crise presente, trará problemas para alguém que tenha responsabilidades matrimoniais e familiares.

3.1.6. Razões para Permanecer no Estado Presente (7.29-35).

Dois temas inter-relacionados dominam os versos 29-31.
1) A natureza transitória deste mundo e, devido a esta,
2) O desapego do crente para com o mundo.

O parágrafo começa com a frase "o tempo se abrevia"; isto é, o tempo está se esgotando, o Segundo Advento está próximo (Rm 13.11). Paulo conclui esta seção com uma declaração relacionada (v.31): "porque a aparência deste mundo passa" (veja 1 Jo 2.15-17). Em vista disto, o apóstolo faz recomendações específicas.

O crente não deve estar preocupado com as coisas desta vida. Uma expressão que este escritor ouviu em sua juventude é especialmente adequada: "Viva sua vida à luz da eternidade". Paulo não quer dizer que os cristãos deveriam abandonar ou negar a relação matrimonial e suas responsabilidades. Porém, o casamento é um acordo temporário, terrestre; não existirá no céu

(Mc 12.25). O mesmo princípio se aplica à transitoriedade do luto terrestre e à alegria que sentimos pela aquisição de possessões neste mundo. Embora os cristãos devam viver no mundo, não devem ser "ocupar completamente" (NIV) com as coisas do mundo. Para usar as palavras da NASB, é legítimo para os cristãos usarem [*chraomai*] o mundo", mas não devem "fazer uso total [*katachraomai*] dele".

Paulo desenvolve este tema nos versos 32-35, concentrando-se na idéia de ansiedade. O verbo *merimnao* (usado quatro vezes nestes versos) significa basicamente gostar de, "se importar com; se preocupar com"; mas pode significar também "ansiedade, estar ansioso, estar indevidamente preocupado" (BAGD, 505). Levando em conta o contexto de que os cristãos não devem estar preocupados com as coisas deste mundo, o significado posterior se aplica aqui. Paulo faz ecoar os ensinamentos de Jesus no Sermão do Monte, quando o Senhor disse que seus discípulos não deveriam estar ansiosos pelas coisas terrenas (Mt 6.25-34; cf. também 1 Pe 5.7: "Lançando sobre ele toda a vossa ansiedade, porque ele [Deus] tem cuidado de vós"). Paulo quer que os coríntios sejam livres de "tribulações" ou "preocupações" (*amerimnos* — um adjetivo negativo, equivalente ao verbo *merimnao*).

Este comentário parte do ponto de vista de que Paulo deseja que todas as quatro classes sejam livres de preocupações. o homem solteiro, o homem casado, a mulher virgem ou solteira, e a mulher casada. Caso contrário, o verbo *merimnao*, que é aplicável a todos os quatro, variaria em significado de uma ocorrência a outra — sendo usado em uma sentença com sentido positivo, e em outra com sentido negativo. O principal pensamento é sua declaração de abertura, de acordo com a qual todos os coríntios devem ser livres da ansiedade.

O homem solteiro deve ser livre de ansiedades para servir melhor ao Senhor. A ansiedade, porém, não deve ser confundida com a avidez ou impaciência. É possível um homem solteiro ter um desejo tão grande de agradar ao Senhor, o que é certamente um objetivo louvável, que perca todas as demais perspectivas e, diferentemente do homem casado, dedique-se completamente a buscar seu objetivo. Barrett (179) sugere que tal pessoa esteja ansiosa para "alcançar o favor de Deus agradando-o através do desempenho de obras religiosas meritórias". Nestes casos, seus motivos precisam ser redirecionados.

O homem casado, em contraste, "cuida das coisas do mundo, em como há de agradar à mulher". Mas ele é um cristão e também quer agradar ao Senhor. Deste modo, seus interesses estão divididos (literalmente, "ele se dividiu" ou "ele tinha sido dividido"). Paulo não defende uma completa separação secular do mundo, nem que alguém se torne negligente para com sua esposa, mas implica que o homem casado é forçado a dividir seu tempo e energia entre sua esposa e o Senhor. Fazendo isto, exibirá alguma ansiedade. O que diz sobre o homem casado aplica-se igualmente à mulher casada (v.34b), exceto que, neste caso, não diz que ela está dividida. Isto é indubitavelmente verdadeiro, mas a conclusão pode ser que o homem, como a cabeça da casa, tenha uma responsabilidade maior com respeito às "coisas do mundo".

Uma mulher que não está casada, ou a virgem, também está preocupada com as coisas do Senhor. A distinção que Paulo pretendeu fazer entre estas duas classes de pessoas não é clara. A mulher que não está casada ou "solteira" provavelmente seja uma mulher que não é virgem, que nunca se casou, uma viúva, ou divorciada; enquanto o termo "virgem" pode se referir a uma jovem noiva (Bruce, 76). Uma possibilidade alternativa é que as palavras "a mulher solteira e a virgem" (e não "a mulher que não está casada *ou* a virgem" como na NIV) poderiam ser traduzidas como "a mulher que não está casada, isto é, a virgem". A primeira sugestão, porém, é a melhor.

O anelo destas mulheres é serem "santas, tanto no corpo como no espírito". Sua meta é louvável, mas podem estar por demais preocupadas com isso e, como o homem solteiro (v.32), podem estar correndo o perigo de tentar estabelecer seu relacionamento com o Senhor com base em seus próprios esforços. Alguns interpretam a referência ao corpo como a indicação da necessidade de abstinência de relações sexuais como um sinal de santidade, isto é, de separação para Deus. Porém, Paulo havia previamente solicitado a todos os cristãos que glorificassem a Deus em seus corpos, privando-se de relações sexuais ilícitas (6.20). Uma mulher casada, sexualmente fiel a seu marido, também é santificada em seu corpo.

O comentário final de Paulo no verso 35 está relacionado a tudo que ele mencionou nos versos 32-34. O pronome "vosso" neste verso indica o plural. Expressa novamente sua preocupação pastoral pelo bem-estar dos coríntios. Isto fortalece o ponto de vista de que os quatro grupos poderiam de algum modo estar apresentando deficiências. O apóstolo disse estas coisas para o "proveito" ("benefício", NASB) dos coríntios. Não quis restringí-los — a expressão grega usada aqui (*epiballo brochon*) que significa "lançar-se" na literatura secular ou não bíblica, é encontrada em contextos de guerra e caça (BAGD, 289). Portanto, sua motivação é positiva. Ele quer que os crentes vivam de maneira correta, e não divididos, "sem distração alguma" [*sem qualquer distração*, NASB; *desimpedidos* ou *desembaraçados,* NRSV] em total devoção ao Senhor. De um modo ou de outro, cada um dos quatro grupos estava em perigo de oferecer uma devoção insuficiente ao Senhor.

3.1.7. As Virgens e as Viúvas (7.36-40).

Por duas vezes Paulo deu conselhos gerais a respeito das virgens (v.25-26, 34). Agora trata de um problema específico, que provavelmente estava sendo levantado pelos coríntios (vv.36-38). A questão envolve uma virgem, mas os comentários são dirigidos a um homem com quem ela tem algum tipo de relacionamento especial. Estes versos estão sujeitos a discussão e há uma diferença considerável de opinião. Até algumas traduções recorreram à interpretação; os leitores mal informados podem assim se enganar, ao pensar que têm diante de si o que Paulo realmente disse. Por exemplo, o grego no verso 36 diz simplesmente "sua virgem", mas em algumas versões lê-se .

... a virgem com quem está comprometido (NIV)
... sua noiva (NRSV)
... sua *filha* virgem (NASB, os itálicos indicam uma palavra adicionada)

Existem três principais interpretações dos versos 36-38.
1) O homem e a virgem são parceiros em um "casamento espiritual" (Héring, 63). Estão vivendo juntos, mas são unidos somente em espírito, pois ambos fizeram um voto de completa abstinência sexual. Mas a abstinência sexual está se tornando difícil, especialmente para o homem. Se ele não pode mais se conter, o conselho de Paulo é que o casamento passe a ser genuíno, incluindo relações sexuais. Esta situação pode refletir o pensamento de alguns dos coríntios que pensavam que todas as relações sexuais, até mesmo dentro do casamento, eram erradas (cf. 7.1), ou seja, estar acima da necessidade sexual era uma prova de espiritualidade genuína. Contra esta interpretação de um "casamento espiritual" existe o fato de que não existe nenhuma evidência de que isto fosse praticado na Igreja do primeiro século. Além disso, é contrário a tudo que Paulo já havia dito sobre a natureza do casamento e não seria característico dele deixar de condenar este tipo de acordo.
2) A expressão "Sua virgem" pode referir-se à relação entre uma virgem e seu pai ou responsável (NASB, Robertson e Plummer, Morris). Naquele tempo, tanto judeus como pagãos tinham um costume pelo qual o pai ou o responsável decidiriam se e com quem uma jovem se casaria. Os seguintes pontos são favoráveis a esta posição. (a) "Agir impropriamente" em relação a ela significaria não ter feito um acordo de casamento, o que agora traria receio ou apreensão sobre a questão. (b) A razão é que ela está passando da flor da idade. Lê-se na NASB. "Se ela já chegou à maturidade". Um problema exegético é que esta cláusula não tem um sujeito expresso, que podia ser masculino ou feminino. Se for feminino, o significado do adjetivo é "passada a sua juventude... passada a flor da

idade" (BAGD, 839; Bruce, 76). Se, porém, o sujeito for masculino, o adjetivo significa "com fortes paixões" (BAGD); Barrett sugere o termo deselegante "desejo sexual" (182) — se esta for a intenção de Paulo, então a próxima posição será favorecida. (c) No verso 38 o apóstolo usou o termo *gamizo* duas vezes — um verbo que significa "dar em casamento" (por exemplo, Mt 22.30; 24.38; Mc 12.25; Lc 17.27; 20.35). Difere de *gameo*, que significa "casar" (usado no verso 36; veja também v. 9, 28, 33, 34). A NRSV traz a seguinte tradução: "Que se casem". A NASB, refletindo a dificuldade de sua "filha virgem" traz: "Deixe que ela se case", com uma nota complementar que diz que o termo "ela" é literalmente "eles".

Esta última observação leva a pelo menos duas objeções a esta posição: (a) "Eles" ("Deixe que eles") no verso 36 não pode significar a virgem e seu pai ou responsável. As tentativas de fazer com que isto se aplique à virgem e a um possível marido são pouco prováveis, já que de acordo com esta opinião, o homem não havia sido mencionado previamente. (b) "Sua virgem" é um modo incomum (porém não impossível) de se referir a um pai e à sua filha.

3) Nesta hipótese a frase "Sua virgem" se refere a um homem e sua noiva (esta é a posição da NIV e da NRSV). A favor desta posição temos: (a) O conselho "Deixe que se casem" é mais facilmente entendido como se referindo a estas duas pessoas na frase "sua virgem" (v.36, NKJV). (b) O significado estrito do verbo *gamizo*, que não é encontrado fora do Novo Testamento, é "dar em casamento" mas também pode significar "casar-se" (BAGD, 151), como é entendido por alguns comentaristas confiáveis (por exemplo, Barrett e Fee). A razão para a mudança de *gameo* para *gamizo* pode simplesmente ser uma questão de estilo (Fee). (c) A frase "Agindo impropriamente com relação a [ela]" pode significar que o homem a tenha privado das relações sexuais até agora; ela está "passando da fase da mocidade", e ele está apreensivo por isso. (d) Se o adjetivo *hyperakmos* se aplica ao forte impulso sexual do homem, então ele deve casar-se ao invés de se abrasar (v.9).

Contra este ponto de vista temos: (a) "Sua virgem" é um modo deselegante de dizer "sua noiva". Barrett, porém, sugere que esta expressão pode ser equivalente a "sua menina". (b) O noivado, como freqüentemente praticado na cultura Ocidental, não era um costume naquela cultura, embora o noivado fosse normalmente organizado pelo pai ou responsável de uma jovem. Pode bem ser, porém, que dois jovens tenham se sentido atraídos e, sem entrar necessariamente em um "casamento espiritual", tenham acordado uma abstinência sexual mútua.

As várias interpretações dos versos 36-38 por estudiosos competentes devem alertar para que não se tome uma posição inflexível. No julgamento deste comentarista, porém, a última opção apresenta menos dificuldades.

Conforme o que foi previamente dito neste capítulo, o apóstolo não impõe nem o casamento nem que se fique solteiro. Por meio de sua abordagem realista, aconselha o casamento àqueles que têm dificuldade de manter a pureza sexual estando solteiros; para aqueles que são capazes de mantê-la, recomenda que não se casem.

Enquanto existem algumas dúvidas sobre as instruções de Paulo em relação às virgens, não há nenhum trecho em que fale sobre as viúvas cristãs (v.39-40). Mas deve-se primeiro reiterar, em uma linguagem diferente, o pensamento de que uma esposa cristã não deve procurar o divórcio (vv.11, 27). Ela está ligada a seu marido enquanto ele viver, mas estará livre para se casar se ele morrer (veja também Rm 7.1-3). A frase "Mas, se falecer o seu marido", no texto grego é literalmente "Se o marido adormecer [*koimao*]". Este era um eufemismo comum para a morte, especialmente de um crente (por exemplo, Mt 27.52; Jo 11.11; 1 Co 11.30; 15.6, 18, 20, 51; 1 Ts 4.13-15). A morte cancela os laços do matrimônio; a viúva então "fica livre para casar com quem quiser".

Esta é uma indicação incidental, embora não seja necessariamente sem importância, de que a lei do casamento levita do Antigo Testamento (Dt 25.5-10) não se aplica aos cristãos. A viúva não é obrigada a casar-se com um irmão de seu marido. Mas se casar-se novamente, deve ser somente "no Senhor" (tradução literal). A NIV toma a liberdade de completar a frase, "mas ele deve pertencer ao Senhor". Embora Paulo concordasse que as viúvas devessem se casar com cristãos, a frase "contanto que seja no Senhor" se aplica à mulher, e é melhor interpretada como abrangendo toda a sua motivação e suas decisões com referência ao casamento, indicando que tudo deva estar subordinado a seu relacionamento com o Senhor.

Paulo expressa novamente uma opinião ("segundo o meu parecer", veja comentário sobre o verso 25). Como fez anteriormente no mesmo capítulo (v.8), aconselha as viúvas a permanecerem sós. Levando em consideração tudo que disse previamente comparando e contrastando o estado de solteira com o de casada, ela será mais feliz se permanecer só. Embora não expresse mandamentos sobre este assunto, apela para o apoio do Espírito Santo. "E também eu cuido que tenho o Espírito de Deus" (veja v.25). As palavras "E também eu..." podem ser uma resposta indireta à reivindicação de alguns coríntios de que aquilo em que acreditavam e o que praticavam vinha do Espírito Santo.

Paulo não fala dos viúvos, talvez porque a carta de Corinto perguntasse especificamente sobre as viúvas. Mas considerando o capítulo como um todo, o que diz para as viúvas deveria ser igualmente aplicado aos viúvos.

3.2. Os Alimentos Sacrificados a Ídolos (8.1—11.1)

Pela terceira vez Paulo diz: "Ora, quanto...". A questão aqui levantada pelos coríntios lida com a atitude que os cristãos devem ter em relação "às coisas sacrificadas aos ídolos [*eidolothutos*]". Esta é a palavra que os judeus e os cristãos usavam normalmente para referir-se aos sacrifícios nos templos pagãos. Um termo relacionado, porém neutro, *hierothutos* (comida sacrificada em um templo, ou comida do templo), consta em 10.28, e é a contraparte pagã. Este assunto é tão importante que os textos em 8.1-13 e 10.14-11.1 lhe são dedicados.

Os sacerdotes recebiam uma parte de qualquer animal sacrificado. A carne que sobrava era levada para refeições particulares em casa, vendida nos mercados, ou consumida por ocasião de banquetes nos templos pagãos — ocasiões sociais para as quais os cristãos eram às vezes convidados, e que alguns aceitavam. Este tópico tem especial relevância em nossos dias para os cristãos que vivem em culturas onde religiões não-cristãs e sub-cristãs permeiam a vida cotidiana, bem como os feriados religiosos.

A questão é mais profunda do que definir se um cristão deve associar-se ou não a não-cristãos no curso ordinário das coisas. Paulo já se expressou sobre este assunto (veja 5.9-10). O problema era duplo.

1) O capítulo 8 trata principalmente da participação de um cristão em um evento social que era claramente identificado como idolatria pagã, já que era um jantar da comunidade dentro das dependências de um templo. Um cristão deveria participar destes jantares e comer a carne que havia sido sacrificada aos ídolos? Um judeu, e alguns cristãos-judeus, não hesitariam em responder que "não". Mas a congregação coríntia estava dividida sobre este assunto; o "crente forte" disse "sim", enquanto o "crente fraco" disse "não".

2) Um problema relacionado a esta situação era a questão da carne vendida no mercado (10.14-11.1). A maior parte de tal carne teria vindo originalmente de um sacrifício pagão em um templo ou em outro lugar. Os cristãos estariam livres para consumir tal carne em sua própria casa ou na casa de um incrédulo? E como poderiam saber se de tal carne em particular era parte de um sacrifício pagão?

3.2.1. A Superiobidade do Amor Acima da "Ciência" (8.1-8)

As palavras "Sabemos que todos temos ciência...", provavelmente são uma citação da carta aos Coríntios. Haviam se orgulhado previamente de sua oratória ou retórica (*logos*) e sabedoria (*sophia*); conhecimento (*gnosis*) e havia agora uma terceira fonte de seu orgulho. Havia se tornado uma palavra "da atualidade" em Corinto (Fee, 366).

Paulo não discorda da idéia de que todos possuímos conhecimento, que todos os seres racionais tenham algum conhecimento. Mas discorda deles em dois pontos relacionados.
1) Sua atitude em relação ao conhecimento está errada porque o termo "todos" se refere somente a eles mesmos, e
2) O conteúdo e a extensão de seu "conhecimento" estão errados. Sua marca de conhecimento resulta em sua arrogância, em seu ar de superioridade (*physioo*; veja 4.6, 18-19, 5.2). O amor, por outro lado (13.4) não se ensoberbece, mas edifica (*oikodomeo*) (v.1). Levando em conta o que Paulo diz posteriormente, o termo *edificar* está relacionado à comunidade de crentes (14.3-5, 12, 17, 26), em contraste com o conhecimento, que apenas ensoberbece aquele que alega possuí-lo. Certamente Paulo não está dizendo que o amor e o conhecimento genuíno são incompatíveis. Ele mesmo é o exemplo principal de que os dois podem e devem ser realmente típicos de um cristão.

Não está longe de dizer que aqueles que reivindicavam possuir conhecimento estavam também dizendo, de outro modo, que possuíam *todo o conhecimento*. Esta atitude pode estar por trás da próxima declaração de Paulo: "E, se alguém cuida saber [*egnokemai*] alguma coisa" (v.2). Esta forma da palavra grega *ginosko* está no tempo presente e sugere que alguém suponha que sabe e continua a saber algo. Porém, o conhecimento incompleto e imperfeito é característico desta vida (13.9), mesmo que uma pessoa "espiritual", que na verdade se encontra desviada da verdade, possa reivindicar o contrário; tal pessoa realmente não conhece a extensão de sua ignorância. Além disso, é notável que tal pessoa reivindique saber "algo", considerando que o conhecimento verdadeiro consiste em conhecer a Deus, que, em seu sentido bíblico, significa desfrutar de um relacionamento com Ele (Jo 17.3).

Aquele que reivindica saber algo é contrastado com aquele que ama a Deus e que é "conhecido dele" (v.3). Paulo não diz que amar a Deus resulta no conhecimento de Deus a nosso respeito, mas que nosso amor a Deus resulta do conhecimento que Deus tem de nós. O termo grego para "ser conhecido" (*egnostai*) é mais corretamente traduzido como "tinha sido conhecido" — uma ação anterior a amar a Deus. Paulo repete este tema em outra passagem com uma linguagem ligeiramente diferente: "Mas agora, conhecendo a Deus ou, antes, sendo conhecidos de Deus" (Gl 4.9; veja também 2 Tm 2.19; cf. Sl 1.6; Is 49.1; Jr 1.5; Na 1.7). O apóstolo gosta de lembrar aos leitores que foi Deus quem tomou a iniciativa de restabelecer o relacionamento entre Ele mesmo e a humanidade (Rm 5.8). A implicação da declaração de Paulo é que somente a pessoa que ama a Deus, e que conseqüentemente ama os demais crentes, pode resolver a questão relacionada aos alimentos oferecidos aos ídolos.

As palavras de abertura do verso 4 mostram que o problema não estava propriamente na comida, mas no ato de comer (*brosis*) e na comida que era oferecida durante as refeições no templo. A afirmação: "Sabemos que o ídolo nada é no mundo", pode ser outra citação da carta, e talvez inclua a seguinte declaração: "não há outro Deus, senão um só". Por causa da construção gramatical paralela destas duas declarações, a tradução preferível seria "não existe nenhum ídolo no mundo, e não existe nenhum Deus além de um Único Deus" (Robertson e Plummer, 166).

Esta era a posição adotada pelos coríntios, que não viam nenhum problema em consumir a comida sacrificada para os ídolos porque estes eram representações de deuses inexistentes. Ainda que comessem, continuariam acreditando no Único Deus verdadeiro. Concordaram prontamente que não existe nenhum deus além do Deus de Israel, e não tiveram nenhuma dificuldade em recitar, com os judeus devotos, o *Shema*, que se encontra em Deuteronômio 6.4: "Ouve, Israel, o

Senhor, nosso Deus, é o único Senhor" (a terminologia "um só Deus" nos escritos de Paulo é também encontrada em Gl 3.20 e 1 Tm 2.5). Alguns dos gregos mais sofisticados acreditavam também em uma só divindade suprema. Deste modo, os cristãos coríntios podiam ter o Antigo Testamento e as idéias contemporâneas filosóficas como a base para sua convicção da existência de um Único Deus.

Paulo não pode concordar que em ídolo "não seja nada", pois diz mais tarde que por trás dos ídolos estão os demônios (10.20). Mas, no momento, como uma hipótese a favor do argumento, admite que há "também alguns que se chamem deuses, quer no céu quer na terra". "Que se chamem", porém, indica que o apóstolo não aceita a existência destes deuses, embora fossem uma realidade subjetiva para os adoradores. É bem conhecido que tais idólatras pensavam que a maioria das supostas divindades do mundo greco-romano tinham sua morada nos céus, e que às vezes visitavam os humanos. Observe o relato de Paulo e Barnabé em Listra (At 14.8-18), onde os nativos clamavam: "Fizeram-se os deuses semelhantes aos homens e desceram até nós". Eles identificaram Barnabé como Júpiter e Paulo como Mercúrio.

Everett Ferguson faz vários comentários esclarecedores a respeito da declaração de Paulo sobre "deuses... quer no céu quer na terra" (v.5). Ele sugere uma possível referência às divindades cujo domicílio não era o monte Olimpo, mas a terra ou um sub-mundo, citando o Hades (o Plutão romano) como um exemplo (142). A expressão pode se referir também à adoração a "alguém que deveria ter existido, mas que depois de sua morte permaneceu poderoso o bastante para proteger aqueles que estavam na terra, e deste modo era alguém merecedor de reverência... Seu poder estava associado a seus restos mortais e ao lugar onde foi enterrado" (148-49). Deve-se ainda acrescentar que o pensamento de Paulo também deveria estar voltado à prática da religião helenística-romana, onde eram oferecidas honras divinas aos reis (185).

Paulo reconhecia que nas mentes dos pagãos existiam "muitos deuses e muitos senhores", mas ele é rápido em assinalar que para os cristãos "há um só Deus, o Pai", e "um só Senhor, Jesus Cristo" (v.6). Paulo pode ter tido em mente passagens do Antigo Testamento que falam de Jeová como o Deus dos deuses e o Senhor dos senhores (Dt 10.17; Sl 136.2,3). De acordo com Fee, os "deuses" e "senhores" refletem duas formas básicas da religião greco-romana: "deuses" se refere às supostas divindades tradicionais, e "senhores" a supostas divindades das seitas misteriosas.

Deus é o Pai em sua relação com o Filho, mas é também o Pai no sentido de ser a Fonte e o Criador de todas as coisas ("de quem é tudo" ou "de quem todas as coisas provêem"), como também o Pai daqueles que o servem ("para quem nós vivemos"). O Senhor Jesus Cristo é o agente da criação, "pelo qual são todas as coisas" (Jo 1.3; Cl 1.16; Hb 1.2); e é também o agente da nova criação (2 Co 5.17,18), através de quem nós vivemos espiritualmente. Paulo não está preocupado aqui em conciliar a idéia de um Deus com a menção de dois participantes da divindade, que são considerados como um único Deus; este era um tema para os teólogos discutirem mais tarde. Seu ponto principal é que, ao contrário dos muitos deuses dos pagãos, existe somente um Deus; e ao contrário de seus muitos senhores, existe um só Senhor. O título de *Senhor*, aplicado a Jesus, aponta para o uso comum da palavra, quer no Antigo Testamento ou em qualquer outra literatura, em referência a Deus, como também em sua conotação greco-romana de divindade ou superioridade.

O problema dos cristãos coríntios era tanto teológico quanto prático. Alguns eram teologicamente corretos neste assunto, mas faltava-lhes o amor, a consideração por outros crentes que não possuíam este conhecimento (v.7). Nem todos reconhecem o que Paulo acaba de dizer sobre o mundo irreal dos deuses pagãos. Alguns eram tão apegados à idolatria (12.2) que não eram capazes de abandoná-la completamente. Conseqüentemente, quando consumiam a comida que havia sido sacrificada a um ídolo, não podiam escapar de suas implicações idólatras. Então sua consciência, que era fraca, se tornava contaminada — não por causa da comida que consumiam, já que a comida em si não era capaz de contaminar (Mc 7.18,19), mas por fazerem algo que sua consciência não permitia.

Levando isto em conta, Paulo deve agora dar algumas diretrizes claras.

1) "Ora, o manjar não nos faz agradáveis a Deus" (v. 8). Ou seja, conforme a tradução da NIV: "a comida não nos aproxima de Deus". O manuscrito evidencia o tempo futuro, que poderia ser uma alusão ao juízo final, como é visto em uma passagem paralela (Rm 14.10-12), que contém o mesmo verbo (*paristemi*; cf. também Rm 6.13; 2 Co 4.14). O presente é uma tradução melhor do verbo, já que implica aprovação ou condenação. Em princípio, nem o que comemos nem o que evitamos comer afeta nosso relacionamento com Deus.

2) No assunto em discussão, a pessoa "fraca", não é pior por não comer, e a pessoa "forte" não é melhor por comer. Os cristãos não são salvos por serem "avançados", tendo visões liberais, nem são condenados por obedecerem à sua consciência (Barrett, 195). Em outras passagens Paulo diz: "Eu sei e estou certo, no Senhor Jesus, que nenhuma coisa é de si mesma imunda" (Rm 14.14). E Jesus disse, em outro contexto: "O que contamina o homem não é o que entra na boca, mas o que sai da boca, isso é o que contamina o homem" (Mt 15.11; cf. 15.17-20; Mc 7.15).

3.2.2. O Pecado Contra um Irmão Fraco (8.9-13). Os crentes mais fortes não devem exercitar sua "liberdade" (*exousia*, "direito"), de comer às custas da estabilidade dos crentes espiritualmente "fracos" (v.9). Sua liberdade de comer pode não causar danos *a si mesmos*, mas pode prejudicar *os outros*. Os fortes não devem se tornar uma pedra de tropeço para os fracos — uma ocasião para a queda de outros cristãos (cf. também Rm 14.13). Se algum crente fraco vir um cristão forte comendo em um templo pagão, pode ser "induzido [*oikodomeo*] a comer das coisas sacrificadas aos ídolos" (v.10). Este verbo grego é normalmente usado em um sentido positivo, "edificar" (veja o verso 1), mas a ironia é que o "conhecimento" do cristão forte pode "induzir" (motivar) os crentes fracos a pecarem. Paulo expressa novamente sua opinião: "A ciência incha, mas o amor edifica" (v.1). Ao invés de contribuir para a verdadeira edificação do fraco, o crente forte contribui para sua ruína.

Se os crentes fracos comem, violam sua consciência e são conseqüentemente "destruídos" (*apollymi*) pela conduta dos impiedosos (v.11; cf. também Rm 14.15). O termo "arruinado" em lugar de "destruído" pode ser uma tradução preferível nestes versos. Paulo não tem em mente necessariamente a destruição eterna; a palavra está no tempo presente em grego, transmitindo a idéia de que os crentes fracos estão em processo de serem arruinados. Pecarão por agirem de modo contrário à sua consciência, e Paulo diz em um contexto semelhante: "Mas aquele que tem dúvidas, se come, está condenado, porque não come por fé; e tudo o que não é de fé é pecado" (Rm 14.23). Ainda assim, a idéia da ruína ou destruição eterna não pode ser descartada, já que o termo *apollymi* é freqüentemente usado neste sentido. Este termo ocorre em contextos que falam de destruição espiritual e eterna (veja Rm 2.12; 1 Co 10.9-10; 15.18; 2 Co 2.15; 4.3; 2 Ts 2.10).

Os cristãos fortes também pecaram porque sua conduta era influenciada por uma visão deficiente de liberdade em lugar do amor para com os seus irmãos na fé (v.12). "Mas, se por causa da comida se contrista teu irmão, já não andas conforme o amor" (Rm 14.15). Barrett (96) cita, com aprovação, uma observação de Adolph Schlatter de que muitos gregos daqueles dias abandonaram a crença que tinham nos deuses e na eficácia dos sacrifícios, porém, não obstante, continuaram a tomar parte, em ocasiões sociais, em ritos associados à religião pagã. Alguns dos crentes supostamente "iluminados" poderiam ter admitido que sua participação era puramente social, já que negaram a existência de tais deuses. Mas este exercício de sua liberdade resultou em vários efeitos adversos na vida dos cristãos mais fracos, cuja consciência foi contaminada (1 Co 8.7) e ferida (v.12). Haviam sido influenciados a pecar pela violação de sua consciência (v.13). Os cristãos considerados como "fortes" deveriam estar dispostos a renunciar a tudo aquilo que não seja exatamente pecado (mesmo que se trate de algo que sua consciência permita) e que possa ser prejudicial a outros crentes.

A ação do Concílio de Jerusalém é instrutiva. Foi pedido aos cristãos gentios que se abstivessem "das coisas sacrificadas aos ídolos", do sangue, e da carne sufocada, isto é da carne de animais que não haviam sido mortos conforme o costume judeu (At 15.20, 29). Foi pedido que fizessem isto em consideração a alguns cristãos judeus que, por uma questão de consciência, aderiram a tais restrições.

3) "Ora, pecando assim contra os irmãos... pecais contra Cristo" (v.12). Existe uma sugestão aqui que é também encontrada em outras passagens nos escritos de Paulo à Igreja, como o corpo de Cristo. Sendo seu corpo, qualquer dano ou benefício a um membro é feito diretamente a Ele. Vemos este conceito nas palavras do próprio Senhor Jesus, pois no último dia dirá àqueles que se apresentarão em sua presença: "quando o fizestes a um destes meus pequeninos irmãos, a mim o fizestes" (Mt 25.40; veja também Mc 9.37; Lc 10.16; Jo 13.20). E suas palavras a Saulo, o perseguidor dos cristãos, são especialmente instrutivas: "Saulo, Saulo, por que me persegues?" (At 9.4). A aplicação deste conceito para a Igreja como um todo deveria ser muito óbvia, a ponto de não exigir nenhum comentário adicional.

As observações finais de Paulo são pessoais e não diretivas: "Pelo que, se o manjar escandalizar [*skandalizo*] a meu irmão..." (note que Jesus usa estas palavras em Marcos 9.42), "nunca mais comerei carne, para que meu irmão não se escandalize". Deste modo o apóstolo estará negando a si mesmo a liberdade que possui por causa dos irmãos. A expressão "nunca mais" é uma das maneiras mais fortes possíveis de se expressar uma idéia negativa, especialmente significando "nunca, jamais". Para maiores detalhes sobre o tratamento que Paulo dá aos princípios pertencentes a estes assuntos e a outros semelhantes, o leitor deve ler Romanos 14. Sua posição básica sobre estes assuntos é refletida no que ele diz a respeito de ganhar os perdidos para Cristo: "Fiz-me como fraco para os fracos, para ganhar os fracos" (1 Co 9.22).

3.2.3. Os Direitos de um Apóstolo (9.1-27).

O capítulo 9 é uma defesa (*apologia*, v.3) de Paulo a seu apostolado, com ênfase em sua abnegação voluntária quanto aos direitos ou privilégios a que um apóstolo fazia jus. Algumas pessoas em Corinto estavam questionando seu chamado apostólico e sua autoridade. Muitos de seus argumentos, curiosamente, eram de que, como Paulo não se beneficiou de privilégios apostólicos, havia negado sua reivindicação ao apostolado. Ele começou a carta declarando que foi "chamado apóstolo de Jesus Cristo, pela vontade de Deus" (1.1). No capítulo 4, escreveu muito sobre como ele e outros apóstolos haviam sido maltratados por amor a Cristo. Agora dedica mais tempo ao assunto de seu apostolado.

Este capítulo parece ser uma forma de complemento quanto à questão da comida oferecida aos ídolos nos capítulos 8 e 10. Mas ele usa esta ocasião para fazer uma longa defesa de seu apostolado. Uma das ênfases do capítulo 8 é o direito teórico (liberdade) que o cristão tem de participar de banquetes em um templo pagão. Entretanto, no final do capítulo, fala de sua abordagem pessoal do problema, que é uma abnegação de sua liberdade a favor dos interesses e do bem-estar de um cristão mais fraco. O apóstolo aborda este tema da liberdade no princípio do capítulo 9 e discorre sobre o assunto ao longo de grande parte do capítulo. Conclui este capítulo com uma advertência sobre a conseqüência temerosa de não praticar a abnegação ou o domínio próprio no que se refere à liberdade. Então começa o capítulo 10 ilustrando esta conseqüência na história de Israel, que incluiu um lapso de idolatria (10.1-13). Isto o leva de volta ao assento da comida oferecida aos ídolos (10.14-33).

Os versos 1-12a são declarações explícitas de Paulo, de que ele tem direito aos mesmos privilégios que os demais apóstolos. O verso 1 contém uma série de perguntas. Paulo parece ter seguido o procedimento dos filósofos gregos, que usavam freqüentemente a argumentação por meio de perguntas. Em sua forma grega, todas as perguntas esperam um "sim" como resposta. "Não sou livre? Não vi eu a Jesus Cristo, Senhor nosso?", etc. Ele é livre no sentido de que todos os cristãos são livres, porém o contexto mais amplo diz que, como um apóstolo, não usufruiu os privilégios apostólicos.

As três últimas perguntas estão inter-relacionadas: "Não sou livre? Não vi eu a Jesus Cristo, Senhor nosso? Não sois vós a minha obra no Senhor?" Sua reivindicação ao apostolado é baseada na visão que teve de Jesus, e a própria existência da congregação coríntia é um testemunho de seu ministério apostólico. Foi realmente Jesus que lhe apareceu na estrada de Damasco (At 9.3-6, 17, 27; 22.8, 14; 26.15-18), e mais adiante na carta inclui a si mesmo entre todos aqueles a quem o Senhor apareceu após ter ressuscitado (1 Co 15.3-8). Pode estar se referindo também a outras ocasiões em que o Senhor Jesus lhe tenha aparecido (At 18.9; 22.17). É então uma testemunha da ressurreição de Jesus, o que era uma qualificação para o apostolado (At 1.22; 2.32). Mas não era a única qualificação, uma vez que muitos outros também viram ao Senhor Jesus ressuscitado. Como a própria palavra *apostolos* ("enviado") indica, o comissionamento divino era também uma parte integral da chamada apostólica.

Qualquer tentativa de definir o termo *apostolo* com precisão absoluta é condenada ao fracasso, por várias razões:

1) A palavra grega *apostolos* é usada tanto em um sentido restrito ("aos doze"), como também em um sentido mais amplo. Por exemplo, Paulo indiscutivelmente se colocou no mesmo nível daqueles que eram inquestionavelmente considerados apóstolos. Além disso, Tiago, o irmão do Senhor, parece ser classificado como um apóstolo (Gl 1.19), e Andrônico e Júnia "se distinguiram entre os apóstolos" (Rm 16.7). Como Paulo, Barnabé também é chamado de apóstolo em Atos 14.4, 14.

2) Uma idéia comum é que um apóstolo é uma pessoa cujo ministério é pregar a Cristo para aqueles que ainda não foram evangelizados, um ministério acompanhado por sinais e prodígios (2 Co 12.12). Mas Filipe, que foi o evangelista para a região de Samaria, através de quem aconteceram milagres, nunca foi chamado de apóstolo (At 8.5-24). Além do mais, não existe nenhum registro claro nas Escrituras de que todos os apóstolos tenham sido evangelistas em territórios que jamais haviam sido evangelizados.

3) As qualificações exigidas por Pedro para a pessoa que fosse substituir Judas no círculo apostólico demonstram alguns problemas. Esta pessoa deveria ter estado entre os doze primeiros apóstolos no ministério terreno de Jesus, começando com o batismo de João e finalizando com a ascensão de Jesus (At 1.21,22). Estas qualificações não podem ser aplicadas a todos os casos, já que excluem claramente Paulo e todos os outros que posteriormente foram chamados de apóstolos. Pode ser que estas qualificações fossem idéias pessoais de Pedro, seus pensamentos registrados com precisão, mas que não expressassem necessariamente a vontade de Deus. Se fosse realmente um requisito, então Jesus teria cedido no caso de Paulo e outros.

4) Em algumas passagens, a palavra *apostolos* pode simplesmente significar mensageiro, como no caso de Epafrodito (Fp 2.25).

O sentido não é tirar da palavra *apostolo* qualquer significado especial que nela houvesse para Paulo na carta aos coríntios, onde está respondendo a um desafio que dizia que ele não estaria no mesmo patamar dos apóstolos "originais", como Pedro. Entre os dons que ele menciona em 12.28, por exemplo, atribui prioridade aos apóstolos (veja também Ef 4.11). E na carta aos Efésios não existe dúvida alguma de que os apóstolos tiveram um papel único na igreja do primeiro século (2.20; 3.4,5; 4.11). Seja o que for dito sobre os apóstolos — e ainda há muito a ser dito —, Paulo não mudará sua reivindicação de ser um apóstolo em um nível idêntico ao de Pedro e outros.

A prova prática do apostolado de Paulo é a existência da igreja coríntia (v.2; veja também Rm 15.15-21). Os coríntios são o resultado de seu ministério. Paulo implantou a igreja, isto é, fundou-a (1 Co 3.6, 10). Outros poderiam questionar a validade de sua reivindicação, mas como os coríntios poderiam fazê-lo? Eles eram "o selo" de seu apostolado — um selo tanto de propriedade como de autenticação (2 Co 1.22; Ef 1.13; 4.30; 2 Tm 2.19). Nesta passagem a ênfase está na autenticação. E quem são os "outros" para os quais Paulo "pode não ser um apóstolo?" Podem ser outras igrejas não estabelecidas por ele, ou outros que tenham ido a Corinto para sabotá-lo (1 Co 4.15; 9.12).

A frase, "Esta é minha defesa" (v.3) pode se aplicar ao que precede (Bruce, 83; Robertson e Plummer, 179) ou ao que se segue (Héring, 76; Fee, 401). As opiniões estão divididas, mas parece melhor aplicá-la aos comentários prévios de Paulo. A razão pela qual Paulo fala tão fortemente é que existem aqueles que o "julgam" ou o "condenam" [*anakrino*]. Esta palavra era usada em audiências judiciais, e várias traduções usam-na como "examinar" (NASB, NRSV, NKJV). O termo "defesa" (*apologia*) também sugere o contexto de um tribunal oficial (At 22.1; 25.16; Fp 1.7, 16; 2 Tm 4.16).

As próximas três perguntas falam de privilégios que eram comuns entre os apóstolos. comida e bebida, a companhia da esposa e liberdade de trabalho "secular" (vv. 4-6). A palavra chave é "direito" (*exousia*). Paulo voluntariamente abriu mão destes privilégios e, por isso, sua reivindicação ao apostolado estava sendo questionada. Note a mudança de "eu" para "nós", já que Paulo inclui Barnabé (v.6). Este era amigo e companheiro de Paulo no ministério (At 9.27; 11.25—15.39; Gl 2.1). Era um antigo membro da igreja de Jerusalém (At 4.36,37), e Lucas especificamente o chama de apóstolo (At 14.4, 14).

A primeira questão lida com a comida e a bebida, sendo uma ponte que liga este capítulo ao anterior, implicando que os apóstolos são tão livres quanto os outros cristãos para tomarem decisões sobre o que é próprio para se comer e beber. Mas vai além disto. Revela que os apóstolos que os visitavam normalmente recebiam seus alimentos da igreja ou dos crentes locais.

A segunda questão está relacionada à possibilidade de tomar uma "mulher irmã" (literalmente, "uma esposa [que seja] uma irmã"). A implicação é que a esposa seria incluída na provisão da igreja para o suprimento das necessidades do apóstolo. A frase "os demais apóstolos" sugere que a maioria, se não todos, eram casados. Sabemos isto com certeza sobre Pedro (isto é, Cefas; Mc 1.30). Ele recebe especial menção aqui por causa de seu papel de liderança na igreja primitiva e também porque alguns dos coríntios o colocaram em oposição a Paulo.

As palavras "os irmãos do Senhor" devem ser literalmente interpretadas (Mc 3.31; 6.3; Jo 7.5; At 1.14), especialmente porque são freqüentemente mencionados com Maria. Com exceção da exegese que é ditada por dogmas religiosos, não existe nenhuma razão para se acreditar que Maria não teria tido filhos depois de Jesus. Lucas chama Jesus de "seu primogênito" (Lc 2.7), o que claramente implica que Maria tinha outros filhos. Além disso, Mateus diz que José "não a conheceu [Maria] até que deu à luz seu filho [Jesus]" (Mt 1.25). É especulativo dizer que estes fossem meio-irmãos de Jesus (ou seja, filhos de José em um casamento prévio) ou até mesmo seus primos. A única ocorrência da palavra primo (*anepsios*) no Novo Testamento, relaciona Marcos a Barnabé (Cl 4.10). Pode-se imaginar que aqueles que negam que Maria teve outros filhos estejam dizendo que ela, como algumas das mulheres coríntias desviadas se considerava excessivamente espiritual para que tivesse relações sexuais com seu marido.

Incluindo Barnabé no terceiro tópico, que trata da liberdade de trabalhar para viver, Paulo implica que Barnabé também é um apóstolo (veja At 14.4, 14). Está bem estabelecido que Paulo trabalhou freqüentemente em seu negócio durante suas viagens para não ser um fardo para a igreja (1 Co 4.12; cf. At 20.33-34; 1 Ts 2.9; 2 Ts 3.8). Em contraste, os gregos pensavam que era impróprio a um mestre trabalhar manualmente.

Para fortalecer seus argumentos, Paulo ilustra, com base na vida cotidiana, que a compensação deve ser esperada do trabalho, citando o soldado, o lavrador, e o pastor (v.7). As necessidades de um soldado são supridas por aqueles que o arregimentaram. O lavrador de uma vinha come suas uvas (Dt 20.6; Pv 27.18). O pastor bebe (literalmente, "come") o leite da ovelha; aparentemente, o leite era considerado uma comida, não uma bebida.

Nestes três assuntos, Paulo estava falando de um ponto de vista humano (*kata anthropon* em v.8 – também em 3.3; 15.32). Mas existe uma autoridade mais elevada, as Escrituras, a lei de Deus, que diz a mesma coisa. O termo *lei* é às vezes usado no Novo Testamento em um sentido inclusivo para todas as Escrituras hebraicas, mas freqüentemente se refere à Torá, os primeiros cinco livros da Bíblia Sagrada. Paulo cita Deuteronômio 25.4, "Não atarás a boca ao boi, quando trilhar". O procedimento consistia em um boi pisar os grãos a fim de separá-los das cascas. O boi não era amordaçado a fim de se permitir que comesse alguns grãos para seu sustento enquanto trabalhava. A aplicação é novamente óbvia.

Mas a próxima pergunta de Paulo, que espera uma resposta negativa, levanta um problema de interpretação: "Porventura, tem Deus cuidado dos bois?" Alguns dizem, por esta razão, que a passagem de Deuteronômio pode ser figurativa, e então lida com pessoas em lugar de animais. Ainda que fosse assim, seria incorreto deduzir que Deus não está preocupado com os animais (veja Mt 6.26; 10.29; Lc 12.6,7). Se a passagem citada for tomada literalmente, então Paulo está argumentando a partir do tema secundário para o principal. Deus preparou a provisão necessária para que um animal seja alimentado por seu trabalho; e o que faria quanto a um apóstolo e o seu trabalho? Em outras passagens Paulo toma trechos literais do Antigo Testamento, fazendo ao mesmo tempo aplicações espirituais (por exemplo, Agar e Sara em Gl 4.24; a face brilhante de Moisés em 2 Co 3.13; as experiências de Israel no deserto em 1 Co 10.1-11).

Paulo prossegue com outra pergunta: "Ou não o diz certamente por nós?" (v.10). Os termos da pergunta em grego deixam a resposta em aberto. O termo "certamente" (*pantos*) tem uma gama de significados: "certamente, provavelmente, indubitavelmente" (BAGD, 609). Algumas traduções (como a NASB) não trazem o termo "certamente" na resposta de Paulo. "*Certamente* que por nós está escrito". Isto deixa a porta aberta para incluir a interpretação literal e sua aplicação específica ao ministério do apóstolo. Paulo deu um significado mais extenso à passagem do Antigo Testamento. Prossegue sua aplicação dando a razão pela qual Deus ordenou que o boi não fosse amordaçado — para que aquele que lavra e aquele que debulha compartilhassem a colheita. Os exemplos de puxar o arado e debulhar podem ser metáforas para as diferentes fases da obra missionária (Robertson e Plummer, 185).

Continuando com a imagem agrária, Paulo fala em termos de semear e ceifar: "Se nós vos semeamos as coisas espirituais, será muito que de vós recolhamos as carnais?" (v.11). O termo "nós" em ambas as cláusulas está em posição enfática no texto grego: "Se outros participam deste poder [direito ou suporte] sobre [de] vós, por que não, mais justamente, nós?" (v.12a). Paulo tinha este mesmo pensamento quando disse aos Gálatas: "E o que é instruído na palavra reparta de todos os seus bens com aquele que o instrui" (Gl 6.6). A conclusão da passagem presente é que os coríntios realmente sustentavam outros apóstolos.

Os versos 12b-18 são adicionais na defesa de Paulo do seu apostolado. Reivindicou ter o direito de ser apoiado pelos coríntios. Agora enfatiza que abdicou voluntariamente de seus direitos (v. 12b, 15a) e sua principal razão para fazê-lo: "Mas nós não usamos deste direito; antes, suportamos tudo, para não colocarmos impedimento algum ao evangelho de Cristo" (v.12b). O apóstolo havia previamente mencionado algumas das coisas que suportou: fome, sede, falta de roupa, maus tratos, falta de moradia (4.11; cf. 2 Co 11.23-29). Insistindo em seu direito de ser sustentado, não trará descrédito ao evangelho nem dará a seus oponentes ocasião de ser acusado de se aproveitar de seu ministério. Geralmente a insistência quanto a direitos só serve para afastar as pessoas do evangelho; mas a maior preocupação de Paulo é a divulgação do evangelho de Cristo ganhando o maior número possível de pessoas (vv. 19-23). A expressão "o evangelho de Cristo" sugere que Paulo desejava que sua vida como um todo estivesse de acordo com Cristo, que suportou dificuldades semelhantes e não insistiu em seus direitos (Rm 15.3).

O verso 13 introduz outra ilustração, desta vez de práticas religiosas, e que espera uma resposta positiva: "Não sabeis vós que os que administram o que é sagrado comem do que é do templo? E que os que de contínuo estão junto ao altar participam do altar?" Não é necessário limitar o que Paulo diz sobre aqueles que servem em um templo e no altar a um contexto judaico (levitas e sacerdotes, respectivamente), mas certamente se aplica aos coríntios (por exemplo, Lv 7.6, 8-10, 28-36; Nm 18.8-32; Dt 18.1-8). Era e ainda é uma prática comum na maioria das religiões, que aqueles que são responsáveis pelos rituais tenham destes o seu sustento. Mas como fez no verso 8, Paulo apela a uma autoridade superior; desta vez, porém, não às Escrituras hebraicas, mas ao próprio Senhor Jesus, dizendo: "Assim ordenou também o Senhor aos que anunciam o evangelho, que vivam do evangelho" (v.14; veja Mt 10.10; Lc 10.7). Ou seja, aqueles que recebem o evangelho devem cuidar daquele que o anunciou. Embora a preocupação imediata de Paulo seja estabelecer como este princípio se relaciona aos apóstolos, as palavras de Jesus têm uma aplicação mais ampla, já que em Mateus são endereçadas aos doze apóstolos, e em Lucas aos setenta discípulos. Vale a pena notar também que em 1 Timóteo 5.18 Paulo combina uma citação do Antigo Testamento sobre não atar a boca do boi (cf. 1 Co 9.9), com estas palavras de Jesus.

Paulo apelava à experiências seculares cotidianas da época (vv.7, 10), às Escrituras hebraicas (v. 8,9), às práticas religiosas comuns (v.13), e ao próprio Senhor Jesus Cristo (v.14), para sustentar a idéia de que aqueles que ministram o Evangelho devem ser sustentados por aqueles que o recebem. A ironia é que alguns coríntios estavam insistindo que era *obrigatório* que um legítimo apóstolo aceitasse sua ajuda, não que somente tivesse este *direito*. Então, acreditavam que aquele que não recebesse seu apoio não poderia ser um apóstolo genuíno.

Deste modo, Paulo lembra novamente os coríntios: "Mas eu de nenhuma destas coisas [direitos] usei" (v.15). O pronome "eu" está em posição enfática no texto grego; Paulo contrasta a si mesmo com os outros, mas é importante notar que ele não discorda daqueles que são sustentados pela comunidade, que levam consigo suas esposas e que optam por não trabalhar em uma ocupação secular. Além disso, provavelmente os coríntios não o entendam e esperem que aceite ser sustentado por eles. Paulo então começa a dar outros motivos para a sua decisão de manter seu estado presente, mas parece estar tão envolvido pela emoção que não completa a sentença. Isto é refletido na frase: "Melhor me fora morrer do que alguém fazer vã esta minha glória" (v.15b). Nos escritos de Paulo, a jactância pode ser positiva ou negativa. Ele a usa em um sentido positivo quando relaciona sua própria fraqueza ao Cristo crucificado (1.30,31), levando em conta a força do Senhor (2 Co 12.3-5), e seus sofrimentos (Gl 6.14).

A natureza precisa dos motivos de Paulo é obscura, mas é relacionada à sua pregação do evangelho. A pregação não é motivo de jactância porque para ele não é uma questão de escolha. Ele foi "compelido" (v.16, literalmente, "me é imposta essa obrigação"). Não *escolheu* pregar o evangelho, mas *deve* fazê-lo conforme o chamado divino. Suas palavras relembram as de Jeremias: "Então, disse eu. Não me lembrarei dele [do Senhor] e não falarei mais no seu nome; mas isso foi no meu coração como fogo ardente, encerrado nos meus ossos; e estou fatigado de sofrer e não posso" (Jr 20.9). Paulo foi comissionado desta maneira no momento de sua conversão (At 9.6, 15; 22.21). Se não pregar, sofrerá grandes aflições ("ai de mim se não anunciar o evangelho!"). Não explica a natureza da aflição, mas é suficiente perceber que o fracasso em pregar o evangelho seria calamitoso para ele.

É difícil interpretar os versos 17 e 18 com precisão absoluta, mas seu teor geral é claro. É a relação entre pregar o evangelho e as recompensas por fazê-lo. Se a pregação de Paulo era um ato voluntário — e acabou de dizer que não era — então presumivelmente merece uma recompensa de Deus. Mas já que se trata de um trabalho involuntário, ele tem um dever [mordomia, *oikonomia*] a cumprir. Paulo falou previamente das obrigações dos "despenseiros [*oikonomos*] dos mistérios de Deus" (4.1). Esta linguagem era usada para os escravos, para um servo de confiança que administra uma casa. Tal pessoa está simplesmente cumprindo suas responsabilidades e não lhe é *atribuída* recompensa ou salário. A frase: "Logo, que prêmio tenho?" (v.18a) pode ser tomada como uma conclusão da última parte do verso 17: "mas... apenas uma dispensação me é confiada. Logo, que prêmio tenho?" Ou pode ser independente do verso 17 e fazer uma pergunta que Paulo responderá. Esta última alternativa parece preferível. A recompensa de Paulo é pregar o evangelho "de graça". "Seu pagamento é servir sem pagamento!" (Morris, 135). É seu privilégio não invocar seu direito de receber uma recompensa por seu ministério, "para não abusar do meu poder no evangelho" (v.18).

Os versos 19-23 são clássicos em estudos missiológicos. O pensamento principal é adaptar, ou mesmo acomodar a passagem a si mesmo ou ao contexto em que cada um ministra. Para tal é necessário unir Paulo à idéia do paradoxo do homem livre/servo (v.19). Ele é livre (cf. v.1) e é "livre para com todos". O significado é duplo.
1) Como um cidadão romano e um homem livre, Paulo não é servo de ninguém.
2) Na situação presente, é livre para comer ou não comer, receber apoio ou não. Contudo, de acordo com o modo como relaciona o enfoque de seu ministério, escravizou-se voluntariamente a todos, até mesmo aos coríntios (2 Co 4.5). Seu enfoque era ganhar (*kerdaino*) tantas pessoas quanto possível (*hoi pleiones*; v.19).

O verbo *kerdaino* consta quatro vezes neste parágrafo, uma indicação de sua importância. *Hoi pleiones* significa "a parte maior" ou "o maior número possível" (Héring, 82; a mesma frase acontece em 10.5). Paulo não esperava ganhar o mundo todo. Sua postura de adaptação ou acomodação, porém, não deve ser interpretada como algo que comprometa a pureza do evangelho. Quando necessário, atacou tanto judeus como gentios em assuntos como a justificação pelas obras ou a idolatria. Contudo, "ele era capaz de encontrar em todos os homens algo com que pudesse simpatizar, e usava isto para ganhá-los para Cristo" (Robertson e Plummer, 191).

O que fez Paulo, um judeu, dizer: "fiz-me como judeu para os judeus" (v.20), já que nunca negou sua etnia e herança judaica? (2 Co 11.22; Fp 3.5). A chave está na repetição tripla: "judeu", "debaixo da lei", e a combinação de uma expressão com a outra (v.20). O apóstolo não estava sob a lei de Moisés, mas sob a lei de Cristo, que é "o fim da lei" (Rm 10.4). Note seu cuidado no emprego de cada termo: Ele se fez "*como* judeu"; não se "tornou" um judeu, que neste contexto teria significado uma negação de Cristo. O mesmo é verdadeiro a respeito de seus comentários sobre os gentios. Ele se fez "*como* se estivera sem lei" (v.21). Podendo estar implícito nestas declarações, a idéia de que a espécie humana é divisível em três grupos: judeus, gentios e cristãos.

Retornando ao pensamento de Paulo com relação aos judeus. Pelo menos dois incidentes em seu ministério ilustram este ponto. Ele próprio circuncidou Timóteo (considerado um judeu porque sua mãe era judia), "por causa dos judeus que estavam naqueles lugares". Em uma tentativa de "ganhar judeus", Paulo removeu uma barreira desnecessária à sua receptividade ao evangelho (At 16.1-3). Porém, no pensamento de Paulo, a circuncisão não tem qualquer conexão com a salvação. Em contraste, recusou circuncidar Tito, porque este era grego. Assim, teria capitulado as regras judaicas, que ensinavam que a circuncisão era necessária para salvação (Gl 2.3,4). No caso de Timóteo a questão era circunstancial, de acomodação; no caso de Tito, tratava-se da recusa de comprometer a verdade do evangelho da graça.

O segundo incidente relaciona a participação de Paulo, e o seu patrocínio a um voto empreendido por quatro homens judeus (At 21.19-24). Ele o fez por causa dos judeus recém-convertidos, que o consideravam como sendo contra a Lei de Moisés. Não entenderam que no pensamento de Paulo a Lei era santa, justa, boa, e espiritual (Rm 7.12, 14), mas que para Deus ela não era o meio de salvação. Estas pessoas poderiam ser comparadas aos "fracos" nesta discussão de 1 Coríntios 8-10. Paulo estava disposto a encontrar um meio de acomodar a situação, a fim de conquistá-los. Mas novamente devemos notar que seu envolvimento no voto dos judeus não teve nenhuma relação com sua salvação ou com a daqueles quatro homens. Em terminologia técnica, o voto era um *adiaphoron* (literalmente, um assunto indiferente), como era a circuncisão em relação à salvação pessoal.

No que se refere aos gentios, "os que estão sem lei", Paulo se tornou como um deles (v.21). Sua pregação ao público gentio demonstra seu estilo adaptável (At 14.15-17; 17.22-31). Já que não obedeciam à lei de Moisés, Paulo cita as Escrituras hebraicas somente uma vez (14.15), embora não hesite ao citar os escritores gregos em seus discursos dirigidos aos atenienses.

Paulo caracteriza os gentios como *anomos*. A palavra significa freqüentemente "sem lei", mas em contextos como este, tem o significado de "fora da lei" ou "não tendo a lei Mosaica" (cf. At 2.23; Rm 2.14). Quando o apóstolo continua a declarar que se tornou *anomos* a fim de ganhar os gentios, é rápido em explicar o que isto significa. Não o faz sem lei, livre da lei de Deus. Antes, está sujeito à lei de Cristo. Ele está *ennomos Christou* — sob a lei de Cristo. Quanto à lei de Cristo, podemos nos voltar a várias passagens sugestivas (Mc 12.28-31; Lc 10.25-28; Gl 6.2). O resumo que Jesus faz da lei de Deus — que consiste em amar a Deus e ao próximo — pode ser justificavelmente considerada como a sua lei. A ênfase de Paulo nesta carta está de pleno acordo com esta lei (por exemplo, 8.1; e o capítulo 13).

Paulo então diz que se fez "como fraco para os fracos, para ganhar os fracos". A expressão "os fracos" provavelmente se refere a cristãos, como aqueles do capítulo 8, que são excessivamente escrupulosos a ponto de se sujeitarem ao legalismo. Podem ser como os novos convertidos mencionados acima, por cujo benefício Paulo participou do voto dos quatro homens (At 21.19-24). Seu objetivo ao fazê-lo é "ganhá-los". Enquanto isto pode se referir à conversão de alguém, em um sentido mais amplo Paulo quer dizer "conquistá-los" para uma maior compreensão do cristianismo ou, melhor ainda, desejava *mantê-los* na Igreja, ao invés de afastá-los, violando sua consciência (Barrett, 215). Dizendo que se tornou fraco por sua causa, considera a si mesmo entre os fortes (Rm 15.1).

Em todas estas questões, Paulo não é como um "camaleão" proverbial, que muda sua cor conforme o ambiente em uma tentativa de se preservar. O apóstolo se adapta a estas situações variadas "para, por todos os meios, chegar a salvar alguns" (v.22; "salvar" e "ganhar" são termos intercambiáveis neste parágrafo). Sua motivação é a salvação de seus ouvintes. Para alguns isto significa o passo inicial da fé salvadora (Ef 2.8), enquanto para outros a continuação e a perseverança em sua fé. Faz tudo isso "por causa do evangelho" (1 Co 9.23), e não para engrandecimento próprio ou preservação própria.

Contudo, Paulo expressa o desejo de que por ministrar o evangelho desta maneira possa "ser também participante dele". Algumas traduções falam de participar das "bênçãos" do evangelho (por exemplo, NIV, NRSV); estas traduções, embora não apresentem uma tradução tão estrita, trazem o significado correto daquilo que Paulo queria dizer. Chamando-se de "participante", Paulo se identifica com todos aqueles que ganhou. O importante é a idéia da bênção que aguarda os crentes na consumação de sua fé.

Os versos 24-27 enfocam a necessidade da autodisciplina na vida de um crente. Uma vez mais Paulo introduz esta discussão com uma pergunta que espera uma resposta afirmativa. "Não sabeis vós...?" Os coríntios estavam familiarizados com os jogos ístmicos, as competições atléticas bienais que ocorriam em seus arredores, a segunda competição em importância após os Jogos Olímpicos. A imagem dos jogos atléticos para ilustrar a vida cristã é comum nos escritos de Paulo (por exemplo, Fp 3.12-14; 2 Tm 2.5; 4.7,8) e em outras passagens (por exemplo, Hb 12.1,2). Seu ponto principal aqui é que a vida cristã exige domínio próprio (*enkrateia*) para que o atleta espiritual persevere até o fim. Esta palavra denota uma virtude que deveria ser característica de todos os cristãos (Gl 5.23; 2 Pe 1.6) e, em sua forma de adjetivo, é listada entre as qualificações de um ancião ou presbítero (Tt 1.8). Sua forma verbal ocorre nesta passagem (v.25 — "de tudo se abstém"; "exercita-se no autocontrole" [NASB]) e em 7.9 que menciona a inabilidade de algumas mulheres solteiras em controlar seus impulsos sexuais.

A maioria das figuras de linguagem não corresponde exatamente aos assuntos que simbolizam. Isto é verdade em se tratando da metáfora da corrida. Seu ponto principal é que para que o corredor seja bem sucedido, deverá ter uma autodisciplina considerável. O fato de que somente um corredor pode ganhar e receber a coroa é irrelevante para o propósito de Paulo, pois teoricamente todo cristão pode receber a coroa. Contudo, Paulo também tem em mente que o simples fato de entrar em uma corrida não representa a garantia de concluí-la ou mesmo vencê-la.

A autodisciplina era obrigatória antes da corrida; os atletas treinavam rigorosamente durante os dez meses precedentes, mas esta era também imperativa durante a corrida (At 20.24; Fp 3.14; 2 Tm 2.5; 4.7,8). A coroa era uma grinalda feita de ramos de pinho, e às vezes, de aipo. Mas, devido à sua natureza, era "corruptível", e não duradoura. Por outro lado, a coroa que aguarda o crente é "incorruptível", durará para sempre. É um símbolo de vitória chamado de "coroa da justiça" (2 Tm. 4.8), "coroa da vida" (Tg 1.12; Ap 2.10), e "coroa de glória" (1 Pe 5.4).

A autodisciplina apreciada por Paulo envolve a concentração na meta: "Corro, não como a coisa incerta; assim combato [literalmente, como em uma luta de boxe] não como batendo [*dero*] no ar" (v.26). BAGD (175) sugere que *dero* é um termo usado para pugilistas inexperientes que erram o alvo. O pensamento é de falta de foco, energia desperdiçada. Continuando a metáfora do boxe, Paulo diz que golpeia ou subjuga (*hypopiazo*) seu corpo fazendo deste seu escravo (v.27). Esta palavra grega significa basicamente "golpear abaixo do olho, deixar alguém de olho roxo", e, simbolicamente, "tratar rudemente, atormentar, maltratar" (BAGD, 848).

Não devemos interpretar os escritos de Paulo como se estivesse dizendo que o corpo seja inerentemente mal, embora soubesse que este pode ser usado para o pecado. Esta é a razão pela qual solicita aos crentes que não permitam que o pecado reine em seus corpos mortais, e que não apresentem os membros de seu corpo como instrumentos de iniqüidade (Rm 6.12,13; Cl. 3.5). Também não está se referindo às práticas comuns a algumas religiões não-cristãs e a alguns segmentos do cristianismo, que abusam do corpo como uma indicação de remorso em uma tentativa de redimir os próprios pecados. Paulo diz que subjuga seu corpo porque não quer "ficar reprovado". Ao pregar a outros, não deseja negligenciar a responsabilidade que tem para com seu próprio bem-estar espiritual. Admite que se for negligente ou indisciplinado, não poderá receber a incorruptível coroa da vida.

3.2.4. A História de Israel. Uma Advertência (10.1-13). O principal tema do capítulo 9 é que o cristão precisa exercitar a autodisciplina a fim de evitar o risco de ser desqualificado para o prêmio eterno (9.27). Paulo agora ilustra amplamente este fato citando os fracassos do antigo Israel. Muitas passagens do capítulo 10 estão relacionadas às declarações de Paulo no capítulo 8, relativas ao tema de comer os alimentos oferecidos nos banquetes dos templos pagãos. Mas agora introduz um novo elemento. As experiências de Israel durante o Êxodo como uma tipologia da observância cristã do batismo e da Ceia do Senhor (Devido a seu compromisso teológico, o presente autor não usará o termo "sacramento"; sua preferência é ordenança, rito, observância).

Aparentemente, alguns coríntios tiveram uma visão mágica das ordenanças, pensando que estariam seguros de sua salvação enquanto as observassem, ou as obedecessem. Para eles, a conduta cristã própria ou imprópria não interferiria em sua salvação eterna. Paulo tem a obrigação de orientá-los, libertando-os desta concepção errônea e desastrosa. Ele o faz, não por meio de uma argumentação teológica complicada, mas usando o Israel do Antigo Testamento como o principal exemplo daqueles que falharam em alcançar o "prêmio" (9.24, 27).

Os versos 1-5 enfocam a participação de Israel em eventos que têm claras associações com as ordenanças da igreja. A frase "não quero que ignoreis" (v.1) é usada inúmeras vezes por Paulo para chamar a atenção para algo importante e talvez novo (Rm 1.13; 11.25; 1 Co 12.1; 2 Co 1.18; 1 Ts 4.13). Os coríntios provavelmente conheciam as histórias a respeito Israel, mas Paulo não queria que fossem "ignorantes" em relação à aplicação daquelas narrativas às suas próprias vidas.

O apóstolo começa, significativamente, chamando os israelitas antepassados de "nossos pais". Embora a maioria dos cristãos coríntios fosse formada por gentios, estavam, não obstante, identificados com Israel. A Igreja, na visão de Paulo, é o verdadeiro Israel (Gl 6.16); e todos os crentes são descendentes espirituais de Abraão (Rm 4.16,17; Gl 3.6-9,29). Os verdadeiros judeus são aqueles, inclusive os gentios, que passaram pela circuncisão espiritual (Rm 2.28,29). A Igreja está agora definida sob as condições que já se aplicaram ao antigo Israel (1 Pe 2.9; veja Êx 19.5,6). Um tratamento completo deste tema vai além do âmbito deste comentário; bastará dizer que estas observações não excluem necessariamente a nação ou a etnia de Israel de qualquer envolvimento nos planos de Deus para o futuro.

Os antepassados israelitas experimentaram algo equivalente ao batismo e à Ceia do Senhor. O termo grego *pantes* ("todos"), significativamente ocorre cinco vezes nos versos 1-4. Ninguém era excluído; todos participavam. Isto é contrastado com o fato de Deus não estar contente com a "maior parte deles" (v.5). Todos participavam; porém a maioria desagradava ao Senhor. A frase "Estiveram todos debaixo da nuvem" (v.1; cf. Êx 13.21,22), significa que Deus os estava guiando com sua divina presença. Observe o Salmos 105.39, que diz que o Senhor "estendeu uma nuvem por coberta". A mesma idéia é encontrada no livro não-canônico da Sabedoria de Salomão, onde existe a idéia de cobri-los ou envolvê-los (Sab Sal 10.17; 19.7).

Também "todos passaram pelo mar" (v.1; cf. Êx 14.21,22), certamente um tipo de batismo (1 Co 10.2). A analogia de Paulo, porém, não enfatiza a correspondência entre a água do mar e a água do batismo cristão. Devemos recordar que os israelitas caminharam sobre terra seca quando cruzaram o mar. O ponto comum com o batismo cristão é que todos eles "foram batizados em Moisés". No mínimo, a frase serve para identificar as pessoas de forma mais próxima a seu líder. Sua contraparte do Novo Testamento é que os crentes são batizados "em Cristo" (Rm 6.3; Gl 3.27) ou batizados "formando um corpo [de Cristo]" (1 Co 12.13). Parece que Paulo, voltando no tempo, adaptou a expressão "em Cristo" a Moisés.

Enquanto estamos considerando uma aproximação da tipologia, é necessário que sejamos conservadores; assim, é fácil ver Moisés como um tipo de Cristo, que libertou seu povo da escravidão. É comum o Novo Testamento mostrar Jesus obviamente como superior a Moisés (por exemplo, Hb 3.1-6). Esta tipologia consta no Novo Testamento e é decorrente da palavra grega *lytrotes* (redentor, mensageiro), que Estevão aplica a Moisés (At 7.35), embora o conceito de redenção através de Cristo seja mostrado ao longo de todo o Novo Testamento. Estevão torna claro posteriormente que Jesus como um profeta é semelhante a Moisés, e que sua vinda foi predita pelo próprio Moisés (At 7.37; cf. Dt 18.15, 18,19).

Além de seu batismo, sabemos que os israelitas: *"todos* comeram de um mesmo manjar espiritual, e beberam *todos* de uma mesma bebida espiritual"* (v.3,4). O adjetivo "espiritual" *(pneumatikos)* é de interpretação variável, mas não pode significar que Paulo considerava a comida e a bebida como não materiais. Alguns usaram esta palavra com o significado de "tipológico" ou "simbólico", pressagiando os elementos da Ceia do Senhor. Outros interpretam-na como "sobrenatural" — que o pão e a água foram milagrosamente fornecidos. Em outras passagens é chamado de "trigo do céu" e "pão dos poderosos [ou dos anjos]" (Sl 78.24,25). Expressões semelhantes são encontradas no livro apócrifo Sabedoria de Salomão 16.20. Nenhuma interpretação exclui a outra. A comida é o maná (Êx 16.4, 14-18); a bebida é a água da rocha (Êx 17.6; Nm 20.7-13). A comida é considerada espiritual/milagrosa porque veio do céu; a água é considerada espiritual/milagrosa porque veio de uma rocha (1 Co 10.4).

Uma pedra proveu a água no início e no final da experiência no deserto (Êx 17.1-7; Nm 20.2-13). Segundo um relato judaico, que não está contido no Antigo Testamento, a rocha acompanhou o povo ao longo da jornada. Paulo pode estar fazendo alusão a este relato, sem necessariamente subscrevê-la, com a finalidade de fazer uma observação. Não nos surpreenderia se dissesse que a pedra "tipificava" Cristo, mas sua declaração de que a pedra "era" Cristo é surpreendente.

Várias observações podem ser feitas neste caso:
1) A declaração implica que Cristo acompanhou os israelitas ao longo de sua jornada.
2) Sendo assim, fala da preexistência de Cristo (conforme os escritos de Paulo em Rm 8.3; 2 Co 8.9; Gl 4.4; Fp 2.5-7).
3) Jeová no Antigo Testamento é "a Pedra" (Dt 32.4, 15, 18, 30-31; Sl 18.2), e Cristo está aqui identificado com Ele. Existem implicações óbvias destes fatos no desenvolvimento dos estudos sobre a cristologia.
4) Muitos teólogos identificaram o anjo de Jeová, que acompanhou Israel no deserto (Êx 14.19; 23.20-23; 32.34; 33.2), com o Cristo pré-encarnado.
5) Em uma interpretação de João 7.38,39, com que este comentarista concorda, a declaração de Jesus sobre a "fonte de água", se refere não a um crente, mas a si mesmo como a pedra do deserto. Este ponto de vista é fortalecido por sua declaração precedente de que se "alguém tem sede, que venha a mim e beba" (v.37), já que Ele é a fonte da água da vida (Jo 4.10, 13,14).

"Contudo" ou "mas" *(alla)* é uma conjunção forte que introduz uma mudança radical de direção. Todos os israelitas foram abençoados e sustentados pelo pão e pela água que lhes foram milagrosamente fornecidos, mas isto não garantiu sua sobrevivência no deserto e sua eventual entrada na Terra Prometida: "Deus não se agradou da maior parte deles", "pelo que foram prostrados no deserto" (v.5). O Senhor "os matou no deserto" (Nm 14.16; cf. Hb 3.17). Paulo dará brevemente as razões para o desgosto de Deus. A expressão "a maior parte deles" está bem colocada; poderia também ser utilizada a frase "quase todos", pois somente dois israelitas daquela geração, Josué e Calebe, sobreviveram! (Nm 14.30-32).

Os versos 6-13 retornam especificamente ao tema da idolatria e dos banquetes idólatras. As experiências dos israelitas no deserto "foram-nos feitas em figura [*typos*], para que não cobicemos as coisas más, como eles cobiçaram" (v.6). As "coisas más" se referem principalmente à idolatria e a tudo que estiver associado a ela. A cobiça dos israelitas poderia se referir à vida regalada do Egito (Nm 11.4-34), que era associada à idolatria. Pode incluir também a imoralidade sexual, freqüentemente associada à idolatria. A analogia com relação a situação atual de Corinto é muito clara. Alguns dos crentes estavam flertando com a idolatria, participando dos banquetes nos templos pagãos. Deus não poupou os israelitas, e não poupará os cristãos inclinados à idolatria, a despeito de sua participação nas ordenanças da Igreja. Para os israelitas, a participação nestes "rituais" não era um substituto à obediência motivada pela fé no Senhor; isso também se aplicava aos coríntios.

Paulo agora seleciona quatro pecados de Israel que refletem as negligências dos coríntios: a idolatria, a imoralidade sexual, o ato de colocar o Senhor à prova, e a murmuração (v.7-10).

1) "Não vos façais, pois, idólatras" significa, mais apropriadamente, por causa do tempo grego, "Deixem de ser idólatras" (v.7). Uma ordem posterior diz "Fugi da idolatria" (v.14). O exemplo negativo dos israelitas prossegue. Na presença do bezerro de ouro, o povo "assentou-se a comer e a beber e levantou-se para folgar [*paizo* — tocar, divertir-se, dançar]" (citado em Êx 32.6, 19, que na LXX fala de danças [*choroi*]). O último item pode ser um eufemismo para a imoralidade sexual (mencionada por Paulo em outros versos). Tal imoralidade era freqüentemente associada ao ato de consumir a comida oferecida aos ídolos (At 15.29). Em Corinto, como em outras cidades, as prostitutas eram freqüentemente encontradas nos templos. Embora Paulo não o mencione, três mil israelitas foram mortos naquela ocasião.

2) O próximo incidente do Antigo Testamento a que Paulo se refere está registrado em Números 25.1-9. Por causa do envolvimento de Israel na adoração de um ídolo, e os atos de imoralidade sexual com mulheres moabitas, vinte e quatro mil israelitas pereceram. Paulo menciona vinte e três mil. Várias explicações para esta aparente discrepância foram propostas: (a) Existe um erro de um copista na LXX, que considerou a abreviação para quatro (*trs*) como se fosse o número três (*treis*); (b) Números 25.5 parece apresentar um registro seletivo, de acordo com o qual mil pessoas foram mortas pelos juízes; isto pode ser considerado como a diferença em questão; (c) Vinte e três mil foram mortos em um dia. (d) Os dois números foram arredondados pois o número exato estaria entre os dois.

3) Paulo continua a admoestar: "não tentemos a Cristo" (v.9), e cita outro exemplo do Antigo Testamento: as serpentes ígneas enviadas para punir aqueles que "tentaram" o Senhor (Nm 21.4-7; Sl 78.18; também 95.8,9). Tal prova tomou a forma de uma reclamação sobre a comida que Deus havia provido milagrosamente; suas murmurações resultaram na destruição de alguns pelas serpentes. "Tentar o Senhor" é experimentar até que ponto se pode abusar da paciência de Deus antes de incorrer em seu julgamento (Dt 6.16). Ananias e Safira são os principais exemplos das pessoas que concordaram em "tentar o Espírito do Senhor" (At 5.9). Está claro que alguns coríntios estavam tentando a Deus por terem se comprometido com a idolatria.

4) O incidente final é citado em termos gerais: "Não murmureis [literalmente, parem de murmurar]", diz Paulo, "como também alguns deles murmuraram" (v.10). Israel teve uma história de murmurações. Será que Paulo está se referindo a um incidente específico? Existem duas possibilidades: (a) Poderia estar se referindo à rebelião de Corá, que foi um desafio à liderança de Moisés (Nm 16.1-35). O julgamento de Deus veio em forma de uma fenda na terra, um abismo que se abriu e tragou Corá e aqueles que estavam associados a ele. As subseqüentes murmurações do povo por causa do incidente resultaram em mais 14.700 mortes por uma peste enviada pelo Senhor (v. 41-50); (b) Números 14 registra a murmuração geral, que resultou no pronunciamento do Senhor de que somente Josué e Calebe, dentre as pessoas daquela geração, entrariam em Canaã, enquanto o restante pereceria no deserto.

O agente do castigo é aqui chamado "destruidor" (*ho olothreutes*). Esta expressão grega ocorre na LXX em referência ao anjo que destruiu os primogênitos no Egito (Êx 12.23; veja Hb 11.28). Esta pode ser a base para a tradução da NIV: "o anjo destruidor". Outras passagens do Antigo Testamento falam sobre anjos que destruíram os inimigos do Senhor (2 Sm 24.16; 1 Cr 21.12, 15; 2 Cr 32.21; Is 37.36; veja também At 12.23; Hb 11.28).

I CORÍNTIOS 10

Paulo repete que as experiências de Israel servem com exemplos para os cristãos, e que de fato lhes sobrevieram "como figuras, e estão escritas para aviso nosso". O apóstolo indica que não são somente histórias sobre Israel, sem nenhuma relevância para os cristãos do Novo Testamento. Os cristãos são aqueles "para quem já são chegados os fins dos séculos" (o termo *fins* é literal; v.11, veja também Hb 9.26; 1 Pe 1.20). Todos os períodos prévios da história culminaram com a vinda de Cristo à Terra. Estes são "as eras, que passaram em sua totalidade" (Bruce, 93; veja também Robertson e Plummer, 207). Alcançaram sua meta (Fee, 459). Em outras passagens Paulo se refere a este assunto mencionando "a plenitude dos tempos" (Gl 4.4).

Aqueles que estão em Cristo já entraram na era messiânica, conhecida pelos judeus como "a era por vir". Os crentes são aqueles que provaram "as virtudes do século futuro" (Hb 6.5). Pedro, no Dia de Pentecostes, identificou a vinda do Espírito com os "últimos dias" (At 2.17), que no pensamento judaico era contrastado com "esta era", isto é, a era que precedia a vinda do Messias.

Embora os crentes tivessem entrado na era do Messias, não deveriam se descuidar espiritualmente, por excesso de confiança: "Aquele, pois, que cuida estar em pé, olhe que não caia" (v.12). Eles começaram a corrida, mas, como Paulo, não devem arriscar ser desqualificados ou reprovados (9.27). Da mesma maneira que Israel caiu no deserto, eles também podem cair espiritualmente.

Se alguns parecem inseguros por causa destas advertências, Paulo lhes assegura que as tentações que experimentam são comuns a todos (v.13; a palavra *peirasmos* significa uma ou outra prova ou tentação). "Mas fiel é Deus" em não permitir que sejam tentados além de sua capacidade de resistir. Os crentes podem depender dEle, porque é confiável e fiel. Mas esta segurança depende de sua própria fé e fidelidade a Deus. Não devem colocar Deus à prova (v.9), chegando tão próximo quanto possível da idolatria e dos outros pecados que a acompanham. Mas podem

Paulo advertiu os coríntios a não cometerem os mesmos erros dos israelitas antigos, que peregrinaram pelo deserto durante quarenta anos. Disse. "Não tentemos a Cristo, como alguns deles também tentaram". Esta área está localizada ao pé do monte Sinai. Pode-se ver um camelo no primeiro plano. Os grãos estão se secando nos quadrados sobre o solo.

resistir às tentações a que são expostos e que não são de sua própria escolha. Para vencer cada tentação, o Senhor fornece *o* escape (o artigo definido consta do texto grego).

3.2.5. A Ceia do Senhor e as Festas Idólatras (10.14-22). Nestes versos Paulo é menos tolerante com os cristãos que comem alimentos sacrificados aos ídolos do que parecia ser no capítulo 8. Aqui, dará os motivos pelos quais é proibido comer tais alimentos.

Os versos 14-17 relacionam os versos 1-13 à Ceia do Senhor, como Paulo fará ao longo do capítulo 11. A palavra "portanto" traduz uma forte conjunção adverbial que mostra a conexão lógica entre o que precede e o que se segue. Paulo endereça estes comentários da seguinte maneira: "meus amados" (*agapetos* — literalmente "amados"). Esta designação ocorre em outras passagens desta carta (4.14, 17; 15.58). É também utilizada em 2 Coríntios 7.1, após uma passagem que lida com dois tópicos relacionados — a incompatibilidade entre os ídolos e aqueles que são o templo de Deus — apelando para que os amados se afastem e se purifiquem (6.14-18).

Os coríntios haviam sido previamente admoestados a fugir da "prostituição" ou imoralidade sexual (6.18; veja também 2 Tm 2.22). Agora lhes foi dito para fugirem da "idolatria" (1 Co 10.14). Como ocorreu no caso da advertência prévia, o tempo presente grego significa "continuar se afastando" ou "fazer disto uma prática de fuga". Os crentes não deveriam se aproximar conscientemente da tentação, e então esperar por um livramento. "Não devem testar o quanto podem se aproximar, e sim, o quanto conseguem se afastar" (Robertson e Plummer, 211). Foi demonstrado várias vezes que a idolatria e a imoralidade sexual estavam intimamente associadas no mundo pagão dos coríntios; não é acidentalmente que Paulo somente usa o verbo "fugir" nesta carta que tem como objeto estes dois pecados. Ao invés dos coríntios procurarem razões para justificar sua participação nas festas nos templos pagãos, deveriam distanciar-se o máximo possível destas.

Paulo apela a eles como a pessoas sensatas (v.15). Anteriormente, notou que orgulhavam-se de sua sabedoria (1.18—2.16); agora diz que se fossem verdadeiramente sábios poderiam julgar por si mesmos a justiça do que lhes dirá.

As duas questões do verso 16 que tratam da Ceia do Senhor, devem ser respondidas de maneira afirmativa: O cálice de bênção que abençoamos não é a comunhão do sangue de Cristo?" Sim; "O pão que partimos não é, porventura, a comunhão do corpo de Cristo?" Sim. A expressão "o cálice de bênção [*eulogia*, literalmente, bênção]" era o termo que os judeus empregavam para o cálice de vinho que era bebido no final de uma refeição, e também para o terceiro cálice da refeição da Páscoa, na qual uma oração de ação de graças (ou bênção) era oferecida. Paulo provavelmente usa esta expressão por se referir à bênção, ou à ação de graças, que Jesus pronunciou na última Ceia (11.24). É o cálice "abençoado pelo Senhor, que nós também abençoamos" (Héring, 93-94). O cálice da Comunhão é uma "participação" (*koinonia*) no sangue de Cristo, o cordeiro da Páscoa (5.7). Alguns preferem a tradução "comunhão" em lugar de "participação".

Paulo não diz que os cristãos, na Ceia do Senhor, de algum modo bebam literalmente o "sangue de Cristo". A frase "o sangue de Cristo" é um outro modo de falar sobre sua morte, o derramamento de seu sangue, de sua vida. Beber do cálice, então, significa a identificação com Cristo em sua morte, e o recebimento dos seus benefícios.

As mesmas idéias gerais se aplicam ao pão. O pão era uma parte necessária da refeição da Páscoa. Na Ceia do Senhor, o pão representa o corpo de Cristo, que foi "partido" (ou sacrificado) anteriormente e durante a sua crucificação. Comer o pão, então, simboliza a participação nos benefícios trazidos pela morte de Cristo. Algumas pessoas não interpretam o pão deste modo. Levando-se em conta o verso seguinte (v.17), tanto o pão quanto o "corpo de Cristo" representam a Igreja (cf. 12.17; Rm 12.5), que significa que o verso 16 está se referindo à união comum que os cristãos compartilham.

Enquanto isto pode ser verdade, deve ser notado o seguinte:
1) Beber do cálice e comer do pão são paralelos (v.16); cada um destes deveria ser consistentemente interpretado em relação ao outro.
2) Paulo usa mais tarde o termo "corpo" referindo-se ao corpo físico de Cristo, na passagem mais extensa sobre a Ceia do Senhor (11.24, 27).
3) A palavra pão (*artos*) não é usada em qualquer outra passagem como uma metáfora para a Igreja, embora "corpo" (*soma*) seja um termo muito usado (12.12-27). O paradoxo no verso 17 é que os crentes constituem um corpo (o corpo de Cristo) porque todos "participamos do mesmo pão", que é

o seu corpo crucificado. Então a seguinte tradução (cf. também NIV NASB, NRSV) é preferível: "Porque nós, sendo muitos, somos um só pão e um só corpo; porque todos participamos do mesmo pão". O pão representa o corpo crucificado de Cristo.

Nos versos 18-22, Paulo observa que a participação na mesa do Senhor e na mesa das festas pagãs são mutuamente exclusivas (v.21). Apela novamente à história de Israel como um exemplo: "Os que comem os sacrifícios não são, porventura, participantes do altar?" (v.18). Os termos gregos exigem a resposta "Sim". É um fato aceito na história de Israel de que aqueles que comiam os alimentos sacrificados estavam relacionados, de um modo especial, a tudo o que o altar representava. Tanto os sacerdotes (Lv 10.12-15) como o povo (veja 1 Sm 9.10-24) comiam tais alimentos. Era uma identificação com o Senhor, que estava presente no sacrifício. Paulo então aplica isto à situação presente. A carne era sacrificada a um ídolo qualquer? A resposta é não. "O ídolo é alguma coisa?" (v.19). A resposta é novamente não (veja 8.4). Nenhuma mudança acontece nos alimentos, ou na carne; é por isso que, sob certas condições, não há problema em comê-los (v.27). Igualmente, a madeira ou a pedra que foram utilizados como materiais na construção de um ídolo não sofrem, na realidade, qualquer alteração física.

Na melhor das hipóteses, os pagãos pensam que estão sacrificando para seus deuses. Paulo agora corrige esta concepção errônea. Seus sacrifícios são oferecidos "aos demônios e não a Deus" (v.20; cf. Dt 32.16,17; Sl 96.5; 106.36,37). Portanto, aqueles que consomem a carne do altar ou do templo pagão onde era sacrificada estão se identificando — entrando em comunhão — com a entidade perversa a quem a carne era oferecida. Paulo não se contradiz aqui. O material do qual um ídolo é feito não é nada, mas o objeto adorado como um ídolo é um demônio. Da mesma maneira que os sacrifícios autorizados uniam Israel a Deus, os sacrifícios pagãos unem os adoradores aos demônios. Da mesma maneira que o antigo Israel teve que escolher entre adorar a Deus ou às supostas divindades pagãs (demônios), os coríntios devem escolher entre "a mesa do Senhor e a mesa dos demônios" (v.21).

A expressão "não podeis..." ocorre duas vezes no verso 21. Adorar na mesa do Senhor e na mesa dos demônios são atos mutuamente exclusivos; deve-se escolher um ou outro, pois não é possível fazer os dois, nem existe meio termo. No uso bíblico, "mesa" e "comida" são sinônimos de comunhão; os cristãos devem decidir se sua comunhão será com o Senhor ou com os demônios. A expressão "mesa do Senhor" (veja Lc 22.30) remonta a Malaquias 1.7, 12, onde significa "altar" (cf. Ez 41.22; 44.16).

A frase "ou irritaremos o Senhor?" (v.22) recorda a advertência a não tentar o Senhor (veja comentários sobre v.9). Deus não compartilhará sua glória com nada ou ninguém. Somente Ele deve ser adorado. Quando os cristãos "fortes" (8.9) participam de festas pagãs, implicam que são mais fortes do que Deus, que o proíbe.

3.2.6. Comer Aquilo que se Vende no Mercado (10.23—11.1). Os versos 10.23,24 dão as diretrizes gerais do assunto da carne oferecida aos ídolos, que, por extensão, se aplica a todas as questões referentes à conduta cristã: "Todas as coisas me são lícitas" (v.23) repete novamente uma declaração dos coríntios (veja comentário em 6.12). Paulo pode concordar com este princípio, mas também o qualifica, colocando-o sob a correta perspectiva. Qualquer ato de um cristão deve ser "lícito" e "edificante" (veja o comentário sobre 8.1) Tais atitudes não devem ser direcionadas aos interesses próprios, isto é, insistindo na liberdade de fazer algo. Literalmente, Paulo diz: "Ninguém busque o proveito próprio" (v.24, Fp 2.4). Antes, os cristãos devem buscar o bem dos demais. E em última instância, tudo deve ser feito "para a glória de Deus" (v.31).

Os versos 10.25-30 tratam especificamente da questão dos alimentos consumidos *longe* das festas dos templos pagãos, que *podem* ter sido oferecidos a ídolos. Sobre isto, Paulo diz: "Comei de tudo quanto se vende no açougue [ou mercado], sem perguntar nada, por causa da consciência" (v.25). Toda comida se origina de Deus, "porque a terra é do Senhor e toda a sua plenitude" (v.26, citando Sl 24.1). "Porque toda criatura de Deus é boa, e não há nada que rejeitar, sendo recebido com ações de graças" (1 Tm 4.4). Conseqüentemente, é melhor para o cristão não tentar determinar se um item em particular é parte de um sacrifício pagão. A razão é que não existe nada inerentemente mal nem mesmo na carne oferecida nos sacrifícios pagãos, já que a carne não sofre qualquer mudança. O cristão está livre para comprar e comer tudo o que é vendidao no mercado sem levantar questões "de consciência". Em outras palavras, os cristãos não deveriam ser excessivamente escrupulosos neste caso.

Porém, uma vez mais, o crente não está sempre livre para comer tal carne (vv.27-30). Um crente poderia ser convidado por um incrédulo para uma refeição em sua casa (embora isto não seja relevante para o ponto principal, vemos aqui que os cristãos podiam e tinham relacionamentos sociais com vizinhos e amigos pagãos; cf. 5.9,10.) Os cristãos eram livres para comer o que fosse servido (veja Lc 10.7,8) e não deveriam perguntar se a comida havia sido oferecida a ídolos. A situação seria alterada, porém, se alguém à mesa dissesse: "isto foi sacrificado aos ídolos [*hierothuton*]" (10.28). Esta palavra grega difere de *eidolothuton*, a palavra previamente usada em 8.1, 4, 7, 10; 10.19 (que significa algo oferecido a um ídolo). Este segundo termo teria sido usado por cristãos. O primeiro termo é neutro e teria sido usado por pagãos ou por cristãos diplomáticos que não desejavam ofender os pagãos. Neste caso, as instruções são claras: "não comais".

Quem teria feito a declaração sobre a carne ter sido oferecida aos ídolos? Possivelmente um amável anfitrião que não conhecesse os escrúpulos de seu convidado cristão, ou possivelmente um convidado pagão, ou ainda um "cristão fraco". Destas três opções, a mais provável seria o cristão fraco que, sendo excessivamente escrupuloso, pode ter inquirido sobre a origem da carne; afinal, a palavra "consciência" dificilmente se aplicaria a um anfitrião pagão ou a um convidado pagão. Deste modo, Paulo apela novamente aos cristãos "fortes" para que, por amor ao cristão fraco, não consumam aquela comida (veja Rm 14.13-16, 20-23; 15.1). Caso contrário, se comessem, sua liberdade seria condenada (ou "julgada") pela consciência do cristão fraco (1 Co 10.29b).

O pensamento continua no verso 30. Teoricamente Paulo poderia participar da comida com gratidão (*chariti*, que vem de *charis*) pois diz: "E se eu com graça participo, por que sou blasfemado naquilo por que dou graças?" Mas será "blasfemado" por isto. *Chariti* pode ser também traduzida como "por graça", significando que ele pode comer tal carne porque a graça de Deus permite que o faça com "ação de graças". Mas ele não arriscará ser "blasfemado" (*blasphemeo*) exercitando sua liberdade. Este verbo grego pode significar "caluniado" (NASB), "difamado" (NKJV), ou ultrajado (BAGD, 142).

Os versos 10.31—11.1 concluem o longo tratamento de Paulo sobre a comida oferecida aos ídolos. Amplia os princípios que esboçou para aplicá-los a seu raciocínio de que o que quer que fizessem deveria ser para a glória de Deus, dizendo: "fazei tudo para a glória de Deus". Tudo o que o cristão fizer, qualquer decisão tomada, deve ser "para a glória de Deus" (v.31; cf. 6.20; Cl 3.17), não por presunção, auto-satisfação ou afirmação de seus "direitos".

Paulo então amplia seus comentários dizendo: "não deis escândalo" (v.32, NASB, NRSV, NKJV; para uma idéia semelhante, veja 8.13). De especial interesse são os três grupos aos quais um cristão não deve ofender: "nem aos judeus, nem aos gregos, nem à igreja de Deus". Uma revisão dos capítulos 8—10 mostra como o próprio Paulo condescendeu com os três grupos a fim de ganhá-los (por exemplo, 9.19-22). Seu comentário: "em tudo agrado a todos" deve ser entendido em seu contexto (veja Rm 15.1-3). Quando a verdade do evangelho era o assunto em questão, Paulo decididamente não tentava agradar a outros seres humanos (Gl 1.10). No contexto presente, porém, busca não o "próprio proveito, mas o de muitos, para que assim se possam salvar" (1 Co 10.33; cf. 9.22), não seu próprio bem (10.24). Agradar os outros será uma atitude ruim quando a motivação for aproveitar-se de alguém; porém será uma boa atitude se o objetivo for levar alguém à verdade (Barrett, 245).

Paulo previamente exortou os coríntios a imitá-lo (4.16; veja também Fp 3.17; 2 Ts 3.7, 9). Agora diz: "Sede meus imitadores, como também eu, de Cristo" (1 Co 11.1; veja Ef 5.1; 1 Ts 1.6). Um aspecto específico do exemplo de Cristo que deveriam seguir diz respeito a não agradarem a si mesmos nas questões que envolvem a consciência alheia (veja Rm 15.1,2 levando em conta o capítulo 14).

3.3. A Adoração Cristã (11.2-34)

A maior parte do material dos capítulos 10—14 se relaciona, de algum modo, ao tema da adoração cristã. Mas o capítulo 11 enfoca dois problemas específicos da igreja coríntia.
1) O véu das mulheres na adoração pública (v.2-16), e
2) A Ceia do Senhor (v. 17-34). Antes de exortar a igreja nestes dois assuntos, porém, Paulo começa elogiando-os.

3.3.1. O véu das Mulheres (11.2-16).

O verso 2 pode refletir as próprias reivindicações dos coríntios ao se lembrarem de Paulo em *todas as coisas* e ao manterem as tradições por ele ensinadas. Nesse caso, pode ser uma marca de gratidão por ele ter aceitado seus comentários, embora tivesse que corrigi-los desde o princípio e continuará a fazê-lo (note o verso 17). O termo "tradições" é uma tradução melhor do que o termo "preceitos" para *paradoseis*. Era um termo usado no judaísmo para a transmissão oral de ensino religioso, que era às vezes (freqüentemente?) contrário à carta e ao espírito da Palavra escrita. Jesus chamou isto de "tradição dos homens" (Mc 7.8; também cf. Mt 15.6). No contexto presente, a palavra se refere à essência da fé cristã que era transmitida oralmente (2 Ts 2.15; 3.6; 2 Tm 1.5) e que eventualmente se tornou parte das Escrituras Sagradas. O verbo relacionado *paradidomi* consta aqui e em 1 Coríntios 11.23, "o que também vos ensinei". Paulo emprega este verbo quando fala da Ceia do Senhor (v.23) e da ressurreição (15.3).

Os versos 3-6 introduzem o problema das mulheres cristãs "desobrigadas" que não viam nenhuma necessidade de cobrir a cabeça durante a adoração. Paulo não começa sua discussão sobre este assunto com a habitual frase "quanto a..." (que indica um assunto sobre o qual os coríntios escreveram a ele – cf. 7.1, 25; 8.1; 12.1); pode ter sabido deste problema através de um membro de casa de Cloe (1.11) ou dos homens coríntios que o visitaram (16.17).

Duas notas explicativas devem ser dadas nesta fase preliminar.
1) O substantivo velar/cobrir (*kalymma*) não consta neste capítulo, mas constam formas relacionadas (*katakalypto* — cobrir [v.6,7]; *akatalyptos* — descoberto [v.5, 13]).
2) Embora a idéia de um véu para cobrir a cabeça esteja presente, não precisa ser interpretado como algo que cubra a face. O termo "xale" pode expressar melhor a idéia. Tanto entre os judeus como entre os gregos, esta peça habitual no vestuário da mulher, usada para se cobrir, era considerada como modesta e era especialmente apropriada para a adoração.

Paulo começa com analogias teológicas e bíblicas enfocando a palavra "cabeça" (*kephale*). A palavra tem vários significados.
1) Literalmente, a parte superior do corpo humano;
2) Figurativamente, alguém com autoridade, como "a cabeça de um governo" ("supremacia"; cf. Robertson e Plummer, 227);
3) Figurativamente, fonte ou origem, como "fonte de águas", que significa a nascente de um rio (Fee, 503). O conceito do homem ter uma superioridade sobre a mulher não aparece neste capítulo (embora Héring o veja aqui [102]), mas este capítulo mostra que a mulher deve sua origem ao homem (v. 8, 12). Deste modo, o terceiro significado se dá no verso 3: "o varão, [é] a cabeça da mulher".

I CORÍNTIOS 11

Embora *aner* possa significar homem ou marido e *gyne* mulher ou esposa, o contexto não exclui claramente homens e mulheres que não sejam casados. A passagem diz respeito à relação homem-mulher, não marido-esposa. A tripla analogia pode ser reorganizada em ordem decrescente. Deus é a fonte de Cristo; Cristo é a fonte de todo homem; o homem é a fonte da mulher.

Em uma analogia, não se deve procurar uma correspondência lógica em tudo. Paulo não pretende dizer que o Filho tem uma origem histórica no Pai. Nem tampouco está preocupado aqui com as considerações posteriores da teologia da Trindade (veja comentários sobre 3.23 e 8.6). Se "Deus" no verso 3 é visto em um sentido geral de divindade e não é restrito ao Pai, haverá menos dificuldade em dizer que a fonte ou origem de Cristo é Deus. Nem pode "Cristo" significar o Filho somente em seu estado terreno, já que "Cristo é a cabeça de todo varão". Isto deve se referir ao Filho eterno, a criação de todas as coisas (8.6; Cl 1.16). Alternativamente, pode significar que Deus é a cabeça de Cristo em referência à obra da encarnação de Cristo (Fee, 505). Finalmente, a mulher deve sua origem ao homem (veja Gn 2.18-23, que declara que a origem da mulher foi a costela de Adão). Paulo diz duas vezes nesta seção, "a mulher provém do varão" (1 Co 11.8, 12).

Embora as mulheres "desobrigadas" fossem o problema, o argumento de Paulo envolve também os homens — mais como contraste, aparentemente, do que como parte do problema. "Todo homem que ora ou profetiza, tendo a cabeça coberta [literalmente, vestido desde a cabeça], desonra a sua própria cabeça" (v.4). Alguns interpretam a cláusula grega como tendo cabelo longo, como o de uma mulher, argumentando que os homens gregos tinham cabelo curto. Outros deduzem que Paulo está combatendo um penteado "unissex", com possíveis insinuações de homossexualidade. O contexto geral é contrário a tal interpretação pois se refere ao ato de um homem cobrir ou não (por exemplo, v.7) sua cabeça. Fee (506) cita Ester 6.12 (LXX), que diz que Hamã correu em direção a sua casa tendo "coberta a cabeça" (a mesma frase grega usada aqui por Paulo). O homem "é a imagem e glória de Deus" (1 Co 11.7; cf. Gn 1.26,27; Sl 8.5) e, portanto, não deve cobrir esta imagem e glória quando orar ou profetizar publicamente. Neste momento, não deve ter sido habitual nem mesmo para os homens judeus, usar algum tipo de chapéu ou um xale quando oravam.

O que é a "cabeça" para envergonhar o homem quando ele a cobre? A resposta pode ser dupla. Envergonha sua própria cabeça, da mesma maneira que a mulher que ora ou profetiza com a cabeça descoberta envergonha sua cabeça (v.7). Mas também envergonha sua cabeça metafórica — Cristo (v.3); alguns vêem uma conexão com 2 Coríntios 3.13-18, que fala do véu sobre a face de Moisés e da face desvelada do cristão, que está sendo transformado à imagem de Cristo.

Paulo não desaprova que as mulheres cristãs orem ou profetizem durante a adoração pública. Não teria hesitado em corrigir esta prática se a julgasse irregular. Mas como faz mais tarde sobre a questão geral dos dons espirituais na adoração pública (cap. 14), estabelece diretrizes. Embora Paulo seja o principal dos escritores do Novo Testamento em defesa de que em Cristo não há "macho nem fêmea" (Gl 3.28), isto "não elimina a distinção feita na criação" (Barrett, 251). Então, uma mulher que ora ou profetiza descoberta ou sem véu (*akatakalyptos*) é como uma mulher cuja cabeça havia sido raspada (v.5). Tal mulher naquele tempo era um objeto de vergonha; ela envergonhou sua cabeça, seu marido, por querer ser como ele (Héring, 105). O adjetivo grego podia dar a entender o cabelo solto descendo sobre os ombros e nas costas; existem evidências de que algumas religiões pagãs tiveram mulheres delirantes ou fora de si com "o cabelo solto e completamente desarranjado, e com a cabeça torcida para trás" (citado por Fee, 509, fn. 75). Paulo é até mais firme na declaração seguinte. Uma mulher que não cobre sua cabeça deve "tosquiar-se" (v.6). Já que uma cabeça raspada ou um cabelo curto eram tão vergonhosos, a mulher cristã deveria cobrir sua cabeça.

Os versos 7-16 comparam e contrastam homens e mulheres com base na criação. A opinião de Paulo é que as mulheres cristãs não devem desafiar o costume prevalecente na questão de algo que cubra a cabeça, mas seu argumento vai além das convenções da época. O homem é a glória de *Deus*, a mulher é a glória do *homem* (v.7). A idéia parece ser que Deus não compartilhará sua glória com outrem; deste modo, a glória do homem (a cabeça da mulher) deve ser coberta na adoração.

Procurando a base bíblica para suas restrições, Paulo diz que o homem não veio da mulher; é uma criação direta de Deus (v.8). Nem foi criado para a (*dia*, "por causa da") mulher, mas a mulher veio do homem e foi criada para ele (v.9). Ela foi tirada de seu lado (Gn 2.21) com a finalidade de ser "uma adjutora que esteja como diante dele" (v.18). Enquanto Paulo pode ser interpretado aqui como atribuindo um papel subordinado e talvez inferior à mulher, seus *pontos principais* são que as distinções entre os sexos devem ser mantidas e que o homem é a origem da mulher. A unidade em Cristo não anula a realidade da ordem criada.

"Portanto" [pela razão ora mencionada], diz Paulo, "a mulher deve ter sobre a cabeça sinal de poderio por causa dos anjos" [uma razão adicional] (1 Co 11.10). A referência aos anjos pode ser variavelmente interpretada:

1) Alguns dizem que são clérigos, um ponto de vista difícil de sustentar, entretanto alguns interpretam os anjos das sete igrejas do Apocalipse 2—3 como sendo pastores.
2) Alguns identificam estes anjos como anjos caídos ou espíritos malignos, que cobiçam as mulheres se estas não estiverem cobertas. Estes estudiosos apelam para Gênesis 6.1,2, que diz que os "filhos de Deus" se casaram com as filhas dos homens — onde os filhos de Deus são entendidos como anjos caídos. Porém, esta interpretação é inadequada. Nem todos os intérpretes concordam que estes filhos de Deus sejam anjos caídos; alguns identificam-nos como descendentes piedosos de Sete. Além disso, por que as mulheres descobertas seriam uma tentação para eles *na igreja*, e não em todos os lugares? E seria um simples véu ou xale algo que detivesse tais espíritos?
3) O ponto de vista de que eles são "anjos da guarda" (isto é, que um anjo protetor é designado para cada crente) pode ser também descartado já que esta interpretação não tem nenhuma base bíblica.
4) Outros sugerem que a frase "por causa dos anjos" significa "porque os anjos o fazem" na presença de Deus, seu superior, cobrindo suas faces (Is 6.2), e que as mulheres deveriam então se cobrir na presença de seu superior, o homem (Robertson e Plummer, 235).
5) Talvez a melhor explicação seja ver estes seres como anjos bons que estão presentes na adoração. Os anjos são realmente apresentados nas Escrituras como "espíritos ministradores" para os cristãos (Hb 1.14) e

As mulheres beduínas ainda usam, para cobrir a cabeça, o mesmo tipo de véu que era tradicional no início do Novo Testamento. Escrevendo sobre o decoro na adoração, Paulo diz aos coríntios que "Toda mulher que ora ou profetiza com a cabeça descoberta desonra a sua própria cabeça". Refere-se àquilo que cobre a cabeça como "sinal de poderio".

estão freqüentemente associados à adoração. Podem funcionar como observadores, se não participantes, quando os cristãos se reúnem para a adoração. Uma mulher descoberta na adoração os ofenderia, já que esta violou a ordem divina das coisas (Robertson e Plummer, 233). Entretanto, não determinante nesta interpretação, porém interessante, é o fato de que a comunidade de Qumram, do Mar Morto, acreditava que certos indivíduos imperfeitos, como os doentes e os aleijados, deveriam ser excluídos da assembléia porque "os anjos da santidade [santos anjos] estariam no meio da congregação" (1 QSa 2.5-9).

Paulo repete o requisito de que a cabeça da mulher deva ser coberta, mas fala disso como se assim ela tivesse um "sinal de poderio" sobre a cabeça (v.10). Algumas versões dizem "um símbolo de autoridade em sua cabeça" (NASB, NRSV, NKJV). Uma explicação comum, que pode ser correta, é que o véu da mulher cristã, em contraste com o das judias ou o das mulheres pagãs, não era um sinal de sujeição, e sim uma indicação da autoridade que tinha para orar e profetizar publicamente. Esta é uma tentativa de explicar o texto grego, que, porém, não contém as palavras "um sinal/símbolo de". Diz simplesmente, "a mulher deve ter sobre a cabeça sinal de poderio...". A preposição seguinte à palavra "poderio" ou "autoridade" (*exousia*) é *epi*, que pode ser traduzida como "acima de" ou "sobre". Este comentarista prefere uma explicação simples da última cláusula do verso 10. A mulher deveria ter "autoridade (controle)" sobre sua cabeça no sentido de que *ela* deve tomar a decisão de cobrir-se. Esta combinação das duas palavras gregas (*exousia epi*) é econtrada em várias passagens (por exemplo, Lc 9.1; Ap 2.26; 6.8; 11.6; 14.18; 16.9; 22.14), freqüentemente com o significado de "ter controle sobre".

Paulo procura equilibrar seus comentários anteriores, que parecem ter atribuído uma subordinação ou um estado inferior às mulheres. Na frase "no Senhor" (v.11) existe uma igualdade e uma interdependência básica entre homens e mulheres. Estes não podem existir ou funcionar separadamente um do outro porque, embora a mulher tenha originalmente vindo do homem (v.8), todo homem entra no mundo por meio de uma mulher. Mas embora o sexo mantenha a existência tanto de um como do outro, em última instância "tudo vem de Deus", diante de quem ambos têm responsabilidades.

Paulo previamente exortou os crentes a julgarem sabiamente o tema da idolatria (10.15). Agora diz sobre o assunto em questão: "Julgai entre vós mesmos" (11.13), colocando a responsabilidade sobre os ombros dos coríntios. Uma tradução literal e formal para ambos os pronomes do texto grego, pode ser: "Julguem entre você mesmos". O assunto a ser julgado é o fato de ser ou não apropriado que uma mulher ore com a cabeça descoberta. Deve-se notar que o assunto é de decoro, não de pecado. Ao longo desta extensa discussão, Paulo nunca diz que a mulher que ora ou profetiza com a cabeça descoberta está pecando. Discutiu o assunto em bases teológicas; agora fala com base no que é culturalmente aceitável.

Os versos 14 e 15 começam com uma pergunta: "não vos ensina a mesma natureza [*physis*] que é desonra para o varão ter cabelo crescido?" O termo *physis* ocorre várias vezes nos escritos de Paulo (Rm 1.26; 2.14, 27; 11.21, 24; Gl 2.15; 4.8; Ef 2.3), mas é difícil atribuir-lhe um significado uniforme em todas as ocasiões em que aparece. Embora uma tradução literal seja "a própria natureza", a referência da NIV pode melhor expressar a idéia de Paulo: "a própria natureza". Paulo apela para o que é comum, aos costumes cotidianos da época; era considerado culturalmente "natural" que o cabelo de uma mulher fosse longo, e o do homem curto (é claro que a "natureza" não dotou somente a mulher da possibilidade de ter cabelos longos). Além disso, Paulo sabia que no reino animal, como com leões, a "natureza" dotou o macho com cabelo mais longo e abundante. A discussão inteira termina com a idéia de que o cabelo longo de uma mulher é sua glória, porque é dado a ela como uma coberta (*peribolaion* — uma palavra diferente da que foi previamente usada, mas que tem o mesmo significado básico).

Paulo assume que nem todos serão convencidos por seus argumentos; alguém pode querer "ser contencioso" sobre esta questão (v.16). Deste modo, sua observação final é que "nós não temos tal costume". Não está claro a quem se refere como "nós" — se Paulo se refere a si mesmo (usando os "editoriais" *nós*), ou se está se referindo aos que estavam com ele no momento em que escrevia, ou ainda a todos os apóstolos. Mas fala em termos absolutos quando diz, "nem as igrejas de Deus" (veja 1.2 para comentários sobre "igreja"). A norma em todas as igrejas era que as mulheres que oravam ou profetizavam estivessem cobertas. Ao longo de suas cartas, Paulo usa freqüentemente o plural da palavra "igreja". Provavelmente tinha em mente as igrejas que fundou, mas o sentido geral é que todas as igrejas constituem a Igreja universal e única. O apóstolo é cuidadoso ao dizer que as igrejas são de Deus, não suas. São de Deus porque o Senhor as "resgatou com seu próprio sangue" (At 20.28).

Baseando-se amplamente nesta passagem, alguns cristãos atuais ensinam que é errado a mulher cortar seu cabelo ou o homem ter cabelos longos. Outros insistem que a mulher deve ter sua cabeça coberta durante as ocasiões de adoração. Este comentário mencionou diversas vezes que devemos interpretar esta passagem levando em conta as expectativas culturais da época. Uma das ênfases é que cada cristão deve se amoldar aos costumes prevalecentes de sua cultura, desde que tais costumes não sejam incompatíveis com o cristianismo. Outra é que as distinções entre o sexo masculino e o feminino devem ser sempre mantidas. Estes princípios gerais devem ser observados, não importando o contexto específico em que os cristãos se encontrem.

3.3.2. A Ceia do Senhor (11.17-34).

Esta passagem dá prosseguimento ao tema da adoração apropriada, com enfoque na Ceia do Senhor — é a passagem mais extensa no Novo Testamento dedicada a esta observância. É o registro mais antigo da Liturgia do Culto de Comunhão, como também uma importante fonte para a teologia relacionada a esta observância. Os abusos dos coríntios em relação à Ceia do Senhor ocasionaram este tratamento.

Os versos 17-22 introduzem o problema. As palavras de abertura são uma ponte entre as duas seções do capítulo: "Nisto, porém, que vou dizer-vos [sobre o véu das mulheres], não vos louvo" (v.17). A tradução da NIV: "Nas seguintes diretrizes eu não tenho nenhum elogio a vocês", falha por não traduzir o conetivo "porém" (*de*) e acrescenta o termo "seguintes". Há duas observações importantes:
1) Paulo realmente diz "Ordenando [*parangello*] isto" — um verbo usado previamente em 7.10 e que traz em si um teor de autoridade.
2) Paulo começou o capítulo elogiando os coríntios em geral, mas agora diz que não os elogia no assunto em questão. E depois de declarar os problemas atuais relacionados à Comunhão, ele diz, "Louvar-vos-ei? Nisso não vos louvo" (v.22).

A condenação de Paulo sobre os cultos dos coríntios tem o sentido de desqualificação: "vos ajuntais, não para melhor, senão para pior" (v.17). O que deveria ser uma ocasião para edificação mútua tornou-se uma ocasião destrutiva para a unidade da Igreja. Paulo foi informado sobre as divisões (*schisma*) que havia entre as pessoas quando se reuniram como uma igreja (v.18). Novamente não sabemos a fonte de suas informações, mas estas o afligiram, embora somente acreditasse "até certo ponto" no relatório recebido.

Estas divisões são diferentes daquelas mencionadas anteriormente, que eram de uma personalidade centrada (1.10-12). As indicações anteriores eram de que a congregação incluía os ricos e influentes, como também os pobres e os escravos (1.26-29). As diferenças nas condições sócio-econômicas eram tragicamente evidentes quando se "reuniam" para adoração (veja também Tg 2.1-4). As divisões, porém, serviram a um propósito útil. mostraram que os crentes tiveram a aprovação de Deus por não terem contribuído para o escândalo (v.19;

cf. também 2 Ts 2.11,12). Paulo havia previamente dito que ele mesmo não queria incorrer na reprovação de Deus na carreira cristã (1 Co 9.27). Porém, o modo de agir exibido por alguns só podia ser classificado como as "obras da carne", listadas em Gálatas 5.19-21, cuja prática desqualifica as pessoas, excluindo-as do Reino de Deus.

O problema básico surgiu do costume de celebrar a Ceia do Senhor junto com a "Ceia da igreja" (vv.20,21). Embora não tenhamos todos os detalhes, com toda a certeza a observância da comunhão era informal. Uma vez que os cristãos não tinham edifícios usados como igreja, suas reuniões ocorriam freqüentemente nas casas maiores, dos ricos. Eles se reuniam "em um [só] lugar [*epi to auto*]" (uma frase infelizmente não traduzida em algumas versões; veja também At 1.15; 2.1, 44). Reuniam-se fisicamente, mas estavam espiritualmente divididos. As refeições para grandes grupos eram servidas na sala de jantar e no átrio, e os membros ricos forneciam a maior parte da comida. O problema era que cada um dos ricos tomava "antecipadamente a sua própria ceia" (1 Co 11.21), deixando pouco ou nada para os pobres, que constituíam a maioria da congregação. Os ricos podiam chegar cedo; os pobres e os escravos só podiam vir após concluir o seu dia de trabalho. Deste modo os ricos se fartavam e alguns até se embriagavam, enquanto os pobres permaneciam famintos (v.21).

Os ricos falharam por não entenderem que a comida era a "Ceia do Senhor", e não a sua própria ceia. No Novo Testamento, o adjetivo *kyriakos* ("do Senhor") acontece só aqui e na frase "o dia do Senhor" (Ap 1.10). Este termo vincula a idéia básica de posse; Paulo continua a explicar com mais detalhes por que a Ceia é realmente do Senhor. Ele argumenta com os ricos de várias maneiras, instruindo-os a comer e beber em sua própria casa, se tiverem fome, antes do horário marcado para o jantar e a celebração da Ceia do Senhor na igreja, ao invés de comer sua própria ceia na reunião e deixar pouco ou nada para os outros (v.21). Por sua conduta imprópria eles "desprezavam a igreja de Deus e envergonhavam os que nada tinham" (v.22). Paulo está dizendo a mesma coisa de dois modos diferentes.

1) Estão mostrando desprezo pela Igreja, pela maneira como humilham os outros crentes; sua conduta não está sendo motivada pelo amor, mas por intersses pessoais; as ceias eram qualquer coisa, menos "banquetes de amor" ou "festas de caridade" (Jd 12).

2) Fracassam por não praticarem a comunhão (que significa ter união e compartilhar), que é um dos principais aspectos da Ceia do Senhor.

Os versos 23-26 lidam com a instituição da Ceia do Senhor. O que Paulo diz sobre o assunto é que aquilo que ele "recebeu [*paralambano*] do Senhor", também "ensinou [*paradidomi*]" aos coríntios. Os dois verbos usados aqui demonstram uma linguagem tradicional (veja o comentário sobre o verso 2). O sujeito "eu" é enfático — "eu mesmo". Paulo pode ter vindo a conhecer alguns *fatos* sobre a última Ceia por meio do relato de outros, mas sua *interpretação* a este respeito provavelmente tenha vindo diretamente do Senhor. Tal comunicação direta e sem itermediários com o Senhor não era lhe desconhecida (At 18.9,10; 22.18; 23.11; 27.23-25; 2 Co 12.7-9; Gl 1.12; 2.2). Ele fala da noite em que Jesus foi traído (*paradidomi*); este verbo parece se referir principalmente à traição de Judas. Mas Paulo usa também este verbo quando diz que Jesus "por nossos pecados foi entregue..." (Rm 4.25) e que Deus entregou Jesus por todos nós (Rm 8.32; cf. também Gl 2.20).

Jesus "tomou o pão; e, tendo dado graças [*eucharisteo*], o partiu" (vv.23-24). Lucas usa esta mesma palavra como ação de graças nos sinópticos; Mateus e Marcos usam o termo *eulogeo* ("abençoar"). A diferença dos verbos não é significativa, já que a bênção judaica sobre o pão da Páscoa e sobre o vinho era uma expressão de ação de graças a Deus. A menção da ação de graças é a razão pela qual alguns cristãos preferem chamar esta observância de Eucaristia.

A frase "Isto é o meu corpo" (como também "Este é o meu sangue") se qualifica como uma das passagens mais vigorosamente debatidas em todas as Escrituras, que variam desde a interpretação dos católicos romanos de uma transubstanciação, até a visão de Zwinglio de que a Ceia é simplesmente uma recordação da morte de Jesus. Estas declarações devem ser entendidas metaforicamente. O pão representa o corpo de Jesus, e o cálice representa o seu sangue. Morris observa corretamente que o gênero do pronome demonstrativo "isto" no verso 24, é neutro, enquanto a palavra pão é masculina. Jesus, então, não poderia estar dizendo: "este pão é literalmente o meu corpo". Pode se referir à ação inteira, como o segundo *isto* faz neste verso (158), de acordo com a frase "fazei isto em memória de mim".

Paulo então acrescenta duas declarações importantes a respeito de Jesus. O corpo de Jesus, representado pelo pão, é partido "por [*hyper*] vós". A preposição *hyper* é freqüentemente usada em conexão com a morte sacrificial de Jesus. Seu significado básico é "em lugar de, por causa de"; Jesus morreu por nós, em nosso lugar. Além disso, Ele disse "fazei [continuem fazendo] isto em memória de mim" (veja também v.26). Ao participarem da Ceia do Senhor, os crentes devem recordar o significado de sua morte e serem edificados por fazê-lo. Mas note que Jesus disse "em memória de *mim*", e não "em memória de minha morte". Robertson e Plummer (246) sugerem que isto inclue o fato de lembrar-se também de sua ressurreição, implicando que o memorial deveria ser observado no primeiro dia da semana. Esta recordação é mais que um exercício intelectual; envolve "uma percepção [experiência] daquilo que é lembrado" (Bruce, 111). A Páscoa judaica era uma ocasião para recordar a libertação que Deus dera a seu povo (Êx 12.12; 13.9; Dt 16.3); notamos novamente que Cristo, em sua morte, é a nossa Páscoa (1 Co 5.7).

Muito do que foi dito a respeito do pão aplica-se igualmente ao cálice. Mas é significativo observar que Jesus não disse "Este cálice é o meu sangue", mas, "Este cálice é o Novo Testamento no meu sangue" (v.25). A doutrina da transubstanciação dificilmente seria capaz de explicar como "este cálice" (que é na realidade uma metonímia, significando "o conteúdo deste cálice") pode ser literalmente transformado em uma aliança (ou Testamento) — a nova aliança (ou o Novo Testamento). O Antigo Testamento previu uma nova aliança que substituiria a antiga (Jr 31.31-34; Ez 36.25-27; cf. Hb 8.7-13; 9.18-20). A antiga aliança foi instituída por meio de um sacrifício, "o sangue do concerto" (Êx 24.5-8). Da mesma forma, a nova aliança foi inaugurada por meio do sangue de Cristo.

A expressão "Fazei isto, *todas as vezes que...*" (v. 25,26) sugere que a observância é uma parte importante da vida da congregação. Além dos benefícios pessoais que os crentes recebem, anunciam "a morte do Senhor" quando observam a Ceia do Senhor. O verbo aqui é freqüentemente usado em relação à proclamação do evangelho (por exemplo, 2.1; 9.14; cf. At 13.38; Cl 1.28). Robertson e Plummer comentam. "A Eucaristia é um sermão *representado*, uma proclamação *representada* da morte que comemora" (249). Deve ser uma proclamação contínua daquela morte (o verbo está no tempo presente) até que o Senhor venha. Este aspecto escatológico da Ceia do Senhor não é original nos escritos de Paulo, uma vez que na Última Ceia o próprio Senhor Jesus Cristo disse aos discípulos que não beberia novamente do fruto da vide, "até àquele Dia em que o beba de novo convosco no Reino de meu Pai" (Mt 26.29; cf. também Mc 14.25; Lc 22.18).

Os versos 27-34 começam com os termos "portanto" ou "mas". Paulo agora deixa claro o que é exigido daqueles que se sentam à mesa do Senhor. não devem participar de maneira "indigna", pois fazendo-o, seriam "culpados do corpo e do sangue do Senhor". O contexto anterior (especialmente, vv.18-22) descreve o *tipo* de pessoa que participa de modo indigno, embora Paulo seja, na realidade, mais abrangente em sua aplicação. A ênfase, porém, não é tanto

Este mosaico da Última Ceia está em Jerusalém, na igreja de São Pedro em Gallicantu. Paulo escreve aos coríntios a respeito da devida observância à Ceia do Senhor. Critica-os por transformarem a ceia em refeições comuns na igreja, ao invés de cada um fazê-las em sua própria casa, enquanto ignoravam as necessidades dos pobres que havia entre eles.

no estado espiritual do indivíduo, mas na maneira como participa. Por um lado, ninguém é verdadeiramente digno de comer e beber à mesa do Senhor, a não ser por meio da graça e do perdão de Deus que são recebidos pela fé, e que tornam o coração de uma pessoa justo para com Deus. Uma pessoa só é indigna quando persiste no pecado; e pecar, especificamente neste contexto, é pecar contra os irmãos crentes, e conseqüentemente contra o próprio Cristo (veja 8.12). Então, tal pessoa compartilha a culpa daqueles que crucificaram o Senhor (veja Hb 6.6).

Em vista disto, os crentes devem examinar ou provar a si mesmos antes de participarem, para que não participem de uma maneira indigna. "É importante fazer uma rigorosa auto-análise" (Morris, 161), como Paulo admoesta em 2 Coríntios 13.5,6 e em Gálatas 6.4. Isto não implica que os cristãos devem ser moralmente perfeitos ou estar continuamente em estado de contrição e admissão de indignidade; significa que aqueles que estão pouco dispostos a avaliar a si mesmos espiritualmente não devem participar. Caso contrário, participarão "não discernindo [*diakrino*] o corpo" (1 Co 11.29, NRSV) – presumivelmente, "o corpo do Senhor" (palavras acrescentadas na NIV; cf. v.27).

Pelo fato de o verbo *diakrino* também poder significar "distinguir", existe algum mérito na opinião de que alguns coríntios tenham falhado em enxergar a diferença entre esta comida sagrada e uma comida comum. Outro ponto de vista é que quando Paulo menciona o termo "corpo", refere-se à Igreja como o corpo de Cristo. Embora Paulo lide com este conceito da Igreja em outras passagens na carta (10.17; 12.12-27), ao longo deste capítulo a palavra "corpo" se refere constante e consistentemente ao corpo crucificado de Cristo.

Por não discernirem apropriadamente o corpo de Cristo, tais pessoas não são somente culpadas do corpo e do sangue do Senhor; elas também comem e bebem para seu próprio juízo, para sua própria condenação (v.29). Este juízo pode tomar a forma de fraquezas, enfermidades ou a própria morte ("dormir"). Tais conseqüências são indicações de que o Senhor disciplina os seus filhos (Hb 12.5-11). A mensagem é clara: a enfermidade espiritual pode resultar em enfermidades físicas e até na morte, embora não esteja explicada a maneira como isto aconteça (cf. os comentários sobre o homem incestuoso em 5.5). Barrett (275) sugere (baseando-se em 10.20,21) que os cristãos que abusam da mesa do Senhor expõem-se ao poder dos demônios, e que estes demônios são a causa das enfermidades físicas.

A despeito dos meios pelos quais a disciplina do Senhor entra em vigor, é errado generalizar dizendo que o pecado pelo qual alguém não se arrependeu seja a causa de toda fraqueza, enfermidade e morte entre os cristãos. Observe novamente que a morte dos cristãos, até mesmo dos cristãos castigados, é chamada de sono (vejam comentário sobre 7.39; veja também 15.6, 18, 20, 51). Como no caso do homem incestuoso, o julgamento de Deus é remissor, e não punitivo. "Quando somos julgados, somos repreendidos pelo Senhor, para não sermos condenados com o mundo" (v.32). Por outro lado, se continuamente nos julgarmos a nós mesmos (*diakrino* no tempo imperfeito), não seremos julgados (isto é, não seremos condenados, v.31).

A severidade das observações de Paulo é temperada, uma vez que dirige-se os coríntios como "meus irmãos", expressando, a seguir, advertências resumindas (vv.33-34). Estas são simples e práticas. "quando vos ajuntais para comer, esperai uns pelos outros. Mas, se algum tiver fome, coma em casa, para que vos não ajunteis para condenação". Observando estas diretrizes básicas evitarão o julgamento de Deus sobre si mesmos. Paulo tem mais a dizer sobre a Ceia do Senhor, provavelmente sobre assuntos de natureza menos séria, cuja correção pode esperar até que esteja pessoalmente com eles (4.9; 16.5-9).

3.4. Os Dons Espirituais (12.1—14.40)

O autor deste comentário bíblico, Anthony Palma, dedica um espaço desproporcional à questão relacionada aos dons espirituais. A razão é dupla:
1) O próprio Paulo comentou mais extensivamente este tópico do que qualquer outro nesta carta.
2) A natureza do comentário bíblico constituído pela presente obra se propõe a oferecer um tratamento intensivo e extensivo sobre este assunto. O surgimento dos movimentos pentecostais e carismáticos em nossos dias fazem com que seja necessário e desejável um longo e detalhado estudo sobre este assunto.

A razão de Paulo tratar deste tópico é dupla:
1) Os coríntios enfatizaram os dons espirituais e não as virtudes espirituais, e
2) A valorização excessiva de certos dons e virtudes fizeram com que negligenciassem ou ignorassem a outros. O capítulo 12 é um tratamento geral do assunto dos dons espirituais; inclui o tratamento clássico da Igreja como um corpo. Este comentário indicará como estes dois tópicos se inter-relacionam. O capítulo 13, o clássico capítulo do amor, é considerado por alguns como uma interrupção no fluxo do pensamento de Paulo. O comentário mostrará que este capítulo está estrategicamente posicionado para destacar a virtude do papel principal que o amor desempenha em relação aos dons. O capítulo 14 é essencialmente uma comparação e um contraste dos dons de línguas e profecia, especialmente no contexto da adoração coletiva.

Ao invés de interromper o fluxo da exposição, este escritor preferiu anexar vários artigos ao final do capítulo 14. A indicação de um artigo aplicável será expressa através da junção apropriada ao comentário.

3.4.1. O Ensino Básico Sobre os Dons (12.1-11). Paulo fornece um critério geral para a determinação da validade das expressões verbais inspiradas (vv. 1-3). O apóstolo então enfatiza a idéia da variedade de dons e sua base na Trindade (vv. 4-6). Prossegue fornecendo uma lista de exemplos de dons espirituais, enfatizando que cada crente recebe algo, conforme a determinação do Espírito Santo (vv.7-11).

3.4.1.1. O Critério Geral para Determinar os Dons (12.1-3).

Os primeiros três versos introduzem o assunto dos dons espirituais de um modo incomum. A expressão "Acerca dos..." (veja comentário sobre 7.1) sugere que Paulo esteja tratando de um tópico sobre o qual os coríntios inquiriram, e sobre o qual deseja que estejam completamente informados (v.1). Novamente dirige-se aos coríntios como "irmãos", embora a discussão dos capítulos 12—14 seja de natureza amplamente corretiva.

Paulo não quer que os coríntios sejam ignorantes sobre os "dons espirituais" (*pneumatikon*), um adjetivo plural significando "espiritual" e utilizado aqui de modo absoluto. A interpretação desta palavra grega pode significar tanto "assuntos espirituais" (neutro) como "pessoas espirituais" (masculino). A maioria dos exegetas prefere a primeira interpretação. Embora o conceito de "dons" não seja inerente à própria palavra, o uso e o contexto desta palavra nos capítulos 12—14 justificam esta interpretação (veja o Artigo B para um estudo dos termos usados para os dons espirituais no Novo Testamento).

Paulo primeiramente chama a atenção para as experiências espirituais, anteriores à conversão, de alguns dos crentes de Corinto (v.2; Ef 2.1-3). A melhor interpretação difere da tradução precisa do texto original, mas o significado é claro. As traduções seguintes são exemplos de versões.

> Vós bem sabeis que éreis gentios, levados aos ídolos mudos, conforme éreis guiados (RC)
>
> Vós sabeis que quando éreis pagãos, de uma maneira ou de outra éreis influenciados e fostes extraviados aos ídolos mudos (NIV).
>
> Vós sabeis que quando éreis pagãos, estáveis desviados do caminho, indo em direção aos ídolos mudos, conforme éreis guiados (NASB).
>
> Vós sabeis que quando éreis pagãos, éreis atraídos e desviados do caminho para os ídolos que não podiam falar (NRSV).
>
> Vós sabeis que quando éreis gentios, éreis levados a estes ídolos mudos, conforme éreis guiados (NKJV).

É bem conhecido que nestas religiões pagãs, os devotos eram, às vezes, levados pelo êxtase. Este é o significado de "levados" (*apago*), uma palavra usada em outras passagens no Novo Testamento principalmente com o sentido de levar alguém para longe de um julgamento, prisão, ou execução (Mc 14.44; Lc 23.26; At 12.19). Às vezes, tais adoradores articulavam também algum tipo de fala inspirada, iniciada pelo espírito (neste caso, um demônio) que estava por trás do ídolo (por exemplo, At 16.16, a jovem escravizada que seguiu Paulo em Filipos; veja também os comentários sobre 1 Co 10.20,21 que iguala os ídolos mudos aos demônios). O deus grego Apolo era especialmente identificado como uma fonte de êxtase, às vezes frenética, com manifestações verbais. Nos dias anteriores à conversão, alguns crentes eram levados por espíritos malignos; Paulo ensina que, ao contrário disso, os crentes são guiados pelo Espírito Santo (Rm 8.14; Gl 4.8,9).

Os comentários do apóstolo neste ponto são uma repreensão indireta aos coríntios que atribuíram um valor excessivo à expressão verbal dos dons como a glossolália e a profecia. O apóstolo indica que expressões verbais aparentemente inspiradas, em e deles mesmos, não são uma marca de espiritualidade genuína, já que até os pagãos, às vezes, têm tais experiências. Como mostrará adiante, a fonte e o conteúdo de uma expressão verbal determina sua autenticidade, e não a maneira como é recebida.

A relação do Espírito Santo com as expressões verbais inspiradas recebe agora uma atenção (v. 3). São dados dois exemplos. O primeiro é que "ninguém que fala pelo Espírito de Deus diz: Jesus é anátema!" Para o crente contemporâneo, a declaração de Paulo é uma verdade evidente, um truísmo; o Espírito sempre exalta, nunca difama a Jesus (Jo 16.14).

Alguns dizem que Paulo aqui está falando hipoteticamente, para harmonizar sua próxima declaração ("Jesus é o Senhor"), e que na realidade não seria concebível que

algum cristão dissesse tal coisa. Para aqueles que vêem a declaração como realmente tendo sido feita, não faltam explicações. A expressão "Jesus é anátema" pode ter sido articulada por.
- Um judeu descrente
- Um cristão gnóstico, que rejeitou o homem Jesus por causa de uma convicção filosófica, inclusive de que o corpo humano é mal (tal pessoa amaldiçoaria o Jesus histórico e humano, enquanto abençoaria o Jesus espiritual, o "Cristo pneumático")
- Um cristão se retratando (apostatando) perante um tribunal civil ou religioso (um tribunal judeu)
- Alguém não-cristão falando mal de um culto de adoração cristã.
- Um cristão influenciado por um espírito demoníaco.
- Um cristão que resistiu à vinda do Espírito Santo sobre si, por temer que este o levaria a um estado de êxtase ou transe (Barrett, 280)
- Um cristão que não compreedeu os ensinamentos de Paulo de que Cristo se tornou maldição por nós (Gl 3.13) (Morris, 165).

Esta última explicação pode ser a mais razoável (veja o Artigo A para um estudo da "maldição" que Cristo tomou sobre si).

O segundo exemplo é que, em contraste, "ninguém pode dizer que Jesus é o Senhor, senão pelo Espírito Santo". A confissão de que Jesus é o Senhor (At 2.36; Rm 10.9; Fp 2.11) pode ser a primeira expressão de fé (do credo) da Igreja. Paulo não está dizendo que uma expressão verbal simples, mecânica daquelas palavras seja equivalente a uma inspiração divina (um papagaio poderia ser ensinado a dizer estas palavras!), mas o que for dito por inspiração divina exaltará o Senhor Jesus. Temos aqui uma sugestão de que as expressões verbais inspiradas devem ser avaliadas; Paulo falará mais sobre isto no capítulo 14.

3.4.1.2. A Variedade e a Base dos Dons (12.4-6).
Os versos 4-11 apresentam alguns aspectos básicos dos dons espirituais. Nos versos 4-6, pode-se notar imediatamente a tripla repetição do termo *diairesis*, cujo significado básico é partilha, distribuição, variedade, diferença — conseqüentemente temos os termos "variedades" (NASB) ou "tipos diferentes" (NIV). No Novo Testamento esta palavra ocorre somente nesta passagem. Seu verbo cognitivo (*diaireo*) fala do Espírito "repartindo particularmente a cada um como quer" (v.11). Esta distribuição de dons pelo Espírito a cada membro foi projetada para produzir unidade e harmonia, em contraste com as divisões que existiam em Corinto (1.10; 11.18,19; 12.25). Destacando o pensamento de variedade, Paulo implica que os coríntios precisavam expandir sua compreensão da natureza, identidade, e número de dons espirituais.

Paulo emprega três termos para estas bênçãos do Espírito: dons (*charisma*, v.4), serviços (*diakonia*, v.5), e trabalhos (*energema*, v.6). Alguns vêem aqui uma tripla categorização dos dons espirituais. É geralmente reconhecido, porém, que Paulo não está sugerindo tal divisão (veja Carson, 34; Martin, 11; Bruce, 118). Ele está, ao invés disto, apresentando os três aspectos dos dons espirituais (Fee, 586-87; Bittlinger, 20).

O termo *charisma* é especificamente usado para um dom do Espírito, o dom de cura (v.9, 28, 30), mas é também uma designação inclusiva para todos os dons (v.31). Enfatiza que os dons são o resultado da graça divina (*charis*), e não se baseiam, conseqüentemente, nos méritos de quem os recebe (veja mais detalhes no Artigo B).

A palavra *diakonia* enfatiza o propósito dos dons espirituais — servir ao povo de Deus. São concedidos "para o que for útil" (v.7), não para o benefício pessoal de quem os recebe. Este aspecto é enfatizado no capítulo 14, no tema decorrente da edificação de outros, que é o propósito divino ao conceder os dons.

O termo *energema* está relacionado a apenas um dom — "operação de maravilhas [milagres]" (v.10). A palavra chama a atenção para a fonte dos dons, o "Espírito de Deus" ou o "poder de Deus".

Cada um dos três termos é associado a um membro da Trindade — esta é uma das várias passagens dos escritos de Paulo que se referem à Trindade (por exemplo, 2 Co 13.13; Ef 4.4-6; veja também as observações sobre 1 Co 2.7-16; 6.11). Embora estes dons sejam distribuídos pelo Espírito Santo (v.7, 11), Paulo os coloca no contexto da Trindade — "o Espírito" (v.4), "o Senhor [Jesus]" (v.5), "Deus [o Pai]" (v.6). O "Espírito é quem os dá, o Senhor é assim servido, e Deus está trabalhando" (Barrett, 284). A advertência implícita consiste em não nos preocuparmos excessivamente com o papel do Espírito, negligenciando assim os outros dois membros da Trindade Divina, o Senhor Jesus Cristo e Deus Pai.

3.4.1.3. A Lista de Exemplos de Dons (12.7-11).

Os versos 7-11 contêm uma lista de nove dons espirituais, destacados por declarações significativas sobre o papel do Espírito Santo neste assunto. Notamos em primeiro lugar a frase "a manifestação do Espírito" (v.7). A expressão "do Espírito" poderia significar que o Espírito é a fonte da manifestação (subjetivo genitivo), ou que os dons manifestam o Espírito (objetivo genitivo). Embora ambos os aspectos sejam verdadeiros, o contexto geral favorece o Espírito como a fonte. Paulo não fala de "manifestações"; antes, refere-se a "nove formas de manifestação espiritual" (Bruce, 119). A forma singular do substantivo, mais o artigo definido, sugerem que este seja um termo compreensivo para os dons, análogo ao singular "fruto do Espírito", que inclui as nove virtudes enumeradas por Paulo (Gl 5.22,23).

A manifestação do Espírito é dada "a cada um". O consenso entre os escritores do Novo Testamento é que todo crente recebe pelo menos um dom (Rm 12.3; 1 Co 1.7; 3.5; 12.7, 11; 14.1, 26; Ef 4.7, 11; 1 Pe 4.10; cf. Mt 25.15). Os dons são dados aos indivíduos não para seu benefício pessoal, mas para o benefício de outros ("para o que for útil"). Uma exceção seria a função de auto-edificação das línguas não interpretadas (1 Co 14.4).

Antes dos dons mencionados nos versos 8-10 serem individualmente discutidos, são feitos alguns comentários gerais.

1) Os dons são dados *a indivíduos por causa da* igreja. Este comentário seria desnecessário caso alguns não retivessem para si mesmos os dons que lhes foram dados para o benefício da Igreja, e não apenas para benefícios pessoais.
2) A lista não é de modo algum exaustiva. Um estudo comparativo com outras listas de dons torna isto óbvio (vv. 28-30; também Rm 12.6-8; Ef 4.11). Talvez Paulo tenha selecionado estes nove dons por serem adequados à situação que havia em Corinto (Martin, 13).
3) Não existe aparentemente nenhum significado ou importância especial para as variações nas frases que mencionam o Espírito — "a um pelo [*dia*] Espírito" (v.8a), "a outro pelo [*kata*] mesmo Espírito" (v.8b), "a outro, pelo [*en*] mesmo Espírito" (v.9a e 9b) (cf. Carson, 37). A razão para as mudanças provavelmente seja uma questão de estilo, por causa da variedade literária, e não por assinalar distinções de significado.
4) Os dons individuais não estão em compartimentos herméticos. Às vezes se sobrepõem, como dons de curas e de milagres. Em alguns exemplos não é fácil distinguir nitidamente um dom de outro, como no caso de uma palavra de sabedoria e uma palavra de conhecimento.
5) O uso de Paulo dos dois adjetivos relacionados a "outros" (*allos* e *heteros*) deve-se, em meu ponto de vista, a razões de estilo (Barrett, 285) e não sugere uma tripla classificação que usa *heteros* para introduzir o segundo e o terceiro grupo que começam com fé e línguas, respectivamente. É mais natural agrupar a profecia e o discernimento de espíritos com línguas e interpretação de línguas do que com fé, curas, e milagres. A lista de Paulo dos nove dons divide-se mais facilmente nos seguintes três grupos: (a) a palavra de sabedoria, a palavra da ciência; (b) fé, curas, milagres; (c) profecia, discernimento de espíritos, línguas e interpretação de línguas. Martin concorda com esta tripla divisão (12-14).

O primeiro grupo (v.8) consiste em dois dons mais proximamente relacionados. O texto grego não tem o artigo definido *ho* ("o") antes de *logos* (palavra) em um ou outro caso. Infelizmente, a maioria das versões em inglês o inseriu. A NIV, por exemplo, diz: "a mensagem de sabedoria" e "a mensagem de conhecimento". Além disso, a tradução da NIV de *logos* como "mensagem" deixa também a desejar; embora este seja um significado válido para *logos*, poderá, aqui, transmitir algo que não foi dito por Paulo. É mais aconselhável traduzir *logos* com o significado básico de "palavra" ou "declaração".

É virtualmente impossível estabelecer uma distinção literal entre estes dois dons, embora a diferença pudesse ser clara para os coríntios. Parece melhor seguir o conselho de Rudolf Bultmann: "como uma regra, a distinção entre dons relacionados não deve ser feita com muita precisão" (na obra *Theology of the New Testament*, 1951, 1.154). Não obstante, ainda se deve procurar entender o que Paulo está dizendo.

As tentativas são freqüentemente feitas para relacionar estes dons à proclamação do evangelho ou à percepção do plano da salvação, e para contrastá-los com os coríntios que se vangloriavam de ter sabedoria e conhecimento. Os primeiros capítulos da carta, como também o capítulo 8, tratam desta questão. Mais especificamente, alguns associam um ou ambos os dons relacionados às "palavras" ao dom do ensino (Lim, 65). Pode não ser necessário, contudo, relacioná-los às discussões anteriores de Paulo sobre a sabedoria e o conhecimento, mas procurar o seu significado em outras passagens.

É importante observar que os dons não são sabedoria e conhecimento, mas uma "palavra da sabedoria" e uma "palavra da ciência". O primeiro dom poderia certamente ser entendido como "um modo sábio de falar" ou "falar sabiamente" (BAGD, 477). "Em uma situação difícil ou perigosa, uma palavra de sabedoria pode solucionar a dificuldade ou silenciar o oponente" (Bittlinger, 28). A decisão do Concílio de Jerusalém é um caso típico: "pareceu bem ao Espírito Santo e a nós" (At 15.28). E Jesus prometeu que o Espírito Santo falaria através de seus discípulos nos momentos de perseguição, ensinado-os o que deveriam dizer (Mt 10.17-20; Lc 21.14,15). Veja, por exemplo, a resposta de Pedro a seus perseguidores depois de ter sido cheio com o Espírito (At 4.8), e a surpresa destes por sua defesa (v. 13). Estevão é outro exemplo. Seus perseguidores "não podiam resistir à sabedoria e ao Espírito com que falava" (6.10).

O dom da "palavra da ciência" pode ser entendido como uma declaração que as pessoas podem compreender. Um ponto de vista é que este conhecimento não é aquele que resulta da instrução guiada pela razão, e que não requer nenhuma inspiração; mas, antes, "o uso deste conhecimento, conforme o Espírito, para a edificação de outros" é que constitui o dom (Robertson e Plummer, 265). Está, deste modo, intimamente relacionado ao ministério do ensino (Lim, 73).

De acordo com Fee (59), este dom provavelmente é "uma expressão verbal especial de algum tipo revelador", o que pode ser sugerido em parte por estar entre a "revelação" e a "profecia" em 14.6. Ainda outra visão sustenta que se trata de um "conhecimento superior", que somente pode ser obtido através da revelação, um conceito intimamente relacionado ao dos gnósticos. Este argumento baseia-se em parte na *gnosis* ("conhecimento") entre "revelação" e "profecia" em 14.6, como também em sua menção ao lado de mistérios em 13.2, dando deste modo ao termo a importância de um "conhecimento místico sobrenatural — um significado que esta palavra tem no grego , especialmente nas seitas relacionadas a mistérios" (BAGD, 163-64). Aqueles que recebem este conhecimento mais elevado constituem um grupo elitista na Igreja — um conceito rejeitado por Paulo em sua discussão sobre os dons.

Não é necessário, porém, interpretar este dom das maneiras acima mencionadas. Ao invés disso, parece mais apropriado compreender a "palavra da ciência" como a concessão do conhecimento de fatos ou eventos que não seria obtido de forma alguma, exceto por um ato revelador do Espírito, e que de algum modo serve à comunidade de crentes. Como, por exemplo, Pedro sabia que Ananias havia retido parte daquele dinheiro? (At 5.1-4). Em todo caso, o aspecto revelador deste dom tende a associá-lo ao dom de profecia (1 Co 14.24,25).

O segundo grupo inclui três dons inter-relacionados, às vezes chamados de "dons de poder". A "fé" (*pistis*) como um dom espiritual, deve ser distinguida da fé como confiança e compromisso, bem como a fé no curso ordinário da vida de cada crente. A pessoa que recebe o dom da fé tem uma convicção divinamente dada de que Deus revelará seu poder em casos específicos; é uma certeza que projeta o sobrenatural no mundo natural. Como tal, manifesta-se por meio de ações; é o tipo de fé que pode mover montanhas (13.2; cf. Mt 17.20; 21.21; Mc 11.22-24). Este dom pode ser considerado como a antítese da "pouca fé" que foi mencionada pelo Senhor Jesus Cristo.

O dom da fé não funciona isoladamente. É o meio para se chegar a curas milagrosas e outras demonstrações do poder divino (Gl 3.5; veja Mt 15.28). Paulo expressa o primeiro destes dons usando o plural — literalmente "dons de curar". O termo "dons" poderia indicar que toda cura é um dom especial (Bittlinger, 37; Fee, 594); a palavra "cura" possivelmente chama a atenção para diferentes tipos ou categorias de curas que envolvem a "restauração da saúde do homem como um todo, corpo, alma e espírito" (Bittlinger, 34). Os evangelhos e Atos sustentam amplo testemunho da grande diversidade de curas efetuadas por Jesus e seus seguidores (veja Mc 1.32-34). Não é necessário, porém, concluir que o plural implica que um indivíduo com um dom específico possa curar uma doença ou um grupo de doenças em particular (Robertson e Plummer, 266), ou que queira dizer que sejam necessários diferentes dons para diferentes tipos de doenças (Morris, 168).

O dom de "operação de maravilhas" (literalmente, "de milagres"; note novamente o plural) é outro modo pelo qual o dom da fé é manifestado. Os conceitos de poder e Espírito estão proximamente associados nos escritos de Paulo e Lucas (Lc 1.35; 24.49; At 1.8; 10.38; Rm 15.19; 1 Co 2.4; Gl 3.5; 1 Ts 1.5; veja também 2 Tm 1.7). Este dom parece ter sido uma das credenciais dos apóstolos (Rm 15.19; 2 Co 12.12; veja Hb 2.4), mas não era restrito a eles.

Curas são realmente milagres, porém Paulo considera que as intervenções divinas são algo separado das curas já que "milagre" (*dynamis*) é, em geral, um termo abrangente usado para obras maravilhosas de todos os tipos. A expulsão de demônios em particular poderia ser uma função deste dom (veja At 16.18; 19.12) e estava entre as "maravilhas extraordinárias" que Deus realizou através de Paulo (19.11). Bittlinger (41) sugere que isto podia incluir a ressurreição dos mortos (9.36-42; 20.7-12) e os milagres da natureza (28.3,4). Incluiria também eventos como o julgamento da cegueira de Elimas, o mágico (o inverso da cura!) (13.9-11). Os primeiros discípulos oravam para o Senhor realizasse curas, como também "sinais e prodígios" (4.29,30). O livro de Atos é um amplo testemunho de que sua oração era respondida.

Georg Bertram observa que o substantivo *energeia* ("trabalhando") é usado na LXX e no Novo Testamento, juntamente com o verbo cognato *energeo*, quase exclusivamente para o trabalho dos poderes divinos ou dos poderes demoníacos (*TDNT*, 2.652-53). Pode bem ser que este dom, talvez mais que qualquer outro, seja dado para um "confrontro de poder" com as forças de Satanás (veja o Artigo C para um tratamento adicional deste dom).

O terceiro grupo consiste em quatro dons que recebem ampla atenção no capítulo 14. A "profecia" e o "discernimento dos espíritos" constituiem um par relacionado; a "variedade de línguas" e "a interpretação das línguas", outro par relacionado. Tanto a profecia quanto o falar em línguas são dons de expressão verbal inspirada; o primeiro em uma linguagem conhecida pelo locutor, o segundo em uma linguagem desconhecida pelo locutor.

O dom da "profecia" (ou da "palavra profética") é o único que, em todas as listas de Paulo sobre os dons, recebe uma indicação de sua importância e prioridade em relação aos outros dons (Rm 12.6-8; 1 Co 12.8-10, 28-30; Ef 4.11). É tanto contínuo como descontínuo em relação ao fenômeno de expressões verbais proféticas do Antigo Testamento. Sua função primária não é predizer o futuro, mas transmitir uma mensagem de Deus. É uma expressão verbal espontânea, inteligível, que normalmente ocorre na assembléia dos crentes. Héring, equivocadamente, diz que, como a função da profecia é edificar, exortar, e consolar (1 Co. 14.3), "coincide então, amplamente, com o que atualmente chamamos de sermão" (127). (Veja o Artigo D e o comentário sobre 1 Coríntios 14.)

O dom de "discernir os espíritos" é um corolário do dom da profecia. Sua função primária é avaliar as expressões verbais proféticas; embora também possa ser aplicável a outras situações. É a habilidade de discernir entre influências humanas, divinas e demoníacas em uma suposta profecia. As alusões a este dom constam em outras passagens chave: "Não desprezeis as profecias. Examinai tudo. Retende o bem" (1 Ts 5.20,21). "Não creiais em todo espírito, mas provai se os espíritos são de Deus" (1 Jo 4.1). O *Didache*, um escrito do final do primeiro século sobre a vida da Igreja, diz que "nem todo aquele que fala pelo Espírito é um profeta, e sim aquele que andar nos caminhos do Senhor" (*Did* 11.8; veja o Artigo E, e o comentário sobre 14.29 para um tratamento adicional deste dom).

A "variedade de línguas" (*geneglosson*) se refere ao dom de falar em línguas desconhecidas e nunca dantes aprendidas pelos locutores, e é freqüentemente chamado de glossolália (uma combinação de duas palavras gregas: *glossa*, "língua/linguagem", e *lalia*, "fala"). "Tipos" ou "variedades" (*genos*) podem significar dois tipos básicos de idiomas – *humanos*, que seriam idiomas identificáveis para nós, e *espirituais*, que seriam divinos ou angelicais. Paulo expressa este fenômeno de vários modos: "falar em línguas" (*lalein glossais*, 12.30; cf. 13.1; 14.5, 6, 18, 23, 39); falar em "uma língua" (*lalein glosse*, cf. 14.2, 4, 5, 13, 27); "variedade de línguas" (*geneglosson*, 12.10, 28); "línguas" (*glossai*, 13.8; 14.22); "língua" (*glossa*, 14.9, 14, 19, 26). A expressão *lalein glossais* ocorre em outras passagens (Mc 16.17; At 2.4; 10.46; 19.6).

O dom de "interpretação das línguas" interpreta ou traduz uma expressão glossolálica para a edificação da congregação. Pode ser dado a qualquer pessoa que fala em línguas (1 Co 14.5, 13) ou a qualquer outra pessoa (12.10; 14.26,27; veja o Artigo F e o comentário sobre os capítulos 13 e 14 para uma discussão de línguas e interpretação de línguas).

De acordo com alguns comentaristas, Paulo considera o falar em línguas como o dom menos importante porque, junto com a interpretação de línguas, ocupa o último lugar na lista dos dons. Se este fosse o caso, então o primeiro dom — a palavra de sabedoria — seria o mais importante, o segundo dom seria o próximo em importância, e assim por diante. A profecia a respeito da qual Paulo fala enfaticamente, seria o sexto dom em importância. Este método de atribuir uma importância relativa aos dons é contrário à argumentação geral de Paulo, quando fala sobre os membros do corpo (v.12-17). Uma explicação mais simples e mais natural para a posição dos últimos quatro dons na lista é a seguinte: são aqueles que Paulo tratará com detalhes no capítulo 14 e por esta razão são colocados em uma posição literária mais próxima da discussão.

Paulo conclui suas observações fundamentais sobre os dons espirituais com a seguinte declaração: "Mas um só e o mesmo Espírito opera [*energeo* — veja o verso 6 para a forma do substantivo] todas essas coisas, repartindo particularmente a cada um como quer" (v.11). O apóstolo destaca vários aspectos do Espírito e seu ministério.

1) Ele é um só e "o mesmo Espírito", sugerindo que o Espírito Santo é quem "energiza" todo os dons. O apelo implícito aos coríntios neste caso é pela unidade, em lugar das divisões a que eram propensos.
2) O Espírito distribui "particularmente a cada um". Existe uma sugestão de que cada dom é adequado à pessoa a quem é dado; de certo modo, cada dom é "personalizado". Os dons não são distribuídos indiscriminadamente. Além disto, cada crente é recebedor destes dons (veja também v.7).
3) A distribuição dos dons é feita de acordo com a vontade soberana do Espírito.

3.4.2. Um Corpo, Muitos Membros (12.12-27). Esta seção estendida, entre duas passagens que enfocam os dons espirituais (vv.1-11 e 28-31), parece ser intrusa. Mas, como Martin (15) observa, os dons "agem como uma ponte entre "um só e o mesmo Espírito [v.11] e "um corpo" [v.12]. Previamente na carta, Paulo apresentou a Igreja sob a imagem de um campo e de um templo (3.9-17). Agora dedica um espaço considerável à metáfora do corpo humano (veja também Rm 12.4-8; Ef 1.22; 4.4, 15; 5.23; Cl 1.18; 2.19).

No mundo antigo, o corpo humano era usado pelos estóicos como uma analogia do mundo ou do estado, composto por cidadãos individuais. Para Paulo, a Igreja é o corpo de Cristo (1 Co 12.27); isto mostra um vínculo indissolúvel e inseparável entre Cristo e seu povo. Isto é similar ao conceito hebraico de personalidade corporativa, no qual um indivíduo representa um grupo e é considerado como a personificação deste grupo. Existe uma indicação disto nas palavras que Jesus disse a Paulo no caminho de Damasco: "por que me persegues?" (At 9.4; também 22.7; 26.14), como também na declaração de Paulo: "pecando assim contra os irmãos... pecais contra Cristo" (1 Co 8.12).

Os versos 12 e 13 introduzem esta metáfora e servem como base para o que se segue. Como esta metáfora se relaciona aos contextos precedentes e seguintes que tratam dos dons espirituais? Lim pergunta: "Paulo não está falando das diferentes funções dos dons em sua analogia entre os crentes e o corpo humano?" (66). No tratamento de Paulo em relação aos dons, a ênfase está nos temas complementares de unidade e diversidade; os vários dons são "para o que for útil". Eles se originam de "um só [e do] mesmo Espírito", que os distribui a cada crente. As mesmas idéias estão contidas em sua discussão sobre o corpo humano, que é composto de muitos membros diferentes, e que cada um é necessário para o bem-estar do corpo (v.12). Os conceitos do corpo de Cristo e dos dons espirituais na Igreja devem ser colocados lado a lado. Em um sentido significativo, os membros individuais do corpo representam dons individuais ou funções na Igreja. Baseando-se na declaração de Paulo, "assim é Cristo também", Fee (603) pode estar correto ao dizer que "Cristo" é uma forma de taquigrafia para "corpo de Cristo", a Igreja, e encontra uma "clara evidência" para este pesamento nos versos 27 e 28.

O verso13 é a passagem mais disputada nesta seção. A discussão gira em torno do significado de duas orações e como estas estão relacionadas uma à outra: "Todos nós fomos batizados em um Espírito, formando um corpo" (oração 1), e "todos temos bebido de um Espírito" (oração 2). Em poucas palavras, qual é a conexão, se é que existe alguma, destes versos com a previsão de João Batista de que Jesus batizaria com o Espírito Santo? As principais interpretações são as que se seguem:

1) Ambas as orações se referem à obra do Espírito na conversão, e são um exemplo do paralelismo sinônimo hebraico. O batismo é o mesmo que havia sido predito por João Batista. Esta é a visão da maioria dos estudiosos (dentre outros, Bruce, 121; Carson, 42-49; Martin, 24; Robertson e Plummer, 272). Esta interpretação é rejeitada pela maioria dos pentecostais.

2) Ambas as orações se referem à obra do Espírito na conversão, e são um exemplo do paralelismo sinônimo hebraico — porém, este batismo é diferente daquele que foi predito por João. Esta é a posição do escritor deste comentário e também a de alguns outros pentecostais (veja o Artigo G, que opta pela expressão "por um Espírito" em lugar de "em um Espírito").

3) A oração 1 se refere à conversão, e a oração 2 à obra subseqüente do Espírito Santo. Isto seria um caso de paralelismo sintético hebraico. É a posição sustentada por alguns pentecostais, incluindo Howard Ervin na obra *Conversion—Initiation and the Baptism of the Holy Spirit* (98-102).

4) Ambas as orações se referem à obra do Espírito, subseqüente à conversão — sendo, assim, um exemplo de paralelismo sinônimo hebraico. Esta é a posição de alguns pentecostais.

5) A oração 1 se refere ao batismo nas águas, e a oração 2 à Ceia do Senhor. Mas o tempo aoristo (passado simples) de "beber" como uma ação concluída elimina a possibilidade de uma alusão à Ceia do Senhor.

Dentre aqueles que foram batizados em um só corpo, estavam incluídos os judeus ou os gregos, como também os escravos ou os que eram livres (Gl 3.27; Cl 3.11). As distinções sociais, étnicas e/ou religiosas dentro da Igreja desaparecem quando os crentes se tornam membros do corpo de Cristo. Mas em que ponto a incorporação acontece? O batismo em Cristo acontece no momento do "batismo nas águas? A Igreja do Novo Testamento não teria feito estas perguntas, já que os novos convertidos eram batizados logo depois de crer em Cristo, ou assim que possível. Os dois eventos aconteciam com tal proximidade que, na prática, eram considerados como um só e o mesmo. Muitos hoje, sacramentalistas ou não, tomam a posição de que o "batismo nas águas" é necessário para a salvação e é realmente o meio pelo qual alguém se torna um membro do corpo de Cristo. Afirmam que isto está de acordo com a declaração de Paulo, de que existe "um só batismo" (Ef 4.6).

Outros mantêm uma distinção entre os dois batismos, dizendo que uma pessoa se torna um membro no momento em que crê em Cristo e que o batismo nas águas, embora ordenado por Jesus, não tem o efeito de tornar alguém membro do corpo de Cristo, mas apenas o representa. Em outras palavras, uma pessoa já é um membro do corpo de Cristo quando se submeter ao batismo nas águas. Sua resposta à questão relacionada a "um só batismo" é que Paulo em Efésios está falando sobre o batismo indispensável para se tornar parte de "um só corpo", que é a obra do Espírito no momento inicial da fé. A mesma linha de raciocínio é seguida por praticamente todos os pentecostais, que também ensinam sobre um batismo no Espírito, distinto do batismo no corpo de Cristo e do batismo nas águas.

A linguagem da expressão "todos temos bebido..." recorda o convite de Jesus ao sedento para que venha a Ele e beba, e a identificação que João faz da água com o Espírito Santo (Jo 7.37-39).

Os versos 14-20 enfatizam a importância de todos os membros do corpo como também a diversidade necessária que existe dentro do corpo. Embora este corpo seja uma unidade, é formado por muitas partes (v.14, 20), e nenhuma destas partes deve se sentir inferior às demais. Aparentemente as dissensões dentro da congregação tiveram um efeito deprimente em alguns membros, que pensaram não ser tão dotados quanto os demais. As observações de Paulo são projetadas para encorajar tais membros. O pé, a mão, o ouvido, o olho, cada um é essencial para o bem-estar do todo (vv. 15-17). Nenhum membro deve estar descontente com sua função e sentir-se indigno de fazer parte do corpo, nem deve desejar a função de outra pessoa no corpo.

"Deus colocou ("organizou", NIV) os membros no corpo, cada um deles como quis" (v.18). Isto se encaixa no que Paulo disse previamente, que o Espírito dá os dons "a cada um como quer" (v.11), como também diz na próxima seção, que Deus "pôs" (o mesmo verbo) os vários líderes e outras pessoas abençoadas e também detentoras de dons na Igreja (v.28).

O corpo seria impossibilitado de funcionar corretamente sem um de seus membros (v.17). Além disso, se consistisse em um só membro não seria um corpo, mas uma monstruosidade (v.19). Então até mesmo o membro que parece ser o mais humilde contribui para o todo. A repetição da idéia de unidade em diversidade conclui esta parte da discussão (v.20). Já que o corpo é um organismo, o pensamento chave é a unidade, não a uniformidade.

Os versos 21-27 são dirigidos aos membros que se consideram superiores aos outros. O parágrafo anterior enfatizou que cada membro é importante; este parágrafo adverte contra uma arrogância que almeja dispensar os outros como se fossem sem importância ou desnecessários. Nenhum membro pode dizer aos outros: "não tenho necessidade de vós"! (v.21). Os vários membros são dependentes uns dos outros.

Paulo prossegue falando dos membros do corpo que "parecem ser os mais fracos", mas não obstante, são "necessários" ou "indispensáveis" (v.22). A referência mais provável está nos órgãos internos. Em uma antiga fábula, certos membros do corpo descobriram esta verdade quando tentaram deixar o estômago vazio de modo a sentir fome, porque pensavam que este não funcionava como desejavam. Aprenderam, em sua angústia, que o estômago era realmente dependente deles, mas que eles por sua vez eram dependentes do estômago. Às vezes, em uma sociedade, os trabalhadores mais humildes são tão necessários ou até mais necessários do que aqueles que ocupam posições mais elevadas (Robertson e Plummer, 275).

Os membros que pensamos "serem menos honrosos", "honramos muito mais" (v.23a), e as partes que são "menos decorosas" são tratadas com "muito mais honra", enquanto nossas partes importantes não precisam de nenhum tratamento especial (vv.23b-24). Morris (173) sugere que a maior "honra" que damos aos membros menos importantes serve para iguala-los aos outros, e que nosso tratamento às partes menos decorosas provavelmente se refira aos órgãos reprodutores e excretores. Esta variedade foi planejada por Deus; "Deus assim formou [combinou, misturou] o corpo" (v.24).

O que Paulo disse se aplica, certamente, à Igreja em uma abrangência universal, mas sua preocupação primária é com a igreja coríntia local. O propósito da discussão corpo-membros é duplo:
1) "Para que não haja divisão [*schisma* – veja 1.10] no corpo", e
2) Para que "tenham os membros igual cuidado uns dos outros" (v.25). As duas orações são unidas pela forte conjunção adversativa *alla* ("mas"), sem divisão (a oração negativa), mas um cuidado igual um com os outros (a oração positiva). Estas preocupações têm uma aplicação específica para o que Paulo disse previamente sobre os problemas relacionados à Ceia do Senhor (11.17-34) e são refletidas no ato de um membro compartilhar tanto os sofrimentos como as alegrias de outro membro (12.26). Os membros do corpo não podem distanciar-se dos outros membros. Percebendo isto ou não, como membros do mesmo corpo, compartilham o sofrimento dos outros. Igualmente, quando um membro é honrado, o corpo inteiro se beneficia.

O verso 27 é transitivo, trazendo consigo o sentido dos versos 12-26 e levando aos versos 28-31. O texto grego começa enfaticamente com o pronome plural *hymeis* ("vós"); a primeira oração ("vós sois o corpo de Cristo") pode ser parafraseada: "Todos vocês constituem o corpo de Cristo". Então, Paulo diz, "sois... seus membros em particular". O uso do pronome na segunda pessoa do plural, ao invés da primeira pessoa do plural ("nós"), indica que a aplicação primária do que disse está na congregação coríntia — e em qualquer outra congregação local.

3.4.3. Dons Adicionais (12.28-31a).
Paulo introduz os nove dons nesta lista com as palavras "E a uns pôs Deus na igreja..." (v.28; veja v.18). A expressão "na igreja" pode ser entendida como um local ou universalmente. O significado universal se aplica ao menos ao caso dos apóstolos, que eram itinerantes (Barrett, 295). Os outros dons funcionariam principalmente, se não completamente, em nível local. Alguns, porém, argumentam que o significado primário seja a Igreja universal, da qual cada congregação local pode ser considerada como um "rebento" (Martin, 31).

A lista inclui alguns dons — apóstolos, profetas, doutores, socorros, governos — que não estão na lista anterior (v.6-8). Os três primeiros ("apóstolos... profetas... doutores...") são claramente distintos dos demais em três pontos.

1) Por sua identificação como "primeiro", "segundo" e "terceiro", sustentam uma prioridade cronológica e funcional acima de todos os outros dons sobre os quais a Igreja é alicerçada e edificada (Barrett, 295).
2) Em algumas traduções são separados dos demais dons pela partícula grega *men* ("em" ou "por outro lado"), enquanto o advérbio *epeita* ("depois" ou "então") introduz os demais. As seqüências numéricas são abandonadas após os três primeiros.
3) A tríade é apresentada em termos de pessoas; o restante dos dons no verso 28, ao contrário de algumas traduções, são atividades. Bruce diz que os três primeiros representam os três ministérios mais importantes (122), e Barrett os chama de "o triplo ministério da palavra" (295).

Paulo ocasionalmente usa o termo *apostolos* ("apóstolo") em um amplo sentido para denotar a função de ter sido enviado (Rm 16.7; 2 Co 8.23; Fp 2.25), porém geralmente usa-o em um sentido mais restrito, referindo-se às testemunhas de Cristo que viram o Senhor ressurrecto e que foram definitivamente comissionadas por Ele para pregar o evangelho (veja comentários sobre 1.1 e 9.1). O termo *apóstolo*, em um sentido mais restrito, implica um único e exclusivo ministério desempenhado apenas por certos indivíduos (normalmente entendidos como sendo "os Doze" e Paulo). Este significado restrito é claramente visto em Efésios 2.20, onde os "apóstolos e profetas" têm, em conjunto, um ministério sem igual.

Eles são o alicerce da Igreja (cf. também Ap 21.14), aqueles a quem e através de quem o mistério do evangelho foi revelado (Ef 3.4-6), e aqueles que, como na lista atual, encabeçam a lista dos líderes e dos dons de liderança (4.11).

O termo *prophetes* ("profeta") não tem um significado uniforme no Novo Testamento. Pode representar um grupo distinto em uma congregação (At 13.1), ou pode ser amplamente usado para designar qualquer pessoa que for impelida por um impulso profético. Embora na prática o dom da profecia seja limitado a um círculo relativamente pequeno, Paulo indica, pelo menos teoricamente, que está disponível a todos (1 Co 14.5, 24, 31; Fee, 621). Algumas passagens indicam que os profetas estavam em constante movimento (por exemplo, Mt 10.41; At 11.27,28 com 21.10; 15.22, 32). O *Didache* também fala sobre profetas peripatéticos, embora isto não deva ser generalizado significando que todos os profetas o eram (Morris, 175; Barrett, 295).

O dom da profecia não é restrito aos homens. A profecia de Joel, citada por Pedro no dia de Pentecostes, diz: "os vossos filhos e as vossas filhas profetizarão" (At 2.17). Filipe teve quatro filhas solteiras que profetizaram (21.9), e Paulo falou anteriormente, nesta carta, sobre as mulheres que profetizavam na Igreja (1 Co 11.5; comentários adicionais sobre o dom da profecia são encontrados nas notas referentes a 12.10 e ao longo do capítulo 14, como também no Artigo D).

Os "doutores" (*didaskalos*) constituiam um outro grupo importante de líderes na Igreja. São feitas alusões a estes tanto em condições pessoais quanto como "professores" ou "doutores" (1 Co 12.28,29; Ef 4.11; cf. também At 13.1; 1 Tm 2.7; 2 Tm 1.11; Tg 3.1) e em condições impessoais, em termos mais gerais como "se [o dom de um homem] é ensinar..." (Rm 12.7; cf. Gl 6.6). Os doutores eram presumivelmente cristãos maduros que instruíam os outros sobre o significado da fé cristã, o que poderia incluir uma exposição das Escrituras do Antigo Testamento (Barrett, 295; Héring, 133).

Será que em Efésios 4.11, Paulo combina o dom dos pastores e doutores em um papel de liderança? Será que ele quer dizer "professores-pastores" ou "pastores-ensinadores", ou está falando de dois ministérios distintos? Estudiosos igualmente competentes divergem sobre a interpretação deste verso. Este pode ser outro exemplo da imprecisão com que alguma terminologia carismática é usada. Mas há suficientes indicações em outras passagens, como pode se ver acima, de que o ensino constitui um ministério distinto. Não obstante, o pastor tem também o papel de ensinar. Observe que a qualificação necessária para que alguém seja um presbítero ou um pastor é que seja "apto para ensinar" (1 Tm 3.2). Este, então, é outro exemplo de sobreposição de dons espirituais. Semelhantemente, é possível que os "profetas e doutores" em Atos 13.1 não sejam dois grupos distintos, mas um grupo exercendo os dois ministérios.

Dois dons previamente não mencionados estão incluídos na lista — socorro (*antilempsis*) e governos (*kybernesis*). *Antilempsis* transmite a idéia básica de ajuda ou apoio (Gerhard Delling, *TDNT*, 1.375-76; Barrett, 295). Héring fala das "obras de caridade" (133). Em sua forma verbal, o Novo Testamento usa este termo referindo-se à séria preocupação com o correto relacionamento entre os crentes (1 Tm 6.2) ou ainda referindo-se aos fracos (At 20.35; Delling, 1.375). O dom de *kybernesis* habilita o cristão a servir como um timoneiro ou piloto (o significado básico deste termo é dirigir ou pilotar) para a congregação (o substantivo relacionado *kybernetes* denota o piloto ou o capitão de um navio; veja At 27.11; Ap 18.17). Mas o alcance preciso desta atividade é indefinido. Provavelmente se trate do dom de liderar (veja Rm 12.8; 1 Ts 5.12; Hb 13.7, onde, contudo, são usadas palavras diferentes).

É provável que estes dois últimos dons pressagiem o trabalho dos bispos/supervisores e diáconos, que Paulo não mencionou em suas primeiras cartas (Barrett, 296; Héring, 133; Robertson e Plummer, 281; Martin, 33; Fee discorda fortemente deste ponto de vista, 622, fn. 22). São mencionados pela primeira vez em Filipenses 1.1.

Os versos 29 e 30 são uma série de perguntas que exigem respostas negativas ("São todos apóstolos? São todos profetas?"). A maneira mais clara de se traduzir estas perguntas é: "Não são todos apóstolos, são?" Nenhum destes dons é dado igualmente a todas as pessoas, e ninguém pode reivindicar possuir todos os dons.

Esta série de perguntas contém uma que é mais controversa do que as outras. "Falam todos diversas línguas?" Isto parece contradizer o ensino clássico do Pentecostes de que todos falarão em línguas no momento em que forem batizados no Espírito. A resposta Pentecostal é que as perguntas de Paulo aqui tratam de ministérios e dons que se relacionam a crentes e talvez a estranhos. Sua pergunta sobre o dom seguinte, a interpretação de línguas, relaciona tanto este dom como a glossolalia a um contexto de adoração. Uma situação de falar em línguas, no sentido de uma expressão audível em um contexto congregacional, que sejam obrigatoriamente interpretadas, realmente não é algo concedido a todos. Mas isto não exclui o falar em línguas em um nível pessoal, não congregacional. Paulo se refere mais tarde à função auto-edificadora do falar em línguas. Será que Deus negaria a algum cristão algum meio de edificação espiritual? É ao menos sugestivo, se não programático, o relato de Lucas em Atos 2.4 de que no dia de Pentecostes todos aqueles que foram cheios do Espírito falaram em línguas, já que o adjetivo grego *pantes* ("todos") é o sujeito de ambas orações.

O verso 31a ("procurai com zelo [*zeloo*, desejar ardentemente] os melhores [*meizona*] dons [*charisma*]") é o tema de uma considerável discussão, ocasionada principalmente pela forma verbal *zeloute* (que pode ser uma ordem, uma declaração, ou uma pergunta) e o adjetivo *meizona*.

Uma pergunta básica é: Existem realmente dons "melhores"? Este conceito parece militar contra muito do que Paulo disse anteriormente, especialmente em sua analogia do corpo. Mas, por outro lado, atribui prioridade a alguns dons. Em uma passagem paralela, por exemplo, sua ordem consiste em desejar especialmente o dom da profecia (14.1). Se alguns dons são realmente melhores do que outros, isto se devia ao fato de alguns dons serem mais úteis do que outros na edificação da Igreja. Uma ênfase do capítulo 14 é que, na Igreja, os dons inteligíveis são superiores àqueles que não o são (como no caso das línguas sem uma interpretação).

Provavelmente a interpretação mais simples, como também a mais comum da parte *a* do verso 31, tome as palavras de modo literal. Paulo está incentivando os coríntios a desejarem avidamente os dons que são verdadeiramente maiores, isto é, aqueles que edificarão o corpo. A declaração paralela de Paulo está a favor desta interpretação: "procurai com zelo os dons espirituais, mas principalmente o de profetizar" (14.1).

Outro comentário que traduz a oração como uma declaração ao invés de uma ordem, é aquela que aparentemente consiste em uma repreensão "Vocês estão desejando avidamente o maior dom...". Em outras palavras, os coríntios estão seriamente buscando o que *consideram* ser os maiores dons (cf. 14.12). As três últimas palavras poderiam ser incluídas entre aspas para indicar a terminologia *deles*. Ainda que alguns dons sejam realmente maiores do que outros, os coríntios estão equivocados sobre a identificação destes dons, e em seu esforço para recebê-los (Bittlinger, 73). Martin endossa a essência "desta eminentemente sugestão razoável" (34-35).

Uma interpretação relacionada é que Paulo esteja citando algum trecho da carta que lhe fôra enviada pelos coríntios, na qual *eles* podem ter dito, talvez refletindo uma exortação daqueles que eram "mais espirituais" àqueles que eram "menos espirituais": "procurai com zelo os melhores dons". No entendimento dos coríntios, os melhores dons provavelmente inclussem a glossolália.

Uma sugestão final é traduzir a oração como uma pergunta: "Vocês estão relmente desejando os melhores dons?" Nesta interpretação, Paulo os está reprovando indiretamente por que os dons que desejam não são os melhores.

Embora todas as interpretações acimas sejam possíveis, a primeira é a melhor. Paulo está apelando aos coríntios para que desejem avidamente os dons que mais edificariam os outros.

O verso 31a exige dois outros comentários:
1) Embora o verbo *zeloo* possa denotar inveja, possui outro significado sendo propriamente entendido aqui como — "seja fervoroso por, deseje avidamente". Mas o apelo de Paulo parece contradizer as declarações anteriores de que o Espírito/Deus decide sobre a distribuição dos dons (v.11, 18, 28). Não é difícil resolver a questão. Os crentes podem expressar seu desejo neste caso, confiantes de que Deus os honrará, enquanto ao mesmo tempo forem receptivos a qualquer dom(s) que Ele decidir lhes dar.
2) A ocorrência do termo *charisma* (veja v.4) indica que este e *pneumatikon* (v.1; 14.1) são termos intercambiáveis referindo-se aos dons espirituais (veja o Artigo B).

3.4.4. O Amor e sua Relação com os Dons (12.31b—13.13).

O grandioso capítulo do Amor da Bíblia Sagrada não é uma digressão, nem tampouco uma interpolação de uma composição já existente, escrita por Paulo ou por outra pessoa, na discussão dos dons espirituais. Suas referências aos vários dons espirituais teriam feito pouco sentido se já existissem isoladamente. Isto é, sua menção de línguas, profecias, mistérios, ciência, e fé, indicam que foi escrito para esta ocasião específica e que formou uma ponte necessária entre a existência dos dons (cap.12) e sua operação (cap.14).

Várias notas preliminares estão em ordem:
1) A palavra para amor, *agape* não era comumente usada antes do primeiro século. Os escritores do Novo Testamento, porém, apresentam-na como a principal virtude de um cristão. Consta aproximadamente 115 vezes no Novo Testamento.
2) O amor não é um dom espiritual, como aqueles que Paulo discute neste contexto e em outras passagens. É, antes, uma virtude, um aspecto do fruto do Espírito (Gl 5.22,23). "O amor não é um *charisma* [dom], mas um completo modo de vida" (Carson, 57).
3) A essência do amor é a doação sacrificial de si mesmo, às vezes a favor de algo ou alguém que não o merece. Os exemplos supremos são o próprio Deus (Jo 3.16) e Jesus (Ef 5.25).
4) Paulo não coloca o amor em oposição aos dons, implicando que se deve escolher entre os dois. Deve-se compreender corretamente que o apóstolo está ensinando a respeito de ambos. Em 14.1 os coríntios são incentivados a buscar dois propósitos: o amor e os dons espirituais.
5) Paulo não questiona a validade dos dons, mas a falta de amor por parte dos cristãos nas ocasiões em que os dons são manifestados.
6) A divisão do capítulo entre os versos 31a e 31b pode parecer inadequada. Provavelmente seria melhor concluir o capítulo 12 com a primeira parte do verso 31.

3.4.4.1. Comentários Introdutórios sobre o Amor (12.31b—13.3).

Estes versos são introduzidos pela frase, "e eu vos mostrarei um caminho ainda mais excelente [*kath' hyperbolen*]" (v.31b). O comparativo "ainda mais" é mais adequado ao contexto do que o superlativo "o mais". A frase "O caminho mais excelente" (NIV) é uma tradução questionável, por pelo menos duas razões:
1) O artigo "o" não consta no texto grego;
2) Jesus é *o* caminho (Jo 14.6); não o amor. A frase *kath' hyperbolen* deve ser traduzida como "um caminho muito melhor" (BAGD, 840).

Os versos 1-3 enfatizam a indispensabilidade do amor, dizendo que a posse dos dons, bem como os atos de auto-sacrifício, não beneficiam um cristão que não tenha amor. Os dons e outros atos, porém, não são anulados por sua ausência. Paulo fala na primeira pessoa para tornar sua mensagem ainda mais efetiva: eu "seria como o metal que soa ou como o sino que tine" (v.1), eu "nada seria" (v.2), "nada disso me aproveitaria" (v.3) — estes seriam os resultados da manifestação dos dons e do desempenho de um ato sacrificial por parte de uma pessoa que não tivesse amor. O indivíduo não se beneficiaria deles, embora outros poderiam fazê-lo.

Línguas, profecias, conhecimentos (simbolizando a "palavra da ciência"?), mistérios (que provavelmente possam ser entendidos como "palavra da sabedoria e/ou ciência"), e fé — estes são mencionados no capítulo anterior. Na passagem presente, a palavra "línguas" é mencionada primeiramente e recebe o tratamento mais extenso, provavelmente porque o abuso deste dom fosse um sério problema na igreja coríntia.

A frase "as línguas dos homens e dos anjos" tem sido interpretada de vários modos:
1) É uma linguagem poética para toda a comunicação verbal consumada. A Bíblia de Jerusalém traduz esta passagem como: "Toda a eloqüência dos homens ou dos anjos".
2) A frase "as línguas dos homens" significa uma comunicação eloqüente, não inspirada pelo Espírito, em línguas conhecidas; "as línguas dos... anjos" significa glossolália (Barrett, 300; Martin, 43).
3) A expressão inteira se refere ao ato de falar em línguas (Morris, 177; Bruce, 125; Héring, 135), ou em idiomas humanos ("línguas dos homens") ou em idiomas espirituais/divinos ("línguas... dos anjos") (Fee, 630). Esta terceira opção é a posição adotada por este comentarista (veja mais detalhes no Artigo F).

"Línguas... dos anjos" pode se referir a convicção encontrada em alguma literatura extra-bíblica, de que os anjos têm seu próprio idioma. A *Pseudepigrapha*, diz que as filhas de Jó falaram nos vários idiomas dos anjos (*T. Jó* 48-50). A tradição rabínica se refere a Johanan ben Zakkai, um homem piedoso que podia compreender a língua dos anjos. Além disso, alguns vêem idiomas angelicais ou divinos em algumas passagens do Novo Testamento (por exemplo, 1 Co 14.2; Ap 14.2,3).

O "sino" (ou "gongo") era um instrumento musical, mas não se sabe com certeza se os sinos eram usados, nesta época, na adoração pagã. Os metais (ou pratos), porém, eram muito usados; alguns pensavam que atraíam a atenção dos deuses ou que espantavam os demônios (Barrett, 300). Tais sons teriam sido bastante familiares em Corinto devido a seu uso por adoradores de Dionísio e Cibele (Morris, 178). Os metais também foram usados na adoração no Antigo Testamento (2 Sm 6.5; Ne 12.27; Sl 150.5). Os dois instrumentos fazem barulho, mas não produzem nenhuma melodia; assim é o glossolalista que não tem amor.

A posse e o exercício dos dons espirituais, até mesmo ao nível mais comovente, não contituem em si um endosso da pessoa. O dom da profecia, o conhecimento de "todos os mistérios e [de] toda a ciência", e "toda fé", "que transportasse os montes" — são obras genuínas do Espírito, mas podem ser manifestadas sem amor. Nesse caso, o indivíduo não é nada (v.2). A palavra "todos" consta no texto grego antes dos termos mistérios, ciência e fé; a NIV a omite antes do último.

Embora a essência do amor seja sacrificial, não obstante é verdadeiro que o auto-sacrifício pode ser motivado de maneira imprópria. Dar tudo o que se possui e entregar o corpo para ser queimado não são necessariamente atos de amor (v.3). Se a pessoa fizesse todas estas coisas e não tivesse amor, "nada seria". Tal pessoa pode dar tudo, mas não receberá nenhuma recompensa espiritual.

Duas notas adicionais sobre o verso 3:
1) As palavras "dos pobres" não constam no texto grego, entretanto podem estar implícitas.
2) Os manuscritos diferem entre entregar o corpo para "ser queimado [*kauthesomai*]" e entregá-lo para ter algum proveito [*kauchesomai*; NRSV]. Assumindo que Paulo

tinha em mente o primeiro sentido, os estudiosos sugeriram três interpretações: (a) Pode ter tido em mente os três jovens homens hebreus que "entregaram os seus corpos" (Dn 3.28) ou aqueles que foram martirizados por Antíoco Epifânio, que desistiram do "corpo e da vida" (2 Mac 7.37, NRSV). Em meados do primeiro século, os cristãos ainda não haviam sido martirizados pelo fogo, embora Paulo possa estar falando de condições extremas para fazer um esclarecimento; (b) Paulo pode estar falando da auto-imolação (Barrett, 301); (c) Pode estar falando sobre ser marcado como um escravo, isto é, vender-se à escravidão, a fim de ajudar o pobre com o dinheiro recebido (embora isto seja improvável).

A evidência nos manuscritos com relação ao "orgulho" é mais forte, sendo assim preferível por alguns estudiosos (Morris, 179; Fee, 624). Bruce (126), porém, recomenda o termo *queimar* "em bases de probabilidade intrínseca: é sem dúvida o mais forte dos dois significados". Em ambos os casos, a motivação sem amor por trás de um ato, não resulta em nenhum benefício para o indivíduo.

3.4.4.2. Características do Amor (13.4-7).

Estes versos dão as características do amor em quinze breves declarações. Não é difícil vê-las como uma caracterização de ambos, Jesus e o Pai. O amor:

1) "É sofredor" ou, como em algumas traduções "é paciente", especialmente no que se refere às pessoas. "Compassivo" é uma tradução mais antiga que está próxima da etimologia da palavra grega; sustenta a idéia de estar "longe da ira" (Martin, 47) ou de ter "domínio próprio" (Lim, 118). Esta virtude é que suporta os danos pessoais sem o pensamento de vingança (veja Rm 2.4; 1 Pe 3.20; 2 Pe 3.9, 15). É uma característica ou aspecto do fruto do Espírito (Gl 5.22,23).
2) "É benigno" — outro aspecto do fruto do Espírito. A paciência é interior; a benignidade é exterior (veja Rm 2.4; 11.22; 2 Co 6.6; Cl 3.12).
3) "Não é invejoso". O significado negativo do verbo é mostrado aqui, envolvendo a idéia de ciúme.
4) "Não trata com leviandade". BAGD sugere que o significado desta expressão seja "comportar-se como uma pessoa orgulhosa que não pára de falar" (653).
5) "Não se ensoberbece". A idéia é de arrogância, de tornar-se presunçoso e extravagante (veja 4.6, 18,19; 5.2; 8.1).
6) "Não se porta com indecência". Não se comporta de modo vexatório, indesejável, indecente" (BAGD, 119); a única outra ocorrência, no Novo Testamento, da palavra grega usada aqui está em 1 Co 7.36 com o sentido de agir impropriamente. O significado oposto, usando a mesma raiz do verbo, ocorre na forma adverbial em 14.40, "faça-se tudo decentemente e com ordem".
7) "Não busca os seus interesses" (literalmente, "não busca suas próprias coisas"). Pode ser entendido como insistir naquilo que lhe interessa ou ser egoísta (Morris, 180).
8) "Não se irrita". O termo "facilmente" (NIV) não consta no texto grego. Corretamente compreendida, a ira de per si não está errada (Ef 4.26). A idéia aqui é de hipersensibilidade ou irritabilidade (veja Atos 15.39).
9) "Não suspeita mal" ou, como em algumas traduções, "não guarda rancor". O amor não mantém uma lista de danos pessoais infligidos por outra pessoa, com a intenção de pagar na mesma moeda. A frase grega usada aqui é encontrada em Zacarias 8.17 (LXX), onde existe a idéia de conspirar ou tramar algo mal.
10) "Não folga [regozija] com a injustiça". O amor não julga questões que dizem respeito aos erros alheios, e a justiça própria daquele que ama não o coloca acima daquele que é mal.
11) "Folga com a verdade" (o lado positivo da declaração precedente). Uma tradução sugerida é "o amor une [as pessoas] na alegria pela verdade" (Barrett, 298; Martin, 63). A verdade e a injustiça são posicionadas uma contra a outra em diversas passagens (2 Ts 2.10, 12). A verdade é mais do que declarações propostas sobre a fé cristã. No contexto presente, em contraste com a injustiça, ele fala de uma conduta íntegra, que consiste em viver conforme "a verdade" (Jo 3.21). Na análise final, a verdade é o próprio Senhor Jesus (Jo 14.6).
12) "Tudo sofre" ou, como em algumas traduções, "é sempre protetor". O verbo grego *stego*, usado aqui, pode significar

cobrir, tolerar, manter de modo confidencial (BAGD, 765-66). BAGD sugere que esta declaração fala do "amor que suporta em silêncio o que é desagradável em outra pessoa" (766). Um segundo significado do verbo é suportar, sofrer, tolerar, e é preferido por alguns.

13) "Tudo crê" ou, como em algumas traduções, "sempre confia". O amor acredita no melhor, não no pior, sobre as pessoas e suas ações. Isto não sugere uma cegueira seletiva para com os pecados e culpas dos outros, mas traz a cautela contra uma atitude de censura aos outros.

14) "Tudo espera". Em relação aos fracassos dos outros, o amor é otimista, esperando que tais pessoas, em última instância, superem suas deficiências. No Novo Testamento, o termo "esperança" não contém, como no inglês e no português contemporâneo, um elemento de dúvida. Fé/confiança e esperança são termos relacionados. A esperança pode ser considerada como a fé no futuro.

15) "Tudo suporta" ou, como em algumas traduções, "sempre persevera". Esta característica está relacionada à primeira da série, que diz que o amor é sofredor ou paciente. Uma distinção da palavra usada aqui é que implica ativamente suportar as circunstâncias, ao invés de renunciar à tolerância para com os demais.

3.4.4.3. O Amor em um Contexto Escatológico (13.8-13). A abertura e as declarações finais desta seção destacam o contexto escatológico. "O amor nunca falha"; "... permanecem a fé, a esperança e a caridade... mas a maior destas é a caridade [ou amor]"

Os versos 8-10 destacam a permanência do amor e a incerteza da duração dos dons espirituais: "O amor nunca falha [*pipto*]" (v.8). *Pipto* significa cair, desmoronar; neste contexto, significa que o amor nunca deixará de existir. Por outro lado, as profecias, as línguas, e a ciência (ou a palavra do conhecimento) serão aniquiladas "quando vier o que perfeito" (v.10). Estes dons têm a função, aqui e agora, de contribuir para a edificação do povo de Deus. "O conhecimento ou ciência, e a profecia são úteis como luminárias na escuridão, mas serão inúteis quando o Dia eterno amanhecer" (Robertson e Plummer, 297). O término destes dons é expresso por dois verbos diferentes: *katargeo*, usado com "profecias" e "conhecimento", significa ineficaz ou inoperante, cessar ou falecer; *pauo*, usado com "línguas", quer dizer parar ou cessar. Paulo não está sugerindo uma diferença sutil entre as duas palavras; a variação se deve a razões retóricas (veja Carson, 66-67).

A razão para que os dons cessem é que o conhecimento e a profecia (provavelmente também as línguas) são somente "em parte", e conseqüentemente imperfeitos (vv.9,10); não serão necessários quando "vier o que é perfeito". O conhecimento nesta vida presente, adquirido pelo esforço humano ou pela revelação, nunca será completo. A declaração sobre a vinda do perfeito deve ser entendida aqui em um sentido escatológico, como a consumação de todas as coisas (Héring, 141-42). Na Vinda do Senhor, seremos como Ele (1 Jo 3.2), pois esta transcenderá a necessidade de dons e revelações parciais, imperfeitos, e temporários.

Os versos 11 e 12 ilustram o contraste "perfeito-imperfeito" de dois modos:

1) Falando na primeira pessoa, Paulo diz que o discurso da infância, bem como o pensamento e o raciocínio, são apropriados para tal fase, mas a criança não deve permanecer assim para sempre. Existe um propósito duplo no que Paulo diz: (a) Os coríntios estão em um estado de desenvolvimento espiritual insatisfatório (3.1-3), particularmente no contexto presente por sua falta de compreensão dos dons espirituais; (b) Nesta vida presente todos os cristãos são, até certo ponto, imaturos. A maturidade completa acontecerá na Parousia.

2) Paulo faz uma analogia a um espelho. "Agora, vemos por espelho em enigma [*en ainigmati*]". A palavra inglesa enigma (riddle) translitera o substantivo grego *ainigma*; ao usá-lo Paulo provavelmente tinha em mente a passagem em Números 12.6-8. Os espelhos do primeiro século eram de metal polido; alguns dos melhores eram fabricados em Corinto. Só os mais ricos podiam dispor de um espelho de boa qualidade, e

mesmo estes não eram livres de imperfeições. Além disso, um espelho por natureza distorce a imagem porque seu reflexo é o contrário da pessoa ou objeto à sua frente, mas algum dia veremos "face a face", que é "quase uma fórmula para a *teofania* na Septuaginta" (Carson, 71, que cita Gn 32.30; Dt 5.4; 34.10; Jz 6.22; Ez 20.35).

O motivo presente continua: "Agora conheço em parte [*ginosko*], mas, então, conhecerei [*epiginosko*, ou completamente] como também sou conhecido [*epiginosko*, ou completamente]". *Epiginosko* é uma forma composta de *ginosko* e aqui denota conhecimento total e completo. Para o crente tal conhecimento acontecerá por ocasião da Vinda do Senhor. A última cláusula é melhor entendida da seguinte maneira: "como sou completamente conhecido por Deus" (veja comentários sobre 8.3). O conhecimento que Deus tem de Paulo é completo; o conhecimento de Paulo sobre Deus é ainda futuro.

Ao longo deste capítulo, Paulo corrige a noção errônea de alguns coríntios de que já haviam entrado na era por vir. As aplicações de seu ensino sobre o amor para aquela situação são óbvias, e o capítulo 14 tornará algumas delas específicas.

O verso 13 é um clímax adequado para este capítulo. A expressão "agora, pois" pode ser tida temporariamente como "na atualidade", ou logicamente, "em conclusão". As três coisas que permanecem são "a fé, a esperança e o amor"; o verbo "permanecer" está no singular, sugerindo que os três sejam uma unidade. Esta tríade é freqüentemente encontrada no Novo Testamento (Rm 5.2-5; Gl 5.5,6; Ef 1.15-18; 4.2-5; Cl 1.4,5; 1 Ts 1.3; 5.8; Hb 6.10-12; 10.22-24; 1 Pe 1.3-8, 21,22).

A "Fé" não é o dom da fé, mas a confiança básica no Senhor e um compromisso com Ele. A "esperança" é a confiança no futuro. É às vezes um sinônimo da volta do Senhor (1 Jo 3.3), que os cristãos têm como certa. Vale a pena observar que neste capítulo, a fé e a esperança em relação aos outros são expressões de amor (v.7). O "amor" é a virtude suprema, "a maior" das três. Mas Paulo não diz que o amor, sozinho, permanecerá para sempre, embora a fé um dia será transformada em fatos visíveis e a vinda do Senhor cumprirá toda a esperança. O verbo "permanecer" é escrito do mesmo modo, tanto no tempo presente como no futuro; a única diferença está na colocação de um acento na palavra. Mas já que os manuscritos do Novo Testamento não contêm acentos, a intenção do verbo pode ser de futuro ao invés de presente. Embora a fé, a esperança, e o amor permaneçam e permanecerão, o amor, que é a essência de Deus (1 Jo 4.8, 16), terá sempre um lugar de destaque.

3.4.5. A Necessidade de Inteligibilidade na Adoração (14.1-25).
Os dois dons mais proximamente associados à adoração, as línguas e as profecias, agora recebem atenção especial. A maior preocupação de Paulo é a inteligibilidade no exercício público destes dons, que por sua vez contribuem para a edificação do povo de Deus. Por essa razão, ele deve comparar e contrastar os dois dons.

3.4.5.1. O Fundamento (14.1-5).
Os primeiros cinco versos preparam o fundamento para a discussão de Paulo. A declaração de abertura estabelece um vínculo com os capítulos anteriores: "Segui a caridade e procurai com zelo os dons espirituais [*pneumatikon*]". Os dois verbos usados aqui são sinônimos. O capítulo 13 é basicamente descritivo em seu tratamento do amor; agora vem o imperativo de que o amor deve ser ativamente buscado, já que as qualidades do amor detalhadas naquele capítulo não vêm até os cristãos automaticamente. Mas devem também verdadeiramente procurar com zelo os dons espirituais"; a semelhança deste imperativo com aquele de 12.31 é óbvia, com duas diferenças:

1) "Procurai com zelo os melhores dons" (12.31) passa agora a ter o sentido de: deseje avidamente "principalmente o [dom] de profetizar". O verbo em ambas as declarações é o mesmo.

2) "Dons" em 12.31 é *charisma*; em 14.1 é *pneumatikon*. Mas os termos são intercambiáveis.

Paulo aqui esclarece a seus leitores

sobre dois mal-entendidos, isto é:
1) que o amor e os dons são antiéticos, e então deve-se buscar somente o amor, e
2) que a glossolália é o dom por excelência. Prossegue mostrando porque, na adoração coletiva, a profecia é superior à glossolália.

Embora as línguas e a profecia sejam ambas falas inspiradas pelo Espírito, o glossolalista "não fala aos homens, senão a Deus" (v.2; também v.14-16). Por outro lado, "o que profetiza fala aos homens" (v.3). Esta distinção básica é essencial para entender muito do que Paulo diz: "Ninguém entende" o glossolalista porque "em [seu] espírito fala de mistérios [*pneumati*]". "Em [seu] espírito" é uma interpretação, e não uma tradução, já que o termo "seu", expresso em algumas traduções, não consta no texto grego. Uma tradução preferível da palavra *pneumati* seria "em Espírito", "no Espírito" ou "pelo Espírito" (Barrett, 315; cf. nota da NIV); alguns compreedem que a melhor tradução é "em espírito", isto é, o próprio espírito do locutor fora de sua compreensão (Morris, 187).

Se a expressão "ninguém o entende" for estritamente interpretada, implica que as línguas são divinas, e não idiomas humanos. Mas isto pode ser uma declaração geral e, dada a multiplicidade de idiomas humanos, a verdade é que ninguém entenderá o idioma glossolálico. Já que ninguém as entende, o conteúdo das línguas permanece como "mistérios". Aqui a palavra não tem o peso teológico que apresenta em outras passagens; antes, tem o significado básico de segredo, isto é, algo não compreendido. As duas declarações nos versos 2 e 3a são então paralelas. O glossolalista fala com Deus, o profeta fala de Deus (Martin, 66).

A profecia é dirigida aos homens para a sua "edificação [*oikodome*], exortação [ou encorajamento, *paraklesis*] e consolação [*paramythia*]" (v.3b). Paulo pode ter dado a entender que os dois últimos sejam os meios pelos quais o primeiro é realizado. Como *paraklesis* pode significar também conforto, é difícil encontrar um critério seguro pelo qual difira de *paramythia*, já que ambos envolvem exortação e conforto.

No Novo Testamento, a exortação se torna genuíno conforto e o conforto se torna exortação (veja Fp 2.1; Cl 2.2; 4.8; 1 Ts 5.11; cf. Stählin, *TDNT*, 5.820-21). Stählin observa que uma distinção entre os dois termos, conforme o Antigo Testamento e o uso rabínico, é que *paraklesis* é usado para conforto e consolação escatológica, enquanto *paramythia* está freqüentemente em um contexto contemporâneo (formas relacionadas ocorrem em Fp 2.1; 1 Ts 2.12).

Paraklesis é aqui tratado como uma função do dom da profecia, mas nos dons listados em Romanos 12.6-8, é separado de profetizar. Aparentemente Paulo pensou que era demasiadamente importante para que fosse listado como um dom. Não obstante, funciona também dentro do dom de profecia (veja também 1 Co 14.31). Isto é uma sobreposição de alguns dons espirituais.

Edificação/exortação (*oikodome*), juntamente com o verbo relacionado *oikodomeo*, é um tema dominante no capítulo (v.3, 4, 5, 12, 17, 26). É o equivalente à expressão "para o que for útil" (12.7). Expressões verbais inteligíveis contribuem para a edificação; as expressões verbais ininteligíveis não o fazem.

As línguas não interpretadas não edificam a Igreja, mas edificam aqueles que as falam. Então as línguas sem o acompanhamento das devidas interpretações não deveriam ser manifestadas na adoração pública. Ainda assim, Paulo não detalha a função edificadora das línguas para aquele que as profere. "Ao contrário da opinião de muitos, a edificação espiritual pode acontecer por caminhos diferentes do córtex do cérebro" (Fee, 657). Não existe nenhum sarcasmo na declaração de que a pessoa que fala em línguas edifica a si mesma (Robertson e Plummer, 307). Isto é evidente na próxima declaração de Paulo: "eu quero que todos vós faleis línguas estranhas" (v.5). Junto com o verso 18 ("Dou graças ao meu Deus, porque falo mais línguas do que vós todos"), esta declaração parece contradizer a resposta "não" exigida pela pergunta: "Falam todos diversas línguas?" (veja comentários sobre

12.30 para uma possível resolução). Paulo diz: "Quero que todos vós faleis línguas estranhas"; e acrescenta "*mas* muito mais que profetizeis". O contraste não está entre as línguas e as profecias em si, mas entre as línguas não interpretadas e as profecias em um contexto de adoração, caso em que somente a profecia é permitida.

A glossolalia interpretada e a profecia são igualmente válidas por edificarem a congregação: "O que profetiza é maior do que o que fala línguas estranhas, a não ser que também [as] interprete". Paulo não diz aqui que as línguas mais a interpretação sejam equivalentes à profecia ou, formando a frase de um modo diferente, que a interpretação seja uma profecia (como Barrett argumenta, 316). Esta visão, na realidade, elimina qualquer diferença substancial entre estes dons (Lim, 144). De acordo com Carson, "parece que as línguas podem ter a mesma importância funcional da profecia se houver um intérprete presente... Isto não significa que não exista nenhuma diferença entre as línguas mais a interpretação, e a profecia. Os versos 18-25 ainda podem ser melhor compreendidos" (102-3). Bittlinger acrescenta: "O dom das línguas, quando interpretadas, tem *o mesmo valor* da profecia na edificação da igreja" (101, os itálicos foram acrescentados).

As palavras "a não ser que também interprete" indicam que o glossolalista pode ser seu próprio intérprete (veja o verso 13). Mas o padrão normal é que outra pessoa receba o dom de interpretação (12.10). Por esta razão, alguns preferem traduzir a frase grega da seguinte maneira: "a menos que alguém interprete", o que de fato é uma tradução possível (Héring, 146-47).

3.4.5.2. Fortalecendo o Argumento (14.6-12).

Estes versos fortalecem e ilustram o argumento. Paulo muda para a primeira pessoa do singular para fortalecer o que diz: Se eu for ter convosco falando [somente] línguas estranhas, que vos aproveitaria? (cf. 13.3; v.6. A palavra "somente", mesmo que subentendida, é exigida pelo contexto). A resposta é óbvia. Mas como os quatro elementos mencionados aqui — revelação, conhecimento, profecia e instrução — se relacionam a esta pergunta? Existem duas sugestões principais:

1) Representam formas diferentes de uma interpretação (cf. Barrett, 317). Mas já que a profecia é um dos quatro, esta visão apagaria a diferença entre as línguas e a profecia — esta diferença é a própria ênfase do capítulo.

2) A sugestão de Morris (188), de que existe uma elipse no texto grego, é mais aceitável. Depois da primeira pergunta completa, existe outra: "Que vos aproveitaria, se vos não falasse...?" O apelo é novamente dirigido à comunicação inteligível por um dos quatro meios.

As tentativas de fazer distinções absolutas entre as quatro expressões dos dons espirituais estão condenadas ao fracasso. Alguns sugerem um padrão do tipo "a-b-a-b". A revelação e a profecia formam um par (veja o Artigo D); o conhecimento e a instrução/ensino constituem um outro par. Carson sugere que os primeiros dois provavelmente se refiram ao conteúdo, e os outros dois à forma do conteúdo (103). Colocados em termos ligeiramente diferentes, os dois primeiros são "dons interiores" e os dois posteriores são "manifestações exteriores" (Robertson e Plummer, 308). Paulo não está preocupado com os níveis de distinção, mas que estes quatro meios de expressão sejam transmitidos em linguagem inteligível, e conseqüentemente superiores às línguas não interpretadas na adoração pública. Fee considera estes quatro itens como outra lista de dons (662).

Os versos 7-11 ilustram a necessidade da inteligibilidade por meio de dois exemplos: instrumentos musicais e diversidade de idiomas. Até mesmo as coisas "inanimadas", que produzem sons, como a flauta ou a cítara, somente transmitem uma mensagem quando "formarem sons distintos" (v.7). A flauta pode representar, de modo geral, os instrumentos de sopro, enquanto a harpa, os de corda. Em um contexto militar, a trombeta deve dar um sonido "certo" para que os soldados se prepararem para a batalha (v.8).

A resposta para as perguntas dos versos 7 e 8 é óbvia. Paulo então as aplica:

"se, com a língua, não pronunciardes [em posição enfática] palavras bem inteligíveis [*eusemos*] ...estareis como que falando ao ar" (v.9). Esta oração pode ser traduzida com maior precisão: "A menos que transmitais uma declaração/mensagem inteligível com a língua". *Eusemos* consta apenas no Novo Testamento e significa "facilmente reconhecível, claro, distinto" (BAGD, 326), conseqüentemente "inteligível". "Ao ar" lembra a imagem sugerida por Paulo de um pugilista "batendo no ar" (veja 9.26).

A próxima ilustração de Paulo envolve idiomas humanos: "Há, por exemplo, tanta espécie de vozes [*phone*, linguagens] no mundo, e nenhuma delas é sem significação" (v.10). Paulo provavelmente escolheu *phone* em lugar de *glossa* "porque o posterior é usado ao longo desta passagem para se referir a 'falar em línguas', que é uma expressão verbal especial, inspirada pelo Espírito" (Fee, 665). A implicação é que a glossolália também tem significado; mas como em qualquer idioma, o significado é perdido se o ouvinte não o entender ou não interpretá-lo, pois "um discurso sem significado é uma contradição de termos" (Robertson e Plummer, 310). O locutor será um estrangeiro (*barbaros*) para o ouvinte, assim como este será um estrangeiro para o locutor (v.11), se o ouvinte não "compreender o significado" do que for dito. *Barbaros* (bárbaro) é uma onomatopéia usada pelos gregos para alguém "cujo idioma soa como 'bar-bar', isto é, que não faz nenhum sentido" (Morris, 189). Era usado mais freqüentemente em um sentido pejorativo. É uma repreensão oculta àqueles coríntios que estimavam tanto a glossolália que estavam somente preocupados em exibí-la publicamente, sem considerar se seu significado estava sendo entendido pelos ouvintes. Tal fato é confirmado na próxima declaração de Paulo: "Assim, também vós..." (v.12a).

O verso 12b "como desejais dons espirituais" poderia ser literalmente traduzido como: "Já que sois zelosos [*zelotes*] pelos dons espirituais" (*zelotes* é a forma de substantivo de *zeloo*, "desejar avidamente" [12.31; 14.1]). O termo "espirituais" é geralmente entendido como a taquigrafia para os dons espirituais ou as "manifestações do Espírito" (Bruce, 131). "A edificação da comunidade é a razão básica para a adoração coletiva; eles provavelmente não deveriam se tornar um agrupamento coletivo para milhares de experiências individuais de adoração" (Fee, 667). O zelo dos coríntios é louvável, mas deve ser corretamente dirigido; devem procurar ser abundantes na "edificação da igreja", não buscando apenas a satisfação pessoal.

3.4.5.3. A Necessidade da Interpretação das Línguas (14.13-19). A próxima seção enfoca a necessidade das línguas estranhas serem interpretadas na adoração pública (veja 12.10). Isto destaca também o aspecto essencial das línguas. Seu conteúdo consiste na oração ou no louvor a Deus (veja mais detalhes no Artigo F). A frase "Pelo que, o que fala língua estranha, ore para que a possa interpretar" (v.13) coloca, sobre o próprio glossolalista, a responsabilidade de interpretar o que pronunciou audivelmente (v.5). Pode ser deduzido que, já que a interpretação normalmente é dada a outra pessoa, o glossolalista é obrigado a interpretar a expressão verbal se ninguém mais o fizer.

A pessoa que ora em línguas ora com o espírito, "mas o entendimento fica sem fruto [*akarpos*]" (v.14). Uma compreensão sugerida de *akarpos* é que orar em línguas não beneficia a mente (Fee, 669). Mas a BAGD sugere que a mente seja "improdutiva, porque não está ativa" (29). O intelecto da pessoa não contribui para a expressão da glossolália verbal, o produto do Espírito Santo que está trabalhando com e através do espírito humano. Paulo expressa aqui o *modus operandi* das línguas; não está falando superficialmente sobre o papel da mente na adoração, nem está preocupado com uma distinção antropológica profunda entre o espírito e a mente. Nem tampouco está sugerindo que o glossolalista esteja em um estado de transe: "A mente não é esvaziada e neutralizada, como pode ser o caso de algumas religiões orientais" (Lim, 149). Se o indivíduo estivesse verdadeiramente fora de si ("em êxtase"), as restrições posteriores a respeito das línguas não teriam sentido (vv.27,28).

Em oração e louvor, o espírito e a mente não são antitéticos, e sim complementares (v.15-17). O "espírito" implica glossolália; o "entendimento" implica a interpretação da glossolália ou a oração e o louvor em um idioma conhecido durante a adoração pública. Orar "com o espírito" pode ser comparado à declaração de Paulo sobre os "gemidos inexprimíveis" (Rm 8.26; veja o Artigo H).

Cantar com o espírito (v.15) sugere a possibilidade de o adorador cantar de uma maneira espontânea e improvisada. Esta atividade pode não ter precisamente a mesma natureza da glossolália, mas a discussão como um todo, neste contexto, sugere fortemente esta possibilidade; isto distinguiria este canto do cantar "com o entendimento". Existem paralelos entre cantar com o espírito e as "canções espirituais" em Efésios 5.19 e Colossenses 3.16 (Martin, 70-71). O contraste entre estar embriagado pelo vinho e estar cheio do Espírito não aparece somente em Efésios 5.18, mas também em outro contexto glossolálico "carismático" (At 2.4, 15). Os verbos *laleo* e *lego*, significam "falar". *Laleo* não é tão comum e é sempre usado referindo-se à glossolália, e consta em Efésios 5.19: "falando entre vós com salmos, e hinos, e cânticos espirituais". O verbo "cantar" é outro ponto de contato (1 Co 14.15; Ef 5.19).

Orar e louvar a Deus em línguas não interpretadas impede "o que ocupa o lugar de indouto [*idiotes*]" de dizer a confirmação "Amém", "visto que não sabe o que dizes (v.16). Devemos observar dois detalhes:

1) "Amém", derivado da palavra hebraica para confirmar, era o consentimento verbalizado de uma oração, tanto para os judeus como para os primeiros círculos cristãos (Dt 27.14-26; 1 Cr 16.36; Ne 5.13; 8.6; Sl 106.48; Ap 5.14; 7.12; 19.4).
2) A identificação dos *idiotes* desafia a unanimidade em meio aos estudiosos do Novo Testamento. Bruce sugere que este seja um estranho, uma "pessoa despreparada, que não conhece os fundamentos cristãos"

(131-32). BAGD (370) diz que a palavra é usada em relação a prosélitos e catecúmenos e pode significar "inquiridor". Outra visão é que o termo *idiotes* provavelmente se refere a um membro da congregação que não é dotado com o dom de línguas ou interpretação de línguas (Schlier, *TDNT*, 3.217; Héring, 151; Carson, 105).

No julgamento deste comentarista, estas visões são insatisfatórias. Não se esperaria que um estranho dissesse "Amém", já que esta era a resposta dos crentes a uma oração. As demais interpretações são muito restritas, visto que Paulo disse anteriormente que "ninguém" entende as línguas não interpretadas. A interpretação mais simples e mais adequada é que, dadas as circunstâncias, *ninguém* presente seja um *idiotes*, e portanto um "estranho". Esta pode ser a intenção de Bittlinger (103) quando diz: "Nem o cristão nem o incrédulo são edificados quando alguém fala em línguas na igreja, sem que haja a interpretação". A palavra *alteração* está implícita nos versos 23 e 24, onde Paulo fala de "*idiotai* ou incrédulos" ou de "um incrédulo ou *idiotes*" que participam de um culto de adoração. Nesse caso, o termo *idiotes* pode significar "estranho" com relação à fé cristã, e duas opções de tradução permanecem em aberto: "um incrédulo, isto é, um estranho" ou "um incrédulo estranho".

Paulo não questiona a *autenticidade* da glossolália não interpretada, pois diz: "Porque realmente tu dás bem as graças..." (v.17). O que questiona é se esta é *apropriada* durante a adoração coletiva.

Paulo então se torna pessoal em sua própria prática de línguas. Para que os coríntios não pensem que ele deprecia os dons, diz-lhes: "Dou graças ao meu Deus, porque falo mais línguas do que vós todos" (v.18). Alguns consideram que o apóstolo cometeu um exagero nesta expressão, pois como poderia saber quanto ou com que freqüência falavam em línguas? Não obstante, assegura-lhes que podem considerá-lo um arqui-glossolalista. Mas o apóstolo deve equilibrar este comentário com outro aparente exagero para enfatizar novamente a necessidade de inteligibilidade na adoração congregacional: "Todavia eu antes quero falar na igreja cinco palavras na minha própria inteligência, para que possa também instruir os outros, do que dez mil palavras em língua desconhecida" (v.19).

3.4.5.4. O Apelo aos Coríntios (14.20-25). Nesta seção Paulo apela aos coríntios para que pensem de forma madura sobre os dons. Até este ponto, seu enfoque primário estava na função dos dons para a edificação da congregação. Agora relaciona-os especificamente ao seu efeito sobre os incrédulos: "Irmãos, não sejais meninos no entendimento, mas sede meninos na malícia e adultos no entendimento" (v.20). A preocupação com as línguas é uma marca de imaturidade ou infantilidade. Ainda que como meninos, a inocência é exigida em relação ao mal. Paulo solicita a seus "irmãos" que passem do pensamento imaturo para o maduro (adulto).

Os versos 20-25 ensinam, em parte, que as línguas não são um sinal dos crentes ou para os crentes, ao contrário do pensamento de alguns coríntios. Para tal confirmação, Paulo apela para a "Lei" (um termo inclusivo para as Escrituras hebraicas como um todo). Paulo cita Isaías 28.11, e sua instrução aplicada deve ser entendida a partir do contexto histórico daquela passagem. É uma mensagem do julgamento vindouro sobre o reino do norte de Israel, por sua contínua desobediência ao Senhor. O julgamento estaria na forma da invasão assíria à sua terra (que aconteceu em 721 a.C.). Os idiomas estrangeiros que os israelitas ouviram seriam um sinal do desgosto e do julgamento de Deus contra eles. As próprias palavras de Isaías podem ter soado como um murmúrio para eles, já que o texto hebraico diz: "*saw lasaw saw lasaw, qaw laqaw qaw laqaw, ze'êr +am ze'êr +am*" (Is 28.10, 13). Recusaram-se a ouvir a advertência do Senhor que lhes foi dada por Isaías em hebraico elementar; agora a ouviriam por meio da fala estrangeira dos invasores assírios, a quem não entenderiam (Bruce, 132).

Embora possa parecer impossível fazer uma exegese totalmente clara de 1 Coríntios 14.21, o ponto principal "é que uma comunicação divina em línguas estranhas, dirigida àqueles que são deliberadamente desobedientes, não fará nada mais do que confirmá-los em sua desobediência: permanecerão ainda mais incrédulos" (Bruce, 133). (Veja o Artigo F para uma discussão adicional sobre esta passagem em Isaías). À luz deste contexto, as línguas são "um sinal... para os infiéis", não para os crentes (v.22). A maioria dos comentaristas faz uma aplicação exclusiva da passagem de Isaías e consideram as línguas como sendo um sinal do julgamento divino contra os incrédulos não receptivos. As línguas que ouvem confirmam sua incredulidade, porque são um sinal da presença e da atividade de Deus, que continuam a rejeitar. A profecia, por outro lado, é "para os fiéis"; talvez por elipse Paulo tenha tido a intenção de dizer "um sinal para os crentes".

Se todos na congregação falarem em línguas, os incrédulos que estiverem presentes "não dirão, porventura, que estais loucos [*mainomai*]"? (v.23). Paulo não está se referindo necessariamente a todos falando em línguas ao mesmo tempo, embora esta seja uma interpretação possível. A idéia pode ser mais do que uma rápida sucessão de expressões verbais em línguas, sem as devidas interpretações (Robertson e Plummer, 317). Com relação à idéia de que os glossolalistas estejam fora de seu perfeito juízo, os escritores do Novo Testamento dizem que deve-se evitar o uso do refrão *mainomai* e palavras relacionadas quando se falar de um profeta ou de um glossolalista. Estas palavras eram aplicadas no grego clássico às pessoas em um estado frenético ou "possesso", como a menina escravizada em Filipos (At 16.16).

A declaração: "a profecia... é sinal... para os fiéis", pode ser entendida de dois modos, não necessariamente contraditórios:
1) É "para o benefício dos crentes", para sua edificação, exortação e consolação (cf. 14.3).
2) É "para os fiéis" no sentido de que produz crentes (Bruce, 133). A expressão que Paulo usa para "fiéis" denota "aqueles que vêm à fé" (Martin, 73) ou "aqueles que estão no processo de se tornarem cristãos" (Héring, 153). A justificativa para a interpretação

posterior pode ser encontrada nos versos 24 e 25. Se todos profetizam (não necessariamente todos num só culto, e certamente não simultaneamente), o efeito sobre um infiel será positivo, pois tal pessoa adorará, exclamando: "Deus está verdadeiramente entre vós". Este se lançará "sobre o seu rosto", uma atitude de adoração que "sustenta o testemunho de um profundo sentimento de indignidade, como também da presença imediata de Deus" (Barrett, 326-27; Gn 17.3; Lc 5.12; Ap 7.11; 11.16).

A expressão verbal profética, então, pode ser o meio pelo qual um estranho é totalmente "convencido [*elencho*] de que é um pecador e será julgado [*anakrino*, cf. 2.15] por todos" porque "os segredos do seu coração ficarão manifestos".

O termo *elencho* é utilizado para designar o trabalho do Espírito Santo em condenar ou convencer do pecado (Jo. 16.8). O papel revelador da profecia é especialmente destacado aqui (veja Artigo D), e é uma variação em relação às funções habituais da profecia em um contexto de adoração. Porém, "o principal objetivo dos profetas não é a evangelização. falam para 'instruir', e seus ouvintes estão em sua presença para 'aprender' (v.31; cf. v.35)" (Martin, 80). (Veja as observações sobre 14.16 para comentários sobre o termo *idiotes*).

3.4.6. A Necessidade de uma Metodologia na Adoração (14.26-40).

Paulo agora inicia outro tema importante. Não é somente o exercício dos dons de expressão verbal que deve ser inteligível; o próprio ato de adoração deve estar de acordo com a livre obra do Espírito implícita nos dons. O exercício dos dons deve estar sujeito a certas regras (vv. 26-33a); as adoradoras não devem se mostrar desordenadas (33b-35); a autoridade apostólica de Paulo em toda a instrução precedente sobre os dons deve ser reconhecida para que a adoração coletiva seja ajustada e ordenada (vv. 36-40).

3.4.6.1. A Variedade e a Espontaneidade na Adoração (14.26-33a).

Nestes versos Paulo mostra como deve ser a adoração na igreja coríntia. Embora o que diga seja corretivo e restritivo, o apóstolo deseja enfatizar as idéias gerais da variedade e da espontaneidade. Nenhum dom deveria predominar (Lim, 164). Quando a Igreja se reúne para adoração, é propriamente esperado que cada membro manifeste um dom *se for motivado pelo Espírito a fazê-lo* (v.26). A frase "cada um de vós tem..." não significa que todos *devam* manifestar ou *manifestem* um dom, mas destaca que cada membro, potencialmente, *pode* fazê-lo.

Alguns consideram os cinco elementos ("salmo [hino ou *psalmos*], doutrina, revelação, língua, e interpretação") como outra lista de dons. Como os demais, é *ad hoc*; "é mais provável que eles [os cinco itens] representem vários *tipos* de manifestações verbais do Espírito que deveriam acontecer em sua assembléia (Fee, 690). É estranho que a "profecia" não esteja incluída, mas a "revelação" é equivalente a esta (veja novamente o Artigo D). O termo *psalmos* consta em outras passagens que falam de adoração (Ef 5.19; Cl 3.16). Pode se referir a um dos salmos do Antigo Testamento, mas é uma palavra geral para "canção", e poderia estar relacionada a "cantar [*psallo*] com o espírito" (veja 1 Co 14.15). "As reuniões da Igreja em Corinto dificilmente poderiam sofrer de estagnação ou enfado" (Barrett, 327).

Os coríntios devem ser novamente lembrados de que tudo deve ser feito "para [a] edificação [*oikodome*; veja comentários sobre 14.3]" da igreja. Isto será realizado, em larga escala, observando as diretrizes que se seguem. Porém, são "mais que corretivas. São princípios positivos para encorajar o exercício dos dons" (Lim, 163). Paulo enfatiza consideravelmente o controle dos dons de expressão verbal; este aspecto separa-os eficazmente de quaisquer atividades no mundo pagão religioso que era fenomenalmente semelhante.

As expressões verbais glossolálicas devem observar três diretrizes (v.27):
1) Não pode haver mais do que três em qualquer culto de adoração. Nenhum dom pode obscurecer ou se sobrepor aos demais. Os coríntios devem ser abertos à recepção e à manifestação de outros dons durante a adoração.
2) As expressões verbais devem ser "uma de cada vez". Caso contrário, resultaria em confusão.

3) Cada expressão verbal deve ser seguida por sua respectiva interpretação. A frase "e haja [*heis* – o número um] intérprete" traduz literalmente o texto grego. Duas explicações são oferecidas: (a) "Um" pode significar que só uma pessoa deve interpretar (Martin, 78); (b) "Um" significa que não mais que uma pessoa deve tentar interpretar cada expressão verbal individual; caso contrário o resultado será confusão (Robertson e Plummer, 321). Nesta visão, três pessoas diferentes poderiam interpretar três expressões verbais. Esta é a visão mais adequada e está de acordo com a ênfase geral da ampla distribuição dos dons.

A frase "se não houver intérprete..." (v.28) implica que os intérpretes participavam regularmente do contexto da adoração. Na ausência de tais pessoas, o glossolalista deveria manter-se calado na igreja, contendo o impulso de falar audivelmente, e deveria falar "consigo mesmo e com Deus". Talvez devesse fazê-lo em voz baixa para não incomodar os demais. Alguns sugerem que as palavras "consigo mesmo" queiram dizer que devesse fazê-lo reservadamente, isto é, quando estivesse a sós (Robertson e Plummer, 321). O que deveria acontecer se alguém falasse em línguas audivelmente e nenhum intérprete estivesse presente? O glossolalista deveria orar para que recebesse a respectiva interpretação (v.5, 13).

As restrições se aplicam também às expressões verbais proféticas (v.29). O termo "profetas" foi usado em um sentido amplo para qualquer um que proferisse uma expressão verbal profética, e não significava que qualquer pessoa tivesse o título ou ofício de profeta. Naturalmente, tais expressões verbais não deveriam ser proferidas simultaneamente.

1) A expressão que "falem dois ou três profetas" coloca a mesma limitação numérica que foi aplicada às expressões verbais de línguas: "três em uma reunião" (Robertson e Plummer, 321). Fee, diferindo da maioria dos comentaristas, interpreta a expressão como querendo dizer "não mais do que três de cada vez antes 'dos demais ponderarem cuidadosamente o que está sendo dito'" (693); deste modo, seria admitido um número ilimitado de expressões verbais proféticas.

2) "Os outros julguem". As profecias devem ser avaliadas; o meio é o dom de discernir os espíritos (veja detalhes no Artigo E). Alguns entendem "outros" como significando os outros profetas (Robertson e Plummer, 322), e o verso 32 é usado para justificar esta posição: "os espíritos dos profetas [aqueles que estão proferindo expressões verbais] estão sujeitos aos profetas [aqueles que os estão avaliando]". Porém é mais natural entender a expressão como significando quaisquer adoradores aos quais o dom do discernimento é dado (Morris, 195; Barrett, 328; Büchsel, *TDNT*, 2.947). Este pode ser o mesmo comentário de Martin, que diz que a expressão "os outros" refere-se "à Igreja como um todo" (120).

3) "Mas, se a outro, que estiver assentado, for revelada alguma coisa, cale-se o primeiro" [literalmente, fazer silêncio] (v.30). Aparentemente, os profetas ficavam em pé quando proferiam as profecias. Alguém que estivesse expressando uma profecia deveria respeitar a outro que também estivesse sendo movido a fazê-lo. Não está completamente claro como isto acontece, mas a implicação é que ninguém deve monopolizar a adoração ou pensar que é o único que pode profetizar. O tema da variedade é novamente enfatizado.

A frase "todos podereis profetizar" (v.31) é aberta a várias interpretações:

1) "Todos" significa todos os profetas (Morris, 195-96).
2) "Todos" não significa cada pessoa na Igreja, sem exceção "e, sim, toda a pessoa na Igreja sem distinção, homens, mulheres, escravos, nobres, e assim por diante, contanto que ele ou ela tenham o dom" (cf. Martin, 117).
3) Todo crente tem a capacidade e o potencial para profetizar (Fee, 695). Joel predisse que todos os participantes da nova aliança podem profetizar (2.28,29; veja At 2.17-21, especialmente o que Pedro acrescentou no verso 18: "e profetizarão"; veja também Nm 11.29). Esta terceira visão é a mais sustentável, já que é improvável que fosse permitido um número ilimitado de profecias.

A tradução literal do verso 32 diz: "Os espíritos dos profetas estão sujeitos aos profetas". Todos os três substantivos estão sem o artigo definido, que torna a frase semelhante a um provérbio (Morris, 196). As interpretações variam.
1) Como notamos anteriormente, significa que os profetas estão sujeitos a outros profetas.
2) O "espírito" dos profetas consiste em "seus dons 'espirituais' ou nas manifestações do Espírito, como no verso 12" (Bruce, 134-35; Barrett, 329).
3) Os profetas podem disciplinar seu próprio espírito e manter silêncio sob certas condições. Esta visão sublinha o controle do impulso profético; é a interpretação mais simples e está mais de acordo com o teor geral do capítulo.

A razão pela qual os profetas deveriam se controlar é que "Deus não é Deus de confusão, senão de paz" (v.33a). Os crentes indisciplinados, não Deus ou os dons por si, são a causa da desordem e da confusão na adoração. Os dons, praticados corretamente resultarão em harmonia em meio aos crentes, porque vêm do Deus da paz. Fee diz habilmente: "o caráter santo [ou divino] de alguém é refletido no caráter divino de sua adoração" (697).

3.4.6.2. As mulheres na Adoração (14.33b-35).

Estes versos estão entre os mais disputados de toda a carta, por duas razões.
1) O que Paulo diz aqui parece estar em conflito com o que disse anteriormente (cap.11) sobre o papel das mulheres na adoração.
2) Alguns questionam a autenticidade da passagem, alegando a existência de uma interrupção no fluxo da discussão. Um argumento relacionado é que em alguns manuscritos estes versos aparecem no final do capítulo. Todavia, a maior parte das autoridades consideram-nos como sendo genuinamente paulinos.

O verso 33b inicia a discussão, embora algumas autoridades o anexariam ao verso precedente. Paulo está apelando a uma prática comum em todas as igrejas, que também deveria existir na igreja coríntia. Se a discussão consistisse somente no seguinte. "as mulheres estejam caladas [*sigao*] nas igrejas" (v.34), esta, juntamente com a declaração seguinte, "não lhes é permitido falar", estaria claramente em conflito com uma declaração prévia sobre as mulheres que oram e profetizam na igreja (11.5). Levando-se em consideração o contexto, Morris está seguramente correto quando diz: "Paulo não está discutindo se e como as mulheres qualificadas podem ministrar, *mas que as mulheres deveriam aprender* (v.35)" (197, os itálicos foram acrescentados). O fato de Paulo utilizar o termo *sigao* fornece uma indicação útil. Em duas ocorrências prévias da palavra, não é ordenado o silêncio absoluto, somente o silêncio sob certas condições. O glossolalista deveria manter-se calado *somente* se um intérprete não estivesse presente (v.28); um profeta deveria manter-se em silêncio *somente* quando fosse dada a outro a oportunidade de falar (v.30).

Sob que circunstâncias, então, as mulheres deveriam ficar em silêncio na igreja? A resposta é clara: "se querem aprender alguma coisa" (v.35). Qualquer interpretação que perca ou ignore esta importante indicação sobre o aprendizado não pode ser seriamente considerada, como, por exemplo, a interpretação que diz que "seu erro primitivo é... uma aspiração errônea de serem ensinadoras carismáticas" (Martin, 87). Esta visão é exatamente contrária ao que Paulo diz: As mulheres querem aprender; não existe nenhuma indicação de que queiram ser ensinadoras. Aqueles que dizem que as mulheres queriam ser ensinadoras, quer "carismáticas" ou não, parecem trazer para o contexto coríntio o que Paulo diz em 1 Timóteo 2.12-14 — uma passagem que certamente deve ser interpretada em seu próprio direito e em seu próprio contexto, mas que não deve ser sobreposta à passagem que estamos analisando.

Alguns comentaristas relacionam a injunção de Paulo, ordenando o silêncio, aos versos precedentes; deste modo concluem que não é permitido que as mulheres participem da avaliação das profecias. Mas não existe nada no con-

texto que sugira que este seja o problema. O problema, uma vez mais, é que as mulheres "querem aprender", e não avaliar as profecias. Além disso, já que o dom de discernir os espíritos funciona principalmente em conjunto com as profecias (veja comentários sobre o verso 29), não existe nenhuma indicação de que seja somente para os homens. Se este fosse realmente o caso, Paulo poderia facilmente ter dito: "Os homens devem ponderar cuidadosamente aquilo que é dito" (v.29). Esta conclusão, porém, não elimina duas possibilidades:
1) Algumas mulheres podem, de fato, estar inquirindo audivelmente sobre algumas expressões verbais carismáticas, mas isto não é o mesmo que querer avaliá-las formalmente.
2) As mulheres, mais do que os homens, podem ser propensas a pedir informações.

A maioria das mulheres daquela época não era culta, mas a assembléia dos crentes não era o lugar para que expressassem suas dúvidas verbalmente, nem mesmo aquelas que estivessem relacionadas aos assuntos espirituais. Ao invés disso, deveriam perguntar a seus maridos, em casa. Devemos entender as instruções de Paulo no contexto mais amplo de desejar ordem e harmonia nas reuniões da igreja. As mulheres, falando, poderiam ser uma distração. Uma aplicação contemporânea deve ser óbvia. As conversas desnecessárias não devem ocorrer onde o povo de Deus se congrega para a adoração.

A conversa da mulher com o seu marido na igreja também seria um problema. Deve ser entendida em termos de violar as convenções da sociedade, pois era reprovável que uma mulher criasse alguma perturbação em um lugar público.

Paulo apela à "Lei" para sua declaração de que as mulheres devem permanecer em submissão. O apóstolo tem em mente as passagens que falam especificamente sobre a relação da mulher com o homem (Gn 1.26-28; 2.21-23; 3.16, especialmente os dois primeiros), mas a idéia geral é de submissão, especialmente como uma prática comum em todas as igrejas (v.33b). Esta submissão se expressaria pelo fato de a mulher fazer perguntas a seu marido em casa.

3.4.6.3. A Conclusão sobre os Dons Espirituais (14.36-40).

Paulo está pronto para concluir sua longa discussão sobre os dons espirituais, mas sente-se constrangido, até em seus comentários finais, a repreender os coríntios por seu espírito arrogante. A palavra de Deus não se originou deles, nem são as únicas pessoas para quem esta veio. Então, precisam reconhecer sua autoridade apostólica e as práticas de outras congregações (11.16; 14.33b). Não podem ser uma lei para si mesmos, mas devem reconhecer que aquilo que Paulo lhes escreveu são mandamentos do Senhor (14.37).

Paulo assume que qualquer pessoa que seja verdadeiramente "profeta ou espiritual [*pneumatikos*]", reconhecerá a superioridade do que disse sobre algumas de suas expressões ou reivindicações. O termo *pneumatikos* é tido por muitos como representando um glossolalista, porém Paulo corrige aqueles que consideravam o falar em línguas como o ápice da espiritualidade. Este termo pode ser geralmente entendido como qualquer um que se considerava espiritual. Alguns interpretam que aqueles que ignoram o que Paulo ensinou, serão ignorados (v.38).

O verso 38 no texto grego não é claro, e pode ter outros significados. A NASB, por exemplo, diz: "Aquele que não reconhecer isto, não seja reconhecido" (cf. também a tradução da NRSV). Paulo pode estar querendo dizer que ele não reconhece tal pessoa como inspirada (Barrett 334). Fee interpreta esta passagem da seguinte maneira. "O fracasso em reconhecer o Espírito na carta de Paulo levará a pessoa ao fracasso por não ser 'reconhecida' por Deus... é uma sentença profética do julgamento daqueles que fracassam em dar a devida atenção a esta carta" (712). A NKJV diz: "Mas se alguém é ignorante, deixe-o ser ignorante". Em relação a este trecho, Bruce comenta: "deixe-o permanecer em sua ignorância" (137).

Um somatório de tudo o que Paulo disse pode ser expresso em três mandamentos:
1) "procurai, com zelo [*zeloo*], profetizar" (veja v.1). O apóstolo discutiu em profundidade a superioridade da profecia durante a adoração coletiva.
2) "Não proibais falar línguas". Deseja evitar uma reação excessivamente emocial ou um engano por parte de alguém que o interprete erroneamente, como se estivesse proibindo que falassem em línguas na assembléia. Seu propósito é regular, não suprimir (Bittlinger, 117).
3) "Faça-se tudo decentemente e com ordem". Os dois primeiros mandamentos são especialmente aplicáveis à congregação coríntia e resumem os versos 1-25. Esta última ordem resume os versos 26-35 e é aplicável às igrejas em todos os lugares.

Artigos

Nos artigos seguintes, deve-se observar que todas as citações das Escrituras estão de acordo com a BEP (Bíblia de Estudo Pentecostal), a menos que se expresse o contrário.

Artigo A: Jesus se Tornou Maldito?

Paulo parece fazer declarações contraditórias sobre o conceito da relação da maldição a Jesus. Por um lado, diz que "ninguém que fala pelo Espírito de Deus diz: Jesus é anátema!" (do termo *anathema* 1 Co 12.3). Por outro lado, fala de Cristo "fazendo-se maldição [*katara*] por nós" (Gl 3.13). Estas duas palavras gregas são sinônimas, de forma que ninguém pode solucionar esta aparente contradição apelando para o fato de que palavras diferentes são usadas. A solução mais simples é entender que a frase que se refere a Cristo "fazendo-se maldição por nós" expressa um evento que ocorreu no passado, ao passo que a declaração desaprovada em 1 Coríntios 12.3 é expressa no presente. Historicamente, Cristo *se tornou* uma maldição por nós na cruz; Ele *não é agora* maldito, de modo algum, em qualquer sentido da palavra.

Uma observação das duas palavras gregas será instrutiva. *Anathema* é uma palavra cujo significado original sofreu uma mudança com o passar do tempo. Seu significado original sugere algo que é "preparado" ou "dedicado", e na LXX é freqüentemente usada em relação a Deus. Em sua forma original, significa "uma oferta em cumprimento a um voto", e esta forma da palavra é assim traduzida em Lucas 21.5. Mas com o passar do tempo, passou a ter o significado de algo que é dedicado ou entregue a Deus para destruição.

A tradução hebraica de anátema é *herem*. Esta palavra freqüentemente significava não só a excomunhão, como também a destruição ou o extermínio de uma nação, pessoa, ou coisa (Lv 27.29; Dt 13.16,17). De modo simples, *anathema/herem* é o objeto da ira divina. Vemos esta nuança especialmente em várias passagens do Novo Testamento onde ocorre o termo *anathema*.

1) Paulo declara: "Porque eu mesmo poderia desejar ser [*amaldiçoado*] separado de Cristo, por amor de meus irmãos, que são meus parentes segundo a carne" (Rm 9.3). O apóstolo está dizendo que estaria realmente disposto a sacrificar sua própria salvação e se tornar um objeto da ira de Deus, caso tal situação pudesse trazer a salvação a seus compatriotas judeus.

2) Em outra passagem significativa Paulo escreve: "Mas, ainda que nós mesmos ou um anjo do céu vos anuncie outro evangelho além do que já vos tenho anunciado, seja anátema" (Gl 1.8; também v.9). Qualquer um que distorça o evangelho ensinando que a salvação não é pela fé, e sim por uma combinação da fé e das obras, torna-se objeto da ira de Deus. Paulo está se referindo claramente aos judaizantes como os propagadores de falsas doutrinas, mas o que quer dizer com a expressão "um anjo do céu"? Talvez esteja se referindo a um espírito que se apresenta aparentemente como um mensageiro divino, mas que na realidade não o é. Alguns pensam que Maomé foi visitado pelo anjo Gabriel, e outros que Joseph Smith foi visitado por um anjo chamado Moroni. Ecoando um pensamento semelhante, Pedro diz que

os falsos profetas são "filhos de maldição [*kataras tekna*]" (2 Pe 2.14).
3) Em uma terceira passagem Paulo simplesmente declara: "Se alguém não ama o Senhor Jesus Cristo, seja anátema" (1 Co 16.22). Não está claro por que esta declaração está nas observações finais da carta, mas o pensamento que ela expressa é bastante claro. Qualquer pessoa que não se comprometa com o Senhor é colocada sob a ira de Deus.

A passagem mais significativa na qual o termo *katara* ocorre é Gálatas 3.13: "Cristo nos resgatou da maldição (*katara*) da lei, fazendo-se maldição (*katara*) por nós, porque está escrito: Maldito [*epikataratos*] todo aquele que for pendurado no madeiro". A citação é de Deuteronômio 21.23, onde a palavra para maldição é *qelalah*. Esta palavra hebraica é usada várias vezes juntamente com seu antônimo, "abençoar" (*barak* e cognatos como *berakah*). O par antiético consta na expressão do medo de Jacó, que disse a Rebeca que se o moribundo Isaque descobrisse seu engano traria sobre si "maldição e não bênção" (Gn 27.12; veja também Dt 30.19, "a vida e a morte, a bênção e a maldição").

O contraste entre as duas palavras é destacado em Deuteronômio 11.26-29, que fala da bênção associada ao Monte Gerizim, e da maldição associada ao Monte Ebal. Nos capítulos 27 e 28 daquele livro, onde as idéias de bênção e maldição são ampliadas, a palavra para maldição é '*arur*, um sinônimo de *qelalah*.

O que significa a frase: "Cristo nos resgatou da maldição da lei, fazendo-se maldição por nós [*hyper hemon*]" (Gl 3.13)? A preposição *hyper* significa "para nosso benefício/por nós". Mas incorpora também a idéia de substituição, como o contexto indica. O verso 10, referindo-se a Deuteronômio 27.26, diz: "Maldito [*epikataratos*] aquele que não confirmar as palavras desta lei, não as cumprindo". Cristo tomou sobre si mesmo a maldição, a condenação, o juízo que merecíamos. Este pensamento é paralelo a 2 Coríntios 5.1, que declara: "Àquele [Cristo] que não conheceu pecado [Deus], o fez pecado por nós [*hyper hemon*]".

No contexto de Gálatas 3.10-14, vemos mais uma vez o significativo contraste entre a maldição e a bênção, porque Paulo declara que Cristo se fez maldição por nós "para que a bênção de Abraão chegasse aos gentios por Jesus Cristo" (v.14).

Jesus *é* maldito (1 Co 12.3)? A resposta é um enfático "Não!" Jesus *foi* maldito (Gl 3.13)? A resposta é um enfático "Sim!" Os estudiosos do Novo Testamento diferem sobre o significado preciso da primeira passagem, mas sob nenhuma circunstância isto pode significar que Jesus esteja em uma condição desfavorável para com Deus. Mas com respeito à segunda passagem, sabemos que na cruz Jesus clamou: "Deus meu, Deus meu, por que me desamparaste?" (Mt 27.46). Ele morreu (e ressuscitou!) a fim de reverter a maldição que veio sobre a raça humana por causa do pecado de nossos primeiros pais. Pelo fato de Jesus ter tomado sobre si a maldição, por nós, na Nova Jerusalém "nunca mais haverá maldição [*katathema*, um sinônimo para *anathema*] contra alguém" (Ap 22.3).

Artigo B: Os Dons Espirituais

Este artigo enfoca os termos que o Novo Testamento usa para o que é comumente chamado de "dons espirituais" ou "dons do Espírito". Surpreendentemente, o primeiro termo consta somente uma vez no Novo Testamento (Rm 1.11) e o segundo não consta (veja os comentários sobre Hb 2.4).

Charisma — Uma Ênfase na Graça. A palavra grega *charisma* (plural *charismata*) consta dezessete vezes no Novo Testamento; com exceção de 1 Pedro 4.10, todas as ocorrências estão nos escritos de Paulo (Rm 1.11; 5.15, 16; 6.23; 11.29; 12.6; 1 Co 1.7; 7.7; 12.4, 9, 28, 30, 31; 2 Co 1.11; 1 Tm 4.14; 2 Tm 1.6). Não é encontrado na LXX e raramente aparece na literatura não-bíblica.

A base lingüística para a palavra é o substantivo comum *charis* ("graça"), à qual foi acrescentado o sufixo *ma*, que transmite a idéia de "resultar de". Conseqüentemente, embora o significado geral da palavra seja dom, especificamente é algo que tem sido recebido como resultado da graça de Deus. *Charismata* não são recebidas com base nos méritos; embora talvez redundante, a frase "dom gratuito" transmite corretamente a natureza desta bênção divina.

O termo *charisma*, de si mesmo, não quer dizer "dom espiritual". É usado como um termo que se refere à salvação: "o dom gratuito [*charisma*] de Deus é a vida eterna, por Cristo Jesus, nosso Senhor" (Rm 6.23). Paulo o usa quando se refere aos dons dados por Deus a Israel (Rm 11.29) e quando fala de ser resgatado de um perigo mortal ("pela mercê [*charisma*] que por muitas pessoas nos foi feita, por muitas também sejam dadas graças a nosso respeito" 2 Co 1.11). O apóstolo se refere também àqueles que ainda não se casaram, à vida celibatária e à vida conjugal como *charismata*: "cada um tem de Deus o seu próprio dom, um de uma maneira, e outro de outra" (1 Co 7.7).

Contudo, ainda hoje, por uso comum, a palavra *charisma* significa "dom espiritual". A declaração de Paulo aos coríntios, "nenhum dom vos falta" (1 Co 1.7), no contexto global da carta refere-se aos dons espirituais. Escrevendo aos Romanos diz: "Porque desejo ver-vos, para vos comunicar algum dom espiritual [*charisma pneumatikon*]" (Rm 1.11). A natureza precisa deste dom não é mencionada, mas Paulo tem em mente os tipos que descreve em Romanos 12.6-8; 1 Coríntios 12.8-10, 28-30; e Efésios 4.11.

Paulo usa o termo *charisma* cinco vezes em 1 Coríntios 12, onde fala da "diversidade de dons" (v.4), dos "dons de curar" [literalmente, curas] (v. 9, 28, 30), e do sincero desejo de procurar "com zelo os melhores dons" (v. 31). Em uma listagem semelhante de dons espirituais ele diz: "De modo que, tendo diferentes dons, segundo a graça que nos é dada" (Rm 12.6). O uso solitário que Pedro faz desta palavra é paralelo aos ensinos de Paulo: "Cada um administre aos outros o dom como o recebeu, como bons despenseiros da multiforme graça de Deus" (1 Pe 4.10).

Duas passagens nas Cartas Pastorais estão relacionadas às declarações precedentes. Timóteo é admoestado da seguinte maneira: "Não desprezes o dom [*charisma*, o termo 'espiritual' não consta no texto grego] que há em ti, o qual te foi dado por profecia, com a imposição das mãos do presbitério" (1 Tm 4.14). Paulo mais tarde o admoesta novamente dizendo: "te lembro que despertes o dom de Deus, que existe em ti pela imposição das minhas mãos" (2 Tm 1.6).

Pneumatikon – A Ênfase no Espírito. *Pneumatikon* é um adjetivo cujo significado básico é "espiritual". É freqüentemente usado no Novo Testamento com tal significado geral (por exemplo, 1 Co 2.13, 14; 3.1; Ef 1.3). Mas é também usado como uma designação para *charismata*. Uma vez que em 1 Coríntios 12—14 é usado de modo absoluto (o substantivo que este modifica não é expresso), deve ser fornecido um substantivo. A escolha mais lógica é "dons". Uma comparação das duas declarações mostra claramente a equivalência das duas palavras. A frase "Procurai com zelo os melhores dons [*charismata*]" (1 Co 12.31) é paralela a "procurai com zelo os dons espirituais [*pneumatika*]" (14.1). Na introdução de seu longo tratamento deste assunto, Paulo diz: "Acerca dos dons espirituais [*pneumatikon* — plural genitivo], não quero, irmãos, que sejais ignorantes" (12.1, veja comentários sobre este verso).

Embora os termos *charismata* e *pneumatika* sejam usados como sinônimos em 1 Coríntios 12—14, a ênfase é diferente. O primeiro termo chama a atenção para o aspecto da graça na distribuição dos dons; o segundo dirige a atenção ao Espírito Santo como a fonte dos dons, destacada pela declaração de Paulo: "Mas um só e o mesmo Espírito opera todas essas coisas, repartindo particularmente a cada um como quer" (12.11). O verso 7 está relacionado a este assunto: "Mas a manifestação [*phanerosis*] do Espírito é dada a cada um para o que for útil". A frase "do Espírito" provavelmente denote a fonte — isto é, "o Espírito". *Phanerosis* é um termo coletivo para os dons.

Dorea/Doma – A Idéia Geral. O verbo básico grego mais comum para "dar" é *didomi*. Os substantivos cognitivos como também o verbo são encontrados em Efésios 4.7-11, outra importante passagem que trata dos dons espirituais. Observe os trechos a seguir: "Mas a graça [*charis*] foi dada [*didomi*] a cada um de nós segundo a medida do dom [*dorea*] de Cristo" (v.7); Ele deu [*didomi*] dons [*domata*, plural de *doma*] aos homens (v.8); "E ele mesmo deu [*didomi*] uns para apóstolos..." (v.11). Nenhum outro significado especial está contido nesta família de palavras gregas, além da ampla idéia de "dar/dom", mas uma comparação desta passagem com as previamente citadas, mostra que os três termos são intercambiáveis.

***Merismoi* – Distribuições.** Hebreus 2.4 diz: "Testificando também Deus com eles, por sinais, e milagres, e várias maravilhas, e dons [*merismois*] do Espírito Santo, distribuídos por sua vontade". Muitas traduções tratam a palavra grega de maneira semelhante. Mas o correto significado deste substantivo é "distribuição, repartir em partes proporcionais" e é paralelo ao verbo em 1 Coríntios 12.11, que diz que o Espírito reparte (*diaireo*, distribui, divide) os dons. Enquanto a *idéia* de dons espirituais está certamente presente em Hebreus 2.4, a tradução de *merismois* como "dons", não é precisa. A única outra ocorrência desta palavra no Novo Testamento está em 4.12, que fala da "divisão" da alma e do espírito.

Resumo. O Novo Testamento usa vários termos quando fala dos dons espirituais. O termo *charisma* enfatiza a graça, o aspecto gratuito do dom. O termo *pneumatikon* dirige a atenção ao Espírito Santo como a fonte, e o termo *merismos* caracteriza-o como aquele que distribui os dons. *Dorea/doma* enfatiza amplamente o aspecto de tratar-se de algo que é "dado". Cada termo dá sua própria contribuição a uma compreensão mais ampla do conceito dos dons espirituais.

Artigo C: A Operação de Milagres

A tradução da palavra *dynamis* é milagres, cujo significado básico é poder, e encontra-se expressa em passagens como Atos 1.8, "Recebereis a virtude [poder] do Espírito Santo, que há de vir sobre vós". Esta conexão íntima entre *dynamis* e o Espírito Santo é feita de vários modos. Existem passagens onde os dois parecem

A estrada Lecheon, em Corinto, que data do tempo do apóstolo Paulo. Dentre as instruções de Paulo aos coríntios estava a busca do dom de profetizar, não proibir o falar em línguas, e fazer todas as coisas com ordem e decência.

ser usados coordenadamente — "Espírito Santo e... virtude [poder]" (At 10.38; cf. 1 Co 2.4). Mas nestas passagens não temos duas entidades separadas. Antes, trata-se de uma construção gramatical chamada *hendiadys*, em que o segundo substantivo modifica o primeiro de forma que a frase significa "poderoso Espírito Santo". O Novo Testamento faz duas outras conexões entre estes substantivos. Paulo fala do "Espírito... de fortaleza [poder]" (2 Tm 1.7) e da "virtude [poder] do Espírito" (Rm 15.19). Assim emerge a idéia de um vínculo indissolúvel entre o Espírito Santo e a manifestação do poder de Deus.

Pelo fato de *dynamis* ser uma demonstração do poder de Deus, a palavra nas Escrituras conota freqüentemente um milagre. Uma extraordinária manifestação do poder de Deus além das curas (que, sem dúvida são milagres) é, por exemplo, o dom de operação de milagres (1 Co 12.29). O plural "operadores de milagres" sugere que este seja um dom multifacetado, que se manifesta de muitos modos.

Uma pista importante emerge quando investigamos no uso do termo *energema* ("operar") no Novo Testamento e seus cognatos. Este grupo de palavras é usado, quase sem exceção, na atividade de Deus ou das forças Satânicas.* Isto sugere a possibilidade de conflito entre estas duas forças. Está especialmente implícito neste contexto que podemos procurar uma manifestação importante deste dom. De acordo com um escritor, estes são "atos poderosos invadindo o reino dos demônios" e derrotando-os. Levando isto em conta, é apropriado incluir a expulsão dos demônios com a "operação de milagres" por causa do encontro entre o poder de Deus e o poder de Satanás. Em nossos dias, com o poder e a presença de Satanás tão evidentes através do satanismo e do ocultismo, é encorajador saber que Deus forneceu meios para combater e vencer estas forças.

Não é necessário ser restritivo limitando o âmbito deste dom às considerações acima. Qualquer manifestação extraordinária do poder de Deus, separadamente dos milagres ou de um "confronto de poder" com Satanás, poderia ser incluída neste dom.

Artigo D: O Dom da Profecia como Revelação

Um profeta é alguém que comunica uma revelação divina aos outros. No Antigo Testamento a palavra comum para "profeta" (*nab'"*) tem o significado básico de porta-voz ou locutor. Nos escritos gregos clássicos um *prophetes* era alguém que falava da parte de um deus e interpretava sua vontade aos outros. Na LXX e no Novo Testamento, o significado básico é um proclamador e intérprete de uma revelação divina.

O texto em 1 Coríntios 14 demonstra como as palavras "profecia" (*propheteia*) e "revelação" (*apokalypsis*) podem ser intercambiáveis. Paulo, enumerando as contribuições específicas dos adoradores aos cultos, fala de salmo, doutrina [ensino], revelação, língua, e interpretação (v. 26). É estranho que a profecia não seja mencionada neste verso, especialmente pelo fato de o capítulo ser um longo tratamento dos dons de línguas e de profecia. Mas esta dificuldade é resolvida quando se considera os versos 29 e 30: "E falem dois ou três profetas, e os outros julguem. Mas, se a outro, que estiver assentado, for revelada alguma coisa, cale-se o primeiro". Nenhuma pessoa tem o monopólio do dom da profecia; outro profeta pode receber também uma "revelação".

Em 14.24,25 Paulo se refere a um incrédulo ou a uma pessoa sem conhecimento, presente em um culto, e diz que através da profecia, "os segredos do seu coração ficarão manifestos" (*phanera*, o sinônimo para *apocalypsis*). Até mesmo no verso 6, onde Paulo lista dons como revelação, ciência [conhecimento], profecia, e doutrina [ensino], provavelmente os esteja relacionando uns aos outros no padrão "a-b-a-b" — um dispositivo literário comum (veja os comentários sobre este verso). Em outras palavras, a revelação é dada por meio da profecia, e o conhecimento por meio do ensino.

Embora *apocalypsis* seja um sinônimo de *propheteia*, o dom não tem a função de ser um meio de fornecer uma nova verdade no sentido de acrescentar algo às Escrituras. Isto é um perigo contínuo em meio às pessoas que experimentam a obra carismática e espontânea do Espírito Santo. A "revelação" deve ser entendida como uma divulgação, da parte de Deus, de sua vontade a seu povo em um momento particular. Seu objetivo é suprir necessidades especiais em meio aos crentes, cuja natureza específica não precisa e muitas vezes não é conhecida pelo profeta. Mas resultará na "edificação, na exortação [encorajamento] e na consolação" (14.3).

Artigo E: O Discernimento dos Espíritos

O "discernirmento dos espíritos [*diakriseis pneumaton*]" é um dos nove *charismata* listados em 1 Coríntios 12.8-10. Duas observações preliminares são importantes.
1) O dom é listado logo após o dom da profecia, sugerindo uma conexão entre os dois.
2) No texto grego, o primeiro substantivo é plural; deveria ser traduzido como "distinções" ou "dicernimentos". É preciso dar atenção à identidade dos "espíritos", que são o objeto deste processo de avaliação.

A Relação com o Dom da Profecia
É significativo que, embora este dom seja revelador por natureza, não é listado juntamente com a "palavra da sabedoria" e a "palavra da ciência", mas vem após o dom da profecia. A conexão entre estes dois dons é clara em 1 Coríntios 14.29: "E falem dois ou três profetas, e os outros julguem [*diakrino*]". O verbo *diakrino* e o substantivo *diakriseis*, usado em 12.10, são cognatos. Na realidade, a passagem em 14.29 é um comentário sobre os dois dons listados em 12.10. Portanto, a função primária do dom de discernir os espíritos está relacionada ao dom da profecia. Da mesma maneira que os dois últimos dons na lista de Paulo, o de línguas e o de interpretação de línguas são corolários, assim também são os dois dons que estamos considerando. O segundo dom em cada par é uma continuação do dom precedente.

Passagens Paralelas. As ordens de avaliar/julgar/discernir as profecias são encontradas em outras passagens do Novo Testamento. Por exemplo, "Não extingais o Espírito. Não desprezeis as profecias. Examinai [*dokimazo*] tudo. Retende o bem" (1 Ts 5.19-21). João ecoa o mesmo pensamento quando diz: "Amados, não creiais em todo espírito, mas provai [*dokimazo*] se os espíritos são de Deus, porque já muitos falsos profetas se têm levantado no mundo" (1 Jo 4.1). O termo *dokimazo* é então sinônimo de *diakrino* nas passagens que tratam da avaliação das profecias.

Quem Avalia? Quem são os "outros" na declaração. "os outros [*alloi*] julguem"? (1 Co 14.29). Alguns dizem que se refere aos outros profetas que estão presentes e que as profecias deveriam ser avaliadas por outros profetas. Um significado literal do adjetivo *allos* pode ser "outro do mesmo tipo". Mas tal distinção entre este adjetivo e seu sinônimo *heteros* (outro de um tipo diferente) nem sempre acontece no Novo Testamento. Em minha opinião é impossível identificar esta distinção na passagem que enumera os dons espirituais (12.8-10), onde *allos* ocorre seis vezes e *heteros*, duas.

É melhor entender *alloi* como se referindo às demais pessoas presentes. Esta visão está de acordo com o princípio bíblico de que Deus deseja usar todos os crentes no exercício dos dons espirituais. Além disso, em 1 Tessalonicenses e nas passagens de 1 João citadas acima, não existe nenhuma indicação de que a avaliação ou a prova deva ser feita por pessoas que sejam necessariamente profetas.

Quem ou Que São os "Espíritos" a Serem Julgados? O Novo Testamento usa a palavra grega "espírito" (*pneuma*) de maneiras variadas. Pode se referir ao Espírito Santo (Rm 8.32), a um espírito mal ou angelical (Mc 5.2; Hb 1.14), ao aspecto de um ser humano que não seja sua alma e seu corpo (1 Ts 5.23), ou à disposição de uma pessoa (2 Tm 1.7). O propósito do dom de discernir é habilitar alguém de modo que perceba a fonte ou o ímpeto de uma expressão verbal profética.

Do ponto de vista prático, deve-se ter cuidado ao rotular uma expressão verbal como inspirada pelo demônio. Por outro lado, existe a possibilidade de o próprio espírito do locutor inserir-se de certo modo na situação — embora de modo inocente — porque o ministério do Espírito é mediado através de um canal humano. Ao transmitir uma mensagem genuína do Senhor, o locutor pode incluir inconscientemente sentimentos próprios ou uma interpretação pessoal do teor da mensagem. Isto, em meu julgamento, é o único caminho satisfatório para entender a declaração dos discípulos em Tiro: "pelo Espírito, diziam a Paulo que não subisse a Jerusalém" (At. 21.4). Aparentemente seus sentimentos pessoais por ele eram incluídos como parte da profecia. Uma avaliação das passagens relacionadas mostra que o Espírito realmente preveniu Paulo sobre as dificuldades que enfrentaria em Jerusalém (20.23; 21.10-14); contudo, os cristãos de Cesaréia, após implorarem que não fosse a Jerusalém, segundo a profecia de Ágabo, finalmente cederam à sua determinação de fazê-lo e disseram: "Faça-se a vontade do Senhor!"

Além disso, deve-se admitir a possibilidade de que uma "profecia" inteira pode não ser nem diretamente do Senhor nem de Satanás, mas sim uma expressão que vem do espírito de um locutor bem intencionado, que sente honestamente que tem uma mensagem do Senhor.

Os Meios de Avaliação. O dom de discernir os espíritos pode ser considerado um critério subjetivo, pelo qual os membros da congregação sabem intuitivamente se uma profecia é genuína. Externamente, pode não haver nenhuma diferença perceptível entre uma pessoa divinamente inspirada e uma que é inspirada pelo demonio ou "por si própria". Mas até certo ponto, não claramente explicado nas Escrituras, o dom opera de tal modo que "os outros", de alguma maneira sabem em seu próprio espírito se o Espírito Santo é a fonte.

Além disso, e seguindo o curso do Antigo Testamento (Dt 13.2-6; 18.21,22), Paulo reivindica que o conteúdo é o critério objetivo pelo qual as profecias devem ser avaliadas. Diz que ninguém que fala "pelo Espírito de Deus" diria que "Jesus é anátema" (1 Co 12.3). Em uma passagem paralela, o teste é também doutrinário: "Nisto conhecereis o Espírito de Deus: todo espírito que confessa que Jesus Cristo veio em carne é de Deus" (1 Jo 4.2). Estas passagens devem ser entendidas à luz dos problemas teológicos específicos que os autores estavam tratando, mas podemos extrapolar e dizer que as provas doutrinárias deveriam sempre ser aplicadas às profecias.

Outros Pontos Relevantes. O enfoque deste artigo tem sido a conexão entre o dom de discernir e as profecias, mas este dom tem outras funções, que podem ser a causa de sua designação estar no plural. Pode estar ligado ao dom da palavra da ciência, pelo qual algo desconhecido que não seria jamais sabido, é revelado a uma pessoa através do Espírito de Deus. E tem uma aplicação clara na área de possessão demoníaca. Como já é bem conhecido, sintomas físicos semelhantes podem estar presentes tanto em casos de doenças físicas orgânicas, como em casos de possessão demoníaca. As pessoas espiritualmente sensíveis podem estar seguras de que os dons as habilitarão a discernir se devem orar pela cura da pessoa ou confrontar o poder de Satanás.

Artigo F: Glossolália — Lucas e Paulo Estão de Acordo?

A palavra *glossolalia* é uma combinação baseada em duas palavras gregas: *glossa* ("língua") e *lalia* ("fala") e significa literalmente "falar em línguas". É um fenômeno único, associado ao derramamento do Espírito Santo no Dia de Pentecostes. No Antigo Testamento, o vento e o fogo eram manifestações comuns da presença de Deus. Mas o dom de falar em línguas não acontece no Antigo Testamento, embora alguns tentem identificá-lo com algumas expressões verbais dos profetas.

O propósito deste artigo é ver como a expressão "falar em línguas" (*laleo glossais*) é usada em Atos e em 1 Coríntios. O estudo é principalmente iniciado porque alguns sustentam que o fenômeno em Atos (especialmente o capítulo 2) difere daquele mencionado por Paulo. No primeiro, é dito que os idiomas são humanos, estrangeiros, e identificáveis; no segundo, são expressões verbais de êxtase que realmente não podem ser chamadas de idiomas. Conseqüentemente, a glossolália de Atos 2 seria superior à glossolália de 1 Coríntios.

A Expressão *Laleo Glossais*. Esta expressão é encontrada somente no Novo Testamento, tanto em Atos (2.4; 10.46; 19.6) como em 1 Coríntios (12.30; 13.1; 14.5, 6, 18, 23, 39). Parece não constar em nenhuma outra parte da literatura grega. É um termo técnico nas Escrituras para a expressão verbal inspirada pelo Espírito em um idioma fora do controle do locutor.

O verbo *laleo* ("*falar*") ocorre ao longo das Escrituras e é um sinônimo para *lego*. Contudo, somente *laleo* é usado quando os escritores falam deste fenômeno – uma indicação de que estamos lidando aqui com um termo técnico. A palavra *glossais* é o plural dativo de *glossa*; o caso dativo mostra os meios pelos quais a fala acontece — os idiomas. O significado básico da palavra *glossa* é o órgão da fala, a língua. Um significado estendido é que o idioma é o produto da língua. Da mesma maneira que no inglês, no português e em vários outros idiomas, o termo "língua" tem ambos significados; o mesmo ocorre no grego. O significado de "idiomas" é óbvio no conteúdo de Atos 2, onde o sinônimo *dialektoi* também ocorre (v.6, 8, 21).

Tanto Paulo como Lucas usam o mesmo termo técnico *laleo glossais*. Como eram muito próximos, indubitavelmente discutiam "teologia" sendo completamente improvável que utilizassem a mesma expressão incomum, com significados discrepantes.

"Outras" Línguas. A passagem em Atos 2.4 mostra que os discípulos "começaram a falar em outras [*heteros*] línguas". O fato de Lucas escolher o termo "*heteros*" em lugar de seu sinônimo "*allos*", significando "outro", pode ter sido influenciado pela passagem em Isaías 28.11 (veja abaixo). Em todo caso, o contexto inequivocamente identifica *glossais* como idiomas desconhecidos pelos locutores. Uma vez que esta é a primeira ocorrência do termo *glossolalia* na história bíblica, é significativo observar que Lucas fornece este detalhe sobre sua natureza.

Paulo está de acordo? Ele vê a glossolália como o ato de falar em outras línguas? Ou entende que estas expressões verbais podem acontecer sem serem idiomas? Em sua discussão sobre o dom de línguas, cita Isaías 28.11: "Por gente doutras línguas [*en heteroglossois*] e por outros lábios [*en cheilesin heteron*], falarei [*laleo*] a este povo" (1 Co 14.21). *Heteroglossois* é simplesmente uma combinação de *heteros* e *glossa*. Não é acidental que a forma do adjetivo *heteros* em Atos 2.4 aconteça duas vezes aqui, assim como o verbo *laleo*, que é consistentemente usado na expressão *laleo glossais*.

A citação de Isaías por Paulo não é a da LXX, que diz: "Pelo que, por lábios estranhos e por outra língua [*glosses heteras*] falará a este povo", mas as semelhanças entre sua citação, a LXX, e Atos 2.4, são notáveis. O contexto da passagem de Isaías trata da vinda dos invasores assírios, cujo idioma não seria compreendido pelos israelitas. O ponto é que Lucas e Paulo pensam sobre a glossolália como o ato de falar em outros idiomas.

Uma definição simples, porém adequada de *idioma*, é que este consiste em palavras, sua pronúncia e os métodos de combiná-las, usadas ao comunicar-se com alguém. Deveríamos restringir o significado de *glossolalia* como se incluísse somente idiomas humanos identificáveis? Ou é possível que *laleo glossais* possa ser estendido para significar algum tipo de idioma "espiritual"? O teor geral de 1 Coríntios 14 sugere a possibilidade de um idioma espiritual, ou celestial. Este modo de falar é dirigido a Deus, uma vez que ninguém o "entende" (14.2). Alusões a esta idéia são também encontradas na frase "línguas... dos anjos" (13.1). Deve-se permitir a possibilidade de glossolália incluir um idioma não humano, porém espiritual, celestial, ou angelical. Será que isto poderia ser parte do significado de "variedade de línguas [*gene glosson*]"? (12.10, 28).

A Interpretação das Línguas. O conseqüente dom de intepretação de línguas (*hermeneia glosson*) implica fortemente que *glossolalia* seja realmente falar em línguas (1 Co 12.10). Ao longo do Novo

Testamento, o termo *hermeneia* e seus cognatos se aplicam à interpretação ou à tradução de um idioma não inteligível (por exemplo, Mt 1.23; Jo 1.38,39, 42,43; At 4.36; a única exceção é Lucas 24.27, que fala de explicar as Escrituras). Novamente, Paulo se refere à glossolália como idiomas que necessitam interpretação ou tradução.

Glossolália como Louvor/Oração. Outra semelhança entre Lucas e Paulo está relacionada ao conteúdo das expressões verbais glossolálicas. Em Atos 2.11, ouvia-se os discípulos "falar das grandezas de Deus". Em Atos 10.46 Cornélio e sua casa falavam em línguas e magnificavam a Deus. O segundo verbo aqui é um comentário do primeiro; o termo "e" (*kai*) pode ser traduzido como "isto é". Em 1 Coríntios 14, Paulo fala de orar em língua estranha (v.14), orar no Espírito (v.16), e dar graças (vv.16,17) – todos relacionados ao conteúdo de falar em línguas. Deste modo, ambos os escritores apontam para a glossolália dirigida a Deus.

Lucas e Paulo realmente concordam sobre os assuntos importantes relacionados à *natureza da glossolália*. Outros aspectos deste fenômeno vão além do escopo deste artigo.

Artigo G: Batizado Pelo e No Espírito Santo

O Novo Testamento distingue entre ser batizado *pelo* Espírito Santo e ser batizado *no* Espírito Santo? Sete passagens contêm o verbo "batizar" e o substantivo "Espírito Santo" ou "Espírito". Todos estes versos ensinam a mesma coisa sobre a relação entre o batismo e o Espírito Santo?

Não Existe um "Batismo *do* Espírito". Os escritores do Novo Testamento nunca falam sobre um "batismo *do* Espírito Santo". O termo é ambivalente e pode ser usado para qualquer uma das duas experiências do Espírito. Um é o batismo *pelo* Espírito, o que torna a pessoa membro do corpo de Cristo (1 Co 12.13). O outro é um batismo *no* Espírito, que capacita o crente para servir (Mt 3.11; Mc 1.8; Lc 3.16; Jo 1.33; At 1.5; 11.16; veja também Lc 24.49; At 1.8). Esta distinção é válida?

Batizado *no* Espírito. A experiência do Espírito mencionada nas passagens dos Evangelhos e em Atos é de um batismo "no [*en*] Espírito Santo". Esta expressão traduz mais claramente o grego e transmite adequadamente o significado da experiência. É preferível por duas razões.

1) A preposição grega *en* é a mais comum no Novo Testamento e pode ser variavelmente traduzida como (em, com, por, entre, dentro), dependendo do contexto. Podemos eliminar as duas últimas por não serem adequadas a nenhuma das passagens que estamos discutindo. Podemos eliminar também "por" já que Jesus, não o Espírito Santo, é a pessoa que batiza. É um batismo realizado *por* Jesus, *no* Espírito Santo.

2) O termo "no", é preferível em relação a "com" porque está associado à imagem do batismo. O verbo *baptizo* significa imergir ou mergulhar. Se substituirmos o termo *batizar* pelo termo *imergir* nas passagens dos evangelhos e Atos, seria estranho dizer, "Ele vos imergirá *com* o Espírito Santo". O mais natural é dizer "*no* Espírito Santo". Versões que dizem "batizar *com* água" e "batizar *com* o Espírito Santo" podem refletir uma inclinação inconsciente de tradutores contra a imersão. Note também que João batizou as pessoas no Rio Jordão, por que o teria feito se os batismos não devessem ocorrer *nas* águas? Assim, da mesma maneira que João imergia as pessoas *nas* águas, Jesus imerge os crentes *no* Espírito Santo.

A preferência por "*no*" como a tradução correta das passagens dos evangelhos e Atos envolve mais do que um mero excesso de detalhes semânticos. Reflete uma compreensão correta da natureza do batismo *no* Espírito Santo predito por João Batista. Enfatiza que esta é uma experiência na qual um crente é totalmente imerso *no* Espírito.

Batizado *pelo* Espírito. Ser batizado *no* Espírito Santo deve ser distinguido de ser batizado *pelo* Espírito na ocasião em que passamos a fazer parte do corpo de Cristo (1 Co 12.13). A mesma preposição grega *en* acontece neste verso, em cuja primeira parte se lê. "Pois todos nós fomos batizados em (ou por) [*en*] um Espírito, formando um corpo". O termo "por" indica que o Espírito

Santo é o meio ou o instrumento pelo qual este batismo acontece. A experiência de que Paulo fala é diferente da experiência mencionada por João Batista, Jesus, e Pedro nas outras seis passagens. Alguns, porém, discutem o fato de que Paulo teria usado a preposição *hypo* ou *dia* ao invés de *en* se quisesse dizer que o Espírito Santo é o agente e não o elemento deste batismo.

Os dois grupos das passagens têm realmente algumas condições comuns. Mas é questionável insistir nisto, porque certas combinações de palavras acontecem em passagens diferentes, e sua tradução e significado devem ser os mesmos. Separadamente de algumas poucas semelhanças, os dois grupos das passagens têm pouco em comum. Por exemplo, Paulo menciona *o Espírito*; não usa a designação completa "Espírito Santo"; fala de ser batizado em um só corpo. Além disso, a frase prepositiva "[*en*] um Espírito" em algumas traduções precede o verbo batizar; em todas as outras passagens segue o verbo (com exceção de Atos 1.5 onde curiosamente vêm entre os termos *Espírito* e *Santo*).

Já que *en* é a mais versátil das preposições gregas, o contexto deve determinar como traduzi-la. Então é preciso ver como Paulo usa expressões semelhantes ou idênticas para a frase "[*en*] um Espírito". O contexto imediato, 1 Coríntios 12, contém quatro frases semelhantes.

No verso 3 lê-se: "Portanto, vos quero fazer compreender que ninguém que fala pelo [*en*] Espírito de Deus diz: Jesus é anátema! E ninguém pode dizer que Jesus é o Senhor, senão pelo [*en*] Espírito Santo". O verso 9, que continua a lista de Paulo dos dons espirituais diz: "e a outro, pelo [*en*] mesmo Espírito, a fé; e a outro, pelo [*en*] mesmo Espírito, os dons de curar". Esta última frase é idêntica ao verso 13, a única exceção é que o grego contém o artigo *"o"*. Deve-se notar também a passagem em 6.11 – "justificados... pelo [*en*] Espírito do nosso Deus". Nesta conexão, Schweizer escreve: "É provável que *enpneumati* no v.13a deva ser visto instrumentalmente [= "por"] como em 1 Coríntios 6.11" (*TDNT*, 6.418).

Em todas as ocorrências em 1 Coríntios onde *en* está ligado ao Espírito Santo, a tradução "por" é muito mais fácil e mais prontamente compreedida do que qualquer outra. Além disso, no capítulo 12 Paulo enfatiza a atividade do Espírito Santo; é axiomático que esta atividade esteja na esfera ou no reino do Espírito. Assim sendo, a tradução *"pelo* Espírito" é preferível.

Este conceito de ser batizado no corpo é mencionado de modo ligeiramente diferente em Romanos 6.3 e Gálatas 3.27, que falam sobre ser "batizado em Jesus Cristo". Este batismo difere daquele mencionado por João Batista, Jesus, e Pedro. De acordo com João Batista, é Jesus quem batiza no Espírito Santo. De acordo com Paulo, é o Espírito Santo quem batiza no corpo de Cristo, ou em Cristo. Se esta distinção não for mantida, teremos a estranha idéia de que Cristo batiza em Cristo!

Resumo. A distinção entre ser batizado pelo Espírito e ser batizado no Espírito não se deve a um exagero hermenêutico pentecostal. Uma comparação da tradução de *en* em 1 Coríntios 12.13, nas principais versões, mostra uma preferência até da parte dos estudiosos não pentecostais pela tradução "por". As seguintes traduções inglesas trazem a palavra *por*: KJV, NKJV, NASB, NIV, RSV, Living Bible, TE, The New Testament in Modern English. A tradução *no* aparece nas seguintes traduções inglesas: ASV, NRSV, NEB, NAB.

Existe uma clara distinção no propósito de cada um dos batismos. A incorporação, ou o batismo em Cristo ou em seu corpo é encontrado em 1 Coríntios 12.13. Isto difere do batismo no Espírito Santo, cujo propósito primário é o revestimento de poder (Lc 24.49; At 1.8).

Artigo H: Os Gemidos de Romanos 8.26

A frase de duas palavras, *stenagmois alaletois*, em Romanos 8.26 é um assunto que traz muitas discussões e diferenças em meio aos estudiosos. Aqui estão exemplos de algumas traduções.

> O mesmo Espírito intercede por nós com gemidos inexprimíveis (RC)

Gemidos que não podem ser articulados (NKJV)
Suspiros muito profundos para serem palavras (NRSV)
Gemidos que as palavras não podem expressar (NIV)
Gemidos tão profundos que não podem ser expressos por palavras (NASB)

Este artigo enfoca o substantivo *stenagmos* e seu modificador *alaletos*. Para facilitar a discussão, serão usadas as formas singulares nominativas.

O Substantivo *Stenagmos*. O significado de *stenagmos* é simples: suspiro, sofrimento ou gemido. Ocorre apenas duas vezes no Novo Testamento e cerca de vinte vezes na LXX, onde traduz seis diferentes palavras hebraicas. As formas do verbo relacionadas ocorrem oito vezes no Novo Testamento e cerca de vinte vezes na LXX, onde traduz nove palavras hebraicas diferentes. Tanto o verbo como o substantivo geralmente significam suspirar ou gemer.

O substantivo ocorre em Atos 7.34, onde Estevão cita Êxodo 3.7: "Tenho visto atentamente a aflição do meu povo, que está no Egito, e tenho ouvido o seu clamor [os seus gemidos]". Os exemplos do uso na LXX incluem a intensa dor sentida por uma mulher em trabalho de parto (Jr 4.31) e o gemido de alguém que está angustiado (Sl 38.8). Na LXX o verbo expressa várias idéias diferentes, porém relacionadas. clamando por ajuda (Jó 30.25), suspirando como uma expressão de pesar (Ez 9.4), lamento (Is 19.8), gemido de dor (Ez 26.15), suspirando ou gemendo (Is 24.7; Lm 1.8, 21). Exemplos do Novo Testamento incluem murmúrios, queixas, ou gemidos contra alguém (Tg 5.9), e a tristeza em contraste com a alegria (Hb 13.17).

Jesus, em seu estado humano, é, por duas vezes, o assunto deste verbo. Quando um homem surdo lhe foi trazido, Marcos diz: "E, levantando os olhos ao céu, suspirou [*stenazo*] e disse. Efatá ['*Ephphatha*], isto é, abre-te" (7.34). No próximo capítulo Marcos registra a reação de Jesus em relação ao sinal buscado pelos fariseus: "E, suspirando profundamente [*anastenazo*] em seu espírito, disse. Por que pede esta geração um sinal?" (8.12).

O verbo consta duas vezes no contexto imediato de Romanos 8.26. O verso 22 diz "toda a criação geme [*sustenazo*] e está juntamente com dores de parto até agora". O próximo verso diz, "também gememos [*stenazo*] em nós mesmos". Estas três ocorrências de *stenagmos/stenazo* estão em um contexto escatológico que deve ser entendido à luz da criação original e da queda da humanidade. Em seu estado presente, não completamente redimido, os cristãos, com o restante da criação, gemem pela reversão da maldição final.

Um paralelo próximo é 2 Coríntios 5.2, 4. Falando sobre a redenção do corpo, Paulo diz: "temos de Deus um edifício, uma casa não feita por mãos, eterna, nos céus. E, por isso, também gememos [*stenazo*], desejando ser revestidos da nossa habitação, que é do céu" e adiciona, "Porque também nós, os que estamos neste tabernáculo, gememos [*stenazo*] carregados, não porque queremos ser despidos, mas revestidos, para que o mortal seja absorvido pela vida". Isto é reminiscente à nota escatológica expressa por Isaías, que se aplica estritamente ao retorno de Israel do cativeiro, e pressagia a redenção final do povo de Deus. "... gozo e alegria alcançarão, e deles fugirá a tristeza e o gemido [*stenazo*]" (Is 35.10; também 51.11).

O Modificador *Alaletos*. *Alaletos* geralmente significa "inexprimível, sem palavras" (BAGD, 34). Este, juntamente com seus cognatos, é o negativo do verbo *laleo*, falar. Este modificador ocorre somente uma vez em todas as Escrituras. Já que é virtualmente impossível pensar em gemidos/suspiros como sendo inaudíveis ou silenciosos, é importante investigar a conexão entre *alaletos* e *stenagmos*.

Um adjetivo relacionado (*alalos*) descreve as pessoas mudas ou aquelas que estão em silêncio (Mc 7.37; 9.17, 25); a idéia é de alguém "sem fala". Mas é a forma verbal (*alalazo*) que acontece mais freqüentemente nas Escrituras, significando gemido ou lamento (Jr 4.8; 25.34; Mc 5.38), toque ruidoso ou tinido (como no caso de címbalos sonoros e címbalos altissonantes; Sl 150.5; 1 Co 13.1 ["metal que soa"]), proferir um grito de alegria (Sl 47.1; 66.1), repetir freqüentemente o grito *alala* (voz de triunfo; um grito de batalha; Js 6.20). A última passagem diz que "gritou [*alalazo*] o povo com grande grita [*alalagmos*]; e o muro caiu abaixo". Todo os antecedentes militam contra a idéia de que Paulo esteja se referindo a um gemido silencioso, uma aparente contradição. O termo *alaletos* e seus cognatos envolvem algum tipo de vocalização, entretanto podem ser sons e não palavras — ou ao menos palavras não entendidas pelo locutor ou pelos ouvintes. Neste momento a atividade do Espírito Santo entra em ação.

Falar em Línguas? Estudiosos igualmente competentes estão divididos quanto à expressão *stenagmois alaletois* se referir a falar em línguas, exclusivamente ou parcialmente, ou a algum fenômeno sem conexão. A frase é única nas Escrituras; então será útil considerar uma passagem conceitualmente paralela. Uma vez que a passagem em Romanos 8.26 está relacionada ao ministério do Espírito Santo em intercessão pelos crentes, pode estar associada às declarações de Paulo em 1 Coríntios 14.14,15, onde diz: "Porque, se eu orar em língua estranha, o meu espírito ora bem, mas o meu entendimento fica sem fruto... Orarei com o espírito". Romanos 8.26 diz que o Espírito Santo "ajuda as nossas fraquezas... o mesmo Espírito intercede por nós com gemidos inexprimíveis".

Eminentes estudiosos como E. Käsemann identificam estes gemidos como "expressões glossolálicas". F. Godet, um famoso exegeta suíço do final do século dezenove, faz a mesma identificação: "Nos encontramos aqui em um domínio análogo àquele do *glossais lalein*, 'falar em línguas', ao qual 1 Coríntios 14 se refere; compare os versos 14 e 15". Outros, como F. F. Bruce e C. K. Barrett em seus comentários sobre o livro de Romanos, permitem a possibilidade da expressão incluir o ato de falar em línguas. É especialmente interesse notar que estes estudiosos não estavam identificados com o movimento pentecostal/carismático.

As interpretações (ou exegeses) responsáveis exigem restrições ao se fazer uma identificação absoluta e exclusiva dos gemidos em Romanos 8.26 com a glossolália, e com os pontos de evidência naquela direção. *Alaletos* pode de fato significar que o gemido é sem palavras para o locutor, já que este não compreende o que Espírito está dizendo em oração por seu intermédio. Esta interpretação seria paralela à declaração de Paulo de que quando ora em línguas, o seu "entendimento fica sem fruto" (1 Co 14.14).

3.5. A Ressurreição (15.1-58)

O capítulo 15 é a passagem bíblica mais extensa sobre a doutrina da ressurreição dos mortos. Por que Paulo, certamente sob a inspiração do Espírito Santo, dedicou tanto espaço a este ensino?

Como outros pontos nesta carta, o que Paulo escreve é tanto uma resposta às perguntas formuladas pelos próprios coríntios como uma reação aos relatórios que recebeu. Pelo menos duas situações entre os crentes o motivaram a escrever. Uma é que alguns não viam nenhuma necessidade da ressurreição de seus corpos; restringiram o conceito de sua própria ressurreição à nova vida espiritual que alcançaram em Cristo. Sentiam que já haviam "chegado", e que já haviam recebido todas as bênçãos da nova era (veja comentários sobre 4.8). Porém não devem ter necessariamente negado de todo a ressurreição corpórea de Jesus. De fato, devem possivelmente ter discutido que sua ressurreição corpórea era a base para sua própria ressurreição espiritual.

Outra situação a que Paulo se dedica se relaciona a uma idéia grega comum que ridicularizava o conceito da ressurreição. A convicção era que o corpo é a prisão da alma e que pela morte a alma é liberta desta prisão. Por que alguém desejaria ser novamente aprisionado em um corpo? Indubitavelmente parte da congregação sustentava esta convicção até mesmo após sua conversão. A experiência de Paulo em Atenas reflete esta noção grega comum (At 17.16-34, veja comentários abaixo).

Os gregos acreditavam na imortalidade, mas não na ressurreição. A imortalidade pertence à alma e é a convicção de que a alma permanece depois da morte. No modo de pensar grego, o morto tinha algum tipo de existência indefinida, obscura. A idéia da sobrevivência da alma após a morte é uma convicção religiosa quase universal. Mas deve ser distinta da doutrina bíblica da vida após a morte, que não ensina somente que a alma/espírito continua a existir depois da morte (imortalidade), mas também que algum dia se reunirá ao corpo (ressurreição).

Em nenhuma parte deste capítulo Paulo menciona a ressurreição de um morto injusto, mas não se pode afirmar, com plena certeza, que o apóstolo não cria nisto. A mais simples e provável explicação satisfatória, é que sua preocupação consistia em corrigir a concepção errônea ou a negação dos crentes coríntios quanto à própria ressurreição corpórea. No entanto, na carta existem sugestões de que os incrédulos serão de fato ressuscitados. Os santos julgarão o mundo (6.2), que Paulo coloca em um contexto escatológico. É improvável que este julgamento seja somente de almas e não de espíritos em seus corpos. Além disso, ele diz àqueles que são incapazes de controlar seus impulsos sexuais que é melhor casar-se do que abrasar-se (veja comentários sobre 7.10), isto pode incluir a idéia do inferno, que envolve algum tipo de tormento corpóreo. Existe pelo menos uma declaração bastante clara, não ambígua, de Paulo registrada em Atos 24.15: "Há de haver ressurreição de mortos, tanto dos justos como dos injustos".

O relato de Lucas sobre Paulo em Atenas é instrutivo. Paulo "lhes anunciava a Jesus e a ressurreição" (At 17.18). Lucas não diz "sua ressurreição", embora esta possa ser uma possível tradução. Alguns atenienses entendiam "a ressurreição" como se referindo a um deus além de Jesus, o que indica que não a identificavam como a ressurreição do próprio Senhor Jesus. Mais tarde, Paulo falou sobre o julgamento final do mundo, baseando-o na ressurreição de Jesus (v.31). Alguns escarneciam quando "ouviram falar da ressurreição dos mortos" (v.32) — isto é, não especificamente da ressurreição de Jesus, mas da idéia geral da ressurreição. Uma vez que os discursos em Atos são somente resumos das referências reais, em um certo ponto Paulo deve ter falado especificamente a seus ouvintes atenienses sobre a ressurreição de todos, tanto de justos como de injustos.

3.5.1. Os Elementos do Evangelho (15.1-11). Esta seção de abertura da longa discussão de Paulo sobre a ressurreição enfoca os elementos essenciais do evangelho (v.1). A palavra "evangelho" (*euangelion*) significa literalmente "boas novas". O conceito é tão importante que Paulo usa também o verbo relacionado *euangelizomai* ("pregar as boas novas" ou "a pregação das boas novas") duas vezes nos versos 1 e 2. Um elemento indispensável da mensagem do evangelho é a ressurreição de Jesus, pois não poderia ser boas novas se a mensagem terminasse somente com sua morte e sepultamento.

Paulo inicia dirigindo-se a seus leitores como "irmãos". Apesar das muitas negligências com que teve que lidar, não os exclui da família de Deus, nem os considera em uma posição inferior à sua quanto à filiação a Deus. A frase "também vos notifico, irmãos..." não traduz com precisão o verbo *gnorizo*, que significa "torno conhecido". Embora a idéia de lembrar esteja implícita, o tempo presente do verbo pode sugerir o significado de "continuar a tornar conhecido". Morris (200) considera a palavra como "uma leve repreensão", porque alguns coríntios evidentemente não apreciavam o significado do evangelho (veja Gl 1.11 para um uso semelhante da palavra). Paulo passou inicialmente dezoito meses em Corinto, "ensinando entre eles a palavra de Deus" (At 18.11). Agora fará um ensaio dos elementos básicos do evangelho que pregou e ensinou.

Nos versos 1 e 2 Paulo faz várias declarações importantes sobre o evangelho.
1) Ele o havia pregado aos coríntios;
2) Estes o receberam;
3) Haviam se posicionado;
4) Foram salvos por meio do evangelho. Este último verbo, no tempo presente, indica um processo contínuo. Sua salvação co-

meçou quando primeiramente receberam o evangelho; e continuará à medida que o retiverem tal como lhes foi anunciado por Paulo. Este aspecto progressivo da salvação pessoal é encontrado em 1.18 ("para nós, que somos salvos") como também em outras passagens (por exemplo, At 2.47; Rm 5.9; 2 Co 2.15; 1 Ts 5.9,10).

A segunda parte do verso 2 é gramaticalmente difícil, porque não está claro a qual elemento da sentença a oração condicional "se o retiverdes (evangelho) tal como vo-lo tenho anunciado..." deve ser ligada. A solução mais simples é ligá-la à idéia de "ser salvo"; isto é, os coríntios continuarão a ser salvos se retiverem o evangelho tal como Paulo lhes havia anunciado (cf. também NIV, NASB, NRSV, NKJV). Se falharem em fazê-lo, significará que creram "em vão [*eikei*]". *Eikei* pode significar ou "em vão, sem nenhum propósito" ou "sem a devida consideração, de maneira casual" (BAGD, 222). Como Paulo demonstrará brevemente, esta conseqüência deve-se ao fato de haverem rejeitado um elemento indispensável do evangelho por meio do qual vieram a crer — a ressurreição de Jesus.

Nos versos 3-8 Paulo apresenta o evangelho em quatro eventos: a morte de Jesus, seu sepultamento, sua ressurreição, e suas aparições após a ressurreição. Notamos no início que Paulo por duas vezes usa a frase "segundo as Escrituras" (vv.3,4). O âmago da proclamação do evangelho no Novo Testamento é firmemente arraigado no Antigo Testamento, que predisse os eventos chave da morte e ressurreição de Cristo. Paulo deixa claro que não é o criador do evangelho. Ele diz, "Porque eu recebi [*paralambano*] do Senhor o que também vos ensinei [*paradidomi*]". Usou estes mesmos verbos para introduzir suas instruções sobre a Ceia do Senhor (veja comentários sobre 11.23). Portanto, o que compartilha com os coríntios é a mensagem básica proclamada pela igreja primitiva (cf. 1.21; 2.4). Esta questão é de suma importância. Pode haver elementos adicionais, mas o ponto de partida e o principal enfoque do evangelho consistem nestes quatro eventos.

Paulo aqui parece contradizer o que disse em outra passagem, que recebeu (*paralambano*) o evangelho "pela revelação de Jesus Cristo" (Gl 1.11,12). A contradição, porém, é aparente, e não real. Jesus se revelou a Paulo na estrada de Damasco, e com base naquela experiência Paulo passou imediatamente a pregar a Cristo (Gl 1.15-17). Mas como na Ceia do Senhor, existiam muitos detalhes sobre a morte, sepultamento, ressurreição, e aparições de Jesus após a sua ressurreição, que Paulo não poderia conhecer se não tivesse consultado homens como Pedro e Tiago (Gl 1.18,19). Neste sentido, ele havia recebido as tradições relativas a Jesus. O ponto principal é que Paulo não inventou nem criou o que lhes transmitiu. Barrett comenta. "Paulo era um rabino cristão, transmitindo um conjunto de verdades a seu círculo de alunos" (337). A maioria dos estudiosos considera os versos 3b-5 como um credo cristão primitivo citado por Paulo.

1) "Cristo morreu por [*hiper*] nossos pecados, segundo as Escrituras" (v.3). Paulo previamente escreveu sobre a morte de Jesus (1.18-25; 2.2; 7.20; 8.11; 11.23-26). Agora explica que foi "por nossos pecados" — um tema comum em seus escritos (veja Rm 3.24-26; 4.25; 8.3; 2 Co 5.21; Gl 1.4). Sua morte foi uma morte expiatória, e estava de acordo com as Escrituras. Não foi uma reflexão tardia na mente de Deus, nem foi acidental ou inesperada.

Paulo não cita o Antigo Testamento, mas deve ter tido em mente a declaração de Isaías: "Ele levou sobre si o pecado de muitos e pelos transgressores intercedeu", que conclui a passagem sobre o Servo Sofredor (Is 52.13—53.12). A identificação de Jesus com o Servo do Senhor, em Isaías (Is 42.1; 52.13; 53.11) é feitas várias vezes no início de Atos (At 3.13, 26; 4.27, 30; veja também Mt 12.18). Além disso, Paulo deve ter seguramente relacionado a morte expiatória de Jesus aos sacrifícios do Antigo Testamento, oferecidos como expiação pelo pecado, em antecipação ao sacrifício eterno a ser feito pelo "Cordeiro de Deus, que tira o pecado do mundo" (Jo 1.29). Então nossa atenção também se volta para a seguinte declaração de Paulo: "Cristo, nossa páscoa, foi sacrificado por nós" (veja comentários sobre 1 Co 5.7). Embora este verso não mencione que Cristo morreu pelos pecados da humanidade, o conceito de sua morte é, não obstante, um cumprimento típico do Antigo Testamento.

2) Ele "foi sepultado" (v.4a). Possivelmente a base no Antigo Testamento para esta declaração seja a passagem em Isaías 53.9, "Puseram a sua sepultura com os ímpios e como rico, na sua morte". Por que mencionar até mesmo o sepultamento de Jesus? Era, sem dúvida, o passo intermediário entre sua morte e sua ressurreição; e destaca tanto a certeza de se a morte como a realidade de sua ressurreição. Está registrado nos quatro Evangelhos. Pedro, no dia de Pentecostes, pregou que o "patriarca Davi... morreu e foi sepultado, e entre nós está até hoje a sua sepultura" (At 2.29). Em contraste, Pedro fala então da ressurreição de Cristo, o Filho de Davi, declarando que "a sua alma não foi deixada no Hades, nem a sua carne viu a corrupção" (2.31). Uma vez que Ele foi sepultado, sua ressurreição teve que consistir na reanimação de seu cadáver.

3) Ele "ressuscitou [*egegertai*] ao terceiro dia, segundo as Escrituras" (1 Co 15.4b). Aqui ocorre uma mudança nos tempos verbais. Paulo usou o tempo passado simples (aoristo grego) ao falar da morte e do sepultamento de Cristo; e prossegue com o tempo perfeito grego para falar de sua ressurreição. Este tempo sugere que o evento aconteceu no passado e ainda tem efeito. Uma paráfrase válida seria: "Ele ressuscitou e continua ressurrecto". Este conceito é tão importante que Paulo usa a palavra *egegertai* mais seis vezes neste capítulo (v.12, 13, 14, 16, 17, 20). Cristo foi e é o Senhor ressurrecto. Ele ascendeu e vive para "sempre" (Hb 7.25). Eu sou "o que vive; fui morto, mas eis aqui estou vivo para todo o sempre. Amém!" (Ap 1.18). Note também que este verbo chave está na voz passiva. Destaca a atividade do Pai que ressuscitou o Filho (v.15; cf. Rm 8.11), embora também possa ser dito que Jesus ressuscitou a si mesmo (Jo 2.19-22) ou que Ele foi ressuscitado pelo poder do Espírito Santo (Rm 1.4).

A frase "segundo as Escrituras" provavelmente modifica a frase "ressuscitou ao terceiro dia". O Antigo Testamento não contém nenhuma referência clara a uma ressurreição ao terceiro dia, entretanto alguns citam Oséias 6.2 (duvidoso) e Jonas 1.17 (possível). Jesus, ao predizer sua ressurreição, realmente se comparou a Jonas e aos três dias que esteve no ventre do peixe (Mt 12.40). Alguns consideram a passagem em Isaías 53.10, uma profecia sobre a sua ressurreição, onde se lê: "... quando a sua alma se puser por expiação do pecado, verá a sua posteridade, prolongará os dias". Outros a vêem no Salmo 16.10, citado em Atos tanto por Pedro como por Paulo: "Não deixarás a minha alma no inferno, nem permitirás que o teu Santo veja corrupção" (At 2.27-31; 13.35-37). Bruce (140) levando em conta 1 Coríntios 15.20, 23, sugere que Paulo provavelmente estivesse pensando na apresentação das primícias da primavera (Lv 23), prescrita para o domingo seguinte à Páscoa.

4) Ele "foi visto" por três indivíduos e por três grupos (vv.5-8). Esta lista de aparições após a ressurreição não é exaustiva. Nenhuma aparição às mulheres é mencionada, talvez porque seu testemunho, aos olhos da cultura, não fosse considerado confiável. O aparecimento de Jesus a Cefas (Pedro) é registrado em Lucas 24.34 (veja também Mc 16.7). Era apropriado que um dos líderes da igreja primitiva recebesse uma visita pessoal do Senhor ressuscitado. Além disso, Jesus provavelmente teve a intenção de assegurar a Pedro sua misericórdia após a tripla negação.

Jesus então apareceu aos Doze. Alguns pensam que a frase provavelmente não deva ser considerada literalmente como significando doze pessoas. Esta poderia ser uma designação geral para o grupo de homens que foram mais próximos a Jesus (Mc 3.14). Suas aparições a eles incluíram uma ocasião em que somente dez estavam presentes (Jo 20.19,20), e outra em que onze estavam presentes (Mt 28.16,17; Jo 20.26).

Jesus apareceu também a "mais de quinhentos irmãos" (v.6). Os Evangelhos, porém, não registram este evento. Como e quando Paulo soube desta e de outras aparições que menciona? Provavelmente quando visitou Pedro e Tiago, três anos após sua conversão (Gl 1.18,19). Paulo acrescenta que a maioria dos quinhentos homens estava ainda viva, mais de vinte anos depois, mas alguns também já dormiam. Aplica novamente o eufemismo "dormir" referindo-se aos crentes que morreram (1 Co 7.39 [literalmente]; 11.30; 15.18, 20, 51; 1 Ts 4.13-15).

Tiago também foi privilegiado por ver o Jesus ressuscitado (v.7). Ele é mencionado junto com Pedro como aqueles a quem Paulo visitou em Jerusalém (Gl 1.18,19). A maioria dos estudiosos concorda que este é um dos irmãos de Jesus. Juntamente com seus outros irmãos, não era um seguidor de Jesus antes da crucificação (Jo 7.5). É mais que provável que sua conversão tenha sido o resultado desta aparição do Senhor ressuscitado. Dentro do período dos quarenta dias após a ressurreição de Jesus, Tiago e seus irmãos estavam em companhia dos crentes (At 1.14). Mais tarde Tiago se tornou o líder da igreja de Jerusalém (capítulo 15) e foi reconhecido como apóstolo (Gl 1.19). Ele é o autor da carta de Tiago.

Jesus então apareceu a "todos os apóstolos" (v.7). Será que Paulo aqui se refere somente "aos Doze" e a Tiago? Isto é possível, mas poderia ter um grupo maior em mente (Héring, 162). O significado mais amplo do termo *apóstolo* (veja em 4.9; 9.1) pode aqui incluir um grupo de missionários, maior que os Doze, porém menor do que o grupo de quinhentos mencionado previamente (Barrett, 343). Mesmo que este fato seja verdadeiro, não existe nenhum registro desta aparição nos evangelhos ou em Atos.

"Por derradeiro de todos", diz Paulo, Jesus apareceu também a ele, "como a um abortivo" (v.8). A frase "por derradeiro de todos", pode significar que para Paulo não existiu nenhum aparecimento de Jesus ressuscitado depois de sua própria experiência. Seu encontro com Jesus no caminho de Damasco não foi uma visão; foi o próprio Senhor Jesus que lhe apareceu. Paulo havia declarado anteriormente: "Não vi eu a Jesus Cristo...?" (9.1). Este encontro colocou claramente sua experiência no mesmo nível da de Pedro, dos Doze, e de Tiago, qualificando-o, conseqüentemente, a ser um apóstolo.

Em que sentido Paulo era "um abortivo"? Em outras traduções lê-se "nascido fora do tempo devido" (NKJV) e "de nascimento precoce" (NASB, NRSV). Barrett sugere, "alguém que entrou apressadamente no mundo antes de seu tempo" (344). BAGD diz que a palavra usada aqui, *ektroma*, significa "nascimento precoce, aborto" e sugere: "Assim Paulo chama a si mesmo, talvez recebendo um insulto... lançado por seus oponentes" (246). Chamavam-no de "aborto" de um apóstolo, implicando que era "uma paródia feia de um verdadeiro apóstolo", da mesma maneira que um feto abortado o é, em relação a uma criança saudável nascida ao final do tempo correto de gestação (Bruce 142). As indicações são de que Paulo não era um homem bonito (2 Co 10.10). Seus oponentes podem ter combinado um insulto à sua aparência pessoal com uma crítica à sua reivindicação ao apostolado (Morris, 204; para a longa defesa que Paulo faz de seu apostolado, veja 2 Co 10—13).

Nos versos 9-11 Paulo continua a defender sua chamada apostólica. O parágrafo começa com o pronome enfático "eu". Ele chama a si mesmo de "o menor dos apóstolos" e diz que não é digno de ser chamado apóstolo (cf. Ef 3.8; 1 Tm 1.15). Parece fazer uma concessão a seus críticos, mas esta não é a razão para suas próprias observações auto-depreciativas. De fato, o apóstolo diz mais tarde: "Porque penso que em nada fui inferior aos mais excelentes apóstolos" (2 Co 11.5). Seu propósito é realmente exaltar a graça de Deus que lhe foi dada. Esta depreciação de si mesmo deve-se à sua atitude de perseguir a "igreja de Deus" antes sua conversão (1 Co 15.9; cf. At 8.1-3; 9.1-5; 22.4,5; 26.9-11; Gl 1.13, 22,23; Fp 3.6; 1 Tm 1.12-14). Sua expressão de indignidade é então em relação ao Senhor, não a seus críticos.

Paulo é o que é "pela graça de Deus" (v.10). Graça (*charis*), a demonstração da benevolência divina é especialmente manifestada em Paulo. Primeiramente, foi o meio de sua salvação pessoal (Ef 2.8). Mas, em segundo lugar, e especialmente neste contexto, é a base para sua chamada divina ao apostolado. *Charis* é a raiz de *charisma*, um dom que é a manifestação concreta da graça (cf. Artigo B, acima). As duas palavras são usadas de modo quase intercambiável em Romanos 12.3 (*charis*) e 12.6 (*charisma*). Paulo inclui o apostolado entre os dons (*charismata*; 1 Co 12.28).

Assegura a seus leitores que seu chamado para ser um apóstolo não foi em vão. Realmente, diz, "trabalhei muito mais do que todos eles". O registro de Atos 13—28 é uma prova indiscutível dos trabalhos incansáveis de Paulo em prol do evangelho. Ainda assim não atribui seu sucesso missionário a si próprio, mas à "graça de Deus, que está comigo". A graça de Deus estava *com* ele; a preposição sugere que a graça seja como "um colega, trabalhando a seu lado", enfatizando deste modo que Paulo não pode receber o mérito pelos sucessos alcançados (Morris, 205). Fee (736) comenta que embora o trabalho de Paulo seja uma resposta à graça, é o próprio efeito da graça; "tudo vem da graça; nada é merecido".

No verso 11, Paulo retorna ao pensamento com o qual começou o capítulo — a pregação do evangelho, no qual os coríntios creram originalmente. A mensagem que pregou e continua a pregar é a mesma que é proclamada pelos outros apóstolos. Estes, como também ele, não pregaram somente a morte e o sepultamento de Jesus, mas também sua ressurreição, que era atestada pelas aparições do Senhor a eles. Portanto, os cristãos coríntios deveriam aceitar a doutrina da ressurreição por ser um ensino comum a todos os apóstolos.

3.5.2. A Negação da Ressurreição (15.12-19).
Quanto à atitude geral dos coríntios em relação à idéia da ressurreição, veja os comentários que introduzem este capítulo. É importante observar que Paulo diz que *alguns*, não *todos*, os crentes coríntios negaram o conceito (v.12). Seu argumento neste parágrafo pode ser resumido como a seguir. Se os mortos não ressuscitam, então Cristo não poderia ter ressuscitado. Se Cristo não ressuscitou realmente, então:

1) A pregação dos apóstolos é inútil, e estes são falsas testemunhas;
2) A fé dos coríntios é vã, e ainda permanecem em seus pecados;
3) Os cristãos que morreram estão eternamente perdidos;
4) Os cristãos são os mais miseráveis de todos os homens.

Uma tradução mais precisa do verso 12 seria: "Mas se é pregado que Cristo ressuscitou dos mortos..." Paulo contrasta a palavra apostólica com o pensamento errôneo de alguns crentes quando completa a sentença perguntando: "Como dizem alguns dentre vós que não há ressurreição de mortos?" A resposta é que permitiram que os pensamentos pagãos ou a idéia de sua própria super-espiritualidade se tornasse uma contradição em relação à mensagem dos apóstolos sobre a ressurreição.

Devemos observar que Paulo diz que Cristo ressuscitou "dos mortos" (*ek nekron*). Uma tradução mais precisa destas duas palavras gregas seria "dentre as pessoas mortas" (também v.20). Esta frase deve ser distinguida da frase "ressurreição dos mortos" (*anastasis nekron*), devendo ser mais precisamente traduzida como "ressurreição de pessoas mortas" (v.12, 13, 21, 42). Esta distinção não é acidental. Jesus morreu e por três dias foi um dos mortos; então ressuscitou *dentre estes* como "as primícias dos que dormem" (v.20). O Novo Testamento expressa este conceito de outro modo quando designa Cristo como o primogênito dos mortos (Cl 1.18; Ap 1.5). Por outro lado, a "ressurreição de pessoas mortas" se refere à ressurreição de todos aqueles que morreram, e não à ressurreição de alguns e não de outros.

A argumentação de Paulo nos versos 13-19 é de algum modo um tanto redundante, mas é seu modo de expressar e enfatizar a verdade, com uma sucessão de orações condicionais utilizando o termo "se". Continua a detalhar as drásticas conseqüências de não crer na ressurreição dos mortos.

1) Tal descrença é uma negação da ressurreição de Cristo (v.13). Paulo argumenta do geral ao específico. Se não existe algo

como a ressurreição dos mortos, então "também Cristo não ressuscitou". O verso 16 repete esta idéia. Além disso, a ressurreição de Cristo é "a fonte do Divino Poder, que *efetua* a Ressurreição, que está reservada aos seus membros" (Robertson e Plummer, 348).

2) Tanto a pregação de Paulo (*kerygma*) como a fé dos coríntios seriam "vãs" (v.14). No verso 17 ele diz que a fé deles seria "vã". No texto grego, ambos os adjetivos estão em posição enfática no princípio de suas respectivas orações. Sua fé (*pistis*) se refere à sua confiança e compromisso com Cristo, não ao corpo da verdade às vezes chamado de "*a fé*". A razão é que a ressurreição de Cristo demonstra a aprovação e a validação de Deus de sua morte expiatória, pois sem a sua ressurreição não poderia haver nenhuma justificação dos pecados (Rm 4.25).

3) Paulo e seus companheiros pregadores seriam "também considerados como falsas testemunhas de Deus", pois testificam "de Deus, que ressuscitou a Cristo" (v.15). A segunda expressão "de Deus" seria melhor traduzida como "contra Deus" (Morris, 207), transmitindo a idéia de que estavam dizendo que Deus fez algo que de fato não fez. Em poucas palavras, seriam mentirosos.

4) Os coríntios ainda permaneceriam em seus pecados (v.17). A frase "Cristo morreu por nossos pecados" (v.3) não teria nenhuma validade se sua morte não fosse seguida por sua ressurreição, que, uma vez mais, era o selo de aprovação do Pai sobre sua morte expiatória. Os coríntios ainda estariam mortos em suas transgressões e pecados (cf. Ef 2.1, 5), já que um Cristo morto seria incapaz de salvá-los da morte, que é a penalidade pelo pecado (Robertson e Plummer, 349).

5) "E também os que dormiram em Cristo estão perdidos [*apollymi*]" (v.18). "Pereceram irremediavelmente, tornando-se eternamente separados de Deus" (Bruce, 145). Paulo usou o termo *apollymi* quando contrastou os que estão perecendo com os que estão sendo salvos (1.18; cf. também 2 Co 2.15). Esta forte palavra consta outras quatro vezes na carta (1.19; 8.11; 10.9,10). Se não existe nenhuma ressurreição, então a frase "os que dormiram em Cristo" seria uma contradição de termos. Não poderiam estar "em Cristo", já que a frase significa a participação na vida de Cristo. Nem poderia ser dito que "adormeceram", já que a expressão pressupõe um momento de despertar.

6) Os cristãos seriam "os mais miseráveis de todos os homens" se esperassem "em Cristo só nesta vida" (v.19). As palavras gregas significam, literalmente, "estabelecemos nossa esperança e continuamos a ter esperança". Paulo não nega que nesta vida presente existam compensações para os crentes (1 Tm 4.8), mas deseja destacar que se este mundo fosse tudo que existisse para nós, então estaríamos enganados. Seríamos "mártires de uma ilusão" (Héring, 163). Qual seria então a razão de sofrer a perda de todas as coisas por causa de Cristo (Fp 3.8) ou de lutar para ganhar a coroa incorruptível? (1 Co 9.25).

3.5.3. Cristo, as Primícias (15.20-28).

Paulo agora muda o curso das declarações condicionais "*se*" dos versos 12-19 para uma série de certezas sobre a ressurreição de Cristo, e suas implicações para os crentes. Muito do que diz agora tem como base o Antigo Testamento. Começa afirmando: "Mas, agora, Cristo ressuscitou dos mortos" (v.20). Compara a ressurreição de Jesus à oferta dos primeiros frutos da colheita (Lv 23.10,11). Naquele evento anual, o feixe era oferecido para o Senhor como a primeira parte da colheita, e era uma garantia da próxima colheita. A colheita, da qual Jesus é as primícias, consiste "dos que dormiram". Pode ser significativo que esta oferta particular fosse feita no dia seguinte ao Sábado sagrado e que Jesus tenha ressuscitado dentre os mortos neste dia.

Paulo continua a dar as bases da esperança na ressurreição colocando Adão e Cristo lado a lado (vv.21,22; retorna a esta analogia de Adão-Cristo nos versos 44b-49; cf. também Rm 5.12-21). Este é um tema importante nos escritos de Paulo, embora sejam as únicas passagens onde Adão é mencionado pelo nome. Nos versos presentes, os pontos de comparação e contraste são os seguintes:

1) A morte veio por Adão; a ressurreição dos mortos veio por Cristo.
2) Em Adão, todos morrem; em Cristo, todos serão vivificados.

Adão foi o meio pelo qual a morte teve sua entrada no mundo. Foi a penalidade por seu pecado (Gn 2.17; 3.22-24; Rm 5.12). A morte era tanto física quanto espiritual – física, porque seu corpo retornaria à terra; e espiritual porque seu corpo seria excluído da presença de Deus no Éden. Mas o pecado de Adão afetou adversamente todos os seus descendentes, até um ponto não claramente delineado nas Escrituras. Uma indicação, porém, está na palavra hebraica usada para Adão ('*adam*). Este não é somente o nome do primeiro homem; é também a palavra hebraica para humanidade. Gênesis 5.2 diz que quando Deus criou o homem e a mulher, "chamou o seu nome Adão ['*adam*]". A figura histórica de Adão, então, representa toda a humanidade. Como cabeça da raça humana, seu pecado afetou todos os seus descendentes de forma que todos morrem. A maneira precisa como isto aconteceu, porém, não é mencionada nas Escrituras e é debatida entre os teólogos.

Mas Cristo é a cabeça de outra humanidade, em virtude de sua encarnação. Ele era tão humano quanto Adão. Como um ser humano, Ele morreu; mas através de sua morte destruiu a morte, ressuscitando dos mortos (Hb 2.14,15). Cristo, que mais tarde foi chamado de "o último Adão" (1 Co 15.45), reverteu os efeitos dos pecados do primeiro Adão — de modo que a morte entrou no mundo por meio do primeiro Adão, e a vida por meio do segundo Adão. Da mesma maneira que o pecado de Adão trouxe conseqüências de longo alcance, a vida sem pecado de Cristo e sua morte expiatória também trouxeram conseqüências de longo alcance.

Todos os que estão "em Adão" morrem (v.22); sua morte é tanto espiritual como física. Todos os que estão "em Cristo" serão vivificados; poderão sofrer a morte física, mas a vencerão participando dos benefícios da ressurreição do último Adão. Uma distinção, portanto, deve ser feita, entre o primeiro termo "todos" que se relaciona a Adão, e o segundo termo "todos", que se relaciona a Cristo. Paulo não está dizendo que toda a raça humana será salva com base na vitória de Cristo sobre a morte, pois já mencionou nesta carta aqueles que perecerão (1.18; 3.17; 5.13; 6.9,10; 9.27). Sua mensagem é que somente aqueles que se identificam com Cristo ressuscitarão. As observações de Paulo são dirigidas aos cristãos, de forma que sua preocupação é a ressurreição à vida que o justo pode esperar (Dn 12.2; Jo 5.29; At 24.15). Somente "os que morreram em Cristo" ressuscitarão em sua vinda (1 Ts 4.16), e não todos os mortos.

Paulo baseou a ressurreição dos crentes na ressurreição de Cristo. E diz: "mas cada um por sua ordem [*tagma*]" (v.23). *Tagma* era um termo militar que significava fileira, ordem, graduação, posição. No contexto presente, Paulo fala de duas posições em ordem cronológica. A primeira é Cristo, as primícias (veja comentários sobre v.20). Depois dEle será a ressurreição daqueles que pertencem a Ele, no momento de sua vinda (*parousia*). Esta palavra grega era freqüentemente usada no mundo secular para uma visita real. No Novo Testamento, é freqüentemente usada para o retorno do Cristo que reinará. As palavras de Paulo em 1 Tessalonissences 4.15-17 estão especialmente relacionadas ao contexto presente, pois falam da ressurreição dos crentes no momento da Parousia.

"Depois, virá o fim", diz Paulo (v.24). O texto grego simplesmente diz "Então o fim [*to telos*]". Alguns entendem *to telos* como "o restante" identificando assim um terceiro grupo, como o grupo dos incrédulos a serem ressuscitados no final. Porém não existe nenhuma base para se traduzir o substantivo grego deste modo. Seu significado geral é de objetivo ou consumação, e é comparável à expressão "consumação dos séculos" (Mt 13.40, 49; 24.3; 28.20). Da mesma maneira que haverá um intervalo de tempo entre a primeira e a segunda fase, assim também será entre a segunda e a terceira.

Os versos 24-27 falam de eventos que acontecerão entre a Parousia e a Consumação. Cristo aniquilará "todo império e toda potestade e força". É desnecessário determinar como estes substantivos diferem um do outro. Eles representam, coletivamente, todas as forças hostis que se opõem a Cristo e a seu povo. Ele os tornará ineficazes e inoperantes; serão privados de seu poder e influência. O mesmo é dito sobre a morte. A morte é o último inimigo a ser vencido (Hb 2.14,15; Ap 20.14); esta, juntamente com o Hades, será lançada no lago de fogo. Em outras passagens estas forças hostis, inclusive a morte, são tratadas como se já tivessem sido desarmadas e aniquiladas (Cl 2.15; 2 Tm 1.10; 1 Pe 3.22). A razão é que "a morte e ressurreição de Cristo constituem a batalha decisiva na guerra que termina vitoriosamente com a ressurreição de seu povo" (Bruce, 147). Este é outro exemplo do já/ainda não, um princípio previamente observado nesta carta (veja comentários sobre 1.18; 4.8).

Todos os inimigos do Senhor serão subjugados; serão colocados "debaixo de seus pés" (vv. 25, 27). Paulo faz alusão a dois salmos messiânicos. Salmo 110.1: "Disse o Senhor [*Yahweh*] ao meu Senhor... até que ponha os teus inimigos por escabelo dos teus pés". Em outra passagem este verso é aplicado a Jesus (Mc 12.35-37; At 2.34,35). O apóstolo então cita uma passagem relacionada, o Salmo 8.6, que diz: "[Tu, *Yahweh*] tudo puseste debaixo de seus pés". Este salmo se refere à humanidade em geral e a Adão em particular, a quem Deus originalmente deu o domínio sobre tudo. Paulo, agora em um sentido mais completo, aplica-o a Cristo, o último Adão.

Paulo chama o período entre a Parousia e o Fim de "o Reino" (v.24) e diz que "convém que [Cristo] reine até que [Deus] haja posto a todos os inimigos debaixo de seus pés" (v.25; cf. v.27). As palavras "convém que reine" apontam para a certeza de seu governo, que será sobre todo o mundo e sobre tudo, com a exceção óbvia do próprio Deus. Depois disto, então, entregará o Reino a Deus, o Pai (v.24). Deste modo, AquEle que sujeitou tudo e todos a si "se sujeitará àquele [ao Pai] que todas as coisas lhe sujeitou" (v.28). A desobediência a Deus caracterizou o primeiro Adão; a obediência a Deus Pai caracterizou e caracterizará eternamente o último Adão.

Aqui surge, inevitavelmente, a questão da subordinação. Como foi notado previamente (veja comentários sobre 3.29), a sujeição do Filho ao Pai é funcional e está relacionada principalmente a seu papel Redentor. Isto deve ser nitidamente distinto de qualquer noção de inferioridade ao Pai, já que ambos compartilham a mesma natureza essencial.

O propósito ao qual todos estes eventos levam é: "para que Deus seja tudo em todos" (cf. também Rm 11.36; 1 Co 15.54-57). "Deus será supremo em todos os sentidos e de todos os modos" (Fee, 760). É melhor entender "Deus" como aquele Ser Supremo que é composto pelo Pai, pelo Filho e pelo Espírito Santo, ao invés de entendê-lo simplesmente como o Pai.

3.5.4. Os Argumentos da Experiência (15.29-34).

Paulo agora dirige a atenção às práticas e às experiências cristãs, atestando que não terão sentido se a ressurreição dos crentes não existir.

1) Começa com a seguinte pergunta. "Que farão os que se batizam pelos mortos?" (v.29). As palavras "se batizam pelos mortos" formam uma das frases mais enigmáticas de todas as Escrituras. As tentativas de explicação são excessivamente numerosas para que sejam listadas (podendo haver um total de aproximadamente quarenta!). Somente mencionaremos duas das interpretações mais viáveis: (a) Paulo possivelmente está se referindo a um batismo por procuração, ou a um batismo que alguns chamam de batismo vicário. Observe que ele diz: "os que [não 'nós'] se batizam pelos mortos". Aparentemente alguns crentes tomaram parte desta prática em nome de crentes falecidos não-batizados. É improvável que os incrédulos falecidos fossem os pretensos beneficiários. A prática seria baseada em uma visão sacramental ou mística do batismo que asseguraria a salvação final para os crentes já falecidos.

O principal problema desta interpretação, além de sua insalubridade teológica, é que a história da Igreja não registra esta prática no primeiro século; na melhor hipótese, pode ter sido praticada no segundo século somente por alguns hereges. Além disso, é incomum que Paulo não condene, nem tampouco tolere tal prática. Menciona-a de passagem, "em um argumento *ad hominem*, sem atribuir-lhe qualquer elogio ou culpa" (Bruce, 148). A provável razão é sua preocupação em mostrar como o batismo vicário é ilógico e inútil se não existe nenhuma ressurreição dos mortos. Deste modo pergunta: "Se absolutamente os mortos não ressuscitam, por que se batizam eles, então, pelos mortos?" Já que esta é a única referência nas Escrituras para tal prática, é impróprio basear nela uma doutrina e a prática do batismo vicário. Morris está seguramente correto quando diz: "A terminologia aponta para o batismo vicário", acrescentando que temos a liberdade de procurar interpretá-lo de outro modo (215). Héring concorda, dizendo que a preposição *hyper* tem um sentido de "em nome de" ou até mesmo "ao invés de" (170); (b) Como um ponto de interesse, uma interpretação diferente de "batizado pelos mortos" é que os mortos seriam crentes falecidos, batizados, e que as pessoas que estão sendo batizadas seriam amigos ou amados, que se submetem ao batismo para assegurar que serão reunidos aos falecidos. Robertson e Plummer consideram-na como uma das melhores interpretações (360-61).

2) Paulo se refere à sua própria experiência (vv.30-32): "Por que estamos nós também a toda hora em perigo?", pergunta, se não existe nenhuma esperança de ressurreição, se a morte é o fim de tudo? Em 2 Coríntios 1.8,9 e 11.23-28, o apóstolo lista alguns dos sofrimentos que suportou por amor ao Evangelho.

O verso 31 é um juramento ou uma declaração solene. Contém a palavra *ne*, que é uma "partícula de forte afirmação" e é traduzida como "por", seguida pela "pessoa ou coisa pela qual se jura ou afirma" (BAGD, 537). A tradução de Barret transmite esta idéia: "Mas o orgulho que tenho de vós em Cristo Jesus nosso Senhor, irmãos" (365). A declaração pode significar tanto a jactância de Paulo em relação aos coríntios, como a jactância deles em relação a Paulo. A escolha anterior é mais adequada à carta (veja também Fp 2.16; 1 Ts 2.18), já que muitos coríntios o criticavam. Não é surpreendente que o orgulho de Paulo esteja no Senhor, e não em suas próprias realizações.

A declaração "cada dia morro" é baseada em uma solene afirmação de Paulo. O contexto diz que ele está falando sobre a possibilidade do martírio que o ameaçava constantemente (veja também Rm 8.35,36; 1 Co 4.9; 2 Co 4.10-12). Em outras palavras, Paulo não está se referindo a alguma auto-mortificação diária como um meio de alcançar a completa santificação. Então cita um exemplo da dificuldade diaria em que vivia: "combati em Éfeso contra as bestas" (1 Co 15.32). A expressão "as bestas" ou como em algumas traduções, "as feras selvagens", não deve ser interpretada literalmente: (a) Paulo não faz nenhuma menção de lutar com verdadeiras feras selvagens na lista de tormentos que suportou (2 Co 11.23-28); (b) Os cidadãos romanos eram isentos de tal castigo. Em circunstâncias excepcionais, aqueles que enfrentassem este tipo de condenação perderiam sua cidadania, ainda que sobrevivessem. Paulo ainda era um cidadão romano no momento em que escreveu esta carta; (c) Se Paulo realmente tivesse lutado com feras selvagens, provavelmente não teria sobrevivido para escrever a este respeito.

A expressão "as bestas" é, portanto, uma metáfora para aqueles que procuraram tirar sua vida, provavelmente os amotinadores de Éfeso (At 19.23-29; cf. também 2 Co 1.8-10). Ou ainda, uma vez que estava escrevendo esta carta de Éfeso (1 Co 16.8), pode estar se referindo à oposição que estava encontrando naquela cidade. Este uso metafórico de feras selvagens é encontrado em várias passagens bíblicas (por exemplo Sl 22.12,13; 2 Tm 4.17; Tt 1.12).

Paulo pergunta: "Que me aproveita isso?" "Se, como homem, combati em Éfeso...", ou seja, "por razões meramente humanas [*kata anthropon*]" (NIV). Esta frase grega significa "de acordo com o homem" e tem sido traduzida de vários modos. "por motivos humanos" (NASB); "com esperanças meramente humanas" (NRSV); "conforme a maneira dos homens" (NKJV); Barrett sugere "em condições puramente humanas" (365). A idéia é que não existirá ganho, nem terreno nem eterno, se tal sofrimento e morte iminentes forem o fim de tudo. "Se os mortos não ressuscitam [*então*] comamos e bebamos, que amanhã morreremos". Paulo cita Isaías 22.13 e talvez também tivesse em mente Eclesiastes 2.24; 9.7-10.

3) Se não há ressurreição dos mortos, não somente haverá pouca motivação para procurar a vida cristã com todos os seus perigos, mas também esta falta de esperança facilmente levará a um relaxamento dos padrões morais, e a uma atitude de agradar a si mesmo com os prazeres deste mundo, juntamente com outros que também os busquem. Então Paulo admoesta: "Não vos enganeis" (v.33). O mandamento pode ser melhor compreendido como. "Deixem de ser enganados". Cita então um provérbio que remonta a Menander, um dramaturgo grego: "As más conversações corrompem os bons *costumes* [ou caráter, *ethe*; a melhor tradução é 'hábitos' ou 'costumes']". (Para outras citações de escritores seculares por parte de Paulo, veja At 17.28; Tt 1.12). Mas Paulo não defende uma dissociação completa dos incrédulos (1 Co 5.9-13; 10.27). Pode estar dizendo que os crentes deveriam se separar de outros crentes, não incrédulos, que viviam de modo imoral (veja comentários sobre 5.1-8).

A advertência a não se enganarem é seguida por outras duas inter-relacionadas (v.34): (a) "Voltai a vosso juízo, como deveis" (ou "Vigiai justamente"). Em uma linguagem severa, Paulo diz vigiai justamente para que sejam sóbrios (como Pedro também mencionou) referindo-se não à embriaguez em si, mas ao raciocínio errado; (b) "Não pequeis". Morris (217) comenta: "A doutrina leva à conduta, e a doutrina insalubre no final leva ao comportamento pecaminoso". O fracasso de viver de modo justo está ligado ao fracasso de não se pensar de modo justo. A razão de Paulo para estes dois mandamentos é que "alguns ainda não têm o conhecimento de Deus". O termo para "ignorância" é *agnosia*, uma falta de discernimento espiritual (BAGD, 12), e deve ser distinguida de *agnoia*, que é a falta de conhecimento, em um sentido geral. Anteriormente na carta o apóstolo criticou aqueles que reivindicaram ter algum conhecimento espiritual especial (2.5; 8.1; 13.2, 8). Na realidade, tais pessoas são ignorantes em relação a Deus e precisam voltar a seu juízo. É para sua própria vergonha que continuam a ser dirigidos ao erro e ao pecado.

3.5.5. A Natureza da Ressurreição do Corpo (15.35-49).

Paulo argumentou a favor da realidade da ressurreição. Agora se volta para a natureza do corpo ressuscitado e a maneira pela qual a ressurreição acontecerá. Em parte, deve fazer isto para corrigir uma convicção judaica de que o corpo da ressurreição será idêntico ao corpo que morreu. Esta passagem pode ser resumida pela declaração: "Enquanto existir a identidade também existirá a diferença" (Morris, 218).

Os versos 35-44a ilustram o ponto que Paulo deseja destacar por meio da analogia de semear e colher, e pela analogia dos diferentes tipos de corpos no universo. A passagem responde às perguntas: "Como ressuscitarão os mortos? E com que corpo virão?" (v.35) Não sabemos se estas perguntas foram feitas por alguém em Corinto, ou se Paulo está seguindo o estilo retórico de um diálogo, em que o locutor propõe uma presumida objeção e então a responde (veja por exemplo Rm 9.19; 11.19). Em ambos eventos, as perguntas são tolas (v.36).

Nos versos 36-38 Paulo inicia abruptamente sua resposta dirigindo-se ao que faz as perguntas como "insensato!" (NASB; literalmente, "tolo"). Então usa a ilustração de uma semente e uma planta: "O que *tu* [em posição enfática] semeias não é vivificado, se primeiro não morrer". A morte é o antecedente necessário para a vida. A vida somente emerge quando existe primeiramente a morte. As palavras de Paulo lembram as de Jesus: "Se o grão de trigo, caindo na terra, não morrer, fica ele só; mas, se morrer, dá muito fruto" (Jo 12.24). A semente deve morrer, isto é, ser enterrada, antes de "se... tornar viva" (NKJV). Este último verbo está na voz passiva, apontando para um agente externo para a semente, Deus, como o doador da vida. Este pensamento permeia a discussão restante sobre a ressurreição do corpo. Existe uma continuidade entre a semente e a planta ("corpo") que emerge, embora também exista uma diferença considerável entre elas (vv.37,38): "Mas Deus dá-lhe o corpo como quer e a cada semente, o seu próprio corpo".

Paulo agora segue para o próximo tópico. Existem diferentes tipos de corpos (vv.39-41). Cada um é apropriado para seu tipo particular de existência. Nem toda a carne é a mesma – a carne dos seres humanos, dos animais, dos pássaros, e dos peixes são diferentes (v.39). Não está claro por que Paulo trocou "corpo" (*soma*) no verso 38 por "carne" (*sarx*) no verso 39. Pode ter sido simplesmente por variedade literária. Héring sugere que *sarx* seja "o tipo de matéria da qual um corpo é composto" (174).

Existe também uma diferença entre corpo celeste e corpo terrestre, e a glória ou esplendor (*doxa*) de um difere do outro (v.40). "Corpos celestes" podem significar o sol, a lua, as estrelas, etc., mas Paulo os menciona especificamente no próximo verso. Provavelmente se refere aqui aos seres celestiais (anjos, etc.), cujos corpos são de uma natureza diferente dos seres humanos. A questão é que cada grupo possui corpos apropriados à sua esfera de existência. Paulo então fala de corpos celestes com os termos que usamos comumente, dizendo que o sol, a lua, e as estrelas têm, cada um, sua própria glória, esplendor ou brilho (novamente usa o termo *doxa*). Em resumo, Paulo implica que, uma vez que existem tantos tipos diferentes de corpos no universo, por que devemos supor que possa haver somente um tipo de corpo humano? (Bruce, 151).

Nos versos 42-44a Paulo se aproxima das analogias prévias (vv.35-41) para resumir seus argumentos sobre a natureza do corpo da ressurreição. Nos versos 42,43, "o corpo" é o assunto de todas as orações. O contraste entre o corpo terrestre e o corpo ressuscitado é vívido. O corpo é semeado "em corrupção", em ignomínia (desonra), e em fraqueza; será levantado "em incorrupção", em glória, e com vigor (poder). O primeiro é semeado como um corpo natural (animal), o segundo será levantado como um corpo espiritual. "Natural ou animal" descreve o corpo que é animado pela alma; "espiritual" descreve o corpo que é animado pelo Espírito Santo e pode significar também "sobrenatural" (veja 10.3,4).

Em outra passagem Paulo fala desta transformação como "a redenção de nosso corpo" pela obra do Espírito Santo (Rm 8.23, cf. v.11); o resultado será um "corpo glorioso" como o do Senhor Jesus Cristo (Fp 3.20,21). A mudança que acontece é mais do que uma reanimação ou ressurreição de um corpo morto. É a transformação pela qual o corpo é ressuscitado "em incorrupção" — isto é, não é mais sujeito à morte e à deterioração.

Os versos 44b-49 desenvolvem a analogia de Adão-Cristo dos versos 21 e 22, e aplicam-na aos conceitos do corpo natural e do corpo espiritual (v.44a). Será útil colocar este material em colunas paralelas.

Adão	Cristo
O corpo natural veio primeiro	O corpo espiritual vem posteriormente
O primeiro homem tornou-se alma vivente	O Último Adão é espírito vivificante
Teve origem no pó da Terra	É celestial e divino
Aqueles que vieram do pó são como ele	Os celestiais são como Ele
Nascemos à semelhança de Adão	Seremos semelhantes a Cristo

A base para esta comparação é a passagem em Gênesis 2.7: "E formou o Senhor Deus o homem do pó da terra e soprou em seus narizes o fôlego da vida; e o homem foi feito alma vivente [do hebraico, *nephesh*, 'alma']". Desde o início, todas as pessoas foram caracterizadas como "alma" (*psyche*, que é o equivalente grego de *nephesh*). Cristo, porém, é o "último Adão". "Não existirá nenhuma outra Cabeça da raça humana" (Robertson e Plummer, 373). Todas as pessoas recebem sua natureza da "alma" (*psychikos*) de Adão; compartilham sua origem terrena — o pó da terra. Os justos recebem sua natureza "espiritual" (*pneumatikos*) de Cristo; compartilham sua origem celestial, de forma que são "celestiais [*epouranios*]" (v.48). É possível que Paulo esteja dando a entender que Jesus é divino e "celestial", isto é, está em um estado glorificado. Em outra passagem Paulo diz que os crentes estão "nos lugares celestiais [*epouranios*, novamente] em Cristo" (Ef 1.3, 20; 2.6). Usando uma imagem um pouco diferente, Jesus disse: "O que é nascido da carne é carne, e o que é nascido do Espírito é espírito" (Jo 3.6).

"E, assim como trouxemos a imagem do terreno, assim traremos também a imagem do celestial" (v.49). Uma variante e possível leitura original do texto grego transforma a oração principal em um tipo de mandamento ou afirmação: "assim traremos também" (veja as notas da NIV e da NRSV). Paulo estaria então exortando os crentes a se amoldarem à imagem de Cristo (cf. Rm 8.29; 2 Co 3.18), aconselhando-os a se prepararem para o futuro. A conformidade completa à imagem de Cristo, porém, não pode ser alcançada nesta vida. Acontecerá na Parousia. O apóstolo João diz que "quando ele se manifestar, seremos semelhantes a ele; porque assim como é o veremos" (1 Jo 3.2).

3.5.6. O Triunfo dos Crentes sobre a Morte (15.50-58).

Paulo conclui seu longo discurso sobre a ressurreição com uma das notas mais triunfantes em todas as Escrituras. A palavra "vitória" ocorre três vezes nos versos 54-57.

Ele faz alusão a temas previamente mencionados e introduz novos elementos.

Os versos 50-57 relacionam os conceitos de ressurreição e transformação à volta de Cristo. Paulo declara que "carne e sangue não podem herdar o Reino de Deus, nem a corrupção herda a incorrupção" (v.50). As duas declarações sugerem um paralelismo hebraico sinônimo. carne e sangue = corruptíveis; o reino de Deus = incorruptível. Barrett (379), porém, seguindo Jeremias, sugere que a primeira oração se refere àqueles que estiverem vivos no momento da Parousia e a segunda aos que estiverem mortos por ocasião da Parousia.

Em todo caso, os termos "carne e sangue" se referem à humanidade, como uma distinção em relação a Deus, e apontam para as limitações e a debilidade da existência terrena (Mt 16.17; Gl 1.16; Hb 2.14). Os dois elementos formam uma única entidade, já que no grego a expressão "não podem" está no singular. Ambos são corruptíveis, estão sujeitos à decomposição (1 Co 15.42, 53,54). Por outro lado, o reino de Deus é incorruptível. Paulo anteriormente disse que os injustos não herdarão o reino de Deus (6.9,10). Agora diz que aquilo que é físico (carne e sangue) não pode herdar o reino. Deseja salientar na passagem presente que uma mudança radical deve acontecer no corpo do crente antes de sua entrada no reino. O "corpo natural" deve ser transformado em um "corpo espiritual" (vv.42-44).

O milagre da ressurreição dos crentes é um "mistério" (v.51). O conceito de mistério no Novo Testamento refere-se a algo que não havia sido completamente revelado, e que agora se tornou conhecido do povo de Deus (veja 2.7; 4.1). "Nem todos dormiremos" pode também ser entendido como, "nem todos morreremos", e significa que alguns estarão vivos no momento da transformação. "Todos seremos transformados" denota uma mudança tanto para os cristãos mortos como também para os vivos.

A velocidade com que a transformação acontecerá está contida nas expressões "num momento" e "num abrir e fechar de olhos" (v.52). Para a segunda expressão, Morris sugere, "o tempo de lançar um olhar, ou talvez de tremular uma pálpebra" (228). A ressurreição acontecerá "ante a última trombeta" (veja Mt 24.31; 1 Ts 4.16; Ap 8.2). As trombetas são freqüentemente usadas nas Escrituras como arautos para eventos especiais, para chamar o povo a se armar, ou para sinalizar a vitória sobre os inimigos. O adjetivo "última" é melhor entendido como descrevendo o instante em que a trombeta soará, isto é, o fim, ao invés de ser o último de uma série de toques de trombeta.

Nos versos 53 e 54, Paulo compara o evento da ressurreição com ser vestido com um corpo espiritual, dizendo que "convém" que isto aconteça, transmitindo uma mensagem de obrigatoriedade. A metáfora sugere que o corpo terreno seja a roupa da alma e do espírito; no momento da ressurreição o crente receberá um traje diferente. Paulo diz o mesmo usando imagens diferentes quando compara o corpo terreno a uma tenda ou tabernáculo, e o corpo ressuscitado a uma casa eterna (2 Co 5.1-4). Alguns vêem dois grupos nos pares de palavras "corruptível-incorruptível" e "mortal-imortal"; o primeiro termo de cada par se referiria aos crentes já falecidos, e o segundo aos crentes já vivificados. Se Paulo não pretendeu fazer esta distinção aqui, fez alusão a esta anteriormente (veja comentários sobre 1 Co 15.51) e a menciona claramente em 1 Tessalonissences 4.15-17.

De um modo geral, Paulo considera seu ensino como um cumprimento das Escrituras. A frase: "Tragada [*katapino*] foi a morte na vitória" (v.54) origina-se de Isaías 25.8. Em uma passagem paralela, o apóstolo fala daquilo que é "mortal" sendo "absorvido [*katapino*] pela vida" (2 Co 5.4). A frase "Onde está, ó morte, o teu aguilhão [*kentron*]? Onde está, ó inferno, a tua vitória?" (v.55) é uma adaptação de Oséias 13.14, em que a morte e o Sheol são personificados. Paulo está confrontando a morte, dizendo que para o crente seu aguilhão e sua vitória são somente temporários. Um *kentron* pode ser um aparato usado para dirigir bois (At 26.14), ou o ferrão de um animal, como o do escorpião (Ap 9.10). Paulo explica que o aguilhão não é propriamente a morte, mas pecado (v.56).

Portanto, para o crente cujos pecados foram perdoados, a morte já não tem nenhum aguilhão. A morte é ganho, não perda (Fp 1.21, 23). Além disso, o pecado e a lei estão intimamente associados, pois "pela lei vem o conhecimento do pecado" (Rm 3.20; cf. 7.7-11). Mas Cristo nos redimiu da maldição da lei (Gl 3.13). A morte, juntamente com os inimigos que trouxeram a morte a todos (o pecado e a lei), foram vencidos pela ressurreição (Fee, 805).

Em louvor, Paulo exclama: "Mas graças a Deus, que nos dá a vitória [sobre a morte] por nosso Senhor Jesus Cristo" (v.57). Deus "dá", não "dará", a vitória. Os crentes participam na vitória de Cristo mesmo durante sua existência terrena, já que a morte perdeu seu poder aterrorizador. A morte, embora continue sendo um inimigo, está "incapacitada", porque Cristo a venceu (Bruce, 156-57).

Não é surpreendente que Paulo conclua este longo tratado teológico com uma exortação a seus leitores, que ainda são seus "amados irmãos", apesar de suas muitas deficiências (v.58). O apóstolo os encoraja a permanecerem "firmes e constantes, sempre abundantes na obra do Senhor". Quer que saibam que seu trabalho no Senhor não é vão (veja 9.26,27; 15.10; Gl 2.2; Fp 2.16), mostrando que de fato seria vão se não houvesse ressurreição (cf. 1 Co 15.14-19).

3.6. A Oferta (16.1-4)

A frase "Ora, quanto à coleta que se faz para os santos", introduz outro tema sobre o qual os coríntios haviam inquirido (v.1; veja comentários sobre 7.1). A NIV traz incorretamente a última parte da frase como "para o povo de Deus". Embora a palavra "santos" se aplique a todos os crentes (veja comentários sobre 1.2; também 16.15), os destinatários desta coleta são os cristãos judeus pobres em Jerusalém (At 24.17; Rm 15.26; 2 Co 8.1-11; 9.1,2). Os coríntios ouviram sobre esta coleta especial e aparentemente desejaram contribuir.

Em uma ocasião anterior, Paulo e Barnabé recolheram uma oferta na Antioquia da Síria e levaram-na a Jerusalém para ajudar os cristãos durante um tempo de fome (At 11.30). A liderança de Jerusalém pediu que se lembrassem dos pobres, o que, disse Paulo, "também procurei fazer com diligência" (Gl 2.10). O apóstolo sabia que estes crentes não podiam esperar nenhuma ajuda dos judeus. Sabia também que existiam comunidades religiosas em meio aos gregos que cuidavam de si próprias (Morris, 232). Seguramente, os crentes podiam e deveriam ajudar-se mutuamente.

As contribuições das igrejas dos gentios seriam um meio de mostrar sua solidariedade espiritual para com os cristãos judeus. Seria também uma expressão de gratidão, a quem espiritualmente deviam muito. Conseqüentemente, Paulo solicitou a contribuição por parte das igrejas que estabeleceu. As igrejas que estavam nas províncias da Macedônia (2 Co 8.1-5) e Galácia (1 Co 16.1) são especificamente mencionadas. A identificação e a localização específica das "igrejas da Galácia" são detalhes relativamente sem importância para o presente propósito de Paulo. Seu objetivo específico é pedir aos coríntios que façam o mesmo que pediu às outras igrejas gentílicas. As contribuições que Paulo solicita são voluntárias.

Evidentemente, a igreja de Jerusalém era mais pobre do que as igrejas que Paulo havia fundado. O motivo desta diferença não está claro. Talvez existisse uma escassez periódica (At 11.28-30). Morris (232) sugere que podem ter sofrido os efeitos posteriores da venda de seus bens por ocasião do início da Igreja (At 4.34,35).

As instruções de Paulo são: "No primeiro dia da semana, cada um de vós ponha de parte o que puder ajuntar, conforme a sua prosperidade" (v.2). Não se sabe ao certo se "o primeiro dia" se refere à adoração semanal dos cristãos aos domingos, embora existam evidências de que os crentes, em uma primeira fase, encontravam-se naquele dia para a adoração. Isto é indubitavelmente o que João quer dizer com: "Fui arrebatado em espírito, no dia do Senhor" (Ap 1.10; veja também Jo 20.19, 26; At 20.7). A frase: "cada um de vós" enfatiza que esperava-se que todos participassem. O fato de que deveriam "pôr de lado" o que pudessem ajuntar, significa que o dinheiro deveria ser guardado em casa (Fee, 813). Não se sabe se no primeiro século as ofertas em dinheiro eram recebidas durante os cultos na igreja. A quantia a economizar deveria ser proporcional à prosperidade de cada indivíduo. Paulo é cuidadoso ao instruir seus leitores a este respeito: "para que se não façam as coletas quando eu chegar". O apóstolo deseja evitar "a doação por impulso" resultante de um apelo emocional.

Fee (812) observa que Paulo fala desta coleta em outras passagens em termos que estão "repletos de conteúdo teológico": comunhão (Rm 15.26; 2 Co 8.4; 9.13), serviço (Rm 15.31; 2 Co 8.4; 9.1, 12,13), graça (2 Co 8.4, 6,7, 19), bênção (9.5), serviço divino (9.12). Tal oferta era mais que uma questão de dinheiro; era um ministério para o povo de Deus e para o próprio Deus.

Paulo então explica com detalhes como a oferta será administrada (v.3). Quando chegar, emitirá cartas de apresentação aos homens aprovados pelos coríntios, para que levem a oferta a Jerusalém. Algumas traduções sugerem que os coríntios escreveriam as cartas de apresentação, porém alguns consideram mais natural que Paulo escrevesse estas cartas. Podemos notar que Paulo não participará da escolha dos homens; deseja evitar qualquer suspeita de manipulação desta oferta. Seria exclusivamente manipulada pelos coríntios.

Paulo diz que os homens o acompanharão, e não que ele os acompanhará, "se valer a pena" que ele também vá (v.4; a tradução da NASB e da NKJV diz. "se for adequado"). A palavra grega usada aqui significa basicamente "valer a pena", e é interpretada por alguns como dando a entender que Paulo se unirá aos homens se a coleta alcançar um montante que justifique ser entregue por um apóstolo (Morris, 234; Robertson e Plummer, 387). Isto, porém, parece improvável. Ele pode estar simplesmente dizendo que irá, se as circunstâncias o permitirem.

4. Conclusão (16.5-24)

4.1. Os Planos Pessoais de Paulo (16.5-9)

Paulo realmente planejou retornar a Corinto, mas a ocasião era incerta. Por duas vezes nos versos 2 e 3, usa a conjunção indefinida *hotan* (que tem o sentido de "quando quer que"), quando fala de sua próxima visita. Ficará com eles, talvez durante o inverno, mas não pode deixar Éfeso até que complete o trabalho que está realizando nesta cidade.

Paulo havia previamente manifestado sua intenção de visitar Corinto novamente (4.19). Agora diz definitivamente: "Irei, porém, ter convosco" (v.5). Mas o fará somente depois de passar pela Macedônia, fazendo breves visitas às igrejas que havia estabelecido naquela província (At 16.1-15). Isto representaria um percurso mais longo, por terra, do que uma rota marítima direta pelo mar Egeu, de Éfeso até Cencréia, a cidade portuária de Corinto. Uma vez mais utiliza o termo *hotan* ("quando quer que"; ou como a NIV traduz, "depois"). Mas seus planos são ainda incertos e flexíveis: "E bem pode ser que fique convosco e passe também o inverno". Passaria o inverno com eles, em parte porque a navegação no Mar Mediterrâneo era arriscada durante o início do outono, sendo suspensa no final do outono até o início de março. Portanto, não seria "uma visita de passagem".

Paulo ficará com eles por vários meses "para que me acompanheis aonde quer que eu for" (v.6b). "Ajudar na jornada de alguém" ou "enviar alguém" (*propempô*) é um eufemismo relacionado a ajudar alguém nas despesas de uma futura viagem (At 15.3; Rm 15.24; 1 Co 16.11; 2 Co 1.16; Tt 3.13; 3 Jo 6). Paulo pede que os Coritios façam o mesmo por Timóteo depois que visitá-los (1 Co 16.11). A intimação de Paulo para que o ajudem parece contradizer seu argumento no capítulo 9, de que escolheu não receber ajuda do povo de Deus, mas Fee sugere que "neste caso esta atitude representaria um sinal de uma oferta de paz" (819). Eventualmente, Paulo foi de Éfeso à Macedônia, e então à Grécia, onde ficou por três meses (At 20.1-3). A expressão "aonde quer que eu for" parece mostrar uma indecisão, mas expressa o comprometimento de Paulo com a direção do Senhor em sua vida, pois chega a dizer: "se o Senhor o permitir" (v.7; cf. At 18.21; 1 Co 4.19; Hb 6.3; Tg 4.13-15).

Paulo planeja permanecer em Éfeso "até o Pentecostes" (v.8). Embora a festa judaica de Pentecostes não fosse observada pelos cristãos coríntios, servia como uma referência cronológica para Paulo e para os coríntios em antecipação à sua chegada. A razão pela qual permanecerá em Éfeso é que "uma porta grande e eficaz se me abriu" (v.9; "uma grande porta para o serviço efetivo", NASB). O termo "porta" é uma metáfora para "oportunidade" (2 Co 2.12; Cl 4.3). Talvez Paulo estivesse testemunhando naquela ocasião uma renovação espiritual em Éfeso, e sentisse que sua presença seria necessária por um período mais longo.

Provavelmente seus leitores não estivessem preparados para o final rude da frase: "e há muitos adversários". Estes adversários podem ser as "bestas" que previamente mencionou (1 Co 15.32). É uma lembrança de que a obra do Senhor enfrenta freqüente oposição, especialmente durante as ocasiões de oportunidades particularmente favoráveis ao evangelho.

4.2. Recomendações a Respeito de Alguns Crentes (16.10-18)

Paulo falou anteriormente de enviar Timóteo (4.17), que trabalhou com ele na fundação da assembléia coríntia (At 18.5). Agora diz: "Se [*ean*] for Timóteo, vede que esteja sem temor convosco" (v.10). Porém, não está em dúvida quanto à visita de Timóteo (veja Robertson e Plummer, 390-91, que consideram o termo *ean* indicando incerteza). A partícula *ean* às vezes significa "quando quer que" ou "quando", e este é o sentido aqui.

Timóteo e Erasto: foram primeiramente à Macedonia (At 19.22). Paulo está apreensivo pela possibilidade dos coríntios não tratarem bem a Timóteo enquanto estiver com eles, por ser muito jovem e tímido (2 Tm 1.7,8). Mesmo alguns anos mais tarde, Paulo o adverte: "Ninguém despreze a tua mocidade" (1 Tm 4.12). Se os coríntios não hesitaram em atacar Paulo, o que podem fazer a seu jovem cooperador? Paulo lhes diz que Timóteo está, assim como ele mesmo, dando continuidade à obra do Senhor. Portanto ninguém deve se recusar a aceitá-lo. Antes, deveriam "acompanhá-lo [*propempo* — veja o comentário sobre o verso 6] em paz".

Paulo espera que Timóteo o encontre em seu retorno a Éfeso, mas não está claro o que quer dizer com a frase: "pois o espero com os irmãos". Será que quer dizer "eu, juntamente com os irmãos [em Éfeso], o estou esperando"? Possivelmente, mas a posição da frase no grego, "com os irmãos", favorece a tradução da NIV. Os irmãos incluiriam Erasto e outros que poderiam ter acompanhado Timóteo a Éfeso, como também alguns irmãos da igreja coríntia.

O verso 12 começa com a frase familiar: "E, acerca do..." (veja comentários sobre 7.1) Esta frase diz respeito a outro cooperador de Paulo, Apolo (mencionado em 1.12; 3.4-6; 4.6). Tudo indica que Paulo e Apolo tinham um ótimo relacionamento. Talvez os coríntios tivessem perguntado a Paulo se Apolo poderia visitá-los novamente. Paulo o apressou para que fosse com Timóteo e os irmãos para a Macedônia, e então para Corinto, mas ele não teve vontade de ir naquele momento. Uma tradução literal do grego seria: "E não existia nenhuma disposição [ou vontade] de que fosse agora". Disposição de quem? O texto grego não diz. Provavelmente Apolo estivesse realmente relutante em fazer a viagem (Robertson e Plummer, 392; Fee, 824). Mas o termo "disposição ou vontade" pode estar se referindo à vontade de Deus, como em Romanos 2.18 (Bruce, 160). Este fato parece estar de acordo com o compromisso que Paulo tinha de manter seus movimentos sob a completa direção da vontade divina. Em todo caso, Apolo irá "quando se lhe ofereça boa ocasião"; entretanto não sabemos se visitou Corinto novamente.

Os versos 13 e 14 consistem em cinco breves exortações. Todas elas estão no tempo presente do grego, sugerindo serem contínuas, não ações únicas, que ocorrem de uma só vez:
1) "Vigiai" é uma exortação a permanecer alerta. O verbo que Paulo usa aqui aparece freqüentemente em conexão com a Segunda Vinda de Cristo (Mt 24.42,43; 25.13; Mc 13.37; Ap 3.3), embora não se restrinja àquele contexto (At 20.31, 1 Pe 5.8).
2) "Estai firmes na fé" admite duas interpretações. Na expressão "a fé" – o artigo está no texto grego – sugere o corpo da verdade cristã (como em At 6.7; Jd 3). Alguns, porém, tomam a expressão como significando a confiança pessoal de um cristão em Cristo.
3) "Portai-vos varonilmente" (que algumas vezes é traduzido como "sede corajosos") é uma expressão traduzida a partir do termo grego *andrizomai* ("conduza-se de um modo varonil ou corajoso" [BAGD]). Este verbo e o verbo seguinte ocorrem em Salmos 31.24.
4) A expressão "fortalecei-vos" pode ser também traduzida como "sede fortalecidos", que aponta para o Senhor como a fonte da força de cada cristão.
5) A frase: "todas as vossas coisas sejam feitas com caridade" dirige nossa atenção a 8.1-3 e ao capítulo 13. O amor é "a própria atmosfera em que o cristão vive, se move e tem o seu ser" (Morris, 238).

Os versos 15-18 enfocam três membros da congregação coríntia que visitaram Paulo em Éfeso – Estéfanas, Fortunato, e Acaico – e que presumivelmente entregaram a carta dos coríntios ao apóstolo. Seus comentários a respeito destes três homens são elogios, em contraste com o que teve que dizer sobre muitos dos coríntios.

Paulo havia anteriormente mencionado que batizou a família de Estéfanas (1.16). Agora faz dois importantes comentários sobre estas pessoas:
1) "A família de Estéfanas foi a primeira a se converter na Acaia". Uma tradução mais precisa é: "Sabeis que a família de Estéfanas é as primícias [*aparche*] da Acaia". Esta declaração é ligeiramente problemática, uma vez que já existiam convertidos na Acaia, na cidade de Atenas, antes da primeira visita de Paulo a Corinto (At 17.34). Talvez a ênfase esteja na conversão de uma família ao invés de indivíduos, como era o caso em Atenas. O termo *aparche* (veja os comentários sobre 1 Co 15.20) sugere que a conversão desta família era o prenúncio

de uma colheita que aconteceria na Acaia (Morris, 239). (Para usos semelhantes de "primícias" veja Rm 16.15; 2 Ts 2.13.)

2) Eles "se têm dedicado [*tasso*] ao ministério dos santos". *Tasso* também significa "designar". Estéfanas e sua família não foram designados por Paulo ou pela igreja; designaram a si mesmos, isto é, voluntariamente dedicaram-se ao ministério dos santos (Barrett, 393-94). Os "santos", geralmente, são o povo de Deus, não os cristãos de Jerusalém mencionados no verso 1. Paulo, deste modo, solicita aos crentes coríntios que se submetam a eles e a outros que tiverem o mesmo comprometimento, pois não só trabalham como também o "auxiliam" na obra do Senhor a favor dos coríntios (v.16; cf. 1 Ts 5.12,13).

Fortunato e Acaico não são mencionados em outra passagem no Novo Testamento. Sua presença em Éfeso junto com Estéfanas fez com que o apóstolo se regozijasse, porque, disse Paulo, "estes supriram o que da vossa parte me faltava" (v.17). Aparentemente Paulo sentia saudades dos crentes coríntios, e estes três homens "preencheram o vazio de sua ausência" (Héring, 185). Por meio de sua visita, "recrearam" o espírito de Paulo como também o espírito dos coríntios, já que foram os portadores da carta que continha as perguntas da igreja a Paulo (v.18; cf. 7.1). Por esta razão, estes homens mereciam o reconhecimento da congregação.

4.3. Saudações Finais e a Bênção (16.19-24)

Os versos 19 e 20 transmitem as saudações de quatro fontes aos coríntios:

1) "As igrejas da Ásia" enviam saudações. A província romana da Ásia estava situada na parte ocidental da Ásia Menor, que é atualmente parte da Turquia. Éfeso era a cidade principal, porém Paulo evangelizou toda a província durante sua permanência de dois anos naquela região (At 19.10, 26).

2) Áquila e Prisca ("Priscila", NIV) enviaram ternas saudações "no Senhor". O nome da esposa aparece em sua forma diminutiva, Priscila, em Atos (18.2, 18, 26), mas Paulo sempre a chama de Prisca (Rm 16.3; 2 Tm 4.19). Eram judeus que haviam se estabelecido em Roma. Quando o Imperador Cláudio expulsou todos os judeus da cidade em 49 d.C., foram para Corinto, onde Paulo os conheceu, viveu e trabalhou com eles (At 18.1-3). Quando Paulo deixou Corinto, eles o acompanharam e estabeleceram-se em Éfeso (18.18,19). Paulo diz a respeito deles: "pela minha vida expuseram a sua cabeça" (Rm 16.4); provavelmente este incidente tenha acontecido em Éfeso. Eram crentes evidentemente maduros, pois puderam instruir Apolo para que tivesse uma compreensão mais completa do Senhor (At 18.26). Tratava-se provavelmente de um casal de posses, pois viajavam livremente e tinham também uma casa bastante ampla em Éfeso, onde os cristãos se reuniam para a adoração.

3) "A igreja que está em sua casa" também envia saudações (veja também Rm 16.3-5). As igrejas que estavam nas casas são mencionadas em outras passagens (Cl 4.15; Fm 2). É pouco provável que todos os crentes efésios se reunissem para a adoração na casa de Áquila e Priscila, já que uma "sala de estar" de um tamanho moderado poderia acomodar cerca de trinta pessoas (Morris, 241). Portanto, podem ter existido várias casas onde os cristãos se reuniam como igreja, na cidade.

4) A expressão "todos os irmãos vos saúdam" pode se referir a outros missionários, companheiros de Paulo, a outros cristãos que não aqueles que se encontravam na casa de Áquila e Priscila, ou aos homens de Corinto que visitaram Paulo. Sua identidade não é de importância fundamental.

Paulo instrui os coríntios a saudarem-se uns aos outros "com ósculo santo" (v.20; veja também Rm 16.16; 2 Co 13.12; 1 Ts 5.26; 1 Pe 5.14). Era comum na cultura daquela época beijar parentes e amigos como uma forma de saudação. O beijo não deve ser superficial, artificial, ou forçado; deve ser "santo". Os santos (literalmente, "aqueles que são santificados") deveriam saudar uns aos outros de modo santo. Devido aos problemas dentro da congregação coríntia, esta exortação é especialmente relevante.

Os versos 21-24 contêm as observações finais de Paulo. Envia suas saudações pessoais escritas de próprio punho (v.21). O costume habitual da época era que um amanuense (um escriba) escrevesse uma

O ANTIGO TESTAMENTO NO NOVO

NT	AT	ASSUNTO
1 Co 1.19	Is 29.14	A sabedoria mundana perece
1 Co 9.9	Dt 25.4	Não amordaçar ao boi
1 Co 10.7	Êx 32.6	O pecado de idolatria
1 Co 1.31	Jr 9.24	A jactância no Senhor
1 Co 10.26	Sl 24.1	A terra é do Senhor
1 Co 2.9	Is 64.4	O que nenhum olho jamais viu
1 Co 14.21	Is 28.11,12	Através de línguas estranhas
1 Co 2.16	Is 40.13	A mente do Senhor
1 Co 15.27	Sl 8.6	Todas as coisas sujeitas a Cristo
1 Co 3.19	Jó 5.13	Deus e os astutos
1 Co 15.32	Is 22.13	Amanhã morremos
1 Co 3.20	Sl 94.11	Deus conhece os pensamentos humanos
1 Co 15.45	Gn 2.7	A criação de Adão
1 Co 15.54	Is 25.8	A morte é tragada
1 Co 5.13	Dt 17.7	A purga do mal
1 Co 6.16	Gn 2.24	A instituição do casamento
1 Co 15.55	Os 13.14	A vitória sobre a morte

carta ditada pelo remetente (Rm 16.22) e que no final da carta o remetente incluísse uma nota pessoal, com sua própria letra (Gl 6.11; Cl 4.18; 2 Ts 3.17; Fm 19).

Paulo inclui uma nota dissonante em suas observações finais: "Se alguém não ama [*phileo*] o Senhor Jesus Cristo, seja anátema" (v.22). O apóstolo utiliza o termo *phileo* para "amar" somente uma vez mais (Tt 3.15), mas é especulativo buscar aqui qualquer diferença sutil entre este termo e *agapao*, sua palavra habitual (cf. 1 Co 13). (Para *anathema*, veja comentários sobre 12.3). Alguns sugerem que esta declaração seja uma fórmula cristã relacionada à liturgia da Igreja primitiva (Barrett, 396; Bruce, 162). Em todo caso, Paulo pode estar dizendo que os muitos problemas na assembléia coríntia originam-se da ausência de um amor genuíno para com o Senhor.

"Ora, vem, Senhor!" é uma tradução da expressão aramaica *Maranatha*. Esta expressão remonta aos dias do início da igreja de Jerusalém. É uma das poucas palavras transliteradas e não traduzidas, em uso até os dias atuais (juntamente com Amém, Aleluia, e Hosana). Uma vez que os manuscritos mais antigos do Novo Testamento não separavam as palavras, o termo *Maranatha* presta-se mais propriamente a duas possíveis traduções, dependendo do modo como alguém divide a carta. *Maran atha* significa "Nosso Senhor veio" ou "Nosso Senhor vem"; *Marana tha* significa "Nosso Senhor, venha". A segunda opção é preferível, sendo uma oração semelhante a "Ora, vem, Senhor Jesus!" (Ap 22.20). Esta frase expressa um desejo de que o Senhor retorne.

Paulo inclui uma bênção típica de suas cartas: "A graça [*charis*] do Senhor Jesus Cristo seja convosco" (v.23; veja os comentários sobre 1.3,4 para *charis*). Os coríntios já haviam experimentado a graça divina; agora o apóstolo ora por sua continuidade em suas vidas. Então acrescenta: "O meu amor seja com todos vós, em Cristo Jesus" (v.24). Apesar do tom severo em várias partes da carta, o apóstolo ama até mesmo aqueles que criaram os maiores problemas. A razão é que seu amor está "em Cristo Jesus" (uma melhor compreensão da frase "com todos vós"). Podemos considerar correto, de acordo com alguns manuscritos confiáveis, que a última palavra da carta seja "Amém" – "Assim seja!"

BIBLIOGRAFIA

Atividade Divina: Mateus 14.2; Marcos 6.14; 1 Coríntios 12.6, 11; Gálatas 3.5; Efésios 1.9; 3.7; 4.16; Filipenses 3.21; Colossenses 1.29; 2.12. Atividade Satânica. Efésios 2.2; 2 Tesalonicenses 2.7, 9.

C. K. Barrett, *A Commentary on the First Epistle to the Corinthians* (1968); Arnold Bittlinger, *Gifts and Graces. A Commentary on 1 Corinthians 12-14* (1968); F.F. Bruce, *1 and 2 Corinthians*. (NCC, 1971); D. A. Carson, *Showing the Spirit. A Theological Exposition of 1 Corinthians 12-14* (1987); Gordon Fee, *The First Epistle to the Corinthians* (NICNT, 1987); Everett Ferguson, *Backgrounds of Early Christianity* (1987); Jean Héring, *The First Epistle of Saint Paul to the Corinthians* (1962); David Lim, *Spiritual Gifts. A Fresh Look* (1991); Ralph P. Martin, The Spirit and the Congregation. Studies in 1 Corinthians 12-15 (1984); Florentino Garcia Martinez, The Dead Sea Scrolls Translated. The Qumran Texts in English (1996); Leon Morris, The First Epistle of Paul to the Corinthians (TNTC, 1985); Archibald Robertson e Alfred Plummer, A Critical and Exegetical Commentary on the First Epistle of St. Paul to the Corinthians (ICC, 1914).

II CORÍNTIOS
James Hernando

INTRODUÇÃO

1. Autor

Poucos estudiosos desafiaram a autoria paulina de 2 Coríntios. Até mesmo os críticos que defendem que a carta contém fragmentos de outras cartas (veja "Unidade Literária") normalmente creditam a Paulo a autoria daquelas seções. Tanto a evidência interna quanto a externa demonstram a autenticidade da carta.

Duas vezes na carta Paulo é identificado como seu autor (1.1; 10.1). Tais revelações tornam-se mais confiáveis quando colocadas ao lado do conteúdo da carta. Por exemplo, está claramente demonstrado que um "imitador piedoso" de Paulo dificilmente retrataria o apóstolo como "em perigo de perder sua autoridade apostólica e lutando para preservar os coríntios da apostasia" (Harris, 306). Além disso, o caráter inerente da carta aponta para sua autenticidade. É freqüentemente interpretada como uma conversa telefônica unilateral. É difícil imaginar um falsificador construindo uma carta tão cheia de referências oblíquas e obscuras a situações e detalhes obviamente bem conhecidos pelo autor e seu público. Até mesmo um impostor inexperiente teria tomado mais cuidado de se fazer entender.

O que parece mais convincente quanto a autoria de Paulo é que encontramos não somente seu vocabulário e estilo característico, mas o seu requinte e sua "preocupação pastoral apaixonada para com todas as igrejas" (11.28). Apresenta a mesma gratidão humilde (1.3-11; 2.14; 8.16), afeto (2.1-4; 6.11-13; 7.2-4), ciúme apaixonado pela Igreja de Cristo e sua congregação (11.1-4; 12.14-21), compaixão por um pecador em luta (2.5-11), e uma indignação corajosa para com aqueles que desafiam sua autoridade apostólica (2.17; 4.2, 5; 10.1-18; 11.5-12.13) como são visíveis em outras cartas de Paulo.

No que se refere à evidência externa, a carta foi conhecida e usada no final do primeiro século d.C. Mesmo sendo desconhecida por Clemente de Roma (ca. 95 d.C.), alusões verbais da carta aparecem em dois documentos dos Patriarcas Apostólicos — as cartas de Barnabo e Diogneto (ambas de 70 — 135 d.C.). É citada por Policarpo (ca. 105 d.C.), Irineu (ca. 180), Clemente de Alexandria (ca. 200 – 210), Tertuliano (ca. 210), e Cipriano (ca. 230). Além destes, Atenagoro (ca. 180) e Teófilo de Antioquia (ca. 170 – 180) parecem ter conhecido a carta. Aparece também no cânon de Marcion (ca. 140) e no cânon Muratoriano (ca. 170).

2. Data e Lugar em que foi Escrita

A data e o lugar em que 2 Coríntios foi escrita depende da data de 1 Coríntios e da reconstrução histórica dos eventos que se tornaram conhecidos entre estas duas cartas (veja "Ocasião e Propósito"). A data de 1 Coríntios está historicamente ligada ao proconsulado de Gálio em Corinto, em que uma inscrição famosa nos ajuda a datar de 1 de julho de 51 d.C. a 1 de julho de 52 d.C. (veja Carson, Moo, e Morris, 223-31). Como o livro de Atos registra, em alguma ocasião durante aquele período os judeus "fizeram um ataque unido a Paulo" e o arrastaram diante do proconsul romano (At 18.12). Se, como parece provável, os judeus aproveitaram-se da mudança de administração, o aparecimento de Paulo diante de Gálio ocorreu antes de seu proconsulado (isto é, no outono de 51 d.C.). Paulo passou um pequeno, mas indeterminado período em Corinto após este evento, e então viajou de navio para a Síria (18.18), provavelmente na primavera de 52 d.C. Fez uma breve parada em Éfeso (18.19,20) antes de viajar novamente e aportar em Cesaréia (18.22).

Depois de "ter passado algum tempo em Antioquia" (At 18.23), Paulo embarcou para sua terceira viagem missionária, passando pelas regiões da Galácia e Frigia e voltando novamente a Éfeso (19.1), onde permaneceu por pelo menos dois anos e meio (cf. 19.8, 10; 20.31). Somando-se os períodos e levando-se em conta o tempo da viagem, sua permanência ali terminou no final de 55 d.C. Paulo escreveu 1 Coríntios em Éfeso, provavelmente em algum período da primavera (antes do Pentecostes, cf. 1 Co 16.8) de 55 d.C. A segunda carta aos Coríntios provavelmente foi escrita cerca de um ano mais tarde (na segunda metade ou final de 56); devemos levar em conta a possibilidade de, neste ínterim, ter ocorrido uma outra visita e outra carta (veja "Ocasião e Propósito"), como também Paulo ter viajado para a Macedônia e ministrado ali (2 Co 2.12,13; 7.5; 8.1-5; 9.2). É provável que Paulo tenha escrito esta carta da cidade macedônica de Filipos, uma vez que "Macedônia" em 11.9 parece designar Filipos (veja Fp 4.15).

3. Ocasião e Propósito

Determinar a ocasião em que esta carta foi escrita exige um exame cuidadoso de 1 e 2 Coríntios e Atos, dos detalhes que nos habilitarão a reconstruir a relação de Paulo com a igreja de Corinto. A dificuldade com tal reconstrução é que encontramos numerosos intervalos. Por exemplo, Atos não registra nenhuma correspondência com Corinto, embora das cartas aprendamos que existiam várias. Atos registra duas visitas de Paulo a Corinto (At 18.1; 20.2), enquanto 2 Coríntios 13.1 sugere uma terceira visita (não mencionada em Atos). Estes intervalos devem ser cautelosamente considerados porque levam em conta mais de uma configuração dos dados que possuímos. Apesar das dificuldades, devemos nos aventurar a fazer tal reconstrução histórica a fim de entender 2 Coríntios.

Paulo primeiramente visitou Corinto durante sua segunda viagem missionária (At 18). Foi para lá por tomar conhecimento de circunstâncias difíceis na Macedônia e Acaia. Em Filipos (At 16), Paulo e Silas foram milagrosamente libertos depois de serem açoitados e encarcerados. Com dificuldade escapou de um tratamento semelhante em Tessalônica e Beréia (17.1-15), sendo perseguido e expulso pelos judeus. Em Atenas (17.16-34), rodeado de uma excessiva idolatria que aborreceu sua alma, seu evangelho recebeu uma resposta de escárnio, de ridicularização e de pouco resultado. Não é de se surpreender que tenha se aproximado de Corinto logo depois "em fraqueza, temor, e grande tremor" (1 Co 2.3).

Encorajado por Cristo em uma visão (At 18.9), Paulo trabalhou em Corinto por dezoito meses (18.11), juntamente com Priscila e Áquila que haviam chegado recentemente a Corinto, vindo de Roma como resultado da perseguição dos judeus sob o governo do imperador Cláudio (18.2). Depois de ver a igreja estabelecida, Paulo viajou para a Síria, passando por Éfeso, onde deixou Priscila e Áquila (cf. 18.26). Desembarcando em Cesaréia, viajou para Jerusalém e saudou a igreja, então esteve por algum tempo em Antioquia, de onde iniciou sua terceira viagem missionária. Após cruzar a Ásia Menor e fortalecer as igrejas no caminho (18.23), chegou novamente a Éfeso (19.1). Lá permaneceu por aproximadamente três anos (19.8, 10; 20.31). Durante o período em que permaneceu ali, recebeu notícias perturbadoras sobre o que se passava em Corinto. O seguinte esboço é oferecido como uma reconstrução histórica de sua correspondência e contatos com a cidade:

1) Paulo escreve uma carta (referida em 1 Co 5.9) em resposta às terríveis notícias. O conteúdo desta "carta prévia" é desconhecido, mas inclui uma advertência aos Coríntios para que não se associem a pessoas imorais. Suas instruções provavelmente diziam respeito à disciplina da igreja e foram aparentemente mal-compreendidas (5.10-13).

2) Algum tempo depois (ou talvez ao mesmo tempo) Paulo recebeu relatórios de membros da "casa do Cloe" (1 Co 1.11) dando conta de outras desordens na igreja. Além disso, Estéfanas, Fortunato, e Acaico (talvez uma delegação oficial de Corinto) chegaram (16.17), trazendo uma carta (7.1) contendo várias perguntas que a igreja quer que Paulo responda (cf. também "Ora, quanto a... [ou relativo a]" em 7.25; 8.1; 12.1; 16.1; 16.12).

A Interação de Paulo com Corinto

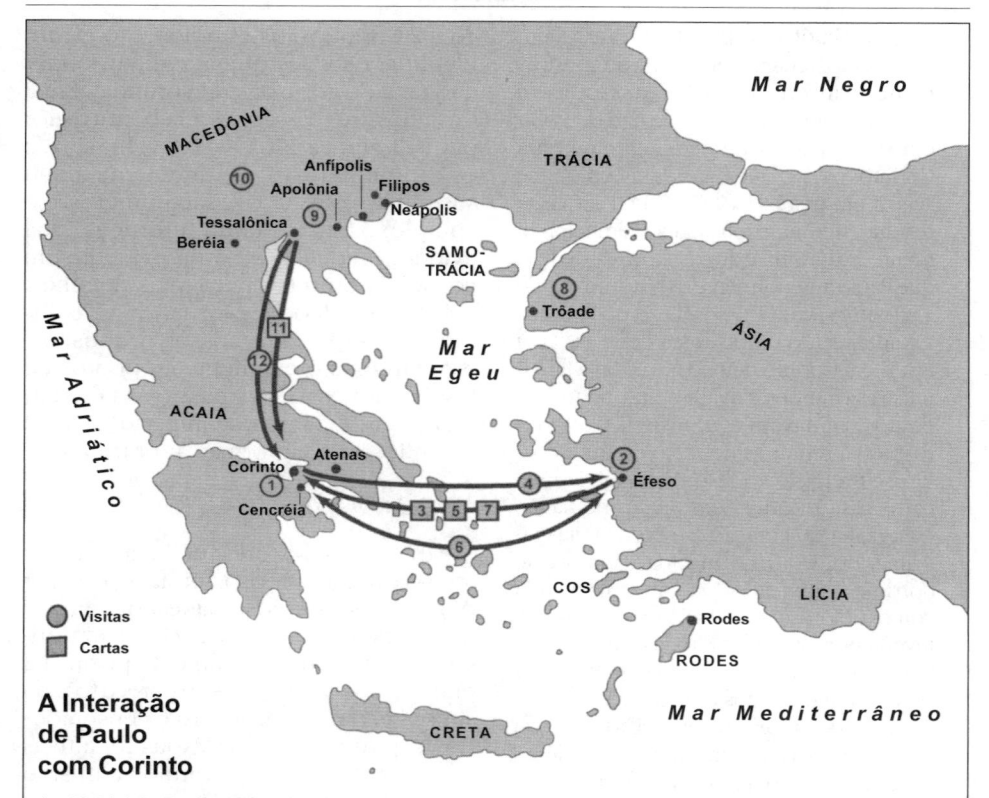

1. 50-51 d.C.: Paulo estabelece a igreja em Corinto (At 18.1-18).
2. 53-56: Paulo estabelece a igreja em Éfeso (At 18.23; 19:1, 8.10).
3. 54: Paulo ouve sobre a imoralidade em Corinto e escreve uma breve carta (veja 1 Co 5.9).
4. 54: Pessoas da casa de Cloe (1 Co 1.11) e mais tarde Estéfanas, Fortunato, e Acaico (1 Co 16.17) visitam Paulo em Éfeso; um destes grupos traz uma carta (1 Co 7.1).
5. 54: Paulo escreve a carta de 1 Coríntios e a envia a Corinto — provavelmente com Estéfanas, Fortunato, e Acaico.
6. 55: Paulo ouve sobre problemas adicionais em Corinto e faz uma visita breve e dolorosa à igreja (2 Co 2.11; cf. 12.18; 13.2).
7. 55: Paulo escreve uma terceira carta a Corinto, chamada de "carta severa" (2 Co 2:3,4, 6, 9; 7.8, 12). Ele a envia com Tito, que também recebe ordens para organizar a oferta em Corinto (2 Co 8.6).
8. 56: Paulo deixa Éfeso e tem uma oportunidade para evangelizar Troas, mas não o faz (2 Co 21.2.13).
9. 56: Paulo passa a Macedônia e inicia ali a obra evangelística (At 20,1,2; 2 Co 2.13; 7.5).
10. 56: Tito encontra Paulo na Macedônia (Tessalônica ou Filipos?) e faz relatórios de sua permanência bem sucedida em Corinto (2 Co 7.6-16).
11. 56: Paulo escreve 2 Coríntios 1—9 e, depois de ouvir falar de problemas adicionais, escreve os capítulos 10—13; envia a carta completa a Corinto com Tito (2 Co 8.16-24).
12. 56: Depois de evangelizar ainda mais, por todo o caminho ao Ilírico, a oeste da Macedônia (veja Rm 15.19-21), Paulo visita Corinto e passa ali o inverno (At 20.2).

Sobre estas investigações Paulo escreve 1 Coríntios e envia a carta por Timóteo (4.17; 16.10-11; cf. At 19.22).

3) Paulo, tendo a intenção de permanecer em Éfeso até a Festa de Pentecostes, viaja então através do Mar Egeu para a Macedônia. Lá visitaria as igrejas quando viajasse para o sul de Corinto, onde esperava passar o inverno (1 Co 16.6-8). Porém, aparentemente muda seus planos, pretendendo visitá-los duas vezes, desembarcando em Corinto a caminho da Macedônia, e novamente retornando navega de Corinto até a Judéia (2 Co 1.16).

4) Os planos de Paulo são desfeitos devido às más notícias vindas de Corinto, seja pelo

próprio Timóteo ou por algum outro mensageiro. Aparentemente, a carta do apóstolo não foi bem recebida; de fato, a situação era bastante séria. Paulo decide não demorar em sua visita e vai imediatamente para Corinto, para o que considera como uma "visita em tristeza" (2 Co 2.1). Esta visita resulta em uma confrontação emocionalmente acusatória e angustiante — do tipo que Paulo anteriormente os havia advertido a não provocar (1 Co 4.21). O que parece ter acontecido é que antes desta visita, a igreja em Corinto deu boas-vindas a falsos mestres que desafiavam a autoridade de Paulo e minavam seu ensino. Paulo foi forçado a retirar-se do meio do tumulto.

5) Em seu retorno a Éfeso Paulo envia uma carta aos Coríntios "em muita tribulação e angústia do coração... e com muitas lágrimas" (2 Co 2.4) em uma tentativa de corrigir a situação. Esta carta conhecida como "dolorosa" provavelmente tenha sido levada por Tito (2 Co 8.6), a quem é dado também o encargo de completar a bondosa oferta para os santos em Jerusalém.

6) Alguns dias mais tarde Paulo deixa Éfeso e vai para Troas, onde aguarda notícias de Tito (2 Co 2.12). Desapontado por Tito não chegar (2.13), Paulo prossegue para a Macedônia, onde fortalece as igrejas (At 20.1,2) e continua a administrar sua bondosa oferta para a Igreja em Jerusalém (2 Co 8.1-4; 9.2). Enquanto estava ali, Tito finalmente chega com boas notícias de Corinto. A carta anterior de Paulo, embora causando tristeza "por pouco tempo" (7.8), foi bem recebida. De fato, levou os Coríntios a se arrependerem (7.9). Paulo ficou muito animado e, ao mesmo tempo, aliviado (7.6,7).

7) Paulo então escreve a parte principal de 2 Coríntios (caps. 1—9) para expressar seu alívio de que a carta "dolorosa" e a missão de Tito tenham sido um sucesso. A resistência residual leva-o a escrever os capítulos 10—13.

4. Unidade Literária

A crítica bíblica moderna tem examinado freqüentemente as cartas do Novo Testamento para encontrar evidências de um trabalho composto por retalhos de fragmentos ou fontes literárias. Tal é o caso com 2 Coríntios; os estudiosos tentaram identificar seções que acreditam poder não ter sido parte da carta original. Em 2 Coríntios, três passagens recebem a maior parte da atenção: 2.14—7.4; 6.14—7.1; e os capítulos 10-13. Os argumentos que sustentam estas visões são numerosos e complexos, mas nenhum fornece uma evidência conclusiva ou representa um consenso erudito (para mais detalhes, veja Carson, Moo, e Morris, 267-77; Guthrie, 437-53). Para nossos propósitos, estudaremos brevemente os pontos de vista relativos a estas passagens e argumentaremos a favor da integridade de 2 Coríntios em sua forma canônica atual.

a. 2 Coríntios 10—13

Se o esboço histórico delineado acima for basicamente preciso, será fácil perceber por que os estudiosos questionaram se 2 Coríntios 10—13 pertence à carta original. A atmosfera geralmente positiva e otimista dos capítulos 1—9 parece fora de sintonia com o tom severo e censurador dos capítulos 10—13. Várias tentativas de se explicar estes capítulos têm sido oferecidas, como vemos a seguir:

1) A carta de 2 Coríntios foi escrita por Paulo em sua forma canônica atual. A mudança surpreendente no tom entre estas duas seções é explicada por um apelo ao lado humano de Paulo, sendo atribuído às mudanças de humor e explosões emocionais. Alguns têm argumentado que grande parte é feita de diferenças alegadas entre estas seções e que não existe nenhum embasamento para a acusação de incoerência (veja Hughes, xxxi-xxxv)

2) Devido à alusão a uma prévia "visita dolorosa" a Corinto e à "carta dolorosa" que se seguiu, a carta que Paulo escreveu depois de receber um bom relatório de Tito era 2 Coríntios 1—9. Os capítulos 10—13 podem pertencem à carta anterior mencionada em 2.4.

3) Depois do relatório de Tito, Paulo escreveu os capítulos 1—9. Brevemente depois disso, recebeu notícias desencorajadoras e respondeu com outra carta separada, que incluía os capítulos 10—13; esta lidava com

desafios mais recentes e críticas ao seu ministério.
4) Paulo escreveu 2 Coríntios durante um longo período de tempo. Os capítulos 1—9 foram escritos logo depois das boas notícias de Tito. Nela, Paulo expressou seu alívio e alegria pelos efeitos positivos de sua carta severa. Porém, antes de Paulo enviar a carta, recebeu notícias adicionais relativas à mudança perturbadora dos eventos retratados nos capítulos 10—13. Paulo muda de tom ao escrever os capítulos finais, procurando definir e corrigir a situação.

Todas as abordagens acima tentam explicar as inegáveis diferenças entre as duas seções. Porém as opiniões que vêem os capítulos 1—9 e 10—13 como parte de duas cartas separadas (opiniões [2] e [3]) devem superar duas perguntas desconcertantes:
1) Por que não existe nenhuma evidência manuscrita de que 2 Coríntios tenha sido concluída depois do capítulo 9, ou que os capítulos 10—13 sempre circularam independentemente na Igreja?
2) Se estas "cartas separadas" foram preservadas, unidas, e mais tarde publicadas, por que alguém iria querer omitir as saudações finais da primeira carta (caps. 1—9) e a saudação, recomendação e ação de graças tipicamente paulinas da segunda (caps. 10—13)?

A opinião 1, enquanto apóia a unidade de 2 Coríntios, não faz justiça às diferenças patentes que existem entre as duas seções. Por exemplo, se ambas as seções foram compostas ao mesmo tempo, certamente a alegria expressa nas notícias de Tito (7.6-16) teria sido contrabalançada pela ameaça iminente e pela terrível situação expressa nos capítulos 10—13. Na avaliação do autor, a opinião (4) explica mais razoavelmente como duas seções tão discrepantes podem ter sido combinadas em uma única carta.

b. 2 Coríntios 2.14—7.4

É freqüentemente observado que se esta seção for omitida, 2 Coríntios 7.5 naturalmente seguirá 2.13, uma vez que ambos tratam da viagem de Paulo à Macedônia depois de ficar desapontado por não encontrar Tito (2.12). Conseqüentemente, alguns supõem que 2.14—7.4 eram originalmente parte (ou o todo) de uma carta separada mais tarde inserida no texto por algum editor das cartas de Paulo. A suposta inserção é vista como o maior desvio dos relatos das viagens de Paulo como uma descrição ou uma discussão de seu ministério apostólico.

Devemos rejeitar esta interpretação do texto por três razões:
1) Devíamos rapidamente assinalar que as longas discussões nas cartas de Paulo não são sem precedente (veja Rm 9—11; Fp 3.2-21). Além disso, as palavras de Paulo em 7.5, "Porque, mesmo quando chegamos à Macedônia", dificilmente parecem ser as que teriam se seguido imediatamente àquelas de 2.13, "Por isso, despedindo-me deles, parti para a Macedônia." A segunda menção da Macedônia em 7.5 parece mais que Paulo está retornando ao relato da viagem depois de um desvio intencional do assunto.
2) Outros assinalaram que existem características verbais e temáticas que ligam o conteúdo da passagem disputada ao que se segue. Isto parece ser improvável se esta passagem representar a inserção de material estranho de outra carta [1].
3) Deve ser novamente observado que nenhum manuscrito grego sustenta a existência independente de 2.14—7.4, nem qualquer copia de 2 Coríntios deixa de fora esta passagem.

c. 2 Coríntios 6.14—7.1

Esta passagem é seguramente uma das mais contestadas em 2 Coríntios. Ela é vista não só como uma inserção no texto, mas alguns até negam que Paulo a tenha escrito. Já vimos anteriormente as razões para a antiga acusação. Estes seis versículos interrompem a exortação pessoal formada por 6.13 e 7.2 com uma unidade de pensamento que não se ajusta ao contexto. Mas devíamos reconhecer de novo que a mente de Paulo era capaz de tratar vários assuntos de maneira alternada, de modo que, quando vistos superficialmente, parecem fora de contexto, porém, quando analisados mais intimamente, têm uma profunda relevância para o propósito maior de Paulo.

É, então, possível argumentar a favor da irrefutabilidade desta passagem. Paulo concluiu uma descrição de seu apostolado em 6.3-10 como sendo repleto de sofrimento e sacrifício. Falou abertamente para promover e encorajar o amor e a intimidade mútua entre ele e os Coríntios (6.11-13). Mas, como devemos aprender nos capítulos 10—13, a autoridade e o caráter do apostolado de Paulo estão sendo desafiados por outros que se auto-reivindicavam apóstolos. Os Coríntios estão enfrentando aqui uma decisão importante: a quem deveriam escutar. A mudança de assuntos, seja com a intenção de definir o significado moral e teológico daquela escolha (Barrett, 192-203; Hughes, 244-60) ou para retornar a uma área de ensino que os Coríntios falharam em abraçar (veja Fee, 1977, 140-61), serve para ressaltar a gravidade daquilo que está em jogo. Rejeitar Paulo e seu apostolado é rejeitar o próprio evangelho de Cristo como exemplificado no ministério apostólico de Paulo.

Aqueles que argumentam contra a autoria Paulina destes versículos, baseiam sua posição em palavras e conceitos que alegam que não seriam usados ou sustentados por Paulo. Seis palavras, por exemplo, aparecem nesta passagem e não são encontradas em nenhuma outra parte do Novo Testamento. Porém tais palavras são características de 2 Coríntios como um todo (veja Hughes, 242, que conta um grupo de cinqüenta destas palavras), e cinco das seis palavras encontram termos relacionados em outras passagens nos escritos de Paulo (Fee, 1977, 144-45). Em todo caso, os argumentos baseados no uso destas palavras não são conclusivos, pois assumem um vocabulário estático ao invés de um vocabulário dinâmico e flexível por parte do apóstolo.

Outros apontam para conceitos teológicos fundamentais nesta passagem como sendo algo não característico de Paulo: por exemplo, o dualismo da luz contra as trevas, da justiça contra a iniqüidade e Cristo contra Belial, considerado como sendo mais característico da comunidade de Qumran do que de Paulo (Fitzmyer, 271-80). Paulo coloca "corpo" (*sarx*, literalmente, "carne") ao lado de "espírito" (*pneuma*) de um modo complementar aqui (7.1), ao passo que em outras passagens ele os apresenta em oposição mútua (Gl 5.16-21). Betz (88-108) argumenta que o exclusivismo desta passagem (negação da comunhão) parece ser mais característico dos fariseus do que de Paulo.

À primeira vista estes argumentos parecem ter peso. Porém, as observações acima não são completamente precisas. Por exemplo, enquanto a forma precisa da terminologia dualística encontrada em 6.14-15 pode estar ausente em Paulo, os conceitos não estão. A luz e as trevas têm significado moral e espiritual e são contrastados em outras passagens nos escritos de Paulo (Rm 2.19; 13.12; 1 Co 4.5; 2 Co 4.6; Ef 5.8). Semelhantemente, enquanto a comparação de Cristo-Belial é única nesta passagem, Paulo seguramente apresenta Satanás em uma relação adversária ao Senhor Jesus em várias ocasiões (Rm 16.20; 1 Co 5.5; 2 Co 2.10,11; 11.13,14; 2 Ts 2.8,9). Além disso, enquanto a frase exata "justiça [*dikaiosyne*] e injustiça (ou iniqüidade) [*anomia*]" (6.14) não aparece em nenhuma outra parte dos escritos de Paulo, ambos os termos servem como opostos morais em duas passagens paulinas proeminentes (Rm 4.1-13 [especialmente nos versos 6-8]; 6.15-23 [especialmente nos versos 18 e 19]).

A acusação de que o exclusivismo desta passagem poderia não ter vindo da pena de Paulo ignora passagens como Gálatas 1.8,9; 1 Coríntios 6.9,10, 15-20; 10.14-21. Quando Paulo estava mostrando a ameaça que havia contra a vida espiritual e a sobrevivência da Igreja, tal exclusivismo não só era possível, mas necessário.

Finalmente, a alegação de que a expressão "carne e espírito" (7.1) não seja paulina, sofre da mesma falta de exame. Na verdade, Paulo normalmente contrasta estes termos (veja Gl 5.16-25). Mas devemos reconhecer que o termo grego *sarx* ("carne") na passagem de Gálatas 5 está sendo usado para representar a natureza humana pecadora, ao passo que em 2 Coríntios 6.14 a palavra é moralmente neutra e representa o aspecto físico ou corporal de uma pessoa. Juntos, "carne e espírito" se referem à pessoa como um todo (Carson, Moo, e Morris, 275).

Em resumo, as razões para se ver esta passagem como não paulina são, na melhor hipótese, não conclusivas, freqüentemente fracas e não convincentes.

5. Os Adversários de Paulo

Até mesmo uma leitura casual de Atos indica que a carreira missionária de Paulo foi marcada por conflitos. Não é surpreendente, então, voltar-se para suas cartas e encontrar reflexões sobre aqueles conflitos. As cartas de Paulo foram escritas em resposta a situações específicas da vida que haviam se desenvolvido em suas igrejas. Muitas daquelas situações problemáticas aconteceram como resultado de atitudes de indivíduos que procuraram minar (ou deturpar) o ensino de Paulo, ou que de alguma forma se opuseram ao seu ministério. Certamente este foi o caso em Corinto. Conseqüentemente, a identificação e a análise dos adversários de Paulo em Corinto são essenciais para se entender muito do conteúdo da correspondência coríntia (veja Barnett, 644-53).

a. A Identidade dos Adversários de Paulo

Identificar os adversários de Paulo é uma tarefa difícil porque, como em todas as suas cartas, é como se tivéssemos conhecimento de somente um lado de um diálogo. Porém, a maneira com que o apóstolo se expressa freqüentemente revela que está se dirigindo a antagonistas. Mesmo assim, a identificação precisa nem sempre é possível porque o que ele diz pode ser plausivelmente interpretado para representar grupos diferentes. Normalmente estes grupos se enquadram em duas categorias maiores: judeus ou helenistas (gregos) (veja Martin, 279-89). Antes de nos encaminharmos em direção a uma identificação mais específica, devemos dar atenção a algumas precauções.

1) Não devemos presumir que estamos lidando com os mesmos adversários em 1 e 2 Coríntios, ou que os adversários representem um grupo único. Devemos levar em conta a possibilidade de que a oposição ao ministério de Paulo possa ter vindo de uma variedade de frentes ou facções dentro da igreja. Uma distinção principal entre as duas cartas parece clara. A maioria dos problemas mostrados em 1 Coríntios parece ter sido gerado *dentro da igreja* por seus próprios membros (por exemplo, as divisões internas aludidas em 1 Co 1.10-16; 3.21-22; veja também os comentários em 1 Co 7.1). Em 2 Coríntios, porém, os adversários de Paulo se apresentaram com cartas de recomendação (2 Co 3.1) de *fora* de Corinto (10.14-16; 11.4), e seus comentários são dirigidos a um grupo identificável (2.17; 3.1; 10.2, 10-12; 11.4,5, 13-15, 18, 20). Fica claro que houve uma mudança na frente de oposição entre a primeira e a segunda carta aos Coríntios.

2) Devemos evitar ser forçados a optar por uma identificação exclusivamente judia ou helenista dos adversários de Paulo. Os adversários judeus destacam a ênfase dada por Paulo às suas credenciais judias (11.16 e ss.) e tendem a ligar os "mais excelentes apóstolos" (11.5; 12.11) às colunas da igreja de Jerusalém (isto é, os apóstolos). Outros, porém, chamam a atenção para o caráter literário grego dos capítulos 10—13 e para os critérios pelos quais estes "mais excelentes apóstolos" criticam o apostolado de Paulo e exaltam o seu próprio suposto apostolado — cujos critérios refletem mais as prioridades do mundo helenístico (Martin, 282-83). Esta polaridade de escolhas pode não ser necessária por duas razões: (a) Como será mais completamente discutido no comentário, a frase: os "mais excelentes apóstolos" pode ou não se referir ao mesmo grupo, assim como no caso dos "falsos apóstolos" (11.13). Se estes não são idênticos, mas representam outro grupo de oposição, então tanto os judeus como os gregos po-

dem ser contados entre os adversários de Paulo; (b) Nosso entendimento atual do judaísmo sustenta a probabilidade de que judeus dentro e fora da Palestina apoiaram idéias intimamente associadas ao mundo helenístico (veja Brinsmead, 9-22).

3) Devemos evitar a precipitação de usar rótulos tais como *judaizantes* ou *gnósticos* para identificar os adversários de Paulo. O primeiro termo é freqüentemente usado para designar cristãos judeus que insistiam na circuncisão e na manutenção da Lei de Moisés como uma condição prévia para a salvação (por exemplo, veja At 15.1, 5; Gl 2.1-4). Fica claro que pelo menos um grupo de adversários de Paulo ("os falsos apóstolos") era judeu (11.22), mas em nenhuma parte de 2 Coríntios encontramos a circuncisão mencionada ou sugerida. No entanto, uma leitura cuidadosa da carta mostra que um segmento da oposição a Paulo media a justiça pela lei (veja 11.13-15; cf. 3.6-18). Em um sentido mais completo e técnico, então, os adversários não podem ser rotulados de judaizantes. Porém, o termo seria apropriado se fosse aplicado aos cristãos judeus que tentaram impor aos gentios alguma medida da manutenção da lei como uma expressão necessária de sua fé cristã.

Quanto ao rótulo *gnósticos*, devemos reconhecer que o gnosticismo foi uma religião do segundo século do mundo grego maior. Era altamente sincretista e obteve seus conceitos tomando-os emprestado de uma grande variedade de fontes. Os estudiosos agora reconhecem que as idéias e a terminologia religiosa de *gnosis* precederam há muito tempo a religião do gnosticismo (veja Nash, 203-24). Por exemplo, Paulo não precisou ter os gnósticos em mente, simplesmente porque sua escrita contém o que parece ser um dualismo de corpo e espírito. Tal dicotomia era encontrada no mundo grego do tempo de Platão. Além disso, um exame cuidadoso de 1 e 2 Coríntios não revela nenhuma das características essenciais do gnosticismo maduro. Deste modo, é seguro concluir que entre os adversários de Paulo estavam gentios que compartilhavam muitas das idéias religiosas e filosóficas do mundo grego.

b. Análise dos Adversários de Paulo

Nos comentários anteriores tomamos o cuidado de não supor que os adversários de Paulo fossem singulares ou que fossem as mesmas pessoas tanto em 1 como em 2 Coríntios. Notamos também que os primeiros adversários de Paulo em 2 Coríntios são destacados nos capítulos 10—13. Nossa argumentação é que os adversários mencionados nestes capítulos são os mesmos auto-proclamados líderes cristãos que haviam anteriormente chegado a Corinto, levando Paulo a fazer uma visita de caráter emergencial (2.1) e mais tarde a escrever a carta a que alguns se referem como a "carta dolorosa" (2.4). Aparentemente, as boas notícias de Tito, que levaram Paulo a regozijar-se (7.7), eram efêmeras. As notícias posteriores levaram Paulo a escrever os capítulos 10—13 a fim de enfrentar um novo desafio de seus antagonistas. O que sabemos sobre estes adversários? Uma análise mais detalhada será apresentada ao longo deste comentário, mas por hora o esboço seguinte será bastante útil:

Quem Eram, e o que Estavam Fazendo em Corinto?

1) Enquanto sua ligação com a igreja de Jerusalém permanece incerta, parece claro que os adversários de Paulo eram judeus orgulhosos de sua cultura e herança hebraica (11.22), embora familiarizados à cultura grega.

2) Como previamente observado, eram "estrangeiros" que vieram a Corinto escolhendo para si mesmos o título de "apóstolos" (11.13). Para estabelecer a credibilidade de sua reivindicação ostentaram cartas (talvez dos apóstolos de Jerusalém; veja 11.5; 12.11) de recomendação (3.1) como prova de sua linhagem.

3) Eram orgulhosos e arrogantes, cuja importância era auto-declarada. Gostavam de "recomendarem a si mesmos" (3.1; 10.12; cf. 12.11) e gabarem-se de si mesmos (lembre-se do sarcasmo de Paulo quando se refere à orgulhosa e imprópria vanglória dos adversários; 10.8, 15; 11.6, 10, 12, 16-18, 30; 12.1, 5,6, 9). Eram também intrusos que tomavam o crédito do trabalho dos outros

(especialmente de Paulo; cf. 10.15,16).
4) Como mestres, eram dominadores e autoritários (11.21), colocando-se como o padrão a seguir, medindo a todos os demais por este padrão (10.12).
5) Para minar a influência e a autoridade do apóstolo Paulo, estes adversários iniciaram uma campanha de crítica com o objetivo de questionar seu apostolado.

O que Adversários de Paulo Estavam Combatendo?

1) Reivindicavam que Paulo não pregou como um apóstolo; isto é, que não possuía a eloqüência e o poder retórico de um verdadeiro apóstolo. Isto explica a admissão freqüente de Paulo deste fato (10.10; 11.6; cf. 1 Co 1.17; 2.1, 4, 13) e sua sugestão de que a integridade (10.11) e o conhecimento pessoal da verdade (11.6) são mais importantes que a habilidade oratória.
2) Insistiam que Paulo não se comportava como um apóstolo; era fraco, e carecia da ousadia e do porte da autoridade de um verdadeiro apóstolo (10.1,2). Paulo se opõe a esta acusação afirmando que sua conduta entre eles era modelada pela humildade e mansidão de Cristo. Ao invés de negar sua fraqueza, Paulo a admite e se gloria nela como o meio de obter o poder de Deus (11.30; 12.9,10; 13.3,4,9).
3) Os adversários reivindicavam que Paulo não agia como um apóstolo. Aparentemente opunham-se à sua prática de pregar o evangelho sem nenhuma cobrança, ou de esperar ser sustentado por seus convertidos (11.7-12). Paulo declara corajosamente sua liberdade para assim fazer, e menciona esta prática como o objeto de sua própria vanglória.

Como Paulo Considera os Adversários e o seu Ministério?

1) Paulo considera seus adversários como "falsos apóstolos" (11.13). As bases sobre as quais faz este julgamento são claras. Existe somente um evangelho apostólico verdadeiro (cf. Gl 1.6-8), e estes homens não o estavam pregando. Ao invés disto, ensinavam um Jesus e um evangelho diferente daquele que os Coríntios haviam primeiramente recebido de Paulo (2 Co 11.4). Além disso, o caráter interior do ministério dos adversários, como um todo, era estrangeiro e desigual ao de Paulo. Paulo viu em seus adversários a negação de uma identificação consciente com a fraqueza e os sofrimentos de Cristo (11.23-33; 12.7-10), que considerou como um fracasso em relação a compreender e abraçar completamente a cruz de Cristo (13.1-6).
2) Paulo vê seus adversários como enganadores. Isto é evidente pelos termos que usa para descrevê-los. Estavam "disfarçados" (ou "transfigurados") de apóstolos de Cristo (11.13). Apresentavam um evangelho estranho e um Jesus estranho, tendo o objetivo de enganar os Coríntios e afastá-los de uma fé simples e pura no Senhor Jesus (11.3). Por duas vezes Paulo compara a pregação deles com a obra do Diabo, chegando até a sugerir que fossem agentes de Satanás, fazendo sua obra enganosa (11.3,14).
3) Paulo descreve seus adversários como "carnais" ou "mundanos", de modo que se distancia da conduta que é conforme uma maneira mundana ou "segundo a carne" (1.17; cf. 5.17; 10.2), e condena a vanglória orgulhosa de seus adversários classificando-a como estando de acordo com o modo de agir do mundo (ou "da carne", cf. 11.18), mesmo quando sarcasticamente ilustra esta carnalidade por meio de suas próprias ostentações (11.18 e ss.).

ESBOÇO

1. **Introdução** (1.1-11)
   1.1. Saudação (1.1-2)
   1.2. Louvor pelo Conforto de Deus na Aflição (1.3-7)
   1.3. Ação de Graças pela Libertação de Deus na Ásia (1.8-11)
2. **Explicação da Recente Conduta de Paulo** (1.12-2.13)
   2.1. A Única Vanglória de Paulo — sua Integridade entre Eles (1.12-14)
   2.2. Paulo Defende sua Mudança de Planos (1.15—2.4)
   2.2.1. Não Foi o Resultado da Hesitação (1.15-17)

2.2.2. Eles Podem Confiar na Palavra de Deus (1.18-22)
2.2.3. Visou Evitar uma Confrontação Dolorosa (1.23—2.4)
2.3. Paulo Exorta a Perdoar o Irmão Ofensor (2.5-11)
2.3.1. A Branda Atitude de Separação de Paulo (2.5)
2.3.2. A Preocupação de Paulo pela Restauração (2.6-11)
2.4. Espera por Notícias de Tito (2.12,13)

3. A Interrupção dos Relatos de Viagem: Descrição do Ministério Apostólico de Paulo (2.14—7.4)
3.1. A Grata Confiança de Paulo (2.14-17)
3.1.1. Em Deus para Conduzir em Triunfo (2.14-16a)
3.1.2. Na Integridade de seu Ministério (2.16b-17)
3.2. A Grandeza e a Glória do Ministério de Paulo (3.1—4.6)
3.2.1. Todo Crente Deve Tornar-se uma Carta de Cristo (3.1-3)
3.2.2. A Confiança de Paulo em Deus e na Capacitação Concedida por Deus (3.4-6a)
3.2.3. A Maior Glória da Nova Aliança (3.6b-11)
3.2.4. O Véu que Esconde (3.12-16)
3.2.5. O Espírito Vivificante e Libertador (3.17,18)
3.2.6. O Evangelho que Traz Luz (4.1-6)
3.3. As Tribulações e o Triunfo do Ministério Apostólico (4.7—5.10)
3.3.1. O Paradoxo dos Sofrimentos de Paulo (4.7-11)
3.3.2. A Confiança de Paulo nos Sofrimentos (4.12-15)
3.3.3. A Esperança de Paulo nos Sofrimentos (4.16-18)
3.3.4. A Esperança de Paulo diante da Morte (5.1-10)
3.4. A Natureza e a Função do Ministério Apostólico (5.11—7.4)
3.4.1. A Motivação do Ministério Apostólico (5.11-16)
3.4.2. A Mensagem do Ministério Apostólico (5.17—6.2)
3.4.3. Os Sofrimentos do Ministério Apostólico (6.3-10)
3.4.4. A Intimidade e a Alegria do Ministério Apostólico (6.11—7.4)

4. Retorno aos Relatos de Viagem: Boas Notícias de Tito (7.5-16)
4.1. Paulo Confortado na Macedônia (7.5-7)
4.2. A Carta Severa e seus Efeitos — Razões para se Regozijar (7.8-16)

5. A Oferta da Macedônia para os Santos de Jerusalém (8.1—9.15)
5.1. Paulo Exorta à Graça da Doação (8.1-15)
5.1.1. O Exemplo Macedônico (8.1-5)
5.1.2. O Apelo de Paulo à Doação Generosa (8.6-12)
5.1.3. O Objetivo do Apelo (8.13-15)
5.2. Paulo Toma Providências para a Integridade e Sucesso da Oferta (8.16—9.15)
5.2.1. Paulo Envia Representantes Dignos de Louvor (8.16-24)
5.2.2. Paulo Recomenda a Disposição a Ofertar (9.1-5)
5.2.3. Paulo Ensina Princípios sobre Ofertar (9.6-15)

6. A Afirmação e Defesa do Ministério Apostólico de Paulo (10.1—13.14)
6.1. Paulo Responde aos seus Críticos (10.1-18)
6.1.1. Em Relação à Autoridade e Presença Apostólicas (10.1-11)
6.1.2. Em Relação à Vanglória Legítima (10.12-18)
6.2. Paulo Expõe suas Críticas (11.1-15)
6.2.1. Revelando sua Paixão Espiritual pelos Coríntios (11.1-6)
6.2.2. Contrastando-os com sua Disposição de Pregar o Evangelho Gratuitamente (11.7-12)
6.2.3. Denunciando-os como Impostores Disfarçados (11.13-15)
6.3. Paulo Defende a Legitimidade de seu Ministério Apostólico através da Vanglória Insensata (11.16—12.13)
6.3.1. O Direito que Paulo Tinha de Empregar a Vanglória (11.16-21)
6.3.2. Paulo se Gloria nas Qualificações Naturais (11.22)
6.3.3. Paulo se Gloria nas Provações e Sofrimentos (11.23-33)
6.3.4. Paulo se Gloria na Fraqueza Devido à Grande Revelação (12.1-10)

6.3.5. A Prova do Ministério Apostólico de Paulo (12.11-13)
6.4. Paulo Planeja uma Terceira Visita (12.14—13.13)
6.4.1. A Intenção de Paulo de não Ser um Fardo (12.14-18)
6.4.2. Medos e Apreensões de Paulo sobre a Próxima Visita (12.19-21)
6.4.3. Paulo Adverte Quanto a uma Possível Disciplina (13.1-4)
6.4.4. O Apelo de Paulo pelo Auto-exame, a fim de Evitar a Disciplina (13.5-10)
6.4.5. Saudação Final de Paulo (13.11-14)

COMENTÁRIO

1. Introdução (1.1-11)

1.1 Saudação (1.1-2)

Como na maioria de suas cartas, Paulo inicia esta identificando-se como um "apóstolo de Cristo Jesus". O apostolado de Paulo designa-o como um mensageiro ou portador autorizado do evangelho. Como sabemos através do livro de Atos, ele atribuía sua posição de apóstolo à escolha de Deus para a sua vida (At 9.15) e à intervenção de Deus em sua vida. Conseqüentemente, Paulo acrescenta aqui "pela vontade de Deus".

A menção que Paulo faz do "irmão Timóteo" pode simplesmente ser seu modo de mencionar alguém bem conhecido de seu público. Porém, recordamos que Timóteo era o portador da epístola de 1 Coríntios (1 Co 16.10) e que nem ele nem a carta foram bem recebidos (veja o tópico "Ocasião e Propósito" no início deste capítulo). Talvez o envio de uma pessoa bastante jovem (1 Tm 4.12) e tímida (2 Tm 1.7) como representante de Paulo tivesse algo a ver com o fracasso da missão. Em todo caso, seguindo sua "visita dolorosa", Paulo escolheu Tito para que levasse a "triste carta" a Corinto. Deste modo, a amável referência de Paulo a Timóteo pode ter sido o modo de proteger sua imagem que havia sido prejudicada entre os Coríntios.

Juntamente com Timóteo, Paulo saúda a igreja de Deus "em Corinto" e em "toda a Acaia". Os cristãos da Acaia provavelmente teriam a oportunidade de ler a carta enquanto esta circulava na província. Paulo gosta de se referir aos crentes como "santos" (chega a usar a palavra trinta e sete vezes em suas cartas). A expressão grega *hoi hagioi* (literalmente, "os santos") designa o povo de Deus como aqueles que foram separados ou consagrados como sua propriedade. Não é difícil ver neste termo a compreensão hebraica que Paulo tinha de Israel como a nação "consagrada e santa ao Senhor" (Ed 8.28; Jr 2.3; cf. também Lv 11.44-45; 19.2; 20.7, 26).

De um modo característico, Paulo saúda os Coríntios com "graça e paz". Aqui o apóstolo mostra a sua habilidade de fundir elementos de duas culturas. As cartas gregas começavam tipicamente com a palavra *chairein* ("saudações"; veja At. 15.23; 23.26). Paulo não deseja simplesmente saudar os santos, mas transmitir seu desejo de que o favor não merecido (*charis*, "graça") de Deus ou suas bênçãos em Cristo sejam sua porção. Por trás de seu uso de "paz" (*eirene*) indubitavelmente reside a palavra hebraica utilizada para paz (*shalom*). Ela fala de bênçãos e de um estado de bem-estar que vem de Deus, como resultado de se colocar em uma relação de aliança com ele. Deste modo, Paulo pode falar tanto da paz *que procede de* Deus (Rm 1.7; 1 Co 1.3) como da paz *com* Deus (Rm 5.1).

Com respeito a esta saudação uma observação teológica importante deve ser feita. Paulo não está expressando um desejo casual, mas invocando uma bênção ou graça divina sobre a Igreja. Implícita nesta saudação está uma afirmação da divindade de Cristo. Em nenhuma parte de seus escritos Paulo invoca uma bênção ou "graça" presente que venha de alguém que não seja de Deus e/ou de Jesus Cristo. Além disso, teria sido inconcebível para um judeu, devoto como Paulo, invocar alguém que não seja Deus para a concessão de *shalom*. No pensamento de Paulo, Deus o Pai e o Senhor Jesus Cristo eram a fonte divina de graça e paz.

1.2. Louvor pelo Conforto de Deus na Aflição (1.3-7)

Seguindo sua saudação de abertura, Paulo normalmente recomenda a Igreja à qual escreve. Ele freqüentemente o faz em agradecendo a Deus por alguma demonstração de fé da parte deles, ou da nova vida em Cristo (veja, por exemplo, Rm 1.8; 1 Co 1.4; Ef 1.15,16; Fp 1.3-7). Mas parece que a lembrança de um recente livramento (1.8-11) é tão intensa que Paulo, ao invés disso, começa louvando a Deus por sua graça permanente em meio às provações.

Paulo testifica, por experiência pessoal, que Deus é uma fonte de infinita misericórdia e conforto para os cristãos que estão sofrendo. O caráter da "compaixão" de Deus (ou "misericórdia", veja Êx 33.19; Sl 111.4) e "conforto" (Is 40.1; 66.13) era bem conhecido de seu povo no Antigo Testamento. O conforto de Deus (*paraklesis*, 2 Co 1.3) refere-se à sua ajuda e transmite a idéia de consolação ou encorajamento. A compaixão (*oiktirmos*) é a qualidade de Deus que o move a responder com bondade e misericórdia àqueles que estão sofrendo ou que estão em angústias.

A identificação que Paulo apresenta a respeito de Deus como o "Pai de nosso Senhor Jesus Cristo" é também notável (cf. Rm 15.6; Ef 1.3; Cl 1.3). Deus é a fonte de misericórdia e conforto, mas este conforto transborda através de Cristo. Diz-se que os crentes sofrendo aflições estão experimentando "os sofrimentos de Cristo" (2 Co 1.5). No contexto parece que Paulo tem em vista uma unidade da ação divina. Os crentes que suportam aflições por causa de Cristo podem estar seguros de que Deus o Pai *e* o Senhor Jesus Cristo estão prontos a fornecer ajuda e conforto.

Paulo continua a oferecer uma perspectiva positiva em relação às aflições. No versículo 4 suas palavras revelam que resistir às provações através do conforto divino é parte do plano de Deus para nos equipar, a fim de sermos seus agentes confortadores. As próprias aflições de Paulo (v. 6) e o conforto que recebeu de Deus foram os meios de prepará-lo para oferecer encorajamento divino aos Coríntios quando enfrentaram provações. Tal encorajamento assegurava sua libertação (*soteria*, lit., "salvação"; esta palavra pode designar tanto a salvação eterna quanto o salvamento físico dos perigos) habilitando-os a perseverar na fé através dos mesmos "sofrimentos" suportados por Paulo. Certamente Paulo entendia que o elo entre o que sofre e o que conforta nunca é mais forte do que quando estabelecido por uma experiência comum de dor.

Paulo oferece aqui duas palavras de esperança.
1) O versículo 5 sugere que Deus concede sua graça confortante em proporção aos sofrimentos que somos chamados a suportar por causa de Cristo. Se formos chamados a sofrer muito por Cristo, podemos estar seguros do conforto abundante de Deus.
2) A própria experiência de Paulo deu-lhe uma esperança confiante (v.7) de que os Coríntios emergiriam vitoriosos de suas aflições. Uma vez que foram chamados a suportar os mesmos sofrimentos que Paulo, certamente participarão do mesmo conforto da parte de Deus. A confiança de Paulo seguramente repousa no caráter consistente e provado de Deus para visitar seus santos em sofrimento com a sua graça confortadora.

1.3. Ação de Graças pela Libertação de Deus na Ásia (1.8-11)

Paulo fala agora sobre sua recente libertação de uma tribulação que poderia tê-lo levado à morte enquanto estava na Ásia. Realmente não sabemos nada sobre o "perigo mortal" (v. 10) a que Paulo se refere. Deve ter acontecido na Ásia durante uma de suas duas permanências em Éfeso (At 18.19-21; 19.1—20.1), porém não sabemos nada além disto. O apóstolo recorda a experiência em parte para encorajar os Coríntios a confiar em Deus e a abraçar a esperança quando passassem por provações. Seu principal motivo, porém, é silenciar a acusação de seus adversários que, por causa de sua demora em vir, e uma recente mudança de planos (1.15—2.4), acusaram-no de vacilar e de não manter sua promessa. Paulo quer que os Coríntios saibam que nada menos que as mais severas tribulações poderiam tê-lo impedido de vir, conforme planejado. O fardo das tribulações estava tão além de sua capacidade de enfrentá-las, que desesperou-se "até da vida" (v. 8). Realmente, sentiu-se como se uma "sentença de morte" já lhe houvesse sido comunicada, e verdadeiramente esperava morrer (v. 9).

Mas o relato de Paulo serve para ilustrar outro propósito positivo das tribulações para o cristão (cf. vv. 4, 6). Paulo enxergou um propósito divino na tribulação que quase levou-o à morte. Através desta, o apóstolo e seus companheiros aprenderam a confiar em Deus de um modo mais completo. Despiu-os de sua independência e auto-confiança, e assim foram forçados a olhar além de si mesmos para o "Pai das misericórdias e o Deus de toda consolação" (v. 3). Em sua misericórdia, Deus os salvou daquele perigo mortal (v. 10). Lembrando-se desta libertação, Paulo também recorda um aspecto crucial da redenção do crente — a ressurreição. Percebeu que o Deus "que ressuscita os mortos" não limitou sua obra de libertação a uma esperança futura. Para livrá-los dos perigos futuros, podem confiar no mesmo Deus que livrou Paulo e em quem Paulo confia para livrá-lo da morte na ressurreição (v. 10).

Enquanto Paulo reconhece somente a Deus como a causa efetiva de sua libertação, apressa-se em agradecer aos muitos crentes que oraram a seu favor. Afinal, foi "em resposta" àquelas orações que o "favor gracioso" de Deus (ou "dom"; do termo grego *charisma*) de libertação foi concedido (v. 11). Encontramos freqüen-

Paulo escreveu aos coríntios sobre as aflições que havia sofrido na Ásia. A Ásia era uma província romana situada na parte ocidental da Ásia Menor.

temente na Bíblia Sagrada a oração tendo um papel vital em garantir a libertação que é concedida por Deus (por exemplo, 2 Rs 19.14-36; At 12.5-11). As orações dos justos são realmente poderosas e eficazes (Tg 5.16). Nisto reside a relação misteriosa entre a oração e os atos soberanos de Deus. Dentro de sua soberania, Deus deu lugar a uma resposta às orações de seu povo. Uma vez que tantos oraram por sua libertação, é certo que Paulo mencione o sucesso da intercessão deles, de maneira que possam unir-se a ele em ação de graças.

2. A Explicação da Recente Conduta de Paulo (1.12—2.13)

2.1. A Única Vanglória de Paulo — sua Integridade entre Eles (1.12-14)

Paulo responde brevemente às acusações específicas de seus adversários a respeito de sua mudança de planos (v. 15-17), mas nestes versículos podemos descobrir os murmúrios de duas acusações difamadoras com o objetivo de arruinar sua credibilidade e seu relacionamento com os coríntios. Pelo modo enfático como se gaba de sua integridade (v. 12) parece óbvio que seus adversários o acusaram de ser menos que sincero e correto em sua conduta. E do versículo 13 fica aparente que acusaram Paulo de ser intencionalmente vago e até divergente em suas cartas. Em essência, afirmavam que existia muito mais em Paulo do que os olhos humanos seriam capazes de enxergar; seus verdadeiros motivos e intentos encobriam o que eles podiam ver, ouvir e ler.

Paulo não se perturba por estas acusações, não somente por serem infundadas, mas também porque sua consciência está limpa. Ele caminhou diante dos coríntios e "no mundo" com integridade (na NIV o termo utilizado foi traduzido como "santidade") e sinceridade. A "sinceridade" transmite a idéia de pureza de motivos (cf. 2.17). Além disso, a conduta de Paulo não dependia de "sabedoria mundana" [o termo aqui é *sarkikos*, que significa literalmente "carnal"], mas da "graça de Deus". Conseqüentemente, suas cartas demonstram o mesmo caráter de integridade. Escreve aquilo que quer dizer, e quer dizer aquilo que escreve. Não há nenhuma mensagem secreta ou significado escondido por trás de suas palavras. Os trabalhadores cristãos precisam tirar ânimo e instrução do exemplo de Paulo. Não há melhor antídoto para uma crítica injusta do que uma consciência limpa diante de Deus.

O versículo 15 mostra o coração e a sabedoria pastoral de Paulo. Suas palavras aos coríntios são cheias de encorajamento até mesmo quando reconhece uma deficiência no relacionamento deles. Expressa a esperança de que virão a entender e a apreciar completamente seus motivos, e seu verdadeiro ministério entre eles; contudo, ao mesmo tempo, também afirma que já começaram a fazê-lo. Sua esperança está posta adiante, no "dia do Senhor Jesus", quando poderão orgulhar-se do apóstolo assim como se orgulha deles.

2.2. Paulo Defende sua Mudança de Planos (1.15—2.4)

2.2.1 Não Foi o Resultado da Hesitação (1.15-17). Paulo se sentiu confiante de que tinha a compreensão, a confiança, e a estima da maioria dos coríntios como um fiel ministro do evangelho. Deste modo, tinha a intenção de conceder-lhes uma bênção dupla visitando-os duas vezes — tanto a caminho, quanto na volta da Macedônia. Esta foi aparentemente uma mudança nos planos anteriores, uma vez que 1 Coríntios 16.5-8 indica que pretendia fazer-lhes somente uma visita. Como vimos anteriormente, os planos de Paulo foram mudados devido a notícias perturbadoras que se seguiram à redação da primeira carta aos Coríntios, sendo necessário fazer uma visita apressada e dolorosa diretamente de (e de volta para) Éfeso. Sua mudança de planos forneceu aos seus adversários a ocasião para criticá-lo e censurá-lo. Apontaram para a freqüente mudança de planos como prova de que Paulo era fraco, indeciso e inconstante.

No versículo 17, Paulo não nega que tenha mudado seus planos, mas somente que tenha hesitado em fazê-lo. Ele não trabalha de uma maneira mundana (lit., "de acordo com a carne"), dizendo "sim" em um momento e "não" no momento seguinte, como se suas palavras de compromisso não significassem nada. Os adversários de Paulo estão fazendo mais do que uma crítica pessoal — estão formulando uma séria acusação. Estão procurando dizer que Paulo e suas palavras não merecem crédito.

2.2.2. Eles Podem Confiar na Palavra de Deus (1.18-22).

Parece provável que os adversários de Paulo tenham alegado que ele poderia ser tão frouxo em suas promessas, seu ministério (e especialmente no evangelho que pregava) que não seria digno de confiança. Tal acusação é dolorosa para uma pessoa íntegra. Embora quase fazendo um juramento, Paulo apele para o próprio caráter de Deus em sua defesa. A mensagem que prega não é sua, mas de Deus. Uma vez que Deus é fiel, sua Palavra possui a mesma fidelidade de seu Autor. Conseqüentemente, Paulo argumenta que sua mensagem não era um vacilante "Sim" e "Não" (v.18). Ele e seus companheiros pregam Jesus Cristo, o Filho de Deus, que nunca oscila entre "sim" e "não", sendo Ele mesmo o "sim" definitivo para todas as promessas de Deus (v. 20).

Este fato explica por que Paulo e os coríntios, quando estão adorando, dizem "Amém". Não somente afirmam a fidelidade do cumprimento da Palavra de Deus em Cristo, mas, por sua afirmação cheia de fé, glorificam a Deus. Deste modo, a integridade do ministério de pregação de Paulo em Corinto está integralmente ligada e apoiada pelo caráter de Deus, que é o dono da Palavra pregada por Paulo.

Paulo conclui a defesa de sua integridade oferecendo uma ilustração concreta da fidelidade de Deus. Nos versículos 21 e 22 encontramos uma frase contendo quatro particípios, e entende-se que todos tenham a Deus como o sujeito. Paulo está fazendo mais aqui do que listando os aspectos da atividade salvadora de Deus realizada em Cristo; está descrevendo o caráter fiel de Deus, que cumpre suas promessas redentoras. Deus é quem habilita Paulo, juntamente com os coríntios, a "perseverar firme em Cristo" e os "ungiu". Ele é o mesmo que colocou o seu "selo de propriedade" neles e "pôs seu Espírito em [seus] corações" como um penhor. A quais ações estes particípios se referem e como retratam a fidelidade de Deus?

O primeiro particípio (*bebaion*) pode ser traduzido como "confirmar" ou "estabelecer", que descreve ou a ação de "fortalecimento" ou de "segurança" de algo. Este é o significado escolhido no texto da NIV: Deus é quem faz com que Paulo e os coríntios estejam fortes em sua fé em Cristo (cf. Harris, 325). Mas o verbo pode se referir também à "confirmação" ou à "garantia" de algo (Hb 2.3; cf. também *bebaiosis* em Hb 6.16). Se o segundo sentido for adotado, as palavras de Paulo fluem naturalmente do motivo de sua defesa. A fidelidade de Deus, onde se apóia a própria integridade de Paulo, é vista primeiro em Deus nos *garantindo* ou nos *confirmando em Cristo*.

A atividade divina a que isto se refere está aberta a interpretação. Pode ser discutido que Paulo, com os três particípios restantes ("ungiu", "colocou o seu selo", e "colocou [literalmente, "deu"] seu Espírito"), pretende se referir à obra do Espírito ao validar, identificar, e assegurar que nós pertencemos a Cristo (cf. Fee, 1994, 290-91). Deste modo a frase "*bebaion* em Cristo" se referiria à obra de Deus de nos trazer a uma relação salvadora com Cristo (Fee, 1994, 291; Martin, 27).

O Deus que nos trouxe "a Cristo" (*eis Christos*) "nos ungiu [*chrisas*]". Este óbvio jogo de palavras lembra o significado literal de "Cristo" (ou Messias). "O Ungido". Lucas deixa claro no evangelho, que a identificação e a validação de Jesus como o Messias estão ligadas à sua capacitação pelo Espírito (Lc 4.1, 14, 18). Parece que Paulo está recorrendo a este tema e aplicando-o aos crentes. Os crentes que foram incorporados a Cristo (O Ungido), até certo ponto compartilham a mesma unção. Pode se ter a certeza da intenção de Paulo de que seus leitores identifiquem a unção de Deus com o dom do Espírito dado à Igreja (At 2.38; 1 Jo 2.20, 27; 3.4). A estrutura da frase de 2 Coríntios 1.21,22 une rigorosamente os três últimos particípios. Deus, que nos ungiu, é exatamente aquEle que "também" (ou "certamente"; do grego *kai*, que parece mais forte do que simplesmente o "e" desta frase) nos selou e colocou o seu Espírito em nossos corações.

Como em Efésios 1.13 e 4.30, o selo de 2 Coríntios 1.22 aponta para o próprio Espírito como o selo. Um "selo" no mundo greco-romano era uma marca de identificação colocada em algo pelo dono ou remetente. Como tal, o selo garantia a autenticidade e a proteção do artigo em que era colocado. O Espírito é este selo para os crentes, marcando-os e identificando-os como a própria possessão de Deus. Este selo do Espírito também foi colocado no coração do crente como o "depósito" (*arrabon*) na herança do crente em Cristo (cf. Ef 1.13,14). Além disso, o próprio Espírito é este depósito (cf. 2 Co 5.5). A tradução da KJV de *arrabon* ("penhor"), embora arcaico, ainda é instrutivo. O "penhor" se refere a um pagamento inicial dado como sinal ou garantia do pagamento total de bens ou serviços. O Espírito é o sinal que Deus envia aos nossos corações para garantir a herança espiritual total que aguarda o crente.

Deste modo, Paulo pode olhar adiante para "o dia da redenção" (Ef 4.30), em que Deus completará a obra que teve início quando Ele selou o crente com o prometido Espírito Santo (Ef 1.13). O dom inicial do Espírito representa as "primícias" de uma grande colheita do final dos tempos, que para os cristãos significará "a redenção do nosso corpo" (Rm 8.23). Isto deve se referir à *parousia* ("vinda") de Cristo, quando ocorrerá a ressurreição dos crentes, quando os nossos corpos "naturais" e "corruptíveis" serão ressuscitados como corpos "incorruptíveis" e "espirituais" (1 Co 15.42, 44).

Os Pentecostais com certeza querem saber, dada a ênfase nestes versículos, onde o batismo no Espírito Santo pode ser encontrado. Nos apressamos a comentar que Paulo cria, sem dúvida alguma, que a vida cristã é caracterizada pela habitação da presença e poder do Espírito. Para ele a experiência do batismo no Espírito descrita em Lucas e Atos é a experiência normal dos crentes no Novo Testamento. Conseqüentemente, não devemos esperar que Paulo pense em categorias separadas de cristãos: aqueles que são e aqueles que não são batizados no Espírito (Horton, 239).

Isto não quer dizer, porém, que Paulo compare a obra do Espírito na regeneração com o batismo no Espírito. Em uma tradução literal de Efésios 1.13 lê-se: "Em quem também vós estais, depois que ouvistes a palavra da verdade, o evangelho da vossa salvação; e, tendo nele também crido, fostes selados com o Espírito Santo da promessa". Em outras palavras, o selo com o Espírito Santo vem após o ouvir e o crer no Evangelho. O que os não pentecostais discutem é que o contexto lida com a salvação, não com o poder para o serviço (At 1.8), que é o propósito que Jesus destinou para o batismo no Espírito (At 1.5). Neste ponto 2 Coríntios 1.21,22 é instrutivo, uma vez que a "unção" de Deus está intimamente ligada à atividade divina de "selar"; e, como vimos, a evidência do poder do Espírito em seu ministério serviu para identificar Jesus como o Ungido.

É nossa sugestão, então, que o batismo no Espírito Santo está primeiramente unido pelos particípios "ungido" e "selado". Os particípios que descrevem a Deus "confirmando" crentes em Cristo e "colocando o Espírito em nossos corações como um penhor", apontam para a atividade salvadora de Deus assegurando nosso início em Cristo e tendo garantido a plenitude de nossa herança no final da redenção. Formam um parêntese em torno dos dois particípios internos, que descrevem a obra do Espírito de capacitar os crentes para servirem a Deus, marcando-os visivelmente como seu povo, o que é evidenciado pelos dons e pela graça de seu Espírito.

2.2.3 Visou Evitar uma Confrontação Dolorosa (1.23—2.4). Paulo agora retorna à sua defesa de não vir aos coríntios como planejado (1.15-17). Anteriormente (v. 18) havia assegurado aquilo que disse de modo formal, mas aqui abandona toda restrição e roga a Deus que confirme a verdade daquilo que está prestes a dizer. No início do versículo 23 lê-se literalmente: "Invoco, porém, a Deus por testemunha sobre a minha alma". É como se jurasse diante do Deus vivo, que busca os corações e mentes dos seres humanos (Sl 139.23; Jr 17.10), que a sua demora em ir a Corinto tem como finalidade poupar os coríntios de outra confrontação severa e dolorosa (2 Co 2.1,2; veja "Ocasião e Propósito" no início deste capítulo).

Sem dúvida alguma os coríntios recordariam claramente aqui o intenso conflito entre Paulo e seus antagonistas durante a "visita dolorosa"; então ele evita o que poderia ser mal interpretado como uma ofensa e uma ameaça oculta. Não quer que os coríntios pensem que é o tipo de pessoa que aprecia lançar mão de seu peso apostólico e dizer-lhes exatamente como devem praticar sua fé. Ao invés disso, Paulo vê a si mesmo como um "companheiro de trabalho" junto a eles (*synergos*; "somos cooperadores") no serviço de sua fé, uma fé que ele espera que seja praticada com alegria, e não coagida pelo exercício tirânico da autoridade. De fato, Paulo reconhece que tal abordagem é totalmente desnecessária, pois os coríntios já estavam perseverando firmes na fé (v. 24).

A lembrança do doloroso encontro prévio ainda está patente na memória de Paulo. Ele não deseja repetir aquela experiência, principalmente porque não gosta de infligir dor e pesar (2.1,2) naqueles a quem ama (2.4). É, na verdade, um absurdo causar dor àqueles que deveriam ser sua fonte de alegria (2.2,3a). Sua demora em ir até eles teve um sentido de interesse próprio: não quis entristecê-los, nem fazer com que se sentissem pesarosos [2]. Aqui podemos testemunhar o coração paterno de Paulo. Sua alegria é derivada de ver seus filhos espirituais (cf. 1 Co 4.15) servindo a Cristo de modo alegre e fiel. A disciplina, como a que acompanhou a visita dolorosa, pode ser necessária, mas não é algo que Paulo aprecie.

O apóstolo, sem dúvida, fez em sua carta muitas declarações (2.3) relacionadas à visita dolorosa. Esta carta de lágrimas foi escrita quando Paulo estava sofrendo "muita tribulação e angústia do coração" (2.4), no despertar emocional daquela experiência. Ela não foi escrita para infligir dor, mas para demonstrar o amor especial que tinha por eles. Para Paulo, amar os coríntios significava emitir uma repreensão severa necessária para restabelecer sua fé, ainda que isto significasse a angústia pessoal de causar dor e angústia àqueles que ele amava. Seu exemplo nos ensina que o verdadeiro amor fará o que for melhor por aqueles que são amados, não aquilo que for conveniente ou confortável. Isto exige uma vulnerabilidade que envolve o risco pessoal da rejeição e da crítica.

2.3. Paulo Exorta a Perdoar um Irmão Ofensor (2.5-11)

Tendo expressado a dor que experimentou durante sua dolorosa visita a Corinto, Paulo agora fala sobre o homem que era grandemente responsável. Tanto a identidade deste homem, como a natureza da ofensa são deixadas incógnitas. Muitos comentaristas antigos e mais velhos identificam este homem com o homem incestuoso de 1 Coríntios 5.1-5 (veja Hughes, 59-65). Contudo, 2 Coríntios 2.5 indica que a ofensa foi especificamente dirigida contra Paulo, ao passo que a afronta de Paulo quanto ao homem incestuoso não estava acima da rejeição de sua autoridade apostólica, mas acima da incrível tolerância da igreja para com tal pecado. O que podemos dizer com certeza é que Paulo encontrou oposição em Corinto. Um membro do partido de oposição (talvez o líder) ofendeu Paulo, muito provavelmente rejeitando sua autoridade apostólica; isto deixou-o profundamente triste (cf. 2.4).

Paulo sem dúvida alguma insistiu para que o ofensor fosse disciplinado, o que a maioria na igreja (2.6) veio a perceber ser necessário. Não se sabe se perceberam o fato enquanto Paulo estava presente ou somente depois da carta. Mas alguns dos coríntios agora sentiram que a disciplina era insuficiente e estava defendendo uma forma mais rígida de castigo. Paulo intervém aqui e aconselha a igreja a agir para restabelecer o irmão ofensor.

2.3.1 A Branda Atitude de Separação de Paulo (2.5).

É comum que as pessoas insultadas ou injustiçadas tornem-se amarguradas e ressentidas. Freqüentemente alimentam seu orgulho ferido com má vontade para com o seu ofensor. No versículo 5, Paulo exibe uma atitude rara em resposta a uma ofensa pessoal. Ele se mostra capaz de separar-se de sua mágoa pessoal, durante o tempo necessário para que veja o contexto geral. Quer que os coríntios saibam que o ofensor, em seu ataque pessoal, feriu ("causou tristeza") a toda a igreja. A adição da seguinte frase no final do versículo: "para vos não sobrecarregar a vós todos" ou, como em outras traduções, "para que eu não seja demasiadamente áspero", indica que Paulo não quer exageros no caso. Sua dor pessoal deu lugar a uma preocupação maior pelos outros — e especialmente pelo irmão ofensor!

2.3.2 A Preocupação de Paulo pela Restauração (2.6-11).

Ao invés de regozijar-se ou até mesmo tripudiar sobre a disciplina imposta ao ofensor pela maioria (v. 6), Paulo pede seu término. A ofensa foi adequadamente tratada, e o grupo culpado suficientemente disciplinado. Sua preocupação era que o excesso em tal disciplina pudesse fazer com que o irmão fosse completamente consumido pela tristeza (v. 7), a ponto de jamais se recuperar. Paulo destaca aqui o valor e o objetivo da disciplina na Igreja: Em amor ele busca corrigir, não castigar; seu objetivo é a restauração do ofensor à plenitude espiritual e seu retorno à completa participação da comunhão cristã.

Paulo está deste modo aconselhando os coríntios a dar o primeiro passo em direção a perceber este objetivo: o perdão. O perdão é necessário para que a reconciliação aconteça e para que os relacionamentos danificados sejam reparados. Também aconselha os coríntios a "confortar" este irmão (v. 7), que sem dúvida alguma estava sofrendo a vergonha e a humilhação de quaisquer medidas disciplinares que lhe fossem impostas. Tal conforto exige que confirmem seu amor para com ele, de alguma maneira pública ou notória (v. 8). Esta ação serviria para declarar e confirmar a realidade do perdão que Deus lhe concedeu através da ação da Igreja, por meio da autoridade que lhe foi concedida por Cristo, de reter ou perdoar pecados (Mt 16.19; 18.18; Jo 20.23; cf. Harris, 328).

Paulo escreveu previamente suas instruções relativas à disciplina do irmão ofensor. Isso forneceu a ocasião para testar (v. 9) se os coríntios aceitariam e se submeteriam à sua liderança apostólica. Agora Paulo espera que estejam dispostos a seguir seu conselho de perdoar e restaurar o ofensor. Da mesma maneira como age na autoridade de Cristo como seu apóstolo ("na presença de" no v. 10 descreve uma ação tomada ou feita com a aprovação de Deus ou de Cristo; cf. 1 Ts 1.3; 1 Tm 5.21; 6.13; 2 Tm 2.14), Paulo declara que quando os coríntios perdoam o homem em questão, está unido com eles naquela ação e concorda com seu veredicto.

Paulo pode exortá-los a perdoar porque ele próprio já perdoou o irmão (v. 10). Sem dúvida alguma ele próprio sentiu pessoalmente a necessidade de perdoar, mas não dá atenção a qualquer ganho pessoal e declara que seu perdão era "por amor de vós". Isto provavelmente se refere ao perdão de Paulo ao restaurar a unidade e a harmonia quebrada durante a disciplina do irmão ofensor. Tal desunião, se deixada sem a cura do perdão, forneceria a Satanás uma ocasião para aproveitar-se da igreja e instaurar seus esquemas destrutivos dentro dela. Paulo está bem familiarizado com as tramas e manobras de Satanás, e sua prontidão em perdoar tem o propósito de torná-los ineficazes.

2.4. Espera por Notícias de Tito (2.12-13)

Paulo retorna agora à história que explica sua recente conduta e mudança de planos. Tendo enviado a triste carta por Tito (veja a Introdução), permanece no aguardo de notícias. Aparentemente fez planos para encontrar Tito em Troas se tudo corresse bem em Corinto. Depois de enviar a carta, Paulo viajou para o norte, até Troas. Por não encontrar Tito, seguiu para a Macedônia. Note que esta narrativa cessa bruscamente depois de 2.14 e não é retomada até 7.5-7, onde Paulo escreve sobre seu encontro com Tito, que trouxe notícias de que a carta de Paulo teve uma resposta favorável.

Foi doloroso para Paulo escrever esta carta. Muito provavelmente ela incluiu uma repreensão severa aos coríntios por causa da conduta recente que o apóstolo havia testemunhado durante sua "visita dolorosa". Não estava certo de como os coríntios receberiam sua correção. Paulo seguramente esperou por notícias de Tito com bastante ansiedade. Não há dúvidas de que os temores imaginados pareceram materializar-se quando Tito falhou em encontrá-lo em Troas. A situação o deixou, em suas próprias palavras, "sem descanso no espírito" (lit., "sem descanso para meu espírito", v. 13). No entanto, quando o Senhor lhe deu a oportunidade de pregar na Macedônia, ele a assumiu. O medo freqüentemente paralisa o temeroso, separando-o da graça de Deus. Paulo se firmou nesta graça (veja o verso 14) e permaneceu ocupado na obra do Senhor.

3. A Exposição dos Relatos de Viagem: Descrição do Ministério Apostólico de Paulo (2.14—7.4)

A partir da passagem em 2.14, Paulo começa uma longa exposição dos relatos de sua viagem (2.14-7.4), em que ele tanto descreve como defende seu ministério apostólico. É indiscutivelmente uma das passagens mais inspiradoras das cartas de Paulo. Nestas passagens alcançamos uma visão inestimável da compreensão que o apóstolo tinha de si mesmo, do evangelho, e de sua própria chamada apostólica. É de valor particular o modo como Paulo caracteriza seu próprio ministério apostólico e suas realizações, freqüentemente em perfeito contraste com seus adversários. O exame cuidadoso desta e de passagens posteriores mostra que Paulo acreditava profundamente que o verdadeiro apóstolo deve imitar a Cristo — uma imitação mais claramente vista em sua vontade de identificar-se com os sofrimentos de Cristo na obra do evangelho.

3.1. A Grata Confiança de Paulo (2.14-17)

3.1.1. Em Deus para Conduzi-los em Triunfo (2.14-16a). Apesar do tumulto e da angústia experimentados por Paulo (2.13), estava confiante em um resultado vitorioso. O seu pensamento está relacionado ao modo como seus receios, mesclados com uma profunda ansiedade, foram tranqüilizados pela chegada de Tito, que trazia notícias encorajadoras. O apóstolo responde expressando um grato louvor a Deus, trazendo sua mente de leitor a uma cena familiar – um desfile romano triunfal.

Este evento marcou uma notável vitória de um general romano conquistador (veja Barclay, 204-5). Aqui Paulo elabora um paradoxo para nós. Cristo é o vencedor (cf. Cl 1.15, é o outro texto em que é empregado o verbo *thriambeuo*, "liderar em desfile triunfal"), que conduz a Paulo como um de seus cativos em exibição e testemunho públicos para o triunfo de sua redenção. Não é totalmente incomum Paulo pensar sobre si mesmo em tais termos. Em outro lugar ele descreve os crentes como antigos "inimigos de Deus" (Rm 5.10). Deus, tendo assegurado a vitória e o trono de Cristo, tomou uma multidão de cativos e os deu à igreja como presentes (veja Sl 68.18; Ef 4.7,8, 10).

Através da pregação do evangelho, Deus divulga o conhecimento de si mesmo em Cristo "em todos os lugares", da mesma maneira que uma fragrância enche o ar [3]. Os próprios apóstolos são "o bom cheiro de Cristo" que sobe até Deus (v. 15). Cristo torna-se conhecido através da pregação destes e pelo caráter de suas vidas e ministério (cf. caps. 10—13). O testemunho de Cristo vem com resultados mesclados. Para aqueles que estão sendo salvos é o "cheiro de vida para vida"; para aqueles que estão perecendo é o "cheiro de morte para morte". Não está claro aqui qual é exatamente a associação que Paulo tem em mente. Talvez esteja fazendo ecoar a noção judaica de que a lei (Torá) tem o efeito duplo de tanto produzir a vida como a morte em seu ouvintes (cf. Dt 30.15-18; veja Barrett, 101-2, para uma referência talmúdica). Semelhantemente, o evangelho resulta em vida para aqueles que crêem, e morte para aqueles que recusam a mensagem de salvação de Deus em Cristo.

3.1.2. Na Integridade de seu Ministério (2.16b-17). Paulo repentinamente percebe o peso da verdade que acabou de pronunciar e a espantosa responsabilidade que a acompanha. Deste modo, pergunta: "E, para essas coisas, quem é idôneo?" (v. 16b). Sua mente então se volta para aqueles que, em seu juízo, não são qualificados. Parece certo que tenha em mente seus adversários quando descreve aqueles que mascateiam a Palavra de Deus visando lucros. O verbo grego usado aqui (*kapeleuo*) acontece somente nesta passagem no Novo Testamento. No grego secular o substantivo *kapelos* era usado para um camelô de rua que forçava a venda de sua mercadoria. Com o único intento de distribuir seus produtos para obterem lucros, estes aproveitadores não vacilaram em falsificar a qualidade e o valor de suas mercadorias (cf. Is 1.22, onde *kapelos* é usado para aqueles que "adulteram" o vinho com água). Aparentemente Paulo não está somente pensando naqueles que se ocupam em pregar o evangelho com uma mentalidade de lucro, mas também naqueles que corrompem sua mensagem (veja Hughes, 83). Sua defesa posterior de pregar gratuitamente (11.7-12) aponta para aqueles que fizeram da pregação do evangelho um meio de vida.

Paulo não está condenando que alguém tenha o seu sustento do ministério do evangelho (veja Rm 15.27). O que ele reprova é a atitude e a prática de muitos filósofos e mestres no mundo grego que se orgulhavam de ter protetores e clientes ricos. Tais mestres eram freqüentemente bajuladores, motivados pela recompensa financeira e comprometiam a verdade pelo lucro pessoal. Paulo se distancia de tais pessoas. Suas palavras não são suas próprias, mas as de Deus. Seus motivos são puros enquanto fala com a autoridade de Cristo na presença de Deus. No final do versículo 17 aprendemos algo adicional sobre a confiança de Paulo (cf. v. 14). A autoconsciência de sua própria integridade diante de Deus lhe deu grande liberdade e coragem para proclamar a mensagem de Deus, e para confrontar o erro com a verdade.

3.2. A Grandeza e a Glória do Ministério de Paulo (3.1—4.6)

O pensamento de seus adversários (v. 17) faz com que Paulo se distancie ainda mais deles. Em seu modo de pensar a diferença é como o dia e a noite. Nem o caráter de seu ministério, nem o conteúdo de sua pregação deixam muito para ser comparado. Diferentemente deles, a afirmação de seu ministério não reside no testemunho externo das cartas, mas na obra do Espírito na vida dos próprios coríntios (3.1-3). Paulo tem a sua confiança a partir do fato de que Deus em Cristo implementou uma nova aliança, que fornece o poder dinâmico e transformador do Espírito Santo (vv. 4-6).

Deus fez de Paulo um ministro desta nova aliança do Espírito, que em contraste com a lei dá vida e vem com maior glória (vv. 6b-11). Este contraste é evidente no evangelho que Paulo prega, porém sua mensagem sofre resistência por parte daqueles que atrelaram sua salvação à manutenção da lei. Seus olhos permanecem cegos até que se voltem a Cristo e recebam a liberdade do Espírito que dá vida (vv. 12-18). Paulo reconhece a dificuldade e os desafios de pregar àqueles que estão cegados pelo deus deste mundo. No entanto, está determinado a iluminar um mundo de escuridão espiritual pregando o Senhor Jesus Cristo — o evangelho de luz que pertence a Deus (4.1-6).

3.2.1. Todo Crente Deve Torna-se uma Carta de Cristo (3.1-3).

A abertura desta seção faz alusão à antiga prática de escrever cartas de recomendação para apresentar alguém e testemunhar sobre seu bom caráter. A igreja primitiva adotou esta prática para mostrar aqueles que buscavam um ensino ou ministério profético dentro de uma igreja, e para fornecer uma proteção contra charlatões (cf. *Did.* 11-13). Os adversários de Paulo vieram a Corinto com tais cartas em mãos e usaram-nas para ganhar credibilidade e prestígio na congregação.

Entende-se que a resposta é "não" para as duas perguntas retóricas de Paulo. A primeira antecipa a acusação dos seus adversários, em que Paulo, ao afirmar sua própria integridade (em contraste com os "mascateiros" do evangelho, 2.17), está novamente recomendando a si mesmo. Na verdade a acusação é auto-incriminadora, pois é exatamente o que Paulo pensa sobre o uso que fazem das cartas de recomendação. Não que o apóstolo rejeite a prática de escrever cartas de recomendação, pois a partir de suas cartas sabemos que ele as usou e escreveu (Rm 16.1,2; 1 Co 16.10,11; Cl 4.10). Até mesmo nesta carta Paulo recomenda Tito e seus companheiros à Igreja (2 Co 8.22-24). Antes, o que Paulo nega na segunda pergunta é que ele próprio precise de tais cartas para validar seu ministério entre eles.

No versículo 2, Paulo afirma que possui uma carta de recomendação superior: a graça de Cristo operando através de seu ministério, que produziu uma transformação espiritual nas vidas humanas. Os próprios coríntios são cartas de Cristo e fornecem todo o testemunho e afirmação de que Paulo precisa. Ele contrasta esta carta com aquelas que foram levadas por seus adversários. Não é externamente escrita em pergaminho, mas interiormente, em corações humanos; não consiste em um testemunho impessoal de estranhos levado nas mãos, mas a referência íntima de uma vida transformada, nascida no coração do apóstolo; não é limitada a alguns que a lêem, mas vista e lida por todos aqueles que testemunham aquela transformação; e não é escrita com tinta inanimada, mas com o Espírito de Deus, que vive para sempre (v. 2,3a).

Paulo continua este último contraste com imagens do Antigo Testamento. Sua carta não é como os Dez Mandamentos, que foram escritos em frias e inanimadas tábuas de pedra (Êx 31.18; 32.15,16), mas é permanentemente escrita em corações calorosos e responsivos (Jr 31.33; 32.38-40; Ez 11.19; 36.26). A superioridade da carta de recomendação de Paulo está acima de qualquer discussão. Tornando o assunto ainda mais claro, ele não somente responde à crítica dos seus adversários, mas emite uma repreensão severa quanto ao hábito de promoção própria. Esta resposta também defende fortemente a autenticidade de seu próprio apostolado e lança indiretamente uma nuvem de suspeita sobre seus adversários (veja Harris, 334).

3.2.2. A Confiança de Paulo em Deus e na Capacitação Concedida por Deus (3.4-6a).

Paulo está confiante "em Deus" ou "diante de Deus" (v. 4), que o tipo de carta de recomendação que possui testifica da legitimidade de seu próprio apostolado. Esta confiança lhe foi dada por Cristo, mas não oferece a Paulo nenhuma ilusão de que ele mesmo seja capaz de julgar os efeitos de seu ministério, ou que os resultados se devam à sua habilidade pessoal. Paulo responde a esta mesma sugestão com um enfático "não", pois Deus é a capacitação de Paulo, e é somente nEle que Paulo encontra sua suficiência como um apóstolo. Isto o contrasta diretamente com seus adversários, que (como o restante da carta deixa claro) são orgulhosos e auto-suficientes (10.8, 12, 15; 11.6, 10, 12, 16-18, 30; 12.1, 5,6, 9, 11).

Contudo, é errado interpretar as palavras de Paulo como se estivesse negando que tivesse qualquer contribuição ao seu ministério como um apóstolo, por meio de seus talentos e habilidades. Qualquer um que esteja familiarizado com sua vida sabe muito bem como era especialmente qualificado para cumprir seu chamado como o "apóstolo para os gentios" (Barclay, 9-31). Em sua negação de auto-suficiência Paulo está declarando ser totalmente incapaz de provocar a transformação espiritual que acabou de descrever. Ele pode ter sido naturalmente preparado a pregar o evangelho no mundo greco-romano, mas a obra de regeneração pertence exclusivamente a Deus.

Paulo também reconhece que o Deus que o chamou para ser um ministro de uma nova aliança (v. 6) também o equipou para a tarefa. Sua chamada pode ser localizada no encontro que teve com o Jesus ressuscitado na estrada de Damasco (At 9.3-7), quando o Senhor o descreveu para Ananias como "um vaso escolhido para levar o meu nome diante dos gentios, e dos reis, e dos filhos de Israel" (9.15). Sua habilitação seguiu-se imediatamente quando foi cheio com o Espírito Santo (9.17). Ser um ministro de uma nova aliança do Espírito exigia a presença capacitadora do Espírito na vida de Paulo.

Parece bastante claro que Atos 9.17 se refira à experiência de Paulo do batismo no Espírito Santo. Por duas vezes em Lucas-Atos o derramamento Pentecostal do Espírito está ligado ao propósito de "capacitação" (Lc 24.49; At 1.8). Jesus disse aos discípulos que esperassem pela vinda do Espírito, quando seriam "batizados com [*en*; literalmente "no"] Espírito Santo" (At 1.5). A experiência de Paulo faz um paralelo com a dos discípulos. Tendo sido "cheios com o Espírito Santo" (At 2.4; cf. 9.17) foram capacitados a pregar o evangelho corajosamente (2.14-36; cf. 9.20). Note também que esta frase é usada cinco vezes em Atos — duas vezes no recebimento inicial do Espírito (2.4; 9.17) e três vezes na subseqüente capacitação (4.8, 31; 13.9). Aqueles que identificam 9.17 com a experiência de regeneração de Paulo, falham em reconhecer que a nova provisão da aliança do Espírito seja multidimensional, incluindo as obras do Espírito relativas à salvação (soteriológicas) *e* as obras de serviço (carismáticas/vocacionais; veja Stronstad, 63-73).

Anteriormente, quando Paulo contrastou as tábuas de pedra de Moisés com a nova obra do Espírito nas tábuas dos corações humanos (v. 3), antecipou o contraste entre a antiga e a nova aliança, que ele agora explora. A diferença fundamental entre as duas é expressa nas frases paralelas "não da letra, mas do Espírito" (v. 6). Deus estabeleceu Israel como seu povo e entrou em uma aliança com eles no Monte Sinai (Êx 19.1). As responsabilidades sob aquela aliança foram expressas em um código de leis escritas (veja Êx 19—24; Lv 11—27; Nm 27—30). Após a rebelião de Israel em Cades Barnéia (Nm 13.1—20.13) e quarenta anos de disciplina no deserto (Dt 1.6—4.43), uma nova geração renovou e ratificou aquela aliança original (Dt 27—30).

Os livros históricos do Antigo Testamento narram uma longa sucessão de rebeliões e crescente incredulidade. Confirmam a triste verdade, resumida por Jeremias, de que apesar do cuidado amoroso, da proteção e provisão de Deus, Israel falhou em obedecer aos termos da lei da aliança de Deus (Jr 31.32). Conseqüentemente, o profeta esperou ansiosamente por um dia quando Deus estabeleceria uma "nova aliança" – que fosse fundamentalmente diferente da antiga. Embora a antiga aliança tenha deixado claro aquilo que Deus exigia, não forneceu nenhum poder ou método para atender a estas exigências. A nova aliança, porém, contém a extraordinária promessa de que Deus realizará uma obra interna nos corações do seu povo: "Porei a minha lei no seu interior e a escreverei no seu coração; e eu serei o seu Deus, e eles serão o meu povo" (Jr 31.33). Do mesmo modo, Ezequiel olhou adiante para a restauração de Israel e relaciona uma promessa semelhante: "E vos darei um coração novo e porei dentro de vós um espírito novo; e tirarei o coração de pedra da vossa carne e vos darei um coração de carne. E porei dentro de vós o meu espírito e farei que andeis nos meus estatutos, e guardeis os meus juízos, e os observeis" (Ez 36.26,27).

Em outras palavras, tanto Jeremias quanto Ezequiel relacionam que o impulso e a motivação para a obediência sob a nova aliança virão de dentro, de corações que trazem impressa a lei de Deus e que são movidos por uma relação pessoal com Deus. Ezequiel identifica a habitação do

Espírito em nós como a causa desta transformação interior (cf. 11.19, 20, 18.31, 32; 37.14; 39.29; também Is 32.15-18; 44.3-5; 59.19-21; Jl 2.28-29). É esta inconfundível característica da nova aliança que Paulo menciona ao contrastar a antiga e a nova aliança. Enquanto a primeira foi baseada em uma carta contratual (Êx 24.1-7), a segunda é baseada na presença e no poder do Espírito que habita em nós.

3.2.3. A Maior Glória da Nova Aliança (3.6b-11).

O contraste entre as duas alianças é posteriormente explicado em termos de seus resultados ou efeitos opostos: "A letra mata, e [mas] o Espírito vivifica". Porém Paulo não oferece nenhuma explicação desta declaração. Para entendê-la devemos nos voltar para o resumo da antiga aliança em Deuteronômio 30, onde Moisés colocou diante de Israel uma escolha que envolvia dois caminhos muito diferentes:

> "Vês aqui, hoje te tenho proposto a vida e o bem, a morte e o mal; porquanto te ordeno, hoje, que ames o Senhor, teu Deus, que andes nos seus caminhos e que guardes os seus mandamentos, e os seus estatutos, e os seus juízos, para que vivas e te multipliques, e o Senhor, teu Deus, te abençoe na terra, a qual passas a possuir. Porém, se o teu coração se desviar, e não quiseres dar ouvidos, e fores seduzido para te inclinares a outros deuses, e os servires, então, eu te denuncio, hoje, *que, certamente, perecerás*" (Dt 30.15-18, os itálicos foram adicionados pelo presente autor).

A escolha era simples, vida ou morte: a vida se expressassem seu amor por Jeová obedecendo a lei, e a morte se fracassassem em fazê-lo. Mas como vimos em Jeremias, Israel quebrou a aliança, fracassando em obedecer aos termos desta aliança (Jr. 31.34). Conseqüentemente, este profeta desejou uma nova aliança (v. 31), que prometesse sanar a situação que resultou no fracasso de Israel: Deus escreveria sua lei em seus corações. Aprendemos também que Ezequiel expressou esta promessa de transformação de coração como um transplante de coração (Ez. 36.26) realizado por Jeová, ao colocar o seu Espírito dentro do seu povo (v. 27). Retratou o Espírito como o agente vivificador de Jeová, que sopra nova vida sobre o seu povo (37.1-14). A visão dos ossos secos que voltam à vida traz ao final a promessa: "Porei em vós o meu Espírito, e vivereis" (v. 14). Agora começamos a entender um contraste vital entre as duas alianças: Sem a provisão do Espírito, a antiga aliança levaria à morte.

Em outra passagem, Paulo explora o tema de como a lei resulta em morte. Em Romanos 7, por exemplo, encontramos o mesmo contraste entre a vida e a morte, entre o Espírito e a lei: "Mas, agora, estamos livres da lei, pois morremos para aquilo em que estávamos retidos; para que sirvamos em novidade de espírito, e não na velhice da letra" (Rm 7.6). O apóstolo deixa claro que a razão pela qual os crentes devem morrer para a lei, é que o viver sob esta é um convite ao domínio de nossa natureza pecadora (literalmente, "carne") com suas "paixões dos pecados, que são pela lei" (v. 5). Não é a lei, porém, que se deve culpar (v. 7). Antes, o pecado é o culpado, por tomar ocasião pela lei (que é "santa, justa e boa" v. 12) e usá-la para promover atos pecaminosos e a morte espiritual (vv. 8-11). Paulo também teve em mente este uso pecaminoso da lei (v. 13) quando escreveu: "O aguilhão da morte é o pecado, e a força do pecado é a lei" (1 Co 15.56). Deste modo, a lei propriamente dita não pode ser culpada, mas sem a provisão do Espírito é impotente contra o pecado podendo somente levar à morte.

Em contraste, a nova aliança vem com a provisão do Espírito. O Espírito é o Espírito do Deus Vivo (2 Co 3.3) e é deste modo o Espírito *vivificador* (v. 6b). É a operação do Espírito nos crentes da nova aliança que torna possível o cumprimento daquilo que a lei exigia. A vida dada pelo Espírito é a vida eterna do próprio Deus, concedida como uma dádiva através de seu Filho Jesus Cristo (Rm 6.23; cf. Jo 20.31; 1 Jo 5.11,12). Esta vida agora se torna disponível aos filhos de Deus, que foram ressuscitados com Cristo para "novidade de vida" (Rm 6.4) pelo mesmo

Espírito que ressuscitou Jesus dos mortos (8.11; veja Fee, 1994, 307). Paulo chama esta nova vida de "novidade de Espírito" (Rm 7.6). É justamente esta operação do Espírito sob a nova aliança que liberta os crentes da "lei do pecado e da morte" (8.2) e os habilita a atender completamente as exigências da lei para viverem "segundo o Espírito" (8.4).

A provisão da nova aliança do Espírito não somente assinala a principal distinção entre as duas alianças, mas também apresenta a superioridade da nova sobre a antiga. Começando com o versículo 7, Paulo mostra que a nova aliança vem com maior glória. Ao fazê-lo, o apóstolo admite que ambas as alianças possuem um ministério caracterizado pela glória. A glória efetuada pelo ministério do Espírito (v. 8) debaixo da nova aliança é uma glória, porém, esta não pode ser comparada com a antiga glória (v. 11). Para provar seu ponto Paulo usa uma forma bem conhecida e patente de raciocínio que argumenta que "se algo é verdadeiro em um caso de menor importância, quanto mais verdadeiro será em um caso de maior importância" (uma forma judaica de raciocínio usada no tempo de Hillel; cf. Mt 7.11). Se a antiga aliança, que resultava em morte (v. 7; cf. v. 6) e condenação (v. 9), veio com glória, como pode a nova aliança, capacitada pelo Espírito vivificador (v. 6) e resultante da justiça, falhar em vir com abundância de glória? Se aquela antiga aliança tinha a presença de uma glória destinada a desaparecer (v. 7; cf. v. 12), quanto maior é a glória da nova aliança, que é destinada a permanecer? (v. 11; cf. v. 18; Rm 8.16-21, 29,30; Hb 8.13; 13.20).

3.2.4. O Véu que Esconde (3.12-16).

Pelo fato de a esperança deles residir em uma aliança superior (aqui implícita, cf. Hb 8) com uma glória maior e permanente, Paulo e seus companheiros podem falar abertamente com grande ousadia. Diferentemente de Moisés, que ocultou seu rosto na presença do povo, eles não têm nada a esconder. A história em Êxodo 34.29-35 descreve como, depois de falar com Jeová no Monte Sinai e vindo até o povo, o rosto de Moisés brilhava intensamente com a glória do Senhor. Como resultado, pôs um véu sobre seu rosto.

Um problema vem à tona quando comparamos a razão atribuída por Paulo à atitude de cobrir o rosto, com o texto de Êxodo. O apóstolo declara que o véu usado por Moisés teve a função de evitar que os filhos de Israel vissem a glória desaparecer de seu rosto (3.13), ao passo que o texto em Êxodo sugere que o motivo era impedir que o povo fosse tomado pelo medo (Êx 34.30, 34,35). Na verdade, Paulo não nega o segundo motivo, mas declara que a razão principal era impedir que o povo atentasse "para o fim daquilo que era transitório" (2 Co 3.13). As palavras de Paulo sugerem que ele tinha em mente mais do que o rosto de Moisés [4]. A frase grega "estava se desvanecendo" é idêntica à palavra contida no versículo 11 que se refere à antiga aliança, que, embora cercada de glória, estava destinada a desaparecer pela chegada da nova.

A história de Êxodo envolvendo o véu de Moisés, lembra Paulo da estagnação espiritual de seu povo. Como os israelitas do passado, que falharam em compreender a natureza transitória da lei (cf. Gl 3.19, 23,24) na lição do véu, os judeus na época de Paulo ainda exibiam mentes endurecidas para a verdade do evangelho. As viagens missionárias de Paulo documentam como freqüentemente encontrava judeus que ainda estavam olhando atentamente para Moisés e a lei como o meio de receber a salvação de Deus. O véu que obscurecia a visão espiritual deles permanecia intacto sempre que a lei era lida; somente "em Cristo", isto é, somente crendo em Cristo, o véu poderia ser retirado (2 Co 3.14b-16).

3.2.5. O Espírito Vivificante e Libertador (3.17,18).

Somente quando o povo entender que "Cristo é o fim [isto é, o propósito] da lei para justiça de todo aquele que crê" (Rm 10.4) poderá experimentar a verdade libertadora do versículo 17: "O Senhor é [o] Espírito; e onde está o Espírito do Senhor, aí há liberdade". Os estudiosos debatem se Paulo tem em mente Cristo ou Deus o Pai quando diz: "O Senhor é [o] Espírito". Um argumento plausível e coerente com o contexto pode ser apresentado. As palavras de Paulo, porém, não devem ser interpretadas querendo dizer que ele está identificando Cristo ou Jeová do Antigo Testamento com o Espírito. O verbo "é" pode ter o sentido de algo como "significa/representa" ou "indica"; este significado serve para a analogia que Paulo faz entre o Senhor em Êxodo 34, e a obra do Espírito sob a nova aliança.

O Senhor, em Êxodo, deve ser comparado ao Espírito. Quando Moisés entrou na Tenda da Congregação ou "voltou-se para o Senhor", removeu seu véu e teve acesso à presença de Deus e à revelação de sua vontade. Agora, sempre que uma pessoa se volta para o Senhor, o Espírito remove o véu das mentes entorpecidas para revelar o conhecimento de Deus em Cristo, e conceder a experiência de sua presença (veja Fee, 1994, 311-12). Paulo discute que nesta presença há liberdade, uma liberdade desconhecida para aqueles que, sem o Espírito, estão destinados a uma aliança de letra, que leva à condenação e morte (v. 6-9).

Os crentes em Cristo tiveram o véu removido e agora têm acesso à presença de Deus. O Espírito que efetuou a retirada do véu está agora ocupado em uma maravilhosa obra de transformação espiritual. Sem o véu, refletimos a glória de Deus. O processo é o de ser crescentemente transformado na própria semelhança da glória de Deus. Esta glória, como aprenderemos mais tarde, é a glória de Cristo, que é a imagem de Deus (4.4; cf. Rm 8.29; Hb 1.13).

Esta obra de nos transformar na imagem de Cristo é a obra do "Senhor... o Espírito" (v. 18). A frase é conceitualmente paralela à do versículo 17a ("o Senhor é [o] Espírito"), onde Paulo compara a operação da retirada do véu pelo Espírito, com a revelação do Senhor a Moisés. Deste modo, Paulo conclui enfatizando que todo o processo de transformação, do ato de desvelar os corações endurecidos levando-os à conversão, à experiência da liberdade espiritual e à obra progressiva de glorificação, pertence ao ministério do Espírito (veja Hughes, 338).

3.2.6. O Evangelho que Traz Luz (4.1-6).

Em 4.1 Paulo retoma o tema anterior de 3.6. seu compromisso e comissão por parte de Deus como um ministro da nova aliança. Ele afirma que, apesar das críticas e acusações dirigidas contra ele, não tem nenhuma razão para perder o ânimo. Dois fatos levantam seu ânimo:

1) Ele foi comissionado para pregar o evangelho sob a nova aliança com sua obra dinâmica do Espírito e a perspectiva da glória eterna.

2) Com gratidão, o apóstolo percebe que esta privilegiada acusação é o resultado da misericórdia de Deus. Paulo provavelmente tem em mente o que mais tarde relata em 1 Timóteo 1.12-16. Embora o apóstolo tenha sido outrora um "blasfemador... perseguidor" e um homem violento, podendo até mesmo ser considerado como "o pior" dentre todos os pecadores, de modo inacreditável recorda: "alcancei misericórdia" (1 Tm 1.13). Ainda mais incrível é que o mesmo Deus misericordioso o tenha considerado fiel, e o tenha colocado a serviço de Jesus Cristo (v.12), a quem ele tão zelosamente perseguiu (veja At 9.1-15). Paulo considerou seu comissionamento de servir a Cristo na pregação do evangelho como o resultado da "graça de Deus" (Gl 1.15,16).

Nos versículos 2-5 Paulo se defende das falsas acusações que lhe foram dirigidas. Note que suas enfáticas negações por toda a carta ecoam freqüentemente estas acusações. Aparentemente, seus adversários o estavam acusando de várias formas de engano (12.16) e corrupção (7.2). A partir do versículo 4.2 podemos descobrir três acusações contra ele:

1) Que Paulo empregou um comportamento ou métodos vergonhosos e secretos;

2) Que era enganador e astuto, provavelmente manipulador, a fim de alcançar seus intentos à sua própria maneira; e

3) Que através de sua pregação e ensino estava distorcendo o evangelho.

Paulo emite uma forte negação a estas acusações. Ele e seus companheiros "renunciaram [tais] modos secretos e vergonhosos". Pelo contrário, sua conduta foi pública e aberta à inspeção. Paulo está confiante que qualquer observador honesto reconhecerá a integridade de seu ministério. Mais importante, a consciência de Paulo está limpa diante daquele que o chamou. Seu exemplo deve nos ensinar que também podemos melhor suportar as tempestades da controvérsia e das falsas acusações, sob o abrigo de uma consciência limpa diante de Deus.

Outra possível acusação aparece no versículo 3. A frase: "Mas, se ainda o nosso evangelho está encoberto..." sugere que, para o bem do argumento, Paulo reconhecerá a acusação dos seus adversários. Podem acusá-lo de ser vago e obscuro em seu ensino (o que pode até mesmo ter certa credibilidade para alguns, cf. 2 Pe 3.16), talvez até investindo suas palavras com significado secreto, encoberto para todos exceto àqueles que são perspicazes ou que possuem uma boa percepção espiritual. Paulo responde que qualquer ocultação que possivelmente exista não é culpa de sua pregação, mas é a conseqüência da incredulidade por parte daqueles que "se perdem" ou daqueles que "estão perecendo" (2 Co 4.3; cf. 2.15; 1 Co 1.18). No caso deles, Satanás, "o deus deste século" (cf. Jo 12.31), cegou as mentes dos incrédulos e tornou-os insensíveis à luz do evangelho (2 Co 4.4). O objetivo do Diabo (a expressão "para que", neste verso, deve ser melhor entendida como introduzindo uma cláusula de propósito) é tornar estas pessoas incapazes de compreender e receber a verdade do evangelho, que mostra a glória divina revelada em Cristo, "que é a imagem de Deus" (cf. Jo 1.14, 18; Cl 1.15).

Deveríamos manter em mente que a imagem do véu aqui lembra aqueles cujas mentes estão entorpecidas por lerem Moisés (3.14-16). Considerando a passagem em 11.22 parece certo que alguns dentre estes estavam entre os adversários de Paulo. Em 4.3, Paulo formula uma equação: aqueles que estão perecendo = aqueles que não crêem. Em 1 Coríntios 1.18 aqueles que estão perecendo são aqueles que consideram a mensagem da cruz como loucura. Em 2 Ts 2.9,10 Paulo identifica "aqueles que estão perecendo" com aqueles que sucumbiram ao engano de Satanás, "porque não receberam o amor da verdade para se salvarem". Deste modo, suas palavras aqui não somente descrevem a condição espiritual de seus adversários, mas relaciona-os à obra de Satanás, que consiste em cegar as mentes para a luz do evangelho.

Retornando a uma acusação comum de seus adversários (cf. 3.1; 5.12), Paulo nega que sua pregação consista em autopromoção (4.5). Talvez isto esteja relacionado à acusação anterior de distorcer a Palavra de Deus. Em todo caso, Paulo resume a essência de sua pregação: Jesus Cristo como Senhor (cf. Rm 10.9). Quanto à falsa acusação, se Paulo ou os seus companheiros pregaram algo de si mesmos, fizeram-no como servos para os coríntios por causa de Jesus. Neste papel imitaram seu Senhor, que humilhou-se a si mesmo e tomou a forma de servo para realizar a obra da redenção (Fp 2.5-8). Em uma correspondência anterior, Paulo expressou sua preocupação pastoral para com os coríntios como seu pai espiritual (1 Co 4.15). Apesar da oposição a seu apostolado e de numerosas críticas, Paulo procurou ganhar a submissão deles para sua autoridade através do serviço e do amor.

A razão pela qual Paulo pregou a Cristo no papel de um servo é dada em 4.6. Parafraseando Gênesis 1.3, o apóstolo faz uma comparação entre a ação criativa de Deus em fazer a luz brilhar em meio à escuridão, e a iluminação espiritual que aconteceu em seu próprio coração em sua conversão (cf. 2 Co 5.17). Paulo prega a Cristo porque o próprio Criador despedaçou as trevas que uma vez cobria seu coração. Através do Evangelho, abraçou o conhecimento da glória de Deus revelada na pessoa de Cristo. Tendo recebido a luz do evangelho de Cristo, Paulo se tornou um portador da luz. Ele entendeu bem as palavras de seu Salvador: "Nem se acende a candeia e se coloca debaixo do alqueire, mas, no velador, e dá luz a todos que estão na casa" (Mt 5.15).

3.3. As Tribulações e o Triunfo do Ministério Apostólico (4.7—5.10)

Na seção anterior, Paulo falou em termos luminosos de seu ministério sob a nova aliança, com sua grande e gloriosa esperança que aguarda o crente. O evangelho que ele pregou é a revelação "da glória de Deus na face de Jesus Cristo" (4.4, 6). Através dEle, Deus trouxe sua inextinguível luz ao mundo (cf. Jo 1.4-10). Paulo entendeu seu papel como um vaso escolhido para levar esta luz tanto para judeus como para os gentios, mas ele também sabia do sofrimento que sua chamada exigia (At 9.15,16). Paulo se volta agora a refletir na realidade destas tribulações, nos propósitos de Deus nestas, e na esperança de que seja sustentado através delas.

3.3.1. O Paradoxo dos Sofrimentos de Paulo (4.7-11).

Parece que Paulo foi atingido pelo paradoxo que acabou de descrever. O "tesouro" (v. 7) faz referência à "luz [ou iluminação] do conhecimento da glória de Deus na face de Cristo" (v. 6), conhecido e experimentado por Paulo e seus companheiros. Isto abrange a completa realidade que pertence ao novo ministério da aliança do Espírito (3.3-18). Paulo é dominado pelo contraste entre o valor insondável e duradouro deste "tesouro do evangelho" e a indignidade e fragilidade humana ("vasos de barro") daqueles que agora levam-no ao mundo. Ele também percebe que este paradoxo é necessário. Deus escolheu trazer o evangelho ao mundo através da fraqueza humana [5] para que a grandeza extraordinária de seu poder de salvação possa ser vista como sua obra e não como uma ação humana.

Os versículos 8,9 contêm quatro conjuntos de contrastes que ilustram tanto a fraqueza de Paulo em executar sua chamada apostólica, como o poder de Deus para superar esta fraqueza e libertá-lo: Paulo conheceu aflições que pressionavam-no de todos os lados, porém nunca foi cercado a ponto de ser esmagado. Encontrou circunstâncias desnorteantes, mas nunca chegou a ponto de se desesperar. Seus inimigos haviam perseguido seus passos, mas Deus nunca o deixou cair em suas garras. Abateram-no até o chão, porém foram impedidos de dar o golpe fatal.

Em resumo, Paulo descreve estas experiências em termos físicos, identificando-as com a "morte de Jesus" ou até mesmo como que participando desta (v. 10), de forma que Deus poderia revelar seu poder de ressurreição. Este poder infunde ao corpo mortal de Paulo a vida de Jesus, e preservou-o apesar das tribulações e das ameaças contra sua vida (vv. 10-11). Estas não são somente as conseqüências destas tribulações, mas também o propósito de Deus.

3.3.2. A Confiança de Paulo nos Sofrimentos (4.12-15).

Paulo percebe que embora seus sofrimentos o trouxessem face a face com a morte física, são os meios que Deus usou para trazer vida aos coríntios (v. 12). A revelação do poder de Deus através da fraqueza humana e da concessão da vida através da morte, são temas que residem no âmago da compreensão de Paulo quanto ao Evangelho e de sua própria chamada como um apóstolo. É, afinal, "a mensagem [*logos*] da cruz", com sua aparente loucura e fraqueza, que mostra o poder de Deus para a salvação (1 Co 1.18).

Em 1 Coríntios 1.18—2.5 Paulo já havia exposto o paradoxo da cruz. Gordon Fee (1987, 65) chama a atenção para o completo contraste ali entre *sophia* ("sabedoria"), tão estimada entre os gregos, e a "mensagem da cruz". O contraste diz respeito a duas noções contraditórias de sabedoria e poder. A cruz é a sabedoria de Deus; mas julgada pela sabedoria deste mundo, é loucura. Deus tomou um símbolo de morte e fraqueza e fez disto o canal e a revelação do seu poder salvador. Em 2.1-5 Paulo mostrou como ele, na posição de portador desta mensagem, reflete o mesmo paradoxo. Sua fraqueza é o instrumento que Deus escolheu para demonstrar o poder do Espírito (v. 4), para que ninguém pudesse gabar-se diante de Deus (1.29) ou creditar fé à pregação de sabedoria humana (v. 5). Para os coríntios, cativos pela sabedoria e poder, Paulo ofereceu um novo paradigma de ambos: da sabedoria na loucura da cruz, e do poder na fraqueza da cruz. O evangelho de Paulo revelou o primeiro; seus sofrimentos e tribulações voluntariamente suportados por causa de Cristo, demonstraram o segundo.

Em 2 Coríntios 4.12-15, Paulo expressa sua confiança em pregar o evangelho apesar da presença do sofrimento. As tribulações e os sofrimentos são a bigorna em que sua fé e confiança em Deus foram forjadas. Ao invés de silenciá-lo, compeliram-no a proclamar corajosamente o evangelho e a testificar da fidelidade de Deus. Como o salmista no Salmo 116.10, cuja fé em Deus foi demonstrada por sua libertação, Paulo não pode deixar de testemunhar de sua fé. Sua confiança flui do conhecimento de que a ressurreição e exaltação do Senhor Jesus (cf. At 2.32-36; Rm 1.4; 10.9; Ef 2.20-22) garantem ao crente uma ressurreição pessoal. Os crentes *em Cristo* serão ressuscitados *com Cristo* (Ef 2.5,6; cf. 1 Ts 4.14). Além disso, a ressurreição que levou Jesus à presença de seu Pai, garante a nossa apresentação diante de Deus (e/ou de Cristo — veja 2 Co 11.2; Ef 5.27; Cl 1.22) com todos os santos.

Deste modo, Paulo está encorajado (cf. v. 16), e sua confiança é sustentada à luz daquilo que ele sabe sobre os resultados de seus sofrimentos (v.15):

1) Eles estão beneficiando a outros; através deles os coríntios vieram a crer no evangelho.
2) Os coríntios estão compartilhando sua fé, de modo que a graça salvadora de Deus está alcançando cada vez mais pessoas.
3) Tal graça extraordinária serviu para multiplicar o louvor dos corações agradecidos, promovendo deste modo a glória de Deus.

3.3.3. A Esperança de Paulo nos Sofrimentos (4.16-18).

Por causa do que Paulo sabe e crê (cf. acima), ele não se desespera nem "perde o ânimo". A menção da glória de Deus lembra-o da esperança que ancora sua fé em meio aos sofrimentos. Ele sabe que o objetivo de Deus para o crente é que seja conforme a imagem de seu Filho (Rm 8.29), em quem é revelada a glória de Deus (2 Co 4.6). Afinal, é Cristo em nós que é "a esperança da glória" (Cl 1.27).

Mas Paulo aguarda a realização desta esperança, tendo a consciência sóbria em relação à sua própria condição de homem mortal. Diz que, exteriormente, nossos corpos físicos estão "se desgastando" ou se "deteriorando". Porém, ao mesmo tempo a esperança da glória está sendo operada. Interiormente, estamos sofrendo uma renovação espiritual diária (v. 16b; cf. Gl 4.19; Cl 3.10). Nisto Paulo deixa claro que a glorificação do crente não é meramente uma esperança futura, mas um processo contínuo nesta vida. Além disso, os sofrimentos são instrumentos neste processo. Através de nossa "leve e momentânea tribulação", Deus está produzindo "para" (ou, talvez melhor, "em") nós uma glória eterna que excede em muito a todas as dificuldades temporais (v.17; cf. 3.17; Rm 8.17,18, 29,30, 37,39). Esta transformação ocorre à medida que suportamos as tribulações, aguardando ansiosamente a realidade eterna que nos espera e que mesmo agora está sendo operada em nós.

O contraste entre as coisas visíveis e as não visíveis, temporais e eternas (v.18), descreve as realidades contraditórias que os crentes devem suportar em ansiedade, se não perderem o ânimo em meio ao sofrimento. Nós, como Paulo, devemos desenvolver uma visão "espiritual" que mantenha um foco firme, não no mundo visível desta vida temporal, mas no invisível mundo eterno (cf. Cl 3.1). O primeiro está mudando e se extinguindo (1 Co 7.31; cf. 1 Jo 2.17); o segundo contém a realidade permanente e imutável de um mundo por vir — um mundo em que o processo de glorificação, iniciado na terra através do Espírito que habita em nós (2 Co 3.18), encontrará a sua consumação (4.17; cf. 1 Jo 3.2).

3.3.4. A Esperança de Paulo Diante da Morte (5.1-10).

Em meio ao sofrimento e a perseguição (4.8,9) Paulo encontrou o conforto de Deus na esperança da glória (4.17). Embora enfrentando a morte constantemente, ele não "desfaleceu" (4.16), pois apesar da fraqueza e da mortalidade de sua carne, descobriu a operação da vida divina e experimentou o poder que Deus tem para livrar (4.10-12).

Em 5.1-10, Paulo continua este tema duplo da glória através do sofrimento e da vida em meio à morte (Hughes, 346). Desenvolve o raciocínio do porque (5.1 começa com *gar*, que literalmente significa "para") nem mesmo a perspectiva da morte é capaz de abalar sua confiança. Está seguro de que quando seu corpo, como uma tenda, se tornar gasto, envelhecido e destruído, um novo tabernáculo estará a caminho [6]. Isto é, ele sabe que Deus lhe preparará uma outra habitação.

Porém, diferentemente de seu tabernáculo terreno, que é temporal, este "edifício de Deus" pertence ao reino celestial e, assim sendo, é eterno. A identificação do "tabernáculo terreno" como nossa "casa" (grego *oikia*, v. 1; a NIV traduz este substantivo como um verbo, "em que vivemos") e a comparação com "uma casa não feita por mãos, eterna, nos céus" sugerem fortemente que Paulo esteja falando de outro corpo adaptado para o ambiente eterno dos céus. O apóstolo usa este mesmo contraste terreno-divino em 1 Coríntios 15.35-50 para descrever a transformação que acontecerá na ressurreição do crente. Sem dúvida alguma Paulo tem em mente aqui um "corpo espiritual" (1 Co 15.44), que o cristão aguarda após morrer e ser ressuscitado, ou que receberá por ocasião da transformação misteriosa, capaz de evitar-lhe a morte e revesti-lo do incorruptível e da imortalidade (1 Co 15.51-55; cf. 1 Ts 4.13-17).

Paulo continua a expressar seu desejo intenso de ser revestido pelo novo tabernáculo (v. 2-4). Ambos os versículos 2 e 4 (NASB) começam com um enfático "E, por isso também" ou "Porque também", que equivalem a "pois na verdade" e insistem que em nosso corpo presente "gememos" (cf. o gemido mencionado em Rm 8.22,23). Adicionando uma nova metáfora, Paulo indica que o crente, enquanto ainda alojado em seu tabernáculo terreno, almeja ser "revestido" com uma habitação divina. Suas palavras sugerem que os crentes saibam, intuitivamente, que ao abandonar o velho tabernáculo terreno no momento da morte, não ficarão "nus" (v. 3; isto é, "sem existência corpórea"). Isto é, depois da morte, uma expressão celestial de nosso corpo terreno aguarda cada cristão (Fee, 1994, 325). Assim, uma troca de vestimenta ocorrerá — o terreno pelo celestial e o temporal pelo eterno. Como resultado, Paulo afirma, "o que é mortal [será] absorvido pela vida" (v. 4).

O cristão não deve considerar esta transformação espiritual como algum evento estranho e inesperado. Deus nos deu um aviso prévio e nos preparou para este fim quando nos deu o seu Espírito (5.5). O Espírito que habita em nós, que continuamente realiza uma obra interna de glória no crente (3.18), é um "depósito em garantia" ou penhor [*arrabon*; cf. comentários a respeito de 1.22], "garantindo" que nossos corpos estão destinados a um futuro muito mais glorioso. Este conhecimento dá a Paulo uma esperança segura, que fortalece e alimenta a sua confiança (v. 6, 8) diante da morte. De fato, a certeza da ressurreição, com sua prometida transformação, faz com que a perspectiva da morte lhe seja bem-vinda e até mesmo preferida. Embora a morte nos obrigue à separação de nosso corpo terreno, ela também significa estar na presença do Senhor e receber a bênção de sua comunhão (cf. Fp 1.22,23).

A estrutura paralela dos versículos 6 e 8 indica que estar "no corpo" é estar "ausente do Senhor", mas deixar "o corpo" é habitar "com o Senhor". Os dois versículos estão relacionados e são resumidos pelo versículo 7, que literalmente diz: "Porque andamos por fé e não por vista". O versículo 6 mostra que andamos "por fé" (v.7) quando estamos "ausentes do Senhor" e "no corpo". Reciprocamente, caminharemos "por vista" quando, embora longe do corpo, estivermos na presença do Senhor. É mais que provável que a "vista", a que Paulo se refere, retrate a mesma esperança do apóstolo João quando escreveu: "Amados, agora somos filhos de Deus, e ainda não é manifesto o que havemos de ser. Mas sabemos que, quando ele se manifestar, seremos semelhantes a ele; porque assim como é o veremos" (1 Jo 3.2).

Uma vez que a morte não finaliza a nossa comunhão com Cristo, mas nos conduz à sua presença, os crentes devem ter como sua ambição suprema agradar ao Senhor. Isto é ainda o mais importante quando percebermos que nosso serviço terreno (enquanto "no corpo") será julgado depois da morte no tribunal de Cristo. Este evento traz uma conclusão sóbria para o ensino de Paulo sobre a esperança do crente na ressurreição: Todo cristão comparecerá diante do tribunal de Cristo no céu (cf. Rm 14.12; 1 Co 3.12-15), no qual o verdadeiro caráter de suas obras será exposto e julgado. O Novo Testamento ensina que os crentes terão que prestar contas tanto de sua fidelidade quanto de sua deslealdade, recebendo galardões ou sofrendo as conseqüentes perdas (Mt 25.21-29; 1 Co 3.15; Cl 3.24,25; 2 Jo 8).

Esta passagem, como um todo, ensina que a ressurreição do corpo cria uma continuidade entre esta vida e a vida por vir. O denominador comum é o Espírito; temos o penhor já no presente, e no futuro teremos a plenitude. Possuímos uma existência corpórea em ambos os lugares — um corpo natural e físico aqui na terra e um corpo espiritual quando estivermos no lar com o Senhor, no céu. Porém o elemento mais importante na continuidade é o relacionamento. Então, como agora, ainda seremos capazes de amar e servir ao Senhor. Ainda procuraremos agradá-lo.

3.4. A Natureza e a Função do Ministério Apostólico (5.11— 7.4)

3.4.1. A Motivação do Ministério Apostólico (5.11-16). Paulo possui duas grandes motivações para o ministério: seu temor a Deus (v. 11) e o amor a Cristo (v.14).

1) A sua compreensão de que um dia terá que prestar contas de seu apostolado diante do tribunal de Cristo (v. 10) é, sem dúvida, uma realidade para o apóstolo. Ela insere o "temor do Senhor" na equação. Este temor não é um terror paralisante, mas um temor cheio de reverência para com as conseqüências sagradas e eternas de seu serviço.

No Antigo Testamento o "temor do Senhor" era a atitude que caracterizava o povo de Deus quando procuravam andar de modo sábio (Pv 1.7) e evitar o mal (Jó 28.28; cf. Pv 16.6). Os Israelitas deveriam temer ao Senhor se quisessem andar em seus caminhos, amá-lo, e servi-lo com completa devoção (Dt 10.12). Na igreja primitiva, viver ou andar no "temor do Senhor" está ligado à obra do Espírito (At 9.31). Em outras passagens, os crentes, depois de exortados a serem cheios com o Espírito" (Ef 5.18), são exortados a submeterem-se uns aos outros "no temor de Cristo" (5.21, NASB). Em 2 Coríntios 7.1, os crentes são instruídos a aperfeiçoarem a santidade em suas vidas em temor a Deus. Parece, então, que no pensamento de Paulo, temer ao Senhor é uma atitude de reverência que deve caracterizar a vida da igreja cheia do Espírito.

Tal atitude motiva Paulo a "persuadir" as pessoas a aceitarem o evangelho de Cristo (v. 11). Infelizmente, alguém em Corinto estava atrapalhando esta aceitação colocando em dúvida seus motivos e conduta. O apóstolo está confiante em sua própria integridade; tudo que ele é e faz é conhecido e está patente na presença de Deus, mas também quer que os coríntios saibam muito bem a verdade com relação a seu apostolado entre eles. Sua esperança é que imediatamente reconheçam a retidão de sua conduta e a pureza de seus motivos.

No versículo 12, Paulo antecipa o próximo movimento de seus críticos. O apóstolo está consciente que alguns considerarão suas declarações sobre a sua integridade diante de Deus e dos seres humanos como uma outra tentativa de auto-promoção (cf. 3.1). Porém sua meta não é recomendar-se a si mesmo, mas fornecer uma resposta adequada àqueles que atacam e menosprezam seu apostolado [7]. Ele descreve estes adversários como tendo orgulho na aparência exterior. Não há dúvida de que referiram-se a tais fatores exteriores como as cartas de recomendação (3.1), sua própria ascendência judaica (11.22), ou a presença de milagres (12.11-12). A estima pela aparência mundana de seus oponentes é mais tarde refletida na afronta sutil de Paulo quanto à reivindicação de terem conhecido a Jesus "segundo a carne" (NASB; veja comentários em 5.16). Em contraste, Paulo prefere gabar-se daquilo que é somente visível aos olhos de Deus — a pureza de coração e motivos. Está confiante que Deus conhece tudo que ele é e fez. Todo o serviço que prestou foi na obra de Deus e à Igreja em Corinto (5.13).

É difícil saber exatamente o que está por atrás da acusação de que Paulo estivesse fora de seu juízo perfeito. Talvez alguns estivessem perplexos pela história de sua conversão e chamada apostólica. Diante da paixão e reivindicações inigualáveis de seu testemunho carregado de visões (At 26.19; cf. 2 Co 12.1-6), estes caluniadores, como Festo, somente poderiam oferecer uma explicação aceitável às suas mentes mundanas: "Estás louco, Paulo" (At 26.24). Os estudiosos entendem que há outras possíveis explicações para esta acusação (por exemplo, obsessão religiosa [Hughes, 191] ou experiências de êxtase com visões [Barrett, 166]), e está claro que esta não foi a primeira vez que Paulo era chamado de louco. Além disso, em seu serviço a Deus, Paulo estava compartilhando a mesma perseguição e abuso verbal dirigido contra seu Senhor (Mc 3.21; cf. Mt 10.24).

2) Nos versículos 14 e 15 Paulo revela a segunda grande motivação de seu ministério: "O amor de Cristo". O verbo usado aqui como "constrange" (*synecho*) descreve o impacto irresistível do amor de Cristo sobre o apóstolo, não lhe deixando nenhuma opção senão servi-lo. O contexto deixa claro que é o amor de Cristo por Paulo, não o amor de Paulo por Cristo, que o constrange. Porém, estas escolhas não são mutuamente exclusivas. Uma tradução mais literal de versículo 14b traz a seguinte frase: "tendo considerado/concluído [*krinantas*]". Esta frase introduz a demonstração do amor de Cristo — "um morreu por todos" — mas também fornece uma explicação da razão pela qual o amor de Cristo constrange Paulo ao serviço dedicado. Quando Paulo julga a magnitude do amor universal de Cristo pela humanidade, visto em sua morte abnegada por todos, conclui que deve servir; o mínimo que pode fazer é testemunhar a favor do Senhor. A obra consumada pelo Senhor Jesus Cristo encheu Paulo com amor e gratidão transbordantes (observe o papel do amor de alguém por Cristo como o fator chave de motivação para o serviço cristão em Mt 22.37; Mc 12.30; Lc 10.27; Jo 14.15, 21, 23).

Paulo está completamente convencido de que pelo fato de Cristo ter morrido "por todos", todos morreram. Surgem duas perguntas importantes: Em que sentido Cristo morreu por todos? Que tipo de morte todos experimentaram como resultado da morte de Cristo?

1) A primeira pergunta debate se Paulo tinha em mente que Cristo morreu em nosso lugar (uma morte substitutiva) ou a nosso favor (isto é, para nosso benefício) (sobre esta questão, veja Martin, 130-33; Hughes, 193-97). Na verdade, Paulo deve ter tido ambos os pensamentos em mente, pois a morte de Cristo *em nosso lugar* certamente traz *benefícios* a nosso favor, não menores que nossa libertação do castigo do pecado. Paulo pode estar enfatizando que a morte de Cristo beneficia a todos, tornando possível a todos morrer para o pecado e para si mesmos (v. 15) e viver para Cristo (Barrett, 168-69).

2) Porém, a frase compacta de Paulo no estilo de fórmula, "um morreu... todos morreram" (v. 14), lembra-nos o texto em Romanos 5.12, onde Paulo ensina que toda a humanidade tornou-se identificada com Adão, cujo pecado afetou a todos (cf. também os comentários de Paulo sobre os efeitos da

Este pódio de mármore, chamado "O Bema", foi usado por funcionários romanos em Corinto para anunciar assuntos oficiais. Diz-se que Paulo discursou aos coríntios desta mesma plataforma.

morte expiatória de Cristo em passagens como Rm 3.24-26; 6.1-11; 7.1-6; 8.1-4; 1 Co 15.3-4, 12-22; Gl 3.13,14; Ef 1.7; 2.11-16; 5.2, 25; Cl 1.13,14, 20-22; 2.11-15). Aqui, de modo semelhante, Paulo está declarando que todos aqueles que aceitam a Cristo são identificados com Ele, e tomam parte em sua morte. Embora os efeitos e os benefícios desta morte não sejam enunciados, o versículo 15 menciona um deles: uma nova vida de serviço abnegado por aquEle que morreu e ressuscitou em nosso favor.

O pensamento dos versículos 14 e 15 esboça o que Paulo desenvolve mais completamente em Romanos 6.1-14, onde expõe a importância do batismo cristão. O batismo testifica da união e da participação na morte e ressurreição de Cristo. Compartilhar a morte de Cristo não significa somente a liberdade da punição do pecado, mas também de seu poder em nossas vidas. Compartilhar a sua ressurreição concede entrada a uma nova vida, livre da escravidão do pecado e livre para servir a Deus (6.6-11).

A menção da morte e ressurreição de Cristo (v. 14,15) faz Paulo pensar posteriormente sobre as consequências salvadoras daquele evento e suas implicações para seu ministério. Uma consequência prática em sua própria vida é que não mais vê as coisas como as via (v. 16). Diferentemente de seus críticos, não pode estimar ou considerar as pessoas a partir de um ponto de vista mundano, que leva em grande consideração a aparência exterior (cf. v. 12). Ele admite ter conhecido a Cristo *kata sarka* (lit., "de acordo com a carne"). Embora seja certamente possível, Paulo não está se referindo a ter conhecido o Jesus terreno. Ao invés disso, o que Paulo parece ter em mente é um novo modo de conhecer a Cristo, inacessível àqueles que valorizam excessivamente o prestígio da associação exterior e mundana. Embora o texto o omita, Paulo conhece a Jesus como o Cristo, o Senhor ressurrecto. Este conhecimento vem somente pelo Espírito e por fé (1 Co 2.1-14; cf. Mt 16.16,17).

3.4.2. A Mensagem do Ministério Apostólico (5.17—6.2).
Ainda pensando sobre a morte e a ressurreição de Cristo, Paulo oferece uma segunda consequência que explica por que a partir de então não pode mais manter um ponto de vista mundano (v. 16). A cruz e a ressurreição efetuaram uma ruptura radical com antiga vida de Paulo, trazendo-o a uma união vital com Cristo e a uma esfera de existência totalmente nova. Paulo se tornou uma nova pessoa com uma nova identidade (cf. Gl 2.20) e agora pertence a um outro mundo (Denney, 210). A mudança é tão dramática, que somente pode ser descrita como uma "nova criação" classificando-o como "uma nova criatura". Toda a sua antiga vida — suas relações, condições, e situações — "já passaram" (tempo verbal aoristo em grego, denotando um fato realizado); em seu lugar veio, e agora existe (a implicação do tempo verbal perfeito em grego), uma nova vida "em Cristo".

As grandes mudanças descritas acima somente podem vir "de Deus" (v. 18). Porém, Paulo agora se volta a um resultado objetivo da morte e ressurreição de Cristo: a reconciliação. A reconciliação remove a inimizade que se coloca entre Deus e a humanidade por causa do pecado e a substitui pela paz (Rm 5.10-12; Ef 2.13-15). É o aspecto mais importante da redenção de Deus: remove a alienação, nos restaura ao favor de Deus, e nos leva à sua presença (Ef 2.16-19). A realização disto exige uma solução que Deus encontrou para o problema do pecado, não imputando aos homens as suas transgressões (2 Co 5.19), isto é, através do perdão (cf. Rm 3.6-8).

Paulo deixa claro que longe de ser uma parte passiva nesta transação, o próprio Deus é o autor e o iniciador da reconciliação. Foi Ele que nos reconciliou consigo mesmo através da instrumentalidade pessoal de seu Filho. A unidade do propósito divino entre o Pai e o Filho é tal que Paulo pode dizer, "Deus estava *em Cristo* reconciliando consigo o mundo" (v. 19, itálicos adicionados). Isto é, Cristo estava unido a Deus, o Pai, nesta obra divina de reconciliação. Além disso, Deus iniciou a proclamação mundial de sua reconciliação; foi Ele que "nos deu o ministério da reconciliação" (v. 18) e "pôs em nós a palavra da reconciliação" (v. 19). Da provisão até a proclamação, Deus é o autor, o arquiteto, e a força motora da reconciliação.

Paulo examina agora sua chamada apostólica. Considera-se mesmo como um "embaixador" comissionado e autorizado por Cristo para ser seu representante e mensageiro para o mundo. Sua missão é ser a voz de Deus, chamando fervorosamente um mundo alienado à reconciliação com Deus (v. 20). O que permite a Deus fazer tal oferta graciosa de reconciliação e salvação (6.2) é sua própria provisão de expiação. Deus tomou o Cristo sem pecado (cf. também Rm 8.3; Hb 4.15; 7.26; 1 Pe 1.19; 1 Jo 3.5) e o fez "pecado por nós". Há uma discussão sobre o que Paulo quis exatamente dizer com esta frase. As opções são:

1) Que Cristo se tornou pecado em sua encarnação tomando a forma e a semelhança da humanidade caída (cf. Fp 2.7);
2) Que Cristo, levando nossos pecados na cruz, se tornou o objeto da ira de Deus, e deste modo foi tratado como um pecador condenado em nosso lugar; ou
3) Que Cristo, morrendo por nossos pecados, se tornou um oferta pelo pecado (Hughes, 354).

A terceira opção é a melhor. Paulo parece ter como base desta declaração o testemunho do Antigo Testamento (cf. Is 53.10) para a "oferta de pecado" (Heb. *hatta'ah* ou *'asham*), que também pode ser traduzido como "pecado" (como Paulo faz aqui). Deste modo, o verbo "fez" sugere que Deus designou a Cristo para ser uma oferta pelo pecado. A natureza vicária (substituta) da oferta pelo pecado no Antigo Testamento (Lv 4.4-24) criou uma identificação real entre esta oferta e o pecado que a exigiu. O ato do adorador colocar suas mãos sobre o animal (Lv 4.24), simbolizava a transferência da culpa dele para a oferta pelo pecado, e significava para o adorador que o juízo de Deus pelo pecado havia recaído sobre a oferta. Ao requerer a morte da oferta pelo pecado, Deus estava, com efeito, julgando o pecado. As palavras de Paulo também expressam esta identificação.

O propósito que estava incluído no sacrifício do Cristo sem pecado era: "para que nele fôssemos feitos justiça de Deus" (v. 21). A "justiça de Deus" pode se referir a uma justiça que ou vem de Deus como sua fonte, ou expressa o caráter e a natureza de Deus. Devido à ênfase que Paulo dá nesta passagem àquilo que Deus fez em Cristo, o primeiro sentido deve ser preferido. Contudo, quando o assunto é a justiça de Deus, podemos concluir que o crente "se torna" justo. Esta é uma justiça encontrada "em Cristo", a quem Paulo em outra passagem descreve como tendo se tornado "nossa justiça" (1 Co 1.30). Para Paulo, a justiça de Deus em Cristo incluía não somente uma posição reta diante de Deus com base na fé (Rm 4.9; Gl 3.9), mas também a provisão para participar do caráter íntegro do próprio Deus (Hughes, 355).

Paulo retorna à sua chamada apostólica e à proclamação das boas novas. Como embaixador de Cristo e a voz de Deus de reconciliação (5.20), Paulo se considera como um cooperador de Deus (6.1). Esta responsabilidade traz consigo um senso de urgência, pois Deus está agora oferecendo a salvação através dEle. Deste modo, o fervoroso pedido de Deus se torna o próprio pedido de Paulo, e ele exorta os coríntios a "não receber a graça de Deus em vão", pois o "dia da salvação" raiou, e o dia da graça de Deus está diante deles (6.1,2, NASB, citando Is. 49.8).

Paulo ouve em sua própria pregação do evangelho um eco da promessa de

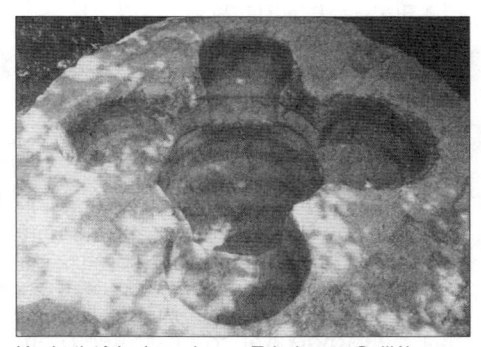

Um batistério de pedra em Tabgha, na Galiléia, uma cidade localizada na base do Monte das Bem-aventuranças. Em uma carta aos coríntios, Paulo explica a importância do batismo cristão.

Deus para restaurar Israel depois do exílio. Vê seus próprios dias como o tempo em que Deus está estendendo sua graça e está presente para livrar. Esta é mais uma razão por que os coríntios devem ser cuidadosos para não receberem a graça de Deus em vão. O tempo do verbo "receber" se refere comumente a um evento no passado simples, que o contexto garante aqui, presumivelmente a conversão dos coríntios (Martin, 166).

"Em vão" pode significar "vazio", "sem efeito" ou "para nada". Estes, abandonando sinceramente a possibilidade de que Paulo pudesse ter em mente uma queda da graça, fazem muito mais em meio ao compromisso doutrinário anterior, do que a consideração do texto (por exemplo, Martin, 166). Outra proposta improvável é que Paulo esteja somente exortando a humanidade em geral a não rejeitar a oferta de salvação de Deus (Hodge, 154). Antes, Paulo tem claramente os coríntios em mente quando diz "vos exortamos". Paulo deste modo está se dirigindo aos cristãos em Corinto que receberam a graça salvadora de Deus, mas que estavam conduzindo-se de uma maneira que negava a realidade e o propósito desta graça. Enquanto Cristo na verdade morreu por todos, não seria automático que todos não vivessem mais para si mesmos, mas para Cristo (v. 15) (Barrett, 183). Se tal andar cristão fosse automático, Paulo dificilmente teria razões para incluir tantas instruções morais e éticas, e ter proferido tantas exortações e advertências nesta carta (veja 6.14-17; 7.1; 8.10-15; 9.6-10; 12.19-21; 13.5, 11).

3.4.3. Os Sofrimentos do Ministério Apostólico (6.3-10).

Após expor a mensagem de reconciliação, exortando os coríntios a receberem esta palavra de reconciliação (5.20) e não tornarem inútil a graça de Deus que receberam no evangelho (6.1), Paulo volta a descrever a maneira de sua vida e ministério entre eles. Na verdade o versículo 3 continua a frase começada em 6.1, que foi interrompida pela citação do Antigo Testamento em 6.2. Sem a interrupção ler-se-ia literalmente: "Vos exortamos a que não recebais a graça de Deus em vão... não dando nós escândalo em coisa alguma". Paulo está descrevendo, então, a maneira como este apelo foi feito.

Ao exortar outros a receberem a graça salvadora de Deus, a principal preocupação de Paulo é nunca desacreditar seu ministério, impedindo a obra desta graça em alguém. Sempre e em tudo, seu desejo era viver de um modo que mostrasse um bom testemunho de sua vida pessoal como um servo de Deus. Embora esta passagem detalhe os sofrimentos e as dificuldades de Paulo, descreve também como ele se conduziu deste modo recomendável.

Paulo descreve seu ministério apostólico em termos de uma série de nove tribulações e aflições (v. 4-5; cf. também 4.8,9; 11.23-29; 12.7-10), que se dividem em três conjuntos de três (Kruse, 132). "Aflições, necessidades e angústias" descrevem uma grande variedade de difíceis circunstâncias da vida que nos pressionam, criam adversidades, ou nos enclausuram ameaçando nos esmagar. "Açoites, prisões e tumultos" denotam a perseguição que Paulo suportou nas mãos de seus inimigos. "Trabalhos, vigílias e jejuns" se referem às dificuldades voluntárias que suportou em seu trabalho apostólico. Note que o apóstolo não tem vergonha daquilo que sofreu por causa de Cristo. De fato, mostra tudo nesta carta. Isto, como observamos previamente (veja os comentários em 4.7-11), é intencional e chama a atenção não somente para o poder de Deus operando através da fraqueza humana, mas também para a experiência comum que Paulo compartilha com seu Salvador.

No versículo 6, Paulo se volta à graça interior que o sustentou em meio às tribulações: "pureza" (ou sinceridade), "ciência" (ou conhecimento), "longanimidade" (controle sob provocação), e "benignidade" (bondade ou generosidade). A frase "no Espírito Santo" sugere que Paulo tem em mente o Espírito como a fonte desta graça espiritual, cujos aspectos são comparados com a sua lista do fruto do Espírito (Gl 5.22,23). Parece mais que coincidência que "amor não fingido [sincero, genuíno ou verdadeiro]" siga imediatamente sua referência ao Espírito, até mesmo pelo fato do amor ser o primeiro fruto do Espírito a ser mencionado. A frase "palavra da verdade" segue a frase "amor não fingido" no versículo 7 (cf. Ef 4.15). "No poder de Deus" pode indicar a capacitação que Deus concede a Paulo para que este dê testemunho da verdade (cf. 1 Co 2.4) ou que suporte as agruras pelo poder de Deus (v. 4,5). Devido à ênfase desta carta sobre o poder de Deus demonstrado através da fraqueza (4.7; cf. 12.9; 13.4), a segunda é preferível.

Paulo usa então uma metáfora de armas para prosseguir sua lista de recursos interiores (v. 7b). Ao pregar o evangelho como embaixador de Cristo, Paulo entrou na arena da guerra espiritual. As "armas da justiça" em ambas as mãos mostram que ele está completamente armado. Mas de modo diferente do combate terreno, as armas de Paulo não são exteriores, mas interiores (cf. também Rm 6.13; Ef 6.11-17; 1 Ts 5.8), consistindo nas qualidades da justiça interior. Paulo batalha "no poder de Deus", com armas que são adquiridas ao longo de sua caminhada com Deus, em meio às tribulações sem se render ou transigir em sua integridade. A força interior que estas armas fornecem, equiparam Paulo para suportar as circunstâncias variáveis e freqüentemente paradoxais de sua chamada apostólica.

Paulo conclui esta seção listando uma série de situações contrastantes (v. 8-10) que encontrou. Experimentou louvor e vergonha; foi elogiado e caluniado, visto como um genuíno servo de Deus e como uma fraude enganosa; foi tratado como uma celebridade e também ignorado. Mas as circunstâncias mutantes, não importando quão negativas possam ser, não ditaram o resultado final. Paulo enfrentou repetidamente a morte, contudo sobreviveu (cf. 4.10,11); ele foi abatido (cf. 11.23-25), mas não foi morto.

Nenhuma destas circunstâncias ditaram como Paulo escolheu vê-las. Seu serviço a Cristo lhe trouxe tristeza, privação, e pobreza, mas em meio a todas estas circunstâncias nunca perdeu de vista a perspectiva divina. Este conhecimento permitiu que se regozijasse nas tristezas, percebendo que através de sua pobreza trouxe a riqueza do céu para as almas empobrecidas. Embora o mundo o visse como não possuindo nada, Paulo sabia que possuía "todas as bênçãos espirituais" em Cristo (Ef 1.3).

3.4.4. A Intimidade e a Alegria do Ministério Apostólico (6.11—7.4).

Paulo interrompe o relato de seu sofrimento apostólico com um apelo veemente aos coríntios para a abertura e o afeto mútuos (v. 11-13). Como seu "pai" na fé (cf. 1 Co 4.15), ele deseja ardentemente uma intimidade com seus filhos espirituais. Porém sabe que o verdadeiro afeto é dado livremente, e então procura persuadi-los, porém não lhes dá ordens. Ao longo de sua correspondência, sempre lhes falou (implicitamente no tempo verbal perfeito) abertamente; seu amor e afeto nunca foram escondidos. Agora ele os exorta a retribuírem seu afeto, "dilatando" seus corações para com ele, como o fez.

O que se segue é um apelo por santidade (6.14—7.1) e constitui uma das explicações mais notórias de Paulo. Veja o tópico "Unidade Literária" na Introdução. Discutimos ali que ao contrário de algumas opiniões de estudiosos, não há nenhuma boa razão para questionarmos a autoria de Paulo desta passagem ou vê-la como um fragmento de uma carta mais antiga. Anteriormente (6.1) Paulo exortou os coríntios a não receberem "a graça de Deus em vão". Aí concluímos que Paulo tinha em mente a possibilidade de viver de uma maneira que não somente contradizia à natureza da nova vida deles em Cristo (5.17), mas que ameaçava também seu bem-estar espiritual. Continuou a assegurá-los de sua intenção de nunca fazer qualquer coisa que os fizesse tropeçar, narrando sua vida de integridade apesar de sofrer por causa do evangelho (6.3-10). Agora, depois de seu apelo para uma abertura e afeto mútuos, Paulo retorna à sua preocupação anterior e a um problema não resolvido, contra o qual ele havia anteriormente advertido os coríntios — a idolatria (veja 1 Co 10.1-22).

Em 1 Coríntios Paulo foi bastante direto ao ordenar aos crentes em Corinto que não fossem "idólatras" (1 Co 10.7) e que fugissem "da idolatria" (10.14). Aqui, porém, Paulo aborda o problema a partir de um ângulo diferente. Devido à preeminência que a idolatria possuía na cultura coríntia (veja Murphy-O'Conner), provavelmente a condenação sincera de Paulo e a ameaça de juízo tenham alcançado ouvidos indiferentes. Em todo caso, Paulo menciona o mesmo problema aqui, mas em relação ao princípio de santidade ou "separação" do Antigo Testamento. Sua estratégia de confrontação face a face, porém, é imutável: "Não vos prendais a um jugo desigual com os infiéis".

De 1 Coríntios 5.9 e 10 sabemos que Paulo não está proibindo toda associação com os incrédulos, o que seria impossível e exigiria, em suas palavras, "sair do mundo". Paulo aparentemente tem um tipo específico de relacionamento em mente. "Jugo desigual" (v. 14) lembra Deuteronômio 22.10, que proibia que um boi e um burro fossem colocados ao mesmo jugo para lavrar a terra. Também pode ter o sentido de "desigualdade" e se referir à proibição em Levítico 19.19 contra o cruzamento de animais diferentes. Em ambos os casos, as leis desta natureza no Antigo Testamento eram instituídas para ensinar o princípio da separação espiritual. Israel deveria evitar práticas e crenças que levariam o povo a adotar os modos corruptos de seus vizinhos pagãos.

Consequentemente, o que Paulo parece ter em mente aqui é a formação de relacionamentos que favoreceriam o casamento de uma pessoa crente com uma incrédula e levariam a alguma forma de transigência espiritual com o paganismo, particularmente à idolatria. O tipo exato de relacionamentos que tinha em mente é incerto; ele não foi específico. Ao invés disso nos deixa um princípio claro para ser aplicado sob a direção do Espírito Santo. Os cristãos hoje seriam sábios se evitassem qualquer relação — pessoal, de negócios, matrimonial, etc. — que os forçasse a situações de transigência e que ameaçasse a pureza de sua devoção a Cristo (cf. 11.3).

Para se fazer entender, Paulo continua fazendo cinco perguntas retóricas, que destacam como é radicalmente antinatural e incompatível para crentes e incrédulos formarem pares em um relacionamento íntimo. Cada uma das perguntas apresenta dois opostos, é visivelmente absurda e espera uma negação imediata. Por exemplo, seria de se esperar que a justiça (que é definida por Paulo em outras passagens como sendo coerente com a lei [veja Rm 7.12; 9.31; 10.5; Fp. 3.9]) se associasse à iniquidade? Que comunhão pode haver entre a luz e as trevas? "Um crente" e "um incrédulo", ele diz, têm tanto em comum quanto Cristo e Belial, o príncipe do mal.

A pergunta final levanta a objeção mais forte contra tais alianças profanas. Ouvimos nas palavras de Paulo a objeção dos profetas do Antigo Testamento contra a idolatria: Que acordo pode haver entre o templo de Deus e os ídolos desprezíveis e inanimados feitos por mãos humanas (veja Jr 2; cf. Is 2.8)? Note também a ênfase aqui em crentes ("nós") como o "templo do Deus vivo". A citação de Paulo do Antigo Testamento ecoa vários versículos que declaram a relação especial de Deus com Israel (Lv 26.11,12; cf. Êx 6.7; 25.8; 29.45; 1 Rs 6.13). A presença de Jeová entre eles demonstrava que lhe pertenciam como seu povo e que Ele era exclusivamente o seu Deus. Em sua citação, Paulo combina a idéia da habitação de Deus em seu povo (Ez 37.27) com Levítico 26.11,12. Isto concorda com aquilo que anteriormente escreveu aos coríntios sobre serem o "templo de Deus" em que o Espírito de Deus habitava (1 Co 3.16,17; cf. 1 Co 6.19; Ef 2.22).

O apelo de Paulo é essencialmente um apelo pela santidade. Como o estado especial de Israel exigia a separação daquelas coisas que contaminam ou tornam uma pessoa maculada diante de Deus, assim também muitos dos coríntios deveriam proteger sua pureza moral e espiritual (v. 17) não se tornando unidos em um relacionamento com os incrédulos. O propósito desta separação não é ritual ou cerimonial, mas relacional — para preservar a intimidade de sua relação com o Pai (v. 18). Se os coríntios dessem atenção ao conselho de Paulo, poderiam estar certos de sua comunhão contínua com Deus como seus filhos e filhas.

Tais promessas de comunhão com o Senhor são ainda mais uma razão para que evitemos uma conduta que leve a uma contaminação moral ou espiritual e ponha em perigo a nossa intimidade com o Pai. Ao falar em contaminar o "corpo [lit., carne] e o espírito" em 7.1, Paulo não está se referindo a duas categorias de pecado, mas usando metáforas que representam a contaminação da pessoa como um todo — por dentro e por fora (cf. 1 Co 7.34; 1 Ts 5.23). Tal purificação mostra a reverência para com Deus e promove a inteireza de sua santidade dentro e entre o seu povo.

Em 7.2, Paulo retorna a seu antigo apelo por uma abertura e afeto mútuos (veja 6.13). Desta vez justifica seu apelo lembrando-lhes de sua conduta perfeita entre eles. É provável que as negações listadas aqui reflitam as acusações de seus adversários contra ele. Paulo, porém, é rápido em assegurar novamente aos coríntios que ao mencionar estas acusações, não os está incluindo no grupo daqueles que ele condena — "eu não digo isto para vos condenar" (v. 3). Antes, lembra-lhes de sentimentos previamente expressos (cf. 6.11); seu amor e compromisso em relação a eles os tem permanentemente assegurado em seu coração. Nada na vida, nem mesmo a própria morte, pode cortar os laços de seu amor para com eles.

Além disso, apesar de suas tribulações presentes, Paulo tem motivos para ser encorajado. As notícias trazidas por Tito (7.6) renovaram sua confiança, e forneceram uma ocasião para que se orgulhasse e se regozijasse neles.

4. Retorno aos Relatos de Viagem: Boas Notícias de Tito (7.5-16)

4.1. Paulo Confortado na Macedônia (7.5-7)

Paulo agora retoma o relato de suas viagens que havia descontinuado em 2.13. Recordando a experiência deste momento, entendemos por que Paulo diz que ao entrar na Macedônia estava fisicamente exausto, ansioso, e deprimido (v. 5,6). Antigos problemas levaram-no a fazer uma visita apressada a Corinto, em um esforço de resolver a situação ali. Mas a visita só tornou as coisas piores e foi profundamente e pessoalmente dolorosa para ele. Logo depois

O teatro em Éfeso foi uma das atrações que Paulo teria visto em seu retorno à cidade. Na rua Curetes, acima, estátuas de pessoas proeminentes estão dispostas em ambos os lados da rua. Os últimos consertos nesta rua ocorreram no século quatro.

de retornar a Éfeso, ainda magoado por sua experiência, escreveu uma carta áspera e comovente de repreensão para a Igreja (2.4,5) e enviou-a por Tito. Viajando para o norte em direção a Troas, Paulo se ocupou com o ministério e esperou ansiosamente por notícias dos coríntios em resposta à sua carta. Suas esperanças de encontrar Tito em Troas foram frustradas (2.12); então prosseguiu para a Macedônia.

Não somos informados sobre os eventos e dificuldades por atrás das palavras de Paulo, "em tudo fomos atribulados: por fora combates, temores por dentro" (v. 5). Além das exigências e perigos relacionados ao seu ministério, não há dúvidas de que o apóstolo carregou um fardo interior de dúvida, medo e autocrítica em relação ao tratamento dos assuntos relacionados aos coríntios. Pode-se imaginar o alívio que a chegada de Tito com as boas notícias (v. 7) trouxe para o espírito de Paulo. A chegada de Tito não era nada menos que o conforto misericordioso de Deus. Seus medos e preocupações se transformaram em alegria quando Tito falou sobre a dor genuína dos coríntios pelos pecados cometidos contra Paulo, e sobre seu afeto e terna preocupação para com ele.

4.2. A Carta Severa e seus Efeitos — Razões para se Regozijar (7.8-16)

Em primeiro lugar, Paulo se regozijou porque a disciplina que havia administrado provocou o efeito desejado: o arrependimento. Como o pai dos coríntios na fé, sua meta era restaurá-los espiritualmente. Como um pai amoroso, tomou a vara de correção com alguma ambivalência. Não sentiu nenhum prazer em lhes trazer dor; de fato, lamentou por ter que fazer isso (v. 8). Mas sabendo que a vida e o bem-estar espiritual deles estavam em jogo, não podia negligenciar seu dever de disciplinar aqueles a quem amava.

Agora, porém, se regozija (v. 9), não porque os tenha deixado pesarosos, mas por causa do efeito positivo que sua disciplina havia alcançado. A tristeza que causou neles não era a tristeza terrena, que abate e destrói por meio do pecado, mas uma dor divina que traz arrependimento, que não deixa nenhum remorso e que leva à salvação (v. 10).

O versículo 11 expressa a grande alegria de Paulo devido à mudança de coração e conduta dos crentes coríntios. Em uma longa exclamação, o apóstolo exulta de alegria sobre quão sérios e sinceros eles se mostram para corrigir os erros do passado. Em alguma ocasião podem ter apoiado seus desafiadores, mas agora mostram um genuíno sentimento de afronta e indignação pelo modo como foi maltratado. O arrependimento reacendeu um temor reverente (*phobos*) e o afeto por Paulo (a NIV traduz erroneamente *phobos*, nesta passagem, como "alarme"). O objeto de seu temor não é declarado. Pode ser um respeito temeroso a ele mesmo, ausente na visita anterior (veja Barrett, 211), ou um temor a Deus e a seu juízo em relação ao pecado. Os coríntios agora anseiam por sua vinda e são ardentes em seu desejo para castigar os malfeitores. Esta completa transformação mostra que fizeram todo esforço para corrigir os erros do passado e agora permanecerem "inocentes" ou sem culpa. Sua resposta é o fruto do arrependimento verdadeiro, e por isto Paulo se regozija.

Uma segunda razão para regozijar-se diz respeito a Tito, que foi o portador da severa carta de Paulo. Sem dúvida aceitou sua missão com algum temor e apreensão sobre o que o aguardava em Corinto. Agora Tito acrescenta às confortantes boas novas, um relatório que expressa que seus receios foram tranquilizados por uma recepção calorosa e responsiva (v. 13, 15). De fato, ficou comprovado que tudo o que Paulo disse de bom a respeito deles era verdade (v. 14-15). Ao invés de sobrecarregar a Tito com detalhes relacionados aos erros do passado e prepará-lo para o pior, exultou de modo surpreendente a respeito do bem que poderia ser encontrado na igreja. Os pastores de igrejas que enfrentam problemas fariam bem em aprender com Paulo; ele se recusou a permitir que os problemas o cegassem, enxergando sempre o lado positivo de cada situação. O relatório do

Tito afirmou a fé e a confiança que Paulo tinha nos coríntios, e agora ele poderia se regozijar.

5. A Oferta da Macedônia para os Santos de Jerusalém (8.1—9.15)

Durante algum tempo, Paulo havia se envolvido em uma tarefa voltada a fazer uma oferta para os santos de Jerusalém (cf. as referências à preocupação de Paulo pelos pobres e a esta oferta em Rm 15.25-29; 1 Co 16.1,2; Gl 2.9,10). A Judéia enfrentava tempos difíceis como resultado de uma escassez que deixou muitos dos santos aflitos (At 11.28,29). Paulo sentiu que as igrejas dos gentios tinham uma dívida de gratidão para com Israel e Jerusalém, a igreja mãe (cf. Rm 11.13-25; 15.27), por seu papel de trazê-los para a fé em Cristo. Sem dúvida ele viu nesta oferta um poderoso gesto simbólico. Não apenas mostrava que os gentios estavam espiritualmente em dívida para com a igreja de Jerusalém, mas simbolizava a unidade espiritual tanto de judeus como de gentios na igreja de Jesus Cristo (cf. Ef 2.13-18). Paulo já havia apresentado a oferta aos coríntios (2 Co 8.6; cf. 1 Co 16.1-4), mas provavelmente a tenha protelado devido aos conflitos que surgiram na Igreja. Agora, com as boas notícias de Tito, Paulo se sente confiante em poder exortá-los a completá-la.

5.1. Paulo Exorta à Graça da Doação (8.1-15)

5.1.1. O Exemplo Macedônio (8.1-5). Além da chegada de Tito, a menção da Macedônia (7.5) sem dúvida alguma forneceu outra lembrança confortante para Paulo. O afeto das igrejas macedônias (Filipos, Tessalônica, e Beréia são mencionadas em Atos) por Paulo e seu apoio ao seu ministério eram incomparáveis (cf. Fp 1.5; 4.15,16). No final, Paulo fará um apelo direto aos coríntios para completarem a oferta que haviam iniciado (vv. 6-12), mas espera aqui motivá-los com um exemplo inspirador de generosidade.

As palavras de Paulo nesta seção contam uma história de extraordinário sacrifício e espantosa alegria. As igrejas macedônias haviam experimentado uma intensa perseguição (cf. 1 Ts 1.6,7; 2.14). Esta "tribulação severa" os deixou profundamente empobrecidos; porém, apesar da privação e sofrimento, responderam com uma "rica generosidade" dando com sacrifício esta oferta para aos pobres (2 Co 8.2,3). Além disso, os Macedônios não somente deram voluntariamente, mas também espontaneamente e com grande alegria. Provavelmente Paulo, a princípio, relutou em tirar daqueles que estavam passando por grande necessidade, pois tiveram que implorar pelo privilégio de compartilhar [*koinonia*] este serviço a favor dos santos.

Para Paulo, o nobre caráter da conduta abnegada dos macedônios era a evidência da operação da graça de Deus e de sua capacitação [8]. Devemos notar que em 1 Coríntios 1.4-7 o termo *charis* está intimamente relacionado a *charismata* — os dons gratuitos de Cristo dados pelo Espírito (Fee, 1994, 338). Conseqüentemente, Paulo veria a liberalidade dos macedônios como a influência do Espírito capacitando-os a agir de acordo com graça de Deus. A graça que possibilita tal ato generoso e abnegado não somente flui em meio à sua graça na redenção, mas reflete o caráter misericordioso do próprio Deus, que em sua generosidade nos resgatou da pobreza espiritual pelo dom de seu Filho (veja Rm 5.6-8; 6.23).

A resposta macedônica para o ministério de Paulo ultrapassou suas expectativas. Não estava limitada à sua participação na oferta. Como Deus a consideraria ("pela vontade de Deus, v. 5"), esta última foi apenas uma extensão de terem primeiramente dado de si mesmos ao Senhor. Estes cristãos discerniram que a devoção a Cristo exigia o apoio de seus servos comprometidos em sua obra.

5.1.2. O Apelo de Paulo à Doação Generosa (8.6-12). Paulo agora está pronto para exortar os coríntios a completarem a oferta que haviam começado anteriormente. O versículo 6 revela sua sabedoria como um mestre motivador. Ele fundamenta seu apelo presente no exemplo louvável das igrejas macedônicas (vv. 1-5). Os coríntios estão sendo levados ou a compararem-se favoravelmente com os macedônicos, ou a contrastarem suas circunstâncias favoráveis atuais com as das igrejas empobrecidas (Harris, 367). Em ambos os casos, Paulo está encorajando os coríntios ao amor e às boas obras (cf. Hb 10.24).

O encorajamento de Paulo não enfoca o fracasso deles em completar este ato de generosidade (isto é, a oferta), mas em seu bom início. Suas palavras são cheias de elogio a eles. Seu desejo confiante é que da mesma maneira que se superaram em toda graça e dom cristãos ("fé... discurso... conhecimento... seriedade e... amor" [v. 7; cf. 1 Co 1.4, 7; 13.1-3]), superarão e também se excederão em completar este ato bondoso de dar. Paulo, agindo de modo sábio, não tenta ordenar a complacência (v. 8), embora isto fizesse parte de seu direito apostólico (veja 2 Co 10.8, 13; cf. 1 Co 14.37). Antes, sua tática consiste em motivá-los, exortando-os a se esforçarem para seguir o exemplo macedônico em demonstrar a sinceridade de seu amor para com Paulo.

Se as razões expostas acima não fossem suficientes para completar sua obra de benevolência, Paulo teria mais uma razão para os coríntios a contemplarem. Ele guardou a razão mais constrangedora para o final, mantendo o supremo exemplo da graça — o Senhor Jesus Cristo (v. 9). Aponta para a encarnação como o modelo completo da graça abnegada que respondeu à angústia dos outros. O Senhor Jesus deixou voluntariamente sua riqueza divina por nossa causa e assumiu a pobreza de nossa humanidade (cf. Fp 2.6-8), para que nEle pudéssemos ganhar a riqueza espiritual da salvação (cf. Ef 1.7, 18; 2.7; 3.8, 16; Fp 4.19; Cl 1.27). Embora alguns possam ver um contraste entre as riquezas anteriores à encarnação de Cristo e a pobreza da igreja macedônica, devemos destacar que tanto os atos de Cristo como os das igrejas da Macedônia revelam a graça divina (2 Co 8.1, 9). Um exemplo pode ser tomado como um verdadeiro paralelo, pois foi justamente em seu estado de pobreza (isto é, a encarnação) que Jesus deu-se a si mesmo completamente como um sacrifício por nossos pecados (Fp 2.8).

Finalmente, Paulo está pronto para emitir uma exortação direta (v. 11) aos coríntios, para que completem a obra que começaram. Além disso, porém (cf. v. 8), assegura-lhes que não está fazendo exigências, mas somente dando seu conselho e recomendação para o próprio benefício deles (v. 10). O apóstolo não tem nenhuma dúvida com relação ao desejo deles de completar a obra que haviam começado um ano antes. Isto era evidente, pois estavam entre os primeiros a responder favoravelmente ao projeto. Agora deveriam cumprir este desejo completando a oferta de acordo com seus meios. Paulo acrescenta a garantia de que qualquer coisa que tivessem para dar seria aceitável, contanto que fosse dado de boa vontade (v. 12). Assim como a viúva no templo (Mc 12.41-44), o importante para Deus não é a quantia da oferta, mas o grau de sacrifício. As palavras de Paulo têm também uma forte crítica aos cristãos ricos e indulgentes, que raramente estendem a sua doação além do que lhes é confortável e conveniente.

5.1.3. O Objetivo do Apelo (8.13-15). Paulo está ciente de que a prosperidade da igreja coríntia é um terreno frutífero para tensões sociais. Fora da obra da graça de Deus, a humanidade é capaz de um incrível egoísmo, e os coríntios ainda estavam crescendo naquela graça (por exemplo, 1 Co 11.18-22). Ele explica, deste modo, que a oferta não era para ajudar alguns privando ou afligindo a outros. Antes, a oferta foi criada para provocar uma distribuição de recursos mais eqüitativa, para que aqueles que estivessem em dificuldades pudessem ter suas necessidades atendidas por aqueles que tivessem abundância (v. 13,14).

Paulo relembra as palavras de Êxodo 16.18 a fim de ilustrar este princípio de igualdade. O próprio Deus providenciou este tipo de igualdade durante a viagem de Israel no deserto, fornecendo o maná diariamente. Cada pessoa juntava somente o bastante para sua necessidade diária, de forma que ninguém tivesse falta ou excesso. Seria errado interpretar Paulo como defendendo uma forma de comunismo que elimina a riqueza pessoal [9]. Sua preocupação é que a atitude dos coríntios seja voluntária e amorosa, mantendo a graça de Deus, respondendo à angústia de crentes colaboradores e dando de modo sacrificial para atender as suas necessidades.

5.2. Paulo Toma Providências para a Integridade e o Sucesso da Oferta (8.16—9.15)

A oferta de Jerusalém era importante para Paulo; deste modo, ele vê a necessidade de dar passos específicos para assegurar seu sucesso. Sua estratégia é tripla:
1) Em 8.16-24 ele prepara os coríntios para receberem aqueles que serão responsáveis por coletar os fundos louvando suas virtudes e qualificações.
2) Louva os próprios coríntios por seu zelo e disposição de participar, e os exorta a fazerem valer o seu orgulho por eles e a estarem à altura de sua confiança neles (9.1-5).
3) Encoraja sua generosidade e participação, ensinando-lhes os princípios da doação (9.6-15).

5.2.1. Paulo Envia Representantes Dignos de Louvor (8.16-24). Paulo sabia que tinha inimigos e críticos em Corinto, que não vacilariam em desacreditar seu trabalho acusando-o de usar a oferta para lucro pessoal. Conseqüentemente, tomou precauções com o cuidado de que tais falsas acusações dificilmente pudessem ser feitas. Paulo sabiamente delegou a tarefa de completar a oferta em Corinto a homens de confiança, conhecidos e bem respeitados pelos coríntios, mas também leais a Paulo. Seus antagonistas teriam grande dificuldade para poderem montar um ataque digno de crédito contra a integridade do apóstolo, uma vez que ele não estaria pessoalmente envolvido em coletar os fundos, e seus associados, que poderiam pessoalmente dar testemunho dele, eram tão altamente considerados dentro da igreja.

Nos versículos 16 e 17 Paulo lembra aos coríntios a respeito de Tito, que chegará em breve para ajudar a completar a oferta. Ele seria uma escolha lógica, como uma primeira opção, uma vez que acabara de chegar da Macedônia com as boas novas sobre a resposta positiva à carta disciplinadora de Paulo (7.5). Também, como aprendemos anteriormente (7.13-15) e agora ouvimos novamente (8.16), Tito não somente foi bem recebido, mas desenvolveu um laço especial de afeto para com os coríntios. Tinha em seu coração a "mesma preocupação" (*spoude*, talvez melhor traduzido como "seriedade" [como em 7.11; 8.7] ou "zelo fervoroso") por eles, assim como Paulo (veja 7.5-16). Tito não somente veio a eles de boa vontade, mas avidamente, tendo aceitado entusiasticamente o apelo de Paulo para ir a Corinto. Paulo viu nisto a obra de Deus, pelo que agradece. O apóstolo alcançou muitos resultados nestes dois versículos. Ao recomendar Tito, não apenas reafirmou seu próprio zelo pelos coríntios, mas assegura-os de que têm alguém vindo até a sua presença, que compartilha um entusiasmo a seu favor, que foi gerado por Deus.

No início do versículo 18, Paulo introduz dois irmãos não mencionados que acompanham Tito. Presumivelmente eram tão bem conhecidos que nenhuma identificação seria necessária. Tal é seguramente o caso com o primeiro irmão, que foi louvado por todas as igrejas por seu serviço pelo evangelho e que havia sido designado pelas igrejas (v. 19) para viajar com Paulo e ser o portador da oferta. "Oferta", aqui, é literalmente "graça" (*charis*); Paulo considera a oferta como um "ato de graça", que enfatiza o caráter misericordioso da obra divina que estava sendo feita entre as igrejas. Estava sendo administrada por Paulo para a "honra" (*doxa*, literalmente, "glória") do próprio Senhor.

Este compromisso do companheiro de Paulo tem também um propósito prático. Isto não somente mostra a "ansiedade" do apóstolo para ajudar, mas também serve como uma proteção contra aqueles que poderiam tentar encontrar uma falha na administração da oferta. Afinal, este colega e o irmão a ser mencionado (v. 22) foram enviados pelas igrejas como "representantes" (ou "emissários", v. 23) para administrar a oferta. Paulo considerou com sabedoria a tarefa de ser responsável por outros e de delegar responsabilidades. Sua preocupação era que a obra de Deus fosse feita "honestamente" (ou "de modo honrado"), primeiramente diante do Senhor, mas também diante de outras pessoas (v. 21; cf. Rm 2.24; 12.17,18; 1 Tm 6.1; Tt 2.5).

Um terceiro representante é apresentado no versículo 22 como "nosso irmão". Este não possui a fama do irmão previamente mencionado, mas vem com credenciais legítimas de um ministério provado. Paulo menciona que este homem fôra freqüentemente testado "em muitas coisas" e achado "zeloso" (*spoudaios*, ou "diligente"). É até mais provável que ele assim seja, devido à "grande confiança" de que desfruta junto aos coríntios. Aqui havia alguém conhecido e respeitado por Paulo e provavelmente pelos próprios coríntios — alguém que, poderiam estar certos, acreditava neles.

Paulo não poderia ter escolhido representantes melhores para irem a Corinto. Em Tito ele teve um companheiro e cooperador de confiança (v. 23) que trabalhou entre eles, ganhou o seu respeito, e também ganhou seus corações. Nos dois irmãos não mencionados, ele teve pessoas pessoalmente indicadas pelas igrejas, cujo trabalho no evangelho era conhecido pelos coríntios e que trouxeram glória para Cristo. No final, Paulo exorta os crentes de Corinto a viverem à altura de sua confiança e expectativas orgulhosas, para completarem a oferta como uma demonstração de seu amor pelas igrejas. Uma vez que os laços da comunhão foram restabelecidos, este seria o tempo dos coríntios obedecerem a esta chamada para ação (v. 24). Por meio da frase "perante a face das igrejas", Paulo provavelmente está destacando a unidade de todas as igrejas nesta oferta.

5.2.2. Paulo Recomenda a Disposição a Ofertar (9.1-5).

Esta seção dá continuidade à exortação de Paulo para a generosidade entre os coríntios. Aqui aprendemos algo sobre o conteúdo de seu orgulho por eles. Podemos ver também mais de Paulo como "o motivador", ao continuar a encorajá-los a completar esta bondosa oferta.

Paulo começa com uma declaração enfática (quase gloriando-se) de sua confiança neles: realmente não precisa escrever-lhes sobre esta ministração aos santos de Jerusalém, porque já sabe quão ansiosos e prontos estão para responder a esta necessidade. Na verdade, ele se gloriou junto aos macedônicos de que os da Acaia (incluindo os coríntios) estavam prontos e preparados para colaborar há um ano. Fica claro que Paulo está usando uma igreja para motivar a outra. No capítulo 8, ele apresenta os macedônicos como um exemplo para os coríntios seguirem em sua abnegada doação. Agora aprendemos que a resposta macedônica deveu-se em parte à motivação trazida por Paulo, apresentando os da Acaia como um exemplo: "Vosso zelo tem estimulado a muitos" (v.2). Quando Paulo estava motivando as igrejas, ao invés de criticar uma igreja para a outra, "gloriou-se" a respeito de uma igreja, para outra. Surge uma maravilhosa lição: A afirmação positiva é um motivador mais potente do que a crítica.

Para assegurar que seu orgulho por eles não caísse por terra, Paulo envia os irmãos para fazerem as preparações finais (v. 3, 5). Está tentando prevenir-se de qualquer embaraço, e especialmente para eles, se talvez qualquer macedônio (a quem Paulo havia se gloriado) viesse e encontrasse a oferta ainda despreparada. O apelo para salvar as aparências diante dos macedônios é inconfundível, e Paulo não está fazendo nada além de aplicar um pouco de culpa. Afinal, eles estão somente preparando a coleta de uma oferta que fôra previamente prometida.

Por duas vezes Paulo se refere à oferta como uma "dádiva generosa" (*eulogia*, v. 5). Esta palavra grega, normalmente traduzida como "bênção", pode se referir também a um ato ou presente que abençoe (por exemplo, Rm 15.29; cf. Ef 1.3). Não era para ser dada "com má vontade", como se dada por pessoas motivadas por ganância ou cobiça. Além disso, no contexto, o termo *eulogia* é colocado em oposição ao conceito de escassez ("pouco") no versículo 6. Deste modo, Paulo pode ter escolhido uma palavra carregada com o significado de apresentar seu desejo de que os coríntios preparassem avidamente uma generosa oferta para servir como uma bênção abundante para os santos necessitados.

5.2.3. Paulo Ensina Princípios sobre Ofertar (9.6-15).

O passo final de Paulo para motivar os coríntios é ensinar-lhes vários princípios bíblicos relacionados a dar. O primeiro pode ser chamado o "princípio de semear e colher", para o qual emprega a figura da colheita (v. 6; cf. Pv 11.25; 22.8,9; Lc 6.38). A lição é simples. Quanto mais um fazendeiro semear, maior será a colheita. Isto sustenta a noção de que o termo *eulogia* (v. 5) está corretamente traduzido como "dádiva generosa". Com efeito, Paulo está dizendo que esta generosidade deveria ser cultivada em nosso ato de ofertar.

Com a generosidade, Deus ama a doação que é feita alegremente (cf. Rm 12.8) e livremente, sem um senso de dever com má vontade ou compulsão (v. 7). Paulo faz uma pausa nos incentivos que dá àqueles que ofertam conforme a maneira acima:

1) Em primeiro lugar, "Deus é poderoso para tornar abundante em vós toda graça" (v. 8). Neste contexto, a palavra "graça" denota providência abundante de Deus, tanto no campo espiritual como material. A graça abundante que Deus dá resulta para os coríntios em não terem somente tudo aquilo que necessitam, mas em um excedente para participar completamente em toda boa obra, como no caso da oferta de que se está tratando. Com tal participação, as bênçãos materiais passam a ser espirituais.
Para ilustrar isto, Paulo cita uma parte do Salmo 112.9. "É liberal, dá aos necessitados; a sua justiça permanece para sempre". É notável que o judaísmo tenha há muito tempo estabelecido uma conexão entre o auxílio aos necessitados e a justiça, de tal modo que as duas fossem virtualmente equivalentes (Martin, 291). Esta noção está seguramente incluída nas palavras de Jesus em Mateus 6.1,2, onde os "atos de justiça" são colocados lado a lado com as ofertas aos necessitados. Paulo não está aqui contradizendo sua própria doutrina da justificação pela fé sem as obras da lei (veja Rm 3.24, 28; 4.1-13; 5.1; Gl 2.16; 3.8, 11, 24; 5.4; Tt 3.7). Antes, seu argumento é idêntico à declaração do salmista, de que a prática da misericórdia em direção aos pobres tem o efeito de aumentar ou promover a justiça na própria vida moral. "Justiça", em outras palavras, deve ser identificada aqui com o caráter íntegro de tais atos misericordiosos (veja v. 10). Deus, o provedor misericordioso de semente e pão, aumentará o estoque de semente de seu povo para que possam continuar a participar de tais boas ações (v. 8) e assim abundar em uma "colheita de... justiça".

2) Paulo cita então outro incentivo espiritual. Através dele e daqueles que administram a oferta, a generosidade da dádiva coríntia fará com que muitos voltem seus corações agradecidos a Deus em ação de graças (v. 11,12). Atendendo às necessidades do povo de Deus, farão com que muitos louvores subam a Ele — corações agradecidos glorificando a Deus por verem nesta dádiva generosa, a prova de que os coríntios não somente professam o evangelho, mas vivem em obediência aos seus ensinos. Paulo não poderia ter-nos dado um incentivo mais forte, não apenas por pregar as boas novas, mas também por vivê-las. Isto é, quando o povo de Deus, redimido por sua graça, espelha sua misericórdia através dos atos de compaixão e amor, cria uma mensagem poderosa, incentivadora e dificilmente resistível.

3) Paulo encerra esta passagem com um incentivo final. A liberalidade dos coríntios fará com que os destinatários da oferta orem fervorosamente e afetuosamente por eles, com orações inspiradas pela maravilhosa graça e obra de Deus no interior de cada um deles. Na menção da graça redentora de Deus, Paulo irrompe em louvor, agradecendo ao Senhor por seu indescritível dom. Uma vez que este dom é dado pelo próprio Deus como evidência de sua graça abundante e está além de qualquer descrição, Paulo certamente tem Cristo em mente, o próprio Filho de Deus (Rm 6.23; 8.32; 2 Co 8.9; cf. Ef 1.6).

6. A Afirmação e Defesa do Ministério Apostólico de Paulo (10.1—13.14)

Na introdução desta carta discutimos que a mudança de tom que acontece em 10.1 não precisa ser interpretada para refletir um fragmento de uma carta separada. As dramáticas mudanças de tom certamente não estão ausentes em outros escritos paulinos (por exemplo, Rm 11.33; 1 Co 16.1; Gl 3; Fp 3.2). Uma mudança no assunto ou para um público alvo diferente são explicações plausíveis. Se esta carta foi escrita durante um longo período, é possível que Paulo tenha recebido notícias perturbadoras sobre dificuldades adicionais causadas por seus adversários. Estes capítulos foram então escritos em resposta àquela situação. Ao exortar e emitir uma advertência a toda a igreja, ele também identifica especificamente as opiniões de sua oposição (por exemplo, 11.4, 12,13, 15, 20-23; 13.2). Isto traz peso à opinião de que Paulo tenha escrito estes capítulos tendo principalmente em mente os falsos mestres (cf. 11.13-15) e seus partidários (Hodge, 228).

6.1. Paulo Responde a seus Críticos (10.1-18)

Ao longo dos primeiros nove capítulos pudemos ver algumas críticas dos opositores de Paulo e as acusações que lhe fizeram (veja 1.13; cf. 1.17-20; 2.17; 3.1; 4.2,3, 5; 5.12; 7.2). Porém, o apóstolo agora enfrenta seus adversários de modo direto, em uma longa defesa de seu ministério apostólico. Vemos aqui, mais claramente, as suas opiniões e acusações contra ele.

6.1.1. Em Relação à Autoridade e Presença Apostólicas (10.1-11). A primeira acusação é dirigida de modo pessoal contra Paulo, que, aos olhos de seus adversários, carece da presença "autorizada" de um verdadeiro apóstolo. Para eles, um apóstolo deveria se conduzir como tal, sendo ousado e decisivo, refletindo uma firme autoridade. Em contraste, alegam que Paulo era submisso e brando em sua presença, mas que escreveu cartas corajosas quando não teve que confrontá-los pessoalmente (v. 1). Assim, insinuaram claramente que Paulo não era corajoso, nem tinha confiança para dizer o que tinha que ser dito pessoalmente, face a face.

A resposta de Paulo mostra como seus críticos estão errados. O que erroneamente interpretaram como timidez, era, na realidade, a tentativa de Paulo de imitar a mansidão e a brandura de Cristo (cf. Mt 11.29). Ele não aprecia os confrontos severos e dolorosos de disciplina (7.8), nem quer ser visto como tentando amedrontar seus filhos espirituais, colocando-os em submissão por suas cartas (10.9). De fato, o apóstolo implora que atuem de forma que não lhe seja necessário exercer a ousadia que pretende dirigir contra alguns deles (v. 2). Mais tarde explica que a presente carta está sendo escrita para evitar que precise ser severo quando vier. Sua autoridade apostólica lhe foi dada principalmente com a finalidade de "edificar" os santos, e não de destruí-los (13.10).

Aqueles que comparam a autoridade apostólica a confrontações corajosas ou opressoras, mostram apenas que seus critérios para julgar pertencem aos "padrões deste mundo" (*kata sarka*, literalmente, "de acordo com a carne"). Paulo repetidamente nega que seus meios, métodos, ou sua maneira de ministrar sejam estranhos para a nova vida de aliança do Espírito (1.17; 5.16; 10.2-3; 11.18; cf. Gl 5.16-25). Entende que embora viva "no mundo" [*sarki*, literalmente, 'carne'] e esteja deste modo sujeito às fraquezas e limitações da carne mortal (Fee, 1994, 341), está travando a guerra espiritual (veja Ef 6.12), onde os meios e os métodos humanos terrenos são inúteis. As armas necessárias devem, antes, ser espirituais, trazendo consigo o poder de Deus para derrubar fortalezas espirituais (v. 3-4).

Viajando dentro do sofisticado mundo intelectual dos gregos, Paulo retrata seus sistemas filosóficos como fortalezas a serem demolidas. Suas reivindicações arrogantes e pretensiosas da verdade são descritas como estando em oposição ao conhecimento de Deus revelado em Cristo. Além disso, em sua pregação do evangelho, Paulo se vê como trazendo todo sistema mundano de pensamento em sujeição aos ensinos de Cristo (v. 5). Suas palavras nos lembram que o Senhorio de Cristo estende-se sobre os pensamentos, como também sobre a vontade e o coração. O intelectual orgulhoso que vem a Cristo deve abandonar a dependência da razão e da compreensão humana, que opera em uma vida auto-orientada e longe de Deus.

No início do versículo 6, Paulo responde diretamente à acusação de que tenha falta de ousadia apostólica. Ele definitivamente tem a autoridade para disciplinar e está pronto a fazê-lo, mas não antes de fazer todo esforço para trazer os coríntios à completa obediência. Este processo serve para separar os verdadeiramente insubordinados daqueles que estão dispostos a submeterem-se a Deus. Somente então castigará todo ato de desobediência. Quando o assunto é a afirmação de sua identidade e autoridade como apóstolo de Cristo, Paulo não se rebaixa a ninguém (v. 7b). Diverge radicalmente de seus adversários quanto aos critérios para julgar a presença apostólica. Recusa-se a vincular este julgamento às aparências exteriores, tais como um ar confiante de autoridade e a rapidez para administrar a disciplina.

O que os inimigos de Paulo falham em entender é que Cristo lhe deu a autoridade de um apóstolo para edificar sua Igreja, e não para destruí-la (v. 8). Nem era sua intenção amedrontar seus filhos espirituais colocando-os em sujeição por meio de suas cartas (v. 9). Apesar do desprezo dos opositores por sua mansidão e falta de eloqüência pública (v. 10), Paulo não se sentirá envergonhado. Dirigindo-se diretamente a seus críticos (v. 11), faz uma advertência direta: Quando Paulo vier, não haverá duas faces. Podem esperar que a autoridade apostólica ousada que admitem ao lerem suas cartas, será transformada em ações em direção àqueles a quem ele deve disciplinar [10].

6.1.2. Em Relação à Vanglória Legítima (10.12-18). Com sarcasmo, Paulo admite existir um tipo de coragem que ele não possui. É o tipo que seus adversários demonstram quando comparam e alinham-se com aqueles que se ocupam em auto-promoção, vangloriando-se (v. 12). Que tolice é considerarem-se o padrão de medida de outros, e elogiarem a si mesmos como aqueles que alcançaram este padrão. Declarando que não se gloriará fora dos próprios limites, mas que limitará sua vanglória ao limite que lhe foi indicado por Deus, Paulo está identificando seus adversários como intrusos em Corinto, um lugar a que Deus o enviou para que estabelecesse sua igreja. Como o apóstolo para os gentios (Gl 2.8; cf. At 9.15), Corinto era uma parte da esfera legítima do ministério de Paulo (2 Co 10.13).

Se, como sugerido em 11.22, estes intrusos forem judeus, podem ter vindo de Jerusalém, onde a igreja havia previamente e formalmente reconhecido o apostolado de Paulo para os gentios (Gl 2.1-10; veja Harris, 383). Paulo nega que sua vanglória seja excessiva, pois os coríntios estão dentro dos legítimos limites da esfera do ministério que lhe foi dado por Deus. Afinal, Paulo e seus companheiros foram os primeiros a lhes pregarem o evangelho (v. 14). Paulo, mais tarde, nega que tenha se gloriado e tomado o crédito pelo trabalho de outros, o que evidentemente seus adversários estavam fazendo (vv. 15,16). Porém, sua ambição na obra de Cristo não estava restrita a levar o evangelho apenas à região de Corinto. A esperança de Paulo era que enquanto os coríntios cresciam na fé, a esfera de seu ministério entre eles se expandisse e resultasse na divulgação do evangelho a outras regiões.

Esta, então, é a verdadeira meta e a fonte de orgulho para o apóstolo: levar o evangelho às pessoas que ainda não tinham ouvido as boas novas. Nisto reside uma causa legítima para se vangloriar, mas é uma vanglória que nunca toma crédito pelo trabalho de outros ou que considera o sucesso do ministério do evangelho como seu próprio. Citando Jeremias 9.24, Paulo admoesta seus leitores a darem a Deus toda a glória e crédito pelo que é realizado para o Senhor. Nossa verdadeira meta deve ser agradar a Cristo (2 Co 5.9) e nossa verdadeira recompensa, ganhar a sua aprovação (10.18; cf. Mt 25.21), algo inacessível àqueles que se inclinam à própria aprovação.

6.2. Paulo Expõe suas Críticas (11.1-15)

Paulo tem respondido a seus críticos, mas percebe que deve fazer mais que defender-se. Se o trabalho de Deus deve ser preservado, ele deve proteger os coríntios daqueles que colocariam a sua fé em risco. Nesta seção, o apóstolo procura fazê-lo expondo seus críticos, o erro de seus ensinos, e o caráter enganoso de seu ministério.

6.2.1. Revelando sua Paixão Espiritual pelos Coríntios (11.1-6). Ao responder as acusações de seus críticos, Paulo já disse muito sobre o que Deus fez através dele na obra do evangelho. O problema era que, ao fazê-lo, pareceu ser como seus críticos em sua auto-recomendação (10.12). Deste modo, Paulo começa a presente seção com um pedido para que os coríntios o tolerem, enquanto toma parte na tolice de uma prática que ele mesmo em outro lugar rejeita (veja 3.1; 5.12). Sente-se confiante que o farão, mas ainda dá três razões por que se sente compelido a perguntar por seu público:

1) Paulo leva em seu coração um zelo santo (v. 2, que começa com *gar*, "para"), que busca proteger os coríntios e sua pureza espiritual. A imagem de um marido ciumento é emprestada do Antigo Testamento, onde Jeová parece estar "com ciúmes" de seu povo (por exemplo, Êx 20.5; 34.14; Dt 4.24), com quem firmou um compromisso de casamento (Os 2.19,20). Aqui Paulo identifica o noivo como Cristo e a si mesmo como o pai da noiva. Ao trazer o evangelho para os coríntios, Paulo se tornou seu pai espiritual, mas ele é também seu pastor. Seu amor e sua preocupação não terminaram com a supervisão de seu nascimento espiritual. Antes, persevera e permanece em seu desejo de preservar a pureza e a devoção da Igreja para Cristo, que é seu futuro marido. A paixão de Paulo traz uma medida de ansiedade, diante da real ameaça de sedução e corrupção. Existiam em Corinto aqueles que os desviariam, até mesmo como Satanás que, sob o disfarce de uma serpente, com astúcia enganou Eva no Jardim de Éden (2 Co 11.3).

2) A outra razão pela qual Paulo deseja ser ouvido, envolve o perigo que ameaça os coríntios se falharem em atender seu conselho. O versículo 4 fornece a chave para se compreender os adversários de Paulo mencionados nos capítulos 10-13 (Martin, 334). É duvidoso que o apóstolo pretendesse que este versículo fosse aludir ao conteúdo doutrinário da pregação de seus adversários, mas a estrutura do versículo sugere que esteja resumindo o caráter e os efeitos de seu ministério. Os coríntios estão sendo aparentemente liderados por alguém que prega "outro Jesus", diferente do Senhor Jesus Cristo que é pregado por Paulo. É impossível saber com certeza o que os adversários de Paulo ensinaram sobre Jesus, mas devido à sua repetida vanglória da fraqueza e da vontade de identificar-se com os sofrimentos de Cristo nesta carta (por exemplo, 11.23-33; 12.7-10; 13.1-6), é possível que tenham falhado em dar o crédito adequado à instrumentalidade da cruz para garantir a salvação de Deus. É até mais provável que tenham falhado em ver a morte de Cristo na cruz como um modelo do poder de Deus aperfeiçoado através da fraqueza (13.4).

A pregação dos adversários de Paulo era equivalente a oferecer aos coríntios um "Espírito diferente" [11] e um "evangelho diferente" daquele que receberam. Deve-se ter em mente que para Paulo há *um* só Jesus, *um* Espírito, e *um* evangelho. Sua preocupação é que esteja sendo oferecida aos coríntios uma falsa versão do cristianismo, e para espanto do apóstolo estejam dispostos a "tolerá-la" (*anechomai*; cf. também v. 19-20)!

3) Finalmente, de um modo um tanto sarcástico, Paulo faz alusão à falta de discernimento espiritual dos coríntios. Uma vez que são tão receptivos ao erro, podem também ouvir o que *ele* tem a dizer. Afinal, Paulo não é inferior a qualquer daqueles que são considerados como "mais excelentes apóstolos" (v. 5), ainda que lhe falte a eloquência retórica tão admirada por

seus críticos (v. 6). Estes "mais excelentes apóstolos" são provavelmente as "colunas" de Jerusalém (cf. Gl 2.9), e não os adversários de Paulo — a quem ele chama de "falsos apóstolos, obreiros fraudulentos" que se transfiguram em "apóstolos de Cristo" (v. 13), e "ministros de Satanás" que se transfiguram em "ministros da justiça" (vv. 14,15). Mas se Paulo não é hábil em seus discursos, certamente não era carente de conhecimento, algo que deveria ser óbvio para os coríntios, que tiveram uma ampla exposição de seu ensino. As palavras de Paulo levam uma repreensão aguda para aqueles que, ao avaliarem o valor de um pregador, preferem o estilo acima da essência, e o carisma acima do conteúdo.

6.2.2. Contrastando-os com sua Disposição de Pregar o Evangelho Gratuitamente (11.7-12).

Paulo inicia esta seção fazendo uma pergunta retórica: "Pequei, porventura, humilhando-me a mim mesmo, para que vós fôsseis exaltados, porque de graça vos anunciei o evangelho de Deus?" Por trás deste versículo está a acusação dos adversários, de que Paulo não administra seus negócios como um verdadeiro apóstolo. A recusa em aceitar salário por sua pregação deve ter parecido estranha, em vista de seu próprio ensino de que os apóstolos tinham o direito de tirar o seu sustento do próprio evangelho (1 Co 9.6-14). Além do mais, a objeção deles reflete a atitude daqueles que cultivavam a tradição filosófica grega, em que os filósofos comumente cobravam por seu ensino. De fato, os sofistas consideravam que o ensino compartilhado gratuitamente era desprezível.

Por que então Paulo se expôs a esta crítica, recusando-se a receber o seu sustento? Há uma forte ironia em sua resposta, talvez criada para envergonhar seu público. Para os coríntios orgulhosos, Paulo humilhou-se ("rebaixou-se") executando um trabalho manual para seu sustento. Mas Paulo o fez voluntariamente, para que eles pudessem ser exaltados ("elevados") de seu pecado através da pregação do evangelho. A verdade é que Paulo os serviu despojando outras igrejas (v. 8); isto é, provavelmente tenha aceitado ofertas da parte daqueles que eram necessitados e que não tinham condições de ofertar (por exemplo, os macedônicos; veja v. 9; também 8.1-5; Fp 4.15,16). Embora Paulo tivesse o direito de receber o seu sustento da parte dos coríntios, deixou claro anteriormente que estava determinado a não "criar qualquer obstáculo ao evangelho de Cristo" por fazê-lo (1 Co 9.12). Tal obstáculo certamente teria tido lugar se Paulo tivesse dado a seus adversários quaisquer motivos de acusá-lo de mercadejar a Palavra de Deus por lucro (2 Co 2.17). O evangelho de Paulo não visava salário ou ganhos financeiros, e ele não queria nenhuma acusação de que tivesse colocado uma etiqueta de preço em seu ministério.

Mas os motivos de Paulo pregar sem qualquer tipo de cobrança, não eram completamente defensivos. No versículo 9, o apóstolo lembra os coríntios que sua política tinha como objetivo não colocar um fardo sobre eles, embora a igreja de Corinto fosse, seguramente, próspera o bastante para sustentá-lo (Fee, 1987, 541-44). Paulo estava determinado a não ser um fardo para os coríntios, mesmo quando em necessidade. Ao invés disso, esperou que o sustento viesse da generosidade das igrejas macedônicas. Além disso, considerava um privilégio e recompensa não ter que pedir apoio (1 Co 9.17,18). Enquanto seus adversários poderiam querer gabar-se de sua posição de apóstolos "sustentados", Paulo se gloriaria pela escolha de oferecer o evangelho gratuitamente (2 Co 11.10).

No versículo 11, Paulo antecipa a interpretação distorcida dos seus adversários quanto à sua política: diriam que a razão pela qual recusou-se a receber o sustento deles se devia à falta de amor e afeto de sua parte. O apóstolo nega enfaticamente esta interpretação. Deus conhecia seu coração e sabia que ele amava os coríntios profundamente. Recusando-se a aceitar seu apoio, estava criando uma clara distinção entre ele e seus adversários, que, fingindo serem apóstolos (vv. 13-15), procuravam apresentar-se no mesmo plano que Paulo e seus cooperadores. Além disso, sua política de não cobrar nada destacou o caráter da graça e do sacrifício no ministério de Paulo.

Isto toca o âmago da questão ligada ao significado de ser um verdadeiro apóstolo (veja 11.22—12.13, onde Paulo mostra que as credenciais apostólicas estão menos relacionadas ao exterior, e mais relacionadas a seguir o exemplo do caráter de Cristo e a imitar a sua abnegação).

6.2.3. Denunciando-os como Impostores Disfarçados (11.13-15).

Na menção destes supostos apóstolos, Paulo passa repentinamente da defesa de sua política como um apóstolo, a desmascará-los e revelar a verdadeira identidade deles. São "falsos apóstolos" e obreiros fraudulentos, que se mascaram como apóstolos de Cristo. Ainda mais condenador, são agentes de Satanás, o mestre do engano (Jo 8.44), que esconde a natureza verdadeira de sua obra (cf. 1 Pe 5.8) disfarçando-se como um anjo de luz. É de se admirar, então, que seus servos sigam seu exemplo e enganosamente se façam passar por "ministros da justiça"?

A última frase do versículo 15 não deixa nenhuma dúvida de que Paulo vê a obra de seus adversários como merecedora do juízo de Deus. A frase: "O fim dos quais será conforme as suas obras", significa li-

PALAVRAS DE JESUS NÃO ENCONTRADAS NOS EVANGELHOS

Passagem	Descrição
At 1.4,5,7,8	Palavras de Jesus para seus discípulos pouco antes de sua ascensão
At 9.4,5; 22,7, 8, 10, 18, 21;26,14-18	Palavras de Jesus para Paulo no momento da sua conversão
At 9.11,12, 15,16	Palavras de Jesus para Ananias no momento da conversão de Paulo
At 11.7, 9	Palavras de Jesus para Pedro em Jope
At 11.16	Pedro relembra as palavras de Jesus a respeito de João Batista
At 18.9,10	Palavras de encorajamento a Paulo em Corinto
At 20.35	As palavras de Jesus: "Mais bem-aventurada coisa é dar do que receber"
At 23.11	Palavras de encorajamento a Paulo quando estava preso em Jerusalém
1 Co 11.24,25	Registro das palavras de Jesus no cenáculo, a respeito da Ceia do Senhor
2 Co 12.9	Palavras de Jesus com relação ao espinho na carne de Paulo
Ap 1.8,11,12,17-20	Palavras de Jesus dirigidas a João durante seu exílio na ilha de Patmos
Ap 2.1—3.22	Mensagem de Jesus para as sete igrejas na Ásia Menor
Ap 4.1	Jesus convida João para ver as últimas coisas
Ap 16.15	A promessa de Jesus de retornar "como um ladrão"
Ap 22.7,12-16, 20	A promessa de Jesus: "eis que cedo venho"

teralmente: "de acordo com as suas obras". Esta frase é quase idêntica às palavras de Paulo em 2 Timóteo 4.14, quando condena a oposição de Alexandre, o latoeiro, que causou-lhe "muitos males". Por causa de sua oposição ao evangelho, Paulo escreve: "O Senhor lhe pague segundo as suas obras" (cf. também Rm 3.8; Gl 1.8,9; Fp 3.18,19, para referências ao juízo de Deus de acordo com nossas obras).

6.3. Paulo Defende a Legitimidade de seu Ministério Apostólico Através da Vanglória Insensata (11.16—12.13)

6.3.1. O Direito de Paulo de Empregar a Vanglória (11.16-21). Paulo retorna agora à sua defesa e ao tema da "vanglória insensata" apresentado em 11.1. Ele se desculpa por rebaixar-se ao nível e à vanglória de seus adversários (v. 16). Sabe que é uma atitude tola, que não segue o exemplo do Senhor (v. 17). Não obstante, é uma atitude necessária, uma vez que Paulo está submetendo seu caso à apreciação da igreja, para que possa compará-lo aos seus rivais. Além disso, pode também gloriar-se devido à tolerância demonstrada pela igreja para com tal vanglória mundana (lit., "carnal") (v.18).

Com palavras repletas de ironia e sarcasmo, Paulo declara sua confiança na sabedoria e prontidão dos coríntios para aceitar de bom grado tal tolice (v. 19). De fato, sua capacidade para tolerar tolos era ilimitada, como descrito no versículo 20. Toleravam aqueles que agiam como tiranos, que buscavam escravizar os que se lhes sujeitavam. Não está exatamente claro como esta escravidão tenha sido imposta, mas dada a sua herança judaica (v. 22) os adversários de Paulo provavelmente buscaram privar os crentes de Corinto de sua liberdade em Cristo, insistindo que mantivessem a lei de Moisés (Hughes, 399). Para Paulo, isto representava um retorno à escravidão espiritual (cf. Rm 6.14,15; Gl 2.4; 4.22-31; 5.1).

A exploração de que Paulo acusa seus adversários (v. 20) muito provavelmente se refere a seu consumo mesquinho de qualquer apoio material oferecido. Enquanto os apóstolos certamente tinham o direito de serem abrigados e alimentados (1 Co 9.4-7), estes impostores podem ter se aproveitado de seus anfitriões, comendo fora de casa (Barrett, 291; cf. os regulamentos posteriores em Did. 11.3-12). Paulo destaca então a autoridade opressora por meio da qual se aproveitam, ou até mesmo procuravam dominar os coríntios (cf. Barrett, 291), exaltando-se arrogantemente e fazendo os crentes suportarem vergonhosos insultos (a frase "Pois sois sofredores... se alguém vos fere no rosto", é uma metáfora para um insulto muito grande; cf. Mt 5.39).

Com uma rajada final de ironia, Paulo se expressa como se fosse vergonhoso apresentar-se de modo "fraco" nesta comparação. O apóstolo veio aos coríntios no espírito manso e suave de Cristo (10.1), mas eles não estavam impressionados e pareceram preferir o autoritarismo arrogante de seus rivais. Conseqüentemente, Paulo decide lutar abertamente e responder aos tolos de acordo com a loucura destes (Pv 26.5). Assegura a seus leitores que não importando o motivo da vanglória de seus adversários, ele pode se gloriar mais do que os melhores deles.

6.3.2. Paulo se Gloria nas Qualificações Naturais (11.22). Paulo passa agora à insensata vanglória mencionada em vários versículos anteriores (11.1, 6, 16; cf. 10.8). Aparentemente, estes rivais se orgulhavam de sua ascendência. As três expressões usadas neste versículo destacam sua identidade étnica como judeus. Nisto não tinham nenhuma vantagem sobre Paulo, que podia fazer reivindicações idênticas. Assim como eles, era um "hebreu", um homem de sangue completamente judeu (cf. Fp 3.5). Era também um "israelita", um membro do povo escolhido por Deus. Como um descendente de Abraão, Paulo obviamente tem em vista sua identidade racial natural. Porém, pode também ter em mente sua herança espiritual como um filho da aliança da promessa (Gl 3.6-18).

6.3.3. Paulo se Gloria nas Provações e Sofrimentos (11.23-33). A partir do verso 23, a vanglória de Paulo passa, de uma maneira abrupta e inesperada, de sua nacionalidade para suas realizações como "servo de Cristo". Mas se seus leitores esperassem histórias brilhantes sobre implantações de igrejas e explorações missionárias, ficariam chocados e desapontados. Ao invés disso, Paulo começa a catalogar as tribulações e os sofrimentos suportados em seu serviço a Cristo (muitos dos quais não estão registrados em Atos; para correspondências entre esta lista e Atos veja Hughes, 405-17; Martin, 376-83; Hodge, 271-76).

A lista é longa e inclui perseguições (v. 24-25b, 32-33), risco de perder a vida (v. 25c-26), dificuldades físicas (v. 27) e fardos psicológicos advindos de uma preocupação pastoral pelas igrejas (v. 28). Paradoxalmente, ele não se gloria nos sucessos, mas naquilo que normalmente seria visto como fracasso (v. 24-27), não em obras poderosas, mas em fraqueza (29,30). Quando Deus escolheu Paulo como um apóstolo para os gentios, prometeu-lhe um cálice de sofrimentos (At 9.15,16). Destes versículos, e de Atos, aprendemos que Deus cumpriu a sua promessa. Talvez nenhum cristão na história da Igreja tenha sido mais determinado e zeloso em pregar a Cristo diante de uma perseguição implacável, privações e sofrimentos pessoais (Hughes, 407).

Nisto reside a singularidade da vanglória de Paulo e sua genialidade estratégica. Seus rivais representaram de modo a procurar fascinar seu público por meio de aspectos exteriores. Para eles, os verdadeiros apóstolos deveriam ser conhecidos por sua eloquência retórica, por seu comportamento autoritário e presença carismática. Milagres, sinais, e maravilhas (12.12) eram marcas de autenticidade do ministério apostólico, consistentes com estes critérios. Mas os coríntios não eram ignorantes em relação ao dever que tinham, como cristãos, de imitar o caráter de Cristo (10.1), nem do mistério da cruz, que revelou a sabedoria e o poder de Deus através da aparente loucura da fraqueza humana (1 Co 2.1-8; 2 Co 4.7-11). A vanglória de Paulo era sua imitação incomparável dos sofrimentos de Cristo em obediência à vontade de Deus (cf. Mc 8.33,34). Isto não exigia nada menos que a morte do ego (Rm 6.6; Gl 2.20; Cl 3.3-9; cf. Ef 4.22-24).

A orgulhosa auto-promoção dos adversários de Paulo estava em completo contraste com a *vida cruciforme* — a senda tomada por Jesus a caminho da cruz. Gloriando-se em seus sofrimentos por causa de Cristo, Paulo derrotou a comparação do amor de seus adversários citando as credenciais apostólicas. Porém apresenta também um critério que não podem cumprir — uma vida de abnegação e sofrimento em obediência à sua chamada apostólica.

6.3.4. Paulo se Gloria na Fraqueza Devido à Grande Revelação (12.1-10).

Paulo se sente constrangido a continuar a gloriar-se, embora duvide que se possa ganhar algo com isto (v. 1). Está preparado para gloriar-se nas "visões e revelações" que lhe foram dadas pelo Senhor [12]. Embora não o declarasse, Paulo com certeza tinha em mente a atividade do Espírito. Em uma correspondência anterior, *apokalypsis* ("revelação") designava um dom do Espírito (*charisma*) através do qual Deus se comunica com seu povo (1 Co 14.6, 26, 30). Em outra passagem, a palavra se refere à revelação pessoal de Jesus Cristo que acompanhou a chamada apostólica de Paulo (Gl 1.12; Ef 3.3,4; cf. 2.2).

Contudo, por mais que tais revelações sejam pessoalmente importantes para Paulo, ele aqui não as considera como prova de seu apostolado. Pelo contrário, gloria-se apenas nas visões e revelações, para expor o que os seus adversários erroneamente consideram como uma marca de identificação de um apóstolo. Para Paulo, as revelações são um assunto particular da espiritualidade pessoal, e não um teste de autenticidade apostólica (Fee, 1994, 348). Conseqüentemente, de modo relutante gloria-se de um "homem que ele conhece" ao invés de se referir diretamente às suas próprias experiências (veja especialmente o verso 7, que demonstra que as "visões e revelações" referidas nos versos 2-5 são suas próprias). No tocante a esta revelação que Paulo teve, escreve que tal fato ocorreu há "quatorze anos" antes de escrever 2 Coríntios (aproximadamente em 56 d.C.). Esta experiência, portanto, deve ter ocorrido por volta de 42-43 d.C., estando compreendida no longo período que Paulo passou na Síria e na Cilícia (Gl 1.21; cf. 2.1) sobre o qual o livro de Atos se mantém em silêncio (cf. At 9.30; 11.25).

A descrição de Paulo sobre esta revelação em visão é fascinante. Ele relata ter sido "levado até o terceiro céu" ou "paraíso". As duas expressões são sinônimas pelo fato de Paulo usar o mesmo verbo grego (*harpazo*) em ambos os versos (v. 2, 4) para designar o lugar onde a revelação aconteceu. A palavra "paraíso" (*paradeisos*) ocorre somente mais duas vezes no Novo Testamento (Lc 23.43; Ap 2.7), mas em nenhuma delas está associada ao "terceiro céu". Tal identificação foi feita na literatura apocalíptica judaica, que era largamente lida entre os judeus do primeiro século, que falavam o grego. De maneira interessante, a Septuaginta traduziu o "Jardim do Éden" com a palavra grega *paradeisos* (Gn 2.15; 3.23, 24), e Apocalipse 2.7 promete: "Ao que vencer, dar-lhe-ei a comer da árvore da vida que está no meio do paraíso de Deus". O acesso à Árvore da Vida no Jardim do Éden simbolizava a comunhão vivificante com Deus, garantida através da obediência fiel (veja Gn 3.23,24; cf. 2.17). Deste modo, Cristo promete ao crente que vencer, que Ele mesmo restaurará aquilo que foi perdido pela queda.

Para Paulo, então, o "*paraíso*" é um lugar celestial na presença de Deus onde acontecem a comunhão e a comunicação com Ele. É curioso que nesta experiência visionária Paulo estivesse impossibilitado de saber se estava "no corpo" ou "fora do [ou sem o] corpo" cf. Ap 1.10). Talvez o esplendor do mundo espiritual de que Paulo ouviu e viu, tenha causado a perda de toda a consciência de sua própria existência no corpo (Harris, 395). A grandeza destas revelações seria tal que, ainda que lhe fosse permitido falar delas, nenhuma palavra humana seria adequada (2 Co 12.4).

O tipo de experiência que Paulo descreve foi certamente avaliada entre seus adversários e talvez entre os coríntios em geral. Os crentes de Corinto sem dúvida alguma sabiam que Paulo recebeu "visões e revelações", uma vez que freqüentemente contava a história de sua conversão (At 9.3-9; 22.6-21; 26.12-18; Gl 1.16) e até mesmo teve uma visão enquanto estava em Corinto (At 18.9,10). No entanto, Paulo ainda se mostra pouco disposto a atender completamente a preferência deles quanto à auto-recomendação (cf. 3.1) e à vanglória insensata. Uma vez que se sentiu forçado a defender a legitimidade de seu apostolado, reconhece suas revelações (v. 5a). De fato, ainda que Paulo se gloriasse nestas, isso não seria tolo uma vez que estaria falando a verdade (v. 6). Mesmo nestas condições, não quer que os coríntios concluam que estas revelações tenham-no tornado especial ou que tenham-lhe dado um direito de vangloriar-se. As únicas circunstâncias em que Paulo se sente confortável, gloriando-se, são aqueles que revelam suas "fraquezas" (v. 5b).

A menção que Paulo faz de suas fraquezas lhe fornece a ocasião para gloriar-se de uma em particular. Para impedir que a magnitude destas revelações leve à exaltação própria e à vaidade (v. 7), um "espinho na carne" lhe foi dado. Identifica-o, posteriormente, como "um mensageiro de Satanás" enviado para "esbofeteá-lo". Embora seja impossível determinar a natureza exata do espinho na carne de Paulo, provavelmente fosse alguma forma de aflição ou enfermidade física.

1) Não existe nenhuma razão constrangedora para que se entenda o sentido de "na carne" como referindo-se literalmente ao corpo. Enquanto Paulo em certa ocasião usa a frase para se referir à natureza pecadora carnal (por exemplo, Rm 7.5; 8.8,9), usa-a freqüentemente para descrever a existência física ou corpórea natural (veja Rm 2.28; 8.3; 2 Co 10.3; Gl 2.20; 6.12; Ef 2.11; Fp 1.22, 24; 3.3,4; 1 Tm 3.16).

2) Paulo já lidou com o mesmo assunto relativo à demonstração do poder de Deus através da fragilidade física e da fraqueza humana (2 Co 4.7-15). O paralelo entre as duas passagens é inconfundível e sugere fortemente que

Paulo esteja apresentando aqui um outro exemplo da mesma verdade.

Lê-se no texto que "foi dado" a Paulo um espinho, presumivelmente por Deus (uma vez que Satanás certamente não tentaria impedir que Paulo se tornasse orgulhoso) (v. 7). Alguns podem não concordar com o que pode se parecer como uma aliança profana (por exemplo, Deus estar dando a Paulo algo que ele vê como "um mensageiro de Satanás"). Porém, devemos nos lembrar que enquanto Satanás é às vezes apresentado como o instrumento de disciplina nas mãos de Deus (por exemplo, 1 Co 5.5; 1 Tm 1.20), é limitado pelos propósitos soberanos de Deus, como no caso de Jó (Jó 2.1-10). Apesar da oração persistente de Paulo para a remoção deste "espinho" (2 Co 12.8), veio a entender que isto servia para um propósito positivo e redentor — impediu que sentisse um orgulho destrutivo. Além disso, serviu para aumentar a graça de Deus operando em sua vida (v. 9). O fato de chamar a atenção para as suas fraquezas, tinha a intenção de glorificar aquEle que era capaz de aperfeiçoar seu poder através da fraqueza humana.

Conseqüentemente Paulo passou a não mais ver as fraquezas de sua carne como prejuízos, mas como lucros. Estava contente por conviver com estas, descobrindo o poder de Deus por meio da aceitação de suas próprias fraquezas (v. 10). De fato, elas se tornaram sua vanglória porque o segredo do poder de Deus reside em sua identificação voluntária com a fraqueza. É desnecessário mencionar que a própria situação de Paulo constitui-se um paralelo ao caminho tomado por seu Salvador que, através da identificação com a fraqueza humana, fez com que o poder de Deus fosse revelado e concedido para a salvação da humanidade (Fp 2.5-11; cf. Ef 1.19,20; Cl 1.9-12).

6.3.5. A Prova do Ministério Apostólico de Paulo (12.11-13). Paulo terminou sua vanglória, que classificou como tola, e que ele mesmo jamais teria iniciado se não fosse forçado a fazê-lo. Na verdade, os coríntios são em parte culpados pela insensatez de Paulo. Deveriam ter providenciado sua defesa, recomendando-o a seus adversários. Conheciam bem o caráter de seu ministério — e que não era, de maneira alguma, inferior àqueles que eram considerados "os mais excelentes apóstolos". Suas palavras: "ainda que nada sou", revelam sua verdadeira humildade e desdém por comparações pessoais dirigidas à auto-promoção. Gotejando ironia de sua pena, Paulo implora perdão por uma deficiência. Diferentemente de seus rivais, falhou em se tornar um fardo financeiro sobre os coríntios por meio da cobrança por seus serviços (v. 13).

Apesar desta crítica um tanto cômica, Paulo está completamente ciente de que seu apostolado está sob ataque e, juntamente com este, a integridade do próprio evangelho. Foi por esta razão que denunciou seus adversários em Corinto como "falsos apóstolos", "obreiros fraudulentos", que se transfiguravam em apóstolos de Cristo (11.13). Em defesa de seu próprio apostolado, escreve: "Os *sinais do meu apostolado* foram manifestados entre vós, com toda a paciência, por *sinais, prodígios e maravilhas*" (v. 12, os itálicos foram acrescentados). "Sinais" (*semeia*), "prodígios" (*terata*), e "maravilhas" (*dynameis*) provavelmente são designações diferentes para a mesma coisa. Os diferentes termos apontam para os diferentes efeitos que são produzidos. São atos divinos que validam uma mensagem, trazem uma sensação de maravilhas na presença de Deus e exibem o grandioso poder de Deus em operação (Hodge, 291-92).

Muitos pentecostais e carismáticos assumem que os "sinais de um *verdadeiro* apóstolo" (na versão NIV, como: "as *credenciais* que identificam um apóstolo") na primeira metade do versículo, sejam os milagrosos "sinais, prodígios e maravilhas" da segunda metade. Enquanto a palavra traduzida como "sinais" é a mesma em ambas as referências, existem boas razões para se concluir que Paulo quis dizer algo diferente.
1) A palavra *semeion* tem um significado mais amplo do que apenas "milagre" (veja Mt 26.48 [o beijo de Judas]; Rm 4.11 [a circuncisão]; 2 Ts 3.17 [a saudação ou a assinatura de Paulo]).

2) A gramática deste versículo sugere que os termos no final da frase descrevem a *maneira* como os sinais de um verdadeiro apóstolo eram executados.

A que, então, se referem os sinais de um verdadeiro apóstolo? Nos capítulos 10-13 Paulo indica as marcas que identificam o verdadeiro ministério apostólico. Além do poder espiritual para confrontar o mal (10.3-4, 8-11; 13.2-4, 10) e as revelações divinas (visionárias), incluem características de caráter tais como:
1) O cuidado zeloso pelas igrejas (11.2, 28);
2) O conhecimento verdadeiro de Jesus e de seu evangelho (11.6);
3) O ministério abnegado, como por exemplo seu auto-sustento sacrificial para não sobrecarregar as igrejas;
4) A ausência de uma disciplina opressora, ou que servisse a interesses próprios (11.20,21);
5) A disposição para sofrer aflições pela causa de Cristo (11.23-29), e
6) A resistência paciente quanto ao "espinho na carne" (12.7-9) [13].

Deve ser observado que os "falsos apóstolos" (11.13) podiam e provavelmente fizeram reivindicações de revelações e de um conhecimento superior da verdade (11.5,6; 12.1-7). Apresentaram-se disfarçados por Satanás como "ministros da justiça" (11.15), possivelmente por causa de suas exigências e demonstrações exibicionistas de devoção. Podem também ter se apresentado com falsos "sinais" pelo poder de Satanás. No entanto, quando Paulo quer defender sua reivindicação por seu genuíno apostolado, não aponta para os milagres, mas para a semelhança de Cristo refletida em sua conduta pessoal, caráter, e disposição para sofrer por causa do evangelho. Estas qualidades, para Paulo, são as marcas que identificam um verdadeiro apóstolo. Estas se colocam em corajosa oposição aos critérios superficiais daqueles impostores que se auto-promovem em Corinto.

A lição para aqueles que desejam ver sinais e maravilhas na igreja deve ser óbvia. As manifestações sobrenaturais são partes integrantes, mas não a marca definitiva do ministério apostólico do Novo Testamento. Os sinais e maravilhas devem ser julgados quanto à sua fonte ou origem verdadeira. Um modo chave de julgar é discernir o caráter do ministro (e seu ministério) através de quem estes sinais e maravilhas ocorrem. Devem ser ministrados no caráter moral e espiritual de nosso Senhor e Salvador Jesus Cristo que foi crucificado.

6.4. Paulo Planeja uma Terceira Visita (12.14—13.14)

6.4.1. A Intenção de Paulo de Não Ser um Fardo (12.14-18). Como observado na introdução, Paulo havia feito duas visitas anteriores a Corinto quando escreveu esta carta: a primeira visita (At 18.1-17) e a "visita dolorosa", que necessitou as "cartas dolorosas" (2 Co 2.1-4). Paulo está preparando agora uma terceira visita aos crentes de Corinto. Ele quer que entendam que nesta visita, como anteriormente (1 Co 9.13-18), pretende pregar gratuitamente para não sobrecarregá-los. Não irá ao seu encontro pelo que pode conseguir da parte deles, mas para suprir a subsistência de seus filhos espirituais (2 Co 12.14b). Como um pai amoroso e benevolente, Paulo está pronto a gastar tudo que tem, inclusive a si mesmo, a favor do bem-estar deles. Como um pai espiritual, sabe que tal amor intenso só é satisfatório quando retribuído. Anseia por uma resposta de amor na mesma medida, por parte de seus filhos (v. 15).

No versículo 16 Paulo lembra novamente aos coríntios que não aceitou o sustento da parte deles, mas acrescenta o que parece suspeito como uma acusação que lhe foi dirigida: "vos tomei com dolo". Aparentemente, a acusação de seus rivais consistia em que, embora Paulo tenha pessoalmente recusado o sustento e não os tenha sobrecarregado diretamente, indiretamente o tenha feito por astúcia através de seus companheiros. Paulo está confiante de que os próprios coríntios sabem e podem responder a esta acusação por si mesmos (v. 17, uma pergunta grega que espera um "não" como resposta). Tudo que devem fazer é recordar a presença de Tito e de um irmão cujo nome não é mencionado, mas que é bem conhecido. Certamente sabiam que Tito não os explorou, e que Paulo e seus companheiros se conduziram exatamente da mesma maneira e espírito (v. 18). A integridade de seu andar era um assunto de conhecimento público e falava por si só; era a única defesa de que Paulo precisava.

6.4.2. Medos e Apreensões de Paulo sobre a Próxima Visita (12.19-21).

O apóstolo quer evitar deixar aos coríntios uma falsa impressão de que tenha falado em defesa própria (v. 19). Isto pode parecer uma contradição, tendo em vista que os capítulos 10—13 incluem uma extensa defesa do ministério apostólico de Paulo. O apóstolo, porém, percebe uma diferença fundamental entre defender a legitimidade de seu apostolado, e defender-se pessoalmente contra as acusações difamatórias. A primeira arruína a integridade de seu ministério e põe em dúvida o evangelho que ele prega. A segunda ataca exclusivamente a sua reputação pessoal. A segunda não é para ele tão importante, e Paulo pode ignorá-la, sabendo que Deus conhece a verdade.

Como pessoas que estão "em Cristo" (note que Paulo viu a totalidade da vida de um crente em união e identificação com Cristo; veja Rm 9.1; 1 Co 15.19, 31; Ef 1.12; Fp 1.26; 3.3), Paulo e seus companheiros fizeram tudo "na presença de Deus" e são conhecidos por Ele (2 Co 4.2; cf. 2.17; 5.11; 7.12). Ele não falou para seu benefício, mas para benefício deles; não para sustentar sua reputação, mas para edificar e fortalecer a fé dos coríntios.

Os versículos 20 e 21 mostram o lado vulnerável e humano de Paulo. À medida que a perspectiva de sua visita se aproxima, leva consigo muita ansiedade sobre o que encontrará quando chegar a Corinto. Ele admite a possibilidade de que os coríntios não recebam o conselho desta carta, mas continuem a escutar e a sustentar aqueles falsos mestres (11.13-15). Se isto acontecesse, tanto ele como os coríntios teriam razões para reclamar e ambos ficariam desapontados. Paulo teme particularmente o dano espiritual que seus adversários podem causar à igreja na forma de discussão, desordem, e desunião (v. 20b).

Paulo então imagina o pior de seus temores — que encontrará o pecado tão difundido e excessivo, que será levado a lamentar a presença dos pecados sexuais (v. 21b) que pensava já terem há muito tempo sido motivo de arrependimento, e que já tivessem sido abandonados pelos coríntios (veja 1 Co 5.1-13; 6.12-20). O fato de Paulo destacar os pecados sexuais sugere fortemente que tais pecados estivessem sendo promovidos pelo ensino de seus adversários — uma forma de libertinagem (veja Barrett, 332). Tal experiência humilharia Paulo (2 Co 12.21a). Devemos entender esta expressão somente em um sentido permissivo. O que Paulo expressa é a sua esperança de que tal experiência dolorosa como a "triste ou pesarosa" visita anterior, não seja novamente repetida ou permitida por Deus.

6.4.3. Paulo Adverte Quanto a Uma Possível Disciplina (13.1-4).

Tendo declarado seus temores pessoais sobre a esperada terceira visita, Paulo assume a postura autoritária de um apóstolo e profere uma severa advertência. Os coríntios podem estar certos de que a verdade será descoberta e revelada. Para sustentar seu ponto, o apóstolo cita uma parte de Deuteronômio 19.15: "Por boca de duas ou três testemunhas, será confirmada toda palavra". A que Paulo está se referindo quando menciona as "duas ou três testemunhas" é incerto. Será que teria três indivíduos em mente: a si mesmo, a Timóteo, e Tito — todos os três que eram conhecidos em Corinto e que poderiam dar testemunho da verdade? Será que teria em mente a convocação de uma assembléia na presença da igreja (veja 1 Co 5.3-5; cf. Mt 18.15-17)?

O mais provável, à luz do versículo 2, é que Paulo veja as testemunhas como suas advertências. Como indicado acima, havia proferido uma advertência (provavelmente através de sua primeira carta) contra "aqueles que dantes pecaram" (cf. 12.21). Lembra então aos coríntios que lhes havia dado outra advertência quando esteve com eles pela segunda vez (isto é, durante a "visita dolorosa"). Agora repete esta advertência pela terceira vez, "estando ausente". Os coríntios estavam amplamente prevenidos; chegou a hora dos embusteiros apostólicos e seus partidários ("qualquer dos outros") serem chamados a prestar contas. Estes impostores escarneceram da mansidão de Paulo (10.1), e, de modo incrível, os coríntios não apenas suportaram seu uso abusivo da autoridade (11.20), mas estavam impressionados por isto. Aparentemente identificaram esta exibição exterior de autoridade como prova do apostolado – como prova de que Cristo estava falando através deles. Em termos diretos, Paulo lhes diz que se estiverem procurando este tipo de evidência encontrá-la-ão em sua visita iminente, quando não poupará ninguém. Afinal, o Cristo que fala através de Paulo não é fraco, mas uma força poderosa entre eles (13.3).

Mas o próprio critério que os falsos apóstolos e seus seguidores insistem afirmar como sendo o correto para o apostolado, os trai, expondo a ignorância deles a respeito daquilo que é necessário para ser um servo apostólico de Cristo. Além do mais, revela uma falha trágica em sua fé e na compreensão do próprio evangelho. Afinal, foi através da fraqueza da cruz que Deus manifestou seu poder de ressurreição, tornando-o disponível a todo aquele que se identificar com Cristo (v. 4). Cristo humilhou-se voluntariamente e assumiu a fraqueza de uma existência humana a fim de obedecer a vontade de Deus, até mesmo a ponto de morrer em uma cruz (Fp 2.8). Paulo escolheu seguir o exemplo de Jesus, que, como um cordeiro levado ao sacrifício (Is 53.7) não executou qualquer tipo de retaliação contra seus opressores, mas confiou em Deus para o vindicar (53.11,12). Mesmo vivendo Cristo agora através do poder da ressurreição, Paulo, embora fraco aos olhos de outros homens, vive pelo Espírito (2 Co 3.3, 6, 8) para servi-los no poder do Cristo ressuscitado.

6.4.4. O Apelo de Paulo pelo Autoexame a fim de Evitar a Disciplina (13.5-10).

Paulo não quer disciplinar os coríntios; deste modo, convoca-os a um auto-exame. Todos sabem muito bem que Jesus Cristo vive dentro de si mesmos (veja Rm 8.9). Sendo este o caso, o caráter de sua fé deveria, seguramente, atestar este fato. Note que por duas vezes no versículo 5 Paulo repete o pronome reflexivo "vós mesmos". Ao invés de investigar e exigir uma evidência exterior de sua autoridade apostólica, os coríntios deveriam estar examinando a sua *própria* experiência cristã a fim de constatarem se esta revela o caráter e a presença de Jesus Cristo. Enquanto se sente seguro de que não admitirão serem reprovados neste teste, Paulo também está confiante de que verão uma evidência da mesma autenticidade de fé tanto nele quanto em seus companheiros (v. 6). Ao reconhecerem isto, os coríntios também terão que admitir a autenticidade do apostolado e do evangelho de Paulo (Harris, 403).

O apóstolo ora, então, para que os coríntios não façam nada de errado (v. 7). Assim como antes (3.1; 5.12; 12.19), nega a desgastada acusação de que esteja defendendo ou recomendando a si mesmo. Mesmo que possa ser contrastado com alguém que seja desaprovado pela comparação, está preocupado com que façam aquilo que é correto. Sua principal responsabilidade é nunca se opor à verdade, mas promovê-la a cada instante. Conseqüentemente, o que importa se Paulo e seus companheiros forem considerados como "fracos" (isto é, submissos e sem autoridade) quando entre os coríntios, contanto que sejam fortes em sua fé? A oração de Paulo vai até mesmo além em seu desejo de vê-los se tornarem completamente maduros (que na NIV se traduz como "perfeitos") na fé (v. 9).

Paulo conclui esta seção de sua carta com uma nota positiva. Espera que a presente carta torne desnecessário o uso de sua autoridade apostólica para discipliná-los quando estiver com eles (v. 10). Afinal, o Senhor o chamou para edificar sua Igreja, não para destruí-la.

6.4.5 Saudação Final de Paulo (13.11-14).

A saudação final desta carta começa com uma série de exortações pastorais. Ao invés de "adeus", parece melhor traduzir o verbo *chairete* literalmente como a ordem. "regozijai-vos", de uma maneira semelhante àquela em que Paulo usa este termo ao concluir outras cartas (por exemplo, Fp 3.1; 4.4; 1 Ts 5.16). "Sede perfeitos" (que literalmente significa "serem feitos completos") expressa a esperança de Paulo de que os coríntios crescerão na maturidade cristã (cf. 2 Co 13.9), talvez por darem atenção ao conselho e ensino que lhes foi dado neste assunto e em toda correspondência anterior (Harris, 405). "Ouçam meu apelo" parece uma melhor tradução de *parakaleo* que "consolai-vos" (como na tradução da NASB) ou "sede consolados" (como em outras traduções), e fortalece o chamado à unidade e harmonia que se segue ("sede de um mesmo parecer, vivei em paz"). Estas duas últimas exortações parecem ter como alvo o término da desordem e da desunião descritas em 12.20. Se os coríntios atentarem para o conselho de Paulo, agirão de acordo com "o Deus de amor e de paz" [14], que habita no meio deles e que tem comunhão com eles.

"Saudai-vos uns aos outros com ósculo santo" reflete um costume oriental comum que permanece até os nossos dias. Era largamente praticado na igreja primitiva (veja Rm 16.16; 1 Co 16.20; 1 Ts 5.26; 1 Pe 5.14) como um símbolo de unidade e comunhão dentro da família de Deus. Poderia simbolizar também o perdão e a reconciliação, como o litúrgico "beijo da paz" simbolizava na igreja pós-apostólica (veja Martin, 501). Paulo envia a saudação de "todos os santos", que provavelmente inclui todas as igrejas recentemente visitadas por toda a Macedônia (2 Co 8.1; cf. 2.13; 7.5; 11.9).

A bênção final (v. 14) apresenta algo tanto típico como inigualável entre as conclusões das cartas de Paulo. Os conceitos que esta contém são certamente encontrados ao longo de seus escritos, mas a forma precisa desta bênção não acontece em nenhuma outra parte. Embora Paulo expresse em outras passagens a obra da redenção sob uma perspectiva trina (cf. Rm 5.1-8; 1 Co 12.4-6; Ef 1.3-14; 4.3-6), somente aqui encontramos esta perspectiva em uma bênção. Não sabemos ao certo se estas palavras já eram usadas na igreja como uma bênção litúrgica. Porém, este versículo concorda notavelmente e condensa o entendimento que Paulo tem da salvação de Deus em Cristo. Gordon Fee chamou-a de "o momento teológico mais profundo no corpo Paulino", (Fee, 1994, 363).

O "amor de Deus" pelos pecadores perdidos é o motivo que Paulo apresenta para prover a paz (por exemplo, a reconciliação) através de Cristo (Rm 5.1, 7,8). A "graça do Senhor Jesus Cristo" expressa o amor de Deus por nós e é visto na morte de Cristo, que remove a inimizade entre nós e Deus por causa do pecado, nos reconcilia com Ele, e nos concede o direito de estarmos em sua presença (Rm 5.9-11; 2 Co 5.16-6.1). A "comunhão [*koinonia*] do Espírito Santo" fala de nossa mútua participação e apropriação do amor e da graça redentora descritos acima. Inclui a bênção e a provisão da nova vida de aliança no Espírito (3.6-18). Isto envolve um relacionamento vivo e vital com o próprio Espírito (Rm 8.2-16; Gl 5.16-18, 22-25) e todos os dons que Ele graciosamente distribui aos membros dentro do corpo de Cristo (1 Co 12.4-31; cf. Rm 12.3-8; Ef 4.7-11). Isto resulta na transformação espiritual deles (Tt 3.5), sua preparação para o serviço no corpo (1 Co 12) e sua capacitação para serem testemunhas de Cristo no mundo (At 1.8). Em outras palavras, a bênção final de Paulo expressa seu desejo de que os coríntios experimentem a plenitude do amor e da graça redentora de Deus através da ministração do Espírito Santo.

NOTAS

[1] Por exemplo, as palavras gregas para "alegria / ser ou estar alegre" (*chara* ou *charenai*), "conforto" (*paraklesis*), e "dificuldades / ser hostilizado" (*thlipsis* / *thlibomenoi*) ligam a passagem em 7.4 com 7.5-7. Paulo também se refere tematicamente a "ter confiança" em Coríntios em 7.4 e 16. O importante tema do conforto de Deus em meio às tribulações não aparece somente antes e depois da passagem discutida (1.3-11; 7.5-7, 12,13) mas também

ao longo desta (4.7-5.8; 6.1-10; 7.4; veja Carson, Moo, e Morris, 273-74).

² Por quatro vezes em quatro versículos (2.1-4) Paulo nega que suas ações fossem motivadas por um desejo ou objetivo de entristecer os coríntios. Esta enfática negação sugere uma acusação dos adversários de Paulo — que Paulo em seu desejo de exercer sua autoridade apostólica, era insensível e indiferente à dor pessoal que estava infligindo.

³ Paulo pode ter em mente o cheiro adocicado do incenso levado pelos sacerdotes na caminhada triunfal, ou o cheiro dos sacrifícios que eram oferecidos em um templo romano no final de cada procissão (veja Harris, 332). Paulo pode estar comparando também a pregação dos apóstolos com as ofertas queimadas do Antigo Testamento, que são descritas como "de cheiro suave ao Senhor" (Lv. 1.9, 13, 17).

⁴ É improvável que a frase grega *tou katargoumenou* (particípio masculino ou neutro) — "que estava desvanecendo-se"- refira-se à "glória" (*doxa*, um substantivo feminino) da face de Moisés. As regras de gramática exigiriam que o particípio fosse feminino. C. K. Barrett (119) provavelmente esteja correto ao sugerir que os particípios neutros dos versos 10-11 — "muito mais é em glória o que permanece" e "o que era transitório" — refiram-se à antiga aliança.

⁵ Paulo destaca, por várias vezes nesta carta, a sua própria fraqueza humana. Esta aparece freqüentemente no contexto de suas tribulações e sofrimentos por causa do evangelho. No entanto, em cada caso, o apóstolo testifica do poder de Deus que opera nele e através do seu ministério (veja 2.14-16; 4.7-18; 6.3-13; 11.21-12.10; 13.3,4, 9,10).

⁶ Note, porém, que Paulo sustentou a possibilidade de que ainda poderia estar vivo na Parousia (cf. 1 Ts 4.14,15).

⁷ Em 12.11 Paulo declara que os coríntios tiveram uma ampla evidência do caráter de seu apostolado e que deveriam tê-lo recomendado. Pode ser que Paulo estivesse sugerindo aqui que deveriam ter se orgulhado dele, e vindo em sua defesa (Hughes, 351).

⁸ A palavra "graça" (*charis*) é usada dez vezes nos capítulos 8—9 e é traduzida de várias formas. Da maneira como Paulo a utiliza, a ênfase primária está no que Deus fez e concedeu na redenção através de Jesus Cristo.

⁹ Seria difícil apoiar esta situação devido à admissão da posição de Paulo em ambos os lados do debate econômico (Fp 4.12), e devido ao fato de que, em outras passagens, o Novo Testamento reconhece sem censura a presença dos ricos (por exemplo, Tg 1.10). A questão não é se alguém possui riqueza, mas como esta riqueza é usada a serviço do Senhor (Mt 25.14-25; At 4.36,37) e se as posses que a pessoa possui impedem-na de seguir a Cristo (Mt 19.16-22; cf. At 5.1-11).

¹⁰ O grego no versículo 11 está comprimido e permite a tradução: "Pense o tal isto: quais somos na palavra por cartas, estando ausentes, tais seremos também por obra, estando presentes". A NIV traduz

O ANTIGO TESTAMENTO NO NOVO TESTAMENTO

NT	AT	ASSUNTO
2 Co 3.13	Êx 34.33, 35	O véu de Moisés
2 Co 4.6	Gn 1.3	A criação da luz
2 Co 4.13	Sl 116.10	A fé e o falar
2 Co 6.2	Is 49.8	O dia da salvação de Deus
2 Co 6.16	Lv 26.11,12; Ez 37.27	Deus vivendo conosco
2 Co 6.16	Jr 32.38	Deus e seu povo
2 Co 6.17	Ez 20.41	A separação do mundo
2 Co 6.17	Is 52.11	Não tocar nada imundo
2 Co 6.18	2 Sm 7.14	Pai e filhos
2 Co 8.15	Êx 16.18	Deus dá o necessário
2 Co 9.9	Sl 112.9	Ofertas aos pobres
2 Co 10.17	Jr 9.24	Gloriando-se no Senhor
2 Co 13.1	Dt 19.15	Duas ou três testemunhas

o verbo entendido no futuro ("seremos"). Porém, se a tradução literal for permitida, Paulo pode simplesmente estar negando qualquer incoerência ou hipocrisia de sua parte. O que ele é e pretende quando escreve suas cartas não muda quando está presente com eles.

[11] A tradução da NIV traz o termo "espírito", sugerindo algo diferente do Espírito Santo, como uma disposição estranha ao espírito de Cristo (Martin, 336). Embora este fato pudesse sustentar nossa antiga argumentação de que os adversários de Paulo falharam em assumir a fraqueza, a abnegação, e a humildade de Cristo (veja a introdução), perde de vista o panorama mais amplo daquilo que Paulo está procurando retratar aqui. Seus adversários se apresentaram pregando um evangelho estranho. Deste modo, tanto Jesus, que concede a salvação de Deus, como o Espírito Santo, que traz a realidade da salvação ao crente, são interpretados de modo errôneo (Fee, 1994, 344).

[12] Paulo provavelmente não faz distinção entre "visões" e "revelações", pois a visão de Cristo registrada em Atos 9.3-9, 12 é chamada de "revelação" em Gálatas 1.12 (cf. v. 16).

[13] Para um tratamento exegético completo desta questão, veja a obra de Wayne Grudem, "Should Christians Expect Miracles Today", em Greig e Springer, 63-66.

[14] Existe um debate sobre a frase "o Deus de amor e paz", no qual se discute se esta está considerando a Deus como aqUele que dá amor e paz, ou como aqUele cuja natureza essencial é o amor e a paz. Ambos são gramaticalmente possíveis e afirmam uma verdade bíblica. A sugestão de que Paulo pretende incluir ambos significados, também tem o seu mérito, uma vez que nos escritos de Paulo ambos são caracterizados pelo amor (Rm 5.8) e paz (15.33) sendo, o próprio Deus, aqUele que supre tanto o amor (5.5) quanto a paz (5.1; 14.17; veja Barrett, 343). Porém, escolhi o primeiro sentido como um modo de concordar com a insistência anterior de Paulo, de que os coríntios provem a si mesmos para que constatem se sua experiência cristã exprime a "fraqueza" de Jesus na cruz (v. 4-6).

BIBLIOGRAFIA

Livros. William Barclay, *The Mind of St. Paul* (1958); C. K. Barrett, *A Commentary on the Second Epistle to the Corinthians* (1973); D. A. Black e D. Dockery, *New Testament Criticism and Interpretation* (1991); F. H. Brinsmead, *Galatians– Dialogical Response to Opponents* (1982); D. A. Carson, *From Triumphalism to Maturity* (1984); D. A. Carson, D. J. Moo, e Leon Morris, *An Introduction to the New Testament* (1992); James Denney, *The Second Epistle to the Corinthians* (1984), Gordon D. Fee, *The First Epistle to the Corinthians*, NICNT(1987); idem, *God's Empowering Presence. The Holy Spirit in the Letters of Paul* (1994); G. S. Greig e K. N. Springer, eds. *The Kingdom and the Power* (1993); Donald Guthrie, *New Testament Introduction*, ed. rev. (1990); Murray Harris, "2 Corinthians", *The Expositor's Bible Commentary* (1976), 10.301-406; Charles Hodge, *An Exposition of the Second Epistle to the Corinthians* (reimpresso em 1973); Stanley M. Horton, *What the Bible Says About the Holy Spirit* (1976); Philip Hughes, *Paul's Second Epistle to the Corinthians*, NICNT (1962); Colin Kruse, *Second Corinthians*, TNTC (1987); Ralph P. Martin, *2 Corinthians*, WBC (1986); Ronald H. Nash, *Christianity and the Hellenistic World* (1984); Alfred Plummer, *A Critical and Exegetical Commentary on the Second Epistle of Paul to the Corinthians*, ICC (reimpresso em 1975); Roger Stronstad, *The Charismatic Theology of St. Luke* (1984).

Artigos: P. W. Barnett, "Opponents of Paul", no *Dictionary of Paul and His Letters* (1993), 644-53; Hans D. Betz, "2 Co 6.14—7.1: An Anti-Pauline Fragment?" *JBL* 92 (1973): 88-108; Gordon D. Fee, "2 Corinthians vi.14-vii.1 and Food Offered To Idols," *NTS* 23 (1977): 140-61; J. A. Fitzmyer, "Qumran and the Interpolated Paragraph in 2 Co 6.14—7.1," *CBQ* 23 (1961): 271-80; R. P. Martin, "The Opponents of Paul in 2 Corinthians: An Old Issue Revisited," em *Tradition and Interpretation in the New Testament*, ed. G. F. Hawthorne e O. Betz (1987), 279-89; Jerome Murphy O'Conner, "The Corinth That Saint Paul Saw", BA 47 (1984): 147-59.

GÁLATAS
William Simmons

INTRODUÇÃO

1. O Espírito Santo e Gálatas

A pessoa e a obra do Espírito Santo desempenharam um papel proeminente nas igrejas da Galácia. O evangelismo na Galácia, por exemplo, foi iniciado por um movimento sobrenatural do Espírito Santo (At 13.2,4). O Espírito manifestou também dons carismáticos em seu meio. Os discípulos da Antioquia de Pisídia, por exemplo, são descritos como sendo cheios de alegria e do Espírito Santo (13.52). O Senhor capacitou Paulo e Barnabé para executar sinais e maravilhas em Icônio (14.3). Paulo manifestou o dom de cura em Listra, quando um aleijado foi completamente restaurado (14.8-10; 1 Co 12.9). Claramente, a fundação das igrejas da Galácia e o ministério de Paulo e Barnabé entre estas igrejas foram o resultado do trabalho do Espírito Santo.

O Espírito Santo desempenhou também um papel-chave em resolver os muitos problemas na Galácia. Algo estava terrivelmente errado em meio a estas congregações iniciais de Paulo. Embora os gálatas fossem os primeiros a ouvir o evangelho livre da lei, estavam se voltando para o legalismo (At 13.39; Gl 4.8-10). Paulo havia claramente pregado a justificação pela fé, mas eles estavam buscando serem justificados pelas obras (Gl 2.16; 3.1,10,11). Além disso, foi bem no meio deles que Paulo explicitamente proclamou que iria para os gentios (At 13.46-48). Agora algumas destas pessoas estavam querendo se tornar judeus (Gl 5.2). Ficaram fascinados e estavam em perigo de jogar fora a sua salvação (3.1; 4.11,19).

Procurando trazer de volta os gálatas para a congregação, Paulo não reafirma simplesmente a mensagem do evangelho, reiterando que as formulações doutrinárias não desfarão o dano que existe lá. Ele deve apontar para algo mais tangível, alguma experiência inquestionável para afastar os gálatas para longe dos desordeiros. É aqui que Paulo se concentra na experiência com o Espírito Santo (Betz, 1974,146).

Por exemplo, em Gálatas Paulo não associa principalmente conceitos-chave como "graça", "justiça" e "adoção" com a cruz e a ressurreição. Pelo contrário, estes temas principais são relacionados à experiência do Espírito (3.2,5,14; 4.6,29; 5.5; 6.8). Além disso, termos sociológicos negativos como "imaturo", "escravo" e "pedagogo" (3.24,25; 4.1,2) são contrastados com termos mais positivos associados com o Espírito, tais como "filhos", "livres" e "Pai" (3.19—4.7) (Lull, 1980,118, 127-128,131). O ponto central de Paulo é que o recebimento do Espírito pelos gálatas serve como uma prova inegável de que eles são filhos de Deus (3.1-5) (Wedderburn, 1988,171). A experiência do Espírito e o recebimento da graça estão correlacionados virtualmente um ao outro nesta carta. Ambos criam uma consciência de que Deus está verdadeiramente trabalhando no crente.

Esta verdade se torna particularmente evidente no que diz respeito à doutrina de Paulo da justificação pela fé. Em Gálatas, o dom do Espírito e a justificação são inseparáveis, pois Paulo nota que o Espírito foi recebido pelos gálatas da mesma forma que Abraão recebeu a justiça de Deus (3.6, cf. também Rm 8.1-17; 1 Co 6.11; 2 Co 3.8,9) (Dahl, 1977, 133). Somente com base na fé em Cristo, os gentios incircuncisos são habitados pelo Espírito Santo de Deus, separadamente das obras da lei. Deste modo, a presença do Espírito no meio dos gálatas é o endosso divino que redefine o lugar da lei e estabelece a centralização da fé.

A importância teológica do Espírito em Gálatas é evidente a partir dos exemplos dados acima. Isto é, a maneira em que o Espírito operou entre os gálatas revela a natureza de Deus e sua relação para com Ele. Além disso, o argumento de Paulo somente terá peso se o trabalho do Espírito for distinto e inegavelmente real. A função do "clamor Abba" em 4.6,7 prova este ponto (Lemmer, 1992,359). Debaixo da influência carismática do Espírito, os gálatas gritam "Abba, Pai!". Este clamor de êxtase cria uma consciência filial que é um testemunho para a realidade de seu lugar em Deus. É a prova primária que diz: "Você pertence". Esta deve ser uma realidade contínua na Igreja para que haja qualquer força no apelo de Paulo. Portanto, tal atividade do Espírito não é uma parte incidental do culto de adoração. Mais do que isto, é essencial para a presença de Deus no meio dos crentes. Quer dizer que eles nasceram do Espírito e que o Espírito os capacita a viverem como cristãos (4.21-31; 5.16-26).

Finalmente, as implicações sociológicas do Espírito em Gálatas são também importantes. Se Deus demonstra sua solidariedade amorosa para com os crentes da galácia concedendo seu Espírito pela fé, como podem discriminar e nutrir as diferenças entre si mesmos? Por isso, não pode haver judeu nem grego, nem escravo nem livre, nem homem nem mulher, porque eles são todos um em Cristo Jesus (3.28) (Heine, 1987, 153). A presença unificadora do Espírito é o que faz separação de Pedro dos gentios ainda mais inaceitável (2.11-15) (Dunn, 1992,116,117).

Segue-se que a carta aos gálatas é de significado especial para os pentecostais. Porque na presença permanente do Espírito Santo está a legitimidade da vida e da adoração cristã. A habitação do Espírito, acompanhada de seus dons e frutos, serve como evidência de que alguém foi totalmente aceito por Deus. É um sinal tangível de que fomos justificados pela fé, separadamente da lei. Deste modo, a presença dinâmica do Espírito na vida do crente marca claramente o fim da lei e qualquer tentativa de assegurar justiça através das obras. O Espírito cria uma solidariedade divina com o Pai que nada pode dissolver. Em outras palavras, a atividade sobrenatural do Espírito não é algum aspecto incidental da adoração pentecostal. É o sinal divino autenticando nossa experiência de salvação. O Espírito serve como o caminho para o desenvolvimento maduro em Cristo. Serve como a chave para a liberdade cristã e a libertação da obediência servil a lei. Gera uma atmosfera de unidade e aceitação mútua, que proíbe discriminação e segregação no corpo de Cristo.

Estas verdades guiarão o restante do estudo. Mas antes de nos dirigirmos ao texto, devemos nos fazer algumas perguntas importantes. Temos permitido que nossas obras para Cristo substituam as obras de Cristo? Alguma forma de legalismo, não importando quão sutil seja, tem minado a graça de Deus em nossas vidas? Um espírito de justiça pelas obras tem deslocado a obra do Espírito em nosso serviço a Deus e aos homens? Finalmente, estamos buscando uma religião que possamos controlar em lugar de uma fé que guia? Felizmente, o cuidado de Paulo pelos gálatas nos ajudará a direcionar estes assuntos.

2. Autoria

a. Evidência Interna

Não pode haver nenhuma dúvida de que Paulo escreveu a carta aos Gálatas. É considerada uma das mais "Paulinas" de todas as cartas do Novo Testamento. Sua afinidade com Romanos é inconfundível e tem sido descrita como um rascunho daquela grande carta. Quase toda linha pulsa com o espírito e mente do grande apóstolo. Como em Romanos, os dois grandes temas paulinos, justificação somente pela fé e a vida no Espírito, formam a parte principal do conteúdo de Gálatas. Seu vocabulário mostra consistentemente a mão do apóstolo. Palavras como "graça", "fé", "justiça", "lei", "carne" e "Espírito" aparecem em toda página e são usadas no sentido paulino clássico. Não precisamos nutrir nenhuma reserva com relação à autoria paulina de Gálatas (Bruce, 1982,1).

b. Evidência Externa

O que podemos reunir de fora do texto bíblico apóia igualmente a autoria paulina. Os primeiros patriarcas da igreja aceitam unanimemente Paulo como o autor, e os cânones mais antigos da Escritura listam Gálatas com as cartas paulinas (Betz, 1979,1).

3. Ocasião

Paulo escreveu para os gálatas porque desordeiros e "agitadores" se infiltraram em suas igrejas (1.7; 5.10-12). Estavam espalhando heresias que ameaçavam a própria salvação dos convertidos de Paulo. Estes "falsos irmãos" (2.4) parecem ser semelhantes aos judeus cristãos legalistas encontrados em Atos 11.1-3 e 15.1-3. Fariseus convertidos reivindicavam que para os gentios serem salvos, deveriam obedecer a lei de Moisés e serem circuncidados (15.5). Na Galácia, parece que tais pessoas discutiram dizendo que Paulo os havia evangelizado somente pela metade, e que a lei de Moisés precisava ser acrescentada para que fossem salvos. Os hereges estavam então buscando compelir os gentios a serem circuncidados (Gl 5.1) e a observarem as leis cerimoniais judias, como os feriados religiosos e as regras de purificação (2.1-14; 4.10). Estavam tentando substituir o evangelho da graça, que Paulo pregou, por um sistema de justificação pelas obras. Em resumo, queriam reinstaurar o judaísmo como o modelo religioso primário para os cristãos gentios. Os gentios teriam que se tornar judeus para fazerem parte do povo de Deus. Por estas razões os desordeiros na Galácia são freqüentemente chamados de judaizantes (cf. 2.14).

Os judaizantes perceberam que Paulo e seu evangelho de salvação pela graça através da fé eram grandes obstáculos que os impediam de realizar seus objetivos. Atacaram então a pessoa e a autoridade de Paulo em um esforço para minar sua influência na Galácia (4.16). Enfatizavam que ele não era um discípulo do Jesus histórico como Pedro, Tiago e João (2-9). De fato, Paulo era simplesmente um produto destes apóstolos "colunas" e que devia a eles o seu conhecimento religioso, bem como a sua experiência religiosa (1.18,19). Acusaram Paulo de hipocrisia, pregando a circuncisão em algumas colocações, mas proibindo-a na Galácia (5.11).

Paulo percebeu completamente a natureza crítica da situação. Se a heresia judaizante tivesse sucesso, faria do cristianismo uma mera seita do judaísmo. Seu ensino golpeou o coração do cristianismo.

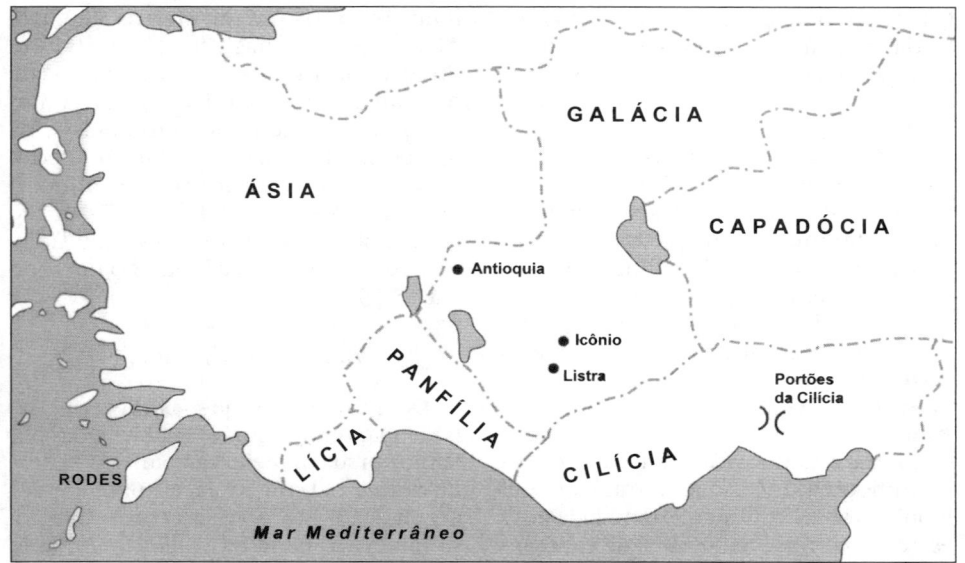

A Galácia era uma província romana cujo nome provem dos invasores gauleses que a ocuparam no terceiro século a.C. Paulo fundou igrejas na Galácia, e então partiu. Escreveu aos gálatas após terem ocorrido problemas que foram causados por estranhos que discordavam de seus ensinos. Estes desordeiros eram chamados de judaizantes.

O que os judaizantes pregavam não era o evangelho, absolutamente (1.7); e se o gálatas aceitassem este ensino falso, estariam se afastando de Deus e caindo em desgraça (1.7; 5.4). Se eles concordassem em ser circuncidados, se colocariam debaixo da maldição da lei (3.10,11), e Cristo não seria de nenhum proveito para eles (5.1,2). Por tais razões, Paulo pronunciou uma dupla maldição aos desordeiros e declarou que eles aguardariam o julgamento de Deus (1.8-10; 5.10).

Paulo escreveu também para se defender contra a calúnia de seus adversários. Contudo, assim o fez só porque sua autoridade apostólica estava vitalmente ligada ao evangelho livre da lei para os gentios. Então, no que se relaciona a seu chamado e mensagem, enfatizou sua independência dos apóstolos de Jerusalém (l.18—2.6). Contudo, teve que convencer também os gálatas de que Tiago, Pedro, e João aceitaram sua mensagem e missão para os gentios (2.7-10). Além disso, Paulo teve que expor os motivos falsos dos judaizantes. Eles não estavam interessados no bem-estar dos gálatas. Ao invés disso, queriam ganhar glória por si mesmos e evitar a perseguição (4.17; 6.13). Queriam escravizar os gálatas aos "rudimentos fracos e pobres" deste mundo, convertendo-os ao judaísmo (4.3,9).

4. Data e Destino

Embora a carta aos Gálatas seja inquestionavelmente escrita por Paulo, seu destino e data são de difícil determinação. Paulo claramente endereça a carta às "igrejas na Galácia" (1.2). Em seus dias, porém, a palavra "Galácia" tinha um significado duplo. Poderia se referir ao reino antigo de Gauls, que abrangia as regiões do *norte* de Ponto, Frigia e Capadócia. Por outro lado, "Galácia" poderia se referir também à província romana da Galácia, que se estendia ao *sul*, incluindo as cidades de Antioquia da Pisídia, Listra, Derbe, e Icônio. Aqueles que acreditam que Paulo escreveu para as regiões do norte, apóiam a "Teoria da Galácia do Norte"; aqueles que sustentam que as igrejas da Galácia eram localizadas na região sul, afirmam a "Teoria da Galácia do Sul". Cada teoria afeta a data da carta.

a. A Teoria da Galácia do Norte

Esta teoria enfoca a atividade missionária de Paulo como registrado em Atos 16.1-6 e 18.23. Ambas as passagens explicitamente mencionam "Galácia" e resumem brevemente as viagens de Paulo em sua segunda e terceira viagens missionárias. Se Paulo se dirigiu a esta região logo depois de sua segunda viagem missionária, não poderia ter escrito antes de 51-52 d.C. Se ele escreveu aos gálatas próximo ao final de sua terceira viagem missionária, teria escrito aproximadamente em 55-56 d.C.

Esta teoria particular deve superar duas dificuldades principais. Atos não registra Paulo estabelecendo quaisquer igrejas nesta região do norte. Tudo que se diz é que ele passou pela região e fortaleceu os discípulos (At 18.23). Além disso, esta teoria sustenta que Paulo escreveu aos gálatas depois do decreto chamado de "Concílio de Jerusalém" de Atos 15. Se é assim, por que ele não se referiu explicitamente à decisão do concílio quando lutava com os judaizantes na Galácia? Além disso, Gálatas 2.11-15 mostra Pedro cedendo à pressão dos legalistas de Jerusalém e recusando-se a ter comunhão com os gentios incircuncisos de Antioquia. É difícil acreditar que Pedro teria negado seu próprio testemunho dado em Atos 11.14-17 e 15.7-11. Ele teria também violado a decisão de Tiago e da Igreja em Jerusalém como um todo (At 15.13-31).

b. A Teoria da Galácia do Sul

Esta teoria afirma que "as igrejas na Galácia" (1.2) eram aquelas estabelecidas por Paulo em sua primeira viagem missionária. Embora a palavra "Galácia" não apareça em Atos 13—14, a região corresponde à província romana da Galácia. Se Paulo escreveu a carta aos Gálatas próximo ao final de sua primeira viagem missionária, então a carta poderia ter sido escrita por volta de 48-49 d.C., fazendo dela a mais antiga das cartas de Paulo. Além disso, os gálatas teriam recebido a carta anterior ao Concílio de Jerusalém, de forma que Pedro não teria tido qualquer instrução de Tiago e da igreja em Jerusalém com relação à comunhão com os gentios. Deste modo, sua retirada do círculo de comunhão com os crentes gentios na Antioquia se torna mais compreensível. Este cenário explica também por que Paulo, em Gálatas, não se referiu ao Concílio de Jerusalém.

Estudiosos respeitáveis formaram argumentos formidáveis em defesa de ambas as teorias. O destino exato de Gálatas e, conseqüentemente, a data precisa não podem ser determinados com certeza. Contudo, a Teoria da Galácia do Sul parece se harmonizar melhor com aquilo que sabemos de Atos e das próprias palavras de Paulo em Gálatas. Este ponto de vista significa que os princípios básicos da teologia de Paulo já haviam sido estabelecidos em uma primeira fase no desenvolvimento da Igreja.

ESBOÇO

Apesar das circunstâncias difíceis em que Paulo escreveu, Gálatas é uma carta bem organizada. Ela consiste nos três seguintes argumentos bem definidos: autobiográficos, teológicos e práticos. A seção autobiográfica discute a autoridade apostólica de Paulo. A seção teológica apresenta claramente as principais doutrinas da fé. A seção prática pede a aplicação destas convicções. Estas seções são colocadas entre uma introdução e uma conclusão.

Quando trabalhamos através do esboço, torna-se clara a ênfase que Paulo dá ao Espírito Santo.

1. **Introdução** (1.1-10)
   1.1. Saudação (1.1-5)
   1.2. Ponto Central de Paulo: Um Só Evangelho (1.6-10)
2. **O Argumento Autobiográfico de Paulo** (1.11—2.14)
   2.1. O Evangelho e a Chamada de Paulo São de Deus (1.11-17)

2.2. A Independência de Paulo de Jerusalém (1.18-24)
2.3. O Evangelho de Paulo É Confirmado pelos Apóstolos de Jerusalém (2.1-10)
2.4. Confrontação de Paulo com Pedro (2.11-14)

3. **O Argumento Teológico de Paulo** (2.15—4.11)
   3.1. A Justificação É pela Fé, Não pelas Obras da Lei (2.15-21)
   3.2. O Espírito É Recebido pela Fé (3.1-5)
   3.3. Abraão É Justificado pela Fé (3.6-9)
   3.4. A Maldição da Lei (3.10-12)
   3.5. A Promessa do Espírito (3.13,14)
   3.6. A Prioridade da Promessa acima da Lei (3.15-18)
   3.7. O Propósito da Lei (3.19-25)
   3.8. Unidade em Cristo (3.26-29)
   3.9. O Espírito e a Adoção (4.1-7)
   3.10. A Advertência e a Repreensão São Renovadas (4.8-11)

4. **O Argumento Prático de Paulo** (4.12—6.10)
   4.1. Um Apelo à Reconciliação (4.12-16)
   4.2. Os Falsos Motivos dos Judaizantes (4.17-20)
   4.3. Os Filhos Verdadeiros Nascem pelo Espírito (4.21-31)
   4.4. Esperando no Espírito (5.1-5)
   4.5. A Advertência e a Repreensão São Renovadas (5.6-12)
   4.6. Vivendo no Espírito (5.13-26)
   4.7. Semeando para Agradar ao Espírito (6.1-10)

5. **Conclusão** (6.11-18)
   5.1. O Sinal de Autenticidade de Paulo (6.11)
   5.2. Mais uma Vez: Expondo os Judaizantes (6.12-15)
   5.3. Palavras e Bênçãos Finais (6.16-18)

COMENTÁRIO

1. Introdução (1.1-10)

1.1. Saudação (1.1-5)

Paulo não perde tempo em chegar ao âmago da questão em Gálatas. Ele usa cada palavra de sua saudação para defender o evangelho da graça. Sua estratégia é basicamente dupla. Deve substanciar sua autoridade apostólica e destacar a suficiência completa de Cristo para a salvação. Ambas as questões abordam os problemas que os judaizantes criaram na Galácia. Em um esforço para ganhar atenção ali, devem desacreditar Paulo; a fim de atrair os gálatas ao judaísmo, devem arruinar a pessoa e o trabalho de Cristo.

Paulo segue as convenções das cartas greco-romanas ao escrever esta carta. Isto é, ele se identifica como o autor, inclui uma saudação, e continua a remeter aos destinatários (Hansen, 1994,31,32). Deste modo, a primeira palavra do texto é "Paulo". Mas mesmo aqui, Paulo pode estar expondo seu chamado especial para ministrar aos gentios. Pois seu nome hebreu, Saulo, foi usado somente antes de sua primeira viagem missionária. Começando com Atos 13.9, as referências ao apóstolo são sempre mencionadas pelo seu nome grego, Paulo. É como se Paulo quisesse que sua identidade inteira fosse associada ao mundo gentio, inclusive seu próprio nome (Cole, 1984,30).

A próxima palavra no texto é "apóstolo". O significado desta palavra é derivado da palavra rabínica da administração religiosa *shaliach*, que designava alguém que foi "enviado" ou "comissionado" oficialmente para realizar uma tarefa específica (Bruce, 1982,72). Aquele assim comissionado era capacitado com a mesma autoridade daquele que o enviou (cf. At 9.1,2, onde Saulo obteve documentos oficiais do sumo-sacerdote, autorizando-o a perseguir os cristãos em Damasco). O Senhor Jesus e a igreja primitiva usaram este termo para designar liderança espiritual. Em seu sentido restrito ela se refere aos doze apóstolos originais designados pelo Senhor (Mt 10.2-4; Lc 6.13-16; At 1.19-26). Em seu sentido mais amplo, a igreja primitiva usava o termo "apóstolos" para designar os ministros enviados para pregar o evangelho (At 14.4,14; Rm 16.7; Gl 1.19).

Paulo claramente reivindica ser um apóstolo no sentido restrito em Gálatas como em suas outras cartas (1.1; cf. Rm 1.1; 1 Co 1.1; Ef 1.1). Também deve-se dizer que, uma vez que ele foi diretamente comissionado pelo Senhor, Paulo está enfatizando que ele mesmo e sua mensagem foram autorizados por Deus, de forma que ele fala com a autoridade de Cristo (2 Co 10.8). Seu apostolado se apóia na mesma base dos apóstolos anteriores a ele. Então, se qualquer um na Galácia rejeitar sua autoridade apostólica, terá também que rejeitar a autoridade dos demais apóstolos, inclusive Tiago, Pedro e João, os chamados apóstolos "colunas" (Gl 2.9).

Paulo não inclui um artigo ("o") antes da palavra "apóstolo". Sua ausência faz com que "apóstolo" sirva mais como uma descrição do caráter de Paulo, do que um título ou ofício. Paulo não diz que foi designado para um ofício específico na Igreja. Na verdade, Pedro e o restante dos apóstolos indicaram Matias como um apóstolo para substituir Judas (At 1.12-26), porém nunca mais se ouviu falar de Matias. Em contraste, Paulo foi divinamente chamado e está sendo usado por Deus para divulgar o Evangelho a todo o mundo gentio (At 9.1—28.31). Deste modo, através de um trabalho sobrenatural de Deus, todo o ser de Paulo assume a natureza de "apóstolo". Em outras palavras, "apóstolo" não é algum trabalho que Paulo faça ou um posto administrativo que ele ocupe; *é o que ele é.*

Conseqüentemente, a autoridade apostólica de Paulo "não é de homens nem por homem algum". Estas palavras podem refletir as acusações dos judaizantes. Eles provavelmente reivindicaram que Paulo era apenas um "João-ninguém que apareceu depois" no que se refere à fé. Ele não foi um discípulo de Jesus durante seu ministério terrestre. De fato, era bem conhecido que rejeitou a fé e perseguiu violentamente a igreja, começando com Estevão (At 7.58—8.3; 9.1,2). Os judaizantes reivindicavam que tudo o que Paulo sabia a respeito de Jesus foi aprendido com homens como Tiago, Pedro e João. Ele é discípulo *deles*, não um discípulo de Jesus. Queriam dizer que Paulo era subordinado aos apóstolos originais, e que estava fazendo uma reivindicação falsa da autoridade apostólica. Acusavam Paulo de ser uma fraude, e que sua mensagem de justificação pela fé, separada-

GÁLATAS 1

mente das obras da lei, seria igualmente fraudulenta.

Estas acusações são a causa de Paulo declarar enfaticamente que seu chamado e mensagem "não eram de homens, nem por homem algum". O lugar de Paulo no reino não teve sua origem em qualquer homem ou grupo de homens. Nem Deus comunicou sua vontade a Paulo através de quaisquer intermediários humanos. Antes, a autoridade e a missão apostólicas de Paulo para os gentios vieram como um mandato divino, através de uma revelação sobrenatural na estrada de Damasco (At 9.1-8; 22.1-11; 26.9-20) (Kim, 1981, 82, 97,98). Como os profetas antigos, Paulo sustenta que foi divinamente escolhido para cumprir um papel crucial no plano de salvação de Deus (cf. Is 49.1-3; Jr 1.4,5; Gl 1.15,16).

Em contraste total a ser nomeado apóstolo por outras pessoas, a autoridade de Paulo veio "por Jesus Cristo e Deus o Pai". A divindade de Jesus está fortemente implícita neste ponto, pois Ele é colocado na mesma ordem que Deus, o Pai (1.12). O ponto de Paulo é que ele recebeu uma comissão conjunta de Jesus Cristo *e* de Deus Pai. Sem dúvida os desordeiros na Galácia se compunham de muitos daqueles que conheciam a *Jesus* de Nazaré. Por essa razão, o fato de Paulo ter incluído o nome "Jesus" com "Cristo" tem significado aqui: "Jesus" quer dizer "Salvador" e era o nome designado que foi dado a nosso Senhor por ocasião de seu nascimento (Mt 1.21,25; Lc 1.31; 2.11). Embora Paulo tenha sido confrontado pelo Cristo exaltado na estrada de Damasco, entendeu completamente que o Messias, isto é, "o Ungido", é a mesma pessoa que o Jesus da Galiléia. Seu uso repetido de tais frases como "Jesus Cristo" e "Cristo Jesus" demonstra que Paulo se recusa a permitir qualquer dicotomia essencial entre o Jesus terreno e o Cristo exaltado (Rm 1.3; 1 Co 1.1; 2 Co 1.1; Gl 2.16; Fp 2.11; Cl 2.6). Então aqueles que reivindicam terem conhecido a Jesus, não têm nenhuma vantagem sobre o apóstolo Paulo. Ele também conheceu a Jesus.

A ressurreição do Jesus terreno mostra que Ele e o Cristo exaltado são a mesma pessoa. Mencionando a ressurreição, Paulo afirma simultaneamente uma convicção no judaísmo conservador e apresenta uma doutrina cardeal da fé cristã (cf. 1 Co 15). Os fariseus, ao contrário dos saduceus, acreditavam que os mortos seriam ressuscitados no último dia (Mt 22.23-32; Mc 12.18; At 23.6-10). Para eles, a ressurreição era o evento principal dividindo esta era presente da era por vir. Para Paulo, a ressurreição de Jesus pelo Pai já marcou a mudança das eras. Jesus é a primícia da ressurreição (1 Co 15.20-23). Sua cruz e ressurreição são os eventos do final dos tempos, que, em certo grau, trazem a era por vir para o presente. Em um modo correspondente, o derramamento do Espírito Santo concede ao crente "as primícias do Espírito" e anuncia os poderes da era futura (At 2; Rm 8.23; 1 Co 12.1—14.40; Gl 5.5).

Aqueles que foram ressuscitados com Cristo e capacitados por seu Espírito formam uma comunidade do final dos tempos, já trazendo até certo ponto o reino a este mundo. Conseqüentemente, por todas as suas cartas, e especialmente Romanos e Gálatas, Paulo entende que a vida cristã normal deva ser uma realização extraordinária. Ele exorta os crentes a viverem a vida ressurrecta "andando no Espírito" (Rm 6.1-10; 8.1-27; Gl 5.16-18,25). Esta "escatologia percebida" fará com que a legitimidade da Igreja permaneça até a manifestação gloriosa dos filhos de Deus e a liberação de toda a criação (Rm 8.18-21). Claro, a pergunta importante é: Por que os gálatas seriam tentados a abraçar a revelação primitiva e parcial do judaísmo quando já haviam entrado em uma vida habilitada pelo Espírito em Cristo? Por que deveriam ficar embaraçados nos elementos deste mundo, quando já haviam sido libertos pelo Cristo exaltado, através do Espírito? Estas são as perguntas que Paulo quer que eles ponderem enquanto expõe o Evangelho nesta carta.

Os judaizantes quiseram seguramente marginalizar o apóstolo Paulo, para retratá-lo como um dissidente que não teve nenhum seguidor, como alguém que foi isolado à margem da Igreja. Paulo opõe-se a tais esforços mencionando "todos os irmãos que estão comigo" (1.2). A palavra "irmãos" provavelmente se refira aos companheiros de Paulo freqüentemente mencionados em suas cartas (1 Co 1.1; 2 Co l. 1 ; Fp1.1; Cl 1.1; 1 Ts 1.1,2; 2 Ts 1.1; Fm 1). Embora a expressão comunique um significado masculino em um jargão contemporâneo, era provavelmente entendido em termos mais genéricos nos dias de Paulo, pois Paulo se dirige também a companheiras mulheres em suas cartas (Rm 16.1,2; Fp 4.2,3). De qualquer modo, o mencionar "irmãos" evidencia uma solidariedade com Paulo, que suporta a oposição aos judaizantes (Ridderbos, 1957, 41). Ele não está só em sua convicção de que Deus justifica pela fé, sem as obras da lei.

"Às igrejas da Galácia" indica que esta carta era uma carta circular. Depois de ter sido lida em uma igreja, seria passada para a próxima até que alcançasse as igrejas de uma região inteira.

O ponto mais esclarecedor é que Paulo não inclui nenhum agradecimento aos santos, como faz em suas outras cartas (cf. Rm 1.8; 1 Co 1.4; Fp 1.3). Esta introdução concisa e sem agradecimentos mostra como a relação entre Paulo e os gálatas está tensa. Não obstante, ele ainda se dirige a eles como "igrejas". Apesar de suas dificuldades e da ameaça dos judaizantes, os gálatas ainda fazem parte do corpo de Cristo. Eles ainda não cometeram apostasia.

Paulo parece estar combinando as formas greco-romanas e hebraicas de saudação em 1.3. Os gregos e os romanos saudavam um ao outro com *charein*. Isto significava algo como "saúde e que tudo lhe vá bem". Mas Paulo transformou esta saudação secular em uma saudação repleta de um conteúdo cristão. Na teologia paulina, "graça" serve como um termo de proteção cercando toda a bondade de Deus que é de modo preeminente visto na pessoa e na obra de Jesus Cristo. "Paz" vem do hebraico *shalom* e designa o sentido de bem-estar total que só pode vir de uma relação correta com Deus. Conseqüentemente a fonte destas bênçãos é Deus, "nosso Pai e o Senhor Jesus Cristo" (cf. 2 Co 1.2-4; 9.8). Além disso, a divindade de Cristo está em evidência aqui. Assim como o Pai, Jesus serve como a fonte de graça e paz divinas.

A suficiência completa de Cristo — seguramente o ponto crucial da questão em Gálatas — é expresso em 1.4. Jesus "deu a si mesmo pelos nossos pecados". Os judaizantes argumentaram que a morte de Jesus não é suficiente para nos salvar. Deve-se crer em Jesus e *também* na circuncisão (5.6; 6.15). Deve-se crer em Cristo *e* nas obras da lei (2-16). Paulo nega categoricamente tal teologia, se é que se pode chamá-la assim. Não há lugar para a "justiça própria", a qual o próprio Antigo Testamento descreve como "trapos de imundície" (Is 64.6). Ele se opõe a este ensino falso com uma linguagem expiatória que provavelmente se originou com o próprio Senhor (cf. Mc 10.45). Jesus é a expiação completamente suficiente, cumprindo todos os requisitos sacrificiais do Antigo Testamento (cf. Is 53.5,12; Rm 3.25,26; 4.25). Jesus é a única fonte da verdadeira justiça e do verdadeiro perdão dos pecados (Gl 2.20,21; 3.1,13; 4.4; 5.1,11,24; 6.12,14).

Uma vez mais, a cruz de Cristo é vista como o evento do final dos tempos. A expiação de Cristo não nos perdoa simplesmente dos nossos pecados, mas também nos livra "da presente era maligna". Esta era é dominada pelo "deus deste mundo" (2 Co 4.4; 1 Co 2.6; Ef 2.2) que já está condenado (Jo 3.18). Mas a libertação dos santos começa agora mesmo (Gl 5.1). Por causa da cruz de Cristo e da habitação do Espírito Santo, a liberdade espiritual do último dia é trazida para a experiência presente do cristão. Isto é o "andar no Espírito" (5.5). Bruce habilmente declara: "A habitação do Espírito não só os ajuda a prosseguir em confiança para a vida da era vindoura (cf. 5.5); Ele os habilita a apreciá-la mesmo enquanto estiverem no corpo mortal em que vivem na era presente. Graças à obra do Espírito, aplicando aos crentes a redenção e a vitória ganha por Cristo, o 'ainda não' se tornou para eles o 'já'" (Bruce, 1982,76).

As palavras de Paulo claramente assinalam a distinção ética que existe entre as duas eras. A cruz dá à luz a "nova criação" do tempo do fim (6.15). O novo nascimento nunca pode ser realizado pela lei, que Paulo indica pertencer a esta era maligna. A lei é simplesmente outro exemplo dos "princípios básicos" (*stoicheia*) deste mundo que só conduz à escravidão (4.3, 9). Mas o Espírito, a promessa de Abraão, permite ao crente viver a vida ressurrecta (3.6; 4.5,28,29; cf. Rm 4.18-21).

Paulo é cuidadoso ao acrescentar que a obra salvadora de Cristo era feita "de acordo com a vontade de nosso Deus e Pai". Ele toca em vários pontos importantes aqui:
1) Está reivindicando que o próprio Deus criou o plano de redenção em Jesus Cristo.
2) Reconhece a preeminência do Pai no plano divino. Embora tenha representado repetidamente Jesus como sendo igual ao Pai, em última instância o Filho submete tudo ao Pai (1 Co 15.20-28).
3) Incluiu os gálatas na família de Deus. Além disso, os judaizantes estavam argumentando que a fim de ser filho de Deus, primeiramente teria de se tornar filho de Abraão (Gl 3.6-9, 18; 4.22). Por esse motivo, Paulo procura mencionar "o Pai" em três dos primeiros cinco versículos de Gálatas. O próprio Espírito testemunha em seus corações que eles são filhos de Deus (4.6,7).

Por causa da graça de Deus em Cristo, Paulo termina sua saudação com palavras de louvor (1.5). Em nenhuma de suas outras cartas inclui palavras de louvor na saudação. Alguns argumentam que Paulo insere estas palavras no lugar onde expressa normalmente agradecimento. Por outro lado, pode estar se protegendo contra a fiscalização crítica dos judaizantes. Paulo sabe que os judeus ortodoxos habitualmente colocam após o nome divino, a palavra *berakhah* (bênção judaica tradicional). Ao incluir palavras de louvor neste ponto, Paulo também expressa sua reverência ao Pai.

1.2. Ponto Central de Paulo: Um Só Evangelho (1.6-10)

Talvez Gálatas seja a mais "humana" das cartas de Paulo. Por causa da situação crítica na Galácia, ele expõe completamente a sua alma nesta carta. Suas emoções e seu espírito se derramam em cada página. Em outras palavras, ao defender o evangelho, Paulo revela também sua personalidade e caráter.

O corpo desta carta tem início com um choque e uma afronta pelos gálatas estarem "tão depressa" abandonando aquEle que os chamou (1.6). As palavras "tão depressa" sustentam uma data anterior da carta como descrito na introdução. Logo após a fundação das igrejas na Galácia, os judaizantes se infiltraram em seus postos e buscaram seduzi-los para longe de Cristo.

A palavra grega para "deserção" (*metatithemi*) foi usada no grego clássico para descrever tanto uma mudança de visões políticas, quanto abandonar um oficial comandante em batalha. Esta última imagem caracteriza os crentes da Galácia. Paulo não retrata os gálatas como vítimas inocentes, sendo arrastados contra sua vontade. Pelo contrário, claramente afirma que estão decididos a abandonar aquele que os chamou. Paulo aponta os judaizantes como tendo começado a desordem, mas justamente coloca a culpa nos gálatas por cooperarem com a sua heresia. E eles *ainda* estão cooperando, como mostra o tempo verbal no presente "abandonando".

A indignação de Paulo não é principalmente devido à rejeição deles em relação à sua própria pessoa. Na verdade, a crise na Galácia não é sobre submissão à sua liderança apostólica em si (Duncan, 1966, 16,17). Afinal, não foi ele que os chamou pela graça de Cristo. Só Deus pode chamar de modo eficaz para a salvação (1 Co 1.9). Ninguém sabia disto melhor que o próprio apóstolo (1.15). Então, em um sentido fundamental, os gálatas estão abandonando a Deus, deixando o único Deus verdadeiro que chama pela graça em Cristo. Deste modo, para Paulo, a graça é tanto o meio pelo qual Deus opera, quanto o lugar para o qual eles são chamados (Rm 5.2; 6.14; 11.6; Ef 2.5,8). Voltar-se a um deus que os chama ao legalismo e à escravidão da lei é voltar-se a um deus falso. Os gálatas estão correndo o risco de cair em desgraça. Estão à beira da perdição eterna.

É claro que uma visão distorcida de Deus inevitavelmente assume uma expressão doutrinária. Ao darem as costas a Deus, os gálatas se viraram para "outro evangelho", embora Paulo rapidamente acrescente que "não é outro" (1.7). A aparente contradição na declaração de Paulo é esclarecida pelo vocabulário especial que emprega. A palavra para "outro" no versículo 6 é *heteron* e se refere a algo que é qualitativamente diferente. O uso de *heteron* serve para descrever a diferença entre uma maçã e outra fruta, como uma laranja. Mas a palavra para "outro" no versículo 7 é *allon*, que se refere a algo que é quantitativamente diferente. Seria usado *allon* para descrever a diferença entre duas maçãs.

Em outras palavras, Paulo não está rejeitando um evangelho por estar simplesmente em uma outra forma em relação ao que ele pregava. Tiago, Pedro e João revestiram sua mensagem de modo diferente de Paulo, mas ainda era o evangelho da graça. Não, Paulo está rejeitando uma mensagem que era essencialmente diferente no conteúdo daquela que ele pregava aos gálatas (Lightfoot, 1957,77). A mensagem dos judaizantes tinha um conteúdo diferente do evangelho da graça; "não é, de modo algum, o evangelho" (NIV). É por isso que Paulo pode dizer que aqueles (note o plural) que estão perturbando aos gálatas estavam tentando "transtornar o evangelho", transformando-o em algo diferente (1.7). Estavam conscientemente torcendo a mensagem, transformando-a em um sistema de justificação pelas obras. Além disso, os verbos "lançando" e "tentando" estão no tempo presente, que indica que os judaizantes estão trabalhando até mesmo enquanto Paulo escreve a carta.

A intensidade do espírito de Paulo é comprovada em 1.8,9. Em um esforço para alcançar os gálatas, ele recorre a formas de expressões extremas. Cria o que poderia ser chamado de "o panorama do pior caso" e segue pronunciando uma maldição dupla sobre qualquer um que pregue uma mensagem falsa na Galácia. Para ter a certeza de que se dirige a toda possibilidade concebível, Paulo usa aquilo que os gramáticos chamam de uma "condição negada" ou uma "condição contrária ao fato". De um modo hipotético, ele exorta os gálatas a considerarem as seguintes possibilidades: *Se* a liderança ortodoxa da Igreja, que inclui Paulo e seus colegas, ou se mesmo um anjo do céu, vier a pregar uma mensagem contrária àquela que foi primeiramente entregue na Galácia, que tal pessoa seja condenada ao inferno!

A palavra traduzida "eternamente condenado" nos versículos 8 e 9 é *anathema*. Esta palavra é usada ao longo de toda a tradução grega das Escrituras hebraicas (a LXX ou Septuaginta) para traduzir *herem* — uma palavra hebraica que se refere a alguém ou a algo que deveria ser destruído por Deus. Por exemplo, quando Israel entrou à terra prometida para destruir os pagãos, viram sua missão em termos de *herem*. Qualquer coisa que fosse o objeto de ira e vingança divina era *herem*. O ponto de Paulo é claro. Qualquer um ou qualquer coisa que pregue um evangelho diferente do que foi originalmente pregado na Galácia deve ser condenado eternamente.

A inclusão de um "anjo de céu" pode ser mais que um dispositivo retórico. Uma tradição hebraica antiga cria que Deus usou anjos para comunicar a lei a Moisés no Sinai (cf. 3.19,20). Os judaizantes podem ter se referido a esta tradição em um esforço para conquistar os gálatas para a lei. Então, Paulo adverte que ainda que um destes anjos viesse e pregasse algo contrário ao evangelho da graça, deveria ser condenado ao inferno.

A situação na Galácia é tão séria que Paulo não deixa nenhum espaço para erro ou engano. Por não querer que os gálatas se enganem, repete-o no versículo 9. As palavras introdutórias "como já vo-lo dissemos", podem se referir a uma advertência prévia que Paulo entregou enquanto estava na Galácia. Estava ciente disso e temeu a influência corrupta dos judaizantes em uma primeira fase de seu ministério. Deste modo, Paulo pronuncia uma dupla maldição sobre estes, encomendando-os à ira de Deus.

O ataque agressivo de Paulo aos desordeiros traz à mente uma de suas acusações contra ele. Os judaizantes caluniaram Paulo como sendo um "bajulador," descrevendo-o como alguém que estava disposto a fazer concessões aos requisitos da lei para agradar os gentios. Reivindicavam que a razão de Paulo não exigir que os gentios fossem circuncidados ou que se submetessem à lei de Moisés, era uma forma de poder ganhar mais convertidos para si mesmo.

A base para esta acusação é obscura. Os judaizantes podem ter visto a vontade que Paulo tinha de acomodar vários grupos étnicos pela causa do evangelho, como uma busca das massas (1 Co 9.19-23). Afinal, ele não mandou que Timóteo fosse circuncidado em Listra (At 16.1-3)? Entretanto, recusou que Tito fosse circuncidado em Jerusalém (Gl 2.1-5). Isto não comprovaria que Paulo era um hipócrita, operando com base nos padrões humanos ao invés de se submeter a Deus?

Paulo se opõe às acusações fazendo a pergunta retórica: "Porque persuado eu agora a homens ou a Deus?" (1.10). A maneira como esta pergunta é colocada pede uma resposta negativa. Isto é, considerando sua batalha com os judaizantes e a mensagem escandalosa da cruz que ele prega (5.11; 6.12; cf. 1 Co 1.20-25), parece que Paulo está "tentando ganhar a aprovação dos homens" e não a de Deus? Claro que não!

A declaração final no versículo 10 pode soar como se Paulo admitisse ser um "bajulador" ao declarar: "Se estivesse ainda agradando aos homens". Mas este não é o caso. Paulo emprega, além disso, uma "condição contrária aos fatos" para conseguir tornar seu ponto bem claro. *Se* ele ainda estivesse tentando agradar aos homens (e na realidade não estava), *então* ele não seria um servo de Cristo — mas ele é de fato um *doulos* ("escravo") de Cristo, comprometido com a vontade de seu Mestre (Rm 1.1).

A boa vontade de Paulo para com os vários grupos de pessoas representa a sua estratégia missionária. Realmente, por esta razão Timóteo foi circuncidado. Uma vez que sua mãe era judia e seu pai gentio (At 16.1), Timóteo não poderia ministrar eficazmente em nenhuma das duas culturas. Sua circuncisão o "normalizou" com respeito ao mundo judeu, dando-lhe maiores oportunidades para evangelizar; o que não teria nada a ver com a sua salvação. Porém, a situação com Tito foi diferente. Seus pais eram gentios (2.3). Contudo, os judaizantes estavam insistindo para que ele fosse circuncidado *a fim de ser salvo*. Paulo recusou-se a ceder à pressão deles (2.5). Em tudo isto, Paulo nunca transigiu quanto ao conteúdo do evangelho. Para o judeu e o gentio, o único modo de salvação era através da graça, por meio da fé.

Podemos concluir a partir desta seção que Paulo exercitou um amor cristão maduro ao lidar com os gálatas. Ele se importou o bastante para confrontá-los quando se desviaram da verdade do Evangelho. A Igreja hoje tem uma necessidade desesperadora deste tipo de amor. É um amor não egocêntrico, mas tem um interesse genuíno no bem-estar e no desenvolvimento espiritual dos outros. É um amor que está mais preocupado com a qualidade espiritual dos membros da Igreja, do que com a quantidade de membros da Igreja.

2. O Argumento Autobiográfico de Paulo (1.11—2.14)

Aqui se evidencia o conhecimento que Paulo tinha da retórica grega. Um orador treinado começaria seu discurso dando uma exortação extensa, que seria então seguida por algum tipo de narrativa importante. Em 1.1-10 Paulo exortou os gálatas a não abandonarem aquele que os chamou e para permanecerem fiéis ao verdadeiro evangelho.

Aqueles que pregam um evangelho falso devem ser condenados ao inferno. Começando pelo versículo 11, Paulo relata a história de sua própria conversão e chamada. O propósito desta seção autobiográfica é validar mais adiante o seu Evangelho, relatando os meios sobrenaturais pelos quais este lhe foi comunicado.

2.1. *O Evangelho e a Chamada de Paulo São de Deus (1.11-17)*

As palavras de abertura do versículo 11, "faço-vos saber, irmãos", provavelmente não significam que Paulo esteja partilhando novas informações com os gálatas. É improvável que ele tenha fundado as igrejas da Galácia sem dizer-lhes como recebeu o evangelho. Melhor que isso, estas palavras são simplesmente um dispositivo literário que Paulo usa para lembrar aos gálatas aquilo que uma vez conheceram. Suas ações indicam que se esqueceram daquilo que Paulo partilhou com eles no princípio, e quer que recordem que o evangelho que lhes proclamou não se originou com qualquer ser humano. Os judaizantes provavelmente estavam espalhando o boato que a doutrina de Paulo, da justificação pela fé separadamente das obras da lei, havia sido inventada pelo próprio Paulo; que seu evangelho não era uma mensagem divina. Retrataram Paulo como um inventor de religião.

Paulo descreve esta acusação através do uso especial da gramática grega. A palavra grega usada para "por" é *hypo*, e neste contexto transmite a idéia de "agência" ou "meio". Em outras palavras, seu evangelho não veio a ele por qualquer agência ou meio humanos (veja o verso 12). Ele não recebeu o evangelho de qualquer ser humano. Aqui Paulo emprega a linguagem de tradição oral judaica. A palavra para "recebe" (*paralambano*) foi usada pelos judeus para descrever a transmissão da tradição religiosa. Paulo rejeita então a noção que seu evangelho é simplesmente um vínculo em uma longa cadeia de ensinos religiosos. Por mais honrada que esta designação pudesse ser, ele não era somente um guarda de convicções e credos sagrados.

Neste sentido, Paulo era diferente de seus gálatas convertidos. Eles receberam o evangelho através dele; ele, por outro lado, não o recebeu através de alguma outra pessoa, nem foi ensinado por algum outro ser humano. Além disso, o mal dos judaizantes está em evidência aqui. Estes, sem dúvida, argumentavam que tudo o que Paulo sabia sobre o evangelho havia sido aprendido com aqueles que tiveram uma relação mais próxima com Jesus. E todos sabem que o professor é superior àquele que é ensinado (Mt 10.24; Lc 6.40). Paulo nega a dependência de qualquer professor humano. Pelo contrário, ele recebeu o evangelho através da "revelação de Jesus Cristo".

Com estas palavras Paulo reflete a crença antiga de que a verdade não pode ser recebida primeiramente através do ensino, mas através de revelação sobrenatural (Betz, 1979, 62). Ele mesmo recebeu o evangelho através da revelação "de Jesus Cristo". O significado das palavras "revelação de Jesus Cristo" é aberto à interpretação. Paulo quer dizer que Jesus Cristo era *a origem* da revelação para ele, ou que Jesus Cristo era *o conteúdo* da revelação? Na verdade, Paulo pode ter ambas as idéias em mente. Gálatas 1.15,16 declara que agradou Deus revelar seu Filho em Paulo, de forma que ele pudesse pregar o evangelho entre os gentios. Se Paulo estiver se referindo nestes versículos à sua experiência na estrada de Damasco (e parece provável que o esteja fazendo), foi o Cristo ressurreto que primeiramente o confrontou para o evangelho (At 9.1-16; 22.1-16; 26.9-18). Jesus não era somente a fonte da revelação a Paulo, mas foi Ele quem formou também o conteúdo do evangelho.

A falta de dependência de Paulo na tradição da igreja parece contradizer o que ele mesmo diz em outro lugar. Em 1 Coríntios 11.23-26 e 15.3-8, Paulo indica claramente, usando uma terminologia tipicamente judaica para a recepção e transmissão da tradição religiosa, que ele recebeu as tradições da Ceia do Senhor e da ressurreição, daqueles que estavam no Senhor antes dele. Ele até elogia os coríntios por reterem firmemente as tradições que lhes passou (11.2). Além disso, existem muitos lugares nos escritos de Paulo que indicam o uso de antigas tradições da igreja (cf. Fp 2.5-11; 1 Ts 4.1,2,15-17; 1 Tm 3.16; 4.8-10; 2 Tm 2.11-13). Como, então, pode reivindicar a dependência exclusiva da revelação divina em Gálatas 1.11,12?

Respondendo a esta pergunta devemos fazer a distinção entre a essência da mensagem do evangelho e as muitas histórias e eventos que comunicam esta mensagem. Nenhum ser humano comunicou a Paulo a mensagem principal, de que somos justificados pela fé separadamente das obras da lei. Nenhum ser humano o ensinou que tanto os judeus quanto os gentios são iguais aos olhos de Deus, e que são aceitos por Ele com base na fé em Cristo. Mas isto não significa que Paulo não tenha aprendido várias convicções e práticas cristãs daqueles que foram convertidos antes dele. Portanto, seu evangelho e chamada vieram pela revelação divina, mas ele respeitou os ensinos que foram formulados desde o início da Igreja.

Para apoiar a sua reivindicação da revelação direta, Paulo relata sua perseguição à Igreja (1.13,14). A conexão entre sua perseguição à Igreja e sua reivindicação da revelação divina não é logo aparente. Mas sua estratégia parece dupla: Ele primeiramente os lembra daquilo que ouviram no passado. Então usa as próprias palavras de seus inimigos para alcançar os seus objetivos.

Paulo lembra aos gálatas que eles ouviram falar do modo de vida que teve no passado. Ele não fala de sua "antiga fé" ou "antiga religião". Antes, representa o judaísmo como um modo de se aproximar da vida. Paulo não vê sua antiga vida no judaísmo como algo louvável. Ele nunca procurou esconder o início obscuro que teve na Igreja. Freqüentemente relacionava sua perseguição à Igreja quando contava como veio a Cristo (At 22.1-21; 26.4-18; 1 Co 15.8-10). Deste modo, Paulo alcança pelo menos quatro realizações:

1) Destacando a conduta deplorável que tinha antes de sua conversão, Paulo reitera a graça de Deus em sua vida. Somente a pura graça de Deus poderia transformar tal assassino violento em um servo obediente ao Evangelho.
2) Demonstra que o zelo religioso não conduz necessariamente à santidade. Na verdade o oposto é freqüentemente o caso (Fp 3.6).
3) Seus inimigos não perderam a oportunidade de trazer à tona o passado obscuro do apóstolo Paulo. Sugeriram que sua perseguição assassina à igreja simplesmente mostrava o seu caráter. Paulo era um homem violento, cujas palavras não mereciam confiança. Concluíram que seu "Evangelho" era somente um produto de seu caráter falho.

Trazendo seu passado à luz, Paulo uma vez mais desarmou seus adversários.

4) Finalmente, a perseguição de Paulo à Igreja demonstra que ele não era um "investigador" em relação ao cristianismo. Não estava insatisfeito com sua vida no judaísmo e não era alguém que de boa vontade havia se convertido ao cristianismo (At 26.9). Deste modo, sua chamada e conversão só poderiam ter vindo pela intervenção milagrosa de Deus.

Paulo admite que perseguiu a Igreja "intensamente", além daquilo que seria razoavelmente esperado. Na verdade, seu objetivo era "destruir" a Igreja — libertar a terra de todos os crentes (At 9.1,2).

No versículo 14, Paulo enfatiza seu excelente desempenho no judaísmo (cf. 2 Co 11.22; Fp 3.5,6). Ele "era o melhor da classe", avançando além de muitos de seus contemporâneos no judaísmo. Seu compromisso total é visto em seu zelo às tradições de seus pais (isto é, aos ensinos verbais dos fariseus, que reivindicavam serem originados de Moisés; Mt 15.2-6; Mc 7.5-13). Provavelmente Paulo aprendeu estas tradições enquanto estudava aos pés de Gamaliel (At 22.3). Deste modo, Paulo não estava satisfeito em cumprir os 613 mandamentos do Antigo Testamento, mas procurou seguir os inumeráveis preceitos religiosos de seus antepassados. Qualquer acusação de que ele fosse moderado quanto à circuncisão por nunca ter sido realmente dedicado à lei, não tem fundamento.

Paulo usa a palavra "zeloso" para descrever sua dedicação a estas tradições ancestrais (cf. também Fp 3.6). Esta palavra é derivada da palavra grega *zeloo* e significa "ferver". Ela descreve claramente a grande intensidade do compromisso de Paulo com o judaísmo dos fariseus. Este uso especial de "zelo", porém, teve uma longa história na tradição religiosa judaica. Pode ser atribuída a Judas Macabeus e mais notavelmente associada aos "Zelotes" (Bruce, 1982, 91). Estes últimos estavam comprometidos com "a regra exclusiva de Deus" e não vacilaram em usar de meios violentos para incrementar seus fins religiosos e políticos. Realmente,

GÁLATAS 1

para o judeu fervoroso, não existia nenhuma virtude mais elevada do que o zelo a Jeová. O zelo de Finéias, por exemplo, o levou a matar um homem hebreu que contaminou Israel por coabitar com uma mulher midianita (Nm 25.6-13). O salmista louva Finéias por esta ação e diz que seu zelo assassino *foi contado como justiça* diante de Deus (Sl 106.30,31).

Seria possível que Paulo estivesse copiando o zelo de Finéias em sua perseguição à igreja? Será que acreditava que sua ação violenta contra a Igreja seria contada como justiça diante de Deus? E a sua experiência na estrada de Damasco o convenceu de que existe um zelo que não é de acordo com o conhecimento (Rm 10.2)? Não importando como podemos responder a estas perguntas, uma coisa é clara: Paulo não mais associa o crédito de justiça com o zelo desviado. Ele agora percebe que a fé que Abraão tinha é que justifica alguém aos olhos de Deus (Gn 15.6).

No versículo 15, Paulo relata sua chamada em termos que fazem lembrar os profetas do Antigo Testamento (Is 49.1-6; Jr 1.5). Sua conversão não foi simplesmente uma dentre muitas na Igreja. Sua vinda para a fé foi uma parte importante do plano de Deus para as eras. Como Paulo relata, agradou a Deus separá-lo desde o ventre de sua mãe para que servisse ao evangelho. A frase "me separou desde o ventre de minha mãe" (cf. nota da NIV) recorda a mão soberana de Deus na vida de grandes homens de fé (Jz 13.5; Sl 22.10; 58.3; 71.6). Então, Paulo acredita que Deus o predestinou a ser o apóstolo para os gentios, mesmo antes de seu nascimento. A opinião de Paulo é que sua chamada é uma obra completamente de Deus.

A palavra utilizada para "separar" em 1.15 reflete a raiz hebraica *parash* (de onde vem a palavra "fariseu"). Os fariseus se orgulhavam de serem os "separados", isto é, as pessoas realmente consagradas a Deus. É como se Paulo estivesse dizendo que embora fosse um fariseu (Fp 3.5), nunca fora realmente separado para a verdadeira obra de Deus até que se tornou um cristão. Para Paulo, Deus operou em duas fases distintas em sua vida:

1) Na sabedoria eterna de Deus ele foi separado para a obra do reino;
2) Foi chamado para ser um apóstolo para os gentios.

Indubitavelmente, Paulo teve uma perspicácia extraordinária no papel especial que deveria desempenhar no plano da salvação que fora elaborado por Deus. Contudo, o ponto mais importante aqui não é o papel propriamente dito, mas como tudo aconteceu. Sua chamada e missão deviam-se completamente à graça de Deus. Além disso, recebeu este papel especial através de revelação divina (1.16). A palavra "revelar" deve ser associada à palavra "agradar" em 1.15. Em outras palavras, Deus se *agradou* em *revelar* seu Filho ao apóstolo Paulo — uma referência à sua experiência na estrada de Damasco.

Existe muito debate sobre o significado das palavras "em mim". A palavra "em" se refere a localização? Isto é, Paulo está dizendo que recebeu uma revelação interna de Cristo em seu espírito? Ou deveriam estas palavras ser traduzidas como "para mim", em que no caso Paulo está descrevendo uma revelação objetiva de Cristo que existia externamente? Ou estas palavras deveriam ser interpretadas com o significado de "por mim", de forma que Paulo seja o instrumento ou o meio pelo qual Cristo foi revelado a outros? Em um determinado sentido, todas as três interpretações são válidas, mas "para mim" se harmoniza melhor com outros registros da conversão de Paulo (At 9.1-19; 22.6-18; 1 Co 9.1; 15.8). Além disso, a descrição de uma revelação externa objetiva coincide com a chamada profética que Paulo expressou em 1.15 (cf. Is 6.1-9; Ez 1.4—3.11).

A revelação de Cristo teve um profundo efeito transformador na mente e no espírito de Paulo. Significava que ele estava terrivelmente errado em perseguir os cristãos e em rejeitar a Jesus como o Messias. Mas, provavelmente o mais importante, significava que ele estava fundamentalmente errado em rejeitar *o entendimento de Deus* retratado por Jesus e os primeiros cristãos. A aceitação dos rejeitados e pecadores por parte de Jesus em nome de Deus, e a aceitação dos gentios por parte dos primeiros cristãos helenistas, significava que Deus desejava ter comunhão com os descrentes (Mt 11.19-24; Lc 7.34-50; At 11.19,20; Rm 4.5).

Paulo percebeu que sua teologia estava essencialmente errada "desde a sua base". Assim como já foi observado, isto era especialmente verdadeiro no que dizia respeito à lei. Seu zelo pela lei na verdade o conduziu a opor-se a Deus e ao seu povo. Aquilo que ele pensou que traria a justiça e a vida, só trouxe o pecado e a morte (Rm 7.9-11). Tal profunda experiência teve naturalmente conseqüências pesadas. Nisto reside o valor de interpretar "em mim" como "por mim". Paulo percebeu que deveria partilhar tal visão extraordinária de Deus com os outros, e que ele seria o instrumento primário para realizar esta visão no mundo. Conseqüentemente Paulo indica que a revelação de Cristo na estrada de Damasco teve um propósito específico — *de forma que* ele pudesse "pregar [a Cristo] entre os gentios".

O tema de independência é novamente captado nos versículos 16b e 17. Ao receber a visão, Paulo não a outorgou imediatamente a "qualquer homem", e não buscou especificamente conselho com os apóstolos de Jerusalém. Ao invés disso, entrou na Arábia e então seguiu para Damasco.

O relato de Paulo parece estar em conflito com o registro de Lucas em Atos, que não mostra nenhuma viagem para a Arábia, mas indica que logo após a sua conversão, Paulo entrou em Damasco. Depois de ser batizado por Ananias e receber sua visão, começou a pregar nas sinagogas daquele lugar (At 9.8-20). Contudo, o uso de Paulo da palavra "imediatamente" em Gálatas 1.16 sugere que não existiu nenhum período interveniente entre sua conversão e sua viagem pela Arábia.

Para solucionar este aparente conflito, o significado de "Arábia" desempenha um papel crucial. A interpretação tradicional é que se refira à península do Sinai. Aqueles que defendem esta interpretação acreditam que logo depois de sua conversão, Paulo entrou no deserto do Sinai para um período de contemplação retirada e quieta, a fim de separar as pesadas implicações de sua experiência na estrada de Damasco. Em apoio a isto, é observado que Moisés recebeu a lei no monte Sinai e que Elias também teve comunhão com Deus ali. Paulo está, então, seguindo a tradição destes profetas, tendo comunhão com Deus no deserto três anos após sua conversão.

Embora esta interpretação possa parecer bastante plausível, está carregada de dificuldades. Como foi observado, Lucas apresenta Paulo indo diretamente para Damasco após a sua conversão. É improvável que Lucas tenha omitido um período de três anos na vida de Paulo. Além disto, Paulo foi cuidadoso em dar um relato preciso dos primeiros anos de seu ministério. Se ele fosse diretamente para Damasco e não para o deserto do Sinai, seus adversários notariam seguramente esta discrepância. Então é mais que provável que a palavra "Arábia" esteja sendo usada em um sentido mais amplo que o deserto do Sinai. Poderia se referir também ao reino dos nabateanos, sendo Damasco a principal cidade. Note as palavras de Paulo em 2 Coríntios 11.32-33, onde declara que o governador do rei Aretas procurou capturá-lo em Damasco. Paulo não foi capturado por ter sido baixado de cima de um muro em uma cesta. Isto significa que logo depois de sua conversão, ele começou a evangelizar por todo o *reino* da Arábia. Esta interpretação preserva a harmonia entre o relato de Lucas em Atos e as próprias palavras de Paulo em Gálatas.

2.2. A Independência de Paulo de Jerusalém (1.18-24)

Os adversários de Paulo reivindicam que a autoridade que possuíam veio de Jerusalém (2.4,5,11-14; 4.25,26). Por não ir até estes, Paulo demonstra que sua chamada e apostolado são independentes da autoridade mais alta da igreja. Embora os judaizantes apelassem para as autoridades terrenas, Paulo reivindica a recomendação mais alta, isto é, Deus. Por ter recebido seu evangelho e ter sido chamado através da revelação divina, não tinha nenhuma necessidade "de ir à escola" em Jerusalém. Nisto reside o propósito da frase, "depois, passados três anos, fui a Jerusalém" (1.18). Sua ausência de Jerusalém mostra que ele não sentiu nenhuma necessidade de inquirir dos outros apóstolos. Porém, está aberto a interpretação o modo como os três anos deveriam ser considerados. Paulo está falando de três anos depois de seu retorno de Damasco ou de três anos depois de sua conversão? Se for considerado o tempo de seu retorno a Damasco, teriam se passado mais de três anos desde que Paulo esteve em Jerusalém.

Quando Paulo foi para Jerusalém, queria falar com Pedro. Pedro desempenha um papel proeminente em Gálatas e na história da igreja primitiva. Era um dos apóstolos "colunas" (2.9). Tinha sido reconhecido como o apóstolo para os judeus (2.7,8). E foi o apóstolo confrontado por Paulo em Antioquia (2.11-14). Os evangelhos e Atos reconhecem igualmente o papel proeminente de Pedro. Foi o Senhor quem lhe deu o nome aramaico "Cefas" (do grego *Petros*"), significando uma "rocha" ou "pedra" (Mt 16.16-19). Pedro fazia parte do círculo íntimo do Senhor (Mt 17.1; 26.37; Mc 5.37; 9.2; Lc 8.51; 9.28). Ele pode ter sido um dos primeiros apóstolos a ver o Senhor ressuscitado (Lc 24.34; 1 Co 15.5) e parece ter sido o primeiro líder da Igreja em Jerusalém (Gl 1.18; At 1.15). Assim, a menção de Paulo de seu encontro com Pedro é muito importante.

Por que Paulo se encontrou com Pedro? A palavra traduzida para "ver" ou "inquirir" (*historeo*) originalmente significava investigar ou aprender algo por investigação (cf. nossa palavra "história"). Naquele tempo, porém, esta palavra significava visitar alguém com a finalidade de ficar mais familiarizado. Assim, Paulo visitou Pedro com a finalidade de obter informações sobre o evangelho, ou simplesmente queria ficar melhor familiarizado com o apóstolo dos judeus? É improvável que Paulo tenha buscado informações sobre a mensagem essencial do evangelho. Se fosse assim, seu argumento sobre ser independente dos apóstolos de Jerusalém teria sido mencionado. Ao mesmo tempo é difícil acreditar que estes dois grandes apóstolos não tenham falado sobre a fé e assuntos relativos à Igreja.

Em outras palavras, a visita de Paulo a Pedro alcançou ambos os objetivos. Ele conheceu melhor a Pedro e provavelmente obteve informações sobre as tradições da Igreja, assim como a Ceia do Senhor, a ressurreição e o batismo cristão. Mas Pedro não lhe ensinou sobre o conteúdo e o significado do evangelho, pois Paulo já o vinha pregando por pelo menos três anos. Sua ênfase em tê-lo visitado por apenas "quinze dias" sustenta esta interpretação. Ele não estava presente o tempo suficiente para ter sido preparado por Pedro, como seus adversários estavam reivindicando.

O cuidado de Paulo em relatar os fatos pode ser visto também no versículo 19. Depois de declarar que ele não viu nenhum dos outros apóstolos, recorda que viu Tiago, o irmão do Senhor. A menção de Paulo a respeito de Tiago com os outros apóstolos levanta a pergunta: Paulo viu Tiago como um apóstolo, ou ele quer dizer que não viu nenhum outro apóstolo, mas viu outra pessoa importante na igreja? Parece que Paulo não restringiu o significado de "apóstolo" aos Doze (cf. 1 Co 15.5-7). Assim, Paulo provavelmente considera Tiago como sendo um apóstolo em quem ele viu o Senhor ressurreto. Não obstante, a autoridade apostólica de Tiago não é a questão central aqui. Paulo quer que os gálatas saibam que seu encontro com Tiago não tinha nenhum significado material. Ele menciona Tiago porque, juntamente com Pedro, é visto como sendo importante para os judaizantes.

A intensidade do espírito de Paulo é evidente no versículo 20. Ele jura diante do Senhor que não está mentindo. De um modo tipicamente hebraico ele afirma solenemente "diante [da face de] Deus", que aquilo que escreveu é a verdade. A seriedade do juramento indica que outros relatos com relação aos primeiros anos de Paulo na Igreja foram divulgados e alcançaram os gálatas.

As palavras de Paulo no versículo 21 coincidem com Atos 9.26-30. A fim de escapar do intento assassino dos judeus helenísticos de Jerusalém, Paulo fugiu para a costa de Tarso via Cesaréia (9.30). Seu ponto é que em seguida à sua breve visita a Pedro, distanciou-se dos apóstolos de Jerusalém. Não houve tempo para que recebesse deles qualquer aula particular extensa.

Parece haver outra discrepância entre o que Paulo diz em 1.22 e o registro de Lucas em Atos. Em Gálatas, Paulo afirma que as igrejas da Judéia não o conheciam "pessoalmente". Como Paulo pôde perseguir os cristãos em Jerusalém e ainda permanecer desconhecido (At 8.3; 9.26-31)? É possível que a maioria dos cristãos que fugiram de Jerusalém como resultado da perseguição a Estêvão, ainda não tivessem retornado para lá. Aqueles que escaparam da perseguição não conheceriam a aparência de Paulo. Paulo pode também ter simplesmente coordenado a perseguição, usando outros para realmente prender os crentes. Deste modo, ele não teria sido reconhecível para a Igreja em Jerusalém. Em todo caso, os cristãos em Jerusalém não o conheciam como um crente, somente como um perseguidor.

As notícias da conversão de Paulo foram rapidamente divulgadas na Igreja. A gramática dos versículos 23 e 24 indica que as igrejas da Judéia continuaram ouvindo o mesmo relatório. A pessoa que uma vez os perseguiu estava agora pregando a fé que uma vez tentou destruir. É interessante que a frase "a fé" representa "o Evangelho". Isto testifica a centralização da fé na igreja primitiva. Não há qualquer indicação de que as igrejas da Judéia tenham questionado a pregação do evangelho por parte de Paulo. Aparentemente entenderam que aquilo que ele pregava era exatamente aquilo em que criam. Esta é uma poderosa mensagem dirigida aos judaizantes. Desde o início, as igrejas da Judéia aceitaram a sua pregação da "fé" e louvaram a Deus por causa disto.

Paulo construiu um argumento poderoso contra seus acusadores. Sua experiência no Senhor e seus anos iniciais de ministério autenticam sua chamada e evangelho. O evangelho não lhe foi ensinado por outras pessoas, e Paulo não foi comissionado pela liderança da Igreja. Foi Deus quem o chamou e revelou seu Filho nele. Deste modo, não teve nenhuma necessidade de consultar a ninguém, e começou imediatamente a pregar o evangelho por toda a Palestina, Síria e Cilícia. Teve um contato mínimo com a Igreja em Jerusalém e com a sua liderança.

Agora que Paulo estabeleceu sua independência da igreja mãe, muda a natureza de seu argumento. Ele é independente, mas não é um dissidente. Deve agora continuar mostrando que, embora não exija a afirmação dos apóstolos de Jerusalém, ele, todavia, havia sido aceito por eles. E nisto reside a lição pessoal para cada um de nós que foi chamado pelo Senhor:

1) Nosso testemunho pessoal somente tem poder à medida que se relaciona com o restante do corpo de Cristo.
2) Nossa visão pessoal de Cristo deve corresponder à compreensão da Igreja como um todo.
3) Finalmente, nossa interpretação das Escrituras deve estar em harmonia com aquelas de fé e integridade genuínas (2 Pe 1.20). Se estes princípios se sustentam, então nossa chamada e ministério serão, simultaneamente, únicos e comuns.

2.3. O Evangelho de Paulo É Confirmado pelos Apóstolos de Jerusalém (2.1-10)

Pela terceira vez Paulo usa a palavra "então" (cf. 1.18,21). Ele está claramente relatando uma série cronológica de eventos, sendo cuidadoso para não omitir nada. Não deve dar a seus adversários qualquer oportunidade para desacreditar seu testemunho. Então, o texto em 2.1-10 descreve a visita seguinte que Paulo fez a Jerusalém. Isto teria acontecido cerca de quatorze anos depois de seu encontro com Pedro e Tiago em 1.18-20 (veja 2.1). Uma vez mais devemos perguntar. Paulo está descrevendo a visita da época de sua conversão ou da ocasião de sua última visita a Jerusalém? Uma vez que está enfatizando seu contato não freqüente com Jerusalém, os quatorze anos podem ser considerados da época de sua última visita. Se isto é verdade, então sua segunda viagem a Jerusalém aconteceu cerca de dezessete anos depois de sua conversão, considerando que ele já havia passado três anos na Arábia (1.17,18).

A questão central aqui é: O encontro descrito em 2.1-10 é o denominado "Concílio de Jerusalém" de Atos 15 ou a "Visita da Escassez" de Atos 11.27-30? Se optarmos pelo primeiro, então devemos presumir que os "falsos irmãos" de Gálatas 2.4 são os mesmos homens que vieram a Antioquia em Atos 15.1. Estes homens pertenceriam à "seita dos fariseus" (15.5); esta explicitamente exigia que os gentios fossem circuncidados e obedecessem a lei de Moisés. Sua campanha judaizante foi destruída pelo concílio, e Tiago emitiu um decreto escrito informando as igrejas quanto à sua decisão (15.23-29).

Porém, identificar Gálatas 2.1-10 com Atos 15 traz mais problemas do que soluções.

- Em Gálatas, Paulo diz que subiu a Jerusalém "por uma revelação" (2.2), enquanto que em Atos, a Igreja em Antioquia enviou Paulo e Barnabé a Jerusalém (At 15.2).
- Em Gálatas Paulo claramente declara que seu encontro com os apóstolos de Jerusalém foi de caráter particular (Gl 2.2), mas a conferência de Atos 15 foi feita em público.
- Em Gálatas Paulo simplesmente declara que apresentou seu Evangelho aos apóstolos e que Tito não foi compelido a ser circuncidado (Gl 2.3). Ele não diz que a circuncisão foi a principal razão da reunião ter sido convocada, como é tão evidente no relato de Atos.
- Também em Gálatas 2 nada é dito sobre as diretrizes específicas apresentadas em Atos 15.20,21,29. Reciprocamente, deve-se lembrar que é feita referência ao pobre em Gálatas 2.10, mas não no relato de Atos.
- Finalmente, se a reunião mencionada em Gálatas 2.1-10 é a mesma de Atos 15, por que Paulo simplesmente não se refere ao decreto de Tiago para resolver o assunto quando lida com os judaizantes na Galácia?

Por essas e outras razões que serão discutidas abaixo, concluímos que a reunião mencionada em Gálatas 2.1-10 não é o Concílio de Jerusalém de Atos 15. Ao invés disso, é provável que tenha sido uma reunião que Paulo teve durante a "Visita da Escassez" de Atos 11.27-30.

Embora Paulo fosse motivado pela revelação divina, tem também seus pés firmemente plantados no chão. Ele é um estrategista inteligente, que compreende os motivos e os desejos das pessoas. Por exemplo, Paulo antecipa a oposição em Jerusalém e deste modo leva Barnabé e Tito juntamente consigo (2.1). Ele escolheu estes auxiliares porque representam o âmbito de seu ministério. No que se refere ao evangelho, Paulo se sente confortável com os cristãos judeus circuncidados como Barnabé. Mas também é capaz de ter comunhão com cristãos gentios incircuncisos como Tito. E o mais importante, tanto Barnabé como Tito afirmam completamente a Paulo e ao seu evangelho.

Barnabé se destaca de modo proeminente na vida de Paulo e da igreja primitiva (At 4.36,37). Foi ele quem primeiramente apresentou Paulo à igreja e o acompanhou em sua primeira viagem missionária (At 9.27; 11.22-25; 13.1—14.28). Também a menção de Barnabé em Gálatas 2.1, sem qualquer qualificação ou apresentação, indica que era bem conhecido dos gálatas. Finalmente, os judaizantes não se esqueceriam de dizer aos gálatas que Barnabé juntou-se a Pedro em Antioquia quando este último separou-se dos gentios (2.11-14).

Tito, sendo menos proeminente que Barnabé, foi provavelmente levado para ajudar na viagem (Atos 12.25; 15.37-41). Foi um importante companheiro de Paulo (2 Co 2.13; 7.6). Porém, como um gentio incircunciso, Tito poderia servir como um "teste" para a missão livre da lei de Paulo para os gentios. Pelo fato de os apóstolos de Jerusalém não o terem obrigado a ser circuncidado, nenhum gentio poderia ser forçado a ser circuncidado na igreja.

Paulo não diz que "nós" subimos a Jerusalém, mas que levou Barnabé consigo. Isto significa que Paulo tomou deliberadamente a iniciativa de que estas pessoas o acompanhassem nesta visita. Deste modo, se os gálatas tivessem quaisquer perguntas sobre a reunião em Jerusalém, poderiam se referir a Barnabé e Tito.

Paulo diz que subiu "por uma revelação". Uma vez mais destaca a importância da revelação sobrenatural em sua vida e ministério (1.12,16). O ponto de Paulo é que fazendo esta viagem, estava sendo obediente à vontade revelada de Deus. Sua submissão a esta vontade se posiciona em contraste total ao que seus inimigos partilharam com os gálatas. Eles provavelmente disse que Paulo tinha sido "chamado para ser repreendido" pelos apóstolos de Jerusalém e teve que responder por seu ministério na Galácia. Então Paulo declara que fez a viagem por ter sido inspirado por Deus, e não intimidado por seres humanos.

Paulo não compartilha o conteúdo da revelação, então não sabemos por que o Senhor o dirigiu para que fosse a Jerusalém. Contudo, podemos ter certeza de que *Paulo não foi a Jerusalém porque duvidava da validade de sua chamada e mensagem*. Embora digamos mais na seqüência, seu motivo parece ter sido mais pragmático do que teológico. Se os apóstolos de Jerusalém falhassem em enxergar o que Deus estava fazendo através de Paulo, então seus esforços teriam sido muito prejudicados. Por outro lado, se tivessem o discernimento espiritual para reconhecer a graça de Deus em sua vida, seu trabalho no meio dos gentios teria sido ajudado.

Em Jerusalém, Paulo não submeteu seu evangelho ao exame das massas. Percebendo que um debate público poderia trazer mais problemas que soluções, escolheu apresentar seu evangelho em uma ocasião particular (2.2). Particularmente, apresentou seu evangelho "para aqueles que pareciam ser alguma coisa" — ou líderes — (uma frase usada duas vezes no versículo 6 e novamente no versículo 9, onde "aqueles reputados para serem colunas" são especificamente identificados como Tiago, Pedro e João). Aos ouvidos modernos, a descrição de Paulo sobre os apóstolos de Jerusalém parece negativa e um pouco sarcástica. Contudo, seu objetivo não é depreciar a posição de Tiago, Pedro, e João. Ele está simplesmente relatando a estima destas pessoas *sob a perspectiva da Igreja em Jerusalém* (Verseput, 1993, 49). Embora Paulo reconheça a autoridade deles, não aceita a veneração irregular que os judaizantes lhes prestavam (2.6).

Paulo usa um exemplo do atletismo quando expressa as preocupações que teve na reunião (cf. também 1 Co 9.25-27; Fp 3.12-14). A imagem é a de um corredor de longa distância que esforçou-se ao máximo na corrida, mas que foi desclassificado apenas por algum detalhe técnico. Paulo temia que todos os seus esforços pudessem ser destruídos por questões que não tivessem nada a ver com o evangelho propriamente dito, como circuncisão e leis referentes à alimentação. Se a liderança errasse por impor tais regras aos gentios, Paulo teria sem dúvida continuado o seu trabalho e pregado a mesma mensagem. Porém os seus esforços teriam sido extremamente frustrados.

No versículo 3, Paulo retorna ao assunto de Tito. Seu "teste" funcionou. Tito não foi "constrangido a circuncidar-se". Como nós deveríamos interpretar "circuncidar-se"? Será que isto significa que a circuncisão não foi nem mencionada na reunião, e por esta razão Tito não foi forçado a sofrer o ritual? Se este foi o caso, então Paulo poderia ter entendido o silêncio de Tiago, Pedro e João como um endosso implícito de seu evangelho livre da lei para os gentios (Bruce, 1982, 106 a seguir). Ou as palavras "não constrangido" significam que Tito *submeteu-se voluntariamente* à circuncisão, mas não foi forçado a fazê-lo? Ou Paulo está declarando que os "falsos irmãos" de 2.4 insistiam na questão da circuncisão, mas fracassaram em colocá-la na ordem do dia? Embora digamos mais na seqüência, a última opção parece ser a mais provável. Depois de se encontrarem com Tiago, Pedro e João, alguns tentaram forçar Tito a ser circuncidado, mas Paulo e Barnabé (observe o "nós" no versículo 5) resistiram com sucesso a seus esforços.

Quem eram estas pessoas que procuravam que Tito fosse circuncidado? A identidade dos adversários de Paulo em Gálatas levantava muitas perguntas. Eles são as mesmas pessoas de quem lemos em Atos 15.1-5? Os inimigos de Paulo em Gálatas consideram-se cristãos, ou são eles judeus não-cristãos que motivados pela política e nacionalismo judaicos, procuravam influenciar a Igreja na Galácia? É até possível que os adversários de Paulo sejam gentios que se tornaram prosélitos ao judaísmo antes de aceitarem a Cristo. Podem ter discutido que se tivessem que ser circuncidados para serem salvos, os demais gálatas deveriam fazer o mesmo. Além disso, poder-se-ia perguntar se Paulo está se dirigindo a um único grupo ou a vários grupos com convicções e intentos semelhantes. Em outras palavras, todos os termos: "alguns... que vos inquietam" (1.7), "falsos irmãos" (2.4), "alguns... da parte de Tiago" (2.12), "quem vos fascinou" (3.1), aqueles que são zelosos para vos conquistar (4.17,18) e "aqueles que vos andam inquietando" (5.12) se referem às mesmas pessoas?

Provavelmente nunca saberemos a identidade exata de tais pessoas ou grupos, mas Paulo seguramente vê a todos como inimigos do evangelho da graça. Em 2.4 ele os descreve como *pseudadelphoi* (lit., "falsos irmãos"). Deste modo Paulo não os considera cristãos, embora seu uso da palavra "irmãos" possa indicar que os desordeiros viam-se como parte da Igreja. De qualquer modo, estes falsos irmãos não eram membros das igrejas locais na Galácia, pois Paulo os descreve como agentes estrangeiros que se infiltraram na Galácia com intento hostil.

Eles estão envolvidos no que se pode chamar de "espionagem espiritual," com a finalidade de sabotar a vida jubilosa em Cristo experimentada pelos gálatas. A maneira de entrada deles é descrita como *pareisaktos* (uma palavra só usada aqui na Bíblia), isto é, "secretamente contrabandeada". Esta palavra era usada para descrever o contrabando ilegal de bens e a entrada clandestina de espiões. Além do mais, estes falsos irmãos que se infiltraram "se tinham entremetido e secretamente entraram a espiar" (2.4). Isto é, entraram nas igrejas como que para participar da adoração e para afirmar a comunidade de fé, mas sua intenção real era espionar a liberdade que Paulo e os gentios tinham em Cristo.

A "liberdade", neste contexto, se refere à vida cheia do Espírito da nova dispensação, que era totalmente livre das cerimônias e regulamentos tão característicos da velha ordem. Os falsos irmãos planejaram destruir sua liberdade em Cristo "escravizando" os gálatas à lei e à circuncisão (2.4). Realmente, a vida em Cristo e a vida debaixo da lei são tão antiéticas que Paulo não hesita em descrever esta última em termos de trabalho escravo cruel.

Contudo, a conspiração dos falsos irmãos fracassou. Apesar de seus melhores esforços, foram incapazes de forçar os interesses dos judaizantes à liderança em Jerusalém. Tito não foi compelido a ser circuncidado (2.3), pois Paulo e Barnabé não sucumbiram à pressão implacável. Resistiram aos falsos irmãos para que a liberdade do evangelho pudesse permanecer continuamente com os gálatas (2.5).

A repetição da frase "aqueles que pareciam ser alguma coisa" no versículo 6, indica que Paulo está retornando ao argumento principal que iniciou no versículo 2. Ele expande esta descrição dos apóstolos de Jerusalém acrescentando: "quais tenham sido noutro tempo, não se me dá". Além disso, é difícil evitar a impressão de que Paulo esteja procurando desmerecer o papel de Tiago, Pedro e João. Porém, o contexto assegura o contrário a esta impressão. Os judaizantes estavam buscando desacreditar Paulo enfatizando que ele não era um discípulo do Jesus histórico. Viram isto como uma séria negligência, porque a igreja de Jerusalém decidiu que um apóstolo deveria ser alguém que tivesse sido um seguidor de Jesus dos dias de João Batista até o dia em que o Senhor foi elevado ao céu (At 1.21,22). O próprio Paulo admitiu claramente que esta não foi a sua experiência (Gl 1.13). Os judaizantes aproveitaram esta admissão aberta e reivindicaram que Paulo não era um verdadeiro apóstolo. Para fortalecer sua base de poder, destacaram a conexão histórica que os apóstolos de Jerusalém tiveram com Jesus.

Paulo não se permitirá ser arrastado para esta questão. Ele poderia ter facilmente assinalado que Tiago, o líder da Igreja em Jerusalém naquela época e o meio-irmão do Senhor, na verdade não foi um discípulo de Jesus durante seu ministério na Terra (Mt 13.55; Mc 3.21; 6.3; Jo 7.1-5). Mas permitir que seus adversários o separassem dos apóstolos de Jerusalém, seria ficar em suas mãos. Teve que demonstrar sua solidariedade com a liderança da Igreja, por ser uma parte integrante daquela liderança.

Deste modo, Paulo permanece coerente em sua abordagem. Enfatiza que vê as coisas a partir da perspectiva de Deus, e não de um ponto de vista humano. Aquilo que os apóstolos eram na época não traz nenhuma conseqüência a Paulo, pois não traz nenhuma conseqüência a Deus. A possível relação dos apóstolos de Jerusalém com o Jesus histórico é irrelevante para Paulo, porque "Deus não aceita a aparência do homem" (2.6). Diferentemente dos desordeiros na Galácia, Deus não tem favoritos. As experiências pessoais de Tiago, Pedro e João podem ter sido impressionantes a partir de uma perspectiva estritamente humana, mas a vida deles antes da ascensão de Jesus não lhes concedeu nenhuma vantagem distinta sobre o apóstolo Paulo. *Tudo pertence à graça*.

Não obstante, mesmo que alguém aceitasse a opinião inchada dos judaizantes, aqueles que pareciam ser alguma coisa... nada acrescentaram à mensagem de Paulo. A palavra "acrescentaram" ou "comunicaram" sem dúvida se refere aos esforços dos judaizantes em acrescentar a circuncisão e as formalidades da lei de Moisés ao evangelho da graça. Em contraste com o que os "falsos irmãos" podem estar dizendo aos gálatas, o resultado da reunião em Jerusalém foi que Tito não foi circuncidado, a questão do dia dos desordeiros foi rejeitada, e Tiago, Pedro e João não acrescentaram quaisquer requisitos ao evangelho livre da lei, que Paulo levava aos gentios.

O mais importante é que a liderança em Jerusalém possuía a perspicácia espiritual de que os judaizantes tão claramente careciam. Os apóstolos de Jerusalém reconheceram que Paulo havia sido designado pelo Senhor para pregar o evangelho para os gentios incircuncisos e da mesma maneira Pedro aos circuncidados (2.7). O teor dos versículos 7-10 é importante porque Paulo pode estar narrando as palavras exatas da reunião. Seu uso do nome aramaico "Cefas" no lugar do helênico "Pedro" tem um importante significado. Também palavras como "circuncidado", "incircunciso", "confiado", "operou", e "pobre" foram provavelmente pronunciadas por Tiago, Pedro e João durante a consulta em Jerusalém. Além disso, o ponto principal aqui é que "aqueles que pareceram ser alguma coisa" concordaram com Paulo que este ministério é uma confiança divina (2.7) em que *Deus* trabalha (2.8) por sua *graça* (2.9) naqueles que foram *dotados* em uma área em particular (2.7,8).

Devemos notar a base para a decisão em Jerusalém. Tiago, Pedro e João não chegaram à decisão após muita deliberação e argumentação. Simplesmente reconheceram o trabalho sobrenatural de Deus em cada um dos apóstolos e entenderam que esta graça especial foi comprovada nas respectivas áreas. Tornou-se evidente que Paulo estava sendo usado para ministrar aos gentios, enquanto Pedro foi dotado no ministério entre os judeus. A palavra para "operou" em 2.8 é *energeo* e transmite a idéia de "energia" ou "atividade dinâmica". A liderança em Jerusalém sem dúvida citou a atividade milagrosa de Deus nas vidas de Pedro e Paulo, cujas referências estão registradas ao longo do livro de Atos (veja At 3.1-10; 5.1-10; 13.4-11; 14.8-10). Nesta base, não poderiam negar o que Deus estava fazendo através destes dois grandes homens.

Mas como deveríamos entender as palavras "incircuncisão" e "circuncisão"? Elas indicam algum tipo de divisão étnica do trabalho no ministério? Isto significa que Paulo *somente* poderia evangelizar os gentios e que Pedro *somente* poderia trabalhar entre os judeus? O ministério de Pedro para Cornélio e sua presença na Antioquia lançou dúvidas sobre esta interpretação (At 10.1—11.18; Gl 2.11-15). Paulo também ministrou aos judeus por todo o império Romano (At 13.14; 14.1; 17.2). Qualquer tentativa para dividir o ministério em regiões geográficas teria sido impraticável. Os judeus foram espalhados por todos os lugares, e muitos gentios viveram em Israel. Ao invés disso, os termos acima deveriam ser entendidos como inclusivos, no lugar de um sentido exclusivo. Paulo foi principalmente capacitado para evangelizar os gentios, mas poderia também ministrar aos judeus; Pedro era mais eficiente com os judeus, mas não estava proibido de ganhar os gentios.

O ponto central desta passagem é encontrado no versículo 9. Aqueles que eram vistos como levando praticamente a igreja inteira em seus ombros (*styloi* significa "pilares" ou "colunas") deram "as destras [a mão direita] de comunhão" a Paulo e Barnabé. O aperto de mãos era uma prática antiga significando aceitação e acordo. Isto originalmente demonstrava que as partes envolvidas não levavam armas escondidas e que desejavam unidade e paz (o costume continua até os nossos dias). Poderíamos dizer que com relação ao ministério de Paulo para os gentios, "eles apertaram as mãos".

Paulo é extremamente cuidadoso para não omitir quaisquer detalhes da reunião. Menciona então as palavras relativas aos "pobres" (2.10), que provavelmente se referem aos santos pobres de Jerusalém (At 12.25; 24.17; Rm 15.26). Mas mesmo aqui os apóstolos de Jerusalém não acrescentaram nada a Paulo. Ele e seus companheiros já estavam tomando conta dos pobres e continuariam a fazer assim (1 Co 16.1-4; 2 Co 8.1-15). Em todo caso, o cuidado da Igreja pelos pobres não tinha nada a ver com o modo como alguém se torna salvo. A liderança em Jerusalém não acrescentou nenhuma exigência aos gentios.

As palavras de Paulo nesta seção contêm muitas lições práticas para o ministério hoje:
1) Ser espiritual não é ser ingênuo. Houve muitos problemas na igreja primitiva, e Paulo estava completamente ciente deles. Ele desenvolveu estratégias para lidar com estes problemas e sabia aonde ir para resolvê-los.
2) Paulo sabia quando confrontar e quando cooperar. Ele confrontou os judaizantes porque a integridade do Evangelho estava em jogo (2.5), mas cooperou completamente com a liderança da Igreja. Reconheceu as respectivas áreas do ministério e estava ansioso para promover programas para o bem comum (2.7-10).
3) Em resumo, Paulo nos fornece um modelo para lutarmos com as questões espinhosas da Igreja. O modelo é dinâmico e multifacetado. Combina flexibilidade com firmeza e autoridade com submissão.

2.4. A Confrontação de Paulo com Pedro (2.11-14)

Paulo não quer que os gálatas entendam mal os pontos já alcançados. Ele claramente dá boas-vindas à afirmação dos apóstolos de Jerusalém. Contudo, não comprometerá a integridade do Evangelho para permanecer em suas boas graças. É por essa razão que Paulo inclui sua confrontação com Pedro em Antioquia. Sua disposição para confrontar um apóstolo principal prova que não cederá à pressão quando a verdade do evangelho estiver em jogo.

É difícil determinar exatamente quando esta confrontação aconteceu. As diretrizes do Concílio de Jerusalém em Atos 15 podem trazer alguma luz. Estas diretrizes foram especificamente criadas para assegurar uma comunhão à mesa entre judeus e gentios. Contudo, a recusa de Pedro em comer com os gentios em Antioquia contradiz a decisão do concílio. Portanto, suas ações são difíceis de entender se os eventos de Gálatas 2.11-14 aconteceram depois do Concílio de Jerusalém. Afinal, Tiago emitiu um decreto por escrito assegurando a unidade da Igreja, um decreto que tinha

GÁLATAS 2

sido distribuído para todas as igrejas (At 15.22-29). Se a deserção de Pedro ocorreu após estes eventos, Paulo não teria apelado para o concílio quando confrontou Pedro? De qualquer modo, as palavras de Tiago teriam sido armas poderosas contra os judaizantes. Paulo poderia ter lembrado aos gálatas (e a Pedro) que o líder da Igreja em Jerusalém já havia decidido que os judeus e os gentios eram iguais aos olhos do Senhor. Naturalmente, poderia ser discutido que "alguns... da parte de Tiago" (2.12) foram para Antioquia a fim de ver se os gentios estavam seguindo as diretrizes do concílio. Mas por que representantes de Tiago teriam que ser enviados a Antioquia quando Pedro já estava presente? Pedro entendeu completamente a decisão do concílio e argumentou a respeito de sua implementação (At 15.7-11).

A conduta de Pedro é menos problemática se concluirmos que a reunião de Paulo com "Tiago, Pedro [Cefas] e João" (2.9) era realmente a "Visita de Escassez" de Atos 11.27-30 ao invés do Concílio de Jerusalém de Atos 15. Neste caso, a confrontação de Paulo com Pedro pode ter acontecido entre a visita de escassez e o Concílio de Jerusalém. Este panorama ainda coloca a deserção de Pedro em Antioquia depois do evento de Cornélio em Atos 10. Então Pedro teria sabido que os judeus e os gentios foram salvos pela graça. Não obstante, pode ter ficado confuso sobre como os gentios deveriam se relacionar com os judeus na Igreja. Na verdade, os gentios são salvos pela graça através da fé, mas isto significa que podem simplesmente ignorar os costumes religiosos de seus irmãos judeus?

Não importando onde datamos o incidente em Antioquia, não pode haver nenhuma dúvida que Paulo discordou fortemente das ações de Pedro. Quando Pedro chegou a Antioquia, Paulo resistiu-lhe face a face (2.11). O conflito foi ao ar livre, e os gálatas puderam conferir a precisão do relato de Paulo. Paulo usa uma linguagem forte para se fazer entender. Emprega a linguagem jurídica para revelar o erro de Pedro. Em um sentido jurídico, Pedro "estava claramente no erro". Paulo não diz que condenou Pedro, nem que Deus o tenha condenado. Foram as próprias ações de Pedro que o condenaram antes da Igreja e do Senhor.

A base para a culpa de Pedro era tripla:
1) Anteriormente à chegada dos homens de Tiago (2.12), tanto os judeus como os gentios apreciavam a comunhão irrestrita. Não era exigido aos gentios seguir quaisquer das leis alimentares do Antigo Testamento. Além disso, não existe tampouco nenhuma evidência de que os cristãos judeus em Antioquia estivessem observando tais práticas (Hill, 1992, 134-137). O próprio Pedro comeu livremente com os gentios incircuncisos.
2) Mas quando os homens de Tiago chegaram, Pedro se retirou dos gentios e se associou somente aos judeus.
3) O pobre exemplo de Pedro levou outros a agirem semelhantemente, dividindo deste modo a igreja de Antioquia em facções judaicas e gentias. Ele era culpado de hipocrisia e de instigar a divisão na Igreja (2.13).

A identidade dos homens que vieram da parte de Tiago é incerta. Não parecem ser os mesmos desordeiros encontrados em Atos 15.1-6, ou pelo menos não estão fazendo as mesmas exigências. Os judaizantes estavam pressionando os gentios a serem circuncidados, e nada é dito sobre a circuncisão em Gálatas 2.11-14. É bastante provável que estes homens sejam os mesmos "falsos irmãos" mencionados em 2.4.

Mas por que Paulo associa estes agitadores com Tiago?
1) Talvez Paulo não esteja usando o nome "Tiago" como uma designação pessoal. "De Tiago" pode simplesmente se referir à jurisdição do apóstolo Tiago. Nesse caso, Paulo está simplesmente observando que os desordeiros vieram da jurisdição de Tiago, isto é, de Jerusalém.
2) "Tiago" pode ser um nome utilizado para designar o setor judeu conservador da igreja que Tiago representava. Neste sentido, os falsos irmãos eram "de Tiago" por se identificarem com a porção da igreja que era conservadora, palestina e de língua hebraica (cf. At 6). Se isto é assim, deve

ser admitido que os desordeiros eram mais radicais que o próprio Tiago, pois este aceitou completamente os gentios incircuncisos na Igreja. Note que Paulo nunca envolve Tiago diretamente com o problema de Antioquia. Se estivesse realmente no âmago do problema, Paulo não teria vacilado em culpá-lo também.

3) Talvez os agitadores tenham realmente sido enviados por Tiago, mas desvirtuaram suas intenções assim que chegaram a Antioquia. Desde que Paulo claramente afirma que eram da parte de Tiago, mas não o envolve no problema, esta opção final parece mais provável (cf. também At 15.24).

O que exatamente os "homens... de Tiago" exigem? Diferentemente de Atos 15.1-6, não temos um registro de suas palavras, então não podemos ter certeza de sua mensagem. Paulo descreve somente as conseqüências negativas de sua chegada, mas não relata o que disseram. Presumivelmente sentiram que a comunhão de Pedro com os gentios, expressava uma falta de respeito pelas leis alimentares judaicas. Uma vez que o nacionalismo judaico estava em elevação, associando-se livremente com os gentios na Antioquia, pode ter sido perturbador para alguns cristãos conservadores (Smallwood, 1981, 123). Também os judeus não-cristãos, sendo zelosos em preservar as tradições e a identidade de Israel, podem ter pressionado os judeus cristãos a se separarem dos gentios. Em resumo, os judeus cristãos podem ter se sentido obrigados a seguir o exemplo devido às preocupações sociais e políticas de seus amigos judeus. Deste modo, fatores sociais e políticos podem ter levado os homens de Tiago a interpretar o acordo de Gálatas 2.8-10 de um modo literal. Paulo poderia associar-se com os gentios, mas Pedro somente deveria ter comunhão com os judeus.

Não importando a identidade exata dos homens de Tiago e sua mensagem, uma coisa é clara. Pedro temeu aqueles que pertenciam ao grupo da circuncisão (2.12). Além disso a identidade do "grupo da circuncisão" é problemática. Eram estes os judaizantes tão freqüentemente atacados por Paulo em Gálatas e em outras passagens do Novo Testamento (At 11.2; Tito 1.10)? Ou representam todos os cristãos judeus na igreja? Ou o termo simplesmente significa todos os judeus não-cristãos?

Remetendo-se a estas questões, deve ser notado o seguinte: "O grupo da circuncisão" não pode se referir aos judeus cristãos em geral. Paulo era circuncidado, mas certamente não fazia parte deste grupo. Pedro também era circuncidado e no final se tornou parte do problema em Antioquia. Contudo, Paulo não o identifica com "o grupo da circuncisão". Lembremo-nos que antes da chegada dos homens de Tiago, Pedro e outros judeus cristãos comeram com os gentios em Antioquia. Então os judeus cristãos em Antioquia não eram a causa do problema. Foi "o grupo da circuncisão" que primeiro aterrorizou a igreja ali, e não Pedro e seus companheiros cristãos judeus. É tentador identificar "o grupo da circuncisão" com "os homens... de Tiago", mas isto seria um erro. Paulo parece ter visto os homens de Tiago como sendo parte da Igreja, embora "o grupo da circuncisão" seja constantemente endereçado como não, cristãos (Fp 3.2-6).

Pode bem ser que nesta primeira fase da Igreja, não sejam possíveis tais distinções precisas entre vários grupos. Os primeiros capítulos de Atos trazem amplas evidências de que a igreja cristã judia estava lutando por sua identidade frente ao judaísmo. Tudo que está registrado em Atos 15, em relação a este assunto, nos fala deste tipo de luta. Por exemplo, um setor da igreja judaica abraçou uma nova identidade em Cristo, que não fez nenhuma distinção entre judeus e gentios. Paulo e seus companheiros pertenciam a este grupo. Mas outro setor da igreja aceitava a Jesus como o Messias, ainda que estivesse significativamente associado com o judaísmo histórico. Este grupo sem dúvida experimentou uma tensão considerável entre sua fé recém encontrada em Cristo e sua vida prévia no judaísmo. Este tipo de tensão pode ser refletido no comportamento ambivalente de Pedro e dos homens de Tiago. Este era o grupo particularmente vulnerável à pressão dos nacionalistas judeus.

Realmente, Josefo registra que por volta de 40 d.C., os lutadores da liberdade judaica estavam intensificando sua campanha contra os Romanos (nas obras *Guerras Judaicas*, 2.118; e *Antiguidades* 18.23). Aos olhos de tais judeus militantes, qualquer israelita que se associasse aos gentios, especialmente qualquer um que comesse com eles, seria um traidor (Esler, 1987, 147). A comunhão à mesa era vista como uma colaboração com o inimigo porque minava a identidade distinta dos judeus. Dentro deste contexto em particular, os "homens... de Tiago", podem ter julgado que a associação com os gentios seria muito inflamatória à uma situação já tensa (Sanders, 1990, 185-186). Então, da mesma maneira que Saulo, o fariseu, perseguiu os cristãos judeus por não exigirem que os gentios fossem circuncidados, "o grupo da circuncisão" está agora pressionando os crentes judeus para se separarem dos gentios.

Por todas estas razões Paulo claramente afirma que Pedro é culpado de "hipocrisia" (2.13). A palavra *hypokrisis*, foi emprestada do teatro grego, e literalmente significa "falar de debaixo da máscara". Descreve como as atores conversariam uns com os outros entre as cenas. Freqüentemente a natureza de sua conversa não combinava com a expressão da máscara que usavam. Então o significado essencial de "hipocrisia" denota uma incoerência entre a convicção interior e a expressão exterior de alguém (Earle,1979,186).

No que diz respeito a Pedro em Antioquia, suas ações eram incompatíveis com suas convicções teológicas. A gramática de 2.12 apóia a acusação de Paulo de hipocrisia. Os verbos "afastar" e "apartar" estão ambos no tempo imperfeito, que fala de uma ação contínua no passado. Então Pedro estava gradualmente separando-se dos gentios com quem previamente havia se alimentado. Estava muito ciente daquilo que estava fazendo. De um modo sutil, ainda que inconfundível, estava dizendo que os gentios eram inaceitáveis.

O contexto especial desta associação tornou a hipocrisia de Pedro ainda mais séria, pois a associação judaica significava a aceitação no nome de Deus. Isto é, até mesmo uma simples refeição era entendida como tendo algum significado sacramental. Deste modo, a recusa de Pedro em comer com os gentios implicava fortemente que os gentios não eram aceitos por Deus. Estava dizendo que para que os gentios fizessem parte do povo de Deus, teriam que se converter ao judaísmo — se tornarem judeus e buscarem sua salvação observando todas as obras da lei (Dunn, 1992,101).

A transigência covarde de Pedro teve conseqüências devastadoras para a Igreja em Antioquia. Teve início uma reação em cadeia que afetou "os outros judeus" (2.13). Paulo nota que até Barnabé foi alcançado pela hipocrisia de Pedro (2.13). Agora, Barnabé foi a pessoa que apresentou Paulo à missão gentia em Antioquia (At 11.25,26). É difícil entender como ele poderia ter se entregado a tal comportamento. Ele seguramente não estava de acordo. Somente o papel de Pedro como o apóstolo para os judeus pode servir de explicação. De algum modo Barnabé interpretou o exemplo de Pedro como estabelecendo uma política, e se sentiu no dever de seguir aquela política.

A natureza pública da confrontação é reiterada em 2.14. Paulo se dirigiu a Pedro "na presença de todos". A resposta agressiva de Paulo a Pedro se deve às sérias questões em jogo. Ele reconhece que Pedro não está agindo de acordo com a verdade do evangelho. Estas palavras só podem significar que o comportamento de Pedro violou os princípios centrais da fé, por estar sugerindo fortemente que a graça da aliança de Deus era restrita ao povo de Israel. Os gentios incircuncisos eram pecadores e, deste modo, mereciam a exclusão da comunidade de Israel (Dunn, 1992, 102).

Paulo expõe a hipocrisia de Pedro perguntando: "Se tu, sendo judeu, vives como os gentios e não como judeu, por que obrigas os gentios a viverem como judeus [isto é, acatar o judaísmo]?" Em outras palavras, se Pedro (um judeu por raça e cultura) não vive pela carta da lei judaica, por que está tentando forçar os gentios a se tornarem judeus observadores da lei?

É importante notar as inferências que Paulo faz em 2.14. Ele começa por mudar do particular para o universal. A ação de Pedro como indivíduo tem implicações significativas para *todos* os gentios. Paulo então afirma a unidade essencial da lei. Falhar em uma parte da lei é falhar na lei inteira, como um sistema integrado. Em outras palavras, Pedro não pode escolher quais leis irá observar. Se transgredir uma das leis, torna-se um transgressor de toda a lei. Como um transgressor, falhou com a lei como um todo. Por outro lado, se os gentios são forçados a se submeterem às leis alimentares do Torá, isto significa que são obrigados a manter todos os preceitos da lei. Embora Pedro possa não ter percebido isto no momento, estava forçando os gentios a se converterem ao judaísmo (cf. 5.3). Os gentios em Antioquia teriam que se circuncidar e obedecer toda a lei de Moisés.

As implicações contemporâneas desta passagem são aparentes, ainda que pesadas. A confrontação pública de dois líderes principais da Igreja é um sinal certo de que existe problema no arraial. A estatura e experiência espiritual das pessoas envolvidas (Paulo e Pedro) asseguram que as questões em jogo são grandes. Por um lado, tal conflito aberto está perturbando e possivelmente até desencorajando aqueles que são novos na fé. Não obstante, às vezes problemas críticos exigem métodos radicais. Porque quando a cabeça está confusa, o corpo não pode funcionar. Pedro estava confuso sobre os princípios centrais da fé, e estava na verdade desunindo o corpo de crentes em Antioquia. Ele estabeleceu um precedente perigoso, que certamente destruiria a unidade da Igreja. Paulo não poderia permitir que este tipo de dissensão se espalhasse além dos limites da Igreja em Antioquia. Teria que confrontar Pedro, e deveria fazê-lo imediatamente.

Devemos ser cuidadosos ao observar que o texto em 2.11-14 não trata de poder, mas de princípios. A lição aqui não é realmente sobre conflito, mas sobre convicção. Paulo teve o discernimento espiritual para entender que existiam questões em jogo que transcendiam personalidades e política, e teve a coragem moral para agir conforme as suas convicções, não importando o custo. Esta é a marca da verdadeira liderança espiritual. E este é o único tipo de liderança que pode manter a Igreja afinada, de acordo com a perfeita vontade de Deus.

3. O Argumento Teológico de Paulo (2.15—4.11)

A Carta aos Gálatas tem sido descrita como um rascunho de carta de Paulo aos Romanos. Muitos paralelos podem realmente ser traçados entre estas duas cartas. Gálatas 2.15-21 pode servir como um esboço esquemático para a maior carta de Paulo, pois nestes sete versículos ele descreve as principais doutrinas da fé, tão habilmente desenvolvidas em Romanos. Ocupa também um lugar estratégico na estrutura desta carta, servindo como uma ponte para o argumento de Paulo da experiência apresentada nos capítulos de abertura com seu argumento teológico encontrado na próxima seção da carta.

3.1. A Justificação É pela Fé, não pelas Obras da Lei (2.15-21)

Paulo argumentou a partir de sua experiência pessoal com o Senhor, seu contato pouco freqüente com Jerusalém e sua confrontação com Pedro em Antioquia. O tema subjacente em cada uma destas seções é a revelação divina. Deus revelou seu Filho a Paulo na estrada de Damasco, e chamou-o para ser um apóstolo para os gentios. Ninguém lhe ensinou o evangelho, pois recebeu-o diretamente do Senhor (1.11,12,15,16). Semelhantemente, foi o Senhor quem o levou a visitar aqueles que, em Jerusalém, eram apóstolos antes dele (2.2). E a revelação divina instilou em Paulo uma confiança inabalável na autoridade do evangelho. Por sua vez, esta confiança lhe concedeu a coragem para confrontar qualquer um que comprometesse a verdade do evangelho, até mesmo o apóstolo Pedro (2.11-14).

Começando com o texto em 2.15, Paulo muda de seu argumento biográfico para seu argumento teológico. Estas duas fases estão relacionadas, porque Paulo faz esta transição descrevendo as implicações teológicas de suas experiências no Senhor. A transição é tão sutil que é difícil determinar onde um pensamento termina e o outro começa. Ele simplesmente muda dos privilégios individuais desfrutados por todos os judeus, para os princípios teológicos que se aplicam a todas as pessoas, sejam judeus ou gentios.

Nisto reside o ponto de Paulo. Se, como o povo da aliança tradicional, os judeus cristãos percebessem que a lei e a circuncisão terminaram em Cristo, então por que alguns deles estão tentando forçar os "pecadores gentios" a se submeterem à lei? O significado da frase "pecadores gentios" deve ser encontrado nas palavras "judeus de nascença" (2.15), que denota as pessoas que nascem na rica herança religiosa dos judeus (Rm 9.4,5). Sendo da raça judaica, receberam todas as bênçãos da aliança e as diretrizes explícitas da lei. Os gentios não desfrutavam de nenhum destes privilégios; nasceram fora da aliança e não tiveram conseqüentemente a lei. As próprias circunstâncias de seu nascimento os constituíram como "pecadores" aos olhos dos judeus (Verseput, 1993,53).

O tema central de Gálatas está claramente expresso em 2.16, onde Paulo enfaticamente declara que ninguém é justificado por observar a lei, mas que a justiça vem somente pela fé em Jesus Cristo. Com estas palavras ele prova seu ponto ao contrastar o poder eficaz da fé em Cristo com a impotência de se observar a lei. Para Paulo estes dois temas são mutuamente exclusivos. Este versículo central, porém, levanta as seguintes perguntas. O que Paulo quer dizer com "obras da lei" (uma tradução literal)? E também, como devemos interpretar "fé em Jesus Cristo" (também uma tradução literal)? E qual é a natureza da justiça de que se fala aqui?
1) O significado da frase triplamente repetida "obras da lei" é intensamente debatido. Ela foi tradicionalmente interpretada como significando a completa lei do Antigo Testamento. Por essa razão a versão NVI traduz a frase como "observando a lei". Contudo, devemos nos lembrar de que Paulo nunca depreciou a lei propriamente dita. Em Romanos ele ensina que a lei é santa, justa e boa (Rm 7.12). Isto é, ela é de Deus e reflete o caráter essencial de seu Criador. Em Gálatas, Paulo afirma que o conteúdo moral da lei é resumido em um mandamento: amar o próximo como a si mesmo (Gl 5.14).

Deste modo, não é completamente preciso tomar "obras da lei" como sendo o mesmo que observando toda a lei. James Dunn argumenta que comparar "obras da lei" com toda a lei representa falsamente o judaísmo como uma religião de justiça pelas obras. Portanto, Dunn sustenta que as "obras da lei" se referem somente àqueles aspectos da lei que promoviam nacionalismo e distinção étnica judaicas (Dunn, 1992, 116). Sem dúvida ele está correto nesta avaliação, especialmente quando diz respeito aos gálatas. Os "homens de Tiago" e os "falsos irmãos" estão seguramente interessados em promover distinções étnicas judaicas. Não obstante, deve-se questionar se Paulo está simplesmente combatendo o nacionalismo judeu em Gálatas. Como será notado abaixo, ele diz que "morreu para *a lei*", e não que morreu para as "obras da lei" (2.19). Em 3.10 Paulo parece comparar a frase "observando a lei" com "tudo que está escrito no livro da lei". Ele continua a dizer que ninguém é justificado *pela lei* e que *a lei* não é da fé (3.11,12). Na verdade, a obra redentora de Cristo nos livra da maldição *da lei* (3.13). No final, Dunn não é justificado ao limitar o significado de "obras da lei" para aqueles elementos que promoveram o nacionalismo judeu.

F. F. Bruce está mais dirigido ao alvo quando interpreta "obras da lei" como denotando uma maneira de observar a lei. Entende que a frase representa um espírito de legalismo que buscou ganhar o favor de Deus mantendo vários mandamentos e rituais. Esta interpretação preserva a integridade da lei como um todo, mas rejeita a mentalidade da justiça pelas obras dos judaizantes. A compreensão de Bruce também permite a interpretação de Dunn, porém não se restringe a esta. Bruce concorda que os judaizantes possuíam um espírito de justiça pelas obras, por meio do qual procuram mediar as alturas do céu intensificando normas e práticas judaicas. Ele também aceita que "os falsos irmãos" observaram a lei de um modo exclusivo e a seu próprio serviço, o que, com efeito, rotulou para sempre os gentios como "pecadores". Contudo, diferentemente de Dunn, Bruce afirma que o judaismo do primeiro século via a lei como um meio de justificação (cf. também Cohn-Sherbok, 1983, 72). Paulo rejeita enfaticamente este entendimento da lei em Gálatas.

2) Portanto, a justificação não vem por observar a lei, mas pela "fé em Jesus Cristo". Gramaticalmente a frase "fé *de* Jesus Cristo" pode se referir ao tipo de fé que Jesus demonstrou durante seu ministério terreno. Neste caso, Paulo estaria exortando os gálatas a terem o mesmo tipo de fé que Jesus teve. Por outro lado, a frase pode ser interpretada como "fé *em* Jesus Cristo". Nesta instância "Jesus Cristo" significa toda a sua obra redentora, sendo preeminentemente manifestado na cruz e na ressurreição. Como "Jesus Cristo" é colocado em antítese às "obras da lei" (e à lei em geral em 3.10-14), a tradução "fé *em* Jesus Cristo" deve ser preferida. Ninguém é justificado por guardar a lei, mas por colocar a confiança na pessoa e na obra de Jesus Cristo.

3) Por fim, o que exatamente significa justiça ou justificação em 2.16? Por exemplo, Paulo entende que a justificação produz uma mudança moral no indivíduo? Se isto é assim, então quando alguém é justificado pela fé, é automaticamente transformado em uma boa pessoa. A justificação seria então equivalente a uma purificação moral. Ou será que Paulo está usando a justificação em um sentido jurídico ou legal? Isto é, aqueles que colocam sua confiança em Jesus são justificados com respeito aos requisitos da lei. Neste caso, a opinião de Paulo seria que o salvo é colocado em um relacionamento correto em relação à lei de Deus.

Ao analisarmos esta questão, devíamos notar que Paulo associa coerentemente a experiência da justificação com a fé de Abraão (3.6-9; Rm 4.10,11). Ele ensina que Abraão creu em Deus e isto lhe foi *creditado* ou *imputado* como justiça. A palavra para "creditado" ou "imputado" é *logizomai*, um termo de contabilidade que quer dizer "carregar ou creditar na conta de alguém". Deste modo, quando Abraão colocou sua fé nas promessas de Deus (Gn 15.1-6), sua atitude foi recompensada com a justiça de Deus. Deus concedeu ou deu a Abraão sua justiça em resposta à sua fé.

Teologicamente, esta transferência de justiça não produziu uma transformação moral em Abraão (que recai mais na categoria da regeneração), nem capacitou Abraão a obedecer a lei (que diz mais respeito à santificação). Ao invés disso, Paulo está usando a justificação em seu sentido legal ou "forense". A justificação em Cristo é a condição de "não culpado" diante de Deus; através da fé em Jesus Cristo, o crente é colocado em um relacionamento direto com todos os requisitos legais da lei, absolvido de todas as penalidades da lei e conseqüentemente liberto da maldição da lei (3.13). Paulo conclui a passagem em 2.16 fazendo alusão ao Salmo 143.2. A própria lei testemunha que separadamente da graça ninguém será justificado diante de Deus.

As palavras de Paulo em 2.17-21 foram notoriamente difíceis de interpretar. A complexidade destes versículos é provavelmente em razão de Paulo estar dirigindo várias acusações de uma só vez. O texto grego comprova também a união de vários pontos e respostas às acusações. Em outras palavras, a essência de seu pensamento somente pode ser posta às claras reconstruindo as acusações que se colocam por trás de suas palavras em 2.17.

Estas falsas acusações provavelmente resultaram de um engano relacionado à doutrina da justificação pela fé, que era pregada por Paulo. Os inimigos de Paulo na Galácia reivindicavam indubitavelmente que a justificação pela fé conduz a um estilo de vida licencioso e pecador. Infelizmente, algumas pessoas desencaminhadas na igreja serviram para substanciar esta acusação; abusaram da doutrina da justificação e transformaram a sua liberdade em Cristo em uma vida licenciosa. Tais pessoas presumivelmente pensaram que se onde abundou o pecado superabundou a graça, então deveriam continuar pecando para que recebessem mais graça (Rm 5.20; 6.1-4). Os judaizantes, portanto, acusavam todos aqueles que buscam ser justificados apenas pela fé, dizendo que haviam abandonado a lei.

Em outras palavras, para os inimigos de Paulo, confiar em Cristo era colocar a si mesmo fora dos limites da lei e conseqüentemente se tornar um pecador. Uma vez que Cristo estava afastando as pessoas da lei, era, na concepção dos inimigos de Paulo, um ministro do pecado. Deste modo, a fé em Cristo não conduzia à justiça, mas na verdade promovia a ilegalidade e o pecado.

Paulo revida as suas acusações na forma de uma pergunta. A primeira parte dela é uma representação precisa dos fatos, mas a outra parte não o é. É verdade que, no processo de buscar ser justificado pela fé em Cristo, torna-se evidente que somos pecadores. A justiça inigualável de Cristo e as exigências inflexíveis da lei revelam claramente a nossa pecaminosidade. Não obstante, isto não significa que Cristo seja a causa de nosso pecado. Paulo responde a tal lógica absurda com as palavras *me genoito* ("Absolutamente não!"). Ele reserva esta expressão para comunicar sua rejeição absoluta a idéias ou crenças (cf. 3.21; 6.14; cf. também Rm 3.4,6,31; 6.2, 15; 7.7, 13; 1 Co 6.15). Tais pensamentos nunca deveriam sequer passar pela mente de alguém!

No versículo 18, Paulo uma vez mais vira a mesa sobre os seus adversários. Cristo não promove o pecado, mas sim seus adversários, os judaizantes. Paulo usa de uma imagem arquitetada para descrever sua má vontade. Estão tentando reconstruir a estrutura dilapidada da lei, uma estrutura que foi demolida pelo poder do evangelho. Argumenta que qualquer um que buscar reconstruir o que uma vez destruíram, estará admitindo que estavam errados em algum ponto. Deste modo, preferir a escravidão da lei à liberdade do Evangelho é colocar a si mesmo na categoria de "transgressor da lei". Submeter-se à lei, ao invés de receber a graça de Cristo, significa mais uma vez ficar debaixo de um sistema opressivo que nunca foi criado para salvar.

De fato, Cristo não é um ministro do pecado, mas a lei é que leva a pecar. Como Paulo explicou em Romanos 5.20, a lei entrou *para que o pecado pudesse aumentar*. Pressionar os gentios a se submeterem à lei é torná-los transgressores; deste modo, os judaizantes são os ministros do pecado!

O versículo 19 é um daqueles versículos- chave que explicam o significado do que já foi declarado, contudo também prepara a plataforma para o que se segue. Dá prova adicional de que Cristo não pode ser interpretado como o ministro do pecado, nem aqueles que estão "em Cristo" podem ser entendidos deste modo. Pois ser um transgressor exige que uma lei seja transgredida (Rm 5.13). Mas a lei terminou para todos aqueles que estão em Cristo Jesus (Rm 10.4). Como Cristo recebeu a penalidade total da lei na cruz, todos aqueles que estão "nEle" também morreram para o poder da condenação. Na verdade, foi a própria lei que revelou o pecado a Paulo e lhe mostrou a sua necessidade da graça de Deus em Cristo (Gl 3.24; Rm 7.7). Deste modo, a lei foi o instrumento que o levou a morrer para a lei, de forma que pudesse viver sua vida para Deus (Gl 2.19).

A declaração de Paulo, de que havia sido crucificado com Cristo, é mais tarde desenvolvida em 2.20. A união de fé entre o crente e Cristo é tão próxima que as experiências de um são compartilhadas pelo outro (cf. Rm 6; 1 Co 6.15-20). Pela fé o crente pode participar da cruz de Cristo, experimentar o sepultamento pelo batismo, e desfrutar da vida ressurrecta através do Espírito (Rm 6.3-5; 8.23). Deste modo Bruce conclui corretamente que o habitar com Cristo é equivalente a habitar com o Espírito Santo (Gl 3.26-29; 4.6; 5.16-25) (Bruce, 1982, 144). Paulo não é mais a força motriz em sua vida; é Cristo, que vive nele.

Em contraste total com exigências exaustivas e impiedosas da lei, Paulo declara que o Filho de Deus o amou e sacrificou sua vida para o benefício de todo aquele que crê. Além disso, é Cristo que toma o açoite da lei por nós e torna possível uma vida espiritual verdadeira.

Em 2.21 Paulo pode estar novamente relacionando as acusações aos judaizantes. Estes presumivelmente reivindicavam que a justificação pela fé separadamente da lei era um abuso da graça de Deus. Paulo sustenta que exatamente o oposto é verdadeiro. Seus esforços para coagir os gentios a se colocarem sob a lei evidenciava seu desprezo pelo sacrifício de Cristo. Na verdade, *se* os judaizantes estivessem corretos em afirmar que a justiça poderia ser alcançada através da lei, então Cristo teria morrido por nada. Pois qualquer tentativa de obter a justiça através da lei coloca a graça de Deus na prateleira e impugna o valor da cruz.

O valor supremo do sacrifício de Cristo vem através de cada palavra desta passagem. A glória da cruz não será eclipsada por qualquer coisa que possamos realizar. Que tolice buscarmos a nossa própria justiça, mesmo que possamos ser inocentes e sinceros em nossas tentativas! Devemos nos unir definitivamente ao grande apóstolo e considerarmos tudo como perda para que possamos ganhar a Cristo (Fp 3.7-9).

3.2. O Espírito É Recebido pela Fé (3.1-5)

Os judaizantes tiveram algum sucesso em fazer com que os gálatas duvidassem de sua salvação. Sua heresia de "Cristo *mais* a lei" obscureceu a visão da cruz que já havia sido esclarecida. Portanto, Paulo deve levar os gálatas a reafirmarem os fundamentos da fé. Simplesmente ensaiar a mensagem do Evangelho não dará certo, pois eles a conheciam e julgaram-na insuficiente. Ele deve apontar para alguma experiência espiritual inegável, que os conduzirá de volta à verdadeira graça de Deus.

É significativo que em todas as experiências cristãs que podem servir para este propósito (por exemplo, o batismo nas águas, a Ceia do Senhor), Paulo enfatiza a experiência no Espírito Santo. Ele continua a argumentar que a atividade milagrosa do Espírito, tanto nas igrejas como dentro dos corações dos gálatas, serve como prova de que eles foram incondicionalmente aceitos por Deus (Wedderburn, 1988, 171). Segue-se que a atividade do Espírito deve ter sido *visível* e *audivelmente* percebida para que o argumento de Paulo tivesse qualquer efeito positivo em seus leitores (Lemmer, 1992, 384).

Na verdade, esta é a mesma linha de argumento que Pedro usou quando Cornélio e sua casa receberam o Espírito Santo (At 10.44-48). Como Bruce observa, estes gentios receberam o Espírito de um "modo Pentecostal" (Bruce, 1988, 217). Pedro e seus companheiros os ouviram falando em outras línguas e entenderam imediatamente que Deus havia aceitado os gentios *como eles eram*, sem que primeiro se tornassem judeus. Quando posto em oposição pelos "crentes circuncidados" de Jerusalém, Pedro indicou os sinais visíveis e audíveis do Espírito como evidência de que nenhuma pessoa é impura aos olhos de Deus (At 10.9-16, 34,35; 11.4-10). Da mesma maneira a manifestação sobrenatural do Espírito serve como a verdade inegável em que Paulo defende seu evangelho livre da lei para os gentios. A recepção inicial do Espírito e seu trabalho contínuo no meio deles eram de uma natureza arrebatadora e entusiasmada. Como no caso de Pedro, Paulo era igualmente capaz de apontar para estes sinais como prova de que Deus estava trabalhando entre eles (Betz, 1979,135).

Ao construir seu caso, Paulo discute o que os gálatas sabiam e então se volta para o que eles não sabiam. Eles sabiam que o Espírito era ativo entre eles; o que não sabiam era que já eram os filhos de Deus sem se submeterem à lei de Moisés e da circuncisão, (Lull, 1980, 109). Deste modo, o derramamento do Espírito Santo sobre os gentios juntamente com a concessão dos dons espirituais eram sinais claros de que os gálatas foram justificados em Cristo. Ajudando os gálatas a recordarem sua experiência no Espírito, Paulo demonstra que o recebimento do Espírito e a justificação são inseparáveis (Williams, 1987, 97). Receber o Espírito é essencialmente equivalente a receber a graça de Deus (Dunn, 1975, 202).

O mais importante é que estes sinais autenticadores do Espírito foram experimentados pelos gálatas *enquanto eles eram incircuncisos e não tinham absolutamente nenhum contato com a lei*. Se receberam a plenitude do Espírito sob tais condições, como podem agora pensar que a circuncisão e a lei lhes trarão quaisquer benefícios aos olhos de Deus?

Paulo inicia este capítulo com quatro perguntas retóricas, colocadas em uma rápida sucessão, e criadas para abalar os gálatas e trazê-los de volta à realidade, de forma que uma vez mais compreendam o verdadeiro evangelho. A intensidade de seu argumento pode ser vista na frase "Ó insensatos gálatas!" Estas palavras revelam o estado emocional de Paulo, que por sua vez estabelece o tom para tudo que se segue.

Em termos nada incertos Paulo pergunta: "Quem vos fascinou?" A palavra para "fascinou" ou "enfeitiçou" (*baskaino*) no Novo Testamento é usada somente nesta passagem. Originalmente significava lançar um feitiço sobre alguém por meio de um "olhar maligno". Paulo provavelmente está usando esta palavra em sentido figurado ao invés de literal (Lemmer, 1992, 373). Isto é, o caminho que os gálatas estavam ameaçando tomar era tão estranho que Paulo sugere que caíram sob algum tipo de feitiço maligno. As palavras hipnóticas dos judaizantes os encantaram tanto que perderam de vista a mensagem clara do evangelho. Note que Paulo pergunta *quem* (singular) fez esta obra maligna entre eles. É como se soubesse que uma única pessoa está orquestrando o problema na Galácia, mas falha em mencionar seu nome (cf. também 5.10).

O julgamento obscuro dos gálatas é ainda mais surpreendente por Paulo ter tão claramente retratado a crucificação de Cristo diante deles. A palavra traduzida por "retratado" (*prographo*) quer dizer literalmente "escrever antecipadamente". Esta palavra é freqüentemente usada para se referir às profecias do Antigo Testamento (Rm 15.4; Jd 4), embora a palavra aqui provavelmente se refira ao lugar da mensagem de Paulo ao invés do tempo de sua pregação. Pode ser traduzida por "anunciado" ou "corajosamente escrito diante de vocês". A crucificação de Cristo foi tão graficamente apresentada aos gálatas que era como se a cruz fosse exibida em um grande quadro diante de seus olhos.

Em 3.2 Paulo faz a pergunta retórica: "Recebestes o Espírito pelas obras da lei ou pela pregação da fé?" Não é como se Paulo não soubesse a resposta para esta pergunta. Ele pergunta para que os gálatas possam reexaminar sua experiência no Espírito. Tendo corretamente avaliado o modo como receberam o Espírito, poderiam então entender como haviam sido salvos.

Uma vez mais fica evidente o papel crítico que o Espírito desempenha no argumento de Paulo. Ele diz: "*só quisera saber isto* de vós". Se os gálatas podem somente perceber o significado do Espírito Santo em suas vidas, então os problemas na Galácia estão quase resolvidos. Além disso, vemos a antítese de "obras" e "fé". Se os gálatas receberam o Espírito observando a lei, então os judaizantes têm um caso. Por outro lado, se o Espírito habitava com os gálatas somente com base na fé, nenhuma porção da lei que fosse guardada teria qualquer valor.

A expressão traduzida literalmente por "pregação da fé", ou "ouvindo da fé" é interessante. Ela pode descrever a maneira como os gálatas receberam o evangelho, ou pode significar o conteúdo daquilo que eles ouviram. Isto é, a frase pode significar que ouviram "em fé" ou que aquilo que ouviram era "a fé". Bruce sem dúvida alguma está correto quando diz que ambas as interpretações são aplicáveis aqui. Os gálatas eram ouvintes fiéis *da fé* (isto é, do evangelho).

Em 3.3 Paulo novamente confronta o curso insensato que os gálatas estão ameaçando tomar. O apóstolo pergunta se eles são tão "tolos" (insensatos, *anoetos*) por terem começado no Espírito, e agora procurarem ser aperfeiçoados na carne. O trabalho dos judaizantes é mais uma vez evidente aqui. Eles fizeram com que os gálatas se sentissem "incompletos", a menos que passassem pela circuncisão e obedecessem a lei de Moisés. A palavra "esforço humano" (literalmente, "carne", *sarx*) não se refere ao corpo físico nesta ocasião. Melhor que isso, se refere à natureza humana caída em sua fraqueza pecaminosa (5.13,24; Rm 13.14; 1 Co 3.1-3). Refere-se à separação do ser em relação ao Espírito de Deus (Rm 7.25; 8.3).

Devemos notar aqui que Paulo contrastou o Espírito com a carne, assim como normalmente contrasta o Espírito com a lei. Em outras palavras, está comparando as obras da lei com as obras da carne. Qualquer tentativa de se tornar completo em Cristo através de observar a lei é uma manifestação da carne, não do Espírito. O que Paulo está realmente confrontando são dois modos totalmente diferentes de viver. Depender da fé é viver no Espírito, mas depender das obras da lei é andar na carne.

A pergunta final nesta seção é se os gálatas sofreram tanto por nada, ou "em vão" (3.4). A palavra traduzida por "sofreram" (*pascho*) também pode significar "experimentar". Se tomarmos esta interpretação, Paulo está perguntando se os gálatas experimentaram tantas coisas no Espírito sem nenhum propósito. Em outras palavras, o apóstolo está lhes dizendo que se eles se posicionarem sob a lei, estarão efetivamente negando qualquer benefício que receberam no Espírito. Por outro lado, os gálatas podem ter realmente sofrido por sua fé em Cristo. Paulo não explica a exata natureza de seu sofrimento, mas foi provavelmente devido ao escândalo da cruz (4.29; cf. At 14.22; 1 Co 1.22-23). Sem dúvida os judaizantes vinham pressionando os gálatas por algum tempo. Nos principais aspectos haviam resistido com sucesso à pressão. Contudo, alguns começaram recentemente a ceder às suas exigências. Se os gálatas se entregassem aos judaizantes, sua experiência no Espírito se tornaria parte do passado. O seu sofrimento pela fé seria em vão.

As palavras finais de 3.4, "Se é que isso também foi em vão", inserem um elemento de esperança no meio de uma situação desesperadora. Paulo sugere que a experiência dos gálatas no Espírito pode de fato não ter sido em vão. O apóstolo não está exatamente certo da condição presente dos gálatas. A despeito das comunicações, os gálatas podem não ter ainda perdido a sua fé. Esta mistura de dúvida e esperança é expressa novamente em 4.11.

O trabalho dinâmico do Espírito no meio dos gálatas é visto em 3.5. As formas do verbo são todas no presente, denotando deste modo a contínua concessão do Espírito e da operação de milagres. A palavra para "dar" ou "conceder" contém um sentido direcional; isto é, o Espírito é derramado *sobre* os gálatas. Além disso, a imagem faz recordar o derramamento do Espírito Santo no Pentecostes (At 2.1-4). Como no princípio, os gálatas estão sendo revestidos com o poder do alto (1.7). Note que Deus é aquEle que derrama o Espírito e opera milagres, e não os apóstolos. É Deus quem responde à fé, e não os homens.

A frase "opera milagres", ou "opera maravilhas" é significante. "Opera" (*energon*) comunica a idéia de forte liberação de energia; "milagres" (*dunameis*) reflete igualmente a idéia de poder dinâmico. Estes tipos de milagres serviram como prova da salvação dos gálatas. Eles eram poderosos e memoráveis, e Paulo não perdeu a oportunidade de apelar para a influência que tinham na Igreja (Lemmer, 1992, 383). A questão aqui é semelhante à de 3.2. Deus operou estes milagres porque observaram a lei ou porque responderam em fé? Claro, a resposta é que os gálatas experimentaram o poder da operação de milages de Deus somente com base na fé. O que tem valor, então, é observar a lei? Os gálatas devem admitir: "Absolutamente não".

Em conclusão, sua experiência passada e presente do Espírito são uma afirmação divina que não poderiam negar. A obra do Espírito neles significa que sua salvação é completa, não faltando nada. Não precisam acrescentar a circuncisão ou as obras da lei para sentirem que foram totalmente aceitos por Deus. O Espírito testemunha diariamente que são filhos de Deus.

Tudo isto significa que Paulo e sua mensagem são também de Deus, pois foi através dele e de sua pregação do Evangelho que os gálatas vieram à fé, e deste modo participaram do Espírito. Portanto, os gálatas deveriam perceber que a "escravidão religiosa" dos judaizantes não é realmente nenhuma opção quando comparada com o Evangelho da graça (Lemmer, 1992, 386). Na verdade, como Paulo mostrará, o sinal autenticador da aliança não é a circuncisão e a lei, mas receber o Espírito pela fé — e Abraão é o principal exemplo desta verdade espiritual (cf. 3.6-9).

O valor extraordinário do Espírito Santo é claramente apresentado nesta seção. Sua atividade milagrosa serve como o selo de Deus na vida do crente (Ef 1.13,14). Sua presença significa que nós pertencemos a Deus. O Espírito é o sinal do Senhor, garantindo a completa redenção no futuro (Rm 8.23; 2 Co 1.22). A obra interior do Espírito é testemunha de Deus de que somos seus filhos (Rm 8.14-16). Deste modo, o Espírito dissipa a dúvida. Ele concede garantia e esperança. Ele é realmente o Consolador prometido (Jo 14.16,17; 15.26,27).

3.3. Abraão É Justificado pela Fé (3.6-9)

Paulo introduz Abraão nesta conjuntura em seu argumento, principalmente porque seus adversários, tentando conseguir que os gálatas se submetessem à lei e à circuncisão, sem dúvida enfatizaram o papel de Abraão no judaísmo. Eles destacaram que Deus fez uma aliança com Abraão e com toda a sua descendência (Gn 15.1-6). Portanto, todas as bênçãos da aliança vêm de Abraão e são herdadas somente por seus descendentes, os judeus. O sinal que valida a aliança com Abraão é a circuncisão (Gn 17.9-14) — um sinal que vale também para os prosélitos gentios (17.13).

As conclusões para esta linha de pensamento eram óbvias e diretas. Para que os gálatas recebessem as bênçãos da aliança deveriam primeiramente se tornar filhos de Abraão — isto é, eles deveriam ser circuncidados. Os desordeiros provavelmente destacaram as obras que Abraão executou em obediência a Deus. Como Tiago afirma, Abraão foi justificado pelas obras ao oferecer seu filho Isaque (Tg 2.20-24). Embora entendesse tais ações como fruto de uma fé genuína, os "homens de Tiago" não as compreendiam deste modo. Citaram estas ações como exemplos do que se deve fazer para receber a salvação. Em outras palavras, para eles, Abraão era o principal exemplo de alguém que foi salvo pelas obras.

Embora Paulo comece a discutir Abraão e a justificação, não deixou o assunto do Espírito. Pois a primeira palavra em 3.6 é *kathos*, que significa "assim como" ou "da mesma maneira". Em outras palavras, os gálatas receberam o Espírito da mesma maneira que Abraão recebeu a justiça de Deus (Dahl, 1977, 133). Ser cheio do Espírito e ser justificado pela fé são bênçãos que estão essencialmente conectadas. Uma vez mais a atividade carismática do Espírito em suas vidas é prova de que foram justificados pela fé. Esta experiência é exatamente a mesma que Abraão teve quando confiou em Deus, pela fé (cf. 3.6, onde Paulo enfatizou que Abraão creu em Deus e que isto lhe foi creditado como justiça, Gn 15.6).

Paulo tem uma perspectiva claramente diferente sobre Abraão, quando comparada à dos judaizantes. Esta diferença é mais evidente em Romanos 4.9-25, onde Paulo examina as circunstâncias sob as quais Abraão recebeu a justiça de Deus. Ele argumenta que Abraão foi declarado justo cerca de quatorze anos *antes* de ser circuncidado (Rm 4.10; cf. Gn 17.10). E, como será observado mais adiante em 3.17, Abraão foi justificado cerca de 430 anos *antes* da entrega da lei. Assim, Abraão foi justificado pela fé quando era um "gentio pecador" incircunciso (cf. 2.15) que não teve absolutamente nenhuma relação com a lei de Moisés.

Estes fatos redefinem completamente o que é necessário para ser um filho de Abraão (3.7). O verbo utilizado para "entender" pode ser um indicativo (isto é, uma declaração) ou um imperativo (isto é, uma ordem). Visto que os gálatas não sabem claramente que aqueles que são da fé são os filhos de Abraão, o imperativo é preferível. Paulo está ordenando aos gálatas que entendam que somente através da fé alguém se torna um filho de Abraão. Aqueles cujo modo de vida é caracterizado pela fé estão refletindo a natureza de seu pai Abraão. Então, em contraste com os judaizantes que ensinaram ser Abraão o pai dos circuncidados, Paulo ensinou que Abraão é o pai de todos *aqueles que crêem* (cf. Rm 4.1-3).

Em 3.8 Paulo antecipa que seus adversários apresentarão a sua doutrina de justificação como um desenvolvimento recente e conseqüentemente indigno de confiança. Mas afirma que mesmo antes de Abraão, "a Escritura havia previsto" que os gentios seriam justificados pela fé. Neste caso, "a Escritura" defende a presciência de Deus. O ponto de Paulo é que Deus sempre planejou justificar os gentios pela fé, e que este plano seria primeiramente revelado em Abraão. A doutrina da justificação pela fé, sozinha, foi "anunciada [pregada]... com antecedência" (*proevangelizomai*) a Abraão (Paulo cita com apoio Gn 12.2; 18.18). Tradicionalmente os judeus interpretaram aquilo que foi dito a Abraão, "Todas as nações serão benditas em ti", como querendo dizer que os gentios deveriam vir a Israel a fim de receberem as bênçãos de Deus. Em contraste, Paulo interpreta estas palavras querendo dizer que Abraão é o representante de todos aqueles que são justificados pela fé, seja judeu, seja gentio.

Este entendimento é repetido em 3.9, porém com uma nuança adicional. Em 3.8 Paulo destaca que Abraão é aquele através do qual a justificação pela fé primeiramente se tornou conhecida, e que Abraão é o principal exemplo de alguém que é justificado desta maneira. Enfatiza também a solidariedade que os cristãos gentios têm com Abraão. Visto que os gálatas são caracterizados pela fé (cf. 3.7 acima), são abençoados *com* Abraão, pois ele também é um homem de fé.

Paulo uma vez mais vira a mesa sobre os seus adversários. Estes reivindicavam serem parte de uma comunidade exclusiva que se originou *em* Abraão e que manteve-se *com* ele na presença de Deus. Paulo agora ensina que a comunidade de Deus não é exclusiva, mas inclusiva. Pertencer ao seu povo não tem nada a ver com ser um descendente físico de Abraão, mas tem tudo a ver com ter fé como Abraão. Todo aquele que compartilha esta fé se coloca com Abraão, como uma comunidade única salva pela graça.

Nesta passagem, como também por toda a Epístola aos Gálatas, Paulo está combatendo o desejo universal de dominar a Deus. Isto é, os seres humanos têm a tendência inexorável de procurar "puxar" a Deus do alto, tentando reduzir o divino à uma condição mundana. Toda geração exigiu sua própria versão do "bezerro de ouro". Devemos ter algo físico, algo tangível que possa ser manipulado e regulado. É "algo" que proporciona a ilusão que pode-se controlar aquEle que é Incontrolável. Esta é a essência da "religião", e é assustadoramente similar à magia e a idolatria. Este "algo" falsamente convence alguns de que eles mesmos são os porteiros do Todo-poderoso, concedendo acesso a alguns enquanto barram o restante. Isto pode tomar muitas formas, até mesmo a noção de que uma raça ou família em particular é, por seu aspecto genético, o povo exclusivo de Deus.

Mas o Deus verdadeiro nunca pode ser reduzido a "algo". Deus é Espírito e busca aqueles que o adorem em Espírito e em verdade (Jo 4.23,24). As coisas de Deus são espirituais e são espiritualmente discernidas (1 Co 2.14). Deste modo, Paulo entende de forma correta que o sinal da aliança de Deus jamais poderia ser algum procedimento cirúrgico (isto é, a circuncisão). Da mesma maneira, o povo de Deus jamais poderia ser simplesmente o resultado da procriação humana. Pelo contrário, por Deus ser Espírito, estes devem nascer do Espírito (Jo 3.3-8). São "filhos da promessa", pois vieram a sê-lo devido à promessa de Deus (Gn 15.4-6). Foram gerados pela fé, salvos pela graça e habitados pelo Espírito (Rm 1.16,17; Ef 2.8,9; 1 Co 6.19,20). E são estes tipos de filhos, e somente estes, os verdadeiros filhos de Abraão (Rm 9.7,8).

3.4. A Maldição da Lei
(3.10-12)

Os judaizantes louvavam a lei como uma bênção, mas Paulo ensina que a lei traz uma maldição. Ele não diz que a lei é uma maldição; antes, o esforço para o "sucesso" na lei está condenado ao fracasso. Falhar na lei é trazer julgamento a si mesmo. Deste modo, no final, todos aqueles que procurarem ser justificados pelas obras da lei sofrerão o julgamento de Deus no final dos tempos. Eles estão amaldiçoados. Mas todos aqueles que confiam em Cristo pela fé serão contados como "justos".

Em 3.10 Paulo se refere a Deuteronômio 27.26 para provar seu ponto. A questão aqui é se representou mal o significado deste versículo, pois não diz que aqueles que guardam a lei estão debaixo de uma maldição, mas que aqueles que não observam tudo o que a lei determina estão amaldiçoados. Em outras palavras, o versículo defende que se alguém guarda tudo o que está contido na lei, escapará da maldição. Em um sentido puramente hipotético, Paulo concordaria. Embora na realidade não acredite que seja possível que alguém guarde toda a lei (Gl 2.16). Ainda que alguém guardasse perfeitamente todos os seus ritos e cerimônias, em um certo ponto este falharia com o espírito da lei. Em um sentido técnico, o próprio Paulo era perfeito aos olhos da lei (Fp 3.6); contudo ele mesmo ainda pecou pela cobiça (Rm 7.7). Inevitavelmente, o resultado de qualquer um que busque guardar a lei é faltar com as suas exigências inflexíveis. Falhar em parte é falhar com o todo (cf. Gl 2.14,15).

Em 3.11 Paulo apresenta o observar a lei e a justificação pela fé como mutuamente exclusivos (cf. 2.19-21). Ele cita Habacuque 2.4 em defesa desta última (cf. também Rm 1.17). A revelação de Cristo influenciou muito o modo como Paulo interpretou este texto do Antigo Testamento. O contexto histórico de Habacuque 2.4 era de perseguição e opressão política. Os judeus estavam sob uma dominação estrangeira e rogavam a Jeová por libertação. O Texto Masorético (as Escrituras hebraicas recebidas) diz que o judeu justo será recompensado com a vida por causa de sua lealdade a Deus. Na tradução grega do Antigo Testamento (a Septuaginta [LXX]), porém, lê-se que o judeu justo viverá por causa da *minha* fidelidade (onde "minha" se refere à fidelidade de Deus). A comunidade de Qumran e os rabinos interpretaram estas palavras querendo dizer que todos os que executam a lei escaparão do julgamento porque Deus não os abandonará no último dia. Com o passar do tempo, o elemento da fé se tornou mais intimamente associado ao indivíduo do que a Deus.

Este é o elemento em que Paulo se concentra. Ser fiel a Deus em Cristo levará à justiça ou à justificação. Então, diferentemente do antigo texto hebraico, Paulo não está enfatizando a habilidade de escapar do julgamento por causa de justiça pessoal. Antes, aquele que receber o dom da justiça pela fé, conseqüentemente não estará mais sujeito ao julgamento de Deus.

Em 3.12 Paulo novamente observa que a fé e as obras representam dois modos diferentes de viver. Não está dizendo que uma pessoa não pode reverenciar a lei enquanto se aproxima de Deus em fé. Como Paulo ensina em outra passagem, pela fé "estabelecemos a lei" (Rm 3.31). Antes, o apóstolo insiste que quando chega a hora de ser justificado, a fé e as obras são mutuamente exclusivas. Torna-se claro que, por sua própria natureza, uma mentalidade de obras de justiça é antiética para humildemente aceitar a graça de Deus em Cristo.

Paulo cita Levítico 18.5 em defesa deste princípio espiritual. Além disso, esta Escritura não declara explicitamente que seja errado obedecer à lei. Pelo contrário, ensina que a pessoa que procura obedecer à lei deve viver de acordo com *tudo* o que a lei ordena. Isto é, está relacionado ao grau com que se executam os requisitos da lei, e é esta ênfase na execução que destrói o princípio de simplesmente confiar em Deus para a salvação.

Às vezes não percebemos as implicações de um ato ou de uma decisão em particular. Um único passo pode nos levar a descer por um caminho de que nos arrependeremos mais tarde. Isto é especialmente verdadeiro na área da fé e da ética. Uma convicção ou decisão moral nunca é um item isolado; é sempre parte de um mundo de idéias e valores mais amplos. Um pensamento egoísta é somente uma simples manifestação do viver na carne. Uma decisão carnal é apenas uma evidência de nosso amor pelo mundo e pelas coisas do mundo.

Foi assim com os gálatas e com a lei. Pensavam que poderiam escolher que partes da lei observariam. Mas a lei é um sistema unificado. Fracassar em um aspecto da lei é ficar em débito com toda a lei. Da mesma maneira, a auto justificação não vem embrulhada em pacotes individuais. Reivindicar *qualquer* justiça separadamente da justiça de Cristo é ser arrastado para um completo sistema de legalismo. Se isto acontecer, a pessoa terá caído da graça (Gl 5.4), pois qualquer coisa que seja proveniente das obras não vem da graça (Rm 11.6).

3.5. A Promessa do Espírito (3.13,14)

A graça de Deus é o fundamento da experiência e do ensino de Paulo. Deste modo, quando fala do recebimento do Espírito, enfatiza o que Cristo fez para o crente, não o que devemos fazer por nós mesmos. A libertação do pecado e da condenação da lei somente pode vir através de Jesus Cristo. Por essa razão, como em 2.20-21, Paulo fala da morte de Jesus na cruz. É o sacrifício vicário de Cristo que faz por nós, o que jamais poderíamos fazer por nós mesmos, pois Deus não exclui simplesmente as exigências da lei. Antes, os requisitos inflexíveis da lei (cf. Êx 21.30; Dt 27.15-26; 30.15,19) foram completamente encontrados na cruz. Substituindo a nossa vida pela sua, Cristo suportou a maldição da lei por todo aquele que crê.

Paulo cita Deuteronômio 21.23 para explicar como Cristo livrou o crente da maldição da lei: "o pendurado é maldito de Deus". No mundo antigo, os criminosos eram comumente enforcados em uma estaca ou "árvore" (Nm 25.4; Js 10.26,27; 2 Sm 21.6). Os romanos aprimoraram esta forma de execução e crucificaram milhares que julgaram como malfeitores ou inimigos do Estado. Conseqüentemente, aos olhos de judeus e gentios, qualquer um que morresse uma morte tão vergonhosa era considerado como um transgressor da lei e um pecador, e era evidentemente amaldiçoado por Deus. Nisto reside o poder da expiação. Vindo "em semelhança da carne do pecado" (Rm 8.3), Jesus se fez pecado por nós (2 Co 5.21) e suportou a ira de Deus reservada aos pecadores. Portanto, a lei não pode extrair mais nada de nós, pois já puniu ao Senhor Jesus Cristo, em nosso lugar, de modo completo (Rm 8.1-4).

Em 3.14 Paulo retorna à bênção de Abraão mencionada em 3.8,9. Além disso, a pessoa de Abraão e o recebimento do Espírito Santo estão relacionados (cf. 3.56), pois esta bênção é a promessa do Espírito Santo. Em outras palavras, o cumprimento da promessa de Deus a Abraão é a concessão de incontáveis filhos cheios do Espírito, que foram justificados pela fé. Deste modo, o propósito da morte expiatória de Cristo não era só remover a maldição da lei; ela forneceu o Espírito prometido aos gentios. Esta bênção foi possível porque a morte de Cristo destruiu a distinção entre judeus e gentios, derrubando a parede de separação que os dividia (Ef. 2.14-16). Esta capacitação do Espírito Santo somente pode vir para aqueles que estão "em Cristo Jesus". Assim, a expressão "em Cristo Jesus" agora serve como o elemento que define o povo de Deus.

A completa suficiência de Cristo é claramente relatada aqui. Receber o Espírito não é algo baseado em nossa própria bondade e devoção. É a obra de Cristo que expia os nossos pecados e nos limpa da injustiça (Rm 4.24,25), e é a obra de Cristo que nos santifica e faz de nós uma habitação adequada para o Espírito Santo (1 Co 1.30). Por causa do seu sacrifício somente precisamos pedir com fé para que recebamos o Espírito Santo (Jo 14.14-16).

3.6. A Prioridade da Promessa Acima da Lei (3.15-18)

Ao longo de toda a Epístola aos Gálatas, Paulo associa palavras como "graça", "fé", "revelação" e "liberdade" com o evangelho, mas descreve a lei com palavras como "obras", "escravidão" e "maldição". Em 3.15-18 ele continua a contrastar o evangelho com o observar a lei, enfatizando que a promessa de Deus é muito superior à lei. Ele usa uma analogia da vida diária para ajudar os gálatas a entender este princípio.

Em 3.15 Paulo cita a prática legal comum de se fazer um testamento. Para a palavra "aliança" Paulo tinha duas opções no idioma grego: *syntheke* ou *diatheke*. *Syntheke* significa literalmente "colocar *juntamente*" e descreve um acordo legal entre duas partes iguais; cada parte tinha o direito de negociar as condições do acordo até que uma decisão satisfatória fosse alcançada. Por outro lado, *diatheke* significa "colocar *por*" e descreve um acordo entre duas partes desiguais. Os termos do acordo eram completamente determinados pelo membro que possuísse a condição superior, e a parte receptora poderia somente aceitar ou rejeitar o acordo.

É significativo que Paulo tenha escolhido *diatheke* para descrever a aliança entre Deus e a humanidade. Ele fixou os termos do acordo, e nós devemos aceitar ou rejeitar estes termos. A analogia humana mais próxima a tal aliança é a expressão de uma última vontade e um testamento. A pessoa que faz o testamento determina como este será executado. Paulo apela novamente para as categorias legais de seus dias, quando menciona que o testamento está "devidamente estabelecido". Uma vez que o testamento esteja legalmente ratificado, ninguém pode alterar seus termos, fazendo-lhe acréscimos ou omitindo partes deste. O ponto de Paulo aqui é que Deus fez uma aliança com Abraão baseada na fé. A subseqüente adição da lei não pode invalidar os termos desta aliança. O acordo original foi baseado na promessa, e nenhuma porção da lei que seja guardada por alguém será capaz de mudá-lo.

Os judaizantes atribuíram um valor muito elevado à "semente" de Abraão. Argumentavam que as promessas de Deus foram feitas somente para "a semente" de Israel. Em 3.16, porém, Paulo observa que naquilo que diz respeito a herdar a promessa, a palavra "semente" está no singular e não no plural (cf. Gn 12.7; 13.15; 17.7; 24.7). O apóstolo considera este fato para dizer que as promessas de Deus devem ser herdadas por uma pessoa (uma semente), não por muitas pessoas (sementes). Ele conclui que esta única semente é Cristo.

O argumento de Paulo recebeu alguma crítica porque tanto em grego como em hebraico o singular "semente" tem um sentido coletivo. (O mesmo é verdadeiro no inglês contemporâneo. Falamos "semente de pássaro", não "sementes de pássaro".) Mas Deus fez uma distinção entre a semente de Abraão que era Isaque e a semente de Abraão que era Ismael (Gn 12.7; 13.15; 17.7; 24.7). Em outras palavras, o princípio de selecionar *uma* semente, para receber a promessa em meio a muitas sementes possíveis, já estava estabelecido em uma primeira fase da história de Israel. Realmente, Paulo pode estar aludindo a Isaque como um tipo da semente eleita, que é Cristo.

Para provar seu ponto, Paulo cita explicitamente o número de anos que intervieram entre a aliança feita com Abraão e a entrega da lei no Monte Sinai. Trabalhando a partir da tradução da Septuaginta em Êxodo 12.40, Paulo considera que após Deus prometer abençoar Abraão, decorreram 430 anos antes que a lei fosse dada. (O texto hebraico, considerando o tempo que Abraão vagou em Canaã e o tempo total em que seus descendentes estiveram cativos no Egito, indica 645 anos.) Independente do número, o ponto principal de Paulo é evidente: A promessa de Deus foi validada no momento em que foi dada, e nenhum sistema legal, especialmente um sistema dado séculos após a promessa ser ratificada, pode mudar este fato.

Paulo mostrou previamente que a fé e a lei são mutuamente exclusivas (3.12). Agora insiste que a promessa e a lei são também contrárias entre si (3.18). Se uma herança é estabelecida e governada pela lei, então a promessa não tem nenhum lugar no acordo. Contudo, a Escritura claramente declara que

Deus baseou a herança na promessa e que deveria ser recebida pela fé. O perfeito tempo verbal de "deu" aponta para uma herança contínua e progressiva para os filhos de Abraão. Paulo já estabeleceu que aqueles que são como Abraão, em relação à fé, são seus filhos (3.7-9). Portanto, todo aquele que aceita a Cristo pela fé, seja judeu ou gentio, herdará as promessas de Deus. Mas como é possível estar certo de que se recebeu a promessa de Abraão? A resposta de Paulo é a mesma de antes. Todos aqueles que foram capacitados pelo Espírito Santo de forma sobrenatural, podem ter a certeza de que receberam a promessa de Abraão (3.1-5,14).

Em meio à incerteza deste mundo, há algo que permanece firme. As promessas de Deus nunca falham. São tão certas quanto a sua Palavra. Porém, o Senhor não só falou a sua Palavra; Ele também agiu sobre esta. O Verbo se fez carne e habitou entre nós (Jo 1.14). Sua vinda autenticou seu compromisso para conosco. Ele realmente ratificou suas promessas de aliança através daquele grande ato, a morte e ressurreição do Senhor Jesus Cristo (Rm 1.4). Além disso, Deus concedeu misericordiosamente seu Espírito Santo como um "adiantamento" ou "pagamento de sinal" (2 Co 1.22; 5.5). Este antegozo da era por vir nos concede a esperança de que a completa realização da aliança de Deus esteja prestes a ocorrer: "Porque a nossa salvação está, agora, mais perto de nós do que quando aceitamos a fé" (Rm 13.11).

3.7. O Propósito da Lei (3.19-25)

Paulo chegou a um ponto central em seu argumento. Mostrou claramente que a lei não traz justiça. Pelo contrário, traz uma maldição a todos aqueles que se dedicam a ela. As conseqüências opressivas da lei tiveram tanto domínio sobre a experiência humana que somente a morte do Filho de Deus poderia quebrar a sua fortaleza.

Em primeiro lugar, por que então a lei foi dada (3.19)? Se a lei provou ser tão ineficaz em resolver o problema do pecado, qual era seu propósito? Deus cometeu um erro em dar a lei, somente para mais tarde perceber que a salvação só pode vir pela graça por meio da fé?

Respondendo a estas perguntas, devemos ter em mente que Paulo já havia estabelecido que a graça e a promessa têm prioridade acima da lei e das obras (3.15-18). Esta prioridade existia na mente de Deus desde o princípio, e não era nenhum tipo de resposta *ad hoc* para o fracasso da lei. A prioridade da graça é justamente o ponto principal de Paulo ao enfatizar que a promessa veio para Abraão 430 anos antes da entrega da lei (3.17). Portanto, o pensamento de que Deus chegou ao plano da salvação por um longo "processo de ensaio e erro" deve ser rejeitado sem demora. Ele não fez nenhuma experiência com a lei, para somente mais tarde mudar para a graça e a fé.

Relatando o propósito da lei, Paulo declara que "*foi ordenada* por causa das transgressões" (3.19). O verbo empregado para "ordenada" ou "adicionada" literalmente significa "vir juntamente com". Este entendimento harmoniza-se com aquele que já havia sido ensinado em Gálatas e com aquele que temos em Romanos. A lei "veio juntamente com" um plano de graça já existente (Rm 5.20).

Mas esta adição da lei não explica o que Paulo quer dizer com "por causa das transgressões". Era planejado inibir o mal no mundo reduzindo o número de transgressões individuais? Inicialmente isto parece plausível. Contudo esta interpretação é diametralmente oposta ao que Paulo diz em Romanos. Como indicado acima, o apóstolo ensina que a lei foi dada para que o pecado pudesse *aumentar*, e não *diminuir* (Rm 5.20). A lei revela o pecado em nossas vidas e produz uma sensação esmagadora de condenação e ira (7.7). Longe de inibir o pecado, a lei, na verdade, tenta alguém para que cometa aquilo que proíbe (7.8,13)! E, como será observado mais adiante, a passagem em Gálatas 3.22-24 apóia a noção de que a lei nunca teve a intenção de deter o pecado no mundo.

As palavras "até que viesse a posteridade a quem a promessa tinha sido feita" emprestam seu apoio a este ponto de vista. A lei foi adicionada após a graça com a finalidade de demonstrar a necessidade da graça. Seu período de utilidade era somente até que o descendente, isto é, Cristo viesse (3.19) e cumprisse a promessa na vida de todo aquele que crê. Deste modo, Cristo é o fim da lei para todos os que crêem (Rm 10.4).

Como um estrategista mestre, Paulo uma vez mais utiliza as palavras de seus inimigos. Os "falsos irmãos" buscaram impressionar os gálatas dizendo que a lei foi levada a efeito pelos anjos através de um mediador — Moisés (Êx 19.7,9,21-25; Dt 4.14; esta tradição é encontrada na tradução da passagem em Dt 33.2, na Septuaginta [LXX]). A crença de que a lei foi dada por anjos, porém, pode ser vista nas palavras de Estêvão (At 7.38,53) e pelo autor da Carta aos Hebreus (Hb 2.2).

Além disso, Paulo resiste ao argumento de seus inimigos em sua origem. O apelo aos anjos e o papel de Moisés como um mediador não aumenta a autoridade da lei; a presença destes intermediários só demonstra que, diferentemente do Evangelho, a lei não foi diretamente dada por Deus. Mas a promessa foi dada diretamente a Abraão sem mediadores (Gn 12.1-3). Além disso, Deus revelou o Evangelho diretamente através de seu Filho Unigênito (Jo 1.14; Hb 1.1,2). Este é o ponto principal de Paulo em 3.20. Um mediador sugere necessariamente uma pluralidade de pessoas, mas Deus é um. Ele sozinho criou o plano de salvação e realizou pessoalmente este plano no mundo. Mais importante, somente Ele pode aplicar este plano conforme as condições que Ele mesmo estabeleceu — promessa, fé e graça ao invés de lei, obras e cerimônias.

Em 3.21 Paulo usa uma de suas formas favoritas de argumentação. Antecipa a refutação de seus adversários, apresenta suas objeções e continua a refutar a posição que assumem. Abalando seus inimigos com antecedência, prova vigorosamente seu ponto aos gálatas. À luz das palavras de Paulo em 3.19,20, a objeção antecipada é que a lei é contrária às promessas de Deus (3.21). Naturalmente, se isto fosse verdade, então uma contradição enorme existiria na teologia de Paulo. Além disso, visto que a lei e as promessas originam-se em Deus, então Deus estaria sendo apresentado como alguém em conflito consigo mesmo, se de fato a lei fosse contrária às promessas.

A própria natureza da pergunta de Paulo em 3.21 reflete como tal noção é realmente absurda. Ele formulou a pergunta retórica: "Logo, a lei é contra as promessas de Deus?" de modo a sugerir uma resposta negativa. É por isso que o próprio apóstolo responde à sua própria pergunta com seu clássico *me genoito* (cf. 2.17 e a discussão deste trecho). O pensamento de que a lei e as promessas de Deus são contrárias entre si é inconcebível para Paulo. A questão real é que a lei, por natureza nunca teve a intenção de salvar. De fato, como observado previamente, as exigências inflexíveis da lei só serviram para acentuar o pecado e a necessidade da graça. Em meio a um mundo caído, a lei era incapaz de dar vida. Se pudesse, a morte de Cristo teria sido desnecessária (2.21). A letra mata, mas é o Espírito que vivifica (2 Co 3.6). O fato de que a salvação vem somente pela fé em Cristo, revela a insuficiência da lei.

A universalidade do pecado é afirmada em 3.22. Em certo sentido, o pecado é o grande equalizador na teologia de Paulo. Separadamente de Cristo, todos começam na mesma página, por assim dizer. Todos pecaram e carecem da glória de Deus (Rm 3.23). Todo ser humano está irremediavelmente escravizado pelo poder do pecado e deste modo condenado diante de Deus (Rm 3.9; 5.17; 7.14). A palavra empregada para "encerrou" ou "encerrados" em 3.22,23 é *synkleio*, que é usada para descrever a contenção de um cardume em uma rede (Lc 5.6; Earle, 1979, 201). As exigências rígidas da lei apanharam todos na mesma rede, que é a escravidão do pecado. Conseqüentemente, a promessa de Deus não pode jamais vir por meio da lei, mas somente através da fé.

Paulo novamente enfatiza o evento memorável da cruz em 3.23 (vale lembrar

3.19). A frase "antes que a fé viesse" aponta tanto para a posse limitada da lei, quanto para o papel central de Cristo no plano do Deus. Aqui "a fé" é essencialmente o mesmo que o evangelho da graça. Antes das Boas Novas, a lei teve a humanidade trancada à chave. Ao descrever o efeito libertador do evangelho, Paulo retorna à idéia da revelação (cf. 1.12; 2.2). Embora a história de Abraão mostre que a salvação sempre foi pela graça e através da fé (3.9-20; Rm 4.1-5), a vinda de Cristo revelou graficamente o plano de Deus em termos claros (Gl 3.1). Em virtude desta esta revelação, a responsabilidade moral da raça humana aumentou exponencialmente (At 17.30). Na verdade, Cristo marcou a mudança das eras. Os poderes da era por vir são derramados nesta era presente através da pessoa e obra do Espírito Santo (2.4-47). À luz da revelação suprema de Cristo e da contínua afirmação desta revelação através do Espírito, não há desculpa para permanecer encarcerado pelo efeito condenatório da lei (Gl 2.4; 5.1,13; cf. 2 Co 3.17).

Paulo emprega uma imagem da cultura greco-romana contemporânea para dar continuidade à explicação do papel limitado da lei. A imagem é a de um *paidagogos* ou escravo doméstico a quem foi confiado ensinar os filhos de seu mestre. Embora a versão NVI utilize a expressão verbal "colocar sob responsabilidade" para descrever a mensagem de Paulo em 3.24, o apóstolo, na verdade, utiliza o substantivo *paidagogos*. Esta palavra se refere ao serviço tutorial de um escravo. O pedagogo acompanhava seu pupilo até a escola, levando os materiais de estudo da criança garantindo que chegasse em segurança. Quando as lições estivessem terminadas, o escravo levaria a criança de volta à casa e a exercitaria sobre o que foi aprendido naquele dia.

Os tutores nos dias de Paulo eram mestres freqüentemente severos, que não hesitavam em usar a vara se o estudante não demonstrasse disciplina e proficiência. Não obstante, seu único propósito era instilar as lições rudimentares da vida e conduzir seu aluno a um estado de maturidade. Uma vez que este estado era alcançado, o tutor alcançou seu objetivo e não seria mais necessário. A mensagem principal de Paulo com esta ilustração é que a lei também tinha um propósito limitado. Sua tarefa era elementar, sua disciplina severa e seu período de utilidade limitado à vinda de Cristo. Conseqüentemente, aqueles que entendessem corretamente o propósito da lei seriam guiados ao poder salvador de Cristo. Uma vez que seus encargos alcançassem o nível de maturidade espiritual em Cristo, a lei teria cumprido seu objetivo e não seria mais necessária (Rm 10.4).

Naturalmente, este retrato de palavras continha uma acusação pungente contra os judaizantes. A extensão de sua imaturidade espiritual era diretamente proporcional à sua submissão à lei. Se os gálatas aceitassem a ordem do dia dos judaizantes, não estariam somando à sua fé, mas subtraindo dela. Adicionar a lei não é uma progressão para uma grande compreensão de Deus, mas na verdade uma regressão de volta aos princípios elementares da moralidade e da vida.

As palavras de Paulo em 3.25 explicitamente declaram a moral da história. Aqueles que vivem pela fé já não estão debaixo de aio (literalmente, "não precisam de um professor"). Em termos nada incertos Paulo informa aos gálatas que não precisam daquilo que os judaizantes têm a oferecer.

As palavras de Paulo em 3.19-25 deveriam ser cuidadosamente pesadas à luz de nossas próprias convicções e práticas pessoais. Como, exatamente, vemos a função da lei em nossas vidas? Percebemos completamente seu papel limitado? Ou vemos seus numerosos mandamentos e instruções como uma receita para a salvação, em lugar de um mapa que nos leve a Cristo? Esteja seguro de que qualquer adição da lei à graça de Cristo não representa progresso espiritual. Antes, tal acordo garante um retorno a um nível mais elementar da existência espiritual. Como Paulo observará em 4.9, viver em tal nível é viver não diferentemente dos pagãos, que não conhecem a Deus.

3.8. Unidade em Cristo (3.26-29)

As palavras "todos sois filhos de Deus" expressam dois temas principais que serão desenvolvidos ao longo da carta. O termo "todos" aponta para a natureza inclusiva do Evangelho; "filhos" reflete a maturidade espiritual daqueles que crêem em Cristo. Por sua vez, estes dois temas refletem o entendimento de Paulo da unidade dinâmica da Igreja. "Todos", tanto judeus como gentios, foram incorporados em um único corpo de Cristo; e se "todos" estão em Cristo, então são filhos de Deus.

Paulo usa duas imagens para descrever o que acontece quando alguém se torna um membro da Igreja. Primeiro fomos batizados em Cristo. A palavra *baptizo* significa "imergir ou mergulhar". Em seu uso mais antigo, a palavra continha um elemento de violência ou força. Era usada para descrever o naufrágio de navios ou aqueles que se afogavam. Quando relatava como os gentios conquistaram Israel, Josefo escreve que Jerusalém foi "batizada" com uma inundação de opressores gentios. Este elemento de violência e força é retido no entendimento de Paulo quanto ao batismo. Em Romanos 6 Paulo ensina que fomos batizados *na morte de Cristo*. Deste modo o batismo na água simboliza a morte espiritual "do velho eu" e a ressurreição para a novidade de vida em Cristo (Rm 6.6-8).

A segunda imagem que Paulo usa é ser "revestido de Cristo". Esta imagem representa alguém estando completamente envolto na presença de Cristo (Ef 4.24; Cl 3.10). Deste modo, o crente assume uma identidade completamente nova. Os gálatas não precisam se colocar diante de Deus escassamente vestidos nos trapos de sua própria justiça (Is 64.6; Zc 3.3-7). Por terem sido justificados pela fé, estão agora cobertos pela infinita justiça de Cristo (Rm 5.17,18; 1 Co 1.30; Ef 6.14).

A importância de 3.28 não pode ser super enfatizada, pois atinge o âmago das dificuldades na Galácia. A discórdia dos judaizantes é devastada por uma única linha. Paulo afirma vigorosamente que as distinções étnicas, sociais e até sexuais não têm conseqüência alguma em Cristo. Jesus é o fator unificador que transcende estes tipos de distinções. Este versículo serve como ponto central resumindo o argumento de Paulo, mas também prepara o leitor para o restante da carta.

É possível que as palavras de 3.28 tenham sido pronunciadas em batismos cristãos (Witherington, 1981, 597). A tripla repetição (no grego) de "não há nem" seguidos pelos três pares de opostos ("judeu/grego", "servo/livre", "macho/fêmea") apóia este ponto de vista. Isto é, Paulo pode estar citando uma famosa tradição usada pela Igreja por ocasião do batismo dos gálatas (Heine, 1987, 153). Nesse caso, então, seu uso da tradição serve a vários propósitos:

1) Está lembrando aos gálatas uma verdade central que ouviram em um momento significativo em suas vidas, isto é, no batismo.
2) Está declarando que a ordem etnocêntrica do dia, daqueles que são judaizantes, é universalmente conflitante com aquilo que é aceito pela igreja (cf. 1 Co 12.13; Cl 3.11).
3) Está indicando que sua própria compreensão do corpo de Cristo está em completa harmonia com aquilo que foi ensinado pela Igreja. Todos estes pontos servem para afirmar seu ministério e mensagem.

Embora o papel prático de 3.28 seja bastante claro (para aniquilar os efeitos dos judaizantes), a função teológica do versículo é debatida. Alguns argumentam que Paulo está simplesmente enfatizando como alguém se torna salvo. Porém, no que diz respeito à salvação, sexo e posição social, nunca tiveram qualquer relevância no cristianismo ou no judaísmo. As mulheres e os escravos eram salvos da mesma maneira que os homens e as pessoas livres. Deste modo, a mensagem de 3.28 relata mais que a questão da salvação. Novamente, a frase triplamente repetida "não há nem" pode emprestar algum discernimento aqui, por Paulo poder estar relatando algum evento crítico que *agora* tenha tornado as distinções étnicas, sociais e sexuais irrelevantes. Este evento pode bem se referir ao recebimento universal do Espírito como discutido em 3.1-5.

Fica claro que a experiência dos dons espirituais teve significativas conseqüências sociológicas e éticas para a Igreja (Barth, 1967, 138, 141-142). Judeus e gregos, homens e mulheres, escravos e livres, todos receberam o Espírito pela fé. Deste modo, a experiência do Espírito criou uma solidariedade que desmantelou barreiras previamente existentes de todos os tipos. Mais importante, a atividade do Espírito concedeu uma liberdade que podia ser apreciada por todos aqueles que estavam em Cristo, não importando a identidade sexual ou a posição na vida (1 Co 11.2-16; 2 Co 3.17). Em outras palavras, o Espírito unificador de Deus é completamente antiético ao espírito dos judaizantes.

Os judaizantes recorreram repetidamente a Abraão como seu pai; como seus filhos, consideram-se herdeiros da promessa. Contudo, no que Stephen Fowl chama de uma demonstração extraordinária de "poder interpretativo", Paulo em 3.29 inverte totalmente o argumento de seus adversários (Fowl, 1994, 79). Ele reivindica que se deve primeiro "pertencer a Cristo" a fim de ser descendente de Abraão. Deve ser notado que sua expressão é condicional. *Se* alguém pertence a Cristo, *então* é descendente de Abraão. É este tipo de acordo que estabelece herdeiros conforme a promessa. Uma vez que os judaizantes "não pertencem a Cristo" não são a semente de Abraão. Eles, não os gálatas, são aqueles que não herdarão a promessa de Deus.

Fowl corretamente observa que tal "poder interpretativo" somente poderia ser recebido por uma comunidade que fosse dotada do Espírito. Paulo entendia que os gálatas eram uma comunidade assim qualificada, e prossegue relacionando a história de Abraão com o recebimento do Espírito pelos gálatas.

A igreja contemporânea talvez tenha perdido de vista o significado poderoso do batismo nas águas. O batismo é indiscutivelmente uma ocasião cristã festiva. O espírito de celebração e a presença dos tanques batismais enfeitados, porém, podem obscurecer a seriedade extrema do evento. O batismo representa uma morte violenta para o mundo e para as coisas do mundo. Quer dizer que todos aqueles que têm sido batizados em Cristo têm sido batizados em sua morte. Conseqüentemente, o crente está morto para este mundo, porém vivo para Deus em Cristo (Mt 20.22,23; Rm 6.1-14). Ele representa também a incorporação completa em uma comunidade inigualável, o corpo de Cristo. Aqueles que se batizaram estão fazendo uma proclamação aberta de que as barreiras étnicas, sociais e sexuais, tão características de um mundo caído, não têm lugar algum na comunidade da fé. Embora possamos ter formações e talentos diversos, somos todos igualmente filhos de Abraão e unidos por um Espírito (1 Co l2.1-13).

3.9. O Espírito e a Adoção (4.1-7)

Paulo agora continua a desenvolver a analogia pedagogo/criança que iniciou em 3.24,25. Da mesma maneira que o desenvolvimento progressivo de uma criança a liberta de seus professores (3.24,25), o processo de amadurecimento de um herdeiro o livra da supervisão de tutores e curadores (4.1-7). Em ambos os casos, Paulo usa analogias da vida doméstica para demonstrar a superioridade do Evangelho acima da lei. Por exemplo, em 4.1-7 palavras como "herdeiro", "filhos" e "adoção" refletem a liberdade e a maturidade do Evangelho, enquanto "criança", "escravo", "curador" e "tutor" representam a escravidão da lei.

Paulo descreve aqui a situação de um jovem herdeiro cujo pai morreu. A palavra para "criança" em 4.1 é *nepios* e se refere ao período da infância através da pré-adolescência. Durante este período, embora a criança seja legalmente a herdeira da propriedade de seu pai, não tem nenhum controle sobre esta. Uma vez que o herdeiro esteja neste período da infância, é colocado sob tutores e escravos domésticos. Este acordo permanece em vigor até a época de sua maturidade (Jobes, 1993, 299).

O fato de Paulo utilizar o termo "nós" nos versículos 23 a 25 indica que tais experiências de infância são comuns a todos, sejam judeus ou gregos. Embora uma criança não seja um escravo, em certo sentido ele ou ela é escravizada. As crianças são limitadas a uma compreensão elementar da vida e do mundo. São restringidas a uma percepção infantil das coisas e podem receber somente instruções simples. Estão por natureza temporariamente algemadas ao simples e imaturo. Paulo descreve esta escravidão como "os rudimentos do mundo" (cf. Cl 2.8,20). Esta expressão era comumente usada na cultura pagã para descrever tanto os poderes espirituais que se pensava guiar o caminho das estrelas e planetas e as lições rudimentares da vida.

Mas o que este retrato um pouco sombrio da infância tem a ver com a lei e o Evangelho? Paulo está dizendo que ser sujeito à lei não é diferente de ser controlado pelos poderes demoníacos? Certamente não, pois como previamente observado, Paulo ensina que a lei expressa o próprio caráter de Deus (Rm 7.7,12). Mais que provável "os rudimentos do mundo" significa que a lei é limitada em sua habilidade de revelar Deus e de trazer alguém a Deus. Na realidade, a lei somente pode ensinar o "ABC" da vida. Ela apresenta a construção da moralidade de forma legal. Em Romanos 2.14,15 Paulo argumenta que através da graça comum de Deus os gentios também estavam sujeitos a tais princípios morais básicos. Não obstante, o sentido da analogia é claro. O melhor que a lei poderia oferecer não faz uma pessoa avançar em direção à maturidade espiritual.

O período de utilidade limitado da lei é relatado em 4.4. A frase "quando vier a plenitude dos tempos" marca o fim do período de tutela como relatado em 3.24,25; 4.1,2. O plano pré-ordenado de Deus era que a lei ditasse o fundamento da moralidade *até* a vinda de Cristo. Jesus é o ponto focal da história mundial; Ele é o sustentáculo do qual depende a virada dos tempos. Esta frase, porém, não se refere principalmente a um tempo ou data específicos na história. Antes, significa que quando todos os componentes estavam no lugar e quando todas as coisas estavam de acordo com o plano de Deus, então Ele enviou seu Filho. Semelhantemente "enviou" não comunica principalmente distância ou espaço; antes, fala de comissionar um enviado autorizado. Portanto, quando a fase mundial estava exatamente correta, o Pai comissionou seu Filho para trazer a salvação.

Tem sido discutido que "nascido de mulher" se refere simplesmente ao nascimento natural, e nada tem a ver com o nascimento virginal. Mas por que Paulo declararia explicitamente o que é natural ou comum? Pelo contrário, as palavras "Deus enviou seu Filho" e "nascido de mulher" se referem à pré-existência de Cristo e sua encarnação (Jo 1.14; Fp 2.5-11). A encarnação de Cristo é qualificada adicionalmente pelas palavras "nascido sob a lei". O Deus encarnado era um judeu por raça e religião. Ele veio como uma das pessoas da aliança tradicional (Jo 1.11) e era sujeito a todos os preceitos e ordenanças da lei, inclusive a circuncisão (Lc 2.21,23,24,27).

Tudo isto foi feito para cumprir o propósito de Deus. Na verdade, a palavra inicial de 4.5 é *hina*, cujo significado é "para que". A encarnação de Cristo dentro do contexto racial e religioso do judaísmo foi feita "para que" o plano de Deus pudesse ser realizado. Jesus foi completamente incorporado na urdidura e na trama da sociedade judaica de forma que pudesse redimir "aqueles que estavam debaixo da lei". Em sua vida obedeceu à lei, e em sua morte recebeu a penalidade máxima da lei. Deste modo Ele era especialmente qualificado para "resgatar" ou "redimir" aqueles que foram escravizados pela lei. A imagem aqui é de comprar a liberdade de um escravo (cf. também Rm 3.24,25).

Com as palavras "que possamos receber os direitos plenos [lit., a adoção] de filhos" Paulo muda a imagem. Agora está recorrendo à prática legal greco-romana de adoção. A palavra para "adoção", *huiothesia*, literalmente significa "colocar como filhos". No Novo Testamento, somente Paulo utiliza esta palavra para descrever nossa incorporação à família de Deus (Rm 8.15, 23; 9.4; Gl 4.5; Ef 1.5). Como prescrito na lei romana, até adultos bem crescidos poderiam ser adotados em uma família. Aos adotados eram dados todos os direitos e privilégios dos filhos naturais, inclusive a herança. O significado da imagem é claro. Embora os gentios não fossem filhos naturais de Deus (isto é, os judeus), por causa de Cristo foram completamente adotados em sua família e lhes foi dado o direito de receberem a herança do povo da aliança de Deus.

Mas deve haver uma testemunha oficial para a adoção a fim de que ela seja completamente validada. Em 4.6 Paulo declara que a testemunha para a adoção dos gentios, e dos gálatas em particular, não é outro senão o Espírito Santo. Deste modo, Paulo pode relacionar o motivo da adoção, a história de Abraão e a experiência do Espírito Santo na Galácia (cf. 3.1-5,14). A promessa para Abraão é o Espírito (3.15). Todos se tornam filhos de Abraão através da fé (3.8,9). Aqueles que estavam debaixo da lei foram libertos de sua direção opressora e adotados, passando a fazer parte da família de Deus. Como filhos, são herdeiros da promessa de Abraão (3.6-9), isto é, receptores do Espírito. E o Espírito testemunha da sua adoção na família de Deus clamando "*Aba*, Pai!" (4.6).

A palavra *Aba* era um termo aramaico comum usado pelos filhos para se referirem a seu pai. Expressa amor familiar, descrevendo o relacionamento íntimo entre um pai amoroso e seu filho. Jesus rompeu com a convenção judaica quando freqüentemente se referia ao Pai como *Aba* (Mc 14.36). Não se tem certeza de que Paulo soubesse que Jesus usou o termo *Aba*. O que é certo é que Paulo entendeu "*o clamor Aba*" inspirado pelo Espírito como prova da adoção dos gálatas.

A palavra "clamor" (*krazo*) se refere a um grito alto, audível, associada freqüentemente a um grito de guerra (Betz, 1974, 147). O movimento sobrenatural do Espírito Santo levou os gálatas a clamarem espontaneamente "*Aba!* Pai" (Dunn. 1975, 240). De que prova adicional os gentios incircuncisos precisam para se conscientizar de que foram completamente incorporados à família de Deus (Williams, 1987, 97)?

Paulo resume seu argumento em 4.7, onde ensina que o destino de um filho é radicalmente diferente do destino de um escravo. Como é diferente o destino de um herdeiro de Deus, do destino daquele que é um escravo da lei!

Em conclusão, o conceito do desenvolvimento e do cumprimento está presente em 4.1-7 como em 3.24,25. Paulo está enfatizando de novo o ponto de que todo aquele que ama verdadeiramente a Deus esforça-se para ser completo ou maduro. Permanecer debaixo da lei é ficar no nível da instrução elementar (recorde o pedagogo de 3.24,25). Semelhantemente, aqueles que estão debaixo da lei permanecem em um nível de imaturidade de forma que nunca podem receber completamente a sua herança. Contudo, aqueles que se apegam fortemente a Cristo pela fé são trazidos à família de Deus por seu Espírito. Não são trazidos para dentro como crianças pouco desenvolvidas, nem considerados como escravos domésticos. São adotados como filhos maduros, totalmente aceitáveis para herdar as promessas de Deus. O Espírito confirma sua posição especial falando através de seus corações e almas, clamando "*Aba*! Pai!"

Uma vez mais, a experiência carismática do Espírito serve como um padrão que define seu lugar no plano de Deus (3.1-5). Não estão debaixo da lei, mas da graça. Não são salvos pelas obras, mas pela fé.

3.10. A Advertência e a Repreensão São Renovadas (4.8-11)

Nesta seção, Paulo desenvolve os "primeiros rudimentos do mundo" mencionados em 4.3. Associa claramente uma obediência servil às cerimônias e rituais judaicos com um estilo de vida pagão. Agora que Cristo veio, o paganismo e o legalismo judeu são colocados na mesma categoria. Ambos representam sistemas que carecem de salvação.

Em 4.8, Paulo continua a desenvolver dois temas-chave da carta, isto é, "conhecimento" e "natureza". Lembre-se de que em 2.15, Paulo observou que ele e Pedro eram "judeus por natureza". Isto significa que sua ascendência, cultura e religião eram essencialmente diferentes dos gentios. Agora Paulo declara que em tempos passados os gálatas estavam em escravidão a deuses que "por natureza... não eram deuses".

Paulo expressa aqui o argumento judeu clássico contra a idolatria. Na verdade, os profetas atacaram implacavelmente a adoração a ídolos. Séculos antes, Isaías sarcasticamente descreveu todo o processo de construção de um ídolo (Is 44.9-20). Como alguém poderia cortar madeira e esculpir um ídolo para adorar, e então se aquecer e cozinhar com as sobras? Paulo usou um argumento semelhante quando pregou para os filósofos pagãos em Atenas (At 17.16-34). Independente do contexto histórico, o ponto permanece o mesmo. Os deuses dos pagãos não são divinos em sua composição essencial. Embora possa haver muitos "deuses" e "senhores", existe somente um Deus verdadeiro (1 Co 8.4-6). Os gentios sacrificavam aos demônios (10.18-20); confundir os poderes demoníacos com o Deus verdadeiro é o engano extremo (Is 44.20; Rm 1.18-25). Deste modo, os gálatas eram anteriores à vinda de Cristo. Estavam em escravidão espiritual e sem esperança; não conheciam a Deus.

A partir de uma perspectiva judaica, "conhecer" (4.9) tem pouco a ver com processos mentais ou com a aquisição de fatos. Antes, "conhecer" é ter uma relação significativa com alguém ou experimentar algo. Deste modo, as Escrituras falam de conhecer a Deus e também de conhecer o pecado (Gn 2.9,17; Êx 6.7; Jr 24.7). Em Gálatas 4.9, Paulo declara que os gálatas agora conhecem a Deus — então rapidamente expressa uma correção. Não foram os gálatas que estabeleceram uma relação especial com Deus. Pelo contrário, Deus tomou a iniciativa em graça de incorporá-los à sua família. Ele continuou a desenvolver este relacionamento através da pessoa e obra do Espírito Santo. Considerando a bondade de Deus, por que os gálatas desejariam abandonar ao Senhor? Por que se privariam da vida capacitada pelo Espírito, em troca do legalismo?

Várias questões críticas surgem neste momento. Paulo usa a palavra *palin* ("nova- mente") por duas vezes em 4.9. Isto significa que os gálatas estão desejando servir a deuses falsos *novamente*? O contexto da carta não sustenta isto. A idolatria não é um problema em Gálatas. As palavras de Paulo em 4.10 trazem clareza. Os gálatas estão atribuindo um significado religioso especial para "dias e meses e tempos e anos". Estas palavras certamente devem se referir ao calendário religioso dos judeus. Sem dúvida os judaizantes convenceram os gálatas de que sua salvação não estaria completa, a menos que honrassem os dias santos judaicos. Naturalmente observar tais dias envolve também praticar todas os rituais e cerimônias associados a cada evento religioso. Como indicado acima, à luz de Cristo, todas essas observâncias estão essencialmente na mesma categoria da idolatria pagã.

4. O Argumento Prático de Paulo (4.12-6.10)

Para Paulo, a teologia e a prática são inseparáveis. Sua doutrina de salvação está completamente ligada à sua compreensão sobre a santificação. Portanto, a verdadeira justificação deve encontrar expressão na reconciliação (4.12-16), no andar em Espírito (5.16-26), e no cuidado e preocupação mútua para com os outros (6.1-10).

4.1. Um Apelo à Reconciliação (4.12-16)

A abertura do versículo 4.12 é enigmática. Paulo exorta fortemente os gálatas a se tornarem como ele, porque ele é como eles são. Considerando tudo o que Paulo escreveu até este ponto, poderíamos perguntar: Em que sentido Paulo poderia ser como os gálatas? Eles são insensatos e fascinados (3.1). Estão no processo de abandonar aquEle que os chamou para a salvação (1.6). Desejam permanecer em um nível de imaturidade espiritual, exigindo pedagogos e curadores (3.24,25; 4.1-3). Podemos entender que Paulo queria que os gálatas se tornassem como ele, porque desafia freqüentemente seus convertidos a imitá-lo em Cristo (1 Co 4.6; 11.1; Fp 3.17). Mas a maneira pela qual Paulo é como os gálatas, não é imediatamente aparente. É mais que provável que a frase "sou como vós" seja um apelo à experiência comum que possuíam em Cristo. Paulo é livre, e deseja que os gálatas também sejam livres.

As palavras de Paulo em 4.13-16 trazem uma luz adicional a estas questões. Ele está chamando os gálatas de volta ao relacionamento que desfrutavam antes da chegada dos desordeiros. Como será notado abaixo, antes da vinda dos judaizantes, Paulo e os gálatas eram irmãos no Senhor. Sua relação era caracterizada pelo amor, respeito e cuidado mútuo. Mas os inimigos de Paulo envenenaram seus corações e mentes a seu respeito, retratando-o como alguém que desacreditou a lei de Deus para obter lucro e poder pessoal. Não obstante, Paulo quer que os gálatas saibam que ele não mudou sua afeição por eles. Conseqüentemente, deseja que sejam como ele mesmo, isto é, realmente livres. Foram eles que mudaram, e não o apóstolo Paulo.

Em completo contraste à má vontade dos judaizantes, os gálatas ministraram a Paulo no passado, e ele era agradecido por sua ajuda. No princípio, Paulo pregou a eles enquanto estava fisicamente doente. De algum modo a enfermidade de Paulo favoreceu a ocasião para que compartilhasse o evangelho com os gálatas ("vos anunciei o evangelho estando em fraqueza da carne").

A natureza exata da enfermidade de Paulo não pode ser determinada. As frases "fraqueza da carne" e "provação na carne" (4.13,14, trad. lit.) faz-se pensar no "espinho na carne" mencionado em 2 Coríntios 12.7. Contudo, mesmo aqui Paulo não compartilha a natureza particular do "espinho". O que está claro é que a enfermidade era repulsiva de algum modo. Apesar disto, os gálatas não foram impedidos pela enfermidade de Paulo, nem trataram-no com "desprezo" (ou "rejeição") — *ekptyo*, uma palavra que literalmente significa "cuspir". No mundo antigo pensava-se que cuspir tivesse um poder sobrenatural. Era uma maneira de ficar livre de um feitiço jogado "por um olho maligno" (cf. 3.1).

As palavras de Paulo sobre os gálatas "arrancarem os olhos" podem trazer algum discernimento. Ele pode ter sofrido de uma infecção comum nos olhos, na região ao sul da Galácia (Bruce, 1982, 209). Os sintomas desta doença eram desagradáveis de se ver. Se Paulo teve tal doença, os gálatas recusaram-se a excluí-lo. Pelo contrário, eles o receberam como "um anjo de Deus" (4.14). A palavra para "anjo" (*angelos*) pode simplesmente significar "mensageiro". Os gálatas então receberam Paulo como um mensageiro de Deus ou como um anjo de Deus? O contexto de Gálatas indica que algo mais está em jogo aqui, do que simplesmente ser uma pessoa trazendo uma mensagem. O forte contraste entre rejeição e aceitação indica que a expressão "anjo" deve ser preferida.

A observação de que os gálatas aceitaram Paulo "como Jesus Cristo" confirma isto. Quando Paulo primeiro conheceu os gálatas, apesar de sua doença nos olhos ser problemática, trataram-no com a reverência devida a um anjo. Era como se Jesus Cristo visitasse sua comunidade na pessoa de Paulo.

A tremenda mudança de atitude com relação a Paulo é relatada em 4.15. Os gálatas estavam cheios de alegria quando Paulo se aproximou pela primeira vez. Onde está seu afeto por ele agora? Os judaizantes difamaram tanto a Paulo a ponto de torná-lo seu inimigo? Apelando para a linguagem do tribunal da lei, Paulo jura solenemente que isto nem sempre foi o caso. Recorda que, se possível, teriam arrancado seus olhos para dar a ele. Embora fosse impossível transplantar seus olhos para Paulo, a imagem transmite sua intensa devoção.

Em 4.16 Paulo pergunta retoricamente: "Fiz-me, acaso, vosso inimigo, dizendo a verdade?" Paulo aqui relaciona seu próprio caráter ao Evangelho que pregava. Quando os gálatas receberam o Evangelho, expressaram amor sacrificial por Paulo. Agora que estão rejeitando o evangelho, aparentemente tratam-no com desdém. Nisto reside o âmago do problema. O falso evangelho dos judaizantes alienou-os da graça de Deus e de todos aqueles que representam esta graça. Então, no final, nem os gálatas nem o apóstolo Paulo são responsáveis pelos problemas na Galácia. Neste sentido, Paulo e os gálatas são os mesmos (4.12).

A maturidade e o amor espiritual de Paulo são claramente evidentes nestes versículos. Recusa-se a permitir que sua ira contra os judaizantes seja transferida para aqueles a quem ele ama no Senhor. Escolhe concentrar-se nos problemas ao invés de concentrar-se nas pessoas. Deste modo, evita ser vítima do "jogo de culpa" que é capaz de destruir os relacionamentos. Coloca sua energia em recordar o tempo em que o amor e a comunhão cristã o uniram à igreja da Galácia. De um modo piedoso, não os culpará por seus pecados. Antes, busca plena reconciliação com aqueles que desesperadamente precisam retornar à sua igreja (cf. 2 Co 5.20).

4.2. Os Falsos Motivos dos Judaizantes (4.17-20)

O zelo piedoso é bom, mas o zelo religioso pode levar à ambição e à discórdia. Como Jesus observou, os fariseus cruzariam a terra e o mar para ganhar um prosélito, mas não ergueriam um dedo para ajudar seu vizinho (Mt 23.15). Tal "zelo" é completamente egoísta. Não tem nenhum interesse no bem-estar dos outros.

Os judaizantes eram movidos por este tipo de zelo. Em seu esforço para provar seu zelo pelo judaísmo, pressionaram os gálatas a aceitarem a lei de Moisés e a serem circuncidados. Se os judaizantes fossem capazes de tornar os gálatas seus prosélitos, então os gálatas passariam a ser "zelosos por eles", e não pelo Senhor (4.17). Em outras palavras, os judaizantes queriam aumentar seu poder e influência fazendo discípulos para si mesmos. Para que seus planos tivessem chance de sucesso, teriam que "alienar" os gálatas. Os desordeiros perceberam que Paulo era o principal obstáculo à sua campanha judaizante. Se pudessem romper o relacionamento entre os gálatas e Paulo, poderiam alienar os gálatas em relação ao evangelho verdadeiro (cf. 4.19). O ponto principal de Paulo em 4.17 é que a devoção aos judaizantes e a devoção a Deus são mutuamente exclusivas.

As palavras de Paulo em 4.18,19 recordam a parábola do semeador (Mt 13.3-9; Mc 4.3-8; Lc 8.5-8). As raízes espirituais dos gálatas eram superficiais, e até certo ponto instáveis. Quando Paulo estava presente, eram dedicadas a ele e a seu ensino. Quando os judaizantes estavam presentes, transferiam-lhes a sua submissão (4.20). Uma vez mais o problema reside na natureza e na orientação de seu zelo. Sempre que ficavam encantados com as ambições deste ou daquele grupo, eram desesperadamente deixados à deriva em um mar de opiniões. Contudo, se fossem capazes de contar completamente com a graça de Deus em Cristo, poderiam enxergar seu caminho no Evangelho e reconhecer os verdadeiros servos do Senhor.

A situação na Galácia era sombria. Os gálatas podem ter se desviado do Senhor; podem já ter caído da graça (cf. 4.11). Contudo, o amor de Paulo por eles permanece inalterado. Refere-se aos gálatas de um modo carinhoso: "meus filhinhos" (4.19) e lamenta por eles como uma mãe por um filho teimoso. Ah! Se ela pudesse concebê-los novamente e reiniciar o processo da vida! Este é o desejo de Paulo. Todo o conflito na Galácia o fez lutar *novamente* com as "dores de parto" de forma que Cristo pudesse ser novamente formado neles.

Paulo está lutando com a perspectiva de que os gálatas possam precisar ser renascidos no Senhor. Bruce interpreta esta passagem inteira em termos de santificação e não de salvação (Bruce, 1982, 212-213). Mas o tema central de toda a carta, que aparece em quase todas as linhas, é como alguém pode ser salvo. A imagem de nascer pela segunda vez é muito forte para ser ignorada. Não pode haver nenhuma dúvida de que Paulo teme pela salvação deles.

A frustração e a dor de Paulo são claramente evidentes em 4.20. A situação é tão crítica que teme que sua carta sozinha não faça o trabalho. Deposita mais confiança em uma visita pessoal. Paulo desejava poder olhar os gálatas diretamente nos olhos, e que estes pudessem ouvir as inflexões de sua voz. O poder de sua presença poderia fazê-los voltar ao seu bom juízo.

Não é difícil discernir a lição espiritual desta seção. O zelo piedoso sempre enfoca o Senhor e as obras abnegadas em benefício dos outros. A ambição carnal pode construir os impérios deste mundo, mas nunca poderá construir o reino de Deus. Aqueles que estão verdadeiramente motivados pelo Senhor não se esquivam da dor e do sofrimento que são exigidos para conceber almas para a família de Deus.

4.3. Os Verdadeiros Filhos Nascem pelo Espírito (4.21-31)

Esta seção demonstra como Paulo habilmente integra as várias partes de sua carta. Em 4.21-31 ele continua a contrastar a lei e o evangelho recorrendo a palavras e imagens previamente empregadas. Por exemplo, a discussão inteira desenvolve o tema da "aliança" apresentada em 3.15-18. Também a lei é constantemente associada a termos como a escravidão, a servidão e a carne (cf. 2.4; 3.13, 19-25), mas o evangelho é identificado com a liberdade, a promessa e o Espírito (cf. 3.1-9, 14-18; 4.1-7). Talvez o mais significativo seja o modo como Paulo une suas palavras sobre dar à luz aos gálatas em 4.19 com suas palavras relativas aos filhos da promessa em 4.21-31. Além disso, o fardo de Paulo é ter a certeza de que os gálatas tenham nascido no reino.

É para este propósito que Paulo se dirige aos gálatas para avaliar a posição deles em Cristo, contrastando o filho prometido de Abraão (isto é, Isaque) com o filho de Agar (isto é, Ismael). O apóstolo consegue relacionar todos estes conceitos apresentando uma interpretação única de Sara e Agar. Em 4.24 Paulo declara explicitamente que está falando alegoricamente (na tradução NVI, "figurativamente"). O verbo *allegoreo* aparece somente nesta passagem em todo o Novo Testamento (*TDNT*, 1.260).

Está aberta a discussão à razão pela qual Paulo escolheu usar uma alegoria neste momento. Alguns têm alegado que Paulo usou todos os argumentos teológicos e racionais à sua disposição, e agora se volta a um meio menos convencional de persuadir os gálatas. Contudo, Paulo não é o tipo de pessoa que fica sem saber o que fazer, especialmente quando doutrinas centrais da fé estão em jogo. Pelo contrário, seu uso de alegoria está de completo acordo com seu ensino a respeito do Espírito Santo ao longo da carta. Por exemplo, voltava-se constantemente à experiência dos gálatas no Espírito Santo para validar sua salvação (3.1-5). Até mesmo a história de Abraão em Gálatas 3—4 estava completamente entrelaçada com sua compreensão e experiência do Espírito. Este uso deliberado do Espírito como um meio de divulgar as verdades da Escritura pode levar somente a uma conclusão: Aqueles que são do Espírito podem entender as coisas do Espírito (1 Co 2.13,14). Conseqüentemente Paulo está se dirigindo aos gálatas como espiritual e sugere fortemente que os judaizantes não o são.

Neste fato reside a importância teológica da alegoria em 4.21-31. Como observado em nossas considerações sobre o texto em 3.16-19, os judaizantes sem dúvida expressaram uma interpretação convencional da "semente" de Abraão — dizendo que, a fim de ser parte da aliança, é necessário ser um descendente biológico de Abraão ou ser circuncidado (Gn 17.9-14). Paulo se recusa, porém, a ser amarrado a uma "compreensão" tão elementar das Escrituras (cf. 4.9,10). Como Stephen Fowl observa, Paulo demonstra que é um mestre das Escrituras capacitado pelo Espírito, dando uma interpretação alegórica de Abraão. Em outras palavras, Paulo mostra o seu "poder de interpretação" oferecendo uma tradução "não-convencional" de uma história famosa do Antigo Testamento (Fowl, 1994, 77-79). Aqueles que são espirituais poderão discernir a superioridade de Paulo e sua mensagem, quando comparada à interpretação opaca dos judaizantes (1 Co 2.15; Gl 6.1).

GÁLATAS 4

O verdadeiro gênio teológico de Paulo se torna evidente quando percebemos como o apóstolo utiliza esta alegoria. Os judaizantes provavelmente disseram aos gálatas que eles eram os descendentes de Agar e conseqüentemente não faziam parte da aliança. Teriam discutido que deve-se nascer de Sara para herdar as promessas de Abraão (Bundrick, 1991, 356). Como sempre, Paulo reverte tal argumento, invertendo completamente o papel que Agar e Sara nele representaram. Paulo interpreta a linhagem de Agar e Ismael como representantes da posição atual dos judeus, enquanto a linhagem de Sara e Isaque (que representava tradicionalmente os judeus) como representante dos cristãos gentios (Ebeling, 1985, 234).

As palavras "vós, os que quereis estar debaixo da lei" (4.21) indicam que alguns dos gálatas ainda não haviam se submetido aos judaizantes. Também, "não ouvis vós a lei?" provavelmente ecoe os insultos dos desordeiros. Sem dúvida os judaizantes estavam continuamente repreendendo os gálatas por não ouvirem o que a lei dizia, particularmente no que diz respeito a Abraão e a circuncisão. Em defesa de sua posição, Paulo também apela para a lei, mas escolhe enfocar as esposas de Abraão e seus filhos, ao invés do próprio Abraão. Fazendo assim não cita a Escritura literalmente, mas resume os pontos principais de Gênesis 16.15 e 21.2,3,9.

Paulo não se concentra nas mães por si só, mas começa a contrastar as circunstâncias que envolvem o nascimento de seus dois filhos. Observa que Ismael nasceu da mulher escrava, Agar, e que Isaque nasceu da mulher livre, Sara (4.22). Além do mais, Ismael nasceu *kata sarka* (4.23; lit., "segundo a carne"; ou ainda conforme a NVI, "de modo comum"; cf. também 3.3). Esta frase significa simplesmente que Ismael foi o resultado de processos procriadores naturais. Pelo contrário, Isaque nasceu como resultado da promessa de Deus a Abraão. Deste modo, Sara não é mais vista simplesmente como a mãe biológica dos judeus. Ela é agora a mãe de todos aqueles que são "nascidos" através da promessa de Deus, isto é, o evangelho.

A menção da palavra "promessa" no final do versículo 23 recorda naturalmente o princípio da aliança descrito em 3.15-18. Começando pelo verso 24, Paulo observa que existiam duas alianças, uma dada no monte Sinai e outra originária da "Jerusalém que é de cima" (4.26). Paulo argumenta que o monte Sinai representa a entrega da lei a Moisés (cf. 3.17). Estendendo a alegoria um pouco além, o apóstolo declara que o monte Sinai e Agar representam simbolicamente a mesma coisa; a escravidão à lei (cf. 3.10-15). Esta representação é verdadeira porque a mulher escrava, Agar, pode gerar somente crianças escravas. O significado coletivo destes símbolos reflete a escravidão atual de Jerusalém. Os pensamentos de Paulo podem ser esquematicamente representados pelo seguinte: Monte Sinai = lei de Moisés = Agar e seus filhos = Jerusalém atual.

Paulo sem nenhuma dúvida incluiu Jerusalém por várias razões. A partir de uma perspectiva espiritual, todos os judeus, não importando onde tenham vivido, olharam para Jerusalém como o centro do judaísmo. Em um nível político, Jerusalém serviu também como a fonte do nacionalismo zeloso, que buscava preservar Israel intensificando a observância da lei. No que diz respeito aos gálatas em particular, Jerusalém era a sede para os judaizantes. Então em um sentido alegórico, Jerusalém representa o legalismo destruidor da liberdade que Paulo está combatendo ao longo de sua carta (cf. 2.4-5, 12-14). Esta representação de Jerusalém contém algumas implicações graves para os judeus. Jerusalém está escravizada com todos os seus filhos (4.25). O julgamento de Paulo significa que os judeus estão excluídos da aliança da graça. Estão perdidos e precisando desesperadamente do evangelho (Rm 9.1-3; 10.1).

Tudo isto está em total contraste com "a Jerusalém que é de cima" (4.26). A idéia de duas "Jerusaléns", uma terrestre e outra celestial, estava bem estabelecida no pensamento judeu. A origem deste conceito pode ser localizada em Êxodo 25.40, que diz que Moisés recebeu um "padrão" para a construção do tabernáculo (Bruce,

1982, 221). A idéia de "padrão" sugere uma realidade ideal no céu que tem uma realidade física correspondente na terra. Este tipo de imagem é encontrada ao longo do Novo Testamento, especialmente na Carta aos Hebreus e no Apocalipse (Hb 11.10,16; 12.22; Ap 3.12; 21.2,9-27).

Tendo feito esta analogia, Paulo continua a ensinar que a Jerusalém de cima é livre e é a mãe de todos nós. Ele pode estar se referindo a passagens nas Escrituras como Salmo 87.5 e Isaías 54.1-13. O ponto importante é que a partir da perspectiva de Paulo a Jerusalém de cima representa o poder vivificador do Evangelho, porém a Jerusalém terrestre representa a escravidão à lei.

Paulo substancia sua interpretação alegórica de Agar e Sara referindo-se a Isaías 54.1, onde o profeta comemora a libertação de Israel do cativeiro e sua restauração à terra prometida. Para Isaías, esta libertação milagrosa não era nada menos que o conceder filhos a uma mulher estéril. Pela graça de Deus, aquela que por natureza não poderia ter nenhum filho, conceberia uma descendência maior do que aquela que não era estéril. A intenção de Paulo é óbvia. Os judeus, que deveriam ser frutíferos para o Senhor, agora se tornaram estéreis. Os gentios, que por natureza não poderiam conceber filhos para Deus, agora dão à luz a muitos filhos no reino (Gl 4.27).

Não obstante, Paulo é cuidadoso ao fundamentar toda a história no contexto da graça de Deus. Da mesma maneira que o renascimento de Israel na terra (4.27) não veio de sua própria habilidade, o nascimento no reino também resulta da intervenção sobrenatural de Deus. O nascimento milagroso de Isaque também simboliza perfeitamente a experiência dos gálatas (4.28). Note que embora Isaque tenha sido mencionado desde o princípio (4.22,23), esta é a primeira vez que seu nome aparece na alegoria (4.28). Deste modo, o ponto principal de Paulo é que os gálatas não nasceram "segundo a carne" (ou, "de um modo comum") como Ismael (4.23). Pelo contrário, são como Isaque porque nasceram como resultado da promessa de Deus (cf. também Rm 4.13-25).

Em 4.29 Paulo compara a discórdia que existiu entre Ismael e Isaque com a dificuldade causada pelos judaizantes em Gálatas. Suas palavras finais, "assim é também, agora" estabelece esta conexão. O filho nascido "segundo a carne" (isto é, Ismael) perseguiu o filho "da promessa" (isto é, Isaque). A Bíblia não diz explicitamente que Ismael perseguiu Isaque. Ismael insultou Isaque na celebração de seu desmame (Gn 21.9), mas os rabinos interpretavam Gênesis 21.9 como refletindo a hostilidade que Ismael tinha contra Isaque (Betz, 1979, 249,250). De modo significativo, Ismael repreendeu Isaque em determinado momento de sua vida quando estava fazendo a transição da dependência absoluta como uma criança, para um estado mais maduro e independente.

Além disso, esta transição indica que Isaque estava a um passo mais próximo de reivindicar a herança de Abraão. Esta imagem poderia relacionar as palavras de Paulo quanto à imaturidade daqueles que estão debaixo da lei, e a maturidade daqueles que estão em Cristo? O desmamar de Isaque faz um paralelo à libertação do pedagogo severo da lei como descrito em 3.23-25? Poderia ser que o amadurecimento de Isaque refletisse a liberdade do herdeiro em relação ao seu supervisor como visto em 4.1-7? Considerando a coerência do argumento de Paulo, tais conexões são absolutamente possíveis.

De um modo sutil, ainda que significativo, Paulo substituiu a palavra "promessa" por "Espírito" em 4.29. Fazendo isto, tornou aqueles que foram "nascidos como resultado da promessa" equivalentes àqueles que foram "nascidos pelo poder do Espírito". Paulo é justificado ao fazer este paralelo, pois havia previamente ensinado que a promessa de Abraão é o Espírito (3.14).

O grau em que Paulo se mostra capaz de integrar vários conceitos teológicos é verdadeiramente extraordinário. Anterior à entrega da lei, Abraão foi justificado pela fé porque creu na promessa de Deus de que teria um filho. Pelo fato de os gentios terem a mesma fé de Abraão, tornam-se agora os filhos de Abraão. Conseqüentemente a promessa de Deus para Abraão foi cumprida, e ele tornou-se realmente o pai de muitas nações. O último cumprimento da promessa, porém, é o Espírito (3.14). Então o recebimento do Espírito pelos gálatas (3.1-3), com o acompanhamento do "clamor *Aba*" (4.6), constitui a promessa de Deus para Abraão em toda a sua plenitude.

Paulo demonstra a mensagem solene da alegoria, fazendo referência a Gênesis 21.10. Esta Escritura declara que o filho da mulher escrava (Ismael) não participará da herança de Abraão com o filho da mulher livre (Isaque) (4.30). Além disso, esta declaração profunda significa que os judeus agora foram excluídos das bênçãos da aliança. Contudo, os gálatas não nasceram pelo legalismo do judaísmo. Nasceram de novo através da liberdade do Evangelho (4.31).

Em resumo, as palavras de Paulo em 4.21-31 devem ser especialmente relevantes para os crentes cheios do Espírito. É evidente que o Espírito Santo serve como a lente interpretiva através do qual Paulo vê as Escrituras e a obra de Deus no mundo. Portanto, para o apóstolo, não pode haver nenhuma análise estéril da revelação. Certamente não pode haver violência à palavra para servir às ambições e aos assuntos pessoais. A única abordagem legítima das Escrituras é aquela que foi formada pelo Espírito Santo (1 Pe 1.10-12). E somente aqueles que têm sido guiados pelo Espírito estão autorizados a sondar as suas profundezas.

Tais profundezas penetram em um nível de compreensão que deixa o elementar e o superficial muito atrás (4.3, 9). É uma viagem privilegiada, que conduz à liberdade e à herança abundante (2.4,5; 4.7). É uma viagem que escapa do olhar estrito do pedagogo e dá adeus a tutores e curadores dominadores (3.24,25; 4.1,2). É uma viagem "em Cristo" (2 Co 1.21), "pela graça" (Ef 2.5-8), e através do Espírito Santo (3.5), reservada somente para aqueles que são espiritualmente maduros (Cl 2.10).

4.4. *Esperando no Espírito (5.1-5)*

O tema do capítulo 5 é claro. O crente foi chamado para a liberdade em Cristo, e não deve viver na escravidão da lei (Osiek, 1980, 59). Mas a construção gramatical de 5.1 é incômoda. Deve-se relacionar as palavras "na/pela liberdade com que Cristo nos libertou" para os princípios contidos na alegoria de 4.21-31. Isto é, como filhos da mulher livre (4.31) os gálatas devem viver à altura de sua herança de família. Deste modo, a mensagem combinada da alegoria e as palavras de Paulo em 5.1-13 significam que a libertação inicial dos gálatas tinha um propósito. Eles foram libertos para viverem em liberdade (Ebeling, 1985, 241).

Então, Paulo segue esta declaração indicativa com a ordem: "Estai, pois, firmes... e não torneis a meter-vos debaixo do jugo da servidão". A palavra para "estai, pois, firmes" ou "permanecei firmes" (*stekete*) era um termo militar, que significava assumir o posto de alguém e não permitir que o inimigo invadisse o território (Yandian, 1985, 202). Assim, a mensagem de Paulo para os gálatas é que devem delimitar seu território em Cristo e não ceder às táticas dos judaizantes.

O "jugo da servidão" sem dúvida se refere à lei. Quando os homens judeus se tornaram "filhos da lei" em sua Bar Mitzvah, foi-lhes dito para "tomarem o jugo do reino". Semelhantemente, no Concílio de Jerusalém Pedro não quis que "o jugo" fosse colocado no pescoço dos gentios (At 15.10). Embora a salvação seja um dom gratuito, os gálatas devem estar continuamente em vigilância. Os judaizantes querem ligá-los ao jugo da lei.

Ao longo da carta, Paulo usou sua autoridade apostólica para trazer os gálatas de volta à linha certa. As palavras "Eis que eu, Paulo, vos digo que..." (5.2) é outro exemplo deste tipo de autoridade. As questões críticas em jogo merecem sua declaração solene e pesada. Se os gálatas se submeterem à circuncisão, então Cristo não lhes será de nenhum benefício.

Os estudiosos estão divididos sobre como deveriam interpretar "circuncidar" aqui. O verbo pode tanto ser traduzido como "circuncidarem-se" ou "serem circuncidados" (isto é, por outros). Uma vez que Paulo nunca representa os gálatas como vítimas passivas, mas justamente coloca a culpa diante deles, a primeira tradução é preferida. Se os gálatas se circuncidarem, perderão o direito aos benefícios da expiação de Cristo. O *se* uma vez mais indica que a situação não é irremediável, mas este fato central permanece. O princípio da circuncisão e a graça de Deus em Cristo são mutuamente exclusivos.

As palavras "de novo, protesto" (5.3) recordam a imagem do tribunal da lei (2.11; 4.15). Como um advogado perito tratando de seu caso, Paulo esclarece as conseqüências das ações dos gálatas. Visto que sente a necessidade de repetir tais fatos inúmeras vezes, os gálatas não entenderam completamente o significado de aceitar a circuncisão. Como Tiago observa, manter uma parte da lei obriga a manter toda a lei (Tg 2.10; cf. também Gl 3.10,11). Embora Paulo destaque aqui o rito da circuncisão, devemos nos lembrar de que este ato físico não é o problema real. Como previamente observado, Paulo circuncidou a Timóteo para que pudesse ministrar mais eficazmente aos judeus (At 16.3). Antes, o que Paulo considera inaceitável é o sistema legal representado pela circuncisão, juntamente com o pensamento que este legalismo pode trazer a salvação.

Em sua maneira característica e um tanto rude, Paulo revela as questões mais próximas. Qualquer um que esteja buscando ser justificado pela lei rompeu seu relacionamento com Cristo e caiu da graça (5.4). O verbo traduzido por "ser alienado" (*katargeo*) era usado para descrever o fim de uma relação com alguém ou algo (Ridderbos, 1957, 188). Paulo usa a mesma palavra em Romanos 7.1-6 para descrever como um casamento termina com a morte de um dos cônjuges (Bruce, 1982, 231). Naquela passagem Paulo ensinou que os crentes se tornaram mortos para a lei, de forma que pudessem se casar com Cristo. A situação na Galácia é exatamente oposta. Os gálatas estão buscando ser casados com a lei, e assim fazendo estão matando a sua relação com Cristo. Deste modo, Paulo adverte que procurar se colocar sob a lei é acabar com toda a relação com Cristo. Seu sacrifício expiatório é de nenhum proveito para os legalistas.

A palavra grega para "caído" ou "definhado" (*ekpipto*) era freqüentemente usada para descrever flores definhando de seus talos depois de terem murchado e morrido. Colocar-se debaixo da lei é ser cortado do fluxo vivificante da graça de Deus. Em um sentido espiritual, se os gálatas abraçarem a lei ao invés de Cristo, murcharão, morrerão e cairão do poder salvador de Deus.

Em 5.5 Paulo faz alusão a um novo aspecto dos gálatas que ainda não foi discutido. Aparentemente sofriam do que se poderia chamar de "impaciência religiosa". Estavam pouco dispostos a esperar no Espírito para a plena realização de sua salvação, almejando ao invés disso sinais tangíveis e cerimônias que concediam uma falsa sensação de segurança. Sua visão distorcida de Deus os levou a crer que uma marca física na carne seria a prova de que eram salvos. O fato de poderem executar cerimônias religiosas deu-lhes a sensação de moldar sua própria salvação imediatamente.

Contudo, como o escritor de Hebreus argumenta, tais práticas representam mandamentos e ordenanças carnais (Hb 7.16; 9.10). São ações da carne, não do Espírito. Estevão pregou que este tipo de "impaciência religiosa" exigiu um bezerro de ouro de Arão (At 7.40-43). Ao invés de aguardarem a revelação da Palavra de Deus, os hebreus exigiram algo físico em que pudessem colocar a sua fé. Em resumo, tornaram-se idólatras e voltaram a um nível primitivo de existência. Ironicamente, aqueles que tinham sido libertos do Egito ansiavam ser novamente escravizados — e assim acontecia com os gálatas. Cristo os libertara do paganismo. Por que queriam ser escravizados novamente (Gl 4.8-10)?

Deus realmente forneceu sinais de nossa salvação, mas são espirituais e espiritualmente discernidos (cf. 1 Co 2.14). Aqueles que são espirituais percebem que são salvos no presente, ainda que a plena redenção ainda seja futura (Rm 8.22,23; 1 Jo 3.2). A experiência do crente no Espírito Santo reflete perfeitamente estes princípios. O derramamento do Espírito é um fenômeno do final dos tempos, marcando o início dos últimos dias (At 2.4-17). Assim os poderes do tempo por vir estão sendo atualmente realizados na igreja através da presença do Espírito, acompanhado de seus dons (1 Co 12). Além disso, o fruto do Espírito serve como um marcador que identifica claramente os filhos de Deus nesta era. Estes são os *sinais espirituais* que os gálatas deveriam esperar como evidência de sua salvação (Gl 3.1-5), e não cerimônias físicas e rituais de tempos passados.

A manifestação atual do Espírito fala também da nossa redenção plena que é ainda futura. Em contraste com a impaciência religiosa dos gálatas, devemos aguardar *"pelo espírito da fé"* a esperança da justiça (5.5). O termo que Paulo usa para "aguardar" é o mesmo usado em Romanos 8.19, 23,25, onde o apóstolo descreve a criação caída aguardando a sua libertação e o crente aguardando a ressurreição. Na verdade, estes dois eventos estão relacionados entre si, pois a ressurreição dos santos no último dia, pelo Espírito, precederá esta restauração cósmica (8.21). Enquanto isso, o Espírito Santo infunde esperança e propósito na vida dos redimidos (8.24-30). Somos salvos pela esperança (8.24), e é o Espírito que nos concede a paciência para vivermos esta esperança até a Vinda de Cristo (Gl 5.5).

Falando de um modo prático, a "impaciência religiosa" é o motivo da queda de muitos cristãos dedicados. Buscam sinais tangíveis de sua salvação ao invés de vê-la com os olhos da fé. Tais sinais poderiam incluir programas de construção impressionantes ou o aumento do número de membros da Igreja. Contudo, à medida que permitimos que o nosso destino repouse nas coisas deste mundo, separamo-nos da graça de Cristo nesta mesma medida. Não deveríamos ficar surpresos que o reino da graça seja essencialmente invisível. Deve ser necessariamente assim, pois Paulo declara:

"o qual é imagem do Deus *invisível*, o primogênito de toda a criação" (Cl 1.15). Devemos esperar por nossa redenção no Espírito, pois ela está mais próxima do que quando primeiramente cremos (Rm 13.11). Por estas razões Paulo declara: "não atentando nós nas coisas que se vêem, mas nas que se não vêem; porque as que se vêem são temporais, e as que se não vêem são eternas" (2 Co 4.18).

4.5. A Advertência e a Repreensão São Renovadas (5.6-12)

Alguém pensaria que Paulo disse o bastante para estimular os gálatas a voltarem para o aprisco, mas não se arrisca, e deste modo se lança em outro limite de advertência e repreensão em 5.6-12.

Paulo começa dizendo que "nem a circuncisão nem a incircuncisão têm virtude alguma" e não realizam qualquer coisa para o reino. A palavra para "realiza" (*ischyo*) refere-se ao poder inerente que reside em uma pessoa ou em alguma coisa. Paulo repete esta mensagem em todas as suas cartas (3.28; cf. 1 Co 7.19; Cl 3.11). Tais sinais externos podem ter significado em um nível puramente humano, mas são irrelevantes para Deus. Podem servir como indicadores sociais, rotulando alguém como um judeu ou gentio, mas não têm lugar na Igreja. O que realmente importa para Deus é a fé que opera através do amor. A palavra para "opera" (*energeo*; cf. nossa palavra "energia") transmite a operação e a aplicação do poder. Não são os sinais externos de religiosidade que importam, mas a realização da fé interior através do amor.

Paulo freqüentemente emprega uma imagem esportiva em suas cartas (1 Co 9.24-26; Fp 2.16; 1 Tm 4.7; 6.12; 2 Tm 4.7). Seu conhecimento de atletismo pode refletir sua familiaridade com os jogos olímpicos e talvez também com os jogos ístmicos que ocorriam nas proximidades de Corinto, mas seu interesse vai além do entretenimento. Os jogos servem como metáforas para o progresso espiritual de alguém, ou para a falta deste progresso. Observe a passagem em Gálatas 2.2, onde Paulo usou a figura da corrida para expressar dúvidas sobre seu trabalho entre os gálatas. Em 5.7 Paulo reconhece que estavam correndo bem. O apóstolo sem dúvida não está se referindo à época logo após ter-lhes pregado o Evangelho. A palavra para "correndo" está no tempo imperfeito, indicando que os gálatas haviam continuado pelo caminho correto por algum tempo.

Contudo, alguém havia se interposto entre eles, de forma que não estavam mais obedecendo à verdade. Neste contexto, a palavra *enekopsen* se refere a uma infração nos esportes — um corredor prejudicando outro, impedindo-o de terminar a corrida (Bruce, 1982, 234). O pronome interrogativo singular "quem" como também a menção de Paulo de "aquele que vos perturba" em 5.10 pode apontar para um único "líder" dos judaizantes. Não obstante, a atenção completa de Paulo é dedicada à restauração dos gálatas. Ele não perde tempo nem energia em perseguir os desordeiros, embora note suas táticas: estão tentando persuadir os gálatas para não obedecerem a verdade.

Embora o trecho em 5.8 seja breve, serve para integrar as porções principais da carta. "Esta persuasão" se refere naturalmente à advertência de Paulo em 5.7. O texto em 1.6,7 lembra que esta persuasão não vem "daquele que vos chamou"; Paulo estava surpreso de que os gálatas tão depressa tivessem abandonado "aquele que [os] chamou" para abraçarem um evangelho qualitativamente diferente. Nestes versículos como também em 5.8, "aquele que chama" é Deus. A "persuasão" em 5.8 é evidentemente o falso evangelho de 1.6,7. A astúcia dos judaizantes também é revelada aqui. Estes têm dito aos gálatas que não precisam abandonar a Jesus; só precisam adicionar a lei.

Bruce observa que como esta persuasão não vem de Deus, deve então vir de Satanás. Faz referência a 1 Tessalonicenses 2.18, onde Paulo afirma que Satanás impediu que ele e seus companheiros visitassem os tessalonicenses. O termo utilizado para "atrapalhou" é o mesmo que foi traduzido como "impediu" em 5.7. Quer os judaizantes percebessem, quer não, estavam sendo usados por Satanás para tentar desviar os gálatas (Bruce, 1982, 234).

Embora as palavras "Um pouco de fermento leveda toda a massa" (5.9) contenha um princípio bíblico, Paulo não está citando as Escrituras. Antes, estes dizeres representam um provérbio comum daqueles dias, um pouco análogo à nossa expressão: "Uma maçã podre estraga todo o barril". Nas Escrituras, a levedura normalmente simboliza o pecado e a corrupção moral (Mt 16.6-11; Mc 8.15; veja Osiek, 1980, 63). Conseqüentemente os judeus deveriam livrar suas casas de toda levedura e comer pão sem fermento na primeira Páscoa (Êx 12.14-20; Dt 16.3-8). O efeito "apodrecedor" de uma pequena quantidade de levedura permite que esta corrompa uma grande porção de massa (1 Co 5.6-8). Em outras palavras, até mesmo uma quantidade diminuta da heresia dos judaizantes foi capaz de poluir as igrejas da Galácia.

Paulo questiona o estado espiritual dos gálatas (4.11,19,20), e suas palavras em 5.10 parecem fora de lugar. Como é que pode estar persuadido no Senhor de que os gálatas não terão nenhuma outra opinião? Pode ser que Paulo esteja usando suas próprias habilidades de persuasão. Quando deparado com uma situação desagradável ou uma pessoa particularmente obstinada, Paulo expressa freqüentemente confiança de que o certo será feito. Por exemplo, quando identificou a situação potencialmente explosiva em Filemom, Paulo se sente confiante de que este fará mais do que aquilo que lhe está sendo pedido (Fm 21). Semelhantemente, Paulo afirma sua confiança nos coríntios embora tenham sido displicentes ao recolherem uma oferta para os santos pobres em Jerusalém (2 Co 8.1-24; esp. vv. 22,24).

Portanto, em 5.10, Paulo persuade os gálatas a aceitarem o evangelho declarando que está confiante que o farão; porém não tem tal confiança nos desordeiros. O uso do singular em "aquele que vos inquieta" tem relação com o singular "quem" em 5.7 (mencionado anteriormente). Paulo está falando genericamente ou tem em mente um arquijudaizante? As palavras finais de 5.10 parecem indicar esta última hipótese. Paulo suspeita que uma pessoa esteja orquestrando os problemas na Galácia, mas não menciona seu nome, especificamente. Porém não é necessário conhecer a sua exata identidade. Deus sabe quem é e seu destino está selado. Aqueles que pregam um falso evangelho são *anathema*, e permanecem debaixo do juízo de Deus (1.8,9).

Em um esforço para sabotar a influência de Paulo na Galácia, os judaizantes afirmaram que o apóstolo ainda pregava a circuncisão. Se isto é verdade, então por que proibiu os gálatas de serem circuncidados? O objetivo deles era retratar Paulo como um hipócrita. Não há nenhuma evidência bíblica para sustentar tal calúnia. O livro de Atos ensina claramente que Paulo pregou a justificação pela fé, logo após sua conversão (Atos 9.20). Talvez os judaizantes tivessem entendido mal ou deliberadamente falsificado as ações de Paulo em 1 Coríntios 9.20 e em Atos 16.3. Paulo estava disposto a harmonizar as diferenças culturais de todas as pessoas, para que pudesse ganhá-las para Cristo. Contudo, o respeito por costumes e práticas não alteraram sua mensagem de justificação pela fé. A circuncisão de Timóteo se enquadra nesta categoria. Por possuir uma ascendência mista, estava impossibilitado de ministrar eficazmente tanto para os judeus quanto para os gentios. Circuncidando Timóteo, Paulo o "normalizou" com respeito ao mundo judeu. Deste modo, para Paulo a circuncisão ocasionalmente fazia parte de sua estratégia missionária, mas não desempenhava nenhum papel em sua doutrina de salvação.

Ao refutar os judaizantes, Paulo faz a pergunta retórica: "Eu, porém, irmãos, se prego ainda a circuncisão, por que sou, pois, perseguido?" (5.11). A "pedra de tropeço" e a "loucura da cruz" (1 Co 1.18-23) fizeram de Paulo o objeto do ridículo e da perseguição (At 9.23; 13.45; 14.19; 16.22-24; 17.32; 19.28-31; 21.30-36). Seu foco é que ele *ainda* (a palavra ocorre duas vezes em 5.11) está sendo perseguido. Isto só pode significar que recusou-se a promover o judaísmo tradicional como um caminho de salvação e por esta razão está sofrendo. Em todo caso, a pregação da circuncisão removeria a "pedra de tropeço" da cruz. É esta mensagem da cruz, para alguns perturbadora e, em certo nível confusa, que clareia o caminho para uma nova visão de Deus em Cristo (1 Co 1.20-25). Portanto, Paulo não privará este aspecto desconfortante do evangelho em virtude de alguma prática religiosa judaica.

O desgosto absoluto de Paulo pelos judaizantes é descrito em 5.12. Se os agitadores na Galácia acreditam que um pequeno corte (isto é, a circuncisão do prepúcio) é capaz de alcançar o favor de Deus, então Paulo desejaria que estivessem totalmente comprometidos com isso e que fossem cortados. Paulo pode estar se referindo aqui à seita de Cibele, que praticava a castração de seus sacerdotes. Tal seita era originária da Frígia, e os gálatas deveriam estar inteirados de suas práticas bizarras. Uma vez que esta automutilação era freqüentemente executada em um louco ambiente de agitação e delírio, a descrição de Paulo dos judaizantes como "agitadores" não é sem sentido. O "zelo" dos desordeiros (4.17,18) e a agitação resultante na Galácia são essencialmente as mesmas características que foram evidenciadas entre os bárbaros pagãos.

A abordagem de Paulo visando a solução do conflito parece estranha para a Igreja em nossos dias. Ao lidar com os gálatas, o apóstolo parece severo e às vezes usa imagens rudes. É especialmente importante apontar isto em uma época em que a virtude mais elevada não esteja ofendendo ninguém. Quando os problemas surgem, somos ensinados a buscar uma solução "boa para ambas as partes". Isto é, no fim do dia todos deveriam deixar a mesa de negociação com algo nas mãos. Algumas coisas, porém, são inegociáveis. Se todas as partes saírem com algo, todos acabarão sem nada. Os métodos e a linguagem de Paulo podem parecer severos e insensíveis, mas são na verdade a prova de sua profunda preocupação para com os gálatas. Quando se trata do destino eterno das almas, às vezes, o amor significa guerra.

4.6. Vivendo no Espírito (5.13-26)

A liberdade é a legitimidade da vida no Espírito. Observe o que Paulo escreveu aos coríntios "Ora, o Senhor é Espírito; e onde está o Espírito do Senhor, aí há liberdade" (2 Co 3.17). Existe liberdade do pecado e das conseqüências do pecado que causam o próprio fracasso (Rm 8.2). Até mesmo a criação está aguardando ansiosamente para compartilhar da gloriosa liberdade dos filhos de Deus (8.21). Mas a obra dos judaizantes ameaçou a liberdade dos gálatas: vieram para "espiar" sua liberdade em Cristo (Gl 2.4); Paulo exorta os gálatas a permanecerem firmes nesta liberdade (5.1).

O apóstolo expressou desânimo pela rapidez com que os gálatas abandonaram aquele que os *chamou* (1.6); o tema da "chamada" emerge novamente em 5.13 (cf. também 5.8). Aqui Paulo explica o intento ou o propósito da chamada de Deus. Os gálatas foram chamados para viver uma vida de liberdade. Mas alguns crentes presumivelmente interpretaram mal a sua liberdade em Cristo. Pensavam que se foram salvos pela graça, então poderiam continuar pecando, e Deus proveria ainda mais graça (Rm 6.1-4). Outros estavam abusando deliberadamente de sua liberdade em Cristo para encobrir seu estilo de vida pecaminoso (cf. 1 Pe 2.16). E ainda outros não viam nenhuma necessidade da prática da vida cristã. Se somos salvos pela graça separadamente das obras da lei, afinal, por que fazer boas ações (cf. Tg 2.14-26)?

Contudo, estar livre da lei não significa que alguém possa viver ilegalmente. A liberdade não deve ser interpretada como licença. Por estas razões Paulo ordena que os gálatas não usem sua liberdade para "dar ocasião à carne" (5.13). A palavra traduzida como "ter indulgência" (*aphorme*) é na verdade um substantivo, não um verbo. Significa um ponto de partida ou uma base de operação. Os gálatas não devem usar sua liberdade em Cristo como uma base de lançamento para "a natureza pecaminosa" (lit., "a carne", *sarx*).

O que é a carne? É aquele aspecto da natureza humana que continuamente leva a pecar. É completamente egocêntrico, hostil ao Espírito, e não tem nenhuma preocupação para com o próximo (Rm 7.18; 8.8-13; 2 Co 7.1; Gl 5.16,17; veja Fee, 1994, 204). Nisto reside o ponto crucial da questão de Gálatas 5.13. O que deveria guiar a vida cristã agora que havíamos sido libertos do disciplinador severo da lei (cf. 3.24,25)? A resposta de Paulo para esta pergunta é paradoxal. Ele declara que a liberdade cristã é um tipo de escravidão, pois a lei do Espírito de vida (Rm 8.2) "escraviza" a pessoa para servir a seu próximo em amor (Gl 5.13). Deste modo, o amor divino habilitado pelo Espírito Santo é a única regra ou lei que os gálatas devem seguir (5.14-23).

Outro paradoxo é descrito em 5.14. *Se* os gálatas se submeterem à lei do amor, de fato cumprirão a lei, pois Paulo observa que toda a lei é resumida em um único mandamento: "Amarás o teu próximo como a ti mesmo" (Lv 19.18; cf. também Rm 13.9). Embora Paulo não faça nenhuma referência a Jesus, suas palavras fazem exatamente um paralelo com o que Jesus disse (Mt 22.36-40; Mc 12.28-31; Lc 10.25-28); ambas vêem Levítico 19.18 como a adição da lei (Ridderbos, 1957, 201). Mas a versão de Paulo difere da de Jesus, por não incluir o mandamento de amar ao Senhor de todo o coração. Tendo em vista que Paulo está se dirigindo a cristãos, provavelmente considerou que já tivessem o amor a Deus como certo (Osiek, 1980, 67). Isto é, tanto o apóstolo quanto os gálatas entenderam que o amor a Deus serve como base para se amar o próximo. A conclusão é que, da mesma maneira que em Romanos 3.24-25, a lei testifica de algo que é superior a si mesma. O cumprimento da lei não é o legalismo, mas é a expressão do amor de Deus para com os outros. Nenhuma cerimônia ritual ou legal pode produzir este amor; é um aspecto do fruto do Espírito (Gl 5.22).

Em razão dos judaizantes, todo o ambiente na Galácia era caracterizado pela "carne". A carne é completamente egocêntrica, desobediente a Deus, e antitética

O FRUTO DO ESPÍRITO

Os aspectos do fruto do Espírito defendidos por Paulo em Gálatas 5.22,23 ocorrem não somente nesta passagem, mas também em outras passagens das Escrituras. A maioria dos atributos é constituída por aqueles pelos quais o próprio Deus vive.

Aspecto	Número GK	Definição	Atributo de Deus	Atributo para cristãos
Caridade	G26	Ações sacrificiais não merecidas para ajudar uma pessoa necessitada.	Êx 34.6; Jo 3.16; Rm 5.8; 1 Jo 4.8,16	Jo 13.34,35; Rm 12.9,10; 1 Pe 1.22; 1 Jo 4.7,11,12,21
Gozo	G5915	Uma felicidade interior que não depende das circunstâncias exteriores.	Sl 104.31; Is 62.5; Lc 15.7,10	Dt 12.7,12,18; Sl 64.10; Is 25.9; Fp 4.4; 1 Pe 1.8
Paz	G1645	Harmonia em todos os relacionamentos.	Is 9.6,7; Ez 34.25; Jo 14.27; Hb 13.20	Is 26.3; Rm 5.1; 12.18; Rm 14.17; Ef 2.14-17
Longanimidade	G3429	Tolerar as outras pessoas, mesmo quando for severamente tentado.	Rm 9.22; 1 Tm 1.16; 1 Pe 3.20; 2 Pe 3.9,15	Ef 4.2; Cl 1.11; Hb 6.12; Tg 5.7,8,10
Benignidade	G5983	Agir de modo amável para com as outras pessoas.	Rm 2.4; 11.22; Ef 2.7; Tt 3.4	1 Co 13.4; Ef 4.32; Cl 3.12
Bondade	G20	Mostrar generosidade para com as outras pessoas.	Ne 9.25,35; Sl 31.19; Mc 10.18	Rm 15.14; Ef 5.9; 2 Ts 1.11
Fé	G4411	Confiabilidade e fidelidade.	Sl 33.4; 1 Co 1.9; 10.13; Hb 10.23; 1 Jo 1.9	Lc 16.10-12; 2 Ts 1.4; 2 Tm 4.7; Tt 2.10
Mansidão	G4559	Brandura e humildade.	Zc 9.9; Mt 11.29	Is 66.2; Mt 5.5; Ef 4.2; Cl 3.12
Temperança	G1602	Vitória sobre os desejos pecaminosos.	Não Aplicável.	Pv 16.32; Tt 1.8; 2.12; 1 Pe 5.8,9; 2 Pe 1.6

ao Espírito (Rm 7.18; 8.8-13; 2 Co 7.1). Não tem nenhuma inclinação para amar o próximo como descrito acima (Gl. 5.14). Embora a obra salvadora de Deus tenha dado um golpe mortal na carne (Rm 6.1-6), um crente ainda pode estar na carne (1 Co 3.1-3). Realmente Gálatas 5.15 indica que alguns dos gálatas estavam vivendo na carne: "Morder" e "devorar" retratam a selvageria de uma briga de cães que termina na destruição de todos os envolvidos. Conseqüentemente, Paulo adverte que se continuassem a atacar uns aos outros violentamente, deveriam prestar atenção para que não se destruíssem totalmente.

Não obstante, como os gálatas podem escapar da luta carnal tão explicitamente descrita em 5.15? Como podem se guardar de serem envolvidos pelos mandamentos carnais da lei? Como podem se proteger contra os motivos carnais dos judaizantes? A resposta de Paulo para todas estas perguntas é que devem "andar [lit., caminhar] em Espírito" (5.16). Paulo usa a palavra "andar" metaforicamente para descrever todo o modo de viver (Ef 2.10; 5.2, 8; Cl 2.6; 1 Ts 2.12; 4.1). Em outras palavras, manda que os gálatas permitam que o Espírito Santo controle cada aspecto de suas vidas.

Se o princípio que dirige suas vidas for o Espírito Santo, os gálatas não cumprirão "a concupiscência da carne" ou os desejos da natureza pecadora (5.16). Isto é verdade porque a direção do Espírito Santo é diametralmente oposta ao impulso da natureza pecadora, e vice-versa (5.17). A frase "para que não façais o que quereis" está aberta à interpretação. Pode significar que quando os gálatas querem caminhar após a natureza pecadora, o Espírito se opõe a este desejo. Pode ainda significar que quando querem ser guiados pelo Espírito, a natureza pecadora mina suas intenções. Uma vez que os gálatas estão cheios com o Espírito (3.2), Paulo provavelmente está observando que a natureza pecadora está impedindo que sirvam a Deus como desejam.

Esta interpretação coincide com o tratamento de Paulo quanto à carne (natureza pecaminosa) e o Espírito em Romanos 6.1—8.27. Os gálatas não devem oferecer seus membros como instrumentos de injustiça, mas devem apresentar-se a Deus como instrumentos de justiça (6.13,14,19). A mente renovada pode realmente desejar fazer a vontade de Deus, mas a natureza pecaminosa impede a realização desta vontade. Aqueles que estão na carne encontram-se fazendo aquilo que odeiam. Um conhecimento adicionado da lei só serve para multiplicar as transgressões (7.14-25; veja Fung, 1988, 252). A libertação deste ciclo vicioso somente pode vir através do poder do Espírito (8.1-4,9).

As palavras de Paulo em Gálatas 5.18 resumem todo o fardo que sentia pelos gálatas. A vida de fé é qualitativamente diferente da vida na carne. Semelhantemente, como Paulo tem discutido, a vida cristã é essencialmente diferente da vida sob a lei. Então, em sua mente, a vida na carne e a vida sob a lei são na prática equivalentes. Ambas produzem os mesmos resultados.

A natureza pecaminosa (carne) e a lei são ao mesmo tempo poderosas e impotentes. São poderosas por trabalharem de mãos dadas para gerar o pecado, mas também para condenar o pecado (5.19; Rm 5.20; 7.8-11). Por outro lado, são impotentes porque nem a natureza pecadora nem a lei podem gerar a salvação. Pelo contrário, a associação da natureza pecaminosa com a lei produz frustração espiritual e um sentimento de culpa e condenação. A vida na carne e a vida sob a lei são ambas sujeitas à *stoicheia*, ou "princípios básicos" da vida (4.3, 9). Estar debaixo da lei é estar sujeito a um pedagogo severo (3.24). Deste modo aqueles que são guiados pela carne e são sujeitos à lei continuarão a experimentar o fracasso moral e um medo terrível do juízo.

Nada disso se aplica àqueles que são guiados pelo Espírito Santo porque a natureza e a função do Espírito são opostas à lei e à natureza pecaminosa. O contraste entre a liberdade e poder do Espírito e os efeitos negativos da lei e da natureza pecaminosa pode ser visto nos exemplos seguintes. O Espírito não ministra opressão e escravidão, mas liberdade e poder. O

GÁLATAS 5

Espírito unge para libertar os cativos e para adotar os fiéis na liberdade gloriosa dos filhos de Deus (Lc 4.18; Rm 8.15,16, 21; 2 Co 3.17). Em contraste com a impotência da lei, o Espírito nos capacita a realizar o reino na terra (At 2.4; 1 Co 2.4; 12.1-31; 14.1-40). Embora a lei tenha sido enfraquecida devido à natureza pecaminosa, o Espírito mortifica as ações daquela natureza (Rm. 8.3,13). A lei acentua nossas fraquezas (7.8-10), mas o Espírito administra força em lugar destas (8.26). Portanto, o crente cheio do Espírito não está debaixo da lei, e conseqüentemente não é guiado pela natureza pecaminosa (Gl 5.18).

Os judaizantes não só minaram a sã doutrina na Galácia, mas também destruíram a atmosfera espiritual das igrejas (5.15). Toda a sua pauta era baseada na natureza pecaminosa, não no Espírito (4.8-10, 17). Por estas razões Paulo começa a contrastar as obras da natureza pecaminosa com o fruto do Espírito em 5.19-23. Tais listas de virtudes e vícios são encontradas ao longo de todo o Novo Testamento (Rm 1.24-31; 1 Co 5.9-13; 6.9-11; 2 Co 12.20,21; 1 Ts 4.3-6). Estas também eram comuns no mundo antigo, especialmente entre os filósofos estóicos (Ridderbos, 1957, 205). Paulo reconhece que até mesmo os gentios podem discernir entre o certo e o errado. Neste sentido tornam-se parte da lei (Rm 2.26,27).

No que diz respeito às obras da natureza pecaminosa, Paulo declara que são "manifestas" (5.19). O apóstolo quer dizer que o caráter destes atos é inquestionável. Todos, exceto os mais depravados, reconhecem que tal comportamento é vil, odioso, e destrutivo (Gench, 1992, 294).

O primeiro conjunto de vícios focaliza a imoralidade sexual. Esta palavra (*porneia*) se refere a todos os tipos de impropriedade sexual. "Impureza" (*akatharsia*) significa literalmente "sujeira". Paulo nunca usa este termo para se referir à impureza cerimonial ou ritual (Mc 7.1-5, 14; At 10.14,28). Pelo contrário, para Paulo, "sujeira" tem sempre um conteúdo ético ou moral normalmente relacionado à perversão sexual (Rm 1.24; 6.19; Ef 4.19). *Aselgeia* ("devassidão") se refere à luxúria desinibida que não tem absolutamente nenhuma consideração para com Deus, para com o próprio ser, nem para com os outros (Bruce, 1982, 247).

Em 5.20 Paulo fala da idolatria e do oculto. A "idolatria" é uma obra da natureza pecaminosa, porque um ídolo é basicamente uma projeção própria. É o ato de criar "deus" na própria imagem da humanidade (Êx 20.4; Lv 26.1). A idolatria é o desejo carnal de controlar o sobrenatural para satisfazer as luxúrias da natureza pecaminosa. Por esta razão a "cobiça" é equivalente à idolatria (Cl 3.5). "Bruxaria" ou "Magia" (*pharmakeia*; cf. nossa palavra "farmácia") não denota o mal em si, porém certas drogas eram usadas em bruxaria e em algumas práticas ocultas durante a adoração de ídolos.

"O ódio, a discórdia, o ciúme e os acessos de ira" são manifestações da natureza pecaminosa nas relações sociais. A palavra para "ódio" está na verdade no plural, indicando a expressão contínua de um espírito hostil. "Discórdia" (às vezes traduzida como "discussão") é derivada da deusa grega Eris; ela era a deusa que inspirava as guerras (Bruce, 1982, 248). "Ciúme" (*zelos*), significa literalmente "zelo" e pode ser uma virtude se a pessoa for tocada pelo Espírito (2 Co 11.2). Porém, quando fomentado pela natureza pecaminosa, degenera-se em um ciúme invejoso, que abomina o sucesso dos outros. "Acessos de ira" descrevem a ira desenfreada que indiscriminadamente mata e mutila qualquer um que tenha a infelicidade de estar em seu caminho.

"A ambição egoísta" descreve alguém que tenha um espírito mercenário (Bruce, 1982, 249). O efeito da carne é que esta causa "dissensões" no corpo de Cristo (1 Co 1.11,12). "Facções" vêm de *haireseis* (cf. nossa "heresia"), uma palavra que originalmente não continha nenhuma conotação má e se referia a tipos diferentes de festas religiosas e políticas. Josefo usou esta palavra para descrever seitas religiosas como os fariseus, os saduceus e os nazarenos. Com o passar do tempo, porém, a palavra veio a descrever falsos mestres e suas doutrinas.

Diferentemente de "zelo", a palavra para "inveja" (*phthonos*) tem sempre um significado maligno. Refere-se a uma atitude de espírito mesquinho, que se ressente do sucesso dos outros. A palavra está na verdade no plural e indica um ciúme contínuo em uma variedade de circunstâncias. Os últimos dois vícios ("embriaguez" e "orgias") refletem o estilo de vida hedonista tão prevalecente na cultura pagã (5.21). Paulo conclui sua lista de vícios com "e coisas semelhantes a estas". O apóstolo pode fazer tal generalização devido àquilo que disse previamente em 5.19. A natureza da carne é facilmente discernida.

Neste momento Paulo expressa o ponto crucial da questão. Qualquer um que continue a praticar as obras da carne não herdará o reino de Deus. Portanto, as obras da natureza pecaminosa são antitéticas aos princípios do reino. Paulo havia pregado isto aos gálatas "antes", quando estava com eles (At 14.22). A campanha carnal dos judaizantes levou-o a novamente enfatizar estes pontos.

Paulo continua a contrastar "o fruto do Espírito" com as obras da natureza pecaminosa. Assim como a natureza pecaminosa se manifesta de diferentes modos, o fruto do Espírito tem uma variedade de expressões. O termo "fruto" (*karpos*) está no singular e mostra a unidade essencial do fruto do Espírito. Em outras palavras, o crente cheio do Espírito deve demonstrar *todas* as características do Espírito, não apenas esta ou aquela virtude.

Pelo fato de toda a lei ser cumprida em amor (5.14), *agape* aparece em primeiro lugar na lista. Este é o amor de Deus capacitado pelo Espírito, que infalivelmente busca o bem-estar dos outros (1 Co 13). Neste sentido o "amor" ou "caridade" é a fonte de todas as graças do Espírito (Eadie, 1977, 422 a seguir).

A "alegria" ou "gozo" (*chara*) não tem nada a ver com aquela emoção alegre passageira, tão comum ao mundo. Antes, é aquele conhecimento arraigado de que somos salvos no presente, ainda que a nossa redenção plena resida no futuro (1 Jo 3.2). Os poderes do tempo por vir estão continuamente nos transformando na imagem de Cristo (Rm 8.29). Portanto, independentemente das circunstâncias pessoais, o crente experimenta uma confiança festiva de que seu destino está em Deus.

Esta experiência de alegria conduz à "paz" (*eirene*). "Paz" não se refere a alguma trégua frágil entre partes hostis. A paz de Deus não é dependente do panorama variável de um mundo caído. Antes, Paulo está falando de paz com Deus e da paz que vem de Deus (Rm 5.1; 15.13, 33). É aquela paz divina que transcende a todo entendimento humano, e que concede o pleno conhecimento de que tudo está bem com a minha alma (Fp 4.7). Em resumo, Paulo fala da paz de Deus que nasce da justiça e concede alegria no Espírito Santo. Diferentemente das obras da natureza pecadora, este é o reino de Deus (Rm 14.17).

"Paciência" (*makrothumia*) fala daquele poder de recuperação do Espírito que se recusa a atacar quando é provocado ou maliciosamente usado (cf. Ef. 4.2). Paulo usa este termo para descrever como Deus pacientemente suportou os vasos de ira (Rm 9.22). Seu significado é semelhante a "longanimidade" (*hypomone*), que pode ser literalmente traduzido como "resistir sob uma carga pesada". Mesmo quando sujeito a pressão contínua, o crente cheio do Espírito não recorre aos "acessos de ira" (veja Gl 5.20).

"Generosidade" ou "Benignidade" (*chrestotes*) é aquela sensibilidade para a estrutura mental, espiritual e emocional dos outros, uma qualidade que pode discernir o "limite de carga" de um indivíduo (Sl 103.14).

"Bondade" (*agathosyne*) é aquele compromisso firme para o benefício dos outros. Este é o verdadeiro espírito da lei quando está livre do pecado e da carne. Reflete o caráter de seu Criador e deste modo é santo, justo e *bom* (Rm 7.12). Semelhantemente, o crente cheio do Espírito cumpre a lei evidenciando a bondade de Deus (Rm 3.21).

Como Paulo está se dirigindo àqueles que já foram cheios com o Espírito, *pistis* (normalmente traduzida como "fé") significa "fidelidade". Denota o oposto de cinismo.

"Mansidão" (*prautes*, traduzida como "brandura" na KJV) é o oposto da atitude arrogante tão freqüentemente confundida com autoconfiança. A mansidão é o oposto de um espírito precipitado e teimoso que freqüentemente é rude com os sentimentos dos outros.

"Domínio próprio" ou "temperança" (*egkrateia*) é relacionada à palavra *kratos*, que se refere ao grande poder de Deus. É um tipo de poder espiritual que domina todos os impulsos carnais (1 Co 9.27).

A frase "contra essas coisas não há lei" resume os pensamentos de Paulo com relação ao fruto do Espírito (5.23). O Espírito e a lei são duas categorias totalmente diferentes. A lei não pode mandar no fruto do Espírito, nem pode facilitar a aplicação prática deste. A esterilidade da lei não tem nada a acrescentar à frutificação do Espírito.

A ênfase de Paulo sobre a santificação continua em 5.24: "E os que são de Cristo crucificaram a carne com as suas paixões e concupiscências". A palavra "crucificaram" aponta para uma experiência de crise única no passado. Deste modo, para o crente a crucificação com Cristo representa o rompimento definitivo com a carne. Este conceito foi apresentado em 2.20, onde Paulo declara: "Já estou crucificado com Cristo; e vivo, não mais eu, mas Cristo vive em mim". Semelhantemente, Paulo ensina que o "nosso velho homem" foi crucificado com Cristo, de forma que o crente não deve mais servir ao pecado (Rm 6.6). Como será observado abaixo, Paulo se vangloria na cruz de Cristo, através de quem o mundo está crucificado para ele e ele para o mundo (Gl 6.14).

A mensagem de Paulo é clara. Os crentes cheios do Espírito se separaram completamente do pecado, do mundo e da carne. Mas as perguntas ainda permanecem. Em que sentido nós fomos crucificados? Como esta crucificação acontece? E que papel representamos na experiência da crucificação? Em resposta, note que nossa crucificação está sempre relacionada à cruz de Cristo. Nós não nos crucificamos a nós mesmos, mas em um sentido passivo fomos crucificados "com Cristo". Deste modo a morte de Cristo na cruz serve como o único fundamento para todas as outras crucificações no corpo de Cristo. Pela fé podemos participar da morte, sepultamento e ressurreição de Cristo (Rm 6.1-6). Em resumo, a partir da perspectiva de Deus, as experiências de Cristo se tornaram as nossas experiências.

Não obstante, como crentes temos um papel ativo na crucificação da carne (5.24). Os efésios são ordenados a despojarem-se do velho homem e revestirem-se do novo homem (Ef 4.22-24). Os romanos são exortados a pararem de oferecer seus membros como instrumentos de iniqüidade (Rm 6.13). Não devem viver de acordo com a natureza pecadora, mas de acordo com o Espírito (8.1,4). Os coríntios são desafiados a limparem-se de toda contaminação do corpo e do espírito (2 Co 7.1). Embora Cristo seja a nossa santidade (1 Co 1.30) os crentes recebem a ordem de viver a santidade na vida diária (Rm 12.1; 1 Co 3.16,17; 6.19,20).

A ordem de Paulo quanto a uma vida santa não é um novo legalismo. Pelo contrário, a verdadeira santidade somente pode ser forjada pelo Espírito de santidade (Rm 1.4). Conseqüentemente, em Gálatas 5.25 Paulo exorta: "Se de fato vivemos no Espírito, devemos também andar em Espírito". Este versículo pode ser também traduzido da seguinte maneira: "Se de fato estamos vivendo pelo Espírito, então devemos também andar em Espírito". A santidade é um estilo de vida completamente governado pelas ordens do Espírito de Deus (5.16,18; Parsons, 1988, 120). A palavra traduzida como "andar" (*stoichomen*) é derivada de *stoichos*, que significa uma "fila" ou uma "fileira". Então aqueles que se submetem ao Espírito têm literalmente seus passos governados pelo Espírito (Sl 37.23; 1 Pe 2.21).

O narcisismo não tem lugar na vida que é cheia do Espírito (5.26). Qualquer promoção própria deforma o corpo de Cristo e lança a contribuição sincera dos outros com uma pobre luz (1 Co 12). Esta "imagem falsa", por sua vez, incita outros a uma ambição carnal e a um ciúme insignificante. O fracasso de um tende a envolver a todos (1 Co 5.6; Gl 5.9).

Como pentecostais temos feito um bom trabalho ao enfatizar os dons do Espírito. A importância do fruto do Espírito merece ainda mais atenção. Os coríntios estavam ansiosos para experimentarem o poder carismático do Espírito Santo, contudo, estavam cheios de ambição e discórdias carnais (1 Co 3.1-3). A Escritura insiste que os crentes serão conhecidos por seu fruto, não por seus dons (Mt 7.17-19; 12.33; Lc 6.43,44).

4.7. Semeando para Agradar ao Espírito (6.1-10)

Paulo continua a desenvolver o tema do Espírito no capítulo 6. O apóstolo descreve especificamente como aqueles que são guiados pelo Espírito devem se relacionar com os demais na Igreja: "Vós, que sois espirituais" ou "aqueles que são espirituais" (6.1) devem evidenciar o fruto do Espírito em todas as ocasiões da vida. Devem sempre ter uma função redentora ou restauradora no corpo de Cristo.

A gramática de 6.1 sugere que Paulo não esteja falando de um problema específico na Galácia. Antes, cria uma situação hipotética com a finalidade de instrução. Os gálatas devem saber como responder a uma pessoa dominada pelo pecado. O verbo *prolambano* (traduzido como "pego" na NVI) não aponta para uma transgressão consciente ou deliberada. Seja qual for a razão, a pessoa caiu na armadilha do pecado (Fung, 1988, 285). Sob tais circunstâncias esta pessoa deve ser "mansamente" restaurada (lit., "em um espírito de mansidão"; cf. 5.23). "Restaurar" (*katartizo*) sublinha a necessidade de mansidão; esta palavra era freqüentemente usada para descrever a situação de ossos e juntas quebradas (Lightfoot, 1981, 215).

"Olhando por ti mesmo, para que não sejas também tentado" é uma advertência para aqueles que estão fazendo a restauração. Devem concentrar-se em suas fraquezas como atiradores treinados e nunca deixá-las fora de vista (Guthrie, 1973, 142). Se não agirem deste modo, podem também cair como presa do engano do pecado (Rm 7.8-11).

Este tipo de atitude espiritual deve caracterizar toda a comunidade. Em 6.2 Paulo exorta os gálatas a "levar as cargas uns dos outros". A palavra "fardo" (*baros*) é principalmente associada com "pressão" ou "peso". Diferentemente de "transgressão" em 6.1, não sugere qualquer mal; simplesmente se refere às pressões e provações que todos nós enfrentamos neste mundo caído. Cada membro do corpo de Cristo deve ser sensível às dificuldades que outros possam estar experimentando (1 Co 12.26). Deste modo o crente obedece ao mandamento: "Amarás o teu próximo como a ti mesmo" e deste modo cumpre "a lei de Cristo" (cf. Gl 5.14; Mt 5.43; 19.19; 22.39; Lc 10.27; Tg 2.8). Porém "a lei de Cristo" não constitui um novo legalismo para o cristão. Aqui a "lei" se refere ao princípio de amor que deve envolver e guiar todos os aspectos da Igreja.

O princípio de auto-exame em 6.1 é tratado novamente em 6.3,4. Pensar de modo muito elevado sobre si mesmo é enganar a si mesmo. Este tipo de ilusão terá inevitavelmente sérias conseqüências. Deste modo o crente maduro deve caminhar de modo prudente para que não fracasse na graça de Deus (Rm 11.21; 1 Co 10.12). Arrogância e vaidade (Gl 5.19) não têm lugar na Igreja. A proteção mais certa contra estes pecados não é uma inquisição geral, mas a introspecção pessoal. Cada crente deve "testar" seu próprio trabalho. Esta palavra (*dokimazo*) está relacionada ao teste de moedas de metal através do fogo de um purificador (Guthrie, 1973, 144). Semelhantemente o crente cheio do Espírito deve expor constantemente seu ministério ao fogo purificador do Senhor (1 Co 3.13-15; Tg 1.2-4; 1 Pe 1.7). Estes "autotestes" são uma questão de responsabilidade espiritual, cujos resultados mostrarão no que alguém pode se regozijar legitimamente.

Este tipo de avaliação própria é necessária, pois em última análise "cada qual levará a sua própria carga" (6.5). Inicialmente este versículo parece estar em conflito com 6.2, contudo Paulo usa uma palavra diferente para "fardo" aqui —*phortion*, que se refere a um pacote ou a uma carga pesada que é deliberadamente levada (Burton, 1956, 334). Diferentemente das "pressões" diárias não solicitadas de 6.2, este versículo se refere àquelas tarefas e obrigações que cada um de nós escolhe assumir. Cada crente é pessoalmente responsável por cumprir tais obrigações e por suportar tais pressões da vida cotidiana (Kuck, 1994, 289-297).

Paulo apresenta um novo assunto em 6.6-10. Da mesma maneira que o reino natural é governado por certas "leis" a vida de fé também está sujeita a "leis espirituais". Paulo explica aqui o princípio de reciprocidade — "Tudo o que o homem semear, isso também ceifará" (6.7) — e continua este tema agrícola através de 6.10.

Em 6.6 Paulo ensina que aquele que foi instruído na Palavra de Deus deve "repartir de todos os seus bens com aquele que o instrui". Em resumo, os mestres cristãos são autorizados a ter o apoio material de seus alunos, da mesma forma que os pastores são autorizados a ter o apoio material de suas congregações (1 Co 9.3-12).

Paulo adverte os gálatas de modo severo: "Não erreis. Deus não se deixa escarnecer" (6.7). É possível uma pessoa se convencer de que uma outra esteja andando no Espírito, quando, na verdade, esta pode estar vivendo na carne. Deus não pode ser enganado deste modo (Stagg, 1991, 247). O Espírito é capaz de discernir com precisão os pensamentos e os intentos do coração (Rm 8.26,27; Hb 4.12,13). A natureza de nossos pensamentos, palavras e obras gera conseqüências coerentes com esta mesma natureza: "Tudo o que o homem semear, isso também ceifará".

Paulo desenvolve esta analogia do campo falando de duas colheitas. Se alguém semeia sementes de uma natureza pecaminosa, colherá uma safra de destruição (como as obras de natureza pecaminosa em 5.19-21). Este fruto não tem nada a ver com o reino. Pelo contrário, se alguém planta sementes de natureza espiritual, terá então uma colheita do Espírito (6.8). Este fruto é o fruto do Espírito (5.22,23) e conduz à vida eterna.

Mas boas colheitas não acontecem automaticamente. O cultivo e os cuidados intensos são necessários ao longo de todo o processo de cultivo. Então os crentes não devem se tornar cansados em fazer o trabalho árduo do reino. Devem aguardar pacientemente a recompensa de Deus (Tg 5.7,8).

As palavras em 6.10: "Por isso, enquanto tivermos oportunidade" podem ser mais bem traduzidas como: "Então, enquanto temos tempo". Estas palavras finais tocam uma nota final. O Senhor da colheita está se aproximando, e os crentes devem aproveitar todas as oportunidades para fazerem o bem (Lc 10.2-16; Ef 5.16; Cl 4.5). Mas as boas ações não devem ser feitas indiscriminadamente. A "família" de Deus deve ter prioridade (At 2.44,45; 4.32-37). Então, aqueles que estão fora da casa de Deus podem receber a parte excedente das bênçãos que são concedidas à Igreja.

A mensagem primária desta seção é que todo o crente é responsável perante os outros, perante si mesmo e perante Deus. Nós não podemos voltar as nossas costas àqueles que foram dominados pelo pecado, nem podemos ignorar as nossas próprias fraquezas sem atrair um desastre moral. Finalmente, não podemos fugir de sermos responsáveis pelas leis morais de Deus. Elas são tão consistentes quanto as leis da natureza. Violá-las é sofrer de esterilidade espiritual; obedecê-las é colher uma colheita de vida eterna.

5. Conclusão (6.11-18)

A intensidade do espírito de Paulo está presente ao longo de Gálatas. A conclusão da carta não é nenhuma exceção. Em 6.11-18 Paulo dá seu sinal pessoal de autenticidade, revisa a essência do problema dos judaizantes, menciona o conflito pessoal que tem com os desordeiros e pronuncia uma bênção aos gálatas.

5.1. O Sinal de Autenticidade de Paulo (6.11)

A literatura da igreja primitiva contém muitos *pseudepigrapha* ("falsos escritos"), que buscavam prover informações não incluídas nas Escrituras (como por exemplo mais detalhes sobre a infância de Jesus) ou para espalhar uma falsa doutrina. Freqüentemente os nomes de grandes líderes espirituais foram forjados nestes escritos para aumentar a sua credibilidade. Aparentemente alguém pode ter usado o nome de Paulo para escrever uma carta falsa para os tessalonicenses (2 Ts 2.2). Embora Paulo usasse freqüentemente um amanuense (escrevente, ou secretário) para escrever suas cartas, o próprio apóstolo as assinava pessoalmente (George, 1994, 430). Como escreveu em 2 Tessalonicenses 3.17: "Saudação da minha própria mão, de mim, Paulo, que é o sinal em todas as epístolas; assim escrevo".

O texto em Gálatas 6.11 indica que Paulo teme que os judaizantes possam forjar seu nome em uma carta a fim de espalhar falsas doutrinas. Por esta razão Paulo adiciona sua assinatura pessoal a esta carta. As palavras: "Vede com que grandes letras vos escrevi por minha mão" podem se referir à sua provável deficiência visual. Isto é, sua saudação pessoal estava em uma escrita maior do que aquela que era utilizada por seu escrevente.

5.2. Mais uma Vez: Expondo os Judaizantes (6.12-15)

Mesmo quando conclui sua carta, Paulo não perde a oportunidade de atacar os judaizantes, expondo uma última vez os motivos falsos, a superficialidade e o egoísmo destes desordeiros.

Paulo novamente contrasta as obras da natureza pecaminosa com as do Espírito. Os judaizantes querem "mostrar boa aparência na carne", exteriormente (6.12). Isto é, estão preocupados com uma marca exterior na carne que não tem nada a ver com o Espírito Santo. Seus métodos são igualmente insípidos, pois não estão agindo com amor. Pelo contrário, estão tentando "compelir" os gálatas a serem circuncidados. Seus motivos são egocêntricos e não têm nada a ver com o bem-estar espiritual dos gálatas. Esperam evitar a perseguição da cruz, isto é, o tipo de perseguição que Paulo experimentou ao longo de seu ministério (5.11). Sabem que pregar a suficiência exclusiva da cruz automaticamente questionará a posição da lei. Qualquer desvalorização da lei convidará à perseguição de seus compatriotas (Weima, 1993, 99).

Em 6.13 Paulo revela a hipocrisia dos judaizantes. Seus motivos são semelhantes àquele que Pedro tinha em Antioquia (2.11-15); estão tentando forçar os gentios a obedecerem a lei embora eles mesmos tenham falhado neste padrão perfeito (3.10-12; Tg 2.10). Não têm nenhuma preocupação verdadeira com os gálatas; estão apenas tentando fazer "troféus da carne" a fim de demonstrarem sua devoção ao judaísmo (Cousar, 1982, 152). Deste modo transgridem a lei, pois são guiados pelo orgulho carnal, o que a própria lei condena (Sl 40.4; 101.5; Is 13.11).

O fundamento de Paulo para se vangloriar é completamente antitético ao dos judaizantes. Longe de evitar o escândalo da cruz e a perseguição que traz, deleitam-se em sua sabedoria e poder (5.11; 1 Co 1.18-25, 31; 2 Co 13.4). É o fator determinante em tudo que pregam e fazem (Gl 3.1; 1 Co 2.2). Na verdade, a cruz provoca um conjunto completamente novo de ideais que não têm nada a ver com as coisas deste mundo. A vanglória carnal dos judaizantes somente revela o quanto estão em dívida com os valores deste mundo.

A identificação total de Paulo com a cruz o atrai à experiência de Cristo de forma que ele também se sente crucificado (2.20). Na realidade, o mundo e tudo que este representa foi crucificado para Paulo, e Paulo foi crucificado para o mundo (5.24; 6.14). O tempo do verbo "crucificado" reflete uma ação definitiva no passado que tem resultados contínuos no presente. Portanto, Paulo está dizendo que foi crucificado com Cristo no passado, mas os efeitos desta crucificação definem sua existência no presente. No que diz respeito ao mundo, Paulo e todos aqueles que estão em Cristo são homens mortos (Rm 6.2,8; 2 Co 5.14).

Esta morte para o mundo também inclui a morte para o legalismo e todas as cerimônias sem sentido (2.19; Cl 2.20). Deste modo Paulo declara: "Em Cristo Jesus, nem a circuncisão nem a incircuncisão têm virtude alguma, mas sim o ser uma nova criatura" (6.15). Este versículo resume, essencialmente, toda a carta. Nenhum procedimento físico (remoção do prepúcio) ou a falta disso tem qualquer significado espiritual (Rm 2.25,26; 1 Co 7.19). O que importa é uma transformação espiritual que afete todos os aspectos da vida e da personalidade de alguém (Rm 8; 12). Deve haver uma circuncisão do coração, que só pode ser feita pelo Espírito de Deus (Rm 2.29; Fp 3.3; Cl 2.11). Só então a lei de Deus se torna inscrita nas tábuas dos corações humanos e não em tábuas de pedra (Jr 31.33; 2 Co 3.3).

Em última análise, o mais importante para Deus é que sejamos nascidos do Espírito, isto é, que cada um de nós seja uma "nova criatura" (2 Co 5.17; cf. Ef 4.24). Aqueles que nasceram do Espírito são os filhos da promessa (Rm 4.16; Gl 3.6-9; 4.28,29). Foram capacitados a andar no Espírito, evidenciando os frutos e dons em suas vidas e ministérios (At 1.8; 1 Co 12.1-31; Gl 3.5, 22,23). São eles, não os judaizantes, a quem o Espírito afirma como filhos de Deus e através de quem o Espírito clama, "*Aba!* Pai!" (Gl 4.6,7; cf. Rm 8.15-17).

O ANTIGO TESTAMENTO NO NOVO TESTAMENTO

NT	AT	ASSUNTO
Gl 3.6	Gn 15.6	A fé de Abraão
Gl 3.8	Gn 12.3; 18.18	O evangelho para Abraão
Gl 3.10	Dt 27.26	A maldição da lei
Gl 3.11	Hc 2.4 Ez 37.27	O justo vive pela fé
Gl 3.12	Lv 18.5	Vivendo pela lei
Gl 3.13	Dt 21.23	A maldição da cruz
Gl 3.16	Gn 13.15; 24.7	A descendência de Abraão
Gl 4.27	Is 54.1	A alegria da mulher estéril
Gl 4.30	Gn 21.10	A expulsão de Ismael
Gl 5.14	Lv 19.18	Ame seu próximo como a si mesmo

5.3. Palavras e Bênçãos Finais (6.16-18)

Os últimos três versículos de Gálatas contêm a bênção de Paulo. Porém mesmo aqui a intensidade de seu espírito é evidente. Entre as palavras de bênção nos versículos 16 e 18, o apóstolo dispara uma última ressalva contra os seus adversários.

Uma bênção de paz e misericórdia é bastante comum em orações judaicas; palavras semelhantes são encontradas na conclusão de cada uma das cartas de Paulo (Rm 16.20; 1 Co 16.23,24; 2 Co 13.14; etc.). Existe alguma discussão com relação à frase "o Israel de Deus" (6.16). Isto deve ser entendido em um sentido exclusivo — isto é, que somente aqueles que seguem a regra única (a prioridade da nova criação) são o verdadeiro Israel de Deus? Nesse caso, Paulo está comparando a Igreja com Israel. Ou a bênção deve ser entendida em um sentido inclusivo — isto é, qualquer um que segue esta única regra deve receber misericórdia e paz, *mesmo o Israel de Deus?*

Esta última interpretação parece concordar com o espírito e a teologia de Paulo. Sua teologia é uma "teologia de inclusão" que ignora distinções sociais e raciais (3.28). Sim, até mesmo Israel receberá misericórdia e paz se aceitar que se deve nascer de novo pelo Espírito (Jo 3.3-8). De acordo com Paulo esta bênção virá indubitavelmente a Israel, embora apenas um "remanescente" será salvo (Rm 11.1-6).

Diferentemente dos judaizantes que buscaram mostrar a sua devoção através da carne dos outros (cf. 6.13), Paulo aponta para seu próprio corpo ferido como prova de seu compromisso com Cristo (6.17). A palavra utilizada para "marcas" é *stigmata*, uma palavra usada para se referir a uma marca ou tatuagem que identificava um escravo como pertencendo a um mestre em particular. Conseqüentemente as "marcas" provavelmente se refiram às cicatrizes dos ferimentos que Paulo sofreu quando foi apedrejado e açoitado (At 14.19,20; 16.23; 2 Co 11.23-29).

A saudação final de Paulo vem em 6.18. Embora as saudações sejam bastante típicas em suas demais cartas, há uma diferença notável. Ele não expressa quaisquer saudações pessoais (contraste especialmente Rm 16.1-16). Isto pode refletir a relação tensa entre Paulo e os gálatas. Por outro lado, a última referência pessoal do texto, antes de dizer "Amém", é "irmãos". Portanto, apesar de todas as dificuldades e confusão na Galácia, Paulo ainda os considera seus "irmãos".

BIBLIOGRAFIA

M. Barth, "The Kerygma of Galatians". *Interp* 21 (1967). 131-146; H. D. Betz, *A Commentary on Paul's Letter to the Churches of Galatia* (1979); idem, *Spirit, Freedom, and Law: Paul's Message to the Galatian Churches*, SEA 39 (1974); F. F. Bruce, *The Book of Acts*, NICNT (1988); idem, *The Epistle to the Galatians: A Commentary on the Greek Text* (1982); D. R. Bundrick, "*Ta stoicheia tou kosmou* (Gl 4.3)", *JETS* 34 (1991). 353-364; E. D. Burton, *A Critical and Exegetical Commentary on the Galatians*, ICC (1956); D. Cohn-Sherbok, "Some Reflections on James Dunn's 'The Incident at Antioch (Gl 2.11-18)'", *JSNT* 18 (1983). 68-74; R. A. Cole, *The Epistle of Paul to the Galatians* (1984); C. B. Cousar, *A Bible Commentary for Teaching and Preaching Galatians*, Interpretation (1982); N. Dahl, *Studies in Paul* (1977); G. S. Duncan, *The Epistle of Paul to the Galatians* (1966); J. D, G. Dunn, *Jesus and the Spirit: A Study of the Religious and Charismatic Experience of Jesus and the First Christians as Reflected in the New Testament* (1975); idem, "*The Incident at Antioch* (Gl 2.11-18)", *JSNT* 18 (1983). 3-57; idem, "Yet Once More – 'The Works of the Law': A Response", *JSNT* 46 (1992). 99-117; J. Eadie, *Commentary on the Epistle of Paul to the Galatians: Based on the Greek Text*, 1977; R. E. Earle, *Word Meanings in the New Testament* (vol. 4; 1979); G. Ebeling, *The Truth of the Gospel: An Exposition of Galatians* (1985); F. Esler, *Community and Gospel in Luke-Acts: The Social and Political Motivations of Lukan Theology* (1987); G.D. Fee, "Freedom and the Life of Obedience. Gl 5.1-18", *RevExp* 91 (1994). 201-217; S. E. Fowl, "Who Can Read Abraham's Story? Allegory and Interpretative Power in Galatians", *JSNT* 55 (1994). 77-95; R.Y.K; Fung, *The Epistle to the Galatians* (1988); F. T. Gench, "Galatians 5.1, 13-25," *Interp* 46 (1992). 290-95; T. George, *Galatians*, NAC (1994); D. Guthrie, *Galatians* (1973); G. W. Hansen, *Galatians* (1994); S. Heine, *Women and Early Christianity: A Reappraisal* (trans. John Bowden, 1987); C. C. Hill, *Hellenists and Hebrews. Reappraising Division Within the Earliest Church* (1992); K. H. Jobes, "Jerusalem, Our Mother. *Metalepsis* and Intertextuality in Galatians 4.21-31", *WTJ* 55 (1993). 299-320; S. Kim, *The Origin of Paul's Gospel* (1981); D. W. Kuck, "Each Will Bear His Own Burden. Paul's Creative Use of an Apocalyptic Motif", *NTS* 40 (1994). 289-297. H. R. Lemmer, "Mnemonic Reference to the Spirit as a Persuasive Tool (Galatians 3.1-6 Within the Argument, 3.1-4.11)", *Neot* (1992). 359-388; J. B. Lightfoot, *St. Paul's Epistle to the Galatians* (1957, [rev.] 1981); D. J. Lull, *The Spirit in Galatia: Paul's Interpretation of PNEUMA as Divine Power*, SBLDS 49 (1980); C. Osiek, *Galatians* (1980); M. Parsons, "Being Precedes Act. Indicative and Imperative in Paul's Writing", *EvQ* (April 1988). 99-127; H. N. Ridderbos, *The Epistle of Paul to the Churches of Galatia* (1957); E. P. Sanders, *Jewish Law From Jesus to the Mishnah* (1990); M. E. Smallwood, *The Jews Under Roman Rule: From Pompey to Diocletian. A Study in Political Relations,* SJLA 20 (1981); F. Stagg; "Galatians 6.7-10", *RevExp* 88 (1991). 247-251; D. J. Verseput, "Paul's Gentile Mission and the Jewish Christian Community: A Study of the Narrative in Galatians 1 and 2", *NTS* 39 (1993). 36-58; A. J. M. Wedderbum, "Paul and Jesus. Similarity and Continuity", *NTS* 34 (1988). 161-82; J. A. D. Weima, "Gl 6.11-18. A Hermeneutical Key to the Galatian Letter", *CTJ* 28 (1993). 90-107; S. K. Williams, "Justification and the Spirit in Galatians", *JSNT* 29 (1987). 91-100; Ben Witherington III, "Rite and Rights for Women – Galatians 3.28", NTS 27 (1981). 593- 604; R. Yandian, The Spirit-Controlled Life (1985).

EFÉSIOS
J. Wesley Adams e Donald C. Stamps (in memoriam)

INTRODUÇÃO

1. **Uma Carta Majestosa**
Efésios é o nome de uma obra magnífica que se projeta tal como um ápice em meio às revelações bíblicas — na mesma classe de Romanos, do Quarto Evangelho e de Hebreus. Os escritores referem-se a ela como a "Suíça do Novo Testamento". "A Rainha das Epístolas" (Barclay) e "O Apogeu da Obra de São Paulo" (Robinson). João Calvino a considerava sua correspondência favorita, e o grande poeta Coleridge considerava Efésios como a "mais divina das composições humanas". Em nenhuma outra obra a revelação do Espírito Santo se encontra mais evidente do que nesta carta. Com muita propriedade, Charles Hodge observa: "Essa Epístola se revela tão evidentemente como obra do Espírito Santo como as estrelas revelam Deus como seu criador" (Hodge, xv).

Efésios, como pedra fundamental da compreensão de Paulo sobre a revelação do propósito eterno de Deus através de Cristo para a Igreja, tem um caráter singular entre todas as outras cartas escritas por Paulo. Existe nela uma manifesta ausência de controvérsias teológicas (como encontramos em "Gálatas" e em "Romanos") e também de problemas pastorais (como nas cartas aos Tessalonicenses e aos Coríntios). Ao contrário, "é uma carta pastoral afetuosa e espiritualmente sensível em seus conselhos, tranqüila e profundamente reflexiva em seu tom, e facilmente transbordante em oração e alegre adoração" (Turner, 1222). Sua abrangência eterna não deixa de ser empolgante e, ao mesmo tempo, maravilhosamente concisa em sua apresentação.

Como observei em outros autores (Adams, 4-6), infelizmente na era moderna os eruditos do Novo Testamento focalizaram com maior intensidade as questões mais críticas a respeito da origem da obra de Efésios e da autenticidade da autoria de Paulo, do que sua profunda mensagem para a Igreja. Porém, todas as vezes que a revelação do plano glorioso de redenção de Deus, através de Cristo Jesus, é considerada como de importância fundamental, e todas as vezes que as implicações práticas da vida "*em Cristo*" para o crente e a Igreja são realçadas, Efésios continua sendo um livro muito apreciado, lido e pregado. Essa obra trata de questões diretamente relevantes para a renovação da Igreja e também de questões tão profeticamente importantes e necessárias para levar a Igreja a atingir a maturidade — isto é, "à medida da estatura completa de Cristo" (4.13) — que pode ser estabelecida como a principal carta do Novo Testamento para a Igreja do final dos tempos.

2. **Autoria**
Como em todas as suas cartas, Paulo claramente se identifica no início de Efésios. "Paulo, apóstolo de Jesus Cristo" (1.1). À sua maneira característica, também atribui sua autoridade apostólica "à vontade de Deus" (1.1; cf. 2 Co 1.1; Gl 1.1; Cl 1.1). Como em suas incontestes cartas, o nome de Paulo reaparece mais tarde em Efésios: "Eu, Paulo, sou o prisioneiro de Jesus Cristo por vós, os gentios" (3.1; cf. 2 Co 10.1; Gl 5.2; Cl 1.23; 1 Ts 2.18). Paulo freqüentemente usa a primeira pessoa do singular e pede aos leitores que orem para que destemidamente declare o evangelho como um embaixador cativo (6.19-20). Com a missão de levar notícias aos leitores em seu nome (6.21-22), Paulo pede a Tíquico que seja o portador da carta e seu representante pessoal.

Apesar dessas provas, nos dias de hoje muitas controvérsias têm cercado sua autoria. Essa questão foi primeiramente discutida em 1792 por Evanson, que não conseguia conciliar o título da carta com seu conteúdo. Por volta da década de 1820, alguns eruditos alemães discutiram a autoria de Paulo apoiados em outros fundamentos.

Desde então, a autenticidade dessa carta tem causado controvérsias entre muitos especialistas do Novo Testamento (contemporâneos notáveis como R. Schnackenburg, C. L. Mitton e A. T. Lincoln), baseados em seu estilo e vocabulário supostamente "não-Paulinos" e em conceitos teológicos e eclesiásticos pós-Paulinos (para resumos mais detalhados das questões levantadas a respeito da autoria e das respostas que foram dadas veja Guthrie, 490-508; Foulkes, 19-49; Caird 11-29).

Enquanto Andrew Lincoln (lxxiii) contesta que a autoria "não-Paulina" não diminui a validade da carta, não só no que diz respeito ao cânon do Novo Testamento, mas também à autoridade de sua mensagem, T. K. Abbott (xvii-xviii, xxiv) por outro lado, cuidadosamente assinalou muitos anos antes que sua autenticidade é uma questão de suma importância. Se outra pessoa que não Paulo (ou seu designado amanuense) tivesse escrito a obra de Efésios, apesar das alegações explícitas de ter sido escrita por ele e as várias referências às suas circunstâncias pessoais como autor, teria sido necessária uma falsificação com o propósito de enganar os leitores em relação à sua origem verdadeira.

F. F. Bruce (1961, 12) focaliza outro problema da autoria que levou os eruditos que aceitam a tese do pseudônimo a uma confrontação. Afirma que Efésios representa um testemunho tão extraordinário da inspiração e da assimilação da revelação paulina que, se não tivesse sido escrita pelo próprio Paulo, então teria que ter sido por alguém que lhe fosse semelhante ou que lhe fosse espiritual e intelectualmente superior. Bruce ainda acrescenta que não temos conhecimento da existência de um segundo Paulo com a mesma estatura nos primórdios da cristandade. Seguindo a mesma linha de raciocínio, Henry J. Cadbury, professor emérito da Harvard Divinity School, tratou do mesmo problema do pseudônimo sob a forma de uma pergunta. "O que seria mais provável — que um imitador de Paulo do primeiro século tivesse escrito noventa ou noventa e cinco por cento conservando o estilo de Paulo, ou que o próprio Paulo tivesse escrito uma carta divergindo cinco ou dez por cento de seu estilo habitual?" (citado por Brown, 378) O presente autor aceita totalmente o indiscutível testemunho da autoria do inspirado texto de Efésios e acredita que todas as supostas discrepâncias podem ser explicadas adequadamente, com base nas circunstâncias em que Paulo escreveu a carta e em seu exclusivo conteúdo e propósito.

3. Data e Local das Cartas

A Carta aos Efésios menciona claramente que foi escrita por Paulo como "o prisioneiro de Jesus Cristo por vós, os gentios" (3.1), "como o preso do Senhor" (4.1) e como um "embaixador em cadeias" (6.20). Paulo testemunha em 2 Coríntios 11.23 que foi feito prisioneiro muitas vezes (55/56 d.C.), mais do que qualquer outro apóstolo. Mais tarde, o livro de Atos registra duas importantes prisões de Paulo: dois anos em Cesaréia (24.1-26.32) e dois anos em Roma (28.16-31). As Cartas Pastorais de Paulo (sendo a ordem dessas cartas 1 Timóteo, Tito, 2 Timóteo) registram a atividade missionária de Paulo após sua primeira prisão em Roma e terminam durante sua segunda prisão também em Roma. Além dessas, existem outras três importantes experiências como prisioneiro e alguns escritores ainda propõem que tenha havido uma quarta e importante prisão ocorrida em Éfeso.

Alguns escritores procuraram levantar uma razão para Paulo ter escrito aos Efésios enquanto prisioneiro em Cesaréia, ou mesmo durante uma prisão não registrada em Éfeso. Porém, a visão que Paulo descreveu em Efésios, durante sua primeira prisão em Roma, (60-62 ou 61-63 d.C.), e mencionada em Atos 28, permanece intacta entre os eruditos do Novo Testamento e é a mais provável. Durante esse período ele escreveu Filemom, Colossenses, Efésios e provavelmente Filipenses. A melhor hipótese é que a Carta aos Efésios tenha sido escrita logo depois de Colossenses (e Filemom) em 62 d.C., com todas as cartas sendo simultaneamente levadas por Tíquico até o seu destino (cf. Ef 6.21-22; Cl 4.7).

A CIDADE DE ÉFESO
Na época de Paulo

A província da Ásia, com suas muitas e esplêndidas cidades, era uma das jóias no cinturão das terras romanas que circundavam o Mediterrâneo.

Localizada à beira-mar, e na rota terrestre direta para as províncias orientais do império, Éfeso foi um entreposto comercial raramente igualado por algum outro no resto do mundo. Com toda a certeza, nenhuma cidade da Ásia era mais famosa ou mais populosa. Estava classificada dentre os principais centros urbanos do império, podendo ser igualada a Roma, Corinto, Antioquia e Alexandria.

Situada em uma baía interior (hoje em dia coberta de lodo), a cidade se ligava, através de um canal estreito do Rio Cayster, ao mar Egeu, a uma distância aproximada de 3 milhas (4.8 quilômetros). A cidade ostentava impressionantes monumentos cívicos, incluindo-se entre eles o proeminente templo de Artemis (Diana), uma das sete maravilhas do mundo antigo. As moedas da cidade orgulhosamente exibiam o "slogan" *Neokoros*, isto é, "guardiã do templo". Paulo pregou a grandes multidões nessa cidade. Os artesãos se queixavam de que ele havia influenciado um grande número de pessoas em Éfeso e em praticamente toda a província da Ásia (At 19.26). Em um dos eventos mais dramáticos registrados no Novo Testamento, o apóstolo conseguiu desvencilhar-se de uma grande multidão no teatro. Essa estrutura, localizada na ladeira do Monte Pion, no final do "Caminho da Arcádia", podia acomodar 25.000 pessoas sentadas.

Outros lugares muito familiares ao apóstolo foram, sem dúvida, a "Ágora Comercial", o "Portão Magnesiano", a Prefeitura ou "A Casa do Conselho" e a "Rua Curetes". A localização da sala das conferências ou escola de Tirano, onde Paulo ensinava (At 19.9), é desconhecida.

4. Os Destinatários

Ao contrário das outras cartas escritas por Paulo, a identidade dos destinatários originais dessa carta é incerta. A saudação "aos santos que estão em Éfeso" (1.1) poderia esclarecer a questão, exceto por duas considerações:
1) As palavras "*em Éfeso*" não aparecem no texto dos primeiros e melhores manuscritos gregos, indicando que provavelmente não estivessem no original[1].
2) Não existem referências pessoais aos leitores, como era característico das cartas de Paulo, ou qualquer menção do nome de uma pessoa, das igrejas que fundou ou dos lugares onde era bem conhecido. Está claro em Atos 19 que era bem conhecido em Éfeso, tendo passado quase três anos nessa cidade, em um ministério poderoso e espiritualmente ungido (cf. 20.31).

Por essas e outras razões, geralmente se acredita que Paulo tenha escrito a Carta aos Efésios para um conjunto maior de leitores do que apenas os habitantes locais. Inicialmente, ela pode ter servido como uma carta circular para numerosas igrejas na grande e populosa província romana da Ásia, onde a cidade de Éfeso estava localizada. Originalmente, cada igreja pode ter inserido seu próprio nome em 1.1, testemunhando a relevância de sua profunda mensagem para todas as verdadeiras igrejas de Jesus Cristo. Por fim, a carta foi identificada como tendo sua origem na igreja mãe em Éfeso, a capital e a metrópole mais importante da província.

5. O Motivo da Carta

Atos e as cartas que Paulo escreveu na prisão contêm dados históricos que podem ser agrupados e relacionados com a época em que a Carta aos Efésios foi

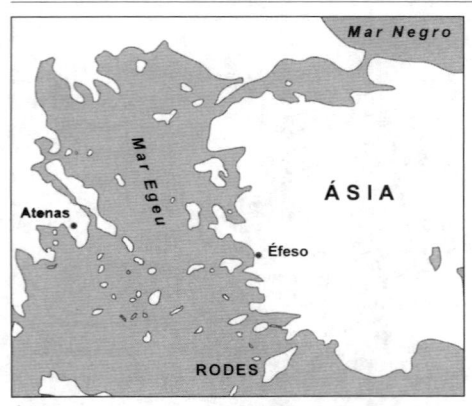

Éfeso era a capital e a cidade mais importante da província da Ásia.

escrita. Embora em prisão domiciliar em Roma, aguardando julgamento perante César, Paulo tinha permissão para receber um contínuo fluxo de visitantes (At 28.16-31). Entre esses, encontravam-se representantes da Igreja, como Epafras (de Colossos) e Tíquico (nativo de Éfeso). Esses homens podem ter sido convertidos sob o ministério de Paulo quando "todos os que habitavam na Ásia ouviram a palavra do Senhor Jesus, tanto judeus como gregos. E Deus, pelas mãos de Paulo, fazia maravilhas extraordinárias... e o nome do Senhor Jesus era engrandecido... Assim, a palavra do Senhor crescia poderosamente e prevalecia" (At 19.10-11, 17c, 20).

Os comentários de Paulo a respeito de Epafras sugerem que evangelizou o Vale de Lico durante seu ministério em Éfeso e que ajudou a fundar igrejas em Colossos, Hierápolis e Laodicéia. Epafras visitou Paulo em Roma, e lhe trouxe informações sobre essas igrejas (veja Cl 1.7; 4.12; Fm 23). Aparentemente também trouxe notícias a respeito de falsas doutrinas em Colossos, o que imediatamente levou Paulo a escrever aos colossenses.

Enquanto isso, um escravo fugitivo de Colossos, chamado Onésimo, entrou em contato com Paulo em Roma e foi convertido. Depois de discipulá-lo, Paulo decidiu devolvê-lo ao seu dono cristão em Colossos, Filemom, para que fosse perdoado. Paulo aproveitou essa ocasião para enviar uma carta a Filemom, por meio de Tíquico, e uma carta para toda a Igreja em Colossos. Tíquico e Onésimo inicialmente navegaram até Éfeso e depois prosseguiram a pé, através do Vale de Lico, até Colossos.

Antes da partida de Tíquico e Onésimo, Paulo escreveu ainda uma terceira carta aos efésios, a qual pretendia que tivesse um cunho mais geral, para ser divulgada por Tíquico em Éfeso e outras igrejas nessa província da Ásia. A Carta aos Efésios pode ter sido "a carta de Laodicéia" mencionada em Colossenses 4.16. Essa colocação pode muito bem explicar a maior parte das características da Carta aos Efésios e explica, de forma bastante satisfatória, a notável semelhança e grande afinidade existentes entre essa carta e a de Colossenses (cf. Ef 6.20; Cl 4.7).

As semelhanças literárias que se percebe entre as cartas aos Colossenses e aos Efésios são tão nítidas que muitas vezes são chamadas de "cartas gêmeas". Um escritor chegou a contar quarenta coincidências de conceito e de linguagem entre elas. Ainda assim, estão "tão intimamente interligadas no conteúdo de cada epístola que seria impossível terem sido obra de qualquer tentativa de imitação ou falsificação" (W. Martin, 1015). As *semelhanças* poderiam ser razoavelmente explicadas se Paulo as tivesse escrito simultaneamente. As *diferenças* podem ser devido à sua mudança de foco para o assunto da Igreja em Éfeso, longe da controvérsia sobre a doutrina herética que é tratada na Carta aos Colossenses.

6. Propósito e Mensagem

Ao escrever aos efésios, o propósito de Paulo era muito diferente daquele que tinha em mente ao escrever aos colossenses. Em Colossenses ele combate e corrige um falso ensinamento envolvendo elementos judeus e pagãos que pretendiam negar o senhorio de Cristo no universo e a perfeição de sua obra redentora na história. Paulo responde a essa heresia desenvolvendo o tema da pessoa e da obra de Cristo em relação ao cosmos como um todo, incluindo aqueles principados e potestades com mais proeminência na heresia. Como F. F. Bruce afirma (1984, 231) "os efésios acompanhavam a mesma linha de pensamento ao considerar as implicações para a Igreja como corpo de Cristo".

Em Efésios, Paulo escreve sobre os propósitos eternos de Deus em Cristo a fim de criar entre judeus e gentios uma nova humanidade através da cruz (2.11-18) e uma nova comunidade como o corpo de Cristo na terra (1.22,23; 2.19-22; 3.6). Dessa maneira, Deus decidiu proclamar e modelar seu evangelho de reconciliação para o mundo e até mesmo tornar conhecida sua multiforme sabedoria aos "principados e potestades nos céus" (3.10).

Embora Paulo estivesse confinado e prisioneiro em sua moradia alugada em Roma, elevava-se como uma águia nos domínios celestes da revelação. Agora estava livre para escrever o que J. Armitage Robinson (10) chama de "uma suprema exposição, indiscutível, positiva e fundamental da grande doutrina de sua vida — aquela doutrina na qual vinha avançando ano após ano sob a disciplina de sua circunstância ímpar — a doutrina da unidade da humanidade em Cristo e o propósito de Deus para o mundo através da Igreja" tal como a plenitude da presença de Cristo sobre a terra (1.22,23; 3.20,21).

Dessa forma, o propósito de Paulo não era simplesmente que seus escritos servissem como inspiração, mas que também fossem práticos.
1) Procurou fortalecer a fé e os fundamentos espirituais das igrejas da Ásia através da revelação da plenitude dos propósitos eternos de Deus na redenção "em Cristo" (1.3-14; 3.10-12) *para a Igreja* (1.22,23; 2.11-22; 3.20,21; 4.1-16; 5.25-27) *e para cada membro individual* de seu corpo (1.15-21; 2.1-10; 3.16-20; 4.1-3, 17-32; 5.1— 6.20).
2) Exortava seus leitores a demonstrar clara e visivelmente, através da pureza e do amor em sua conduta diária, que Cristo Jesus é seu "*único Senhor*" e a Igreja é "*seu único corpo*" e, assim, pela contradição, abrir caminho para o propósito de Deus para a Igreja e seu testemunho de Cristo para o mundo (4.1—6.20).

7. O Ministério do Espírito Santo em Efésios

Embora os temas mais importantes em Efésios sejam Cristo, a Igreja e o plano eterno de Deus para a redenção, é o Espírito Santo e o seu papel em relação ao crente e à Igreja, como a presença poderosa de Deus, que faz de nós o povo de Deus e o corpo de Cristo na terra. Em relação à proeminência do Espírito Santo em Efésios, Gordon Fee comenta (732): "Existem raros aspectos da vida cristã em que o Espírito Santo não assume o papel principal, e são raros os aspectos sobre o papel do Espírito que não tenham sido mencionados nessa carta".

Em 1.13, o Espírito Santo é chamado (lit.) de "o Espírito Santo da promessa", cuja importante presença na promessa divina é um sinal de que os últimos dias já chegaram (Jl 2.28-32; At 2.16-21). Jesus promete batizar seus discípulos com o (ou no) Espírito Santo (At 1.5), assim como João Batista havia pregado (Mc 1.8; Jo 1.33) e nesse contexto refere-se ao Espírito como aquEle que o Pai havia prometido (Lc 24.49; At 1.4). Na ocasião do Pentecostes, Pedro testemunha que Jesus, tendo sido exaltado à mão direita de Deus, recebeu do Pai "a promessa do Espírito Santo" e derramou aquilo que a audiência estava vendo e ouvindo (At 2.33). Dessa forma, o batismo com o Espírito está diretamente ligado ao "Espírito da promessa" em uma experiência não só individual, mas também coletiva e importante aos crentes que se tornam "o corpo" de Cristo.

Além disso, em Efésios, o Espírito Santo é descrito como a marca ou o selo da propriedade de Deus (1.13), a primeira parte da herança do crente através de Cristo (1.14), "o Espírito de sabedoria e revelação" (1.17), aquEle que capacita o crente a ter intimidade com o Pai (2.18), aquEle pelo qual Deus habita na Igreja (2.22), o revelador do mistério de Cristo (3.4,5) e a pessoa que fortalece os crentes em seu íntimo (3.16). Na Igreja, os crentes deverão "guardar a unidade do Espírito pelo vínculo da paz" (4.3); "há um só corpo e um só Espírito" (4.4). O Espírito Santo se entristece pelo pecado na vida dos crentes (4.30). São aconselhados a continuar "cheios do Espírito" (5.18), a se prepararem para a guerra espiritual com "a espada do Espírito, que é a palavra de Deus" (6.17) e a "orar no Espírito" em todas as ocasiões (6.18).

ESTRUTURA E ESBOÇO

Utilizando os termos mais simples, podemos dizer que existem dois temas básicos no Novo Testamento:
1) O modo como somos remidos por Deus — isto é, pela graça através da fé; e
2) Como nós, remidos pelo Senhor, devemos viver — isto é, os imperativos éticos da graça. De uma maneira abrangente, todos os outros temas podem ser agrupados em qualquer uma dessas extensas categorias — a teológica ou a ética.

Efésios naturalmente pertence a estas duas categorias distintas, como indica o seguinte resumo da carta. Os capítulos 1 a 3 contêm gloriosas declarações teológicas a respeito da redenção que Deus nos concedeu através de Cristo; os capítulos 4 a 6 consistem, em grande parte, de ensinamentos práticos a respeito das exigências que a redenção de Deus, através de Cristo, nos faz em relação à nossa vida individual e em coletividade, como corpo de Cristo. Isso não quer dizer que Paulo tenha colocado a teologia em um escaninho e a ética em outro. As duas são partes inseparáveis de um todo e estão, muitas vezes, entrelaçadas em um mesmo parágrafo. No entanto, para os propósitos da apresentação e da organização, Paulo inclina-se por estabelecer uma, em seguida a outra, em seu apelo a uma vida cristã completa.

Parte I. Gloriosas Declarações Teológicas a Respeito da Redenção (capítulos 1—3)

1. Saudação (1.1,2)

2. A Preeminência de Cristo Jesus na Redenção (1.3-14)
  2.1. A Preeminência de Cristo Jesus no Plano Eterno do Pai (1.3-6)
    2.1.1. As Bênçãos do Pai em Cristo (1.3)
    2.1.2. A Eleição do Pai em Cristo (1.4)
    2.1.3. A Predestinação do Pai na Adoção em Cristo (1.5,6)
  2.2. A Preeminência de Cristo na Realização da Redenção (1.7-12)
    2.2.1. A Redenção através de seu Sangue (1.7-8)
    2.2.2. A Redenção sob uma Autoridade — ou Cabeça (1.9-12)
  2.3. A Preeminência de Cristo no Papel do Espírito Santo (1.13-14)
    2.3.1. O Espírito Santo como o Selo de nossa Fé em Cristo (1.13)
    2.3.2. O Espírito Santo como a Primeira Parte de nossa Herança em Cristo (1.14)

3. A Oração Apostólica pelo Esclarecimento Espiritual dos Crentes (1.15-23)
  3.1. O Contexto da Oração Apostólica de Paulo (1.15-17a)
  3.2. O Foco da Oração Apostólica de Paulo (1.17b-19).
  3.3. Exaltação, o Senhorio e a Autoridade de Cristo como Cabeça, como a Medida do Poder de Deus que Está Disponível (1.20-23)

4. Os Resultados da Redenção em Cristo Jesus (2.1—3.13)
  4.1. Cristo Salva os Pecadores de sua Condição Irremediável (2.1-10)
    4.1.1. A Condição de Desespero da Humanidade sem Cristo (2.1-3)
    4.1.2. A Salvação pela Graça, através da Fé em Cristo (2.4-10)
  4.2. Cristo Reconcilia Grupos de Pessoas Mutuamente Hostis a Deus e Entre Si Mesmas, como uma Nova Humanidade (2.11-18)
    4.2.1. A Exclusão dos Gentios da Presença de Deus, e o Povo da Aliança (2.11,12)
    4.2.2. A Inclusão dos Gentios na Única e Nova Humanidade em Cristo (2.13-18)
  4.3. Cristo Une Povos Separados em uma Única e Nova Comunidade (2.19-22)
    4.3.1. A Analogia com a Cidadania (2.19a)
    4.3.2. A Analogia com a Família (2.19b)
    4.3.3. A Analogia com um Edifício (2.20-22)
  4.4. Paulo e a Igreja como o Meio de Revelação da Multiforme Sabedoria de Deus na Redenção (3.1-13)

4.4.1. Paulo como um Poderoso Instrumento de Deus (3.1-9)
4.4.2. A Igreja como um Instrumento Coletivo (3.10-13)

5. A Oração Apostólica pelo Esclarecimento Espiritual dos Crentes (3.14-21)
5.1. A Fervorosa Súplica de Paulo (3.14-19)
5.2. A Gloriosa Doxologia de Paulo (3.20,21)

Parte II. Instruções Práticas para a Igreja e para os Crentes (capítulos 4—6)

6. Implementando o Propósito de Deus para a Igreja (4.1-16)
6.1. Preservar a Unidade do Espírito (4.1-6)
6.1.1. A Responsabilidade Individual (4.1,2)
6.1.2. A Responsabilidade Coletiva (4.3-6)
6.2. Crescer em Direção à Plena Maturidade do Corpo de Cristo (4.7-16)
6.2.1. A Provisão de Cristo quanto aos Dons da Graça (4.7)
6.2.2. A Posição de Cristo como AquEle que Dá os Dons (4.8-10)
6.2.3. O Propósito de Cristo ao Conceder os Cinco Tipos de Liderança Ministerial (4.11-13)
6.2.4. O Plano de Cristo para o Crescimento da Igreja (4.14-16)

7. Reproduzindo a Vida de Cristo nos Crentes (4.17—5.21)
7.1. Deixar de Viver de Acordo com a Personalidade Anterior (Natureza Pecaminosa) (4.17-19)
7.2. Começar a Viver de Acordo com a Nova Personalidade em Cristo (4.20-24)
7.3. Viver em Justiça como uma Nova Criatura (4.25-32)
7.3.1. Deixar a Mentira e Falar a Verdade (4.25)
7.3.2. Não Pecar pela Ira (4.26,27)
7.3.3. Abandonar o Roubo e Trabalhar Diligentemente (4.28)
7.3.4. Deixar a Linguagem e as Conversas Imorais e Falar Palavras Edificantes (4.29,30)
7.3.5. Deixar a Malícia e Perdoar (4.31,32)
7.4. Viver em Santidade como Filhos da Luz (5.1-14)
7.4.1. Andar em Amor (5.1-7)
7.4.2. Andar na Luz (5.8-14)
7.5. Viver Sabiamente como um Povo Cheio do Espírito Santo (5.15-21)
7.5.1. Aproveitar ao Máximo cada Oportunidade (5.16)
7.5.2. Compreender a Vontade do Senhor (5.17)
7.5.3. Ser Cheio do Espírito Santo (5.18-21)

8. Aplicando a Autoridade de Cristo aos Relacionamentos do Lar (5.22—6.9)
8.1. Esposos e Esposas (5.22,23)
8.1.1. Esposas, Sujeitai-vos a vosso Esposo (5.22-24)
8.1.2. Esposos, Amem a sua Esposa (5.25-33)
8.2. Pais e Filhos (6.1-4)
8.2.1. Filhos, Obedeçam a seus Pais (6.1-3)
8.2.2. Pais, não Provoqueis vossos Filhos à Ira (6.4)
8.3. Senhores e Servos (6.5-9)
8.3.1. Servos, Obedeçam a seus Senhores Terrenos (6.5-8)
8.3.2. Senhores, Tratem seus Escravos – ou Servos – com Justiça (6.9)

9. Estar Capacitado e Equipado para a Batalha Espiritual (6.10-20)
9.1. Nosso Aliado – Deus (6.10-11a)
9.2. Nosso Inimigo – Satanás e suas Forças (6.11b,12)
9.3. Nossas Armas – Toda a Armadura de Deus (6.13-20)
9.3.1. A Armadura (6.13-17)
9.3.2. A Vigilância através da Oração (6.18-20)

10. Conclusão (6.21-24)
10.1. Paulo Recomenda Tíquico (6.21,22)
10.2. A Bênção (6.23,24)

COMENTÁRIO

Parte I. Gloriosas Declarações Teológicas a Respeito da Redenção (capítulos 1—3)

Nos capítulos de 1 a 3, Paulo escreve a respeito da gloriosa redenção que Deus planejou e realizou através de Cristo para os crentes e para a Igreja. Após uma saudação, inicia com um magnífico hino à redenção (1.3-14), que oferece louvores a Deus Pai por nos escolher e nos predestinar em Cristo para sermos adotados como seus filhos (1.3-6), por nos redimir através do sangue de Cristo (1.7-12) e por nos conceder o Espírito Santo como selo e penhor de nossa herança (1.13-14). Paulo afirma que na redenção, sempre pela graça através da fé em Cristo Jesus, Deus está nos reconciliando consigo mesmo (2.1-10), está derrubando as barreiras que nos separavam de outros que estão sendo salvos (2.11-15) e está unindo os judeus aos gentios como uma nova humanidade e como uma nova comunidade, a Igreja (2.16-22). A sabedoria e o propósito de Deus na redenção são multiformes, à medida que Ele age para "tornar a congregar em Cristo todas as coisas... tanto as que estão nos céus como as que estão na terra" (1.10).

Por duas vezes nesses capítulos, Paulo mergulha em profundas orações apostólicas, primeiro pelo nosso esclarecimento espiritual em relação a essas verdades (1.16-23) e segundo pelo cumprimento espiritual destas em nossas vidas (3.14-21).

1. Saudação (1.1,2)

Paulo começa suas cartas às igrejas com uma saudação na qual se identifica como um escritor apostólico e se dirige aos leitores utilizando uma forma de saudação cristã. Essa saudação tem duas características adicionais:

1) É a saudação mais breve dentre todas as cartas de Paulo, e
2) De certa forma, a identidade dos destinatários não é precisa. Como observamos na introdução, as palavras "em Éfeso" (1.1) não aparecem em muitos dos mais antigos e confiáveis manuscritos gregos, indicando que provavelmente não faziam parte do original. A estrutura gramatical desses mesmos manuscritos sugere que as primeiras cópias de Efésios levavam em conta uma pluralidade de nomes e lugares.

A carta tem em si uma qualidade universal, como era de se esperar, se originalmente fosse dirigida a diversas igrejas como uma carta circular. Considerando que em Éfeso estava uma igreja-mãe e que esta cidade era a principal da província, localizada no destino final da circulação da carta, é fácil entender como essa carta chegou a ser finalmente identificada com a cidade de Éfeso em seu título e saudação.

A saudação contém três declarações importantes:

1) Paulo se identifica como "apóstolo de Jesus Cristo, pela vontade de Deus" (1.1). Aqui encontramos sua autoridade para escrever. No Novo Testamento, a palavra "apóstolo" foi aplicada em primeiro lugar aos doze discípulos a quem Cristo designou como líderes de sua Igreja. Logo esta se tornou a designação oficial de um número mais amplo de líderes da Igreja no primeiro século como, por exemplo, Tiago (o irmão do Senhor), Paulo, Barnabé e provavelmente outros. A palavra "apóstolo" significa mensageiro que tem a incumbência de representar alguém, e que age através da autoridade da pessoa que o incumbiu.

Paulo recebeu sua convocação e incumbência diretamente de "Cristo Jesus". Pertencia a Cristo e o representava. Dessa forma, quando Paulo fala ou escreve, o faz como um porta-voz autorizado de Cristo, e deixa isso claro em todas as suas cartas. A mensagem de Paulo é a própria mensagem de Cristo, e Paulo a transmite através da revelação e autoridade de Cristo. Atualmente, algumas pessoas lêem um trecho ou um verso de uma das cartas de Paulo e acham que estão em conflito com as suas próprias e apreciadas interpretações, e então respondem: "Isso é apenas a opinião ou a interpretação de Paulo: eu não concordo com ele". No entanto, sabendo que Paulo escreve "como apóstolo de Jesus Cristo", aqueles que discordam dele discordam também de Cristo, a quem representa como um porta-voz autorizado.

Paulo acrescenta que é um apóstolo "pela vontade de Deus". Ele não alcançou o apostolado por mera aspiração, usurpação ou nomeação feita por alguma comissão da Igreja. Ao contrário, esse rabino judeu, intensamente nacionalista e cruel perseguidor da Igreja, tornou-se apóstolo de Jesus Cristo pela "atividade da soberana vontade de Deus" (Hendriksen, 70).

2) A carta é dirigida "aos santos... e fiéis em Cristo Jesus" (1.1b). A palavra "santos" (*hagioi*),

muito comum no Novo Testamento para designar os convertidos, significa literalmente "os santos", aqueles que foram separados e consagrados para serem propriedade de Deus. No Novo Testamento os verdadeiros fiéis são chamados "santos", e não "pecadores", isto é, estes últimos são aqueles que estão sob a lei do pecado e da morte (Rm 8.2), cujas vidas são caracterizadas pela prática do pecado (1 Jo 3.8), sendo escravos de sua natureza pecaminosa. Por outro lado, "santos" são aqueles que através de Cristo Jesus praticam a lei do Espírito Santo em sua vida (Rm 8.2) e cujas vidas são caracterizadas pela justiça (Rm 6.13, 16, 19-20, 22). Não estão isentos do pecado (1 Jo 1.8; 2.1,2), porém, sua característica predominante é a justiça (3.7).

Além disso, Paulo caracteriza os santos como "os fiéis em Cristo Jesus". Literalmente falando, fiéis (*pistoi*) significa aqueles que "são fidedignos" e essa expressão se refere àqueles que colocaram toda a confiança de seu coração em Jesus Cristo como Salvador e Senhor, e que são constantes em sua devoção a Ele. Mantêm a fé, são constantes na fé e perseveram na fé no Senhor Jesus Cristo.

3) Paulo transmite a habitual saudação cristã aos leitores no verso 2: "A vós graça e paz, da parte de Deus, nosso Pai, e da do Senhor Jesus Cristo". "Graça" (*charis*), adaptada de *charein* (a saudação grega), é uma característica palavra cristã, e "paz" é a forma hebraica característica de saudação. Graça é a amável e bondosa iniciativa de Deus de nos redimir através da ação salvadora de seu Filho. "Paz" é o primeiro resultado da graça salvadora de Deus em nossa vida. Derivada do termo hebraico *shalom*, esta transmite a plenitude e a integralidade do dom divino da vida, uma sensação de bem-estar que abrange o espírito, a alma e o corpo, e que flui de nosso ser, que é reconciliado com Deus e que vive em comunhão com Ele como nosso Criador e Redentor. Tanto a "graça" como a "paz" são dádivas de Deus e do Senhor Jesus Cristo como "autores conjuntos" (R. Martin, 133).

2. A Preeminência de Cristo Jesus na Redenção (1.3-14)

No texto grego, esses doze versos formam uma única, íntegra e complexa sentença de 202 palavras. Para que seja totalmente apreciada na língua portuguesa, será necessário ignorar a divisão 1.3-14 nas sentenças e parágrafos para considerá-la como uma série de frases e cláusulas interligadas. Em seguida, respirando fundo, deve-se procurar lê-la de uma só vez. É realmente de tirar o fôlego. Parece até uma imensa torrente (como as cataratas do Niágara) de inspiração e revelação. Cada frase sucessiva, ao fluir da que a antecede, dá origem à seguinte, e assim por diante, até chegar à sua grande conclusão.

Efésios 1.3-14 é uma das passagens mais profundas da Bíblia e, considerada sem divisões, provavelmente é a frase mais magnífica de toda a literatura. Esse trecho representa um hino teológico de louvor à gloriosa redenção de Deus, e se apresenta em três estrofes, de tamanhos variados. Ao final de cada uma repete-se o refrão "para louvor e glória da sua graça" (1.6) ou "para louvor da sua glória" (1.12,14).

Existe um aspecto "Trinitário" nesses versos imponentes. Cada estrofe realça a contribuição de cada membro da Autoridade Divina, desde o planejamento até à efetivação da redenção. O Pai decidiu redimir as pessoas para si próprio (1.3-6); o Filho, pelo preço de sua morte sacrificial, também é o Redentor, e aquEle através do qual a Igreja é a escolhida (1.7-12) e o Espírito Santo aplica a presença viva e a obra de Cristo à Igreja e à experiência humana (1.13-14). O alcance da redenção fica revelado como originário da eternidade, mesmo antes da criação (1.4), até sua futura e completa realização, por ocasião do segundo advento de Cristo (1.14).

De acordo com o plano de Deus, Cristo é a "pedra angular" da redenção — do plano do Pai na eternidade, da obra visível da redenção na história, e do ministério do Espírito Santo. A frase "em Cristo" ("Nele", etc) ocorre repetidamente e permeia toda essa passagem. O foco do louvor está em toda parte, isto é, naquilo que Deus fez por nós "em Cristo". Esta é a frase-chave de toda essa passagem, de toda esta carta, de toda a experiência de Paulo, da Igreja e da vida cristã. R. C. H. Lenski (350) observa: "Cristo é a corrente de ouro na qual se prendem todas as pérolas dessa doxologia. Ele é o diamante central em volta do qual todos os outros diamantes estão dispostos em forma de raios cintilantes: 'O Amado' [ou Aquele que Ele ama] é a manifestação da designação divina". Em 1.3-14, glória resplandece sobre glória até que Paulo tenha reunido em uma única sentença a grande e quase indescritível riqueza da redenção, que Deus nos oferece como herança em Cristo Jesus.

2.1. A Preeminência de Cristo Jesus no Plano Eterno do Pai (1.3-6)

A redenção foi concebida no coração de Deus, o Pai, e se centralizou em Deus, o Filho. Devido ao propósito do Pai, Paulo inicia seu hino com uma explosão de louvor "ao Deus e Pai de nosso Senhor Jesus Cristo" (v. 3a). Observe os verbos nos versos 3 a 5, todos focalizando a obra do Pai. Ele "nos abençoou" (v.3), "nos elegeu" (v.4) e "nos predestinou" (v.5).

2.1.1. As Bênçãos do Pai em Cristo (1.3). Esse verso contém três variações da palavra grega para "abençoou" ou "bênção":

1) A primeira palavra "louvor" corresponde à palavra *eulogetos*, freqüentemente traduzida como "abençoado". Aqui o objeto de nossa bênção ou louvor é Deus, que é intrínseca e primariamente digno dEle, pelo seu caráter e amor redentor.
2) Deus é aquEle "que nos abençoou [*eulogesas*]", (isto é, derramou bênçãos sobre nós).
3) Ele assim o fez dando-nos "todas as bênçãos espirituais [*eulogia*]... em Cristo". É assim que Paulo define e resume o objetivo da redenção. "*Bendito* o Deus e Pai de nosso Senhor Jesus Cristo, o qual nos *abençoou* com todas as *bênçãos* espirituais". O objetivo do amor redentor de Deus é criar um mundo repleto de bênçãos. O objetivo de Satanás é roubar, matar e destruir; o objetivo de Deus é que possamos gozar todas as bênçãos de uma vida plena "em Cristo" (cf. Jo 10.10).

Cristo é a pedra angular. Todas as bênçãos espirituais de Deus Pai vêm a nós "em Cristo", em sua pessoa e obra. Expressões como "em Cristo", "Nele", "no Senhor", "em quem", etc., ocorrem 160 vezes nas cartas de Paulo — 36 vezes em Efésios e 10 vezes em 1.1-13 (1.1, 3, 4, 6, 7, 9, 10, 12, 13). A experiência da união com Cristo constitui o âmago da fé de Paulo. A expressão "em Cristo" se refere à esfera na qual nós, como crentes, vivemos, nos movemos e temos o nosso ser. Vida "em Cristo" representa o oposto de nossa corrompida vida anterior "em Adão", caracterizada pela desobediência, escravidão à natureza pecaminosa, condenação e morte. Nossa nova existência, pelo contrário, é caracterizada pela salvação, filiação, graça, justiça, andar no Espírito Santo e vida eterna.

As bênçãos "espirituais nos lugares celestiais" devem ser diferençadas das bênçãos materiais, igualmente concedidas por Deus. As bênçãos materiais foram enfatizadas no Antigo Testamento (por exemplo, Dt 28.1-14) enquanto as espirituais são enfatizadas no Novo Testamento. Dignas de nota em Efésios 1.3 são as três ocorrências da preposição grega *en* ("em"). Deus nos abençoou *em* todas as bênçãos espirituais *nos* lugares celestiais *em* Cristo" (tradução literal). J. B. Lightfoot (312) faz um resumo dessa ênfase: "Estamos unidos a Deus **em** Cristo; tão unidos que habitamos **em** lugares celestiais; assim sendo, como habitantes, somos abençoados **em** todas as bênçãos espirituais".

É evidente que as bênçãos espirituais são conseqüência de estarmos unidos a Cristo e de permanecermos nEle. As bênçãos que Paulo tem em mente foram mencionadas nessa longa passagem. Fomos escolhidos para sermos santificados e puros (1.4), predestinados para sermos adotados como filhos (1.5), remidos através do sangue de Cristo (1.7), acolhidos nos desígnios de sua vontade através da redenção (1.8-10), indicados para viver louvando sua glória (1.11-12), recebemos a mensagem da verdade (1.13a) e fomos selados com o Espírito Santo da promessa (1.13-14).

A frase "nos lugares celestiais" (1.3b) é única nessa carta (também em 1.20; 2.6;

3.10; 6.12) — é uma frase que se refere ao reino espiritual. A passagem em 1.20-22 refere-se ao reino em que Cristo ressuscitado está assentado como Senhor acima de toda a autoridade. E, em 2.6, ela se refere à esfera onde os crentes espiritualmente vivos gozam da união e da comunhão com Cristo. Em 3.10, ela se refere ao reino dos principados e potestades espirituais a quem "a multiforme sabedoria de Deus" foi comunicada através da Igreja. Finalmente, em 6.12, ela se refere ao reino da guerra espiritual onde os crentes lutam contra as forças das trevas e do mal. O "reino celestial" não representa apenas o contraste entre uma localidade celestial e outra terrena, mas aquilo que existe entre a esfera espiritual de existência e a dimensão material da vida. Em 1.3, 20 e 2.6, ela especificamente expressa algo da glória e reverência que existem na união espiritual do crente com Cristo no reino de sua Autoridade.

2.1.2. A Eleição do Pai em Cristo (1.4).

A passagem em 1.4 mostra a atividade de Deus, desde o verso 3 até seu último recurso, a fim de explicar *como* a eleição foi executada — através da escolha eletiva de Deus; "Ele nos escolheu", ou "Ele nos elegeu". A palavra eleição vem do termo (*eklego*) que significa "escolha": "Deus nos abençoou com todas as bênçãos espirituais através de sua escolha eletiva" (Summers, 11).

Existe um elemento de mistério na doutrina bíblica da eleição que, durante séculos, tem impregnado de perplexidade as maiores inteligências da Igreja. Aqueles que, seguros de si, dogmatizam e sistematizam essa doutrina sob a forma de um pacote teológico, não compreenderam o coração e a mente de Paulo a respeito desse assunto. Nesse verso, o propósito de Paulo era exaltar a iniciativa de Deus, assim como o infinito amor de Deus ao conceder-nos, como sua finita criação, todas as bênçãos espirituais através da obra redentora de seu Filho.

O verso 4 apresenta quatro importantes verdades a respeito do ensino da eleição:
1) A eleição é *Cristocêntrica*, isto é, centrada em Cristo. "Ele nos elegeu nele" (1.4 a). O próprio Cristo é "O Escolhido de Deus *por excelência*" (Bruce, 1984, 254). Cristo foi chamado de o Filho que foi escolhido (Lc 9.35) e de Messias, que é o Escolhido de Deus (23.35; Jo 1.34); Deus apresenta seu Servo em Isaías 42.1 como "meu eleito". Assim sendo, Cristo é o verdadeiro fundamento de nossa eleição. Somente através da união com Ele é que participamos como eleitos. A vida espiritual é, necessariamente, relacional (Jo 15.1-8); não há ninguém entre os eleitos cuja vida esteja fora de uma união pela fé com Cristo. É tudo "nele", desde o começo até o fim. Na eternidade, nenhuma pessoa será escolhida ou rejeitada através de um decreto contrário à sua própria vontade. Cada um de nós torna-se um dos eleitos quando, pela fé, a morte redentora de Cristo na cruz se torna a base da "remissão das ofensas, segundo as riquezas da sua graça" (1.7).

2) A Eleição em Cristo é essencialmente *comunitária*; isto é, Deus escolheu *um povo* em Cristo ("nós", a Igreja). Isso também era verdade no caso de Israel no Antigo Testamento, isto é, sua eleição também foi essencialmente comunitária e se aplicava individualmente aos israelitas somente quando, genuinamente, se identificavam com Deus e com a comunidade da aliança divina (cf. Ez 18.5-32). Da mesma forma, em Efésios, o eleito é identificado comunitariamente: "a igreja, que é o seu corpo" (1.22,23; cf. 2.16), "mas concidadãos dos Santos e da família de Deus" (2.19), "são co-herdeiros, e de um mesmo corpo, e participantes da promessa em Cristo" (3.6), "digo-o, porém, a respeito de Cristo e da igreja" (5.32). Dessa forma, a eleição é uma questão comunitária para a Igreja e inclui individualmente as pessoas somente quando se identificam com Cristo e seu corpo na terra, formando a nova comunidade da aliança divina.

3) A eleição envolve o *plano eterno* de Deus. Esse plano foi elaborado antes mesmo da criação do mundo (v. 4b), antes do início dos tempos, na eternidade, quando somente Deus existia: "Nesta eternidade anterior à criação, [Deus Pai] elaborou um propósito em sua mente" (Stott, 36). Ele determinou que todas as pessoas que cressem em seu Filho (pessoas que ainda não existiam) se

tornariam seus próprios "filhos" através da obra redentora de Cristo (que ainda não havia ocorrido). A nossa salvação em Cristo não é uma reflexão tardia do Pai. Ele não esperou que a tragédia do pecado acontecesse para planejar a salvação. Por amor, Deus nos criou à sua imagem, portanto, com o poder do livre-arbítrio. O livre-arbítrio permite a rebelião, como aconteceu na queda de Satanás. Dessa forma, Deus agiu antes do fato acontecer, através de um plano eterno. A salvação, através do Filho, é a realização do plano e dos propósitos gloriosos que Deus tinha desde a eternidade. Através da encarnação de Cristo, a eleição foi cumprida e realizada na história.

4) Finalmente, a eleição tem como propósito a *santificação* do povo de Deus — para que possam ser "santos e irrepreensíveis diante dele" (v. 4c). Em Efésios, Paulo repetidamente enfatiza esse propósito supremo (2.21; 4.1-3, 13-32; 5.1-21; cf. também 1 Pe 1.2, 14-16). A realização desse propósito estará assegurada para *o corpo* de Cristo em um sentido *comunitário*, como Efésios deixa bastante claro em 5.27: "para a apresentar a si mesmo igreja gloriosa, sem mácula, nem ruga, nem coisa semelhante, mas santa e irrepreensível". A realização desse propósito *para os indivíduos* na Igreja está condicionada à sua fé pessoal em Cristo Jesus e a permanecerem fiéis em Cristo. Em uma passagem semelhante (Cl 1.22,23) Paulo também deixa isso bastante claro: "para, perante ele, vos apresentar santos, e irrepreensíveis, e inculpáveis, se, na verdade, permanecerdes fundados e firmes na fé e não vos moverdes da esperança do evangelho". Quando biblicamente entendidos e proclamados, os ensinamentos de Paulo a respeito da eleição deverão levar os crentes à justiça e não ao pecado.

A frase "em amor" ou "em caridade", no final do verso 4, tem deixado os tradutores perplexos. Será que Paulo pretendia que fosse incluída no contexto do verso 4 ou será que deveria ser transposta para o contexto do verso 5? No caso primeiro (como nas versões KJV, NKJV, NRSV) a frase define adicionalmente a finalidade da eleição, isto é, "ser santo e inculpável em amor" ou santo e inculpável com amor (Bruce, 1984, 256). Se "em amor" pertencer ao que se segue (como nas versões RSV, NASB, NIV) então ela enfatiza o motivo de Deus na predestinação. "Com amor", "nos predestinou para filhos de adoção por Jesus Cristo" (1.5). Essa última ênfase está, com certeza, mais de acordo com o sentido geral dessa passagem; no entanto, a primeira ênfase encontra apoio no costume de Paulo de colocar *en agape* ("em amor" ou "com amor") *após* a cláusula que está qualificando (por exemplo: Ef 4.2, 15, 16; 5.2; Cl 2.2; 1 Ts 5.13). Dessa forma, o leitor poderá desejar aceitá-la como a mensagem de ambos, isto é, dos versos 4 e 5, considerando que lógica e teologicamente falando ela se ajusta muito bem aos dois.

2.1.3. A Predestinação do Pai na Adoção em Cristo (1.5,6). O verso 5 dá prosseguimento à revelação de Paulo a respeito da importância de Cristo no plano de redenção do Pai. Deus nos predestinou para sermos adotados através de Cristo. Em conjunto com nossas bênçãos e nossa eleição em Cristo, esses três elementos estão relacionados ao propósito eterno do Pai, da redenção, e não podem ser separados.

O verbo "predestinar" (*proorizo*) ocorre seis vezes no Novo Testamento, uma vez em Atos (4.28) e nas outras cartas de Paulo (Rm 8.29,30; 1 Co 2.7; Ef 1.5,11). Esse verbo significa "decidir antecipadamente" e se aplica ao propósito de Deus compreendido pela eleição. A eleição é Deus escolhendo "em Cristo" um povo para si mesmo, e a predestinação diz respeito ao que Deus planejou, antecipadamente, fazer com aqueles que foram escolhidos. Dessa forma, a questão da predestinação não significa Deus decidindo antecipadamente quem será salvo ou não, mas decidindo antecipadamente o que planeja que os eleitos, em Cristo, sejam ou venham a ser. Deus predestinou como os eleitos (isto é, aqueles que estão sendo salvos em Cristo) deveriam ser: em primeiro lugar, conforme a semelhança de seu Filho (Rm 8.29) e em seguida serem chamados (8.30), justificados (8.30), glorificados (8.30), santos e irrepreensíveis (Ef 1.4), adotados como seus filhos (1.5), redimidos (1.7), para o louvor de sua glória (1.11,12), aqueles que receberiam o Espírito Santo (1.13), destinatários de uma herança (1.14) e serem criados para realizar as boas obras (2.10).

Para ilustrar os ensinamentos de Paulo a respeito da eleição e da predestinação, observe a analogia com um grande navio (isto é, a Igreja, o corpo de Cristo) em seu caminho para o céu. O navio foi escolhido por Deus para ser sua própria embarcação. Cristo é o Capitão e o Piloto desse navio. Todas as pessoas foram convidadas para participarem desta viagem juntamente com este navio e este Capitão que foram eleitos, mas somente terão permissão para embarcar aqueles que colocarem sua fé e confiança em Cristo Jesus. Enquanto permanecerem no navio e em companhia de seu Capitão, estarão entre os eleitos. Se alguém preferir abandonar o navio e seu Capitão, deixará de fazer parte dos eleitos. A eleição é sempre um assunto de comunhão com o Capitão e de permanecer a bordo de seu navio. A predestinação nos fala a respeito de sua direção e destino e o que Deus decidiu de antemão para aqueles que nEle permanecerem.

Deus claramente decidiu de antemão que seus eleitos seriam "adotados como seus filhos através de Jesus Cristo". A adoção na família de Deus se origina do amor, da boa vontade do desejo de Deus e do desejo de ter muitos filhos e filhas em sua família (através da adoção), todos participando da semelhança com seu único Filho (por natureza) (cf. Rm 8.29; Hb 2.10). Somente Paulo, entre os escritores do Novo Testamento, usa a palavra "adoção", e ele o faz cinco vezes (Rm 8.15, 23; 9.4; Gl 4.5. Ef 1.5). Em algumas dessas referências Paulo parece desenhar um paralelo entre o ato de adoção de Deus e a prática legal existente em Roma. Através da adoção, a filiação tem uma dimensão simultaneamente presente e futura e, provavelmente, um conceito mais amplo do que aquele que Paulo usa em relação à nossa restauração na redenção. F. F. Bruce (1961, 29) tece alguns comentários a respeito da abrangência da adoção.

Essa "adoção" é mais do que um relacionamento com Deus como seus filhos, que já alcançamos pelo novo nascimento: ela abrange todos os privilégios e responsabilidades que pertencem àqueles que Deus reconheceu como seus filhos, nascidos livres e conscientes. É uma posição que recebemos de Cristo, nosso Redentor, através da fé (Gl 3.36; 4.5); da qual nos apropriamos na prática através da obediência à orientação do Espírito Santo (Rm 8.14 e seguintes; Gl 4.6 e seguintes); à qual será concedido total e universal reconhecimento por ocasião do segundo advento de Cristo, pois o dia em que o Filho de Deus for revelado será também o dia da revelação dos *filhos* de Deus (Rm 8.19). E quando esse dia amanhecer, Paulo nos assegura que toda a criação participará dessa alegria.

Pelo fato da filiação adotiva ser o resultado da vontade benevolente de Deus realizada através de Cristo, redundará em "louvor e glória da sua graça" (1.6). A respeito dessa cláusula, Max Turner (1226) afirma com toda sua competência: "E porque já somos unidos a Cristo através do Espírito Santo, essa graça, inclusive a filiação, já pode ser considerada como livremente concedida a nós: desde que isso seja qualificado pela assertiva. 'Naquele que Ele ama' (isto é, Cristo; cf. Mc 1.11; 9.7; Cl 1.13)".

2.2 A Preeminência de Cristo na Realização da Redenção (1.7-12)

Essa segunda estrofe do hino teológico de Paulo oferece a exaltação que, através da vida e morte de seu amado Filho, Deus Pai revelou em sua gloriosa graça (1.6-8; cf. Jo 1.14, 17), e efetuou em seu propósito de redimir um povo para si mesmo (Ef 1.7; cf. 1 Pe 1.18-21; 2.9,10). A provisão de Deus para a redenção através de Cristo cobre todo o espectro das necessidades humanas

— perdão, libertação, reconciliação, paz, amor, uma nova vida, sabedoria, compreensão, participação, aceitação, ordem, segurança, esperança e vitória na luta contra Satanás e sua forças.

2.2.1. A Redenção através de seu Sangue (1.7,8).

A palavra "redenção" (*apolytrosis*) ocorre três vezes em Efésios (1.7,14; 4.30). No grego clássico ela significa "libertar mediante resgate e se aplica a prisioneiros de guerra, escravos e criminosos condenados à morte" (*TDNT*, 4.351-52). Provavelmente, a libertação de Israel do Egito serviu como protótipo para Paulo quando usou essa palavra, com o significado de emancipação da escravidão e da servidão ao opressor, e da restauração à plena liberdade como povo de Deus. Para o Israel espiritual (isto é, a Igreja) redenção inclui emancipação da culpa, dos castigos e do poder do pecado (Jo 8.34; Rm 7.14; 1 Co 7.23; Gl 3.13) e a restauração à plena liberdade como filhos de Deus (Jo 8.36; Gl 5.1) (Hendriksen 83).

Paulo usa a palavra *apolytrosis* no sentido de libertação com um preço — exorbitante nesse caso, isto é, o "sangue" de Cristo (uma referência direta à morte sacrificial de Cristo na cruz como um Cordeiro inocente e imaculado). "Seu sangue" lembra o cordeiro pascal do Egito, cujo sangue foi espargido nas casas dos hebreus a fim de que a morte e o julgamento de Deus pudessem poupá-los e que o sangue pudesse libertá-los da escravidão.

"A redenção pelo seu sangue" alcança para nós o perdão de [nossos] pecados (1.7b). A palavra "absolvição" ou "perdão" (*aphesis*) se origina do verbo *aphiemi*, isto é, "mandar embora". Salmos 103.12 nos traz uma análise perfeita sobre a absolvição: "Quanto está longe o Oriente do Ocidente, assim afasta de nós as nossas transgressões". Deus perdoa nossos pecados através de nossa fé em Cristo, não porque os considere levianamente, mas devido à morte expiatória de seu Filho em nosso lugar e a nosso favor. Sua absolvição não é, de forma alguma, medida com parcimônia; pelo contrário, é concedida "segundo as riquezas da sua graça" (Ef 1.7c) — uma expressão característica de Paulo (cf. Rm 2.4; 9.23; 11.33; 2 Co 8.9; Cl 1.27; 2.2). A graça é infinitamente mais valiosa e preciosa do que qualquer riqueza tangível. Em Efésios, Paulo escreve seis vezes a respeito das riquezas de Deus, de sua graça, misericórdia e glória (1.18; 2.4, 7; 3.8, 16).

O verso 8 leva essa mensagem ainda mais adiante dizendo "que Ele tornou abundante para conosco" sua graça para nosso perdão. Isso exprime a grandiosa generosidade da dádiva de Deus. Ele não preserva, nem distribui apenas o mínimo necessário; Ele concede com abundância. O caráter de prodigalidade da graça ainda é acompanhado por "toda sabedoria e prudência" (1.8b; cf. Is 11.2). Observe a oração de Paulo em Colossenses 1.9 para que nos tornemos repletos de "toda a sabedoria e inteligência espiritual". Como dádivas concedidas por Deus, "sabedoria e inteligência [ou entendimento]" não podem ser atribuídas à inteligência que nos é inata ou às conquistas humanas no aprendizado. No entanto, elas podem ser *cada vez mais conquistadas* através da oração, da dedicação à leitura da Palavra e à comunhão com o Espírito de Deus. Robinson (30) faz uma distinção entre "sabedoria" e "inteligência [ou entendimento]". "Sabedoria" vê o âmago da questão como ela realmente é; "inteligência [ou entendimento]" está relacionada com discernimento ou prudência na conduta correta, isto é, uma "compreensão que leva a agir corretamente".

2.2.2. A Redenção sob uma Autoridade — ou Cabeça (1.9-12).

Paulo agora nos apresenta uma nova característica da obra amorosa de Deus em relação à nossa absolvição e redenção. Ele nos fez conhecer "o mistério da sua vontade" (1.9). Assim como as características em 1.3-8, o foco está na obra do Pai e no que fez em nosso benefício "no amado" (1.6), isto é, Cristo Jesus, que é o supremo objeto de seu amor. (cf. Mc 1.11; 9.7; Cl 1.13).

A palavra "mistério" (*mysterion*) ocorre periodicamente em Efésios (3; 3, 4, 6, 9; 5.32; 6.19). Paulo usa essa palavra quando se refere a alguma coisa no propósito de

Deus que estava *anteriormente* escondida ou mantida em segredo, "alguma coisa impossível de ser descoberta pela mente humana" (W. G. M. Martin) e "demasiado maravilhosa para ser totalmente entendida" (Max Turner). *Mas agora* esse segredo foi desvendado (cf. Rm 16.25,26). Na literatura apocalíptica judaica intertestamentária e nos escritos de Qumran, a palavra "mistério" foi usada para o plano secreto de Deus que seria revelado ao final da história. Por outro lado, Paulo enfatiza que a descoberta do mistério já havia ocorrido na revelação de Cristo, portanto, não precisamos esperar pelos acontecimentos que irão concluir nossa era para conhecer a estratégia da vontade de Deus (*TDNT*, 4.819-22).

Ás vezes, Paulo usa *mysterion* quando se refere a todo o escopo e a toda a esfera do propósito redentor de Deus em Cristo (Rm 16.25; 1 Co 2.7; Ef 1.9,10; 6.19; Cl 1.26; 1 Tm 3.9, 16); e às vezes ele se refere a um aspecto particular do propósito de Deus, como por exemplo, a inclusão dos gentios no plano da redenção (Rm 11.25; Ef 3.3-9), no instante da transformação física em espiritual dos corpos dos crentes ainda vivos por ocasião da Segunda Vinda de Cristo (1 Co 15.52) ou ainda a união sagrada entre Cristo e a Igreja como seu corpo (Ef 5.32).

Para o homem natural, ainda ignorante da revelação de Deus através de Cristo e das Escrituras, os propósitos divinos para a história da humanidade ainda permanecem um mistério; e a vida é desprovida de sentido. Para aqueles que estão "entenebrecidos no entendimento, separados da vida de Deus" (Ef 4.18), a vida é (como Shakespeare fez com que Macbeth a descrevesse) "uma história contada por um tolo, cheia de som e movimento, mas que não tem qualquer significado" *(Macbeth,* Ato V, Cena V).

Nem mesmo a religião pode ser considerada como a resposta. Falando de um modo geral, religião quer dizer pessoas tentando encontrar a Deus e estar bem com Ele através de seus próprios esforços. Redenção, por outro lado, é inteiramente o resultado da iniciativa de Deus. Ele decidiu revelar a si próprio e seu supremo propósito à sua criação, àqueles que receberem a revelação de seu Filho. Como 1.9 indica, a obra benevolente da redenção divina na encarnação de Cristo foi o resultado da livre determinação de Deus e em conformidade com as riquezas de sua graça. Usando outras palavras, a redenção não foi o resultado de qualquer pressão externa, mas a representação exterior do próprio "propósito benevolente" de Deus em Cristo (Westcott, 20).

Deus se propôs terminar a redenção "na dispensação da plenitude dos tempos" (1.10). A palavra grega para "tempos" é *kairos,* uma expressão que está relacionada com épocas ou com as grandes eras da vida. Markus Barth (1.128) afirma que a frase "a plenitude dos tempos" (tradução literal de Ef 1.10) traz consigo "a idéia de períodos consecutivos da história que deverão ser completados e coroados por uma era que irá suplantar todos os períodos anteriores". Como Paulo menciona em outra passagem, Deus enviou seu Filho ao mundo na "plenitude dos tempos" (Gl 4.4). Da mesma forma, quando o tempo tiver alcançado sua plenitude, Deus completará seu plano de redenção enviando seu Filho uma segunda vez.

O objetivo, ou o coroamento do propósito redentor de Deus em Cristo, será "reunir todas as coisas no céu e na terra sob uma única autoridade, a de Cristo". A expressão "todas as coisas" inclui tanto a criação terrena quanto a celestial. O propósito de Deus foi colocado em ação quando, através de Cristo, "todas as coisas foram feitas" (Jo 1.3). Deus não só criou "todas as coisas, no céu e na terra", mas também "todas as coisas foram criadas... *para Ele*" (Cl 1.16). Paulo acrescenta que em Cristo, a cabeça da Igreja, Deus deu início ao seu plano de recuperar o universo para si (Cl 1.18-20). Na Epístola aos Romanos, Paulo também menciona esse tema quando diz que, por causa do pecado, toda a criação tornou-se sujeita à discórdia e ao sofrimento, mas que no dia da consumação da redenção esta "será libertada da servidão da corrupção, para a liberdade da glória dos filhos de Deus" (Rm 8.21).

A ruptura da união e da harmonia da criação, como conseqüência da transgressão de Adão, será ao final reparada e harmonizada através de Cristo. Assim, Cristo Jesus não é simplesmente o Messias de Israel, nem a designação "Salvador do mundo" é o bastante para Ele. "Na plenitude dos tempos" Cristo será "o Salvador do universo" e toda discórdia cessará. A união e a conformidade, pelas quais todos os seres criados por Deus, no céu e na terra, tanto aspiram, finalmente se tornarão realidade sob a autoridade do Senhor Jesus Cristo. "Cristo já é a cabeça de seu corpo, a Igreja, porém um dia 'todas as coisas' reconhecerão sua autoridade" (Stott, 42).

Essa expectativa gloriosa da redenção para todo o universo tem levado muitos teólogos a concluírem que a Bíblia ensina o "universalismo", isto é, a noção de que, ao final, tudo e todos serão salvos. Consideram que, em algum ponto *da eternidade*, todos os impenitentes serão levados à penitência e que até Satanás, com todo seu reino demoníaco, será reconciliado com Deus, de forma que literalmente "*todas as coisas*" criadas serão redimidas e reunidas sob o governo de uma única autoridade: Cristo. No entanto, Paulo fala sobre "todas as coisas" reunidas sendo colocadas sob a autoridade de Cristo, não em algum distante ponto da eternidade, depois que o lago de fogo tiver terminado sua tarefa temporal de alcançar a penitência universal (como alguns universalistas acreditam), mas na *Segunda Vinda de Cristo* ("a plenitude dos tempos"), quando o Anticristo e o falso profeta, Satanás e seus anjos, e todos os pecadores e iníquos não arrependidos serão lançados no lago de fogo para sofrerem a separação de Deus "para todo o sempre" (Ap 20.10,15; 21.8).

Então, quem é, ou o que são "todas as coisas no céu e na terra" que serão reunidas sob a autoridade de Cristo no dia final da redenção? Com toda eloqüência, John Stott (44) responde a essa questão da seguinte maneira:

> Certamente elas incluem [todos] os cristãos vivos e mortos [incluindo os que foram remidos do Antigo Testamento], a Igreja na terra e a Igreja no céu. Isto é, todos que estiverem agora "em Cristo" (verso 1), e que "em Cristo" receberam o perdão (verso 3), a eleição (verso 4), a adoção (verso 5), a graça (verso 6), a redenção ou o perdão (verso 7) estarão um dia perfeitamente reunidos "nEle" (verso 10). Sem dúvida, os anjos também estão incluídos (cf. 3.10,15). Porém, "todas as coisas" (*ta panta*) normalmente significa o universo, que Cristo criou e sustém. Portanto, parece que Paulo está novamente se referindo à renovação cósmica, à regeneração do universo, à libertação da criação sofredora, sobre a qual já havia escrito em Romanos. O plano de Deus é que "todas das coisas" que foram criadas através de Cristo e para Cristo e que estão mantidas em Cristo, sejam finalmente reunidas sob Cristo e submissas à sua autoridade, pois o Novo Testamento declara que Ele é "o herdeiro de todas as coisas". Dessa forma, o verso 10 é traduzido na NEB da seguinte maneira: "Que o universo possa ser conduzido à unidade em Cristo" e que J. B. Lightfoot escreve a respeito de "toda a harmonia do universo que não mais conterá elementos estranhos e discordantes, mas no qual todas as partes encontrarão seu centro e vínculo de união em Cristo". Na plenitude dos tempos, as duas criações de Deus, todo o seu universo e toda a sua Igreja estarão unificados sob o Cristo cósmico, que terá suprema autoridade sobre ambos.

No entanto, embora em 1.10 Paulo tenha subido até as regiões celestiais para obter uma rápida visão da futura reconciliação cósmica, essa reconciliação que ele *enfatiza* ao longo de Efésios é aquela em que grupos divididos de povos (tais como judeus e gentios) serão conjuntamente reconciliados através da cruz (por exemplo, 2.16) a fim de dar origem a um único corpo de Cristo, a Igreja, "como o primeiro estágio da unificação de um universo dividido" (Bruce, 1984, 261).

A NIV começa a passagem em 1.11 com as palavras "Nele... fomos escolhidos". O termos "escolhidos" traz consigo o significado de "fomos escolhidos como uma porção de Deus" (Robinson, 146) ou como a própria herança de Deus (cf. 1.18). Entre todas as nações do período do Antigo Testamento, Deus considerava Israel como sua propriedade ou porção escolhida (Dt 32.8,9). Da mesma forma, sob a nova aliança divina aqueles que estão com Cristo se tornaram agora o novo Israel de Deus, a "geração eleita, o sacerdócio real, a nação santa, o povo adquirido... vós que, em outro tempo, não éreis povo, mas, agora, sois povo de Deus" (1 Pe 2.9,10; cf. Êx 19.6). Tanto Paulo como Pedro se referem à Igreja, inclusive aos gentios convertidos, usando as mesmas palavras com que descreveram o especial privilégio de Israel sob a antiga aliança.

Paulo vai mais longe ao afirmar três verdades importantes a respeito da Igreja como herança de Deus:
1) A herança de Deus não foi um mero acidente da história; ela foi predestinada por Deus de acordo com seu plano (1.11b).
2) O que Deus projetou foi a garantia de sua realização, "conforme o propósito daquEle que faz todas as coisas, segundo o conselho da sua vontade" (1.11c). Aqui, a ênfase na predestinação (e em 1.5) não anula "o verdadeiro arbítrio humano e sua responsabilidade, como fica bem claro nos apelos feitos no restante da carta, mas nos deixa seguros do envolvente poder soberano de Deus e de seus propósitos dirigidos à obra no crente" (Turner, 1226).
3) Deus escolheu a Igreja como uma porção de si a fim de que pudéssemos existir "para louvor da sua glória" (1.12). Esse refrão, ao final da segunda estrofe do hino de louvor de Paulo (cf. também 1.6, 14) enfatiza que o propósito, e a mais importante conquista do povo remido de Deus, é o "louvor da sua glória". Não apenas nossa adoração verbal, mas o próprio testemunho de nossas vidas, diante de um mundo descrente, manifesta tal louvor (cf. 2.1-10, 19-22; 3.9-21; 4.1-6.20).

Em 1.12, o pronome "nós" refere-se especificamente àqueles que foram os primeiros a ter esperança em Cristo. A maioria dos comentadores acredita que essa expressão denota judeus cristãos, enquanto "em quem também vós estais" (1.13a) denota os gentios convertidos que também vieram se juntar à porção de Deus. Outros estudiosos acreditam que a freqüência de "nós" em 1.3-11 claramente se refira a todos os crentes (não apenas os judeus), como acontece em 1.12. Porém, o entendimento mais natural é que Paulo está aqui reunindo, como um único povo, tanto a si próprio como representante dos judeus crentes (1.12) como seus leitores representando os gentios convertidos (1.13; cf. 3.1; 4.17). Dessa forma, ele introduz pela primeira vez um importante tema em Efésios, isto é, que tanto os judeus como os gentios foram reconciliados em Cristo como "um mesmo corpo, e participantes da promessa em Cristo pelo evangelho" (3.6; cf. 2.11-22).

2.3. A Preeminência de Cristo no Papel do Espírito Santo (1.13,14)

O verso 13 registra o começo de uma transição dupla:
1) Ele indica, no início da terceira e última estrofe do hino de louvor de Paulo, a mudança de seu foco sobre a obra de Cristo de promover a redenção *para o crente,* para a obra do Espírito Santo *no crente,* em nome de Cristo. Antes de sua morte, Jesus prometeu aos doze discípulos que, quando o Espírito Santo chegasse como o Paracleto e o Espírito da Verdade (Jo 14—16), viria como o realizador da herança de Cristo (Jo 16.14,15). Paulo assegura aos verdadeiros crentes que eles foram "selados com o Espírito Santo da promessa" (Ef. 1.13c).
2) Paulo também transfere sua atenção dos judeus, que foram os primeiros a ter esperança em Cristo (1.12a), aos gentios e seu relacionamento com o evangelho (1.13a). A forma pela qual os gentios foram "incluídos em Cristo" e em sua redenção é a mesma para os judeus. Há muito significado nos três verbos usados por Paulo para descrever as etapas progressivas durante as quais foram "incluídos em Cristo": ouvir, crer e ser selado: (a) Eles *ouviram* a palavra da verdade, o Evangelho de sua salvação (1.13b). Os gentios, que viviam em seu

desesperado estado de desobediência e pecado (2.1), na escuridão e na depravação (4.17-19), como objetos da justa ira de Deus (5.5,6,8), ouviram as boas novas da salvação divina em Cristo, que Paulo e os outros evangelistas haviam anunciado, como uma graça a ser recebida pela fé (2.1-10). Esta proclamação era acompanhada pela obra do Espírito Santo no intuito de convencer os gentios de sua culpa em relação ao pecado, à justiça e ao juízo (Jo 16.8).
(b) Eles *creram* (1.13c). Tendo ouvido a verdade pelo poder do Espírito Santo, os gentios colocaram sua fé (1.13b) no Senhor Jesus Cristo para serem salvos pela graça de Deus (2.5,8). (c) Os gentios "foram *selados* com o prometido Espírito Santo" (1.13c, tradução literal).

2.3.1. O Espírito Santo como o Selo de nossa Fé em Cristo (1.13). Essa é a primeira referência que aparece em Efésios a respeito do papel do Espírito Santo na redenção. Daí em diante, Paulo raramente deixa de mencionar os aspectos de sua atuação na vida cristã. O crente é marcado, ou selado, em Cristo com o selo do Espírito Santo da promessa. Aqui encontramos duas questões: o "selo" e o Espírito Santo da "promessa":

1) Na antigüidade, o selo era um sinal de propriedade ou de posse pessoal. Concedendo o Espírito Santo como um selo, Deus nos marca em Cristo, como aqueles que autenticamente lhe pertencem (cf. 2 Co 1.22). No período do Novo Testamento aplicava-se cera quente em cartas, contratos e documentos oficiais, onde o signatário comprimia sua identificação pessoal. Bruce (1984, 265) afirma que, "por conceder o Espírito Santo aos crentes, Deus os assinala ou os 'sela' como sua propriedade pessoal". Portanto, temos provas de que Deus nos adotou como filhos e que nossa redenção será verdadeira quando o Espírito Santo morar em nós como o Espírito vivificador de Cristo (Rm 8.9), testemunhar que Deus é nosso Pai (8.15) e produzir em nós o fruto do verdadeiro relacionamento com Ele (Gl 5.22,23).

2) A designação "prometido", referindo-se ao dom do Espírito, como aparece em Atos 2, está relacionada principalmente à promessa de Joel 2.28,29, tal como foi interpretada e aplicada por Pedro no livro de Atos, e no restante do Novo Testamento. Quando Paulo empregou essa expressão em Efésios, quis dizer que o Espírito Santo virá para transmitir "sabedoria e revelação", a fim de podermos conhecer melhor a Deus e sermos informados a respeito das implicações de nossa vida "em Cristo" (1.17-20), para fortalecer nosso ser interior e revelar o amor de Cristo (3.16-19), para estabelecer a união entre o povo de Deus como o primeiro passo em direção à unidade cósmica (4.2-4), para inspirar uma vida santificada (4.30) e cheia de adoração no Espírito (5.18-20) e para tornar as orações realmente eficazes (6.18-20).

2.3.2. O Espírito Santo como a Primeira Parte de nossa Herança em Cristo (1.14). O papel do "Espírito Santo da promessa" mencionado acima identifica os crentes como o autêntico povo de Deus. "Essas atividades do Espírito prenunciam, em forma e qualidade, o que Ele irá realizar mais completamente na nova criação (isto é, nos tempos vindouros) e assim o Espírito Santo, com o qual Deus nos marca com seu selo de propriedade, também é muito apropriadamente chamado de 'depósito', 'penhor', 'garantia' e até de 'primeira parte' de nossa herança (cf. Rm 8.23; 2 Co 1.22; 5.5)" (Turner, 1227). A palavra "depósito" (*arrabon*) tem origem semítica e era usada nas transações comerciais. Ela significa um compromisso pelo qual um comprador entregava algo de valor ao vendedor como um depósito ou pagamento inicial para assegurar a transação até que o preço de compra fosse totalmente pago. O Espírito Santo é o "depósito" que garante a futura herança "daqueles que são propriedade de Deus" (1.14b). Em nossa era, o Espírito Santo nos é concedido pelo Pai, e acreditamos ser Ele o primeiro pagamento daquilo que iremos receber em sua total plenitude no dia da redenção final (cf. 4.30).

Em 1.1-14, a palavra "herança" é empregada de duas diferentes maneiras: para descrever aquilo que representa a porção ou herança de Deus em seu povo remido (1.11; cf. v.18) e a eterna porção que Deus reservou para os "fiéis em Cristo Jesus"

(1.1,14). A plenitude da redenção e de nossa herança, como povo de Deus — da qual a presença do Espírito Santo na Igreja e no crente será em breve o "depósito" de Deus (NIV), o "penhor" (NASB, NRSV), "a garantia" (NJKV) ou "o valioso" (KJV) — espera pela total revelação de Cristo e dos filhos de Deus em sua Segunda Vinda (Rm 8.23). Nesse dia de redenção final, todos os que foram escolhidos e adotados como filhos e filhas em Cristo, que foram redimidos através de seu sangue e marcados com o selo do prometido Espírito Santo, serão verdadeiramente "para o louvor da sua glória" (1.14c).

Esse terceiro coro da doxologia do hino relembra o destino para o qual Israel havia sido convocado e que não se realizou, isto é, "para me serem por povo, e por nome, e por louvor, e por glória; mas não deram ouvidos" (Jr 13.11). Esse destino tornar-se-á totalmente realidade quando Cristo apresentar diante de si mesmo uma "igreja gloriosa, sem mácula, nem ruga, nem coisa semelhante, mas santa e irrepreensível" (Ef 5.27), tendo sido purificada "com a lavagem da água, pela palavra" (5.26).

3. A Oração Apostólica pelo Esclarecimento Espiritual dos Crentes (1.15-23)

3.1. O Contexto da Oração Apostólica de Paulo (1.15-17a)

Será muito importante observar o relacionamento entre 1.3-14 e 1.15-23. O primeiro representa um profundo *hino de louvor* pelas bênçãos redentoras de Deus em Cristo; o último é uma *oração de intercessão* para que os olhos espirituais dos crentes se abram para, através da experiência, alcançarem a compreensão da plenitude dessas bênçãos. Dessa forma, Paulo faz a junção do louvor com a oração, da adoração com a intercessão, como dois componentes necessários ao verdadeiro conhecimento de Deus.

Alguns crentes são dedicados ao louvor, porém são complacentes em relação à oração. Eles amam adorar a Deus e afirmam que todas as bênçãos espirituais já lhes pertencem, porém mostram pequeno anseio espiritual em conhecê-lo melhor ou

O Teatro, em Éfeso, foi o local da rebelião descrita em Atos 19.23-41. Paulo havia pregado contra a deusa Artemis. Um artesão que trabalhava com prata, receoso de perder seu negócio com a venda das imagens da deusa, convocou os outros artesãos para, em conjunto, deterem a Paulo. Os homens gritavam furiosos: "Grande é a Diana dos efésios!" Capturaram os companheiros de viagem de Paulo e dirigiram-se rapidamente para o Teatro. Lá chegando, o escrivão da cidade apelou à multidão, dizendo que quaisquer acusações deveriam ser resolvidas nos tribunais e, em seguida, dispersou a multidão.

em interceder por uma maior revelação do propósito de Deus e de seu poder para a Igreja. Outros crentes oram diligentemente por maiores bênçãos espirituais, mas parecem se esquecer que Deus já os abençoou no reino celestial com todas as bênçãos espirituais em Cristo. Com seu exemplo pessoal, nessa carta Paulo resiste à tal polarização fazendo a junção do louvor com a oração. Ele louva profundamente a Deus porque, em Cristo, todas as bênçãos espirituais já nos foram concedidas, mas ao mesmo tempo ora fervorosamente para que o Espírito de sabedoria e revelação possa capacitar os crentes e permitir-lhes conhecer a plenitude daquilo que lhes pertence em Cristo.

O que fez com que Paulo se transportasse do louvor a Deus para a oração pelos seus leitores? A expressão "Pelo que" (1.15) está relacionada a alguma informação que havia recebido a respeito deles. Embora os versos 1.3-14 tivessem sido escritos com termos mais contemplativos, ele agora se torna mais pessoal e relacional com seus leitores: "Pelo que, ouvindo eu também a fé que entre vós há no Senhor Jesus e a vossa caridade para com todos os santos, não cesso de dar graças a Deus por vós, lembrando-me de vós nas minhas orações" (1.15-16). Assim que notícias distantes, a respeito de sua fé e amor, chegaram a Paulo, ele encheu-se de alegria e gratidão. Muitas vezes, Paulo interliga a fé e o amor em sua equação de vida cristã (cf. Gl 5.6).

Foulkes (59) observa dois aspectos característicos na vida de oração de Paulo, que ocorrem no verso 16:
1) É persistente: "não cesso de dar graças a Deus por vós, lembrando-me de vós nas minhas orações". Paulo praticava o que havia pregado quando exortava seus recém-convertidos de Tessalônica a "orar sem cessar" (1 Ts 5.17; cf. Rm 12.12; Ef 6.18; Cl 4.2).
2) É acompanhada pela gratidão (cf. Ef 5.20). Em outras partes de suas cartas, Paulo ensinou que a gratidão deve ser sempre acompanhada pela intercessão (Fp 4.6; Cl 3.15-17; 4.2; 1 Ts 5.18). Phillips faz uma paráfrase de Paulo: "Continuamente agradeço a Deus por vós e nunca deixo de orar por vós".

Nesse contexto, a frase "lembrando-me de vós" significa "pedindo em seu nome"; a expressão literal "mencionando-vos" sugere que em sua intercessão, Paulo trouxe realmente seus leitores à presença de Deus, mencionando seus nomes. Com certeza, o objetivo de sua oração em 1.17 é o de uma séria solicitação, e não uma questão de recordação. Quando se considera a responsabilidade que Paulo carregava em seu coração por todas as igrejas, e em alguns casos por convertidos que nunca havia conhecido, pode-se apenas exclamar com Bruce (1961, 38). "Que intercessor ele deve ter sido!"

Os fundamentos da fé inabalável de Paulo, e de sua confiança na oração, residem na expressão: "o Deus de nosso Senhor Jesus Cristo, o Pai da glória" (1.17 a). A primeira frase refere-se à certeza de que: "Se Deus é por nós... Aquele que nem mesmo a seu próprio Filho poupou, antes, o entregou por todos nós, como nos não dará também com ele todas as coisas?" (Rm 8.31,32). A segunda frase (tradução literal "o Pai da glória") se refere à perfeição da Paternidade de Deus (cf. Ef 3.15). Se nós, como pais imperfeitos que somos, sabemos como conceder bons presentes a nossos filhos, diz Jesus, "quanto mais dará o Pai celestial o Espírito Santo àqueles que lho pedirem?" (Lc 11.13) Paulo continua a orar para que seus leitores possam receber plenamente o ministério da revelação do Espírito Santo.

3.2. O Foco da Oração Apostólica de Paulo (1.17b-19)

A essência da oração apostólica de Paulo está personificada na frase duplamente repetida "para que saibais" (1.17, 18). Saber o quê? Conhecer melhor a Deus e sua maneira de agir. Embora em outras passagens as orações de Paulo muitas vezes se estendam de forma mais abrangente, elas tipicamente incluem o âmago de sua petição: "poderdes perfeitamente compreender... qual seja a largura, e o comprimento, e a altura, e a profundidade... e conhecer..." (3.18,19a); "não cessamos de orar por vós e de pedir que sejais cheios do conhecimento da sua vontade, em toda a sabedoria e inteligência espiritual" (Cl 1.9); "que a vossa caridade aumente mais e mais em ciência e em todo o conhecimento" (Fp 1.9).

O conhecimento pelo qual Paulo ora com tanta diligência não é apenas um conhecimento intelectual "a respeito de Deus", porém a forma mais vital de todo o conhecimento e a forma mais elevada de toda a compreensão: conhecer o próprio Deus e compreender sua maneira de agir. Mas como poderia um finito ser humano conhecer e compreender o infinito? As mentes mais brilhantes não conseguem conhecer e compreender a Deus. Isso seria impossível sem os fatores envolvidos na dupla solicitação de Paulo:
1) para que Deus "vos dê em seu conhecimento o espírito de sabedoria e de revelação" (1.17), e
2) "tendo iluminados os olhos do vosso entendimento" (1.18).

No verso 17, o "Espírito" (*pneuma*) não tem nenhum artigo definido na língua grega. Robinson (39) observa: "Com o artigo ["O"] a palavra muitas vezes indica pessoalmente o Espírito Santo; e, sem ele, pode indicar uma manifestação especial ou a concessão do Espírito Santo". Assim sendo, "espírito" não está em letras maiúsculas na maioria das traduções (KJV, NKJV, NASB, RSV, NRSV). No entanto, como afirma F. F. Bruce (1984, 269), "um espírito de sabedoria e de revelação somente poderia ser concedido através dEle, que é pessoalmente o Espírito da sabedoria e da revelação". Dessa forma, a tradução NIV está mais de acordo com a intenção de Paulo e com a profecia de Isaías: "E repousará sobre ele o Espírito do Senhor, e o Espírito de sabedoria e de inteligência, e o Espírito de conselho e de fortaleza, e o Espírito de conhecimento e de temor do Senhor" (Is 11.2).

Na realidade, Paulo está pedindo que o mesmo ministério do Espírito Santo que permanece em Jesus desça sobre os crentes, concedendo "sabedoria e revelação". O Espírito Santo desempenha um papel fundamental na resposta da oração de Paulo a favor dos efésios, por ser o sujeito do verbo "dar", e irá capacitar os crentes a conhecer "melhor" a Deus e a seu Filho. Observe que a finalidade da oração não é fazer com que os pecadores conheçam a Deus *inicialmente* (na salvação), mas que os santos conheçam a Deus *intimamente* (na revelação).

E quem teria chegado a tal ápice de sua peregrinação espiritual que não necessitasse conhecer melhor a Deus? Não os convertidos de Paulo. E até o próprio Paulo, apesar de suas inúmeras revelações de Cristo (At 22.14,17-21; 23.11; Gl 1.12), jamais alcançou este ponto em sua própria vida. Vinte e cinco anos ou mais haviam se passado desde a sua revelação inicial, e do encontro com o Cristo ressuscitado na estrada de Damasco, que mudou sua vida, e Paulo ainda ansiava por mais: "para conhecê-lo, e a virtude da sua ressurreição, e a comunicação de suas aflições, sendo feito conforme a sua morte" (Fp 3.10).

A "sabedoria" (*sophia*, 1.17) não está relacionada ao talento ou à inteligência, mas é um dom concedido por Deus. É uma visão divina sobre a verdadeira natureza das coisas. Paulo a contrasta com a sabedoria do mundo (1 Co 1.19,20). Cristo é a "sabedoria de Deus" (1.24, 30), e à medida que temos parte com Ele através do Espírito Santo, tornamo-nos espiritualmente sábios. "Encontram-se à nossa volta homens que sabem muitas coisas; porém homens com sabedoria espiritual são tão raros que valem muito mais do que seu peso em ouro" (Bruce, 1961, 39). A "revelação" (*apokalypsis*) é a manifestação do próprio Deus, ou de alguma realidade espiritual para nós, através do Espírito Santo". Paulo descreve essa atividade do Espírito Santo em 1 Coríntios 2.10,11:

> Mas Deus no-las revelou pelo seu Espírito; porque o Espírito penetra todas as coisas, ainda as profundezas de Deus. Porque qual dos homens sabe as coisas do homem, senão o espírito do homem, que nele está? Assim também ninguém sabe as coisas de Deus, senão o Espírito de Deus.

Ao nos transmitir a sabedoria e a revelação, o propósito de Deus era que pudéssemos "conhecê-lo melhor". Existem duas palavras gregas para conhecimento: *gnosis,* que se refere ao conhecimento abstrato ou aos fatos objetivos a respeito de Deus; e *epignosis,* que se refere ao conhecimento do próprio Deus, experimentalmente e intimamente. Aqui, Paulo está usando essa última definição. "Se a teologia, isto é, o conhecimento *a respeito* de Deus, será impossível sem a revelação divina, quanto mais o relacionamento com o próprio Deus, aquele *epignosis,* ao qual o apóstolo se refere aqui!" (Bruce, 1961, 39)

O segundo fator na dupla petição de Paulo é "tendo iluminados os olhos do vosso entendimento" (Ef 1.18). Aqui, a palavra "entendimento" ou "coração" é, em parte, o sinônimo da mente, das emoções e da vontade e até mesmo do "espírito da mente". Nossa visão interior tem necessidade de ser iluminada pelo Espírito Santo com a compreensão espiritual, se quisermos conhecer a maneira de Deus agir e seu propósito eterno.

Paulo menciona três áreas específicas em sua oração apostólica onde o esclarecimento espiritual se faz necessário:

1) Ele ora para ser esclarecido a respeito "da esperança da sua vocação" (1.18b). Esta esperança e esta chamada têm uma dimensão passada, presente e futura e está centrada em Cristo, "a esperança da glória". A chamada começou com a iniciativa de Deus na eleição, adoção, redenção e concessão do Espírito Santo (1.3-14). A dimensão presente da esperança e da chamada inclui o convite de Deus para ser conforme a imagem de seu Filho (Rm 8.29), "para que fôssemos santos e irrepreensíveis diante dele" (Ef 1.4), para nos reunirmos aos outros membros de seu corpo em paz, para vivermos em harmoniosa comunhão e unidade (2.11-18; 4.2,3), para que andemos "como é digno da vocação com que fostes chamados" (4.1) e para compartilharmos de seus sofrimentos e de sua glória (Rm 8.17; Fp 1.29). A futura realização da esperança será nossa participação na gloriosa ressurreição de Cristo Jesus, quando o veremos face a face, perfeitamente transformados à sua imagem e para sempre glorificados com Ele. Nessa carta, Paulo descreve essa realização da esperança em termos comunitários (Ef 5.27).

2) Paulo ora para que possamos conhecer "as riquezas da glória da sua herança nos santos" (1.18c). Será que isso está se referindo à nossa herança, ou à herança de Deus? Seria a herança que Deus *concederá* aos santos nos tempos vindouros (como em 1.14)? Ou seria a herança que o próprio Deus recebe através dos santos (como foi mencionado em 1.11)? Alguns intérpretes preferem acreditar na primeira hipótese, porém, a preposição "nos", e o contexto de Efésios em geral indicam a última, isto é, os santos constituem a herança de Deus. No Antigo Testamento, Israel era a porção de Deus; no Novo Testamento, Cristo e seu corpo (abrangendo os judeus e os gentios) representam a totalidade da herança de Deus: "É através dessa herança que Ele mostrará a todo o universo as riquezas incalculáveis de sua glória [cf. 3.10; também 1.20-23; 3.21]. Quase nada podemos entender do que deve representar para Deus ver seu propósito realizado, ver criaturas de sua propriedade, isto é, pecadores redimidos pela sua graça refletindo sua própria glória" (Bruce, 1961, 40). Certamente nossos olhos espirituais necessitam de esclarecimento para compreender o valor inestimável que Deus colocou nas pessoas redimidas por Cristo como sua própria herança.

3) A oração de Paulo é para que possamos conhecer, pela revelação e através da experiência, a "sobreexcelente grandeza do seu poder sobre nós, os que cremos" (1.19a). "Sobreexcelente" ou "incomparável" (*hyperballon*) é uma palavra que somente Paulo usou no Novo Testamento (cf. 2.7; 3.19) e reflete seu desejo, quase irrealizado, de manifestar através das palavras a inexprimível grandeza do poder de Deus. Por causa deste poder extremo, e da limitação da linguagem humana, não conseguimos perceber a plena revelação daquilo que Paulo procura transmitir a respeito do poder de Deus, a não ser que nosso entendimento seja iluminado pelo Espírito Santo.

Em 1.19, Paulo acentua as limitações da linguagem humana para transmitir um pouco da magnitude do poder de Deus: "segundo a operação da força do seu poder". Ele usa quatro palavras-chave para descrever o poder de Deus.
1) "Poder" (*dynamis*) é a palavra grega da qual se originou "dinâmico" ou "dínamo"; isso indica algo do sentido de impulsão da palavra: *"Dynamis"* representa o potencial do poder de Deus que, quando direcionado aos crentes, se assemelha ao "trabalho" da poderosa força de Deus.
2) "Trabalho" (*energeia*) é o termo do qual se originou a nossa expressão "energia" e significa um poder "energético" em operação.
3) A palavra "poderosa" (*kratos*) quer dizer "poder como força magistral, poder demonstrado em ação" (Salmond, 276), poder que vence a resistência (como nos milagres de Cristo).
4) "Força" (*ischys*) se refere ao "poder inerente", tal como o poder do braço de um homem forte; poder que está disponível sempre que for necessário. Paulo acumula sinônimo sobre sinônimo para indicar a plenitude do poder de Deus e a forma infinitamente real como esse poder foi colocado à nossa disposição, pois fazemos parte daqueles que crêem. O restante da oração de Paulo está diretamente relacionado a esse reino do "incomparavelmente grande" poder de Deus.

3.3. A Exaltação, o Senhorio e a Autoridade de Cristo como Cabeça, como a Medida do Poder de Deus que Está Disponível (1.20-23)

Em 1.20-23, Paulo faz referência à três realidades em Cristo que demonstram, com maior evidência, a magnitude do grande poder de Deus: a ressurreição e ascensão de Cristo (1.20); a entronização de Cristo como Senhor "acima de todo principado, e poder, e potestade, e domínio" (1.21); e a nomeação de Cristo como a autoridade suprema para a Igreja (1.22,23).
1) Deus demonstrou seu dinâmico poder e sua poderosa energia quando o ressuscitou "dos mortos" e o colocou à "sua direita nos céus" (1.20). Quando o Novo Testamento deseja enfatizar a plenitude do amor de Deus por nós, indica a morte de Cristo (por exemplo, em Rm 5.8). Porém, quando deseja demonstrar a realidade do poder de Deus indica a ressurreição de Cristo. Esse acontecimento não só confere aos crentes a esperança da ressurreição na vida futura (1 Co 15.20, 23) como também, em Cristo, leva-os a experimentar agora, através da fé, o poder do Deus que os eleva da morte espiritual para a novidade de vida (cf. Ef 2.4-5). Além disso, como Cristo foi elevado e assentou-se à mão direita de Deus, em um lugar de honra e de autoridade, o poder de Deus também "nos ressuscitou juntamente com ele, e nos fez assentar nos lugares celestiais, em Cristo Jesus" (2.6). Dessa forma, a "ressurreição e ascensão de Cristo expressam a medida do poder e da autoridade do Pai que foram colocados à nossa disposição" (Foulkes, 63).
2) Deus, o Pai, também demonstrou seu poder através do lugar para onde elevou Cristo — para o trono, o lugar de maior honra e autoridade "acima de todo principado, e poder, e potestade, e domínio, e de todo nome que se nomeia" (1.21). Na administração divina do universo existem diferentes níveis de autoridade, seja ela humana ou angelical. Quaisquer que sejam as formas de autoridade e de poderes governantes existentes no universo, através do poder de Deus Cristo foi *entronizado como Senhor* dos reinos celestiais, muito acima de todos "não só neste século, mas também no vindouro" (1.21).

A exaltação de Cristo faz ecoar a promessa messiânica contida em Salmos 110.1, "Disse o Senhor ao meu Senhor. Assenta-te à minha mão direita, até que ponha os teus inimigos por escabelo dos teus pés". Aqui se notam claramente as referências às frases de Salmos 110.1, como, por exemplo, a "mão direita" de Deus, Cristo ascendendo ao céu para "sentar-se" e Deus sujeitando "todas as coisas a seus pés" (1.22), o que corresponde à expressão "por escabelo dos teus pés". Dessa forma os "principados", as "potestades", os "príncipes das trevas deste século", as "hostes espirituais da maldade", que mais tarde Paulo convoca os fiéis a enfrentar (6.10-12) estão "sob os pés de Cristo" (1.22) e também sob os nossos se estivermos assentados "nos lugares celestiais, em Cristo Jesus" (2.6). Embora Satanás e seu exército demoníaco ainda não tivessem reconhecido a vitória de Cristo, sua exaltação como Senhor é a prova de que Ele reina com absoluta supremacia. Embora ainda não vejamos todas as coisas subjugadas a Ele, ainda assim vemos a Jesus "coroado de glória e de honra" (Hb 2.8,9). Sua autoridade e poder serão totalmente manifestados no futuro (Sl 8.6; 1 Co 15.25-27; Hb 2.6-8).

3) O terceiro reino no qual o poder de Deus se apresenta como disponível ao seu povo está na *autoridade de Cristo* (1.22,23). Cristo foi nomeado como o soberano acima de todas as coisas, isto é, o chefe supremo da criação, a manifestação final do que nos espera no futuro (cf. 1.10). Ele é, atualmente, a "cabeça da igreja, que é o seu corpo". Esse conceito da Igreja como o "corpo de Cristo" é exclusivo das cartas de Paulo, entre os demais escritos do Novo Testamento. Essa revelação teve início na vida de Paulo por ocasião de seu encontro com Cristo ressuscitado na estrada de Damasco. "Eu sou Jesus, a quem tu persegues" (At 9.5). Paulo estava perseguindo a Igreja, porém persegui-la era o mesmo que perseguir a Jesus, pois o corpo e a cabeça estão inseparavelmente unidos em um único ser.

Aqui Paulo não fala somente da Igreja como o corpo de Cristo (Ef 1.23; 4.4; cf. 1 Co 6.15; 12.12-21; Rm 12.4,5), mas também a respeito de Cristo como cabeça da Igreja (o que está implícito em 1.10 e explícito em 1.22,23; 4.15,16; 5.23; e também em Cl 1.18): "A relação orgânica entre a cabeça e o corpo sugere uma união vital entre Cristo e a Igreja, que participa de uma vida comum, que é a sua própria vida ressurreta comunicada a seu povo: "A igreja aqui mencionada é a Igreja universal e completa — manifestada visivelmente... nas congregações locais" (Bruce, 1984, 275).

A Igreja universal, isto é, o corpo de Cristo constituído por todos os verdadeiros crentes, é "a plenitude daquele que cumpre tudo em todos" (1.23). Não se consegue perceber aquilo que Paulo tinha em mente quando fez essa surpreendente afirmação. A questão está centrada nas palavras "a plenitude [*pleroma*] daquele que cumpre". Gramaticalmente, várias possibilidades se apresentam como legítimas[2]. Será que *pleroma* se refere à Igreja ou a Cristo? E quem é que "cumpre tudo"? Em certo sentido, a Igreja representa o total complemento de Cristo, assim como o corpo é o necessário complemento da cabeça na constituição de uma pessoa completa. A Igreja, seu corpo, representa o total complemento de Cristo que, sendo a divindade, "cumpre tudo" — isto é, o universo inteiro. E o próprio Cristo também representa a "plenitude"; de acordo com Colossenses 2.9, a "plenitude" (*pleroma*) da divindade reside em Cristo. Aqui, contudo, a plenitude de Cristo reside na Igreja. Assim como o *pleroma* da divindade reside em Cristo sob a forma de um corpo, da mesma maneira o *pleroma* de Cristo reside na Igreja como seu corpo. Portanto, a Igreja é "um participante de tudo que Ele possui e existe para o propósito da continuação de sua obra" (Hanson, 126).

4. Os Resultados da Redenção em Cristo Jesus (2.1—3.13)

Em 1.3-14, Paulo revela sua adoração e louvor pelo plano mestre de Deus sobre a redenção, tal como foi formulado pelo Pai na eternidade, tornado possível na história pelo Filho e aplicado pelo Espírito Santo na vida dos crentes. Em 1.15-23, ele ora para que os crentes possam conhecer melhor a Deus, e para que tenham seus olhos espirituais iluminados para melhor entender o poder salvador de Deus, através de Cristo, que trabalha em sua vida e na Igreja. No capítulo 2, Paulo começa a desvendar os verdadeiros resultados da redenção e do poder da graça salvadora de Deus, através de Cristo, tanto para os judeus como para os gentios.

4.1. Cristo Salva os Pecadores de sua Condição Irremediável (2.1-10)

Como em 1.3-14 e em 1.15-23, o trecho 2.1-10 se apresenta como uma única sentença no texto grego. Paulo inicia descrevendo o primitivo estado pecador dos gentios (2.1,2) e o dilema de toda a humanidade, inclusive dos judeus (2.3), em relação ao seu passado irrecuperável. Em seguida, mostra o enorme contraste com a graça salvadora de Deus, em Cristo Jesus, e a nova vida redimida que os crentes receberam de Cristo (2.4-10).

4.1.1. A Condição de Desespero da Humanidade Sem Cristo (2.1-3).

Paulo menciona cinco fatos trágicos que caracterizam os seres humanos sem Cristo.

1) Sua vida está caracterizada pela morte espiritual (2.1). A morte espiritual é um estado de separação de Deus, criado pelas "ofensas e pecados". Com a frase "estando vós", (2.1) Paulo está se referindo aos leitores gentios, enquanto "todos nós" (2.3) inclui o próprio Paulo e todos os judeus.

Em 2.1, o texto grego começa com uma frase no particípio presente, "estando vós mortos", que se completa com uma frase semelhante em 2.5 "estando nós ainda mortos", antecipando o sujeito e o verbo principais que ocorrem nos versos 4 e 5, "Deus... nos vivificou". O tempo presente de "estando mortos" expressa um estado contínuo da existência antes de termos nos tornado vivos com Cristo. Uma existência longe de Cristo representa uma vida nos reinos do pecado e da morte. Observe cuidadosamente que Paulo não está dizendo que a humanidade sem Cristo irá morrer um dia, mas que já está morta, mesmo estando fisicamente viva (cf. 1 Tm 5.6). É uma existência vazia de vida espiritual e eterna, um reino dominado pelo espírito da morte e da sempre presente expectativa de uma morte eterna (cf. Ap 20.14,15).

As palavras "ofensas e pecados" (2.1) descrevem o horizonte da morte para o pecador. A palavra "ofensas" (*paraptomata*) refere-se a tropeçar no pecado, o que é universalmente verdadeiro para toda a humanidade pelo fato de ser descendente de Adão. "Pecados" (*hamartiai*) é uma palavra mais comum no Novo Testamento e está relacionada a "pecar como um hábito" ou ao "pecado como um poder". De acordo com Eadie (119), "*paraptomata*, sob a imagem de 'queda', pode levar consigo uma alusão aos desejos da carne... enquanto *hamartiai*, sob a imagem de 'errar o alvo', pode designar mais os desejos da mente, os pecados de pensamentos e de idéias, de propósitos e inclinações". É a partir desse pântano de pecado e de morte que Deus dá início à redenção, como obra de sua graça.

2) Aqueles que estão longe de Cristo seguem "o curso deste mundo" (2.2). Essa frase se refere à maneira, caráter e influência de uma humanidade não regenerada durante a presente era de pecado (cf. Gl 1.4; 1 Jo 2.15-17). Se não agirmos de acordo com Cristo, estamos agindo de acordo com o mundo, e acompanhando o caráter que prevalece em nossa geração e a direção da maré do pecado que nos rodeia.

3) A humanidade não regenerada está sob o domínio do "príncipe das potestades do ar" (2.2b). Essa é uma referência óbvia a Satanás, que através da usurpação, reina como o deus de sua era. Em 2 Coríntios 4.4, Paulo afirma que Satanás como "deus deste século cegou os entendimentos dos incrédulos, para que não lhes resplandeça a luz do evangelho". Assim sendo, os pecadores se encontram completamente embaraçados e cegos. Em Efésios 6.12 há referência a uma rede de maus espíritos imbuídos de autoridade e sob o controle de Satanás como seu soberano; sua esfera de atuação está descrita como "nos lugares celestiais" (isto é, no reino espiritual), o equivalente ao "reino do ar". A esfera de atuação de Satanás está limitada, em contraste com a soberania universal de Deus.

Embora essa esfera do reino e da autoridade de Satanás seja limitada e temporal, não deixa de ser também real e poderosa. O verso 2 descreve melhor Satanás como o "espírito que opera nos filhos da desobediência" (a tradução literal, "filhos [*huioi*] da desobediência"). Cada pessoa se encontra relacionada com Deus e fortalecida pelo seu poder (1.20), ou relacionada com o reino de Satanás e "energizada" por este ("opera" é a tradução da palavra grega *energeo*, que literalmente significa "com energia"). Em outras palavras, se Deus não é nosso Pai e não somos seus filhos e filhas por meio da adoção, então Satanás é nosso pai espiritual e somos os seus filhos por meio da rebelião. Satanás transmite energia às pessoas com propósitos pecadores porque "a desobediência, a resistência consciente à vontade de Deus, deixa os homens expostos à ação de Satanás e de seu exército" (Westcott, 30).

4) Pessoas sem Cristo (judeus e também gentios) têm uma propensão a andar nos desejos da carne, fazendo a vontade da carne e dos pensamentos (2.3). Paulo confessa, e nisso inclui a si próprio, que a humanidade isenta da graça de Deus, em Cristo, sente-se inclinada a ceder à luxúria e aos desejos de "nossa natureza pecadora" [no grego, *sarx*, ou carne], de uma forma ou de outra. Em outra passagem, Paulo admite que a forma de sua própria indulgência antes da conversão estava ligada a "toda a concupiscência" (Rm 7.8). A palavra *sarx* denota a natureza humana, que tem sido universalmente corrompida pelo pecado; a vontade da carne e dos pensamentos" (2.3) produz, inevitavelmente, caso não seja contida, pecados como "as obras da carne" (Gl 5.19,20; cf. 1 Jo 2.16).

5) Todas as pessoas sem Cristo são "por natureza, filhos da ira" (2.3d). Esse estado de coisas existe porque através de Adão "o pecado veio ao mundo" (Rm 5.12) e todos os descendentes de Adão (judeus e também gentios) herdaram, em conseqüência, essa natureza pecadora, com uma propensão ao pecado e a transformar-se em transgressores (3.9,10,23). É principalmente esse último fato que Paulo está analisando aqui. Ele se refere à ira de Deus, não porque desde nosso nascimento estejamos sob essa condição, como descendentes de Adão, mas porque "todos pecaram" (Rm 3.23). Assim, em Efésios 2.3, a expressão "filhos da ira" representa uma idéia paralela ao conceito de transgressores (2.1) e de "filhos da desobediência" (2.2) (cf. Robinson, 49-51).

O ponto principal da exposição de Paulo, em Romanos 1—3, é que os judeus "religiosos" estavam de tal forma sob a sentença de pecado e da ira de Deus quanto os gentios pagãos. Tal é a devastação universal do pecado e da condição irremediável da raça humana para a qual Cristo veio como Redentor. Nas palavras proféticas de Isaías: "Eis que as trevas cobriram a terra, e a escuridão, os povos" (Is 60.2). Porém, contra essa situação a luz já se manifestou" (60.1,3).

4.1.2. A Salvação pela Graça, através da Fé em Cristo (2.4-10). A ação redentora e cheia de amor de Deus é apresentada nesta seção com forte contraste em relação ao destino desesperado da humanidade pecadora sob a ira do mesmo Deus em 2.1-3. Em termos empolgantes e impetuosos, Paulo faz o contraste da situação em que seus leitores estavam "antes" (2.3), sem Cristo, e aquela em que estão agora, em Cristo; aquilo que "todos nós" (2.3a) somos "por natureza" (2.3d) e aquilo que somos "pela graça" (2.5,8); a razão da ira de Deus (2.3) e a iniciativa do amor de Deus (2.4); a realidade espiritual de que "estávamos mortos" (2.1), mas que Deus "nos vivificou juntamente com Cristo" (2.5); o fato de estarmos irremediavelmente atolados na lama do pecado, como escravos de Satanás (2.2,3), mas que Deus "nos ressuscitou juntamente com ele, e nos fez assentar nos lugares celestiais, em Cristo Jesus" (2.6) em uma posição de honra e poder. Esses contrastes irão trazer glória a Deus "nos séculos vindouros" (2.7).

O verso 4 revela o grande valor que Deus atribui à humanidade pecadora. Estando nós ainda mortos em nossas transgressões e pecados, Deus ainda assim nos amava e nos vivificou juntamente com Cristo. Ele nos observava em nossa morte (pessoas mortas não podem se levantar); por ser "riquíssimo em misericórdia" (2.4; cf. Êx 34.6; Sl 103.8; Jn 4.2; Mq 7.18) e pelo seu muito (*pollen*) amor com que nos amou (2.4). Ele "nos vivificou juntamente com Cristo" (2.5). O adjetivo grego *pollen* significa "muito" e não "grande"; e se refere à infinita abundância do amor de Deus, e não ao seu tamanho (cf. 3.17-19). Dessa forma, Paulo corajosamente afirma nos versos 5 e 8 que "pela graça sois salvos". Nenhuma pessoa poderia, por esforço próprio, ou por seu mérito ou boas obras, esperar escapar da morte do pecado (2.1), da armadilha do mundo, do Diabo, da carne (2.2,3), ou da ira de Deus (2.3). Ao contrário, somos salvos pela iniciativa de Deus, que na riqueza de sua misericórdia e na abundância de seu amor escolheu justificar-nos "gratuitamente pela sua graça, pela redenção que há em Cristo Jesus" (Rm 3.24).

Em 2.4-7, três verbos formam o predicado composto dessa longa sentença: "nos vivificou" (2.5), "nos ressuscitou" (2.6) e "nos fez assentar" (2.6). O sujeito desses verbos é Deus; suas ações descrevem aquilo que Ele já fez, e o objeto direto de todos esses três verbos é o pronome plural "nós". Aqui Paulo faz a ligação de nossa salvação diretamente com o que Deus fez historicamente através de Cristo. Os três verbos mencionados acima se referem, sucessivamente, a três eventos históricos da vida de Jesus após sua morte na cruz: ressurreição, ascensão e assentar-se à mão direita do Pai. Esses eventos da salvação representam o ponto central do evangelho.

Paulo adiciona o prefixo *syn* (significando "em conjunto") a esses três verbos, e dessa forma nos une a Cristo nesses eventos. Assim sendo, por causa da graça de Deus, participamos *com Cristo* desses momentos de triunfo sobre a morte e sobre todo o mal. O fato de que estando mortos em pecados, e tendo sido por natureza filhos da ira de Deus, podermos ser *vivificados juntamente com Cristo, ressuscitados juntamente com Cristo* e *assentados* ao lado *de Cristo* no reino celestial representa certamente uma inimaginável demonstração da misericórdia, do amor e da graça de Deus. A salvação aqui, como no capítulo 1, está na união com Cristo Jesus. Deus nos abençoou como seu povo redimido em Cristo (1.3) e "nos fez assentar nos lugares celestiais, em Cristo Jesus" (2.6). Como John Stott (81) observa: "Se estamos assentados com Cristo no céu, não pode existir qualquer dúvida de que estamos assentados sobre tronos".

Isso não é somente um mero misticismo: "Na verdade, em termos temporais, vivemos na terra enquanto permanecemos em nossos corpos; porém, "em Cristo Jesus, estamos assentados com Cristo onde Ele está" (Bruce, 1961, 50). Essa linguagem a respeito do reino espiritual testifica de "uma experiência viva, que Cristo nos concede: por um lado, uma nova vida (com um reconhecimento sensível da realidade de Deus e de seu amor por seu povo), e por outro, uma nova vitória (com o maligno cada vez mais subjugado sob nossos pés)" (Stott, 81). Estávamos mortos, mas agora nos tornamos vivos em Cristo; estávamos sob o domínio tenebroso da autoridade de Satanás, mas agora, em Cristo, fomos elevados triunfantes sobre o pecado e a morte; éramos escravos no cativeiro, mas agora fomos entronizados por Cristo no reino do céu. Em Cristo, a herança futura já começou no presente, como uma realidade gloriosa e segura, tornada possível pela presença do Espírito Santo, que habita dentro de cada um de nós (1.13,14).

O que levou Deus a proporcionar uma salvação tão grande aos pecadores? Paulo utiliza quatro palavras (nessa ordem em grego): "misericórdia" de Deus (2.4), "amor" (2.4), "graça" (2.5, 8) e "benignidade" (2.7). Paulo atinge o clímax da compreensão reveladora quando acrescenta que Deus nos redimiu em Cristo "para mostrar nos séculos vindouros as abundantes riquezas da sua graça" (2.7) a todo o universo, e por toda a eternidade. Ao ressuscitar a Cristo dos mortos e ao exaltá-lo à sua mão direita, Deus Pai demonstrou a "sobreexcelente [*hyperballon*] grandeza de seu poder" (1.19,20); ao nos elevar da morte espiritual para compartilharmos o lugar de exaltação de Cristo no céu, Deus está mostrando as "abundantes [*hyperballon*] riquezas da sua graça" (2.7) e continuará a fazê-lo através de todas as eras na eternidade.

Em 2.8-10, um dos grandes resumos evangélicos do Novo Testamento, Paulo expressa o âmago de sua mensagem sobre a "graça"; a redenção, através da união com Cristo, nos liberta de uma vida de pecado e de morte, e nos permite participar da vida de Cristo ressuscitado, que representa a graça de Deus precisamente porque se origina totalmente dEle — de sua iniciativa, misericórdia, amor, bondade e intervenção. Existem três palavras fundamentais no evangelho — "salvação", "graça" e "fé".

1) Salvação (do grego *soteria*) significa "libertação", e é uma palavra bastante abrangente, que envolve mais do que absolvição ou perdão. Aqui, Paulo usa essa palavra para se referir à libertação da morte pelo pecado (2.1), pelo curso deste mundo (2.2), pelo domínio de Satanás (2.2) e pela ira de Deus (2.3). Positivamente, ela inclui "a totalidade de nossa nova vida em Cristo, em conjunto com aquEle que "nos vivificou, nos ressuscitou e nos fez assentar nos lugares celestiais, em Cristo Jesus" (2.4-7) (Stott, 83). O Novo Testamento ensina que a completa salvação tem três estágios: o *passado*, que está fundamentado na obra consumada com a morte de Cristo na cruz; a realidade *presente* para aqueles que estão unidos pela fé a Cristo Jesus e são habitados pelo Espírito Santo; e o estágio *futuro*, que ocorrerá por ocasião da segunda vinda (*parousia*) de Cristo, inclusive com a ressurreição de nossos corpos.

2) Graça (*charis*) representa a iniciativa misericordiosa e cheia de amor que Deus nos oferece para proporcionar a salvação através de Cristo, como uma dádiva gratuita. Nesse aspecto, Bruce (1961, 51) fez uma perspicaz observação a respeito da graça: "Se a ressurreição de Cristo dentre os mortos, para assentá-lo à direita de seu Pai representa a suprema demonstração do *poder de Deus* [1.19-21], a elevação do povo de Cristo da morte espiritual para compartilhar o lugar de exaltação de Cristo é a suprema demonstração de *sua graça*" (itálicos do autor).

3) Fé (*pistis*) representa nossa resposta à graça de Deus, uma resposta que foi possível pela graça, através da qual recebemos a dádiva gratuita de Deus, que é a salvação em Cristo. Fé significa crer firmemente e confiar humildemente em Cristo como nosso Redentor e Libertador. A fé verdadeira inclui os frutos do arrependimento e se manifesta visivelmente em uma vida de obediência a Cristo Jesus como Senhor.

Em seguida, Paulo enfatiza que somos salvos pela graça de Deus, através da fé em Cristo, e acrescenta duas negativas e duas afirmações:

Negativa 1: "E isso não vem de vós" (tradução literal) (2.8c)
Afirmativa 1: "É dom de Deus" (2.8d)
Negativa 2: "Não vem das obras, para que ninguém se glorie" (2.9)
Afirmativa 2: "Somos feitura sua" [de Deus] (2.10a)

Alguns acreditam que o termo "isso" da primeira negativa se refere à fé — isto é, que mesmo a fé pela qual somos salvos é uma dádiva de Deus (por exemplo, Agostinho, C. Hodge, E. K. Simpson). Essa interpretação pode ser teologicamente verdadeira, porém, não é a questão que Paulo expõe aqui: "Isso" em grego (*touto*) é uma palavra neutra, enquanto "fé" é um substantivo feminino. Portanto, a palavra que antecede o termo "isso" não é "fé"; pelo contrário, todo o evento e toda a experiência de sermos salvos pela graça, através da fé, não é uma obra nossa, porém a dádiva gratuita de Deus para conosco. Stott (83) faz uma paráfrase do pensamento de Paulo da seguinte maneira: "A salvação não é uma conquista sua (não é uma obra sua), nem uma recompensa por qualquer de seus feitos religiosos ou filantrópicos ("Não vem das obras"). Portanto, não existe lugar para o mérito humano, e também nenhuma razão para que alguém se vanglorie".

A essência da religião legalista é a crença de que a salvação é alcançada pelas obras, isto é, ela é o resultado de alguma coisa que a pessoa faz. Será impossível ser salvo de outra forma que não seja pela graça de Deus. Todos aqueles que ainda não foram salvos estão espiritualmente mortos (2.1) e sob o domínio de Satanás (2.2); são escravos do pecado (2.3) e estão sob a ira de Deus (2.3). Para que as pessoas possam ser salvas, Deus deve tomar a iniciativa de agir a favor do pecador, o que Ele fez através de Cristo (2.4,5). Por causa do que Ele fez, e não do que nós fazemos, os crentes se tornam espiritualmente vivos em Cristo (2.5; Cl 1.13), libertos do poder de Satanás e do pecado (Ef 2.5,6; Cl 1.13); tornam-se novas criaturas (Ef 2.10; 2 Co 5.17) e recebem o Espírito Santo (Ef 1.13,14; cf. Jo 20.22).

Nenhuma medida de esforço próprio ou de devoção religiosa pode realizar o que está descrito acima. Pelo contrário, "pela graça sois salvos por meio da fé — e isso não vem de vós; é dom de Deus" (2.8). A ação da graça de Deus está centrada em seu Filho — sua morte, ressurreição e entronização no céu como Senhor. Em relação à demonstração de sua graça, primeiramente vem o chamado ao arrependimento e à fé (At 2.38). Através dessa convocação, o Espírito Santo torna a pessoa capaz de responder à graça de Deus através da fé. Aqueles que por meio da fé respondem ao Senhor Jesus Cristo "são vivificados juntamente com Cristo" (2.5). São regenerados ou nascidos de novo por obra do Espírito Santo (Jo 3.3-8). São ressuscitados e assentados com Cristo no reino celestial e continuam a receber a graça por sua união com Ele, que é a fonte do poder. Isso os torna capazes de resistir ao pecado e de viver de acordo com o Espírito Santo (Rm 8.13,14). Os crentes, então, passam a servir a Deus e a praticar "boas obras" (Ef 2.10; cf. 2 Co 9.8) por causa da graça que opera em cada um (1 Co 15.10). A graça de Deus opera no povo de Cristo "tanto o querer como o efetuar, segundo a sua boa vontade" (Fp 2.13). Do início ao fim, então, a salvação é alcançada através da graça de Deus que opera nos crentes através de sua fé.

O verso 10 enfatiza que estamos *em Cristo*, em contraste com o fato de anteriormente estarmos *em pecado* (2.1-3). Somos agora a "obra de Deus" (*poiema*), "sua obra de arte, sua obra-prima" (Bruce, 1961, 52). A palavra *poiema* aparece novamente apenas em Romanos 1.20, onde se refere ao "que foi feito" por Deus, na ocasião da criação original. Aqui, Paulo se refere à nova criação em Cristo (cf. 2 Co 5.17); somos "criados [*ktisthentes*] em Cristo Jesus" para fazer boas obras. Essas duas palavras gregas estão relacionadas à criação: "Salvação é criação, recriação, e nova criação" (Stott, 84) — que somente Deus pode fazer. Nunca poderemos ser salvos apenas por nossas "boas obras", assim como não podemos recriar a nós mesmos. Porém, fomos salvos *para* "boas obras" e até "recriados" em Cristo com esse propósito. A única esperança para os mortos é a ressurreição, e Jesus Cristo é "a ressurreição e a vida" (Jo 11.25). Ele é também o Criador: "Porque nele foram criadas todas as coisas" (Cl 1.16). Tanto a atividade da ressurreição como a da criação apontam para a indispensabilidade da iniciativa de Deus e de sua graça.

A salvação, porém, *sola gratia, sola fide* (somente pela graça, somente pela fé) pode ser mal interpretada (cf. Rm 6.1). Estaremos interpretando mal a Paulo se uma vida de virtudes tiver sido esquecida e a graça se tornar uma desculpa para pecar, segundo a falsa concepção de que se os cristãos descuidadamente pecarem, sua falta somente dará maior oportunidade para que a graça de Deus se manifeste. A resposta de Paulo a essa interpretação da graça foi: "De modo nenhum!" (Rm 6.2) F. F. Bruce afirma que "Aqueles que continuam a 'andar' em transgressões e pecados, que caracterizam um estado de ausência de regeneração, mostram que não são obra de Deus, quaisquer que sejam as declarações que possam fazer" (1961, 52).

Dessa forma, em Efésios 2.10, Paulo se refere às boas obras como indispensáveis à salvação — "não como sua razão ou seus meios, no entanto, mas como sua [necessária] conseqüência e evidência" (Stott, 84-85). Tito 2.14 apresenta o melhor comentário: Cristo "se deu a si mesmo por nós, para nos remir de toda iniqüidade e purificar para si um povo seu especial, zeloso de boas obras". Assim como em Cristo fomos predestinados à adoção (1.4), também em Cristo fomos predestinados a fazer boas obras.

Em Efésios 2.1-10, o texto grego termina com a frase "para que andássemos nelas" (NASB; NIV, "para fazer"). Esse parágrafo começa com as pessoas "andando" (*peripateo*) na morte das transgressões e do pecado (2.1-2) e estas terminam "andando" (*peripateo*) nas boas obras que, antecipadamente, Deus planejou para todos os que foram redimidos em Cristo. Assim o forte contraste entre uma vida sem Cristo e uma vida em Cristo está completo. É um contraste entre as duas formas de vida (no pecado ou pela graça), e entre dois senhores (Satanás ou Deus). Stott (85) acrescenta: "O que poderia ter realizado tamanha mudança? Apenas isso: uma nova criação pela graça e pelo poder de Deus. As expressões-chave desse parágrafo são certamente *mas Deus* (verso 4) e *pela graça* (versos 5, 8)".

4.2. Cristo Reconcilia Grupos de Pessoas Mutuamente Hostis a Deus e Entre Si Mesmas, como uma Nova Humanidade (2.11-18)

A obra de Efésios 2 está dividida em duas partes. A primeira (2.1-10) revela que, pela riqueza da graça de Deus, Ele está salvando cada um dos pecadores em Cristo e modelando-os como troféus de sua obra e de sua graça; a segunda (2.11-22) vai além, e revela a natureza da graça salvadora de Deus e de sua ação, em termos de associação, isto é, a forma como gentios e judeus (que são dois grupos mutuamente hostis), que receberam a benevolente salvação de Deus em Cristo, estão sendo moldados em conjunto, em um único corpo de Cristo, como a obra-prima de Deus que é a redenção. Fazendo isso, Deus está criando, em Cristo, uma "nova humanidade" (2.11-18) e uma "nova comunidade" (2.19-22).

4.2.1. A Exclusão dos Gentios da Presença de Deus, e o Povo da Aliança (2.11,12). O início dos versos 11 e 12 é muito parecido com o dos versos 2.1,2, no sentido de que ambos revelam o destino sem esperança dos gentios, ou do mundo pagão, que estão fora de Cristo. Em 2.1,2, eles são retratados como "mortos em ofensas e pecados"; e, em 2.11,12 são descritos como alienados de Deus e de seu povo da promessa divina, isto é, Israel. Em 2.1,2, "mortos" é a palavra-chave, enquanto "separados" é a palavra principal em 2.11,12 (*apallotrioo*; NIV,

"excluídos"). No grego, este verbo significa "distanciar, alienar, excluir". Ocorre apenas três vezes no Novo Testamento, duas vezes em Efésios e uma vez em uma passagem paralela em Colossenses.

A separação causada pelo pecado é dupla: separação de Deus, nosso Criador (4.18; cf. Cl 1.20,21), e separação de nossos companheiros, os demais seres humanos (Ef 2.12). A separação de Deus, ao lado de sua substituição vertical pela reconciliação em Cristo, é encontrada em 2.1-10, enquanto que a separação de outras pessoas, compensada pela reconciliação no sentido horizontal, através da ação da cruz, está enfatizada em 2.11-22.

No verso 11, Paulo lembra aos seus leitores gentios a condição desvantajosa de seu estado anterior ao evangelho. Gênesis 1—2 revela a unidade fundamental da raça humana em seu início. Após a queda (Gn 3) e o grande dilúvio (Gn 6—8), ocorreu a desintegração e a humanidade foi dividida em diferentes grupos étnicos (Gn 11). Entre as diferentes nações, Deus escolheu Abraão e seus descendentes judeus para serem o povo do pacto divino (Gn 12—50). A circuncisão dos homens judeus tornou-se um sinal exterior para lembrá-los de sua identidade e das responsabilidades que tinham neste pacto.

Porém, o propósito de Deus, ao escolher Israel para ser a luz dos gentios, perdeu-se ao final, tanto na segregação étnica como no exclusivismo. Nos dias de Paulo, os judeus arrogantemente desprezavam os gentios pagãos como cães e, desdenhosamente os consideravam como os "incircuncisos". Paulo não apóia esse título aviltante, simplesmente anota sua utilização na época como uma forma de apresentar o grande cisma religioso e cultural existente entre os judeus e os gentios, antes de ter sido abolido em Cristo. No verso 12, Paulo continua a lembrar aos gentios que, antes de Cristo, eles haviam experimentado cinco formas trágicas de privação:

1) Estavam "separados de Cristo" e de todas as bênçãos de Deus, nEle (cf. 1.3; 2.6). Como gentios não regenerados, não haviam ainda recebido a promessa da vinda do Messias, não havendo ninguém que

iluminasse sua escuridão trazendo-lhes a esperança para o futuro.

2) "Haviam sido excluídos da cidadania [*politeia*] em Israel" por razões ligadas a seu nascimento. *Politeia* é uma palavra derivada de *polites* ("cidadão") que, por sua vez, deriva de *polis* ("cidade" ou "estado cidade"). *Em Israel*, ser excluído da cidadania significava que os gentios eram política e religiosamente estranhos à comunidade da revelação de Deus. Em outras palavras, estavam separados do povo da promessa divina, que constituía uma teocracia viva e conhecia o único Deus verdadeiro.

3) Os gentios eram "estranhos aos pactos da promessa", isto é, estavam eliminados de toda história espiritual e de todas as promessas de uma salvação messiânica contidas nos pactos feitos com Abrão, Moisés e Davi. Como Paulo observa em Romanos, os judeus haviam recebido o compromisso de serem os verdadeiros oráculos de Deus (Rm 3.2). Seus privilégios espirituais eram muitos: "Dos quais é a adoção de filhos, e a glória, e os concertos, e a lei, e o culto, e as promessas; dos quais são os pais, e dos quais é Cristo, segundo a carne, o qual é sobre todos, Deus bendito eternamente. Amém!" (9.4,5) Os gentios haviam sido excluídos desse caudal divino de revelações e de redenção.

4) e 5) As duas últimas privações estão cruamente estabelecidas: "sem esperança e sem Deus nesse mundo". Em um mundo de degradação, com todos os seus pecados, sofrimentos e morte, a humanidade precisa de uma esperança infinita que somente a fé em Cristo pode proporcionar. De outra forma, a vida é uma escuridão tenebrosa, desesperançada e aflita. Os gentios não tinham a esperança de Israel, nem a revelação do Deus de Israel. Não estavam sem "deuses" (tinham muitos), mas seus deuses haviam se mostrado vazios e cruéis. Estavam sem o verdadeiro conhecimento de Deus, tal como havia sido revelado a Israel.

4.2.2. A Inclusão dos Gentios na Única e Nova Humanidade em Cristo (2.13-18).
Paulo continua a descrever como a obra da redenção torna as pessoas um só povo em Cristo. O verso 13 começa com duas frases importantes: "Mas, agora" que aparece em contraste com "antes" (v. 11) e "naquele tempo" (v. 12); e "em Cristo Jesus", que aparece em contraste com "sem Cristo" (v. 12). Essas duas expressões enfatizam como a situação dos gentios seria drasticamente modificada, de estarem "longe" para chegarem "perto". Essa nova aproximação de Deus é tanto "em Cristo Jesus" como "pelo sangue de Cristo". Essa última se refere ao evento histórico da morte de Jesus na cruz; e a primeira está relacionada à conversão dos infiéis e sua presente união com Cristo. Os cinco versos seguintes explicam o que foi alcançado pela morte redentora de Cristo na cruz.

Os versos 14-18 revelam o âmago da mensagem de reconciliação de Paulo, e como Deus deu início ao seu eterno plano de reconciliação cósmica (embora não universal) (1.10). A palavra principal nessa passagem é *paz*, e ela aparece quatro vezes (vv. 14,15, e duas vezes no verso 17).

O verso 14 começa com uma declaração enfática: "Porque ele [Cristo] é a nossa paz". Cristo, e somente Cristo, nos deu a solução para esse problema que infesta a raça humana, isto é, a separação de Deus e de outras pessoas. Ele é a Reconciliação do povo com Deus e a Reconciliação das pessoas, umas com as outras. Assim, o evangelho torna-se uma mensagem de reconciliação (2 Co 5.17-21). Por causa de seu sangue redentor (2.14), nesse ponto de Efésios Paulo anuncia, em dois sentidos, o próprio Cristo Jesus como sendo a "nossa paz":

1) Como pecadores, Ele nos reconcilia com Deus pela cruz (v. 16) e
2) Reconcilia grupos mutuamente hostis entre si (tais como judeus e gentios) e "de ambos os povos faz um" (v. 14b; também vv. 15, 16, 17 e 18).

A reconciliação é o tema central desta passagem. Nada, a não ser o evangelho, poderá nos oferecer, genuinamente, a paz com Deus (Rm 5.1), "e nada, a não ser o evangelho, poderá remover as barreiras que dividem a humanidade em grupos hostis em sua própria época" (Bruce, 1961, 54). A paz entre judeus e gentios exigia a destruição da "parede de separação que estava no meio" (v. 14c). Nenhuma distinção por cor, conflito étnico, separação por classes ou divisão política era mais absoluta que a barreira entre judeus e gentios no primeiro século d.C. Bruce acrescenta (ib.). "O maior triunfo do evangelho na era apostólica foi que ele venceu essa antiga e longa desavença e permitiu que judeus e gentios se tornassem verdadeiramente um único povo em Cristo".

Quando Paulo escreveu essas palavras em Efésios, "a parede de separação" ainda era uma característica proeminente no templo judeu de Jerusalém. Stott (91-92) descreve graficamente essa preocupante distinção.

> O edifício do templo estava construído sobre uma plataforma elevada. Ao seu redor estava o Pátio dos Sacerdotes. A leste estava o Pátio de Israel e ainda mais a leste, o Pátio das mulheres. Esses três pátios — para os sacerdotes, os homens leigos e as mulheres leigas de Israel, respectivamente — estavam todos no mesmo nível do próprio templo. Desse patamar, cinco degraus desciam até uma plataforma murada e, então, do outro lado do muro, quatorze degraus levavam até outro muro, além do qual estava o pátio externo ou Pátio dos Gentios. Esse pátio era espaçoso e se estendia ao redor do templo e de seus pátios internos. De qualquer lugar os gentios podiam olhar e observar o templo, porém não tinham permissão de aproximar-se dele. Estavam impedidos pelo muro que o circundava, uma barricada de um metro e meio de pedra sobre a qual estavam colocados, em seguidos intervalos, avisos em grego e latim. Na verdade, esses avisos não diziam: "Os intrusos serão processados" e sim "Os intrusos serão executados".

O próprio Paulo quase foi morto, três ou quatro anos antes, por uma multidão irada de judeus em Jerusalém, que acreditava no boato de que havia levado um gentio de Éfeso, chamado Trófimo, para dentro do templo (At 21.27-32). Na época em que escreveu essa carta, Paulo estava literalmente prisioneiro "por vós, os gentios"

(Ef 3.1). Embora o muro divisor e o templo tivessem permanecido até a destruição de Jerusalém pelos romanos no ano 70 d.C., Paulo corajosamente declarou que Cristo já havia destruído esse muro quando morreu na cruz (aproximadamente no ano 30 d.C.). "O símbolo ainda permanecia; mas o que ele significava estava destruído" (Robinson, 60). Através de Cristo, tanto os judeus como os gentios agora têm "acesso ao Pai [no templo do céu] em um mesmo Espírito" (2.18).

A paz e a unidade entre judeus e gentios também exigia "na sua carne [isto é, na morte física de Jesus na cruz], desfez a inimizade, isto é, a lei dos mandamentos, que consistia em ordenanças" (2.15; cf. Cl 1.22; 2.11,12). Paulo, aqui, não se refere à lei como uma revelação do caráter moral e da vontade de Deus, que foi eliminada pela morte de Cristo. Através da presença poderosa e capacitadora do Espírito de Cristo, sob o novo pacto, a retidão moral exigida por Deus na lei está mais nitidamente entendida, tanto para os judeus como para os gentios, do que era possível sob a antiga aliança (cf. Rm 3.31). Porém, Cristo aboliu a lei, que trazia um código escrito de regulamentos sobre sacrifícios de animais, questões alimentares, regras sobre a limpeza e impureza, etc. — que criava uma séria barreira entre judeus e gentios e que resultava em um particularismo judeu e em uma exclusão dos gentios.

Como Max Turner observa (1231), "o bom propósito, a que a lei de Moisés servia [sob o antigo pacto], para preservar Israel da influência pagã de outras nações, abriu caminho para um propósito ainda mais elevado [de Deus]", isto é, "para criar em si mesmo dos dois um novo homem" (2.15). "O novo homem" não será nem judeu nem gentio, mas será formado pelas duas partes como uma nova criação em Cristo. A variedade de distinções que previamente havia causado as principais divisões e barreiras na família humana não será mais permitida "em Cristo". Somos todos um só nEle, e, igualmente herdeiros da graça de Deus (cf. Gl 3.28,29).

A paz e a unidade entre judeus e gentios exigia que ambos fossem reconciliados "pela

O Templo de Herodes

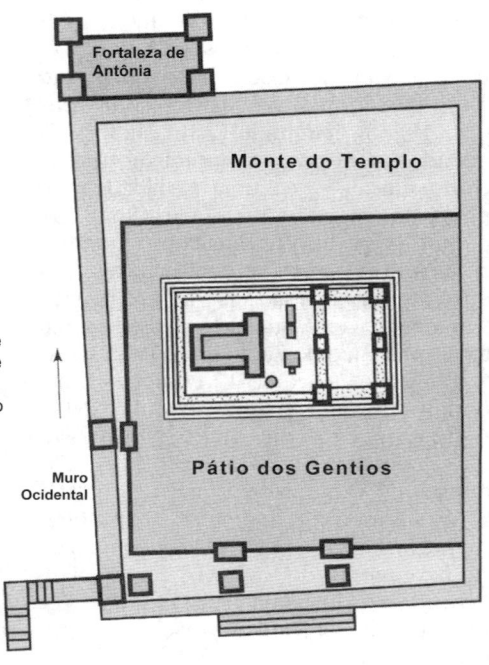

O templo, construído em Jerusalém pelo Rei Herodes, foi o terceiro templo a ser construído sobre o mesmo monte, chamado Moriá. O Rei Herodes, sendo um idumeu, construiu esse extravagante templo como uma forma de obter o favor dos judeus. Sua construção se iniciou no ano 19 a.C. e ainda não havia sido concluída até o ano 64 d.C.

Herodes mandou nivelar a superfície do monte e, em seguida, construiu um forte muro de contenção em volta de seu perímetro com blocos de pedra maciça, com facetas lisas, empilhadas sem o uso de argamassa. Ainda hoje, são visíveis o canto sudeste e uma seção do Muro Ocidental, também chamada Muro das Lamentações. Essa "plataforma", cobrindo uma área aproximada de 450 metros de norte a sul e 300 metros de leste a oeste, é chamada de Monte do Templo.

O templo que havia sido anteriormente construído pelos exilados da Babilônia fora derrubado e substituído pelo templo de Herodes.

O templo e seus átrios, ou pátios, foram construídos sobre uma plataforma elevada. O templo de Herodes tinha colunas de mármore branco, com portões de ouro e prata. Uma cortina separava o Lugar Santo do Lugar Santíssimo.

Um pórtico de colunas circundava todo o Monte do Templo. A seção correspondente à extremidade sul tinha quatro fileiras de colunas; os demais pórticos tinham duas. Na extremidade noroeste do Monte do Templo situava-se a Fortaleza Antônia. Embora os gentios pudessem entrar no pátio que circundava o templo, havia avisos impedindo-os de entrar nos três pátios centrais, que eram de uso restrito dos sacerdotes e dos homens e mulheres judeus. O castigo pela infração era a morte.

O templo e os muros que o circundavam foram destruídos pelos romanos no ano 70 d.C.

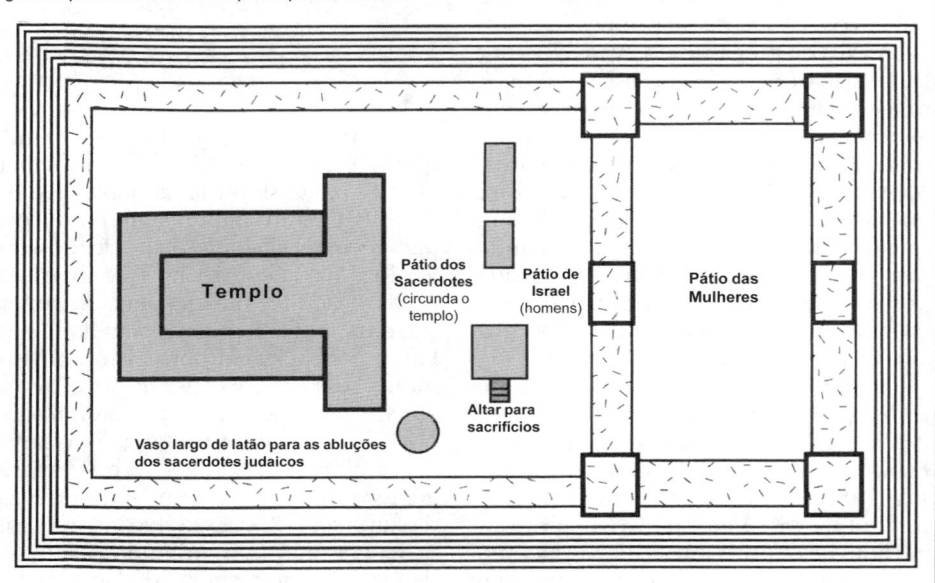

cruz... com Deus em um corpo" (2.16). Isso pressupõe que tanto judeus como gentios eram pecadores separados de Deus (2.3) e necessitavam da morte expiatória de Cristo a fim de serem reconciliados com Deus (2.17,18). Sua "inimizade" (2.16), que foi condenada à morte na cruz, era tanto horizontal como vertical — isto é, uma hostilidade entre povos não regenerados e Deus (Rm 5.10), e entre grupos hostis, tais como judeus e gentios. O milagre da reconciliação resultou em uma nova entidade espiritual chamada "um corpo" de Cristo (2.16). Esse assunto torna-se o foco de Paulo em 2.19-22.

Em grego, o verso 17 começa com a conjunção "e" (não traduzida na NIV) e faz a ligação com o verso 14. Cristo não é somente a "nossa paz" (2.14), mas também "evangelizou a paz" (2.17; cf. Is 57.19). A mensagem de paz foi primeiramente anunciada pelos anjos por ocasião do nascimento de Jesus (Lc 2.14); foi alcançada por Jesus na cruz (Ef 2.13-16) e proclamada por Jesus aos discípulos após sua ressurreição (Jo 20.19-21).

Porém, Cristo pregou a paz de uma forma mais abrangente — paz para "vós, que antes estáveis longe" (isto é, para os gentios que estavam sem esperança e sem Deus — 2.12,13), e paz para aqueles que chegaram "perto" (isto é, os judeus que tinham os "concertos da promessa", 2.12) — através da pregação do evangelho por Pedro, Paulo e outros evangelistas do primeiro século. Observe que os gentios estavam incapacitados de vir a Cristo; Ele tinha que ir até eles através de seus mensageiros. Além disso, os judeus também precisavam que o Evangelho lhes fosse pregado. Em qualquer lugar em que a mensagem de paz e de reconciliação (somente tornada possível através da cruz) seja proclamada no mundo de hoje, "é Cristo que a proclama através de nós" (Stott, 103).

Logo após a morte e ressurreição de Jesus "por ele, ambos [crentes judeus e gentios] temos acesso ao Pai em um mesmo Espírito" (2.18). A palavra acesso (*prosagoge*) pode significar "apresentação" no sentido de sermos, através de Cristo, introduzidos à presença de Deus, como nosso Pai. Porém, é mais provável que essa palavra traga à mente a cena de uma corte real, em um antigo reino do Oriente Médio, onde um oficial designado como *prosagogeus* facilita a admissão à presença do rei. O Espírito Santo facilita o acesso a uma íntima comunhão com o Pai, que se tornou possível pela "redenção pelo seu sangue" (1.7). Esse significado é o mesmo em 3.12 e nos ensinamentos paralelos em Hebreus 10.19-22. Temos o direito de, com confiança, nos aproximarmos de nosso Pai celestial, sabendo que seremos aceitos, amados e bem-vindos por causa de Cristo.

Podemos fazer ainda mais duas importantes observações a respeito do verso 18.
1) Existe nele um claro aspecto da Trindade, pois temos livre acesso ao *Pai,* por causa do sangue do *Filho,* com a ajuda do *Espírito Santo.* Isso corresponde à declaração que Paulo faz nesta carta a respeito da redenção, em 1.3-14.
2) A frase "*Ambos* temos acesso ao Pai" reafirma o tema de Paulo sobre a unidade dentro da Igreja, que o Espírito Santo ajuda a tornar possível. O *único* povo de Deus (os dois tornaram-se apenas um, um corpo, um novo homem) tem acesso "por meio de *um* Espírito" ao *um* Deus e Pai (cf. 4.3-6).

4.3. Cristo Une Povos Separados em uma Única e Nova Comunidade (2.19-22)

O termo "consequentemente" indica que 2.19-22 é a conclusão lógica imediata do que havia sido previamente dito em 2.11-18. Em um sentido mais amplo, esta passagem representa o fruto de tudo que Paulo já havia escrito até esse momento no livro de Efésios a respeito da redenção em Cristo. O objetivo planejado pelo Pai, e conquistado por Cristo com sua morte, ressurreição e ascensão, era criar, através da redenção, algo inteiramente novo — algo que resultaria "em louvor à sua glória" (1.6,12,14) e revelaria às gerações futuras "as abundantes riquezas da sua graça" (2.7). Esse algo inteiramente novo era um povo redimido pela graça de Deus, como "feitura" de Deus (2.10), que se tornaria uma nova criação e uma nova humanidade.

Em Cristo, Deus refez ou recriou uma parte da antiga humanidade (judeus e gentios) e, vencendo os poderes da divisão, "de ambos os povos fez um" (2.14), e dessa forma criou "em si mesmo dos dois um novo homem" (2.15); "em um corpo" (2.16) "pela cruz", reconciliou "ambos com Deus" e os dois povos entre si (2.16). Um importante objetivo da redenção era unir povos divididos em uma única comunidade (2.19). Paulo emprega três analogias para descrever a natureza corporativa da redenção (cidadania, família e um edifício), cada uma delas enfatizando que o lugar dos gentios cristãos na nova comunidade não é absolutamente inferior ao dos judeus cristãos.

4.3.1. A Analogia com a Cidadania (2.19a).
"Assim que já não sois estrangeiros nem forasteiros [como anteriormente, antes da fé em Cristo, cf. 2.11-13], mas concidadãos dos Santos e da família de Deus" (cf. 2.19). Se a Igreja for considerada como o reino de Deus, ou como uma "nação santa" (1 Pe 2.9), os crentes gentios são cidadãos plenos e não moradores estrangeiros. Em Cristo, receberam todos os direitos e privilégios dos quais estavam excluídos anteriormente (2.12). O termo "estrangeiros" (*paroikoi*) refere-se a moradores estrangeiros que se fixaram oficialmente em um país estrangeiro, mas que não gozam de seus direitos intrínsecos. O termo "forasteiros" (*xenoi*) significa visitantes com breve estadia em um país. Sob o antigo pacto, essa era a situação dos gentios que se converteram à fé judaica. Agora, porém, por causa de Cristo, os gentios convertidos passaram a gozar de plena cidadania e de todos os direitos correspondentes. São "concidadãos" daqueles "que primeiro" esperaram "em Cristo" (1.12). Tendo ouvido a palavra, creram em Cristo e foram selados com o Espírito Santo (1.13). Dessa forma, são herdeiros legítimos da graça divina e da herança que Deus guardou para seu povo redimido, da mesma maneira que os crentes judeus (1.14).

4.3.2. A Analogia com a Família (2.19b).
Utilizando a analogia com a Igreja, como sendo a família de Deus, Paulo assegura aos seus leitores gentios que serão "concidadãos dos Santos e da família de Deus". Não serão cidadãos de segunda classe ou servos do lar; gozarão de todos os privilégios de que gozam os filhos e as filhas e, em Cristo, terão todo o direito às bênçãos e à herança do Pai (cf. 1.13,14). Através da Igreja, o mesmo Pai torna judeus e gentios em irmãos e irmãs, membros de uma única família. Essa analogia sugere uma relação íntima e amorosa com Deus e com o próximo.

4.3.3. A Analogia com um Edifício (2.20-22).
"Essencialmente, a igreja representa uma comunidade de pessoas. No entanto, em muitos aspectos pode ser comparada a um edifício e, especialmente, a um templo" (Stott, 106). A frase "edificados sobre o fundamento" é a transição para essa analogia da Igreja como um edifício em processo de construção. Em 2.20-22, Paulo novamente assegura aos gentios que formarão parte integral da Igreja que Deus está construindo.

Nesse trecho são enfatizados quatro aspectos desse edifício em construção:
1) O primeiro trata do *fundamento* (2.20). Nada é mais básico para que uma estrutura seja segura do que um sólido alicerce. Na parábola sobre os dois construtores, no final do Sermão do Monte, Jesus enfatizou a importância de um alicerce sólido. Afinal de contas, somente uma casa construída sobre um alicerce sólido, em rochas, poderá permanecer. Na parábola de Jesus, esse sólido alicerce, ou fundamento, nada mais é do que Ele próprio e suas palavras (Mt 7.24-27).

Mas o que quer dizer essa rocha sobre a qual a Igreja está edificada? Paulo assegurou aos gentios que a Igreja seria edificada "sobre o fundamento dos apóstolos e dos profetas" (2.20). Essa frase pode ser interpretada de três formas diferentes: (a) O fundamento é constituído pelos próprios apóstolos e profetas; (b) O fundamento se refere àquilo sobre o que os próprios apóstolos e profetas foram edificados (isto é, Cristo) ou (c) O fundamento se refere àquilo que foi estabelecido pelos apóstolos e profetas. A resposta a essa questão vai depender, em parte, da identidade dos "profetas" aqui mencionados. Lenski (452-53) afirma que estes são os profetas do Antigo Testamento. Ele argumenta que, por existir apenas um artigo definido antes de "apóstolos e profetas", Paulo considera essas duas categorias como uma única classe. Os profetas do Antigo Testamento, assim como os apóstolos do Novo Testamento, compartilham uma mesma responsabilidade de serem os primeiros vasos da revelação divina, conforme registrado nas Escrituras sob as duas alianças. De acordo com esta visão, "o fundamento" sobre o qual a Igreja é edificada é o testemunho de apóstolos e profetas, investido em autoridade, tal como encontramos no Antigo e no Novo Testamento.

Seria, contudo, improvável que esse aspecto representasse a intenção de Paulo, porque (a) a palavra de ordem é "os apóstolos e os profetas" e não "os profetas e os apóstolos"; e (b) em Efésios, as duas ocorrências onde apóstolos e profetas foram mencionados em conjunto (3.5; 4.11), a referência é claramente aos profetas cristãos como líderes da Igreja. Os apóstolos e os profetas do Novo Testamento constituem os dois ministérios fundamentais da Igreja, não apenas em 2.20 e 3.5, mas também em 1 Coríntios 12.28; "E a uns pôs Deus na igreja, primeiramente, apóstolos, em segundo lugar, profetas..." Em Efésios 3.5,6, Paulo afirma claramente que o mistério de Cristo, que havia permanecido desconhecido das antigas gerações, "noutros séculos, não foi manifestado aos filhos dos homens, como, agora, tem sido revelado pelo Espírito aos seus santos apóstolos e profetas, a saber, que os gentios são co-herdeiros, e de um mesmo corpo, e participantes da promessa em Cristo pelo evangelho". Essa revelação crucial foi feita primeiramente aos "santos apóstolos e profetas" no primeiro século.

Dessa forma, a Igreja é "edificada" sobre a revelação original e infalível de Cristo aos primeiros apóstolos e profetas. No entanto, deve-se acrescentar que líderes visionários e santos, pessoas cheias da Palavra e do "espírito de sabedoria e de revelação" (1.17), continuam a ser necessárias para liderar a Igreja "até que todos cheguemos à unidade da fé e ao conhecimento do Filho de Deus, a varão perfeito, à medida da estatura completa de Cristo" (4.13).

2) A Igreja que Deus está edificando tem uma *"pedra da esquina"* (ou pedra angular) que é o próprio Senhor Jesus Cristo (2.20b). Qual é a importância desta pedra angular? Esta palavra, tanto aqui como em 1 Pedro 2.6, foi extraída de Isaías 28.16, "Portanto, assim diz o Senhor Jeová. Eis que eu assentei em Sião uma pedra, uma pedra já provada, pedra preciosa de esquina, que está bem firme e fundada..." Essa pedra é "uma parte essencial da fundação" (Stott, 107) e serve para manter toda a estrutura unida (2.21a). A partir daí, todo o restante da fundação será colocado ao longo da linha dos muros futuros; e a partir dela, como um ponto fixo de referência, os muros se levantarão em linha reta, com o ângulo exterior da fundação assegurando que os demais ângulos sejam verdadeiros.

A pedra de esquina ocupa um lugar proeminente em toda a estrutura. Antigamente, muitas vezes o nome do rei era inscrito nesta. A Igreja, como templo de Deus, está sendo completamente edificada a partir da revelação de Cristo, elaborada e comunicada através do ministério de apóstolos e profetas.

3) Um terceiro aspecto do edifício corresponde à *cada uma das pedras individualmente* e que, coletivamente, formam "todo o edifício". Em Cristo, cada pedra é incorporada ao conjunto para que este cresça tornando-se um templo santo no Senhor (2.21). A passagem em 1 Pedro 2.5 expressa o mesmo pensamento: "Vós também, como pedras vivas, sois edificados casa espiritual". A frase "todo o edifício" se refere à Igreja universal, e não a uma congregação local (Bruce, 1984, 307). Ser incorporada ao conjunto (2.21) descreve um "processo complicado de alvenaria pelo qual as pedras são ajustadas umas às outras" (Wood, 42). No grego, as frases "estar sendo incorporado ao conjunto" e "ser elevado" (literalmente, "crescer", lembrando-nos que a Igreja é um organismo vivo) pertencem ao tempo presente; esse tempo indica um processo contínuo de construção e crescimento (cf. 2.22, "também vós juntamente sois edificados").

As ruínas das colunas que contornavam a Rua Curetes, em Éfeso, dão uma indicação da grandeza dessa cidade que estava localizada em uma das principais rotas comerciais. À esquerda, outra imagem mostra a extensão da Rua Harbor, que dava acesso à cidade. Paulo retornou a Éfeso ao final de sua segunda viagem missionária.

A expressão "tornar-se" está no passivo e indica o papel de Deus ao fazer com que cada parte se ajuste ao todo: "Também vós" (2.22a) se refere à inclusão dos crentes gentios no "templo santo no Senhor" (2.21b). Aqui, a palavra grega para "templo" não é *hieron*, que é usada para os limites do templo, porém *naos*, que se refere ao santuário interior que inclui o Lugar Santo e o Lugar Santíssimo (Robinson, 71).

4) Paulo conclui com o propósito para o qual o templo está sendo construído, o qual já foi sugerido quando usou o termo grego *naos*, isto é, "*morada de Deus* no Espírito" (2.22). Na antiga aliança, o tabernáculo e o templo eram a habitação do Deus de Israel. No Novo Testamento, Paulo anteriormente chamou cada um dos crentes de "templo de Deus" e morada do Espírito Santo (1 Co 3.16). Agora, porém, e em um sentido mais amplo, Paulo se refere aos crentes coletivamente, tanto judeus como gentios, como o templo e a morada de Deus na terra (2.22).

Entretanto, Deus não está esperando até que a Igreja seja um edifício terminado para viver nele; está residindo dentro de cada cristão em cada passo do processo. Observe que em 2.22 temos outra das muitas referências indiretas à Trindade que aparecem em Efésios: a Igreja está sendo edificada *em Cristo*, como a morada de *Deus* (o Pai) *no Espírito*.

4.4. Paulo e a Igreja como o Meio de Revelação da Multiforme Sabedoria de Deus na Redenção (3.1-13)

O capítulo 3 começa com Paulo orando a favor da completa realização da obra de Cristo na Igreja e nos crentes. Sua frase de abertura: "Por esta causa", repetida em 3.14, volta a se referir ao gratuito plano de Deus da redenção, que inclui os gentios (especialmente 2.13-22, onde os gentios redimidos são, ao lado dos judeus, igualmente membros do corpo único de Cristo). Porém, entre as ocorrências dessas frases, nos versos 1 e 14, Paulo afasta-se do tema principal como em uma inspirada excursão, para brevemente expandir o tema central de Efésios — isto é, sobre a conjunção de todas as coisas sob uma única cabeça: Cristo (1.9,10) — e a incumbência que recebeu de Deus para ser o apóstolo para os gentios.

Após essa breve, porém importante observação, Paulo profere sua segunda mais importante oração nessa carta, uma oração apostólica a favor da plenitude espiritual dos crentes (3.14-21), a fim de que Deus possa ser glorificado na Igreja (que é o corpo de Cristo), assim como o é em Cristo Jesus.

4.4.1. Paulo como um Poderoso Instrumento de Deus (3.1-9).
Antes de iniciar sua segunda oração apostólica, Paulo repentinamente faz uma pausa. Talvez tendo alcançado "um lugar de repouso em seus pensamentos... ele se lembre onde está e por que" (Robinson, 74). À medida que reflete sobre sua presente circunstância como um prisioneiro de Cristo, por amor aos gentios, deliberadamente passa a discorrer sobre o mistério do evangelho no que diz respeito a esse povo. Em Roma, Paulo era um prisioneiro do imperador romano Nero, mas fala de si mesmo como "prisioneiro de Jesus Cristo". Recusa considerar-se uma vítima da injustiça nas mãos dos judeus ou dos romanos.

Acreditando na soberania de Cristo sobre sua vida, declara ser um "prisioneiro de Jesus Cisto" (cf. 4.1; 6.20) "por vós, os gentios". Essa afirmação demonstra um fato verdadeiro, cujas circunstâncias históricas estão registradas em Atos 21.17—22.21. O encontro de Paulo com judeus hostis em Jerusalém, que quase custou-lhe a vida e resultou em quatro anos subseqüentes de prisão em Cesaréia e Roma, "originou-se diretamente de seu ministério aos gentios" (Bruce, 1984, 309-10). Portanto, no meio de uma sentença, ocorre a Paulo a necessidade de explicar um aspecto do mistério de Deus, antes que seus leitores gentios estejam totalmente preparados para dizer "amém" à sua oração a favor deles.

Os versos 2-6 mostram a chamada de Paulo, recebida do próprio Senhor Jesus Cristo, para servir aos gentios (cf. At 22.14, 21; 26.15-18; Gl 1.15,16; 2.7-9). Ele começa lembrando seus leitores da "dispensação da graça de Deus, que para convosco me foi dada" (3.2). A graça a que Paulo se refere aqui não é a "graça salvadora" (como em 2.5, 8), porém a mensagem da revelação e o divino encargo que estavam envolvidos em sua ida aos gentios (cf. 3.7,8). "A graça implica 'entrega' e Paulo ressalta esse fator" (Wood, 45) no sentido de que esta lhe foi concedida sob a forma de um benefício aos gentios.

A palavra grega para "dispensação" (*oikonomia*) significa, literalmente, "administrador da casa", ou curador-chefe. Paulo era o administrador-chefe da casa de Deus do primeiro século, para ser o dispenseiro da graça de Deus aos gentios (cf. 1 Co 9.17; Cl 1.25). Ele foi encarregado por Cristo de levar o conhecimento do evangelho aos gentios, assim como as implicações da mensagem para a inclusão dos gentios na Igreja como membros plenos desse corpo baseado na graça e não na lei.

A administração da graça de Deus aos gentios envolvia tanto a sabedoria como a revelação (v. 3): *sabedoria* para edificar corretamente a Igreja de Deus (1 Co 3.10) e revelação a respeito do "mistério" (*mysterion*) do evangelho (3.3, 4, 6, 9; sobre essa palavra, veja os comentários em 1.9). Paulo menciona cinco características relacionadas ao "mistério".

1) O mistério tornou-se conhecido "pela revelação" (3.3; cf. v. 5). Em outras passagens, Paulo enfatiza o caráter revelador de sua chamada, delegação e mensagem (por exemplo, 1 Co 15.8; Gl 1.12,15,16). Não concebeu esse plano radical do evangelho por sua própria iniciativa, e não formulou uma nova doutrina através de sua própria inspiração. Pelo contrário, o mistério lhe veio diretamente de Deus. Além disso, a administração da graça de Deus lhe foi dada a fim de que pudesse "demonstrar a todos qual seja a dispensação do mistério, que, desde os séculos, esteve oculto em Deus, que tudo criou" (3.9). Isto é, o mistério não se tornou apenas conhecido a Paulo através da revelação; tinha também a responsabilidade de torná-lo conhecido aos outros.

2) Paulo identifica o núcleo do mistério como sendo o "mistério de Cristo" (3.4) no sentido de que Ele é ao mesmo tempo a fonte e a essência (Hendriksen, 153). O próprio Cristo é chamado de "mistério de Deus" (Cl 2.2; cf. 1.26,27) porque nEle "o Deus invisível foi totalmente revelado; 'o mistério de Cristo' pode ser melhor compreendido como o mistério que consiste em Cristo... [e] que é descoberto nele" (Bruce, 1984, 313). O evangelho que Paulo pregava era "pela revelação de Jesus Cristo" (Gl 1.12) — que os gentios poderiam ser salvos pela graça através da fé em Cristo, sem que precisassem observar as ordenanças da lei judaica (Gl 2.15-21; 3.10-14, 17-25). Precisamente por ser, de acordo com o sentido acima, um evangelho independente da lei,

"Era aplicável tanto aos gentios como aos judeus (sendo a lei uma barreira que anteriormente os havia mantido separados). A incorporação dos gentios (em bases iguais) juntamente com os judeus ao novo povo de Deus... estava implícita nesse evangelho. Essa incorporação representa o aspecto do 'mistério de Cristo' que estava agora sendo enfatizado" (Bruce, 1984, 313).

3) O fato de Deus pretender que as bênçãos de Abraão e as promessas da salvação messiânica, através da teocracia judaica, incluíssem os gentios, *não estavam* anteriormente ocultas (v. 5). Elas foram claramente reveladas nos livros do Antigo Testamento da Lei, dos Profetas e dos Escritos (por exemplo, em Gn 12.1-3; Dt 32.43; Sl 18.49; 117.1; Is 11.10). O que estava oculto nas antigas gerações e não havia sido previsto nem mesmo pelos profetas do Antigo Testamento era o seguinte: o plano de Deus para a redenção em Cristo (o Messias) envolvia a destruição da antiga linha de demarcação que separava judeus de gentios (2.14,15). O antigo pacto das promessas divinas, a teocracia nacional judaica, devia ser substituído por uma nova raça espiritual (os cristãos), e por uma nova comunidade internacional (a Igreja) nas quais, em Cristo, judeus e gentios seriam admitidos em bases iguais, sem nenhuma distinção.

Esse plano eterno do Pai (1.4) de criar em Cristo "dos dois um novo homem" (2.15), e de unir judeus e gentios como "um corpo" (2.16), anteriormente desconhecido "noutros séculos" (3.5), "esteve oculto em Deus" (3.9) como o "mistério de Cristo" (3.4). A revelação desse mistério foi confiada por Cristo a Paulo, para que o fizesse conhecido aos gentios.

4) Além disso, esse era o mistério agora "revelado pelo Espírito aos seus santos apóstolos e profetas" (3.5) como o alicerce sobre o qual a Igreja seria edificada (2.20-22).

5) No verso 6, Paulo continua a descrever esse mistério, utilizando uma tríade de palavras compostas, cada uma delas com o prefixo grego *syn* (significando "em conjunto com"). Os gentios não serão salvos através de uma salvação projetada especialmente para eles como exilados (como gentios convertidos ao judaísmo). Antes, serão *"herdeiros juntamente com"* os judeus das bênçãos prometidas a Abraão e seus descendentes — "herdeiros de Deus e co-herdeiros de Cristo" (Rm 8.17).

Os gentios eram também *"membros em conjunto"* com os judeus do corpo único de Cristo. A palavra grega (*synsoma*) que foi usada nesse momento não ocorre nos escritos clássicos gregos, apenas aqui no Novo Testamento. Em outras palavras, Paulo cria uma nova palavra para enfatizar que, como participantes do corpo de Cristo, os gentios têm direitos iguais aos dos judeus.

Finalmente, os gentios "*participam em conjunto*" com os judeus de todos os pactos históricos das promessas divinas que foram concedidas a Israel e agora realizadas em Cristo Jesus. Judeus e gentios participam igualmente da vida e da salvação que existem em Cristo, através do evangelho (cf. Gl 3.6-29). Como Paulo já observara anteriormente, "Nisto não há judeu nem grego; não há servo nem livre; não há macho nem fêmea; porque todos vós sois um em Cristo Jesus. E, se sois de Cristo, então, sois descendência de Abraão e herdeiros conforme a promessa" (Gl 3.28,29).

Paulo declara que foi chamado para ser um servo desse "evangelho" (3.6,7) e desta "graça" (3.8). Quando Paulo fala desse "evangelho" está se referindo à revelação de Jesus Cristo e também a tudo aquilo que foi encarregado de anunciar em Cristo; "esta graça" representa sua missão específica de tornar conhecidas "as riquezas incompreensíveis de Cristo" (3.8) aos gentios.

Paulo continua a explicar que se tornou um servo (*diakonos*) ou um "ministro" (NASB, NKJV) desse evangelho "pelo dom da graça de Deus, que me foi dado segundo a operação do seu poder" (3.7). Paulo não decidiu ser um ministro do evangelho segundo uma simples escolha vocacional. A vocação que escolhera era ser um rabino judeu. Deus, ao contrário, tomou a iniciativa, surpreendendo Paulo na estrada de Damasco, escolhendo-o para receber a revelação de seu Filho e convocando-o para o serviço como um apóstolo dos gentios — tudo isso como uma dádiva da graça.

O subseqüente ministério de Paulo também não foi simplesmente o uso eficiente de suas habilidades naturais. Antes, foi o resultado direto do poder de Deus trabalhando através dele. As palavras usadas aqui para "trabalhando" (*energeia*) e "poder" (*dynamis*) são iguais àquelas usadas em 1.19,20 para descrever o poder de Deus de ressuscitar a Cristo dos mortos. "E foi exatamente assim: esse poder de ressuscitar, operando em Paulo, permitiu-lhe fazer com que o bondoso propósito de Deus frutificasse entre os gentios" (Bruce, 1961, 63).

A fim de não se considerar demasiadamente importante, por ter sido convocado como um instrumento soberanamente escolhido, confessa sinceramente: "A mim *o mínimo* [*o menor dos menores*] de todos os santos" (3.8). O apóstolo cria uma expressão especial para descrever a realidade de sua situação. Esse diminutivo duplo não é uma afirmação de exagerada humildade. Expressa sua perfeita consciência de que, como um antigo inimigo de Cristo e violento perseguidor da Igreja, era o mais indigno de todos os ministros do evangelho (cf. 1 Co 15.9,10; 1 Tm 1.12-17).

No entanto, devemos nos lembrar de que, no início dessa carta (1.1), Paulo fala de sua autoridade como a de um apóstolo — por causa da maravilhosa graça de Deus, de sua própria escolha e comissionamento e do poder incomparavelmente grande de Deus operando nele para "anunciar entre os gentios" (3.8). A palavra "anunciar" ou "pregar" (*euangelizo*) significa "anunciar as boas novas", as boas novas das "riquezas incompreensíveis de Cristo" (3.8). Paulo já havia descrito algumas dessas riquezas nos dois primeiros capítulos de Efésios.

A palavra "incompreensível" ou "inescrutável" (*anexichniastos*) significa, literalmente, "impossível de ser descoberto". Na versão da Septuaginta, no livro de Jó, essa palavra é usada em conexão com a criação de Deus e os procedimentos da providência, assuntos que estão além de nossa limitada compreensão. Paulo usou essa palavra em Romanos 11.33 quando se referiu aos procedimentos de Deus em relação aos judeus e aos gentios na história da salvação. Os tradutores têm se empenhado para encontrar um equivalente em inglês para essa palavra de inexprimível abundância. Incluídas no comissionamento de Paulo, para pregar aos gentios, estão as "incompreensíveis" (NIV, NKJV), "impenetráveis" (NASB), "ilimitadas" (NRSV), "incalculáveis" (J. B. Phillips), "insondáveis" (NT enfático) e "infinitas"

(Bíblia de Jerusalém) riquezas de Cristo, e a responsabilidade de "demonstrar a todos qual seja a dispensação do mistério" (3.9). Paulo escreve os capítulos 1 a 3 da Carta aos Efésios tendo, em parte, esse mesmo propósito na mente e no coração.

4.4.2. A Igreja como um Instrumento Coletivo (3.10-13). A revelação de Paulo sobre o "mistério" do evangelho, tal como foi feita em Efésios, continua a se expandir: começando na eternidade, onde foi concebido no coração do Pai (1.4; 3.11), segue-se a encarnação de Cristo, como base para sua realização histórica (1.7; 3.11; cf. Jo 1.14), a comunicação da revelação a Paulo e outros apóstolos e profetas como instrumentos humanos de entendimento e divulgação (3.3,5), a demonstração pública do mistério em uma nova humanidade redimida (2.1-10) a uma nova e abrangente comunidade de redimidos (a Igreja) como a família de Deus e o corpo de Cristo sobre a terra (2.11-22; 3.6).

Em 3.10, Paulo dá mais um passo à frente. Deus pretende "agora, pela igreja" que "a multiforme sabedoria de Deus seja conhecida dos principados e potestades nos céus". "Agora" indica uma nova plenitude de tempo e de propósito no plano de Deus (Westcott, 48). "Multiforme" significa multicolorida ou multivariada. Essa palavra era usada para descrever a variedade de cores nas flores, nos bordados dos tecidos e nas belas tapeçarias. A "multiforme sabedoria" de Deus está exposta na criação, em seu Filho como encarnação dessa sabedoria, e agora também na Igreja. Certamente, a multiforme sabedoria de Deus é reconhecida nas coisas criadas sendo personificada em Cristo como algo "muito esplendoroso, iridescente, que continuamente se desdobra em belezas" (Wood, 48).

Mas, e a respeito da Igreja? Certamente que, dentro do propósito eterno de Deus, a Igreja não foi concebida como sendo uma organização homogênea e monótona, ou mesmo um conglomerado de instituições eclesiásticas fragmentadas. Pelo contrário, o "corpo único" de Cristo, sendo a exposição da "multiforme sabedoria de Deus", tem o propósito de parecer-se com uma linda tapeçaria em sua diversidade (com múltiplas etnias e culturas) e em sua harmonia (um só corpo e um só Espírito... um só Senhor, uma só fé, um só batismo; um só Deus e Pai de todos; cf. 4.4-6). Não existe nenhuma outra comunidade no mundo que possa se igualar à verdadeira Igreja de Jesus Cristo.

Da mesma forma que Paulo se transformou no instrumento condutor da revelação aos gentios, no que se refere à "multiforme sabedoria de Deus" (3.8), assim também a Igreja será um condutor da revelação nos reinos celestiais no que se refere à "multiforme sabedoria de Deus" (3.10). A revelação aos principados e potestades celestiais não representa uma proclamação redentora da graça de Deus em Cristo, mas uma exposição redentora da sabedoria de Deus através da Igreja.

Mas quem são estes principados e potestades? Alguns sugerem que "representam" estruturas políticas, sociais, econômicas, religiosas e culturais que Deus espera modificar no mundo através da Igreja (Caird, 66-67; Barth, 1.365). Entretanto, a maioria dos estudiosos evangélicos e pentecostais concorda que a expressão se refere "aos reinos celestiais". Os termos principados e potestades podem estar se referindo aos anjos bons (cf. Cl 1.16) que anseiam por conhecer a sabedoria de Deus na redenção (1 Pe 1.12). Ou pode se referir a governantes demoníacos (cf. Ef 6.12-18; cf. Dn 9.2-23; 10.12,13; 2 Co 10.4,5), que há muito tempo se opõem ao "eterno propósito" de Deus em Cristo (Ef 3.11). Ou, como parece ser mais provável, pode abranger tanto os anjos de Deus como as forças de Satanás, que testemunham como espectadores a defesa da sabedoria de Deus, tal como foi demonstrada na cruz (1 Co 1.23,24, 30; Cl 2.15) e manifestada através da Igreja.

Na efetivação exterior do eterno propósito de Deus em Cristo, a Igreja ocupa um lugar central por causa de sua união com Cristo, que é a cabeça. A união de judeus e gentios redimidos, que passam a constituir um único povo, em um único corpo, forma uma parte integral e uma questão central no eterno propósito de Deus. Na última oração de Jesus antes da crucificação (Jo 17), Ele pede para que seus discípulos e a Igreja "sejam perfeitos em unidade" (17.23), no amor, como testemunha ocular do amor e da unidade que existem entre o Pai e o Filho (17.20-26).

A fim de que isso se torne uma realidade, o povo de Deus, em união com Cristo, deve ser capaz de se aproximar do Pai "em um mesmo Espírito" (Ef 2.18) com "ousadia e acesso com confiança" (3.12). Em Cristo não mais existe a "parede de separação" (2.14) que, sob o antigo pacto, mantinha os gentios distantes de Deus e os separava dos judeus. Também não mais existe o véu que mantinha os adoradores separados da presença de Deus no Lugar Santíssimo. A "confiança" ou a "liberdade" à qual Paulo se refere em 3.12 é a mesma que aparece em Hebreus quando os crentes são encorajados a chegar "com confiança ao trono da graça" (Hb 4.16) e "ousadia para entrar no Santuário, pelo sangue de Jesus" (10.19).

Paulo conclui essa seção (iniciada em 3.2) referindo-se novamente aos seus sofrimentos pelos gentios (v. 13; cf. v. 1). Dessa vez, no entanto, os exorta a não se sentirem desencorajados pela sua prisão; como seu defensor, e inclui os temas dos "sofrimentos" e da "glória" (prevalecentes em todo o Novo Testamento).

A perspectiva de Paulo sobre seus sofrimentos está claramente manifestada em uma passagem semelhante em Colossenses.

> Regozijo-me, agora, no que padeço por vós [gentios] e na minha carne cumpro o resto das aflições de Cristo, pelo seu corpo, que é a igreja; da qual eu estou feito ministro [servo] segundo a dispensação de Deus, que me foi concedida para convosco, para cumprir a palavra de Deus (Cl 1.24,25).

Paulo sabia que seus sofrimentos por Cristo estavam acumulando para ele "um peso eterno de glória" (2 Co 4.17), e estavam, igualmente, preparando-o para participar da glória de Cristo (Rm 8.17). Também sabia que essa glória "seria também partilhada com aqueles em cujo nome a presente aflição era suportada" (Bruce, 1984, 323).

5. A Oração Apostólica pelo Esclarecimento Espiritual dos Crentes (3.14-21)

No capítulo 1, o inspirado hino de Paulo, em louvor ao glorioso plano de Deus da redenção em Cristo (1.3-14), é acompanhado por uma ardente intercessão pelos santos para que conheçam melhor a seu Deus, por meio da experiência e da compreensão da revelação (1.17-23). Nos capítulos 2—3, a inspirada exposição de Paulo a respeito da graça poderosa de Deus na redenção de cada um dos pecadores (2.1-10) e da comunidade do corpo de Cristo (2.11—3.13) está acompanhada de uma fervorosa intercessão pela plenitude espiritual de tudo que Deus planejou para seu povo. Em relação a esse modelo, onde a revelação é acompanhada pela intercessão, John Stott (132) observa: "Assim como Jesus molhou com sua oração as sementes dos ensinamentos que havia plantado no cenáculo (Jo 13—17), Paulo também acompanha seus ensinamentos com uma oração fervorosa..."

5.1. A Fervorosa Súplica de Paulo (3.14-19)

A oração de Paulo inicia com a frase "Por causa disso" (3.14), que aparece pela primeira vez em 3.1, e que volta a mencionar a revelação da misericórdia e da graça de Deus incluindo os gentios, em bases iguais, e através da fé em Cristo, em seu corpo único (2.13-22; 3.2-13). Dessa forma, volta a uma oração que havia quase iniciado, porém postergado em 3.1.

A frase "me ponho de joelhos" (3.14) significa, literalmente, "dobro meus joelhos". A postura normal dos judeus ao orar era em pé com os braços estendidos em direção ao céu (cf. Mt 6.5; Lc 18.11,18). O fato de Paulo dobrar os joelhos, sem deixá-los nem mesmo em posição ereta era, pelo contrário, uma posição de prostração, com a cabeça tocando o solo (demonstrando "humildade", "solenidade" e "adoração" [Hendriksen, 166]). Barclay (150) completa: "A oração de Paulo pela Igreja é tão intensa que ele se prostra perante Deus na agonia de uma súplica".

A frase "Perante o Pai" representa um acesso frente a frente com Ele, que foi tornado possível por causa do sangue redentor de Cristo e pelo Espírito Santo (2.18; 3.12). Embora Paulo se aproxime de Deus como sendo seu "Pai" isso não traduz somente uma intimidade familiar, mas também honra, respeito e reverência. Como Max Turner nos lembra (1235) "no oriente o pai é o dirigente da família, aquele para o qual todas as questões de importância são comunicadas, e a quem os filhos (independente de sua idade) devem submeter-se em obediência".

Esse sentido do papel patriarcal de Deus está acentuado pela frase seguinte: "do qual toda a família [*pasa patria*] nos céus e na terra toma o nome". Existem três traduções possíveis da frase *pasa patria*: "cada família" (RSV, NEB, NASB, NRSV), "toda a família" (KJV, NKJV, NIV) ou "toda a paternidade" (JBP, NIV margem, F. F. Bruce). A primeira versão pode ser entendida como se referindo à família dos anjos celestes e às famílias redimidas da terra (tanto de judeus como de gentios) que constituem a família única de Deus. A segunda versão mantém a ênfase de Paulo, presente em todo o livro de Efésios, sobre os redimidos como uma única família e sobre a unidade dos crentes como uma nova humanidade e um único corpo de Cristo. De acordo com essa opinião as palavras "nos céus e na terra" se referem à Igreja triunfante no céu e à Igreja militante na terra. A terceira versão enfatiza um jogo de palavras entre *pater* ("Pai", 3.14) e *patria* ("paternidade", 3.15). Bruce (1961, 67) defende essa última visão traduzindo e interpretando as palavras de Paulo da seguinte maneira:

> "Me ponho de joelhos perante o Pai de nosso Senhor Jesus Cristo, do qual toda a família nos céus e na terra toma o nome". Isto quer dizer, todas as espécies de paternidade no universo se derivam do arquétipo original da Paternidade de Deus, pois Ele é o Único Pai que não descende de nenhum outro. E quanto mais qualquer paternidade, natural ou espiritual, se aproximar em caráter da perfeita Paternidade de Deus, mais se manifestará a verdadeira paternidade que está de acordo com a vontade e propósito de Deus.

A oração de Paulo que se segue é composta por três grandes súplicas (3.16,17a; 3.17b-19a; 3.19b). Cada súplica inclui uma cláusula grega de propósito, *hina*, cuja tradução literal é "a fim de que" (3.16,18, 19b). Essa cláusula *hina* acentua mais distintamente as três questões em grego, do que em inglês ou português:

1) A primeira súplica (3.16,17a) está dirigida a um pedido com um sentido duplo e cuja duplicidade pode ser a riqueza abundante da glória de Deus (NASB, NKJV, NRSV) ou talvez a abundância da gloriosa riqueza de Deus (NIV). Como Deus é eterno e infinito, assim também é a medida de sua generosidade ao responder às orações. Paulo pede (a) a presença poderosa e capacitadora de Deus através do Espírito Santo para "fortalecer" (a mesma palavra em 1.19) os crentes em seu "homem interior" (3.16), e (b) pela presença interior de Cristo para que, pela fé, habite no "coração" dos crentes (3.17a).

Para intérpretes que têm uma dicotomia de entendimento sobre a personalidade humana (interior e exterior), o "homem interior" e o "coração" são metáforas sinônimas do único "verdadeiro e permanente ser" (Bruce, 1961, 67), que pode ser diariamente renovado, mesmo quando a personalidade exterior está se consumindo (2 Co 4.16). Da mesma forma, o Espírito Santo e o Espírito de Cristo são considerados como termos intercambiáveis (cf. Rm 8.9-11). "O fato de termos Cristo morando em nós ou de termos o Espírito Santo morando em nós, representa a mesma coisa. Na verdade, é precisamente pela presença do Espírito Santo que Cristo reside em nosso coração" (Stott, 135).

Aqueles que vêem a personalidade humana como uma tricotomia (espírito, alma e corpo; cf. 1 Ts 5.23; Hb 4.12) consideram as intenções de Paulo como sendo as mais claramente definidas. Ele ora para que os crentes sejam fortalecidos e renovados pelo Espírito em seu "homem interior" (espírito humano) a fim de que Cristo possa residir como Senhor em seus corações (isto é, "alma", que inclui a mente ou o pensamento, as emoções e a vontade) através da fé. De acordo com essa interpretação, Cristo habita ativamente como Senhor do coração ou da sede da personalidade do crente e de sua atividade volitiva, à medida que somos fortalecidos pelo poderoso Espírito de Deus no mais íntimo de nosso ser. O tempo aoristo do verbo "residir" (3.17a) traz consigo o sentido de "estabelecer sua permanência" ou de "estabelecer sua residência" como Senhor "através de [uma vida] de fé". Bruce acrescenta que "o ato inicial da fé, pelo qual o crente se une a Cristo, é seguido por uma vida de fé durante a qual esta união será mantida" (1984, 327). H. C. G. Moule se alonga nas implicações:

> A palavra que [Paulo] escolheu (*katoikein*) é uma palavra composta para expressamente denotar residência, em contraste a um simples alojamento, isto é, a residência de um senhor dentro de sua própria casa, e não a condição de simples pernoite de um viajante temporário que terá partido no dia seguinte... Ela é a residência permanente de seu Mestre e Senhor, no coração, que deve reinar onde reside; que entra não apenas para alegrar e confortar, mas para reinar sobre todas as coisas (Citado por Stott, 136).

Novamente devemos observar a trindade no conteúdo do pensamento de Paulo em 3.14-17a. Ele ora ao *Pai* (v.14) para que fortaleça os crentes através do *Espírito*, para que *Cristo* possa morar em seus corações como Senhor.

2) A segunda maior súplica (3.17b-19a) é para que os crentes sejam capacitados a abraçar o amor de Cristo. Crentes em cujo coração Cristo resida como Senhor, e que sejam "arraigados e fundados em amor" (3.17b). "Estar arraigado" no amor é como uma árvore ou planta cujas raízes se aprofundam no solo; "estar fundado" sobre o amor se assemelha a um edifício com poderosos alicerces estabelecidos sobre sólidas rochas. Segundo Stott (136), ambas as metáforas "enfatizam a profundidade em oposição à superficialidade". Denotam um relacionamento crescente e seguro com Cristo que frutificará e será permanente. Além disso, as duas metáforas são particípios do tempo perfeito grego e, portanto, denotam um relacionamento estabelecido com Cristo — não no sentido estático, mas, pelo contrário, envolvendo o crescimento nEle. Dessa forma, as metáforas transmitem um relacionamento sólido, aquele que cresce em frutos e vida.

Tendo pedido ao Pai a presença poderosa do Espírito a fim de fortalecer os crentes para que Cristo possa habitar neles como Senhor de suas vidas, e tendo observado as raízes e os alicerces no amor de Deus, Paulo agora passa a orar para que o Espírito conceda aos seus leitores gentios "com todos os santos" (em harmonia com seu tema da unidade) a posse da revelação do amor de Cristo, que pode ser visto em quatro dimensões: "Possuir" significa "manter como propriedade sua" sua realidade através do conhecimento pessoal. "Possuir essa revelação em sua totalidade não é uma realização momentânea" (Bruce, 1984, 328), como o próprio Paulo testemunha em Filipenses 3.12-16. Essa era a ambição de sua vida: ele agora expressa esse fervoroso desejo em relação a todos os crentes.

Conhecer a largura, e o comprimento, e a altura, e a profundidade do amor de Cristo é conhecer algo "que excede todo entendimento" (3.19 a). O texto grego não é bastante claro sobre a que se refere essa linguagem com quatro dimensões, e por esta razão tem sido tema de inúmeras discussões[3]. Alguns intérpretes afirmam que essa linguagem é meramente uma hipérbole poética para o abrangente amor de Cristo; portanto, as quatro dimensões não têm uma importância específica em separado ou individualmente. Entretanto, existe uma procedência bíblica para a importância do emprego dessa linguagem com quatro significados individuais das dimensões (não apenas cumulativo). Observe o discurso de Zofar a respeito dos mistérios da sabedoria de Deus em Jó 11.8,9.

"É como as alturas dos céus —
que poderás tu fazer?
Mais profunda é ela do que o inferno
(Sheol) — que poderás tu saber?
Mais comprida é a sua medida do que
a terra; e mais larga do que o mar"

Um dos intérpretes chegou a encontrar um paralelo com Romanos 8.37-39. "Podemos caminhar em frente ou retroceder, subir até as alturas ou descer às profundezas; nada nos separará do amor de Cristo" (Mitton, 134).

No contexto de Efésios, onde o mistério do amor de Cristo pelos gentios é incomensurável e excede todo entendimento, Paulo acentua que: Ele é suficientemente abrangente para alcançar a todo o mundo e ainda mais do que isto (1.9,10,20). É suficientemente longo para se estender de eternidade a eternidade (1.4-6,18; 3.9). É suficientemente alto para elevar, tanto os gentios como os judeus, aos lugares celestiais em Cristo Jesus (1.13; 2.6). É suficientemente profundo para resgatar as pessoas da degradação do pecado e até das garras do próprio Satanás (2.1-5; 6.11,12). O amor de Cristo é o amor que Ele tem pela Igreja como um corpo único (5.25, 29,30) e por aqueles que individualmente confiam nEle (3.17) (Wood, 52).

Conhecer experimentalmente o amor de Cristo é "conhecer o próprio Cristo, em uma experiência cada vez mais abrangente, e ter seu permanente e abnegado amor reproduzido em nós mesmos" (Bruce, 1984, 329). Paulo está se referindo a um entendimento experimental do amor de Cristo, conforme se torna aparente em 3.19a, onde afirma que esse amor "excede todo entendimento". Além disso, independente de tudo que possamos conhecer a respeito do amor de Cristo, sempre existirá muito mais para conhecer porque ele é infinito e inexaurível.

3) Assim como as duas anteriores, sua última súplica (3.19b) é introduzida por *"hina"*, (literalmente, "para que"). Essa súplica representa o clímax da progressão de sua oração apostólica: "para que Cristo habite, pela fé, no vosso coração" como Senhor (3.17) a fim de podermos "compreender"

as quatro dimensões de seu amor (3.18) e estarmos cheios de toda a plenitude de Deus" (3.19).

O tema da "plenitude" (*pleroma*) ocorre em Colossenses e em Efésios. Em Colossenses, está se referindo à plenitude de Cristo Jesus como a encarnação de Deus (Cl 1.19; 2.9) e fonte de nossa própria plenitude (Cl 2.10). Em Efésios, o foco é a plenitude da Igreja como corpo de Cristo (1.23; 4.13) e a participação dos crentes nessa plenitude (3.19; 5.18). Na frase "para que sejais cheios de toda a plenitude", a preposição "para" (do grego, *eis*) quer dizer que os crentes devem ser progressivamente cheios com a medida da plenitude de Deus, assim como a Igreja deve progressivamente "crescer em [Cristo]" (4.15) até que possamos alcançar a "medida da estatura completa de Cristo" (4.13).

Porém, como o finito poderá alcançar a plenitude do infinito? Poderá a humanidade se tornar Deus? Obviamente esse tipo de raciocínio está longe do argumento que Paulo está defendendo. A plenitude que Deus pretende, individualmente, para cada crente e para a Igreja, é a plenitude de Cristo em quem, *exclusivamente*, reside toda a plenitude de Deus em sua forma corpórea. Assim sendo, em Colossenses 2.10, Paulo acrescenta: "E estais perfeitos nele". Pelo fato de conhecermos a Cristo através da fé como um Senhor que reside em nós, e por nos dedicarmos a conhecer progressivamente o seu amor através de sua revelação, poderemos ao final ser integrados em toda a plenitude de Deus em Cristo. Certamente a intercessão apostólica não poderia ir mais longe do que isso.

5.2. A Gloriosa Doxologia de Paulo (3.20,21)

Essa doxologia não representa apenas a conclusão da oração de Paulo, mas também o clímax da primeira parte de Efésios, e uma transição para a segunda. Ela pode ser considerada o apogeu de toda a carta, com os capítulos 1—3 ascendendo até o "ápice espiritual" da doxologia, e com os capítulos 4—6 descendo para focalizar importantes aspectos da redenção da Igreja e de cada um dos crentes. Novamente, a doxologia lembra aos leitores de Paulo a sobreexcelente grandeza do poder de Deus e as abundantes riquezas da sua graça que opera neles (1.19—2.7) — "não para encorajar pedidos egoístas, mas para promover uma confiante esperança em sua nova criação, e súplicas que correspondam ao propósito de Deus para a Igreja em nossa era presente" (Turner, 1236).

Para que seus leitores não pensem que exagerou em sua intercessão, Paulo declara que Deus é capaz de fazer "muito mais abundantemente além daquilo que pedimos ou pensamos" (v. 20). Como Bruce observa (1984, 330), "É impossível pedir demais a Deus, pois sua capacidade de dar excede em muito a nossa capacidade de pedir — ou mesmo de imaginar". Paulo escreve "muito mais abundantemente" (*hyperekperissou*), um dos inúmeros superlativos que criou e que ocorre somente aqui e em 1 Tessalonicenses 3.10; 5.13. *Hyper* é o equivalente de "super" em latim, *ek* significa "a partir de" e *perissos* significa "mais do que suficiente, além de, abundante" (Abbott, 357). Assim, *hyperekperissou* expressa a superabundância da capacidade de Deus em responder às orações, acima e além de nossas mais nobres aspirações.

Paulo faz cinco enérgicas afirmações a respeito da capacidade que Deus tem de responder às orações:

1) Ele é *capaz* de fazer o que pedimos porque, como Deus, tem o poder de responder.
2) Ele é capaz de fazer *o que pedimos* porque, através de Cristo e pelo Espírito, temos livre acesso a Ele como nosso Pai.
3) Ele é capaz de fazer *tudo* que pedimos ou pensamos porque conhece nossos pensamentos e é infinitamente sábio sobre quando e como responder.
4) Ele é capaz de fazer *mais do que tudo aquilo que pedimos* porque seus planos são maiores que os nossos.
5) Ele é capaz de fazer *infinitamente* mais do que tudo aquilo que pedimos ou pensamos porque, como Deus, Ele dá de acordo com as abundantes riquezas da sua graça.

A capacidade infinita de Deus responder às orações, além de nossa limitada capacidade de pedir, está "segundo o poder [*dynamis*] que em nós opera" (3.20b). Em 1.19-21, Paulo descreve esse *dynamis* como o poder que ressuscitou a Cristo Jesus dos mortos e o entronizou como Senhor de todas as coisas no reino celestial, e que também nos ressuscitou da morte espiritual e nos fez assentar ao seu lado nesse mesmo reino. Esse poder não é menor do que aquele que opera individualmente dentro de nós (que somos habitados por sua poderosa presença) e em nós corporeamente (que é o lugar da morada de Deus, pelo seu Espírito). Observe que a vida cristã, a respeito da qual Paulo eleva sua oração, abrange tanto a transcendência de Deus, que está *acima de nós* como nosso Pai celestial (3.14,15) como a imanência de Deus, que opera poderosa e gloriosamente *dentro de nós* como seu povo redimido (3.20,21).

Quando, de joelhos perante o Pai (v. 21), Paulo conclui sua inspirada oração, repentinamente profere uma poderosa exclamação: "a esse glória" (tradução literal). Como o poder vem de Deus (3.20) a glória deve voltar a Ele (3.21). Sua glória é a soma de todos os seus atributos, e é mais claramente reconhecida na Igreja e em Cristo Jesus. Deus deve ser glorificado na Igreja porque ela, que abrange judeus e gentios, é a obra-prima da graça" (Bruce, 1984, 331).

Através de Igreja, Deus decidiu tornar conhecida sua sabedoria aos principados e potestades nas regiões celestiais. Embora os céus proclamem a glória de Deus, uma glória ainda maior é reconhecida através da obra de sua graça e da reconciliação da Igreja. Além disso, pelo fato de a Igreja ser constituída por aqueles que estão unidos em Cristo como membros de seu corpo, e em quem Cristo reside como Senhor, a glória de Deus "na igreja" não pode ser separada da glória de Deus "em Cristo Jesus" (Bruce, 1984, 331). Como sabiamente afirma Foulkes (107): "A glória de Deus é mais gloriosamente vista por sua graça, na união de suas criaturas pecadoras [redimidas] a seu eterno e impecável Filho".

O elo da redenção, preciosamente elaborado, que congrega a Igreja de Cristo através de seu relacionamento, deve ser "para louvor da sua glória" (1.6,12,14) "em todas as gerações [na história], para todo o sempre [na eternidade]. Amém! [isto é, 'assim seja']" (3.21). A primeira parte da carta de Paulo se encerra nesse ápice da montanha da inspiração e da revelação. Agora, Paulo está pronto para analisar alguns assuntos práticos, necessários para que a manifestação da glória de Deus seja reconhecida nos santos.

Parte II. Instruções Práticas para a Igreja e para os Crentes (capítulos 4—6)

Nos capítulos 1—3 de Efésios, Paulo escreveu a respeito do propósito eterno da redenção de Deus, em Cristo, e de sua obra na história. Descreveu como Deus está criando uma nova humanidade e uma nova comunidade (a Igreja) sobre a terra. Nos capítulos 4—6, Paulo analisa de forma prática a obra externa da salvação na vida diária do povo redimido de Deus, tanto em nível pessoal como no corpo de Cristo. Em especial, aborda questões que envolvem a unidade da Igreja como o "corpo único", e a pureza da Igreja como o templo santo de Deus, e a noiva santa de Cristo.

Paulo instruiu e orou por seus leitores na primeira metade da carta; agora, passa a exortá-los. Instrução, intercessão e exortação representam seu "formidável trio" (Stott, 146) em Efésios. Em outras palavras, Paulo abandona a sua "teologia mentalmente estressante" (ib.) dos capítulos 1—3, a respeito do que Deus já havia feito em Cristo (isto é, o indicativo) para focalizar aquilo que os crentes devem ser e fazer como conseqüência (isto é, o imperativo; são fornecidas trinta e cinco diretrizes relacionadas ao modo de vida dos redimidos). Esta divisão, no entanto, não deve ser considerada como abrangendo somente as diretrizes, porque a teologia continua a estar entrelaçada com exortações práticas.

O verso 1 introduz não apenas as questões analisadas no capítulo 4, mas também toda a segunda divisão da carta. Ele começa com uma exortação "Rogo-vos" [imploro (KJV, NKJV), vos suplico (NRSV)] que andeis como é digno da vocação com que fostes chamados". O verbo "viver" em grego é "andar" (*peripateo*) que aparece oito vezes em Efésios (cinco vezes nos capítulos 4—5). Como uma metáfora, ele se refere ao comportamento ou à conduta. Os crentes devem "andar como é digno" (4.1) e não mais "como andam também os outros gentios" (4.17), "andar em amor" (5.2), "andar como filhos da luz" (5.8) e caminhar sábia e prudentemente (5.15). Esse verbo revela uma diferente forma de viver que deveria caracterizar os crentes, por causa de sua nova vida em Cristo, e em *todos* os relacionamentos — particulares, públicos e domésticos.

O verbo "andar" também contém a idéia de progredir, movimentar-se em direção ao objetivo da plena maturidade em Cristo. Em 4.1, os crentes são exortados a andar ou viver de modo digno da vocação com que foram chamados. "Digno" (*axios*) significa literalmente "elevar o outro lado da balança" (*TDNT*, 1.379). Paulo está assim declarando que deve haver um equilíbrio entre aquilo que os crentes professam pela fé, e a fé que praticam. A "chamada" compreende a iniciativa e a intenção de Deus em sua conversão (cf. Fp 3.14); "andar como é digno" é a sua responsabilidade na vida diária (cf. Fp 1.27). Aqueles que compartilham a chamada divina são "os chamados" (*ekklesia*, a Igreja).

6. Implementando o Propósito de Deus para a Igreja (4.1-16)

Nessa passagem, Paulo convoca os crentes a serem fiéis ao seu destino e à sua chamada como o corpo de Cristo. Por definição, o corpo representa uma unidade que requer singularidade (4.2-6). A Igreja, porém, tem também a multiplicidade e a diversidade como partes integrantes de sua unidade; "a cada um" Cristo distribuiu a graça e os dons como partes de um todo (4.7). Além disso, concedeu dons de liderança para ajudar a Igreja a crescer como um todo e a progredir em direção à verdadeira maturidade espiritual, e à medida da plenitude de Cristo (4.8-16).

6.1. Preservar a Unidade do Espírito (4.1-6)

O Novo Testamento tem duas passagens clássicas sobre o tema da unidade cristã. Efésios 4.1-16 e João 17. Em João 17, Jesus roga ao Pai a respeito de sua iniciativa e função para que a Igreja seja um só corpo. Em Efésios 4, Paulo exorta os crentes a respeito de sua responsabilidade de proteger e cuidar da unidade do Espírito que Deus lhes concedeu, e de diligentemente procurarem a medida da plenitude da vontade de Deus. A responsabilidade dos crentes é ao mesmo tempo individual e coletiva.

6.1.1. A Responsabilidade Individual (4.1,2).
A principal forma de nós, crentes, andarmos dignamente, conforme a nossa vocação, é nos relacionarmos adequadamente uns com os outros como membros do corpo de Cristo — com toda a humildade e mansidão, com longanimidade, suportando-nos uns aos outros em amor. "Com toda a humildade e mansidão" (v. 2) é uma expressão composta que significa "humildade de mente", ou o humilde reconhecimento da dignidade e do valor das outras pessoas, tal qual a mente humilde que existia em Cristo e que o levou a se esvaziar e se tornar um servo" (Stott, 148). Por trás de toda a discórdia existe o orgulho; por trás de toda harmonia e unidade, existe a humildade. Ela é essencial à unidade e à paz da Igreja como corpo de Cristo.

"Bondade" também pode ser traduzida como "mansidão". A mansidão não é fraqueza, mas sim uma força reprimida. A palavra grega traz à mente a imagem de um cavalo puro-sangue, forte e fogoso, que quando domesticado obedece à mão controladora de seu mestre. Como uma virtude cristã, ela simboliza uma força bondosa e que está sob controle, aquele que é "senhor de si mesmo e servo dos outros" (Stott, 149). Como acontecia no mundo de língua grega da época de Paulo, também em nossos dias "humildade" e "mansidão" são em geral qualidades consideradas como repugnantes no mundo secular. Porém ambas refletem o caráter de Jesus, e são essenciais à harmonia na Igreja.

"Longanimidade" e "tolerância mútua" são virtudes essenciais para suportar erros, fraquezas e provocações mútuas, e cuja ausência impede que qualquer comunidade viva pacificamente.

"Amor" (*agape*) é a última qualidade mencionada e abrange as quatro virtudes precedentes; na verdade, este é "a coroa e a soma de todas as virtudes [cristãs]" (Stott, 149). Pelo fato de o amor procurar o bem-estar dos outros e o bem do corpo de Cristo, Paulo o recomenda como a virtude que "é o vínculo da perfeição" (Cl 3.14). Em essência, Paulo está exortando os crentes a cultivarem o fruto do Espírito em sua vida (cf. Gl 5.22,23), especialmente aqueles aspectos que se aplicam à preservação da unidade do Espírito no corpo de Cristo. Em Efésios 4.2, a ausência destas cinco qualidades comprometerá essa unidade.

6.1.2. A Responsabilidade Coletiva (4.3-6).
O verso 3 apresenta duas importantes questões a respeito da unidade e da comunhão na Igreja:

1) Os crentes não são responsáveis por alcançar essa unidade, como se esta fosse um produto humano; antes, ela já existe como uma concessão do Espírito à Igreja. Como o Espírito que reside no coração de cada crente é "um só Espírito", da mesma forma sua presença torna todos os seres humanos em que habita *um único povo* em Cristo. Embora estejamos divididos por grandes diferenças — de cultura, etnia, sexo, idade, posição social, educação, temperamento e geografia — se todos somos habitados pelo único Espírito de Cristo, somos todos um só povo e pertencemos à mesma Igreja. Essa "unidade do Espírito" é um dom sobrenatural de Deus.

2) Porém, Paulo continua dizendo que existe uma responsabilidade humana que acompanha esse dom do Espírito. Devemos "procurar" ou fazer todos os esforços para mantê-lo, cuidar dele e protegê-lo. Markus Barth (2.428) chama a atenção para o tom de urgência por Paulo empregar o verbo grego *spoudazo* nesta passagem. Ele exclui todas as atitudes de passividade e de "esperar para ver". Com resoluta determinação e diligência, os crentes devem

tomar a iniciativa de preservar a unidade do Espírito. "O vínculo da paz" descreve a paz de Deus operando como uma cadeia que une o povo de Deus e que preserva sua unidade ou singularidade.

O dom da unidade, dado à Igreja pelo Espírito Santo, é mais detalhadamente definido em 4.4-6, em sete afirmações; e sob a forma do enunciado de uma declaração solene, estão agrupados em torno das três Pessoas da Trindade: "um Espírito" (v. 4), "um Senhor" (v. 5) e "um Deus e Pai" (v. 6). A repetição da palavra "um" ocorre sete vezes nesses versos, sublinhando o tema da unidade.

Nessa primeira tríade de números "um", existe "um corpo", isto é, a Igreja, constituída por todos os que foram redimidos. Qualquer um que tenha sido redimido através da fé em Cristo pertence a esse corpo. Nós e as demais pessoas formamos uma só pessoa, porque existe apenas "um Espírito", a quem todos nós devemos nossa vida e nossa existência espiritual: "Assim como o corpo humano tem o espírito animador que lhe dá vida, assim também esse corpo único tem o Espírito Santo que lhe dá ânimo e vida" (Summers, 76).

O Espírito Santo, como o poder que concede e mantém a vida e a energia desse único corpo, transmite à Igreja "uma esperança" (isto é, "a esperança do evangelho" com sua mensagem salvadora, Cl 1.23), e conduz a Igreja em direção ao objetivo da "esperança da glória" (Cl 1.27) que contempla a consumação de toda a redenção na vinda futura de Cristo. O Espírito Santo é o penhor e a garantia dessa esperança (1.13,14).

A segunda tríade fala de "um Senhor" (v. 5) em contraste com o politeísmo do mundo pagão, ao qual os recém-convertidos renunciaram (cf. 1 Co 8.6; 12.3,5). Esse Senhor é o Senhor Jesus Cristo, que é a cabeça de seu único corpo, a Igreja: "Ninguém pode servir a dois senhores" (Mt 6.24). O próprio Senhor Jesus Cristo é o santo foco da "única fé", através da qual todas a pessoas são salvas e reconciliadas com Deus, quer sejam judeus ou gentios.

Os crentes dão um testemunho público de sua única fé, em um só Senhor, através de um "único batismo" — o batismo "em nome do Senhor Jesus" (At 8.16; 19.5; cf. 1 Co 1.13-15). O batismo dos primeiros cristãos envolvia a imersão em água como uma figura da identificação com Cristo em sua morte, sepultamento e ressurreição (Rm 6.3-5), e marcava a ocasião para a incorporação de novos crentes ao corpo de Cristo. O batismo no, ou com o Espírito, geralmente acompanhava o batismo nas águas (At 2.38; 8.14-17; 19.5,6; embora pelo menos uma vez o tenha precedido, 10.44-48), e estava mais diretamente relacionado à capacitação pelo Espírito Santo, a testemunhar e ministrar.

Será que o "único batismo" aqui se refere ao batismo em águas ou ao batismo no Espírito? Bruce (1984, 337) afirma que se trata do batismo cristão (especialmente em águas, porém está bastante associado à dádiva do Espírito; cf. At 2.38). Wood (56) faz uma útil observação: "Fazendo parte da segunda tríade (relacionada a Cristo) e não da primeira (relacionada ao Espírito), essa referência em 4.5 parece indicar batismo em águas e não, em princípio, o batismo no Espírito".

A última pessoa dessa passagem sobre a Trindade é Deus: "um só Deus e Pai de todos, o qual é sobre todos, e por todos, e em todos". Deus é o Pai de todos os redimidos em Cristo. Aqui, Paulo não está pensando na paternidade humana e universal de Deus como Criador. Antes, existe um contexto específico. Todos os redimidos em Cristo são membros de um único corpo e submissos ao único Senhor e, pela virtude de um relacionamento salvador com o Filho, têm Deus como seu Pai adotivo. "Um só" Deus enfatiza a unidade monoteísta de Deus, tal como no Antigo Testamento (cf. Dt 6.6), porém Paulo ainda acrescenta a confissão do Novo Testamento, "e Pai".

A designação tripla, em conexão com o Pai, é diferente daquela que ocorreu com o único Espírito e o único Senhor, e não é fácil de ser interpretada. As três frases acompanhadas de preposição podem se referir à transcendência de Deus (acima de tudo), sua imanência (através de tudo) e à presença do Espírito habitando nos crentes

OS DONS MINISTERIAIS DO ESPÍRITO SANTO

Dons	Definição	Referências Gerais	Exemplos Específicos
Apóstolos (Específicos)	Aqueles que foram especificamente incumbidos pelo Senhor ressuscitado, de estabelecer a Igreja e a mensagem original do evangelho.	At 4.33-37; 5.12; 18-42; 6.6; 8.14,18; 9.27; 11.1; 15.1-6, 22,23; 16.4; 1 Co 9.5; 12.28,29; Gl 1.17; Ef 2.20; 4.11; Jd 17	Os 12 apóstolos: Mt 10.2; Mc 3.14; Lc 6.13; At 1.15-26; Ap 21.14 Paulo: Rm 1.1; 11.13; 1 Co 1.1; 9.1,2; 15.9,10; 2 Co 1.1; Gl 1.1; 1 Tm 2.7 Pedro: 1 Pe 1.1; 2 Pe 1.1
Apóstolos (Gerais)	Qualquer mensageiro comissionado para ser missionário ou desempenhar outras responsabilidades especiais.	At 13.1-3; 1 Co 12.28,29; Ef 4.11	Barnabé: At 14.4,14 Andrônico e Júnia: Rm 16.7 Tito e outros: 2 Co 8.23 Epafrodito: Fp 2.25 Tiago, irmão de Jesus: Gl 1.19
Profetas	Aqueles que falavam sob a inspiração do Espírito Santo transmitindo a mensagem de Deus à Igreja, cuja principal motivação e preocupação estavam voltadas à vida espiritual e à pureza desta.	Rm 12.6; 1 Co 12.10; 14.1-33; Ef 4.11; 1 Ts 5.20,21; 1 Tm 1.18; 1 Pe 4.11; 1 Jo 4.1-3	Pedro: At 2.14-40; 3.12-26; At 4.8-12; 10.34-44 Paulo: At 13.1,16-41 Várias pessoas: At 13.1 Judas e Silas: At 5.32 João: Ap 1.1, 3; 10.8-11; 11.18
Evangelistas	Aqueles que são capacitados por Deus para proclamar o evangelho aos não-salvos.	Ef 4.11	Filipe: At 8.5-8; 26-40; 21.8 Paulo: At 26.16-18
Pastores (Presbíteros ou Anciãos)	Aqueles que são escolhidos e capacitados para supervisionar a igreja e cuidar de suas necessidades espirituais.	At 14.23; 15.1-6,22,23; 16.4; 20.17-38; Rm 12.8; Ef 4.11-12; Fp 1.1; 1 Tm 3.1-7; 5.17-20; Tt 1.5-9; Hb 13.17; 1 Pe 5.1-5	Timóteo: 1 Tm 1.1-4; 4.12-16; 2 Tm 1.1-6; 4.2,5 Tito: Tt 1.4,5 Pedro: 1 Pe 5.1 João: 1 Jo 2.1,12-14 Gaio: 3 Jo 1-7
Diáconos	Aqueles que são escolhidos e capacitados para prestar assistência prática aos membros da igreja.	At 6.1-6; Rm 12.7; Fp 1.1; 1 Tm 3.8-13; 1 Pe 4.11	Os sete diáconos: At 6.5 Febe: Rm 16.1,2

OS DONS MINISTERIAIS DO ESPÍRITO SANTO (cont.)

Dons	Definição	Referências Gerais	Exemplos Específicos
Professores (Mestres ou Ensinadores)	Aqueles que são capacitados a esclarecer e explicar a Palavra de Deus a fim de edificar a Igreja.	Rm 12.7; Ef 4.11,12; Cl 3.16; 1 Tm 3.2; 5.17; 2 Tm 2.2,3	Paulo: At 15.35; 20.20; 28.31; Rm 12.19-21; 13.8-10; 1 Co 4.17; 1 Tm 1.5; 4.16; 2 Tm 1.11 Barnabé: At 15.35 Apolo: At 18.25-28 Timóteo: 1 Co 4.17; 1 Tm 1.3-5; 4.11-13; 6.2; 2 Tm 4.2 Tito: Tt 2.1-3,9,10
Ajudantes	Aqueles que são capacitados para o desempenho de várias atividades auxiliares.	At 13.1-3; 1 Co 12.28,29; Ef 4.11	Paulo: At 20.35 Lídia: At 16.14,15 Gaio: 3 Jo 5-8
Administradores	Aqueles que são capacitados a orientar e supervisionar as várias atividades da igreja.	Rm 12.8; 1 Co 14.3; 1 Ts 5.11,14-22; Hb 10.24,25	Barnabé: At 1.23,24; 14.22 Paulo: At 14.22; 16.40; 20.1; Rm 8.26-39; Rm 12.1,2; 2 Co 6.14—7.1; Gl 5.16-26 Judas e Silas: At 15.32; 16.40 Timóteo: 1 Ts 3.2; 2 Tm 4.2 Tito: Tt 2.6,13 Pedro: 1 Pe 5.1,2 João: 1 Jo 2.15-17; 3.1-3
Doadores	Aqueles que são capacitados para livremente doar seus recursos para suprir as necessidades do povo de Deus.	At 2.44,45; 4.34,35; 11.29,30; 1 Co 16.1-4; 2 Co 8,9; Ef 4.28; 1 Tm 6.17-19; Hb 13.16; 1 Jo 3.16-18	Barnabé: At 4.36,37 Os cristãos na Macedônia: Rm 15.26,27; 2 Co 8.1-5 Os cristãos na Acaia: Rm 15.26,27; 2 Co 9.2
Consoladores	Aqueles que são capacitados a oferecer conforto, através de seus atos de misericórdia, àqueles que se encontram em situações de desespero.	Rm 12.8; 2 Co 1.3-7	Paulo: 2 Co 1.4 Os cristãos hebreus: Hb 10.34 Vários cristãos: Cl 4.10,11 Dorcas: At 9.36-39

(em todos). Ralph Martin (154) sugere que ela contém uma alusão típica da Trindade ao *único Deus* "que se faz conhecido em sua própria revelação como Pai 'acima de tudo', como Filho 'através de tudo' (o uso da preposição aqui corresponde à mesma idéia da mediação em 2.18) e como o Espírito que está 'em todos' os membros da família de Deus".

Finalmente, pode-se imaginar uma ordem reversa daquela em que os membros da Trindade são mencionados aqui: "um só Espírito... um só Senhor... um só Deus e Pai de todos". A razão disso está relacionada ao tema geral da passagem, isto é, "a unidade do Espírito" no corpo de Cristo. A unidade a que Paulo se refere está relacionada tanto às congregações locais como à Igreja universal. Ray Summers (79-80), com eloqüência, conclui:

> Ficamos em reverente admiração perante a idéia dessa unidade — um corpo, um Espírito, uma esperança, um Senhor, uma fé, um batismo, um Pai. Quantas afirmações existem aqui para unir todos os crentes em... uma única singularidade! Ao mesmo tempo, curvamos nossa cabeça em vergonhosa confissão pelo fracasso do povo de Deus em levar avante a exortação de Paulo: "Procurando guardar a unidade do Espírito pelo vínculo da paz" (Ef 4.3).

6.2. Crescer em Direção à Plena Maturidade do Corpo de Cristo (4.7-16)

Enquanto em 4.1-6 Paulo focaliza a unidade da Igreja como um único corpo, nessa seção volta sua atenção para a questão do crescimento desse corpo até que atinja a plena maturidade.

6.2.1. A Provisão de Cristo Quanto aos Dons da Graça (4.7). No verso 7, nota-se uma impressionante mudança de foco. Em 4.6, Paulo enfatizou a unidade da família de Deus afirmando que Deus é Pai de *todos nós*. No entanto, agora muda esse enfoque para: "a graça foi dada *a cada um de nós*". Dessa forma, Paulo se transporta do tema da unidade para o conceito da diversidade que existe dentro dessa unidade. A "graça" de que fala aqui não é a graça salvadora de 2.8, porém a graça para um ministério de acordo com cada porção individual do dom de Cristo. Ninguém, no corpo de Cristo, possui a plenitude do dom de Cristo, ou sua total unção, pois Cristo repartiu apenas uma fração desse dom a cada membro de seu corpo. Embora Paulo não empregue a palavra *charismata* ("dádivas, ou dons da graça"), como faz em Romanos 12.6 e em 1 Coríntios 12.4 (cf. 1 Pe 4.10,11), claramente tem em mente esses mesmos dons que foram concedidos aos membros do corpo de Cristo (cf. Rm 12.7,8; 1 Co 12.8-10).

6.2.2. A Posição de Cristo como AquEle que Dá os Dons (4.8-10). Cristo concede os dons da graça em sua condição de Senhor Jesus Cristo, exaltado e ressuscitado, aquEle que ascendeu aos céus (cf. At 2.33-36). Considerando que é Ele quem batiza seu povo com o Espírito Santo, segue-se que Ele concede ao seu povo os dons do Espírito. No verso 8, Paulo ilustra esse pensamento quando se refere ao evento relatado em Salmos 68.18, onde um rei teocrático ascende ao trono e recebe uma multidão de prisioneiros ("prisioneiros de guerra") como prova de sua vitória, e também os despojos ou as presas de guerra que distribui entre seus homens. Paulo descreve aqui o Cristo vencedor, ascendendo a seu trono com seus prisioneiros (no sentido de Cl 2.15) e distribuindo dons de graça ao seu povo por ter desempenhado o ministério de seu reino.

Paulo continua esse texto acrescentando um adendo (entre parêntesis), onde a ascensão de Cristo também envolveu uma descida "às partes mais baixas da terra" (4.9; literalmente, "às mais inferiores partes da terra"). Essa expressão fora do comum tem provocado uma variedade de interpretações, das quais as próximas quatro são as mais importantes:

1) Como mostrado no Evangelho de João, a ascensão de Jesus da terra de volta ao céu (por exemplo, Jo 13.1,3; 14.2-4) foi precedida por sua vinda do céu à terra. Dessa

forma, a expressão "às partes mais baixas da terra" significa simplesmente "a terra que estava embaixo" (Bruce, 1984, 343) e se refere à descida de Cristo na encarnação e à sua humilhação na cruz.
2) A frase: "As partes mais baixas da terra" refere-se à sepultura. Jesus não só desceu do céu à terra como também, como parte de sua morte expiatória pelo pecado, foi colocado no interior da própria terra, da qual ressuscitou.
3) A frase: "As partes mais baixas da terra" refere-se ao Hades, ou à região dos espíritos que partiram para além da sepultura.
4) G. B. Caird (73-74) propôs uma interpretação completamente nova. Pelo fato deste contexto estar relacionado à concessão de dons à Igreja, por Cristo, após sua ascensão, acredita que a descida mencionada no verso 9, após sua ascensão, se refira ao retorno de Cristo à terra pelo Espírito, por ocasião do Pentecostes, trazendo muitos dons à sua Igreja. Dessa forma, a seqüência seria primeiramente a ascensão, seguida pela descida no Pentecostes, para a distribuição de dons[4].

Embora a interpretação de Caird não seja de todo impossível, o verso 10 a torna pouco provável, pois Cristo é descrito como tendo subido acima de todos os céus "para cumprir todas as coisas", ao invés de descer dele para distribuir dons. Embora alguns dos antigos patriarcas da Igreja adotassem a terceira opinião, a grande maioria dos estudiosos da Bíblia, desde a Reforma, sustentou a primeira posição que se assemelha ao pensamento de Paulo na passagem *kenosis* (Fp 2.6-9), e se ajusta muito bem ao conceito geral existente em Efésios.

6.2.3. O Propósito de Cristo ao Conceder os Cinco Tipos de Liderança Ministerial (4.11-13). Em seu lugar de exaltação como Senhor e Cristo (At 2.36), Jesus encontra-se entronizado sobre todo o universo (Ef 1.10, 20-30). "E ele mesmo [*autos*, um pronome enfático] deu uns para apóstolos, e outros para profetas, e outros para evangelistas, e outros para pastores e doutores" como líderes competentes para sua Igreja (4.10). Paulo faz aqui uma distinção (e também em outras passagens) entre *os dons da graça* concedidos pelo Espírito aos crentes individualmente (4.7,8; cf. 1 Co 12.4-11) e aquelas cinco categorias de *pessoas competentes* escolhidas pelo próprio Senhor "para proclamar a Palavra e liderar" (Lincoln, 249) sua Igreja universalmente (Ef 4.11; cf. 1 Co 12.28).

Resumidamente, a palavra "apóstolos" (literalmente, "enviados") refere-se àqueles indivíduos especificamente chamados, comissionados e autorizados pelo próprio Senhor Jesus Cristo para serem seus representantes na proclamação do evangelho e no estabelecimento da Igreja (cf. 2.20; 3.5). Os "profetas" do Novo Testamento eram aqueles indivíduos especialmente dotados em receber e mediar diretamente a revelação recebida de Deus. Em Efésios, os profetas são mencionados três vezes, juntamente com os apóstolos (2.20; 3.5; 4.11). Na época do Novo testamento, os "evangelistas" eram aqueles indivíduos (como Felipe em Atos 8) especialmente ungidos para pregar as boas novas de Cristo e de seu reino às pessoas e às cidades, a fim de despertar a fé. A palavra, "pastores" denota aqueles indivíduos escolhidos por Deus cujos dons espirituais levaram-nos a dedicarem-se ao pastoreio e ao cuidado do rebanho de Deus. "Professores" ou "doutores", eram aqueles indivíduos especialmente capacitados para a exposição da Palavra de Deus com eficiência e poder. (Para uma discussão mais detalhada sobre cada um dos cinco ministérios acima, veja o excelente artigo escrito por Donald Stamps, "*The Ministry Gifts of the Church*", que poderia ser traduzido como "Os Dons do Ministério da Igreja") [Na *The NIV Full Life Study Bible*, 1830-32].

Dois tópicos de especial interesse podem ser percebidos em conexão com o verso 11:
1) Em relação à estrutura da frase (especialmente clara na versão grega), apóstolos, profetas e evangelistas são mencionados separadamente (precedidos pelo artigo definido), enquanto pastores e professores (ou doutores) são mencionados em conjunto. K. H. Rengstorf afirma que, de acordo com o pensamento de Paulo, estes dois últimos estão tão intimamente relacionados que

seria impossível separá-los no ministério responsável por uma igreja local (*TDNT*, 2.158). Aqueles que pastoreiam o rebanho também estão ensinando, e aqueles que ensinam também estão pastoreando. Lincoln (250), por outro lado, argumenta que a omissão do artigo definido, antes da palavra professores (ou doutores), não significa necessariamente que pastores e professores estejam sempre unidos na mesma pessoa. Afirma: "É mais provável que sejam funções sobrepostas, pois embora quase todos os pastores sejam ensinadores, nem todos os ensinadores são também pastores".

Em 1 Coríntios 12.28, nota-se que os professores formavam uma categoria separada de ministério nos primórdios da Igreja, pois foi dito que Deus nomeou para sua Igreja "primeiramente, apóstolos, em segundo lugar, profetas, em terceiro, doutores". Uma distinção bastante útil do Novo Testamento, que se deve ter em mente, é a diferença entre "o papel de ensinar", que geralmente caracterizava todos os ministros como divulgadores da Palavra, e "professores" ou "doutores", um termo que especificamente se referia a uma das cinco convocações e unções que Cristo concedeu à sua Igreja[5].

2) Qual seria a importância de apóstolos e profetas atualmente? De forma quase universal, comentaristas têm concordado que apóstolos e profetas eram ministérios especiais do primeiro século, que subseqüentemente foram extintos e substituídos pelas palavras apostólicas e proféticas do cânone do Novo Testamento. Tem sido também assumido que evangelistas, pastores e professores continuam a ser líderes necessários da Igreja em todas as gerações. Esse conceito amplamente difundido foi analisado e considerado falho por Jack Deere em seu interessante livro *Surprised by the Power of the Spirit* (241-51). Assim como Deus restaurou universalmente, no século XX, a compreensão prática do batismo no Espírito Santo e dos dons carismáticos para a Igreja, será que estaria além dos limites do possível que Deus também tivesse restaurado o ministério dos apóstolos e profetas, não para assentar novamente os fundamentos da Igreja ou para escrever as Escrituras (uma vez que o cânone já está concluído), mas para levar a Igreja à plenitude de sua maturidade — a principal ênfase de Paulo em 4.11-13? Com um pensamento extremamente aberto, Deere explora sólidas razões bíblicas e teológicas na reavaliação dessa possibilidade.

Nos versos 12 e 13, Paulo afirma tanto o propósito como a duração do ministério quíntuplo, dentro desse contexto de levar a igreja à sua plena maturidade. Em relação ao *propósito*, ele descreve a Igreja como um organismo vivo (o corpo de Cristo) que deve crescer até alcançar a estatura planejada por Deus. Anteriormente, ele havia se referido à Igreja como uma nova humanidade que Deus está criando (isto é, de ambos os povos fez um; um novo homem, 2.15). Stott (170) descreve a progressão do pensamento de Paulo. "Na singularidade e novidade desse novo 'homem', ele agora está acrescentando a maturidade. O *novo homem,* que é único, deve alcançar uma *maturidade*, que não será menor que a *medida da estatura da plenitude de Cristo*, a plenitude que o próprio Cristo possui e concede". O fato de 4.11-16 estar expresso em uma única frase em grego realça o propósito e o papel do ministério quíntuplo dos líderes ajudando o corpo de Cristo a crescer até sua plena maturidade.

Através do ministério da Palavra (revelando, declarando e ensinando o evangelho), e de acordo com seus dons especiais, os apóstolos, profetas, evangelistas, pastores e professores preparam o povo de Deus "para a obra do ministério, para edificação do corpo de Cristo". Esse verso expressa três propósitos coordenados: capacitar os santos, servir às necessidades da Igreja e edificar o corpo de Cristo. Geralmente os intérpretes entendem a função dos cinco líderes como personificada na primeira cláusula — isto é, a função de preparar ou equipar o povo de Deus — enquanto os santos são a seguir preparados para fazer a obra do ministério, para edificação da Igreja[6].

No amplo sentido do Novo Testamento, parece ser uma aplicação óbvia que os santos assim preparados devam se tornar ministros, para que todos os membros do corpo funcionem de acordo com seus dons em benefício do bem comum (Rm 12.4-8; 1 Co 12.4-31). Entretanto, no contexto dessa passagem, parece que o ministério dos cinco líderes ainda está presente em todo o verso 12, pois em virtude de serem santos e líderes (cf. 1 Co 12.28), equipam os santos, servem às necessidades da igreja e ajudam a edificar o corpo de Cristo. Por outro lado, um ministério desempenhado apenas por seus ministros oficiais, que exclui o ministério leigo, é em si contrário ao que Paulo ensina em 4.7,16, onde todos os membros do corpo participam ativamente, de alguma forma, na edificação do corpo de Cristo.

A conjunção "até" (4.13) transmite a idéia *da duração do tempo* que Deus concedeu ao quíntuplo ministério. Jack Deere (248) observa: "Se considerado literalmente, isso significaria que a Igreja terá a presença de apóstolos [e profetas] até alcançar a maturidade descrita no verso 13. Atualmente, é difícil considerar a Igreja como tendo alcançado o nível de maturidade descrita no verso 13".

O propósito mais elevado que Cristo deu aos líderes do quíntuplo ministério, em relação à Igreja, foi o de levar o corpo de Cristo a alcançar a plena maturidade, que está definida de três maneiras (4.13):

1) Que todos os crentes possam alcançar não apenas a fé em Cristo, mas "a unidade da fé";
2) Que eles possam não apenas ter um conhecimento a respeito de Cristo, mas ter "o conhecimento [*epignosis*, ou total conhecimento] do Filho de Deus"; e
3) Que possam não apenas conhecer a Cristo, mas chegar "à medida da estatura completa de Cristo". Somente então se "tornarão maduros" (literalmente, "se tornarão pessoas perfeitas e totalmente amadurecidas").

Outros três assuntos dignos de nota devem ser observados no verso 13:

1) A frase "até que *todos*" se refere claramente a toda a Igreja, no sentido coletivo, e não simplesmente a todos nós, individualmente.
2) Enquanto Paulo exorta os crentes a guardarem cuidadosamente "a unidade do Espírito" (4.3), aqui ele afirma que a "unidade da fé" representa um objetivo a ser alcançado (Wood, 59). A realização desta unidade se tornará verdadeira porque a Igreja alcançará uma total compreensão experimental de Cristo como Filho de Deus.
3) Paulo descreve a plena maturidade da Igreja como, literalmente, a "medida da estatura completa de Cristo". O corpo de Cristo, como um todo, deverá alcançar a plena estatura da pessoa de Cristo (que é a cabeça deste corpo).

Lucas menciona esse objetivo no livro de Atos. Em Atos 1.1, ele afirma que seu primeiro livro (o Evangelho de Lucas) registra "tudo que Jesus *começou*, não só a fazer, mas a ensinar". Com efeito, o segundo livro escrito por Lucas, Atos, registra tudo que Jesus *continuou* a fazer e proclamar através da Igreja e pelo poder do Espírito Santo, após a sua ascensão. O fato de o Espírito Santo reproduzir a vida e o ministério de Jesus através da Igreja representa, em Atos, uma das principais idéias básicas da teologia. A Igreja deverá proclamar o mesmo evangelho que Jesus proclamou; deverá também realizar os mesmos milagres que Jesus realizou, e ministrar através do mesmo poder do Espírito, pelo qual Jesus exerceu o seu ministério.

Paulo já empregou a palavra "plenitude" (*pleroma*) em 1.23, em relação à Igreja. A Igreja deverá crescer de acordo com a medida-padrão da plenitude de Cristo, em todos os aspectos da vida e do ministério. Bruce (1961, 88) escreve: "Quando o objetivo for finalmente alcançado, e o corpo de Cristo tiver crescido o suficiente para se igualar à própria Cabeça, então será visto o Homem plenamente amadurecido, que é Cristo junto com todos os seus membros". Embora essa união não se complete até que aconteça o momento em que a Igreja será glorificada juntamente com Cristo, essa esperança futura deverá agir agora como um poderoso incentivo para o crescimento da Igreja, até que esta atinja sua completa maturidade.

6.2.4. O Plano de Cristo para o Crescimento da Igreja (4.14-16). Os versos 14-16 ainda fazem parte da única sentença grega que se iniciou em 4.11. Ao iniciar o verso 14 como um novo parágrafo, utilizando as palavras "para que não" (no grego, *hina*; literalmente, "a fim de que"), a NIV torna de certa forma confuso o verdadeiro relacionamento com a linha de pensamento precedente. O Cristo ressurrecto que subiu ao céu concedeu o quíntuplo ministério à Igreja com o propósito de guiá-la em direção ao seu futuro destino de plena maturidade. Concedeu-lhe este ministério "a fim de que" não ficássemos presos na "imaturidade da infância (como presas de todas as aflições), mas começássemos a crescer em direção à esperada maturidade, isto é, à verdadeira semelhança com Cristo" (Turner, 1239).

Paulo menciona, em primeiro lugar, que quando a Igreja amadurece de sua infância espiritual, deixa para trás a sua correspondente instabilidade (v. 14). Permanecer como meninos espirituais (cf. 1 Pe 2.2, onde a palavra 'meninos' refere-se aos recém-convertidos) depois que o tempo suficiente ao amadurecimento já tenha se esgotado (1 Co 3.1,2; Hb 5.13), é o mesmo que ser espiritualmente instável e vulnerável às decepções: "As crianças são indefesas, incapazes de se proteger; na vida espiritual se tornam presas fáceis dos falsos ensinadores e dos demais que gostariam de desviá-las do verdadeiro caminho" (Bruce, 1984, 351).

Paulo reproduz graficamente o quadro da instabilidade dos crentes imaturos. São como pequenos barcos em um mar tempestuoso, totalmente vulneráveis aos perigos do vento e das ondas. São inevitavelmente "levados em roda por todo vento de doutrina". São carregados por qualquer novo vendaval de ensino que possa parecer estar soprando como maior intensidade naquele momento. São facilmente "levados em roda por todo vento de doutrina, pelo engano dos homens que, com astúcia, enganam fraudulosamente". Crentes imaturos, desprovidos das bases de um evangelho apostólico (2.20) são ingênuos: "Suas opiniões tendem a ser aquelas que ouviram do último pregador, ou do último livro que leram, e se tornam presas fáceis de cada nova mania teológica" (Stott, 170). Tal imaturidade se tornará cada vez mais perigosa à medida que falsos cristos, falsos profetas e falsos ensinadores se multiplicarem "nos últimos dias" (cf. Mt 24.4-14,23-25).

As rochas sólidas da segurança e da integridade do evangelho estão em forte contraste com a instabilidade da imaturidade espiritual, e com a duplicidade das falsas doutrinas (4.15). O evangelho apostólico é caracterizado pela *verdade* e pelo *amor*. Falar a verdade "em caridade" ou com "amor", significa "viver a verdade em amor" (Westcott, 64), e não apenas proferir sutilezas verbais. Isto inclui a verdade moralmente expressa pelo caráter e pelas ações: "Aqueles que cegamente seguem os caminhos do erro chegam ao desastre espiritual; aqueles que aceitam a verdade tornam-se homens da verdade" (Bruce, 1961, 88-89).

A verdade, de acordo com a revelação do Novo Testamento, está sempre inseparavelmente ligada ao amor. Não existe uma situação em que se tenha "toda a verdade e nenhum amor", assim como também não se pode ter "todo o amor, porém sem nenhuma verdade". O equilíbrio é importante, como Stott (172) observa: "A verdade se torna severa se não for abrandada pelo amor; e o amor, por sua vez, torna-se excessivamente brando se não for fortalecido pela verdade". Quando a verdade do evangelho é mantida em amor, apresentada em amor, e quando se luta por esta com um espírito amoroso, o corpo de Cristo cresce "em tudo naquele que é a cabeça, Cristo". Na firme progressão da infância à maturidade, a Igreja se torna mais e mais conforme à sua Cabeça, que é o próprio Cristo.

Em última análise, todo crescimento ocorrido no corpo de Cristo está relacionado à Cabeça (4.15,16). Porém, relacionamentos saudáveis entre membros de um mesmo corpo são também essenciais para que este seja saudável e devotado em sua fase de crescimento. Dois particípios compostos, formados pelo prefixo *syn* ("com" ou "junto") descrevem como o "corpo inteiro" e cada uma de suas partes inter-relacionadas se encontram integradas ao conjunto. O primeiro foi usado no verso 2.21 referindo-se à Igreja, onde ela é um templo que está "bem ajustado" (NIV), ou "encaixado" (NASB). O segundo verbo, traduzido como "mantido junto" (NIV), ou "juntamente entrelaçado" (NKJV, NRSV), está relacionado ao papel dos "ligamentos de suporte". Salmond (337) faz um resumo bastante proveitoso do pensamento de Paulo neste verso.

Todo o corpo, bem ajustado e ligado pelo auxílio de todas as juntas [ligamentos], cada um destes em seu próprio lugar e desempenhado a sua própria função, são os pontos de conexão entre membro e membro, e os pontos de comunicação entre as diferentes partes e o suprimento que vem da cabeça.

R. Martin (158-59) acredita que os ligamentos de suporte se referem a um verso precedente (4.11) e, dessa forma, compara-os à dádiva de Cristo do quíntuplo ministério.

Através dessa reação em cadeia, em Cristo, seus ministros e seu povo, isto é, todo o corpo, passa a ser edificado à medida que o *amor* se torna a "atmosfera" na qual esse processo de mútuo encorajamento e responsabilidade é exercitado, com cada parte da Igreja desempenhando o papel que lhe foi determinado. Cristo, que é a cabeça, transmite sua vida ressurreta, e concede os seus dons ministeriais através do Espírito. Seus ministros cumprem a missão de preparar os santos (v. 12) e de ser os ligamentos da coesão da Igreja para Cristo e entre si. O povo de Cristo dá a sua contribuição... necessária para que os desígnios de Cristo sejam realizados na edificação do corpo, e em seu crescimento para Ele.

7. Reproduzindo a Vida de Cristo nos Crentes (4.17—5.21)

A mensagem de Paulo aos gentios em Efésios 1—3 focaliza o plano de Deus para a redenção, que é concedida como um dom através da fé em Cristo, e não como resultado de méritos ou esforços próprios. Nos capítulos 4—6 ele reforça essas palavras dizendo que a mensagem da graça traz consigo conseqüências morais e éticas, às quais se refere de várias formas como frutos da luz (5.8,9), "frutos de justiça" (Fp 1.11; cf. Hb 12.11), e "fruto do Espírito" (Gl 5.22,23). Aqui, (como em Gl 5—6) Paulo enfatiza que o evangelho da graça que prega não só liberta das leis judaicas como também da antiga vida de pecado e de atos de natureza pecaminosa. Dessa forma, Paulo começa a segunda metade da carta exortando seus leitores gentios a "andar como é digno" (4.1; veja comentários) de sua chamada em Cristo.

Na seção que estamos considerando (4.17—5.21), Paulo adota a metáfora "andar" (*peripateo*) considerando-a como essencial à uma vida cristã. Ele emprega essa palavra de forma negativa em 4.17 (duas vezes) — "não andeis mais como andam também os outros gentios" e, em seguida, de forma positiva (três vezes) — "andai em amor" (5.2), "andai como filhos da luz" (5.8) e "andar como sábios" (5.15). Paulo também adota o contraste entre "então e agora" de 2.1-22, isto é, entre o que os gentios eram e como viviam antes da conversão, em contraste com sua forma de vida totalmente nova, em Cristo, após a conversão.

Esse contraste entre "antes e depois" às vezes se sobrepõe, mas é amplamente descrito de quatro maneiras: viver no engano versus viver de acordo com a "verdade que está em Jesus" (4.21; isto é, 4.17-19, 21-25, 28); viver um estilo de vida pecaminoso versus ter uma nova humanidade criada à semelhança de Deus em justiça e santidade (4.20—5.7); caminhar na escuridão moral e espiritual do mundo ao seu redor versus viver como filhos da luz (5.8-14); e finalmente, viver de acordo com a insensatez do mundo ou viver de acordo com os caminhos da sabedoria de Deus (5.15-21).

7.1. Deixar de Viver de Acordo com a Personalidade Anterior (Natureza Pecaminosa) (4.17-19)

Paulo insiste com seus leitores gentios: "não andeis mais como andam também os outros [não regenerados] gentios" (4.17), com seu estilo de vida pagão. O mais notável aqui é a ênfase que Paulo coloca no pensamento dos gentios. Aqueles que não foram salvos se caracterizam por ter pensamentos fúteis, inteligência obscurecida e ignorância espiritual. Em contraste com a escuridão e a ignorância dos pagãos incrédulos, "a verdade em Jesus" (4.21) foi ensinada aos crentes; e em contraste com a futilidade de seu pensamento, as mentes dos crentes foram "renovadas" (4.23).

Pessoas não regeneradas, que vivem de acordo com sua natureza pecaminosa, são caracterizadas pela "futilidade" de seu "pensamento" ou "mentes" (NASB; NKJV; NRSV). Embora a "futilidade" às vezes esteja associada à idolatria no Novo Testamento, "a referência principal aqui é a noção de 'não servir para nada' (NEB) subjacente a um comportamento irresponsável" (Wood, 61). Pensamentos fúteis, uma inteligência obscurecida (embora às vezes brilhante em seu Quociente de Inteligência [QI] ou na aprendizagem), e ignorância espiritual, começam com uma rejeição deliberada da luz moral e da verdade conhecida a respeito de Deus (cf. Rm 1.18-23).

Dentro da espiral descendente de uma vida depravada as etapas mencionadas aqui são as seguintes: Primeiro vem a "dureza do coração" (4.18c), que resulta em uma "ignorância" arraigada (4.18b). Em seguida, gentios depravados são "entenebrecidos no entendimento" [intelecto, NASB] e "separados da vida de Deus" (4.18a). Finalmente, perdem "todo o sentimento" (ou sensibilidade) moral (4.19a) e "se entregam à dissolução, para, com avidez, cometerem toda impureza" (4.19). Nada jamais satisfaz sua alma e seus perversos desejos. Stott resume as palavras de Paulo (177): "A dureza do coração leva, primeiramente, à escuridão da mente, depois à morte da alma sob o julgamento de Deus, e finalmente à indiferença pela vida. Tendo perdido toda sensibilidade, as pessoas perdem também todo o autocontrole. Essa é exatamente a seqüência descrita por Paulo em Romanos 1.18-32".

7.2. Começar a Viver de Acordo com a Nova Personalidade em Cristo (4.20-24)

Paulo faz agora um contraste entre a antiga personalidade pecaminosa do estilo de vida dos gentios (4.22) e seu "novo homem" que, em Cristo, foi criado espiritual e moralmente à semelhança de Deus "em verdadeira justiça e santidade" (4.24). Enquanto os gentios não regenerados são caracterizados pelas trevas da ignorância, insensibilidade e um negligente estilo de vida (4.17-19), os crentes gentios "não aprenderam assim a Cristo" (4.20). Portanto, seu coração não está mais obscurecido e sua vida não mais se caracteriza pela alienação, impureza e sensualidade.

Essa dramática transformação ocorreu pelo fato de terem "conhecido a Cristo" (NASB, NKJV, NRSV), "ouvido a Cristo" e sido "ensinados por Cristo" (4.20,21).
1) A expressão "conhecido [*emathete*] a Cristo" significa ter sido discipulado (*mathetes*) em Cristo, em seus padrões de pureza moral, tendo-o como Senhor.
2) A expressão seguinte (literalmente, "ouvido a Cristo") significa que, através da pregação do Evangelho, os gentios convertidos ouviram a voz de Cristo.
3) Foram "ensinados por Cristo" para a nova esfera de sua vida. Stott (179) observa que "quando Jesus Cristo é ao mesmo tempo o sujeito e o objeto, e o ambiente de ensinamentos morais já foi concedido, podemos confiar que este é verdadeiramente cristão".

O verso 21 acrescenta que a verdade está em Jesus. Geralmente, Paulo não se refere a Cristo por seu nome histórico, e o fato de fazê-lo aqui afirma fortemente que o Cristo da fé é o próprio Jesus da história, que é a personificação da verdade (Jo 14.6).

Existem duas verdades fundamentais em relação ao que os gentios convertidos aprenderam e foram disciplinados em Cristo (muitos deles pelo próprio Paulo muitos anos antes desta epístola):
1) Na conversão, o crente se despoja "do velho homem, que se corrompe pelas concupiscências do engano" (v. 22). Essa transformação

ocorre através de uma identificação por fé com a morte, sepultamento e ressurreição de Cristo, testemunhada pelas águas do batismo (cf. Rm 6.2-7; Cl 3.9,10). A "velha personalidade" não será melhorada ou aperfeiçoada. Deverá morrer e ser sepultada para que uma vida totalmente nova possa emergir. De acordo com a ordem de Deus, a morte precede a vida, e a crucificação precede a ressurreição.

2) Na conversão, o crente deve se "revestir do novo homem, que, segundo Deus, é criado em verdadeira justiça e santidade (v. 24). O abandono de nossa natureza pecadora e corrupta se assemelha à remoção de uma vestimenta imunda que não serve para nada a não ser para a destruição. A adoção de uma nova natureza, em Cristo (a vida da ressurreição), se assemelha a colocar uma vestimenta inteiramente nova. Paulo se refere, literalmente, ao que éramos antes e depois da conversão como "velho homem" e "novo homem", sendo que o primeiro é "decrépito, deformado e inclinado à corrupção", enquanto o último é "um novo homem, renovado, belo e vigoroso" (Stott, 181). O antigo era dominado por lascívia pecaminosa, enquanto o novo foi criado de acordo com a "justiça e santidade".

Essa é a forma como os leitores gentios de Paulo "conheceram a Cristo" e foram "ensinados nEle". A linha de demarcação entre a antiga vida de pecado e a nova vida em Cristo deve ser bastante clara e decisiva. No entanto, esse processo também envolvia, conforme indicado pelo tempo presente de "despojar" e "revestir", o que Paulo descreve como sendo a renovação no "espírito [*pneuma*, espírito[7]] do sentido", ou do entendimento (v. 23). A renovação da mente é uma obra do Espírito Santo, pela qual nosso fútil pensamento anterior e nosso obscurecido intelecto são transformados para que possamos ser envolvidos pela forma de pensar de Cristo. Uma contínua e diária "renovação interior de nossas maneiras ocorre ao nos tornarmos cristãos" (Stott, 182). Pelo fato de os crentes serem novas criaturas em Cristo, não podem mais "viver como os gentios [não regenerados]" (4.17), sobre os quais Paulo se alonga na exposição que se segue.

7.3. Viver em Justiça como uma Nova Criatura (4.25-32)

Tendo feito o contraste entre a antiga personalidade sob a influência de sua natureza pecaminosa, e a nova que foi criada à semelhança de Deus, Paulo começa agora a descrever na prática as ações da nova criatura em Cristo, em termos de uma vida justa: "Pelo que" (4.25) existe uma ponte "entre os princípios e a prática" (Wood, 64). Ao observar os cinco exemplos práticos de Paulo a respeito de uma vida justa, vemos que todos compartilham dois aspectos comuns: estão dirigidos ao nosso relacionamento com outras pessoas e cada um deles envolve proibições negativas que são contrabalançadas por mandamentos positivos.

7.3.1. Deixar a Mentira e Falar a Verdade (4.25). Deixar a "mentira" e "falar a verdade" está de acordo com o que somos em Cristo, pois a "verdade... está em Jesus" (4.21). Os crentes devem renunciar "às mentiras" de Satanás (cf. Rm 1.25) e a todas as mentiras menores da antiga personalidade, e seu falar deve corresponder "à verdade" de Cristo. Esse mandamento significa, em primeiro lugar, que devemos falar a verdade com nossos semelhantes a quem Deus nos determinou que amemos. E mais ainda, devemos nos relacionar de modo verdadeiro e confiável "com todos os membros do corpo único [de Cristo]" como a família da fé. Se não for assim, será impossível estabelecer a confiança, e o verdadeiro relacionamento da comunidade se romperá.

"Enganos fraudulentos" (4.14) e "calúnias" (ou falsidade) são obras do inimigo para minar a unidade do Espírito no corpo de Cristo e, portanto, não devem ser permitidas dentro da comunhão da Igreja. Como foi observado por Stott (185): "A comunhão é construída sobre a confiança, e a confiança é construída sobre a verdade. Portanto, a calúnia ou a falsidade corroem a comunhão enquanto a verdade a fortalece". Esse verso não recomenda que as pessoas sejam rudes no falar, pois tal forma de expressão também pode ser prejudicial aos relacionamentos dentro da comunidade cristã.

7.3.2. Não Pecar pela Ira (4.26-27). Muitas traduções interpretam essa frase como um mandamento — "Irai-vos e não pequeis" (NKJV, NASB, NRSV) — como se Paulo estivesse encorajando uma ira justa, o que estaria muito distante de seu pensamento nesse contexto onde, na verdade, existe uma advertência a respeito do pecado da ira (cf. 4.31). O pensamento de Paulo é: "Se você se irar, tome cuidado! Você está às portas do pecado!" Turner acrescenta (1240): "Se no ocidente a ira é considerada um sinal de masculinidade, a tradição judaica está mais consciente de seu poder demoníaco, divisor e corruptor... A ira, e seus pecados correlatos nos versos 29 e 31, representam o exemplo de pecados socialmente destruidores e alienadores, tão característicos da antiga criação".

Dessa forma, Paulo coloca três restrições à ira, cada uma delas chamando atenção a seu perigo potencial:
1) "Não pequeis" (4.26a) indica que a ira leva facilmente a pecar em outras áreas tais como orgulho egoísta, maldade, vingança, ódio, violência e até mesmo aos assassinatos (cf. Mt 5.21,22).
2) "Não se ponha o sol sobre a vossa ira" (4.26b) sugere que se 'as contas não forem rapidamente ajustadas', a ira levará à amargura e à destruição dos relacionamentos.
3) "Não deis lugar ao diabo" (4.27) previne indiretamente que a ira pode facilmente abrir uma porta de oportunidade para o Diabo, dando-lhe lugar para operar. Os comentários de J. A. Bengel fazem um excelente resumo dessa passagem: "A ira não é nem ordenada, nem totalmente proibida; porém, e isto é uma ordem: Não permita que o pecado se introduza na ira; esta é como o veneno que às vezes é usado como remédio, mas que deve ser controlado com o maior cuidado" (citado por Earle, 317). O maior antídoto contra o veneno de um comportamento que é tolerante quanto à própria ira, é exercitar-se na prática da misericórdia (4.32).

7.3.3. Abandonar o Roubo e Trabalhar Diligentemente (4.28). Um dos princípios éticos mais elementares é o mandamento de não roubar (Êx 20.15; Mc 10.19; Rm 13.9). Paulo menciona os ladrões entre aqueles transgressores que não "herdarão o reino de Deus" (1 Co 6.10). Quando um ladrão se converte, através da fé em Cristo, não deve apenas abandonar o roubo, mas também aprender a trabalhar com diligência "fazendo com as mãos o que é bom", ou benéfico (cf. 4.29) a fim de se tornar capaz de "repartir com o que tiver necessidade". Os verdadeiros crentes dedicam-se ao trabalho honesto e não enganam seus empregadores ou empregados; compartilham ao invés de acumularem bens às ocultas, e demonstram um espírito generoso e não ganancioso.

Na conversão, abandonar o "velho" e não regenerado estilo de vida, que se aproveita dos outros em benefício próprio (4.22), significa vestir-se da "nova" vida regenerada em Cristo, onde distribuímos generosa e alegremente aquilo que está faltando na vida dos semelhantes (cf. 2 Co 8.14). A transformação da conduta exterior é demonstrada por uma transformação no coração. Somente Cristo "pode transformar um assaltante em um benfeitor" (Stott, 188).

7.3.4. Deixar a Linguagem e as Conversas Imorais e Falar Palavras Edificantes (4.29-30). Paulo passa da forma como usamos nossas mãos para a forma como usamos nossos lábios. Palavras ou conversas imorais, pouco edificantes ou pecaminosas não devem sair da boca de alguém que proclama Cristo Jesus como Senhor. "Palavra torpe" inclui qualquer tipo de conversação que seja prejudicial ou que traga dano a outras pessoas. O livro de Provérbios afirma que pessoas com discernimento "retêm as suas palavras" (Pv 17.27), mas que "a boca do tolo é a sua própria destruição" (18.7). A forma como falamos representa uma solene responsabilidade porque:
1) "A morte e a vida estão no poder da língua" (Pv 18.21) e

2) de "toda palavra ociosa que os homens disserem hão de dar conta no Dia do Juízo" (Mt 12.36).

Portanto, Paulo conclama todos os crentes a falarem "só a [palavra] que for boa para promover a edificação, para que dê graça aos que a ouvem" (4.29). Enquanto uma fala não santificada tende a destruir ou infligir a morte aos demais, palavras edificantes são benéficas (literalmente, dão graça) àqueles que as ouvem. Em Colossenses 4.6, Paulo igualmente exorta aos crentes dizendo: "A vossa palavra seja sempre agradável, temperada com sal, para que saibais como vos convém responder a cada um". Não se pode fugir à essa observação de Paulo: "Se somos novas criaturas em Cristo, devemos desenvolver um padrão de conversação completamente novo" (Stott, 188).

O verso 30 apresenta uma solene interrupção. No início do capítulo 4, Paulo conclamou os crentes a andarem "como é digno da vocação com que foram chamados" (4.1) e a procurarem "guardar a unidade do Espírito" (4.3) como o único corpo de Cristo. Pelo fato dos pecados que Paulo vem descrevendo desde 4.25 serem incompatíveis com a nossa chamada em Cristo, e destruírem os relacionamentos e a unidade do corpo de Cristo, permanecer neles deliberadamente "entristecerá o Santo Espírito de Deus" (Fee, 714). Essa permanência voluntária no pecado pode ser relacionada ao pecado de Israel descrito em Isaías 63.10, e à conseqüente tristeza sentida pelo Espírito Santo por seu caráter específico, uma vez que Ele é "aquele Espírito que é caracterizado pela santidade e que é o próprio Deus operando nos crentes" (Lincoln, 307).

Barth (2.550) vê expressa aqui a subjacente possibilidade daqueles que entristeceram o Espírito Santo se tornarem privados da futura redenção pelo fato de terem permanecido no pecado.

Em 4.30, observe a ênfase que é dada ao papel do Espírito Santo como um selo da autenticação de Deus, com o qual somos selados "para o Dia da redenção [final]" (cf. 1.13,14). Devemos observar também que entristecer o Espírito Santo pode (à luz de outras passagens do Novo Testamento) levar progressivamente ao endurecimento do coração (Hb 3.8, 13,14), à resistência ao Santo Espírito (At 7.51), à extinção do Espírito (1 Ts 5.19) e até ao agravo ao Espírito da graça (Hb 10.29) e à blasfêmia contra Ele (Mt 12.31). As conseqüências eternas desse último estão especialmente claras nas Escrituras. Para evitar os primeiros passos nesse processo de endurecimento, nós, como crentes tementes a Deus, devemos nos distanciar de todos os pecados que possam entristecer o seu Santo Espírito.

7.3.5. Deixar a Malícia e Perdoar (4.31,32).

Paulo conclui seu conjunto de cinco atitudes e comportamentos negativos (atitudes e comportamentos pecaminosos), e positivos, iniciado em 4.25. Os negativos indicam uma forma de vida da qual os crentes devem se "despojar" por pertencerem a uma nova humanidade em Cristo (4.22), enquanto as recomendações positivas envolvem uma transformação do coração e do padrão de comportamento que caracterizam os crentes que "se revestiram" da nova natureza (4.24). As seis atitudes e comportamentos pecaminosos mencionados em 4.31 se originam da raiz da "maldade" ou "malícia". R. Martin (162) se refere à maldade como "a geradora da infeliz progênie das primeiras épocas". A maldade é "um ativo desejo maléfico" (Webster) em direção aos semelhantes, uma fonte venenosa da qual se origina "toda amargura, e ira, e cólera, e gritaria, e blasfêmias, e toda malícia". Bruce (1984, 364) sugere que a maldade seja a fonte interior da qual brotam todas as palavras indignas mencionadas anteriormente (4.29).

A "amargura" (cf. Cl 3.19) denota aquele "estado irritadiço da mente que mantém um homem em perpétua animosidade — que o inclina à opiniões ásperas e pouco caridosas sobre homens e coisas — que o deixa carrancudo e com o semblante carregado, e ao mesmo tempo infunde veneno às palavras de sua boca" (Eadie, 357). Robinson (194) define-a como "um espírito ressentido que recusa reconciliar-se". "Ira e cólera" causam explosões tem-

COMPARAÇÃO ENTRE EFÉSIOS E COLOSSENSES

Durante o período em que esteve na prisão em Roma, Paulo escreveu Efésios e Colossenses mais ou menos na mesma época, e existe um número surpreendente de semelhanças entre os contextos desses dois livros.

Tema	Efésios	Colossenses
A saudação de Paulo	Ef 1.1,2	Cl 1.1,2
Ser santo e imaculado aos olhos de Deus	Ef 1.4; 5.27	Cl 1.22
A Redenção através do sangue de Cristo	Ef 1.7	Cl 1.14,20
A sabedoria, o conhecimento e a compreensão de Deus	Ef 1.8, 17	Cl 1.9,10
O conhecimento da vontade de Deus	Ef 1.9	Cl 1.9
Todas as coisas (re) criadas através de Cristo	Ef 1.10	Cl 1.16
Paulo ouviu sobre a fé que possuíam e agradeceu ao Senhor	Ef 1.15,16	Cl 1.3,4
A oração contínua de Paulo a favor dos efésios e dos colossenses	Ef 1.16	Cl 1.9
A esperança do crente	Ef 1.18	Cl 1.5,27
Uma herança para os santos	Ef 1.18	Cl 3.24
Fortalecidos pelo poder de Deus	Ef 1.19; 3.16; 6.10	Cl 1.11
O poder de Cristo é superior a todo principado, e poder, e potestade, e domínio	Ef 1.21	Cl 1.13,16; 2.10,15
Cristo como Cabeça de seu corpo, a Igreja	Ef 1.22; 4.15,16	Cl 1.18,24
Cristo como a plenitude de Deus	Ef 1.23; 3.19	Cl 1.19; 2.9
Cristo cumpre tudo em todos	Ef 1.23	Cl 3.11
Longe de Cristo, as pessoas estão mortas no pecado	Ef 2.13	Cl 2.13; 3.7
Deus nos vivificou através de Cristo e sua ressurreição	Ef 2.5,6	Cl 2.12,13
A reconciliação através do sangue de Cristo	Ef 2.13	Cl 1.20
Os cristãos são chamados à paz	Ef 2.14,15	Cl 3.15
Cristo aboliu a lei e seus mandamentos	Ef 2.14,15	Cl 2.14
Crescer em Cristo	Ef 2.20-22	Cl 2.7
A chamada de Paulo pela graça de Deus, para revelar o mistério de Deus	Ef 3.2-4	Cl 1.25-27; 2.2
A graça de Deus opera em Paulo	Ef 3.7, 20	Cl 1.29
O mistério de Deus oculto durante séculos	Ef 3.9	Cl 1.26
Arraigados em Cristo e em seu amor	Ef 3.17	Cl 2.7
A humildade, a mansidão, a paciência e o amor	Ef 4.20, 31; 5.1	Cl 3.12-14
O encorajamento à unidade	Ef 4.3	Cl 3.14
Tornar-se maduro/perfeito em Cristo	Ef 4.13	Cl 1.28
Alcançando a plenitude em Cristo	Ef 4.13	Cl 2.10
O crescimento em Cristo	Ef 4.16	Cl 2.19
Longe de Cristo, separado de Deus	Ef 4.18	Cl 1.21
O pecado e a lascívia nos infiéis	Ef 4.19	Cl 3.5
Despojar-se do velho homem e revestir-se do novo homem	Ef 4.22-24	Cl 3.9-10
Abandonar a falsidade e as mentiras, e falar a verdade	Ef 4.25	Cl 3.9
Deixar a linguagem impura	Ef 4.29; 5.4	Cl 3.8
Falar a fim de ajudar os outros	Ef 4.29	Cl 4.6
Libertar-se do ódio, da maldade e da calúnia	Ef 4.30	Cl 3.8
Ser perdoador	Ef 4.31	Cl 3.13
Os crentes não devem deixar-se enganar	Ef 5.6	Cl 2.4,8
A ira futura de Deus	Ef 5.6	Cl 3.6
Fazer o que agrada ao Senhor	Ef 5.10	Cl 3.20

COMPARAÇÃO ENTRE EFÉSIOS E COLOSSENSES (cont.)

Tema	Efésios	Colossenses
Caminhar cuidadosamente e aproveitar ao máximo cada oportunidade	Ef 5.15	Cl 4.5
Cantar salmos, hinos e cânticos espirituais	Ef 5.19	Cl 3.16
Dar graças a Deus, o Pai	Ef 5.20	Cl 3.17
Instruções às esposas	Ef 5.22	Cl 3.18
Instruções aos esposos	Ef 5.25	Cl 3.19
Instruções aos filhos	Ef 6.1	Cl 3.20
Instruções aos pais	Ef 6.4	Cl 3.21
Instruções aos escravos (ou servos)	Ef 6.5-8	Cl 3.22-25
Instruções aos professores	Ef 6.9,10	Cl 4.1
Orar e manter a vigilância	Ef 6.18	Cl 4.2
Orar por Paulo, o missionário	Ef 6.19,20	Cl 4.3,4
Tíquico como mensageiro de Paulo	Ef 6.21,22	Cl 4.7,8
A bênção final	Ef 6.24	Cl 4.18

peramentais e ressentimento emocional contra outras pessoas. "Gritaria" se refere a toda espécie de explosões acompanhadas de "gritos de litígio" (Bruce, 1984, 364). "Blasfêmia" é aquela espécie de palavra ofensiva que procura difamar e destruir a reputação de outrem.

Em 4.31, o reverso dessa reprovável conduta, da qual os crentes devem livrar-se, se apresenta como aquele comportamento amável, caracterizado por um espírito benigno, misericordioso e perdoador (4.32). "Ser" (sede) quer dizer, literalmente, "tornar-se". Paulo reconheceu que seus leitores ainda não haviam atingido a maturidade nessa área da graça cristã. Para tornar-se "benigno" é preciso aprender a praticar uma solícita consideração em relação aos outros. Tornar-se "misericordioso" (*eusplanchnoi*) significa ter um "coração bondoso ou compassivo". Essa expressão pouco comum se refere "ao mais profundo sentimento e preocupação com nosso semelhante necessitado" (Summers, 105). É uma qualidade que Jesus demonstrou quando viu multidões sem um pastor, ou um indivíduo em desesperada necessidade. A misericórdia também faz parte do processo de tornar nosso ser à semelhança de Cristo.

"Perdão" (*charizomenoi*) vem da palavra *charis* ("graça"). Assim, perdoar a alguém significa mostrar-lhe graça, isto é, perdoar livre e bondosamente e sem relutância ou rancor. Paulo reforça o aspecto da graça existente no perdão, acrescentando que perdoar aos outros é agir exatamente como Deus que nos "perdoou em Cristo". Assim como o perdão de Deus se origina da graça, perdoar aos outros deve também fluir livremente da graça.

Finalmente, Paulo expressa uma íntima associação de Cristo e do Pai com nosso perdão (cf. 4.32 e Cl 3.13). Como Bruce afirma (1984, 365), "em toda a obra da redenção, o Pai e o Filho agem como um só". É "em Cristo" que temos "a redenção pelo seu sangue, a remissão das ofensas, segundo as riquezas da sua graça" (1.7). Existe um sentido no qual nós também "em Cristo" perdoamos os outros de acordo com as riquezas da graça que recebemos de Deus.

7.4. Viver em Santidade como Filhos da Luz (5.1-14)

Começando em 4.17, Paulo direciona sua atenção para o aspecto prático da obra de Cristo na vida do crente, primeiro em termos de transformação pessoal, de uma vida conforme a natureza pecadora para uma vida em harmonia com Cristo (4.17-24). Em seguida, aplica a dinâmica dessa nova vida a um adequado comportamento cristão, dentro da comunhão da Igreja, em termos positivos e negativos (4.25-32). Agora, Paulo apela aos crentes para que vivam sua chamada como filhos da luz em relação ao mundo ao seu redor (5.1-14). Seus leitores, a quem chama de "filhos amados" (5.1), "santos" (5.3) e "filhos da luz" (5.8) deverão refletir a vida de seu Pai celestial, e ao fazê-lo "serão um desafio à sociedade contemporânea e uma reprovação a ela" (R. Martin, 162). Para que isso aconteça, deverá existir um contraste muito claro entre os crentes e o mundo. Aqui Paulo descreve esse contraste em termos de amor e luz.

7.4.1. Andar em Amor (5.1-7). Viver como filhos de Deus, e como povo santo de Deus, envolve a atitude de andar em amor. Pela terceira vez, Paulo usa a palavra *peripateo* (traduzido como "viver" em 5.2; veja comentários em 4.1; 4.17-5.21) ao discutir a conduta dos crentes de Éfeso (cf. também 5.8, 15). "Viver ou andar em amor" (5.2) requer ser "imitador de Deus" (5.1). Imitar a Deus é a conseqüência lógica de conhecê-lo como Pai. Assim como os filhos imitam um amoroso pai terrestre, os crentes deverão imitar seu amoroso Pai celestial. Paulo diz em Romanos 5.8: "Mas Deus prova o seu amor para conosco em que Cristo morreu por nós, sendo nós ainda pecadores".

Paulo já havia orado para que fossemos "arraigados e fundados em amor" (3.17). Agora nos exorta a viver "em amor, como também Cristo vos amou e se entregou a si mesmo por nós" (5.2). Aqui, a palavra grega para amor é *agape* (amor de Deus), que é amar com uma genuína doação de si mesmo para o bem-estar daquele a quem o amor é dedicado. *Agape* não se baseia em méritos. Cristo demonstrou esse amor puro e desinteressado por nós quando ofereceu sua vida na cruz como "oferta e sacrifício a Deus, em cheiro suave". A frase "em cheiro suave" lembra o odor dos sacrifícios do Antigo Testamento, que ascendia aos céus e agradava a Deus. A morte de Jesus, como sacrifício pelos pecados, era agradável ao Pai por ser em nome de nossa salvação.

Paulo muda do tema do auto-sacrifício de Cristo para o aspecto oposto, aquele da auto-indulgência do pecador (5.3,4), do amor *agape* para sua perversão, a lascívia; ele menciona três manifestações de auto-indulgência e de perversão do amor: "Prostituição" e "impureza" abrangem todas as formas possíveis de pecado heterossexual (pré-marital e extramarital), bem como de todos os possíveis pecados homossexuais, pois todos aviltam a consciência e destroem o amor. A "avareza", ou "cobiça", descreve o desejo íntimo do coração por aquilo que não é legitimamente possuído. Pode também se referir ao pecado, dentro do âmbito sexual, quando se refere a cobiçar a mulher de outro homem ou o corpo de alguém para satisfazer um desejo próprio (Êx 20.17; cf. 1 Ts 4.6).

Esses três pecados não devem ser mencionados, e nem sequer comentados entre o "povo santo de Deus"; "devem ser completamente banidos da comunidade cristã" (Stott, 192). Estes pecados eram um padrão na província da Ásia, onde orgias sexuais eram regularmente praticadas em conexão com a adoração da deusa grega dos efésios, Artemis (cf. At 19.23).

No verso 4, Paulo faz um contraste entre a vulgaridade sexual no falar e a ação de graças, possivelmente comparando "a atitude pagã, e o comportamento cristão em relação ao sexo" (Stott, 192). Entretanto, uma passagem semelhante em Colossenses sugere que Paulo tinha em mente um contraste mais abrangente. Nesse caso o contraste social é entre pessoas com pensamentos mundanos, que constantemente têm o sexo presente em seu pensamento e em sua fala, e o povo santo de Deus que permite que a paz de Deus, para a qual também foram chamados em um corpo, domine os seus corações (inclusive o pensamento e a fala) com ações de graças (Cl 3.15-17).

O verso 5 contém um pronunciamento e uma advertência solene. Ninguém que se dedica à prática dos mencionados pecados sexuais terá qualquer "herança no Reino de Cristo e de Deus", independente de qualquer declaração que possa fazer a respeito de ser cristão. Bruce (1961, 103) desconsidera qualquer racionalização comum a respeito desse verso, que interprete erroneamente o argumento que Paulo está defendendo: "A idéia de que Paulo esteja afirmando que tais indivíduos possam, mesmo assim, ser cristãos verdadeiros, porém que seu comportamento os privará de qualquer parte ou quinhão no futuro reino milenar de Cristo, é totalmente injustificada pelo contexto e pelos ensinamentos do Novo Testamento em geral".

Paulo continua a afirmar que uma "pessoa avarenta... é idólatra" porque sua afeição está dirigida às coisas terrenas e não às do céu, de forma que algum objeto terreno de desejo passe a ocupar um "lugar central que somente Deus deveria ter no coração humano" (Bruce, 1961, 104). Paulo sabia que sua mensagem de libertação da lei e de exortação ao amor poderia ser facilmente usada como desculpa pelo pecado sexual. Portanto acrescenta: "Ninguém vos engane" (5.6), nem sejais levados a acreditar que pessoas imorais, impuras ou cobiçosas terão uma herança assegurada no reino de Cristo. Tal certeza e falsa segurança redundam em decepção e "palavras vazias". A "ira de Deus" será derramada sobre essas pessoas. O risco de serem privados da herança no reino de Deus é muito grande para "aqueles que são desobedientes", isto é, aqueles que conhecem a lei moral de Deus e intencionalmente a desobedecem. "Portanto, não sejais seus companheiros" (5.7). Aqueles que não obedecerem, participarão de sua condenação.

7.4.2. Andar na Luz (5.8-14). Em 2 Coríntios 6.14, Paulo pergunta: "Que comunhão tem a luz com as trevas?" Obviamente, a reposta é "nenhuma!" Em Colossenses, Paulo lembra aos crentes que Deus Pai "nos tirou da potestade das trevas e nos transportou para o Reino do Filho do seu amor" (Cl. 1.12-13). Aqui, em Efésios 5.8, Paulo declara aos seus leitores: "Noutro tempo, éreis trevas, mas, agora, sois luz no Senhor". Estar "em Cristo", que é "a luz do mundo" (Jo 8.12), significa ser luz assim como Ele o é.

O contraste entre luz e trevas em 5.8-14 é semelhante àquele encontrado em outras passagens do Novo Testamento.

"Trevas" representam ignorância, pecado, omissão e decadência moral, decepção, morte espiritual e todo o reino de Satanás; "luz", ao contrário, representa verdade, justiça, retidão moral, vida espiritual e todo o reino de Cristo. Anteriormente, os crentes estavam não apenas *em* trevas (isto é, em um ambiente de ignorância e sob sua influência), mas também eles próprios representavam as trevas. Agora, por causa de sua união com Cristo através da fé, se tornaram luz: "Sua vida, e não apenas seu ambiente, se transformaram de trevas em luz" (Stott, 199). Assim, Paulo acrescenta: Andar ou "viver como filhos da luz", isto é, moldar a conduta conforme a nova identidade. O fato de sermos "luz no Senhor" indica que sua graça e seu poder estão habitando em nós, para que tenhamos uma vida santificada.

Paternalmente, Paulo explica que "o fruto da luz", ou a nova maneira de viver

A deusa da fertilidade, Artemis, era adorada em Éfeso.

que se realizou no crente, se caracteriza por "bondade, justiça e verdade" (5.9). As obras das trevas são o oposto desse fruto: maldade, iniqüidade e falsidade. O conceito existente em 5.10 é o desenvolvimento da última afirmação de 5.8. Os Filhos da luz se "transformam pela renovação do entendimento, para experimentarem [*dokimazo*] qual seja a boa, agradável e perfeita vontade de Deus" (cf. Rm 12.2). *Dokimazo* quer dizer experimentar, discernir e aprovar a veracidade de tudo aquilo que agrada a Deus.

O contraste entre "as obras infrutuosas das trevas" (5.11) e o fruto da luz (5.9) é semelhante àquele estabelecido entre as "obras da natureza pecadora" e "o fruto de Espírito" (em Gl 5.19,22). As "obras da natureza pecadora" ou as "obras das trevas" não podem ser descritas como "frutos" porque não contêm a semente da vida; ao contrário, são estéreis e originam a morte. A luz, invariavelmente, expõe o verdadeiro caráter das obras das trevas (5.11). Assim sendo, os malfeitores odeiam a luz pelo receio de serem expostos (Jo 3.20). Porém, somente quando ocorre essa exposição haverá a convicção pelo Espírito Santo e a possibilidade da salvação (16.8).

O verso 12 sugere que a simples menção dos vícios vergonhosos de um desobediente deve ser uma ofensa ao povo de Deus, que é moralmente sensível. O poder da luz, no entanto, não só expõe e "esclarece" tudo (5.14), como também transforma em luz tudo que ilumina. Provavelmente o verso 14b se originou de um hino de batismo dos primeiros cristãos, que inclui várias passagens do Antigo Testamento (cf. Is 26.19; 52.1,2; 60.1,2). Ele mostra que a "conversão é como acordar de um sono, ressuscitar dos mortos e ser conduzido para fora das trevas à luz de Cristo" (Stott, 201).

7.5. Viver Sabiamente, como um Povo Cheio do Espírito Santo (5.15-21)

Pela quinta vez, desde 4.1, Paulo emprega a palavra "andar" (*peripateo*), traduzida como "viver" (veja comentários em 4.1, 4.17—5.21). Paulo exorta os crentes a serem "prudentes" e a viverem sabiamente como um povo cheio do Espírito de Deus (5.15). "Prudentes" inclui o significado da exatidão ou da precisão, "que é o resultado do desvelo" (Vine, 1.25). Paulo, então, faz um jogo de palavras. Viver não como *asophoi* ("néscios"), mas como *sophoi* ("sábios"). Ele continua a mencionar três formas práticas de viver com sabedoria.

7.5.1. Aproveitar ao Máximo cada Oportunidade (5.16). Em uma passagem paralela em Colossenses 4.5, Paulo conclama os crentes a se comportarem com sabedoria em relação aos não-crentes, e a aproveitarem ao máximo cada oportunidade de dar seu testemunho. Sua atenção, aqui, está dirigida ao aproveitamento de cada oportunidade em relação à vida, de um modo geral, "porque os dias são maus". Pessoas sábias aproveitam cada oportunidade, por mais fugaz que seja, para fazerem o bem; uma vez que esse momento tenha passado, a oportunidade estará perdida para sempre. Em certa ocasião alguém colocou um anúncio: "PERDIDAS. ontem, entre o amanhecer e o anoitecer, e em algum lugar, foram perdidas duas horas douradas, cada uma com sessenta minutos de diamante. Não se oferece qualquer recompensa, pois estão perdidas para sempre" (citado por Stott, 202). Uma prova segura de sabedoria é aproveitar o máximo de nosso tempo, no decorrer dessa época frívola e pecaminosa. Não fazê-lo será sinal de imprudência.

7.5.2. Compreender a Vontade do Senhor (5.17). Enquanto fazer o melhor uso das oportunidades está relacionado à diligência ou à sabedoria, compreender a vontade do Senhor está relacionado ao discernimento. A sabedoria na vida diária reside na vontade de Deus; e ao procurar discernir esta vontade, devemos sempre distinguir entre o que está relacionado ao geral e ao particular. O primeiro é encontrado nas Escrituras, por exemplo, Deus não quer "que alguns se percam, senão que todos venham a arrepender-se" (2 Pe 3.9). Esse seu desejo particular pela vida de cada pessoa pode ser conhecido através dos princípios das Escrituras, dos conselhos comunitários ou da sabedoria, da oração e da orientação que nos foram revelados pelo Espírito Santo.

"Confia no Senhor de todo o teu coração e não te estribes no teu próprio entendimento. Reconhece-o em todos os teus caminhos, e ele endireitará as tuas veredas" (Pv 3.5,6)

Quando toda nossa vida está relacionada à vontade de Deus, em suas dimensões geral e particular, então estaremos vivendo de forma prudente e sábia.

7.5.3. Ser Cheio do Espírito Santo (5.18-21).

A estrutura verbal dessa passagem, consistindo de dois imperativos (5.18) seguidos por quatro particípios (5.19-21), revela que esses quatro versos abrangem uma só unidade de pensamento. Os quatro particípios modificam o imperativo principal em 5.18 ("enchei-vos") e descrevem as quatro conseqüências de estar cheio do Espírito Santo; cantando (5.19a), sendo alegre (5.19b), agradecendo (5.20) e sujeitando-nos uns aos outros (5.21).

Toda essa seção (4.17—5.21) contém uma série de contrastes, começando com "antes" e "depois", contrapondo os gentios que, convertidos, vieram a conhecer a Cristo. Outro contraste ocorre novamente em 5.18, embriaguez versus plenitude espiritual. A embriaguez é uma obra das trevas e conseqüência da natureza pecaminosa (não é uma doença) que "melhor responde por essa aparência aqui" (Fee, 720; cf. Lincoln, 345-46).

Os tempos dos dois imperativos em 5.18 indicam as seguintes mensagens: "nunca façam assim", referindo-se à tolerância para com a embriaguez, e "sempre façam assim" em relação a encher-se do Espírito Santo. Gordon Fee (721-22) observa que o verdadeiro significado do segundo imperativo não é usual: "Paulo não diz 'sejais cheios do Espírito' [genitivo] como se alguém estivesse cheio do Espírito da mesma forma que outro estivesse cheio de vinho, mas 'enchei-vos do Espírito' com ênfase em estar totalmente cheio da presença do Espírito" (ou da "plenitude concedida pelo Espírito" [Masson em Martin, 166]).

A forma precisa do verbo "enchei-vos" (*plerousthe*) é bastante significativa por quatro razões:
1) É um *imperativo* e, portanto, uma ordem. Estar cheio do Espírito não é uma opção ou uma sugestão tentadora, como se estivéssemos livres para aceitá-la ou não. Ela traz consigo um ônus urgente de grande importância.
2) Está no *plural* e, portanto, se aplica ao corpo de Cristo coletivamente. O povo de Deus, coletivamente, "deverá estar tão 'cheio de Deus', através de seu Espírito, que nossa adoração e nossa casa deverão dar uma prova cabal da presença do Espírito: pelos cânticos, orações e ações de graças que ao mesmo tempo louvam, adoram a Deus e ensinam a comunidade" (Fee, 722).
3) É um *passivo* e desse modo poderia ser traduzido como "Deixe que o Espírito lhe encha" (NEB). Deveria haver tal abertura e obediência ao Espírito Santo, que nada pudesse impedir que Ele nos enchesse.
4) É um tempo *presente* e, portanto, transmite a idéia de uma ação contínua. Assim como nosso corpo físico necessita uma constante renovação, que é proporcionada pelo sono, da mesma forma o corpo de Cristo necessita uma constante renovação que se torna possível pelo Espírito Santo.

Paulo em seguida menciona quatro conseqüências que ocorrem quando nós, como corpo de Cristo, somos cheios e renovados pela poderosa presença do Espírito Santo (vv. 19-21).
1) Existem vários tipos de *cânticos* (5.19) que "têm tanto a função de instruir a comunidade dos crentes, como de louvar e adorar a Deus" (Fee, 722). Um povo cheio do Espírito dedica-se a três tipos de cânticos: Os "Salmos" referem-se ao livro dos Salmos no Antigo Testamento, que é um livro de hinos do judaísmo e do início da Igreja e, em geral, representa o cântico nas Escrituras. "Hinos" referem-se às primeiras composições cristãs, e algumas de suas estrofes foram reproduzidas no Novo Testamento. Os hinos do início do cristianismo eram típicas confissões de fé relacionadas à pessoa de Deus e à verdade do evangelho. "Cânticos espirituais" eram expressões mais espontâneas resultantes

da presença do Espírito dentro do crente e da comunidade (por exemplo, o cântico profético em 1 Sm 2.1-11; Lc 1.46-55,68-79). F. F. Bruce (1961,111) sugere que cânticos espirituais eram provavelmente "palavras não premeditadas cantadas 'no Espírito' exprimindo louvor e santas aspirações". Por ocasião do final do segundo século, Tertuliano descreve a festa do amor cristão, quando "cada pessoa era convidada a louvar a Deus, na presença dos outros, a partir de tudo que conhecia sobre as Sagradas Escrituras ou que sentia em seu próprio coração" (*Apology*, 39).

2) Outra conseqüência de ser um povo cheio do Espírito é aquele transbordamento de alegria que é expresso "cantando e salmodiando ao Senhor no coração" (5.19b). Isso corresponde ao testemunho pessoal de Paulo em 1 Coríntios 14.15: "cantarei com o espírito, mas também cantarei com o entendimento". Esse canto, com o coração ou com a mente de cada um, representa a dimensão pessoal da vida do crente e da alegria do Espírito, dirigidas exclusivamente "ao Senhor".

3) Uma terceira conseqüência de estarmos cheios do Espírito é darmos "sempre graças por tudo a nosso Deus e Pai" (5.20). Um comportamento cheio de queixas ou murmurações é incompatível com o Espírito Santo, que nos ensina que Deus faz com que todas as coisas contribuam "juntamente para o bem daqueles que amam a Deus (Rm 8.28), e isso nos permite agradecer com todo nosso coração em todos os momentos. "Em nome de nosso Senhor Jesus Cristo" nos lembra da centralidade de Cristo, assim como da Trindade, em nossa fé. Estando cheios do *Espírito*, damos graças ao *Pai*, em nome do *Senhor Jesus Cristo*.

4) A conseqüência final de estarmos cheios do Espírito é a graça do respeito mútuo e da submissão no corpo de Cristo (5.21). Não é conveniente que crentes sejam arrogantes, manipulem ou controlem seus semelhantes ou mesmo que insistam em agir por conta própria. Ao contrário, crentes foram chamados para se humilhar e para sujeitarem-se "uns aos outros no temor de Deus" (5.21). Até os líderes que existem entre o povo de Deus, a quem os companheiros do corpo de Cristo foram ensinados a honrar e obedecer com amável respeito (1 Co 16.16; 1 Ts 5.12,13; Hb 13.17) alcançaram esse reconhecimento por serem servos e não senhores (Lc 22.24-27; 1 Pe 5.3).

Da mesma forma, e como princípios espirituais, submissão, humildade, bondade e paciência são virtudes que devem ser mutuamente praticadas dentro da família cristã. A esposa deve se sujeitar (isto é, ceder através do amor) à responsabilidade do esposo de liderar a família. O esposo deve se submeter às necessidades da esposa, em uma atitude de amor e abnegação. Os filhos devem se submeter à autoridade dos pais com obediência, e os pais devem se submeter às necessidades de seus filhos, e criá-los de acordo com os ensinamentos do Senhor. A reverência e a submissão a Cristo tornam possível a presença da paz na igreja e no lar cristão. Paulo analisa essas questões mais detalhadamente em 5.22—6.9.

8. Aplicando a Autoridade de Cristo aos Relacionamentos do Lar (5.22—6.9)

Deus deseja que o relacionamento salvador com Cristo, assim como a obediência a Ele como Senhor, influa positivamente em cada um dos relacionamentos e em cada uma das áreas da comunidade cristã, e de nossa vida individual. Uma vez que Deus estabeleceu a família como a unidade básica da sociedade, não é de se admirar que Paulo enfatize que estar adequadamente relacionado a Cristo determine a forma como esposos e esposas, pais e filhos, e até senhores e escravos (ou servos) do lar devem relacionar-se uns com os outros.

Algumas poucas observações preliminares a respeito de 5.22—6.9 poderão ajudar a esclarecer essa passagem:

1) O artigo definido em grego precede a categoria da pessoa à qual está se dirigindo, isto é: "às esposas" (5.22), "aos esposos" (5.25), "aos filhos" (6.1), "aos pais" (6.4), "aos servos" (6.5), e "aos senhores" (6.9). Esta construção é chamada de uso genérico do artigo definido. "De acordo com esse

uso, o artigo congrega todos os indivíduos em uma só classe" (Summers, 120). Dessa forma, Paulo está se dirigindo, de forma abrangente, a todas as esposas, esposos, filhos, pais, servos e senhores cristãos.

2) Os verbos que acompanham esses substantivos coletivos estão no presente do imperativo; isto é, são afirmações que indicam algo que deveria representar uma verdade permanente em nossa conduta. Por exemplo, "os esposos" devem "amar" e "continuar amando" sua esposa (5.25). Os tradutores e os intérpretes concordam que, segundo o propósito de Paulo, o verbo "sujeitar" em 5.21 (no particípio) deveria funcionar como o verbo do 5.22. Em grego, o particípio às vezes tem a força de um imperativo (ordem). O que está apenas implícito no verso 22, e depois sugerido no verso 24, está agora explicitamente ordenado em uma passagem paralela em Colossenses 3.18. Em outras passagens em 5.22—6.9, o tempo imperativo desse verbo é empregado de forma consistente; portanto, em Efésios 5.21 pode ser interpretado como sendo um verbo de transição em toda essa passagem.

3) As considerações sociais e culturais também nos ajudam a compreender a construção e a ênfase que Paulo deu a essa passagem. Por exemplo, o grego e o latim do primeiro século, assim como os professores rabínicos de ética, somente se dirigiam a membros da sociedade que fossem livres e do sexo masculino. No entanto, o Evangelho conduziu esposas, filhos e servos a lugares de honra e de responsabilidade na Igreja e em sua ordem social. Além disso, esposas, filhos e servos não só encontravam liberdade e respeito na Igreja; deles se esperava que se conduzissem com responsabilidade nessa nova posição e de forma a honrar ao seu Senhor. Portanto, a ordem da seqüência de Paulo está dirigida primeiro às esposas e depois aos esposos; primeiro aos filhos e depois aos pais; primeiro aos servos e depois aos seus senhores. Essa revolucionária elevação de posição dos oprimidos a uma posição de honra e responsabilidade explica, inclusive, por que Paulo dedica três versos à educação dos filhos (6.1-3), mas somente um aos pais (6.4); quatro versos aos servos (6.5-8), e somente um verso aos seus senhores (6.9).

4) Freqüentes referências "ao Senhor" são encontradas ao longo de toda essa passagem. A conduta exigida de cada categoria de pessoas "depende totalmente, e passo a passo, da realidade e da validade da obra de Cristo e de sua presença" (Barth, 2.758).

8.1. *Esposos e Esposas (5.22,23)*

No Novo Testamento, essa passagem se apresenta como a exposição mais extensa sobre o relacionamento entre esposos e esposas (cf. Cl 3.18,19; 1 Pe 3.1-7). Em 1 Pedro 3, Pedro se dirige longamente às esposas a respeito da submissão aos seus esposos; aqui, em Efésios, Paulo dedica maior atenção à responsabilidade dos esposos de amar sua esposa como Cristo ama a Igreja. Em relação ao aspecto da "sujeição" em 5.22—6.9, F. F. Bruce escreve (1984, 383).

Embora o código doméstico seja introduzido através de um apelo à sujeição mútua [v. 21], a sujeição imposta pelo próprio código não é mútua. Isto é, embora, no código paralelo em Colossenses 3.18—4.1, as esposas sejam instruídas a sujeitarem-se aos esposos, os filhos a obedecerem aos pais e os servos aos seus senhores, essa submissão não é recíproca: esposos são aconselhados a amar suas esposas, os pais a educar seus filhos com sabedoria e os senhores a tratar seus servos com bondade. Em relação à seção que trata das esposas e dos esposos, sua especial característica em Efésios é que o relacionamento entre eles é tratado de forma idêntica àquele que existe entre Cristo e a Igreja.

Após uma exortação à mútua sujeição no corpo de Cristo (5.21), Paulo trata especificamente do assunto das esposas (5.22-24) e dos esposos (5.25-31). Admoesta as esposas a se sujeitarem ao esposo como sendo a sua "cabeça", da mesma forma que a Igreja se sujeita a Cristo como sua "cabeça". Em seguida, ordena aos esposos que amem sua esposa, assim como Cristo ama sua Igreja. Paulo compara cuidadosamente o relacionamento esposo-esposa ao relacionamento Cristo-Igreja (observe o uso freqüente do comparativo "assim como" e "como também" em 5.22,23,24,25.). A partir daí, Paulo amplia a analogia e focaliza sua atenção quase inteiramente em Cristo e a Igreja (5.26-27). Após algumas outras instruções, em 5.31 cita Gênesis 2.24 a respeito da unidade no casamento; em 5.32 faz uma referência a Cristo e à Igreja, e em 5.33 faz um resumo de toda a passagem. O esposo deve "amar sua esposa" e a "esposa deve reverenciar seu esposo".

8.1.1. Esposas, Sujeitai-vos a vosso Esposo (5.22-24).

De que forma a sujeição exigida de todos em 5.21 está relacionada à sujeição das esposas, sugerida em 5.22, e claramente afirmada em 5.24? O verso 21 estabelece um princípio bastante abrangente, antes de Paulo analisar especificamente o papel do esposo e da esposa, dos filhos e dos pais e dos servos e dos senhores. Assim, Paulo lembra a todos os cristãos, homens e mulheres, o apelo a que se sujeitem mutuamente, antes de lembrar às esposas sua particular responsabilidade de sujeitar-se a seu esposo, em vista da ordem de Deus e dos diferentes papéis no casamento.

O verbo "sujeitar" (*hypotasso*) reaparece em 5.24, onde Paulo diz que as esposas devem se sujeitar a seu marido em tudo, assim como a Igreja se sujeita a Cristo. A sujeição da Igreja a Cristo envolve lealdade, fidelidade, devoção, sinceridade, pureza e amor. Essa questão da sujeição representa a essência dos ensinamentos de Paulo às esposas, pois se trata do foco central de sua exortação em Colossenses 3.18: "Vós, mulheres, estai sujeitas a vosso próprio marido, como convém no Senhor". Todas as passagens do Novo Testamento a esse respeito empregam o mesmo verbo *hypotasso* (Ef 5.22, 24; Cl 3.18; Tt 2.4,5; 1 Pe 3.1). Paulo usa a voz média em grego para enfatizar o aspecto voluntário da sujeição das esposas. *Hypotasso* denota "sujeição no sentido de submeter-se voluntariamente em amor" (BAGD, 848).

Submeter-se aos outros, ao invés de se impor, deveria ser uma característica geral do povo de Deus (cf. Fp 2.3-8).

Nos versos 22-24, Paulo define a natureza da sujeição das esposas de quatro maneiras: "A vosso [próprio, *idiois*] marido" (5.22; *idiois* está em grego e não foi traduzido na NIV); "como ao Senhor" (cf. Cl 3.18, "como é apropriado no Senhor"); "porque o marido é a cabeça da mulher" e "como a igreja está sujeita a Cristo" (5.24).

Em 5.23, Paulo explica por que as esposas devem se sujeitar a seus esposos: "porque o marido é a cabeça [*kephale*] da mulher". Alguns interpretam "cabeça" como significando "fonte", o que denota origem e não autoridade. Nesse contexto, no entanto, Paulo define o que quer dizer por "cabeça" quando acrescenta: "porque o marido é a cabeça da mulher, como também Cristo é a cabeça da igreja" (5.23). É evidente que Cristo é a cabeça da Igreja porque é a autoridade nomeada por Deus para regê-la e, dessa forma, a ela deve sujeitar-se a Ele em tudo (5.24). Os dois conceitos de submissão e de "ser cabeça" são mutuamente elucidativos: "A Igreja se submete à autoridade de Cristo porque Ele é a cabeça ou a autoridade sobre ela" (cf. 1.22; 4.15) (Knight,169).

Os comentários gerais de Paulo em 1 Coríntios 11.3 a respeito de homens e mulheres são bastante instrutivos, pois se referem à questão da ordem divina no relacionamento esposo-esposa: "Mas quero que saibais que Cristo é a cabeça de todo varão, e o varão, a cabeça da mulher; e Deus, a cabeça de Cristo". As questões a seguir foram levantadas por Paulo em 1 Coríntios 11.3,8,9 e Efésios 5.22-33:

1) Paulo deixa claro que existe em Cristo uma perfeita igualdade espiritual entre homens-esposos e mulheres-esposas como herdeiros da graça de Deus; no entanto, trata-se de uma igualdade que envolve ordem e subordinação com respeito à autoridade. Como Deus é a cabeça de Cristo, Cristo é a cabeça do homem, e o homem é a cabeça da mulher. A palavra "cabeça" expressa tanto a autoridade como a ordem divina (cf. Jz 10.18; 1 Co 3.23; 11.8, 10; 15.28; Ef 1.21,22; 5.23,24; Cl 1.18; 2.10).

2) Dessa forma, Paulo baseia a autoridade do esposo não em considerações de ordem cultural, mas no propósito e na ordem de Deus na criação (1 Co 11.8,9) e na analogia paralela da autoridade de Cristo sobre a Igreja (Ef 5.23).
3) A subordinação não é humilhante porque não implica inferioridade ou supressão. Assim como Cristo não é inferior ou secundário pelo Pai ser sua cabeça, da mesma forma a esposa não é uma pessoa secundária pelo esposo ser sua cabeça (5.23; cf. 1 Co 11.3).
4) Além disso, no reino de Deus, liderança nunca implica ser "maior". O ato de servir e a obediência são a chave para a grandeza em seu reino (Mt 20.25-28; Fp 2.5-9).
5) Como a autoridade do esposo dentro do matrimônio está relacionada à declaração de Paulo em Gálatas 3.28, onde afirmando a essencial natureza social do evangelho declara que, em Cristo, "não há judeu nem grego; não há servo nem livre; não há macho nem fêmea; porque todos vós sois um em Cristo Jesus"? Nesse ponto Paulo declara que, em Cristo, o evangelho remove todas as barreiras étnicas, raciais, nacionalistas, sociais, econômicas e sexuais na Igreja. Em Cristo, todos são igualmente co-herdeiros da "graça da vida" (1 Pe 3.7), do prometido Espírito (Gl 3.14; 4.6) e da renovação à imagem de Deus (Cl 3.10,11). No entanto, dentro deste contexto de igualdade espiritual, homens permanecem homens, e mulheres permanecem mulheres (Gn 1.27). O papel que Deus lhes destinou no matrimônio e na sociedade permanece inalterado (1 Pe 3.1-4).

8.1.2. Esposos, Amem a sua Esposa (5.25-33). O propósito de Deus, de que a esposa deve sujeitar-se a seu esposo da mesma forma que a Igreja se sujeita a Cristo, exige uma graça atuante. No verso 25, Paulo confronta o esposo com um encargo muito mais difícil, que exige uma qualificação sobrenatural ainda maior: "Vós maridos, amai vossa mulher, *como também* Cristo amou a igreja e a si mesmo se entregou por ela". Observe que Paulo não acentua a "autoridade do esposo sobre a esposa, porém o seu amor por ela" (Stott, 231). A condição de "cabeça" desempenhada pelo esposo, ou sua autoridade, não é aquela de um homem dominador que toma todas as decisões e exige a submissão da esposa. Pelo contrário, Paulo cuidadosamente protege a dignidade e o bem-estar de uma esposa ao definir a autoridade do esposo em termos do poder e da profundidade de seu amor sacrificial por ela.

Além disso, Paulo emprega o presente do imperativo para enfatizar que o amor abnegado do esposo por sua esposa deve ser permanente e ininterrupto. O termo que Paulo usa para amor é *agapao*, que é mais do que a expressão espasmódica de um amor romântico, que se origina da atração física ou do desejo, e que vai além da dimensão do amor amigo ou de uma afeição permanente. O tipo de amor que um esposo deve sentir pela esposa é um amor generoso que procura ativamente o mais elevado bem-estar de sua esposa. É o amor do compromisso que permanece firme e constante em meio a todas as circunstâncias ou adversidades. É um amor que se mantém resoluto perante os fluxos emocionais ascendentes e descendentes da vida. Esse é o único tipo de amor que permite a um matrimônio manter-se unido "enquanto ambos viverem".

O padrão do amor do esposo pela esposa é o mesmo do amor de Cristo pela Igreja. Paulo descreve esse amor de quatro maneiras:
1) É um *amor abnegado* (5.25), o amor que Cristo demonstrou na cruz. Nenhum outro padrão mais elevado de amor seria concebível. C. S. Lewis (em *"The Four Loves"*, 1960, 148) afirma que esse é o tipo de amor de Cristo.

> Não está totalmente personificado nos esposos, como todos gostaríamos que estivesse, mas naquele cujo matrimônio parece mais uma crucificação; cuja esposa recebe o máximo, porém devolve o mínimo, é a mais indigna dele, é — conforme sua própria natureza — a menos amável...
> [Esse amor] não é encontrado nas alegrias do casamento de qualquer homem, porém na tristeza, doença e sofrimento de uma

boa esposa, ou nos erros de outra que não o seja, em seu cuidado incessante (nunca igualado) ou em sua inexaurível misericórdia: em seu perdão, e não na sua aquiescência.

2) O amor do esposo, semelhante ao de Cristo, é um *amor santificador* (5.26-27). Paulo usa cinco verbos para descrever a imensa dimensão do amor de Cristo por sua noiva, a Igreja. Ele "*a amou*" (5.25b), "*sacrificou-se por ela*" ou "*se entregou por ela*" (5.25c), para "*santificá-la*" (5.26a) e "para *a apresentar* a si mesmo igreja gloriosa, *sem mácula, nem ruga*" (5.27). O amor abnegado de Cristo pela igreja exerce sobre ela um efeito de santificação e de embelezamento. Da mesma forma, quando um esposo ama sua esposa "como Cristo amou a Igreja", esse amor a santificará e embelezará. Observe que Cristo torna a Igreja santificada "purificando-a com a lavagem da água" (não a regeneração pelo batismo, porém a pureza da regeneração em Tt 3.5, a qual é testemunhada pelo batismo) "pela palavra" (ou por uma confissão de fé ou da palavra expressa pelo Espírito de Deus que libera a fé).

3) O amor do esposo, semelhante ao de Cristo pela Igreja, é um *amor provedor* (5.28-30). Paulo torna a focalizar o amor do esposo pela esposa e menciona duas coisas a respeito desse amor, como um amor provedor: (a) Os maridos devem amar a sua própria mulher "como a seu próprio corpo" (5.28a). Assim como a Igreja é o "corpo" de Cristo sobre a terra, também a esposa é a "extensão" de seu esposo. Em conjunto, esposo e esposa são partes complementares de uma única personalidade. Portanto, quando um esposo cuida amorosamente de sua esposa, "ama-se a si mesmo" (5.28b); (b) Quando um esposo considera a esposa como parte de si mesmo, protege-a e cuida dela adequadamente "como também o Senhor [faz] à igreja" (5.29). "Alimenta" e "sustenta" (literalmente "nutre" e "protege") se refere a uma provisão prática e tangível de afeto.

4) O amor do esposo, semelhante ao de Cristo pela Igreja, é um *amor permanente, ou seguro* (5.31-32), uma união santificada e vinculadora, que dura toda a vida. Em 5.31, Paulo se refere a Gênesis 2.24 como base para esse argumento (como Jesus, cf. Mt 19.5,6). É parte do "mistério" do matrimônio que o esposo e a esposa se tornem "uma só carne", através do matrimônio (Ef 5.31b,32a). Suas vidas estão tão intimamente ligadas que podem ser considerados uma única pessoa. Nessa unidade, a esposa pode sujeitar-se a seu esposo, e o esposo pode amar e proteger sua esposa, de forma a até mesmo desistir dos próprios interesses em troca de seu bem-estar. Dessa forma, Paulo encontra "um grande mistério" no relacionamento entre Cristo e a Igreja, representado pelo vínculo do matrimônio. Ao longo dos versos 5.22-33, Paulo interpreta o relacionamento do matrimônio à luz da união de Cristo com a Igreja e, por meio dessa interpretação, transforma o conceito do matrimônio no ideal mais elevado que o mundo pode conhecer.

O verso 33 faz um resumo das responsabilidades mútuas que o esposo e a esposa têm um para com o outro. A responsabilidade da esposa é reafirmada em termos de "respeito" (literalmente, "reverência"). No entanto, é uma reverência no "sentido de admiração que traduz um respeito apropriado pelo esposo" (Summers, 127).

8.2. Pais e Filhos (6.1-4)

8.2.1. Filhos, Obedeçam a seus Pais (6.1-3). O poder salvador de Cristo ao lado da poderosa presença do Espírito Santo tornam possível um relacionamento harmonioso dentro da família. Paulo agora passa a discutir o relacionamento entre pais e filhos. Enquanto a ruptura do relacionamento matrimonial e a desobediência dos filhos são sinais de uma sociedade em desintegração, um relacionamento santo e harmonioso na família são um testemunho vivo da presença de Cristo na sociedade.

Escrevendo ao corpo de Cristo como um todo, Paulo ordena aos filhos que "obedeçam a seus pais" (6.1). O presente do imperativo do verbo "obedecer" fala da obediência como um comportamento habitual e permanente, ou contínuo. Em seguida, Paulo apresenta quatro razões que justificam essa afirmação:

1) "Sede obedientes a vossos pais *no Senhor*". Essa frase pode ser interpretada de duas maneiras: (a) ela define os limites da obediência como sendo devida aos pais cristãos; vista dessa forma, a expressão "no Senhor" modifica "pais" (Bruce, 1961, 121); (b) alguns consideram essa expressão como qualificadora do verbo "obedecer". Se essa for a interpretação correta, a expressão "no Senhor" mostra simplesmente o espírito pelo qual a obediência deve ser prestada: a obediência cristã "assim como ao Senhor" (Abbott, 176; Lincoln, 402).

2) Os filhos devem obedecer aos pais "porque isto é justo" (cf. a passagem paralela em Colossenses 3.20, "porque isto é agradável ao Senhor"). O sentido aqui é de que isso é correto, justo. "Justo" (*dikaion*) em grego tem a mesma raiz da palavra "correto" (*dikaiosyne*). Stott (238-39) argumenta que a obediência à autoridade paterna é uma "lei natural" ou uma "revelação geral" que é justa e verdadeira em todas as culturas através dos séculos.

3) Os filhos devem obedecer a seus pais por se tratar de um "mandamento" de Deus (6.2) — aquele que diz "Honra a teu pai e a tua mãe" (cf. Êx 20.12; Dt 5.16). Novamente, o verbo "honrar" está no presente do imperativo (*tima*), e transmite a necessidade de uma contínua honra aos pais (Summers, 129). Salmond afirma (375): "A obediência é um dever; a honra é a atitude da qual nasce a obediência". A honra está relacionada ao respeito pelos pais e é diferente de uma total conformidade.

4) A razão final de Paulo sobre a obediência aos pais é que os crentes receberam uma promessa de Deus para assim fazer: "Para que te vá bem, e vivas muito tempo sobre a terra" (6.2,3). Bruce (1961, 121) observa que esse é o quinto mandamento do Decálogo, porém o primeiro e único onde está inserida uma promessa. E é o "primeiro" não só em relação ao Decálogo, mas também a toda a lei do Pentateuco. O respeito adequado aos pais demonstra o princípio de uma correta maneira de viver, que traz consigo a recompensa do bem-estar e da continuidade da vida.

8.2.2. Pais, não Provoqueis vossos Filhos à Ira (6.4). Assim como a responsabilidade da esposa de se sujeitar é acompanhada pela responsabilidade do esposo de amar (5.22-33), aqui a obrigação que os filhos têm de obedecer é acompanhada pela responsabilidade dos pais em relação a seus filhos. Os pais são mencionados por causa de seu papel regulador como cabeças ou líderes da família (a responsabilidade da mãe está incluída nesta classificação).

A responsabilidade dos pais está definida em termos de comandos positivos e negativos:

1) No comando negativo, os pais não devem "provocar a ira a seus filhos" (6.4). Os pais terrenos são extremamente importantes na formação do conceito dos filhos a respeito do Pai celestial. Devem se lembrar que um relacionamento adequado com seus filhos é mais importante que o correto desempenho dos filhos. Os pais devem evitar irar, incitar ressentimentos ou desanimar seus filhos através da imposição de expectativas exageradas, ou de um severo ou injusto tratamento ou disciplina, e assim por diante. Isso não implica que os pais devam adotar uma política de não corrigir os seus filhos. Significa simplesmente que devem se conduzir de forma a não predispor seus filhos à desobediência ou rebelião.

2) Paulo dá aos pais uma ordem positiva: "Eduquem-nos" ou "criai-os na doutrina e admoestação do Senhor". Os pais são responsáveis por tomar a iniciativa no lar de treinar e ensinar os filhos no que concerne ao Senhor. "Criar" significa sustentar ternamente ou dispensar amoroso cuidado e proteção. Essa tarefa é descrita mais detalhadamente de duas formas: (a) "Treinar" (*paideia*) significa criar e ensinar "principalmente porque se consegue pela disciplina e castigo" (BAGD, 608). Dessa forma, a expressão "criar" está relacionada ao desenvolvimento do caráter, enquanto (b) "ensinar" ou "instruir" (*nouthesia*) está relacionado a questões que envolvem o caminho da justiça.

No final do verso 4, a frase de Paulo, acompanhada de preposição "do Senhor", pode ser interpretada de uma das duas seguintes maneiras. No caso do ablativo grego, ela significa "concernente ao Senhor";

no caso do genitivo, indica "o Senhor é o padrão ou a fonte que conduz". Ambas as possibilidades são verdadeiras. Porque os filhos são uma "herança do Senhor" (Sl 127.3), "treinar" e "ensinar" são responsabilidades extremamente importantes dos pais e das mães. Embora o treinamento dos pais e a conduta dos filhos sejam muitas vezes menos que perfeitos, onde o relacionamento pai-filho é santo e correto, o resultado geralmente será correto e salutar (cf. Pv 22.6).

8.3. Senhores e Servos (6.5-9)

8.3.1. Servos, Obedeçam a seus Senhores Terrenos (6.5-8).

Da mesma forma como a esposa e os filhos, os servos também foram elevados pelo evangelho a um lugar de honra e respeito na Igreja, e Paulo os menciona primeiramente em quatro versos relativos à responsabilidade que acompanha essa sua nova posição. O fato de Paulo mencionar primeiro os servos indica que estes foram aceitos como membros respeitados da Igreja, que poderão honrar seu Mestre celestial da mesma maneira como serviam seus senhores terrenos. Em cada um dos quatro versos dirigidos aos servos, Jesus Cristo é o foco e o motivo principal de seu serviço, pois devem servir "fazendo de coração a vontade de Deus" (6.6), "como servos de Cristo" (6.6), "servindo de boa vontade como ao Senhor e não como aos homens" (6.7), sabendo que "cada um receberá do Senhor todo o bem que fizer" (6.8).

Alguém poderia perguntar: "Por que o Novo Testamento não condena explicitamente a escravidão como sendo um mal, ao invés de conformar o relacionamento dos crentes com ela?" No primeiro século do mundo romano, a igreja primitiva era politicamente impotente. Se tivesse atacado diretamente a instituição romana da escravidão, e procurado emancipar em grande escala os escravos, teria confirmado "a suspeita de muitos membros desta autoridade de que o evangelho tinha como objetivo a subversão da sociedade. A melhor atitude era estabelecer claramente os princípios do evangelho e deixar que estes agissem no tempo oportuno sobre essa iníqua instituição" (Bruce, 1961, 125). No entanto, o evangelho de Cristo realmente concedeu liberdade espiritual e dignidade pessoal aos escravos. Também colocou em movimento os princípios que ajudaram a remover a crueldade da escravidão romana, o que, ao final, levou à sua extinção na comunidade cristã (veja a carta de Paulo a Filemom).

Paulo ensina aos escravos cristãos por meio de duas frases.

1) Ele os aconselha a "obedecer a seus senhores segundo a carne" (6.5). A liberdade espiritual não deve levá-los a se revoltarem contra seus senhores. Pelo contrário, agora como um crente, o escravo deverá prestar uma obediência e uma lealdade ainda maiores "porque a honra de Cristo, e do evangelho, estava vinculada à qualidade de seu serviço" (Bruce, 1961, 123). Paulo exorta os escravos a obedecerem sa eus senhores (a) "com temor e tremor" (literalmente, temor e medo), para que sua conduta não traga opróbrio ao nome de Cristo; (b) "na sinceridade de vosso coração", isto é, "sem intenções secundárias ou posteriores" (Summers, 132), "não servindo à vista, como para agradar aos homens"; mas (c) "fazendo de coração a vontade de Deus" (literalmente, "com toda sua alma", o oposto à relutância e indiferença).

2) Paulo aconselha os escravos cristãos a servirem seus senhores terrenos (a) com "sinceridade" (6.7; literalmente, "de boa vontade"), o que sugere uma pronta disposição que "não espera para ser obrigada" (Robinson, 211) e (b) "servindo de boa vontade como ao Senhor e não como aos homens". A razão de tal serviço é "que cada um receberá do Senhor todo o bem que fizer" (6.8). A frase "Bem está", pronunciada por Cristo no julgamento (Mt 25.21, 23), é muito mais importante do que os benefícios temporais ou a falta deles. Assim, os servos cristãos podem servir com alegria, mesmo aos senhores mais cruéis, sabendo que sua recompensa virá de Cristo.

8.3.2. Senhores, Tratem seus Escravos — ou Servos — com Justiça (6.9).

Paulo aconselha os senhores a "tratar [seus] escravos [ou servos] da mesma forma", isto é, com respeito e de acordo com a Regra Áurea. Deverão dedicar a seus escravos (ou servos) toda a cortesia que desejam receber. Paulo proíbe aos senhores cristãos o uso de ameaças ou qualquer forma de crueldade a fim de assegurar a obediência dos escravos, como era comum entre os senhores romanos.

A frase "O Senhor deles e vosso" indica que Paulo está se dirigindo ao relacionamento senhor-escravo ou senhor-servo (exatamente como acontecia entre Filemom e Onésimo). "Não há acepção" em seu Senhor celestial; Deus considera igualmente senhores e escravos, ou servos, e não mostra qualquer parcialidade. "Acepção" (NIV) ou "parcialidade" (KJV, NASB, NRSV) é uma palavra composta que consiste de duas outras que significam "face" e "receber". O Senhor no céu não recebe ou avalia uma pessoa com base em sua aparência física, nas circunstâncias exteriores ou em sua posição na vida; pelo contrário, Ele recebe uma pessoa de acordo com a resposta à sua graça e a condição íntima de seu coração. Tratar um ser humano de forma menos justa ou correta é contestar aquele que não mostra qualquer parcialidade.

Será que essas palavras seriam relevantes hoje em dia? Embora o relacionamento senhor-escravo não seja exatamente igual ao relacionamento patrão-empregado, os princípios que Paulo expõe em 6.5-9 se aplicam a empregados e patrões cristãos. Observe como Paulo retorna à ênfase sobre as disputas atuais entre as duas classes onde "cada lado se concentra em assegurar seus próprios direitos e em induzir o outro a cumprir os seus deveres... Paulo insiste em que cada lado se concentre em suas responsabilidades e não em seus direitos" (Stott, 258-259). A aplicação dessa ênfase é a melhor abordagem para a solução de problemas mútuos, em qualquer nível da vida.

9. Estar Capacitado e Equipado para a Batalha Espiritual (6.10-20)

É comum que autores do Novo Testamento terminem suas cartas fazendo um apelo baseado na mensagem mais importante que está ali contida. Isso é o que Paulo faz em 6.10-20; em outras palavras, esses versos devem ser entendidos no contexto de todo o livro de Efésios. Essa passagem não é uma variação ou um apêndice para pessoas que têm "um interesse especial pelo estudo dos demônios e do combate espiritual" (Turner, 1242). Antes, está relacionada ao plano de Deus para a redenção, e para a reconciliação cósmica que é o objetivo da morte-ressurreição-exaltação de Cristo.

Esses versos descrevem a maneira pela qual, por meio da graça salvadora de Deus e em Cristo, fomos libertos do pecado e das garras de Satanás. Descrevem, também, como devemos viver agora como judeus e gentios redimidos, esposas e esposos, filhos e pais, escravos (ou servos) e senhores, considerando que nesse mundo vivemos em uma zona de guerra que está sempre sendo atacada e desafiada pelo malicioso inimigo de Deus — Satanás e sua rede de maus e poderosos espíritos. "Dessa forma, Paulo preferiu reconstruir sua mensagem sob a forma de um tema de guerra" (Turner, 1242) no qual toda a Igreja é considerada corporativamente como participando de "uma batalha cujos principais antagonistas são Deus e o Diabo" (Lincoln, 442).

Freqüentemente o Novo Testamento emprega a linguagem militar para descrever a realidade da guerra espiritual que acompanha tanto a batalha espiritual entre Deus e Satanás (batalha vertical), como o conflito terreno entre crentes e maus espíritos dessa era de trevas (batalha horizontal). Paulo aconselha seus leitores dizendo: "fortalecei-vos no Senhor e na força do seu poder" (6.10), "Revesti-vos de toda a armadura de Deus" "para que possais estar firmes contra as astutas ciladas do diabo" (6.11) e "para que possais resistir [literalmente em grego] no dia mau" (6.13). Ele insiste que nossa luta não é contra carne e sangue, mas contra os espíritos malignos que descreve segundo quatro categorias: "principados", "potestades", "príncipes das trevas" e "hostes espirituais da maldade, nos lugares celestiais" (6.12). Da mesma forma, nossas armas não são carnais ou terrenas, mas espirituais (2 Co 10.4). Assim, Paulo afirma que nosso equipamento para essa batalha é toda a armadura de Deus (6.14-18).

Essa linguagem representa uma mudança abrupta do cenário de 5.22—6.9. Gostaríamos de poder viver toda nossa vida em paz e tranqüilidade, mas o fato é que o inimigo de Deus também é nosso inimigo, e é bastante combativo. "Além disso, não haverá uma interrupção de hostilidades, nem mesmo uma trégua temporária ou um cessar-fogo, até o fim de nossa vida ou da história, quando a paz celestial será alcançada" (Stott, 262).

O verso 10 começa com a frase: "No demais", ou "finalmente". Essa frase não significa que Paulo tenha chegado ao fim de sua carta; pelo contrário, significa "daqui a diante, ou a partir daqui", e está indicando, dessa forma, "o tempo restante". Portanto, Paulo está enfatizando que "todo o período contido entre as duas vindas do Senhor será caracterizado pela presença de conflitos. A paz que o Senhor estabeleceu através da cruz de Cristo somente será experimentada no meio de uma luta sem tréguas contra o mal. E para isso, o poder do Senhor e a sua armadura serão indispensáveis" (Stott, 262-63).

A guerra espiritual de que participamos tem uma característica única. Não perseguimos o inimigo, nem adotamos ações de ataque contra ele (dessa forma, as principais armas do soldado romano, as lanças duplas, estão ausentes da relação de Paulo). Ao contrário disso, "permanecemos firmes contra o inimigo" (6.11), defendemos nosso terreno (6.13) e continuamos "firmes" (6.14). Devemos manter uma posição firme, "no ápice da montanha... e o inimigo deve se cansar em seu constante ataque dirigido ao alto" (Turner, 1243). A posição firme que Paulo tem em mente é que estamos sentados ao lado de Cristo no reino celestial (1.20; 2.6), onde Cristo está colocado muito acima de "principado, e poder, e potestade, e domínio" (1.21), tendo sujeitado "todas as coisas a seus pés" (1.22). A vitória do crente já foi assegurada pelo próprio Cristo, através de sua morte na cruz, e devemos nos apoiar nessa vitória.

Na cruz, Jesus travou a batalha crucial contra Satanás: "E, despojando os principados e potestades, os expôs publicamente e deles triunfou em si mesmo" (Cl 2.15; cf. Mt 12.29; Lc 10.18; Jo 12.31; 19.30). Dessa forma, "O Dia D" aconteceu na morte e ressurreição de Jesus, momento em que Deus fincou sua bandeira na terra sob a forma de uma cruz. O inimigo sofreu um golpe fatal e a vitória foi garantida, porém, a guerra não terminou. A vitória completa, "O Dia V", ainda está por chegar quando Cristo retornar à terra. Nesse ínterim existe um "dia do pecado" e devemos defender nossa posição que foi conquistada por Jesus Cristo.

Como bons soldados de Cristo, devemos suportar os sofrimentos (2 Tm 2.3), sofrer pelo Evangelho (Mt 5.10-12; Rm 8.17; 2 Co 11.23; 2 Tm 1.8), combater o bom combate pela fé (1 Tm 6.12; 2 Tm 4.7), travar a guerra (2 Co 10.3), perseverar (Ef 6.18), ser mais que vencedores (Rm 8.37), ser vitoriosos (1 Co 15.57), triunfar (2 Co 2.14), defender o evangelho (Fp 1.16), combater pela fé (Fp 1.27; Jd 3), não temer os oponentes (Fp 1.28), nos revestir de toda a armadura de Deus (Ef 6.11, 13), estar firmes (v. 14), destruir com a verdade os baluartes de falsidade de Satanás (2 Co 10.4), levar cativo todo entendimento à obediência de Cristo (2 Co 10.5), e ser poderosos na batalha (Hb 11.34).

9.1. Nosso Aliado — Deus (6.10-11a)

"O Senhor" nosso Deus é um aliado onipotente. Embora nosso inimigo seja um grande antagonista, não é onipotente, onipresente nem onisciente. Somente Deus é um ser infinito; Satanás é finito. Entretanto, é um inimigo real e poderoso, que "anda em derredor bramando como leão, buscando a quem possa tragar" (1 Pe 5.8) e, se tentarmos combatê-lo com nossas próprias forças e recursos, seremos vencidos. Paulo nos exorta a encontrar nossa força no Senhor e na força do seu poder (cf. 6.10; 1.19,20; 3.16-21).

O verbo "fortalecei-vos" está no passivo do imperativo presente e significa "seja fortalecido" ou "seja capacitado". Uma interpretação mais literal de 6.10 é "Seja capacitado pelo Senhor e pelo poder de sua força" (cf. 3.16). Nesse combate seria não só tolo como perigoso tentar ser forte com o apoio apenas de nossa autoconfiança. Ao invés da auto-suficiência, Paulo exorta os crentes a fortalecerem-se sobrenaturalmente na força do seu poder (cf. Sl 18.1,31,32,39).

Um segundo imperativo ocorre em 6.11a: "Revesti-vos de toda a armadura de Deus". Para que os crentes prevaleçam diante dos ataques de Satanás, necessitam não só do poder de Deus, mas também de sua armadura. Essa armadura pertence a Deus, não somente no sentido de que Deus no-la dá, mas é também a armadura vestida pelo próprio Messias (Is 11.4,5) e por Jeová (59.17). As palavras de Paulo deixam claro que Deus fornece a armadura, porém cabe a nós a responsabilidade de nos revestirmos dela. Não "renascemos" com ela. Devemos nos revestir e viver dentro dela, e nunca nos desarmarmos sob a ilusão de que as hostilidades diminuíram ou cessaram.

9.2. Nosso Inimigo — Satanás e suas Forças (6.11b, 12)

Paulo admoesta seus leitores a estarem firmes, ou seja, devem adotar uma posição definida "contra as astutas ciladas do diabo". Fazer uma avaliação adequada do inimigo é uma condição crucial em uma guerra. E subestimar nosso inimigo espiritual pode levar-nos a negligenciar o poder de Deus e sua armadura, que são os suprimentos necessários a este combate espiritual. "Ciladas" se referem aos métodos astuciosos que o Diabo usa contra os crentes e a Igreja. Algumas de suas estratégias são a tentação, a acusação, a intimidação, a decepção e a divisão. Já foi mencionado o plano de Satanás (4.27) de "se aproveitar de relações estremecidas e de sentimentos de ira entre os crentes, a fim de prejudicar seu bem-estar e seu testemunho pessoal ou coletivo" (Bruce, 1984, 404). Paulo também exorta os crentes a não ignorarem as artimanhas de Satanás, para que não leve vantagem sobre eles (2 Co 2.11). Por esse motivo os crentes devem ser espiritualmente capacitados e equipados para que possam "estar firmes" contra tais ciladas.

O verso 12 revela claramente que nossos verdadeiros inimigos na vida não são humanos, porém espíritos malignos sujeitos ao demônio (cf. 2.2; 6.11). A palavra "lutar" significa um encontro corpo a corpo, ou um combate face a face, e era empregada para fazer alusão às lutas romanas (cf. KJV, NKJV). Embora as lutas romanas em "carne e sangue" fossem um esporte muito comum em Éfeso e na província da Ásia, a Igreja está comprometida com um encontro de "forças espirituais" de dimensões cósmicas, que tornam necessárias a armadura e as armas de Deus.

Três aspectos caracterizam os espíritos demoníacos que pelejam contra a Igreja: são poderosos (com diferentes influências e categorias), malignos (odeiam a luz e habitam as trevas do pecado e da falsidade), e astuciosos (conspiradores de falsas artimanhas) (veja Stott, 263-66). Esta hoste de espíritos malignos poderosos é aparentemente composta por seres angelicais decaídos (cf. Jd 6; Ap 12.4), sob o comando de Satanás (cf. Jo 12.31; 14.30; 16.11; Ap 12.7) como o deus deste século (2 Co 4.4; 1 Jo 5.19). Juntamente com Satanás, operam nos ímpios (Ef 2.2), que se opõem à vontade de Deus e a seu povo (Dn 10.12,13; Mt 13.38,39) e procuram atacar os crentes em nossos dias (cf. 1 Pe 5.8; também Jó 1.1,2). Formam uma grande multidão (Ap 12.4, 7) e são designados para diferentes posições de categoria e autoridade no reino das trevas (Ef 6.12).

Paulo menciona a existência de quatro categorias entre as hostes de Satanás, que governam as trevas e opõem-se a todos os crentes e à Igreja:
1) "Principados" (*archai*) são espíritos malignos poderosos que mantêm os "territórios que lhes foram confiados" (Thayer). Delling escreve (*TDNT*, 1.479): "*Arche* sempre significa 'primazia', ou, referindo-se ao tempo: 'começo'... ou, referindo-se à categoria; 'poder', 'domínio' ou 'ofício'". Talvez sejam aqui governantes regionais das diversas ca-

tegorias demoníacas, tais como "o [espírito] príncipe da Pérsia" e "o [espírito] príncipe da Grécia" em Daniel 10.12,13,20.
2) "Potestades" (*exousiai*) pode se referir àqueles espíritos malignos poderosos que receberam autoridade de Satanás para presidir sobre todas as estruturas pecadoras do mundo.
3) "Príncipes das trevas" (*kosmokratoroi*) significa, literalmente, "governantes do mundo" que, ao lado de Satanás, governam sobre a atual ordem mundial, organizada em rebelião contra Deus.
4) "Hostes espirituais da maldade" pode compreender todos os poderosos espíritos malignos (Lincoln, 444), ou se referir às vastas hostes de demônios de categoria inferior que servem aos propósitos iníquos de Satanás para a destruição geral, e para manter os homens em escravidão.

Paulo usa, em Efésios, cinco vezes a expressão "nos lugares celestiais". Ela sempre está ligada à esfera espiritual invisível, em contraste com a visível dimensão material da vida (veja comentários sobre 1.3). O Novo Testamento sugere seis estágios para o desdobramento do drama de Satanás e de sua hoste demoníaca: "sua criação original, sua queda subseqüente, sua decisiva conquista por Cristo, seu aprendizado através da Igreja [3.10], sua permanente hostilidade e sua destruição final" (Stott, 273).

9.3. Nossas Armas — Toda a Armadura de Deus (6.13-20)

9.3.1. A Armadura (6.13-17). No Verso 6.13, Paulo repete a exortação previamente enunciada em 6.11 ("Portanto, tomai toda a armadura de Deus") — desta vez, em vista de 6.12, isto é, das hostes de Satanás que estão envolvidas na guerra espiritual. Uma palavra diferente para "vestir" (*analabete*) foi usada aqui, embora em 6.11 tenha sido utilizado o termo *endysasthe* (significando "estar vestido com"). *Analabete* significa "tomar" de modo resoluto para que, mesmo debaixo do ataque mais rigoroso, o crente possa resistir ao inimigo e "estar firme" em sua posição.

Paulo, por três vezes, exorta os crentes a "estarem firmes" (6.11,13,14). Com isso, quer dizer que os crentes e a Igreja devem permanecer constantes e inabaláveis, "estando firmes" quando a batalha espiritual for intensa, sustentando sua posição quando o conflito estiver se aproximando de seu final, sem serem "deslocados ou abatidos, porém mantendo-se firmes e vitoriosos em seus postos" (Salmond, 3.385). Observe que diferentes aspectos de "estar firmes" são enfatizados durante a passagem (6.10-20). Devemos "estar firmes" (6.14a), na força do poder de Cristo (6.10), contra as ciladas do Diabo (6.11), com nossa armadura firmemente colocada (6.11a,13a) e em oração (6.18-20).

A frase "Para que possais resistir no dia mau" se refere àqueles momentos quando o assalto do inimigo é mais forte contra nós. A tensão nos últimos dias do "já, mas ainda não" opera durante todo o período entre a Primeira e a Segunda Vinda de Cristo, embora seja mais evidente durante os momentos em que "mais partilham da terrível sensação 'do último dia'" (Turner, 1243).

Em 6.14-17, Paulo faz uma descrição das várias partes da armadura vestida pelo soldado romano e, em seguida, mostra sua aplicação espiritual (cf. Is 11.4,5; 59.17). Observe que suas metáforas não são empregadas de forma rígida (por exemplo, em 1 Ts 5.8, a couraça é a fé e o amor, enquanto aqui é a justiça). Observe também que Paulo menciona a vigilância na oração (6.18) como necessária para estarmos plenamente preparados para a guerra espiritual.

O verso 14 introduz dois importantes itens: a verdade e a justiça. A verdade é comparada ao cinto do soldado ao redor de seus lombos, e a justiça à couraça. O cinto era um aparato de couro que garantia que a túnica do soldado permanecesse presa durante a luta, ajudava a proteger o corpo e mantinha a espada em seu lugar quando não estivesse lutando. A "couraça" fornecia proteção desde o pescoço até a parte superior das coxas (isto é, todo o tronco e os órgãos vitais).

Turner (1243) observa que aqui, assim como em Isaías 11.5; 59.17, verdade e justiça (embora muitas vezes sejam interpretadas em referência ao evangelho e à sua dádiva de justiça através da fé) "denotam qualidade de caráter e se posicionam ao lado da 'santidade' em 4.24,25 e da 'bondade' em 5.8,9. Paulo está dizendo que o armamento básico da Igreja para a batalha espiritual é a integridade (de caráter) e uma vida (conduta) justa, e que essas qualidades são eficientes porque ostentam o selo de Jesus e da nova criação que Ele nos trouxe" (4.17-24).

Certamente é verdade que qualquer virtude que possamos ter representa um dom concedido gratuitamente por Deus através da fé em Cristo (Rm 3.21,22; 4.13). Mas também é verdade (veja Ef 4.22-24; 5.9; 6.14) que justiça se refere à retidão de caráter e conduta. Na guerra espiritual devemos estar cingidos pela verdade no falar e no comportamento (viver na verdade), e protegidos pela retidão moral ou integridade. A falsidade, ou a falta de integridade, irão nos expor diretamente ao inimigo.

Às vezes o verso 15, "calçados os pés na preparação do evangelho da paz", é interpretado como significando a prontidão dos pés para proclamar o evangelho da paz (NRSV). Entretanto, o argumento de Paulo envolve uma preparação de nossos pés para nos manter firmes na batalha, e não para divulgar o evangelho. O apóstolo está enfatizando a importância de um seguro sustentáculo ao enfrentar o inimigo. O soldado romano usava sandálias com cravos e travas para que, mesmo em terrenos escorregadios, pudesse manter-se firmemente e apoiado nos combates corpo a corpo.

A NIV traduz corretamente esse verso, dizendo que nossos pés estão "equipados com a prontidão que vem do evangelho da paz". Não é a prontidão para anunciar o evangelho (embora isso seja importante), porém a prontidão para a batalha, "para permanecer inabalável contra o inimigo" (Foulkes, 175), o que é produzido em nós pela paz de Deus através do evangelho. É a paz de Deus, que excede todo o entendimento, [que] guardará os nossos corações e os nossos sentimentos em Cristo Jesus (Fp 4.7), quando Satanás atacar, dando-nos assim confiança para nos mantermos firmes em nossa posição e para não nos retirarmos com medo ou em desespero.

A palavra grega para "escudo" (v. 16) está relacionada à palavra "porta". Assim, o escudo que Paulo tem em mente não é aquele pequeno e redondo, porém, um escudo grande e retangular (com aproximadamente 82.5cm de largura por 1 metro e 32cm de comprimento), feito com camadas alternadas de madeira, bronze e couro de boi. Nas batalhas, ele poderia ser usado lado a lado com os demais e desse modo formar uma barreira de proteção à frente ou uma cobertura acima das cabeças. Antes da batalha, o couro era embebido em água para que as flechas flamejantes, banhadas com piche, se extinguissem ou caíssem inofensivas no solo.

A "fé" é o escudo que fornece proteção ao crente contra "todos os dardos inflamados do maligno". Esses "dardos inflamados" incluem tentações, acusações, perseguições, calúnias, heresias e outras tentativas de derrotar o crente e dividir a Igreja. Todos esses dardos devem ser contra-atacados com a fé. De acordo com Turner (1244) a fé em Efésios

> Significa a abertura radical a Deus, que permite a plenitude da habitação de Cristo, e nos proporciona um entendimento profundo de seu amor insondável (cf. 3.17). A expressão: *Tomando sobretudo o escudo da fé* sugere então uma atitude positiva e deliberada de apoio no Deus revelado pelo evangelho; uma firme e resoluta dependência do Senhor, que extingue as tentativas ardentes do inimigo de ferir e espalhar o pânico.

As últimas duas peças da armadura vestidas pelo soldado romano são o capacete e a espada (v. 17). O capacete foi desenhado para proteger a cabeça nas batalhas. A mente do crente é o maior campo de batalha da guerra espiritual. Nossa libertação e vitória sobre os espíritos malignos das trevas envolvem o complexo campo de batalha de nossa vida mental. Se "o capacete da salvação" se refere à segurança da salvação que temos agora pela nossa união com Cristo (perdoados, assentados com Ele nos lugares celestiais, libertados da escravidão de Satanás e adotados na família de Deus), ou à esperança (confiança) em uma salvação final (cf. 1 Ts 5.8) por ocasião da Segunda Vinda de Cristo (inclusive o desterro eterno do pecado, da morte e de Satanás como nossos inimigos), "não há dúvida de que o poder salvador de Deus é a nossa única [e segura] defesa [para a mente] contra o inimigo de nossas almas" (Stott, 282).

Em relação à espada, o Espírito não é em si mesmo a espada; ela é a "palavra de Deus". Existem quatro características distintas a respeito dessa espada:
1) Ela é "a espada *do Espírito*", pois se origina dEle; Ele transmite e fortalece a revelação da Palavra de Deus, escrita ou falada.
2) A espada é a única peça do equipamento que não é usada exclusivamente com propósitos de defesa. Sem ela, não temos meios de repelir os demônios quando somos atacados.
3) A palavra usada para "espada" (*machaira*) denota a pequena espada ou adaga (que media entre 30 e 35 cm) que o soldado usava para repelir o inimigo em combates corpo a corpo, e não a espada longa usada para matá-lo (*rhomphaia*).
4) O termo grego, traduzido como "palavra" não é *logos* (geralmente uma revelação bíblica ou o próprio Cristo), porém *rhema* (uma palavra específica das Escrituras ou uma elocução individual concedida pelo Espírito Santo ao coração do cristão). Ela corresponde à declaração de Apocalipse 12.11: "Eles o venceram [Satanás] pelo sangue do Cordeiro [isto é, a vitória decisiva de Jesus na cruz] e "pela *palavra* do seu testemunho" [isto é, pela confissão de sua boca][8]. Foi o uso triplo da "palavra de Deus" por Jesus, durante sua tentação no deserto, que permitiu-lhe repelir a Satanás (cf. Mt 4.4,7,10). É através do uso da Palavra de Deus, e do testemunho de nossa boca, que temos a espada e a adaga para repelir todo e qualquer ataque de Satanás e de suas hostes.

9.3.2. A Vigilância através da Oração (6.18-20).
Paulo conclui essa passagem com uma exortação aos santos que lutam, e à Igreja, para que sejam combatentes em oração. Estudiosos têm discutido se a oração mencionada por Paulo seria a sétima arma da guerra espiritual. Porém, a oração não é somente uma outra arma; é parte do próprio conflito. Deixar de orar é equivalente a render-se ao inimigo.

Gramaticamente, os dois particípios em 6.18, "orando" e "vigiando", estão ligados ao verbo "estar firme" de 6.14a. Estar espiritualmente equipado para a batalha com a armadura de Deus, juntamente com a vigilância em oração, representa a combinação que Paulo procura (Turner, 1244). "Orar no Espírito" significa ser guiado e fortalecido pelo Espírito Santo em oração. Provavelmente Paulo utiliza essa frase aqui (como em 1 Co 14.14,15) para incluir a oração em línguas. Como Fee (731) escreve:

> Em 1 Coríntios 14.1-5 e 14-19, o que Paulo diz a respeito dessa espécie de oração demonstra o quanto ele mesmo estava regularmente empenhado nela, e em Corinto insiste para que os crentes façam o mesmo. O mesmo parece ser verdadeiro em Romanos 8.26,27. Se "orar no Espírito" for o tema mais específico sob perspectiva, então devemos também nos preparar para ampliar nosso entendimento sobre a natureza de tal oração... [como] uma forma de fazer frente e vencer o inimigo nesse conflito permanente.

Uma frágil vida de oração e de súplicas ocasionais, "como uma lista de supermercado", certamente não será eficiente na guerra espiritual. Precisamos nos inclinar mais intensamente à oração no Espírito e pelo Espírito, em nossas orações e intercessões pessoais ou comunitárias.

Paulo tem um "foco duplamente dirigido" para que os crentes perseverem em oração:
1) Ele exorta cada indivíduo e a Igreja a orar a favor de todos os santos envolvidos na guerra espiritual. No verso 18, a palavra "todos" ocorre quatro vezes em grego (a terceira vez é interpretada como "sempre"

na NIV) — orar "em *todo* tempo" (regular e constantemente), "com *toda* perseverança e súplica" (indicando intensidade e eficácia), "vigiando nisso com *toda* perseverança" (demonstrando persistência e vigilância) e "por *todos* os santos" (por causa dos ataques de Satanás contra a Igreja).

2) Nos versos 19 e 20, Paulo aconselha os crentes a orarem por ele para que, como prisioneiro de Cristo, possa, destemidamente, em todas as oportunidades "fazer notório o mistério do evangelho" como "um embaixador em cadeias" (cf. 3.1; 4.1; At 28.16,20; Fp 1.7,13,14,16; Cl 4.3,18; Fm 1,9,10,13). Assim, a exortação final de Paulo nesta carta refere-se à evangelização. Orar não apenas com a finalidade de capacitar os crentes a permanecerem na batalha, mas também pela propagação e avanço do evangelho de Cristo.

10. Conclusão (6.21-24)

10.1. Paulo Recomenda Tíquico (6.21,22)

Os versos 21 e 22, e Colossenses 4.7,8, são virtualmente iguais, palavra por palavra, e indicam que ambas as cartas foram quase simultaneamente escritas por Paulo, e entregues aos seus destinatários por Tíquico. Paulo dá esse encargo a Tíquico, "irmão amado e fiel ministro do Senhor" (cf. Cl 4.7, "irmão amado, e fiel ministro, e conservo no Senhor"). Em outras passagens (como At 20.4; 2 Tm 4.12 e Tt 3.12) ele é nominalmente mencionado, e Paulo não só utiliza Tíquico para entregar a carta, mas também para informar aos leitores com maiores detalhes a respeito da situação de Paulo e o que estava fazendo, a fim de encorajá-los (cf. Ef 3.13). A ausência da habitual lista de saudações de Paulo aos líderes da Igreja (cf. Cl 4.10-17) vem em apoio à opinião de que Efésios era, originalmente, uma carta circular para muitas igrejas, e não uma carta endereçada apenas à Igreja que estava em Éfeso (veja a Introdução).

10.2. A Bênção (6.23,24)

Paulo conclui essa majestosa carta com uma bênção apostólica, que está centralizada na "graça e paz" com que a iniciou (1.2). No entanto, aqui são mencionadas de modo inverso "em ordem reversa e mais intimamente ligadas" (Bruce, 1984, 414). O pronunciamento de Paulo sobre a "paz" (6.23) não representa simplesmente a saudação hebraica que desejava o bem-estar de outras pessoas, porém a paz que vem aos "irmãos" através da reconciliação pela cruz (isto é, a paz de Cristo que forma um elo entre os crentes em sua Igreja; cf. 2.14; 4.3). Em conjunto com a "paz", está o "amor, ou caridade, com fé" (isto é, o amor acompanhado pela fé; cf. 1.15; também em Gl 5.6, onde a fé se expressa operando por caridade, ou amor) — todas as três vieram "de Deus, o Pai, e do Senhor Jesus Cristo" (6.23).

A "graça" (6.24) é a palavra final da bênção, mesmo sendo a primeira palavra da saudação (cf. 1.2). Paulo pronuncia a graça a "todos os que amam a nosso Senhor Jesus Cristo". A última frase da carta, "os que amam...", se refere literalmente ao amor "incorruptível" ou "imortal". O amor por Jesus que foi derramado em nosso coração pelo Espírito Santo (Rm 5.5) é "livre de todos os elementos passíveis de corrupção" (Salmond, 3.394) e, assim, é um "amor eterno".

O ANTIGO TESTAMENTO NO NOVO TESTAMENTO

NT	AT	ASSUNTO
Ef 1.22	Sl 8.6	Tudo está sujeito a Cristo
Ef 4.8	Sl 68.18	A ascensão e os dons
Ef 4.25	Zc 8.16	Falando a verdade
Ef 4.26	Sl 4.4	A ira e o pecado
Ef 5.31	Gn 2.24	A instituição do matrimônio
Ef 6.2,3	Êx 20.12; Dt 5.16	O quinto mandamento

NOTAS

[1] A carta "aos Efésios" não aparece no papiro Chester Beatty, p^{46} (o manuscrito mais antigo das cartas de Paulo, ainda existente), nem nos antigos e confiáveis manuscritos Sinaiticus e Vaticanus. Também foi omitida em Marcião, Tertuliano e Orígenes. Ela aparece a partir dos comentários de João Crisóstomo e no manuscrito Alexandrinus, indicando que a designação é antiga, se não original.

[2] Os comentaristas variam consideravelmente em sua interpretação desse verso; para fontes fidedignas que discutem as suas várias possibilidades, veja Delling, "*pleroma*" *TDNT*, 6.304-6; F. F. Bruce, 1984, 275-77; Stott, 61-66.

[3] Para um resumo das muitas e diferentes interpretações, veja Barth, 1.395-97.

[4] Ralph P. Martin expressa sua simpatia por essa opinião em *The Broadman Bible Commentary, 156.*

[5] Para um exame mais detalhado da universalidade do "papel doutrinador" nos tempos bíblicos, sob ambas as promessas divinas, veja minha dissertação (Ph.D.) ainda não publicada: John Wesley Adams, Ph.D. "The Teaching Role in the New Testament: Its Nature and Scope As a Function of the Developing Church", Baylor University, 1976.

[6] Gordon Fee observa que essa abordagem interpretativa está baseada nas diferentes preposições usadas no verso 12: a primeira frase se inicia com *pros*, que afirma o propósito do ministério quíntuplo dos líderes, embora a segunda e a terceira sejam frases *eis* que indicam que o objetivo do ministério dos santos é edificar o corpo (Fee, 706, n. 155; da mesma forma Robinson, Westcott, Barth, Mitton, Stott e Bruce). T. David Gordon, professor de Novo Testamento no "Gordon-Conwell Theological Seminary" (69-78), argumenta que interpretar 4.12 limitando a quíntupla função do ministério, apenas para "equipar" os santos para o serviço de Deus, é uma interpretação errônea desse texto (Eadie, Abbott, Lincoln e Turner pensam da mesma forma).

[7] Embora muitos estudiosos e muitas traduções considerem *pneuma*, em 4.23, como se referindo ao espírito humano, Gordon Fee considera tal opinião problemática, e dedica mais de duas páginas para mostrar suas razões para crer que Paulo esteja se referindo ao Espírito Santo e à sua obra (Fee, 710-12). A despeito de como a palavra *pneuma* seja traduzida, (espírito humano ou Espírito Santo) a renovação da mente é uma obra do Espírito Santo.

[8] É digno de nota que a palavra *logos*, tal como foi usada em Apocalipse 12.11, se refere ao testemunho fiel do crente a respeito de Cristo, até mesmo na morte, ao invés de referir-se ao *logos* das Escrituras.

BIBLIOGRAFIA

T. K. Abbott, *A Critical and Exegetical Commentary on the Epistles to the Ephesians and to the Colossians*, ICC (1897); J. Wesley Adams, "Ephesians: A Preacher's Treasury of Truth", *The Preacher's Magazine* 54 (junho-agosto /1979). 4-6. William Barclay, *The Letters to Galatians and Ephesians* (1976); Markus Barth, *Ephesians,* AB, 2 vols. (1974); Raymond B. Brown, "Ephesians Among the Letters of Paul", *RevExp* 60 (outono de 1963). 372-79; F. F. Bruce, *The Epistle to the Ephesians* (1961); idem, *The Epistles to Colossians, Philemon, and Ephesians*, NICNT (1984); G. B. Caird, *Paul's Letters From Prison,* New Clarendon Bible (1976); Jack Deere, *Surprised by the Power of the Spirit* (1993); G. S. Duncan, *St. Paul's Ephesian Ministry* (1929); John Eadie, *Commentary on the Epistle to the Ephesians* (n.d.); Ralph Earle, *Word Meanings in the New Testament* (1986); Gordon D. Fee, *God's Empowering Presence. The Holy Spirit in the Letters of Paul* (1994); Francis Foulkes, *The Epistle of Paul to the Ephesians*, TNTC (1963); T. David Gordon, "Equipping Ministry in Ephesians 4?" *JETS* 37 (March 1994). 69-78; Donald Guthrie, *New Testament Introduction*, 3ª ed. (1990). Stig Hanson, *The Unity of the Church in the New Testament. Colossians and Ephesians* (1946); William Hendriksen, *The Epistle to the Ephesians* (1967); Charles Hodge, *A Commentary on the Epistle to the Ephesians* (1950); Lewis Johnson, "The Pauline Letters From Caesarea", *ExpTim* 68 (1956-57): 24-26; George W. Knight, "Husbands and Wives As Analogues of Christ and the Church", *Recovering Biblical Manhood and Womanhood,* cap. 8 (1991). R. C. H. Lenski,

The Interpretation of St. Paul's Epistles to the Galatians, Ephesians and Philippians (1937); J. B. Lighfoot, *Notes on the Epistles of St. Paul* (1957); Andrew T. Lincoln, *Ephesians,* WBC (1990); Ralph P. Martin, "Ephesians", *Broadman Bible Commentary,* vol. 11 (1972); W. G. M. Martin, "The Epistle to the Ephesians", New Bible Commentary (1954); C. Leslie Mitton, *Ephesians* (1976); J. Armitage Robinson, *St. Paul's Epistles to the Efesians* (1914. 1979). S. D. F. Salmond, "The Epistle of Paul to the Ephesians", *The Expositor's Greek Testament,* vol. 3 (1903. 1976); E. K. Simpson e F. F. Bruce, *The Epistles of Paul to the Ephesians and the Colossians,* NICNT (1957); Donald C. Stamps e J. Wesley Adams, *The Full Life Study Bible* (1991). John R. W. Stott, *The Message of Ephesians* (1979); Ray Summers, *Ephesians. Pattern for Christian Living* (1960); Max Turner, "Ephesians": *New Bible Commentary* (1994); W. E. Vine, *An Expository Dictionary of the New Testament,* 4 vols. (1940); B. F. Westcott, St. Paul's Epistle to the Ephesians (1906; 1978); A. Skevington Wood, "Ephesians", EBC, vol. 11 (1978).

FILIPENSES
David Demchuk

INTRODUÇÃO

A primeira exposição da cidade de Filipos ao evangelho é registrada em Atos 16.6-40. Na sua Segunda Viagem Missionária, o apóstolo Paulo, intensamente ciente da direção do Espírito Santo em sua viagem através da Ásia Menor, desembarcou no porto da cidade de Troas. Lá, recebeu uma visão de um homem da Macedônia, que chamava a ele e os seus companheiros para passar à Macedônia e ajudá-los (16.9). Paulo concluiu que Deus estava chamando-os para irem naquela direção e continuarem de Troas até a Macedônia.

Depois do desembarque no porto da cidade de Neápolis, Paulo viajou dez milhas até Filipos, uma colônia romana e a principal cidade do distrito da Macedônia (16.12). Lá, Paulo proclamou fielmente o evangelho. Uma de suas mais notáveis conversões foi a de uma vendedora de púrpura, Lídia de Tiatira (16.14 e seguintes). Ela e toda a sua casa imediatamente receberam o apóstolo. Sem dúvida, esta se tornou a primeira e principal igreja em uma casa naquela cidade.

Em um certo ponto, durante sua permanência inicial em Filipos, Paulo estava no meio de uma importante discussão a cerca da libertação de uma jovem possessa de um espírito mal, que a capacitava a adivinhar o futuro. Os senhores desta jovem escrava arrastaram Paulo e seu companheiro Silas à presença dos magistrados da cidade, e os dois evangelistas foram açoitados e lançados na prisão (16.19-24). Esta prisão deu lugar a um terremoto espetacular, enquanto Paulo e Silas adoravam a Deus por volta da meia-noite. Este terremoto levou à conversão do carcereiro de Filipos e sua família (16.30-34).

O primeiro registro de apelação de Paulo aos seus direitos como um cidadão romano aconteceu na manhã seguinte a sua prisão. Os magistrados deram ordem ao carcereiro para soltarem Paulo e Silas, sem dúvida, esperando que eles fossem embora sem maiores problemas. Mas Paulo havia se recusado a declarar a sua cidadania àqueles que os haviam lançado na prisão. Os magistrados, preocupados com represálias que poderiam acontecer devido a prisão

Filipos
No tempo de Paulo

A colônia romana de Filipos (*Colônia Augusta Júlia Philippensis*) era uma importante cidade da Macedônia, localizada na principal estrada das províncias a leste de Roma. Esta estrada, a Via Egnatia, passava pelo fórum da cidade e foi a principal causa de sua prosperidade e importância política. A cidade de Neápolis situava-se a dez milhas ao Sul, na costa, o lugar onde Paulo desembarcou após ter navegado de Troas em resposta à visão macedônica.

Como uma importante cidade na região de extração de ouro da Macedônia, Filipos teve uma história que era motivo de orgulho. Seu nome originava-se de Filipe II, o pai de Alexandre o Grande. Mais tarde a cidade foi honrada com o nome de Júlio César e Augusto. Muitos colonizadores italianos das legiões passaram a ser seus cidadãos, fazendo com que Filipos se tornasse uma cidade movimentada e poliglota. Filipos, que a princípio era uma pequena colônia, cresceu a ponto de tornar-se uma cidade digna e privilegiada. Entre suas mais altas honras estava a condição de ius Italicum, pela qual usufruía direitos legalmente equivalentes aos das cidades italianas.

Foram encontrados: as ruínas do teatro, da acrópole, do fórum, dos banheiros, e do arco comemorativo ocidental mencionado como o "portão" da cidade em Atos 16.13. Um pouco mais distante, além do arco no Rio Gangites, está o lugar onde Paulo encontrou algumas mulheres tementes a Deus e onde Lídia se converteu.

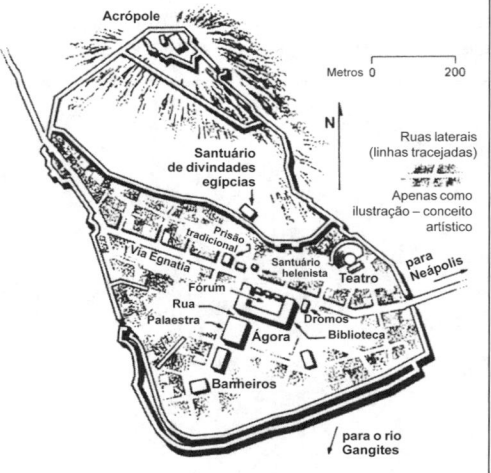

injusta de um cidadão romano, procuraram satisfazê-los e imploraram que deixassem a cidade. Depois de retornarem à casa de Lídia e lá, ajudando no trabalho inicial da igreja, concordaram com o pedido dos magistrados e deixaram a cidade.

A cidade de Filipos foi fundada em 360 a.C. por Filipe da Macedônia. Foi construída na aldeia de Krenides em Trácia e serviu como um centro militar significativo. Quando Roma conquistou a área duzentos anos mais tarde, Filipos se tornou a principal cidade na Macedônia, um dos quatro distritos romanos do que é hoje conhecido como a Grécia. Lá, aconteceu a famosa batalha entre os exércitos de Brutus e Cassius e aqueles de Otávio e Marco Antônio (42 a.C.). A vitória de Otávio levou ao estabelecimento do Império Romano, e ele é lembrado pelo nome sob o qual governou aquele império – Augustus.

Filipos floresceu como uma cidade colonial no Império Romano; é a única cidade romana chamada de "colônia" no Novo Testamento (At 16.12). Muitos veteranos de guerras romanas, particularmente do conflito mais antigo entre Antônio e Otávio, povoaram este lugar, tendo recebido porções de terras por seu serviço a Roma. A cidade teve orgulho deste estado como uma colônia romana, desfrutando dos privilégios de isenção de impostos. Promoveu o latim como sua língua oficial e modelou muitas de suas instituições segundo as de Roma (por exemplo, o governo cívico). Os magistrados que Paulo e seus companheiros encontraram primeiro em Atos 16 trouxeram o título honorário de "pretores". O sentimento de orgulho dos filipenses é evidente em Atos 16.21, onde vários cidadãos se referem a si mesmos como "Romanos".

1. Autor

Não existe nenhuma discussão de que Filipenses não seja uma carta Paulina, um fato documentado pela própria introdução de Paulo (veja o comentário sobre 1.1). A importância desta carta, no nosso entendimento acerca do autor, é dupla.

1) Contém segmentos autobiográficos, esclarecendo um pouco do passado de Paulo e de seu entendimento atual do que estava acontecendo em sua vida. Em uma ofensiva polêmica lançada contra os falsos doutrinadores do judaísmo, que causaram impacto à Igreja em Filipos, Paulo abre a porta do seu próprio passado (Fp 3.5 e seguintes). Embora fosse um cidadão romano (nascido na cultura grega de Tarso), sua genealogia no judaísmo era impecável. Ele não era um helenista, mas um judeu que falava hebraico (3.5 — "um hebreu de hebreus"). Desde seu nascimento em uma comunidade que fazia parte da aliança com Deus, sua educação como um fariseu e sua estrita adesão à lei, Paulo poderia ser considerado inculpável. Porém, foi a sua experiência de Cristo tê-lo "prendido" (3.12) que mudou dramaticamente o curso de sua vida. A conversão de Paulo, na estrada de Damasco (At 9.1-3) fez com que enxergasse a futilidade de tentar alcançar a salvação por guardar a lei. Via agora todas as suas realizações como um refugo, levando em conta o seu relacionamento com Cristo. O zelo com que procurou suas realizações de vida, estava agora enfocado em seu serviço a Cristo (3.13). Teve uma forte compreensão da chamada de Deus e de sua direção, e sua vida foi subordinada à tarefa de pregar o evangelho (1.19,20).

2) Filipenses fornece também um vislumbre do coração deste grande apóstolo. Em seu início, revela-se um profundo vínculo entre Paulo e a igreja. Embora os filipenses

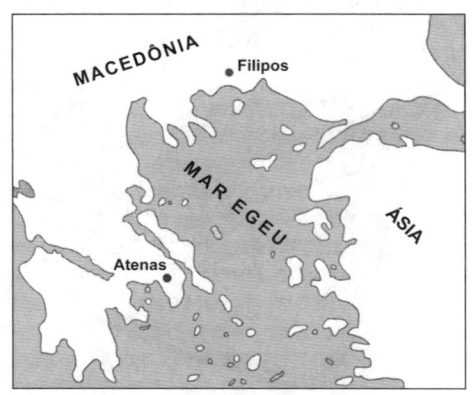

Paulo foi a Filipos por causa da visão de um homem da Macedônia que lhe disse: "Passa à Macedônia e ajuda-nos!"

fossem um exemplo de seu trabalho como apóstolo (sobre quem ele se orgulharia no dia de Cristo, veja 2.16), foram também seus amigos íntimos. Foram colaboradores em seu ministério, irmãos e irmãs, por quem anelava por meio do amor de Cristo (1.8). Paulo teve um forte senso de responsabilidade por estes cristãos, a ponto de reconhecer que poderia sobreviver à sua prisão em benefício deles (1.25). O senso de responsabilidade de Paulo se estendeu além da igreja para seus cooperadores. Manifestou seu relacionamento com Timóteo em termos cordiais e familiares (2.19), e admitiu que sua preocupação com a saúde de Epafrodito causava-lhe muita ansiedade pessoal (2.28).

2. Data e Origem

Um dos assuntos mais enigmáticos enfrentados pelo estudante de Filipenses é a data e lugar da origem do livro. Têm sido defendidas quatro possíveis localizações de onde a Carta aos Filipenses pode ter sido escrita. A visão tradicional é que tenha sido na cidade de Roma; porém, Cesaréia, Corinto e Éfeso também têm sido consideradas como possibilidades. As evidências contundentes apontam para Roma ou Cesaréia, mas adotando qualquer uma destas duas opções não se está livre de problemas.

Roma é a tradicional fonte para a origem da carta. A principal evidência exterior para isso vem do segundo século, do prólogo de Marcionita, que define o livro como tendo sido escrito na época em que Paulo esteve preso em Roma. A carta é ali descrita como palavras de elogio de Paulo à igreja, e é levada por Epafrodito.

Quando começamos a avaliar qual opção seria mais viável, evidências intrínsecas criam vários pontos esclarecedores em relação à origem da carta. Começando no capítulo 1.7, Paulo escreve que esta carta está sendo escrita na prisão. Trata-se de um sério encarceramento, pois o apóstolo declara que sua morte pode ser iminente (2.17). De fato, ele está lutando com o seu desejo de viver com Cristo, ou permanecer com os filipenses de forma que possa fortalecê-los (1.20-24).

Paulo é mantido na prisão por uma guarda do palácio ou pela guarda *pretoriana*, que era o exército de elite de Roma (observe também a referência à "casa de César", Fp. 4.22). A carta descreve várias viagens a partir da cidade e para a cidade em que Paulo estava preso (2.19, 24, 25). Os filipenses certamente foram alertados a respeito da prisão de Paulo por um mensageiro que levou as más notícias. Isto incitou os filipenses a enviarem Epafrodito para ajudar Paulo no lugar de sua prisão (2.25). Um mensageiro de Paulo, então, alertou os filipenses sobre a seriedade da doença de Epafrodito. Em resposta às preocupações dos filipenses, Paulo lhes prometeu enviar Timóteo (2.19) e Epafrodito (2.25) em outra viagem.

O ímpeto principal dos argumentos, tanto para Corinto ou Éfeso como o lugar de onde se escreve a carta, é o tempo que se levaria até os seus destinatários. Se Roma fosse o lugar da escrita — de 7 a 8 semanas. Isto dá a entender que a prisão romana de Paulo por dois anos é de algum modo duvidosa, como a procedência desta carta. Porém, somente duas viagens, com certeza, foram feitas durante a prisão do apóstolo: a viagem de Epafrodito para trazer alívio a Paulo (2.25), e a óbvia viagem de regresso do mensageiro a Filipos, levando as notícias das condições de Epafrodito (2.26). Outra viagem (levando aos filipenses as notícias da prisão iminente de Paulo), bem podia ter sido feita enquanto Paulo estava a caminho de Roma. Além disso, mesmo a carta tendo sido escrita em Éfeso ou Corinto, não existe nenhuma indicação clara de que Paulo tenha sofrido lá o tipo de prisão a que se faz alusão na Carta aos Filipenses.

O livro de Atos registra três prisões de Paulo: uma em Filipos (At. 16.23 e ss.), uma em Cesaréia (At 21—23) e uma em Roma (28.30). Tanto Cesaréia quanto Roma ajustam os dados internos razoavelmente bem. As duas tiveram, naturalmente, a famosa guarda *pretoriana* de Roma, enquanto em Cesaréia, Lucas observa que Paulo foi preso no *pretório* de Herodes (23.25). O termo, "a casa de César" pode se referir à estrutura real de indivíduos servindo ao imperador em Roma, ou ao serviço civil imperial, localizado nas principais cidades ao longo do império. A alusão de Paulo em relação à sua defesa do evangelho (Fp 1.8) poderia se referir a uma de suas reuniões perante Festo (At 21—23). Porém, a compreensão de Paulo quanto a sua morte iminente e seu sentimento de que sua tarefa estava cumprida (1.16,17) não repercute o confiante apelo que fez a César quando estava em Cesaréia, mas pareceu mais apropriado à prisão romana.

Então, a Carta de Paulo aos Filipenses provavelmente foi escrita durante a parte final de seu ministério, enquanto esteve preso tanto em Cesaréia como em Roma. Embora seja difícil determinar com absoluta certeza, a evidência pesa a favor da visão tradicional de que esta carta foi escrita em Roma. Isso colocaria a data da autoria entre 60 e 62 d.C.

3. Gênero

De todas as cartas Paulinas, Filipenses é a mais cordial e familiar. É óbvio, mesmo a partir de uma leitura superficial, que Paulo se importa profundamente com a Igreja em Filipos e este sentimento mútuo é refletido nas suas expressões reais de cuidado para com ele. A carta resultou na resposta generosa dos filipenses para com as necessidades de Paulo, bem como sua preocupação para com o bem-estar deles.

Há algumas questões a respeito de Filipenses, se é uma carta ou uma combinação de duas cartas. Este problema acontece como resultado de uma conclusão dupla proposta para a carta (3.1; 4.4). Observe também o comentário de Policarpo, que se refere às "cartas" de Paulo em sua *Carta aos Filipenses* (veja O'Brien, 12). Então, alguns estudiosos vêem a carta hoje, como se fosse o produto de um editor que reuniu pelo menos duas cartas de Paulo.

Embora isto possa parecer uma explicação plausível para o fim particular do livro, outros fatores precisam ser levados em consideração. Não é inconcebível que Paulo, escrevendo tal carta pessoal, possa ter procurado uma continuação específica de pensamentos posteriores 3.1 — assim como uma pessoa pode mudar abruptamente de assuntos em uma conversa pessoal. Então, após uma diversificação, ele retorna aos seus comentários finais (4.4). Além disso, se um editor, de fato, realizou uma "operação de cópia" na Carta aos Filipenses, fez um trabalho que deixou muito a desejar. Alguém esperaria que tal indivíduo aperfeiçoasse uma carta, eliminando justamente os aspectos que a fazem parecer repetitiva ou incômoda. Finalmente, o texto não contém fragmentos de duas cartas separadas. Toda evidência manuscrita existente mostra o livro da forma como se encontra hoje.

4. Temas

a) Alegria

A surpreendente ocorrência da palavra "alegria" na carta, levou os filipenses a conhecerem-na como "A Epístola da Alegria". O substantivo "alegria" (*chara*) ocorre cinco vezes (1.4, 25; 2.2, 29; 4.1), enquanto o verbo "regozijar-se" (*chairo*) aparece nove vezes (1.18 [2x]; 2.17, 18, 28; 3.1; 4.4 [2x], 10) e *synchairo* ("regozijem-se com") duas vezes (2.17, 18). *Kauchema*, uma palavra etimologicamente sem conexões que denota uma alegria cheia de motivos para orgulhar-se ou gloriar-se, acontece duas vezes na carta (1.26; 2.16).

A alegria dirige a perspectiva de Paulo desde o início da carta até a sua conclusão. O apóstolo responde com alegria à proclamação bem sucedida do Evangelho, não obstante o seu sacrifício pessoal (1.18), ilustrando que aquela alegria é arraigada em mais do que apenas uma circunstância. De fato, em certo ponto da carta, conclama os filipenses a regozijarem-se com ele pelo sacrifício mútuo a favor do evangelho de Cristo (2.17). Tanto as orações dos filipenses como a presença contínua do Espírito Santo em sua vida (apontando para sua justificação) deram a Paulo grande alegria (1.19). Ele, mais adiante, observa que sua alegria será completa pela unidade deles (2.2).

No capítulo 1.25, a alegria é característica do cristão que exibe uma fé crescente. No capítulo 4.4, Paulo exorta seus leitores a regozijarem-se no Senhor. Como a alegria deles é arraigada em um relacionamento com Cristo, os cristãos serão capazes de substituir sua ansiedade pela confiança em Deus. Isto é comprovado por apresentarem as suas necessidades a Deus em orações e por receberem a paz de Deus (4.2-6). A própria vida de Paulo ilustra isto. Embora ele esteja na prisão e inseguro a respeito do resultado de seu julgamento, anseia que os cristãos regozijem-se com ele "no Senhor" (3.1).

b) Serviço

Outro tema significativo desta carta altamente pessoal é servir. Filipenses 2.5-11 retrata a figura de Jesus como Servo-Salvador, com origem no Antigo Testamento, em Isaías 53. Nosso Senhor não reteve suas reivindicações legítimas de que era Deus. Antes, renunciou àquelas reivindicações e assumiu a forma de servo, tornando-se o Deus em carne, o Redentor da humanidade. Sua morte na cruz foi o seu ato supremo de humildade. A conseqüência desta atitude de servir foi a exaltação que Deus proporcionou a Jesus, dando-lhe um nome acima de todo nome.

Este tema vem à tona do início ao final da carta. Já no capítulo 1.1, Paulo se refere a si mesmo e a Timóteo como "servos" de Jesus. Esta referência coloca em contraste a apresentação característica de Paulo, de si mesmo como apóstolo. Paulo continua a refletir a natureza verdadeira de um servo em sua profunda preocupação com a Igreja em Filipos (1.17) — uma preocupação tão grande que Paulo está disposto a permanecer vivo por sua causa (1.24). Ele aumenta esta atitude abnegada relativa àqueles que pregam o evangelho, com a intenção de contribuir com o seu sofrimento. Não importando os motivos, Paulo afirma que está satisfeito, contanto que Cristo seja pregado. A reflexão do apóstolo sobre o valor de suas próprias realizações (3.7 e ss.), como também seu compromisso de estar satisfeito em toda situação (4.11), reflete em sua própria vida a imagem de Cristo como servo.

Timóteo e Epafrodito também são exemplos de servos. Paulo recomenda Timóteo à igreja, tanto por seu interesse genuíno por eles (2.20) como por seu compromisso de cooperar com ele na obra do evangelho (2.22). Epafrodito fora enviado para servir a Paulo em Roma, atendendo às necessidades práticas do apóstolo. Assim fazendo, este homem arriscou sua vida por causa do evangelho (2.30). Em meio às suas próprias necessidades, estava profundamente preocupado com os outros, se estariam ansiosos por seu bem-estar (2.26)!

Os leitores desta carta são também desafiados a seguir o modelo de servo. Devem ser um em espírito e em propósito, refletindo a atitude de Cristo uns para com os outros (2.1—2,15). São também chamados a imitar o estilo de vida de Paulo (3.17). A preocupação de Paulo para com os filipenses a respeito disso é tão aguda que ele nomeia dois líderes da igreja e pede-lhes que "sintam o mesmo no Senhor" (4.2). Na mesma passagem, também se dirige a outro líder, a quem se refere como seu "verdadeiro companheiro" para assegurar que esta atitude esteja, de fato, refletida na vida dos líderes da Igreja em Filipos (4.3).

c) O Caráter de Deus

Paulo diz várias coisas sobre o caráter de Deus nesta carta. Desde o início, retrata Deus de uma maneira amorosa e pessoal. Deus é primeiramente "nosso Pai" (1.2), e os filipenses são seus filhos (2.15). Reforçando esta perspectiva, Paulo se refere a Deus como "meu Deus" (1.3). Deus é a fonte de toda graça (1.7), aquEle que está ativo na santificação dos cristãos em Filipos (1.6; 2.13) e que garante a salvação completa (1.28). Paulo está bem ciente de que Deus julga sozinho os motivos e atitudes do coração, e invoca-o como testemunha de seu amor para com estes cristãos (1.8).

O verdadeiro caráter de Deus é revelado através do envio de seu Filho Jesus, para ser o Salvador (2.5-11). A reivindicação que Deus faz a respeito de Jesus através de sua ressurreição e ascensão, revela tanto a sua justiça como a soberania de trazer o plano da salvação à sua conclusão. A proclamação desta salvação — o evangelho — é para Paulo a proclamação da própria palavra de Deus (1.14). A mensagem da salvação deve ser recebida através da imputação da justiça de Deus, e não através de guardar a lei. A salvação é fundamentada na obra de Cristo e baseada na fé (3.9).

É devido a este trabalho de Cristo que os cristãos, uma vez afastados de Deus, podem agora conhecê-lo como "o Deus de paz" (4.9), e é Deus quem supre as necessidades do seu povo (1.19), encorajando-os a trazerem todos os seus pedidos a Ele através da oração (4.7). Ele conduz ativamente a vida dos cristãos (1.15), e transpõe o curso natural dos acontecimentos para trazer a cura sobrenatural — mostrando precisamente a sua compaixão para com Epafrodito, curando-o de uma futura enfermidade fatal (2.27).

Paulo está ciente também da responsabilidade que os cristãos têm em cumprir as responsabilidades exigidas por este relacionamento com Deus. A adoração do cristão está na esfera "do Espírito" (3.3). Além disso, Paulo é o exemplo de alguém que lutou com os planos de Deus com relação ao seu futuro (1.14-26), comprometendo-se definitivamente com o propósito soberano de Deus (1.27). A preocupação de Paulo foi terminar bem (3.12-14) e ter seus amigos em Filipos fazendo o mesmo, assim ele teria um motivo para orgulhar-se "no Dia de Cristo" (2.16).

Paulo continuamente encoraja os cristãos de Filipos a terem o mesmo pensamento (2.2, 14; 4.2 e ss.). Esta atitude reflete o desejo de Deus pela unidade de seu povo (Sl 133), dedicado a servi-lo de todo o coração. Os filipenses devem manter a unidade, cuidando de sua salvação com reverência e temor (2.12). Como a nação de Israel, eles também devem refletir o caráter de Deus e anunciar as boas novas da salvação a um mundo ainda afastado dEle (2.14-16).

d) Conflito e Sofrimento

Esta carta trata de três áreas de conflito ou sofrimento que impactavam a Igreja em Filipos:

1) A primeira era exterior e dizia respeito ao relacionamento da igreja com a cultura e o mundo pagão que a rodeavam. Não deveria ser surpresa que a igreja dos filipenses estivesse sofrendo uma pressão cultural de uma cidade que se orgulhava de seus laços íntimos com Roma. Lá, Paulo e seus companheiros experimentaram perseguição no início de seu ministério (At 16). Sua reação a este tipo de sofrimento foi pedir aos seus seguidores que vivessem como cidadãos do céu, em uma cultura onde a cidadania romana significava tudo (1.27; 3.20). Seu pedido era que permanecessem firmes em sua fé, não se amedrontando pela oposição (1.28). Em resposta à pressão e à perseguição exercidas por uma sociedade pagã, a igreja era chamada a viver como "irrepreensíveis e sinceros, filhos de Deus inculpáveis no meio de uma geração corrompida e perversa" (2.15). No lugar onde os cidadãos de Filipos dobravam seus joelhos diante de César, os cristãos são lembrados que toda adoração é devida a Cristo, o verdadeiro Senhor, diante de quem todas as nações, ao final, se curvarão (2.11).

2) Os filipenses estavam passando também por um conflito, sob a tentativa de falsas doutrinas penetrarem na igreja (ou, ao menos, estavam prevenidos contra esta eventualidade). O principal assunto a que Paulo se opôs foi a doutrina dos judaizantes (veja especialmente a carta de Paulo aos Gálatas). Os defensores desta doutrina ensinavam que os cristãos gentios tinham que adotar o sistema judaico para manter a lei, a fim de serem justificados. O ponto essencial do conflito foi a insistência de que os homens gentios convertidos deveriam ser submetidos à circuncisão — um ritual que credenciava o homem como membro da comunidade da aliança (Gn 17.10).

Paulo não poupa esta doutrina. Diferentemente de sua reação à perseguição externa, o apóstolo pede aos filipenses que reconheçam a futilidade de tentarem alcançar a justiça por suas próprias obras. Repudia estes esforços, referindo-se a eles como "lixo" (3.7). O apóstolo se refere a estes falsos doutrinadores como mutiladores da carne, "cães" e malfeitores (3.2) — fortes injúrias, cuja intenção era ofender seu orgulho. À luz desta falsa doutrina, ele pede novamente aos filipenses que sigam o seu exemplo de avançar no conhecimento de Cristo com toda diligência (3.12,13).

3) A arena final em que esta igreja, tão amada por Paulo, passou por lutas foi dentro de sua própria comunidade. Duas líderes importantes da Igreja em Filipos, Evódia e Síntique (4.2), mostraram uma discordância significativa. A exortação de Paulo a estas duas irmãs facciosas está relacionada à falta de veemência em sua polêmica contra os judaizantes. Roga que tenham a mesma opinião; de fato, este apelo acontece ao longo da carta, ligado ao pedido para que cessassem as murmurações e contendas (2.14). Presume-se que este problema tenha se espalhado dentro da igreja. A correção de Paulo, aqui, inclui também uma exortação a seguir seu próprio exemplo, à medida que responde a outros cristãos com quem tem conflitos (1.12-18). O mais importante foi a responsabilidade deles em refletir a natureza de Cristo na conduta de uns para com os outros (veja acima).

ESBOÇO

1. **Saudação** (1.1,2)
2. **Mensagem de Abertura. Apreço e Oração pelos Filipenses** (1.3-11)
   2.1 Ação de Graças (1.3-6)
   2.2 Palavras de Apreço (1.7,8)
   2.3 Oração pelos Filipenses (1.9-11)
3. **A Descrição de Paulo sobre sua Situação Atual** (1.12-30)
   3.1 A Perspectiva de Paulo em sua Prisão (1.12-14)
   3.2 A Importância de se Proclamar o Evangelho (1.15-18a)
   3.3 O Entendimento de Paulo acerca de sua Prisão (1.18b-26)
   3.4 Exortação aos Filipenses à Luz do Sofrimento de Paulo (1.27-30)
4. **O Redirecionamento do Comportamento Considerando o Exemplo de Cristo** (2.1-18)
   4.1 O Comportamento à Luz da Experiência Cristã (2.1-4)
   4.2 O Comportamento à Luz do Exemplo de Cristo (2.5-11)
   4.3 Exortações à Luz do Exemplo de Cristo e a Experiência do Cristão (2.12-18)
5. **O Ministério dos Companheiros de Paulo** (2.19-30)
   5.1 Timóteo (2.19-24)
   5.2 Epafrodito (2.25-30)
6. **Advertência Contra se Desviar do Evangelho** (3.1—4.1)
   6.1 Advertência (3.1-4a)
   6.2 As Credenciais de Paulo (3.4b-6)
   6.3 O Propósito de Perseverar e Vencer de Paulo (3.7-14)
   6.4 A Perspectiva do Falso Ensino (3.15,16)
   6.5 Comentários Finais à Luz do Predomínio do Falso Ensino (3.17—4.1)
7. **Exortações Finais** (4.2-9)
   7.1 Pessoal (4.2,3)
   7.2 Geral (4.4-9)
8. **A Gratidão de Paulo pela Oferta dos Filipenses** (4.10-20)
   8.1 Compromisso com o Contentamento (4.10-13)
   8.2 Ações de Graças e Doxologia (4.14-20)
9. **Saudações Finais de Paulo** (4.21-23)

COMENTÁRIO

1. Saudação (1.1,2)

Esta carta começa de uma forma não muito comum a cartas pessoais escritas no mundo greco-romano. A maioria das cartas no mundo antigo começa com a identificação do remetente. Nesta carta, dois remetentes são identificados — "Paulo e Timóteo". Então, Paulo de acordo com o costume típico, nomeia os destinatários: todos os cristãos de Filipos e seus líderes. Finalmente, a abertura da carta contém uma saudação caracteristicamente Paulina: "graça e paz".

É importante notar que Paulo inicia esta carta de maneira diferente da maioria de suas outras cartas. Em geral, Paulo começa cada carta com uma designação apostólica ou, como em Romanos e Tito, com uma identificação dele mesmo como "servo" e "apóstolo" (entretanto, em 1 e 2 Tessalonicenses e em Filemom, ele não usa nenhuma destas palavras). Em Filipenses, porém, Paulo simplesmente refere-se a si mesmo como "servo". Esta introdução define o posicionamento para um tema predominante na carta: a necessidade da Igreja em Filipos refletir a respeito da humildade de Cristo, e de sua atitude de servir.

O uso da palavra "servo" pelo apóstolo e a ausência de uma afirmação de autoridade apostólica na carta dá-nos os primeiros dentre muitos vislumbres do relacionamento cordial que existiu entre Paulo e esta igreja. Em seu comentário recente, Gordon Fee dá uma contribuição significativa para a nossa compreensão de Filipenses, observando que esta carta é um exemplo de um gênero conhecido como carta de amizade. Algumas das características de tal carta incluem: uma saudação, uma oração, uma discussão de assuntos concernentes à vida do remetente, assuntos sobre os destinatários, informações sobre amigos comuns, trocas de saudações e um fechamento em que se faz um pedido por saúde (veja Fee, 3). O uso da palavra "servo" indica também a ausência de qualquer polêmica séria em Filipos, sendo, conseqüentemente, desnecessário apelar à autoridade apostólica.

Paulo também menciona Timóteo em sua introdução. Esta convenção somente é evidente nas primeiras cartas de Paulo aos Tessalonicenses, onde Paulo se identifica juntamente com Silvano e Timóteo em uma introdução resumida e comum. Presumivelmente, Timóteo ajudou Paulo como um copista ou amanuense (isto é, um secretário escrevendo as palavras de Paulo); de fato, alguns especulam que Timóteo realmente seja co-autor da epístola aos Colossenses com Paulo. À medida que se lê Filipenses, torna-se óbvio que Timóteo foi além do papel de ajudante do apóstolo. Quando se trata da obra do evangelho, pode-se considerá-lo como Paulo — um conservo.

Timóteo foi um dos companheiros de viagem de Paulo, tendo inicialmente se unido ao apóstolo em sua segunda viagem missionária (At 16.1 e ss.). Este nativo de Listra ajudou Paulo em Corinto (2 Co 1.19), como também em Éfeso, onde eventualmente tornou-se o responsável pela igreja (1 Tm 1.3). Timóteo também viajou com Paulo para Jerusalém e outros lugares (At 20.4 e ss.) e, mais tarde, acompanhou o apóstolo (agora um prisioneiro) a Roma (Fp 1.1; Cl 1.1).

A Carta aos Filipenses é endereçada a todos os cristãos em Filipos. A ênfase para *todos* não deveria ser omitida, dada a existência de alguma rivalidade de liderança indicada por Paulo mais adiante na carta (4.2,3). Os cristãos são chamados de "santos" (*hagioi*), uma palavra Paulina favorita, que é emprestada da imagem de Israel do Antigo Testamento, como povo escolhido por Deus. A nação havia sido "colocada a parte" para servir a Deus e refletir seu caráter santo para as nações vizinhas (Lv 11.44,45). Em um paralelo, os cristãos em Filipos foram pessoas escolhidas por Deus. Sua perseverança (melhor definida pela frase "em Cristo Jesus") deve-se ao fato de terem sido escolhidos por Deus e de que a reconciliação na pessoa de Jesus Cristo havia sido aplicada às suas vidas. Experimentam agora um relacionamento com Deus, restaurado através de Jesus Cristo.

Paulo então identifica um sub-grupo de santos: "os bispos e os diáconos". Os papéis de liderança identificados e definidos nas Cartas Pastorais mostram-se como uma parte da estrutura da igreja neste momento. No grego clássico, "os bispos" (*episkopoi*) eram aqueles que supervisionavam ou protegiam; mais tarde, passaram a denotar oficiais do estado. No Novo Testamento, a palavra veio a ser aproximadamente um sinônimo de presbítero (*presbyteros*), que eram aqueles que presidiam uma congregação, exercendo sem dúvida os dons espirituais de governo e liderança (Rm 12.4-6). Estes indivíduos foram indicados pelos apóstolos (Tt 1.5) e, subseqüentemente, trabalharam como designados por eles, da mesma forma que um oficial vice-regente representava a realeza em uma colônia onde um Rei exercia sua jurisdição.

Os "Diáconos" (*diakonoi*) constituem um outro grupo de líderes que tem seu precedente na vida da igreja a partir da instituição dos sete em Atos 6. Estes indivíduos trabalhavam como servos na comunidade, ocupando-se com muitas tarefas práticas e benevolentes que a igreja era chamada a executar. Deve-se observar que as duas expressões são empregadas no plural, uma indicação de que a liderança na Igreja primitiva não era exercida por um único indivíduo, mas por um grupo preparado pelo Espírito Santo para liderar.

Esta parte é concluída com a saudação característica de Paulo: "Graça e paz". A palavra "graça" (*charis*) denota toda a ação salvadora de Deus em Jesus Cristo, centrada em sua salvação gratuita para aqueles que colocam a sua fé em Cristo. "A paz" é a típica saudação hebraica (*shalom*), que traz consigo um significado mais profundo do que o término de um conflito. Reflete um desejo de bem-estar para a vida da pessoa como um todo. O termo "paz", aponta para a "harmonia", "tranqüilidade", "saúde", "salvação" e "bem estar" para a vida da pessoa como um todo, inclusive a reconciliação da pessoa com Deus — é a paz em seu nível mais profundo" (Hawthorne,11). A ordem em que Paulo pronuncia estas duas palavras, sugere que a paz com Deus vem somente como resultado de se ter primeiramente experimentado a graça de Deus (Rm 8.1).

2. Mensagem de Abertura: Apreço e Oração pelos Filipenses (1.3-11)

A profundidade do relacionamento de Paulo com a Igreja em Filipos se torna de pronto evidente nesta parte da carta. Esta introdução segue um formato semelhante ao de várias cartas de Paulo (veja Rm 1.8 e ss.; Ef 1.3 e ss.; 1 Ts 1.2 e ss.). Embora os exemplos de cartas do mundo greco-romano desta época contenham palavras semelhantes de apreço por seus destinatários, Paulo trabalha sobre este fundamento, levando-o adiante, fazendo desta uma ocasião para a oração a favor de seus ouvintes.

2.1. Ação de Graças (1.3-6)

Paulo inicia a carta com uma expressão de gratidão a Deus. A expressão "Meu Deus" destaca o tom amoroso desta carta e a sinceridade do relacionamento do apóstolo com o Senhor. A razão para esta expressão de gratidão logo se torna aparente: seu relacionamento com a Igreja em Filipos. A cada lembrança deles, seu coração se eleva a Deus com gratidão.

A frase "todas as vezes que me lembro vós" (v. 3) apresenta algumas dificuldades gramaticais. Será que esta poderia ser traduzida na NIV, como alguns sugerem: "Em todas as vezes que se lembrarem de mim" (isto é, referindo-se às ofertas dos filipenses para Paulo, e não à sua oração em favor deles)? O contexto da passagem (onde Paulo faz uma referência adicional às suas orações no v. 4) indica uma correção da interpretação da NIV, e o uso pelo apóstolo da palavra "lembrança", em outros contextos, normalmente indica as suas orações pelos outros (Rm 1.9; 2 Tm 1.3; Fm 4).

O verso 4 destaca a natureza da lembrança de Paulo. A palavra para "oração" aqui, não é a que Paulo normalmente usa (*proseuche*), mas *deesis*, que se refere à intercessão que se origina na compreensão da necessidade do outro (veja Hawthorne,17). É significativo, que mais tarde Paulo afirme com confiança: "O meu Deus, segundo as suas riquezas, suprirá todas as vossas necessidades em glória" (4.19). Ele está convicto de que Deus ouvirá e responderá suas orações em favor deles.

As orações de Paulo pelos filipenses são feitas em uma atitude de "alegria". Esta é a primeira ocorrência de um termo que, como observado na introdução, é um tema significativo da carta. As orações de Paulo refletem uma alegria originada de seu relacionamento com o Cristo ressuscitado, mas que também é manifestada por seu relacionamento com a Igreja em Filipos.

Este relacionamento cresceu continuamente desde o contato mais antigo de Paulo com os filipenses (At 16). "Desde o primeiro dia" a igreja manifestou uma atitude de companheirismo ou comunhão para com o ministério de Paulo na proclamação do evangelho. Esta comunhão (*koinonia*) foi uma das evidências concomitantes do derramamento do Espírito no dia de Pentecostes, onde os cristãos tinham todas as coisas em comum a fim de exercitar os cuidados para com os membros da recém formada igreja (At 2.44 e ss.). Torna-se claro que o fato mais real na mente de Paulo eram os atos de ajuda dos filipenses enquanto esteve preso (Fp 4.10). Tanto esta carta como o livro de Atos, revelam que tal *koinonia* era a norma no relacionamento de Paulo com a Igreja em Filipos.

O auge da terna lembrança que Paulo tinha dos filipenses para com ele é expresso em seu confiante pronunciamento no verso 6. Deus completará a salvação que iniciou na vida de seus seguidores até o retorno de Cristo. A boa obra de generosidade, especificamente, fez com que Paulo pensasse na suprema obra que refletiu a graciosa provisão de Deus na salvação em Cristo. Esta obra tem Deus como seu autor e continuará até "o dia de Cristo Jesus". Esta frase é originária do conceito do Antigo Testamento de Dia do Senhor (Is 2.12; Ez 13.13; Zc 1.7, 14). Mas considerando que o Antigo Testamento predominantemente descreveu um temido julgamento futuro para o pecado, a ilustração anterior do uso da frase de Paulo é preenchida com uma esperança e uma expectativa para com os cristãos; o que representa o auge de sua salvação.

2.2. Palavras de Apreço (1.7,8)

Seguindo sua expressão eloqüente de ação de graças, a saudação de Paulo quase assume um tom defensivo. Parece que estava antecipando a resposta dos filipenses às suas palavras de cortesia, como se estes fossem ter um sentimento de surpresa ou mesmo de auto-reprovação (vv. 5,6). Deste modo, Paulo afirma que seus comentários em relação a eles estão perfeitamente garantidos, isto é, "certos" ou justos (*dikaios*). Esta refletiria a resposta dos filipenses se a situação estivesse invertida. Isto pode ser justificado porque os sentimentos de Paulo para com estes seguidores podem ser prontamente percebidos. A palavra *phroneo* ("sentir, pensar") é distintamente um termo Paulino, ocorrendo dez vezes nesta carta (1.7; 2.2 [2x], 5; 3.15 [2x],19; 4.2,10 [2x]). Este grupo de palavras indica as duas coisas: uma atitude mental subjacente, e o comportamento resultante que se segue (O'Brien, 67).

Paulo trabalha com seus sentimentos para com seus seguidores. Tem a todos em seu coração. As palavras que Paulo usa poderiam ser também traduzidas para tornar os filipenses o sujeito da frase. "desde que vocês me têm em seu coração". Mas recentes comentaristas consideraram a versão tradicional da frase como preferida (veja Fee, 90; O'Brien, 68). A palavra "coração", tanto no pensamento grego como no hebraico, indicava os desejos e as emoções de uma pessoa; refere-se à profundidade do cuidado que Paulo tinha por estes cristãos. A frase-chave, que esclarece a gratidão de Paulo, mostra que os filipenses também participaram (*synkoinonos*) da graça de Deus com ele. Para Paulo, a graça mostra basicamente a provisão de Deus, com respeito à salvação, através de Jesus Cristo. O exemplo específico desta "grande" graça é a assistência dos filipenses enquanto o apóstolo esteve preso em Roma.

A natureza da vida de Paulo em Roma é descrita na seguinte frase (v.7): "pois todos vós fostes participantes da minha graça, tanto nas minhas prisões como na minha defesa e confirmação do evangelho". A realidade da prisão de Paulo foi que ele, de fato, achou-se em cadeias; tanto em trânsito para Roma (At 27) como em seu lugar atual de prisão. Este encarceramento deu a Paulo a oportunidade de oferecer uma defesa fundamentada no Evangelho. Fazendo isso, apresentou-se como uma testemunha legal, fornecendo uma garantia para sua veracidade (28.23).

No verso 8, Paulo pede a Deus para servir como sua testemunha (também Rm 1.9; 2 Co 1.23) com respeito ao seu amor para com a Igreja em Filipos. A pureza de seus motivos interiores no ministério da igreja é conhecida somente por Deus e atestada por Ele. Este sentimento é melhor descrito como um desejo que reflete o próprio "amor de Jesus Cristo". A palavra para "afeição" (*splanchna*; que significa literalmente entranhas, intestinos) refere-se aos órgãos do corpo humano que foram planejados para ser o lugar da vontade, das emoções e da personalidade de uma pessoa. Este termo é usado nos Sinópticos para a compaixão de Jesus (Mt 14.14; 20.34; Mc 6.34; 9.22) e para a reação de uma pessoa para com aqueles que estão em necessidades (Lc 10.33) — uma reação que reflete a compaixão de Deus. A compaixão de Paulo para com os filipenses vem de uma fonte superior a ele mesmo; vem de Cristo.

2.3. Oração pelos Filipenses (1.9-11)

Paulo conclui sua saudação com uma oração pelos filipenses. O conteúdo resumido da oração é simplesmente este: que o seu "amor" (ágape) possa crescer, e crescer de forma que possam desenvolvê-lo de um modo maior e mais profundo. A importância deste simples pedido não deveria ser omitida à luz do fato de que o amor é a principal forma pela qual Deus trata com a humanidade. Seu amor motivou-o a enviar seu Filho Jesus, para nos dar a salvação (Rm 5.8). A própria natureza de Deus é o amor (1 Jo 4.8). Este amor, Paulo observa, permanecerá para sempre (1 Co 13.13).

Paulo ora por algo que acontece simultaneamente em relação ao crescimento dos filipenses em amor: o crescimento em "ciência" e em "todo conhecimento". A "ciência" se refere a uma consciência da vontade de Deus como revelada através do Evangelho; o "conhecimento" refere-se à aplicação prática desta verdade — um discernimento ou sabedoria moral. Em outras palavras, Paulo está preocupado sobre a possibilidade de o amor dos filipenses refletir verdadeiramente o evangelho e se será de caráter verdadeiramente prático.

Como resultado deste aumento no amor, na ciência e em todo conhecimento, os filipenses serão capazes de "discernir" aquilo que é "melhor" ou mais apropriado para cumprirem a chamada que receberam como cristãos. Em condições atuais, podemos dizer que "Deus [deseja nos ajudar] ajudanos a concentrar as nossas forças naquilo que é verdadeiramente importante" (Fee, 101). O amor cristão não é cego, mas é diferenciado. Além disso, a infusão do amor e da sabedoria de Deus os manterá "puros e irrepreensíveis até o dia de Cristo" (veja também 2 Tm 1.12). A preservação do poder deste amor é vista no fato de se evitar a impureza e a culpa (v. 10b). A "pureza", ou sinceridade, indica uma roupa que poderia ser exposta à inspeção da luz solar; o termo "irrepreensível", ou sem escândalo, refere-se a não fazer com que os outros tropecem. As duas palavras indicam a integridade interior e a conduta exterior dos seguidores de Paulo (Hawthorne, 28). Um termo impressiona o indivíduo, o outro a comunidade inteira.

O verso 11 denota a conseqüência positiva da oração de Paulo na vida de seus seguidores: serão cheios de "frutos de justiça" (também chamado de "fruto do Espírito" em Gl 5.22). Este fruto "vem através de Jesus Cristo" e reflete sua completa natureza. O resultado será que Deus receberá a "glória e o louvor".

3. A Descrição de Paulo sobre sua Situação Atual (1.12-30)

A carta de Paulo continua a seguir o padrão comum das cartas de seus dias. Depois da saudação, as cartas apresentam uma descrição detalhada das circunstâncias particulares do remetente.

Nesta parte, Paulo usa seu próprio sofrimento de uma forma exemplar, para moldar os filipenses a uma reação cristã à perseguição. Isso se inclina nitidamente a quatro segmentos, nos quais Paulo dá a sua perspectiva sobre sua prisão atual (1.12-14), salienta a importância primordial da proclamação do Evangelho (1.15-18a), reflete o que sente sobre qual será o resultado de sua prisão atual (1.18b-26) e conclui com uma exortação à igreja, à luz de sua própria experiência (1.27-30). Esta última parte serve como uma ponte para o retrato central de Cristo como um exemplo a seguir (2.1-11).

3.1. A Perspectiva de Paulo em sua Prisão (1.12-14)

Paulo inicia esta parte endereçada aos seus seguidores com um termo favorito para os companheiros cristãos: "irmãos" (e irmãs, sem dúvida), chama então a atenção para o seu conhecimento do propósito de Deus em sua prisão. Paulo não reage ao encarceramento com medo, ira, ou até negação. Em uma situação que à primeira vista poderia parecer contrariar o melhor propósito de Deus para o ministério do apóstolo, Paulo manifesta uma confiança segura na soberania de Deus. Não importando o que ele ou qualquer outra pessoa sentisse sobre a situação, Paulo é positivo a respeito desta prisão que realmente serviu para o avanço do Evangelho (1.12). A palavra que Paulo usa para descrever a proclamação bem sucedida do Evangelho (em algumas traduções "maior proveito", ou "avanço") tem sua origem no mundo náutico grego, ilustrando um navio avançando ou dirigindo alguma coisa adiante por meio da força do vento (Balz e Schneider, 3.157). Paulo entende a capacidade que Deus tem de trabalhar mesmo em meio ao que poderia ser a mais problemática das circunstâncias (Rm 8.28).

O Evangelho avança em duas áreas (vv.13,14): através da própria esfera de influência de Paulo, e através daqueles cristãos que foram encorajados pela experiência de Paulo na prisão.
1) Paulo podia esclarecer que estava na prisão por causa de sua fé em Cristo. Sua prisão em Roma tomou a forma de prisão domiciliar, com o apóstolo sob a supervisão de vários membros da guarda de elite de César. Era permitido a Paulo receber visitas (At 28.23) e continuar seu ministério público, embora estivesse preso e sob vigilância (28.16 e ss.). Enquanto preso, o apóstolo era obrigado a assumir a responsabilidade por suas despesas de moradia (28.30).
Então, durante este tempo, pode ser razoavelmente suposto que Paulo regularmente compartilhava os detalhes de sua história com os muitos visitantes que recebia. O efeito desta proclamação contínua do evangelho foi semelhante a agitação das águas que pode ser observada quando uma pedra é lançada em uma lagoa. A amplitude do círculo de influências moveu-se além de Paulo, para seus amigos, seus guardas, seus amigos e famílias, até que a história influenciou toda a administração do palácio.

A frase "por Cristo" (*en Christo*; literalmente, "em Cristo") merece uma observação (v. 13). A preposição não dá o sentido de "em nome de" (*hyper*); antes, o apóstolo usa a preposição "em" (*en*). Em outras palavras, até na prisão Paulo está profundamente consciente de que está unido a Cristo. Sua prisão é parte do preço de viver em Cristo, mas o encarceramento e os riscos de ser um servo não mudaram em nada o relacionamento de Paulo com o Salvador. Sua situação atual foi simplesmente outra oportunidade de viver o seu compromisso de servir ao Único que foi o exemplo supremo de servo.

2) A prisão de Paulo também serviu para ilustrar as palavras de Jesus: "Se o grão de trigo, caindo na terra, não morrer, fica ele só; mas, se morrer, dá muito fruto" (Jo 12.24). Como resultado do que aconteceu com Paulo, a maioria dos irmãos em Cristo começaram a proclamar "a palavra de Deus", a mensagem cristã em sua totalidade (Hawthorne, 35).

Sua proclamação do Evangelho foi um feito corajoso. Mais que nunca, estes cristãos destemidamente ousados proclamaram as boas novas. O Espírito Santo usou a crise do encarceramento de Paulo para capacitar ainda mais os seus seguidores em suas pregações. Isto não é diferente do que aconteceu imediatamente após o Pentecostes, em Jerusalém (At 3.23-31). O encorajamento recebido pelos irmãos foi mais do que um gentil "tapinha nas costas"; foi uma confiança segura ou uma forte persuasão. Um profundo paradoxo ilustrado ao longo de toda a história da Igreja, mostra como o povo de Deus sendo oprimido ou perseguido, tem sua coragem aumentada para compartilhar sua fé, e nestas ocasiões a Igreja cresce e é fortalecida.

3.2. A Importância de se Proclamar o Evangelho (1.15-18a)

Paulo observa que a pregação do Evangelho, desde sua prisão, tem seguido duas linhas. Alguns estavam proclamando as boas novas por causa de seu amor por Paulo e o compromisso com a mensagem, mas outros o faziam por ambição pessoal e uma aparente antipatia por Paulo. A despeito da situação ou motivação anterior a esta proclamação do Evangelho, Paulo regozija-se, de qualquer modo, por Cristo estar sendo pregado.

A linguagem do verso 15 estabelece um contraste. Por um lado, existiam aqueles que proclamavam Cristo por inveja e rivalidade (A palavra "inveja" indica uma emoção, uma atitude interna do coração, enquanto "rivalidade", refere-se a notórias facções e disputas — o fruto público da atitude interior da inveja). Por outro lado, os outros estavam proclamando Cristo de boa vontade (*eudokia*, veja 2.13). Esta palavra refere-se mais freqüentemente à boa vontade de Deus (por exemplo, Ef 1.9), mas ela pode referir-se também aos bons desejos ou à boa disposição de uma pessoa (Balz e Schneider, 2.75).

Em outras palavras, alguns indivíduos estavam pregando o evangelho por motivos puros, enquanto outros o faziam por motivos impuros. O ato de pregar (*kerysso*) descreve a proclamação pública do evangelho; este verbo denota a função de um arauto e foi complementado por outra palavra usada popularmente para pregar, *euangelizomai* ("proclamar as boas novas"), que tinha o seu foco mais no conteúdo da mensagem pregada do que no ato de pregar.

Os versos 16 e 17 tratam ainda dos dois grupos mencionados no verso 15. Aqueles que proclamavam de boa vontade foram motivados pelo amor; tiveram uma compreensão clara de que a prisão de Paulo foi "a defesa [*apologia*] do evangelho". *Apologia* foi um termo técnico indicado para a apresentação de uma defesa judicial, que mais tarde veio a incluir tanto uma defesa legal quanto uma defesa filosófica da fé. Observe que a palavra mencionada e relacionada à prisão de Paulo ("fui posto") pode dar o sentido de uma designação ou um destino. Paulo usa esta palavra para refletir seu próprio entendimento de que está na prisão de acordo com o plano e propósito específicos de Deus.

O outro grupo estava proclamando o evangelho por "ambição egoísta" ou por "contenção" (v. 17). Esta palavra foi considerada um tanto pejorativa; a nobreza freqüentemente utilizava-se dela para denotar aqueles que trabalhavam por um salário diário e que eram motivados pela sobrevivência pessoal; os nobres, em contraste, eram livres para doar suas habilidades e recursos por qualquer causa que julgassem merecedora de seu nobre esforço (Fee, 212). Paulo permitiu, contudo, que estes pregadores com motivos corrompidos prosseguissem proclamando o evangelho, apesar de sua hostilidade para com o apóstolo. Paulo ainda usa aqui outra palavra (*katangello*) referindo-se à proclamação do evangelho.

Quem eram aqueles pregadores do evangelho que tinham motivos errados? Não eram os contínuos oponentes de Paulo, os judaizantes, que pensavam que guardar a lei cerimonial judaica era indispensável para a salvação? Estes são aqueles a quem Paulo se refere furiosamente como "cães", "maus obreiros", ou ainda "mutiladores da carne" (3.2). Entretanto, nenhuma das maldições de Paulo contra os judaizantes é refletida aqui. Ele refere-se aos dois grupos mencionados como "irmãos", indicando que todos são cristãos (v. 14). É óbvio que até na igreja primitiva existiam evidências de conflitos interpessoais e aqueles que tiveram motivos que não eram sinceros.

3.3. O Entendimento de Paulo acerca de sua Prisão (1.18b-26)

Paulo agiu de modo a responder a uma pergunta que os filipenses poderiam estar repetindo: "O que vai acontecer com você, Paulo?" Ele afirma que manterá uma postura de alegria apesar das circunstâncias. Por causa das orações dos filipenses e da ação do Espírito em sua vida, ele sabe que será liberto. Seu livramento terá a forma de libertação ou morte. A opção anterior é somente uma antecipação ou uma moratória temporária da posterior, quando os propósitos completos e finais de Deus para a vida de Paulo serão cumpridos.

As palavras de abertura repercutem a confiança de Paulo: "Nisto me regozijo e me regozijarei ainda". A sua alegria é claramente independente das suas circunstâncias; antes, origina-se no sucesso do evangelho. À medida que o evangelho é proclamado (não importando o motivo), a vocação de Paulo como um apóstolo e a visão de que a pregação das boas novas ao longo do mundo gentio está sendo cumprida, são o motivo de seu regozijo.

No verso 19, o apóstolo expressa a confiança de que a situação em que se encontra resultará em sua "libertação" (*soteria;* literalmente, "salvação"). Esta frase repercute Jó 13.16, onde Jó afirma sua confiança em Deus de que seu julgamento resultará em sua salvação (com o sentido de defesa). Como no caso de Jó, a salvação de Paulo antecipa, sem dúvida, a escatologia da natureza e finalmente defenderá o evangelho. Porém, o contexto das palavras de Paulo não pode ser omitido, e parece que Paulo estava antecipando também alguma forma de libertação de sua prisão (vv. 25,26).

Paulo afirma mais adiante que esta confiança vinha de duas fontes (v. 19): das orações dos filipenses e do "socorro dado pelo Espírito" (literalmente, "socorro do Espírito"). A palavra "socorro" ou "auxílio" (*epichoregia*) denotou uma provisão de um marido para com sua esposa. Mais tarde, veio a referir-se à proteção pródiga de um benfeitor rico vestindo e suprindo as necessidades de um coral para um festival ou ocasião religiosa. Devemos também observar que Paulo não está se referindo a uma provisão que é somente dada *pelo* Espírito Santo, mas, antes, a uma provisão que é o próprio Espírito Santo que está com ele. Em outras palavras, experimentou a maravilhosa presença do Espírito Santo em meio à sua dificuldade e com esta presença pode até ter recebido algum discernimento revelador relativo ao resultado de sua prisão.

O Espírito Santo é "o Espírito de Jesus Cristo". Paulo retrata uma íntima identificação entre o Espírito Santo e o Cristo ressurreto. Em 2 Coríntios 3.17,18, Paulo identificou o Cristo ressurrecto e o Espírito em termos de experiência — quer dizer, a experiência do Espírito é a experiência do Cristo ressurreto. Em 1 Coríntios 15.45, Paulo reforça que o ministério do Cristo ressurrecto é realizado através da ação do Espírito. Ontologicamente, os dois são pessoas separadas, mas em termos da experiência dos cristãos, estão intimamente relacionados. Por exemplo, tanto o Espírito quanto o Cristo ressurreto são conhecidos como intercessores a favor dos cristãos (Rm 8.26, 34). Paulo fala do amor que os dois, Cristo e o Espírito, concedem (8.35; 15.30). Os cristãos são filhos de Deus pelo Espírito e filhos de Deus em Cristo (8.14,15). A santificação acontece em Jesus (1 Co 1.2) e no Espírito (Rm 15.16). Em resumo, todas as bênçãos dadas por Cristo são trazidas pelo Espírito.

O verso 20 começa com a própria luta de Paulo com as situações que enfrentou. Seu sentimento principal, sua "esperança cheia de ansiosa antecipação" (O'Brien, 113), é que não importando o resultado, Cristo será exaltado em seu corpo. Sua preocupação nesta consideração é que não seja envergonhado; isto é, que seja justificado na presença de Deus (a idéia de justificação da vergonha é comum em Salmos; Sl 35.26,27). Ele deseja também que Cristo seja publicamente e corajosamente glorificado através de sua provação. Observe o enfoque continuamente alternado dos pensamentos de Paulo aqui — a justificação ainda futura e a proclamação corajosa no presente.

Esta perspectiva alternada continua no verso 21. Cristo é a continuidade da vida. Ou seja, para o apóstolo, sua caminhada com Cristo e seu ministério estavam indissoluvelmente ligados à própria vida. A morte era considerada como lucro ou ganho, simplesmente porque seria o veículo que levaria o apóstolo à realização de tudo aquilo pelo que viveu a sua vida. Continuando com este pensamento no verso 22, o apóstolo reflete uma vida continuada na carne, isto é, com a fraqueza da vida física. Sua existência física contínua poderia ser simplesmente a completa devoção a Cristo. Todo o trabalho que o apóstolo faz será frutífero; seu objetivo estará nas coisas que são eternas. É praticamente como se estivesse antecipando uma questão sobre sua alternativa preferida. Responde que não é capaz de explicar todas as coisas, transferindo o assunto a Deus, que tem o destino da vida de cada pessoa em suas mãos. O futuro de Paulo não é sua escolha, nem é escolha do Império Romano, por mais poderoso que pudesse ser. O destino de Paulo está apenas nas mãos de Deus.

Embora o destino final de Paulo esteja nas mãos de Deus, oscilando entre dois horizontes — o presente e o futuro — criou-se uma tensão dentro de Paulo. A palavra "aperto" (v. 23) retrata a interação de duas forças adversárias. Estes sentidos figurativos apontam para uma preocupação, levando quase à angústia, envolvida na escolha entre as duas alternativas. A primeira tem uma orientação futura: morrer ou renunciar a esta vida. A escolha das palavras de Paulo ao descrever a morte como uma "partida" retrata um notável posicionamento ou uma âncora utilizada para retornar ao lar. A morte, para Paulo, não era um mergulho em um abismo, mas uma jornada para o lar eterno, onde se uniria a Jesus Cristo. O apóstolo não deixa nenhuma dúvida de que sua morte resultaria em seu transporte imediato à presença de Cristo, o que seria sem dúvida "muito melhor" do que continuar vivendo neste mundo.

O apóstolo percebeu, porém, que havia mais a considerar na situação do que seus próprios interesses. Novamente o retrato constrangedor de servo de Cristo (veja a introdução e os comentários sobre o capítulo 2.5-11) motivou Paulo a pensar nos outros. Das duas alternativas que Paulo considerava, seria mais benéfico para os filipenses (ou "mais necessário") que Paulo permanecesse vivo (1.24). Completamente persuadido da necessidade que tinham dele, Paulo parece confiante que permanecerá vivo e continuará com eles (veja Fee, 152). Em outras palavras, Paulo vê ao menos algum alívio, a curto prazo, de seu encarceramento.

O propósito de seu retorno a eles é ver o avanço (ou o "progresso") dos filipenses e regozijar-se na fé deles.

Como resultado de seu retorno, Paulo sabe que os filipenses se orgulharão (*kauchema*, traduzido como "alegria" na NVI no v. 26) em Cristo. O grupo da palavra *kauchema* ocorre cerca de sessenta vezes no Novo Testamento e, somente nos escritos de Paulo, é usada cinquenta e cinco vezes. Em seu sentimento negativo, refere-se ao regozijo soberbo; mas em seu sentimento positivo, denota uma reação jubilosa de confiança, resultante da colocação de sua fé e confiança em Deus. Aqui, a palavra não denota vãs ações de sentido tolo, mas encontra suas raízes na pessoa e obra de Jesus Cristo.

3.4. Exortação aos Filipenses à Luz do Sofrimento de Paulo (1.27-30)

No que parece ser uma sensata submissão do seu desejo ao plano principal de Deus na sua atual situação, Paulo concilia sua confiante afirmação nos versos 24-26 com uma palavra de precaução. Não importando o que o seu futuro reserve, a igreja dos filipenses tem sua própria responsabilidade de viver a verdade do evangelho. O desafio de "portarem-se" (v. 27; literalmente, "viverem como cidadãos") de uma maneira merecedora do evangelho é significativo, uma vez que estes cristãos residiam em uma colônia do Império Romano (veja introdução). Os cidadãos de Filipos tentaram imitar os habitantes de Roma quanto ao modo como conduziam suas vidas. Portanto, Paulo usa este termo para lembrar aos cristãos daquela cidade que são cidadãos de um império divino, que tem em suas vidas uma relação mais duradoura do que o relacionamento passageiro com Roma (veja também 3.20).

Paulo desafia os filipenses a viverem de maneira digna do evangelho, esteja ele presente com eles ou não. Continua a definir o estilo de vida adequado. Deveriam ser unidos, permanecendo firmes em um Espírito (v. 27; um dos resultados

Estas ruínas em Filipos são da Ágora, que era a feira. Datam da era romana, quando a cidade era um importante centro militar. Observe a escultura de um soldado.

do derramamento do Espírito Santo sobre os cristãos em Jerusalém foi a unidade, At 2.42 e ss.). Somente a palavra do Espírito Santo pode trazer e manter a unidade exigida para que a Igreja prossiga. Tal unidade capacitará os cristãos a lutarem juntos por um objetivo muito maior do que seus conflitos interpessoais insignificantes — a mensagem do Evangelho (aqui a palavra "fé" indica o conteúdo da mensagem a respeito de Jesus). A palavra "combate" (*synathleo*) foi usada tanto no contexto de guerra como de eventos atléticos. Uma analogia atual poderia ser a frase "trabalhar como um time".

Outro aspecto de "permanecer [ou permanecendo] firme" em filipenses deveria ser a rejeição a serem intimidados por aqueles que se opõem ao evangelho (v. 28). Este verso contém a primeira referência nesta carta ao sofrimento dos filipenses. Paulo não define a natureza do sofrimento deles. Mas, se a experiência do apóstolo e de seus companheiros em sua primeira viagem a Filipos fosse alguma indicação, a oposição desta leal cidade romana realmente teria continuado a causar impacto à igreja. A influência do império, com seu culto ao imperador, teria sido sentida em Filipos.

A atitude oponente destes cristãos em rejeitar o evangelho resultará no julgamento de Deus (v. 28) — a conseqüência final de rejeitar a Cristo e seus mensageiros. Somente no episódio ocorrido na Estrada de Damasco, Paulo percebeu que ao perseguir a Igreja estava perseguindo a Cristo (At 9.5). Reciprocamente, a perseguição permaneceu como um indicador de que os cristãos em Filipos experimentariam a salvação final devido à sua fé e confiança em Cristo. Para Paulo, o conceito de salvação continha três aspectos: passado (justificação), presente (santificação) e futuro (glorificação). Está aqui direcionando os cristãos para a salvação futura.

Além disso, foi dado gratuitamente aos filipenses o privilégio de não somente crer, mas também de experimentar o sofrimento por causa de Cristo (v. 29). Isto repercute as palavras de Jesus quando advertiu os seus discípulos de que os servos não serão maiores que seu mestre, mas que serão chamados a sofrer por Ele (Jo 15.20). Aqui Paulo esclarece que a participação no evangelho envolve a participação no sofrimento. No verso 30, ele traz a função paradigmática desta parte da conclusão. Os filipenses viram e ouviram como Paulo reagiu ao sofrimento por causa do Evangelho (veja At 16), e isto os capacitaria no decorrer de suas próprias experiências.

4. O Redirecionamento do Comportamento Considerando o Exemplo de Cristo (2.1-18)

Paulo muda de uma discussão acerca de sua prisão, e de que maneira serviu como um paradigma à reação dos filipenses ao *sofrimento exterior,* para uma discussão relacionada ao foco em suas vidas, de como se relacionam com os acontecimentos *internos* da Igreja. Surgem ao longo da carta comentários (por exemplo, 4.1-3) de que existiam alguns problemas secundários dentro da vida da congregação, cujo "epicentro" estava dentro e em torno da liderança (especialmente o caso de Evódia e Síntique, 4.2). Paulo inicia a ação corretiva dirigindo-a livremente à congregação; mais tarde, trata de situações específicas. Desafia os cristãos de Filipos a viverem em unidade à luz de sua experiência cristã (2.1-4). Define então Cristo diante deles, como o exemplo supremo de humildade e como servo (2.5-11). Finalmente, lhes dá algumas admoestações práticas sobre seus relacionamentos interpessoais, conclamando-os a viverem vidas dedicadas, quer o apóstolo esteja presente com eles ou não (2.12-18).

4.1. O Comportamento à Luz da Experiência Cristã (2.1-4)

Os versos 1 a 4 incluem uma sentença ímpar no texto grego, que traz uma certa dificuldade de manejo a qualquer tradução inglesa. O simples fluir da exortação é este: Uma vez que todos vocês compartilham uma experiência cristã comum [v. 1], tornem minha alegria completa [v. 2a] compartilhando uma atitude e um estilo de vida semelhante à experiência que tendes em comum [vv. 2b-4]".

Estas exortações ou condições (v. 1) deveriam ser vistas como uma súplica a uma realidade comum que eles partilham como resultado de serem cristãos. A idéia de "se há..." pode melhor ser expressa como "uma vez que vocês têm...". Paulo não está trazendo uma exortação dependente da veracidade de certas realidades em suas vidas. Antes, está desafiando-os sob a suposição de que tais condições, de fato, existam. Esta experiência comum consistia em: encorajamento para ser um em Cristo, conforto no amor de Deus, comunhão no Espírito, ternura e compaixão.

1) O sentido de "encorajamento" [*paraklesis*] para ser unido a Cristo" indica todas as bênçãos que os filipenses receberam como resultado de sua experiência de salvação. O pensamento de Paulo pode ser interpretado como referindo-se ao passado, à consolação comum que receberam de Cristo quando passaram por várias provas (voltando ao capítulo 1.15 e ss.). Provavelmente, porém, a frase tenha o sentido de ser equivalente à "salvação", experimentada na comunhão com Cristo (O'Brien, 171). Deveria ser observado que o termo que Paulo normalmente usa para indicar as bênçãos da salvação não é *paraklesis*, mas *charis* (graça). A frase "em Cristo" ocorre cerca de 150 vezes nos escritos de Paulo e está virtualmente ausente do restante do Novo Testamento. Isto indica a posição dos cristãos como o resultado de sua experiência de salvação através da fé em Jesus Cristo.

2) A próxima condição a que Paulo se refere é o "conforto do amor [de Deus]" (literalmente, "conforto do amor"). A palavra "conforto" (*paramythion*) retrata quase o mesmo que *paraklesis*, possivelmente com um sentido de "incentivo". Para amor, é claro que a palavra utilizada é *agape*, que denota o tipo de amor de Deus Pai, que foi mostrado ao mundo em duas situações: quando Deus

enviou seu Filho ao mundo para trazer a dádiva da salvação (Jo 3.16), e quando os cristãos passaram a ser chamados de "filhos de Deus" (1 Jo 3.1). A inclusão de Deus, de Cristo e do Espírito Santo nesta frase, compara os pensamentos de Paulo com as bênçãos de 1 Coríntios 13.14, que enumera as três pessoas da Trindade e as condições características pelas quais estas se relacionam com os cristãos.

3) A terceira expressão, "comunhão" [*koinonia*] no Espírito", é outro aspecto importante da experiência cristã. *Koinonia* no meio dos cristãos foi uma característica da igreja primitiva (At 2.42 e ss.), que teve seu início pela ação do Espírito Santo. Observe que esta comunhão não é somente aquela que é trazida pelo Espírito Santo, mas também uma comunhão que consiste na participação do próprio Espírito Santo. O trabalho do Espírito em seu meio, com seus dons, manifestações e poder, é o que forma sua comunhão com Ele.

4) A condição final, "afeto e compaixão", é difícil. A palavra que a NIV traduz como "afeto" (*splanchna*, veja comentários no cap. 1.8) refere-se às emoções vindas do mais profundo de cada ser. Em outra parte, nas cartas de Paulo, a "compaixão" (*oiktirmos*) refere-se à misericórdia de Deus (Rm 12.1; 2 Co 1.3). O enfoque desta palavra é o amor dos filipenses uns para com os outros (Cl 3.12) ou a compaixão de Deus por eles? Nesta passagem, Deus tem de fato feito nascer em seus corações o afeto e a compaixão, uma obra cujo objetivo é, sem dúvida, a solidariedade e o compromisso mútuo.

À luz destas realidades, Paulo desafia seus ouvintes a tornarem a sua alegria completa. A idéia que está por trás de fazer algo completo é trazer isto à sua realização ou ao objetivo final. Em Filipenses, Paulo observa que experimentou a alegria no sofrimento, a alegria de ser lembrado pelos filipenses por ocasião de sua necessidade, e a alegria pelo evangelho ser pregado. Para ele, a alegria completa é que a igreja, que é a comunidade redimida, viva a realidade do evangelho.

Depois de rogar aos filipenses que compartilhassem a experiência da salvação, Paulo desafia-os a refletir várias qualidades em suas vidas (vv. 2b-4), todas aquelas que dependam ou aumentem a primeira: "sentindo uma mesma coisa" (v. 2b). Esta expressão indica muito mais do que compartilhar pensamentos ou opiniões comuns; denota o completo processo de pensamentos e emoções de uma pessoa, que estão intimamente refletidos na maneira de viver de cada um. Para Paulo, não existia nenhuma disparidade entre os pensamentos de uma pessoa e a sua maneira de viver, pois ambos estavam ligados como se fossem uma única característica.

Uma característica de boa consciência é que os cristãos deveriam ter "o mesmo amor" uns para com os outros. Paulo estimula os filipenses a amarem-se uns aos outros, porque todos têm recebido este mesmo amor de Deus (2.1). Ser um em espírito e em propósito traduz literalmente, sinceridade de alma, tendo suas mentes ligadas em uma só coisa. Esta frase enfatiza a importância da pureza dos motivos e objetivos. Isto faz recordar como Paulo ainda havia reconhecido aqueles que estavam pregando o evangelho com motivos confusos (1.15 e ss.).

No verso 3, Paulo desafia os filipenses a buscarem um estilo de vida que não reflita as características de seus oponentes. A "ambição egoísta" foi um dos motivos que ele identificou naqueles que pregavam o evangelho esperando aumentar o seu sofrimento (1.17). Ligado a isto, o "pensamento vão" (*kenodoxia*) também deveria ser evitado. Esta palavra significa literalmente uma "glória vã", denotando, sem dúvida, uma tentativa de obter para si mesmo a glória que pertence somente a Deus. Tal atitude reflete, enfim, uma atitude voltada aos outros. Observe como na descrição de Paulo sobre Cristo no capítulo 2.5-11, ele o identifica como alguém que esvazia-se a si mesmo (*kenoo*) e mais tarde recebe a glória (*doxa*) de Deus, tendo escolhido o caminho da obediência e do servir.

A solução para a ambição egoísta é adotar a humildade como perspectiva (v. 3b). (Esta, sem dúvida, foi a causa do longo hino de Cristo a seguir). No mundo greco-romano, uma atitude de humildade era desprezada e vista como característica de um indivíduo de nascimento humilde ou de um escravo. Esta não seria uma posição facilmente adotada por cidadãos de uma cidade orgulhosa de sua cidadania romana, como eram os habitantes de Filipos. Neste sentido bíblico, a humildade é a única postura apropriada para que alguém caminhe em direção a Deus. Somente quando uma pessoa se humilha, Deus a exalta, enquanto os orgulhosos serão humilhados por Deus. Uma atitude de humildade faz cada um ter uma visão realista de si mesmo e valorizar verdadeiramente o papel e a importância dos outros (Rm 12.3 e ss.). Paulo não tem qualquer tolerância com a falsa humildade, que se humilha e sofre dificuldades em prol de benefícios pessoais.

A exortação final de Paulo nesta parte (v. 4) lida com os objetivos dos filipenses. A idéia compreendida dentro da palavra "olhar" (*skopeo*) sugere olhar para algo ou estar olhando para algo com um objetivo em mente. Os filipenses não estão somente vigiando aquilo que lhes diz respeito e lhes interessa; estão enfocando os "interesses dos outros". Observe novamente a comparação de Paulo. O enfoque desejado não está na atitude de rejeição de si mesmo em prol da própria exclusão, mas em verdadeiramente compartilhar a *koinonia* — um enfoque nos outros como também em si mesmo. Esta atitude de preocupar-se em atender as necessidades dos outros, tem juntamente um enfoque anterior e posterior nos termos de sua colocação na carta. Rememora o exemplo de Paulo, de colocar as necessidades dos filipenses em primeiro lugar (escolhendo permanecer com eles, 1.25) e de procurar seguir o exemplo de Cristo de não sentir que as prerrogativas da divindade sejam "algo que deva ser buscado" e utilizado para seus próprios propósitos (2.6).

4.2. O Comportamento à Luz do Exemplo de Cristo (2.5-11)

Estes versos são essenciais nesta carta. Enfocam principalmente a atitude de Cristo como um exemplo a ser imitado pelos filipenses. Por esta razão, discutem abertamente o problema contínuo da rivalidade aludido na carta. Os estudiosos têm questionado se o capítulo 2.5-11 é um fragmento sobrevivente de um antigo hino Cristão. A visão prevalecente foi de que estes versos são hinos antigos sobre Cristo, escritos com um propósito didático ou kerygmático em mente. As opiniões variam entre os estudiosos. De qualquer modo, isto acontece durante a análise literária do hino.

Embora a idéia da passagem como sendo um vestígio sobrevivente da adoração apostólica seja atraente, esta visão apresenta algumas dificuldades:

1) O hino inteiro, nitidamente não se adapta à situação proposta pelos estudiosos. Por exemplo, tem sido argumentado que a última frase do verso 8 ("até à morte e morte de cruz") interrompe a passagem. Conseqüentemente, muitos têm discutido que esta é uma adição de Paulo.

2) Vendo o "hino" como um instrumento cristão primitivo, kerigmático ou didático, não faz justiça ao contexto de que faz parte. Está claro, através do desenvolvimento dos argumentos de Paulo, que seu propósito ao incluí-lo (ou escrevê-lo) não é apresentar principalmente uma eloqüente Cristologia (embora o seja), mas lembrar aos filipenses o exemplo supremo de humildade. Quase em antecipação às suas reações ao pensamento de algo tão "culturalmente incorreto" para aquela cultura como a humildade, a carta mostra que o propósito de Cristo, humilhando-se a si mesmo foi cumprir a vontade de Deus. Deus, por fim, glorificou a Cristo exaltando-o, e os versos 6-11 narram que tudo isto foi para a glória de Deus Pai (v. 11).

3) Observe também que a literatura cujo caráter é visto aqui, não é superior à capacidade de Paulo sob a inspiração do Espírito (1 Co 13).

Paulo começa observando a forma de vigiar de Cristo e sua maneira de viver, que os filipenses são encorajados a seguir (A frase: "De sorte que haja em vós o mesmo sentimento..." está relacionada a *phroneo*; veja o comentário sobre 1.7).

A frase que algumas traduções têm como "Suas atitudes [plural]" indica o fato de que esta atitude deveria permear a estrutura da comunidade cristã.

A inclusão das palavras "que houve também em Cristo Jesus" é literalmente "de Jesus Cristo". Existe alguma dúvida a respeito da interpretação desta frase. Os filipenses são chamados a terem, um para com o outro, a mesma atitude que têm para com Cristo (com o sentido de "que houve também [em vós e] em Cristo Jesus")? Ou os filipenses são chamados a manifestar a mesma atitude que Jesus manifestou (com o sentido "que houve também [ou que havia] em Cristo Jesus")? Dado o contexto e o propósito da passagem, a segunda opção parece mais apropriada, de forma que Paulo está desafiando-os a refletirem o que viram em Cristo (Fee, 200 e ss. O'Brien, 210 e ss.).

Contemplando a atitude de Jesus Cristo, Paulo inicia uma das passagens mais completas da Cristologia do Novo Testamento. De acordo com ele, Jesus foi antes de tudo um ser divino. Ele era Deus em sua natureza e em sua forma (v. 6). A palavra que a NIV traduz como "natureza" é *morphe*, que no uso extra bíblico, indica uma manifestação exterior que corresponde a uma natureza interior. A averiguação precisa do significado do termo é difícil, em parte, porque os versos 6 e 7 são as únicas ocorrências desta palavra no Novo Testamento (exceto uma leitura posterior em Marcos 16.12). Hawthorne sugere apropriadamente que Cristo era "a natureza e o caráter essenciais de Deus" (84). O termo "sendo" não é o verbo habitual que conhecemos e que transmite a idéia de "ser ou estar". Antes, Paulo usa *hyparcho*, que significa "existir" e sugere que Cristo existia desde a eternidade.

O conceito de *morphe* é desenvolvido mais adiante, na parte seguinte do verso 6, onde Paulo afirma que Jesus tinha a "igualdade a Deus" (literalmente, "ser igual a Deus"). Então, o termo "igualdade" não é usado em um sentido adjetivo, mas em um sentido adverbial, o que quer dizer "Jesus sendo igualmente Deus". Esta divindade foi algo que Jesus se recusou a reconhecer como seu direito inalienável.

Ele colocou de lado os seus direitos (não a sua divindade), e não os defendeu.

A palavra "usurpar" (*harpagmos*) tem sido definida como apoderar-se ou prender alguma coisa, freqüentemente de um modo violento. Houve um debate considerável sobre seu significado preciso. Duas visões predominantes emergiram.

1) Alguns procuraram defender que o termo *harpagmos* deveria ser traduzido de modo a denotar que Jesus não possuiu a divindade mas que a viu como uma condição que podia ser alcançada ou até mesmo roubada.

2) Porém a maioria entende que Jesus foi, de fato, Deus, mas não considerou aquela condição como algo que deveria ser mostrado a todo custo. A igualdade com Deus não é algo a ser alcançado de uma maneira gananciosa e usada para seu próprio benefício. Antes, Jesus aniquilou-se a si mesmo, tomando a forma de servo, fazendo-se semelhante aos homens para beneficiar a outros.

Embora, de acordo com os princípios lexicais, uma ou outra interpretação possa ser correta, a segunda se adapta melhor ao contexto (para maiores detalhes, veja Silva, 117-18; O'Brien, 215-16). Jesus, que em sua própria natureza é Deus, não considerou que esta condição devesse estar patente demais, de modo a trazer-lhe alguma vantagem pessoal. Observe novamente o impacto que estas palavras causariam nos ouvintes de Paulo, que orgulhavam-se de sua cidadania romana com todos os seus direitos e privilégios intrínsecos. Ao invés de reunir e exercer seus privilégios, Jesus aniquilou-se, deu a si mesmo até à morte. A solução para os problemas da unidade dos filipenses estava na adoção deste mesmo propósito de Jesus.

A questão acerca do significado de como o termo *harpagmos* deveria ser empregado é bem ilustrada no verso 7. Jesus "aniquilou-se a si mesmo" — uma função que pressupõe que Ele seja uma divindade. Esta frase permaneceu no centro de algumas controvérsias e até heresias relativas à pessoa de Jesus Cristo. O que Paulo quis dizer exatamente quando disse que Cristo "aniquilou-se a si mesmo"?

Será que Ele se anulou de "tudo, exceto do amor", como Charles Wesley escreveu em seu conhecido hino intitulado "Amazing Love" (que pode ser traduzido como "Maravilhoso amor"). Como é que a disposição que Jesus teve de aniquilar-se a si mesmo afeta a nossa compreensão em relação à sua encarnação?

Como com o restante desta seção, parte da resposta encontra-se na seguinte frase (v.7b). Jesus "aniquilou-se a si mesmo, tomando a forma de servo". O mistério da encarnação começa a se esclarecer — Jesus, o segundo membro da Trindade, não deixou de lado a sua divindade. Deus não pode separar-se ou divorciar-se de sua própria natureza. Antes, a aniquilação de Jesus deveria ser vista no fato de que Ele, como Deus, tomou a forma de servo. Isto é bem subentendido por Paulo através do uso da palavra "tomando". A "natureza" (aqui novamente se utiliza a palavra *morphe*) que Cristo escolheu assumir era a de um escravo. Ele não se parecia simplesmente com um escravo; assumiu exatamente a forma de um escravo. Aqui temos alguém que tinha "a própria natureza de Deus" e que tomou "verdadeiramente", a natureza adicional de "servo". Isto resume a dupla natureza da encarnação. Cristo foi, simultaneamente, completamente Deus e completamente humano.

Foi levantada a questão se Paulo está fazendo alusão a Isaías 52—53 (a conhecida passagem do sofrimento do Servo de Jeová). Embora este paralelo não esteja sem fundamentos em outras passagens das Escrituras, as palavras usadas aqui e na LXX (Septuaginta) fazem uma conexão um tanto obtusa. Na LXX (Septuaginta), o servo de Jeová está representado por *pais kyriou*. Em Filipenses, porém, Paulo usa o termo comum para escravo (*doulos*), quando descreve Jesus. Este retrato da escravidão comum teria sido visto como a forma final de humilhação aos olhos dos seguidores de Paulo — Deus, tornando-se um escravo comum, sem direitos ou privilégios.

O termo aniquilar-se é bem definido na parte posterior do verso 7: ... Jesus Cristo fazendo-se "semelhante aos homens". O verbo traduzido "fazendo-se" (*ginomai*) contrasta com a palavra *hyparcho* no verso 6, por implicar que algo venha a "ser adquirido" ou a "se tornar". A palavra "semelhante" (*homoioma*) é ambígua, pois pode ter o sentido de ser uma reprodução exata, uma identidade, ou um equivalente. Talvez a palavra seja deliberadamente ambígua, permitindo a Jesus ser semelhante aos seres humanos, mesmo que não idêntico a eles sob todos os aspectos. Isto é, Jesus foi um ser humano, porém, simultaneamente, sendo Deus, foi sem pecado. Observe, porém, que o ímpeto principal da palavra não é ontológico, mas o reforço do fato de que aquEle que é Deus agora tornou-se homem.

O verso 8 retrata a vida e o ministério de Jesus em termos micro-cósmicos. Nos termos de Fee, Jesus "foi visto como um homem" (215). Embora fosse Deus, não pareceu diferente de nenhum outro ser humano. Como homem, humilhou-se a si mesmo, tornando-se obediente a ponto de morrer em uma cruz. A humilhação de, sendo Deus, assumir a forma de um ser humano, já teria sido o bastante. Mas Paulo reforça a realidade de que Jesus humilhou-se muito mais do que isto. Nasceu de um modo relativamente insignificante e morreu uma morte cruel na cruz.

O quadro completo da humilhação de Cristo muda o ânimo de modo significativo. As duas partículas *dio kai* (que compõem a termo "então") no princípio do verso 9 marcam a transição da discussão de Paulo acerca das conseqüências da humilhação de Jesus. O assunto desta parte posterior do hino também muda. Considerando que o enfoque dos versos 5-8 estava em Jesus, o assunto dos versos 9-11 é Deus Pai e Jesus sendo o objeto de sua ação. Novamente devemos ter em mente que o enfoque desta parte como um todo está em convencer os filipenses da importância de manter a atitude de Cristo em seus relacionamentos interpessoais.

Os passos da humilhação de Jesus estavam ligados ao ato de Deus de exaltá-lo "soberanamente". Paulo claramente tem a ressurreição e a ascensão de Jesus em mente — o ato de vindicação de

Deus pelo Salvador. De acordo com a compreensão judaica, qualquer um que fosse pendurado no madeiro estaria sob a maldição de Deus (Gl 3.13); entretanto, de acordo com Paulo, a morte cruel de Cristo na cruz não foi amaldiçoada, mas recebeu o favor de Deus. A palavra "exaltar" é uma palavra composta, constituída pela preposição "acima de" (*hyper*) combinada com "exaltar" (*hypsoo*; Jesus usou a mesma palavra em João 12.32, "E eu, quando for *levantado* da terra, todos atrairei a mim"). A intenção de Paulo aqui é indicar que à medida que Cristo humilhou-se, foi grandemente exaltado e que ocupa a posição gloriosa de igualdade com Deus.

Uma ação concomitante com a exaltação de Cristo é o presente de Deus em relação ao seu nome. Nos tempos bíblicos o nome não servia somente como um meio de reconhecer um indivíduo, mas revelava também algo do caráter do homem ou da mulher. No caso de Jesus, o nome que Ele recebeu não foi apenas um simples nome, mas "um nome que é sobre todo o nome" (v. 9b). Na tradição judaica, o nome de Deus (Jeová), que foi revelado, nunca foi pronunciado por ninguém. Como resultado, várias expressões que utilizam perífrases foram empregadas para referirem-se a Deus. Santo, Senhor da Glória, O Nome, etc. A frase o "nome que é sobre todo o nome" é uma clara alusão à prática; no verso 11 o nome observado é: "Senhor" (*kyrios*, a palavra usada para Jeová na Septuaginta). A palavra que descreve a dádiva de Deus ao conceder este nome a Cristo é *charizomai* — um ato de dar que está centralizado na graça de Deus (*charis*). A graça de Deus — a soma de todas as bênçãos resultantes desta morte e exaltação — chega a nós somente porque Deus primeiramente honrou a Jesus "por sua graça" com este nome e posição que são exaltados.

A conseqüência da exaltação divina de Cristo é vista no verso 10. Toda criação o adorará. A frase na NIV que diz "ao nome de Jesus se dobre..." parece implicar a adoração ao nome "Jesus". O nome "Jesus", no texto, está no genitivo, e é melhor entendido como o nome que pertence a Jesus. Esse nome é o próprio nome de Deus — "Senhor" (*kyrios*, v. 11). A figura aqui é de uma total submissão e reverência. Considerando que a posição normal para orar era de pé, dobrar os joelhos indica uma profunda submissão e respeito. Este retrato também está orientado ao futuro, pois nem todo joelho já se dobrou ao Senhorio de Cristo — este fato faz parte da tensão entre o "já" e o "ainda não" dos ensinos de Paulo. Mas esta submissão algum dia será universal; observe a expressão "no céu, na terra e debaixo da terra".

A cosmologia predominante nos dias de Paulo retratou um universo de três partes, constituído por céu (a habitação de Deus e seus anjos), terra (a habitação da humanidade), e lugares inferiores ou inferno (a habitação dos espíritos maus). O ponto principal da frase de Paulo no verso 10 não é escolher os aspectos específicos do governo de Cristo, mas, antes observar a sua totalidade. Paulo compreendia que havia aqueles que não se curvavam a Cristo, mas curvavam-se a outro senhor — César. Entretanto, chegará o dia em que seus joelhos se dobrarão a Cristo. O verso 11 contém a frase paralela — "toda língua confesse [ou confessará] que Jesus Cristo é o Senhor". A idéia de uma confissão (*exomologeo*) requer uma declaração pública e é mais freqüentemente vista na LXX (Septuaginta) no contexto de dar louvores a Deus.

Estas duas frases ("todo joelho se dobrará..., toda língua confessará") vem de Isaías 45.23. O contexto desta passagem é a promessa de Deus a uma nação exilada, de modo que Jerusalém será algum dia habitada pelos filhos de Israel, e tanto Israel quanto seus inimigos darão a Deus a glória que lhe é devida.

A afirmação de que Jesus é o Senhor ocorre ao longo das cartas de Paulo (por exemplo, Rm 10.9), mas isto é somente um exemplo, onde o nome terrestre "Jesus", juntamente com a designação messiânica "Cristo" ("O Ungido"), são usados em conjunto com o título "Senhor". Mais tarde apareceu na Igreja uma heresia particular — o Docetismo — alegando que Jesus morreu na cruz e foi sepultado, mas que a verdadeira faísca da divindade que estava nEle foi liberada. No ensino de Paulo, nenhuma distinção pode ser feita entre a encarnação de Jesus e o Divino Senhor.

Embora o reconhecimento e a confissão de que "Jesus Cristo é o Senhor" atribua glória a Deus Pai, esta parte inclui um âmbito muito maior. A descrição completa que Paulo faz de Cristo — de sua preexistência e de sua encarnação até a sua exaltação — glorifica a Deus. O maior propósito de Deus foi reconciliar a humanidade consigo mesmo; e no que Paulo chama de (literalmente) "a plenitude dos tempos" (Gl 4.4), Cristo veio para cumprir o propósito de Deus na história.

4.3. Exortações à Luz do Exemplo de Cristo e a Experiência do Cristão (2.12-18)

À luz do exemplo de Cristo, Paulo continua a encorajar os filipenses a lidarem com os problemas que enfrentam por serem uma igreja. Pede para manifestarem a mesma obediência que foi característica de sua reação inicial ao evangelho (At 16.1 e ss.). Desafia-os também à obediência, não importando se está presente com eles. São chamados a obedecer não somente quando o apóstolo estiver presente, mas porque a obediência é parte de nosso comportamento para com Deus.

A tarefa para a qual os cristãos filipenses foram chamados consiste em voltarem sua atenção e continuarem a desenvolver seu povo, esforçando-se para deixar de lado as disputas insignificantes e tornarem-se unidos em Cristo. Paulo se refere a esta tarefa como ao desenvolvimento da salvação (v. 12b). Uma considerável confusão envolveu os versos 12,13. Será que Paulo está ensinando que os seus seguidores devem completar sua fé com trabalhos pessoais como um requisito necessário para a salvação? O verso 12 contradiz o verso 13?

Uma parte da dúvida pode ser esclarecida quando reconhecemos que tanto o pronome "vossa" quanto o verbo "desenvolver" (ou operar) estão no plural. Em outras palavras, Paulo não está sugerindo que a justificação de um indivíduo diante de Deus exija algum tipo de trabalho complementar para que seja efetiva. Além disso, deve ser observado que para Paulo a palavra "salvação" (*soteria*) traz consigo três sentidos distintos. Existe uma dimensão passada para a salvação: a justificação — quando um indivíduo é declarado justo devido à sua fé em Cristo e é movido do domínio do pecado a uma posição de reconciliação com Deus. Existe uma dimensão futura para a salvação: a glorificação — quando todos os propósitos de Deus na reconciliação serão cumpridos na Segunda Vinda de Cristo. Mas existe também uma dimensão presente para a salvação: a santificação — o processo pelo qual o indivíduo cresce e cada vez mais se assemelha à imagem de Cristo.

É a este processo de santificação que Paulo está se referindo nestes versos. Não há necessidade de pressupor que a palavra "salvação" tenha um significado enfraquecido neste verso. Para Paulo, a salvação significava fazer parte de um povo cristão — um corpo que tem como parte de seus mandamentos o crescimento em Cristo (Ef 4.15,16). Parte deste processo de crescimento aconteceu em um contexto de lutas e conflitos. A santificação do cristão não ocorre somente de modo individual, mas é cultivada em uma comunidade. Deve ser desenvolvida com "temor e tremor" — isto é, no princípio que os sábios escritores chamam de "temor do Senhor" (Sl 111.10; Pv 2.5), um estilo de vida em completo temor, reverência e obediência.

Paulo tem a certeza de que o Deus Trino é aquEle que santifica os que nEle crêem. Em várias passagens o apóstolo afirma que o Pai (1 Ts 5.23), o Filho (1 Co 1.2), e o Espírito Santo (Rm 15.16) agem na santificação. Reforça agora este fato aos filipenses (Fp 2.13). Vivem em comunidade, porém também têm uma vida com Deus, e é Ele quem os capacita. Seu papel como AquEle que neles trabalha significa que seu poder produz, na verdade, resultados tangíveis neles — tanto a capacidade de agir de acordo com a sua vontade, quanto a vontade e a disposição de fazê-lo.

A condição específica de como os cristãos devem desenvolver esta salvação é mostrada no verso 14. Esta correção fornece também uma visão da natureza do problema que estava ocorrendo na Igreja em Filipos. Devem fazer tudo sem "murmurações nem contendas". A palavra "murmurar" ou reclamar (*gongysmos*) é uma onomatopéia, ilustrando o melancólico, indefinível murmúrio dos pássaros. "Contender" (*dialogismos*) se refere à discussão argumentada, como aquela que acontece em um tribunal. Uma das maiores preocupações de Paulo nesta carta foi tratar dos conflitos interpessoais e das discussões. Sem dúvida concordaria com o que diz Tiago: a língua é, de fato, o membro do corpo mais difícil de ser controlado (Tg 1.26 e ss.). Foi justamente este tipo de comportamento que levou Israel a ser julgado por Deus durante a sua peregrinação pelo deserto (Nm 11.1; 14.1 e ss.).

Os versos 15 e 16 são uma parte da mesma frase contida no verso 14 e indicam o objetivo ou o resultado de parar de murmurar e contender (ou positivamente, estes versos trazem o resultado final de trabalharmos a nossa salvação com temor e tremor). É aparente, desde a primeira parte da frase, que a murmuração de Israel no deserto estava na mente de Paulo. Parando com seu próprio murmúrio, os filipenses se tornariam irrepreensíveis (*amemptoi*, sem reprovações ou falhas — uma palavra usada por Paulo para descrever sua severa fidelidade à lei como um fariseu; Fp 3.6). Deveriam também ser puros ou sinceros (*akeraioi*, não misturados, ou no caso de metais, sem ligas ou misturas). Deveriam ser diferentes de Israel, que por causa de sua murmuração e desobediência já não eram mais seus filhos, mas uma geração perversa e corrompida (Dt 32.5; Mt 17.17; At 2.40). Lidando com o problema das dissensões internas, os filipenses, como membros do povo redimido de Deus, do novo Israel, teriam a oportunidade de se tornarem inculpáveis, algo que Israel nunca poderia reivindicar diante de Deus.

Como o povo escolhido de Deus, os cristãos filipenses deveriam brilhar como um farol de Deus no mundo (Is 49.6). O Antigo Testamento vê a luz como uma metáfora para lei de Deus (Sl 119.105). Para o salmista, Deus foi tanto a luz como a própria salvação (27.1). A vinda do Messias representou a chegada da luz para dissipar as trevas (Is 9.2; Mt 4.16; Jo 1.4,5). Jesus chamou seus discípulos de "a luz do mundo" (Mt 5.14). Porém, a mensagem de Paulo aqui refere-se à visão que Daniel teve dos tempos do fim: "Os entendidos, pois, resplandecerão como o resplendor do firmamento" e ensinarão "a justiça a muitos" (Dn 12.3).

Os cristãos são luz justamente porque seu papel é proclamar e viver o Evangelho (v. 16a). Aqui, "reter" naturalmente resulta do verso 15b. Como os filipenses permanecem firmes e são determinados na proclamação das boas novas, tornar-se-ão luzes em uma cultura contrária à mensagem. Aqui, o evangelho é chamado de "a palavra da vida" por ser a mensagem da vida eterna.

Na segunda parte do verso 16, Paulo muda o enfoque para si mesmo. Sua citação de Daniel 12.3 pode ter servido para lembrar o apóstolo de seu papel no plano escatológico de Deus. Também pode ter em mente sua própria justificação diante de Deus, por ter se esforçado para se comportar como um servo exemplar de Cristo. Para Paulo, "o dia de Cristo" (veja também 1.10) é um paralelo muito próximo do conceito do Antigo Testamento relacionado ao "dia do Senhor" e é um tempo de esperança e de responsabilidade. Como ele mesmo diz aos filipenses, não queria enfrentar aquele dia tendo "corrido... em vão".

O íntimo relacionamento de Paulo com a Igreja torna-se conhecido neste verso. Os cristãos em Filipos foram o seu motivo de orgulho diante de Deus — um orgulho que refletiu a atitude de um pai, que de modo justo sente-se orgulhoso pelas nobres realizações de seus filhos. A fidelidade deles ao evangelho assegurou-lhe que o fruto de seu trabalho continuaria muito depois de sua partida. Seu ministério produziu frutos duradouros. Paulo contemplou a própria realização da chamada de Deus em sua vida através de duas metáforas:

1) Foi um atleta que correu com um único propósito e com a determinação de terminar bem;
2) foi também um trabalhador que trabalhou até o ponto de esgotamento e que sempre esteve ciente de que o trabalho deveria continuar, de forma que seus esforços não poderiam ser em vão.

Os pensamentos de Paulo voltam-se rapidamente para si mesmo no verso 17. A linguagem deste verso vem da imagem sacrificial do Antigo Testamento. É improvável que o apóstolo tenha aqui um pressentimento acerca de seu martírio. Afinal, estava confiante que sua prisão atual não terminaria em morte (1.25). Antes, está refletindo em seu próprio ministério e no dos filipenses enquanto procuram fazer o evangelho conhecido em meio ao seu povo. Paulo refere-se à sua própria experiência na prisão como sendo uma "libação" (2.17; cf. Nm15.1-13). Quando Paulo menciona "sacrifício" e "serviço da vossa fé", refere-se à própria luta dos filipenses como uma igreja que procura cuidar de sua salvação. Paulo mostra que se a obediência dos filipenses é como um sacrifício a Deus, suas lutas atuais na prisão representam uma libação ou uma oferta que acompanha o sacrifício. A resposta apropriada para as duas situações é regozijarem-se juntamente (v.18).

5. O Ministério dos Companheiros de Paulo (2.19-30)

O verso 19 dá início a uma nova e importante etapa na Carta aos Filipenses, enquanto Paulo deixa de enfocar a si mesmo e aos filipenses, e passa a enfocar duas pessoas-chave que se unem a ele em Roma: Timóteo e Epafrodito. O primeiro era um companheiro de viajem de Paulo e seu "filho" na fé; o segundo, um enviado especial da Igreja em Filipos para suprir as necessidades temporais e espirituais de Paulo durante sua prisão em Roma. Esta parte contém os planos da viagem de retorno de Timóteo e Epafrodito a Filipos. A menção dos planos de Paulo inclui uma recomendação para os dois homens e, de fato, retrata-os como exemplos de dois verdadeiros servos cristãos que não olham "somente para [seus] próprios interesses, mas também para os interesses de outros" (2.4).

5.1. Timóteo (2.19-24)

Paulo começa esta parte com o que pode aparentemente ser uma falta de confiança. Porém, sua esperança não é aquela que se baseia em precauções otimistas, mas, antes, uma afirmação de sua submissão a Cristo. Espera que a vontade de Cristo seja que Timóteo retorne logo a Filipos. O assunto principal é a ocasião da viagem de Timóteo a Filipos, e não a certeza desta (veja também o v. 23). O advérbio "logo" pode ter o significado de "imediatamente" ou "rapidamente" ou, neste caso, "assim que possível".

Embora a ocasião da viagem de Timóteo a Filipos fosse incerta, sua natureza e duração não eram. Paulo está enviando Timóteo com o propósito expresso de trazer um relatório sobre os assuntos da igreja — a viagem é uma missão exploratória. Como alguém que se preocupou de modo genuíno com os interesses das questões de outros (2.4), Timóteo acredita no melhor em relação aos filipenses. Paulo está confiante de que, quando ouvir o relatório de Timóteo, se sentirá muito encorajado ("de bom ânimo", v. 19). A permanência de Timóteo em Filipos não seria longa, já que Paulo está antecipando as notícias da volta de Timóteo antes mesmo de sua partida, que acreditava ser "em breve" (v. 24).

A alta estima que Paulo tem por Timóteo é refletida no verso 20. Não havia ninguém mais que compartilhasse um espírito familiar com ele (ou "como ele", cujo termo utilizado é *isapsychos*; literalmente, "de mesmo sentimento" ou "com o mesmo sentimento na alma"). Têm a mesma perspectiva e visão quando se trata dos filipenses. Isto é evidente pelo fato de Timóteo demonstrar um genuíno interesse pelos assuntos relacionados aos filipenses. Sua preocupação (*merimnao*; 4.6, onde esta palavra significa "aflição" ou "angústia") para com eles é mais do que passageira; é profunda e permanente.

No verso 21, Paulo contrasta a atitude de Timóteo com a de outros em sua companhia em Roma. O apóstolo não está comentando a condição de todos os cristãos em Roma, mas provavelmente tenha em mente o mesmo grupo a que se refere em 1.15, que pregava o evangelho por porfia (O'Brien, 321). Foi a atitude destes que os desqualificou. Seus motivos eram egoístas e não contribuíam com o evangelho. Somente Timóteo (e Epafrodito, é claro) se mostraram capazes e dispostos a empreender a jornada.

Depois daquela observação de arrependimento, Paulo retorna de modo otimista a Timóteo (v.22). Apela à própria experiência dos filipenses para demonstrar que Timóteo tem, de fato, "provado a si mesmo". Esta prova implica que o caráter de Timóteo foi pesado e avaliado (sem dúvida através de experiências compartilhadas) e resistiu ao teste. Timóteo "serviu com" Paulo no evangelho. Aqui, Paulo usa uma palavra relacionada a *doulos* — o próprio caráter que Jesus assumiu em sua encarnação. Em outras palavras, Timóteo foi para os filipenses o modelo do modo de viver que Paulo os incentivou a assumir. O comprometimento de Timóteo não é somente com Cristo e com o evangelho, mas também com Paulo. Ele trabalhou com Paulo "como um filho". Em suas cartas, Paulo trata Timóteo como "meu verdadeiro filho na fé" (1 Tm 1.2) e "meu amado filho" (2 Tm 1.2).

À luz da preocupação de Timóteo para com a igreja, sua atitude e sua fidelidade comprovadas, Paulo antecipa o envio do jovem a Filipos. Sua admoestação é o resultado de sua própria situação atual como um prisioneiro domiciliar. A frase que a NIV traduz como: "assim que vir o que se passará comigo", é realmente um desafio de tradução. Alguns comentaristas (por exemplo, Silva e Hawthorne) entendem que Paulo esteja sugerindo que somente enviará Timóteo depois que não precisar mais de sua assistência em Roma. Uma interpretação desta natureza estaria afirmando que Paulo estava mais interessado em cuidar de suas próprias necessidades do que das dos filipenses. Porém esta atitude não estaria de acordo com a exortação de Paulo no capítulo 2.4 a estar preocupado com "os interesses dos outros". Antes, o retrato aqui é de alguém examinando à distância, tentando ver algo; é comparável a algumas frases utilizadas no idioma inglês: "quando eu vir o meu caminho livre" ou "quando a poeira assentar".

Torna-se claro no verso 24 que a razão da esperança de Paulo em enviar Timóteo é mais do que mera especulação. Paulo está "confiante no Senhor" que em breve ele mesmo os visitará. Naquela situação, Timóteo tinha mais condições de viajar a Filipos. Por Paulo estar persuadido de que logo deixaria a prisão, sua esperança em relação aos planos de viagem de Timóteo deveria ser vista como um gesto de fé.

5.2. Epafrodito (2.25-30)

Epafrodito é mencionado apenas na Carta aos Filipenses. É claro que Paulo tinha este homem em grande estima. Ele foi o enviado especial da Igreja em Filipos, que tinha a missão de ajudar Paulo enquanto estivesse na prisão. Sua tarefa inicial foi trazer uma ajuda financeira para que Paulo pudesse custear as despesas da prisão domiciliar. Epafrodito, sem dúvida, levou a Paulo as notícias mais recentes de Filipos, e sua presença com Paulo e Timóteo serviu como um grande encorajamento.

Paulo sente fortemente que deve enviar Epafrodito de volta a Filipos (como portador desta carta endereçada à igreja). Expressa sua estima para com Epafrodito, o qual o vê como um "irmão, trabalhador pela mesma causa" (como Evódia e Síntique, 4.2) e "soldado pela mesma causa". Esta última metáfora, usada ocasionalmente por Paulo para retratar o avanço do evangelho (Ef 6.10-17; 1 Tm 2.3,4), provavelmente originou-se de suas freqüentes prisões e de sua interação diária com os membros da guarda pretoriana que o vigiavam.

As palavras de entusiasmo de Paulo a Epafrodito não são dirigidas somente a ele, mas a toda a Igreja em Filipos, uma vez que foi seu "mensageiro" (literalmente, "apóstolo" — a palavra original fala de um enviado ou de um embaixador da congregação — enviado propriamente como um representante de outro, como pode ser entendido pelo uso da palavra hebraica *shaliach*). Como tal, fez todo o possível por Paulo, aquilo que os próprios filipenses teriam feito se Paulo estivesse em Filipos. Com respeito a Paulo, Epafrodito foi um *leitourgos* — aquele que prestou um serviço sacrificial para suprir as necessidades do apóstolo.

Paulo explica a razão do retorno de Epafrodito. Como um representante confiável da Igreja em Filipos, sem dúvida deixou para trás o povo de quem cuidava e que, em contrapartida, cuidava dele. Desejou novamente estar reunido com estes amigos (um sentimento que Paulo expressa freqüentemente). Uma segunda razão para o retorno de Epafrodito a Filipos foi a ansiedade que sentiu quando os filipenses souberam de sua enfermidade. Uma das duras realidades do mundo em que Paulo e seus companheiros viveram foi que as enfermidades freqüentemente terminavam em morte. Epafrodito tinha a justa preocupação de que quando ouvissem que estava doente, concluíssem que havia morrido. Desejou aliviar a ansiedade dos filipenses retornando pessoalmente a eles.

No verso 27, Paulo informa aos filipenses que quase havia sucedido o que mais temiam a respeito deste amado apóstolo. Mas Deus poupou a vida de Epafrodito, mostrando também misericórdia para com Paulo. Embora Paulo reconhecesse que a morte seria muito melhor devido à bem-aventurança de partir e estar com Cristo (1.23), ainda sentiria uma profunda tristeza por perder um companheiro e colaborador no evangelho. Esta tristeza contribuiria para o aumento da aflição que Paulo já estava sofrendo como um prisioneiro em Roma. Os laços criados entre os cristãos através da comunhão partilhada com Cristo são profundos. A morte traz tristeza àqueles servos que desfrutam a comunhão cristã, embora somente temporariamente, até aquele dia em que todos serão reunidos na presença de Deus.

Como resultado das preocupações de Epafrodito e por amor aos filipenses, Paulo está ansioso para enviá-lo para casa (v. 28). Entende que deste modo os filipenses se regozijarão novamente. Ao mesmo tempo, algumas aflições e ansiedades do próprio Paulo serão minimizadas devido ao alívio de Epafrodito e da renovação da alegria dos filipenses.

Devido ao cuidado e à preocupação mútua entre Epafrodito e os filipenses, a exortação de Paulo no verso 29, para que recebessem o seu mensageiro "no Senhor, com todo o gozo", parece quase desnecessária. Não existe nenhuma dúvida de que a igreja receberá Epafrodito de volta ao seu convívio com grande alegria. Assim, a exortação de Paulo adquire um tom de recomendação, como se dissesse. "Recebam-no bem e o estimem, pois ele serviu bem!"

Paulo pede que a Igreja em Filipos honre a Epafrodito pelo serviço exemplar que este homem prestou ao Senhor, a Paulo e à Igreja em Filipos. Ao fazer a obra de Cristo, Epafrodito ficou tão enfermo que quase perdeu a própria vida. Como se não fosse o bastante, Paulo lembra aos filipenses que Epafrodito correu todos estes riscos não somente para cumprir a sua própria chamada, mas para ajudá-los a cumprir seu dever para com Paulo, o que não foram capazes de fazer por estarem ausentes.

6. Advertência contra se Desviar do Evangelho (3.1-4.1)

Filipenses 3.1 começa uma nova parte desta carta, onde Paulo enfoca a possibilidade da Igreja em Filipos sucumbir às falsas doutrinas. Esta é a terceira área de dificuldade que Paulo trata na carta (as duas primeiras são a sua prisão e a perseguição dos filipenses). Embora não haja nenhuma evidência de que a Igreja em Filipos tenha se desviado da fé, a experiência missionária de Paulo lhe diz que poderia ser somente uma questão de tempo até que os cristãos se deparassem com um desafio dos inimigos do evangelho. Ao longo de sua exortação, Paulo descreve suas experiências passadas no judaísmo e seu compromisso presente com Cristo. Esta parte contém o que pode melhor ser chamado de "declaração de missão" de Paulo.

A tradução da NIV para o termo *to loipon* é "finalmente" e em outras traduções "resta" (v. 1) e dá a impressão que Paulo está concluindo sua carta neste ponto. Contudo, está aproximadamente em sessenta por cento da presente carta. Ainda que tenha intencionado finalizá-la aqui, é provável que algo tenha lhe chamado a atenção, levando-o a continuá-la. Devido a esta transição aparentemente complicada, foi elaborada uma teoria que diz que a carta aos filipenses é realmente uma combinação de pelo menos duas cartas (veja a introdução). Contudo, não é incomum Paulo usar esta frase referindo-se a outros assuntos gerais (1 Ts 4.1) ou para querer dizer "além disso", abrindo o caminho para a continuidade da discussão.

6.1. Advertência (3.1-4a)

A recomendação de Paulo aos filipenses para "regozijarem-se no Senhor" é um dos temas chave de Paulo ao longo da carta e produz um vínculo transitivo entre sua discussão anterior e o que vem a seguir. Aqueles que vêem isto como uma conclusão de Paulo tenderiam a traduzir "regozijar-se" como "despedida" (por exemplo, a versão NEB). A análise lógica por trás desta tradução particular de *chairete* é seu uso como uma saudação comum em cartas seculares da época. Contudo, tal entendimento marca um abandono não autorizado e supérfluo do uso habitual do termo por parte de Paulo nas cartas. O apóstolo está passando a uma área sobre a qual ele mesmo já havia previamente instruído os filipenses, e o faz sem qualquer temor (ou "sem qualquer preocupação"). A razão para esta sinceridade é que o apóstolo quer evitar o fracasso deles.

O assunto a que Paulo está se referindo é o trabalho dos judaizantes, os falsos doutrinadores que ele encontrou freqüentemente ao longo de seu ministério. Estes indivíduos foram cristãos judeus que pensaram que o único modo pelo qual os gentios poderiam ser parte da comunidade da fé seria observando a lei cerimonial, incluindo o ritual da circuncisão. A primeira indicação na história da Igreja onde a relação entre judeus e gentios se tornou um problema principal foi no primeiro concílio da Igreja em Jerusalém (At 15). Após deliberar sobre o papel da lei judaica em relação aos gentios, os líderes da Igreja determinaram que existiam quatro requisitos que a igreja gentia deveria ser encorajada a observar: a abstenção dos alimentos oferecidos aos ídolos, do sangue, de comer carne de animais que tenham sido sufocados, e a abstenção de práticas sexualmente imorais.

Infelizmente esta decisão não solucionou a questão. Em pelo menos duas de suas cartas às jovens igrejas (as igrejas na Galácia e em Corinto), Paulo contrariou as práticas proselitistas destes indivíduos. Referiu-se a eles como "falsos apóstolos, obreiros fraudulentos" (2 Co 11.13), e os acusou de pregarem um falso evangelho (Gl 1.8,9). Em um ponto de sua preocupação pela igreja e sua frustração a respeito das atividades dos judaizantes, encontrou-se desejoso de que os judaizantes fossem permanentemente cortados (Gl 5.12).

No verso 2 da passagem que estamos analisando, Paulo pede aos seus ouvintes que estejam vigilantes acerca destes falsos ensinadores. Sua descrição sobre eles é um tanto desagradável e os termos do texto original formam uma tríade aliterativa; assim não serão facilmente esquecidos por seu público. Refere-se a eles como "cães" (*kynas*), um termo afrontoso. À luz do fato dos judeus se referirem regularmente aos gentios como cães (Mc 7.27), a expressão foi ainda mais intensa quando Paulo aplicou-a aos judaizantes. Estes judaizantes não foram os únicos judeus que pensaram que estivessem fazendo a obra do Senhor — o próprio Paulo havia anteriormente perseguido a Igreja, pensando estar cumprindo seu dever como um fariseu; somente mais tarde descobriu que estava fazendo mal. Lembra-os de que não estão realizando atos justos, constrangendo os gentios a observarem a lei cerimonial judaica a fim de serem salvos; são, de fato, "homens que fazem o mal" (*kakous ergatas*). Dando seu golpe final, Paulo diz que o próprio ato (a circuncisão) através do qual pensam alcançar uma posição especial diante de Deus, nada mais é do que uma horrível mutilação da carne (*katatomen*).

No verso 3 Paulo observa que não são aqueles que receberam a marca externa da circuncisão que são o povo de Deus, mas aqueles que sofreram uma transformação interior, uma circuncisão interna. A circuncisão havia sido instituída por Deus como um sinal da participação de Israel na aliança (Gn 17.9 e ss.). Porém, esta prática tornou-se sem sentido para os Israelitas, por terem persistido em transgredir a grande aliança. À luz da condição espiritual destes, os profetas esperaram um dia quando Israel poderia levar dentro de si o sinal da aliança – uma condição descrita como sendo circuncidados em seus corações (Jr 4.4; Ez 44.7).

Paulo insiste que os verdadeiros cristãos, e não o partido judaico, é que são de fato a verdadeira "circuncisão". Usa três frases para defini-los:

1) Eram aqueles "que adoravam pelo Espírito de Deus". A palavra traduzida na NIV como "adoração" (*latreuo*) é usada na LXX e no livro de Hebreus para se referir ao serviço dos sacerdotes no templo (Êx 23.25; Dt 6.12; Hb 8.5; 10.2). A palavra é também usada em Romanos 12.1, onde Paulo incita seus ouvintes a oferecerem seus corpos a Deus como sacrifício, bem como um "ato de adoração espiritual". Paulo continua a encorajar os cristãos romanos a permitirem que suas mentes sejam renovadas e suas vidas capacitadas pelo poder do Espírito, exercitando seus dons para servirem uns aos outros (12.2-8). A adoração pelo Espírito requer submissão a Deus e viver uma vida de obediência e fé (Fp 2.12 e ss.).

2) Os cristãos filipenses não deveriam ter como motivo de orgulho quaisquer sinais físicos que demonstrassem sua condição de comunhão, porém, antes, deveriam orgulhar-se em Cristo e na sua obra. Não deveriam depositar a sua confiança em regras e rituais respeitados ou valorizados por aqueles que viviam sob a lei Mosaica. O motivo de orgulho do cristão nunca deveria consistir em ser irrepreensível com respeito aos mandamentos da lei (3.4). A verdadeira circuncisão é formada por aqueles que colocam sua fé somente em Cristo, e que têm nEle seus motivos de orgulho. Como o Senhor exaltado acima do universo, Ele é o único que merece, de modo justo, tal glória.

3) "A [verdadeira] circuncisão" são aqueles que não depositam nenhuma confiança na carne. Para Paulo, a idéia de "carne" (*sarx*) significou freqüentemente um "local natural" de existência humana (Rm 9.3; 1 Co 10.18), mas usa freqüentemente a palavra em um sentido teológico para se referir à condição da humanidade em rebelião a Deus. A conseqüência final de ser dominado pela carne é a morte (Rm 8.6). O cristão é chamado a crucificar a carne e as suas obras e viver de acordo com o Espírito (Gl 5.16 e ss.). Deste modo, *sarx* traz consigo um significado duplamente nítido em Paulo: (a) É uma renúncia sincera a toda e qualquer observância da lei cerimonial, como a circuncisão, que alegue poder alcançar a salvação; (b) Paulo, à luz do uso mais amplo do termo *sarx*, expõe as ações dos judaizantes ao que realmente são: obras realizadas em rebelião contra Deus.

Paulo mostra que a devoção dos judaizantes está em manter a lei; sua glória está em suas realizações; e sua confiança, em cerimônias exteriores. Caso alguém pense que Paulo tenha exagerado nesta ênfase, na próxima parte ele continua a indicar e realçar que sabe o que está dizendo. Antes de se tornar um cristão, ele mesmo aceitava suas convicções e estilo de vida.

6.2. As Credenciais de Paulo (3.4b-6)

Paulo agora explica porque está tão convencido de que não se pode exigir que os gentios sigam as leis judaicas para receberem a salvação. Suas credenciais no judaísmo poderiam causar inveja aos judaizantes; porém, desprezou-as a fim de seguir a Cristo.

Paulo enumera as qualificações que o fizeram um judeu da mais alta qualidade (vv. 5,6). Das sete qualificações listadas, as quatro primeiras lhe foram atribuídas por nascimento, enquanto as últimas três deviam-se às suas realizações pessoais como um fariseu devoto:

1) Se a circuncisão tem algum valor, então Paulo pode se orgulhar desta credencial. Ele não

foi circuncidado como um convertido, mas em estrita conformidade com a lei, no oitavo dia depois de seu nascimento (Lv 12.3).
2) Paulo nasceu como um membro do povo de Israel, nação escolhida por Deus. Apesar de ter nascido em Tarso, uma cidade gentílica, sua árvore genealógica mostrava que era descendente de Israel. Foi um israelita puro e, como tal, herdou todos os privilégios de ser um membro do povo da aliança. No tempo de Paulo, para se ocupar um cargo público em Israel era necessário provar ser membro do "puro Israel" (J. Jeremias, 273).
3) Paulo era membro da tribo de Benjamin. Benjamin, por tradição, foi o único dos filhos de Jacó nascido na Terra Prometida. Esta tribo ocupava o território que incluiu Jerusalém e o templo (que representava a presença de Jeová no meio do seu povo). Benjamim foi a tribo da qual veio o primeiro rei de Israel, Saul (de cujo nome procedeu o próprio nome Saulo). Na época de Esdras, as tribos de Judá e Benjamim formaram o núcleo da nação restaurada de Israel, e a tribo de Benjamim assumiu uma posição social favorecida.
4) A frase "hebreu de hebreus" indica dois fatos adicionais sobre a vida de Paulo: (a) Ele não nasceu de pais convertidos, mas de pais que lhe permitiam reconhecer sua linhagem através das páginas da história de Israel; (b) Paulo não foi criado de uma maneira fortemente influenciada pelo helenismo (aqueles que haviam indubitavelmente absorvido alguns dos costumes gentílicos daquela cultura). Mesmo sendo fluente no idioma grego, Paulo também falava hebraico e aramaico. E apesar de ter nascido em Tarso, foi educado em Jerusalém, aos pés do proeminente rabi, ou mestre, Gamaliel.
5) Quanto à observância da lei, Paulo foi "um fariseu". A história desta seita do judaísmo remonta ao tempo da Revolta dos Macabeus no segundo século a.C., e seus membros orgulhavam-se da separação completa do mundo. Os fariseus se dedicavam à Lei Mosaica e às tradições verbais dos rabis, ou mestres. Dedicavam-se a alcançar a justiça observando cuidadosamente a lei. Sua motivação pela fidelidade à lei (tanto escrita quanto oral) era a esperança de serem ressuscitados dentre os mortos.
6) Como um fariseu, Paulo foi tão zeloso que procurou ativamente os membros da nova e inexperiente Igreja para destruí-los. O fervoroso comprometimento para com a lei de Deus motivou toda a ação do devoto fariseu. Muitos fariseus acreditavam que o Messias viria quando o mundo estivesse submisso a essa lei. Então, é completamente possível que a perseguição de Paulo à Igreja tenha sido dirigida por um desejo de ver a vinda do Messias. A este respeito, a teologia de Paulo foi mudada através de seu encontro com o Cristo ressuscitado na estrada de Damasco, onde foi confrontado pelo próprio Messias, a quem pensava estar servindo (veja At 9.1 e ss.).

A palavra que Paulo usa para descrever a comunidade cristã nesta passagem é *ekklesia,* que significa "chamados para fora". O significado desta palavra vem da tradução do termo hebraico *qahal,* da Septuaginta (LXX), uma palavra freqüentemente usada para descrever a multidão de Israel formalmente reunida — geralmente para uma ocasião de adoração, uma festa, uma celebração, ou uma ratificação da aliança (por exemplo, Lv 23; Dt 4.10; 29.1; Js 8.35). Paulo usa esta palavra para descrever a comunidade redimida — aqueles que fazem parte do novo Israel, que colocaram sua fé e confiança em Jesus Cristo. *Ekklesia* se refere tanto a cada igreja que se reúne nos lares (Rm 16.23) quanto à Igreja de modo universal (Ef 1.22; Cl. 1.18).

7) Paulo observa que foi "irrepreensível" na observância dos estritos rituais e regulamentos da lei. Em outra parte da doutrina rabínica, considerava-se que o Messias poderia vir quando Israel aprendesse completamente a guardar o Sábado; isto pode ter sido o fator motivador de seu estilo de vida anterior. Aqui, a compreensão de Paulo de "justiça" é limitada pela palavra "legalista". Este é o tipo de justiça que ele continua a contrastar com a verdadeira justiça que vem através da fé em Cristo (3.9).

6.3. *O Propósito de Perseverar e Vencer de Paulo (3.7-14)*

Apesar de suas impressionantes credenciais no farisaísmo, Paulo classifica-as como pálidas credenciais em termos de importância ao tratar de seu verdadeiro propósito — alcançar a justiça em Cristo. Esta parte começa com o que poderia ser considerado como a compreensão teológica de Paulo sobre sua experiência no caminho de Damasco, em comparação com sua carreira como um rabi no farisaísmo.

No verso 7, Paulo apropria-se da linguagem do mundo comercial. Todas as qualificações por ele enumeradas — sua herança, suas realizações, consideradas pelo mundo farisaico como sendo créditos (ou ganhos) pessoais — não eram razões para Deus aceitá-lo. De fato, foram justamente o oposto; não foram nada. Paulo considerou-as como não tendo nenhum valor, por causa de Cristo. A tradução NIV "por causa de Cristo" pode implicar que Paulo tenha tomado a decisão de considerar seu passado no judaísmo como nada, por tê-lo comparado ao trabalho que estava agora desenvolvendo como representante de Cristo. Nada poderia ser superior à verdade! Foi por causa da revelação de Cristo no caminho de Damasco que Paulo passou a não ter mais escolha, devendo reconhecer que seu caminho no judaísmo estava completamente errado. A experiência "por Cristo" foi o grande ponto de mudança no pensamento de Paulo.

O verso 8 reforça e esclarece este ponto. Paulo muda os tempos aqui, indo de uma compreensão à luz de uma experiência no passado para uma firme convicção no presente e considera as suas realizações no judaísmo como "perda". Tudo passa a ser perda quando comparado àquilo que é o mais importante em sua vida: seu relacionamento com Cristo. Prosseguindo nas metáforas do mundo do comércio, Paulo considera este relacionamento como sendo de valor "inestimável".

Paulo define esse relacionamento na próxima frase do verso 8. Não é baseado na obediência à lei, quer oral ou codificada. Antes, é baseado no conhecimento do Senhor Jesus Cristo glorificado. A frase "Pela excelência do conhecimento de Cristo Jesus, meu Senhor" não representa o conhecimento escrito ou formalizado. O termo *gnosis* indica o ato de conhecer, não se referindo primariamente ao conteúdo do conhecimento. O relacionamento de Paulo com Cristo não veio por meio de um estudo a respeito de Cristo (como foi com a lei), mas aconteceu em um confronto face a face com Cristo na estrada de Damasco.

Baseado naquela experiência com Cristo, Paulo perdeu todas as coisas que uma vez considerou como os meios de alcançar o favor de Deus. O aspecto contido na palavra "perda" não deve ser interpretado em um sentido despojado; ou seja, Paulo não está partilhando isto com os seus seguidores para alcançar alguma condolência por ter perdido algo verdadeiramente valioso. Antes, conclui que somente encontrou algo realmente valioso quando conheceu a Cristo. De fato, considerou tudo aquilo que perdeu como refugo. A NIV traduz a palavra grega usada aqui como um termo eufemístico: "refugo", mas o sentido da palavra denota sujeira ou excremento. Essas tentativas humanas que visavam alcançar a justiça, não deveriam ter sido uma surpresa para os fariseus — o profeta Isaías o esclareceu há muitos séculos (Is 64.6). Contudo, os fariseus persistiram em seus esforços para alcançar a graça de Deus através de suas obras.

A última frase do verso 8 destaca o propósito de Paulo em considerar tudo como esterco, com a condição de que possa "ganhar a Cristo". Ganhar a Cristo significa ser "achado nele" (v.9). A frase "em Cristo" ou "nEle" ocorre freqüentemente nos escritos de Paulo denotando várias idéias, duas das quais são predominantes:
1) Descreve a ação, ou seja, aquilo que Deus fez em ou através de Cristo (Rm 3.24).
2) Descreve a localização, reino, ou esfera em que os cristãos vivem à luz da apropriação da obra salvadora de Cristo (1 Co 12.5). A frase usada no sentido posterior está relacionada ao corpo de Cristo — uma metáfora para a Igreja vista em outras passagens dos escritos de Paulo (Rm 12.3 e ss.; 1 Co 12.4 e ss.). Esta metáfora denota o relacionamento unido que a Igreja tem com o Senhor e uns com os outros.

Paulo contrasta a justiça que lutou para alcançar como fariseu com a justiça que alcançou através de Jesus. O vocabulário empregado pela NIV no verso 9 pode dar a impressão que Paulo está mantendo as duas opções pelas quais poderá ser achado em Cristo — com uma justiça que vem da lei ou uma justiça que vem de Deus. Na realidade, contudo, Paulo sabe que não estará em Cristo se persistir em tentar alcançar a justiça por guardar a lei. Ele *somente* será achado em Cristo com a justiça que lhe foi imputada através da fé em Cristo.

A justiça indesejável, que é insuficiente para o padrão de Deus, é aquela que vem através da obediência à lei Mosaica. O conceito de "lei" no Antigo Testamento refere-se aos regulamentos cerimoniais (relativos à adoração a Deus e ao sistema sacrificial), ao código civil (focado em ajudar os Israelitas a viverem como povo de Deus em harmonia uns com os outros e com seus vizinhos), e à lei moral (por exemplo, os Dez Mandamentos, a partir dos quais outras leis eram estabelecidas). Foi desenvolvida e codificada uma tradição oral completa, que visava evitar que o israelita religioso infringisse a Lei Mosaica. Este código oral incluía um incontável número de regulamentos. O objetivo de Paulo, como fariseu, era seguir todas aquelas leis; como resultado de guardá-las, esperava ser considerado justo. Esta justiça seria a justiça "própria" de Paulo, uma vez que seria alcançada por seu próprio esforço.

Deve-se preferir a justiça que vem pela fé. Então, a pessoa verdadeiramente justa é aquela cuja vida é caracterizada pela fé em Cristo e baseada nesse relacionamento (Rm 1.17). Somos justificados somente através da aceitação da obra vicária de Cristo a nosso favor. Paulo esclarece ainda mais esta justiça na frase final do verso 9. Esta justiça deve ter a Deus como sua fonte e a fé como o seu fundamento (At 3.16).

No verso 10 Paulo conclui seus pensamentos. Ele começa reafirmando seu objetivo ("ganhando Cristo" — v. 8) que significa "conhecer a Cristo". O primeiro conhecimento deve ser o do "poder da ressurreição de Cristo". "Poder" (*dynamis*) indica o poder miraculoso de Deus e é freqüentemente associado, nas cartas de Paulo, à obra do Espírito Santo (1 Co 2.4; 1 Ts 1.5). Este poder de dar vida foi manifesto por Deus ao ressuscitar ao Senhor Jesus Cristo. O agente deste poder foi o Espírito Santo (Rm 8.11; 1 Co 12.6). Este foi o poder que os discípulos experimentaram quando o Espírito Santo desceu sobre eles no Pentecostes (At 2.1 e ss.). Este foi também o poder que Paulo experimentou no caminho de Damasco e quando Ananias orou em seu favor impondo-lhe as mãos (9.5-19).

Paulo sabe que a terceira pessoa da Trindade é o agente que traz à vida das pessoas os benefícios da morte vicária de Cristo. O Espírito age na iniciação da salvação, trazendo os indivíduos para o corpo de Cristo (1 Co 12.13; e 6.11; Tt 3.5). O Espírito então santifica os cristãos (individual e coletivamente), reproduzindo o caráter glorificado do Senhor em suas vidas (Gl 5.22). O Espírito também capacita os cristãos enchendo-os de seu poder, para que façam a obra do ministério (At 1.8; Rm 12.1-8; 1 Co 12; Ef 4.1-16). Além disso, ao ter a sua experiência com o Espírito Santo, Paulo está também tendo sua experiência com Jesus (1 Co 15.45; 2 Co 3.17,18; e Fp 1.9). Deste modo, na realidade, experimentar o poder da ressurreição de Jesus significa, para Paulo, experimentar a presença do próprio Senhor Jesus Cristo.

A experiência de Paulo de conhecer a Cristo não veio somente através da capacitação do Espírito Santo. A recém formada Igreja em Jerusalém se tornou ciente de que a experiência de vida caminha "juntamente" com a experiência do sofrimento. Depois de Paulo ser cheio do poder do Espírito e milagrosamente curado da cegueira, Deus o advertiu sobre quanto teria que sofrer pelo seu nome (At 9.16). Nesta crítica violenta contra os seus oponentes em 2 Coríntios, Paulo relata a história de seu sofrimento (2 Co 11.23-29). Para o apóstolo, compartilhar os sofrimentos em Cristo era um pré-requisito para compartilhar a sua glória por vir. De fato, os sofrimentos presentes do cristão são insignificantes à luz da glória que está para ser revelada (Rm 8.17,18).

Jesus preparou os seus discípulos para que enfrentassem a realidade da perseguição exatamente como Ele o fez (Jo 15.20). Os primeiros discípulos consideravam que ser digno de sofrer pelo nome de Cristo era um sinal de honra (At 5.41). A participação nos sofrimentos de Cristo tinha o efeito de "tornar-se como [literalmente, conforme] a sua morte" (Fp 3.10):

1) Observe que o tempo do verbo "conforme" indica uma ação que está acontecendo no presente. Em outras palavras, Paulo está se referindo aos seus sofrimentos contínuos, nos quais é continuamente assemelhado a Cristo em sua morte. Seu futuro, sua morte física, é somente a conclusão final que o tornará conforme a morte de Cristo.
2) A palavra grega para "conforme" é relacionada à palavra *morphe* ("natureza") no capítulo 2.6,7; isto indica o ato de Cristo de humilhar-se a si mesmo para trazer a redenção à humanidade. Para Paulo, o sofrimento contínuo trouxe-lhe esta imagem.

Paulo conclui esta seção (v.11) mostrando o objetivo de se conhecer a Cristo — o poder de sua ressurreição e a comunhão em seus sofrimentos (sobre os quais Paulo refletiu a atitude de Cristo no capítulo 2.6-11). O objetivo do zeloso fariseu era alcançar a ressurreição dentre os mortos. Todo o esforço de Paulo em guardar a lei anteriormente à sua conversão, teve como foco a esperança da ressurreição. O apóstolo tece aqui comentários irônicos devido ao fato desta esperança não ser alcançada através de se guardar a lei, mas através do conhecimento de Cristo. A ressurreição representa o auge da salvação pregada por Paulo. As tentativas expressas aqui ("para ver se, de alguma maneira, eu possa chegar à ressurreição dos mortos") não devem ser interpretadas como indicando uma falta de confiança de Paulo na ressurreição; antes, tratam da ocasião em que esta ocorrerá.

Os versos 12-14 mostram o esforço de Paulo para conhecer a Cristo. Estes versos fazem alusões que contrariam sua antiga maneira de viver sob o judaísmo, e destacam o seu atual relacionamento contínuo com Cristo. Nasceu com todas as credenciais de um judeu "puro", mas admite prontamente que não alcançou todos os seus objetivos em termos de conhecer a Cristo. Nem atingiu um ponto de maturidade ou realização completa (1 Co 14.20). Isto está em contraste com o desempenho irrepreensível da lei, à qual já havia se referido. Ao invés de zelosamente perseguir (*dioko*) a Igreja (v.6), continua (*dioko*) a procurar alcançar o objetivo pelo qual foi alcançado por Cristo em sua conversão.

Nos versos 13 e 14 Paulo usa a imagem de uma corrida, à medida que prossegue na consideração de sua vida. Ele (o comentário de Paulo é enfático aqui — literalmente, "nem mesmo eu") não considera que tenha alcançado o objetivo da completa maturidade. Esta ênfase foi outro ataque aos judaizantes — pois, mesmo considerando suas impressionantes credenciais no judaísmo, não considerou ter alcançado seu objetivo como um cristão. O enfoque de Paulo está concentrado no seguinte: colocar as realizações gloriosas (o "refugo", aquilo que na realidade não tem valor) para trás de si e prosseguir para alcançar o prêmio máximo. As ilustrações gregas usadas por Paulo têm o sentido de um corredor na etapa final de uma corrida, recusando-se a olhar para trás para averiguar onde está o seu adversário mais próximo. Os seus olhos e energias estão concentrados na linha de chegada. Corre tendo em vista, e em seu pensamento, um objetivo claro e fixo — ganhar o prêmio. Este "prêmio", para o qual Deus o chamou, é a salvação em Cristo. Esta é uma chamada dirigida para cima, divina, cujo objetivo final é a glorificação.

6.4. A Perspectiva do Falso Ensino (3.15,16)

Os versos 15 e 16 ligam o problema judaico discutido por Paulo nos versos 1-14, ao teor geral de sua preocupação com a dissensão que acontece na igreja. Dada a estreita proximidade destes versos com os argumentos de Paulo, sobre a responsabilidade dos cristãos em conhecer e ter experiência com Cristo e receber sua justiça, não existe nenhuma indicação de que Paulo esteja mudando de direção aqui. O uso do grupo de palavras *phroneo* fornece uma clara ligação com a sua discussão no capítulo 2.1-4 (veja os comentários referentes a esta passagem). À luz da relação estabelecida nesta passagem, não é realista postular que alguns dos conflitos que os filipenses estavam tendo entre si se referissem à questão dos judaizantes.

No verso 15, Paulo encoraja aqueles "que são maduros" a refletirem a perspectiva que ele compartilhou nos versos 11-14. No que parece ser uma mudança de atitude, Paulo, que não sentia haver alcançado a perfeição (*teleioo*), está agora se incluindo entre os perfeitos (*teleioi*). Novamente, como nos versos 2.2 e seguintes, *phroneo* refere-se não somente ao pensamento de alguém, mas às emoções, atitudes e ao resultado de um estilo de vida que procede destes.

Caso alguns cristãos pensem de modo diferente, Deus lhes revelará o correto. A palavra "revelar" (*apokalypto*) traz consigo um pouco do sentido prático de Paulo. Ele freqüentemente a utiliza em conexão com a sua própria conversão. O evangelho, Paulo argumenta, foi lhe dado "por revelação" (Gl 1.12). Mais especificamente, foi uma revelação de Jesus Cristo, dada a Paulo por Deus (1.16). O conteúdo desta revelação foi que "Jesus é o Senhor" — uma verdade principal refletida em Filipenses 2.6-11. A palavra *revelação* refere-se freqüentemente ao desvendar de algo que estava previamente oculto, e que agora tem sido mostrado por um ato benevolente de Deus. Então, para Paulo, a revelação significou mais do que somente um desvendar. Especificamente, este foi o ato de Deus, de desvendar os seus propósitos redentores em Cristo, o Messias.

A confiança da última frase do verso 15 assume um sentido completamente diferente à luz deste assunto: "e, se sentis alguma coisa doutra maneira, também Deus vo-lo revelará". A leitura da NIV sugere que Paulo está disposto a tolerar opiniões diferentes, como se estivesse dizendo: "Se você quer ter uma visão diferente, vá em frente; tenho certeza que Deus colocará as coisas em ordem para você". Esta paráfrase, contudo, não reflete a posição de Paulo em relação ao assunto da justiça que vem pela fé, em oposição à justiça que é alcançada através de se guardar a lei. Os versos 1-14 refletem claramente que este assunto foi uma "colina" preparada para a morte; foi fundamental para o evangelho. De fato, o verso 15 destaca uma verdade sobre a natureza do evangelho, que deveria ser considerada pelos filipenses. A frase "Deus vo-lo revelará" indica que este evangelho é a verdade que os cristãos consideram juntamente com a revelação. Isto é, ele se "torna claro" ao coração de cada pessoa por meio do Espírito Santo.

A exortação final de Paulo nesta parte (v. 16) é que os filipenses deveriam assegurar que seu estilo de vida refletisse sua posição em Cristo. A palavra traduzida como "chegamos" denota aproximar-se de um certo nível ou padrão, enquanto "andar sob a mesma regra" é um conceito emprestado do mundo militar. Isto originalmente significa estar organizado em uma fileira com a precisão característica do exército romano e, deste modo, veio denotar a preservação de uma direção bem definida.

6.5. Comentários Finais à Luz do Predomínio do Falso Ensino (3.17—4.1)

Até este ponto no capítulo 3, o enfoque de Paulo esteve na ameaça que os ensinadores judaicos representavam para a Igreja. O objetivo destes era impor os regulamentos da lei judaica aos gentios que professavam a fé em Cristo. A presente parte deve ser vista como uma extensão do enfoque em que Paulo desafia os seus seguidores a permanecerem firmes contra todo tipo de falsa doutrina, devendo principalmente ser imitadores de Paulo e de outros que seguem seu exemplo. O apóstolo observa as características gerais dos falsos mestres (vv. 18,19), e então passa à doxologia escatológica (que tem significativos paralelos com a figura de Cristo descrita no capítulo 2.6-11). Conclui esta seção com um apelo pessoal, para que os filipenses permanecessem firmes. Este apelo revela o relacionamento próximo que este apóstolo tinha com a Igreja em Filipos.

O verso 17 fornece a transição da seção anterior a uma aplicação mais ampla da verdade que Paulo já havia compartilhado. Define em condições práticas a frase: "naquilo a que já chegamos, andemos segundo a mesma regra e sintamos o mesmo" (v.16). Os filipenses são chamados a fazê-lo como imitadores de Paulo. A palavra *mimetes* significa copiar um exemplo e é reforçada pela preposição *sym* (dando o sentido de "junto") — conseqüentemente, a NIV traduz esta frase como: "unidos a outros para seguir o meu exemplo". Este não é um pedido incomum de Paulo aos seus seguidores (1 Co 4.16; 2 Ts 3.7). Devem observar aqueles que andam de acordo com o exemplo de Paulo e viver suas vidas tendo em vista este modelo. A mesma referência é feita aos cristãos de Tessalônica (1 Ts 1.7), a Timóteo (1 Tm 4.12) e ao próprio Paulo (2 Ts 3.9). Paulo menciona o estilo de vida deste exemplo a ser seguido, em contraste com aqueles que "são inimigos da cruz de Cristo" (Fp 3.18).

Nos versos 18 e 19, Paulo muda seu enfoque para os falsos mestres. É difícil saber de quem Paulo está falando aqui. Vários grupos, inclusive os judaizantes, judeus, gnósticos libertinos e professores itinerantes, foram propostos como possibilidades (Fee, 363 e ss.). Tal especulação pode ser desnecessária, pelo fato de Paulo parecer estar mostrando as características gerais de pessoas que vivem como inimigos da cruz de Cristo. Os assuntos não são novos para os filipenses, visto que, aparentemente, Paulo tratou estes mesmos assuntos com eles em ocasiões anteriores (3.1). O ponto a se observar no verso 18 é o impacto que esta situação causou em Paulo. Sua preocupação com a integridade da mensagem do evangelho e com a igreja recém formada é tão intensa, que a possibilidade do acesso das falsas doutrinas o faz chorar.

Estes falsos ensinadores têm como seu destino final a "destruição" eterna. A idéia trazida pela palavra "destino" (*telos*) pode conter também o sentido de um objetivo ou propósito. Os falsos ensinadores têm como propósito a destruição do evangelho, porém o destino final deles será a destruição eterna: "O deus deles é o ventre" — uma frase que indica que adoram a carne (a sensualidade desenfreada). Paulo classifica as obras da carne em Gálatas 5.19 e seguintes, observando que viver de acordo com a carne é algo diametralmente oposto ao evangelho.

Paulo ainda caracteriza os falsos ensinadores como aqueles cuja glória está em sua própria confusão. Alguns comentaristas vêem esta frase, e a que a precede, como uma referência dupla à preocupação dos judaizantes com as leis ligadas à alimentação e à circuncisão (com o termo "confusão" ou "vergonha" referindo-se à circuncisão). Esta interpretação é experimental; deveríamos antes ver esta expressão como indicando o fato em geral, que os falsos ensinadores estão tão pervertidos que realmente se gloriam naquilo que lhes traz vergonha (Rm 1.18 e ss.). O pensamento destes é "terreno" e se contrasta com o enfoque celestial dos cristãos (ou com as "coisas

Uma das pedras remanescentes encontrada nas ruínas de Filipos é esta escultura que inclui uma cruz cristã.

de cima"; Cl 3.1). As coisas terrenas são transitórias e passarão, em contraste com as celestiais, que são eternas. Uma orientação terrena é também uma orientação à esfera do pecado e, conseqüentemente, pode ser vista como um paralelo à "carne".

Nos versos 20 e 21 Paulo passa a uma descrição daqueles cuja mente não é terrena. Em contraste com os falsos ensinadores, o pensamento dos Filipenses é celestial porque sua "cidadania" está no céu. Aqui vemos outra alusão à cidadania romana, da qual tinham muito orgulho (1.27). Os filipenses estavam bem conscientes dos privilégios que possuíam. Quando Paulo estabeleceu a Igreja em Filipos, reivindicou seus próprios direitos como um cidadão romano (At 16.37). Aqui ele afirma que a única cidadania que realmente importa é a celestial.

Paulo então menciona a expectativa ansiosa da Igreja em relação ao prometido retorno de Cristo. Esperar ansiosamente refere-se ao anseio da criação e da humanidade pelo retorno de Cristo, que trará consigo a consumação final da salvação (Rm 8.19 e ss.; 1 Co 1.7; Gl 5.5). Paulo esperava que Cristo pudesse retornar a qualquer momento. Foi positivo sobre a perspectiva de entrar na presença de Cristo, através do retorno do Salvador ou através de sua própria morte.

Por ocasião de sua volta, o Salvador realizará a transformação final, conduzindo a salvação ao seu ápice. Aqui, a introdução da palavra "Salvador" (*soter*) é notável, uma vez que Paulo somente a utiliza em Efésios 5.23 e nas Cartas Pastorais. A palavra indica a salvação final dos cristãos e serve para lembrar aos filipenses de que sua esperança está em Cristo, não em César, que era o salvador proclamado pelo Império Romano.

A transformação que Paulo antecipa aqui é aquela na qual nossos corpos, ainda em um estado humilhado, serão finalmente redimidos. Cristo, que humilhouse na encarnação (2.6-8), foi glorificado através de sua ressurreição e ascensão corpórea (2.9-11); agora, os cristãos estão antecipando seu retorno. À luz da morte vicária de Cristo na cruz, os cristãos são justificados, embora ainda tenham que lidar com o pecado, a fraqueza e as limitações de um corpo físico em um mundo caído. De qualquer modo, a redenção não culminará com a libertação deste corpo, como muitos no mundo greco-romano estavam antecipando. Na consumação da salvação, o próprio corpo será redimido. Este novo corpo terá a mesma forma (*symmorphon*) do corpo ressurreto de Cristo — será eterno e conseqüentemente imortal, imperecível. Isto é realizado através da obra do "poder" divino, pelo qual Cristo trará todas as coisas à sujeição a si mesmo (2.10).

Os versos 20 e 21 são um maravilhoso paralelo ao capítulo 2.6-11. Paulo repete alguns conceitos chave. Aquele que tomou a forma de um escravo (*morphe*, 2.7) transformará os corpos dos cristãos para que assumam a mesma forma (*symmorphe*, 3.21) de seu glorioso (*doxa*, 2.11; 3.21) corpo. Jesus, que através de sua encarnação veio a ter uma semelhança humana (*schema*, 2.7), deseja, através da obra do poder de Deus, transformar (*metaschematizo*, 3.21) o cristão. O motivo da obediência universal a Cristo (2.10) é refletido adiante na sujeição de todas as coisas a Cristo (3.21). Além disso, Paulo usa o seguinte título para Cristo: *kyrios Iesous Christos*, que significa "O Senhor Jesus Cristo" (2.11; 3.20).

Paulo conclui esta exortação no capítulo 4.1 pedindo aos Filipenses que permaneçam firmes no evangelho verdadeiro e no modo de viver resultante, assim como um soldado defenderia uma posição em uma batalha (1.27). Esta exortação denota o forte desejo do apóstolo acerca do bem de seus amigos íntimos. Eles são primeiramente "irmãos [e irmãs]", membros da família de Deus, o corpo de Cristo. Como tais, são muito amados por Paulo e sua ausência é profundamente sentida por ele. São a fonte de sua "alegria [*chara*] e coroa" (*stephanos* — uma grinalda, recebida pelos vencedores de eventos atléticos). De certo modo, os Filipenses serão parte da recompensa escatológica de Paulo (2.16), mas são também, no presente, sua alegria e a recompensa por seu trabalho entre eles.

7. Exortações Finais (4.2-9)

Nesta seção, Paulo discorre sobre algumas aplicações práticas das verdades que desenvolveu ao longo do livro. Começa com uma palavra de exortação à duas irmãs na igreja, que se envolveram em algum tipo de controvérsia. Então passa a algumas exortações gerais para a igreja, que incluem muitos temas e palavras-chave vistos anteriormente.

7.1. Pessoal (4.2,3)

A advertência de Paulo nestes dois versos marca uma ocorrência incomum em suas cartas. É comum o apóstolo enfrentar os problemas, as objeções ou as falsas doutrinas dentro de suas igrejas (por exemplo, 1 Co 1.10 e ss.; 5.1; 6.1 e ss.; Gl 3.1). Porém, esta é uma das poucas ocasiões onde ele realmente nomeia as pessoas envolvidas (1 Tm 1.20). Na maioria das vezes, Paulo prefere manter os envolvidos em controvérsias no anonimato. O fato de mencionar aqui estes indivíduos reflete a seriedade da situação, seu relacionamento íntimo com os Filipenses e sua alta consideração para com as duas irmãs a quem fez este sincero apelo (Fee, 389 e ss.). Obviamente ele considera estas mulheres, bem como restante da congregação, como suficientemente maduros para lidarem com este assunto publicamente.

Paulo propõe um sério apelo à duas mulheres na congregação em Filipos, Evódia e Síntique (possivelmente diaconisas naquela igreja). As mulheres desempenharam um papel muito importante na fundação daquela igreja na Macedônia (veja At 16.14). Não existe nenhuma razão para se acreditar que Paulo esteja tratando de problemas contínuos entre judeus e facções de gentios daquela congregação usando estes dois nomes como pseudônimos, como alguns têm argumentado. O uso destes dois nomes está também atestado em outra literatura (Hawthorne, 179).

Paulo fala com cada uma das mulheres separadamente, possivelmente para mostrar sua imparcialidade na situação. A palavra pela qual faz sua súplica é *parakaleo*, uma palavra que denota um sério apelo — freqüentemente a indivíduos subordinados àqueles que fazem tal pedido (Fee, 391; O'Brien, 478). Encoraja-os a mostrar a unidade em seu pensamento e atitudes — que pensem (*phroneo*, cf. 2.1-4) a mesma coisa. O dever de fazê-lo "no Senhor" reflete o fato de que este assunto não estava relacionado a brigas insignificantes, mas, antes, a um assunto relacionado à mensagem do evangelho dentro da igreja.

O apelo de Paulo é reforçado por seus comentários no verso 3, onde apela a uma terceira pessoa, a quem se refere como "verdadeiro companheiro" (*gnesie syzyge*), para ajudar na mediação desta disputa. Houve muita especulação sobre a identidade deste indivíduo — tal especulação envolveu uma suposta esposa de Paulo, Epafrodito, Lucas, Timóteo, e foi até mesmo considerada a hipótese de ser um indivíduo chamado "Syzygus". Hawthorne especulou que o termo tem uma ampla referência à Igreja em Filipos como um todo (Hawthorne, 180). Simplesmente não existe evidência suficiente para indicar a probabilidade de qualquer uma destas opções. É suficiente dizer que tanto os Filipenses quanto Paulo teriam conhecido o indivíduo, que provavelmente tenha sido um cooperador de Paulo. Esta última suposição baseia-se no fato de Paulo utilizar uma palavra mais formal, "pedir" (*erotao*), do que a palavra mais severa "rogar" (*parakaleo*).

A razão para o apelo de Paulo torna-se aparente no verso 3. Estas mulheres, juntamente com Clemente e outros cooperadores, têm combatido com Paulo como se estivessem em um combate de gladiadores (*synathleo* 1.27) por amor ao evangelho. Agora, nestas ocasiões em que existem relacionamentos hostis, Paulo pede a este "verdadeiro companheiro" que seja um parceiro para estas duas senhoras, a fim de trazer uma solução (*syllambano*). É significativo que os termos "cooperadores", "contender" e "ajudar" contenham a preposição "com" (*syn*), enfatizando o papel vital da comunidade cristã e do trabalho em equipe, no pensamento de Paulo.

Estas duas mulheres deveriam concordar por buscarem o mesmo objetivo — terem os seus nomes escritos no "livro da vida". Este termo posterior é mencionado no Antigo Testamento (Êx 32.32; Sl 139.16; Dn 12.1) e no judaísmo mais recente (1 QM 12.3). É importante destacar que mesmo tendo os cidadãos de Filipos sua cidadania romana formalmente assentada nos registros daquela cidade, Paulo refere-se aqui a um registro de cidadania infinitamente mais importante.

7.2. Geral (4.4-9)

Paulo deixa de falar de uma situação específica (4.2,3), passando a uma série de abordagens de interesse da igreja como um todo. Este estilo de exortação é visto em outras cartas de Paulo (1 Ts 5.23 e ss.) e, devido à possibilidade das cartas serem lidas para a maioria dos destinatários, estas exortações são apresentadas de forma a serem facilmente memorizadas. Baseiam-se em temas fundamentais e são uma aplicação prática dos temas que faziam parte da vida da igreja de Filipos.

A exortação do capítulo 4.4 repete um tema-chave que trazido à tona ao longo desta carta (3.1; 4.1). Tem a forma de "despedida" e um mandamento relacionado ao regozijo (Hawthorne, 181). O apóstolo encoraja os filipenses a "regozijarem-se sempre" (observe a importância do imperativo presente). Além de contínua, esta alegria deve ser independente das circunstâncias que lhes causava impacto. Não é uma alegria que emerge somente quando as situações são vantajosas, mas deve ser manifestada em todas as ocasiões ("sempre"). É quase uma resposta antecipada a um questionamento: "Mas... como?" Paulo reitera suas palavras: "outra vez digo: regozijai-vos!" A resposta deles a quaisquer situações vindouras deverá ser a mesma — regozijai-vos.

Os filipenses não deveriam ter nenhuma dificuldade para seguir esta exortação. Esta foi a própria reação de Paulo quando encontrou oposição ao evangelho em sua chegada a Filipos. Quando ele e Silas foram injusta e ilegalmente açoitados e presos pelos magistrados de Filipos, reagiram cantando com alegria no confinamento daquela prisão (At 16.25). Para Paulo, a alegria era uma das principais características do reino de Deus (Rm 14.17) e também um fruto do Espírito Santo que habita dentro de cada cristão (Gl 5.22). Os filipenses deveriam se regozijar em suas próprias preocupações, como nas situações que afligiram Paulo e Epafrodito. Esta deveria ser a sua reação diante da oposição (1.28). A razão pela qual esta poderia ser uma profunda e determinada reação às muitas circunstâncias adversas estava fundamentada no Único que não muda e que é soberano acima de todas as questões humanas. Deveriam se regozijar "no Senhor"; Ele é a fonte e o motivo desta alegria.

A próxima exortação de Paulo está relacionada à caminhada dos filipenses com o Senhor. Sua "eqüidade" (*epieikes*) deve ser evidente a todos, tanto a cristãos como a não cristãos (v.5). Esta palavra denota um sentido de racionalidade e ocorre na literatura secular para ilustrar a idéia de justiça eqüitativa, exercida de acordo com o espírito, não necessariamente baseada na lei. No contexto de filipenses, isto indubitavelmente indica a necessidade de mostrarem humildade e paciência em meio à dissensão e aos conflitos — conforme o exemplo de Cristo em relação ao sofrimento (2.1-11).

A frase que determina esta reação dos filipenses é encontrada no final do verso 5: "Perto está o Senhor". A palavra "perto" pode ter um sentido ligado ao tempo ou ao espaço; os dois sentidos podem, provavelmente, ser extraídos desta palavra. A proximidade do Senhor no sentido de espaço indica sua contínua presença com eles e deveria servir como uma motivação para seu bom comportamento. Sua proximidade no sentido temporal renova o encorajamento e a esperança para a suprema salvação dos filipenses e com esta a justificação para seu sofrimento atual.

A exortação de Paulo no verso 6 segue a lógica da afirmação contida no verso 5b. Pelo fato do Senhor estar próximo, os filipenses não deveriam estar "inquietos por coisa alguma". Fica evidente, ao longo desta carta, que estavam passando por um momento de ansiedade (veja o comentário do v. 4). As palavras desta exortação têm o sentido de que devem deixar de se preocupar (devido ao uso do imperativo presente no idioma grego). Paulo quer que experimentem a libertação do peso da ansiedade que os sobrecarrega — uma liberdade sobre a qual o próprio Senhor Jesus falou (Mt 6.25-34).

Além de proibir a ansiedade, Paulo também os encoraja a uma reação positiva. Os cristãos devem levar tudo a Deus em oração. Para enfatizar este ponto, ele usa três palavras para oração: oração (*proseuche*), petição (*deesis*), e súplicas (*aitemata*). O ponto a que Paulo está se referindo aqui não é oferecer várias opções de estilos contrastantes de oração. Antes, está enfatizando a importância do papel da oração na vida do cristão. Paulo não pode sequer imaginar a vida cristã sem oração.

A idéia de nossas petições estarem "presentes" (*gnorizo*) diante do Senhor está exatamente refletida na parte posterior do verso 6 ("as vossas petições sejam em tudo conhecidas diante de Deus"). A palavra denota uma sinceridade e liberdade na oração por meio de uma profunda exposição das necessidades a Deus, partilhando-as com Ele. Esta palavra de forma alguma implica que Deus não esteja ciente de nossos pedidos, antes mesmo de os fazermos. Deve também ser notado que o ambiente em que estes pedidos são apresentados a Deus é de ação de graças (Ef 5.18-20; Cl 4.2; 1 Ts 5.18).

A conseqüência de viver uma vida de oração livre de ansiedades é encontrada no verso 7: "A paz de Deus" encherá o cristão. Este é o único uso da expressão "a paz de Deus" no Novo Testamento, e vários comentaristas interpretam esta paz como a grande paz experimentada na presença de Deus. Esta paz é a "serenidade em que Deus habita" (O'Brien, 496). A obra desta paz é melhor ilustrada pela palavra hebraica *shalom*— que significa inteireza, saúde e completo bem-estar (que só Deus pode dar; Ef 2.14; 2 Ts 3.16).

Esta paz vai além da finita compreensão dos seres humanos; nossos planos, raciocínios e pensamentos não podem reproduzir esta paz divina. O papel desta paz é "guardar" a totalidade do ser interior do cristão e o centro de emoções e sentimentos (o coração) dos pensamentos processados na mente. A palavra "guardar" ou "preservar" teria despertado nos seguidores de Paulo a imagem de uma guarnição romana protegendo uma cidade como Filipos (2 Co 11.32; Gl 3.23). A paz de Deus traz, àqueles que estão "em Cristo", a proteção contra os ataques do maligno. Observe como o apóstolo enfatiza o surpreendente alcance da proteção que o cristão tem no relacionamento com Cristo.

Paulo conclui esta série de exortações com uma lista geral das virtudes que devem governar a vida dos filipenses; também observa alguns itens específicos que deseja que coloquem em prática. O verbo principal dos versos 8 e 9 é "pensar" (*logizomai*), uma das palavras favoritas do apóstolo. Ela é usada aqui no sentido de enfocar a atenção em algo, com uma visão de tê-la governando o comportamento de alguém como um todo (Fee, 415). A expressão "nisso pensai" pode transmitir o sentido deste importante verbo. Os dois verbos na oração — "pensar" e "fazer" (colocar em prática) — traz o sentido de ações contínuas. Em outras palavras, Paulo está defendendo um estilo de vida contínuo. O sentido contido em "isso fazei" é um comportamento a seguir ou imitar (4.9; 3.17).

Muitas das palavras que Paulo usa no verso 8 são comuns às listas de virtudes do estoicismo e da sabedoria judaica. Fica claro que Paulo está se referindo a um conjunto geral de importantes valores (esta é a razão pela qual disse: "tudo o que é..."), que refletem o melhor dos ensinamentos éticos de sua cultura. Estes ensinos representam, embora de um modo resumido, realidades que os filipenses deveriam refletir em suas vidas como cristãos. Estas virtudes somente podem ser verdadeiramente alcançadas através do evangelho.

1) A lista de virtudes de Paulo começa com a verdade. Para o pensamento hebreu, a

verdade é aquilo que se opõe à falsidade. No pensamento grego (Platônico) a verdade é vista como aquilo que se opõe ao que é aparente ou passageiro.
2) As coisas "nobres", ou "honestas" são merecedoras de respeito; são transcendentes ou moralmente honestas (usada em relação aos diáconos em 1 Tm 3.8).
3) As coisas que são "justas" obedecem aos padrões de justiça de Deus, e também representam o cumprimento das obrigações morais para com Deus e os nossos concidadãos.
4) A "pureza" denota aquilo que é ética ou religiosamente puro. Na adoração, no Antigo Testamento, os sacrifícios eram puros por serem limpos ou imaculados. A palavra é também usada para referir-se à castidade ou à pureza moral (1 Tm 5.22; Tt 2.5).
5) A próxima virtude, a "amabilidade", não ocorre em nenhuma outra parte do Novo Testamento. Em seu uso secular, refere-se a tudo aquilo que é admirável ou merecedor de amor (Fee, 418).
6) A virtude final na lista de Paulo é a "boa fama", ou seja, tudo aquilo que é de boa reputação ou livre de ofensas.

Paulo então resume esta lista usando duas palavras. Estas virtudes, e muitas semelhantes a elas, são "excelentes" e "louváveis". A excelência a que Paulo se refere (*arete*) é comum no pensamento estóico e se refere à excelência moral — tudo aquilo que é bom nos seres humanos. O termo é usado por Paulo somente aqui, e três vezes nas cartas de Pedro (1 Pe 2.9; 2 Pe 1.3, 5). Entende-se por louvável (*epainos*) tudo aquilo que está de acordo com o critério de aprovação pública.

No verso 9, Paulo passa do assunto das virtudes gerais que deveriam ocupar os pensamentos dos filipenses para assuntos mais específicos. O pronome que consta no original, nesta mudança, não consta na NIV. A frase: "O que também..." (v. 9) pode ser traduzida como: "aquelas coisas que" (Hawthorne, 189). Os filipenses são chamados a colocar em prática os ensinamentos formais que "aprenderam" com Paulo. Devem fazer o mesmo com as tradições do evangelho que "receberam" dele ("receber" é freqüentemente usado por Paulo em um sentido técnico, referindo-se à transmissão das doutrinas cristãs tradicionais ensinadas pelos apóstolos; 1 Co 11.23; 15.1, 3).

Além disso, Paulo conclama os filipenses a imitarem sua vida — aquilo que ouviram a seu respeito e que tiveram a oportunidade de observar pessoalmente. Na vida de Paulo não havia nenhuma dissonância entre fé e estilo de vida. Aqui, ele reformula o seu pedido para que a igreja pense de modo cristão, um tema que volta à tona ao longo da carta (lembremo-nos de como Paulo utiliza o termo *phroneo*). O resultado de tudo isso é que "o Deus de paz" estará com eles (v.7) — um desejo que Paulo freqüentemente expressa aos seus seguidores (Rm 15.33; 16.20; 2 Co 13.11; 1 Ts 5.23).

8. A Gratidão de Paulo pela Oferta dos Filipenses (4.10-20)

Esta parte da carta contém a palavra de gratidão de Paulo (embora a palavra não seja aqui mencionada!) pelas ofertas que lhe foram enviadas pela Igreja em Filipos. Estas ofertas lhes foram entregues por Epafrodito (2.25-30). As ofertas foram anteriormente mencionadas na carta (1.3, 5; 2.25) e fazem parte do contínuo compromisso de apoio da Macedônia a Paulo (4.16). Alguns têm questionado se esta foi uma carta separada, e mais tarde anexada à carta principal por um editor. Devido ao fato de esta nota de agradecimento ter sido uma razão significativa para que Paulo tivesse escrito esta carta, é mais apropriado ver este reconhecimento como um posicionamento enfático da própria carta. Como esta carta foi lida para a maioria das igrejas, estas palavras podem ter repercutido a seus ouvidos como uma última recordação e finalização da carta. Neste reconhecimento final de seu apoio, Paulo reflete, simultaneamente, um senso de independência (vv. 10-13) e de interdependência (vv. 14-19) em seu relacionamento com os filipenses.

8.1. Compromisso com o Contentamento (4.10-13)

Paulo começa expressando sua alegria pela renovada preocupação dos filipenses para com ele. O acontecimento particular que causou esta explosão de alegria foi a vinda de Epafrodito com a oferta da igreja. A alegre reação de Paulo (apropriadamente traduzida como "regozijo"; Fee, 428) comunica sua gratidão. A magnitude de sua gratidão é salientada pela palavra "muito" (colocada como ênfase na frase). Paulo se regozijava "no Senhor", uma expressão ligada à alegria expressa ao longo da carta (3.1; 4.4).

A frase "reviver a vossa lembrança de mim" tem várias implicações. A palavra "renovar" ou "reviver" ilustra o rejuvenescimento de uma árvore ou planta na primavera, após uma estação dormente. Paulo não está expressando algum lapso na preocupação dos filipenses para com ele, por esquecimento. Está sugerindo que embora sempre tenham cuidado dele, seus cuidados finalmente produziram frutos, uma obra tangível refletida pelas ofertas que lhe foram enviadas. A "lembrança" ou "preocupação" é a tradução de uma palavra comum na carta (*phroneo*; 1.7; 2.2, 5). As palavras escolhidas por Paulo não falam somente sobre estar ciente das necessidades de alguém, mas também implicam uma aplicação prática deste pensamento. Por meio de suas ofertas, estavam de fato agindo para com ele conforme aquilo que lhes havia ensinado em relação ao tratamento mútuo entre os membros da comunidade de Filipos. Isto foi reforçado na parte final do verso 10, onde Paulo reconhece que os filipenses estavam realmente preocupados com ele, porém, faltava-lhes a oportunidade para expressá-lo (O'Brien, 519).

Esta nota de consideração não surge do sentimento de alívio. O apóstolo não está dizendo: "Afinal, vocês me ajudaram; eu estava ficando desesperado!" Nos versos 11-14, Paulo ressalta ser livre da opressão da necessidade. Sua alegria não se deve a ter suas necessidades satisfeitas, mas ao fato de que a preocupação dos filipenses está fundamentada no Senhor. O relacionamento de Paulo com Deus tem-no conduzido a um senso de contentamento que transcende sua circunstância imediata. Os filósofos estóicos usaram a palavra "contentamento" (*autarkes*) para denotar o caráter desejável de uma pessoa que aprendeu a viver de maneira auto-suficiente. Este indivíduo seria capaz de viver uma vida livre da influência das circunstâncias e pressões externas. Para Paulo, este contentamento não consistia em auto-suficiência, mas, antes, na dependência de Deus. Foi o poder de Deus em sua vida que o capacitou a viver acima de suas circunstâncias presentes. Este contentamento foi "aprendido", não de modo teórico, mas nas experiências através das quais Deus conduziu Paulo até este ponto em sua vida.

Paulo desenvolve este contentamento no verso 12. Experimentou tanto a necessidade quanto a abundância. (A palavra usada para "necessidade" aqui, é a mesma para a humilhação de Cristo no capítulo 2.8; mas, devido a este contexto, provavelmente se refere à privação econômica). Ele então emprega dois conjuntos de verbos contrastantes para mostrar os extremos através dos quais experimentou este contentamento: quando estava bem alimentado, quando teve fome, quando viveu períodos de abundância e quando padeceu necessidades. Através de todas estas situações, descobriu o segredo do contentamento.

Em uma conclusão triunfal, o verso 13 revela a principal fonte do contentamento de Paulo: "Posso todas as coisas, naquele que me fortalece". Este contexto do verso tem sido freqüentemente transgredido, e esta verdade tem sido colocada a serviço de extravagâncias caprichosas. O apóstolo está claramente se referindo à grande variedade de suas próprias experiências (v. 12). A importância do verso 13 é encontrada no fato dessa capacidade de Paulo lutar com as adversidades da vida não ter sido alcançada por meio da auto-suficiência (como os estóicos ensinavam), mas através da suficiência em Cristo. Este fortalecimento foi parte da experiência cristã contínua de Paulo e estava fundamentado em sua união com Cristo.

8.2. Ação de Graças e Doxologia (4.14-20)

Paulo reitera agora sua interdependência mútua com os cristãos de Filipos. Relata o apoio que ofereciam ao seu ministério, desde seu primeiro encontro até a mais recente oferta entregue por Epafrodito.

Paulo expressa uma nota de reconhecimento (v. 14). Caso seus seguidores concluíssem a partir dos versos anteriores que Paulo não tenha se sentido grato pela oferta recebida, ele enfatiza: "fizestes bem em tomar parte na minha aflição". A frase "fizestes bem" tem o mesmo sentido de Paulo dizer literalmente "obrigado", nesta parte da carta (Hawthorne, 202). Ele considerou a oferta dos filipenses como mais do que apenas um gesto de obrigação; significou que a igreja realmente o tinha em seu coração (1.17). Foram companheiros, participando de suas dificuldades. A palavra "aflição" é usada aqui no sentido tipicamente paulino, indicando a privação, a perseguição, ou o sofrimento. Os filipenses verdadeiramente viveram sua fé como membros do corpo de Cristo, pois neste, quando um membro sofre, todos sofrem (1 Co 12.26).

Nos versos 15 e 16, Paulo alegremente relembra o apoio que os filipenses lhe ofereceram. Relembra os dias anteriores, quando o evangelho foi proclamado pela primeira vez em Filipos (At 16.4 e ss.). Quando o apóstolo passou pela Macedônia até a Acaia, em sua segunda viagem missionária, a Igreja em Filipos foi a única a sustentar os seus esforços. Na linguagem emprestada do mundo comercial, o apóstolo considerou sua parceria como uma questão de "dar e receber" (termos aproximadamente equivalentes aos conceitos de débito e crédito). Paulo "deu" o evangelho aos filipenses e "recebeu" seu apoio. De fato, o verso 16 indica que por mais de uma vez enviaram sua assistência a Paulo antes que deixasse a Macedônia, enquanto ainda estava na cidade vizinha de Tessalônica (At 17.1-9). Os filipenses, por sua vez, "deram" seu apoio material e moral a Paulo, tendo recebido a mensagem das boas novas e agido de acordo com esta.

No verso 17, Paulo reitera a pureza de seus motivos em sua expressão de gratidão aos cristãos de Filipos. Não está procurando "dádivas" ou agradecendo de alguma maneira que venha a ser a base para favores futuros. Sua motivação visa o benefício deles. Sua descrição da recompensa que terão por associarem-se a ele na obra de Deus é expressa em termos financeiros. Sua participação no Evangelho produzirá juros ou dividendos (literalmente, "fruto"), o que resultará no "aumento da conta" deles.

Continuando com a analogia do mundo financeiro, Paulo observa no verso 18 que havia sido completamente pago (a expressão denota o recibo do pagamento total de uma fatura; Martin, 1976, 167). De fato, sua conta está abastada por causa da recente oferta trazida por Epafrodito. Altera então as metáforas, passando a descrever as ofertas recebidas na linguagem de sua formação, que era o Antigo Testamento. As ofertas são como "cheiro de suavidade [Êx 29.18; Lv 1.9] e sacrifício agradável e aprazível a Deus [Rm 12.1]". Estas frases denotam a qualidade exigida dos sacrifícios para que sejam agradáveis e aceitáveis a Deus (Paulo usa uma linguagem semelhante em Ef 5.2 para descrever o sacrifício de Cristo na cruz).

Paulo responde à magnitude das ofertas dos filipenses assegurando-lhes confiantemente que Deus os recompensará por sua participação. O afeto desta resposta pode ser visto primeiramente no uso da referência pessoal: "meu Deus" (1.3). Pelo fato de terem fielmente suprido as suas necessidades, Deus, por sua vez, suprirá as necessidades deles. Sua provisão a favor deles será "segundo as suas riquezas", uma expressão que denota a fonte de suas provisões e a maneira abundante pela qual são dadas a eles (O'Brien, 547).

A palavra "gloriosa" (literalmente, "em glória") admite várias interpretações. Pode indicar o fato de que a bênção de Deus aos cristãos de Filipos estará reservada para uma época futura — isto é, para quando chegarem ao céu. Pode trazer também um sentido adjetivo e servir para definir "riquezas" (conforme a NIV, "riquezas gloriosas"). Pode ser usada em um sentido adverbial e definir o verbo "suprir" ("suprirá todas as vossas necessidades em glória"). Fee defende que a expressão é melhor entendida como um local, referindo-se à "glória inefável e eterna na qual Deus habita" (Fee, 453). Esta provisão está disponível aos filipenses através de Cristo, o único por quem Paulo considerou "tudo como perda" (3.8). Paulo conclui esta confiante afirmação, com uma doxologia que atribui glória eterna a Deus, por sua maravilhosa provisão em favor deles (4.20).

9. Saudações Finais de Paulo (4.21-23)

Considerando que as cartas seculares eram freqüentemente concluídas com um desejo de boa sorte ou boa saúde, do autor para o destinatário, Paulo concluiu tipicamente suas cartas oferecendo palavras de saudação (por exemplo, Rm 6.3 e ss.; 1 Co 16.19 e ss.; 1 Ts 5.26 e ss.). A epístola aos filipenses reflete este estilo, pelo fato de o apóstolo concluir esta carta com algumas saudações finais. Esta parte final da carta pode ter sido uma observação realmente escrita pelo próprio Paulo, após seu escriba ter concluído a parte mais formal da carta. Esta parte é destinada a várias pessoas dentro da igreja — possivelmente os líderes mencionados no capítulo 1.1 (daí o uso do plural imperativo: "Saudai a todos os santos em Cristo Jesus").

No verso 21, Paulo não está somente trazendo uma saudação coletiva à Igreja em Filipos, no mesmo sentido em que uma pessoa hoje pede a alguém que "cumprimente a todos" em seu nome. Mantendo seu relacionamento afetuoso e sincero com os filipenses, está pedindo que cada um, e todo cristão da congregação, receba a sua saudação. Observe como esta maneira reflete a ênfase na unidade expressa por Paulo ao longo da carta. A frase: "Em Cristo Jesus" refere-se à posição desfrutada por cada cristão, não tendo reflexos sobre a natureza da saudação de Paulo.

Mais adiante, Paulo expande sua saudação pessoal para incluir todos os santos em Roma, especialmente os da casa de César. Embora não se saiba ao certo se estes indivíduos eram mais que soldados, escravos e funcionários públicos a serviço do império, sua importância não deve ser minimizada. Em um ambiente como o de Filipos, onde aqueles que proclamavam a Cristo como Senhor estavam sendo marginalizados por aqueles que adoravam a César, seria encorajador saber que havia cristãos a serviço do imperador.

As palavras finais de bênçãos proferidas por Paulo repercutem suas palavras de saudação. Seus seguidores são lembrados da "graça" que lhes foi estendida, pela obra vicária realizada em seu favor pelo Senhor exaltado (2.6-11). O enfoque completo da carta é Cristo, e agora Paulo ora para que sua graça se estenda ao coração e à vida de cada um dos cristãos de Filipos, à medida que prosseguem "para o alvo" (3.14). Amém!

BIBLIOGRAFIA

H. Balz e G. Schneider, *Exegetical Dictionary of the New Testament*, 3 vols. (1994); F. F. Bruce, *Paul, Apostle of the Heart Set Free* (1978); M. Dunham, *Galatians, Ephesians, Philippians, Colossians, Philemon*, Communicator's Commentary (1982); G. Fee, *Paul's Letter to the Philippians*, NICNT (1995); G. F. Hawthorne, *Philippians*, WBC (1991); J. Jeremias, *Jerusalem in the Time of Jesus* (1969); H. Kent Jr., "Philippians," em *EBC*, vol.11 (1978); S. Kim, *The Origin of Paul's Gospel* (1982); J. B. Lightfoot, *Phillipians*, Crossway Classic Commentaries (1994); R. Martin, *Carmen Christi. Philippians 2.5-11 in Recent Interpretation and in the Setting of Early Christian Worship* (1983); idem, *Philippians*, NCBC (1976); H. C. G. Moule, *Philippians*, Cambridge Greek New Testament (1897); T. O'Brien, *Commentary on Philiipians*, NIGTC (1991); M. Silva, *Philippians*, Baker's Exegetical Commentary on the New Testament (1992); F. Thielman, NIV Application Commentary. Philippians (1995).

COLOSSENSES
Sven K. Soderlund

INTRODUÇÃO

A Carta aos Colossenses é normalmente classificada como uma das quatro cartas de Paulo escritas na prisão (juntamente com Efésios, Filipenses e Filemom). Destas, ela partilha a afinidade mais íntima com Efésios, mas também apresenta elementos em comum com Filemom, uma vez que ambas foram enviadas à mesma cidade. A carta foi escrita em resposta a uma crise teológica/cristológica que ameaçava a Igreja em Colossos, da qual Paulo fora informado por seu cooperador Epafras. No processo de refutar os falsos ensinos relativos a Cristo, Paulo aproveita a oportunidade para instruir os colossenses em uma grande variedade de assuntos, desde a oração até os detalhes da vida prática.

1. Autoria, Data e Procedência

A carta é iniciada (1.1) e encerrada (4.18) com uma afirmação clara da autoria paulina (em 1.1, na saudação, Paulo inclui seu companheiro Timóteo). Contudo, no último século, esta asserção da autoria de Paulo foi crescentemente desafiada, de forma que hoje muitos estudiosos preferem classificar a carta como "Deutero-Paulina", significando que foi escrita em um período posterior, provavelmente por um discípulo de Paulo. As principais linhas de evidência do argumento estão relacionadas com assuntos de vocabulário e estilo, distinções teológicas entre Colossenses e outras cartas de Paulo, e sua relação com Efésios. Deste modo, por exemplo, alguns estudos focalizam as diferenças de vocabulário e as construções sintáticas, considerando-as não características de Paulo (por exemplo, o número inigualável de palavras para esta carta, a freqüência de certas construções gramaticais em comparação a outras cartas, e o relativo comprimento e complexidade de estrutura frasal; veja Mark Kiley, *Colossians As Pseudepigraphy* [1986]).

Quanto aos temas teológicos, alguns estudiosos assinalam que esta carta omite a discussão de tópicos paulinos familiares (por exemplo, justificação, lei, justiça e salvação) e introduz novos conceitos não mencionados em outras passagens (por exemplo, o "Cristo cósmico"). Outros argumentam que a íntima relação entre Colossenses e Efésios sugere que nenhuma das cartas seja autêntica, alegando ser improvável que uma mesma pessoa produza dois trabalhos tão semelhantes.

Entretanto, nem todos os estudiosos são persuadidos por tais argumentos opostos à autoria paulina. Quando empregada em um contexto maior, muitas das denominadas "características inigualáveis de Colossenses" — sob o aspecto gramatical, estilístico e teológico — se colocam dentro do alcance da expressão paulina quando uma licença esperada é concedida a uma nova situação, a um novo número de leitores, a uma nova fase na própria vida do apóstolo, e possivelmente a um maior grau de liberdade permitido ao seu assistente (poderia ter sido até mesmo Timóteo? cf. 1.1b; veja a discussão em O'Brien, 1982, xli-xlix; também Carson, Moo e Morris, 1992, 331-334). Além disso, note que todos os argumentos promovidos contra a autoria paulina são internos e circunstanciais. Quanto aos testemunhos *externos*, os patriarcas da igreja aceitaram de maneira coerente a autoria paulina. Embora esta não seja a ocasião adequada para uma discussão detalhada sobre este grande e complexo debate, é a ocasião apropriada para declararmos a perspectiva a partir da qual este comentário foi escrito, a saber, uma aceitação e uma confiança nas declarações explícitas de 1.1 e 4.18, que afirmam ser o apóstolo Paulo o autor.

As questões sobre a data e o lugar da composição estão intimamente ligadas. O fato desta ser uma das Cartas da Prisão (cf. a referência das "prisões" de Paulo em 4.3,18, como também a menção de Aristarco como um "preso comigo" em 4.10), limita a gama de possibilidades para a data e o local de sua composição. Com base em nosso conhecimento do livro de Atos, Paulo esteve na prisão em três ocasiões: em Filipos (At 16.16-40), Cesaréia (caps. 24—26) e Roma (28.30,31). De modo realista, somente Cesaréia e Roma são possibilidades sérias (Paulo ficou somente uma noite na prisão em Filipos). Embora alguns estudiosos defendam Cesaréia como o lugar de sua composição, o local tradicional é Roma.

A partir do século XX, foi também proposto que Éfeso era a cidade onde Paulo residia na ocasião em que a carta foi escrita. O argumento para isto é a proximidade entre Colossos e Éfeso, e a consideração de que o escravo Onésimo (cf. 4.9; Fm 10), com quem Paulo se encontrou na prisão e conduziu à fé, teria mais provavelmente fugido de sua casa em Colossos para uma cidade vizinha como Éfeso, ao invés de ir para a distante Roma. Este argumento apresenta uma fraqueza, visto que não há qualquer conhecimento concreto de um encarceramento em Éfeso, embora Paulo escreva em 2 Coríntios 11.23 ter estado com freqüência em prisões, possivelmente incluindo Éfeso.

No final, Roma permanece sendo o local que apresentaria menos dificuldades, especialmente quando considerada o lugar mais provável da composição das cartas aos Efésios e Filipenses. Seguindo este raciocínio, a carta teria sido escrita em Roma, em alguma época entre os anos 60 e 62 d.C., provavelmente no início daquele período, ao invés de no final — isto é, durante aquela fase do encarceramento romano de Paulo mencionado em Atos 28.30,31, quando ele podia ficar em seus aposentos alugados, recebendo convidados, pregando e ensinando (e presumivelmente escrevendo!) sobre o reino de Deus e o Senhor Jesus Cristo.

2. Os Destinatários e a Ocasião em que a Carta Foi Escrita

A carta foi endereçada "aos santos e irmãos fiéis em Cristo que estão em Colossos" (veja os comentários em 1.2), isto é, à congregação de crentes na cidade de Colossos. Naquele momento, Colossos era uma cidade de tamanho modesto na região Centro-Sul (Vale Lico) da província romana da Ásia (atual Turquia Ocidental), aproximadamente a 145 quilômetros das cidades costeiras gregas de Éfeso e Mileto no Mar Egeu. Apesar de ter conhecido tempos mais prósperos em séculos anteriores, Colossos aos poucos perdeu terreno para as suas cidades vizinhas, Laodicéia e Hierápolis (cf. 2.1; 4.13), desde que uma junção da estrada principal norte-sul/leste-oeste foi mudada para oeste de Colossos em direção a Laodicéia. Talvez fosse a menor das várias cidades para as quais Paulo escreveu cartas, embora o tamanho da cidade e da congregação nada tenha a ver com a importância da carta e de seu ensino para nós.

A Igreja em Colossos foi instituída por Epafras, que era natural desta cidade e um dos cooperadores de Paulo (veja os comentários em 1.7; 4.12,13) — é muito provável que tenha sido fundada durante o período (três anos) do ministério de Paulo em Éfeso. Inicialmente tudo estivera bem (veja a oração de ação de graças de Paulo, 1.3-8), porém com o passar do tempo surgiram problemas. Os crentes de Colossos se envolveram com várias questões teológicas, especialmente ensinos

Paulo escreveu esta carta para a igreja em Colossos entre 60 e 62 d.C.

novos e estranhos a respeito da pessoa de Cristo. Em comparação à proclamação apostólica original, estes ensinamentos subestimaram seriamente a pessoa e a obra de Cristo, levando por conseguinte a várias práticas não cristãs, de natureza tanto mística quanto legalista.

Embora o conteúdo exato da denominada "heresia colossense" não esteja claramente exposto como desejaríamos (veja as sugestões nos comentários; por exemplo, Barth e Blanke, 1994, 21-40; Bruce, 1984, 17-26; O'Brien, 1982, xxx-xxxviii), a questão era suficientemente importante para que Paulo compusesse uma grande refutação e a enviasse à Igreja em Colossos, mesmo antes do suposto retorno de seu representante, Epafras. Esta "refutação" — na realidade, uma afirmação maravilhosa sobre a pessoa e a obra de Cristo — constitui o âmago da carta (principalmente 1.15—3.4). A parte central é precedida pelas típicas orações de abertura de ação de graças e intercessão de Paulo (1.3-14), seguida por uma série de exortações edificantes concernentes ao verdadeiro viver cristão (3.5—4.6), chegando a uma conclusão nas saudações finais (4.7-18).

3. O Texto e o Cânon

O texto de Colossenses foi transmitido como parte do acervo paulino maior, e como tal reflete os mesmos tipos de problemas textuais que encontramos em todas as outras cartas e decerto em todo o Novo Testamento. Porém, exceto algumas leituras incertas, as dificuldades textuais não são de natureza extensa ou séria, de forma que com confiança pode ser dito que "não há nenhuma razão para duvidar de que tenhamos o texto da carta substancialmente como Paulo a escreveu" (Carson, Moo e Morris, 1992, 337).

O mesmo pode ser dito quanto à adoção da carta pelo Cânon. A partir de meados do século II, ela era lida como Escritura na Igreja e citada com autoridade por autores como Justino Mártir, Irineu, Clemente de Alexandria e Tertuliano. Também antes do final deste século foi incluída nas listas canônicas de Marcião e no Cânon Muratoriano, e fez parte do antigo siríaco e das traduções do latim antigo do Novo Testamento. Em resumo, não pode haver nenhuma dúvida sobre o seu direito à inclusão no Cânon cristão como Escritura autorizada.

ESBOÇO

1. **Saudações Introdutórias** (1.1,2)
   1.1. Autores (1.1)
   1.2. Destinatários (1.2a)
   1.3. Saudações (1.2b)

2. **A Oração de Paulo** (1.3-14)
   2.1. A Oração de Ação de Graças (1.3-8)
   2.1.1. Ação de Graças Dirigida a Deus (1.3)
   2.1.2. Ação de Graças Motivada pela Fé e pelo Amor dos Colossenses (1.4-8)
   2.1.2.1. A Fé e o Amor dos Colossenses São Inspirados pela Esperança que lhes está Reservada (l.4,5a)
   2.1.2.2. A Esperança dos Colossenses É Comunicada mediante a Pregação do Evangelho (1.5b-8)
   2.2. A Oração de Intercessão (1.9-14)
   2.2.1. O Pedido Inicial: Que os Colossenses Fossem Cheios do Conhecimento da Vontade de Deus (1.9)
   2.2.2. O Principal Objetivo: Que os Colossenses Vivessem uma Vida Digna do Senhor, e que o Agradasse em tudo (1.10-14)
   2.2.2.1. O Meio de Alcançar este Objetivo (1.10-12a)
   2.2.2.2. A Transição para um Novo Tema: O Pai Assegurou a Redenção dos Crentes por intermédio de seu Filho (1.12b-14)

3. **A Preeminência de Cristo** (1.15-23)
   3.1. A Preeminência de Cristo na Criação (1.15-17)
   3.2. A Preeminência de Cristo na Redenção (1.18-20)
   3.3. A Obra Redentora de Cristo Aplicada aos Colossenses (1.21-23)
   3.3.1. A Realidade, o Meio e o Propósito da Reconciliação dos Colossenses (1.21,22)
   3.3.2. Exortação a Permanecerem Firmes na Fé (1.23)

4. O Ministério de Paulo (1.24—2.5)
  4.1. A Natureza do Ministério de Paulo: Ser um Servo na Igreja (1.25; cf. 1.23)
  4.2. O Dever do Ministério de Paulo: Anunciar "a Palavra de Deus" em sua Plenitude (1.25; cf. 1.28a)
  4.3. A Mensagem do Ministério de Paulo: "Cristo em vós, esperança da glória" (1.26,27; cf. 2.3)
  4.4. O Objetivo do Ministério de Paulo: Apresentar "todo homem perfeito em Jesus Cristo" (1.28b; cf. 2.2,3)
  4.5. Os Custos do Ministério de Paulo: Trabalho, Esforço e Sofrimento (1.29—2.1; cf. 1.24)
  4.6. Os Recursos do Ministério de Paulo: a "Eficácia" de Cristo Operando poderosamente nele (1.29b)
  4.7. As Recompensas do Ministério de Paulo: Contemplar a Firmeza da Fé dos Crentes (2.4,5)

5. Advertências contra as Falsas Doutrinas e as Práticas Legalistas (2.6—3.4)
  5.1. Exortações à Perseverança e a Descrição dos Falsos Ensinos (2.6-8)
  5.2. Exposição da Doutrina de Cristo (2.9-15)
  5.2.1. A Pessoa de Cristo (2.9,10)
  5.2.2. A Obra de Cristo (2.11-15)
  5.3. Advertências Específicas contra o Legalismo (2.16-19)
  5.3.1. Em Relação às Leis sobre os Alimentos e Dias Santificados (2.16,17)
  5.3.2. Em Relação à Falsa Humildade e ao "Culto dos Anjos" (2.18,19)
  5.4. As Conseqüências de Ter Morrido e Ressuscitado com Cristo (2.20—3.4)
  5.4.1. Aqueles que Morreram com Cristo não Devem se Submeter aos "Preceitos e Doutrinas dos Homens" (2.20-23)
  5.4.2. Aqueles que Ressuscitaram com Cristo Devem Buscar as Coisas que São de Cima (3.1-4)

6. A Nova Vida em Cristo (3.5—4.6)
  6.1. Despojando-se do Velho Homem (3.5-11)
  6.2. Revestindo-se do Novo Homem (3.12-17)
  6.3. Vivendo em Relações Sociais Positivas (3.18—4.1)
  6.4. Cultivando as Disciplinas da Oração e do Testemunho (4.2-6)

7. Saudações e Instruções Finais (4.7-18)
  7.1. Paulo Recomenda os seus Mensageiros (4.7-9)
  7.2. Paulo Transmite a Saudação de seus Cooperadores (4.10-14)
  7.3. As Instruções Finais de Paulo aos Colossenses (4.15-17)
  7.4. A Saudação Escrita pelo Próprio Paulo (4.18)

COMENTÁRIO

1. Saudações Introdutórias (1.1,2)

Paulo inicia sua carta aos colossenses — como realmente faz em todas as suas cartas — utilizando o padrão greco-romano como norma: "De (nome do remetente) para (nome do destinatário), saudações". Esta regra permaneceu fixa durante séculos na literatura por correspondência da antigüidade, tanto hebraica quanto grega. Contudo, ainda que Paulo tenha adotado essa convenção, não hesitou em modificá-la e adaptá-la. De fato, em comparação à monotonia tediosa das fórmulas introdutórias de centenas de cartas que sobreviveram desde a antigüidade, as introduções de Paulo são positivamente criativas. Cada uma das introduções de suas treze cartas é essencialmente a mesma em estrutura, porém diferente em extensão e conteúdo. Deste modo, a introdução de Colossenses tem certas semelhanças e certas diferenças comparando-a a outras cartas.

1.1. Autores (1.1)

De primeiro são apresentados os "autores", Paulo e Timóteo, embora seja discutível até que ponto Timóteo esteve realmente envolvido na composição da carta. Paulo tem o hábito de citar seus cooperadores nas saudações introdutórias (a respeito de Timóteo, veja 2 Co 1.1; Fp 1.1; 1 Ts 1.1; 2 Ts 1.1; Fm l), e de empregar a primeira pessoa do plural "nós" em lugar da primeira do singular "eu" em grandes partes de suas cartas (por exemplo, Cl 1.3-14). Entretanto, isto não significa que estes cooperadores de confiança de alguma forma compuseram tais cartas, mas sim que estiveram presentes no momento em que o apóstolo as escreveu, apoiando-o e encorajando-o em suas várias tarefas missionárias, inclusive em seu ministério da escrita. Certamente não há nenhuma dúvida de que Paulo tenha sido o principal autor desta carta.

As descrições de Paulo e Timóteo nesta carta são idênticas àquelas que encontramos em 2 Coríntios 1.1. Em ambos os casos Paulo se apresenta como "apóstolo de Jesus Cristo, pela vontade de Deus" e Timóteo como seu "irmão". O apelo de Paulo para o seu apostolado "pela vontade de Deus" provavelmente tem a intenção de estabelecer suas credenciais como o "ensinador de doutrinas" autorizado, um ponto certamente relevante para esta carta, tendo em vista a importância das questões doutrinárias que estavam sendo discutidas em Colossos. Sua referência a Timóteo como "*nosso* irmão" é a versão (em inglês) da NVI da passagem que também é literalmente traduzida como "*o* irmão"; o artigo no texto grego talvez indique o sentido especial de que Timóteo era um "irmão" para Paulo (isto é, um "cooperador", cf. Rm 16.21).

1.2. Destinatários (1.2a)

Os destinatários da carta eram os "santos e irmãos fiéis em Cristo [Jesus] que estão em Colossos" (v. 2a). Porém, há uma ambigüidade no texto grego quanto à tradução das palavras *hagiois kai pistois adelphois*, traduzidas na NVI como a frase adjetiva "irmãos santos e fiéis". Cada uma das palavras precisa ser observada. Em vez de ler *hagiois* como um adjetivo e traduzi-lo por "irmãos santos", *hagiois* pode ser lido como um substantivo e traduzido simplesmente "santos" (KJV, JB), ou, com base nas associações do Antigo Testamento (cf. Êx 19.6; Lv 11.44; 19.2; etc.), "o povo de Deus" (GNB, REB). Este é, de fato, o modo como o termo é usado em Efésios 1.1 e Filipenses 1.1, e que pode muito bem ter sido a forma que Paulo desejou empregar em Colossenses 1.2 (em 1.4,12,26, *hagioi* funciona como um substantivo; em 1.22; 3.12 como um adjetivo).

Adotando o uso de *hagioi* como substantivo em 1.2, *pistois* ("fiéis") modifica então o termo *adelphois* ("irmãos"), e a frase pode ser traduzida tanto "irmãos fiéis" (descrevendo o caráter "fiel" dos colossenses) como "irmãos crentes" (na NVI, identificando os "irmãos" de Colossos como crentes). No entanto, uma vez que seria uma redundância para Paulo dizer "irmãos crentes" (há algum outro tipo?), assumimos que o significado pretendido pela utilização do termo *pistois* neste contexto seja "fiéis" — possivelmente um elogio àqueles colossenses que permaneceram fiéis face aos novos ensinos que estavam transtornando sua igreja (veja abaixo em 1.23; 2.5-7).

Finalmente, existe a questão da tradução da palavra *adelphoi* pela palavra de gênero específico "irmãos". Embora *adelphoi* seja a palavra que Paulo usa regularmente em suas cartas para se referir à corporação de crentes, fica claro que por este termo ele não quer dizer somente crentes masculinos (note que "os irmãos em Laodicéia" em 4.15 inclui Ninfa, uma mulher). O termo *adelphoi*, como Paulo emprega não é, de fato, um gênero específico. Com esta palavra ele também pretende incluir *adelphai* ("irmãs"). Por esta razão, é permissível e fortemente desejável traduzir a palavra pela expressão composta, "irmãos e irmãs" (cf. NRSV). Associando todos esses termos, a frase de abertura do versículo 2 pode muito bem ser traduzida da seguinte forma: "aos santos [ou, ao povo santo de Deus] e fiéis irmãos e irmãs..."

Estes "santos" e "irmãos e irmãs fiéis" são agora identificados como vivendo em unidade, e ao mesmo tempo em dois lugares: estão tanto "em Cristo" como "em Colossos". Como crentes experimentam uma comunhão especial com Cristo, uma vez que estão em Cristo e Ele neles (cf. Cl 1.27,28; também Gl 2.20,21). Contudo, esta esfera espiritual de existência não remove os colossenses do envolvimento em sua própria cidade e cultura. Pelo contrário, o desafio para eles é estarem no mundo, mas não serem do mundo (como na oração de Jesus por seus discípulos, cf. Jo 17.14-18). A responsabilidade desses crentes era dar testemunho da verdade do Evangelho em Colossos durante todo o tempo, cultivando sua própria vida de devoção e piedade "em Cristo".

1.3. Saudações (1.2b)

Paulo conclui a introdução com a invocação da norma padrão "graça e paz". Entretanto, para o apóstolo esta era mais do que apenas uma norma. Era seu desejo sincero que os colossenses compartilhassem de todas as bênçãos das alianças (nova e antiga) que estavam disponíveis para eles. "Graça" (*charis*) era a palavra especialmente associada às bênçãos da nova era. João expressou isto em seu evangelho: "Porque a lei foi dada por Moisés; a graça e a verdade vieram por Jesus Cristo" (Jo 1.17). No entanto, foi Paulo, mais que qualquer outro escritor do Novo Testamento (em 96 das 156 ocorrências no Novo Testamento), que a tornou uma palavra-chave de sua teologia. Ele utilizou esse vocábulo com o intuito de expressar todas as bênçãos do favor divino que estavam agora livremente disponíveis à comunidade do povo de Deus.

"Paz" era uma palavra com profundas raízes no Antigo Testamento. Embora Paulo tenha usado a palavra grega *eirene*, sem nenhuma dúvida tinha em mente o conceito mais amplo e mais rico de "paz" contido na palavra hebraica *shalom*. O que ele desejava aos colossenses era que experimentassem a plena harmonia e criatividade nos níveis mais profundos, o tipo de bem-estar que somente pode vir do conhecimento e do serviço a Deus. Com certeza, ao fazer esta invocação o apóstolo tinha em mente a antiga bênção de Arão: "O Senhor sobre ti levante o seu rosto e te dê a *shalom/eirene*" (Nm 6.26). A fonte destas bênçãos, tanto no tempo do Antigo como do Novo Testamento, é "Deus nosso Pai".

Assim é a breve introdução da Carta aos Colossenses. O fato de Paulo utilizar um vocabulário e um conteúdo teológico tão significativo — em uma fórmula de correspondência introdutória enfraquecida pelo tempo — é um testemunho da obra do Espírito criativo em seu interior, e uma lembrança constante do desafio para que transformemos até a rotina e as coisas comuns da vida em algo extraordinário, pelo toque deste mesmo Espírito.

2. A Oração de Paulo (1.3-14)

Em um típico estilo paulino, as saudações introdutórias são seguidas pelo relato de uma oração apostólica (cf. também Rm 1.8-10; Ef 1.15-19a; Fp 1.3-11; 2 Ts 1.3,4,11,12; Fm 4-7), consistindo em uma parte de ação de graças e outra intercessória (vv. 3-8 e vv. 9-14). A dupla natureza desta oração — suficientemente óbvia até mesmo através de uma simples leitura dos versículos 3 a 14 — é confirmada pelo vocabulário específico de oração que Paulo utiliza no princípio de cada parágrafo (vv. 3,9). Em ambos os versículos, o apóstolo emprega tanto o termo geral para a oração (*proseuchomai*: "orando sempre por vós", v. 3; "não cessamos de orar por vós", v. 9), como também uma palavra específica que dominará o parágrafo — isto é, a ação de graças no versículo 3 ("Graças damos a Deus"), e a petição ou intercessão no versículo 9 ("não cessamos de orar por vós e de pedir que sejais cheios"). Os vínculos adicionais entre os dois parágrafos são a ênfase na constância da ação de graças e intercessão de Paulo, e a repetição das palavras "frutificando" e "crescendo" (vv. 6,10).

É importante observar a seqüência de orações introdutórias de Paulo nesta e em outras cartas: ação de graças primeiro, seguida por petição e intercessão. Paulo sem dúvida alguma pretendia que a clareza e a freqüência deste padrão servissem como um modelo para a vida de oração de suas congregações recentemente estabelecidas — e, por extensão, para todos aqueles que seguissem ao Senhor.

2.1. A Oração de Ação de Graças (1.3-8)

Este parágrafo, que no grego consiste em uma longa sentença, expressa primeiro a quem a oração é dirigida (v. 3), e, então, a motivação para a ação de graças (vv. 4-8).

2.1.1. Ação de Graças Dirigida a Deus (1.3).

Como as bênçãos de "graça e paz" vêm de "Deus nosso Pai" (v. 2), assim agora a oração de ação de graças é dirigida a "Deus, o Pai". Este padrão de dirigir a oração — de ação de graças ou de qualquer outro tipo — a Deus, o Pai, (em vez de outra pessoa da Trindade; embora cf. 1 Tm 1.12 isso não ocorra) está bem estabelecido nos escritos de Paulo e em outras passagens (cf. Mt 6.9; Lc 11.2; Rm 1.8; 1 Co 1.4; 2 Co 1.3; Ef 1.3; Fp 1.3; 1 Ts 1.2; 2 Ts 1.3; 2 Tm 1.3; Fm 4). Em cada caso, a oração é endereçada a Deus como o "Pai", identificado explicitamente no texto ou implicitamente no contexto. Os crentes que desejam seguir os modelos bíblicos de oração certamente se beneficiarão desta observação.

No caso de Colossenses 1.3 (como também nas introduções doxológicas de 2 Co 1.3 e Ef 1.3), os itens de ação de graças e louvor não são dirigidos somente a "Deus, o Pai", mas a "Deus, o Pai de nosso Senhor Jesus Cristo". Podemos estar certos de que Ele é "nosso Pai" (v. 2), mas de um modo especial também é o Pai do "Senhor Jesus Cristo" (cf. Rm 15.6; 2 Co 1.3; 11.31; Ef 1.3). Ainda que a exata natureza desta relação especial entre o Pai e o Senhor Jesus não seja exatamente definida aqui, é, no entanto, fortemente afirmada pela maneira de Paulo se expressar. É a este "Pai", então, que é tanto o nosso Pai quanto o do Senhor Jesus Cristo, que as orações de ação de graças devem ser endereçadas.

2.1.2. Ação de Graças Motivada pela Fé e pelo Amor dos Colossenses (1.4-8).

Nos versículos 4 a 8, que consistem em uma série de cláusulas dependentes umas das outras (sem interrupções nas frases, como acontece na maioria das traduções modernas, inclusive na NVI), Paulo primeiramente cita sua razão principal por dar graças (observe a importância da ação de graças neste livro; veja 1.12; 2.7; 3.15,17; 4.2) e prossegue com palavras de explicação e elaboração.

A motivação principal para a ação de graças é a fé e o amor dos colossenses — sua fé "em Cristo Jesus" e seu amor "para com todos os santos" (v. 4) —, ambos, sem dúvida, comunicados a Paulo por Epafras. Estas relações verticais e horizontais cruzam-se na vida dos crentes de Colossos, com seu amor fluindo a partir de sua fé. A reflexão sobre a fé e o amor dos colossenses leva Paulo a considerar os diferentes passos pelos quais vieram a participar destas graças cristãs.

2.1.2.1. A Fé e o Amor dos Colossenses São Inspirados pela Esperança que lhes Está Reservada (1.4,5a).

A fé e o amor que inspiram a oração de ação de graças têm uma causa específica, a saber, a "esperança[1] que vos está reservada [isto é, aos colossenses] nos céus" (v. 5a). O termo "esperança" neste contexto deve ser entendido não como um desejo subjetivo por parte dos colossenses, mas sim como uma certeza objetiva — ao que Paulo mais tarde se refere, em oração, como sendo a "herança" que os santos alcançarão no reino da luz (v. 12). Tendo à sua espera tal "esperança", os colossenses estão ansiosos para expressar sua fé em Cristo Jesus e seu amor pelo povo de Deus.

2.1.2.2. A Esperança dos Colossenses É Comunicada mediante a Pregação do Evangelho (1.5b-8).

Mas como os colossenses souberam desta "esperança" que lhes estava reservada nos céus? Ouviram-na pela "palavra da verdade", isto é, pela "pregação do evangelho" (v. 5b). A menção da palavra "evangelho" no final do versículo 5 faz com que Paulo reflita mais sobre este importante assunto. É um Evangelho que está produzindo fruto e crescendo em todo o mundo — inclusive entre os colossenses — primeiramente por ser um Evangelho que comunica "a graça de Deus em verdade" (v. 6). Os colossenses, especificamente, souberam deste Evangelho por meio de Epafras, "amado conservo" de Paulo e "fiel ministro" deles (v. 7). Epafras era um membro da comunidade de crentes de Colossos (4.12; veja o comentário sobre esta passagem), e informou a Paulo as boas notícias sobre o amor no Espírito que eles demonstravam — bem parafraseado na REB como: "o amor que o Espírito despertou em vós" (v. 8).

Esta é a primeira de apenas duas ocorrências da palavra "Espírito" (*pneuma*) em Colossenses (a outra está em 2.5). O adjetivo *pneumatikos* ("espiritual" ou "do Espírito") ocorre em 1.9 e 3.16. A principal preocupação de Paulo nesta carta é refutar os falsos ensinos que estão relacionados à *Cristologia*, e não ensinar a respeito da *pneumatologia*; por isso, ele se concentra em Cristo em vez de concentrar-se no Espírito. Todavia, é importante observar no parágrafo de abertura desta carta como Paulo afirma indiretamente uma posição madura em relação à Trindade; que serve como a base para todos os seus demais comentários sobre a Divindade (veja a obra de G. Fee, 1994, 636-657, para uma completa discussão do uso que Paulo faz da terminologia "Espírito/espírito" em Colossenses).

2.2. A Oração de Intercessão (1.9-14)

A frase de abertura do versículo 9, "Por esta razão...", vincula a parte intercessória da oração à ação de graças anterior. Motivado pelo bom relatório com relação à fé e ao amor dos colossenses, Paulo agora passa a orar por eles de vários modos específicos. Fica claro que o bom progresso na vida de seus convertidos e das igrejas filhas não era motivo para uma intercessão branda. De fato, conforme a evidência que temos, Paulo se empenhou na intercessão visando mais a confirmação e a estabilidade na fé que o alívio em meio às situações de crise.

2.2.1. O Pedido Inicial: Que os Colossenses Fossem Cheios do Conhecimento da Vontade de Deus (1.9). Paulo inicia sua oração intercessória pedindo a Deus que os crentes de Colossos fossem "cheios do conhecimento da sua vontade". Paulo sabia por experiência da importância de conhecer e fazer a vontade de Deus. Afinal, ele fora designado apóstolo "pela vontade de Deus" (Cl l. l) e a buscava regularmente em todos os seus assuntos (cf. Rm 1.10; 15.32). Por esse motivo, estava genuinamente preocupado com os crentes de suas igrejas, pois desejava que eles aprendessem a fazer o mesmo (cf. Rm 12.2; Ef 5.17; 6.6).

Paulo continua a fazer duas observações adicionais a respeito do conhecimento desta vontade divina (1.9): Ele está disponível em grande medida ("pedir que sejais *cheios* do conhecimento da sua vontade"), e tem sua fonte no Espírito ("em toda a sabedoria e inteligência *espiritual*"). Parece óbvio que "espiritual" signifique "do Espírito" por pelo menos quatro razões:

1) A palavra *pneumatikos* ("espiritual") está relacionada a *pneuma* ("Espírito") assim como *kyriakos* ("do Senhor"; cf. 1 Co 11.20) está relacionado a *kyrios* ("Senhor");
2) Nas demais passagens onde Paulo usa este termo, relaciona-o ao Espírito (por exemplo, 1 Co 2.13; 12.1);
3) O vocabulário de Colossenses 1.9 é semelhante ao de Efésios 1.17 ("o espírito de sabedoria e de revelação");
4) A teologia paulina é geralmente orientada no Espírito. Deste modo, a frase que na NVI é traduzida como "através de toda a sabedoria e entendimento espiritual" deveria antes ser traduzida como "por meio de toda a sabedoria e entendimento/compreensão do Espírito" (G. Fee, 1994, 648-657; veja também os comentários sobre Cl 3.16).

2.2.2. O Principal Objetivo: Que os Colossenses Vivessem uma Vida Digna do Senhor, e que o Agradassem em tudo (1.10-14). O conhecimento da vontade de Deus é fundamental para a vida cristã, mas não é um fim em si mesmo. Antes, tem como seu principal objetivo um *viver* santo: "para que possais andar [literalmente, "andar"] dignamente diante do Senhor, agradando-lhe em tudo" (v. 10a), um sentimento mencionado em outros contextos paulinos (com o mesmo verbo "andar" em Ef 4.1; 1 Ts 2.12; com o verbo *politeuomai* ["viver como cidadãos"] em Fp 1.27).

2.2.2.1. O Meio de Alcançar este Objetivo (l.10-12a). Como, então, podem os colossenses viver tal vida, agradando ao Senhor "em tudo"? Os versículos 10-12a fornecem a resposta em uma série de quatro orações paralelas, todas dependentes da frase anterior, "andar dignamente diante do Senhor, agradando-lhe em tudo": "frutificando em toda boa obra", "crescendo no conhecimento de Deus"; "corroborados em toda a fortaleza... em toda a paciência e longanimidade"; "com gozo, dando graças ao Pai".

Esta é a melhor vida prática. Era uma oração que Paulo podia fazer pelos colossenses com base no conhecimento geral dos ideais cristãos, e também com base em seu conhecimento da situação específica em Colossos. Todavia, de forma independente da situação original que a gerou, a oração intercessória permanece sendo um poderoso modelo que traz a bênção do Senhor a favor dos amigos, da família, dos conhecidos, de grupos e igrejas. Ela incorpora os mais elevados ideais bíblicos pelos quais devemos nos esforçar: a frutificação, o crescimento no pleno conhecimento de Deus, a força para perseverarmos, e a ação de graças com alegria.

2.2.2.2. A Transição para um Novo Tema: O Pai Assegurou a Redenção dos Crentes por intermédio de seu Filho (1.12b-14). A menção da palavra "Pai" no princípio do versículo 12 dispara uma nova série de associações. Paulo ora para que os colossenses "com gozo [dêem] graças ao Pai" — isto é, o Pai a quem ele previamente qualificou como "nosso Pai" (v. 2) e "Pai de nosso Senhor Jesus Cristo" (v. 3).

Entretanto, o que fez o Pai pelo que devamos dar graças? Em uma passagem transitiva importante (vv. 12b-14), pretendendo (aparentemente) apresentar aos leitores e aos ouvintes da carta o seu tema cristológico central (v. 15-20), Paulo destaca duas ações críticas do Pai: Ele "nos fez idôneos [isto é, os colossenses] para participar da herança... na luz [do Reino]" (v. 12b) e "Ele nos tirou da potestade das trevas e nos transportou para o Reino do Filho do seu amor" (v. 13). E como o Pai realizou esta obra salvadora? Ele o fez por intermédio do Filho, "em quem temos a redenção pelo seu sangue, a saber, a remissão dos pecados" (v. 14) — uma declaração soteriológica de elevada importância, que será desenvolvida com maiores detalhes nos próximos capítulos.

Pouco a pouco, então, a oração de intercessão passa a ter grande intensidade e concentração teológica. É óbvio que a oração propriamente dita, inclusive o segmento transitivo, foi construída com muito cuidado, prudência e planejamento. De fato, o elemento "prudência", tanto na oração (vv. 3-12a) como na parte que a liga (v. 12b-14), fica evidente pelas várias maneiras em que a passagem antecipa não somente o hino cristológico de 1.15-20, mas também os outros aspectos importantes da carta como um todo. Esta construção torna-se clara pelo modo como o significativo vocabulário é repetido em ambas as partes: na oração e no corpo da carta. Por exemplo:

- "cheio" em 1.9, assim como em 1.25; 2.10; 4.17
- "plenitude" em 1.19, assim como em 2.9
- "conhecimento" em 1.9,10, assim como em 2.2,3; 3.10
- "sabedoria" em 1.9, assim como em 1.28; 2.3,23; 3.16; 4.5
- "inteligência" em 1.9, assim como em 2.2
- "corroborados em toda a fortaleza" em 1.11, e "a sua eficácia, que opera em mim poderosamente" em 1.29
- as grandes afirmações de redenção de 1.13,14 ("ele nos salvou"; "em quem [isto é, no Filho] temos a redenção pelo seu sangue, a saber, a remissão dos pecados"), o tema para o qual a carta retorna brevemente em 1.20-22; 2.13,14.

A repetição destas palavras e frases funciona como parte do elemento de ligação que mantém as diferentes partes da carta unidas. Elas também preparam o leitor para o que está imediatamente adiante (Paulo faz algo semelhante em Fp 1.3-11; 2 Ts 1.3-10).

3. A Supremacia de Cristo (1.15-23)

De acordo com o título da seção encontrada na NVI em 1.15 ("A Supremacia de Cristo"), o esboço aqui adotado assume igualmente que uma grande e nova divisão tem início neste ponto da carta. Tal suposição é realmente razoável e defensável, uma vez que — como quase tudo está de acordo — no versículo 15 começa o grande Hino de Cristo, com sua notável combinação de conteúdo cristológico e forma poética. Porém, deve ser reconhecido que na estrutura da frase grega dos versículos 14 e 15 não existe nenhuma divisão nítida, como é sugerido na nova frase e parágrafo da NVI que começa no versículo 15. Pelo contrário, este versículo inicia com um pronome relativo e um verbo, que, se traduzido literalmente, seria lido simplesmente, "que é...". (cf. KJV, RV, ASV); em outras palavras, Paulo está simplesmente dando continuidade à longa frase iniciada no versículo 9.

A lição prática para se observar neste contexto é que na mente de Paulo não havia nenhuma divisão nítida entre oração e teologia. Ao contrário, em suas cartas a teologia é gerada e flui da oração, e freqüentemente retorna à oração;[2] de fato, às vezes é difícil determinar onde uma termina e a outra começa. Certamente não há nenhum conflito ou tensão entre elas. Devoção e doutrina, espiritualidade e teologia, piedade e profundidade andam de mãos dadas. Esta era a perspectiva da igreja primitiva; é uma perspectiva que a igreja moderna também necessita, desesperadamente.

Tendo apresentado "o Filho" em 1.14 como aquEle "em quem temos a redenção... a remissão dos pecados", Paulo passa agora a citar a fórmula do credo que destaca o papel de Cristo nos principais eventos do drama bíblico, isto é, na obra da criação e redenção. Esta forte afirmação da pessoa e obra de Cristo é, então, aplicada à experiência dos cristãos de Colossos. O esboço básico da seção, nesse caso, parece ser o seguinte:

A preeminência (ou supremacia) de Cristo na criação (1.15-17)
A preeminência (ou supremacia) de Cristo na redenção (1.18-20)
A obra redentora de Cristo aplicada aos colossenses (1.21-23)

Embora este esquema pareça apresentar um esboço de três pontos, na realidade o que temos são duas partes principais: o Hino de Cristo propriamente dito (vv. 15-20), com duas subdivisões (vv. 15-17; vv. 18-20), e o parágrafo de aplicação (vv. 21-23).

Quanto ao Hino de Cristo, existe um considerável debate em relação à base, função e forma deste "hino". Será que foi escrito por Paulo, ou já existia como uma declaração confessional na igreja apostólica, algo que Paulo simplesmente tenha integrado à sua carta? Supondo que existia como uma afirmação de credo independente na igreja apostólica, até que ponto o hino original se estendia? Estendia-se completamente até o final do versículo 20, ou — como alguns acreditam — somente até o final do versículo 18a? Estas perguntas, por mais interessantes e importantes que sejam em seu próprio direito, não podem ser examinadas em detalhes aqui (veja Martin, 1978, 61-66; O'Brien, 1982, 32-42). Se Paulo o escreveu ou se foi algo que adotou (e adaptou) da igreja de seus dias, são questões indiferentes quando comparadas à importância de sua mensagem. De qualquer modo, os sentimentos expressos aqui têm sua aprovação e participação apostólica. Se o hino original termina de fato no versículo 18a, podemos presumir que Paulo o tenha estendido para que a confissão cristológica completa seja concluída no versículo 20.

O conteúdo importante e desafiador deste credo ou hino é de relevância mais imediata. A palavra-chave no título do esboço desta seção ("preeminência") está diretamente enraizada no texto do versículo 18: "para que em tudo tenha a preeminência". A palavra grega traduzida como "primazia" vem do verbo *proteuo*, significando "ser o primeiro, ter o primeiro lugar", de forma que o versículo 18 pode bem ser traduzido como: "que ele possa vir a ter o primeiro lugar em tudo" (BAGD, 725). Esta posição de "primeiro lugar", "supremacia" ou "preeminência" (KJV) é o ponto em direção ao qual o hino se move como um todo. Conforme já observado, as duas esferas críticas em que a preeminência de Cristo é demonstrada são as da criação e da redenção.

3.1. A Preeminência de Cristo na Criação (1.15-17)

Referente ao papel de Cristo na criação, Paulo faz as seguintes observações nestes versículos:

- Cristo é a "imagem do Deus invisível" (v.15a)
- Cristo é "o primogênito de toda a criação" (v. 15b)
- Cristo é o criador de "todas as coisas" (v. 16a)
- Cristo é o propósito de toda a criação (v. 16b)
- Cristo antecede a criação (v. 17a)
- Cristo sustenta toda a criação (v. 17b)

O hino começa com uma magnífica declaração da preeminência de Cristo na criação: Ele "é imagem do Deus invisível, o primogênito de toda a criação". As duas palavras-chave aqui são "imagem" e "primogênito", ambas vitais para uma compreensão da natureza e posição de Cristo. A palavra grega subjacente para "imagem" é *eikon*, que significa a "semelhança" de uma pessoa, seja na forma de um retrato ou estátua (cf. a referência de Jesus à "imagem" de César na moeda romana em Mt 22.20; a condenação de Paulo da "semelhança da imagem de homem corruptível, e de aves, e de quadrúpedes, e de répteis" em Rm 1.23; e as referências à besta e à sua "imagem" em Ap 13.14). O grau de semelhança da imagem com o seu original naturalmente variava, mas em seu uso clássico, a palavra *eikon* podia comunicar o conceito não somente da "semelhança", porém da verdadeira participação na realidade para a qual a imagem apontava. Talvez esta seja a maneira correta de se considerar o uso que Paulo faz desta palavra nesta passagem (cf. também o significativo paralelo em 2 Co 4.4).

Em Colossenses 1.15 a referência à "imagem de Deus" é expandida para ler-se "a imagem do Deus invisível". As Escrituras ensinam, de modo uniforme, que Deus é "invisível" (veja, por exemplo, Jo 1.18; 4.24; 1 Tm 1.17; 6.16; 1 Jo 4.12). Paulo deixa claro que Cristo é a representação visível, perfeita e dinâmica do "Deus invisível" porque Ele participa da própria Divindade. Esta maneira de expressão é simplesmente o modo de Paulo afirmar a verdade fundamental sobre a identidade de Cristo com Deus, uma verdade reiterada em outras passagens do Novo Testamento por meio do uso de diferentes termos (cf. Jo 1.18; 12.45; 14.9; Hb 1.3). Se inquirirmos sobre a base teológica de Paulo ao utilizar a metáfora "imagem", sem dúvida a encontraremos em Gênesis, no relato da criação do homem e da mulher "à imagem de Deus" (Gn 1.26,27), e perpetuada nos escritos helenístico-judaicos, como a sabedoria de Salomão (cf. Sab. Salomão 7.26).

A palavra "primogênito" é igualmente importante e significativa neste contexto. A palavra composta inglesa é uma tradução literal do grego *prototokos*, que na Bíblia é usada tanto literalmente como metaforicamente. Em seu uso literal, podemos citar como exemplo Lucas 2.7 que faz referência a Maria, que "deu à luz o seu filho primogênito" (veja também em Hb 11.28). Baseando-se no significado literal desta palavra, os arianos do início do século IV argumentaram que Cristo foi um ser criado, e que por esta razão não poderia ser igual a Deus. Esta foi uma trágica falha de interpretação e da função do idioma. A carta como um todo protesta contra tal aplicação da palavra. Antes, *prototokos* deve ser lido aqui em seu sentido figurado como "privilegiado" ou "exaltado", um significado que deriva de sua associação com os privilégios especiais do primogênito.

Este é indiscutivelmente o significado que "primogênito" traz consigo na versão grega do Salmo 89, a passagem mais importante para se interpretar a palavra no Hino de Cristo em Colossenses. No Salmo, Deus diz a Davi referindo-se a Jesus: "Também por isto lhe darei o lugar de primogênito; fá-lo-ei mais elevado do que os reis da terra" (v. 27). Neste versículo, a frase "mais elevado do que os reis da terra" está em um paralelismo sinonímico (o que significa que o segundo elemento no versículo define ou desenvolve o primeiro) com "primogênito" e conseqüentemente o define. Como é de conhecimento geral, o Salmo 89 é um dos gloriosos salmos "messiânicos" e exerceu uma enorme influência tanto nas comunidades judaicas como nas cristãs. Falava da aliança eterna de Deus com

Davi e sua linhagem de sucessores (cf. vv. 35-37), o que implicava a vinda de um novo Davi, o Messias.

Foi seguramente neste sentido que Paulo entendeu e usou a palavra *prototokos* no Hino de Cristo em Colossenses. Trata-se de uma afirmação sobre a sua exaltação e divindade, em vez de uma declaração sobre a humanidade e "criação" de Cristo. Como "primogênito" neste sentido figurado, então, Cristo também é o Senhor "sobre toda a criação" (corretamente traduzida na NVI, ao invés do mais literal "de toda a criação", RSV/NRSV) — isto é, dono e mestre supremo da criação.

Surge, porém, a pergunta sobre como se pode falar de Cristo deste modo exaltado. Os versículos 16 e 17 fornecem a resposta. A razão (note a conjunção causal grega, *hoti*, traduzida como "para" na NVI) é que Cristo é tanto o agente como o propósito da criação ("tudo foi criado por ele e para ele", v. 16), como também sendo anterior a tudo ("Ele é antes de todas as coisas"), e aquele que sustenta a criação ("todas as coisas subsistem por ele" v. 17a) — afirmações realmente fortes da preexistência de Cristo (cf. Jo 1.1-3) e de seu papel unificador e sustentador na criação (cf. Hb 1.3).

Ao ler estas linhas do Hino de Cristo, é difícil deixar de perceber a ênfase que incide na frase "todas as coisas", que foi repetida quatro vezes. A repetição tem obviamente a intenção de ressaltar o envolvimento total de Cristo e seu senhorio sobre toda a criação. Para não deixar qualquer dúvida sobre a natureza completa deste envolvimento, as pausas do hino no meio do versículo 16 têm a função de explicar o significado da frase "todas as coisas". Estão incluídas "todas as coisas que há nos céus e na terra, visíveis e invisíveis, sejam tronos, sejam dominações, sejam principados, sejam potestades". Esta frase constitui uma declaração verdadeiramente notável. Cristo é o Criador não somente das coisas "visíveis" na "terra", mas também das coisas "invisíveis" que estão no "céu". Além disso, as coisas "invisíveis" incluem os seres espirituais chamados de "tronos", "dominações", "principados" e "potestades"; até mesmo os "principados e potestades" que se colocaram em oposição à sua regra, e que foram mais tarde vencidos e subjugados na cruz! (2.15).

Com este papel transcendental na criação, não é de se admirar que muitos se referiram a Cristo como o "Cristo cósmico", e ao ensino contido nestes versículos como a "cristologia cósmica". É um dos momentos altos na teologia bíblica, com ecos em outras passagens do Novo Testamento tais como João 1.3 e Hebreus 1.2,3.

Finalmente, não devemos perder o ensino que está implícito nesta parte do Hino de Cristo. Uma vez que a criação é uma prerrogativa da Divindade (cf. Mt 19.4; Mc 13.19; Ef 3.9; 1 Tm 4.3; Hb 2.10; Ap 4.11; 10.6), o papel de Cristo na criação é uma declaração tácita, mas inequívoca de sua própria Divindade.

3.2. A Preeminência de Cristo na Redenção (1.18-20)

Este papel cósmico na criação é agora confirmado pelo papel de Cristo na redenção (v. 18-20). Novamente Paulo faz seis observações:

- Cristo é "a cabeça do corpo, da igreja" (v. 18a)
- Cristo é "o princípio" (v. 18b)
- Cristo é "o primogênito dentre os mortos" (v.18b)
- Cristo é supremo em tudo (v. 18c)
- Cristo é aquele em quem habita toda a "plenitude" de Deus (v. 19)
- Cristo é aquele por meio de quem Deus reconciliou todas as coisas consigo mesmo (v. 20)

É óbvio que nesta parte do Hino de Cristo, o enfoque de seu papel tenha mudado significativamente em relação à primeira metade. Em vez da esfera de sua atividade ser a criação, ela é agora a igreja, da qual Ele é a "cabeça" (v. 18a; cf. Ef 1.22). Em vez de ser o agente da criação, Ele é agora o agente da reconciliação (v. 20). Contudo, existem também paralelos intencionais construídos nas duas partes do hino. Como Cristo já existia "antes de todas as coisas", então, agora Ele é "o princípio" ou "o início" de todo o processo redentor

(v. 18b). Como Ele é o "primogênito de toda a criação" (1.15), então, agora é o "primogênito dentre os mortos", isto é, o primeiro a ser ressuscitado com um corpo espiritual (v. 18b). Como criou e sustentou "todas as coisas", então, agora "todas as coisas" são reconciliadas com Deus através dEle (v. 20a). Como "todas as coisas" criadas através de Cristo incluem, como foi dito, as "coisas... que estão na terra e nos céus", então, agora na reconciliação de "todas as coisas", não haverá qualquer diferença se elas estiverem "na terra" ou "nos céus" (v. 20b).

Tais comparações e contrastes são parte da impressionante qualidade poética desta magnífica composição. O clímax, porém, é alcançado na última frase do versículo 18, a frase que de muitas formas resume o impulso do hino inteiro, declarando que o propósito do papel de Cristo na criação e na redenção era "para que em tudo [Cristo] tenha a preeminência" (v. 18c).

Com a preeminência de Cristo sobre a criação, o ouvinte ou o leitor fica ansioso para saber por qual direito Cristo alcança a sua "preeminência" na redenção. Como faz jus a tal posição em grau e prioridade transcendentais? Os versículos 19 e 20 dão a resposta: É porque (observe novamente a causal *hoti*, traduzido como "para" na NVI, como no v. 16) "foi do agrado do Pai que toda a plenitude nele habitasse" (v. 19), e "havendo por ele feito a paz pelo sangue da sua cruz, por meio dele [isto é, Cristo] reconciliasse consigo mesmo todas as coisas..." (v. 20).

Estas são declarações de enorme importância quando se avalia o entendimento de Paulo a respeito da pessoa e obra de Cristo. Dizer que a "plenitude" de Deus habita em Cristo é o modo mais forte possível de declarar a participação de Cristo na Divindade. Dizer que Deus fez a "paz pelo sangue da sua cruz" é o modo mais claro possível de afirmar que Cristo é o agente da redenção. Em resumo, as razões para a preeminência de Cristo "em tudo" são tanto ontológicas (quem é Cristo) quanto soteriológicas (o que Ele fez). Ambos os temas serão desenvolvidos em 2.9-15.

É razoável perguntar o que está envolvido na reconciliação de "todas as coisas" (compare a discussão acima e a menção quádrupla da criação de "todas as coisas"). Possivelmente esta seja uma alusão ao tema bíblico de que não somente a humanidade redimida participará dos benefícios da morte de Cristo, mas também toda a criação, pois Deus prometeu que esta também seria restaurada e recriada após os desastrosos efeitos da queda do homem (cf. Gn 3.17; Is 65.17; 66.22; Rm 8.20-23; Ap 21.1-5). Entretanto, será que a frase "todas as coisas" inclui algo mais? Um ensino conhecido como "universalismo" afirma que não somente "todas as coisas", mas também todas as pessoas de qualquer tipo e de qualquer formação serão também um dia totalmente reconciliadas com Deus. Tal ensino desafia abertamente o insistente apelo das Escrituras — não o menor de todos os mandamentos de Paulo —, o apelo que trata do julgamento final dos ímpios.

É notável como os breves versículos deste Hino de Cristo conseguiram colocar a Cristo no centro de todo o contexto da revelação bíblica, os dois principais temas que são as doutrinas da criação e da redenção. Logo, não é de se admirar que o Senhor Jesus Cristo deva ser reconhecido, em tudo e por todos, como absolutamente supremo!

3.3. A Obra Redentora de Cristo Aplicada aos Colossenses (1.21-23)

O Hino de Cristo é magnífico em sua declaração de quem é Cristo e o que Ele fez. Mas que relevância isto tem para os crentes de Colossos? É algo além de uma declaração teórica sobre ontologia e soteriologia? Sim, absolutamente! É uma declaração que traz profundas implicações para a maneira como os colossenses devem viver, inclusive como devem ver seu passado, presente e futuro. Conseqüentemente, no parágrafo de aplicação dos versículos 21-23 Paulo desenvolve algumas destas implicações.

A linguagem que descreve a obra redentora de Cristo nos versículos 20 e 22 é a de "reconciliação" (são usadas diferentes formas do verbo "reconciliar", *apokatallasso*), em vez de "redenção" (*apolytrosis*, que é um substantivo), como no versículo 14. No entanto, a diferença não é crítica uma vez que "redenção" e "reconciliação" simplesmente enfatizam aspectos diferentes do mesmo processo salvador. Na primeira parte desta seção, Paulo destaca três verdades sobre a reconciliação dos colossenses com Deus — sua realidade, meio e propósito (vv. 21,22); isto é seguido por uma forte exortação para que os colossenses permanecessem firmes na fé (v. 23a). O parágrafo é concluído com uma frase transitiva (v. 23b), que introduz o novo material da seção seguinte.

3.3.1. A Realidade, o Meio e o Propósito da Reconciliação dos Colossenses (1.21,22).

Paulo começa esta parte de aplicação, lembrando aos colossenses qual era a sua condição antes de sua experiência cristã, e contrastando esta situação com a realidade de sua condição presente "reconciliada". É uma declaração clássica da fórmula "antes... depois" ou "uma vez... mas agora" (cf. o mesmo padrão de Ef 2.1-3 e 2.4-9; 2.11,12 e 2.13). A antiga condição dos colossenses (v. 21) era de "estranhos" e "inimigos" de Deus — um estado de alienação e hostilidade que resultou de suas "obras más". Mas como seu estado, "agora", é diferente, Deus os reconciliou consigo mesmo (v. 22a), criando uma realidade completamente nova para eles em que, por implicação, não são mais seus inimigos, porém seus amigos.

Era o intento de Deus reconciliar "consigo mesmo todas as coisas" (v. 20), e nesta reconciliação completa os crentes de Colossos podem estar seguros de sua inclusão. O meio pelo qual Deus realizou esta reconciliação foi "no corpo da sua carne [no corpo físico de Jesus Cristo], pela morte" (v. 22b) — um modo diferente de dizer o que Paulo expressou anteriormente na frase "pelo sangue da sua cruz" ou "pelo sangue de Cristo vertido na cruz" (v. 20), como também uma antecipação de uma outra formulação do mesmo importante tema soteriológico em 2.13,14.

O propósito desta reconciliação está expresso aqui em um acordo de linguagem culta e judicial. Ela abrange um objetivo triplo, ou seja, que Deus traria os crentes de Colossos perante Ele, "santos [*hagios*]", "irrepreensíveis [*amomos*]" e "inculpáveis [*anenkletos*]" (v. 22b). Estas condições descrevem tanto a realidade presente como futura dos crentes. Anteriormente, na carta, os colossenses já haviam sido chamados de "santos" (1.2), uma verdade novamente reforçada em 3.12. Em sua carta aos Filipenses, Paulo desafia os crentes a viverem "inculpáveis [*anenkletos*]... no meio de uma geração corrompida e perversa" (Fp 2.15); semelhantemente espera-se que os diáconos sejam "irrepreensíveis" (*amomos*; 1 Tm 3.10; Tt 1.6). Todavia, no contexto de Colossenses 1.22, pode ser que a frase "perante ele" se refira mais à realidade escatológica de total perfeição na presença de Deus no final dos tempos (cf. 1 Co 1.8, "para serdes irrepreensíveis [*amomos*] no Dia de nosso Senhor Jesus Cristo", referindo-se à *Parousia*). Em todo caso, devemos observar que o propósito da obra de Deus de reconciliação é semelhante aos propósitos da eleição expressos em Efésios 1.4: Ele "nos elegeu nele... para que fôssemos santos [*hagios*] e irrepreensíveis [*amomos*] diante dele..."

3.3.2. Exortação a Permanecerem Firmes na Fé (1.23).

Deus fez sua parte; agora corresponde aos colossenses fazerem a sua. Só poderão apresentar-se diante de Deus "santos, e irrepreensíveis, e inculpáveis" se permanecerem "fundados e firmes na fé e não [se moverem] da esperança do evangelho que [têm] ouvido" (v. 23). As duas palavras "fundados" e "firmes" estão relacionadas às fundações de edifícios, refletida na tradução de exortação da GNB, isto é, que os crentes deveriam "continuar fiéis em uma fundação firme e certa". Se estiverem "fundados e estabelecidos" (KJV) deste modo, naturalmente, não se moverão "da esperança do evangelho", a mesma "esperança" que lhes foi preservada nos céus e da qual haviam ouvido pela palavra da verdade do evangelho (1.5).

Da mesma forma que a menção "da esperança... do evangelho" em 1.5 inspirou

Paulo a pensar sobre o modo como os colossenses haviam ouvido a mensagem, e o modo como ela estava crescendo "em todo o mundo" (1.6), agora ele se refere ao Evangelho "que tendes ouvido, o qual foi pregado a toda criatura que há debaixo do céu" (v. 23b). A frase posterior não é, de forma alguma, tomada literalmente; antes, faz alusão à determinação que Paulo tinha de implantar o Evangelho em todo o centro principal do mundo civilizado, de onde este poderia se estender aos distritos em redor.

O Evangelho realmente alcançou os colossenses e estava sendo proclamado por todo o mundo. Isto era maravilhoso, mas ele não aconteceu espontaneamente. A questão é: quem era responsável por levar a mensagem? No caso dos colossenses, foi Epafras, "conservo" de Paulo (*syndoulos*) e "fiel ministro de Cristo" (*diakonos*) (1.7), que lhes trouxe a mensagem. De forma especial, porém, foi o próprio Paulo que se tornou um "ministro" (*diakonos*) do Evangelho (1.23). Esta responsabilidade pesou fortemente sobre ele. Nesta fase de sua vida, foi levado a refletir sobre os privilégios e responsabilidades do ministério que havia recebido (cf. Ef 3.1-13). Então, agora, a menção do "evangelho" — uma palavra querida ao coração de Paulo — leva-o a repetir aos colossenses vários aspectos importantes daquele ministério, para que não pensassem que se tratasse, de alguma maneira, de uma questão leve ou de uma tarefa fácil. Portanto, na realidade, a última parte do versículo 23 serve como a frase transitiva e o ponto de partida para a próxima seção principal da carta.

4. O Ministério de Paulo (1.24—2.5)

Em 1.15-23 Paulo deu início à grande tarefa que o confrontava nesta carta, a de explicar a doutrina de Cristo aos colossenses — um assunto que ele menciona novamente em 2.6—3.4. Enquanto isso, insere uma reflexão pessoal sobre seu próprio envolvimento no ministério cristão. Ele o faz por pelo menos duas razões:

1) Por um lado, devemos nos lembrar que Paulo estava na prisão, provavelmente em Roma, no momento que escreveu. Nesta ocasião em particular, sua vida não parece estar em perigo; todavia, ele se encontra em Roma muito mais tarde e sob circunstâncias muito diferentes daquelas originalmente enfrentadas. Seu objetivo de deixar a região do mar Egeu, no final

O Grande Fórum era o principal mercado de Roma na ocasião em que Paulo foi ali mantido como um prisioneiro. A carta de Paulo aos colossenses é uma das quatro cartas que o apóstolo escreveu na Prisão. A rua pavimentada é a Via Sacra, uma das mais belas estradas do Império Romano. A estrada recebeu este nome por causa dos edifícios sagrados e das caminhadas de caráter religioso.

de sua terceira jornada missionária, teve como único propósito fazer uma breve visita a Jerusalém antes de seguir viagem a Roma, e depois ir para a Espanha (cf. Rm 15.23-29). Como as coisas se tornam diferentes! Paulo foi preso em Jerusalém, encarcerado em Cesaréia por dois anos, naufragou em uma ilha mediterrânea, e foi finalmente detido em Roma por mais dois anos como um prisioneiro em "cadeias" enquanto aguardava seu julgamento diante de César (cf. At 28.30; Cl 4.10,18).

Paulo raramente reclamava, embora o tempo não estivesse mais a seu lado. Em sua própria estimativa ele já era um homem "velho" (Fm 9), e as perspectivas de ser solto e de ter um ministério futuro eram, na melhor das hipóteses, incertas. Em circunstâncias como estas, preso em meio a forças contrárias e potencialmente hostis, é natural que uma pessoa reflita sobre a chamada de sua vida, suas alegrias e tristezas, seus privilégios e responsabilidades, e suas recompensas e custos. Isto é o que Paulo faz, tanto nesta carta como em sua carta irmã endereçada aos efésios (Ef 3.2-13). É um exercício compreensível e legítimo. Podemos ser gratos pelo fato de que Paulo tenha nos deixado estas reflexões pessoais, pois nos ajudam a compreender muito melhor a natureza e os ideais de seu ministério.

2) Há uma outra razão pela qual Paulo estava temporariamente motivado a mudar seu tópico e escrever algo mais pessoal. Esta razão se deve a seu dramático senso de adequação, ou seja, o que é retoricamente mais eficiente. Paulo está, sem dúvida, ciente da natureza séria e concentrada do ensino teológico que está ministrando aos colossenses. O Hino de Cristo, com que iniciou a parte central da carta (1.15-20), é uma soberba declaração cristológica, rica e profunda como poucas passagens em qualquer de suas cartas. Contudo, também estava ciente de que, para que este ensino fosse completamente compreendido e suas implicações completamente percebidas, seria necessário desenvolver a expressão condensada e poética desta confissão cristológica de uma forma mais extensa e explicativa (veja 2.6—3.4). Deste modo, 1.24—2.5 serve como uma pausa na intensidade da reflexão teológica exigida dos ouvintes e leitores até este ponto.

Os escritores e os dramaturgos de tempos imemoráveis usaram esta técnica de interlúdio dramático. Certamente os dramaturgos gregos não eram estranhos a tal técnica dramática. De igual modo Paulo, por não ser apenas um profundo teólogo, mas também um escritor e comunicador altamente qualificado. Percebia quando deveria prudentemente mudar de tópicos a fim de manter a atenção de seus leitores e ouvintes em um nível máximo. Um interlúdio pessoal serve bem para seus propósitos. A mudança de tópico não significa que o material contido no "interlúdio pessoal" seja menos inspirado que qualquer outra porção da carta. É somente um "interlúdio" no sentido dramático/estrutural. Pelo contrário, estes versículos comunicam aspectos importantes não somente do próprio ministério de Paulo, mas também do caráter geral do serviço cristão.

No comentário abaixo, as reflexões de Paulo sobre este assunto serão tematicamente revisadas. Os sete temas mencionados pelo apóstolo nestes versículos são os seguintes: natureza, mandato, mensagem, objetivos, custos, recursos e recompensas de seu ministério.

4.1. A Natureza do Ministério de Paulo: Ser um Servo na Igreja (1.25; cf. 1.23)

No final do versículo 23 e no princípio do versículo 25, Paulo usa uma expressão idêntica: *egenomen ego* [+ Paulos, v. 23] *diakonos*, quer dizer, "eu, Paulo, estou feito servo [ou ministro]". Na primeira passagem, diz que se tornou um servo ou um ministro do "evangelho"; na segunda, da "igreja". Em ambos os casos a ênfase recai sobre a palavra *diakonos* ("servo").

Nas passagens do Novo Testamento, a palavra *diakonos* é variavelmente traduzida como "servo", "ministro" ou "diácono". As palavras relacionadas são *diakonia* (que significa "serviço", "ministério") e *diakoneo* (que significa "servir", "ministrar"). Esta família de palavras estava originalmente relacionada a servir as mesas (veja Lc 10.40; 17.8; 22.27; At 6.2). Finalmente, em círculos cristãos, o termo *diakonos* assumiu um significado especializado do ofício do "diácono" na igreja (cf. 1 Tm 3.8-13). Entretanto, quando Paulo usa esta palavra referindo-se a si mesmo (Cl 1.23,25; Ef 3.7) e a seus cooperadores (Epafras em Cl 1.7; Tíquico em Ef 6.21 e Cl 4.7; e Timóteo em 1 Tm 4.6), provavelmente teve a intenção de dizer mais sobre a natureza de seu ministério do que sobre sua posição oficial. Em outras palavras, ao usar o termo *diakonos* faz um paralelo com a aplicação da palavra *doulos* ("escravo", "servo") a si mesmo e a seus cooperadores (cf. Rm 1.1; Gl 1.10; Fp 1.1; Tt 1.1).

E ao usar estes termos, Paulo estava dizendo que sua vida como "servo" do evangelho e "escravo" de Jesus Cristo era uma abnegação sacrificial. Deve ser notado que, a este respeito, tanto sua atitude como seu vocabulário refletem o exemplo e o ensino de Jesus (cf. Mc 10.43-45, onde as palavras *doulos*, *diakonos* e *diakoneo* ocorrem com grande proximidade).

4.2. O Dever do Ministério de Paulo: Anunciar "a Palavra de Deus" em sua Plenitude (1.25; cf. 1.28a)

Baseado em que direito Paulo pode falar de ter se tornado um "servo" ou "ministro" do evangelho e da igreja? De acordo com seu próprio testemunho, tal designação foi validada pelo mandato ou "comissão" (*oikonomia*) que Deus lhe deu. A palavra *oikonomia* vem de duas palavras gregas comuns, *oikos* ("casa") e *nomos* ("lei"), estando, portanto, relacionada com a "lei" ou a administração de uma casa. Um *oikonomos* era conseqüentemente o gerente ou o administrador de uma casa ou negócio (cf. Lc 12.42; 16.1,3), e sua tarefa era a administração (*oikonomia*) do negócio em questão (cf. Lc 16.2-4). A tradução mais antiga desta palavra em Lucas era "mordomia" (KJV), que ainda comunica o senso de responsabilidade e o dever de prestar contas, associados à palavra.

Paulo recebeu uma certa "comissão" ou "mordomia" de Deus, e era obrigado a cumprir as tarefas associadas a esta responsabilidade (cf. Ef 3.2). O principal dever que associa à sua "comissão" é o de comunicar "a palavra de Deus em sua plenitude" (literalmente, "cumprir a palavra de Deus", KJV). Comunicar a Palavra de Deus, deste modo, envolve ao menos três funções: proclamar, advertir e ensinar (1.28a).

O verbo "proclamar" (*katangello*) é um dos fortes verbos que tem o significado de anúncio, empregados nos relatos da atividade missionária de Paulo (cf. At 13.5,38; 15.36; 16.17,21; 17.3,13,23; 1 Co 2.1). "Advertir" ou "admoestar" (*noutheteo*, literalmente, "trazer à mente") e "ensinar" (*didasko*) são duas atividades próximas e relacionadas entre si (como é mostrado por sua justaposição, novamente em Cl 3.16, porém na ordem inversa), em conexão com a obra do discipulado (para *noutheteo* veja At 20.31; 1 Co 4.14; 1 Ts 5.12,14; 2 Ts 3.15; para *didasko* veja 1 Co 4.17; Cl 2.7; 2 Ts 2.15).

É interessante notar que de acordo com Atos, quando Paulo fez seu discurso de despedida aos presbíteros efésios em Mileto (At 20.18-35), associou estas mesmas três atividades de proclamação, ensino e advertência ao seu ministério em Éfeso.[3] Aparentemente, este tipo de abordagem tríplice do ministério era seu padrão pré-estabelecido, que sem dúvida pretendia transmitir a seus companheiros e às igrejas recém formadas.

4.3. A Mensagem do Ministério de Paulo: "Cristo em vós, esperança da glória" (1.26,27; cf. 2.3)

A comissão dada a Paulo era apresentar "a palavra de Deus em sua plenitude" ou "cumprir a palavra de Deus" (1.25). Mas qual era a mensagem anunciada nesta "palavra de Deus"? Paulo responde esta questão nos versículos 26 e 27. A essência está contida na última frase destes dois versículos: "Cristo em vós, esperança da glória" — uma das declarações cristológicas mais conhecidas de Paulo, simples em sua formulação, porém profunda em suas implicações. Seu rico conteúdo merece um destaque.

Não deve nos causar surpresa que o âmago da mensagem de Paulo fosse "Cristo". Afinal, foi Cristo quem mudou radicalmente sua vida. Antes de seu encontro com Cristo na estrada para Damasco, Paulo foi um zeloso crente em Deus e na religião de seus antepassados. Mas como resultado deste encontro, percebeu que sua perspectiva prévia sobre a vida e a religião fora inadequada e equivocada. Agora entendia que aquEle a quem vinha perseguindo era de fato seu Salvador! Daí por diante, dedicou-se a pregar somente a Cristo e este crucificado (l Co 2.2). Sua identificação com Cristo era tão completa, que sentia que apenas viveria se Cristo vivesse nele (Gl 2.20). Considerava tudo o mais na vida como "perda" e "esterco", quando comparados à "excelência do conhecimento de Cristo Jesus" nosso Senhor (Fp 3.8). Indiscutivelmente, portanto, o centro da vida e da teologia de Paulo era Cristo, aqueEle "em quem estão escondidos todos os tesouros da sabedoria e da ciência" (Cl 2.3).

No entanto, Paulo não desejava que o relacionamento que desfrutava com Cristo fosse somente para si. Pelo contrário, o Cristo que pregava era "Cristo em vós" — o termo "vós" referindo-se aos "santos" (isto é, aos crentes), a quem Deus escolheu para tornar conhecidas "... as riquezas da glória deste mistério". E que "mistério" glorioso era este que "esteve oculto desde todos os séculos e em todas as gerações e, agora, foi manifestado aos seus santos"? Era que Cristo, como a "esperança da glória", também foi tornado conhecido "entre os gentios" — um ponto deixado muito mais claro em Efésios 3.2-6.

Havia sido revelado aos profetas em tempos passados que os gentios um dia participariam dos benefícios da redenção de Deus (cf. Is 49.6); mas somente agora foi explicado que esta extensão radical da misericórdia de Deus seria realizada através de um Messias crucificado. E o próprio Paulo era o principal responsável por comunicar esta revelação; era o "apóstolo para os gentios" por excelência (At 22.21; 26.17,18; Gl 1.15,16; Ef 3.1). Portanto, quando Paulo escreve sobre o "mistério" que é "Cristo em vós", embora em última instância todos os "santos" (isto é, tanto judeus como gentios) estejam incluídos, no contexto de Colossenses 1.26,27 parece provável que esteja pensando especialmente nos gentios que crêem, aqueles que formaram a maioria, se não a totalidade da Igreja em Colossos.

Dirigir aos gentios uma frase dizendo que Cristo estava neles, seria uma declaração ousada para qualquer judeu que a ouvisse. Dizer: "Cristo vive em vós" era um conceito revolucionário para todos, tanto para judeus quanto para gentios. A frase explica que o Messias não foi apenas alguém que viveu, morreu e ressuscitou novamente em um tempo e em um lugar particular na história, mas também era alguém que agora vivia "dentro" da comunidade de crentes. Em um nível pessoal, esta era uma verdade sobre a qual Paulo em outra passagem deu testemunho quando declarou corajosamente: "Cristo vive em mim" (Gl 2.20). Tudo isto pode ter parecido radical, porém foi de fato somente a contrapartida inversa e lógica da chamada "teologia mística" de Paulo, pela qual declarou que os crentes estavam "em Cristo". Cristo neles, eles nEle — estes eram conceitos revolucionários, mas não mais que as próprias palavras de Jesus: "Estai em mim, e eu, em vós" (Jo 15.4). Se Paulo não estava precisamente ciente das palavras de Jesus, certamente estava ciente da verdade contida nelas — outra evidência de que a teologia de Paulo está profundamente arraigada no próprio ensino de Jesus.

Isto nos leva à última frase em que Paulo descreve o Cristo a quem proclama, ou seja, a "esperança da glória". É uma frase que soa de modo agradável, mas o que isto quer dizer? Uma possibilidade é entender "da glória" como um genitivo descritivo ou qualitativo e simplesmente traduzir a frase como "esperança gloriosa" (Barclay, 1975).

Certamente não haveria nenhum erro nesta interpretação, uma vez que a intenção de Paulo é mais profunda. Ele já se referiu à "esperança" dos colossenses por duas vezes na carta: a "esperança que vos está reservada nos céus" (v. 5) e a "esperança do evangelho" (v. 23). Esta "esperança" é uma realidade objetiva e segura, provavelmente equivalente — como já notamos — à "herança dos santos na luz" (v. 12).

Assim como a palavra "glória", ela tem fortes associações com a presença e o poder de Deus (por exemplo, a glória "*Shekiná*" de Deus no Antigo Testamento). Seguindo esta linha de interpretação, falar de Cristo como a "esperança da glória" é falar dEle como a garantia dos crentes de participarem da "glória de Deus" (GNB; cf. Cl 3.4, "Quando Cristo, que é a nossa vida, se manifestar, então, também vós vos manifestareis com ele em glória"; veja também Rm 5.2; 8.17). Os colossenses foram reconciliados com Deus por intermédio de Cristo? Tinham Cristo em si mesmos? Poderiam então estar certos de compartilhar a "glória" futura com Ele. Esta era uma mensagem que valia a pena pregar!

4.4. O Objetivo do Ministério de Paulo: Apresentar "todo homem perfeito em Jesus Cristo" (1.28b; cf. 2.2,3)

Paulo prega, ensina e admoesta (v. 28a) a fim de apresentar "todo homem perfeito em Cristo" (v. 28b) — realmente um alto chamado. Parece superficialmente uma expressão hiperbólica ("todo homem perfeito!"), contudo não há nenhuma razão para se pensar que Paulo tenha desejado dizer algo diferente daquilo que suas palavras comunicam. Todavia, alguns esclarecimentos podem ser úteis.

Devemos ser especialmente cuidadosos para esclarecer o significado da palavra traduzida como "perfeito" (*teleios*). Esta palavra significa basicamente "completo", mas de acordo com o contexto que em particular é encontrada, pode ter o sentido de "perfeito" ou "maduro". Se Paulo, em 1.28, está pensando na qualidade da espiritualidade que pode ser alcançada na terra, a tradução preferível aqui seria "maduro" (cf. RSV/NRSV, NEB/REB, GNB; também na NVI em 1 Co 2.6; 14.20; Ef 4.13; Fp 3.15; Cl 4.12). Os ideais daquele tipo de discipulado provavelmente sejam melhor expressos na oração intercessória de Paulo em Colossenses 1.9-12a (veja acima), juntamente com outras qualidades da vida e caráter cristãos conforme descritos em 1.23; 2.5-7; 3.1—4.1; cf. também a oração de Epafras em 4.12. Não há nenhuma dúvida de que Paulo e seus cooperadores sinceramente buscavam cultivar estas qualidades na vida de seus convertidos e nas congregações recentemente fundadas.

Entretanto, há motivos para se questionar se este foi, de fato, o significado pretendido por Paulo em 1.28 como o supremo objetivo de seu ministério. Uma comparação com 1.22 sugere que, nestes dois versículos, Paulo tem em mente um contexto escatológico e não temporal. Em 1.22, Paulo escreve que o propósito da obra de reconciliação de Deus era "apresentar" (*paristemi*, o mesmo verbo como é usado em 1.28) os crentes "perante ele... santos, e irrepreensíveis, e inculpáveis". Como discutido acima, provavelmente o contexto visualizado pela frase nesse versículo seja o último dia, quando Deus trará os crentes diante de si completamente santificados (cf. também 1 Co 1.8; 2 Co 4.14; 1 Ts 3.13; 5.23). Se (como parece provável) esta também for a colocação de 1.28, Paulo então vê seu ministério como preparando os crentes para a sua apresentação final diante de Deus, "perfeitos em Jesus Cristo". A tradução da NVI mostra, corretamente, a nuança de Paulo em 1.28 traduzindo *teleios* como "perfeito" em vez de "maduro".

Mas ao falar dos objetivos de seu ministério, Paulo tem em mente não apenas a "perfeição" final; também está profundamente preocupado com a vida prática no presente (como já visto, cf. 1.10-12a). Em 2.2,3, alguns destes objetivos mais imediatos de seu ministério se destacam. O motivo de seu árduo trabalho, ele diz, é que os crentes em toda parte tenham "seus corações... consolados, e estejam unidos em caridade e enriquecidos da plenitude da inteligência, para conhecimento do mistério de Deus — Cristo". A sentença fala de quatro experiências que Paulo deseja ver realizadas na vida de seus convertidos: um coração amoroso, unidade em amor, plena certeza (cf. BAGD, 670, a respeito do termo *plerophoria*) através do entendimento e um conhecimento mais profundo do "mistério de Deus", que é Cristo. É difícil pensar em um conjunto mais nobre de objetivos para qualquer tipo de ministério pastoral cristão.

4.5. Os Custos do Ministério de Paulo: Trabalho, Esforço e Sofrimento (1.29—2.1; cf. 1.24)

Os objetivos do ministério de Paulo, tanto a curto como a longo prazo, são certamente nobres. Contudo, o cumprimento destes objetivos não vem sem esforço ou sem custo. Paulo explica este fato nesta seção. Se deseja apresentar "todo homem perfeito em Jesus Cristo", isto significa que deve também "trabalhar" (*kopiao*, 1.29) e se "esforçar" (*agonizomai*, 1.29; cf. *agon*, 2.1). Estas são palavras fortes, que descrevem o considerável custo que envolve o ministério de Paulo.

O verbo *kopiao* está freqüentemente associado ao árduo trabalho físico, como o difícil trabalho de pescar durante uma noite toda (Lc 5.5), ou do "lavrador" que deveria ser o primeiro a participar dos frutos (2 Tm 2.6). Paulo fez disto uma prática, ao sustentar seu ministério trabalhando com suas próprias mãos como um fabricante de tendas, o que envolvia um esforço vigoroso e obviamente cansativo, noite e dia (cf. At 20.34,35; 1 Co 4.12; 1 Ts 2.9). O fato de Paulo ter empregado o mesmo verbo para o exercício de seu ministério espiritual (cf. Gl 4.11; Fp 2.16) significa que a tarefa de formar igrejas e supervisioná-las era, para ele, um processo igualmente exigente e cansativo.

O verbo *agonizomai* era originalmente associado ao engajamento em um contexto atlético ou militar (cf. 1 Co 9.25; 1 Tm 6.12; 2 Tm 4.7). Daí veio a ser usado figurativamente para qualquer luta, inclusive a luta espiritual quando se diz "combatendo sempre... [*agonizomenos*] em orações" (Cl 4.12). Seja no âmbito militar ou no atletismo, tomar parte neste tipo de "combate" requeria o exercício da autodisciplina e do sacrifício (cf. 1 Co 9.24-27). Da mesma maneira, o substantivo *agon* (Cl 2.1) é usado em outras passagens quando o apóstolo fala de combater "o bom combate [*agon*] da fé" (1 Tm 6.12; 2 Tm 4.7), e também da perseguição e oposição que encontrou em cidades como Filipos e Tessalônica (cf. Fp 1.30; 1 Ts 2.2). Em Colossenses 2.1 a adição do termo "quão" (*helikon*) enfatiza a intensidade da luta que Paulo experimentou em favor dos crentes, até mesmo daqueles a quem não conheceu pessoalmente.

O "fator custo" era tão real na vida de Paulo, que foi precisamente o tema com que começou toda a revisão pessoal de seu ministério, que tem início no versículo 24, onde escreve sobre as "aflições" (*pathemata*) que suportou pelos crentes de Colossos. Esta é a mesma palavra usada em 2 Timóteo 3.11, onde Paulo escreve sobre as "perseguições e aflições" que suportou em sua primeira viagem missionária à Antioquia, Icônio e Listra (cf. At 13.13—14.20); é também a palavra usada quando escreve aos filipenses sobre seu desejo de compartilhar as "aflições" de Cristo (Fp 3.10).

Tudo isto é bastante compreensível, ao menos a partir de um ponto de vista gramatical e filológico, embora a razão para se sofrer com tal intensidade devesse ser necessária — particularmente na vida de um servo tão abnegado —, tudo isto permanece como um mistério. Porém, ainda mais difícil de entender, é a continuação da frase contida no versículo 24: "... padeço por vós e na minha carne cumpro o resto das aflições de Cristo". Estas palavras ocasionaram várias interpretações, principalmente por sugerirem a possível falta de algo na obra redentora de Cristo, e que deveria ser completada pelo apóstolo. Uma vez que tal proposição é contrária ao restante do contexto e das passagens em Colossenses, que enfatiza a perfeição da obra de Cristo na cruz (veja especialmente as passagens em 1.19-22; 2.9-15), deve haver outro modo de compreender estas palavras.

Um modo de interpretar as palavras de Paulo em Colossenses 1.24, à luz da passagem de Filipenses referida acima, é simplesmente considerá-la como uma outra maneira pela qual Paulo poderia usar uma forte expressão para seu total senso de identificação com Cristo, tanto com seu "poder" como também com as suas "aflições" (Fp 3.10; veja também Rm 6.1-6; 2 Co 4.10). Outro modo de entender as palavras de Paulo é relacioná-las ao conceito rabínico das "aflições" ou da "agonia" do Messias, que a nação teria de sofrer por ocasião de sua vinda, como um prelúdio de sua glória futura. Pode ser que até mesmo Romanos 8.22 faça alusão ao mesmo tema. Certamente Paulo não poderia ter concebido, de si mesmo, acrescentar qualquer coisa à perfeita e completa obra de Cristo. O que afirmou foi a necessidade de estar disposto a sofrer com e por Cristo na causa do ministério, isto é, "pelo seu corpo, que é a igreja" (1.24). Talvez Paulo estivesse ciente das palavras de Jesus: "Se a mim me perseguiram, também vos perseguirão a vós" (Jo 15.20). De uma coisa podemos estar certos: Paulo sabia que sofrer era parte do chamado ao discipulado e ministério (cf. At 9.16; 14.22; 1 Ts 3.4).

4.6. Os Recursos do Ministério de Paulo: a "Eficácia" de Cristo Operando poderosamente nele (1.29b)

O compromisso de Paulo para com o ministério acarretou necessariamente trabalho, combate e aflições. Contudo, não foi deixado só, com seus próprios recursos nesta tarefa. O texto grego menciona três palavras que enfatizam a natureza da capacitação divina à sua disposição para ajudá-lo a superar todas as barreiras: o substantivo *energeia*, o particípio *energoumene* (do verbo *energeo*) e o substantivo *dynamis*.

A conexão semântica entre o termo grego *energeia* e a palavra "energia" é óbvia. No Novo Testamento, o termo *energeia* é usado exclusivamente por Paulo, e sempre com referência a seres divinos. Seu significado básico é "trabalho, operação, ação", todavia Paulo usa-o para enfatizar especialmente o poder inerente àquela "ação". Deste modo, por exemplo, quando usa novamente com referência à *energeia* de Deus que ressuscitou a Cristo dos mortos (Cl 2.12), a NVI traduz *energeia* apropriadamente como "poder". O verbo cognato *energeo* (novamente usado principalmente por Paulo; cf. também Mt 14.2; Mc 6.14; Tg 5.16) significa "trabalhar, estar trabalhando, operar, ser eficaz". O substantivo *dynamis* é a palavra padrão para "poder" ou "força". Uma tradução literal de 1.29 ajuda a formar tudo isto: "... trabalho", diz Paulo, "combatendo segundo a sua eficácia [ou 'poder'], que opera em mim poderosamente".

Sem dúvida alguma, foi esta "eficácia" (ou "energia") de Cristo operando vigorosamente na vida de Paulo, que lhe deu forças para continuar a enfrentar as muitas dificuldades. Ao testemunhar sobre sua dependência desta capacitação divina, estava simplesmente colocando em prática o que havia anteriormente expressado em sua oração a favor dos colossenses. Em 1.11, Paulo orou para que fossem "corroborados em toda a fortaleza [*dynamis*], segundo a força da sua glória" a fim de mostrarem "toda a paciência e longanimidade, com gozo". Foi deste *dynamis* que Paulo muitas vezes teve que depender (refere-se novamente a este em Ef 3.7). E assim como estava disponível para ele, também estava disponível para os colossenses e todos os demais crentes e cooperadores cristãos que seguiam ao Senhor (cf. Ef 1.19,20).

4.7. As Recompensas do Ministério de Paulo: Contemplar a Firmeza da Fé dos Crentes (2.4,5)

Se existem recursos para um ministério eficaz, também existem recompensas genuínas. Este resultado foi certamente a experiência de Paulo. De fato, sua habilidade em deleitar-se em seu ministério era tão grande — apesar de todos os seus desafios e dificuldades — que ele tanto começa como termina esta seção de "interlúdio" pessoal com a palavra "regozijo" (*chairo*, 1.24; 2.5). Mas o que proporcionou-lhe tal alegria no exercício de seu ministério? Essencialmente o apóstolo estava vendo a "ordem" ou a "regularidade" (*taxis*; cf. o uso desta palavra em 1 Co 14.40) e a "firmeza" (*stereoma*) da fé dos crentes (2.5), especialmente diante dos sérios desafios à ortodoxia de sua fé em Cristo, o tipo de desafios a que faz alusão em 2.4 e aos quais retornará em 2.6—3.4.

Em 1.23, Paulo escreveu sobre a importância dos colossenses permanecerem "fundados e firmes na fé" e não se moverem "da esperança do evangelho". Em 2.6,7, insistirá novamente na importância de continuarem a andar "nele [em Cristo], arraigados e edificados nele". Seu grande temor era que seus convertidos caíssem na incredulidade ou em várias formas de legalismo, de forma que seu próprio ministério entre eles fosse em vão (cf. Gl 2.2; 4.11; Fp 2.16; 1 Ts 3.5). Quando Paulo soube por Epafras que os colossenses permaneciam firmes na fé, isto lhe foi o motivo de grande alegria e ação de graças (cf. 1.3-8).

Agora está escrevendo para eles, embora ausente "quanto ao corpo", contudo presente com eles "em espírito". Esta última frase é normalmente traduzida como o foi na NVI: "eu estou presente convosco em espírito" (isto é, a palavra "espírito" com "e" minúsculo), com a conotação de que embora Paulo estivesse ausente dos leitores, estes estão, todavia, presentes em seu pensamento. Porém, Gordon Fee eficazmente argumentou que aqui a referência a *pneuma* ("Espírito ou espírito") não é antropológica, mas pneumatológica. Isto é, embora Paulo esteja fisicamente ausente, considera-se verdadeiramente presente com os crentes em espírito, quando se reúnem na presença e no poder do Espírito para a leitura da carta (cf. 1 Co 5.3; veja Fee, 1994, 121-127, 645, 646). Portanto, se regozija "vendo a ordem e a firmeza da vossa fé [dos colossenses] em Cristo" (Cl 2.5).

Ver que seu intenso trabalho para o Senhor resultou em tal conduta de boa ordem e firmeza de fé na vida de seus convertidos, era para Paulo uma grande recompensa. Muitos podem testemunhar uma sensação semelhante, de profunda satisfação, quando são informados da firmeza daqueles a quem têm ministrado. Tais relatórios são o antídoto para qualquer sentimento de auto piedade ou reclamação face às lutas e sofrimentos igualmente reais no ministério. Paulo conheceu ambos os lados, mas é encorajador pensar que ele foi capaz de começar e terminar esta breve revisão de seu ministério, com uma nota positiva de alegria. Seria maravilhoso se todos aqueles que seguiram seus passos pudessem fazer o mesmo.

5. Advertências contra as Falsas Doutrinas e as Práticas Legalistas (2.6—3.4)

Paulo foi pouco a pouco entrando em seu tema principal. Seguindo as habituais saudações e oração de ação de graças e intercessão (1.1-14), Paulo implanta a tese central de sua carta: Cristo é supremo na criação e na redenção. Como já vimos, esta declaração da primazia de Cristo está contida em uma passagem de essência teológica concentrada, e de uma magnífica qualidade poética (1.15-20). Então, segue-se um breve parágrafo aplicando os benefícios da obra de Cristo à vida dos crentes de Colossos (1.21-23), que por sua vez apresenta uma seção ainda mais longa de reflexões de Paulo sobre seu ministério para a igreja (1.24—2.5).

O apóstolo agora está pronto para retomar a exposição da doutrina de Cristo, e aplicá-la de maneira específica à situação enfrentada pelos colossenses. A natureza desta situação, que é carregada de perigo para a igreja de Colossos, já foi abordada em 2.4 e é significativamente elaborada em 2.8. No meio desta passagem estão os versículos 6 e 7, que funcionam como parte do ponto de transição para a nova seção (cf. a função semelhante de 1.12b-14, acima), enquanto os versículos 9-15 constituem o ponto central da exposição teológica daquilo que foi inicialmente afirmado no Hino de Cristo (1.15-20). Esta reflexão teológica concentrada é seguida por uma série de advertências contra várias expressões de legalismo e misticismo promovidas pelos falsos mestres (2.16-19). A seção é concluída com alguns parágrafos contrastantes sobre o que significa ter morrido e ressuscitado com Cristo (2.20—3.4).

5.1. Exortações à Perseverança e a Descrição dos Falsos Ensinos (2.6-8)

Na verdade, é difícil encontrar um ponto fixo de divisão onde cessa o relato da experiência de ministério de Paulo, e onde inicia-se a nova seção de ensino. Esta ambigüidade — amplamente ilustrada nos comentários — nos lembra a mudança anterior do assunto, da oração de intercessão para o Hino de Cristo no capítulo 1 (onde os versículos 12b-14 funcionaram como uma passagem de transição). Semelhantemente, os versículos 6, 7 e 8 representam aqui a ligação entre o testemunho pessoal de Paulo e sua exposição cristológica.

O ponto de transição é marcado no princípio do versículo 6 pela frase de conexão, "Como, pois", uma frase que relembra um dado precedente e antecipa a introdução de um novo tópico. O "olhar retrospectivo" é reforçado na continuação da sentença: "Como, pois, recebestes o Senhor Jesus Cristo, assim também andai nele, arraigados e edificados nele e confirmados na fé, assim como fostes ensinados, crescendo em ação de graças" (vv. 6,7). Aqui Paulo faz alusão a quase todos os parágrafos escritos até este ponto.

A frase "Como, pois, recebestes o Senhor Jesus Cristo" nos lembra naturalmente da fé dos colossenses em Jesus Cristo, a fé que demonstraram quando o evangelho a princípio lhes havia sido anunciado (1.4-7). A referência a Jesus Cristo como o "Senhor", é outro modo de falar de sua primazia (1.15-20). A exortação, "andai nele... confirmados na fé", refere-se à passagem em 1.23 ("se, na verdade, permanecerdes fundados e firmes na fé"), como também a 2.5 ("regozijando-me e vendo a vossa ordem e a firmeza da vossa fé em Cristo"). Finalmente, a frase "assim como fostes ensinados" relembra a declaração em 1.7, que diz "como aprendestes [isto é, o evangelho] de Epafras", enquanto a frase final "crescendo [transbordando] em ações de graça" naturalmente se harmoniza com a própria oração de ação de graças de Paulo em 1.3-8 e sua oração intercessória em 1.12a para que "com gozo" dessem "graças ao Pai".

Como se torna óbvio a partir da revisão acima, uma das principais preocupações de Paulo na carta é a firmeza da fé dos colossenses (1.9-12a,23; 2.5-7). Realmente, esta pode ter sido uma preocupação compreensível do apóstolo por algumas de suas igrejas; contudo, as exortações persistentes à firmeza, nesta carta, devem ser vistas sob o enfoque do problema particular que estava confrontando a igreja em Colossos, isto é, a presença de falsos mestres e ensinos ameaçando a estabilidade da comunidade da fé naquela cidade. Foi feita uma referência a esta situação em 2.4, e está agora explicitamente elaborada em 2.8. Juntos, estes dois versículos apresentam uma clara indicação da natureza dos ensinos em questão.

Em resumo, os falsos ensinos parecem não ser nada além de "palavras persuasivas" (v. 4), que consistiam em "filosofias e vãs sutilezas, segundo a tradição dos homens, segundo os rudimentos do mundo e não segundo Cristo" (v. 8). Nestas palavras a falsidade, o vazio e o engano dos novos ensinos estão completamente expostos. Sua falha fundamental era que se baseavam na "tradição dos homens" (em oposição à revelação divina) e nos "rudimentos do mundo" (*ta stoicheia tou kosmou*), e não na doutrina de Cristo.

Tem sido muito debatido o que, precisamente, se deseja dizer por meio da frase *ta stoicheia tou kosmou*. Paulo usou a frase previamente em Gálatas 4.3 (e também o próprio termo *stoicheia* em Gl 4.9), onde a NVI traduz a frase da mesma forma que em Colossenses, "os rudimentos do mundo". No entanto, tem sido fortemente alegado por alguns estudiosos (cf. a discussão no comentário de O'Brien, 1982, 129-132; e Arnold, 1996, 162-194) que tanto em Gálatas como em Colossenses a frase é mais "sombria" que isto, não se referindo a meros "princípios" sobre "espíritos" ou "forças" (cf. a tradução "espíritos elementares do universo" na NRSV e na REB). Este significado se harmonizaria com as freqüentes alusões de Paulo, nesta carta, aos "principados e potestades" (cf. 1.16; 2.10,15).

Se esta linha de raciocínio estiver correta, podemos entender mais completamente a urgência nas advertências de Paulo. Os ensinos não somente são baseados na "tradição dos homens"; também são demoníacos. Não é de se admirar, portanto, que Paulo advirta os colossenses solenemente e com muita urgência, a não serem enganados por tais doutrinas (v. 4) e tomados como "presas" por estas (v. 8) — uma palavra que sugere levar alguém para longe da verdade, cativo à escravidão do erro (cf. BAGD, 776, *sylagogeo*).

5.2. Exposição da Doutrina de Cristo (2.9-15)

Os ensinos descritos nos versículos 4 e 8 não estão "de acordo com Cristo" (tradução literal da frase ou *kata Christon*, que se encontra no final do verso 8). Se estes representam os ensinos negativos ou falsos, divulgados pelos falsos mestres, Paulo agora se prepara para apresentar o ensino positivo ou verdadeiro a respeito de Cristo. Isto ele agora faz explícita e deliberadamente nos versículos 9-15. Neste processo, o apóstolo nos informa sobre outras características da doutrina perniciosa que não é "segundo Cristo".

É de conhecimento geral que esta informação é comunicada indiretamente e por inferência. Ou seja, assumimos que o método de refutação de Paulo consistia em declarar o lado positivo daquilo que os falsos mestres estavam negando, levando-nos à reconstrução da situação básica. Este método de interpretação é chamado "leitura por espelho", e está repleto de perigos se pressionado de uma maneira muito forte ou dogmática. Porém, se usado sabiamente, pode nos ajudar a reconstruir com clareza a situação narrada por Paulo. Mas é necessário dizer que, independente do grau de precisão de nossas modernas reconstruções da "heresia de Colossos" por meio de tal "leitura por espelho", a verdade da doutrina de Cristo, pregada por Paulo, permanece inalterada.

Além disso, devemos notar que quando nos referimos à "doutrina de Cristo" exposta nestes versículos, trata-se de uma doutrina isenta de qualquer isolamento, sempre dedicada ao bem e à geração de um impacto positivo na vida de cada cristão. Por esta razão, o sujeito de vários verbos e os particípios nesta seção estão, de fato, conjugados na segunda pessoa do plural "vós", de modo declarado ou implícito. Em outras ocasiões, o sujeito do verbo principal é identificado como "Deus" ou entendido como sendo "Deus", mas sempre Deus agindo em Cristo ou por intermédio dEle. O ponto principal, porém, independe de quem venha a ser o sujeito de um verbo ou particípio específico; o enfoque permanece consistentemente em Cristo, em sua identidade e em sua obra (ou naquilo que foi feito por meio dEle). Isto é confirmado pelo uso freqüente, nestes versículos, do termo "nele" (ou variações em pequenas frases como "em quem", "com ele"), todas referindo-se a Cristo (às vezes identificado explicitamente pelo nome "Cristo" na NVI, muito embora o grego tenha o pronome "ele" ou "quem"; cf. os versos 9 e 10). A natureza de sua pessoa é exposta nos versículos 9 e 10; a natureza de sua obra, nos versículos 11-15.

5.2.1. A Pessoa de Cristo (2.9,10). No versículo 8, Paulo adverte os colossenses a não permitirem que ninguém os prenda "por meio de filosofias e vãs sutilezas", o tipo de ensino que depende da "tradição dos homens, segundo os rudimentos do mundo e não segundo Cristo". A razão pela qual não devem sucumbir neste caminho, é expressa do seguinte modo: "porque [*hoti*; traduzido como "pois" na NVI] nele habita corporalmente toda a plenitude da divindade" (v. 9). Com base nesta justaposição de advertências (v. 8) e nos motivos das advertências (v. 9),

A HERESIA DE COLOSSOS

A maioria dos estudiosos vê na Carta aos Colossenses evidências de um grupo herege que estava pressionando os verdadeiros crentes a adotarem seus ensinos. Paulo rotula estes ensinos como "filosofias e vãs sutilezas", baseados em "tradições dos homens" (Cl 2.8). A julgar pelo conteúdo desta carta, a seguir mostramos aqueles que provavelmente sejam os principais dogmas dos hereges e da refutação de Paulo a estes:

O Ensino da Heresia	A Resposta de Paulo	Textos Relevantes
Enfatizavam a adoração de anjos chamados de "tronos", "dominações", "principados" e "potestades"	Cristo criou estes poderes e governa sobre eles; os crentes estão livres de todos os poderes malignos	Cl 1.13,15-17; 2.9,10,15, 18,19
Ensinavam que os anjos são intermediários entre Deus e os seres humanos	Cristo é o único mediador de quem precisamos	1.13-23; 2.6,9,10
Defendiam a submissão aos "princípios básicos do mundo"	Cristo governa sobre estes, e os cristãos morreram para eles em Cristo	2.8,20
Defendiam a circuncisão	Os crentes passam por uma forma de circuncisão na morte de Cristo, experimentada por meio do batismo	2.11-13
Defendiam dias religiosos especiais e regras de alimentação legalistas	Tais regras não devem ser ouvidas; os crentes morreram para elas e tais poderes foram cancelados	2.14,16,17,20-23
Enfatizavam um conhecimento especial e secreto	Deus enche todos os crentes com a sua sabedoria, conhecimento e entendimento	1.9,10,28; 2.2-4,22

podemos apenas presumir que os falsos mestres de Colossos estavam na realidade negando a verdade sobre a pessoa de Cristo, afirmada no versículo 9, isto é, a "Divindade" de Cristo. Podemos presumir que estivessem dizendo que Cristo possuía algo menor que a "plenitude" de Deus, em uma clara contradição à afirmação do Hino de Cristo de que "foi do agrado do Pai que toda a plenitude nele habitasse" (1.19).

Em 2.9, uma repetição explanatória de 1.19, as palavras-chave são "plenitude", "divindade" e "corporalmente". Cada palavra é importante e rica em seu próprio modo. O substantivo "plenitude" (*pleroma*) vem do verbo "transbordar" (*pleroo*), usado anteriormente em 1.9 ("... que sejais cheios do conhecimento da sua vontade") e em 1.25 ("para cumprir a palavra de Deus", NRSV), e será usada novamente em 2.10 ("E estais perfeitos nele) e finalmente em 4.17 (na admoestação a Arquipo, "Atenta para o ministério que recebeste no Senhor, para que o cumpras" [KJV/RSV]). Tanto o verbo como o substantivo ocorrem regularmente nos escritos de Paulo, porém em nenhuma outra passagem com tal concentração.

Por que Paulo usa tais palavras com tanta freqüência nesta carta? A resposta pode estar relacionada ao surgimento de uma forma incipiente de gnosticismo cristão,[4] em que um termo técnico para a totalidade de "*aeons*" poderia constituir o mundo espiritual de onde Cristo presumivelmente tenha vindo, conforme tal visão deturpada. Se os falsos mestres em Colossos representavam uma forma antiga desta divergência de ensino, teriam sustentado que Cristo era parte do *pleroma* espiritual, mas não independente dele, e conseqüentemente não seria por completo igual a Deus. Tal forma de ensino, ou qualquer coisa semelhante a tais absurdos, era completamente repudiado por Paulo. Isto se torna abundantemente claro em sua escolha de palavras que qualificam *pleroma* no restante do versículo.

Não é somente a "plenitude" que está associada a Cristo, mas "toda" a plenitude de Deus — provavelmente uma redundância deliberada por parte de Paulo, a fim de enfatizar a perfeição da identificação de Cristo com Deus. Esta intenção está reforçada na frase subseqüente, no versículo 9, quando Paulo se refere a "toda a plenitude da divindade" que habita em Cristo, uma expressão extensamente crítica e importante, sem dúvida implícita em 1.19, mas que agora torna-se explícita. A palavra "divindade" (*theotes*) ocorre somente nesta passagem do Novo Testamento, porém é utilizada em outras partes da literatura grega. É semelhante ao substantivo "divindade" (*theiotes*, cf. Rm 1.20), sendo, todavia, mais forte do que este último, uma vez que *theotes* é um termo diretamente derivado de *theos* ("Deus"), enquanto *theiotes* é derivado do adjetivo *theios* ("divino", cf. At 17.29; 2 Pe 1.3,4).

Simplificando, Paulo usou a linguagem mais forte possível para se referir à divindade absoluta de Cristo: "nele habita corporalmente toda a plenitude da divindade" (o verbo "habitar" está no presente, indicando um sentido de continuidade). Além do mais, "corporalmente" (*somatikos*), é um advérbio grego que neste contexto pode ser traduzido como "na realidade" ou "na verdade" (cf. o uso de *soma*, "corpo", em 2.17 com o significado de "realidade"), mas que com igual justificativa pode ser traduzido como na NVI ("em forma corpórea") e toma como principal referência a encarnação de Cristo (cf. Jo 1.14). É difícil imaginar uma declaração mais definitiva da natureza divina de Cristo. Na exposição que Paulo faz da doutrina de Cristo, este entendimento de sua divindade é o ponto de partida inegociável.

Uma importante aplicação desta grande verdade vem a seguir. Se a "plenitude" de Deus habita em Cristo, como de fato ocorre, então, uma vez que os crentes estão incorporados em Cristo, eles também estão "perfeitos [literalmente, 'foram tornados completos'] nele [em Cristo]" (v. 10a; cf. Ef 3.19, onde Paulo ora para que os crentes efésios sejam "cheios de toda a plenitude de Deus"). Neste ponto, Paulo não se aprofunda no conteúdo da plenitude que receberam, embora anteriormente na carta, empregando o mesmo verbo, tenha orado para que Deus os enchesse "do conhecimento da sua vontade, em toda a sabedoria e inteligência espiritual" (1.9; cf. orações e desejos semelhantes em Rm 15.13; Fp 1.11; 4.19). Se, como parece possível, os falsos mestres reivindicavam que a "plenitude" espiritual somente poderia ser alcançada pela adição de outras formas de adoração e/ou regulamentos legais (veja abaixo), Paulo está afirmando com muita clareza que a salvação do crente está completa em Cristo, não exigindo a intervenção de quaisquer outros intermediários ou a adesão a qualquer forma de legalismo. Eles já estavam verdadeiramente "completos" ou "perfeitos" em Cristo!

Mas como podem os crentes de Colossos estar certos de que sua salvação está completa ou perfeita em Cristo? A resposta reside em quem Cristo é, e no que Ele fez. No versículo 15, Paulo declara como Cristo despojou "os principados e as potestades" — aqueles seres espirituais que eram aparentemente uma fascinação para os falsos mestres de Colossos, bem como para aqueles que aderiram aos seus erros; aqui, no versículo 10b, Paulo antecipa o resultado daquela luta vitoriosa declarando a posição de Cristo como "cabeça" acima de todo "principado e potestade". Da mesma maneira que Cristo foi anteriormente pronunciado como sendo a "cabeça" da igreja — isto é, tanto a sua fonte como a sua autoridade suprema (1.18) — assim, agora, o apóstolo afirma que Ele é a fonte (cf. 1.16) e a autoridade governante acima de todos os seres espirituais, sejam benignos ou hostis. Esta posição de autoridade não é surpreendente para aquEle em quem "habita corporalmente toda a plenitude da divindade", mas esta verdade precisava ser enfatizada em uma comunidade onde a validade de tal reivindicação estava sendo desafiada de todas as maneiras possíveis.

Em resumo, o ponto de Paulo nos versículos 9 e 10 é que Cristo, sendo a incorporação de "toda a plenitude da divindade", e "a cabeça de todo principado e potestade", eram para os colossenses amplas garantias de sua própria "perfeição nele". E se estas verdades funcionaram como garantias da perfeição de sua salvação, continuam sendo não menos que isto para todos os crentes subseqüentes, independentemente de raça, nacionalidade ou condição: "grego ou judeu... bárbaro, cita, servo ou livre", pois verdadeiramente "Cristo é tudo e em todos" (3.11), para o louvor do glorioso nome de Deus!

5.2.2. A Obra de Cristo (2.11-15). Nos próximos versículos o enfoque muda de quem Cristo é, para o que Ele fez. Mas o que Ele fez, não o fez por si mesmo, porém, antes, para o benefício da comunidade da fé — neste caso em particular, para a comunidade da fé que estava em Colossos. Por essa razão, os beneficiados pela obra de Cristo parecem estar freqüentemente em primeiro plano como o sujeito (ou como o objeto, de acordo com cada caso) das construções verbais nos versículos 11-14; mas lembre-se novamente que a intenção é explicar o que receberam como resultado da obra de Cristo a favor deles (ou, nos versículos 13 e 14, como o resultado da obra de Deus por meio de Cristo). Há vários benefícios: estão "circuncidados" em Cristo (v. 11), sepultados com Ele, e ressuscitados nEle (v. 12), foram vivificados nEle (v. 13a), foram perdoados (v. 13b), declarados inocentes das acusações contidas no escrito de dívida (v. 14), e libertados das forças espirituais hostis (v. 15).

A lista começa com uma referência ao benefício de terem sido "circuncidados" em Cristo. Este pode parecer um tema estranho, a princípio, uma vez que o ritual da circuncisão era um tópico controvertido na igreja primitiva. Além disso, o próprio Paulo foi a pessoa que havia dirigido a acusação contra qualquer tentativa de impor o ritual judeu da circuncisão aos gentios convertidos. Contudo, fica claro que o que Paulo quer dizer com esta palavra, aqui, é bem diferente da submissão a uma circuncisão literal, física. Antes, neste contexto está falando sobre uma circuncisão "não feita por mão no despojo do corpo da carne: a circuncisão de Cristo".

A passagem tem uma relação mais próxima com Romanos 2.28,29, onde Paulo explica que a circuncisão não é algo "simplesmente exterior e físico" ("... nem é circuncisão a que o é exteriormente na carne"). Pelo contrário, a verdadeira circuncisão é a "circuncisão do coração, pelo Espírito, não pelo código escrito" ["circuncisão, a que é do coração, no espírito, não na letra"] (uma perspectiva já apresentada no Antigo Testamento, cf. Dt 10.16; 30.6; Jr 4.4; Ez 44.7). A única diferença de Romanos é que, nesta ocasião, a circuncisão parece ser feita não "pelo Espírito" mas "por Cristo",[5] e envolve o "despojo do corpo da carne" ou "o despojo da natureza pecaminosa", antecipando, deste modo, a discussão posterior daquilo que o povo escolhido de Deus deve se despojar (Cl 3.5-11).

O fato de Paulo iniciar a lista de benefícios procedendo da obra de Cristo com esta referência à circuncisão, sugere que os desordeiros de Colossos estavam com efeito promovendo o oposto, isto é, uma circuncisão literalmente feita "por mãos de homens". As referências no versículo 16 à manutenção das festas religiosas, das celebrações da "Lua Nova" e dos dias de sábado, sugerem que os ensinos problemáticos em Colossos tinham uma forte influência judaica.

Os crentes de Colossos não foram apenas circuncidados com "a circuncisão de Cristo" (v. 11), mas foram também "sepultados com ele no batismo", e nele também ressuscitaram "pela fé no poder de Deus" (v. 12). Paulo toma novamente emprestado uma metáfora de sua carta aos Romanos. Em Romanos 6.3,4, o apóstolo pergunta retoricamente: "Ou não sabeis que todos quantos fomos batizados em Jesus Cristo fomos batizados na sua morte?" Então prossegue dizendo: "De sorte que fomos sepultados com ele pelo batismo na morte; para que, como Cristo ressuscitou dos mortos pela glória do Pai, assim andemos nós também em novidade de vida". Para tornar o ponto duplamente claro, acrescenta: "Porque, se fomos plantados juntamente com ele na semelhança da sua morte, também o seremos na da sua ressurreição" (6.5).

Em outras palavras, o que era verdade para os romanos, era verdade para os colossenses, e é verdade para todos aqueles que "foram unidos" com Cristo; para todas estas pessoas, seu batismo é um poderoso símbolo de que foram sepultados e ressuscitados com Cristo. É mais um dos enormes benefícios da obra redentora de Cristo. Esta imagem da morte e ressurreição de Cristo foi tão poderosa como modelo para a vida cristã, que continua a dominar as discussões referentes à passagem em 3.4.

Certamente o tema da morte e da vida está contido no próximo versículo: "E, quando vós estáveis mortos nos pecados... vos vivificou juntamente com ele" (2.13). É óbvio que trata-se da continuação do tema da morte e da vida, ainda que a frase "mortos nos pecados" descreva um estado diferente de "sepultados com ele no batismo" (v. 12). De fato, a declaração no versículo 13 é uma das grandes passagens paulinas "antes-depois", que tem uma certa semelhança estrutural com 1.21,22, embora, de fato, seu mais próximo paralelo se encontre em Efésios 2.4,5 ("Mas Deus... estando nós ainda mortos em nossas ofensas, nos vivificou juntamente com Cristo").

Mas não é somente o tema "morte-vida" que está presente em Colossenses 2.13; o tema da "incircuncisão-circuncisão" também está lá, pois na frase completa se lê: "E, quando vós estáveis mortos nos pecados e na incircuncisão da vossa carne, vos vivificou juntamente com ele". Esta frase, é claro, nos relembra o versículo 11 e a circuncisão espiritual dos crentes "no despojo do corpo da carne", uma circuncisão não feita por mãos humanas, mas por Cristo. Na realidade, portanto, o versículo 13 é um tipo de reafirmação dos versículos 11 e 12, em uma ordem inversa.

Em tudo isto, porém, não se deve perder o ponto principal daquilo que Paulo está dizendo. Ele está contido na frase principal da sentença, isto é, Deus "vos vivificou juntamente com ele [Cristo]". A oração subordinada introdutória responde à pergunta sobre "quando" Deus lhes deu vida — isto é, "Quando vós estáveis mortos nos pecados". As orações subordinadas subseqüentes nos versículos 13b e 14 respondem à pergunta sobre "como" Deus lhes deu vida juntamente com Cristo, cada uma semelhantemente introduzida por uma construção participial, isto é, "perdoando-vos todas as ofensas" (v. 13) e "havendo riscado a cédula" (v. 14).

Na NVI, o versículo 13b dá início a uma nova sentença: "Perdoando todos os nossos delitos..." Embora esta possa ser uma concessão defensável do estilo de linguagem moderna, em sua preferência por frases mais curtas, ela infelizmente obscurece a dependência de ambas as frases seguintes do verbo principal anterior, Deus "vos deu vida". Para melhor refletir esta dependência, portanto, poderia ser traduzida mais literalmente como: "tendo nos perdoado de todos os nossos pecados", em paralelo com a frase no princípio do versículo 14, "havendo riscado a cédula que era contra nós". É possível comunicar a precisa natureza desta relação, traduzindo o particípio grego de outro modo, isto é, com uma oração subordinada; deste modo teremos: "Deus vos deu vida quando [ou 'porque'] perdoou todos os nossos pecados" (cf. a NRSV, que procura refletir a subordinação participial). O ponto é que, ainda que Deus tenha vivificado os crentes (v. 13a), a nova vida resultante é dependente do perdão concedido por intermédio de Cristo, na cruz (cf. Ef 4.32).

A necessidade de perdão sugere que um erro foi cometido — aqui chamado de nossas "ofensas" (*paraptomata*) ou, melhor, "nossas transgressões" (como nas traduções KJV, RSV, NRSV). Uma outra observação interessante nesta frase é a mudança da forma do pronome da segunda pessoa do plural ("vós", referindo-se aos colossenses) para a primeira pessoa do plural ("nós") no versículo 13b (cf. a mesma mudança em 1.13). Em virtude desta mudança, e do súbito surgimento de um novo vocabulário nos versículos 13b-15, alguns comentadores têm visto nesta seção o fragmento de outra confissão pública que Paulo incorporou em sua exposição. Esta sugestão, porém, alcançou menos favor do que o reconhecimento de um credo da igreja expresso em 1.15-18a,20.

O versículo 14 introduz a segunda ação de Deus em Cristo destacada por Paulo. Além do perdão, Ele também riscou "a cédula que era contra nós". No versículo 13 Paulo havia usado a metáfora da "morte" para descrever a situação desesperadora dos incrédulos. No versículo 14, emprega uma outra forte metáfora para retratar a situação dos pré-cristãos, isto é, a metáfora de uma "cédula" redigida contra eles. No grego, a palavra para "cédula" é *cheirographon*, significando simplesmente um "documento manuscrito", mas com o sentido especial de um documento manuscrito onde consta uma dívida — de fato, um tipo de "vale", conhecido, por exemplo, nos Estados Unidos como "IOU" ("IOU" = I Owe You = Eu devo a você).

Paulo explica dois fatos sobre este certificado de dívida:
1) Era acompanhado de certas "ordenanças". Não somos informados, com exatidão, sobre o completo teor destas "ordenanças"; porém é muito provável que estivessem relacionadas às exigências da Lei de Moisés, que jamais poderiam ser cumpridas;
2) Deste modo, para nosso desespero, a "cédula" se colocou "contra nós" e "oposta a nós" — outro exemplo de redundância paulina para enfatizar a seriedade da condição humana. A difícil situação era realmente séria e teria sido absolutamente desesperadora, se não fosse pela intervenção de Deus, que havendo-a "riscado", tirou-a "do meio de nós, cravando-a na cruz".

As palavras de Paulo quase passam despercebidas, mas evocam imagens poderosas e são de importância transcendental. A solução para a condição humana é novamente vista como sendo a obra redentora de Deus em Cristo na cruz, uma obra descrita na imagem corajosa de Deus cravando o documento acusador na cruz e declarando-o então sem efeito. O efeito em cadeia desta forte linguagem para os colossenses é mais uma vez assegurar-lhes que sua salvação era completa ou perfeita em Cristo (cf. 2-10). Por último, havia alguma necessidade do tipo de práticas legalistas promovidas pelos desordeiros em Colossos (como detalhado em 2.16-23). A adesão a tais práticas simplesmente sinalizaria um retorno a seus dias pré-cristãos, quando viviam sob a sombra da maldita "cédula" que era contra todos nós "nas suas ordenanças", e que se colocou contra eles, mas que agora havia sido eliminada na cruz.

Tendo suas transgressões perdoadas e a cédula da dívida cancelada, os crentes verdadeiramente são vivificados "juntamente com ele (Cristo)" (v. 13). Poderia se ter pensado que esta declaração fosse o clímax do argumento de Paulo e que tudo agora havia sido dito. A salvação dos crentes estava, afinal, completa, e sua vida em Cristo segura. No entanto, ali resta algo importante a ser dito por Paulo. Os crentes não haviam sido somente perdoados e sua maldita cédula cancelada; os efeitos da morte de Cristo na cruz ultrapassam até mesmo um resultado tão grande. Além de todo o precedente, sua morte também teve implicações drásticas para aquela ordem de seres espirituais previamente referidos em 1.16 e 2.10 como "tronos", "dominações", "principados" e "potestades". Em 2.15 Paulo utiliza uma imagem de batalha para descrever como os principados e potestades hostis entre eles foram "despojados", e como Deus "os expôs publicamente e deles triunfou em si mesmo". Como os versículos anteriores, este também traz uma poderosa linguagem.

O assunto em questão consiste definitivamente nos "principados e potestades". Este assunto fascinou muitos estudantes das cartas de Paulo; era obviamente uma parte importante de sua teologia, especialmente superior na correspondência Colossenses-Efésios. Um dos dilemas associados à interpretação destes "principados e potestades" é o modo como são referidos de maneiras tanto positivas como negativas. Por exemplo, no Hino de Cristo em Colossenses são apresentados como objetos da criação de Cristo, como parte das "coisas... visíveis e invisíveis" que foram criadas "por ele e para ele" (1.16). Semelhantemente, em 2.10, Cristo aparece como "a cabeça de todo principado e potestade". Contudo, em 2.15 estes são obviamente inimigos com um intento hostil.

Embora alguns estudiosos tenham procurado desmistificar estes poderes, interpretando-os como males humanos ou da sociedade, uma leitura natural do texto sugere que muitos deles eram, de fato, "hostes espirituais da maldade, nos lugares celestiais" (Ef 6.12). Deste modo, a conexão entre Colossenses 2.14 e 15 sugere que estes poderes eram aqueles que possuíam a cédula de acusação contra os incrédulos, e que o documento teve de ser arrancado deles. Foi neste ponto que Deus interveio por meio de Cristo. Ele "despojou" os principados e "os expôs publicamente e deles triunfou em si mesmo".

A palavra "despojar" é encontrada somente nesta carta, no Novo Testamento (aqui e na passagem em 3.9). O significado do verbo grego usado neste ponto é literalmente "despir" ou "tirar" as roupas (cf. a tradução em 3.9, "vos despistes do velho homem"). Semelhantemente, um substantivo correlacionado está em 2.11, no contexto de "despojar-se" da natureza pecadora. Se este é o significado pretendido em 2.15 (dada a forma "mediana" grega do verbo), então a passagem falaria de Deus (ou Cristo) despindo-se a si mesmo dos poderes hostis que procuravam estar a seu redor, como uma capa (cf. GNB, "Cristo libertou-se do poder dos principados e potestades espirituais"). Porém, se a forma intermediária do verbo for entendida aqui como um verdadeiro "depoente" (isto é, passivo na forma, porém ativo no significado"), então a tradução apropriada seria "despojou" ou "desarmou" (cf. NIV, NRSV, REB), ou de uma forma expandida, "Ele despiu os principados e potestades da armadura que possuíam" (F. F. Bruce, The Letters of Paul: An Expanded Paraphrase, 1965).

Este significado posterior está bastante de acordo com os verbos subseqüentes:

"os expôs publicamente e deles triunfou em si mesmo". A cena é a de uma procissão triunfal, na qual os vencedores conduziam seus cativos pelas ruas da cidade, expondo-os ao desprezo e humilhação — justamente como Paulo expressou, "e despojando.... os expôs publicamente". Isto é o que aconteceu aos poderes inimigos celestiais na crucificação de Cristo: Foram despidos, humilhados, e completamente derrotados. E se perguntarmos como Deus despiu e derrotou tais "poderes" tão eficazmente, a resposta é simultaneamente potente e curta: foi "pela cruz"; em outras palavras, a morte de Jesus derrotou os poderes; a cédula da dívida foi arrancada deles e cravada na cruz como um sinal de sua anulação total.

A idéia, portanto, de que os colossenses — ou quaisquer outros — deveriam temer ou honrar tais inimigos derrotados é um absurdo. Foram derrotados, e os crentes foram libertos. Este triunfo é a gloriosa mensagem de libertação de Deus por intermédio de Cristo na cruz — um clímax adequado para a grandiosa exposição de Paulo da pessoa e da obra de Cristo, onde Cristo é apresentado como sendo totalmente Deus e ao mesmo tempo totalmente homem, e como o agente competente da obra da redenção.

Na exposição dos versículos 13b-15 acima, assumiu-se que o sujeito dos verbos e particípios seja Deus, conforme sugerido na NVI e em outras traduções. Deve ser notado, porém, que existe uma ambigüidade no texto grego sobre quem é o sujeito das construções verbais nestes versículos. "Deus" é sem dúvida alguma o sujeito dos verbos no versículo 13. Mas começando com o particípio "havendo riscado" no versículo 14, é possível que Cristo seja a pessoa que cancelou a cédula de dívida contra nós e despojou os poderes do mal. Mas não precisamos nos preocupar em tentar solucionar esta ambigüidade. Sabemos que Deus estava agindo em Cristo; como prova do que digo, Cristo não agiu independentemente de Deus. O mistério da Trindade reside na raiz da ambigüidade.

5.3. Advertências Específicas contra o Legalismo (2.16-19)

Começando com o versículo 16, estamos claramente em uma nova seção — a que retorna às advertências de 2.4,8. A conexão "portanto" (*oun*) liga a nova passagem à anterior, que, como já vimos, expõe a doutrina de Cristo. À primeira vista pode parecer estranho que tais práticas legalistas, como aquelas mencionadas em 2.16-23, tenham algo a ver com a exposição de Paulo sobre a pessoa e a obra de Cristo. Contudo, isto é justamente o que o apóstolo afirma, fundamentado em bases sólidas.

A exposição dos versículos 9-15 acima veio da premissa de que Paulo esteja narrando uma situação da vida real em Colossos, por meio da qual certos mestres estavam promovendo doutrinas que não estavam de acordo com Cristo (v. 8). Podemos formar uma idéia do que estas doutrinas eram pelo processo de "leitura por espelho". Na visão dos falsos mestres, aparentemente, Cristo não era em sua totalidade Deus, nem seu trabalho era suficiente para tornar os crentes "perfeitos". Os "principados e potestades" eram forças vivas e ativas — devem ter afirmado — que ainda precisavam ser aplacadas. O propósito da exposição de Paulo nos versículos 9-15 era refutar tais heresias vigorosa e definitivamente, de forma que leve o argumento a uma conclusão ressonante na afirmação inflexível da vitória de Cristo na cruz, e na decisiva derrota e humilhação dos poderes.

Isto soa como o clímax do argumento, e em certo sentido realmente o é; mas não é o final do argumento, pois os falsos mestres não somente representavam uma falsa doutrina em relação à pessoa de Cristo, como também promoveram uma série de práticas falsas que fluíram diretamente da visão "sub-cristã" que tinham em relação ao Senhor. O apóstolo se volta agora à refutação de tais procedimentos. Em nossa exposição destes versículos, será útil lembrar que enquanto muitas das práticas específicas destacadas nesta passagem não mais se relacionam a nós, o princípio de que a teologia perversa leva à prática perversa, permanece tão verdadeiro como sempre.

5.3.1. Em Relação às Leis sobre os Alimentos e Dias Santificados (2.16-17).

O primeiro conjunto de preocupações abordado por Paulo, está relacionado à imposição de leis sobre a alimentação ("pelo comer, ou pelo beber") e à observância de certos dias considerados como santificados ("dias de festa, ou da lua nova, ou dos sábados"). O apóstolo encoraja os colossenses a não deixar que ninguém os "julgue" com respeito a estas coisas. Isto é, não devem permitir que outros os "julguem" ou que os repreendam por exercitarem sua liberdade em Cristo. A razão pela qual os regulamentos não têm nenhuma relevância é que são apenas "sombras" das "coisas futuras", porém "o corpo é de Cristo (*soma*; literalmente, "corpo").

A base para o tipo de práticas legalistas mencionadas no versículo 16 tem sido muito debatida. Seria judaica, pagã, ou algum tipo de combinação de ambas? (Para uma discussão mais extensa sobre tais possibilidades, veja O'Brien, 1982, xxx-xxxviii). Devido à natureza dos regulamentos mencionados, é difícil imaginar que não havia nenhuma influência judaica nestas práticas. Muito provavelmente, o ensino representasse uma forma de sincretismo judaico-pagão, de um tipo que não era desconhecido na Frígia, a região étnica em que Colossos estava situada.

Qualquer que seja a base, observe como a passagem de proibição se mantém firmemente ligada ao anúncio da derrota dos poderes hostis no versículo 15. Esta conexão levou à especulação de que a observância às restrições à comida e os regulamentos ligados ao calendário estavam de algum modo ligados ao interesse dos falsos mestres e dos poderes espirituais que eles representavam. Se esta era a situação, Paulo teria ainda mais razões para enfatizar a derrota de tais poderes, e a futilidade das práticas legalistas de alguma forma ligadas a eles. O apóstolo ainda está afirmando, indiretamente, a condição de inteireza dos crentes em Cristo. Nada mais era necessário para tornar sua salvação segura — quanto menos tais representações obscuras da realidade espiritual, como a adesão legalista a um conjunto de leis relacionadas aos alimentos e à observância de dias particularmente santificados, como se fossem necessários para a salvação de alguém. Submeter-se a tais práticas seria sujeitar-se novamente a uma forma de escravidão, o tipo de escravidão da qual foram libertos por ocasião da derrota dos "principados e potestades".

5.3.2. Em Relação à Falsa Humildade e ao "Culto dos Anjos" (2.18,19).

Vamos agora para a segunda principal proibição: "Ninguém vos domine a seu bel-prazer". O verbo traduzido como "domine" é uma palavra rara, que somente ocorre nesta passagem, em todo o Novo Testamento. Não há nenhum objeto expresso, de forma que em seu nível mais básico, Paulo está simplesmente dizendo: "Não permitam que ninguém vos domine [ou desqualifique]" (NRSV). Mas "desqualificar" de quê? A NVI (juntamente com muitos comentadores) assume um objeto que não foi expresso: o "prêmio". Esta suposição pode ser legítima uma vez que a forma do substantivo do mesmo grupo de palavras significa "prêmio" (cf. 1 Co 9.24; Fp 3.14). O prêmio em questão significaria presumivelmente sua liberdade em Cristo ou até mesmo o próprio Cristo.

Outros, porém, entendem o verbo em questão como um sinônimo de "condenar", argumentando que este faz um melhor paralelo contextual com "julgar" no versículo 16 (cf. GNB, "Não permitais que sejais condenados por alguém"). Seja qual for o caso, o ponto é que os colossenses não devem se deixar pressionar ou enganar por falsos mestres, que os colocariam sob escravidão a um novo conjunto de exigências legais.

Entretanto, que tipo de pessoas estão pressionando os crentes de Colossos? Embora difícil de interpretar em detalhe, os versículos 18 e 19 nos dizem muito sobre seu caráter e forma de adoração. O versículo 18 declara o erro que cometem, enquanto o versículo 19 descreve seu fracasso em relação a fazer o bem. Escrevendo sobre estes na terceira pessoa do singular (cf. NVI, "ninguém"), Paulo primeiramente os descreve como pessoas que se deleitam na falsa humildade (ou, talvez, como aqueles que insistem na auto-humilhação; NRSV). A palavra "humildade" (*tapeinophrosyne*) ocorre em 3.12 em um sentido positivo como uma das virtudes cristãs com que os crentes devem "se revestir". Mas o contexto em 2.18 é obviamente negativo, e conseqüentemente a NVI traduz a frase como "falsa humildade". Uma vez que *tapeinophrosyne* ocorre em alguns contextos como um termo técnico para jejuar — sendo novamente usado em 2.23 em uma associação imediata com "rigor ascético" —, é bem possível que a idéia de "auto-humilhação" (NRSV) ou "auto-mortificação" (REB) ligue-se propriamente à palavra até mesmo no versículo 18.

Além de deleitarem-se com tal demonstração de humildade, os hereges se entregam também ao "culto dos anjos". Assumindo que esta seja a tradução correta (ao invés de "culto [a Deus] pelos anjos"; cf. O'Brien, 1982, 143), Paulo está fazendo uma alusão a um culto de adoração angelical, não atestado dentro do judaísmo como tal, porém não inconcebível na mistura de movimentos religiosos representados naquela parte da Ásia Menor. Nem é surpreendente, talvez, que no princípio do século XXI, com a grande variedade de novas práticas religiosas emergindo por toda parte, nossa era deva incluir também um interesse bastante difundido por seres "angelicais". Enquanto os anjos são obviamente parte da ordem criada e desempenham um importante papel como mensageiros de Deus, qualquer interesse por tais seres que leve alguém a adorá-los é indiscutivelmente uma perversão. Assim era nos dias de Paulo, e assim é em nossos dias.

Por não estarem satisfeitos em promover a adoração aos anjos, Paulo continua se referindo a cada um destes pervertidos dizendo: "metendo-se em coisas que não viu (entrando em grandes detalhes [*embateuo*] sobre o que não viu); estando debalde inchado na sua carnal compreensão" (v. 18b). Pelo menos esta é uma possível tradução de uma frase difícil. A palavra *embateuo* significa literalmente "colocar o pé sobre" (a RSV e a NASB traduzem esta passagem como "baseando-se em visões"). Mas apoiando-se em um significado correlato da palavra, quer dizer, "entrar em" um lugar ou possessão, e, conseqüentemente, de modo figurado "investigar" um assunto em detalhes, a NVI traduz este texto, de forma idiomática, como: "... entra em grandes detalhes". Com a descoberta de que esta palavra também era usada como um termo técnico nos ritos de iniciação das religiões místicas, alguns comentadores propuseram a seguinte tradução: "as coisas que ele viu em sua iniciação" (F. F. Bruce, 1984, 117).

Algo de que se tem certeza, é que tal referência está relacionada com algum tipo de experiência espiritual (provavelmente elitista), seguido por devotos do novo ensino, uma experiência que levava sua "carnal compreensão" (ou sua mente carnal) a se "inchar" (ou a se ensoberbecer) sem motivo algum". O que fica claro, então, é que o tipo de espiritualidade praticada pelos propagandistas em Colossos era uma mistura perversa de falsa humildade e soberba espiritual — uma completa distorção da verdadeira espiritualidade, conforme é posteriormente descrito em 3.12-17.

O que levou estes propagandistas a procurarem o tipo de práticas legalistas e experiências místicas descritas até aqui? No versículo 19, Paulo explica que era pelo fato de terem perdido a ligação com "a cabeça", ou talvez por terem repudiado completamente a cabeça (veja Harris, 1991, 123) — a "cabeça", é claro, refere-se a Cristo (cf. 1.18; 2.10). Embora o idioma grego não nos seja suficientemente claro para determinarmos se Paulo está sugerindo que os falsos mestres em questão haviam ou não estado algum dia ligados à "cabeça", o certo é que agora já não pertenciam ao corpo de Cristo. A prova disto é a sua adesão aos falsos ensinos e às falsas práticas. Se estivessem verdadeiramente ligados a Cristo como Cabeça da Igreja, não teriam buscado ensinos ou práticas alternativas. Ao invés disso, teriam percebido que Cristo é completamente suficiente em sua pessoa e em sua lei de liberdade.

A seqüência do versículo 19 explica por que é tão importante estar corretamente ligado à "cabeça". É dela que "todo o corpo, provido e organizado pelas juntas e ligaduras, vai crescendo em aumento de Deus". Anteriormente, Paulo fez uso da metáfora da "cabeça-corpo" para descrever a relação entre Cristo e a Igreja (1.18,24; veja também Ef 1.22,23; 4.15,16; 5.23). O apóstolo deixa claro que a cabeça é a fonte da unidade e do crescimento do corpo. Unido a Ele e de forma totalmente dependente dEle, o corpo cresce conforme a ordem de Deus. Como prova disso, aqueles que não estão unidos à cabeça, estão, na verdade, não somente separados dela, mas também do sistema de apoio do "corpo", isto é, a Igreja.

Foi trágico, todavia esta era a pregação dos falsos mestres. Os ensinos que descreviam erroneamente a pessoa de Cristo, juntamente com as práticas legalistas que procuravam minar sua suficiência, levaram a esta difícil situação. Tendo, portanto, boas razões, Paulo advertiu repetidamente os crentes colossenses a serem fiéis (cf. 1.11,23; 2.5,6), e a não permitirem que alguém roubasse o seu galardão (2.18), sucumbindo a uma filosofia que não estava de acordo com Cristo (2.8), apresentando um legalismo anormal (2.16,17) e um misticismo insalubre (2.18,19). Paulo empregou palavras e advertências fortes, contudo nenhuma mais forte do que a situação exigia, pois o que estava em jogo era o âmago da fé — a pessoa e a obra de Cristo (2.9-15). Na história da Igreja, os desafios à alta cristologia contida nos documentos do Novo Testamento sempre foram refutados por meio de uma vigorosa resposta da comunidade cristã. Portanto, sempre foi assim, e é assim que sempre deverá ser, se a Igreja mantiver a devida consideração para com a sua saúde e o seu futuro — e, mais ainda, para com a sua própria existência.

5.4. As Conseqüências de Ter Morrido e Ressuscitado com Cristo (2.20—3.4)

A força dos argumentos de Paulo em 2.6-19 não poderia ter falhado quanto a impressionar os colossenses. No entanto, a questão era tão crítica e a tentação de sucumbir era tão real (veja abaixo), que Paulo estava ansioso para reforçar sua opinião uma vez mais, e desta vez não a partir da perspectiva da metáfora "cabeça-corpo" (v. 19), mas do tema da "morte-ressurreição" (veja 2.12,13); agora aplicado de um modo completamente prático para a confrontação dos colossenses com os falsos mestres locais. Nos versículos 20-23 Paulo revisa as implicações de ter morrido com Cristo; em 3.1-4, lida com as implicações de ter ressuscitado com Cristo.

Embora alguns comentadores e traduções (inclusive a NVI) iniciem uma importante e nova seção em 3.1 (cf. o subtítulo da NVI neste ponto, "As Regras para um Viver Santificado"), é preferível ver os versos 2.20-23 e 3.1-4 como estando ligados, tratando aspectos opostos do mesmo assunto. Está claro, de fato, que estes estão ligados, por terem como início as frases paralelas: "Se, pois, estais mortos com Cristo" (2.20), e, "Portanto, se já ressuscitastes com Cristo" (3.1). A seção que trata da conduta ética começa corretamente, por conseguinte, em 3.5, embora não seria errado ver toda esta seção (2.20—3.4) como a transição entre a parte principal da refutação de Paulo a estes erros (2.6-19), e a seção aplicada à vida ética que tem início em 3.5.

5.4.1. Aqueles que Morreram com Cristo não Devem se Submeter aos "Preceitos e Doutrinas dos Homens" (2.20-23).
Paulo introduz esta subseção com uma pergunta retórica (a única em toda a carta): "Se, pois, estais mortos com Cristo quanto aos rudimentos do mundo, por que vos carregam ainda de ordenanças, como se vivêsseis no mundo, tais como: não toques, não proves, não manuseies?" Esta pergunta é reveladora, trazendo ao menos quatro pontos importantes:

1) Deixa claro que não há nenhuma dúvida na mente do apóstolo de que os crentes de Colossos haviam de fato "morrido com Cristo". Muito embora gramaticalmente a pergunta seja introduzida por uma oração condicional (literalmente, "Se, pois, estais mortos com Cristo..."), em grego esse é o tipo de oração que assume a realidade da proposição que se tem em vista, cujo sentido é: "Se, como é o caso, morrestes com Cristo...", conseqüente e legitimamente traduzido pela NVI (e outras versões), como: "Uma vez que morrestes com Cristo".

2) Se tomarmos seriamente o tempo verbal do presente contínuo do verbo *dogmatizesthe* ("vos submeteis?" = "estais vos submetendo?") — como de fato devemos fazer —, isto então sugere que os crentes de Colossos (ou pelo menos alguns deles) estavam realmente em perigo de sucumbir à nova forma de legalismo. É provável que este perigo tenha sido a causa da viagem de Epafras a Roma, para primeiramente buscar o conselho de Paulo. Era uma situação séria e crítica.

3) A pergunta retórica revela também o entendimento que Paulo tinha acerca da conexão que existia entre os "rudimentos do mundo" e as práticas legalistas promovidas pelos falsos mestres. A sentença deixa claro que tais regulamentos como "não toques, não proves, não manuseies" estão diretamente ligados à operação daqueles "rudimentos" ou "princípios básicos". Se, conforme discutido em 2.8, os "rudimentos do mundo" (*ta stoicheia tou kosmou*) deveriam ser interpretados como os "espíritos elementares do universo" — isto é, os "principados e potestades" hostis —, então poderíamos compreender melhor a natureza extremamente crítica da situação. Paulo não está apenas lidando com uma controvérsia sobre algumas regras alimentares e dias santificados; antes, está enfrentando um caso de sujeição a uma nova forma de servidão às forças espirituais malignas.

4) Se lemos corretamente a passagem — e tudo indica que o fizemos — perceberemos a explicação para a exasperação de Paulo, indicada na estrutura da própria pergunta. A firme convicção de Paulo — já comunicada nesta e em outras cartas, e sem dúvida previamente ensinada por Epafras — era que os colossenses, juntamente com todos os crentes, já haviam sido "sepultados com ele [Cristo] no batismo" (2.12; cf. Rm 6.4). Este sepultamento com Cristo sugeria que haviam morrido para a *stoicheia tou kosmou* (2.20), aqueles

"principados e potestades" espirituais que foram derrotados na cruz, e que, portanto, não deveriam causar temor ou ter qualquer poder sobre os crentes em Cristo. Infelizmente, alguns colossenses ainda tinham uma fascinação pelos mestres heréticos. Ao se submeterem a regulamentos não cristãos, os colossenses estavam se arriscando a novamente cair sob o poder destas forças. Como poderiam pretender sofrer tal regressão? Seria algo intolerável! Esta é a causa da pergunta de Paulo, e o motivo de sua profunda preocupação.

Nos versículos 22 e 23, Paulo identifica três severas deficiências nas proibições que as tornam totalmente inaceitáveis como modelos de conduta cristã:
1) Estão relacionadas a algo que "perece pelo uso"; isto significa que sua esfera de aplicação é somente terrestre e temporal, são coisas que perecerão sem qualquer significado eterno.
2) Baseiam-se exclusivamente em "preceitos e doutrinas dos homens" — essencialmente uma reafirmação de 2.8, onde as "filosofias" dos hereges pareciam se basear na "tradição dos homens". Na passagem anterior, o ensino dos hereges foi também descrito como "vão e enganoso", fatalmente defeituoso por não ser baseado na revelação cristã. O mesmo poderia ter sido dito sobre os regulamentos alimentares e os dias santificados específicos detalhados em 2.16-18. Sem uma base de revelação, permanecem condenadas como fúteis fabricações humanas.
3) Embora tais regulamentos possam ter uma "aparência de sabedoria", na realidade são totalmente inúteis quando o assunto está relacionado a conter "a satisfação da carne" ou a "indulgência sexual". O que lhes dá a "aparência de sabedoria" é o caráter pseudo-religioso do "culto de si mesmo, da falsa humildade, e do rigor ascético" (o último, sem dúvida alguma, referindo-se a várias formas de asceticismo). Porém, tais expressões artificiais e forçadas de devoção, embora impressionantes para alguns, não têm sentido quando se trata do exercício da verdadeira espiritualidade. Em resumo, tudo aquilo que se referia à nova forma de ensino e à prática religiosa pelas quais os colossenses estavam sendo persuadidos, era falso. Paulo estava consternado com o pensamento de que qualquer pessoa na comunidade de Colossos deveria se submeter à imposição de tais regras "mundanas". Tais proibições e regulamentos não seriam, de modo algum, recomendáveis àqueles que "morreram com Cristo" (v. 20).

5.4.2. Aqueles que Ressuscitaram com Cristo Devem Buscar as Coisas que São de Cima (3.1-4). Paulo se volta rapidamente para o outro lado da experiência cristã. Os colossenses não só morreram com Cristo, como também ressuscitaram com Cristo. Este fato tem, igualmente, implicações de longo alcance quanto ao modo como deveriam agir, pensar e viver. Da mesma maneira que a passagem em 2.20-23 lembrava aos colossenses a referência anterior de Paulo em 2.12 sobre terem sido "sepultados com ele [Cristo]", agora, a referência a terem "ressuscitado com..." lembra-os da frase paralela, também em 2.12, de terem ressuscitado com Cristo pela fé no poder de Deus; o mesmo ocorre com a frase em 2.13, Deus "vos vivificou juntamente com ele [Cristo]". Como prova disso, da mesma forma que "mortos com Cristo" queria dizer estar morto para a influência dos "rudimentos do mundo" (veja os comentários sobre o verso 20), então, agora, ter "ressuscitado com Cristo" quer dizer estar vivo para as "coisas que são de cima", isto é, colocar os sentimentos e os pensamentos não nas coisas terrenas e temporais, mas naquelas que são celestiais e eternas, na esfera "onde Cristo está assentado à destra de Deus".

A razão pela qual os colossenses devem buscar as coisas de cima é que foram ressuscitados com Cristo (3.1,2). Os versículos 3 e 4 dão duas razões por que devem colocar seus corações e mentes no reino eterno (observe a conjunção "porque" no princípio do verso 3); envolve tanto uma perspectiva realizada como uma que é futura e escatológica:
1) A primeira está claramente expressa no versículo 3: "Porque já estais mortos, e a vossa vida está escondida com Cristo em Deus". Esta é, essencialmente, a declaração

resultante do versículo 1a: "Portanto, se já ressuscitastes com Cristo..." Ter ressuscitado com Cristo necessariamente implica ter morrido com Ele (cf. 2.12,20), e sob certo sentido esta morte com Cristo é uma experiência contínua (observe o advérbio "agora"), onde a vida do crente continua "escondida com Cristo em Deus". Este ensino é o que se quer dizer por "escatologia percebida": Os benefícios da morte e ressurreição de Cristo são uma realidade presente e contínua na vida dos crentes; Cristo é verdadeiramente a "vida" de cada cristão (v. 4).

2) Entretanto, há também uma dimensão futura para esta escatologia, conforme esclarecido no final do versículo 4. Está chegando o dia em que Cristo aparecerá, e então os crentes de Colossos, cuja vida está, agora, escondida com Cristo, aparecerão também com Ele em glória. Levando em consideração aquela gloriosa vinda de Cristo e dos crentes juntamente com Ele, esta era mais uma razão para que os cristãos de Colossos cultivassem a perspectiva celestial, e para que evitassem a todo custo o estabelecimento terreno dos desordeiros legalistas em Colossos.

Assim termina a exortação cristológica de Paulo e a refutação vigorosa do "erro colossense". Assim fica também concluído o âmago doutrinário central da carta. Isto não significa que não haja mais nenhum ensino doutrinário no restante da carta, ou que não tenha havido nenhuma aplicação prática até este ponto. Pelo contrário, observamos várias exortações "práticas". No entanto, permanece o fato de que existe agora uma mudança principal de ênfase, da doutrina para a prática. A mudança está claramente marcada pela concentração de verbos imperativos que se seguem após a passagem em 3.4, não completamente ausentes anteriormente, porém nunca no mesmo grau em que se encontram nos versículos 3.5—4.6. Como em outras cartas de Paulo, o indicativo se torna a base para o imperativo; isto significa que a obra que Deus fez em Cristo, e quem os crentes são nEle, torna-se a base de como se espera que vivam.

6. A Nova Vida em Cristo (3.5—4.6)

No desenvolvimento da seção doutrinária desta carta (1.15—3.4), Paulo apresenta uma alta cristologia que oferece, de maneira clara, a posição dos ensinos que têm uma base humana e são inspirados por espíritos malignos, obviamente não arraigados em Cristo (2.8), e que estavam perturbando a igreja em Colossos. Esta apresentação positiva da doutrina de Cristo (1.15-20; 2.9-15) necessitava também de uma refutação vigorosa das práticas legalistas e errôneas promovidas pelos falsos mestres (2.16—3.4). Ao longo deste desenvolvimento, Paulo procurou aplicar o ensino diretamente à situação da igreja de Colossos; neste processo, fez uso de diferentes metáforas para ilustrar e esclarecer o seu significado, e principalmente a metáfora da morte e ressurreição (cf. 2.12,13; 2.20—3.4).

Voltando-se agora para a parte intencionalmente mais prática da carta, caracterizada por uma série de ordens específicas e conselhos concretos, é interessante notar que o tema morte/ressurreição também forma a base para o desenvolvimento desta seção. Gradualmente, o assunto principal se transpõe ao tema de "despir-se e revestir-se" (3.9-11), porém, na realidade, este é somente um outro modo de falar da morte que está reservada para o mundo, e da vida que há em Cristo. Em resumo, a seção inteira de 3.5—4.6 descreve a vida de crentes que "ressuscitaram com Cristo" (3.1) e que agora são chamados a viverem esta nova vida nEle. Esta nova vida implica certos princípios de conduta, tanto negativamente (o que não fazer) como positivamente (o que fazer). Contudo, esta seção não tem a intenção de ser uma camisa de força legalista de "faça" e "não faça", mas, antes, uma exortação ao tipo de comportamento que flui da participação do crente na vida ressurreta de Cristo.

Vale a pena enfatizar o segundo ponto à luz do número de imperativos encontrados nesta seção. Imperativos e proibições verbais, explícitos e implícitos, diretos e indiretos, são encontrados em 3.5 ("Mortificai"), 3.8 ("despojai-vos"; literalmente, "despivos"), 3.9 ("não mintais uns aos outros"), 3.12 ("revesti-vos"), 3.13 ("suportando-vos uns aos outros e perdoando-vos uns aos outros"), 3.14 ("revesti-vos de caridade"), 3.15a ("a paz de Deus... domine em vossos corações"), 3.15b ("sede agradecidos"), 3.16 ("A palavra de Cristo habite em vós abundantemente"), 3.17 ("fazei tudo em nome do Senhor Jesus"), 3.18 ("estai sujeitas"), 3.19 ("amai"), 3.20 ("obedecei"), 3.21 ("não irriteis"), 3.23 ("fazei-o"), 4.1 ("fazei o que for de justiça e eqüidade"), 4.2 ("Perseverai em oração"), 4.3 ("orando... por nós") e 4.5 ("Andai com sabedoria para com os que estão de fora").

Fica claro que o imperativo é a forma verbal dominante nesta seção, ao passo que nas seções prévias o "indicativo" — a forma do verbo empregado para fazer uma declaração — era a norma. Este padrão de movimento do indicativo doutrinário para o imperativo ético, não é de forma alguma exclusivo desta carta; outros exemplos claros são a Carta aos Romanos e a Carta aos Efésios. De fato, com diferentes intensidades, este padrão está presente em todas as cartas de Paulo e incorpora um princípio fundamental da vida cristã: O "dever" (isto é, as exigências éticas da vida cristã) que flui do "ser" (isto é, da realidade da obra que Deus fez por meio de Cristo). Por serem o que são em Cristo, os cristãos são chamados a viver em santidade, integridade e generosidade.

É óbvio que apenas a busca ativa destas virtudes não assegura a salvação. A salvação é uma obra de Cristo e é alcançada por meio de Cristo, como foi anteriormente explicado por Paulo (especialmente em 2.13-15). Todavia, os crentes não estão isentos da responsabilidade pelo modo como vivem. Devem procurar viver de acordo com a grande obra de redenção realizada a seu favor. Deste modo, esta seção da carta serve como uma recordação da enigmática combinação da iniciativa divina e da responsabilidade humana, testemunhada tanto pelas cartas de Paulo quanto pelas Escrituras como um todo. Diante de tal mistério, espera-se que os crentes respondam com admiração e obediência. Sem a participação na vida de Cristo, a lista de respostas éticas incorporadas aos imperativos parece ser onerosa; por outro lado, uma experiência genuína da vida ressurreta de Cristo faz com que os cristãos demonstrem grande alegria.

Ao destacar os imperativos éticos associados à vida em Cristo, Paulo enfoca inicialmente o contraste entre as ações do "velho homem" (3.9) e do "novo homem" (3.10), terminologia empregada novamente em Efésios 4.22,24 — embora o uso destas frases tanto em Colossenses como em Efésios já tivesse sido antecipado na carta anterior de Paulo aos Romanos (cf. Rm 6.4,6). Em Colossenses, as ações do "velho homem" parecem ser as da "natureza terrena" (literalmente, dos "membros que estão sobre a terra", 3.5), enquanto as ações do "novo homem" são aquelas que são motivadas por uma mente que está atenta às "coisas que são de cima" (3.1,2). Estes contrastes dominam os dois parágrafos 3.5-11 e 3.12-17.

A parte prática da carta prossegue oferecendo um importante conjunto de instruções concernentes aos deveres domésticos (3.18—4.1), e é concluída com um conjunto final de exortações relativas à oração e ao testemunho (4.2-6). O desafio para os colossenses — como para todos nós — era aplicar a teologia do paradigma indicativo/imperativo, de um modo real e operativo em suas vidas, e em suas relações humanas.

6.1. Despojando-se do Velho Homem (3.5-11)

A seção começa com outro forte conectivo, "pois" (*oun*, cf. 2.6,16; 3.1), ligando os parágrafos imediatamente precedentes ao novo assunto. Uma vez que os crentes de Colossos tanto morreram como ressuscitaram com Cristo, foram exortados a renunciar a todas as formas de legalismo e a buscar as coisas que são de cima; esta era essencialmente a mensagem de 2.20-23 e 3.1-4, respectivamente. Agora, as implicações da vida ressurreta com Cristo tomam um passo além: Os colossenses são exortados a "mortificar" (3.5) as coisas que pertencem à sua "natureza terrena" e a "despojarem-se" (3.8) de várias características negativas de caráter. Paulo reúne uma lista de cinco itens — não pretendendo ser exaustiva, mas representativa — daquilo que devem "mortificar" e cinco comportamentos (em última instância seis, uma vez que no verso 9 uma sentença separada é acrescentada) de que devem livrar-se. Cada lista, por sua vez, é seguida por uma declaração que oferece razões específicas (vv. 6,10,11) sobre por que tal comportamento é impróprio (cf. listas semelhantes em Rm 1.29-32; 1 Co 5.9-11; 6.9,10; Gl 5.19-21; Ef 5.3,4).

Aquilo que os colossenses — e por extensão, todos os crentes — devem "mortificar" são "a prostituição, a impureza, o apetite desordenado, a vil concupiscência e a avareza" (3.5). A lista é dominada por pecados sexuais, porém termina com a adição da "avareza", classificando-o como um pecado que pertence à "natureza terrena". Tal justaposição de pecados sexuais e avareza pode parecer surpreendente, mas não é única nas Escrituras (cf. Mc 7.22; Rm 1.29; Ef 4.19; 5.3,5), sendo, portanto, uma sóbria lembrança da sutil conexão entre os pecados da carne e do coração. A avareza é expressada como um sentimento de possessão sexual ou material, sendo uma forma de "idolatria" (também enfatizado em Ef 5.5), que sempre incorre na "ira de Deus". Certamente ocorreu nos tempos bíblicos e ainda ocorre em nossos dias.

A esta primeira lista de vícios, Paulo adiciona uma segunda lista de práticas que os colossenses são encorajados a "tirar" ou "despir" (cf. NVI, "despojai-vos"). Os vícios mencionados são "ira, cólera, malícia, maledicência e palavras torpes" (v. 8). A implicação sexual ainda está presente na menção de "palavras torpes"; neste caso, a lista destaca expressões de ira e malícia dirigida a outras pessoas. A estes cinco vícios é adicionada uma advertência especial contra mentir uns aos outros (v. 9). Tais atitudes prejudiciais e tal tratamento errôneo das outras pessoas são totalmente impróprios para aqueles que se "despiram do [seu] velho homem" e se "vestiram do novo" (vv. 9,10a).

Este novo homem está no processo de se renovar "para o conhecimento, segundo a imagem daquele que o criou" (v. 10b), e nesta renovação não deverá haver nenhum abuso ou distinção de pessoas uma vez que a palavra diz que "não há grego nem judeu, circuncisão nem incircuncisão, bárbaro, cita, servo ou livre" (v. 11a). Todos são igualmente criados à imagem de Deus e merecedores de dignidade, honra e respeito. Nesta nova ordem de coisas, caracterizada pelo amor e pelo respeito mútuo, a força unificadora é Cristo, que "é tudo e em todos" (v. 11b). Logo, em uma ordem resumida, Paulo mostrou como Cristo, o principal agente da criação e da redenção, é também a base para todo o comportamento ético.

6.2. Revestindo-se do Novo Homem (3.12-17)

Se existem vícios que devem ser mortificados (v. 5), despojados (v. 8) e despidos (v. 9), existem também virtudes das quais cada um de nós deve se revestir, qualidades positivas, próprias daqueles que são "eleitos de Deus, santos e amados" (v. 12a). Este contraste entre "despir" e "vestir" já foi apresentado nos versículos 9 e 10, mas agora está expandido nos versículos 12-17 (especialmente nos versos 12-14; os versos 15-17 constituem uma subunidade relacionada, porém independente). O verbo *endyomai* (usado tanto no verso 10 como no verso 12) significa literalmente "vestir-se" ou "usar" (como no caso de uma roupa) — conseqüentemente a tradução da NVI no versículo 12 é "vistam-se".

As qualidades com as quais os crentes devem vestir-se são novamente em número de cinco: "misericórdia, benignidade, humildade, mansidão e longanimidade" — (v. 12b) qualidades que, conforme já foi observado, em outros contextos estão associadas a Deus ou a Jesus (como a "misericórdia" ou a "compaixão", cf. Lc 6.36; Rm 12.1; 2 Co 1.3; Tg 5.11; para "benignidade", veja Rm 11.22; Tt 3.4; para "humildade", Mt 11.29; Fp 2.8; para "mansidão", Mt 11.29; 21.5; 2 Co 10.1; para "longanimidade", Rm 2.4; 9.22; 1 Pe 3.20; 2 Pe 3.15). Por serem qualidades "divinas", várias estão também listadas como parte do fruto do Espírito (Gl 5.22,23; aquelas também mencionadas em Cl 3.12 que são "benignidade", "mansidão" e "longanimidade"). Em essência, estas são aquelas graças cristãs especialmente necessárias nos relacionamentos para "reduzir ou eliminar o atrito: a pronta compaixão, um espírito generoso, uma disposição humilde, a disposição para fazer concessões, a paciência, a tolerância" (Moule, 1957, 123). Quão enriquecedora é a vida congregacional quando estas virtudes estão presentes; e quão empobrecedora quando estão ausentes!

Às cinco virtudes que os colossenses são exortados a "vestir", Paulo agora acrescenta mais três — a tolerância, o perdão e o amor (vv. 13,14) — embora desta vez expressas em construções participiais estendidas, ao invés de uma lista com palavras únicas. As exortações à indulgência e ao perdão (v. 13) são repetidas de forma idêntica em Efésios 4.2 ("suportando-vos uns aos outros") e 4.32 ("perdoando-vos uns aos outros"); nestas duas vezes juntamente com virtudes semelhantes àquelas que são mencionadas em Colossenses 3.12. O assunto estava, obviamente, completamente relacionado ao pensamento de Paulo, sendo de fundamental importância para o bem-estar de suas novas congregações.

No entanto, o exercício do "amor" era de fundamental importância, sendo a suprema virtude que une todas as outras ao "vínculo da perfeição" (v. 14). Esta ênfase está relacionada ao que Paulo expressou anteriormente na carta sobre um dos principais objetivos de seu ministério, isto é, que os crentes estariam "unidos em caridade ou amor" (2.2). No caso dos colossenses, o apóstolo teve motivo para se alegrar, pois Epafras havia recentemente relatado a Paulo sobre o "amor deles no Espírito" (1.8). O substantivo grego relacionado à tradução da palavra "amor" nestes contextos é, naturalmente, *agape* — uma palavra que, embora pouco usada nos tempos pré-cristãos, se tornou uma palavra cristã requintada para expressar uma forma de alta consideração e profunda apreciação, que os cristãos devem demonstrar uns para com os outros, com base no amor *agape* de Deus em Cristo para com a humanidade (cf. especialmente 1 Jo 4.7-21).

Nos versículos 15-17 a metáfora da roupa aponta para um segundo plano, porém o principal interesse permanece na participação dos colossenses nas graças cristãs. Duas destas graças dominam este parágrafo, ou seja, que os crentes experimentam tanto "a paz de Deus [ou de Cristo]" (v. 15) como "a palavra de Cristo" (v. 16). A frase "a paz de Deus" ou "a paz de Cristo" sem nenhuma dúvida deve ser interpretada como a paz que Cristo dá, a paz que Ele está eminentemente qualificado a dar (cf. Jo 14.27), uma vez que "ele é a nossa paz" (Ef 2.14). O desejo de Paulo é que esta "paz" domine (*brabeuo*, literalmente, "que ela aja como um árbitro") nossos corações, e deste modo promova a unidade entre aqueles que fazem parte do "único corpo". A perseguição de tal paz e unidade não é uma opção, mas algo a que os crentes foram "chamados" como parte do seu testemunho cristão. Além disso, são chamados à gratidão, uma das virtudes cristãs especialmente enfatizada nesta carta, como previamente observado (veja os comentários sobre 1.3).

No versículo 16, os colossenses são exortados com urgência a permitirem que "a palavra de Cristo" habite ricamente em cada um deles. Esta "palavra de Cristo" pode significar "a palavra falada por Cristo" (genitivo-subjetivo) ou "o ensino sobre Cristo" (genitivo-objetivo). Estas duas interpretações não são idênticas, nem alternativas mutuamente exclusivas. A frase muito mais comum de Paulo é "a palavra de Deus" (como, por exemplo, "a palavra [ou mensagem] do Senhor", 2 Ts 3.1), porém na Carta aos Colossenses, com sua ênfase especial na pessoa e na obra de Cristo, talvez não seja surpreendente considerar que o apóstolo pensasse na palavra divina como "a palavra de Cristo".

Há duas áreas onde esta "palavra" deve ser particularmente aplicada: no exercício dos ministérios de ensino e louvor por parte dos colossenses. À medida que permitem que a "palavra de Cristo" penetre em seu ensino, a segunda parte será desempenhada "em toda sabedoria"; à medida que a própria "palavra" inspirar os seus "salmos, hinos e cânticos espirituais [ou ainda melhor traduzido como, cânticos "Espirituais" ou "inspirados pelo Espírito"; cf. Fee, 1994, 653, 654]" dirigidos a Deus, os crentes serão cheios de gratidão e "cantarão ao Senhor com graça em seus corações". Sente-se aqui que as necessidades da igreja primitiva não eram muito diferentes das necessidades da igreja contemporânea. Uma igreja saudável e vibrante permitirá que "a palavra de Cristo" caracterize todo o seu ensino e toda a sua vida de adoração — um lembrete crítico em um tempo em que algumas igrejas consideram tentador fazer experiências com algo que se proponha a substituir o encontro com a "palavra viva de Cristo".

Esta seção é concluída com um sonoro apelo para que os colossenses façam tudo, seja em palavras ou ações, "em nome do Senhor Jesus" (v. 17). Fazer algo "em nome" de alguém é fazê-lo como representante desta pessoa. Deste modo, os crentes de Colossos são exortados a falar e a agir de um modo que os recomende como representantes de Cristo. Além disso, devem fazê-lo "dando por ele [Cristo] graças a Deus Pai" — um outro elo na cadeia de referências às "ações de graças" está presente ao longo desta carta, sendo especialmente notório como o denominador comum para 3.15-17. Como a exortação a que deixem a "paz de Deus" governar em seus corações termina com a frase "e sede agradecidos", então o apelo para que a "palavra de Cristo" habite ricamente neles, termina com a exortação para que cantem com gratidão a Deus. Assim, os três temas, "a paz de Deus", "a palavra de Cristo" e dar graças a Deus em tudo, resume os sinceros desejos de Paulo para a comunidade cristã em Colossos.

6.3. Vivendo em Relações Sociais Positivas (3.18—4.1)

Neste momento, o apóstolo insere uma passagem criada para ilustrar como a nova vida em Cristo funciona na dinâmica dos deveres domésticos. Tal passagem não é de modo algum única nesta carta; semelhantes *Haustafeln* ("esquemas de regras domésticas") são encontradas em outras passagens no Novo Testamento, como também em escritos seculares (por exemplo, Ef 5.21—6.9; 1 Tm 2.8-15; 6.1-10; Tt 2.1-10; 1 Pe 2.17—3.9).[6] A passagem em Colossenses é, porém, juntamente com Efésios, considerada como o exemplo cristão mais antigo deste gênero.

A seção consiste em três pares de exortações dirigidas, por sua vez, a esposas e maridos, filhos e pais, escravos e senhores — a progressão vai das formas de relacionamento mais íntimas às menos íntimas. A comparação e o contraste com outros exemplos de regras domésticas na literatura grega e judaica destacam duas diferenças da versão cristã deste gênero: a responsabilidade recíproca de cada uma das partes nos pares mencionados, e a ênfase repetida de que as obrigações mútuas devem ser exercitadas "no Senhor" (cf. 3.18, 20, 22, 24; 4.1).

Isto significa, primeiro, que em uma colocação cristã não é somente maridos, pais e senhores que são considerados como agentes livres e desfrutam de autoridade ou privilégio; segundo, quer dizer que a família e as relações sociais são essencialmente religiosas no caráter em que todos devem ser exercitados sob o senhorio de Cristo. Ambos os pontos são reforçados na versão de Efésios das regras domésticas, onde toda a seção é introduzida pela ordem geral, "Sujeitando-vos uns aos outros no temor de Deus" (Ef 5.21).

Embora as esposas, filhos e servos sejam exortados a se sujeitarem (v. 18) ou a obedecerem (vv. 20, 22) respectivamente a seus maridos, pais e senhores; os últimos, por sua vez, têm a responsabilidade de amar suas esposas (v. 19), encorajar seus filhos (v. 21) e agirem de modo justo com seus servos (4.1). O nítido paralelismo dos três pares de exortações é rompido pela longa acusação aos escravos, um fenômeno talvez melhor explicado pelas circunstâncias que envolviam o retorno do escravo fugitivo Onésimo a Colossos (veja 4.8 abaixo, e a carta endereçada a Filemom).

O fato de que todas estas relações devem ser exercitadas "no Senhor" não quer dizer que não exista nenhum elemento de relatividade cultural presente nestas ordens. Por exemplo, não pode ser assumido que a exortação de Paulo aos escravos sugira sua aprovação à instituição da escravidão. Paulo não está escrevendo um trato social ou político, mas dando instruções sobre como o testemunho cristão deve ser vivido em determinado contexto cultural em particular. De um modo semelhante, o maior princípio teológico sobre a igualdade de todas as pessoas, apresentada em 3.11 — declarando que na nova comunidade da fé "não há grego nem judeu, circuncisão nem incircuncisão, bárbaro, cita, servo ou livre; mas Cristo é tudo em todos" (cf. a declaração semelhante em Gl 3.28, que em Cristo "não há judeu nem grego; não há servo nem livre; não há macho nem fêmea") — sem dúvida tem implicações práticas para a relação entre maridos e esposas. É interessante observar, porém, que a autoridade dos pais sobre os filhos permanece constante nas Escrituras, embora a advertência aos pais para não abusar de sua autoridade esteja fortemente enfatizada em Colossenses 3.21 como também em Efésios 6.4.

6.4. Cultivando as Disciplinas da Oração e do Testemunho (4.2-6)

Pouco antes de suas saudações finais, Paulo tem um conjunto final de instruções aos colossenses, referindo-se à sua vida de oração e seu testemunho aos "que estão de fora". Do mesmo modo que iniciou a carta com uma oração de ação de graças e intercessão (cf. 1.3-8,9-14), agora encoraja os colossenses a tomarem

CÂNTICOS NO NOVO TESTAMENTO

Paulo encoraja os crentes a cantarem "salmos, hinos e cânticos espirituais" (Ef 5.19; Cl 3.16). O Antigo Testamento, é claro, tem um livro inteiro de cânticos (os Salmos). Mas o Novo Testamento também contém cânticos que as criaturas de Deus cantam em louvor ao seu Criador e Redentor.

Cânticos nos Evangelhos:

O cântico de Maria	Lc 1.46-55
O cântico de Zacarias	Lc 1.68-79
O cântico dos anjos no nascimento de Jesus	Lc 2.14
O cântico de Simeão	Lc 2.29-31
O cântico das multidões	Mt 21.9; Mc 11.9,10; Lc 19.31; Jo 12.13

Cânticos nas Cartas do NT

Doxologia a Deus	Rm 11.33-36
Hino de amor	1 Co 13
Cântico de despertamento	Ef 5.14
Hino para o Jesus humano e divino	Fp 2.6-11
Hino ao Senhor Jesus como Senhor supremo	Cl 1.15-20
Hino sobre a vida de Jesus	1 Tm 3.16

Cânticos em Apocalipse

O cântico das quatro criaturas viventes	Ap 4.8
O cântico dos vinte e quatro anciãos	Ap 4.11; 11.17,18
O cântico das quatro criaturas viventes e dos vinte e quatro anciãos	Ap 5.9,10
O cântico de muitos anjos	Ap 5.12,13; 7.12
O cântico da grande multidão de santos	Ap 7.10; 19.1-3
Cânticos em alta(s) voz(es) no céu	Ap 11.15; 12.10-12; 19.5
O cântico dos sete anjos (incluindo o cântico de Moisés e o cântico do Cordeiro)	Ap 15.3-4,6-8

parte dos mesmos ministérios. "Perseverai em oração", ele diz (4.2), ecoando não somente a linguagem da oração, desde a introdução até o próprio corpo da carta (cf. 1.3,9), mas também sua exortação anterior em Romanos 12.12 ("Perseverai na oração..."), talvez em uma consciente imitação dos primeiros discípulos e apóstolos (cf. At 1.14; 2.42; 6.4). É comum a cada uma destas passagens o uso do verbo *proskartereo* em associação com a oração, um verbo forte que significa "aderir a, persistir em, perseverar em". Como os colossenses se dedicam à oração, são exortados a ser "vigilantes e agradecidos" (quanto à "vigilância", veja l Co 16.13; quanto à "gratidão", considere a preocupação de Paulo com este tema nesta carta [veja os comentários sobre Cl 1.3; 3.16,17]).

Nos versículos 3 e 4 Paulo dá continuidade ao tema da oração, mas agora pede aos colossenses que orem por ele, da mesma forma que havia iniciado a carta orando por eles (cf. pedidos semelhantes em Rm 15.30-32; 2 Co 1.11; Ef 6.19; Fp 1.19; 1 Ts 5.25; 2 Ts 3.1,2; Fm 22). Seu pedido é triplo:
1) Pede aos colossenses que orem para que "Deus... abra a porta" da oportunidade de compartilhar a Palavra. A imagem de uma "porta aberta" era bem conhecida na literatura helenista. Paulo a utilizara anteriormente por duas vezes, em relação à sua obra missionária. Em 1 Coríntios 16.9, afirmou que uma grande porta lhe fora aberta no ministério, e lhe estava disponível em Éfeso, apesar dos muitos adversários. Deixando Éfeso, reconheceu outra porta que lhe fora aberta, uma oportunidade ministerial em Troas, mas foi impossibilitado de aproveitar-se desta em virtude de seu espírito ansioso (2 Co 2.12,13). Agora, embora em "prisões" (Cl 4.18), espera que Deus lhe abra outra "porta" para servir.
2) Paulo pede aos colossenses que orem para que possa ter a mensagem apropriada para anunciar, isto é, "o mistério de Cristo", a essência do qual, como explicou em 1.26,27, era "Cristo em vós [gentios], esperança da glória".
3) Paulo pede apoio em oração, de forma que possa anunciar esta mensagem "como convém".

Este tríplice pedido de oração por oportunidades de ministério positivas, conteúdo relevante, e entrega clara é algo que faríamos bem em imitar, quando orando tanto por nossos próprios ministérios como por todos os que servem à causa de Cristo.

Nos versículos 5 e 6 Paulo muda sua atenção da atividade de oração dos colossenses para seu testemunho em relação aos "que estão de fora". Sua preocupação está relacionada ao comportamento de cada um deles (v. 5) bem como ao seu modo de falar (v. 6). Pede-lhes primeiramente que "andem com sabedoria", e "remindo o tempo" (esta é uma tradução literal; veja também Ef 5.16). Em resumo, devem ser prudentes e diligentes em suas ações. Quanto à sua maneira de falar, esta deve ser "agradável" e "temperada com sal", com o objetivo de terem uma resposta sábia e apropriada para todos.

Tomadas em conjunto, as exortações de Paulo sobre a oração e o testemunho apresentam-no como uma pessoa profundamente espiritual e imensamente prática. Este modelo de paixão e praticidade no ministério devem ter deixado uma profunda impressão em suas congregações emergentes, assim como deve fazer em nós.

7. Saudações e Instruções Finais (4.7-18)

Paulo conclui todas as suas cartas com palavras de saudação e variadas instruções para os seus destinatários, embora curiosamente as duas congregações não o conhecessem pessoalmente (aquelas que estavam em Roma e em Colossos) recebem as mais detalhadas saudações e instruções finais. Na presente carta podemos identificar quatro subdivisões nesta seção final: A recomendação de Paulo dos seus mensageiros (vv. 7-9), as saudações de seus cooperadores (vv. 10-14), as instruções finais para os colossenses (vv. 15-17) e a saudação de seu próprio punho (v. 18).

7.1. Paulo Recomenda os seus Mensageiros (4.7-9)

Esta passagem, recomendando Tíquico e Onésimo como os portadores da carta, e como os representantes pessoais de Paulo, é repetida de forma quase idêntica em Efésios 6.21,22 (outro testemunho da íntima relação entre estas duas cartas). Além de credenciar os dois mensageiros, a passagem é um exemplo da fórmula de "revelação apostólica" encontrada em algumas das cartas de Paulo, por meio da qual o apóstolo deseja que seus leitores sejam informados de suas circunstâncias pessoais (cf. Rm 1.13; 2 Co 1.8; Ef 6.21; também, Fp 1.12; Cl 2.1). Nesta ocasião, os portadores das cartas comunicarão o estado de Paulo, bem como tudo aquilo que se refere ao apóstolo (v. 7) e a respeito de sua prisão e de seus planos futuros: "... eles vos farão saber tudo o que por aqui se passa" (v. 9).

É adorável observar quão amavelmente Paulo recomenda seus mensageiros pessoais. Refere-se a Tíquico como um "irmão amado, e fiel ministro, e conservo no Senhor". Pela passagem registrada em Atos 20.4 sabemos que Tíquico era da província da Ásia, provavelmente um dentre aqueles que se converteram durante o ministério de Paulo em Éfeso. Mais tarde foi designado pelas igrejas da Ásia (juntamente com Trófimo) como seu representante para acompanhar Paulo a Jerusalém com a oferta para os judeus crentes naquela cidade. Fica claro que era um irmão fiel e confiável. Nas cartas pastorais ouvimos falar deste irmão trabalhando como um emissário de Paulo (2 Tm 4.12; Tt 3.12).

Onésimo era o escravo fugitivo por quem Paulo teve que interceder para que seu senhor, Filemom, o aceitasse de volta e perdoasse o crime do renegado. Contudo, apesar da história pregressa de Onésimo, Paulo aplica as mesmas condições de estima para com ele, como faz para com o seu próprio cooperador, referindo-se agora ao fugitivo convertido como a um "irmão amado e fiel" (v. 9). Para Paulo, a posição social evidentemente significava pouco quando se tratava de avaliar o caráter e a dignidade de uma pessoa.

7.2. Paulo Transmite a Saudação de seus Cooperadores (4.10-14)

Paulo então transmite aos colossenses as saudações de seis de seus cooperadores, que estavam presentes com ele; três destes são judeus (Aristarco, João Marcos e Jesus chamado Justo, vv. 10,11) e três são gentios (Epafras, Lucas e Demas, vv. 12-14). Temos uma quantidade considerável de informações a respeito dos dois primeiros, mas de "Jesus, chamado Justo", somente temos a menção de seu nome nesta única ocasião. Aristarco era de Tessalônica, provavelmente um daqueles que foram convertidos através do ministério de Paulo nesta região, durante sua segunda viagem missionária (At 17.1-9), e um dos companheiros de Paulo durante seu ministério em Éfeso (19.29). Juntamente com Tíquico e outros, acompanhou Paulo a Jerusalém (20.4) e mais tarde viajou com ele a Roma (27.2), onde parece ter permanecido com o apóstolo como seu companheiro de prisão, pois a Palavra registra a expressão "... preso comigo".

João Marcos acompanhou Paulo e Barnabé em sua primeira viagem missionária, e sua partida para casa no final ocasionou a amarga divisão entre os dois (At 13.13; 15.36-41). Geralmente mais associado ao ministério de Pedro, é interessante vê-lo agora na companhia de Paulo, e especialmente ouvir as calorosas palavras de aprovação do apóstolo: "Se ele for ter convosco, recebei-o [bem]" (com que podemos comparar suas palavras de recomendação do mesmo Marcos em 2 Tm 4.11). Mesmo que estes sejam os únicos três judeus entre os cooperadores de Paulo em Roma, o apóstolo lhes é grato, chegando a dizer: "para mim têm sido consolação" em meio a muitos de seus desconfortos e incertezas (v. 11).

Dos três gentios que o acompanham, Paulo dedica uma atenção especial a Epafras (vv. 12,13). Isto é compreensível, considerando que este homem era o pastor-evangelista que havia recentemente vindo do Vale de Lico para Roma, a fim de consultar a Paulo sobre às preocupações pastorais em sua vizinhança. Anteriormente, nesta mesma carta, Paulo identificou Epafras como seu "amado conservo" e "fiel ministro de Cristo" (veja comentários em 1.7). Aqui o apóstolo acrescenta comentários adicionais sobre sua experiência e atividade presente. Epafras é "um de vós", ele diz, significando que Colossos era a cidade onde este cooperador morava. Mais importante, ele é um "servo [*doulos*] de Cristo Jesus" (v. 12), que está "combatendo sempre por vós" não só pelos colossenses, mas também por aqueles que estavam em Laodicéia e Hierápolis, cidades vizinhas no Vale de Lico (v. 13). O modo como está trabalhando arduamente pode ser resumido como: "combatendo sempre por vós [colossenses] em orações..." para que "vos conserveis firmes, perfeitos e consumados em toda a vontade de Deus" (v. 12).

O que é notável sobre esta descrição de Epafras, é o modo como reflete o próprio ministério de Paulo, até mesmo a ponto de repetir alguns dos mesmos termos de partes anteriores da carta. Como Paulo havia começado com uma oração de ação de graças e intercessão (1.3-14) e exortado os colossenses a tomarem parte no mesmo ministério (4.3), agora, então, cita o exemplo de Epafras como alguém que estava modelando eficazmente este ministério de oração, tanto em forma como em conteúdo. Estava perseverando em oração "combatendo [*agonizomenos*] sempre por vós em orações", diz Paulo, empregando deste modo a mesma palavra que costumava utilizar para descrever seu próprio ministério, como por exemplo em 1.29 (ali traduzido como "combatendo"; cf. o uso do substantivo *agon* em 2.1, que é traduzido na NVI como "lutando"). O conteúdo da oração de Epafras — para que os colossenses se conservassem "firmes, perfeitos [*teleioi*] e consumados em toda a vontade de Deus" — ecoa os tipos de frutos pelos quais o próprio Paulo trabalhou em seu ministério (cf. 1.9, "... que sejais cheios do conhecimento de sua vontade, em toda a sabedoria e inteligência espiritual...", e 1.28, "... para que apresentemos todo homem perfeito [*teleion*] em Jesus Cristo"). Em outras palavras, o discípulo havia aprendido bem de seu mentor, e estava agora sendo o exemplo do tipo de oração que Paulo desejava ver reproduzido na vida da congregação de Colossos.

"Lucas, o médico amado" de Paulo, e Demas, também estavam comunicando suas saudações. Este último, embora mencionado novamente em Filemom 24, mais tarde abandonou Paulo "amando o presente século" (2 Tm 4.10). Lucas, porém, era um amigo verdadeiro do princípio ao fim. Presumindo que Lucas tenha sido o companheiro de Paulo que se juntou ao grupo missionário nas seções denominadas como "nós" em Atos, havia primeiramente se unido a Paulo e a seus companheiros em Troas (At 16.10) e então permaneceram em Filipos, talvez como um dos líderes naquela amada congregação. Vários anos mais tarde, juntou-se novamente a Paulo na última viagem do apóstolo a Jerusalém (juntamente com Tíquico, Aristarco e outros; cf. 20.4-6), e, como Aristarco, finalmente acompanhou Paulo, o prisioneiro, em sua longa viagem a Roma (27.1,2). Com razão Paulo podia chamar Lucas seu amigo "amado" (tradução literal de *agapetos*), um dos termos de tratamento afetivo que reservava para seus companheiros mais próximos (veja os versos 7 e 9 acima com referência a Tíquico e Onésimo).

7.3. As Instruções Finais de Paulo aos Colossenses (4.15-17)

As instruções finais dão um testemunho adicional sobre o íntimo relacionamento entre as igrejas vizinhas no Vale de Lico, neste caso entre a igreja de Colossos e a de Laodicéia (observe a preocupação de Epafras, no verso 13, com as igrejas em Laodicéia e Hierápolis). Paulo pede aos colossenses que saúdem os "irmãos" (e irmãs; veja comentário em 1.2) que estão em Laodicéia, como também que troquem as cartas que lhes foram enviadas (lamentavelmente, sua carta endereçada àqueles que viviam em Laodicéia se perdeu; isto não ocorreu, porém, com a carta de

João para o mesmo grupo de crentes em uma geração posterior, cf. Ap 3.14-22). O fato do apóstolo desejar que os de Laodicéia lessem a sua carta aos irmãos que viviam em Colossos, sugere que os problemas confrontados nesta carta não eram exclusivos da igreja em Colossos, mas provavelmente tenham afetado todas as igrejas no Vale de Lico.

A seguir, Paulo tem uma saudação especial para dois indivíduos: Ninfa, juntamente com a "igreja que está em sua casa", e Arquipo.

Não está claro, a partir da gramática da sentença, se Ninfa e a igreja que estava em sua casa faziam parte dos "irmãos [e irmãs]" a quem o apóstolo se referiu na primeira frase, ou se foram acrescidos a estes. O que está claro, contudo, é que Paulo desejou reconhecer Ninfa de um modo especial, talvez para recomendá-la por sua liderança. Para Arquipo (que pode ter feito parte daqueles que eram da casa de Filemom, cf. Fm 2), o apóstolo tem uma mensagem mais solene: "Atenta para o ministério que recebeste no Senhor, para que o cumpras". As circunstâncias que estão por trás desta exortação, estão perdidas para nós. O que não está perdido, porém, é a preocupação de Paulo pela lealdade e pelo comprometimento deste companheiro, não menos que sua recomendação em relação àqueles que estavam apresentando expressivo progresso.

7.4. A Saudação Escrita pelo Próprio Paulo (4.18)

Tendo terminado de ditar a carta, Paulo agora a conclui com uma nota de próprio punho, sua assinatura pessoal (cf. 1 Co 16.21; Gl 6.11; 2 Ts 3.17; Fm 19). Este modo de concluir suas cartas provavelmente fosse um costume de Paulo, mesmo naquelas cartas onde não há nenhuma menção explícita de uma nota pessoal (cf. o estudo de H. Gamble Jr., The Textual History of the Letter to the Romans, 1977, 76-80). Nesta ocasião, o apóstolo pede aos colossenses que se lembrem de suas "prisões", o que significava que deveriam orar por ele em seu encarceramento, mesmo tendo-lhes pedido anteriormente que orassem a favor de que uma porta lhe fosse aberta como uma oportunidade para proclamar a mensagem do evangelho "... pelo qual estou também preso [em cadeias]" (4.3).

A bênção final de Paulo, "A graça seja convosco", traz a carta de volta ao início de seu ciclo completo, que começou em 1.2 com a invocação: "Graça a vós e paz, da parte de Deus, nosso Pai, e a do Senhor Jesus Cristo". Isto é bastante apropriado pois, de todas as bênçãos divinas, a graça foi aquela que causou o maior impacto na vida de Paulo, e era a bênção que ele mais desejava que seus convertidos experimentassem. Que todos nós experimentemos o mesmo!

NOTAS

[1] É naturalmente notável que Colossenses 1.3-5 contenha um outro exemplo da famosa tríade de "fé, esperança e amor" (1 Co 13.13), embora não com elementos coordenados como na passagem de 1 Coríntios (na passagem de Colossenses a fé e o amor "originam-se" da esperança do crente), e não na mesma ordem (fé, amor e esperança em Colossenses). Podemos citar outras passagens nos escritos de Paulo onde estes três elementos são encontrados em íntima associação: Romanos 5.1-5; Gálatas 5.5,6; Efésios 4.2-5 e 1 Tessalonicenses 1.3; 5.8.

[2] Outro exemplo principal deste fenômeno é a carta paralela aos Efésios, onde oração e teologia se alternam, especialmente nos capítulos 1-3, mas também na seção aplicada dos capítulos 4-6.

[3] "Como nada, que útil seja, deixei de vos anunciar [*anangello*— um sinônimo próximo de *katangello*] e ensinar [*didasko*] publicamente e pelas casas" (At 20.20); "porque nunca deixei de vos anunciar [*anangello*] todo o conselho de Deus" (20.27); "durante três anos, não cessei, noite e dia, de admoestar [*noutheteo*], com lágrimas, a cada um de vós" (20.31).

[4] O gnosticismo era originalmente uma forma oriental de religião que promovia a necessidade de um tipo especial de *gnosis* ("conhecimento") para a redenção da alma.

A cidade de Colossos se tornou menos importante que suas cidades vizinhas, Laodicéia e Hierápolis, que se tornaram prósperas. Laodicéia era uma das sete igrejas mencionadas no Apocalipse, descrita como "morna" — nem quente nem fria — e, por esta razão, o Senhor estava prestes a vomitá-la de sua boca.

No final, este ensino religioso com suas opiniões sobre intermediários angelicais, o dualismo do corpo/espírito, e práticas ascéticas/libertinas afetou grandes áreas da igreja cristã. Tem-se presumido, freqüentemente, que a "heresia de Colossos" consistia em uma mistura particular tomada de um gnosticismo e de um judaísmo incipientes.

⁵ Neste contexto, é melhor entender a construção genitiva grega *tou Christou* (literalmente, "de Cristo", cf. KJV, RSV/NRSV, NASB) como um "genitivo subjetivo", isto é, referindo-se à circuncisão efetuada "por Cristo" (como na tradução da NVI; cf. GNB) — provavelmente uma alusão à sua morte expiatória. Outros explicaram o genitivo como "objetivo", isto é, a circuncisão que foi feita por meio de Cristo; ou como um genitivo "possessivo", "a circuncisão de Cristo", com a implicação de que a circuncisão cristã do coração é "a circuncisão de Cristo" (NEB/REB, cf. JB).

⁶ O emprego deste gênero de literatura no Novo Testamento (desde o tempo de Lutero conhecido como "Haustafeln") tem sido o objeto de vários estudos especiais; veja a obra de John E. Crouch, *The Origen and Intention of the Colossian Haustafel*, 1972; George e Cannon, *The Use of Traditional Materials in Colossians*, 1983 (especialmente "Traditional Parenetic Materials: The Household Code", 95-132).

BIBLIOGRAFIA

Clinton E. Arnold, *The Colossian Syncretism: The Interface Between Christianity and False Belief at Colosse* (1996); William Barclay, *The Letters to the Philippians, Colossians, and Thessalonians* (1975); Markus Barth e Helmut Blanke, *Colossians*, AB (1994); F. F. Bruce, *The Epistles to the Colossians, to Philemon and to the Ephesians*, NICNT (1984); D. A. Carson, Douglas J. Moo e Leon Morris, *An Introduction to the New Testament* (1992), 331-342; James D. G. Dunn, *The Epistles to the Colossians and to Philemon: A Commentary on the Greek Text*, NIGTC (1996); Gordon D. Fee, *God's Empowering Presence: The Holy Spirit in the Letters of Paul* (1994); Murray Harris, *Colossians and Philemon*, EGGNT (1991); J. B. Lightfoot, *St. Paul's Epistles to the Colossians and to Philemon* (1875; reimpresso em 1987); Eduard Lohse, *Colossians and Philemon*, traduzido por William R. Poehlmann e Robert J. Karris, Hermeneia (1971); Ralph P. Martin, *Colossians and Philemon*, NCB (1978); C. F. D. Moule, *The Epistles of Paul to the Colossians and to Philemon*, CGTC (1957); Peter T. O'Brien, *Colossians, Philemon*, WBC (1982); N. T. Wright, Colossians and Philemon, TNTC (1986).

I TESSALONICENSES
Brian Glubish

INTRODUÇÃO

Não há razão importante para duvidar das palavras que iniciam 1 Tessalonicenses 1.1 — esta epístola é certamente um trabalho do apóstolo Paulo. O que temos diante de nós é certamente sua primeira contribuição ao Novo Testamento, que podemos datar de aproximadamente 50 ou 51 a.C.[1] Paulo está escrevendo acerca de sua breve estada em Atenas (1 Ts 3.1; cf. At 17.16-34), ou mais provavelmente sobre sua próxima e prolongada viagem missionária a Corinto (At 18.1-18).

É um grupo pioneiro de crentes em Tessalônica que receberá essa iminente carta. Tessalônica, a ostentosa capital da Macedônia, um porto no Mar Egeu, situava-se na principal via leste-oeste do Império Romano — a Via Egnatia. Sua população relativamente grande, cerca de 200.000 habitantes, incluía um grupo de judeus suficientemente grande para apoiar a sinagoga que viria a ser o ponto inicial da pregação de Paulo na cidade.

O ministério de Paulo em Tessalônica é reconhecido pela orquestração divina. Devia ser muito mais do que um simples povoado no itinerário de um ministério ocupado. Antes de passarmos à ocasião precisa da epístola, um cronograma de eventos foi elaborado para facilitar a compreensão da visita de Paulo.

Quando sua vida foi interrompida pelo Senhor a caminho de Damasco, Paulo fez um desvio que abalaria o judaísmo e a seita ficou conhecida como o "Caminho". Ele não estava somente seguindo o líder que uma vez tão veementemente perseguiu, mas também seria um instrumento no rompimento da barreira entre judeus e gentios por meio de sua missão descomprometida como apóstolo aos gentios.

Com sua viagem missionária bem-sucedida e relatada na Antioquia, Paulo tornou-se ávido por conquistar um novo território. Dois fatores devem ser notados aqui:

1) Após muitas disputas e preocupações, o sentimento anti-gentílico experimentado por alguns cristãos judeus foi deixado de lado pelo Concílio de Jerusalém (At 15.1-29). Colunas como Pedro, Barnabé e Tiago discursaram e concluíram que os gentios seriam participantes da fé. Deus havia deixado isso muito claro por meio do derramamento do Espírito Santo, que incluiu a importante evidência da glossolalia, que mostrava que os que estivessem fora da casa de Israel não precisariam se sujeitar a qualquer exigência do judaísmo. A fé, por si só, justifica! Como tal questão fundamental foi estabelecida, Paulo teve motivos para rejubilar-se; seu Evangelho não seria alterado; estava livre para continuar pregando a maravilhosa graça de Jesus a todos. Precisava apenas prosseguir!

2) O outro fator a observar é negativo. A dinâmica "carruagem" de Paulo e Barnabé foi destruída pela desavença (At 15.36-41). Cada um seguiu o seu caminho, aparentemente de modo irreconciliável. Com seu novo parceiro Silas, Paulo visitou Derbe e Listra, onde recrutou Timóteo como parte do grupo do ministério. Finalmente, o apóstolo tinha esperanças de evangelizar a Ásia, porém foi "impedido pelo Espí-

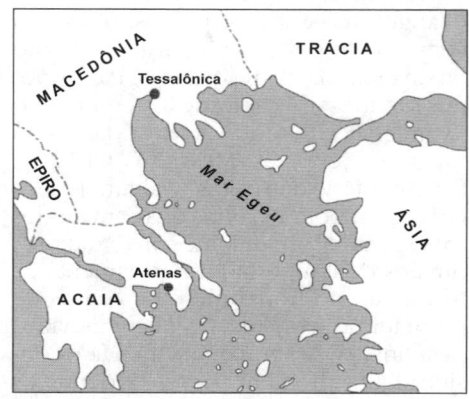

Tessalônica, a capital da Macedônia, tinha uma população de aproximadamente duzentas mil pessoas na ocasião em que o apóstolo Paulo ali ministrou.

rito Santo" de fazê-lo (16.6). Tentou ir a Bitínia, porém "o Espírito de Jesus não lho permitiu" (16.7). Podemos somente especular sobre a razão pela qual Paulo não esteve completamente em harmonia com o itinerário de Deus. Será talvez em parte por sua sensibilidade à liderança específica do Espírito ter sido de alguma forma entorpecida devido à sua desavença com Barnabé? Será que Paulo teve lições mais profundas a aprender sozinho, quanto aos caminhos nos quais o Espírito se movia? De qualquer forma, o fato é que teve uma visão em Trôade para que o grupo se encaminhasse à Macedônia (16.9,10), onde uma seqüência dramática de eventos resultou na implantação de igrejas em Filipos e Tessalônica.

O sucesso inicial apresentou-se a Paulo em Filipos. Os convertidos transformaram uma casa em igreja, mas a situação tornou-se contrária a Paulo e Silas, que foram açoitados e presos. Não obstante a libertação milagrosa da prisão e a conversão do carcereiro, rogou-se ao grupo que deixassem a cidade (At 16.39,40). Paulo poderia mais tarde escrever aos tessalonicenses uma lembrança do sofrimento e dos insultos ali recebidos (1 Ts 2.2). O próximo ministério significativo ocorreu em Tessalônica (At 17.1-9); o registro de Lucas ajusta-se a reconstrução dos eventos, e podemos reuni-los a partir do testemunho contido em 1 Tessalonicenses.

A estratégia de Paulo foi começar seu evangelismo entre os judeus, o que foi conveniente, pois já havia um grupo pronto na sinagoga. Lucas recorda que Paulo, por três sábados, foi capaz de testemunhar o Evangelho ensinando a partir das Escrituras que Jesus é o Messias (At 17.2,3). Seu ministério deu frutos — alguns judeus creram, embora a maioria dos convertidos fosse gentios. Juntamente com o sucesso, nuvens de tempestades rapidamente se formaram no horizonte e os ventos de perseguição sopraram. Os judeus movidos pela "inveja" se agruparam, trazendo consigo alguns "homens perversos dentre os vadios" (17.5; observe o veredicto dramático da KJV: "certos grupos obscenos da casta mais baixa"). Essa multidão se inclinou à violência, obviamente instruída a atingir Paulo e Silas, mas não foi bem-sucedida em seu intento. Outros "irmãos" foram maltratados e arrastados ante os oficiais da cidade para julgamento. Quais foram as alegações? Paulo e Silas foram chamados de viajantes alvoroçadores do mundo, que tentavam destituir César, anunciando outro Rei chamado Jesus (At 17.7).

Lucas não especifica a natureza do tumulto que irrompeu entre a multidão, mas certamente foi a intervenção divina que impediu que esta utilizasse a violência sem sentido, ou a execução. A única coisa que os "irmãos" tiveram de fazer foi pagar a fiança estipulada, e assim foram soltos (At 17.9). Não nos é dito onde Paulo e Silas estavam naquele momento — será que foram avisados com antecedência para se esconderem? Sua saída da cidade levanta a suspeita de uma operação clandestina. Secretamente, à noite, foram enviados a Beréia (At 17.10). Aqui o ministério de Paulo foi também interrompido por perseguições; sua próxima pregação seria em Atenas, quando então se estabeleceu em Corinto por dezoito meses (At 18.1,11). Ali, o apóstolo se juntou novamente a Silas e a Timóteo (At 18.5), conseguindo, sem dúvida, um relato mais preciso da situação em Tessalônica. Esse relato teve como resultado a Primeira Epístola de Paulo aos Tessalonicenses.

Paulo é um defensor obstinado do Evangelho. É um líder forte e carismático, um pregador eloqüente estimulado por sua revelação pessoal de Jesus Cristo. Não tolera os inimigos; podendo ser muito rude em suas respostas a estes. Mas dentro de Paulo bate o manso coração de um pastor. Seus filhos espirituais são sua suprema preocupação; nunca os esquece independente da distância que os separa. A Primeira Epístola aos Tessalonicenses permanece como um tributo à generosidade de Paulo, demonstrando seu cuidado pastoral pelos convertidos. Não queria deixar a nova igreja em Tessalônica. Tal estada, tão breve, não parecia ser o tempo suficiente para estabelecer um corpo de crentes que funcionasse de forma independente, mesmo sob as melhores circunstâncias. Entretanto, perder o seu pai espiritual e experimentar perseguições em tão breve estágio de seu desenvolvimento, foi um teste de fé que nem mesmo Paulo considerava que poderia vencer. Precisaria fazer algo para remediar a situação.

Na epístola, a tensão criada em Paulo mostra o quanto ficou preocupado com o bem-estar espiritual dos novos cristãos em Tessalônica. Ficou em agonia por algum tempo, desejando intensamente vê-los (1 Ts 2.17). Finalmente, "não podendo esperar mais" (3.1), enviou Timóteo às pressas para ministrar, e mais tarde recebeu suas notícias em Corinto. Com a chegada de Timóteo, a ansiedade de Paulo é aliviada, demonstrando um prolongado suspiro de alívio em suas palavras: "porque, agora, vivemos, se estais firmes no Senhor" (3.8).

O relato de Timóteo traz mais do que a prosperidade da igreja. Fala ainda sobre três questões:
1) Em respostas às alegações de que havia abandonado os novos convertidos e não se importava o suficiente com eles para retornar, uma vez que os ventos iniciais de perseguições haviam se extinguido (2.17,18), Paulo é forçado a defender seu ministério e motivos (1.5; 2.1-10; 3.5-10);
2) Há má compreensão quanto à escatologia, isto é, quanto à revelação dos eventos relacionados à volta do Senhor (4.13—5.11);
3) Há questões de conduta, pelas quais os crentes necessitam de correção e exortação (4.1-11; 5.12-22). Paulo ataca essas questões com sua típica paixão e transparência.

ESBOÇO

1. **Saudação** (1.1)
2. **A Ação de Graças de Paulo** (1.2-10)
   2.1. Ação de Graças Dirigida a Deus (1.2)
   2.2. Ação de Graças em Razão da Resposta dos Tessalonicenses (1.3-10)
   2.2.1. A Resposta de Fé, Amor e Esperança (1.3)
   2.2.2. A Resposta da Plena Convicção (1.4,5)
   2.2.3. A Resposta da Imitação — A Modelação (1.6-8)
   2.2.4. A Resposta ao Serviço e à Espera (1.9,10)
3. **A Defesa de Paulo — Parte 1: Um Resumo do Ministério em Tessalônica** (2.1-16)
   3.1. Um Esforço Audacioso e Bem-sucedido (2.1,2)
   3.2. Um Esforço Sincero e Amoroso (2.3-12)
   3.3. Um Esforço que Envolve Autoridade e Resistência (2.13-16)
4. **A Defesa de Paulo — Parte 2: Seu Desejo em Relação aos Tessalonicenses** (2.17—3.13)
   4.1. Um Coração Ferido e Desesperado (2.17,18)
   4.2. Um Coração Apaixonado e Consumido (2.19,20)
   4.3. Um Coração Arruinado pela Ansiedade (3.1-5)
   4.4. Um Coração Consolado (3.6-8)
   4.5. Um Coração de Oração (3.9-13)
5. **As Instruções de Paulo aos Tessalonicenses** (4.1—5.22)
   5.1. Quanto à Instrução Anterior (4.1-12)
   5.1.1. O Crescimento em Obediência e Pureza (4.1-8)
   5.1.2. O Desenvolvimento no Amor Fraternal, na Mordomia e no Respeito (4.9-12)
   5.2. Quanto à Volta do Senhor (4.13—5.11)
   5.2.1. Mantendo a Esperança por Aqueles que Morreram em Cristo (4.13,14)
   5.2.2. Entendendo a Seqüência dos Eventos (4.15-18)
   5.2.3. Prepare-se para a Volta do Senhor (5.1-11)
   5.3. Quanto à Conduta na Comunidade Cristã (5.12-22)
   5.3.1. O Respeito à Autoridade (5.12,13)
   5.3.2. As Necessidades Remediadas (5.14,15)
   5.3.3. O Regozijo, a Oração e o Reconhecimento da Liderança do Espírito (5.16-22)
6. **Conclusão** (5.23-28)
   6.1. O Desejo que Paulo Expressou em Oração (5.23,24)
   6.2. As Petições e Bênçãos de Paulo (5.25-28)

COMENTÁRIO

1. Saudação (1.1)

No modelo típico paulino, e seguindo a convenção de escrita das cartas contemporâneas, o apóstolo inicia a carta identificando os seus escritores. Os nomes de Silas e Timóteo estão incluídos, mas o envolvimento deles quanto à elaboração desta epístola é incerto. Embora sua composição não seja um esforço em grupo, parágrafo por parágrafo, baseia-se em parte no relato de Timóteo sobre a situação dos tessalonicenses (3.6), e talvez Silas seja um escriba tomando notas ditadas por Paulo (cf. também 1 Pe 5.12). Pelo fato dos três terem sido companheiros próximos em Tessalônica, Paulo está mais à vontade referindo-se aos outros dois usando os pronomes pessoais "nós" e "nos" constantemente (por exemplo, 1.2; 2.2; 3.1; 4.1,13; 5.1,12). Silas e Timóteo compartilham a preocupação de Paulo pelos temas descritos em Tessalonicenses.

O endereçamento da carta é o próximo componente, e aqui Paulo situa a igreja, não somente geograficamente (em Tessalônica), porém, mais importante, identifica a esfera espiritual de sua existência: "em Deus, o Pai, e no Senhor Jesus Cristo". A preposição "em" (*en*) adquire um esplêndido significado cristão quando usada em frases como "em Deus" e "em Cristo". Paulo deleita-se na união mística que temos como filhos de Deus; "nele vivemos, nos movemos, e existimos" (At 17.28). Nossa segurança presente e nossa esperança futura estão em Cristo (Ef 1.3-13; 1 Ts 4.14; 2 Ts 1.12). Vivemos na presença de Cristo; Ele não está distante de sua igreja. A vida abundante pode ser desfrutada graças ao poder e à intimidade de estar em Cristo. "... e vivo, não mais eu, mas Cristo vive em mim" (Gl 2.20). "Cristo é o novo ambiente do homem remido" (Stewart, 157).[2]

Paulo então usa uma breve citação, que teologicamente consiste em uma saudação de peso, não sendo um simples cumprimento como "olá"! Em oração reflete o desejo de que a "graça" (o favor de Deus que efetivamente trabalha para sustentar e conceder poder ao crente), e a "paz" (o bem-estar da pessoa como um todo) sejam a sua porção. Compare sua maneira de expressão contida na bênção final em 5.28: "A graça de nosso Senhor Jesus Cristo seja convosco".

2. A Ação de Graças de Paulo (1.2-10)

Não deixemos Paulo ser acusado de explorar a seção de ação de graças da epístola, conforme a convenção de escrita já mencionada, para qualquer propósito desonesto de acalmar ou ganhar seu público. Ele é um homem cuja vida é marcada por gratidão, porque Deus tem sido tanto nele como por meio dele, a vitória dos convertidos. Disciplinar é sua *razão de ser*. Os novos crentes são a prova de seu chamado apostólico (1.6), são seus filhos (2.7,11), são sua esperança, gozo e coroa de glória (2.19-20). Aqui temos um lampejo de um aspecto da vida de oração de Paulo: Dar graças era para ele um modo de vida.

2.1. Ação de Graças Dirigida a Deus (1.2)

Paulo reconhece que foi o trabalho de Deus que conduziu os tessalonicenses à fé. O apóstolo é o instrumento, e é da vontade de um Deus gracioso usá-lo e encarregá-lo de uma tarefa tão nobre (2.4). Paulo não pensará tanto em si mesmo (Rm 12.3), pois ele sabe muito bem que Deus é quem inicia e conclui a boa obra (1 Co 3.5-7; Fp 1.6; 2.13). Assim suas freqüentes orações são caracterizadas pela gratidão e intercessão por seu bem-estar (1 Ts 3.10; 5.23,24; 2 Ts 2.16,17).

2.2. Ação de Graças em Razão da Resposta dos Tessalonicenses (1.3-10)

2.2.1. A Resposta de Fé, Amor e Esperança (1.3).

A tríade das virtudes cristãs — fé, amor e esperança — se estrutura não somente na ação de graças, mas também no estilo livre da carta como um todo.[3] A primeira resposta que Paulo menciona, traduzindo literalmente, é: "a obra da vossa fé". Tal tradução poderia ser causa de alarme, uma vez que parece não estar de acordo com a doutrina da justificação pela fé. Paulo se referia à obra que nos salvou, como se nossa fé fosse, de alguma maneira, uma obra? A NVI traduz mais coloquialmente, representando bem o ponto de vista de Paulo: Ele está grato pela "obra [*ergon*] produzida pela fé". Bruce (21) diz que "a realidade da fé salvadora é atestada pelo seu efeito prático, 'a obra da fé'". Por um lado, a verdade dá suporte à afirmação de que as nossas tentativas para nos justificarmos não são mais do que "trapo da imundícia" (Is 64.6); não podemos ser salvos pelas obras (Ef 2.8,9). Por outro lado, somos conhecidos por nossos frutos, pois devemos imitar a Cristo deixando que a nossa luz brilhe (assim como os cristãos tessalonicenses o faziam tão bem; 1 Ts 1.7,8), devendo nos despir "do velho homem com os seus feitos", revestindo-nos "do novo" (Cl 3.9,10).

A fé dos tessalonicenses não era, de modo algum, perfeita (cf. Tg 2.18; 1 Jo 3.9,10), mas era o resultado de um trabalho do mais alto nível. Esses crentes haviam passado por um claro teste de conversão genuína; exibiram uma nova disposição que ofuscou qualquer imperfeição na conduta ou doutrina que Paulo precisou lhes dirigir. Podemos identificar seu trabalho ao incluir o seguinte: Tornaram-se imitadores de Paulo (1 Ts 1.6), exemplos de fé (1.7), estavam verdadeiramente servindo a Deus (1.9) e perseverando na fé apesar das severas oposições (1.6; 2.14,15; 3.3-8).

O próximo item na tríade da ação de graças é o "trabalho [*kopos*] do amor". Novamente, a NVI esclarece o senso da locução literal, "trabalho do amor" (cf. 2 Ts 1.3). Paulo não se refere somente a um ato de amor, mas ao trabalho em um senso coletivo e contínuo. A distinção entre "a obra produzida pela fé" e "o trabalho do amor" pode ser, como Bruce afirma, "mais retórica do que substancial" (12). Outros, entretanto, preferem considerar a palavra *ergon* enfatizando o verdadeiro esforço empregado pelos tessalonicenses em suas obras de fé (cf. 2 Ts 1.11; 2.17; Morris, 51; Hendriksen, 47, n. 35). A motivação para esse esforço é *agape* ("amor") — o auto-sacrifício incondicional, e o amor demonstrado por Deus. A prova de que os tessalonicenses estavam sendo imitadores do Senhor (1.6) era o amor que demonstravam por Deus, uns para com os outros (4.9,10),[4] e ao grupo de Paulo (3.6). A capacidade de amar uns aos outros tem sua fonte em Deus, porque Deus é amor (1 Jo 4.7,16).

O terceiro item na lista de Paulo é a "paciência da esperança" (lit., "a resistência/perseverança da esperança"). Existem várias evidências para que esses crentes possam ser considerados perseverantes. Sua nova vida começou sob adversidade, apesar de terem recebido a palavra com gozo (1.6). Embora tenham sofrido a perda de seu pai espiritual, seu desenvolvimento não fora interrompido. Em meio a todas as circunstâncias negativas, permaneceram firmes (3.8). Paulo lhes ensinou que as provações são o destino dos crentes (3.3,4); restava saber o quão bem haviam aprendido a lição, até que fossem testados na arena dos conflitos. Paulo maravilha-se com a qualidade do caráter que esses crentes possuíam. São inspirados por sua esperança em Cristo, pelos benefícios de serem membros do reino de Deus e por compartilharem sua glória (2.12), e, finalmente, pela esperança de se juntarem a Jesus em sua herança eterna (1.10; 4.17,18; 5.10,11; 2 Ts 3.5).

No que diz respeito ao sofrimento há, nas Escrituras, uma tensão que precisa ser respeitada ou iremos de um extremo a outro. Embora Deus tenha prometido força, providência e proteção (por exemplo, Sl 37.25; 91.1-16), visto que o poder da oração é altamente enfatizado (Mt 7.7,8; Jo 15.7; 1 Ts 5.17; Tg 5.15,16; etc.), os cristãos não estão isentos do sofrimento. Os crentes estão conscientizados de que sofrerão (Jo 15.20; At 14.21,22; 1 Ts 3.4). Os registros das Escrituras claramente descrevem os sofrimentos vividos pelos santos (At 5.40; 7.59; 8.1; 12.2; Hb 11.35-38). Os maus tratos, as prisões, as torturas e a morte não são necessariamente evitados pelas promessas de proteção. Em números alarmantes, os cristãos ao redor do mundo são atualmente martirizados, sofrem abusos e são privados de seus direitos humanos básicos.[5] Para muitas pessoas ser um cristão significa carregar uma cruz de perseguições. Ao invés de ver tais crentes como aqueles cuja fé não foi capaz de lhes reservar a proteção de Deus, deveríamos considerá-los como preciosos santos, "homens dos quais o mundo não era digno" (Hb 11.38).

Se ser filho de Deus significasse ser, em todo tempo, protegido de todos os males, então o ensinamento das Escrituras seria preparado não para trazer alarme ou surpresa pelo sofrimento (Tg 1.2,12; 1 Pe 4.12-16), mas sim para fortalecer pelo que poderia tornar-se, na pior hipótese, insignificante, ou, na melhor hipótese, o plano "B" para aqueles cuja fé enfraquecida não produzisse proteção. Nossa atitude frente à perseguição não deve ser de lamentação ou de resignação passiva, mas sim de um espírito resoluto de coragem, perseverança e mesmo de júbilo (At 5.41; Tg 1.2; 1 Pe 4.13). As Escrituras nos ensinam a adotar uma perspectiva eterna (Rm 8.18; 2 Co 4.16-18). Os crentes tessalonicenses foram capazes de se esforçar e manter-se firmes, por causa de sua esperança na providência de uma perspectiva eterna. Por esta atitude decisiva, Paulo foi ainda mais agradecido.

2.2.2. A Resposta da Plena Convicção (1.4,5). Paulo continua sua ação de graças referindo-se aos leitores como "irmãos" (o que faz vinte e uma vezes em 1 e 2 Tessalonicenses), indicando que não são somente amados por Deus, mas também pelo apóstolo que os ama profundamente (2.8). Para defender essa afirmação do contrário, mais tarde tratará daquilo que se refere à sinceridade de seu amor (2.7—3.13). Por agora, embora afirme que realmente somos objetos do amor de Deus, declara de forma confidencial que haviam sido escolhidos por Deus (2 Ts 2.13,14). O Antigo Testamento oferece uma estrutura para a compreensão da idéia da eleição. Deus escolheu Abraão e seus descendentes "a fim de fazer-se conhecido para o restante da humanidade" (Bruce, 13). Israel, o povo escolhido por Deus, foi chamado a desfrutar o favor de Deus e ser uma luz para as nações, revelando a salvação misericordiosa de Deus aos gentios (Is 42.6,7; 49.6). Agora, os tessalonicenses tinham sido escolhidos, e sua reputação indica que cumpriram a chamada a fim de ser uma luz para as nações (1.8).

A concepção da supremacia de Deus pode ser um campo teológico minado que alguém precisa atravessar a fim de harmonizar as noções de eleição/chamada, e livre-arbítrio (para um resumo dos ensinamentos de Paulo sobre a eleição, veja Hendriksen, 49,50). Paulo louva e reverencia a Deus escrevendo o seguinte tópico: "Nos elegeu nele antes da fundação do mundo" (Ef 1.4); o apóstolo não está preocupado em discutir todas as implicações de como e quando Deus escolhe, ou se sua chamada pode ser recusada. Seu propósito é lembrar aos crentes a verdade a fim de suscitar convicção e um esplêndido senso de privilégio. Foi Deus que escolheu os crentes em Tessalônica; havia alcançado por meio de seu amor candidatos aparentemente indignos (1 Ts 1.9; cf. Rm 5.8). Porém estes corresponderam ao amor de Deus que os havia alcançado, com plena convicção — são agora a Igreja, aqueles que são "chamados para fora".

Qual é a prova de que haviam realmente se convertido? Ouviram o Evangelho, testemunharam o poder do Espírito Santo, e em sua plena convicção foram transformados. Gordon Fee argumenta que Paulo declarou que "a poderosa palavra do Espírito Santo sempre foi acompanhada por seus milagres... [que] os tessalonicenses indubitavelmente experimentaram" (Fee, 45; veja também Wanamaker, 79). Uma das marcas do apostolado de Paulo é a companhia poderosa dos sinais e milagres (Rm 15.18,19; 2 Co 12.12; cf. Gl 3.5). Desse modo, a prova que os tessalonicenses têm de seu chamado é seu testemunho do poder divino que os convenceu da verdade.

2.2.3. A Resposta da Imitação — A Modelação (1.6-8). A transformação dos tessalonicenses está relacionada a esta

I TESSALONICENSES 1

prova; ela é descrita identificando-os como imitadores. A verdade do evangelho não foi somente ouvida como uma poderosa unção, mas também foi testemunhada na vida dos missionários que viviam entre eles. Os novos crentes responderam ao que ouviram, colocando sua fé em prática e imitando o que viram. Em breve, Paulo diria mais sobre como ele e seus companheiros viveram entre eles (2.1-12), mas para o momento expressa gratidão por sua imitação, que podemos identificar sob três aspectos:

1) Como Paulo, resistiram ao sofrimento extremo que estava diretamente ligado a sua conversão;
2) "Receberam... a palavra com gozo do Espírito Santo". A história da conversão de Paulo, sua subseqüente dedicação à evangelização e seu ensino sobre o Espírito Santo, indicam como recebeu a mensagem de bom grado. Na vida e nos ensinos de Paulo "a alegria é uma das verdadeiras marcas da genuína espiritualidade" (Fee, 47). A surpreendente obra do Espírito tem o objetivo de nos fortalecer com júbilo, nas circunstâncias em que, normalmente, a alegria nos seria retirada (Ne 8.10).

O gozo a que Paulo se refere não é uma atitude assegurada somente após o final da provação, mas sim quando cada cristão a estiver atravessando; deste modo, em meio à adversidade podemos "considerá-la como verdadeira alegria" (Tg 1.2; cf. Jo 16.22,33; Fp 1.29; 3.10). Esse gozo é uma dádiva do Espírito Santo, e a percepção dessa dádiva pode ser facilmente inserida na mente de crentes que estejam enfrentando problemas. Morris (60) diz que a transformação do sofrimento, de um veículo de desespero em um veículo de gozo "não vem pela auto-sugestão ou por qualquer artifício humano". Afinal, o gozo é um fruto do Espírito Santo (Gl. 5.22). Paulo testifica aos coríntios sobre os constantes conflitos que havia enfrentado à medida que ministrava por toda a Macedônia, mas o conforto de Deus lhe proporcionou a alegria de que necessitava para que então pudesse relatar: "... estou cheio de consolação e transbordante de gozo em todas as nossas tribulações" (2 Co 7.4);

3) O ponto final da imitação é o ato de compartilharem com outros a mensagem que em primeiro lugar resultou em sua aflição (1.8). A Igreja poderia ter permanecido discreta, porém mesmo assim não permaneceria em silêncio e escondida; ela continua sendo a luz. De acordo com o livro de Atos, a perseguição não é um retrocesso que paralisa a missão da Igreja, antes, a intrepidez caracteriza os crentes à medida que continuam a desempenhar a Grande Comissão. O orgulho paternal de Paulo aumenta com sua ação de graças, ordenando que sejam um modelo da fé, não em segredo, mas à vista de todos! O verbo que Paulo escolhe no versículo 8 (*soou*) não é encontrado em lugar algum do Novo Testamento. A palavra expressa o som poderoso de uma trombeta ou o "estrondo de um trovão" (Morris, 61, n. 29). A notícia de sua fé tornou-se muito difundida e sem dúvida foi uma fonte de inspiração para outros crentes por toda a parte onde a história foi contada.

2.2.4. A Resposta ao Serviço e à Espera (1.9,10). No versículo 9, Paulo refere-se aos crentes ("eles mesmos") que encontrara e que já ouviram falar da história de sucesso dos tessalonicenses. Ouve dessas fontes secundárias bons relatos de como os crentes tessalonicenses receberam Paulo — com certeza haviam retribuído o amor demonstrado pelo apóstolo. O mais importante para ele era a completa transformação ocorrida em suas vidas. Esses crentes agora servem "ao Deus vivo e verdadeiro", embora recentemente estivessem imersos no paganismo. De pagãos a santos, tal é o poder da transformação do Evangelho, e Paulo regozija-se nos resultados. Os tessalonicenses romperam todos os laços inadequados do seu antigo modo de vida e agora se dedicam ao Deus que os escolheu. Tal separação do paganismo tem um preço maior do que "a aflição e a angústia que o coração experimentou por terem rompido com seu passado e recebido o Evangelho" (Malherbe, 48).

O contexto da epístola mostra que os tessalonicenses suportaram muito mais do que as batalhas interiores que são comuns quando se experimenta uma mudança tão radical no estilo de vida (2.14). A despeito do custo, o rompimento foi feito; quando se trata do evangelho, não pode haver indecisão. O paganismo, em suas várias formas, pode ser tolerante para com outros deuses em ocasiões de sincretismo; mas o reconhecimento do verdadeiro Deus e sua revelação em Jesus Cristo expôs a vaidade desses "falsos deuses" (Is 44.6-20), e a impossibilidade do sincretismo. Deus exige o serviço sincero, como ilustrado na batalha dos judeus para purificar sua devoção a Jeová e derrubar os altos (2 Cr 20.33; 21.11; 28.24,25; Sl 78.55-59). Os tessalonicenses ainda precisam crescer em sua fé e em seu serviço a Deus; mas estão progredindo com uma mentalidade singular, em um bom ritmo, e na direção correta.

Paulo conclui essa ação de graças pela mudança do conceito de servir para o conceito de esperar. Os cristãos servem ativamente a Deus e vivem sua fé em uma comunidade de crentes, diante de um mundo observador. Enquanto isto, assim fazendo, o crente é sempre consciente do retorno de Jesus (a *Parousia*). Os cristãos aguardam esse grande momento, mas não esperando no sentido de descanso ou do final de todas as atividades que acompanham a continuidade da existência e da celebração da vida na terra, embora alguns tenham um conceito deturpado (4.11,12; 5.14; 2 Ts 3.10-12).

Nas epístolas anteriores de Paulo, o tom escatológico traz a expectativa de um retorno iminente. Era como se a Igreja esperasse que a cortina da eternidade se abrisse a qualquer momento — certamente durante o período de sua vida (1 Ts 2.19; 4.13; 5.11; 2 Ts 1.6,7; cf. 1 Co 15.51,52). Com o passar dos anos de seu ministério, o próprio Paulo antecipou o testemunho da *Parousia* em sua vida, percebeu que a morte poderia provavelmente ser seu guia à presença de Jesus (2 Tm 4.6-8).

Quase dois mil anos mais tarde, como pode ser descrita a espera da Igreja? Como ainda hoje os santos podem esperar ansiosamente, que cada novo dia seja aquele "Grande Dia"? De um modo geral, os cristãos não deixam seus empregos para esperar e assistir a este grande episódio (vivendo neste meio tempo às custas dos demais membros da igreja para comer e morar). Antes, nos confrontamos com uma resposta contraria para os crentes ociosos em Tessalônica. Em nossas sociedades opulentas, a tendência é sermos tão consumidos por nossos papéis, que a expectativa do retorno de Jesus é também remota para nos motivar diariamente a uma espera ansiosa. Aqui precisamos encontrar uma maneira de imitar a igreja primitiva, que trabalhava arduamente para suprir as necessidades temporais da comunidade da fé, mais consciente do alto chamado da administração de recursos e talentos. Era uma igreja que também esperava a qualquer momento ter a visão de seu Salvador e o cumprimento de sua salvação. A não ocorrência da *Parousia* não invalida o fato de que Jesus voltará. Façamos com que os nossos sentimentos se fixem nas coisas do alto, para que com ar de expectativa possamos dizer: "Amém! Ora, vem, Senhor Jesus!" (Ap 22.20).

Do outro lado desse assunto existem fatos suficientes que propiciam o retorno de Cristo, e que nos advertiram na virada do último milênio. Cada vez mais as pregações e a literatura cristã popular focalizarão essa possibilidade. Esse foco, em equilíbrio, pode servir muito bem à Igreja se isso nos ajudar a sermos mais fervorosos em nosso testemunho, em nosso amor por Cristo e uns para com os outros, em restaurar uma atitude que esteja de acordo com a nossa elevada chamada.

Quando Jesus voltar, virá para resgatar! O crente não deve temer; "nenhuma condenação há para os que estão em Cristo Jesus" (Rm 8.1; 1 Jo 4.18). Jesus voltará para nos livrar da "ira vindoura". Haverá um tempo quando Deus irá de uma vez por todas julgar os pecados da humanidade (1 Ts 5.9; veja também Rm 2.5; 5.9). O que é essa ira? James Stewart (219) argumenta que o conceito de ira é difícil de ser totalmente compreendido por nosso antropomorfismo, que não se mostra suficiente ao tentarmos entender o caráter infinito de Deus por meio dos padrões de nossos próprios sentimentos e caráter. Stewart diz que a ira "é a totalidade da reação divina ao pecado... e não a retaliação da dignidade de Deus". Em um resumo provocativo Stewart escreve (221): "a ira de Deus é a sua graça. É a sua graça terrivelmente golpeada por uma profunda tristeza. É seu amor em agonia. É a paixão de seu coração avançando em direção à remissão". Assim, tanto a justiça como a sua misericórdia são igualmente parte de seus caminhos. O salário do pecado precisa ser pago (Rm 6.23), e aqueles que rejeitam o pagamento feito por Jesus Cristo serão considerados responsáveis. Paulo se sente eternamente grato pelo fato dos tessalonicenses estarem entre os resgatados!

3. A Defesa de Paulo — Parte 1: Um Resumo do Ministério em Tessalônica (2.1-16)

No capítulo 1 Paulo comemora a notável fé dos cristãos tessalonicenses. Para alguns foi muito difícil correrem grandes perigos ao permanecerem fiéis a Cristo, e desse modo conquistarem uma reputação louvável. Paulo estava orgulhoso de seus filhos espirituais, e grato a Deus por eles. Agora, muda o foco para si mesmo, como uma defesa contra as alegações de falta de sinceridade e fraude deliberada.

Quem estava atacando o apóstolo? De acordo com Thomas (249), identificar os inimigos de Paulo representa um desafio "pela dificuldade de juntar as peças desse quebra-cabeça". Não se pode encaixar todas as peças, mas certamente parte delas inclui cada um que incitou o problema que tornou a fuga de Paulo de Tessalônica necessária: os judeus invejosos. Consideravam a mensagem de Paulo uma afronta ao judaísmo — o que não é surpresa, uma vez que o próprio Paulo reconheceu que pregar o evangelho de um Cristo crucificado era um "escândalo para os judeus" (1 Co 1.23). Além do mais, tinham inveja do sucesso de sua missão já que os gregos que temiam a Deus se converteram a Cristo. De qualquer forma, os judeus locais percebiam a qualidade dessas pessoas tementes a Deus, que eram consideradas como uma parte da congregação dos fiéis da sinagoga e dos contribuintes financeiros! Quando a controvérsia em Tessalônica culminou nas ações da multidão, essas pessoas foram forçadas a romper os laços — a nova igreja cristã não era bem-vinda à sinagoga. Apesar disso sua ausência podia ser sentida intensamente. Uma boa estratégia poderia ser tentada para trazê-los de volta, e a melhor maneira para abalar a confiança na mensagem era desacreditar o mensageiro.

Malherbe (48; veja também Fee, 41) tem outra peça que pode encaixar-se no quebra-cabeça. Os tessalonicenses tinham um passado com o qual deveriam romper; assim, os pagãos convertidos poderiam ter amigos e parentes que não entendessem sua conversão, ou que fossem favoráveis a ela. Naqueles dias não era incomum pregadores populares de filosofia ou religião (e havia uma verdadeira variedade de crenças a oferecer) venderem sua mensagem nas ruas ou em qualquer lugar em que se encontrasse um ouvinte. Alguns eram sinceros, mas assim como em nossos dias, outros eram perfeitos charlatões. Não é necessário muito esforço para imaginar Paulo sendo acusado pelos judeus invejosos e pagãos cínicos, de ser um lunático, golpista ou mercador (Wanamaker, 94).

3.1. Um Esforço Audacioso e Bem-sucedido (2.1,2)

Paulo inicia sua defesa com um discurso de abertura no qual, em termos gerais, descreve sua grande estima pelo ministério em Tessalônica: "não foi vã [*kenos*, vazia, em vão]". Paulo faz uso dessa palavra por três vezes em 1 Coríntios 15, mostrando quão crucial é a doutrina da ressurreição: "... logo é vã [*kenos*] a nossa pregação, e também é vã a vossa fé" (1 Co 15.14). No versículo 58 encoraja a diligência no trabalho para o Senhor, por causa da força que há na esperança da ressurreição de todos os crentes — assim como "o vosso trabalho não é vão [*kenos*] no Senhor". A terceira referência é relatada no versículo 58; embora tenha ocorrido no versículo 10, deixamos de enfatizar até agora que Paulo está ansioso por cumprir a chamada que recebeu de Deus: "Bem sabeis que a nossa entrada para convosco não foi vã [*kenos*]".

Onde quer que Paulo ministrasse, não importando aquilo que fizesse, tudo deveria ser avaliado de acordo com uma medida de serviço: Trabalhei arduamente para Jesus? Fui fiel? Cumpri o meu dever? Como um servo obediente de Cristo, trabalhou com todo o seu coração (Cl 3.23). Os convertidos foram o fruto de seu trabalho, que provou que ele não correu nem labutou em vão [*kenos*] (Fp 2.16). Paulo está confiante no sucesso de sua visita a Tessalônica, porém mais tarde admite que uma idéia fixa o estava preocupando. Temia que os cristãos pudessem desistir e o "nosso trabalho [esforço] viesse a ser inútil [*kenos*]" (1 Ts 3.5). O relato positivo de Timóteo a Paulo, dissipa as nuvens e faz o sol do otimismo brilhar.

O sucesso da evangelização de Paulo em Tessalônica traz mais alívio quando visto contra o pano de fundo de seu sofrimento. Paulo lembra aos leitores do tratamento vergonhoso suportado antes da vinda à sua cidade. Causamos um desserviço a Paulo e, portanto, roubamos de nós mesmos um maior discernimento se não escutarmos mais atentos os testemunhos de Paulo sobre suas provações. Sua lista sobrecarregada de provações (veja 2 Co 11.23-29) levanta a seguinte questão: Em que ponto eu teria desistido? Os açoites recebidos por Paulo e Silas, em Filipos, foram um preço físico muito alto que tiveram de pagar. Sem contar a experiência de insultos de Paulo (1 Ts 2.2; na KJV traduzido como "tratados vergonhosamente"), "vemos uma parte da profunda dor que Paulo experimentou pelas injurias que lhe foram lançadas" (Morris, 69). Paulo foi estimulado e encorajado a evangelizar em Tessalônica, mas depois dos problemas ali enfrentados, e logo após em Beréia, além das desencorajadoras e decepcionantes restrições em Atenas, sua entrada em Corinto não foi ousada: "E eu estive convosco em fraqueza, e em temor, e em grande tremor" (1 Co 2.3).

A dor e os insultos que o apóstolo trouxe de Filipos, foram compensados pela providência da ajuda de Deus para que continuasse com sua missão. A frase "tornamo-nos ousados em nosso Deus" traz uma expressão grega que tem a nuança de conferir coragem e confiança. Este foi certamente o tipo de ajuda concedido por Deus (veja At 4.29; 9.27, onde a mesma raiz grega é usada). Essa noção de providência alude novamente a 1.5, onde Paulo fala do papel do Espírito Santo em sua chegada juntamente com sua companhia, e em sua apresentação do Evangelho. Foi capaz de adorar a Deus cantando louvores, como resultado imediato da adversidade enfrentada em Filipos (At 16.25); continuará a exaltar a Deus com obediência ao seu chamado em Tessalônica. A obediência era algo arriscado; ousava enfrentar essa "forte oposição", porém com a confiança que Deus lhe deu; e mostrava ousadia ao fazê-lo.

3.2. Um Esforço Sincero e Amoroso (2.3-12)

Depois de mostrar que a prova de sua sinceridade era a disposição de arriscar o seu bem-estar para o bem deles, Paulo muda o discurso para as alegações específicas. Como é freqüentemente o caso em suas cartas, quando Paulo trata uma questão, ele o faz por algum motivo justo. Não exageramos quando assumimos que Paulo defende sua mensagem, e os motivos pelos quais está sendo difamado nos princípios que ele mesmo apresenta. Assim, no versículo 3, o apóstolo explana tudo — não seria considerado culpado de "erro", "motivos impuros", ou "trapaça". Não seria confundido com os mercenários ou ambulantes daquele tempo.

1) Paulo repudia a noção de que seu Evangelho fosse um "engano" (*plane*). Essa palavra pode ser traduzida como "fraude" (cf. KJV), mas o contexto sugere a conotação de "erro", uma vez que a fraude intencional é compreendida pela última das três palavras na lista de Paulo. Os judeus que desejavam que Paulo caísse em descrédito estavam aparentemente argumentando que a despeito da sinceridade de Paulo, sua mensagem era falsa, especialmente quanto à sua identificação de Jesus como o Messias.

2) A próxima alegação não focaliza sua mensagem, mas seus motivos, que eram discutidos por serem mistos ou "impuros". Assim, a disputa aqui é quanto à integridade de Paulo. A palavra *akatharsia* ("motivos impuros") pode também ser traduzida como "imundícia" (cf. KJV), dando a conotação de impureza sexual.[6] Barclay (189) argumenta que uma vez que se suspeitou da imoralidade sexual dos cristãos por causa de seus "banquetes de amor", é possível que igualmente suspeitassem de Paulo. Além do mais, os religiosos pagãos tinham rituais que envolviam a prostituição, e pode-se supor que os desinformados e os mal-intencionados assumiram que essa nova seita chamada cristianismo praticava o mesmo.
3) A última questão refutada por Paulo, refere-se às acusações de ter sido de alguma maneira um enganador. A palavra grega *dolos* pode remeter à idéia de "isca", no mesmo sentido de pescaria. Se essa foi a intenção aqui, Paulo está sendo retratado como alguém que atrai ou captura o inocente ou incauto (veja Morris, Williams). Deste modo, a tradução da NVI como: "tentando enganá-los" seria uma expressão apropriada (veja a acusação semelhante em 2 Co 12.16). Alguns anos mais tarde, em uma reviravolta, Paulo avisará Timóteo dos maus e enganadores, que "se introduzem pelas casas e levam cativas mulheres néscias carregadas de pecados..." (2 Tm 3.6).

As mesmas linhas de ataques e acusações podem ser identificadas em nosso século quando evangelistas e ministérios televisivos são freqüentemente questionados e ridicularizados. Infelizmente, os ministérios públicos sinceros e os charlatões provavelmente têm sido pintados com o mesmo pincel pelos céticos. Quer sejam inflamados pelo erro na pregação de alguém, sem nenhuma razão — dizendo ser uma religião fora de moda que só procura o poder ou edificar um império, ou trapacear os inocentes e incautos no que se refere a dinheiro —, o combustível para as fornalhas das acusações tem permanecido essencialmente o mesmo. Assim, precisamos considerar o dever de viver a pureza e uma vida reta, a fim de evitar trazer reprovação ao nome de Cristo (Tt 1.6-9; 1 Pe 3.13-17; 4.14-19).

Ao usar a conjunção adversativa "mas" em 2.4 (que a NVI traduz como "pelo contrário", e que consiste em enfatizar a mudança na direção), Paulo muda para uma defesa positiva ao falar da pedra angular de seu ministério. Deus o aprovou, e conseqüentemente confiou-lhe a pregação do evangelho. A palavra "aprovado" (*dokimazo*), é baseada na idéia de um teste em que alguém foi aprovado com sucesso. Deus fez o teste; Ele conhece os profundos recessos do coração de Paulo, em que qualquer motivação pecaminosa poderia ser nutrida (1 Sm 16.7; Sl 94.11; 139.23,24; Pv 21.2). Os motivos de Paulo foram freqüentemente testados: cada açoite ou prisão, todas as adversidades constituíam um teste que apresentava a seguinte questão: "Paulo, você está sofrendo tudo isto por si mesmo ou por Deus?" Neste verso, Paulo apela confiantemente aos resultados do teste de Deus: Uma vez que foi aprovado, o evangelho lhe foi confiado. Paulo está consciente de que permanecerá como um mordomo fiel (1 Co 4.2).

Observamos anteriormente a preocupação que Paulo tinha de que seus esforços nunca fossem em vão (2.1). A fim de garantir que seus trabalhos em Tessalônica não fracassassem, precisava responder a seus oponentes. Estes conduziram seus próprios testes, que, segundo seu parecer, haviam provado que o apóstolo era um vilão. Mas não apresentaram as devidas provas quando tiraram as conclusões que Paulo nega nos versículos 4-6. Por algum motivo, o apóstolo não foi um homem que procura agradar aos outros, um fato que é expresso por não adular as pessoas com a intenção de conquistá-las. Se o fizesse, poderia até mesmo ter agido com engano. Seu público tinha pleno conhecimento desse fato; assim Paulo pode lembrá-los: "como bem sabeis [esta é a verdade]" (v. 5).

O próximo assunto abordado por Paulo ("nunca usamos de palavras lisonjeiras, nem houve um pretexto de avareza") é essencialmente uma continuação da defesa contra as alegações de falsidade, especialmente de acordo com ganhos pessoais.[7] O termo "lisonjeiras" é um esforço para capturar o significado literal da palavra grega *prophasis*, algo que parece bom ou atrativo, sendo, porém, falso. Sendo assim, é apropriado referir-se a uma máscara ou "*capa*" (KJV) usada para cobrir alguma coisa, nesse caso para dissimular o motivo errado da cobiça. Anteriormente, o apóstolo lembrou-os de que conheciam seu caráter impecável; pode também invocar a Deus como uma "testemunha" em sua defesa, uma invocação que um homem íntegro nunca precisa temer. Todos os crentes têm recebido de Deus uma fé sagrada; somos todos embaixadores de Cristo e devemos proferir fielmente à nossa sociedade a mensagem que reconcilia a humanidade pecadora com Deus (2 Co 5.18-20). Somos o sal e a luz (Mt 5.13-15); somos pescadores de homens e mulheres (4.19); aceitamos de bom grado o privilégio e a responsabilidade da Grande Comissão (28.19,20); fomos capacitados pelo poder do Espírito Santo (At 1.8). Que as palavras de Paulo toquem o acorde apropriado em nossa vida: "como se Deus por nós rogasse" (2 Co 5.20).

Tendo Deus como sua testemunha, Paulo elimina completamente a acusação de maus atos e ganhos pessoais. No versículo 6, sua negação de ter procurado qualquer louvor está diretamente relacionada à sua negação feita anteriormente, quando afirmou que não agradava a homens (v. 4). Os motivos de Paulo são corretos; sua auto-estima é saudável e é alimentada pelo gozo e pela profunda convicção que o Espírito Santo propicia. Não importa o que as pessoas pensem, sejam seus pensamentos de difamação ou de elogio. É o elogio e a glória que vêm de Deus que importam, conforme é demonstrado por sua recusa em se orgulhar de todos os seus feitos — tudo o que importa é que no final ganharemos a Cristo (Fp 3.8).

No versículo 6b, Paulo apresenta mais provas de que não tinha como objetivo razões egoístas. Fala de sua função como apóstolo, mostrando que essa posição merece muito mais respeito. Entretanto, dá um esplêndido exemplo de submissão e mansidão em relação às figuras de autoridade. Embora mais tarde escreva: "Os presbíteros que governam bem sejam estimados por dignos de duplicada honra, principalmente os que trabalham na palavra e na doutrina" (1 Tm 5.17; cf. 1 Co 9.14), não exige os seus próprios direitos a esta honra.

A expressão "para não sermos pesados a nenhum de vós" sugere a autoridade ou o peso que um apóstolo poderia impor, mas esta prerrogativa é contrabalançada pela mudança da atitude de um apóstolo autoritário, para uma "ama [ou mãe]... gentil [ou branda]" (v. 7). Nenhuma imagem retratada é mais universal e eterna do que a mansidão do amor de uma mãe por seu filho (cf. Mt 23.37). Desse modo, como Bruce (33) diz sobre o grupo de Paulo, "mais impressionante do que seu repúdio pelas razões e ações indignas, são os seus cuidados afetivos por seus convertidos".

Essas alegações são mencionadas seis vezes no capítulo 2. Paulo lembra-os de seu conhecimento pessoal sobre aquilo que ele assevera (vv. 1,2,5,9-11). Deus é testemunha, mas os tessalonicenses também o são, pois viram a extensão do comprometimento sincero de Paulo.

No versículo 8, Paulo emprega três expressões para mostrar seu meigo cuidado maternal para com eles: "sendo-vos tão afeiçoados", "de boa vontade quiséramos comunicar-vos", e "porquanto nos éreis muito queridos". Paulo tornou-se provavelmente como uma mãe incansável, dependente, dirigida pelo amor, visando cuidar de todas as necessidades de seus filhos. Às vezes, as exigências são exauridas, não desaparecem da noite para o dia, mas a mãe está lá para zelar e cuidar. Igualmente, Paulo trabalha "noite e dia" (v. 9) a fim de nutrir os tessalonicenses no Evangelho. Reitera as medidas que tomou para evitar a imposição de quaisquer fardos sobre eles, no cuidado para consigo mesmo — é tolice exigir que um filho de pouca idade pague as despesas ou tome conta de sua mãe! Em outro contexto da defesa, novamente usando a metáfora dos cuidados paternos, Paulo escreve: "Eu, de muito boa vontade, gastarei e me deixarei gastar" (2 Co 12.15).

Esse é o caráter do ministério de Paulo. Preocupa-se de que nada deponha contra sua eficiência, inclusive que não seja classificado como preguiçoso ou como um parasita. O grau dessa preocupação é ilustrado quando muitos anos mais tarde Paulo se encontraria com os presbíteros de Éfeso, e relataria que seu ministério estava livre de qualquer cobiça, e que ele mesmo trabalhou arduamente com suas próprias mãos (provavelmente no negócio de fabricação de tendas; veja At 18.3) para suprir as necessidades de seu grupo ministerial (20.33,34).

Podemos contrastar as atitudes de Paulo com a dos apóstolos quando escolheram sete diáconos porque não queriam "deixar a palavra de Deus e servir às mesas" (At 6.2-4). Entretanto, não concluímos que Paulo seja mais nobre nesta questão do que os outros apóstolos, e deveríamos notar que a natureza precisa de sua ocupação diária (e noturna) não é detalhada por Lucas. Não registra esses incidentes para promover a liderança que trabalha na obra em tempo integral, garantindo-lhe algum tipo de pagamento, mas com a única intenção de mostrar a divisão do trabalho no ministério da igreja primitiva. A respeito dos líderes da igreja, Paulo pode dizer que estes são merecedores de seus salários (1 Tm 5.18), porém optou por trabalhar para sua própria manutenção tanto quanto possível. Contudo, mesmo em Tessalônica recebeu apoio, pelo qual mostrou-se extremamente grato (Fp 4.16). Talvez a formação de Paulo esteja muito mais relacionada ao trabalho com as próprias mãos, pois se esperava que até mesmo os rabinos tivessem o seu próprio negócio: "Não havia professores remunerados na Palestina" (Morris, 80).

A história do modelo de liderança sacrificial de Paulo ressoa através dos séculos, e pode ser claramente ouvida por todos os que são chamados para as posições de liderança, quer sejam remuneradas ou não. Deve-se esperar que o ministério demande muita força de vontade, seja um trabalho árduo e exija muito daqueles que nele trabalham. Aqueles que sinceramente cuidam de pessoas e honram a chamada de Deus serão considerados imitadores da dedicação de Paulo.

O versículo 10 nos leva a um exemplo profundo do esforço sincero e amoroso dedicado aos tessalonicenses. Geralmente, de maneira ousada, Paulo declara que tanto Deus quanto os tessalonicenses são testemunhas da natureza impecável de seu trabalho entre eles. Marshall (73) explica que a dupla invocação é significativa para que os leitores observassem que todas as aparições deviam ter sido sinceras; mas Deus é invocado como testemunha, para verificar que os missionários não são "culpados de uma fraude astuta praticada sob o testemunho da humanidade".

Paulo fez três protestos que deveriam chegar aos nossos ouvidos como presunção, no entanto, à luz do contexto das alegações, tais reivindicações precisavam ser feitas. Cada cristão pode, por falsa humildade ou talvez por consciência de suas deficiências pessoais, negar-se a referir-se a si mesmo como "santo, virtuoso e inocente". Paulo nunca disse que era perfeito; é claro que como todos os crentes ele mesmo deveria crescer em Cristo (Fp 3.12). Entretanto, quanto ao ministério e à sua motivação, podia falar de si mesmo como inocente, sem qualquer maldade. Sua prioridade era voltada aos legítimos interesses dos outros. Paulo foi simplesmente um humilde instrumento para divulgar aos tessalonicenses a mensagem da graça de Deus.

Continuando sua defesa, Paulo passa ao aspecto paternal de seu cuidado (vv. 11,12). Nunca procurou exercer a autoridade de um apóstolo reivindicando um tratamento especial, nem foi um poderoso negociante. A autoridade que realmente exerceu foi a de um pai que tinha em mente o bem-estar de seus filhos. A principal função paternal que salienta é a de instruir "o menino no caminho em que deve andar" (Pv 22.6), e que se conduzissem "dignamente para com Deus" (1 Ts 2.12). Wanamaker (106) diz: "o pai, no mundo antigo, era normalmente responsável pela instrução moral e comportamental de sua prole".

Paulo então emprega outra lista com três itens para explicar como exerceu sua função de pai (observe os exemplos nos versos 3,5,6,10 e 19):

1) Ele foi um encorajador (*parakaleo*; da mesma raiz da palavra traduzida como "exortação" em 2.3), que procurou motivar seus filhos (cf. a mesma palavra em Rm 12.1; 1 Co 4.16; 2 Co 2.8; 6.1; Ef 4.1; Fm 9.10). Seu método de apresentação para motivar positivamente — visando incitar uma conduta apropriada — é instrutivo. Comportou-se como alguém que prestava atenção às palavras: "E vós, pais, não provoqueis a ira a vossos filhos, mas criai-os na doutrina e admoestação do Senhor" (Ef 6.4; cf. Cl 3.21).
2) O próximo item na lista de Paulo é traduzido como "consolador" (*paramytheomai*); nesse contexto invoca a visão de um pai cujo filho pode estar se sentindo abatido ou atemorizado pelos desafios trazidos pelo crescimento. O pai é sensível e reconhece a necessidade que a criança tem de receber a consolação calorosa ou o incansável aconselhamento. A infância espiritual dos tessalonicenses foi envolvida por dificuldades, mas seu pai os conforta (por exemplo, quando lembra-os de que as provações são o destino do crente, 3.3).
3) A palavra final na lista é "ordenar" (*martyromai*), que sugere a autoridade que um pai pode exercer. Há ocasiões em que uma criança precisa escutar em palavras inequívocas que certas ações são exigidas ou proibidas dentro da família.

Como cumprimento da obrigação de exortar, consolar e ordenar, o objetivo é ver os filhos andando de modo digno "de Deus" (cf. Ef 4.1; Fp 1.27; 2 Ts 1.5). O que é uma vida digna? Podemos ter certeza de que Paulo não quer dizer "digna" no sentido de ganhar a salvação, ou de realizar algo que faça com que Deus ame os crentes mais do que já o faz. Os cristãos tornaram-se novas criaturas em Cristo (2 Co 5.17). Tiveram de se despir "do velho homem com os seus feitos" (Cl 3.9). Agora estão prontos para viver em obediência, como imitadores de Cristo, com o poder do Espírito Santo para crescerem na conduta apropriada (Gl 5.16; 1 Ts 4.7,8; Tt 2.11,12). Um filho na família de Deus respondeu ao chamado de submeter-se ao padrão de Deus, para um estilo de vida caracterizado pela santificação e pelo amor.

Deus chamou o crente para participar de "seu reino de glória". Esse reino já foi inaugurado. Jesus pregou as Boas Novas do Reino (Lc 4.43), e enviou seus discípulos a fazerem o mesmo (Mc 16.15; Lc 9.2). Lucas registra a primeira igreja pregando as Boas Novas "do reino de Deus", que foi parte da pregação do "nome de Jesus Cristo" (At 8.12; cf. 19.8; 28.23). Mas o reino não está operando no presente com todo o seu potencial (Hb 2.8; Ap 11.15). Essa plenitude será alcançada quando Jesus retornar (2 Ts 1.7). A grande esperança do santo é compartilhar a glória de Deus, no qual não haverá interferência do reino das trevas. Paulo refere-se à esperança dessa herança da glória, como um estímulo confortante para que os santos perseverem (Rm 8.17,18; 2 Co 4.16-18). Quando finalmente virmos a Cristo, concluiremos que todos os nossos esforços foram compensados (Hb 12.1,2).

3.3. Um Esforço que Envolve Autoridade e Resistência (2.13-16)

Ao concluir o resumo de sua missão em Tessalônica, Paulo passa novamente a oferecer a Deus ação de graças. Três aspectos ressoam esta seção de abertura:
1) Vemos novamente a disposição que Paulo demonstra em relação à gratidão — o apóstolo agradece continuamente a Deus (1.4);
2) A segunda similaridade pode ser mapeada da seguinte forma:

"O nosso evangelho não foi a vós somente em palavras..."   "mas também em poder" (1.5)

"havendo recebido de nós a palavra..."   ela "opera em vós" (2.13)

O evangelho veio até os tessalonicenses, e eles o aceitaram. Seu poder trabalhou vigorosamente em sua transformação provavelmente com a demonstração de sinais e maravilhas (veja comentários em 1.4);

3) O tema final repetido é o da imitação, especialmente quando se trata da forma como alguém responde ao sofrimento (1.6).

Os tessalonicenses receberam a verdade que Paulo pregou com autoridade, porém não eram suas palavras, mas as de Deus. Há no grego uma similaridade verbal entre a expressão de Paulo: "havendo recebido de nós a palavra" (*akoes par hemon*) e a expressão em Isaías 53.1 na LXX (Septuaginta): "Quem deu crédito à nossa pregação?" (*akoe hemon*). Não podemos ter a certeza de que Paulo esteja apoiando intencionalmente a passagem de Isaías (Bruce, 44, pensa que sim), apesar de seu conhecimento e citação da LXX em suas cartas. Mas tal alusão assegura a afirmação de Paulo, em resposta ao questionamento de Isaías: "Quem deu crédito à nossa pregação?" Paulo pode dizer: "vocês, tessalonicenses, o fizeram!"

A frase "a recebestes, não como palavra de homens" (v. 13) é certamente um escárnio ao julgamento que os cínicos proferiam contra os missionários, quando diziam que forjavam histórias para lograr os simples (2.3). Paulo ofereceu provas de que aquilo que pregou era a Palavra de Deus, quando disse: "a qual também opera em vós, os que crestes".

Uma das surpreendentes maneiras pelas quais esse poder do evangelho operou nos crentes em Tessalônica, foi quanto a sua resposta ao sofrimento. Aprenderam rapidamente sobre o custo do discipulado, e, por terem tido um bom aprendizado, tornaram-se participantes da comunhão nos sofrimentos (Fp 3.10). Paulo correlaciona os tessalonicenses aos primeiros crentes que participaram das igrejas da Judéia. Esta base comum de sofrimentos promoveu a unidade do cristianismo através das barreiras raciais e geográficas, pois apesar da sociedade em que cada um vivia, todos sofrem pela causa comum de Cristo. A solidariedade percebida em meio ao sofrimento com outros santos, torna-se uma fonte de conforto e fortalecimento.

Nos versículos 14-16, Paulo considera o tema do sofrimento à medida que identifica a fonte de seus problemas (seus próprios "concidadãos"), e compara o que vivenciaram em meio à perseguição das igrejas da Judéia. Esses versículos têm sido, durante vários anos, uma fonte de embaraço por muitos terem considerado que Paulo estivesse promovendo o fanatismo — os judeus são culpados pelo sofrimento dos cristãos. Outros já foram além, apoderando-se dessa seção como munição para uma propaganda de supremacia racial — os judeus são os assassinos de Cristo! Na retaliação contra os judeus, os massacres organizados e as inquisições mancharam a história da Igreja com sangue inocente.

Paulo se sentiria horrorizado ao ver tal deturpação de suas palavras. Precisamos ter em mente seu ponto principal, que não é arengar a raça judia, mas demonstrar a seus leitores que não seriam surpreendidos pela perseguição planejada por seus próprios compatriotas — muito embora foram alguns dos judeus locais que instigaram essa ação em Tessalônica (At 17.5). Talvez possamos ouvir Paulo dizendo: "Se o judaísmo que adorava o único Deus verdadeiro, pode permitir que seus próprios profetas fossem mortos, e justamente eles que anteciparam a chegada do Messias puderam ser tão cegos a ponto de deixar que seu próprio Messias fosse crucificado, será que então deveríamos nos sentir menos surpresos com o antagonismo dos compatriotas pagãos, que não fazem parte do povo escolhido por Deus?"

Assim como Jesus, Paulo não tem prazer em que o seu próprio povo seja odiado. Nosso Senhor encorajou seus seguidores ao pronunciar uma bênção àqueles que seriam perseguidos (Mt 5.11,12). Ele repreendeu a hipócrita liderança judaica com o mais severo dos termos, quando lhes disse que não eram diferentes de seus ancestrais que derramaram o sangue dos profetas (23.29-36). O sermão pentecostal de Pedro acusa, em termos gerais, os homens de Israel ("Varões israelitas...") por assassinarem Jesus "pelas mãos de injustos" (At 2.22,23). Como Lucas registra em seu próximo sermão, Pedro aponta o dedo como profeta em direção ao sinédrio (4.10). O discurso de Estêvão no sinédrio é concluído com uma chocante declaração: "... sempre resistis ao Espírito Santo; assim, vós sois como vossos pais. A qual dos profetas não perseguiram vossos pais? Até mataram os que anteriormente anunciaram a vinda do Justo, do qual vós agora fostes traidores e homicidas" (At 7.51,52). Não consideraríamos os profetas do Antigo Testamento nem o Senhor Jesus, Pedro ou Estêvão como anti-semitas, por condenarem os judeus por rebelião e dureza de coração.

Paulo faz parte da linha profética ao narrar a verdade sobre os feitos de seus compatriotas judeus. Paulo ama seu povo. Sua prática usual é pregar primeiramente a estes (At 9.20; Rm 1.16). Com grande paixão por eles, escreve: "Porque eu mesmo poderia desejar ser separado de Cristo, por amor de meus irmãos, que são meus parentes segundo a carne" (Rm 9.3). A semelhança com o lamento de Jesus é surpreendente: "Jerusalém, Jerusalém, que matas os profetas e apedrejas os que te são enviados! Quantas vezes quis eu ajuntar os teus filhos, como a galinha ajunta os seus pintos debaixo das asas, e tu não quiseste!" (Mt 23.37). Sejamos cautelosos e não ignoremos o objetivo de Paulo, nem lhe atribuamos uma proporção equivocada. Ele não está promovendo uma atitude de ódio racial ou vingança.

O apóstolo enfrentou o antagonismo judaico contra o evangelho, porque experimentou em primeira mão a frustração dolorosa que é trazida pela oposição. Curiosamente, sequer menciona sua própria regra pré-cristã de quando foi parte daquela linha de perseguidores, ao passo que em outras passagens esta característica é uma parte de seu testemunho (Bruce, 46; veja At 22.4,5; 26.9-11; Gl 1.13; Fp 3.6). Aqueles que veementemente resistiram aos seus esforços de guiar os gentios ao reino de Deus, tornaram-se o motivo da ira de Paulo.

O versículo 16 contém uma reprodução severa da condenação dos oponentes de Paulo, à medida que descreve como os pecados de seus perseguidores são constantemente aumentados: "a fim de encherem sempre a medida de seus pecados" (nesta passagem usa uma palavra que denota intensidade). "A ira de Deus" é a recompensa destes. O uso do tempo verbal *aoristo*, que traz a tradução, "a ira de Deus caiu sobre eles até o fim", resultou na teoria que diz que os versículos 15 e 16 são uma das mais recentes interpolações não paulinas. A análise racional é que essa ira se refere ao julgamento de Deus na queda de Jerusalém em 70 d.C. Tal insistência na sintaxe é desnecessária, pois como Morris (92) nos lembra, "o uso desse tempo verbal não se refere à iminência da punição e sim à sua certeza".

4. A Defesa de Paulo — Parte 2: Seu Desejo em Relação aos Tessalonicenses (2.17—3.13)

Em 2.17 Paulo faz a transição da defesa de suas ações enquanto estava em Tessalônica, passando a defender suas ações de modo geral — ou até mesmo a defender algo que não praticou — após ter deixado a cidade (Fee, 41). Precisa explicar por que deixou a igreja para defender-se. Para fazê-lo, enfatizará a angústia que experimentou em razão de toda esta situação, e falará sobre seu intenso desejo pelo bem-estar dos tessalonicenses.

4.1. Um Coração Ferido e Desesperado (2.17,18)

Alguns podem ouvir os caluniadores de Paulo sabotando sua reputação: "Se esses missionários fossem tão sinceros e preocupados com vocês, e se sua mensagem fosse uma verdade tão poderosa, por que os abandonariam quando mais precisavam deles? Fica certamente provado que são falsos quando correm assustados, preocupados em salvar sua própria vida sem pensar naqueles que deixaram para trás! Se realmente se preocupassem com vocês, por que não voltariam?" Paulo se dirige imediatamente ao cerne da questão, quando defende sua saída de Tessalônica e sua dificuldade em retornar.

Mais uma vez dirige-se carinhosamente a eles como "irmãos". Paulo relata sua história em termos práticos dizendo-lhes: fomos "privados". Assegura-lhes que ele, Silas e Timóteo não pretendiam partir, mas as circunstâncias hostis os forçaram a fazê-lo. A palavra escolhida por Paulo, "privados" (*aporphanizo*), mostra-se mais adequada à luz da recente discussão de sua disposição paterna e materna para com eles (2.6-12). A palavra raiz *orphanizo* significa "tornar órfão", e é usada aqui na voz passiva podendo ser traduzida como "privar". Paulo vivenciou algo parecido com o que os pais sofrem quando perdem um filho — seu coração havia se partido e esteve em meio a muita agitação. Toda sua paternidade deveria ser arruinada? Todos os pais que vivenciaram o pânico inicial ao descobrirem que seu filho ou filha se perdeu de sua vista em meio a uma multidão em um shopping ou parque, pode narrar muito bem o sentimento de Paulo. Pode ter sido por poucos momentos, mas naquele curto espaço de tempo os pais se perguntam se acaso verão sua criança novamente, se foi uma brincadeira de mau gosto e talvez censurem a si mesmos: "Como deixamos que isso acontecesse?"

Paulo enfatiza que estar longe da vista não significa estar longe da mente, pois enquanto estavam separados fisicamente, pensou muito mais neles. O apóstolo continua a utilizar uma linguagem viva para expressar seus sentimentos durante esse período. A palavra traduzida como "grande desejo" (*epithumia*) pode parecer uma escolha incomum para Paulo, pelo fato de sua freqüente conotação no Novo Testamento ser de "paixão" (por exemplo, veja 4.5; em que é traduzida como "paixão de concupiscência").[8] Porém, empregando uma palavra desta natureza, normalmente reservada para suas listas de vícios, Paulo enfatiza o forte sentimento que tinha para com os seus convertidos. Ser separado não resultou na diminuição da preocupação; antes ampliou a extensão de seu amor por eles.

Então, com uma "paixão avassaladora" (Morris, 94), fez todos os esforços para vê-los novamente, chegando a dizer: "tanto mais procuramos com grande desejo ver o vosso rosto". Aqui, a terminologia não indica uma expressão superficial que

Em uma de suas cartas aos tessalonicenses, Paulo explica que foi obrigado a deixar a cidade por ter padecido e sido agravado. A hostilidade por parte dos judeus contra os cristãos foi crescente. A Torre Branca, um marco no porto, foi construída muito tempo após Paulo ter deixado a cidade.

demonstra intenção de ver os tessalonicenses em algum futuro nebuloso. O testemunho de Paulo é evidente quando descreve esse esforço intenso literalmente como "algo abundante" ou "tanto mais" (*perissoteros*) — o tipo de esforço feito por ele (*spoudazo*) também foi grande, pois continha ansiedade e deveria ser apressado. Não se considerou derrotado, mas sem demora procurou desesperadamente "uma e outra vez" voltar a eles.

Infelizmente não conhecemos a precisa natureza das barreiras que Paulo não podia vencer, mas o principal motivo foi que "Satanás no-lo impediu". Não sabemos se o apóstolo, em uma tentativa de retornar, tenha sido descoberto e fisicamente impedido, ou se Satanás provocou problemas a fim de colocá-lo em perigo, e assim a ameaça constante tenha reprimido todas as intenções. A última opção é a mais provável.

Paulo pode ter imaginado que com o passar de um breve período, veria a maré de ameaças se dissipar, porém descobriu que o perigo ainda era grande. Decidiu prosseguir com sua missão, todavia os tessalonicenses ainda estavam em sua mente.

4.2. Um Coração Apaixonado e Consumido (2.19,20)

Com grande orgulho, Paulo assevera sua ternura para com os crentes de quem foi separado. Apesar das frustradas tentativas de vê-los de novo, seu coração não se distraiu pelas viagens subseqüentes e por outros convertidos. De alguma forma, Paulo mantém os fortes vínculos com aqueles que ganhou para Cristo, embora seu ministério itinerante lhes trouxesse uma separação de muitos quilômetros de distância. Os tessalonicenses seriam tremendamente encorajados ao lerem o quanto Paulo os estimava. Com outra tríade (veja comentários em 2.12), o apóstolo pergunta retoricamente: "Por que qual é a nossa esperança, ou gozo, ou coroa de glória?" (2.19). A esperança de Paulo é que o fruto de seu trabalho permaneça e cresça fortalecido (2.1). Seus filhos espirituais lhe trazem júbilo, por vê-los amadurecendo e alcançando seu potencial em Cristo. Talvez Paulo esteja repetindo a tradição da sabedoria: "O filho sábio alegra a seu pai" (Pv 10.1; também, 15.20; 23.24). Quão sábios são os filhos tessalonicenses! Permanecem firmes na verdade, apesar das vozes que os chamam à perdição.

O terceiro membro dessa tríade pode também ter raízes na tradição da sabedoria: "Coroa dos velhos são os filhos dos filhos" (Pv 17.6). Embora a Literatura da Sabedoria (Livros Poéticos) fosse bem conhecida por alguém treinado como um rabino, assim como Paulo o foi, a arena dos esportes também lhe forneceu a imagem da "coroa". Ele escreve sobre o atleta que se disciplina "para alcançar uma coroa corruptível, nós, porém, uma incorruptível". Os atletas vitoriosos nos antigos tempos recebiam como prêmio grinaldas ou coroas de oliveira, lauréis, ou folhas de salsa (Williams, 55), porém tais prêmios estavam sujeitos à deterioração. Não era assim com as coroas de Paulo — seus convertidos eram troféus vivos da graça (cf. Fp 4.1). O orgulhoso vencedor de uma corrida pode admirar sua coroa como símbolo de sua boa realização, mas, com o tempo, o atleta finalmente perde a habilidade e a força que o distinguiram. A grinalda pode ser uma fonte de alegria e ao mesmo tempo uma tênue voz de escárnio, lembrando a seu dono que não poderá ter o mesmo sucesso no futuro. Porém, no caso de Paulo, enquanto tiver o fôlego de vida, saberá que há mais vitórias a serem conquistadas (Fp 1.22); enquanto isto, poderá sempre se gloriar em seus convertidos.

No tocante à noção de se gloriar nos tessalonicenses (*Kauchesis* em 2.19; literalmente, "objeto de orgulho" ou "um orgulho"), Bruce aponta uma contradição aparente e apresenta uma solução. O mesmo Paulo escreve mais tarde: "Mas longe esteja de mim gloriar-me, a não ser na cruz de nosso Senhor Jesus Cristo" (Gl 6.14). Contudo, Paulo não viola seu próprio preceito aqui, pois certamente aqueles que foram guiados a se prostrar ao pé da cruz são objetos legítimos de glória e orgulho. "O Cristo crucificado foi novamente representado por sua fé, como sendo o poder e a sabedoria de Deus" (Bruce, 58).

A expressão completa da glória será desfrutada por ocasião do retorno de Jesus Cristo. É aqui no versículo 19, que a palavra *parousia* ocorre pela primeira vez no Novo Testamento, cronologicamente falando (em 1.10 esse retorno estava implícito; Paulo usa a palavra sete vezes em suas cartas aos tessalonicenses: 2.19; 3.13; 4.15; 5.23; 2 Ts 2.1,8,9). Literalmente significa "presença" ou "chegada" e, como Wanamaker diz (125), tornou-se um "termo técnico para a vinda de Jesus como Senhor soberano". Ele também identifica a ligação entre a *Parousia* de Jesus e os conceitos do Antigo Testamento relacionados ao Dia do Senhor (Is 2.10-12; Am 5.17,18), o dia da salvação, quando Deus virá governar sobre Israel (Is 52.6-10). Quando Paulo fala do retorno do Senhor, está consciente da razão pela qual foi chamado por Deus, que é compartilhar as Boas Novas de Jesus Cristo — e quando seu Mestre voltar, não quer ser encontrado de mãos vazias, ou tentando justificar por que enterrou o seu talento (Mt 25.25).

Paulo responde sua questão retórica do versículo 19 com uma afirmação sucinta: "Na verdade, vós sois a nossa glória e gozo!" Não importa que os outros digam o contrário, o coração de Paulo está apaixonado e consumido por seus convertidos em Tessalônica.

A dinâmica da relação entre o pai espiritual (e mentor) e seus convertidos, ainda é uma fonte de gratidão e alegria na Igreja em nossos dias. Continuaremos a ter, uns para com os outros, a dívida de amor (Rm 13.8), e temos a jubilosa obrigação de pregar o evangelho a todos (1.14,15). Nós também, de maneira apaixonada, procuramos compartilhar a Cristo, para que nossa chamada não seja vã, mas resulte na coroa da vitória por ocasião da volta de Jesus.

A questão da liderança da igreja está relacionada a esse fato. Aqueles que pastoreiam o rebanho, ou estão envolvidos em algum aspecto de liderança, cumprirão o seu dever se estiverem constantemente dedicados às suas ovelhas — mesmo em meio a todas as dificuldades — sempre agradecidos pelo poder de Deus que se manifestou. Tal perspectiva fortalecerá ao mesmo tempo o líder e seus seguidores. Uma atitude ou um estilo de liderança indiferente, desinteressado ou altivo, que não cultiva o calor de uma família cristã é destinado à frustração do crescimento interrompido, e à falta de eficácia. Uma igreja saudável, que se reproduz em meio a fortes laços de amor, é um testemunho ao mundo e um tributo ao Senhor Jesus Cristo.

4.3. Um Coração Arruinado pela Ansiedade (3.1-5)

Este componente da defesa de Paulo é marcado pela dupla admissão da esmagadora ansiedade que o apóstolo sentia: "não podendo esperar mais" (vv. 1,5). Todas as suas tentativas de retornar à Tessalônica foram impedidas, e a sua esperança estava no fim. Nessa situação emergencial, seu grupo missionário procurou uma solução, e planejou enviar Timóteo de volta a Tessalônica.

Não conhecemos a lógica do raciocínio destes irmãos, nem sabemos como Timóteo poderia retornar sem qualquer obstáculo, enquanto Paulo não. Bruce (64) sugere que por ser parcialmente grego, Timóteo poderia voltar sem ser notado, ao passo que a distinta aparência judia de Paulo poderia denunciá-lo. Quaisquer que fossem as razões envolvidas, Deus permitiu a Timóteo uma viagem segura e proveitosa como representante de Paulo. O que faz desse ponto particular uma forte defesa, é que Paulo foi quem claramente insistiu na visita, porque seu coração estava tomado pela ansiedade. Ao contrário do que seus acusadores pudessem dizer, Paulo se preocupava profundamente com os tessalonicenses.

Não se pode perder de vista, em meio a este drama, a confiança de Paulo em Timóteo, a ponto de conferir-lhe uma tarefa vital e formidável. De acordo com o relato de Lucas, Paulo recrutou Timóteo no início de sua segunda viagem missionária (At 16.1,2). Sua idade não é mencionada, embora seja comum pensar que fosse um adulto de pouca idade. Devemos ter em mente que Paulo e Barnabé haviam recentemente deixado de trabalhar juntos, permitindo que outro jovem, João Marcos, os assistisse. Portanto, Paulo tinha motivos para estar atento à confiabilidade de seus jovens discípulos. Obviamente, o apóstolo não tinha como princípio considerar que a idade pudesse imediatamente desqualificar uma pessoa, por estar impressionado com o que viu em Timóteo e com o que foi dito a seu respeito. Não sabemos quanto tempo divide o encontro de Paulo com Timóteo e a presente crise em Tessalônica, mas sabemos da confiança de Paulo. O apóstolo fala muito bem de Timóteo como seu "irmão" e o apóia totalmente como "ministro de Deus, e nosso cooperador no evangelho de Cristo" (3.2).

Timóteo foi enviado para fazer mais do que avaliar a fé dos tessalonicenses;

deveria ministrar força e encorajamento àquela que Paulo esperava ser uma igreja devastada. No versículo 3, Paulo expressa o temor que sentia. Até aqui, defendera seu ministério em Tessalônica e suas razões para não voltar pessoalmente a fim de nutri-los, apesar da extrema preocupação que sentia por eles. Agora, expôs completamente o seu coração — estava receoso de que pudessem estar "atribulados" (*saino*) em sua fé por causa de suas provações.

A palavra *saino* refere-se literalmente à "cauda de um cão", e desse modo tem o significado figurativo de ser agitado ou abalado. Bruce (62) rejeita a relevância da imagem da cauda balançando, preferindo a tradução "perturbar mentalmente", uma conotação baseada em um papiro extrabíblico. A rejeição completa da relevância do significado original não é necessária, pois o literal obviamente suscita o figurativo. A posição de Paulo é clara; está aflito pelo bem-estar espiritual dos tessalonicenses, e imaginando como assimilaram os ensinamentos que os ensinou pessoalmente quanto à certeza de vivenciarem provações (v. 4; para uma exemplificação da essência desse ensinamento sobre o sofrimento, veja comentários em 1.3). Há algo que deve ser dito sobre o papel desempenhado pelo sofrimento na caminhada do cristão na fé; é completamente diferente ser convencido, em meio à adversidade, de que perseverar é a única opção viável — aquela que pode ser causa de regozijo.

A pregação de Paulo está à frente no que diz respeito ao valor do discipulado. Sabia que a honestidade era vital para o estabelecimento de qualquer igreja, e sua ausência traria o risco de afastar futuros convertidos em potencial. Todos aqueles que ouvem as Boas Novas de perdão dos pecados e a promessa de vida eterna precisam também ouvir que há um preço a ser pago. Precisam então responder a questão, "estou disposto a seguir Jesus?" Os cristãos estão fundamentalmente em desacordo com o reino deste mundo, e o conflito resultante se manifesta de várias maneiras, dependendo da sociedade em que estiver inserido.

Se o preço fo perder a respeitabilidade, sofrer rejeição, ser explorado física ou verbalmente, a perspectiva da vida eterna do cristão trará esperança, e o Espírito Santo o fortalecerá para que seja fiel.

Essa esperança e capacitação são aspectos da graça de Deus, que são sem dúvida suficientes para que se enfrente qualquer provação. Essa graça nega à adversidade o seu resultado natural de desânimo, e produz uma atitude de alegria, baseada no conhecimento de que Deus está no controle e que de alguma forma, mesmo que pequena, os passos de Jesus estão sendo seguidos (At 5.41; Tg 1.2-4; 1 Pe 2.21; 4.12-14).

Assim, os tessalonicenses não foram surpreendidos pela adversidade porque tinham sido preparados por Paulo, embora seu treinamento fora interrompido pela própria perseguição. A reiteração de Paulo que não pode ficar mais em suspense (v. 5), fundamenta-se na admissão anterior de que o apóstolo esteja ansioso, considerando que as provações poderiam perturbá-los (v. 3). Agora identifica a fonte de suas provações, "o tentador" (cf. também Mt 4.3), que é Satanás. Há somente duas referências sobre o Diabo nesta primeira epístola (cf. "Satanás" em 2.18; "tentador" em 3.5) e Paulo menciona-o apenas uma vez na segunda ("Satanás" em 2 Ts 2.9), apesar de sua longa explicação sobre as obras do iníquo. Paulo não tem dúvidas de que os adversários humanos são de alguma forma estimulados pelo Inimigo. Os cristãos estão resistindo a algo superior à carne e ao sangue (Ef 6.12), e estão fazendo o que podem para enfrentá-los revestidos da armadura de Deus, pois assim permanecerão firmes e emergirão vitoriosos.

A tentação com que Satanás está atraindo os tessalonicenses tem o objetivo de evitar a adversidade desviando-os de sua fé em Cristo. Paulo aparentemente teme o pior, que alguns de seus filhos não resistam. Como Bruce sugere (64), as palavras de Paulo aos coríntios sobre a possibilidade de escapar da tentação por meio da ajuda de Deus (1 Co 10.13) "foi ilustrada pela experiência de seus amigos tessalonicenses". Essa sugestão merece reflexão, especialmente quando se considera o contexto de 1 Coríntios 10, onde Paulo está mostrando como o povo da promessa, os israelitas, se renderam à tentação ao ignorar seu comprometimento com Deus e, quando o fizeram por meio da idolatria e da murmuração, foram destruídos (10.5-10). O fracasso de Israel serve como lição para que os cristãos permaneçam firmes e resistam a todas as tentações de imitar a desobediente nação de Israel. Não se tem tanta certeza de que Paulo tenha ensinado aos tessalonicenses o exemplo de Israel, quanto ao fato de terem reconhecido o perigo e encontrado a provisão de Deus para escapar — permaneceram firmes, e os esforços de Paulo não foram em vão!

De um modo geral, o ensino do Novo Testamento sobre as artimanhas do Diabo e a guerra espiritual não são tão extensivos quanto alguns gostariam. Por exemplo, Tiago pode simplesmente dizer: "Resisti ao diabo, e ele fugirá de vós" (Tg 4.7), porém alguns poderiam preferir a descrição detalhada de métodos de resistência. Nas passagens em que as Escrituras são de certo modo restritas quanto aos detalhes, deveríamos exercitar a prudência em relação às nossas especulações sobre Satanás e seus métodos.

Não precisamos, entretanto, subestimar ou ignorar a realidade de sua existência, e seu desejo de impedir ou destruir a obra de Deus. Talvez Paulo pudesse escrever mais extensivamente sobre esses assuntos, se estivesse se dirigindo a um público cético a respeito dos poderes das trevas e, portanto despreparado para enfrentar Satanás. Podemos assumir que Paulo ministrou pessoalmente aos tessalonicenses o ensino básico que precisavam conhecer. Nas Escrituras, temos amplos avisos e instruções sobre os fundamentos da batalha espiritual. Auxiliados pelas Escrituras e equipados pelos dons e pelo poder do Espírito Santo, podemos resisti-lo de maneira mais eficaz.

4.4. Um Coração Consolado (3.6-8)

Paulo se aproxima do final de sua defesa contra as alegações de ter abandonado os tessalonicenses, por ter passado da viva descrição de sua ansiedade para a solução dessa agonia. Apesar de termos visto anteriormente que os crentes haviam feito grandes progressos e permanecido firmes, alcançando uma boa reputação (1.7,8), a longa defesa de Paulo é também entendida como tensa por nós, leitores, até o momento em que a carta chega com os relatos de Timóteo. É significativo nas palavras de Paulo, no versículo 6, o uso da palavra *euangelizo*, que no Antigo Testamento é reservada para denotar a pregação do evangelho — a evangelização. Paulo não é relutante à utilização desse termo, como de fato o faz, pois, preparando-se para o pior, passa a sentir-se completamente feliz pelas boas notícias trazidas por Timóteo, de como as Boas Novas se enraizaram de modo tão profundo.

Timóteo relata que a "fé e o amor" dos tessalonicenses estão saudáveis. A "carruagem dupla" de "fé e amor" mencionada anteriormente recorda a ação de graças inicial de 1.3, cujo conteúdo é indiscutivelmente composto pelas notícias de Timóteo. Paulo está muito feliz por ouvir que os tessalonicenses perseveraram e também mantiveram sua afeição pelo apóstolo, apesar das acusações de seus oponentes. A relação entre pai e filhos não se deteriorou, e Paulo está consolado por ouvir que não desistiram dele. Desejam vê-lo, tanto quanto o apóstolo os deseja ver (2.17).

Em 3.7 Paulo continua com a discussão transparente de seus sentimentos, enquanto admite o quanto foi encorajado por sua fé naquele tempo em que a aflição e a perseguição (ou necessidade) atormentavam sua alma. Como sempre, aqueles que têm como objetivo encorajar os outros, são os mesmos que tornam-se encorajados pela resolução e fé dos aflitos. Timóteo foi enviado como agente de conforto e força para os tessalonicenses; voltou como embaixador tessalonicense ministrando conforto e força a Paulo.

As palavras "aflição" e "necessidade" (ou "perseguição") não requerem atenção separadamente, pois a combinação é um arranjo estilístico que enfatiza a natureza extrema da adversidade ("perseguição aflitiva"). O apóstolo também emprega o mesmo par de palavras em seu catálogo de dificuldades (cf. 2 Co 6.4).

Com as expressões de ação de graças, o versículo 8 permanece proeminente como um ponto alto na epístola: "Porque, agora, vivemos, se estais firmes no Senhor". Essa exclamação revela um forte suspiro de alívio, que foi exigido pela tensão. "A preocupação de Paulo por seus convertidos, e o senso de unidade com eles faz parte de toda a sua correspondência" (Bruce, 67). Os tessalonicenses são sua esperança, gozo e coroa de glória (2.19,20); são o fruto e o próprio cumprimento de seu chamado. Em toda a adversidade, em suas tentativas de retornar a Tessalônica, e finalmente na espera ansiosa pelas palavras de Timóteo, a vida normal de Paulo havia sido interrompida. Mas agora a boa nova resulta em alívio e júbilo; ele não mais está mutilado pelo fardo da incerteza.

Não devemos nos esquecer de que Paulo mais tarde exorta os filipenses: "Não estejais inquietos por coisa alguma; antes, as vossas petições sejam em tudo conhecidas diante de Deus, pela oração e súplicas, com ação de graças" (Fp 4.6). Essa exortação soa como a verdade merecedora de toda a credibilidade, elevando-se sobre a mera trivialidade, pois Paulo não está isento dos altos e baixos da existência humana. Ele também tem suas próprias ansiedades, que devem ser controladas e apresentadas a Deus. O apóstolo não ignora tão facilmente a sua própria ansiedade.

4.5. Um Coração de Oração (3.9-13)

Os versículos 9 e 10 constituem uma longa sentença interrogativa em grego, porém a NVI esclarece e resgata a intenção de Paulo fazendo do versículo 9 uma questão retórica, e do versículo 10 sua resposta parcial. O apóstolo irradia a gratidão de um coração de pai orgulhoso quando pergunta: "Porque que ação de graças poderemos dar a Deus por vós, por todo o gozo com que nos regozijamos por vossa causa diante do nosso Deus?" Toda a ansiedade e preocupação anterior pela situação desconhecida desses convertidos transformou-se na característica ação de graças. O apóstolo nunca considerou como algo garantido o maravilhoso poder que Deus tem para guardar os cristãos. Vimos anteriormente sua disposição natural para a gratidão (1.2; 2.13), e mais uma vez vimos o tremendo regozijo que Paulo sentiu por seus convertidos (2.19,20).

Quando os tessalonicenses mais tarde leram esta carta, certamente receberam força e determinação por meio da afirmação de Paulo. Se houve alguma dúvida séria sobre a sinceridade do apóstolo, esta questão, assim como qualquer outra, foi dissipada pelo registro de seus esforços e pela proclamação de seu amor e júbilo. Os líderes que compartilham os seus sentimentos com aqueles que estão sob seus cuidados, encontram este tipo de alegria que resulta da intercessão que conta com a imediata confirmação da chamada de Deus, e com o sinal do encorajamento para prosseguir. Quando falta tal paixão pelas pessoas, é motivo para alarme. Como é que os líderes podem pastorear com eficiência, se forem indiferentes às suas ovelhas? A liderança de Paulo continua a ser um modelo de inspiração e instrução.

O versículo 10 responde, em parte, como Paulo demonstrou a gratidão que sentia para com Deus, por eles. Isto é, sua gratidão leva-o a orar. Suas orações são caracterizadas por sua freqüência ("dia e noite") e sua intensidade ("abundantemente" ou "excessivamente abundante"). O último mostra o gosto típico de Paulo ao usar palavras compostas para dar ênfase (Bruce, 68), deste modo, o advérbio empregado aqui é *hyperekperissou* (literalmente, "excessivamente abundante"). Seu objetivo está claro; isto é, seu desejo pelo bem-estar dos tessalonicenses é tão grande que não pode exagerar na intensidade da afirmação quando lhes diz que intercede a seu favor. Sua oração é impressionante, e o conteúdo dessas orações é o que esperaríamos de um pai amoroso que sofre por seus filhos. Deseja vê-los face a face e suprir o que falta à fé deles.

O verbo "suprir" (*katartizo*) é usado em outras passagens do Novo Testamento com o sentido de restaurar ou consertar (por exemplo, consertando as redes, Mc 1.19), mas nesse contexto com a concepção daquilo que está faltando. A noção de suprir ou equipar é mais precisa. Paulo quer ajudar os crentes em Tessalônica a continuarem destacando-se em sua fé. Há algumas áreas necessitando atenção, e, como um pai amoroso, o apóstolo não foge à responsabilidade de nutrir seus filhos.

Pode ser surpreendente que, por um lado, Paulo de maneira tão entusiasmada cante seus louvores, e, contudo, por outro lado, refira-se a necessidades ainda presentes nessas pessoas; todavia, de nenhum modo sentimos desapontamento ou algum tipo de ira gerado pela impaciência de sua parte. O apóstolo tem uma compreensão saudável sobre a verdade de que os cristãos necessitam tempo para o amadurecimento, pois até mesmo o crescimento espiritual é um processo natural. Um pai espiritual que tem discernimento, leva em consideração a conduta dos filhos que estão crescendo na fé. É desastroso insistir com os novos convertidos, para que demonstrem um nível de santidade ou conduta característica de um cristão maduro. Um pai natural não espera que seu filho de dois anos aja e assuma as responsabilidades de um adolescente. Os convertidos devem ser instruídos, o crescimento é esperado e, às vezes, a admoestação firme ou a correção são necessárias onde houver resistência ao crescimento. Esta é a tarefa de fortalecer os convertidos na fé (3.2; 2 Ts 2.17).

Nos versículos 11-13, Paulo lista três súplicas adicionais em sua oração, que enfoca o envolvimento direto de Deus em resposta às petições:

1) O desejo inicial da oração de Paulo no versículo 11 é basicamente o mesmo do versículo 10, onde roga para ver os tessalonicenses novamente. Mas se a visita deve acontecer, é necessário que Deus encaminhe a viagem. As palavras desse pedido originam-se da frustração decorrente das tentativas malsucedidas de retorno (2.18). Satanás conduziu uma resistência que frustrou os planos de Paulo, mas esse homem de Deus crê no poder da oração para enfrentar e superar os obstáculos. Nada pode separar os crentes do amor de Deus, e o apóstolo está convicto de que Satanás não manterá os tessalonicenses longe de seu amor, porque com a ajuda de Deus serão mais do que vencedores nessa batalha (cf. Rm 8.37; 1 Jo 4.4).

2) Paulo ora para que Deus continue a fazer com que o amor dos tessalonicenses cresça "uns para com os outros e para com todos" (v. 12). Os tessalonicenses já foram aplaudidos por seu "trabalho de amor" (1.3) e por seu amor a Paulo (3.6), mas um componente chave de maturidade é o aumento da fé genuína que se expressa no amor (Gl 5.6b). Como Paulo admite aqui, seu amor também continua a crescer. Além disso podem imitá-lo a este respeito (1 Ts 1.6).

3) O desejo final de Paulo é pelo bem-estar espiritual e geral dos crentes em Tessalônica, que sejam fortes, "irrepreensíveis em santidade" (v. 13). Já provaram ser fortes por meio do que suportaram, e com a ajuda de Deus "permanecerão firmes e inabaláveis a despeito daquilo que o futuro lhes possa reservar" (Morris, 113; cf. 2 Ts 3.3). As palavras "irrepreensíveis em santidade" devem ser entendidas como uma unidade, pois juntas expressam "inculpáveis em santidade" (Bruce, 72; cf. 1 Ts 5.23). Paulo logo mudará sua direção, considerando as questões da santificação, e assim esse desejo propicia uma transição ordenada aos capítulos 4 e 5. Porém antes de finalizar este tópico, introduz outro a ser discutido; o retorno do Senhor.

O crente deve viver em santidade esperando a volta de Cristo "com todos os seus santos". Paulo não discute quem são esses santos. No Novo Testamento, a palavra usada (*hagioi*) refere-se aos redimidos, os santos de Deus; mas há algumas dúvidas quanto à restrição deste termo somente a eles. Em 2 Ts 1.7, Paulo escreve sobre o que acontecerá "quando se manifestar o Senhor Jesus desde o céu, com os anjos do seu poder".

O conceito do Antigo Testamento sobre a chegada do Senhor com o julgamento, propicia a estrutura conceitual para a identificação desses santos (Bruce, 73, 74; Morris, 114), e é esse esquema que promove a compreensão de que os anjos devem ser incluídos na palavra *hagioi*, se esta não for a única referência. Por exemplo, Zacarias escreve: "... então, virá o Senhor, meu Deus, e todos os santos contigo, ó Senhor" (Zc 14.5). Isto é tradicionalmente entendido como referindo-se aos anjos que são parte da companhia do Senhor. Essa compreensão é apoiada pela tradição do evangelho, lembrando a passagem em que Jesus fala do Filho do Homem vindo "na glória de seu Pai, com os santos anjos" para julgar (Mc 8.38), ou para separar as ovelhas dos bodes (Mt 25.31-33; cf. Jd 14,15; 1 Enoque 1.9 [livro não canônico, aceito apenas como fonte histórica]).

Se Paulo estiver fazendo alusão a Zacarias, e se 2 Tessalonicenses 1.7 for um paralelo direto a 1 Tessalonicenses 3.13, então há uma forte razão para pensar que "os santos" são os anjos. O contexto de 3.13 se encaixa na descrição do julgamento, pois a oração de Paulo é que os tessalonicenses possam ser encontrados inocentes quando o Senhor retornar com seus anjos para julgar a humanidade. Morris, entretanto, argumenta (115) que uma vez que o termo "santos" no Novo Testamento é reservado para os crentes, é provável que "tanto os anjos quanto os santos que já partiram estejam com o Senhor quando Ele retornar". Bruce (74) sugere a importância que a profecia contida em Apocalipse 14.1-14 tem neste contexto, considerando a aparição de Jesus no monte Sião com 144.000 remidos; assim, pode-se dizer que Paulo tinha em mente a gloriosa comitiva formada tanto por anjos como pelos santos que na ocasião já terão partido.

O resultado é que a meditação sobre esse espetacular evento futuro é um estímulo poderoso para perseverarem na fé e na vida reta. Não importa se anjos ou santos, ou ambos acompanham Jesus; o mais importante é a separação das ovelhas e dos bodes. O Dia do Juízo está chegando, e precisamos viver como santos na antecipação das boas-vindas a nosso Salvador, para não termos a condenação.

Assim, a longa defesa de Paulo é concluída. Justificou sua conduta e mensagem entre eles e defendeu sua partida subseqüente, bem como a demora no retorno. Apesar das alegações de seus caluniadores, seu desejo em ver os tessalonicenses é absolutamente sincero. Os crentes em Tessalônica são donos de seu coração.

5. As Instruções de Paulo aos Tessalonicenses (4.1— 5.22)

Agora que Paulo completou a defesa de seu ministério em Tessalônica, e de maneira firme estabeleceu a razão de seu profundo amor por eles, faz a transição para uma seção final de instruções a respeito do comportamento e da doutrina. Os vários pontos abordados por Paulo não são meditações aleatórias, de improviso, sobre o que a Igreja precisa ouvir. O relato de Timóteo trouxe de volta as "boas novas" (3.6), mas podemos seguramente assumir que o conteúdo dos capítulos 4 e 5 representa outras notícias relacionadas à necessidade de crescimento e correção. Com a gentil, porém firme autoridade de um amor paterno paciente, Paulo agora os exorta e consola, como o pai a seus filhos, para que se conduzam dignamente (2.11,12) e tenham suprido o que falta à fé deles (3.10). No momento não pode cumprir seu papel pessoalmente, mas está confiante que o poder de Deus usará essa carta como um substituto eficaz de sua visita. Os tessalonicenses podem ser cristãos modelo, porém não são perfeitos — ainda precisam de ajustes.

5.1. Quanto à Instrução Anterior (4.1-12)

A técnica de Paulo para trazer à luz uma conduta digna é notável. Antes de lidar com temas específicos utiliza um momento para afirmar a direção em que os tessalonicenses estão seguindo. Em termos gerais ele os faz recordar da instrução prévia que ele mesmo lhes havia dado, sobre como deveriam agradar a Deus (cf. 2 Ts 2.15), e louva-os porque realmente o estão fazendo (1 Ts 4.1; observe o contraste com outros que desagradam a Deus e resistem ao Evangelho em 2.15). Deste modo, o apóstolo assumiu uma postura não ameaçadora, que facilitará sua exortação.

5.1.1. O Crescimento em Obediência e Pureza (4.1-8).

O apóstolo entende a natureza humana e o valor do encorajamento. Não irá exasperar seus filhos condenando sua falta de maturidade; acredita que corresponderão positivamente a exortação. Há uma grande diferença entre falta de maturidade e falta de progresso na maturidade. Em outras ocasiões, é claro que Paulo adota um método diferente. Por exemplo, fala severamente aos coríntios, que deveriam ter mais conhecimento, e maiores progressos na fé; tratou-os como "meninos em Cristo" (1 Co 3.1-3), e ameaça-os dizendo que pode ser necessário empregar a "vara" (4.21; veja outros exemplos de repreensão severa em 6.5; 11.17; 2 Co 2.1-4; 13.2,10).

É difícil desempenhar o ministério pastoral em nossos dias, pois em uma congregação alguns terão uma ampla gama de crentes, oscilando dos veteranos com décadas de experiência cristã àqueles que são principiantes na fé. O que complica a situação é que alguns veteranos resistem à maturidade e precisam ser tratados como meras crianças!

O desafio de um pastor ou ensinador em qualquer sermão ou ensino é ter em mente os vários níveis de necessidades, pois, se empregar a vara, alguns que não a merecem poderão sentir-se feridos. Contudo, se o pastor ou ensinador tratar pacientemente os novos convertidos, os membros antigos podem erroneamente admitir que não precisam amadurecer nem usar seus dons espirituais para cooperar na obra do ministério (Ef 4.12-14).

Como notamos anteriormente, ao considerar a passagem em 2.19,20, é imperativo que os líderes amem e cuidem intensamente daqueles que lhes foram confiados. É essa paixão e confiança na sabedoria de Deus que capacitará o líder a navegar em meio a todas as sutilezas e desafios que são apresentados aos santos. Aqueles que são chamados por Deus, mesmo para uma pequena obra, podem confiar que o Espírito Santo ungirá seus esforços sinceros de amor (1.4).

Paulo elogia os tessalonicenses por seu estilo de vida agradável a Deus, incitando esses cristãos modelo a continuarem crescendo. Um estilo de vida cristão que é emperrado na rotina da mediocridade de conteúdo, pode ser remediado pelo crescimento (cf. "cada vez mais"). Paulo persegue a excelência no serviço a Cristo em sua própria vida, e na vida de todos os santos. Qualquer coisa a não ser o amor a Deus com todo o coração e força está fora de sua vontade, especialmente considerando a graça disponível aos cristãos. Essa dedicação é demonstrada nas seis vezes que Paulo usa variações dos termos *perisseuo* e *perissos*, que indicam abundância ou excelência (2.17, "tanto mais procuramos com grande desejo"; 3.10, "para que continueis a progredir cada vez mais" ou "com o máximo empenho"; 3.12, "transbordar" ou "fazer crescer"; 4.1,10, "cada vez mais"; 5.13 "que os tenhais em grande estima e amor" ou "na máxima estima e amor"). Esse chamado à excelência não é novo para os tessalonicenses, pois Paulo já os havia instruído em tais assuntos quando esteve em Tessalônica (4.2), e provaram ser obedientes. Do mesmo modo, nossas vidas devem abundar na semelhança de Cristo.

É aparentemente necessário que algumas instruções prévias sejam relembradas. Desse modo, Paulo se refere à necessidade da pureza sexual. Inicia essa referência considerando a premissa sobre a qual a conduta se baseia: "Porque esta é a vontade de Deus, a vossa santificação [*hagiosmos*]" (v. 3). Observando seus recentes contextos pagãos, não é admirável que alguns crentes precisassem ser avisados, em fortes termos, que a imoralidade sexual (*porneia*) é contrária ao código de santidade de Deus. Como Morris se refere a essa sociedade (121): "A castidade foi considerada como uma exigência demasiadamente exagerada para um homem". A satisfação do apetite sexual fora dos laços matrimonial foi considerada por alguns como não mais errôneo do que seria comer quando se tem fome (1 Co 6.13). A despeito de quão banal este comportamento tenha sido na sociedade, os novos cristãos deveriam ser uma "contracultura" que obedecia a vontade de Deus, e não a vontade das massas.

Por conseguinte, todos os cristãos devem viver uma vida de santidade ou santificação. Temos sido separados ou consagrados para que vivamos conforme a vontade de Deus, e enquanto ainda não estivermos em um estado de total santificação (isto é, perfeitamente santos em todos os aspectos da vida), estaremos em um processo pelo qual "cada vez mais" nossa conduta estará se conformando à vontade de Deus. O evangelho nos assegura que somos santificados pelo sacrifício de Jesus (Hb 10.10); somos justificados ou proclamados perdoados, e livres de todas as acusações contrárias (Cl 2.13,14). Somos parte da "igreja gloriosa, sem mácula, nem ruga, nem coisa semelhante, mas santa e irrepreensível" (Ef 5.27). Deus vê a perfeita justiça de Jesus como a nossa própria justiça (2 Co 5.21), e podemos, portanto, ser seus filhos, livres de toda condenação.

Assim, nossa conduta deve ser dedicada a agradar a Deus, na esperança de receber seu amor, e não no temor doentio de que muitos deméritos ficarão sujeitos à sua ira. Os filhos precisam ser instruídos em como devem se comportar, de modo que façam a vontade de Deus. A obediência é a marca do discipulado e, enquanto tudo o que importar for "a fé que opera por caridade [ou por amor]" (Gl 5.6), ainda precisaremos de instrução quanto ao significado do "andar em Espírito" (Gl 5.25). Paulo não tem medo de ser chamado de legalista por ordenar a conformidade em assuntos específicos de conduta. Suas cartas estão repletas de exigências detalhadas referentes à conduta, que são expressas com a compreensão de que deveríamos realmente desejar nos conduzirmos "dignamente para com Deus" (1 Ts 2.12; cf. Ef 4.1; 2 Ts 1.5).

Paulo aprecia o autocontrole como uma importante arma contra a imoralidade, e é parte da vontade de Deus que os tessalonicenses aprendam como essa virtude se aplica a todos os aspectos da vida (v. 4). A palavra traduzida como "controle" ou "abstenção" (*ktaomai*) não é a mesma encontrada no fruto do Espírito descrito por Paulo (*enkrateia*; Gl 5.23), mas o contexto aqui torna os termos praticamente sinônimos. Controlar a si mesmo não é a mera afirmação da força de vontade humana, pois o Espírito Santo é a fonte do poder necessário (veja Fee, 444, sobre o esforço de cooperação entre os cristãos e o Espírito na produção do fruto espiritual).

Certamente, a santidade e o domínio próprio requerem muito mais do que a sexualidade, porém esta é a exortação particular que os tessalonicenses precisam ouvir. Os cristãos precisam controlar "seu próprio corpo" ou "vaso" (KJV; do grego *skeuos*). O apóstolo utiliza essa palavra em 2 Co 4.7, onde nossos corpos são mencionados como "vasos de barro" (ou ainda como "vasos terrenos" na tradução da KJV). A imagem de um vaso é útil para que se compreenda o ensino de Paulo sobre a santidade, pois o Espírito Santo trabalha e habita nos santos (2 Tm 2.20,21). Paulo, em outras passagens, expressa o mesmo conceito com palavras diferentes: "O vosso corpo [*soma*] é o templo do Espírito Santo, que habita em vós" (1 Co 6.19). Seu mandamento subseqüente aos coríntios — "Porque fostes comprados por bom preço; glorificai, pois, a Deus no vosso corpo e no vosso espírito, os quais pertencem a Deus" (6.20) — é nitidamente comparável a seu ensino aos tessalonicenses, de que o cristão deve "possuir o seu vaso [o próprio corpo] em santificação e honra" (1 Ts 4.4). O contexto de ambas as passagens tratam da impropriedade da imoralidade sexual, e da responsabilidade que cada cristão tem de abster-se de tais práticas.

A palavra "santificação" é a mesma palavra grega (*hagiasmos*) usada e traduzida como "santificação" no versículo 3; indica que somos separados por Deus para um uso sagrado. Assim, devemos nos conduzir de modo apropriado ou consistente com aquilo que é separado. Paulo usa a palavra "honra" (*time*) em conexão com a metáfora do vaso aqui e em Romanos 9.21, concernente ao direito que o oleiro tem "sobre o barro, para da mesma massa fazer um vaso para honra [*time*] e outro para desonra [*atimia*]". Diferentemente dos vasos ignóbeis ou de desonra, que são objetos de ira, somos objetos do amor e da graça, escolhidos por Deus para uma utilização privilegiada; "somos embaixadores da parte de Cristo, como se Deus por nós rogasse" (2 Co 5.20).

No versículo 5, Paulo descritivamente contrasta os crentes tessalonicenses com aqueles que vivem "na paixão de concupiscência". Esses convertidos eram familiares ao estilo de vida dos pagãos; alguns foram resgatados daquele modo de vida há pouco tempo (1.9; cf. 1 Co 6.11). Embora não estivessem sujeitos aos mesmos tipos de problemas enfrentados por nossa sociedade moderna, que procura tornar normal tudo o que é contrário à santidade, também viviam em sociedade e conheciam a pressão imposta àqueles que são diferentes. Os pagãos vivem a seu bel-prazer, porque, como diz Paulo, não conhecem a Deus (Rm 1.18-27). Essa falta de conhecimento não os exclui do julgamento; pois na verdade são filhos desobedientes (Ef 2.2; 5.6; Cl 3.6). Baseado em tal contraste, Paulo reforça a forte convicção de que, quando conhecerem a Deus, não agirão por muito tempo como pagãos (1 Ts 5.6-8).

A próxima afirmação de Paulo é severa: "Ninguém oprima ou engane a seu irmão em negócio algum" (v. 6). É claro que o contexto ainda se refere à imoralidade sexual. A KJV, de uma forma ambígua interpreta a frase como "em qualquer assunto", mas a tradução da NVI é mais apropriada, pois especifica a frase "nesta questão", mantendo assim a ligação necessária com a discussão anterior. O imperativo é claro: os pagãos podem se esforçar para satisfazer seus apetites sexuais desconsiderando as repercussões; porém os filhos de Deus, que têm sido chamados para um alto padrão, deverão controlar a si mesmos, permanecendo nos limites estabelecidos por Deus para a expressão sexual. Como se esta não fosse uma razão suficiente para que todos se adequassem à vontade de Deus, Paulo lembra seus leitores do impacto deplorável que a libertinagem sexual terá sobre as famílias dos crentes.

Assim como cada parte da família pode edificar o todo por meio da piedade e do serviço amoroso, um membro que se recuse a obedecer poderá enfraquecer o todo. É suficientemente trágico para um crente persistir no comportamento sexual imoral; mas quão pior será se a libertinagem resultar em relações ilícitas com outros membros da família de Deus? As relações sexuais pecaminosas nunca são uma mera questão de consenso entre dois adultos — há vítimas que estão sendo enganadas quanto àquilo que Deus pretendia que fosse o casamento, e há um Pai Santo cuja vontade está sendo negligenciada. Não deveríamos menosprezar também a aproximação dos observadores externos, que vêem a igreja, enquanto seus membros não estão se comportando de acordo com a prescrição de Deus para a santidade.

A veemência com que Paulo trata o assunto da má conduta sexual sugere fortemente que esteja tratando de um problema interno da Igreja em Tessalônica. Paulo não diz que a igreja é caracterizada por esse pecado como se o problema tivesse proporções desenfreadas; ao contrário, como vimos anteriormente, a igreja é caracterizada pelo profundo comprometimento com a fé cristã. Contudo, provavelmente tenham ocorrido incidentes impróprios, e a igreja precisava ser incentivada a sustentar seus limites e a unir-se em seus esforços para a santificação. A advertência de Paulo nos versículos 6-8 é severa, mas assim precisa ser, pois a natureza e o perigo da imoralidade sexual merecem a mais rígida das admoestações — Deus punirá o desobediente com vingança.

A advertência de Paulo retoma o ensinamento verbal que anteriormente lhes havia ministrado. Os termos do versículo 6b são enfáticos: "como também, antes, vo-lo dissemos e testificamos". Podemos seguramente assumir que o grupo ministerial de Paulo tinha tempo suficiente com os novos convertidos, para ensinar-lhes não somente os rudimentos da salvação, mas também a base da ética cristã, e as conseqüências dos desvios. Alguém que professa a fé em Cristo, mas é irreverente sobre o chamado para a vida santa está fazendo um trabalho superficial e corre o risco de incorrer no julgamento de Deus. Marshall (112) corretamente argumenta que o julgamento de Deus não é um meio termo espiritual, aplicável a qualquer um que consiga aquecer a ira de Deus até o ponto de ebulição. Antes, "Deus se posiciona ao lado das vítimas do crime e da perversidade, e assegura-lhes a justiça, e... age como o preservador da ordem moral contra aqueles que pensam que podem infringi-la com impunidade".

No versículo 7 Paulo reitera a declaração que havia feito no versículo 3. O propósito do chamado de Deus não é que vivam na impureza; conseqüentemente, um cristão não poderá persistir em racionalizar ou renomear a má conduta, para que esta se pareça correta a seus próprios olhos. Mesmo que alguns indivíduos se recusem a arrepender-se, precisam saber que Deus não o aprova nem o ignora, e que haverá um acerto de contas. Pela terceira vez nos versículos 3-7, Paulo usa a palavra *hagiasmos* ("santificação"; cf. também em vv. 3,4), enfatizando assim um aspecto da mordomia que é parte de nossa chamada. Não somos somente comandados pela mensagem do evangelho (2,4), somos administradores de nossos corpos e de nossas relações uns com os outros. Deus requer fidelidade de seus despenseiros (cf. 1 Co 4.2).

O apóstolo conclui sua advertência com o resultado da desobediência (v. 8). Não se trata apenas de alguém que desobedece a um pastor ou a alguma outra figura de autoridade. Desobediência é rejeição a Deus (Sl 51.4; Jo 12.48; 15.20). É essa realidade que deve causar um choque àqueles que estão admitindo a complacência indulgente, para que passem a uma posição de forte conformidade. Paulo está plenamente confiante de que seu Evangelho e sua instrução são de Deus. Não estão sendo pronunciadas palavras vazias. Conseqüentemente, acusar Paulo de não considerar as normas sociais ou de ser antiquado e tacanho, é também acusar a Deus.

Paulo une a essa advertência, algo que à primeira vista parece ser um comentário acidental sobre o Deus a quem correm o risco de rejeitar: foi Ele "que nos deu também o seu Espírito Santo". Duas linhas de pensamento devem ser reconhecidas aqui:
1) Quanto ao caráter, Deus é Espírito (Jo 4.24) e Santo (Lv 21.8b; 1 Pe 1.16; Ap 4.8); a partir daí prescreve a conduta dos santos;
2) Paulo acredita que, em Cristo, a nova aliança ensinada pelos profetas começou a vigorar. Os benefícios desta aliança incluem a dádiva de um poderoso aliado dentro de cada participante: "E porei dentro de vós o meu espírito e farei que andeis nos meus estatutos, e guardeis os meus juízos, e os observeis" (Ez 36.27; cf. 37.14; Jr 31.31-34).

Nesta passagem (4.8), Paulo usa o particípio (literalmente, "deu"), e embora alguns o tenham feito, não é aconselhável concluir que esse termo apenas se refira àquilo que acontece por ocasião da conversão, quando o novo crente passa a ser habitado pelo Espírito Santo. Os cristãos devem se encher com o Espírito Santo (Ef 5.18, onde o verbo também implica uma ação contínua). "Dessa maneira o Espírito é entendido como a constante companhia Divina, por cujo poder somos capacitados a viver em santidade, isto é, uma verdadeira ética cristã" (Fee, 53; veja também Marshall, 114). Assim, rejeitar a instrução para uma vida santificada (quer por completo desdém, por meio da apatia ou descuido, quer por desconsideração às conseqüências) é rejeitar o poder do Espírito Santo que Deus torna disponível para que nos conformemos à sua chamada.

Temos uma chamada divina para a santificação; também somos divinamente capacitados para que nos santifiquemos — que plano glorioso preparado por nosso bondoso Deus! Mesmo dentro da advertência de Paulo, está implícito um estímulo positivo da graça amorosa de Deus. Deus o torna completamente possível a seus filhos, para que cresçam em obediência e pureza.

5.1.2. O Desenvolvimento no Amor Fraternal, na Mordomia, e no Respeito (4.9-12). Paulo agora faz a mudança dos discursos específicos nos quais considerou a pureza sexual, para a chamada geral ao exercício e ao crescimento no "amor [ou caridade] fraternal" (*philadelphia,* do verbo *phileo,* que significa, "amar, ter afeição"). Alguns intérpretes exageraram na distinção entre *agapao* e *phileo,* afirmando que o primeiro é o tipo superior de amor que Deus demonstra, enquanto o segundo é um amor inferior sobre o qual os cristãos podem crescer. Originalmente, o termo *philadelphia* foi usado para o amor entre irmãos e irmãs de sangue, então foi apropriadamente emprestado pela comunidade cristã de irmãos e irmãs em Cristo (BAGD, 858). A orientação de Paulo ao crescimento em suas expressões desse amor fraterno não é uma concessão por alguma incapacidade de demonstrar algo mais do que afeição, pois, na verdade, o apóstolo também usa a palavra *agapao* no mesmo versículo.

O ponto principal da mensagem do apóstolo, é que a comunidade cristã deve ser caracterizada pela lealdade e pelo profundo cuidado que imita o nível do comprometimento de Deus para com eles (Jo 13.34,35). A extensão da discórdia ou da divisão que existiu na Igreja em Tessalônica não foi em grande escala. Alguns, mais provavelmente uma pequena minoria, estavam ameaçando a harmonia por serem preguiçosos (1 Ts 4.11,12; 5.14; 2 Ts 3.10) e intrometidos (2 Ts 3.11). Porém, a igreja como um todo foi caracterizada pelo amor. Paulo conhece a dinâmica dos relacionamentos, e sabe que a menos que se prestasse uma cuidadosa atenção à harmonia, a igreja estaria a um passo de um conflito generalizado. Coerentemente, incentiva os santos a se dedicarem intensamente à instrução em que forma encaminhados, na qual já estavam bastante adiantados.

Paulo diz não haver necessidade de escrever aos tessalonicenses sobre a importância do amor fraterno e está confiante de que pode manter a discussão em um nível mínimo. Um pequeno lembrete é tudo do que precisam nesse estágio, pois já foram bem instruídos por ele (4.1-2), e acima de tudo, foram "instruídos por Deus". Esse conceito de ser ensinado dessa maneira, relata o cumprimento da profecia e os benefícios da promessa da nova aliança. No versículo 8 (veja comentários) Paulo já mencionou o dom do Espírito Santo, que nos ajuda a buscarmos a santificação.

A respeito da nova aliança, Jeremias registra que o Senhor diz: "porei a minha lei no seu interior e a escreverei no seu coração" (Jr 31.33). Semelhantemente, Isaías escreve: "E todos os teus filhos serão discípulos do Senhor" (Is 54.13). E Jesus afirma que essas profecias são aplicáveis à nova aliança, dizendo: "E serão todos ensinados por Deus. Portanto, todo aquele que do Pai ouviu e aprendeu vem a mim" (Jo 6.45). Paulo reconhece seu papel nesse novo tempo: Ele é o agente da instrução de Deus — à medida que Deus o unge, o povo de Deus ouvirá os seus ensinos. O apóstolo pode se sentir seguro de que, contanto que seja um despenseiro fiel (1 Ts 2.4), Deus nutrirá e completará a obra iniciada nos convertidos (Fp 1.6).

A habilidade de Paulo como um líder que tem discernimento, é especialmente demonstrada no versículo 10. Em nenhum sentido se dá a impressão de que os convertidos não sejam bons o suficiente; não há qualquer tom de aspereza ou impaciência. Antes, afirma alegremente o progresso dos tessalonicenses — sua ampla demonstração de amor é testemunhada por toda a Macedônia (1.7,8). Marshall (115) acredita que esse amor tenha incluído a hospitalidade aos cristãos em viagem pela Tessalônica, "uma vez que, no mundo antigo, era difícil que os viajantes conseguissem acomodações decentes, exceto pela hospitalidade de amigos... a hospitalidade foi uma virtude muito louvável e praticada pela igreja primitiva" (cf. 3 Jo 5).

Outro aspecto do amor dos tessalonicenses é a generosidade. Paulo cita-os (bem como os macedônios em geral), como um exemplo para motivar os coríntios a também serem generosos no aspecto financeiro. Orgulha-se deles dizendo: "em muita prova de tribulação, houve abundância do seu gozo, e como a sua profunda pobreza superabundou em riquezas da sua generosidade... pedindo-nos com muitos rogos a graça e a comunicação deste serviço, que se fazia para com os santos" (2 Co 8.2-4). Suas ofertas eram um eloqüente testemunho de sua fé e amor.

Paulo não somente afirma seu progresso nas demonstrações de amor, também os incentiva dizendo: "continueis a progredir cada vez mais". Novamente usa o verbo *perisseuo* ("abundar"; veja comentários em 4.1); e o quadro que devemos ver aqui não é a frenética luta por um objetivo inatingível. Freqüentemente, alguns cristãos se sentem tristes e incompetentes, culpados, nunca suficientemente bons apesar de seus esforços, como se alcançar a perfeição fosse a única realização importante aos olhos de Deus. O que importa é que por meio da ajuda de nosso aliado, o Espírito Santo, podemos abundar em amor; isto é, nossas vidas precisam ser caracterizadas pela crescente tendência a amar (2 Pe 1.8), em oposição à atitude de retirar-se para o egocentrismo. Paulo está preocupado que os santos possam se considerar erroneamente satisfeitos com seu estilo de vida, tornando-se, desse modo, negligentes — um mal que pode acercar-se sem ser percebido. As palavras positivas de exortação são o estímulo eficaz de Paulo para o crescimento.

Todos os crentes constituem uma grande família — a "família da fé" (Gl 6.10 KJV; cf. Ef 2.19). Essa família, que transcende todas as barreiras raciais, sociais e econômicas, deve ser um santuário no mundo, livre de qualquer coisa que possa dividir ou destruir. O ideal seria que os membros da família não explorassem uns aos outros. Não deveriam temer que outros crentes os prejudicassem ou enganassem (1 Ts 4.6; cf. 1 Co 6.7,8), e poderiam esperar ser encorajados e ajudados nos momentos de dificuldades (Gl 6.2; Cl 3.16). A família cristã é uma rede generosa de paz e harmonia (Rm 12.16-18). O ideal está colocado diante de nós; entretanto, a realidade é que a Igreja luta contra os casos de rivalidade entre irmãos. Porém a família não se entrega a tais conflitos. Os irmãos espirituais precisam amadurecer e deixar que a solidariedade da cruz, o modelo de Cristo, e o exemplo dos santos do passado e do presente inspirem o progresso em direção ao ideal.

A administração ou a mordomia, e o respeito são os próximos assuntos de Paulo (vv. 11,12). Ao tratar o assunto da mordomia, Paulo fala de outra característica dos cristãos — a "ambição". Ter o coração dividido, é algo inaceitável para aqueles que têm sido elevados à condição de amar a Deus de todo o seu ser. A própria ambição de Paulo acompanhou-o a um lugar de proeminência no judaísmo (Gl 1.14). Todavia, quando Jesus mudou sua vida, sua ambição passou a um novo nível por meio da maravilhosa graça que lhe foi estendida, a despeito de seus sentimentos de extrema indignidade (1 Co 15.8-10).

A ordem do versículo 11, "procureis viver quietos, e tratar dos vossos próprios negócios, e trabalhar com vossas próprias mãos", é etimologicamente rica. O termo *philotimeomai* é uma palavra composta que une *philos* ("amor, afeição") e *time* ("honra, valor, distinção"), e fala de amar a honra ou o valor de um modo claro de agir. Assim como no versículo anterior, que vimos a direção de Paulo para a excelência. O primeiro dos três objetivos que Paulo aconselha os tessalonicenses a procurar é "viver quietos". Esse não é um objetivo imediatamente ligado à ambição, pois somos mais propensos a associar o sucesso visível na vida e as proeminentes realizações aos resultados de tal direção. Contudo, quando se considera o que Paulo entende por "quieto", e pelo contexto de sua diretriz, a sabedoria se torna mais aparente. Paulo não se refere a estar em silêncio ou a falar pouco, mas à calma ou à quietude da vida que não é rude, e que não procura chamar a atenção. Este modo de vida não faz com que o indivíduo chame a atenção para si mesmo, por uma motivação errada.

Infelizmente, alguns dos convertidos tessalonicenses precisavam dessa repreensão. O método utilizado por Paulo aqui é interessante, pois não consiste em destacar os ofensores nesse ponto — dirige-se à igreja como um todo. Mais tarde o apóstolo se dirigirá especificamente aos desordeiros (5.14). Talvez seu objetivo seja, inicialmente, assegurar que outras pessoas na igreja sejam desencorajadas a seguir o mesmo erro.

As duas próximas metas dos tessalonicenses são a dedicação aos seus próprios assuntos e ao trabalho árduo. Estas duas metas caminham lado a lado, pois quando alguém tem muito tempo ocioso, pode facilmente tornar-se um intrometido (cf. 2 Ts 3.11). Deus estabelece que, como seres humanos, devemos trabalhar pelas necessidades básicas da vida. Na família cristã, aqueles que por qualquer razão estão impedidos de trabalhar, estarão sob os cuidados daqueles que trabalham. Esse cuidado é o amor fraternal em sua melhor forma — ninguém deverá crescer com fome ou com frio, se os recursos necessários estiverem disponíveis. Um cristão deve ser um administrador fiel, que trabalha arduamente naquilo que Deus lhe proporcionou, e está atento às necessidades da família. O próprio Paulo enfatiza o quanto trabalhou para suprir suas próprias necessidades e não ser um fardo para ninguém (1 Ts 2.9; 2 Ts 3.8). A economia de uma comunidade cristã será desnecessariamente sobrecarregada se alguns membros se recusarem a fazer a sua parte, e Paulo compreendeu que este era o caso em Tessalônica.

Há duas razões plausíveis para um possível abuso do sistema:
1) Como em qualquer grupo de pessoas, podia haver uns poucos que não estavam motivados a trabalhar, especialmente quando há um sistema de que possam se beneficiar. A preguiça se mostra aplicada a encontrar o caminho do menor esforço;
2) Pensa-se que alguns em Tessalônica foram tão convencidos do retorno iminente de Jesus, que seu trabalho passou a ser "assistir e esperar". "Uma excessiva e indevida excitação escatológica havia produzido em alguns cristãos tessalonicenses uma tendência a tornarem-se avessos ao cumprimento de suas ocupações e deveres normais" (Bruce 91). A última explicação é a mais provável, especialmente quando Paulo menciona o tema escatológico.

Por que alguns se propuseram a tal abordagem radical, enquanto outros foram suficientemente sensíveis para se conformarem com as antigas instruções de Paulo? Não podemos dizer. Além da sobrecarga financeira à generosidade dos santos, não sabemos como a exposição da Segunda Vinda do Senhor Jesus Cristo afetou o restante da igreja. Se houve aqueles que sinceramente acreditaram em uma imediata *Parousia*, a ponto de ser iminente que parassem de trabalhar a fim de estarem prontos, podemos assumir que deveriam ver com desdém aqueles que não sendo tão "espirituais" quanto eles, continuavam a trabalhar. A harmonia familiar foi posta em perigo. A ordem de Paulo é a seguinte: Ao trabalho! Não há razão para acreditar que o cuidado com as responsabilidades diárias da vida não seja espiritual. Mais tarde, Paulo escreveu aos colossenses, "buscai as coisas que são de cima" (Cl 3.1), sem precisar esclarecer que algumas coisas na terra também precisam de atenção. Pode-se confiar que cada cristão tenha o bom senso necessário para o estabelecimento do equilíbrio, e Paulo, com sua breve recomendação sobre esse assunto, espera que alguns ociosos prestem a devida atenção a este assunto.

No versículo 12, Paulo dá duas razões importantes para que as suas palavras sejam aceitas:
1) Quer que a vida diária dos tessalonicenses seja respeitada por aqueles "que estão de fora". Esses crentes foram um modelo para que outros cristãos fossem inspirados, mas os de fora (os descrentes) também os observam. O impacto de sua conversão na sociedade será sentido, como foi indicado pelo tumulto na comunidade quando Paulo ali esteve. A sua preocupação é que os cristãos façam o melhor possível. O apóstolo não deseja instigar qualquer perseguição ou ridicularização àqueles que estão ociosos e que se recusam a cuidar de seus próprios negócios. Acredita que é possível causar uma impressão positiva ao mundo, que com total atenção observa os cristãos, por meio de nossa contribuição à sociedade mesmo nas atividades relacionadas ao trabalho secular. É sempre difícil conquistar o respeito, e a comunidade cristã como um todo pode ser censurada, em virtude do desvio de alguns;

2) Paulo também quer evitar a dependência desnecessária da caridade de outros cristãos. Houve certamente alguns que de forma legítima precisavam dessa caridade, e seria egoísmo e injustiça negar ajuda àqueles beneficiários dignos por culpa dos preguiçosos. Porque estes últimos, ao retornarem a uma condição normal, sustentando a si mesmos e aos seus, recebem de volta o respeito de seus irmãos cristãos.

5.2. Quanto à Volta do Senhor (4.13—5.11)

A maioria dos apontamentos da epístola é dedicada à orientação a respeito da *Parousia*. Todo o ensinamento de Paulo sobre a volta de Cristo, é encontrado em sua correspondência aos tessalonicenses e aos coríntios (1 Co 15.12-58; 2 Co 4.13—5.5). Há muitas outras referências na obra completa de Paulo, porém breves — geralmente apenas a mencionam — e não discutem tais circunstâncias. Mesmo a Epístola aos Romanos, que mais do que qualquer outro documento descreveu em linhas gerais sua doutrina, tem poucos detalhes da natureza da existência eterna dos santos. Não ousamos concluir que Paulo não estivesse interessado nesses assuntos. Talvez a tradição oral fosse o que prevalecia, e não era necessário justificar qualquer interpolação do tratamento epistolar. No entanto, a Igreja em Tessalônica está precisando de esclarecimento sobre esses assuntos relacionados ao fim dos tempos. À medida que avança em seus esclarecimentos, a preocupação de Paulo não é estabelecer um período para a *Parousia*, mas remediar a ansiedade e preparar seus leitores para ela.

5.2.1. Mantendo a Esperança por Aqueles que Morreram em Cristo (4.13,14).

O versículo 13 demonstra que a Igreja em Tessalônica estava vivenciando algumas confusões inquietantes sobre o que aconteceria àqueles que morressem antes da volta de Jesus. Paulo precisou aliviar a ansiedade que se originou em uma facção da igreja, e que tornou-se uma preocupação constante para a maioria da comunidade. A incerteza dos detalhes sobre o início dessa confusão gera um grande número de especulações que oscilam desde a crença de que Paulo tenha ensinado aos tessalonicenses pouco ou nada sobre esse assunto, à teoria de que os gnósticos se infiltraram na jovem igreja, ensinando que não haveria a vinda do Senhor Jesus.

O que sabemos com certeza é que Paulo instruiu os crentes em Tessalônica a respeito dos eventos do fim dos tempos. Por exemplo, precisavam esperar pela volta de Jesus, quando seriam libertos da ira de

Paulo esperou em Atenas, enquanto Timóteo retornou à Tessalônica para verificar como estavam os novos cristãos. Este antigo teatro em Atenas foi restaurado, e está atualmente em funcionamento.

Deus (1.10; 3.13); também sabiam algo a respeito da natureza do reino de Deus (2.12). Embora a especulação seja uma ferramenta exegética arriscada, é a única que, quando usada cautelosamente, pode produzir uma medida de compreensão dentro das implicações de um texto.

O ensino de Paulo provavelmente incluiu as questões da ressurreição dos mortos em Cristo e a futura revelação do eterno reino de Deus. Lüdemann (212) sugere que Paulo tenha usado a frase "não quero, porém, irmãos, que sejais ignorantes" somente para inserir um novo dado para os seus leitores. Portanto, "isto significa que o apóstolo não havia anteriormente tratado do destino dos cristãos que morreram". Não é nosso propósito discutir a afirmação de Lüdemann com respeito a introdução de um novo dado. Entretanto, esse erudito se mostra bastante superficial quando comenta a identificação desse novo elemento apresentado por Paulo. É absolutamente restritivo argumentar que Paulo tenha acreditado tão intensamente na iminência da *Parousia*, que inicialmente não tenha sequer considerado a necessidade de ensinar sobre a pré-*Parousia* dos cristãos que já haviam morrido. Afinal, a recente experiência da perseguição certamente revelou o risco enfrentado pelos cristãos.

Quer Paulo estivesse ou não consciente da verdadeira tradição, Jesus avisara seus discípulos sobre esse perigo: "matarão alguns de vós" (Lc 21.16). Desse modo, a igreja primitiva não poderia se sentir surpresa pela morte de alguns crentes antes da volta de Jesus. Paulo também não poderia esquecer-se do testemunho da morte de Estêvão (At 8.1). Como fariseu, mesmo nos dias que antecederam a sua conversão, Paulo acreditou na ressurreição dos fiéis (23.6-8). Não foi necessária nenhuma mudança significativa desse discurso teológico, uma vez que o apóstolo compreendera que Jesus venceu a morte e removeu seu aguilhão (1 Co 15.54-57; 2 Tm 1.10). Qualquer novo dado que Paulo estivesse adicionando, e que não desejasse que os tessalonicenses ignorassem, não seria apenas relacionado à esperança geral da ressurreição dos mortos em Cristo. Antes, os crentes deveriam ser ensinados que os santos que morrem ainda tomarão parte em todos os eventos da *Parousia* juntamente com os outros santos que permanecerem. A razão pela qual Paulo nunca ensinara esses detalhes anteriormente, deve-se ao fato de tal confusão não ter surgido na época em que o apóstolo esteve com eles.

O relato de Timóteo sobre a confusão que surgiu entre os tessalonicenses, alertou Paulo sobre a necessidade de discursar a respeito desse assunto, trazendo uma instrução mais profunda. Podemos reconstruir a essência de sua indagação como a seguir: "Paulo, acreditamos que Jesus está retornando em breve, assim como você nos ensinou. Mas o que será daqueles que já morreram? Sabemos que estão no paraíso, mas será que perderão o privilégio de participar desse evento glorioso?" Em sua resposta, Paulo emprega o eufemismo comum "aqueles que dormem", referindo-se àqueles que morreram (cf. Dt 31.16; Dn 12.2; 1 Co 11.30; 15.51), embora não seja contrário ao uso do termo "mortos" (*nekros*), como vemos no versículo 16.

A questão tessalonicense provavelmente não seja hipotética; antes, devido à perseguição e a causas naturais, alguns certamente já haviam falecido. A instrução de Paulo é confortante; não há motivo para uma tristeza irremediável, pois a esperança brilha. Foi a esperança em Deus que deu forças a Paulo para suportar a aflição de ser forçado a se separar dos tessalonicenses (2.19), e está confiante de que quando compreendermos a realidade da esperança em Deus, receberemos forças para superar quaisquer circunstâncias. Os descrentes têm razões para se sentirem aflitos, pois apesar de qualquer crença que possam ter sobre a imortalidade da alma, a verdade é que morrerão sem Cristo. Portanto, qualquer esperança que tenham será vã.

Como cristãos, lamentamos nossas perdas porque sentimos profundamente a falta de nossos entes queridos, mas recebemos o conforto de nosso conhecimento, de que aqueles que morreram em Cristo estão agora desfrutando com júbilo a presença de Cristo (Lc 23.43; Fp 1.23), e um dia teremos uma reunião esplêndida na eternidade (4.17).

Podemos confiantemente falar da morte como sendo a "passagem" de um estágio de existência para outro mais glorioso e eterno. Jesus, por meio de sua própria morte e ressurreição, destruiu a morte (2 Tm 1.10). Assim, pelo fato de não ter poder sobre Cristo (Rm 6.9-10), não terá também poder sobre nós, pois estamos nEle. Certamente podemos morrer antes da vinda de Jesus, mas a morte não nos separará do gozo do amor eterno de Deus (8.38,39). A morte não é o fim mórbido da existência; é, sim, uma graduação ou promoção para sermos mais vivos do que os limites da existência terrena jamais poderiam permitir.

No versículo 14, com uma expressão de fé, "cremos", Paulo confirma a base da nossa esperança. As implicações são claras e consoladoras: se Jesus morreu e ressuscitou (e Ele o fez!), então temos todas as razões para acreditar que "também aos que em Jesus dormem, Deus os tornará a trazer com ele". Sua ressurreição é a forte garantia, ou as primícias, de que todos aqueles que pertencem a Ele também ressuscitarão (Rm 8.11; 1 Co 15.20,23; 2 Co 4.14).

5.2.2. Entendendo a Seqüência dos Eventos (4.15-18).

Embora os tessalonicenses tivessem algum conhecimento a respeito da ressurreição dos mortos em Cristo, não estavam seguros de como essa ressurreição poderia ajustar-se aos eventos relacionados à *Parousia*. Paulo agora explica, de modo breve, o que acontecerá, de acordo com a "palavra do Senhor". É possível que Paulo esteja familiarizado com o ensinamento tradicional sobre esses assuntos, e também com alguns detalhes que não estão incluídos nos relatos dos evangelhos (Jo 21.25); ou pode ainda estar expressando "um ensinamento profético em nome de Jesus" (Bruce 98).

A passagem em Mateus 24.30,31 preserva alguns elementos que fazem parte da vinda de Cristo, e que são repetidos por Paulo. Essa referência à palavra do próprio Senhor é destinada a autorizar ou confirmar a validade daquilo ele deve descrever em linhas gerais; ela evita que os caluniadores acusem-no de inventar histórias de falsas esperanças a fim de aumentar o número de seus seguidores. O apóstolo é um despenseiro da verdade, e executará fielmente suas obrigações tão minuciosamente quanto puder (cf. 1 Ts 2.4).

O versículo 15 revela a precisa preocupação que os tessalonicenses tinham, de que aqueles que dormiram sofressem alguma desvantagem por ocasião da volta de Jesus. A preocupação parece não ser que os mortos sejam excluídos da vida eterna, mas que lhes seja negada a participação na grande celebração da *Parousia*. A resposta de Paulo é inequívoca — aqueles que estiverem vivos certamente não precederão "os que dormem". Nenhum cristão será excluído desses eventos; na verdade, como Paulo explica, os mortos terão uma pequena vantagem — serão os primeiros, pois ressuscitarão.

O retorno do Senhor aos seus santos terá início, conforme a descrição mostrada no versículo 16, com três características peculiares:

1) Haverá um "alarido" (*keleusma*). Este é um termo técnico, usado em situações militares como um grito de guerra ou ordem autoritária (Morris, 143). Alguns entendem-no como a ordem de Deus a seu Filho, para que retorne ao convívio com os crentes, porém é mais provável que Paulo esteja apresentando a imagem de um anúncio ou de um chamado para que os santos encontrem seu Senhor. Vemos um possível paralelo com a tradição que o apóstolo pode ter conhecido, nas seguintes palavras de Jesus: "Não vos maravilheis disso, porque vem a hora em que todos os que estão nos sepulcros ouvirão a sua voz. E os que fizeram o bem sairão para a ressurreição da vida; e os que fizeram o mal, para a ressurreição da condenação" (Jo 5.28,29; veja também 11.43 sobre o chamado de Lázaro da sepultura).

2) O próximo som mencionado é a "voz do arcanjo". O que esse mensageiro dirá? Alguns entendem esta voz e o alarido como sendo a mesma coisa. Paulo não menciona o nome desse anjo, embora "na tradição

judaica sejam conhecidos sete arcanjos" (Bruce, 100; para conhecer seus nomes veja Jd 9; [1 Enoque 20.1-7]). Como arautos de Deus, um anjo anunciou aos pastores o nascimento de Jesus, e uma hoste de anjos louvou a Deus naquela majestosa ocasião (Lc 2.9-14). É provável que por ocasião do retorno do Rei dos reis, mais uma vez um arauto proclame as novas de grande alegria.

3) "A trombeta de Deus" também fará parte do majestoso esplendor da *Parousia*. Esse detalhe coincide com a descrição que Paulo faz da última trombeta que soará, e assim "os mortos ressuscitarão incorruptíveis, e nós seremos transformados" (1 Co 15.52). Jesus ensinou que a chegada do Filho do Homem será assistida pelo envio de seus anjos: "E ele enviará os seus anjos com rijo clamor de trombeta, os quais ajuntarão os seus escolhidos" (Mt 24.31). De acordo com Ap 11.15, o som de uma trombeta precederá a seguinte anunciação cósmica: "os reinos do mundo vieram a ser de nosso Senhor e do seu Cristo".

Uma vez que esses três eventos tenham ocorrido, "os que morreram em Cristo ressuscitarão primeiro". Paulo enfatiza que os santos falecidos não somente farão parte do evento, mas também serão os "primeiros" a ressuscitar, o que significa que ressuscitarão em seus corpos glorificados ou incorruptíveis, antes daqueles que ainda estiverem vivos e que serão transformados (1 Co 15.51), e se reunirão para o encontro com o Senhor. Aqueles amados que descansam não serão esquecidos, nem serão desfavorecidos pela morte.

Uma conotação errônea do eufemismo "dormem", tem persuadido alguns a acreditarem que há um estado intermediário de repouso da alma, e que alguém, após estar morto por certo tempo, será despertado para os eventos da vinda do Senhor. Porém as Escrituras deixam claro que há uma existência consciente após a morte. Escrevendo aos filipenses, Paulo está convencido de que mesmo enfrentando uma situação incerta, verdadeiramente terá um futuro vitorioso. Se for liberto da prisão, se sentirá empolgado para continuar seu ministério; mas se for executado, também terá um ganho, pois finalmente estará com Cristo, o que é ainda melhor (Fp 1.20-23).[9]

Assim que os mortos em Cristo forem transformados para participarem juntamente com os que ficarem vivos, serão "arrebatados juntamente com eles nas nuvens, a encontrar o Senhor nos ares, e assim [estarão] sempre com o Senhor" (v. 17). A palavra "arrebatados" (*harpazo*) é traduzida no latim pelo verbo *rapere*, daí o termo popular *rapto*. Por treze vezes o termo *harpazo* é usado no Novo Testamento, porém foi usado apenas uma vez combinado com *Parousia* (por exemplo, veja At 8.39; 2 Co 12.2,4). O apóstolo não usa o termo em seu outro tratamento estendido aos eventos da volta de Cristo em 1 Co 15.50-58, e nem o faz em 2 Co 4.14, quando escreve que os santos, reunidos, serão ressuscitados e apresentados a Cristo.

A referência de Paulo ao encontro nas nuvens é retirada das imagens bíblicas da presença de Deus nas nuvens em outros eventos importantes, tais como a transfiguração de Jesus (Mt 17.5) e sua ascensão (At 1.9). Jesus também usa estas imagens quando fala da aparição do Filho do Homem no céu (Mt 24.30; cf. Dn 7.13). O Livro de Êxodo relata como uma coluna de nuvem foi útil no episódio da saída de Israel do Egito (Êx 13.21; 14.19,20), e como Deus veio a Moisés "numa nuvem espessa" antes de entregar-lhe os Dez Mandamentos (19.9; cf. também 19.16, em que a espessa nuvem da presença de Deus está acompanhada por "um sonido de buzina mui forte"). Mais tarde, a gloriosa presença de Deus em forma de uma nuvem descia sobre a tenda da congregação, e seu repouso ou ascensão sobre o tabernáculo sinalizava que Deus desejava que Israel descansasse ou prosseguisse sua viagem (40.34-38).

Esse alegre encontro com Jesus é esperado como uma "bem-aventurada esperança" de todos os crentes, de todas as gerações (Tt 2.13). Ao usar a palavra "encontrar", Paulo pode estar se referindo à imagem de uma delegação oficial de boas-vindas, enviada para saudar um digno visitante "e escoltá-lo ao estágio final de sua jornada" (Bruce, 102; cf. Mt

25.6; At 28.15). De um modo diferente da primeira vinda do Senhor em carne, e do curto espaço de tempo que passou com os discípulos, esse encontro será eterno. Não haverá nenhuma tragédia capaz de separar a unidade que teremos com Ele; não haverá na agenda do reino de Deus qualquer outro compromisso que faça com que novamente se ausente de nós.

Assim como Paulo sugere no versículo 18, há um abundante encorajamento que pode ser encontrado na perspectiva de estarmos para sempre com nosso Senhor. Os tessalonicenses, que estavam desesperados com o risco de perder os entes queridos e talvez quanto à possibilidade de sua própria morte, certamente foram tranqüilizados pelo esclarecimento da seqüência dos eventos da *Parousia*.

Quando estudamos a passagem em 1 Tessalonicenses 4.13-18 é importante lembrar o propósito de Paulo. O apóstolo está tentando remediar, tão efetivamente quanto possível, o problema do mal-entendido entre os tessalonicenses a respeito da participação dos cristãos falecidos na grande reunião com Cristo em sua volta. Abordamos o texto com uma curiosidade não evidenciada pelos leitores originais; uma curiosidade que tem sido despertada por um ínterim de quase dois mil anos, e pelas modernas teorias escatológicas populares. Nos perguntamos sobre a localização exata da volta de Jesus — será no céu, sobre Jerusalém? Todos serão capazes de ouvir a voz do arcanjo e o rijo clamor das trombetas, ou somente os ouvidos dos cristãos? Os descrentes testemunharão o rapto (ou arrebatamento) dos cristãos, ou estes desaparecerão instantaneamente?

Estas e uma série de outras questões não são respondidas por Paulo. É natural sermos curiosos e procurarmos respostas nas Escrituras; mas onde nenhuma resposta é dada, precisamos reverenciar a Deus em submissão, pois foi Ele quem revelou o que precisamos conhecer, e ocultou aquilo que desejamos saber. O que precisamos aprender dessa passagem, é que aproxima-se o dia em que Jesus retornará aos seus remidos. Será um evento glorioso, do qual todos os cristãos participarão total e igualmente — um evento que inaugura a consumação de todos os tempos. Nós, juntamente com todos os irmãos e irmãs da Igreja universal, um dia estaremos reunidos com o nosso Senhor — para sempre!

5.2.3. Prepare-se para a Volta do Senhor (5.1-11).

Paulo prossegue sua discussão sobre a *Parousia*, porém passa do consolo para a exortação, aconselhando os tessalonicenses a se conduzirem de modo apropriado à luz da segunda vinda de Jesus. A chave para os cristãos é estarem alertas ou vigilantes e, portanto, tendo completo domínio próprio, demonstrando um estilo de vida santo, na expectativa do retorno iminente de Cristo.

Paulo escreve que não precisa dizer nada mais do que os crentes em Tessalônica já sabem (v. 1), porém começa com uma recapitulação cuidadosa do ensinamento tradicional relacionado ao Dia do Senhor. O uso da frase, "dos tempos e das estações" tem levado alguns a fazer uma distinção entre as duas palavras. Morris (150) comenta que aqui o substantivo "tempos" (*chronos*) refere-se à progressão do tempo, enquanto "estações" (*kairos*) indica "a natureza dos eventos que caracterizarão o tempo do fim". Pode ser, entretanto, que as duas palavras sejam sinônimas, e que Paulo esteja empregando uma frase bastante expressiva que, embora simplesmente, porém enfaticamente, se refira ao tempo do fim.

Jesus faz uso das mesmas palavras ("tempos e estações") em suas declarações finais aos discípulos, quando indagaram se, naquele tempo, Ele restauraria completamente o reino a Israel (At 1.6,7). Sua resposta foi que a cronologia precisa era uma questão que pertencia exclusivamente a Deus, e não a eles. Seu trabalho deveria ser testemunhar a respeito de Cristo, e de seu reino vindouro (1.8). Isto não significa que os cristãos devam ignorar os sinais que Jesus propicia (veja, por exemplo, Mt 24). A observação de Paulo é semelhante: os cristãos devem ser consumidos por uma vida de prontidão a servir, à luz da certeza do retorno de Jesus, e não se consumirem com a fixação prejudicial e inútil de uma data específica.

I TESSALONICENSES 5

O versículo 2 explica por que Paulo não precisa escrever com grandes detalhes a respeito do assunto: "porque vós mesmos sabeis muito bem" os fatos gerais que podem ser conhecidos. Para estimular seus leitores à prontidão, descreve em linhas gerais o conteúdo do ensinamento anterior que dele receberam, a respeito do "Dia do Senhor".

Antes de comentar o esboço de Paulo, é conveniente oferecer uma breve explicação sobre o conceito do "Dia do Senhor". O Antigo Testamento retrata Deus trazendo um fim à opressão e à maldade do mundo. O julgamento virá e o mundo será punido (Is 13.9-11; Am 5.18-20; Sf 1.14—2.3); todas as nações receberão o tratamento que merecem (Ob 15). Para aqueles que são justos, esse terrível dia da ira não precisará ser temido, pois será também um dia de libertação (Jl 2.28—3.1; Ob 16-21). Wanamaker (179) observa que a frase foi naturalmente assimilada pelos cristãos em virtude da palavra "Senhor", que corretamente identificam como Jesus. Foi essa assimilação que permitiu uma variedade de frases sinônimas, tais como "Dia de Jesus Cristo" (Fp 1.6) ou "Dia do Senhor Jesus" (2 Co 1.14; veja também Bruce, 109).

Com a finalidade de exortar os cristãos à prontidão, Paulo relata algo da tradição oral que circulava a respeito do ensinamento de Jesus sobre o fim dos tempos. O evangelho em sua forma presente ainda não havia sido escrito na época dessa epístola (esse ensinamento oral particular mais tarde seria registrado em Mt 24; Mc 13; Lc 21.5-36). A primeira ilustração que Paulo toma emprestado dessa tradição é a de um "ladrão de noite" (1 Ts 5.2; cf. Mt 24.43,44). O morador cujo lar foi roubado, havia se deitado naquela noite, seguro de que esta seria igual a qualquer outra; pensava que esta noite comum daria lugar a um outro dia, como de costume. Isto foi o que tornou o roubo tão eficaz — era inesperado. A vigilância é o meio de se impedir a ação do ladrão, e, por analogia, a vigilância marca o estilo de vida de cada cristão (cf. a parábola das 10 virgens, Mt 25.1-13).

O apóstolo toma seu segundo exemplo emprestado da tradição profética do Antigo Testamento, que trata de pregações enganadoras e de mensagens que têm como objetivo agradar pessoas, dizendo: "Paz, paz; quando não há paz" (Jr 6.13,14; Ez 13.8-16). Paulo demonstra que as pessoas assumem posições errôneas pensando que "a paz e a segurança" serão sua porção indefinidamente, mesmo enquanto estiverem vivendo todas as repercussões de uma vida ímpia, que logo lhes levará à decadência.

Paulo destaca em sua declaração que a "repentina destruição" é o resultado certo, utilizando a metáfora das dores do trabalho, que era comum tanto para o Antigo como para o Novo Testamento. Nesse caso Paulo usa a ilustração não para demonstrar que depois de muita dor algo lindo nascerá (como em Rm 8.22,23). Ao invés disso, mostra o resultado inevitável de uma vida pecaminosa — tão certamente quanto uma mulher grávida de forma repentina experimentará as contrações e dará à luz, assim também a vida pecaminosa chegará ao seu fim.

O exemplo de Paulo é semelhante ao processo descrito por Tiago: "Depois, havendo a concupiscência concebido, dá à luz o pecado; e o pecado, sendo consumado, gera a morte" (Tg 1.15). Não há como fugir; ninguém está isento da ceifa das conseqüências da rebelião contra Deus. Sendo misericordioso, Deus não imporá seu julgamento imediatamente, antes, oferecerá a salvação por meio do único caminho que é Jesus Cristo. Infelizmente, a paciência de Deus passa despercebida aos pecadores, que se sentem invencíveis; ainda não serão punidos, portanto erroneamente concluem que jamais haverá qualquer punição. Mas a Palavra de Deus é certa, e apesar das aparências da impunidade de uma vida pecadora, chegará o dia do acerto de contas (1 Ts 1.10; 2.16; 2 Ts 1.6-10; 2 Pe 2.3-13).

Em tal nota Paulo contrasta os tessalonicenses: "Mas vós, irmãos, já não estais em trevas" (v. 4). Diferentemente dos descrentes, que não desconfiam de nada, os cristãos são totalmente conscientes que o Dia do Julgamento chegará; porém não é um dia a ser temido, pois estão preparados pela virtude de estarem em Cristo. Nos versículos 4-7, Paulo utiliza as metáforas comuns referentes às trevas para representar o Maligno (Is 59.9; Mt 6.23; Rm 13.12; Ef 5.11; 1 Jo 2.11), e a luz para representar a pureza ou a justiça (2 Co 6.14; Ef 5.8-10; 1 Pe 2.9; 1 Jo 1.5). Os cristãos podem ser chamados de "filhos da luz e filhos do dia" (1 Ts. 5:5), pois deixaram a rebelião para servirem a Deus (1.9), e aceitaram a generosa dádiva da virtude de Jesus (1 Co 1.30; 2 Co 5.21).

Conseqüentemente, uma vez que os cristãos não são filhos das trevas, não devem agir como os que dormem (v. 6). Paulo se sente confortado pelo acúmulo de suas metáforas, pois escreve mais com um sentido de urgência do que com a atenção voltada a uma retórica polida. Então passa ao conceito do sono, não como um eufemismo da morte (como fez em 4.13), mas como a antítese de estar alerta. O contraste continua: O descrente não desconfia do julgamento, está embalado pelo sono da ignorância e do desinteresse quanto a seu destino. Todavia, o cristão vigilante não é negligente e nem auto-indulgente nos assuntos relacionados às trevas.

Para enfatizar este assunto, Paulo usa um "truísmo" (Wanamaker, 184), ou um provérbio no versículo 7. Tal uso causará confusão se o que está sendo dito for entendido como um contraste entre as pessoas boas, que se comportam bem por dormirem à noite, e aquelas que se entregam a deleites pecaminosos, quando deveriam estar dormindo. Paulo usou o termo "dormir" de maneira negativa no versículo 6, e é provável que pretendesse que a conotação governasse o uso de suas palavras. Em outras palavras, os pecadores estão dormindo ao invés de estarem alerta, e se entregam à embriagues ao invés de exercitarem o auto-controle. Isto não quer dizer que todos os pecadores sejam alcoólatras, mas o conceito de embriagues está apenas representando as demais formas de impiedade e auto-indulgência.

No versículo 8, Paulo repete seu chamado ao equilíbrio. Assim como no versículo 6, quando usa a palavra *nepho*, que literalmente significa "sóbrio", e assim ajusta melhor o contexto de contraste com a embriagues pelo uso da palavra grega traduzida como "temperança", na lista que elaborou sobre o fruto do Espírito (*enkrateia*; Gl 5.23). No sentido figurado, os crentes resistem a ser intoxicados pelas seduções do mundo. Elevam seus pensamentos às coisas do alto (Cl 3.1,2) e procuram priorizar o serviço ao reino de Deus (Mt 6.33).

O apóstolo então oferece um projeto para esses exercícios de auto-controle: os tessalonicenses são encorajados a desenvolver as três virtudes cardeais que são a fé, o amor e a esperança (1 Ts 1.3). Lembrando-nos de sua descrição mais extensiva da armadura de Deus em Efésios 6.13-18, o apóstolo descreve estas três virtudes em termos de duas partes da armadura com que os cristãos precisam estar equipados. Como proteção contra o sono espiritual e a auto-indulgência, devemos nos vestir com a "couraça da fé e da caridade" e com o capacete da "esperança da salvação" (1 Ts 5.8).

Paulo escreve aos romanos de maneira similar, encorajando-os a evitar o sono e a se prepararem para a chegada daquele dia, repudiando as obras das trevas e tomando as armas da luz (Rm 13.11-14). A lição é clara: os tessalonicenses devem continuar firmes na fé e na demonstração do amor (1 Ts 1.8; 3.8,12; 4.1,9,10) até Jesus voltar. Não devem se desviar à negligência pelas pressões das perseguições, ou pela demora do retorno de Cristo. Devem manter como principal pensamento a esperança da suprema salvação, pois algum dia verão a Jesus face a face. Então, realmente, todo o esforço será recompensado.

Paulo conclui sua exortação à prontidão, lembrando que "Deus não nos destinou para a ira" (v. 9). Como filhos de Deus, a condenação não é mais a nossa sorte (Rm 8.1). Deus nos escolheu ou elegeu (1 Ts 1.4), e Jesus nos resgatou (1.10); portanto nossa salvação está assegurada. Então, pela primeira vez na carta, Paulo explicitamente menciona os meios pelos quais a salvação se tornou possível: Ele "morreu por nós" (5.10). Jesus é o nosso substituto, que tomou nosso lugar na condenação e pagou o preço por nossos pecados (Rm 6.23; 2 Co 5.21; Gl 3.13; 1

Pe 1.18-21; cf. Is 53.6). Esse versículo nitidamente se refere ao assunto que iniciou a discussão — não importa se um cristão morreu ou se permanece vivo, todos os crentes serão reunidos com Jesus para viver eternamente com Ele.

Os tessalonicenses devem usar essa bem-aventurada esperança como uma fonte abundante de encorajamento para continuar sendo modelos da fé cristã (v. 11). Dentro do corpo de Cristo, quando alguém estiver desalentado ou cansado, é privilégio e responsabilidade dos outros ajudá-lo a levantar-se. Esse chamado ao encorajamento e à edificação mútua, implica outro aspecto da vigilância — o de procurar suprir as necessidades mútuas, de modo que ninguém esteja desamparado em suas necessidades, ou que ao menos ninguém esteja só.

O que antigamente foi a fonte mais poderosa de inspiração para os santos, precisa permanecer. Jesus está voltando para a sua Igreja. Não estejamos confusos sobre a *Parousia*, pois "a nossa salvação está, agora, mais perto de nós do que quando aceitamos a fé" (Rm 13.11). Através da adoração e da ministração da Palavra de Deus, os cristãos fiéis deverão sempre se lembrar dessa esperança gloriosa. O fato de Jesus ainda não ter voltado não deve nos desanimar; também não devemos nos sentir desencorajados pelo escárnio daqueles que desconsideram a nossa crença persistente. Sabemos que todas as coisas se tornam bem-sucedidas em nossa vida por sermos pacientes, conforme a vontade de Deus (2 Pe 3.3-9). Mantenhamos, portanto, uma nítida e eterna perspectiva, enquanto cumprimos nossa chamada na Igreja do Senhor, em nossos dias.

5.3. Quanto à Conduta na Comunidade Cristã (5.12-22)

Paulo conclui sua epístola com algumas diretrizes relacionadas a um amplo espectro de conduta que resulta da vida na luz, e que significa uma elaboração da fé, do amor e da esperança dos tessalonicenses (v. 8). Por serem temas específicos, alguns chamaram a atenção de Paulo por meio do relato de Timóteo; outros, por serem variados, aplicam-se à edificação de qualquer Igreja (Marshall, 145). Portanto, nem todas as diretrizes são necessariamente aplicáveis às necessidades exclusivas da igreja tessalonicense; muitas delas são igualmente relevantes para os nossos dias.

5.3.1. O Respeito à Autoridade (5.12,13).
Quando alguém considera que Paulo não tinha mais do que três semanas para estabelecer a Igreja em Tessalônica (At 17.2), e que não se comunicara com os crentes de lá até que Timóteo fosse enviado, a questão que surge naturalmente é: A quem Paulo os encoraja a respeitar? O apóstolo teve tempo suficiente para escolher e treinar líderes? Esses líderes não eram tão novos na fé quanto o restante da comunidade cristã?

Lucas relata que durante a primeira viagem missionária, Paulo escolheu presbíteros: "havendo-lhes por comum consentimento eleito anciãos [presbíteros] em cada igreja, orando com jejuns, os encomendaram ao Senhor em quem haviam crido" (At 14.23). Morris (164,165) vê esse costume como uma evidência de que os presbíteros, embora inexperientes, foram escolhidos pelo grupo missionário. Talvez alguns tenham se destacado naturalmente por sua vontade e capacidade de servir como líderes espirituais, e o que Paulo está pedindo, então, é que a Igreja "reconheça como seus líderes precisamente aquelas pessoas que trabalharam para mantê-los, protegê-los e cuidar deles" (Wanamaker, 193; veja 1 Co 16.15,16 como exemplo).

A palavra traduzida como "reconhecer" significa literalmente "conhecer", porém o contexto indica que é necessário mais do que o simples reconhecimento. O completo reconhecimento de quem são esses líderes, e o que significam para a Igreja resultará em respeito por suas importantes funções. Pode ser que Timóteo tenha trazido notícias de oposição à liderança.[10] Paulo apresenta uma forte defesa a favor de seus líderes, fundamentalmente embasada em três considerações, a fim de restaurar ou manter o devido respeito.

Essa defesa é um paralelo à sua própria autodefesa nos capítulos 2 e 3, como será demonstrado. A gramática do verso 12 é contrária a que as três características de liderança ali listadas sejam vistas como três diferentes dons ministeriais (ao contrário da lista dos diferentes dons em Rm 12.6-8).

1) O respeito dos tessalonicenses pela autoridade será saudável, quando estiverem conscientes de quão árduo é o trabalho dos líderes. Eles não têm uma tarefa fácil, pois Deus colocou o fardo do bem-estar da Igreja sobre seus ombros. Paulo deveria defender seu ministério contra as acusações de falta de sinceridade, e o fez, em parte, ao lembrar seus leitores de como trabalhou arduamente para o benefício deles, por causa do amor que sentia (2.8-9).

2) O próximo ponto apresenta algumas variações de tradução. A escolha da palavra *proistamenoi* feita por Paulo pode realmente ser uma referência ao ofício de liderança (Morris, 166); assim temos a seguinte tradução: "... presidem sobre vós no Senhor". A NVI o traduz como: "aqueles... que estão acima de vocês". O que não pode ser ignorado, entretanto, é que a palavra também apresenta conotações de proteção e cuidado, e estas são as funções que demonstram quem são os verdadeiros líderes (veja Bruce, 117, que traduz este texto como "[aqueles que] cuidam de vocês no Senhor"). Esse cuidado e proteção representam um paralelo à autodescrição de Paulo como uma mãe meiga (2.7), e seu intenso desejo de protegê-los, e suprir o que lhes falta na fé (3.10).

3) As admoestações são também necessárias. Em certas ocasiões, os cristãos precisam mais do que encorajamento; precisam de fortes palavras de correção ou repreensão. As faltas ou fraquezas devem ser expostas e corrigidas, e avisos de alerta contra perigos ou erros devem ser compartilhados. Esse esforço requer sabedoria e uma medida de diplomacia, pois nem sempre é uma tarefa agradável. Algumas vezes, as admoestações são mais desagradáveis para quem as recebe, porém deve-se levar em consideração que incentivar os cristãos a viverem dignamente é parte do trabalho.

O próprio exercício de admoestação de Paulo está implícito em sua função de pai espiritual (2.11,12), e precisam obedecer a advertência para que vivam como santos, se quiserem evitar a rejeição por parte de Deus (4.7). Vemos também a admoestação explícita de Paulo mais tarde em 5.14, onde a mesma palavra traduzida no versículo 12 como "admoestação", em algumas traduções aparece como "advertência". Assim como os tessalonicenses respeitaram e amaram a Paulo em seu desempenho dessas três funções, devem respeitar e amar seus atuais líderes.

Todo esse árduo trabalho, que envolve cuidado e admoestação, é a razão principal para assegurar aos líderes "grande estima e amor" (v. 13). Esse respeito é naturalmente conquistado, e o dever do líder não é forçar situações para alcançá-lo; caso contrário correrá o risco de dar lugar a bajuladores, e esperar elogios de fontes erradas (2.4-6). Paulo enfatiza o nível de consideração que deveriam mostrar, ao utilizar a frase "em grande estima" (*hyperekperissou*; veja comentários em 3.10).

A responsabilidade da liderança espiritual é enorme. Enquanto os crentes precisam cuidar de seu próprio crescimento pessoal e do exercício de sua fé, os líderes devem facilitar essa tarefa em níveis individuais e coletivos. Precisam de sabedoria e poder de Deus para nutrir uma comunidade de crentes que estão em diferentes níveis de maturidade cristã, a fim de promover a unidade dentro do corpo de Cristo — a Igreja — conduzindo-a ao cumprimento de sua tarefa na Grande Comissão. O chamado para qualquer tipo de liderança não deve ser ignorado nem pela pessoa que é chamada nem pelos liderados. O trabalho diligente e o coração cuidadoso são realmente dignos do mais alto respeito. Quando os líderes cumprem sua responsabilidade e os crentes lhes respondem positivamente, os santos estão bem encaminhados para aderirem à próxima recomendação de Paulo: "tende paz entre vós" (v. 13b; cf. Rm 12.18).

5.3.2. As Necessidades Remediadas (5.14,15). A Igreja tessalonicense é um maravilhoso exemplo do poder da graça de Deus para iniciar as conversões e manter os novos crentes na fé. Paulo se sente grato pela maravilhosa obra de Deus neles (1.3; 2.13; 2 Ts 1.3), e louva-os por seu extraordinário testemunho (1 Ts 1.7,8). No entanto, mesmo com todas as coisas positivas a serem ditas a respeito dos crentes tessalonicenses, algumas precisam ser remediadas. Paulo não trata de seus interesses particulares — seus discursos são sinceramente intencionados a encorajar e edificar o corpo de Cristo, que é a Igreja. Há aqueles que precisam ser estimulados a trabalhar, e a ociosidade é censurada (veja comentários em 4.11).

Paulo está também atento aos de "pouco ânimo" (v. 14b); talvez tenha pessoas específicas em mente, em virtude das relações que estabeleceu enquanto esteve em Tessalônica. Os que têm pouco ânimo, que são tímidos ou medrosos, não devem ser menosprezados. Talvez Paulo esteja se referindo a qualquer um dos convertidos que, em confronto com a adversidade em Tessalônica, não tenha sido capaz de lidar com as pressões da mesma forma corajosa que os demais (Morris, 169). Essa inquietação fora manifestada, antes mesmo que Paulo declarasse sua preocupação com alguns que poderiam vacilar por causa das provações que enfrentavam (3.3-5). Para aqueles, o remédio é o consolo e as palavras de ânimo, que lembram o covarde da grande e eterna finalidade de todas as dificuldades — no final, a recompensa de estar com Jesus é mais do que satisfatória.

É o dever da Igreja "sustentar os fracos" (v. 14c). A distinção entre aqueles identificados como de pouco ânimo e aqueles identificados como fracos, é que o último termo designa também os "economicamente necessitados" (Wanamaker, 198), ou aqueles que são fracos na fé quando lutam contra as tentações e se esforçam para fazer a vontade de Deus (Marshall, 151). Esses cristãos precisam de ajuda de forma que se apóiem e ergam-se, pois seriam esmagados se aqueles que são mais fortes desistissem deles. Tais pessoas necessitam genuinamente de mais cuidado e atenção; aqui, novamente vemos a necessidade do trabalho árduo, envolvendo a edificação do corpo de Cristo.

A partir desses objetivos específicos voltados aos desordeiros, aos de pouco ânimo e aos fracos, Paulo lança uma rede mais ampla: "sejais pacientes para com todos" (v. 14d). Todos os crentes têm necessidades que requerem a energia de outros, e pontos fracos que precisam ser tolerados para que juntos cresçamos em Cristo. Como a experiência tão freqüentemente testifica, a paciência pode ser a mais árdua das pelejas, mas também é um grande catalisador para o processo de edificação mútua. Carregar os fardos uns dos outros faz parte do privilégio de sermos participantes da família de Deus (4.9,10; cf. Gl 6.1,2). Como Wanamaker tão apropriadamente diz (198), Paulo provavelmente procurou, por meio desses discursos, "dar a toda a comunidade um senso de responsabilidade pastoral". Tal responsabilidade certamente representa o estímulo oferecido pelo apóstolo, esperando que isso se torne uma norma para todo o povo de Deus, de modo que estejam preparados "para a obra do ministério, para edificação do corpo de Cristo" (Ef 4.12).

Paulo formula sua próxima injunção tanto com disposições positivas quanto com negativas (v. 15). Proíbe que tornemos mal por mal (cf. Rm 12.17). Tal recusa de atacar violentamente, em forma de revanche, a qualquer pessoa que possa ter causado danos ou abusos é uma obra da paciência a que Paulo se refere no versículo anterior. A paciência não é somente um ministério voltado a ajudar irmãos e irmãs em Cristo e promover a unidade do corpo; é o caminho que os cristãos devem tomar quando se confrontarem com qualquer grau de antagonismo do mundo presente. É também um convite a não agirmos como no passado, seguindo o modelo "olho por olho", quando sofremos algum dano, mantendo a guarda contra essa tendência. O ato de evitar a revanche é notável, porém acrescer a especulação positiva a esta atitude, para antes praticar a bondade, parece realmente desanimador (cf. Rm 12.14,21). O próprio Senhor Jesus ensinou essa dupla resposta do domínio próprio e do amor, quando falou de dar a outra face e andar a segunda milha, amando os inimigos e orando por eles (Mt 5.38-47).

Como leitores do texto, uma coisa é aplaudir tal nobre ética; porém é muito diferente nos colocarmos na situação dos crentes tessalonicenses, e sentirmos o que sentiram quando se depararam com a perseguição. Como responderíamos à intensa ridicularização e aos maus tratos físicos? Quão difícil seria sofrer silenciosamente tal indignidade, procurando até mesmo o bem-estar de nossos antagonistas? Talvez a iniciativa de nos adequarmos a essa ética seja fortalecida quando nos lembramos de que também já fomos inimigos de um Deus que foi paciente e misericordioso, e demonstrou amor ao invés de vingança. Aqueles que atualmente são nossos inimigos, podem um dia se tornar irmãos e irmãs em Cristo. A tarefa pode inicialmente parecer desanimadora, todavia por trás de todo o ensinamento ético de Paulo repousa a certeza de que o Espírito Santo é nossa força e que a graça de Deus é suficiente para capacitar-nos a fim de enfrentarmos todos os desafios da vida.

5.3.3. O Regozijo, a Oração e o Reconhecimento da Liderança do Espírito (5.16-22). Em uma breve instrução, Paulo apresenta uma comoção de oito mandamentos. Os três primeiros (vv. 16-18) pertencem às atitudes interiores que os cristãos devem cultivar; os últimos cinco (vv. 19-22) tratam do papel da profecia dentro da Igreja:

1) A lista começa com "Regozijai-vos sempre" (v. 16). Tal expectativa pode parecer incomum sob o prisma das circunstâncias adversas do público de Paulo, mas as Escrituras de maneira uniforme apresentam o encorajamento ao regozijo juntamente com a racionalização das atitudes. Jesus ensinou seus discípulos que poderiam alegrar-se apesar das perseguições (Mt 5.10-12); Lucas registra como, na verdade, os discípulos se alegraram após serem agredidos pelas autoridades do Sinédrio (At 5.41; 16.25), e as epístolas do Novo Testamento são consistentes com o testemunho de nos regozijarmos em meio ao sofrimento (Rm 5.3; Cl 1.24; Hb 10.33,34; Tg 1.2; 1 Pe 1.6).

As Escrituras oferecem três poderosas razões pelas quais os cristãos podem manter-se nessa atitude de júbilo:
a) O sofrimento por tal nobre causa é acompanhado por um senso de dignidade e privilégio — o amor por Jesus. A vergonha e a dor do tormento são compensadas pela percepção notável de que os cristãos são abençoados por se identificarem com Jesus, que sofreu por eles (At 21.13; Rm 8.17; Fp 3.10; 2 Ts 1.5; 1 Pe 4.13);
b) Os santos descobriram um grande alívio ao permanecerem na perspectiva que claramente vê o temporário contra o panorama de uma herança eterna e gloriosa (Rm 8.18; 2 Co 4.14-18; 1 Ts 5.10,11; Hb 10.35,36);

c) O gozo é uma das virtudes do fruto do Espírito; isto é, a função do Espírito Santo é fortalecer os cristãos para que se regozijem (Gl 5.22). Um resultado natural de ser cheio com o Espírito é a atitude de gozo que prevalece a despeito das circunstâncias contrárias que poderiam atemorizar e destruir uma fé cristã, se não fosse pela graça suficiente de Deus. Paulo aplaude os tessalonicenses por sua aceitação inicial do Evangelho "com gozo do Espírito Santo" apesar da perseguição (1 Ts 1.6; veja At 13.52, onde Lucas mostra uma correlação entre o gozo e o Espírito Santo).

O desafio para os crentes de hoje é se desligarem de qualquer tendência de prolongar o desespero para ganhar um convicto conhecimento de nosso destino eterno. Os santos que demonstram, de maneira tão capaz, como isto pode ser feito são dignos de imitação. A dinâmica morada do Espírito Santo no interior de cada cristão assegura que a nenhum deles é negado o fruto do gozo;

2) Paulo ordena que seus leitores orem "sem cessar" (v. 17). O apóstolo testificou o quanto ele mesmo orou por eles (1.3; 3.10; 2 Ts 1.11), desse modo, foi um modelo do papel crítico desempenhado pelo crente que ora. A noção de orar sem cessar não significa que os cristãos conversem somente com Deus a todo momento. Antes, precisamos estar conscientes das necessidades e capacidades que temos de nos relacionarmos com Deus por meio de nossas petições, ação de graças

e louvores; portanto, precisamos perseverar em oração (Bruce, 124; cf. Rm 12.12). Uma contínua preferência pela oração cultiva a consciência da presença de Deus tanto no aspecto secular quanto espiritual, e faz com que a vida seja santificada e feliz;

3) A terceira atitude que Paulo aprecia é dar graças em todas as circunstâncias (v. 18). Quando ora, Paulo pratica o que prega (1.2; 2.13; 3.9; 2 Ts 1.3; 2.13). O princípio de ser agradecido e de se regozijar não deve se restringir aos temas positivos da vida que tão facilmente evocam a gratidão (observe o valor enfático de "em tudo"). Uma distinção precisa ser feita entre ser grato *por* tudo (mesmo pelo mal que nos acontece) e ser grato *em* todas as coisas (boas ou más). Paulo mais tarde demonstra como pode manter um nível equilibrado de contentamento em quaisquer circunstâncias — Cristo lhe dá forças para estar contente (Fp 4.11-13).

O apóstolo está absolutamente convencido de que sua vida está nas mãos de Deus, sendo fortemente controlada por Ele. Pode, portanto, ser grato mesmo no sofrimento, pois sabe que Deus está trabalhando em todas as coisas para o bem e que nada anulará sua herança em Cristo (Rm 8.28,38,39). O que sabe ser verdadeiro a respeito de sua própria situação, sabe que também é verdadeiro em relação à situação dos filhos de Deus em Tessalônica. Têm muito a agradecer, não só por terem sido salvos da ira de Deus (1 Ts 1.10; cf. 2 Co 9.15), mas também porque um dia se unirão ao seu Salvador por toda a eternidade (1 Ts 4.17). Nesse ínterim, devem ser fortalecidos pela gratidão à medida que vivem na suficiência da força onipotente e gloriosa que Deus propicia por meio do Espírito Santo (3.13; 4.8).

A última metade do versículo 18 ("porque esta é a vontade de Deus em Cristo Jesus para convosco") é melhor compreendida quando o antecedente de "esta" não é visto como a circunstância de uma pessoa, mas sim como sua atitude. Em outras palavras, Deus quer que os cristãos tenham um coração grato, e Paulo provavelmente tem em mente que todas as três atitudes são da vontade de Deus: Devemos ser alegres, agradecidos e orar;

4) As próximas cinco ordens podem inicialmente parecer gerais e independentes, mas uma observação mais atenciosa de seu conteúdo mostra que estão ligadas à profecia. Paulo inicia com uma advertência geral: "não extingais o Espírito" (v. 19). O verbo que Paulo usa significa literalmente "extinguir" (*sbennymi*), e diz respeito a apagar um fogo ou uma chama (Mc 9.44; Ef 6.16), por esta razão, a NVI acrescenta a palavra "fogo". Este é o termo mais apropriado nesse contexto, uma vez que o fogo às vezes simboliza o Espírito Santo (Mt 3.11; At 2.3; 2 Tm 1.6).

5) A preocupação de Paulo é que os tessalonicenses possam extinguir a obra do Espírito Santo, por tratarem o dom da profecia com desdém (v. 20), isto é, não considerando a profecia como um fenômeno legítimo e necessário para o bem-estar da comunidade cristã. O dom profético deveria ser entendido não tanto apenas como uma previsão, mas como "mensagens espontâneas, inteligíveis, inspiradas pelo Espírito, expressas verbalmente em meio à congregação reunida, com o propósito de edificar e encorajar as pessoas" (Fee, 170; cf. Jl 2.28; 1 Co 12.10; 14.1-4).

Não está claro o motivo pelo qual Paulo sente a necessidade de advertir que não se deve menosprezar este dom. Uma das razões pode ser o sentimento de desprezo, em virtude das falsas profecias a respeito da volta de Cristo. Em sua segunda epístola, Paulo fala sobre a inquietação causada por falsas profecias, relatos ou cartas (2 Ts 2.2). Se a expectativa de uma eminente *Parousia* resulta no fato de alguns cristãos se sentirem justificados por sua ociosidade, este não é um motivo razoável para considerar que talvez essas pessoas, em seu fervor espiritual, estivessem profetizando a respeito de datas. Ou ainda é possível que haja esforços por parte desses preguiçosos de explorar a profecia para justificar sua ociosidade, e se oporem àqueles que continuam ocupados em participar das responsabilidades cotidianas da vida. Certamente o potencial para o abuso é grande. Muitos danos e confusões são resultado das palavras proféticas que contradizem a fiel e confiável palavra das Escrituras

(2 Pe 1.19,20), ou são simplesmente tão grotescas e superficiais que é difícil levá-las a sério. Mas a exploração nunca exclui o valor do dom genuíno.

6) As próximas três ordens de Paulo representam as medidas que devem ser adotadas para fomentar um exercício mais saudável desse dom espiritual. A primeira prioridade é o teste ou a avaliação de qualquer profecia (v. 21). Em alguns círculos da Igreja de hoje existe uma resistência à avaliação de todas as declarações espirituais, por meio do bom senso, como se tal abordagem não fosse uma atitude espiritual. O discernimento é também um dom espiritual, porém alguns cristãos se sentem ameaçados ou amargurados se alguém os corrigir dizendo que sua profecia não está de acordo. Uma comunidade saudável de crentes não é necessariamente livre de qualquer exercício inadequado de dons espirituais. Antes, com respeito e equilíbrio, esta comunidade é capaz de identificar a profecia que não está de acordo (pois alguns podem ter o dom, mas precisar de orientações no desempenho do mesmo), ou até mesmo desconsiderar completamente toda e qualquer manifestação deste Dom;

7) Assim como Paulo continua dizendo, uma vez que a profecia foi testada, a Igreja deve reter o bem (v. 21b); e

8) desconsiderar o mal, e as profecias desagregadoras e prejudiciais (v. 22).

Embora a admoestação de Paulo aqui trate especificamente do dom espiritual da profecia, o princípio geral se mantém verdadeiro, mesmo que nós — por nossas tradições ou predileções pelas áreas de conforto pessoal e corporativo — venhamos a dificultar ou restringir o movimento do Espírito Santo. O desejo de Paulo de que os cristãos vivam no Espírito e andem no Espírito (Gl 5.25) é a contrapartida positiva para a ordem contra a extinção do fogo do Espírito. A Igreja não deve apenas discernir o que é uma profecia válida, mas também o modo como o Espírito se move nos corações e dirige todas as coisas por meio de variados dons e demonstrações do fruto do Espírito (Gl 5.22,23). Fracassar em manter-se neste caminho e comunhão é permitir que o corpo seja roubado da dinâmica que foi disponibilizada por Deus.

A arrogância e o orgulho restringem o fluxo da graça capacitadora e poderosa de Deus. Em contraste, Deus concederá sua graça à Igreja que for humilde e se entregar a Ele (1 Pe 5.5). Não presumamos que sabemos exatamente como o Espírito deseja se mover em meio à nossa adoração pessoal ou coletiva, nem quanto tempo Ele pode levar para criar uma nova consciência da presença e do plano de Deus para seus filhos. Que a Igreja esteja sempre faminta, atenta e receptiva ao multifacetado mover do Espírito Santo.

6. Conclusão (5.23-28)

Paulo termina sua carta de maneira típica, empregando os elementos convencionais dos desejos apresentados a Deus em oração, as saudações habituais e as bênçãos. Elabora em sua conclusão um breve comentário que repete alguns dos principais temas que foram considerados no decorrer da epístola.

6.1. O Desejo que Paulo Expressou em Oração (5.23,24)

No início de sua carta, Paulo conta aos tessalonicenses como se lembrou deles em oração e ação de graças. Agora conclui com uma oração ou pedido a favor de seu bem-estar espiritual (veja o uso semelhante de petições em oração em 3.11-13). Paulo é enfático à medida que reconhece que o "próprio Deus" é a fonte de toda a paz em meio às adversidades e ansiedades que assolam esses crentes (1.1; Fp 4.7), e nos desafios de se manter a harmonia familiar (1 Ts 5.13).

Então, o apóstolo expressa o seu desejo: "E o mesmo Deus de paz vos santifique em tudo" (v. 23). Em suas diretrizes a respeito da conduta, Paulo escreveu anteriormente que a santificação era a vontade de Deus para eles, e que deveriam desempenhar um papel ativo na busca de uma vida santificada (4.3,4,7). Por meio da obra do Espírito Santo, Deus propicia a capacidade que precisamos para viver em conformidade com a sua vontade (veja comentários em 4.8).

Paulo relata sua esperança e desejo de ver a santificação total dos crentes, dizendo: "todo o vosso espírito, e alma, e corpo sejam plenamente conservados irrepreensíveis para a vinda de nosso Senhor Jesus Cristo". Esse desejo retoma suas palavras de 3.13, embora, ali, ao invés de usar a fórmula trina, refira-se ao coração como o centro do processo de santificação. Qualquer aparente inconsistência na escolha que Paulo fez dos termos é removida quando alguém percebe que o coração é visto como a essência do ser de todas as pessoas — assim, uma parte responde pelo todo.

Esta é a única ocasião em que Paulo usa a fórmula tripla de espírito, alma e corpo; e à luz do contexto da oração, deveríamos exercer a cautela a respeito do quanto a teologia formal pode ser inferida. Paulo está enfatizando como a santificação se aplica a todo o ser de uma pessoa, como é indicado pelas palavras gregas traduzidas como "tudo" e "todo". Como Bruce diz (130): "é precário tentar construir uma doutrina tripartida da natureza humana" a partir de tal contexto. Marshall (162) sugere, como tentativa, que "pode ser possível pensar sobre o espírito como o aspecto mais alto da personalidade humana, e a alma como o centro de vontade e emoção".

Paulo não usa o substantivo "corpo" (*soma*) em nenhuma outra parte desta epístola, embora se refira ao corpo metaforicamente (veja *skeuos*, 4.4). Todos os demais usos da palavra "espírito" (*pneuma*) na carta se referem ao Espírito Santo (1.5,6; 4.8; 5.19), e a palavra "alma" (*psychç*) é usada somente em 2.8, onde Paulo fala de como o grupo missionário estava disposto a compartilhar suas "vidas". Apesar de não usar essas três palavras individualmente de uma maneira que permita a diferenciação precisa, Paulo enfatiza como o processo de santificação envolve a pessoa como um todo (2.12), e incita os crentes a se conduzirem "dignamente para com Deus" (cf. 4.7,12). Essa fórmula tríplice provavelmente seja produto da educação de Paulo no judaísmo, que o inspirou a amar a Deus com todo o seu coração, com toda a sua alma e com todas as suas forças (Dt 6.5; Mc 12.30).

O maravilhoso potencial do evangelho se deve ao fato dele ser o poder de Deus, que transforma todo o ser, tornando-o um cristão completo e sadio. Os filhos de Deus são libertos para que tenham uma nova vida — a velha foi substituída (Rm 1.16; 6.4; 2 Co 5.17; cf. Is 1.18). Não somos nós que decidimos nossa própria santificação, mas, como Paulo disse em 1 Tessalonicenses 5.24, uma vez que Deus nos chama (cf. 1.4; 4.7), podemos confiar que Ele mesmo nos preparará a fim de que estejamos prontos para nos encontrar com o Senhor Jesus Cristo, sem qualquer temor de sermos rejeitados (Fp 1.6).

6.2. As Petições e Bênçãos de Paulo (5.25-28)

Não é incomum para Paulo pedir oração por si próprio ou por seus companheiros (Rm 15.30-32; 2 Co 1.11; Ef 6.19,20; 2 Ts 3.1). Esse não é um pedido superficial; o apóstolo conhece o poder da oração e o valor de mencionar os companheiros cristãos no aspecto de uma parceria ministerial. É uma honra alguém lhe pedir oração, porque esta atitude demonstra confiança em sua pessoa. Paulo orou muito por esses crentes e continuava a fazê-lo; porém admitia a necessidade de ter outros crentes que o apoiassem. Paulo era sempre grato pelo apoio recebido, quer se tratasse de oração, ajuda financeira, ou voluntária. O pedido de oração "formou um vínculo de intercessão mútua" (Wanamaker, 207) com os cristãos tessalonicenses.

O pedido de Paulo faz parte de sua intenção de promover a solidariedade e a união entre os crentes: "saudai a todos os irmãos com ósculo santo" (v. 26; cf. Rm 16.16; 1 Co 16.20; 2 Co 13.12). A cultura dita os costumes nessas práticas casuais; portanto seríamos negligentes se acusássemos uma igreja de ser antibíblica por não ter o costume do "ósculo santo". Paulo está pedindo que transmitam uma calorosa saudação cristã. A prática de oferecer tais saudações é facilmente transferível a qualquer outra norma social para tal expressão, seja por meio de um firme aperto de mão ou um abraço fraterno.

O último pedido de Paulo é que a carta seja lida a toda Igreja (v. 27; cf. Cl 4.16). A importância dela ser partilhada com todos os crentes pode ser vista na "ordem" ou "conjuração" para que a leiam. Até este ponto, Paulo tem sido agradecido por usar simples ensinamentos em sua carta, mas aqui dá uma ordem solene para assegurar que sua vontade seja realizada. Todos os crentes tessalonicenses precisam conhecer o conteúdo deste documento; toda a Igreja tem sido instruída e encorajada a conhecer esse assunto. A leitura pública poderia ajudar a evitar qualquer possível má interpretação, caso pouco esforço fosse empregado para resumir o que julgavam que Paulo lhes desejava ensinar. Além disso, também serviria para promover o comprometimento com a unidade que o apóstolo desejava alcançar.

A epístola se encerra com a bênção: "a graça de nosso Senhor Jesus Cristo seja convosco" (v. 28; cf. Rm 16.20; 2 Ts 3.18). Embora as palavras sejam simplesmente enunciadas, são, contudo, profundas em suas implicações. Paulo acredita que a graça seja necessária e suficientemente disponível para que todos os cristãos vivam conforme a vontade de Deus. O apóstolo iniciou sua carta com um pronunciamento semelhante (1 Ts 1.1), e agora encerra sua ministração reconhecendo o poder e a graça que são concedidos pelo Senhor Jesus Cristo.

NOTAS

[1] Kümmel apresenta duas referências para a data do trabalho: (1) A inscrição em Delfos de uma carta ao imperador Cláudio fornece a evidência de que Gálio governou a província da Acaia de 51-52 d.C. (At 18.2,12); e (2) considerando a expulsão dos judeus de Roma em 49, escreve: "é provável que a cronologia de Paulo possa ter sido desenvolvida pouco antes ou pouco depois desse evento" (253). Sendo assim, a data estimada entre 50-51 d.C. é provável. Alguns argumentam que a Epístola aos Gálatas foi escrita por volta de 49 d.C., sendo, deste modo, anterior a 1 Tessalonicenses, não se tratando porém de datas exatas.

[2] O livro de Stewart ressoa com deleite ao explorar o significado e as implicações da frase "em Cristo". "Estar 'em Cristo', ter Cristo dentro de si, dar-se conta de que a sua fé não é apenas algo que está em sua vida, mas que é o meio pelo qual você renasceu — isso é o cristianismo. É ainda mais; é desprendimento e liberdade, é a vida que traz em seu coração uma música interminável" (169).

[3] Paulo menciona a grande obra de fé dos tessalonicenses em 1.4—3.5, sua obra de amor em 3.6—4.11, e a paciência da esperança em 4.13—5.11. Este modelo é repetido no capítulo final: a obra da fé está em 5.11, a obra do amor em 5.12-22, e a paciência da esperança em 5.23,24. As categorias não são mutuamente exclusivas, os vínculos foram perdidos, e é difícil determinar a intenção de Paulo com essas categorias. Contudo, os estudiosos estão atentos às seções de ação de graças de Paulo, pois são, de alguma maneira, uma parte essencial do corpo de suas cartas (por exemplo, Wanamaker, 73; Fee, 42).

[4] Em 4.9,10, Paulo usa, sem qualquer apelo necessário à separação de nuanças, duas palavras para o amor: a primeira é uma palavra composta empregando *philia* (*philadelphia*, "amor fraterno"); e a segunda é *agape*.

[5] Para maiores e sensatas informações sobre a perseguição à igreja contemporânea, veja *Christianity Today,* 15 de Julho de 1996.

[6] Bruce, Morris, Thomas e outros. Wanamaker (95) sente que os dois temas, integridade e moralidade, estão incluídos.

[7] Em Filipenses 1.15-18, Paulo se refere à sua própria atitude para com aqueles que pregam a Cristo por motivos errados!

[8] O termo é usado trinta e oito vezes no Novo Testamento, e somente dois outros usos têm conotações positivas: Lucas 22.15, considerando o desejo de Jesus de comer a Páscoa com seus discípulos, e Filipenses 1.23, considerando o desejo de Paulo partir e estar com Cristo.

⁹Jesus conforta o ladrão na cruz: "hoje estarás comigo no paraíso" (Lc 23.43). Não é possível aceitar a tentativa de mudar o sentido do consolo que Jesus ofereceu-lhe, alterando o sentido deste versículo do seguinte modo: "Agora [hoje], te digo que estarás comigo no Paraíso [algum dia no futuro]". Tal tradução é redundante e distorcida. A reflexão pessimista que utiliza o versículo que diz: "os mortos não sabem coisa alguma" (Ec 9.5), também não pode ser usada para reforçar esse assunto. Deve-se também ter cautela ao empregar a parábola do rico e Lázaro (Lc 16.19-31) como uma cartilha teológica. O principal objetivo da parábola não é interpretar as peculiaridades sobre a vida após a morte. Se fosse, haveria dificuldades, por exemplo: aqueles que morrem em seu estado iníquo, podem literalmente ver e chamar Abraão? Este discurso de Jesus tem a finalidade de advertir contra os corações endurecidos e a incredulidade.

¹⁰ Morris pondera a probabilidade de que a resistência aumentara em razão dos "líderes inexperientes exercerem sua autoridade sem qualquer habilidade ou diplomacia" (164,165).

II TESSALONICENSES
Brian Glubish

INTRODUÇÃO

A Segunda Epístola de Paulo aos Tessalonicenses é, em muitos aspectos, semelhante à primeira, a que fora enviada após Timóteo retornar de sua visita, que tinha como objetivo conhecer o estado da nova igreja que estava sendo perseguida. Paulo, Silas e Timóteo foram obrigados a fugir logo após fundarem a igreja. Depois de um período de grande preocupação pelo bem-estar dos tessalonicenses, e após tentativas frustradas de retorno, Timóteo conseguiu visitar novamente os convertidos, ministrando-lhes força e encorajamento (1 Ts 3.2). Relata a Paulo a fé perseverante que esses crentes possuem, a necessidade de diretrizes quanto aos assuntos relacionados à conduta, e a importância de corrigir alguns equívocos teológicos a respeito da volta de Cristo (*Parousia*). Ao invés de uma visita pessoal, a primeira carta foi planejada para suprir o que estava faltando à fé dos tessalonicenses (3.10).

Entretanto, por meio de alguma fonte que nos é desconhecida, Paulo toma ciência de persistentes problemas; por isso a semelhança entre as duas cartas. Escreve novamente, encorajando-os a resistir às perseguições sem sentir que Deus os abandonou, lembrando-lhes da esperança de fazer parte do reino de Deus (2 Ts 1.4-12). O próximo assunto que podemos inferir a partir das palavras do próprio Paulo é que alguém perturbou a comunidade de crentes com algum ensinamento alarmante a respeito do Dia do Senhor. Além de se tratar de um ensino corrompido, foi também erroneamente atribuído a Paulo (2.1-3). O autêntico ensino do apóstolo, tanto durante sua visita inicial como em sua primeira carta, foi mal interpretado, desconsiderado, ou deturpado. É necessário, portanto, restaurar a compreensão correta.

Finalmente, alguns convertidos tessalonicenses haviam negligenciado as diretrizes de Paulo sobre os hábitos de trabalho expressos em sua primeira epístola, a ponto de suas sanções serem severas, tendo a intenção de envergonhar os desviados para trazê-los à conformidade (3.6,14,15). A maior violação é a persistência na ociosidade, que impede o bem-estar do corpo da Igreja.

As duas epístolas foram, mais provavelmente, escritas dentro de um curto espaço de tempo, de poucas semanas ou meses. Desse modo, Paulo certamente escreve 2 Tessalonicenses por volta de 51 d.C., enquanto ainda estava ministrando em Corinto.

ESBOÇO

1. Saudação (1.1,2)

2. Ação de Graças de Paulo (1.3)

3. O Encorajamento em Tempos de Perseguição (1.4-12)
   3.1. O Motivo do Orgulho de Paulo (1.4)
   3.2. A Evidência de Ser Digno (1.5)
   3.3. A Completa Recompensa Virá (1.6-10)
   3.4. A Oração de Paulo (1.11,12)

4. A Correção Considerando o Dia do Senhor (2.1—3.5)
   4.1. Desconsiderando as Falsas Notícias (2.1,2)
   4.2. O Iníquo (2.3-8)
   4.3. O Engano das Multidões (2.9-12)
   4.4. A Segurança dos Santos (2.13—3.5)

5. Orientações sobre a Restauração dos Ociosos (3.6-15)

6. Observações Finais (3.16-18)

Em Atenas, Paulo foi trazido perante o Areópago, o supremo conselho da cidade, para explicar seus ensinos. O conselho se reuniu nesta colina rochosa, o noroeste da Acrópole. O nome Areópago era originalmente o nome da colina, mas transformou-se no nome do conselho, mesmo depois de se mudarem para um outro local. O discurso de Paulo, contido em Atos 17.22-31 pode ser lido na placa ornamental colocada na estrutura rochosa, na parte inferior da colina.

COMENTÁRIO

1. Saudação (1.1,2)

Paulo inicia esta epístola, como de costume, seguindo a convenção básica da escrita de seus dias (veja os comentários sobre 1 Ts 1.1). Há somente duas diferenças entre as saudações das duas epístolas. No versículo 1, Paulo refere-se a Deus como "nosso Pai", visto que o pronome "nosso" não é usado em 1 Tessalonicenses 1.1. A segunda diferença é que o discurso de saudação inicia-se com a expressão "graça e paz", e a seguir o apóstolo mostra a fonte da bênção: "da parte de Deus, nosso Pai, e da do Senhor Jesus Cristo" (v. 2).

Qualquer variação entre as duas saudações pode simplesmente ser atribuída à flexibilidade literária de Paulo; ele não é obrigado a aderir a uma norma rigorosa. Assim, nenhuma ramificação deveria ser formulada a partir das diferenças, como se Paulo estivesse procurando estabelecer algum tema teológico na presente epístola, ao contrário da primeira. Embora esse discurso de graça e paz seja padrão nas cartas de Paulo, não é, de modo algum, uma mera repetição. O apóstolo conhece a vital importância da graça e da paz na vida da comunidade cristã.

2. Ação de Graças de Paulo (1.3)

A declaração de ação de graças de Paulo é mais reforçada pelo uso da frase: "Sempre devemos, irmãos, dar graças" e "como é de razão". Esses dois elementos, que não fazem parte da seção de ação de graças da primeira carta, indicam que os tessalonicenses continuam sendo a alegria de Paulo como troféus da graça de Deus. Anteriormente, Paulo havia expressado gratidão por sua fé, amor e esperança (1 Ts 1.3); aqui, o apóstolo está agradecido porque sua fé não somente se auto-sustenta, como também "cresce muitíssimo". O apóstolo também declara que o amor deles tem sido crescente; e isto não significa que este amor tenha atingido o seu nível máximo.[1] A preocupação de Paulo com o que estava faltando à fé dos tessalonicenses (3.10) foi parcialmente amenizada, pois seu desafio inicial de amar cada vez mais (3.12; 4.10) foi concluído com êxito. Não é de se admirar a insistência de Paulo em demonstrar quão gratos ele, Silas e Timóteo devem ser pela poderosa obra de Deus em Tessalônica.

3. O Encorajamento em Tempos de Perseguição (1.4-12)

O passar dos meses entre o período em que Paulo esteve em Tessalônica e a escrita desse segundo documento não trouxe fim à perseguição. A volta de Jesus, que os resgataria de suas dificuldades, também não ocorreu. A primeira carta de Paulo continha palavras de encorajamento, porém o apóstolo compreende a necessidade de sustentar a moral dos tessalonicenses, tendo profundas razões para manter uma perspectiva positiva. Deste modo, Paulo louva-os por sua perseverança, lembrando-os da esperança de Deus e sua recompensa, assegurando-lhes de seu contínuo interesse e orações a favor de seu bem-estar.

3.1. O Motivo do Orgulho de Paulo (1.4)

Na carta anterior, Paulo elogiou os tessalonicenses por seu surpreendente testemunho, que havia se tornado tão conhecido, "de tal maneira que já... não temos necessidade de falar coisa alguma" (1 Ts 1.8). Agora admite, como um pai orgulhoso, que ele mesmo e seus companheiros haviam se alegrado pela notável resistência dos tessalonicenses diante da extrema adversidade. Esse motivo de orgulho está de acordo com a terceira parte da ação de graças contida na primeira epístola, onde o apóstolo menciona a "paciência da esperança" (1.3).[2]

Ouvir sobre como seu pai espiritual tem se orgulhado de seus talentos, seria um estímulo para qualquer espírito abatido. Percebem que participaram da corrida de modo brilhante até aqui; agora não é tempo de curvar-se ou desistir. O poder de uma palavra positiva, apropriadamente empregada (Pv 25.11), é capaz de animar os santos a prosseguir vigorosamente diante das dificuldades. Tiago adverte sobre o poder destrutivo da língua (Tg 3.3-12), mas lembra também que a capacidade poderosa que possui de inspirar e abençoar não deveria ser subestimada. Paulo está à vontade para saudar os crentes, pois sabe quanto significa ser encorajado. A igreja que sabe utilizar a língua de acordo com este padrão é abençoada.

3.2. A Evidência de Ser Digno (1.5)

Esforçando-se para encorajar ainda mais os santos, Paulo assegura aos tessalonicenses que a experiência da perseguição não é um sinal de que Deus os tenha abandonado ou esteja punindo-os, ou ainda que tais circunstâncias encontram-se além do controle de Deus. Paulo muda de perspectiva, com uma breve teologia a respeito do sofrimento, para demonstrar que embora o sofrimento seja severo, ainda assim faz parte do destino do cristão (cf. 1 Ts 3.3). Há uma questão sobre a palavra "razão", mencionada por Paulo. Tal vocábulo se refere à perseverança dos crentes, à sua experiência de perseguição, ou a uma combinação de ambas (cf. 2 Ts 1.3). A NVI procura esclarecer esta questão com a sua tradução, que diz: "todas estas são evidências", de modo que "todas estas" (palavras adicionadas na NVI) incluem tanto a perseguição quanto a firme resposta a esta.

Jesus alertou os discípulos, dizendo que a perseguição viria (Jo 15.20), e a igreja primitiva não somente transmitiu o mesmo ensinamento (At 14.22), como também experimentou o cumprimento de suas palavras. As cartas do Novo Testamento, de modo uniforme, apresentam a perseguição não como uma ocorrência rara, mas como a norma em um mundo hostil ao reino da luz (veja comentários sobre 1 Ts 1.3; 3.3). A perseguição por amor a Jesus é, portanto, um indicador da justiça de Deus ao julgar os crentes como candidatos dignos de seu reino.

A perseverança dos tessalonicenses é também uma sólida evidência de que são filhos de Deus (1 Ts 3.3; cf. Rm 5.1-4; Hb 10.36). Fortes ventos de adversidade estão soprando veementemente sobre esses cristãos, porém eles estão corajosamente firmes. Assim demonstram que entendem bem o conceito de que é muito melhor perder o direito ao conforto, e se for necessário a própria vida, contanto que não coloquem a alma em perigo (Mc 8.34-37).

3.3. A Completa Recompensa Virá (1.6-10)

Saber que qualquer tipo de injustiça cometida um dia terá seu julgamento, é um grande incentivo que gera um sentimento de bem-estar. Deus deseja que a justiça corra como um ribeiro impetuoso (Am 5.24). Seus filhos podem ter certeza de que a impiedade não escapará do julgamento, nem a justiça deixará de ser recompensada.

Paulo reafirma os dois lados da justiça de Deus. Primeiramente fala do lado negativo — aqueles que perturbarem os tessalonicenses não escaparão impunes (v. 6). Esse ato de Deus não deveria ser visto como um "embrulho de brutalidade cruel" que proporcionará alegria, embora a simplicidade da expressão no versículo 6 possa levar a tal pensamento (também os versos 8 e 9; 2 Pe 2.12-17; Jd 10-13). Talvez estas expressões bíblicas sejam como os salmos imprecatórios, que exigem dolorosos julgamentos sobre os opressores (por exemplo, Sl 3; 58; 59), não porque alguém esteja sedento de sangue, mas por se esperar tão ansiosamente que a justiça de Deus resgate o seu povo do mal. O salário do pecado será pago pelos perseguidores — a não ser, é claro, que lhes aconteça o mesmo que aconteceu a Saulo, ou seja, que se arrependam durante a sua jornada (Bruce, 154).

O aspecto positivo da justiça de Deus é que seus filhos serão salvos de todo o tumulto e adversidade, e generosamente recompensados por cada lágrima derramada (v. 7). Paulo simplesmente escreve que serão recompensados com "descanso" (*anesis*). A partir da perspectiva da eternidade, Paulo em outra passagem descreve sua própria aflição como "leve e momentânea" (2 Co 4.17), mesmo admitindo que os conflitos interiores e exteriores frustraram a experiência do "repouso" (*anesis*, 7.5).[3] A vida cristã é fortalecida pela reflexão sobre a recompensa eterna — há realmente uma glória eterna que é mais importante do que todas as tribulações da vida. Morris (201) corretamente afirma que tal reflexão "é uma atividade legítima dos santos que estão passando por provações". O próprio Senhor Jesus garante as bênçãos da vida após a morte, quando encoraja os seus discípulos, dizendo: "Exultai e alegrai-vos, porque é grande o vosso galardão nos céus" (Mt 5.12).

Pelo uso do termo "conosco" (v. 7), Paulo identifica-se com os tessalonicenses; não está escrevendo chavões teóricos sobre a segurança de uma torre de marfim. Paulo, de coração, adverte as igrejas, pois tem plena consciência do custo de ser um seguidor de Cristo. Suas boas atitudes nem sempre foram aplaudidas; a resistência e o violento antagonismo que enfrentou sempre o prejudicaram, porém ele nunca se deu por vencido. A perspectiva da "colheita" no devido tempo, e do encontro com o seu Senhor, faz com que qualquer preço pago valha a pena (Rm 8.18).

Enquanto se poderia apelar à compensação imediata pela justiça, e à retribuição pela maldade, Paulo não dá garantias sobre qualquer estabelecimento definitivo de explicações até o Dia do Senhor.

O apóstolo descreve este dia em termos de uma revelação (*apokalypsis*) de Jesus, com a frase: "quando se manifestar o Senhor Jesus desde o céu". Paulo não é o único a encorajar as igrejas mencionando o dia magnífico em que Jesus se revelará gloriosamente. A fim de ajudar seus leitores a encontrarem forças para resistir às suas dolorosas provações, Pedro escreve: "mas alegrai-vos no fato de serdes participantes das aflições de Cristo, para que também na revelação da sua glória vos regozijeis e alegreis" (1 Pe 4.13; veja também 1.5; 5.1). A hora está chegando quando a verdade sobre Jesus Cristo, que foi revelada aos crentes pelo Espírito Santo (Mt 16.17; 1 Co 2.10), será reconhecida por todos. De modo trágico, a revelação da verdade incriminará então os ímpios, ao invés de ser a fonte de sua salvação.

Os profetas do Antigo Testamento esperavam que o Dia do Senhor não representasse somente a libertação para os justos, mas também o julgamento final dos ímpios (Ml 4.1,2; veja também os comentários sobre 1 Ts 5.2). No emprego de seu amor pela tríade (veja comentários em 1 Ts 2.10), Paulo descreve detalhadamente as circunstâncias dessa revelação, com imagens que retratam uma autoridade absoluta:

1) No topo de sua lista declara que Jesus aparecerá "desde o céu". Virá do trono da autoridade definitiva e majestosa, da própria esfera da habitação de Deus, da sala do trono do reino de Deus (At 7.56; Hb 1.3,4; 8.1; 12.2; Ap 3.21). Jesus retornará para finalmente estabelecer a sujeição de "todas as coisas" que Deus lhe concedeu (Hb 2.7,8). Em sua encarnação, Cristo se apresentou como um cordeiro a ser sacrificado, sem oferecer qualquer resistência; um dia, Ele retornará como o Leão da tribo de Judá, e ninguém poderá resistir à sua autoridade;
2) O próximo aspecto da revelação é que será "como labareda de fogo". O fogo pode ser símbolo do Espírito Santo (1 Ts 5.19), de Deus (Dt 4.24), e mais especificamente do juízo de Deus (Is 66.15,16; Jr 21.12; 2 Pe 3.10,12), e da punição dos ímpios (Mt 7.19; 25.41; Ap 20.15). O que se segue nos versículos 8 e 9 torna clara a imagem do julgamento de Deus, e a conseqüente punição dos ímpios;
3) A imagem do esplendor e da onipotência do advento de Cristo, retratada por Paulo, traz consigo um terceiro detalhe: Jesus virá acompanhado "com os anjos do seu poder" (veja comentário sobre 1 Ts 3.13).

O pagamento mencionado por Paulo no versículo 6 é detalhado nos versos 8 e 9 com a explicação de quem merece a punição, e em que esta consiste. Aqui, a gramática permite a possibilidade de duas categorias de pessoas a quem Deus punirá: os "que não conhecem a Deus" e os "que não obedecem ao evangelho de nosso Senhor Jesus Cristo". O primeiro grupo, que Paulo declara ter algum conhecimento de Deus, porém recusaram se sujeitar a Ele, pode ser identificado como os gentios (Rm 1.21-32; cf. Sl 79.6). O segundo grupo deve ser o dos judeus que desagradaram a Deus (1 Ts 2.14-16). Entretanto, não está claro o que Paulo pretende distinguir entre os dois grupos; ambos são descritos em outras passagens das Escrituras como sendo carentes de conhecimento e desobedientes (Os 5.4; Rm 11.31,32). Paulo pode simplesmente ter usado o paralelismo de sinônimos, com o qual estava completamente familiarizado por ser um perito na literatura do Antigo Testamento. Desse modo, "os que não conhecem a Deus, são mais precisamente definidos como 'aqueles que desobedecem ao evangelho'" (Bruce, 151).

A punição dessas pessoas será a "eterna perdição" e a exclusão da "face [presença] do Senhor" (v. 9). A terrível finalidade de seu destino é clara — não haverá oportunidade para mudar de idéia quando o julgamento chegar. Alguns desejam abrandar o calamitoso alcance dessa punição por meio de uma teoria que diz que o desobediente será aniquilado de toda a existência. Mas, como Wanamaker diz (229), "não há prova evidente nos escritos de Paulo (ou no restante do Novo Testamento) para o conceito de uma aniquilação final dos ímpios".

Para o apóstolo, o que torna o destino dos ímpios mais trágico, é que serão impedidos de participar do gozo da majestosa e gloriosa presença do Senhor. A esperança perseverante de todos os crentes é um dia nos regozijarmos no esplendor de Deus, livres, de uma vez por todas, do tormento de nossa velha natureza, sendo capazes de contemplar o Salvador face a face (v. 10). Nossos esforços para compreender o que será não alcançar essa realidade são insuficientes, apesar de todos os superlativos que possamos empregar. Basta dizer que seremos arrebatados em meio a tal louvor e adoração, como nunca antes vistos. Esse é nosso destino; mas não é o destino daqueles sem Cristo, pois lhes será "negada a presença do Senhor". Para estes, ao invés de o evento da aparição de Jesus trazer admiração e gozo, marcará o julgamento final da condenação. A situação dos ímpios é claramente mostrada pelas palavras de Jesus: "haverá pranto e ranger de dentes" (Mt 13.42).

Assim, enquanto as reflexões sobre nossa esperança da glória futura nos inspiram e nos encorajam para corrermos bem a carreira (cf. Hb 12.1,2), precisamos também ser motivados a cumprir a Grande Comissão, dando o melhor da capacitação que recebemos do Espírito Santo. Precisamos ser despenseiros fiéis remindo o tempo, trabalhando para fazer a nossa parte na ceifa das almas para o reino de Deus. Paulo esperou com grande desejo estar com Jesus, contudo também era dirigido a compartilhar as boas novas do resgate ou salvação dessa destruição eterna. Viveu de modo abnegado, com a finalidade de persuadir a todos que encontrava a se ajoelharem em submissão ao senhorio de Cristo. Paulo advertiu que a chama do Espírito não podia ser apagada na vida do povo de Deus (1 Ts 5.19); não podemos permitir que a chama do Espírito Santo, que nos fortalece para sermos testemunhas até os confins da terra (At 1.8), se extinga. Aqueles que estão perecendo precisam ser resgatados do mesmo destino de que fomos salvos.

Paulo aliviou a dor dos inocentes tessalonicenses que sofriam, mostrando-lhes a visão da gloriosa e eterna recompensa que está reservada para aqueles que perseveram. Além disso, descreve o terrível destino que aguarda os ímpios. Não estabeleceu nenhum cronograma para a distribuição de recompensas e punições, mas disse que a recompensa completa virá naquele "Dia" (v. 10). Essa palavra é a forma abreviada do conhecido conceito escatológico do "Dia do Senhor" (veja comentários em 1 Ts 5.2).

O apóstolo não se restringe ao uso de alguma regra, abreviada ou não, quando se refere a esses eventos do fim dos tempos. Alterna facilmente os termos, *vinda* (*parousia*, 1 Ts 2.19; 3.13; 4.15; 5.23; 2 Ts 2.1,8), *revelação* [*manifestação*] (*apokalypsis*, 1 Co 1.7; 2 Ts 1.7) e *aparição* (*epiphaneia*, 2 Ts 2.8; 1 Tm 6.14; 2 Tm 4.1,8; Tt 2.13). Por ter anteriormente ensinado aos convertidos os fatos básicos a respeito dos futuros acontecimentos, e por conhecer como as peças desse quebra-cabeça se juntam, o apóstolo não precisava fazer nada mais do que relembrá-los e dar-lhes breves explicações. Podemos assumir que os leitores eram capazes de fazer as ligações apropriadas das informações que receberam, tendo deste modo o perfeito entendimento da mensagem de Deus.

Poderíamos certamente apreciar uma elaboração sistemática deste ensinamento. Precisamos, entretanto, considerar cautelosamente aquilo que recebemos, assumindo que Deus nos deu informações suficientes em sua Palavra para mantermos o equilíbrio apropriado entre servi-lo e esperar pela volta de seu Filho. Sabemos que o Dia do Senhor consistirá numa série de eventos, tais como o arrebatamento dos santos e o julgamento dos ímpios. É considerando esses eventos que várias teorias são apresentadas a fim de mostrar como ocorrerão. Uma teoria mantida por muitos cristãos é que a volta de Jesus para seus santos (1 Ts 4.17; 2 Ts 2.1) é o mesmo que sua chegada com os santos (1 Ts 3.13), quando voltar para julgar as nações.

Outra teoria popular sugere que há um intervalo de tempo entre o arrebatamento e o retorno de Cristo para julgar. Esse posicionamento admite duas possíveis interpretações sobre a duração desse intervalo. Uma delas admite que se passarão sete anos (a sétima semana de Daniel; Dn 9.24-27), que incluirá a Grande Tribulação, quando o Anticristo será revelado e desencadeará um reino incomparável de terror que cessará por ocasião de sua derrota no Armagedom, no retorno de Cristo com os seus santos (Ap 16.16; 17.14). A outra interpretação admite que o Anticristo assumirá o controle do mundo, reinando com uma relativa paz por três anos e meio, porém, antes que a situação piore, ocorrerá o arrebatamento. Então, após os próximos três anos e meio de tirania, Jesus retornará à terra. Ambas as suposições concordam que quando o Senhor retornar com os santos, estabelecerá seu reino milenar (Ap 20.4-15), após o qual ocorrerá o julgamento de todos os ímpios.

Parece, então, que o Dia do Senhor não deve ser visto como um período literal de vinte e quatro horas. Antes, pode referir-se a todo o conjunto de eventos que Deus ordenou que aconteça, ou a qualquer um de seus componentes. É essa amplitude de terminologias juntamente com a dificuldade de interpretação do Apocalipse e de algumas outras passagens proféticas que resultam em diferentes opiniões entre os cristãos. Certamente aprendemos que a compreensão pessoal da revelação dos eventos do fim dos tempos não é a base para que consideremos se uma pessoa é ou não um irmão ou irmã em Cristo (para um estudo mais detalhado dessa e de outras interpretações veja a obra de R. Ludwigson, *A Survey of Bible Prophecy* [1973], e S. Horton, ed., *Systematic Theology: A Pentecostal Perspective* [1994]).

No versículo 10b, Paulo lembra aos cristãos tessalonicenses de sua participação certa na eterna e gloriosa presença de Jesus em sua volta. Serão incluídos no grande número de santos porque "crêem" no evangelho testemunhado por Paulo quando estava com eles. A expressão "nosso testemunho" é mais do que mera anuência mental a um conjunto de fatos. Como de costume, para Paulo, esta expressão implica fé em Cristo, arrependimento e servir ao Deus vivo (1 Ts 1.9).

3.4. A Oração de Paulo (1.11,12)

Paulo tem muito a agradecer aos tessalonicenses (1.3,4), mas a carreira que lhes estava proposta ainda não havia terminado. O apóstolo, portanto, continua a orar fervorosamente com a intenção de que todos aqueles que iniciaram a carreira, desempenhem-na de maneira honrosa para que "o nosso Deus os faça dignos da sua vocação" (1.11; veja também 1.5; Ef 4.1; 1 Ts 1.4; 2.12; 3.13—4.1). É também muito fácil não compreender ou compreender de forma errada o assunto relacionado àquilo que constitui a dignidade a que Paulo se refere. O apóstolo não está de modo algum falando de recebermos a nossa salvação por meio de obras, como se estivéssemos tentando convencer a Deus de que a merecemos. Tal conceito anula a necessidade da morte sacrificial de Jesus, como o pagamento pelo pecado que nos desqualificou de uma condição de salvação. Em nós mesmos falta o padrão perfeito de Deus, mas em Cristo somos declarados dignos.

Contudo, por mais que defenda a verdade de que as obras não tornam os cristãos justos, Paulo reconhece que há obras a realizar; é necessário crescer em santificação; há uma conduta apropriada aos filhos de Deus. Bruce escreve (157): "Se seu Senhor deve ser glorificado neles em seu Advento, também precisa ser glorificado em suas vidas no presente". De uma maneira ou de outra, todas as cartas do apóstolo mencionam as responsabilidades do cristão, que deve buscar incansavelmente a virtude e representar a Jesus por meio de um estilo de vida irrepreensível (Fp 2.15; 1 Ts 3.13; 5.23). As Escrituras como um todo testificam o princípio de frutificar como uma evidência da conversão genuína (por exemplo, Mt 3.8; 7.17; Jo 15.16; Rm 7.4).

Assim, Paulo deseja que os tessalonicenses perseverem constantemente na fé, resistindo às provações e fugindo do mal, sendo finalmente considerados dignos de sua chamada. É com esta finalidade que o apóstolo intercede por eles. Pouco precisa ser dito sobre como os líderes cristãos podem adotar essa ou outras orações de Paulo como modelos de oração pelos santos que estão sob seus cuidados. Ninguém ouse assumir qualquer posição de liderança, se não estiver disposto a assumir uma postura habitual de oração.

Enquanto a responsabilidade de viver dignamente é grande, Paulo lembra-nos que o poder de Deus está disponível para cumprir "todo desejo da sua bondade e a obra da fé com poder" (v. 11; veja comentários em 1 Ts 1.3 sobre a expressão "obra da fé"). Paulo tinha em vista o poder que Deus nos disponibiliza por meio do Espírito Santo (essa provisão de poder para que vivamos a vida cristã — veja comentários em 1 Ts 4.8). Como cristãos, podemos nos sentir ainda mais encorajados de que a grande obra de Deus em nós não diminuiu após a nossa conversão; e ter a certeza de que o seu poder, que nos trouxe da morte à vida, continuará nos capacitando para que andemos em seus caminhos!

No versículo 12, Paulo expõe os sentimentos de seu coração para enfatizar suas orações pelos tessalonicenses em seu intenso desejo de que "o nome de nosso Senhor Jesus Cristo seja em vós glorificado, e vós nele". É verdadeiramente um pensamento surpreendente que aquEle que foi glorificado pelo próprio Deus (Jo 17.1-5) possa também ser glorificado por aqueles a quem veio salvar. A obra bem-sucedida da cruz é glorificada cada vez que uma pessoa nasce de novo. Outro escritor do Novo Testamento descreve como Jesus foi capaz de suportar a cruz, pelo gozo que lhe estava proposto (Hb 12.2). Certamente este gozo não consistia somente no conhecimento de sua futura exaltação, mas também no conhecimento de que um incontável número de almas, em muitas gerações, se entregaria a Ele, reconhecendo-o como Salvador. Há alegria no céu por um pecador que se arrepende (Lc 15.7, 10), e a glória continua sendo dada a Jesus pela conversão de cada alma (Jo 17.10). À medida que cada cristão vive dignamente a sua chamada, também está glorificando a Deus (Jo 15.8).

Os santos também desfrutam agora uma parte da glória conforme experimentam alguns dos benefícios de serem os queridos e amados filhos de Deus (Jo 17.22; 1 Jo 3.1). Está chegando o dia em que esta experiência será completa, e sua total glorificação ocorrerá na aparição do Senhor (Rm 8.23; 1 Co 15.42-44). A oração de Paulo lembra aos leitores uma maior perspectiva de recompensa futura.

As circunstâncias freqüentemente tendem a obscurecer a visão e minar a decisão, todavia esse lembrete serve para estimular a perseverança e a fidelidade à chamada. Um dia haverá uma grande reversão, quando a perseguição dará lugar à glória, e a tristeza e o sofrimento se transformarão em júbilo e alegria. Como Paulo freqüentemente faz, relata que essa mudança final deve-se inteiramente à "graça de nosso Deus e do Senhor Jesus Cristo".

4. A Correção Considerando o Dia do Senhor (2.1—3.5)

Após encorajar os tessalonicenses por meio de sua expressão de gratidão a seu favor, pela descrição de sua recompensa futura, e pela oração pedindo sua glorificação final, Paulo retoma o seu propósito principal. Precisa corrigir um sério mal-entendido sobre a *Parousia*. Apesar da escatologia que ensinou pessoalmente, e mais tarde em sua primeira epístola, alguns falsos ensinamentos haviam sido introduzidos. Provavelmente um erro de interpretação de sua primeira instrução tenha causado esta desordem entre os crentes tessalonicenses. É primeiramente necessário remover o ensino e a interpretação errôneos, para então esclarecer a verdade sobre o Dia do Senhor.

4.1. Desconsiderando as Falsas Notícias (2.1,2)

De acordo com o texto grego, Paulo inicia sua discussão com a frase: "Ora, irmãos, rogamo-vos", usando o verbo *erotao* (como também em 1 Ts 5.12), que pode essencialmente significar o mesmo que *parakaleo* ("incitar", "admoestar com urgência", veja 2 Ts 3.2; também Rm 12.1). No preâmbulo de seu pedido, o apóstolo relata que sua preocupação está relacionada à "vinda [*parousia*] de nosso Senhor Jesus", e a subseqüente reunião dos santos com Ele (*episynagoge*; cf. Mc 13.26,27; 1 Ts 4.14-17).

No versículo 2, Paulo vai ao cerne da questão aconselhando os tessalonicenses a não entrarem em pânico, perdendo de alguma forma a esperança da chegada do Dia do Senhor. Paulo está pedindo que se mantenham confiantes, e andem conforme seus ensinamentos iniciais, como pode ser visto nas duas partes de seu pedido:

1) Não devem ser facilmente movidos. Paulo usa o verbo *saleuo* ("mover", "agitar"), e identifica o pensamento ou o entendimento (*noos*) como aquilo que ninguém deve permitir que seja agitado. A tradução de Bruce aqui é vívida e demonstra o ímpeto do discurso de Paulo (161): "Não vos movais facilmente do vosso entendimento";

2) O verbo "perturbar" ou "alarmar" (*throeo*) adiciona a imagem completa de um grupo de cristãos dolorosamente aterrorizados por algum ensinamento errôneo.

Paulo não identifica precisamente a origem dessas falsas notícias, em sua lista de três possíveis fontes:

1) A NVI traduz a primeira como "por alguma profecia" (literalmente, "por um espírito", isto é, por uma declaração espiritual). Este é um caso em que os discursos de Paulo distinguem a validade das profecias que deveriam ser seguidas (1 Ts 5.21,22; veja comentários). Em uma comunidade de crentes que resistem à perseguição e que foi ensinada a se preparar para a volta do Senhor, não seria imprevisível ter alguns indivíduos espiritualmente incumbidos de proferir palavras proféticas relacionadas a seu compromisso.

Bruce propõe duas possibilidades para entender o que Paulo quer dizer aqui (163): "A profecia poderia ser falsa, ou mesmo uma profecia genuína, porém mal compreendida". Podemos conceber que um ou mais cristãos podem ter profetizado que o Dia do Senhor já havia começado. Enquanto isto, os santos não foram salvos da perseguição, e Jesus não foi visto reunindo-os para estar com Ele. Será que foram esquecidos? Não é de se admirar o pânico sentido por aqueles que foram convencidos por esse tipo de notícia.

2) Outra possível fonte citada por Paulo são os "relatos" (literalmente, "por palavra"). Esse termo é diferente de uma palavra profética, e é provável que Paulo tenha em mente algo que fora pregado ou ensinado verbalmente.

3) A última origem possível do mal-entendido é uma epístola supostamente enviada por Paulo ou por seus companheiros. Alguns comentaristas preferem ver essa situação como uma referência à sua primeira carta (assim como Marshall, 187), e certamente a gramática grega aqui não segue à risca o que seria uma carta genuína (Bruce, 164). Alguns podem ter interpretado mal algo que o apóstolo tenha dito ou escrito; mas se isso era o que Paulo tinha em mente, poderia tê-lo declarado de um modo mais explícito (observe como lida com o caso da má compreensão de uma carta anterior em 1 Co 5.9-11). A ênfase sobre a autenticidade dessa carta (3.17) parece ser uma reação ao uso errôneo de sua autoridade por parte de alguns (Bruce, 164).

4.2. O Iníquo (2.3-8)

Paulo não especifica se os falsos ensinadores estão perturbando os tessalonicenses (como em Gl 1.7-9; Fp 3.2), ou se os cristãos sinceros estão se enganando em assuntos referentes ao futuro. O ponto crucial para o apóstolo é que os cristãos não precisam ser enganados por qualquer ensinamento contrário ao que ele já havia anteriormente ministrado aos tessalonicenses, ou que ainda ministrará na seqüência (2 Ts 3.14). Paulo usa uma forma intensa do verbo "enganar" (isto é, "enganar completamente"). Como um zeloso pai espiritual de seus convertidos, Paulo está empenhado na defesa do bem-estar de cada um deles (1 Ts 2.7-12). O engano e a falsidade precisam ser imediatamente expurgados antes que seus danos sejam irreparáveis.

O remédio de Paulo consiste em aludir e trabalhar sobre o seu primeiro ensinamento. Inicia seu discurso afirmando, com bastante clareza, que o Dia de Cristo "não será assim sem que antes venha a apostasia e se manifeste o homem do pecado, o filho da perdição". Precisamos reconhecer que as simples referências à "rebelião" e ao "filho da perdição" seriam imediatamente entendidas pelos leitores tessalonicenses, uma vez que já haviam sido previamente instruídos sobre esse assunto, tendo, portanto, a base necessária para o correto entendimento (2.5). A nossa curiosidade poderia ter sido satisfeita se Paulo tivesse explicitamente detalhado como os versículos 3-8 se encaixam no assunto relativo ao arrebatamento discutido em 1 Tessalonicenses 4.15-17. Entretanto, uma vez que esse ensinamento adicional e mais completo nos foi disponibilizado, nossas suposições precisam ser cautelosas, empregando as evidências contidas em outras Escrituras relevantes.

Os dois sinais que Paulo afirma precisarem ocorrer primeiramente não são necessariamente exclusivos; é "provável que tenha em mente um evento complexo" (Marshall, 188). O termo rebelião (*apostasia*) denota uma queda ou apostasia, e o fato de Paulo nomeá-lo simplesmente como "a apostasia" traz crédito à opinião de que se trata de um termo técnico que designa uma queda esperada, de proporções sem precedentes. Nesta longa discussão a respeito dos sinais que apontam para o final dos tempos, Jesus diz: "Nesse tempo, muitos serão escandalizados, e trair-se-ão uns aos outros, e uns aos outros se aborrecerão" (Mt 24.10). Alguns anos mais tarde, Paulo, escrevendo a Timóteo, lista vários frutos da rebelião ou da impiedade que marcarão os últimos dias (2 Tm 3.1-5).

De acordo com Bruce (167), esta rebelião mencionada por Paulo provavelmente é "uma debandada geral da base da ordem civil... uma revolta em larga escala contra a ordem pública". Talvez esta seja uma parte do contexto geral, pois precisamos reconhecer o quanto Paulo parece se aborrecer em razão de alguns tópicos da tradição narrada em Mateus 24.[4] Nesta passagem Jesus especifica um abandono da fé (Mt 24.15), porém compara o ambiente social no tempo de sua volta aos dias de Noé que antecederam o dilúvio (24.37-39), que foi um tempo de grande maldade, violência e corrupção (Gn 6.5,11,12). Este é claramente um retrato da descrição da falta de ordem civil.

Juntamente com a rebelião contra Deus virá a revelação do "iníquo". Embora Paulo não use aqui o termo *anticristo*, é evidente que se trata daquele a quem João chama de "anticristo" (1 Jo 2.18) e "a besta" (Ap 19.19,20; a dissertação de Bruce sobre o Anticristo é bastante útil no estudo deste assunto, 179-188). Alguns sugeriram que a disposição de Paulo ao usar o verbo *apokalypto* (cuja raiz é usada em Apocalipse 1.7 referindo-se a Jesus) é a prova da preexistência sobrenatural da figura do Anticristo como a própria encarnação de Satanás. Sem dúvida há uma fonte sobrenatural por trás de sua capacidade de enganar, fazer milagres e exaltar a si mesmo para que seja cultuado. Mas há uma grande diferença entre ser um agente de Satanás e ser o próprio Satanás nascido em carne. Antes que Paulo descreva a programação desse arquiinimigo de Deus, quer esclarecer completamente a notícia encorajadora de que esse oponente está "condenado à destruição" (traduzido como: "o filho da perdição" na KJV; cf. Jo 17.12).

No versículo 4 Paulo se alinha à profecia de Daniel, que teve uma visão de alguém que "proferirá palavras contra o Altíssimo, e destruirá os santos do Altíssimo" (Dn 7.25), e causará a "transgressão assoladora" no templo de Deus (8.13). O precursor dessa figura do fim dos tempos foi Antíoco Epifânio IV, que profanou o Lugar Santíssimo, e mais tarde em 167 a.C. instalou um altar pagão à direita do templo judaico. Porém Jesus, em seu discurso no Monte das Oliveiras, esclarece que ainda haverá um cumprimento da profecia de Daniel (Mt 24.15), e Paulo reafirma essa tradição quando descreve como esse arquiinimigo "se assentará, como Deus, no templo de Deus, querendo parecer Deus".

Assim, Paulo identifica o objetivo oculto do Anticristo em sua luta acirrada pela proeminência — pretende usurpar o lugar de Deus. O apóstolo não se esforça para identificar quem é essa pessoa, ou de onde virá. Não especifica se esperava que algum dos imperadores romanos fosse o Anticristo, embora, em seus dias, o trono do imperador fosse o cenário mais propício para tal figura. O que é importante para Paulo e, portanto, também para os leitores modernos, é que esse homem é absolutamente maligno e tem um cronograma para iludir e ser cultuado em lugar de Deus.

O versículo 5 parece ser uma "crítica gentil" (Marshall, 192) dirigida aos leitores que devem se lembrar dos detalhes que Paulo está revisando. É precisamente pelo fato de o apóstolo costumar dizer-lhes "estas coisas", que somente precisa escrever em termos gerais, para fazer com que recordem seu ensino mais extenso. Infelizmente, não temos o benefício dessa primeira instrução, porém os fortes indícios nos fornecem o amplo panorama que ainda pode ser reconhecido; e este nos motiva a nos prepararmos e permanecermos firmes na fé até que nos encontremos com o Senhor.

No versículo 6, referindo-se ao Iníquo, Paulo diz a seus leitores: "vós sabeis o que o detém". Quando esteve com eles, explicou-lhes porque esse homem ainda não havia sido capaz de se manifestar — porque não era "seu próprio tempo". A partir dessa frase, podemos inferir que Deus é quem determina os limites para esse espetáculo final de oposição; este Inimigo precisa respeitar o cronograma estabelecido pelo Senhor. Então, enquanto Paulo fala de um período de terrível oposição, os cristãos podem ter a certeza de que, apesar das aparências, Deus está no controle de todas as coisas.

O apóstolo, então, reconhece que o mistério da injustiça já opera (v. 7). Esse poder é secreto, no sentido de que a iniqüidade, em sua totalidade, ainda não teve a oportunidade de reinar com supremacia e abertamente, assim como Satanás desejaria. Ainda não foi revelado à humanidade o dano que o mal desenfreado é capaz de causar. Porém, a medida do mal que existe no presente deveria ser um amplo meio de intimidação para os cristãos, fazendo com que permanecessem firmes e procurassem agressivamente resgatar a outros — este mundo precisa desesperadamente do sal e da luz que somente os cristãos podem oferecer. O pecado é um princípio ativo que se opõe vigorosamente ao reino de Deus, escravizando a muitos. O pensamento de Paulo a respeito da iniqüidade já presente no mundo é semelhante à declaração de João, que expressa a chegada do Anticristo precedida por muitos anticristos (1 Jo 2.18).

Se esse poder já está operando, quando será revelado o próprio Maligno? Como seria de se esperar, Paulo não responderá determinando uma data, mas discursará sobre o cronograma particular de Deus. Paulo retoma a ameaça introduzida no versículo 6, considerando algo que está restringindo ou detendo o Anticristo, até que Deus decida retirar estas restrições que atualmente detêm o mal. Referiu-se, nesta passagem, a essa detenção em termos impessoais ("vós sabeis o que o detém"), enquanto, no versículo 7 se refere a "um que, agora, resiste", o que implica que uma pessoa é o agente da restrição.

Novamente, os leitores de Paulo compreendem exatamente o que ele quer dizer, ao passo que precisamos nos agarrar à obscuridade da especulação. A partir dessa tentativa, surgem numerosas teorias quanto à identificação dessa força (v. 6), e da pessoa (v. 7) que a restringe. Alguns estudiosos argumentam que Paulo está falando enigmaticamente da paz relativa e da ordem do Império Romano, e do próprio Imperador, para não incitar sanções políticas mais profundas contra os cristãos (At 17.6-9), caso esta carta fosse parar em mãos erradas. Outros sugerem que Paulo esteja se referindo à obra do Espírito Santo, pois o substantivo grego empregado para "espírito" (*pneuma*) pode ser um pronome neutro ou masculino (veja a discussão de Marshall das sete teorias e suas avaliações, 196-200). A despeito da teoria que defendamos, o resultado é que tudo está sob o controle absoluto de Deus; Ele é o único que estabelece os tempos e as estações, e, quando decidir, a restrição será removida.

Paulo estabeleceu de maneira eficaz que Deus é o arquiteto dos últimos dias. Afirma, pela terceira vez, que "será revelado o iníquo" (v. 8; também nos versos 3 e 6). As três passagens usam o verbo "revelar" (*apokalypto*) e estão na voz passiva. Enfatizam, deste modo, que o Anticristo não tem poder sobre o cronograma de Deus, não podendo iniciar um estágio prematuramente. Os dois primeiros usos desse verbo ocorrem no contexto do cronograma de Deus, quando ele pode supostamente ser revelado; o terceiro trata do destino que aguarda o Anticristo, quando este for revelado. Ele será derrotado e destruído.

As imagens contidas na frase "desfará pelo assopro da sua boca" são semelhantes às palavras de Isaías, "com o sopro dos seus lábios matará o ímpio" (Is 11.4), e à visão de João: "E da sua boca saía uma aguda espada, para ferir com ela as nações" (Ap 19.15). É óbvio que não se pretende que tais imagens sejam entendidas de modo literal; não haverá uma espada literalmente saindo da boca do Senhor, nem seu sopro poderoso será lançado contra os seus inimigos para destruí-los. Antes, a palavra do julgamento que será proferida por seus lábios selará o destino de seus inimigos.

Quando o escritor aos Hebreus fala da Palavra de Deus como sendo poderosa e mais penetrante do que uma espada de dois gumes (Hb 4.12), fala no contexto de advertência e promessa — ignorar a advertência é selar o destino de uma pessoa, impedindo-a de entrar no descanso eterno de Deus (4.1-3). A palavra ou o discurso de Deus é irresistível; não há contra este qualquer possibilidade de apelação, não pode ser ignorado nem tampouco ajustado. Todos os filhos da iniquidade serão condenados por se oporem a Deus, em virtude de sua desobediência. Satanás e todos aqueles que estão a seu serviço, a despeito de seu breve e momentâneo poder, impiedade e enganos, podem apenas se opor a Deus — porém jamais o vencerão. Sua rebelião será sonoramente subjugada pelo Deus Todo-poderoso; o Anticristo e o próprio Satanás serão um dia banidos (Ap 20.10), e os remidos do Senhor para sempre experimentarão a glória de Deus e a comunhão de seu Senhor e Salvador.

4.3. O Engano das Multidões (2.9-12)

Antes que o novo dia amanheça, "o iníquo" fará o que puder para se opor a Deus. No versículo 9, Paulo fala dessa vinda do Anticristo usando o substantivo grego *parousia*, que tem sido usado geralmente para se referir ao advento de Cristo, que pelo uso acabou tornando-se o termo técnico *Parousia*, usado como referência à volta de Jesus. A disposição de Paulo ao usar termos como *revelação* e *vinda* nesta passagem, parece ser um paralelo ou uma "imitação da Parousia de Cristo" (Bruce, 173). Talvez ele esteja se esforçando para retratar o Anticristo como o "messias de Satanás, uma caricatura infernal do verdadeiro messias" (Moffatt, 49). Se isto for assim, a referência do apóstolo às incríveis obras que Satanás capacitará essa pessoa a fazer ("milagres, sinais e prodígios") pode ser uma tríade emprestada do material tradicional considerando o ministério de Jesus (At 2.22). O mínimo que Paulo pode fazer é reforçar a advertência de Jesus contra os falsos cristos que surgirão e "farão tão grandes sinais e prodígios que, se possível fora, enganariam até os escolhidos" (Mt 24.24).

O Anticristo será eficiente ao persuadir muitos a que o sigam e o adorem (vv. 4,10). A chave para sua persuasão é a capacidade de realizar milagres; muitos serão atraídos por estas manifestações sobrenaturais, a que Paulo chama de "engano" (*pseudos*; que literalmente significa "falso"). Esses milagres são fraudes não por serem encenados ou falsos. As Escrituras dão muitas indicações de que são genuinamente sobrenaturais (Mt 24.24; Ap 13.12-14; 19.20). São fraudes por não serem sinais do verdadeiro agente divino — são falsas reivindicações de divindade.

Infelizmente, como Paulo relata no versículo 10, muitas pessoas serão enganadas. O intento maligno de Satanás, representado pela frase "com todo engano da injustiça", é mascarado pela aparência de maravilhas. Em virtude de sua admiração por estes sinais, muitos se entregarão à liderança daquele que realizou tais milagres de procedência maligna. A palavra de Paulo aqui é notória, pois refere-se àqueles que serão enganados como "os que perecem". Em outras palavras, aqueles que são iludidos estão simplesmente sendo conduzidos pela vereda que escolheram: a vereda da desobediência. Sua "incredulidade em relação à verdade tornou-os ingênuos e crédulos em relação à mentira" (Bruce, 173).

Quando Jesus fala dos falsos cristos operando milagres, diz que a intenção é "enganar até os escolhidos", porém suas palavras "se possível fora" (Mt 24.24) são testemunhos do poder de Deus que opera a favor de seus filhos. Paulo não está discutindo se os escolhidos de Deus poderão ser enganados naquele tempo; ao invés disso, enfatiza que todos aqueles que são enganados e que se enveredam pelo caminho da destruição, fazem-no por sua própria vontade. Já haviam escolhido rejeitar a verdade de Deus. Como Jesus disse, "os homens amaram mais as trevas do que a luz" (Jo 3.19). Por se recusarem a servir a Deus, Ele "enviará a operação do erro" (2 Ts 2.11) para que creiam na "mentira" (cf. Rm 1.25). A palavra "mentira" (*pseudos*) é a mesma que foi usada no versículo 9, onde está denotada a poderosa, porém fraudulenta obra do mal. Assim, a "mentira" que muitos aceitarão como verdade, dirá que o Anticristo é digno de sujeição e lealdade; será visto como um messias.

Um conceito de difícil compreensão para os leitores modernos é que Deus está ativo na regressão a esta ilusão ("Deus lhes enviará a operação do erro" v. 11), como se estivesse encorajando ao erro, ao invés de fazer o oposto. As passagens do Antigo Testamento nos apresentam problemas similares. Por exemplo, Deus endureceu o coração de faraó, atrasando, desse modo, o êxodo de Israel do Egito (Êx 7.3; 10.16-20); o Senhor permite que um espírito mentiroso engane Acabe em uma batalha mortal (1 Rs 22.20-22). Os caminhos de Deus às vezes são certamente inescrutáveis, e precisamos ser cuidadosos quanto à nossa maneira de interpretar o pensamento do passado, quando os homens entendiam que Deus deveria estar ativamente envolvido no controle do bem *e* do mal — a ponto de os escritores poderem, sem medo de blasfemar, escrever sobre a permissão que foi concedida por Deus a Satanás, de ter uma liberdade limitada para atormentar (Jó 1.12; 2.6); e como Deus pode trazer um profundo sono sobre a desobediente nação de Israel, para que não pudessem compreender a verdade (Is 29.10).

Em outras passagens, Paulo fala de Deus entregando a humanidade pecadora a seus próprios desejos (Rm 1.26,28), uma noção que pode interpretar erroneamente o caráter de Deus, como se agisse de modo vingativo. Entretanto, acusar a Deus de não agir de modo próprio é um sinal evidente da falta de conhecimento de seu caráter, e dos esforços que Ele tem feito para trazer a humanidade ao caminho correto. Deus não força as pessoas a trilharem um caminho que não estão dispostas a seguir, mas não se mantém alheio às escolhas prejudiciais daqueles que optam pela vereda do erro. Deus está intervindo mais ativamente para demonstrar seu amor pelos pecadores (Rm 5.8); estabelece todos os possíveis desvios que levem à graça, que são destinados a redirecionar os pecadores a fim de evitar que sejam destruídos (2.4; 2 Pe 3.15,16).

No entanto, também sabemos que Deus honra o dom do livre arbítrio; tragicamente, este é um dom do qual muitos têm abusado. Qualquer "endurecimento de coração", ou envio de desilusão é um ato do justo juízo (Sl 51.4; Rm 2.2). C. S. Lewis, em seu esforço para reconciliar os conceitos de inferno e da misericórdia de Deus, diz que os condenados "para sempre desfrutarão a horrível liberdade que exigiram sendo, portanto, auto-escravizados" (*The Problem of Pain*, 115-116). Não ousamos discutir a justiça de Deus — o salário do pecado ainda é a morte (Rm 6.23; 9.19,20). Pode-se confiar no Deus Santo, que julgará de modo absolutamente justo.

Infelizmente, como Paulo expressa em sua conclusão sobre essa obra do Anticristo, os ímpios não somente rejeitam a verdade. Observe como os ímpios respondem de modo perverso ao grande derramamento do amor de Deus: "tiveram prazer na iniqüidade" (v. 12). Escrevendo aos romanos, o apóstolo mostra os detalhes do declínio da humanidade em direção à depravação, à medida que a verdade de Deus é trocada por uma mentira. Aqueles que vivem na decadência e na incredulidade não demonstram qualquer tipo de vergonha; aprovam as atitudes daqueles que praticam um tipo de liberdade desenfreada (Rm 1.25-32). A condenação é a porção destes.

A discussão de Paulo quanto ao Iníquo é sensata. Foi deliberadamente cauteloso ao explicar como esse epítome do mal operará; esforça-se para contrabalançar qualquer referência a esse homem e a seu trabalho enganoso e ilusório, fazendo freqüentes alusões ao controle que Deus possui sobre todo este cenário, assegurando a seus leitores o destino final do Anticristo e de todos aqueles que o servem. Ao fazê-lo, o apóstolo não apenas esclarece a escatologia aos tessalonicenses, mas também, como seu pastor, consola os seus leitores. Podem se esforçar, pois o Dia do Senhor ainda está por chegar; e, quando isto acontecer, a relativamente breve, porém atemorizadora carreira da maldade do Anticristo fracassará ao procurar usurpar o lugar de Deus, e resultará na destruição eterna dos ímpios. Os cristãos tessalonicenses podem, deste modo, consolar-se mutuamente por meio da verdade de que estarão com o Senhor para sempre (1 Ts 4.17,18).

Os cristãos de nossos dias também podem ser encorajados pelas palavras de Paulo. Confessamos humildemente que há muita dificuldade para se reunir os detalhes precisos da cronologia, e na compreensão da literatura apocalíptica. O que deve ser entendido simbolicamente e o que deve ser entendido literalmente? Paulo deseja que os tessalonicenses vivam na bem-aventurada esperança da *Parousia* de Jesus. Dois milênios obscureceram algo que os tessalonicenses conheciam, mas a expectativa do retorno de Cristo ainda é a chave e a doutrina palpitante de nossa fé. Essa esperança dá força para servir, motiva a decisão de perseverar, incentiva a viver dignamente, e traz paixão pela evangelização. Unimo-nos a Paulo em seu sincero clamor, *Marana tha*! ("Ora, vem, Senhor Jesus!"; Ap 22.20; 1 Co 16.22).

Um ponto final emerge aqui; não é o tema principal, contudo deve ser notado. O ensino de Paulo nos oferece os meios necessários para que sejamos sábios a respeito do poder da iniqüidade que está operando no mundo em que vivemos. Satanás é diligentemente ativo ao cegar os olhos à verdade gloriosa do evangelho (2 Co 4.4). Ele tem como meta destruir a obra de Deus (Jo 10.10; 1 Pe 5.8). Em sua primeira epístola, Paulo exorta os tessalonicenses a examinarem tudo (1 Ts 5.21). A obra do Diabo é sempre sutil, e precisamos do discernimento do Espírito Santo para capacitar-nos a reconhecer os seus ardis.

O apóstolo menciona, em linhas gerais, quantos serão enganados pelos milagres forjados por Satanás. Em nossos dias, com o ressurgimento do interesse pelo mundo sobrenatural, os cristãos precisam ser prudentes ao atribuir automaticamente credibilidade a qualquer um que demonstre sinais milagrosos. Se Satanás pode se transfigurar em anjo de luz (2 Co 11.14), os cristãos devem estar vigiando e orando fervorosamente a fim de adquirir discernimento. O teste do fruto pode demorar a surtir efeito (Mt 7.20), mas a igreja é obrigada a fazê-lo para manter-se ao lado do bem e abster-se "de toda aparência do mal" (1 Ts 5.22). As seguintes palavras solenes de Jesus nos compelem a confiar completamente no poder do Espírito Santo: "Muitos me dirão naquele Dia: Senhor, Senhor, não profetizamos nós em teu nome? E, em teu nome, não expulsamos demônios? E, em teu nome, não fizemos muitas maravilhas? E, então, lhes direi abertamente: Nunca vos conheci; apartai-vos de mim, vós que praticais a iniqüidade" (Mt 7.22,23).

4.4. A Segurança dos Santos (2.13—3.5)

Paulo teve de resolver alguns assuntos sérios; no momento dá continuidade a um dos assuntos que discutia — a questão do destino eterno. Discutiu o destino dos ímpios, e parece ainda mais enfático agora, ao renovar a discussão destacando a glória de ser um filho de Deus. Não é comum para o apóstolo passar para uma seção de ação de graças em um ponto como este. Antigamente, a forma de redação das cartas sempre incluía a seção de ação de graças como parte da introdução. O que torna este fato ainda mais incomum é que a primeira parte do versículo 13 é praticamente idêntica à passagem em 1.3. Por que Paulo a repete?

Marshall (205) suspeita que essa seção de ação de graças "tem o objetivo de ser um antídoto para os sentimentos de incerteza que se originaram pela sugestão de que o Último Dia já havia chegado". A isto devemos adicionar que, provavelmente, à luz da severa discussão sobre a destruição que aguarda os ímpios, Paulo naturalmente transborda em sua expressão de gratidão pelo fato de seus convertidos em Tessalônica estarem isentos de tal destino. Paulo foi um ganhador de almas que desejava profundamente que as pessoas fossem resgatadas da ira futura (1 Ts 1.10). O apóstolo pode se regozijar, porque um dia a justiça florescerá e a impiedade não mais existirá, porém não sente qualquer prazer pelo fato de que muitos enfrentarão a condenação. Portanto, trabalha incansavelmente para evangelizar.

Como resultado, Paulo expressa sua feliz tarefa sempre agradecendo a Deus pela conversão dos crentes tessalonicenses. Dirige-se a eles com um tom mais pessoal do que em 1.3, chamando-os de "irmãos amados do Senhor". Pode ser que a lembrança da salvação que haviam recebido fizesse com que pensasse tão carinhosamente a seu respeito. O apóstolo fala da escolha deles por parte de Deus (veja comentários em 1 Ts 1.4; 4.7; 5.24) "desde o princípio", denotando assim a confiança que os cristãos podem ter de que os eternos propósitos de Deus frutificarão — seu plano principal está em pleno andamento.

A salvação alcança os crentes de duas maneiras:
1) Paulo destaca a obra santificadora do Espírito (veja comentários em 1 Ts 4.3,4,7). É possível que a palavra grega *pneuma* denote aqui o espírito humano; se isto fosse verdadeiro, a tradução poderia ser a seguinte: "santificação do [vosso] espírito". Porém isto não é o correto aqui. A NVI traduziu corretamente o conceito de Paulo sobre o papel do Espírito Santo na santificação;
2) Enquanto a obra do Espírito Santo é essencial, a resposta à chamada pessoal também o é — é necessário crer na "verdade" (veja comentários em 1.10; cf. o contraste em 2.10,11 para aqueles que rejeitam a verdade e crêem na mentira).

No versículo 14, Paulo constrói sobre o fundamento da escolha de Deus em relação aos tessalonicenses. Nesta passagem, utiliza o verbo *kaleo* ("chamar", 1 Ts 2.12; 4.7; 5.24), um verbo que caminha lado a lado com o ato de escolher. A distinção é que Deus os *escolheu* desde o princípio, e de algum modo o *chamado* refere-se "à convocação inicial da fé" (Marshall, 208). A forma pela qual Deus chamou os tessalonicenses foi a pregação do grupo ministerial de Paulo. O apóstolo reconhece o papel crítico que os cristãos precisam exercer ao compartilharem fielmente as Boas Novas. Os cristãos precisam ser despenseiros fiéis (1 Ts 2.4) porque, conforme Paulo argumenta poderosamente, os perdidos não são capazes de clamar ao Senhor para serem salvos, a menos que alguém seja enviado a pregar para que deste modo possam ter a oportunidade de ouvir e crer no evangelho (Rm 10.13-15).

A salvação implica duas coisas: ser salvo de algo — "da ira" de Deus (1 Ts 1.10; cf. 5.9) — e ser salvo para algo — compartilhar ou obter a "glória do nosso Senhor Jesus Cristo" (2 Ts 2.14; cf. 1.10; também 1 Ts 2.12; 4.17; 5.9,10). Como cristãos, podemos nos regozijar com o amor misericordioso de Deus, que nos alcançou e nos trouxe para o seu maravilhoso reino de luz (1 Pe 2.9), onde agora experimentaremos as bênçãos generosas da graça e provisão. Já desfrutamos uma íntima comunhão com o nosso Senhor Jesus Cristo, mas está chegando o dia em que compartilharemos sua glória, e o veremos face a face (cf. 1 Jo 3.2). Tal esperança gloriosa nos capacita a enfrentar os desafios da vida de modo resoluto, e ajuda-nos a seguir em frente; mantendo sempre em mente as instruções de Paulo, permaneceremos firmes e seguros na verdade (2 Ts 2.15).

A ordem "estai firmes" é um componente típico das exortações de Paulo (1 Ts 3.8; cf. Fp 1.27; 4.1), expressando a grande paixão por seus convertidos. Ele deseja vê-los combatendo o bom combate da fé; não pode suportar nenhuma casualidade sem que seu coração sofra. Há muitas ciladas ao longo do caminho do cristão — as tentações à indulgência para com a carne; a tentação de permitir que atitudes impróprias floresçam de modo incorrigível; e a tentação de ceder às pressões da adversidade e perseguição. Paulo não é paranóico, nem pessimista; é um realista que prescreve medidas preventivas para promover o bem-estar de seus filhos espirituais. Paulo dá aos tessalonicenses uma das maiores estratégias integrais para que se mantenham firmes: "retende as tradições [ensinos] que vos foram ensinadas". O substantivo traduzido como "ensino" é *paradosis*, que literalmente significa "legado, tradição" (cf. Rm 6.17).

Para alguns cristãos nos círculos evangélicos a idéia de tradição é negativa, de forte formalismo, sem vida, de ortodoxia morta. A verdade é que Paulo usa o termo tão positivamente que deveríamos nos esforçar para reconsiderar o conceito, não o julgando como sendo fruto de uma mentalidade estreita. Basta ler cuidadosamente a tradição registrada nas cartas de Paulo, para perceber o modo vibrante de sua apresentação da excitante verdade do evangelho. Não são incomuns as ocasiões em que o apóstolo faz uma pausa para oferecer louvores ao Senhor enquanto tece a tapeçaria da tradição (2 Co 9.15; Ef 1.14; Fp 1.11).

A tradição a que Paulo se refere é aquela que foi "transmitida" (literalmente "ensinada") aos tessalonicenses "... por palavra... por epístola nossa" (2.15). Isso se refere ao ensinamento ministrado durante sua primeira visita e à primeira carta, e talvez também ao conteúdo desta segunda carta. Os tessalonicenses foram rápidos ao receberem o evangelho de Paulo e seu subseqüente ensino (1 Ts 2.13; 4.1,6; 5.2; 2 Ts 1.10; 2.5). Sem um corpo padrão de doutrina cristã e ética, o cristianismo teria sido condenado ao sincretismo. O Evangelho teria sido diluído por inserções pagãs, até que o que resultasse não fosse mais o verdadeiro evangelho (Gl 1.6,7). Por não terem o Novo Testamento escrito, o perigo da entrada de heresias era constante, sendo necessário um forte apelo à tradição. Como vimos anteriormente em 2 Tessalonicenses 2.2, a ameaça do falso ensino estava presente, sendo necessário o remédio que consistia no retorno à instrução apostólica.

Enfrentamos o dilema da verificação do que é a genuína tradição bíblica, e do que é preferência sectária das várias denominações naquilo que se refere à crença e à conduta. A história mostra os danos que facilmente ocorrem, quando as práticas e costumes humanos de uma igreja tornam-se equivalentes à autoridade das Escrituras. As linhas de combate são então traçadas entre os grupos de sinceros cristãos. Quando as "vacas sagradas" de um grupo não são veneradas por outro grupo, é proveitoso que ambas as partes reavaliem tanto as Escrituras quanto as doutrinas, e assegurem-se de que tanto os erros do legalismo quanto a transigência sejam evitados. Como realistas, entendemos que os esforços honestos para ignorar as diferenças menores têm sido insuficientes, mesmo entre grupos chamados para serem cheios com o Espírito — essas diferenças "menores" provaram ser maiores do que aparentam.

As denominações estarão sempre presentes conosco até a *Parousia*! Aqueles que batizam por imersão terão sempre dúvidas a respeito daqueles que batizam por aspersão. Aqueles que falam em línguas olharão obliquamente para aqueles que não falam. Aqueles que não permitem que as mulheres tenham posições ministeriais se ressentirão por aqueles que o permitem. E a lista continua! Provavelmente quando admitirmos que essas diferenças continuarão, possamos agradecer sinceramente a Deus por aqueles que diferem de nós não serem os nossos verdadeiros inimigos. Eles são irmãos e irmãs em Cristo. Portanto, talvez precisemos prestar mais atenção à feliz obrigação da ação de graças, ensinada por Paulo: "devemos sempre dar graças a Deus, por vós, irmãos amados do Senhor" (2.13).

Os versículos 16 e 17 constituem a oração que era tão típica do padrão de escrita das cartas antigas. Poderíamos esperar que esta oração estivesse entre as notas conclusivas; porém devemos ter sempre em mente a flexibilidade de Paulo. Como em sua primeira epístola, o apóstolo insere uma oração tanto no corpo quanto na conclusão desta carta (1 Ts 3.11-13; 5.23; 2 Ts 3.16). Tal desvio do padrão convencional de escrita de cartas sugere a determinação de Paulo ao se esforçar para superar o trivial, as práticas de clichê. O calor de sua oração é mais evidente quando exulta no amor e na graça de Deus que nos "consolam e confortam". Essas duas bênçãos são apropriadas aos tessalonicenses, uma vez que o consolo (ou o encorajamento) os ajudará a perseverar em meio à perseguição, e o conforto (ou a esperança) manterá a sua perspectiva eterna da glória futura.

Paulo então especifica seu desejo para os tessalonicenses, que essa generosa graça continue a consolar (ou encorajar) e confortar (ou fortalecer) a cada um deles (v. 17; cf. 3.3; também 1 Ts 3.8). Um das formas que o Senhor utiliza para encorajar os crentes é a comunhão entre os santos, pois ela traz o estímulo mútuo (1 Ts 5.11). Cada membro do corpo de Cristo deve ter a responsabilidade de fazer tudo o que estiver a seu alcance para confortar, consolar e apoiar os outros membros da família de Deus. A carreira ainda não foi concluída e, até que o seja, a graça de Deus será o principal elemento diário para a sobrevivência e o sucesso. Wanamaker (271) comenta como Paulo mostra sua preocupação pelo "estado interior de seus convertidos" (pelo encorajamento de seus corações) e por seu "comportamento". Cada palavra e ação devem ser dignas de sua chamada (1 Ts 2.12), é necessário receber forças da parte de Deus para manter essa vida de santidade (3.13), e os tessalonicenses podem estar certos de que Deus cuidará de todas as suas necessidades (2 Ts 2.17).

Embora uma pausa no capítulo tenha sido introduzida nesse ponto, a transição não é completamente uma nova discussão. O material de 3.1-5 ainda contém elementos pertinentes à segurança dos santos à medida que perseveram em Cristo. Paulo passa da oração a favor de seus leitores a um pedido de oração por si mesmo e seus companheiros. Também o fez em sua primeira epístola (veja os comentários sobre 5.25), mas somente de maneira geral. Aqui, entretanto, especifica dois pedidos relacionados:

1) O primeiro pedido revela muito sobre a paixão de Paulo — sua principal preocupação está relacionada com o reino de Deus. Quando Paulo sonha, não tem em vista lucros pessoais ou a aclamação; sonha em trazer mais pessoas à fé. Pede, portanto, que o evangelho possa ser rapidamente difundido e honrado, dizendo: "para que a palavra do Senhor tenha livre curso [propagação rápida] e seja glorificada". A palavra grega para "propagação rápida" é *trecho*, e literalmente significa "correr". Paulo se sente à vontade ao usar as imagens esportivas (1 Tm 6.12; 2 Tm 2.5; 4.7), porém aqui pode ser que esteja tomando emprestada a metáfora do salmista: Ele "envia o seu mandamento à terra; a sua palavra corre velozmente" (Sl 147.15).

A expectativa de Paulo é clara: Deseja o rápido avanço do evangelho, ou seja, que este possa "correr velozmente" mundo afora (Bruce, 197). Todos os obstáculos ao evangelismo eficaz precisam ser derrubados por meio da oração, e assim Paulo convoca os tessalonicenses a participarem da futura eficácia de seu ministério. Também os saúda, pois os considera como a colheita ideal — receberam imediatamente a mensagem com honra e tornaram-se exemplos de fé para toda a terra (1 Ts 1.7,8). Oxalá todas as pregações pudessem produzir estes excelentes resultados!

2) O outro pedido de Paulo é pela segurança pessoal de seu grupo ministerial: "para que sejamos livres de homens dissolutos e maus" (v. 2). Paulo nunca teve o privilégio de desfrutar um ministério livre de problemas. Desde o início de suas valiosas práticas ministeriais, teve de fugir ou resistir à perseguição. Desde os seus primeiros esforços em Damasco,

onde precisou escapar em um cesto (At 9.25; 2 Co 11.32,33), até a sua viagem à Tessalônica (At 17.5-10), e mais tarde em sua última viagem à Jerusalém; Paulo foi um homem marcado. As credenciais listadas em seu catálogo de sofrimentos são impressionantes (2 Co 11.23-28).

Observe, portanto, que seu segundo pedido não abandona uma aversão às dificuldades; não está procurando um caminho fácil de conforto pessoal. Sua preocupação é que o evangelho não seja impedido pelos homens malignos que se opõem a Paulo. Como demonstrou repetidamente, está disposto a sofrer, contanto que a Palavra de Deus possa ser promovida (Fp 1.12-14). A frase "porque a fé não é de todos" é um comentário explicativo sobre a origem dessa oposição; vem daqueles que são hostis à verdade do evangelho (veja comentários sobre 1 Ts 2.14-16).

Após enunciar esses dois pedidos, Paulo pronuncia uma nobre e digna afirmação: "fiel é o Senhor" (v. 3; cf. 1 Ts 5.24). Essa declaração de confiança é uma sólida ponte entre sua crença de que o Senhor responderá às orações dos tessalonicenses a seu favor, e, por sua vez, de sua preocupação por eles dizendo que o Senhor os "confortará e guardará do maligno". A oração de Paulo tinha como objetivo o fortalecimento dos tessalonicenses (2.17), e agora demonstra sua fé de que o Senhor realmente os abençoará dando-lhes forças. A seguir, menciona o assunto da proteção "do maligno" (3.3), assegurando-lhes que Deus protegerá seus filhos e não permitirá que enfrentem dificuldades superiores às suas forças. O suprimento diário da graça de Deus é suficiente para que cada crente enfrente os desafios da vida; enquanto isso, por trás das cenas, a graça de Deus também está trabalhando para nos guardar das provações insuperáveis.

A expressão "do maligno" pode também ser traduzida simplesmente como "do mal" (veja a KJV). A mesma expressão grega é usada na Oração do Senhor (Mt 6.13), onde a NVI também a traduz como "do maligno". Em nossas citações da Oração do Senhor, utilizamos a tradução mais simples, "do mal", porém não há diferenças significativas entre as duas possíveis traduções. Ambas têm o mesmo significado, pois reconhecemos que por trás do mal (ou do maligno) está o pai do mal (ou o Maligno); ser protegido contra o Maligno, é ser defendido de seus planos destrutivos.

No versículo 4, o apóstolo declara explicitamente: "confiamos de vós no Senhor". O objeto de sua confiança é a obediência dos tessalonicenses. Em 2.15, ele os advertiu a guardarem os ensinamentos que incluíam não somente as verdades teológicas (por exemplo, a *Parousia*), mas também as recomendações éticas. Para seus leitores, essas declarações representam a afirmação e o encorajamento necessários para que continuem obedecendo a verdade que já haviam recebido, e que agora também estão recebendo por meio dessa carta.

O versículo 5 constitui um outro desejo expresso em oração, semelhante ao da carta anterior (2.16,17), e nasce naturalmente da preocupação pastoral pelo bem-estar espiritual. Clama pelo Senhor, pedindo que encaminhe o coração deles. O verbo "dirigir" (*kateuthyno*) ou "endireitar" é usado em sua forma simples (*euthyno*) no relato do evangelho, quando se refere à passagem em que João Batista foi chamado para proclamar a palavra do Senhor dizendo: "Endireitai o caminho do Senhor" (Jo 1.23). O Senhor guiará nossos caminhos, pois por ser o bom pastor (Jo 10.11) pode-se esperar que Ele nos dirija e nos proteja (Sl 23.1-3).

Paulo lista dois aspectos em que o coração dos tessalonicenses precisa de direção. O primeiro é na esfera do "amor [ou caridade] de Deus". Paulo está se referindo à forma completa deste amor, que os escolheu e os chamou, e que propiciou a redenção através do sacrifício de seu Filho, e preparou uma esplêndida herança futura para seus filhos. Paulo ora, em outras passagens, pedindo que os crentes compreendam, ao menos parcialmente, a dimensão insondável do amor divino (Ef 3.18,19), e retrata a segurança que esse amor propicia: Nada pode separar os cristãos desse amor (Rm 8.38,39).

O segundo aspecto em que o coração dos tessalonicenses precisa de direção é na "paciência [perseverança] de Cristo". A KJV traduz a frase da seguinte forma: "na paciente espera por Cristo", que é uma possibilidade gramatical. Como Bruce afirma (202), tal tradução "felizmente se harmoniza com a ênfase na *Parousia*, que caracteriza essas duas cartas", mas o contexto imediato de ser fortalecido e protegido favorece a tradução da NVI.

Os convertidos tessalonicenses foram violentamente assolados pela perseguição externa, e pelo alarmante problema interno relacionado à confusão sobre o Dia do Senhor. Paulo descreveu como multidões serão enganadas nos últimos dias, o que resultará na infeliz destruição de tantas pessoas. Mas, como um pai, profere palavras de confiança e fortalecimento para convencer seus filhos de que seu futuro está assegurado em Cristo. O Senhor lhes proverá direção e proteção, até o dia em que verão a Jesus face a face. Podemos ter inteira confiança de que o Senhor fará o mesmo por nós. Estejamos inspirados e dispostos a estudar, a fim de conhecermos mais profundamente o rico amor de Deus por nós, e que jamais nos desanimemos ao procurarmos imitar o exemplo de perseverança de Jesus (Hb 12.2,3; 1 Pe 2.21-24). Que o Senhor dirija, deste modo, os nossos corações.

5. Orientações sobre a Restauração dos Ociosos (3.6-15)

Paulo reserva o restante da carta para comentar os persistentes problemas de ociosidade. Não sabemos quantos precisavam de correção nesse assunto; provavelmente tenha sido uma minoria, porém suficiente para trazer tumulto e discórdia à igreja. (Para a discussão dos motivos que levaram alguns a se recusar a trabalhar, e dos problemas potenciais que cresciam, veja comentários sobre 1 Ts 4.11; 5.14.) A falta de conformidade à breve admoestação contida na primeira epístola de Paulo demanda um tratamento mais extenso. O apóstolo esperava que sua gentil indicação na carta anterior fosse suficiente; mas não foi o caso.

Portanto, o apóstolo parece agora impaciente, mostrando que seus esforços estão dirigidos à demonstração da autoridade apostólica. Há três tópicos a serem considerados no versículo 6, que atestam que este modo de agir é parte do desempenho da autoridade:

1) Paulo clama pelo "nome de nosso Senhor Jesus Cristo". Como um apóstolo, Paulo foi encarregado de ministrar em nome de Jesus. É geralmente relutante em demonstrar o peso de sua autoridade, mas quando desafiado, como nesse caso, pelo ostensivo desprezo à sua advertência inicial, apela à sua chamada apostólica (cf. 2 Co 12.11; 13.2). Invocar o nome de Cristo "é, para Paulo, uma das mais poderosas formas de coerção teológica disponível" (Wanamaker, 281). Essa estratégia não é diferente daquela que utilizou ao repreender os coríntios desviados, mostrando-lhes o quão vergonhoso era que, como membros do corpo de Cristo e templos do Espírito Santo, fossem atraídos e envolvidos pela imoralidade sexual (1 Co 6.15-20). Deste modo, estão arrastando o nome de Jesus para a arena da má conduta, e é principalmente Jesus, e não Paulo, quem está sendo desobedecido (1 Ts 4.8);

2) O próximo sinal da autoridade de Paulo é a escolha do verbo "Mandamo-vos" (*parangello*, também usado nos versos 10 e 12, "vos mandamos isto..."). Este conota um tom de maior formalidade e obrigação do que o verbo *parakaleo*, freqüentemente traduzido com o sentido de incitar ou admoestar com urgência. O peso da autoridade estava em uso, e não deveria mais ser ignorado;

3) O terceiro tópico consistia em dirigir-se aos ofensores, chamar-lhes a atenção, e torná-los conscientes da sanção de Paulo: "... vos aparteis de todo irmão que andar desordenadamente e não segundo a tradição que de nós recebeu" (cf. Rm 16.17,18, veja comentários adicionais em 2 Ts 3.14). A combinação do peso desses três elementos no princípio de sua instrução é realmente grande. Os transgressores deverão ficar atentos! Paulo já usou anteriormente o termo *ensino* (*paradosis*) em 2.15, e refere-se a um exemplo específico de tal ensino em 3.10.

A ordem de Paulo se torna ainda mais enérgica, pelo fato de poder demonstrar sua própria conformidade a esse tema. O apóstolo prega o que ele mesmo pratica, e pode, portanto repetir corajosamente o que já lhes havia dito: "convém imitar-nos" ou, como em algumas traduções: "sigam nosso exemplo" (cf. 1 Ts 1.6). Caso tivessem se esquecido do exemplo de Paulo nesses assuntos, estava agora explicando-o em detalhes. Ele pode categoricamente negar que ele mesmo ou seus companheiros missionários tenham sido de qualquer modo ociosos durante sua estadia em Tessalônica (2 Ts 3.7). Ninguém poderia acusá-los de serem charlatões, que tivessem como objetivo uma vida fácil (veja os comentários sobre 1 Ts 2.3-6). Paulo continua a ressaltar sua prática padrão de pagar suas próprias despesas de moradia e sustento, bem como as de seus cooperadores (2 Ts 3.8); o apóstolo não está em busca de dádivas ou ofertas.

Para aumentar a força deste discurso, o apóstolo detalha enfaticamente a que ponto chegou para evitar que seus esforços evangelísticos fossem prejudicados (v. 8). A frase "com trabalho e fadiga" (*kopos* e *mochthos*, duas palavras que falam de árduo esforço) mostra que trabalhavam por longas horas ("noite e dia"). Paulo, referindo-se a este assunto em sua primeira epístola, utilizou essas mesmas palavras (1 Ts 2.9). Enfatizou como os apóstolos certamente poderiam pedir apoio para que pudessem estar livres a fim de exercer seu ministério em tempo integral (uma ocupação que, sem dúvida, também requer uma jornada diurna e noturna, devido às necessidades ministeriais daquela época, assim como de nossos dias). Infere nessa presente carta que teriam direito a tal ajuda dizendo: "... não porque não tivéssemos autoridade [direito]..." (2 Ts 3.9), porém rejeitaram-na.

Esta foi uma penosa renúncia a legítimos direitos, porque quando se leva em conta a urgência de ganhar almas para Cristo, expressa por Paulo, surge a pergunta: Por que não aceitou receber o suporte necessário? Será que aquelas longas horas de trabalho secular não seriam melhor empregadas no trabalho de evangelização?

Vemos aqui a capacidade que Paulo tinha de estar contente em qualquer situação (Fp 4.11,12). Não se considera tão importante a ponto de não poder calejar suas mãos no trabalho secular, como se fosse o único embaixador de Deus que não devesse se prender a assuntos triviais como o trabalho. Houve ocasiões em seu ofício ministerial que aceitou apoio financeiro (Fp 4.14-18), porém não esperava que isto se tornasse uma rotina. Os motivos de Paulo são puros, e sua vida prática lhe permite a pretensão de ser um exemplo digno de ser imitado (2 Ts 3.7).

Paulo então lembra seus leitores de algo que pode ter sido para ele um provérbio: "se alguém não quiser trabalhar, não coma também" (v. 10). O ditado é simultaneamente grosseiro e eficaz, como também sua próxima declaração sobre os ociosos: "andam desordenadamente, não trabalhando, antes, fazendo coisas vãs" (v. 11). A NVI utiliza o jogo de palavras sarcásticas do idioma original (*ergazomenous... periergazomenous*). Aqueles que têm muito tempo ocioso, têm a infeliz tendência de se dedicar a propósitos inadequados e impróprios, um dos quais é intrometer-se em negócios alheios (1 Ts 4.11).

O apóstolo não precisa especificar a natureza da ocupação dos intrometidos; os tessalonicenses estão bem atentos aos problemas causados. A natureza humana permanece a mesma, propiciando ainda o grande testemunho de que a fofoca, as murmurações, as difamações e as críticas estão entre os frutos de uma vida ociosa. Adicione-se ainda a possível falsa hiperespiritualidade que esses errantes cristãos podem ter ostentado — a reivindicação de serem os únicos que estavam "verdadeiramente" esperando pela volta de Jesus (veja os comentários sobre 1 Ts 5.20) — e podemos ver quão perturbadoras essas pessoas podem ser.

Embora Paulo tenha dito para se "apartarem" dos indisciplinados (v. 6), não desiste deles; ainda espera que sejam restaurados. Assim, no versículo 12, pode-se perceber como Paulo, colocando-se ao lado deles, se esforça para convencê-los a andar corretamente. É enfático ao referir-se a "esses tais", utilizando uma ordem que consiste em dois termos: "mandamos e exortamos". Como vimos (v. 6), a palavra "mandamo-vos" tem a conotação de autoridade. A segunda palavra, "exortar", tem o sentido de incitar (*parakaleo*), e provavelmente seja um abrandamento da primeira (Morris, 256), revelando o manso coração pastoral de Paulo. Ele não quer abandonar essas pessoas a seus caminhos desregrados, porque é seu pai espiritual — e também precisa exercer a paciência apropriada.

Seu apelo é, inclusive, uma invocação adicional ao nome de Jesus (v. 12; cf. v. 6). Pode ser que tenhamos uma palavra profética nessa carta, especialmente significativa para esse grupo. O assunto, em outras palavras, envolve mais do que a obediência à vontade de Paulo. O apóstolo se considera um porta-voz de Jesus — aquEle a quem estes ociosos estavam esperando. Primeiramente, lida com os sintomas, cujo remédio é estabelecer-se e levar uma vida quieta (cf. 1 Tm 2.2; 1 Pe 3.4). Os intrometidos podem se converter em cristãos pacíficos e cuidadosos. Paulo os incita a cooperar com a obra que o Espírito certamente deseja fazer. Ele passa, então, à raiz do problema: a ociosidade. O remédio para esta questão é voltar ao trabalho e sustentar os seus.

O apóstolo faz então um breve intervalo no enfoque a tais desviados, para dar à igreja uma instrução de caráter geral: "não vos canseis de fazer o bem" (v. 13; cf 1 Ts 5.15). Provavelmente estivesse preocupado que outros se unissem ao grupo dos ociosos. Pode ser que aqueles que por algum motivo estivessem incapacitados de trabalhar, os que legitimamente precisavam de cuidado e apoio, viessem a ser considerados preguiçosos. Por esta razão é necessário que o ensino de Paulo fique bem claro, para que não seja considerado extensivo a estes casos. "Os membros que trabalhavam arduamente na igreja, podem ter sido tentados a desistir de ser caridosos por se sentirem explorados pelos ociosos" (Marshall, 226). Porém o versículo 13 apresenta um escopo tão objetivo e geral, que alguém pode se perguntar como os tessalonicenses poderiam compreender as palavras de Paulo de qualquer outra maneira diferente de: "Não se juntem ao grupo dos indolentes".

Paulo muda então o foco para a sanção que havia imposto (v. 6), embora agora o elabore (vv. 14,15). Aparentemente, sente que o apelo de sua carta não seria capaz de resolver imediatamente a questão, e por esta razão diz aos demais: "notai o tal", isto é, qualquer que desobedecer as suas instruções. Devem também se afastar de tais pessoas. Esse afastamento não parece ser tão severo quanto a ordem que o apóstolo deu aos crentes de Corinto, em relação aos irmãos imorais: "seja entregue a Satanás para destruição" (1 Co 5.5). Podemos estar certos de que Paulo não está falando aos tessalonicenses sobre uma exclusão completa, sem esperança de retorno por meio do arrependimento.

Não nos são dados os detalhes precisos de como tal tratamento deve ser aplicado. O rompimento é sinônimo de vergonha; os culpados devem ser envergonhados, perceber a seriedade da ofensa, e se adequar ao ensinamento apostólico. O coração pastoral de Paulo, sempre cheio de esperança de reconciliação, é surpreendentemente exposto quando defende a igreja e, pelo fato de não considerar seus ofensores como inimigos, mas como irmãos, diz: "admoestai-o como irmão" (v. 15). Marshall (228) esclarece que "um dos problemas de se exercitar a disciplina é a tentação de permitir que sentimentos pessoais afetem a aplicação da mesma". Uma tendência deplorável ao lidar com os impenitentes é permitir que a hostilidade chegue a tal ponto que a ira intensa seja sentida e demonstrada, ou, de modo trágico, que o ofensor possa ser considerado como morto e não mais visto como parte da família.

A Igreja está em uma posição duplamente difícil por ter de conciliar a necessidade de dissociação mantendo, simultaneamente, o forte amor fraterno pelos indisciplinados e rebeldes. A sabedoria e o poder do Espírito Santo são necessários para que o versículo 15 seja obedecido. Uma vez que há pessoas que se recusam a seguir o ensinamento bíblico referente a verdadeira conduta cristã, a liderança precisa considerar até que ponto e como a instrução de Paulo deve ser implementada. Embora alguns pensem que falar de um forte amor possa ser um chavão, em certas ocasiões, as demonstrações de amor são mais necessárias do que as palavras lisonjeiras. A Igreja precisa crer que com tais medidas extremas de disciplina, o Espírito Santo pode efetuar a mudança necessária no coração dos obstinados.

6. Observações Finais (3.16-18)

Como fez em sua primeira epístola, Paulo encerra com um desejo expresso em forma de oração, uma saudação final, e uma bênção. Esta é a terceira oração ao longo dessa breve carta (2.16,17; 3.5), demonstrando a predileção natural de Paulo de orar constantemente (1.11; cf. 1 Ts 1.3). É típico desejar "paz" aos leitores, porém este desejo é especialmente importante quando se trata dos tessalonicenses. O conceito que Paulo tem de paz é cercado de referências ao bem-estar espiritual de seus convertidos. Mesmo sabendo que os cristãos estão destinados a provações, preferiria que os tessalonicenses não tivessem de enfrentar adversidades (1 Ts 3.3,4). A ausência de adversidades não é o critério para se possuir paz; este critério consiste em reconhecer que Deus está no controle da vida, e em perceber que o Espírito Santo é aquele que ministra a graça e a paz.

Os tessalonicenses enfrentaram perseguições e ostracismo desde que abandonaram seu antigo modo de vida. Alguns também foram intensamente perturbados pelas concepções errôneas de como o Dia do Senhor poderia se tornar conhecido. A paz da comunidade cristã também foi ameaçada pelos intrometidos, cuja preferência pela ociosidade estava sobrecarregando a harmonia da igreja. A oração de Paulo pedindo paz, "o mesmo Senhor da paz vos dê sempre paz de toda maneira", é a mais apropriada para as necessidades dos tessalonicenses.

Sua frase seguinte, "o Senhor seja com todos vós", traz à mente a grande verdade de que enquanto houver a bem-aventurada esperança de um dia estarmos com o Senhor por toda a eternidade (2.1; cf. Jo 14.1,2; 1 Ts 5.17,18; Tt 2.13), também haverá outra grande verdade que consiste em podermos desfrutar sua presença agora, e desse modo recebermos paz para a jornada da vida.

Nos versículos 17 e 18, o próprio Paulo escreve as palavras finais de saudações e bênçãos. À luz da possibilidade de haver falsas epístolas, conforme mencionado em 2.2, é possível que o apóstolo o faça como uma garantia de autenticidade. Ele provavelmente ditou suas cartas (Rm 16.22; veja também os comentários sobre 1 Ts 1.1), mas, às vezes, adicionava um toque pessoal escrevendo, ele mesmo, as palavras finais (1 Co 16.21; Gl 6.11; Cl 4.18). Não encerrou sua Primeira Epístola aos Tessalonicenses com esse tipo de declaração explícita, embora possa ter escrito os comentários da conclusão. O apóstolo diz nessa passagem que a saudação de sua própria mão "é o sinal em todas as epístolas".

Esta afirmação nos deixa perplexos quanto à quantidade de outras cartas que Paulo deve ter escrito para outras igrejas, naquela época. As epístolas aos tessalonicenses provavelmente são os primeiros documentos do Novo Testamento (embora alguns suponham que tenha sido a Epístola aos Gálatas); deste modo, talvez possamos concluir que nem todos os escritos de Paulo foram preservados por Deus, para que fizessem parte do conjunto de Escrituras inspiradas. Contudo, nossa curiosidade é despertada pela especulação sobre o que mais poderíamos ter aprendido com tais cartas.

As palavras finais são idênticas às de sua primeira carta (veja os comentários sobre 1 Ts 5.28), com exceção da adição do pronome "todos". Não devemos tirar nenhuma conclusão sobre essa diferença mínima. Paulo acredita que a graça de Deus, que é concedida por intermédio do Senhor Jesus Cristo, é suficiente para que os crentes sejam capazes de se manter firmes e andar de modo digno. Portanto, suas últimas palavras superam a superficialidade do que é formal quando declara a bênção a seus amados convertidos em Tessalônica.

NOTAS

¹ Alguns estudiosos, notadamente Wanamaker (37-45), sugerem que 2 Tessalonicenses foi realmente a primeira epístola a ser escrita. Porém o crescimento na fé e no amor, pelos quais Paulo dá graças aqui, se enquadra melhor como um argumento favorável à seqüência canônica dessas duas cartas; isto é, que desde a primeira havia ocorrido um desenvolvimento crescente das virtudes cristãs.

² O versículo 4 pode certamente ser visto como parte da seção de ação de graças, pois seu conteúdo procede da ação de graças de Paulo a Deus; isto é, como se Paulo estivesse dizendo, "agradeço a Deus porque sua fé e amor são tais, que podemos nos orgulhar de sua perseverança". Mas a fim de enfatizar a transição que o versículo 4 faz para a longa discussão sobre a perseguição e a retribuição, optei por restringir a ação de graças, no esboço, ao versículo 3.

³ "Uma família de termos também traduzidos de acordo com o conceito da palavra *descanso* é derivada da raiz do verbo *pauo* ("parar, cessar, descansar"). Jesus promete dar descanso (*anapauo*) àqueles que vierem a Ele (Mt 11.28; no verso 29 o substantivo é *anapausin*). Na Epístola aos Hebreus, é o tema proeminente da entrada no descanso (*katapausin*) que Deus prometeu (Hb 4.1,3,10). O substantivo que Paulo usa nessa passagem é um sinônimo das palavras usadas nas passagens mencionadas acima.

⁴ A seguir estão outros paralelos entre as correspondências de Paulo aos tessalonicenses e Mateus 24, que mostram como Paulo foi influenciado pelo material sinóptico tradicional:

Mateus 24	1 e 2 Tessalonicenses
24.8 – O princípio das dores	1 Ts 5. 3 (a metáfora é usada de modo diferente)
24.9 – Perseguição e morte	1 Ts 3.3,4
24.10 – A apostasia	2 Ts 2.3
24.11 – Os falsos profetas	2 Ts 2.2 (provavelmente também 1 Ts 5.19-22)
24.11 – O engano	2 Ts 2.10,11
24.12 – O aumento da perversidade	2 Ts 2.12 "tiveram prazer na iniqüidade"
24.13 – Permanecer firmes	2 Ts 2.15
24.15 – A abominação da desolação	2 Ts 2.4
24.24 – Os falsos cristos, os sinais e prodígios	2 Ts 2.9
24.30,31 – Detalhes sobre a volta do Senhor	1 Ts 4.16,17; 2 Ts 1.7; 2.1
	1 Ts 5.6 "Vigiemos"
24.42-44 – "Vigiai"	1 Ts 5.4
24.43 – O ladrão	2 Ts 1.8,9

BIBLIOGRAFIA

W. Barclay, *The Letters to the Philippians, Colossians and Thessalonians*, DSB (1975); F.F. Bruce, *1 and 2 Thessalonians*, WBC (1982); G. D. Fee, *God's Empowering Presence: The Holy Spirit in the Letters of Paul* (1994); W. Hendriksen, *Exposition of I and II Thessalonians* (1979): R. Jewett, *The Thessalonian Correspondence: Pauline Rhetoric and Millenarian Piety* (1986); G. Krodel, "2 Thessalonians," *The Deutero-Pauline Letters*, Proclamation Commentaries (1993); W. G. Kümmel, *Introduction to the New Testament*, traduzido por H. C. Kee (1975); G. Lüdemann, *Paul, Apostle to the Gentiles: Studies in Chronology*, traduzido por F. S. Jones (1984); A. J. Malherbe, *Paul and the Thessalonians* (1987); I. H. Marshall, *1 and 2 Thessalonians*, NCBC (1983); J. Moffatt, *The First and Second Epistles to the Thessalonians*, EGT (reimpresso em 1978); L. Morris, *The First and Second Epistles to the Thessalonians*, TNTC (1979); J. Plevnik, "The Taking Up of the Faithful and the Resurrection of the Dead in 1 Thessalonians 4:13-18", *CBQ* 46 (1984); 274-83; J. S. Stewart, *A Man in Christ* (reimpresso em 1975); R. L. Thomas, "1, 2 Thessalonians" *EBC*, vol.11 (1978), 229-337; C. A. Wanamaker, *The Epistles to the Thessalonians*, NIGTC (1990); R. A. Ward, *Commentary on 1 & 2 Thessalonians* (1973); D. J. Williams, *1 and 2 Thessalonians*, NIBC (1992).

AS PASTORAIS
Deborah Menken Gill

INTRODUÇÃO

1. Introdução Geral às Pastorais

1 Timóteo, 2 Timóteo e Tito formam as denominadas Cartas Pastorais (desde o século XVIII), porque cada uma contém conselhos e encorajamento — sobre a vida e o ministério — para os pastores mais jovens. Mais do que cartas particulares, seu tom é de documentos oficiais, com instruções normativas sobre o combate às heresias, a organização da igreja em desenvolvimento e o encorajador cuidado pastoral de grupos específicos. Parecem repetir as instruções verbais anteriormente dadas a Timóteo e a Tito, e oferecem também o endosso de seus ministérios para as suas comunidades. Em razão de seu conteúdo semelhante, e uma vez que as três reivindicam ser do mesmo autor, elas aparentam ter sido escritas na mesma época, e suscitam perguntas semelhantes entre os estudiosos. Podemos então investigar as questões da introdução das três cartas ao mesmo tempo.

a. A Autoria das Pastorais

A autoria é a questão mais significativa das Pastorais. De fato, os mais importantes estudiosos e críticos modernos contestam a autoria destas cartas mais severamente do que quaisquer outras atribuídas a Paulo. Embora alguns críticos atuais considerem que haja alguma falsidade nestes casos, tratando-se de um fato estabelecido por estudiosos, isto não acontecia até o século XIX, quando ocorreram os primeiros ataques à sua autenticidade. Desde então, duas alternativas para a autoria de Paulo foram propostas: o uso de pseudônimos e a teoria da fragmentação (isto é, que um admirador de Paulo tenha incorporado nestas cartas, em uma época posterior à vida do apóstolo, porções paulinas autênticas).

Teorias Alternativas. A Pseudonímia era conhecida no mundo antigo, porém entre os judeus e os cristãos a prática era menos comum em alguns gêneros do que em outros (sobre este assunto, veja Carson, Moo e Morris, 1992, 367-371). Por exemplo, embora os pseudônimos prevaleçam em meio aos apócrifos apocalípticos do Antigo Testamento, é raro encontrar uma carta pseudônima (e as duas únicas que podem ser reconhecidas como tais [a Carta de Jeremias e a Carta de Aristéias] não são correspondências verdadeiras em sua forma). A apócrifa do Novo Testamento demonstra que os cristãos produziram evangelhos e Atos pseudônimos; todavia estas cartas falsamente atribuídas a outros escritores são poucas, e datam do século IV até o XIII (nenhuma delas data de uma época próxima ao Novo Testamento). Teria sido mais fácil descobrir uma falsa reivindicação para a autoria de uma carta íntima, pessoal, do que de outros gêneros. Não existe nenhuma evidência de que a Igreja tenha aceito uma carta pseudônima.

Ainda que fosse um fenômeno normalmente aceito fora dos padrões ortodoxos, no cristianismo a Igreja não aceita a pseudonímia. Paulo alertou os cristãos contra as falsificações em seu nome (2 Ts 2.2; 3.17), e a igreja primitiva excluiu um presbítero por utilizar a pseudonímia (Tertuliano, *On Baptism*, 17). Não importava se o conteúdo fosse edificante e ortodoxo, ou se o autor escrevesse por amor a Paulo; a Igreja recusou-se a aceitar as cartas espúrias.

O caráter literal das Pastorais argumenta contra a pseudonímia. As legendárias características que aparecem nas primeiras obras cristãs, que foram escritas sob pseudônimos, estão ausentes das Pastorais (por exemplo, os Atos apócrifos de Paulo ou os Atos de André). As reminiscências pessoais nas Pastorais sustentam o selo da peculiaridade histórica. É duvidoso que uma pessoa que alerta fortemente contra os enganadores (1 Tm 4.1; 2 Tm 3.13; Tt 1.10) e afirma com toda a segurança, "digo a verdade em Cristo, não minto" (1 Tm 2.7), colocaria o nome de Paulo livremente em cartas que ele não escreveu.

As evidências antigas afirmam a aceitação da igreja, desde o século II, das Cartas Pastorais como genuinamente paulinas. Policarpo as cita, e os escritos de Inácio contêm alusões freqüentes. Estão incluídas no Cânon Muratoriano, sendo afirmadas por Atenágoras, Irineu e Tertuliano. Qualquer sugestão de pseudonímia leva a sérias dúvidas quanto à canonicidade de um documento antigo. Se houvesse um mínimo indício de falsificação dos escritos paulinos, não seria provável que a igreja primitiva tivesse aceito de forma tão firme a autoria de Paulo.

Como na *teoria da fragmentação*, os estudiosos estão divididos em quais seções eles acreditam que sejam supostamente autênticas, porém os fragmentos mais comumente reivindicados são: 2 Timóteo 1.16-18; 3.10,11; 4.1,2a,5b-22; e Tito 3.12-15. É improvável, no entanto, que tais fragmentos pessoais fossem preservados acima dos teológicos. É também improvável que um admirador de Paulo, anos após sua morte, o identificasse como "blasfemo, perseguidor e opressor" (1 Tm 1.13) e "o principal dos pecadores" (1.16). E por que um falsificador concentraria os fragmentos em uma carta e escreveria três outras tão semelhantes quando o conteúdo poderia ter sido inserido em apenas uma? Todas estas considerações apontam para a improbabilidade de uma composição pseudônima ou falsificação de fragmentos.

Evidências da Autenticidade. Por que os estudiosos desafiaram a autoria paulina, e quais evidências apresentaram a seu favor? A autenticidade das Pastorais tem sido tão seriamente contestada em meio aos estudiosos contemporâneos da Bíblia, com base na cronologia do Novo Testamento e em virtude do estilo de escrita e da natureza de seu conteúdo, que diferem das demais cartas de Paulo. As seguintes considerações são importantes:

1) Alguns argumentam que se Atos dos Apóstolos é uma biografia da vida cristã de Paulo, então não haveria lugar para as Pastorais. Atos, contudo, não faz nenhuma menção de que o fim do livro corresponda ao final da vida de Paulo. Embora o livro de Atos termine com o encarceramento de Paulo em Roma, as circunstâncias de sua prisão não são severas — ele não estava aguardando uma morte imediata (cf. At 28.16,23,30; Fp 1.12-14). Festo entendeu que Paulo não havia feito nada que merecesse a morte (At 25.25) e Agripa não encontrou nenhuma acusação contra ele (26.32). Os escritos de Paulo sobre o encarceramento (as Cartas da Prisão) refletem sua expectativa de ser solto e de ter um ministério futuro (Fp 1.19,25,26; 2.24; Fm 22). Não é somente possível, mas provável, que Paulo tenha sido solto de seu primeiro encarceramento romano e exercido um ministério adicional, que incluía sua correspondência a Timóteo e a Tito;

2) As diferenças literárias entre as Pastorais e os outros escritos de Paulo têm sido usadas como um argumento contra a autenticidade. P. N. Harrison apresentou algumas estatísticas impressionantes a respeito do vocabulário (cf. Harrison, 1921, 20ff; Wikenhauser, 1958, 446; Carson, Moo e Morris, 1992, 360-361). Das 848 palavras (excluindo 54 nomes próprios) no vocabulário destas cartas, 306 são *hapax legomena* de Paulo (palavras que não aparecem em suas outras dez cartas), 175 das quais não constam em qualquer outra passagem do Novo Testamento. Deve-se notar, porém, que a Epístola aos Romanos traz uma proporção similar de *hapax legomena* (261 dentre 993, excluindo os nomes próprios);

3) Outras características do estilo das Pastorais haviam sido apresentadas como evidências contra a autenticidade. Certas palavras e expressões características de Paulo não são encontradas nas Pastorais, e tais características das Pastorais não são observadas em outros escritos de Paulo. A sintaxe das Pastorais é mais suave e direta do que os outros escritos de Paulo. E o comprimento médio das palavras do vocabulário das

Pastorais é mais longo que o comprimento das palavras nas outras cartas de Paulo. Partículas, preposições e pronomes estão freqüentemente omitidos nas Pastorais. Entretanto, as irregularidades de estilo podem ser e são freqüentemente atribuídas a uma diferença de circunstâncias (como assunto, destinatário, ambiente, idade, experiência e o transcurso do tempo), ou ao uso de um amanuense (um escriba que redigia cartas que lhe eram ditadas). Não há como negar o vocabulário e o estilo peculiar das Pastorais; contudo, mesmo assim tais características não desmentem sua autenticidade.

4) Alguns estudiosos consideram que o conteúdo das Pastorais indica uma época posterior à vida de Paulo. Estes alegam que a ênfase no conteúdo ortodoxo e na preservação da tradição são indicações de um período posterior da história, quando a igreja estava sendo instituída. A tradição e a ortodoxia, porém, são também as armas usadas para combater a heresia; e o ataque às heresias é um dos principais propósitos destas cartas.

5) A organização da igreja, tão desenvolvida a ponto de incluir ofícios e instruções sobre como governar (como descritas nas Pastorais) é citada como outro anacronismo à autenticidade. No entanto, as viúvas também são mencionadas em Atos 6.1; 9.39,41 e 1 Coríntios 7.8. Os ofícios dos bispos e dos diáconos são mencionados juntos em Filipenses 1.1, e em Atos 20.17-36, onde Paulo se dirige aos presbíteros de Éfeso. Outros líderes de comunidades cristãs são mencionados em cartas anteriores de Paulo (por exemplo, 1 Co 16.15,16; 1 Ts 5.12,13). Pode-se ter a certeza de que as Pastorais tratam da organização eclesiástica; mas é evidente, pelas instruções diretas que são dadas, que tal estrutura ainda está em sua fase inicial.

6) Finalmente, alguns estudiosos argumentam que as heresias atacadas nestas cartas fazem parte de um período pós-paulino. Mas embora o gnosticismo não tivesse se desenvolvido completamente até o século II, o gnosticismo incipiente e as tendências gnósticas já existiam anteriormente. Os falsos mestres (1 Tm 1.3-11; 4.1-10; 6.3-5,20,21; 2 Tm 2.14,23; 3.1-9,13; 4.3,4; Tt 1.14,15) e as idéias dualísticas (1 Tm 4.3; 2 Tm 2.18) podem ser atribuídas ao gnosticismo judaico e a elementos gnósticos infiltrados na igreja.

Resumo. Deste modo, os argumentos contra a autenticidade paulina das Pastorais com base em seu conteúdo não provam que estas cartas datam de um período posterior a Paulo. Demonstrando a improbabilidade das teorias alternativas de autoria e examinando os desafios contra a autenticidade, os estudiosos protestantes mais conservadores consideram o texto fidedigno — observe como cada uma das três cartas, em seu primeiro verso, apresenta Paulo como o autor —, atestando a autenticidade da autoria paulina das Cartas Pastorais.

b. Visão Geral da Teologia das Pastorais

Uma vez que estas três cartas contêm conselhos de um apóstolo mais velho dirigidos a jovens pastores, a natureza de seu conteúdo é prática. Juntas, formam um tipo de manual para os líderes da igreja. Elas contêm as qualificações para os líderes da igreja (bispos ou supervisores [1 Tm 3.1-7; Tt 1.5-9] e diáconos [1 Tm 3.8-13]); conselhos sobre como pastorear vários membros da igreja (homens e mulheres, jovens e velhos [1 Tm 5.1,2], viúvas [5.3-16], presbíteros [6.1,2b], e os ricos [6.17-19]); orientação geral sobre liderança espiritual (liderar através do exemplo pessoal [6.11-16], exortando veemente ao invés de timidamente [2 Tm 1.3—2.7]); e instruções sobre a oração pública (1 Tm 2.1-8).

O enfoque teológico primário nas Pastorais, de um ponto de vista doutrinário, é a ortodoxia: um forte ensino (2 Tm 2.8—4.8), como refutação aos falsos mestres (Tt 1.10-16) e o ensino da boa conduta (2.1—3.8a). O falso ensino que Paulo está dolorosamente refutando parece ser uma forma primitiva de gnosticismo. Este ecletismo filosófico-religioso distorceu as idéias judaicas e também se opôs às idéias cristãs. Sua filosofia dualística ensinou que as coisas materiais são más;

somente o espírito poderia ser bom. Deste modo, alguns gnósticos acreditavam que o Deus hebreu (Yaweh ou Jeová) poderia ser considerado mau, por ter criado este mundo material. "O gnosticismo inverteu o relato da criação e da queda do homem contido no livro de Gênesis, fazendo da serpente uma heroína que leva Adão e Eva para longe do engano de Deus, e apresentando Eva como a fonte da vida e do esclarecimento" (Kroeger, Evans e Storkey, 1995, 439). A compreensão deste contexto gnóstico torna claro que a função de 1 Timóteo 2.11-15 não é limitar teologicamente a liderança das mulheres na igreja, mas refutar a falsa doutrina ensinada pelos gnósticos em Éfeso, e reafirmar a ortodoxia colocando-a em seu devido lugar. Como Gundry escreve (1994, 416):

> A base doutrinária para estas instruções [de caráter prático e confessional] é a graça de Deus, que traz a salvação, leva à vida com Deus, e oferece a "bendita esperança" do retorno de Jesus (Tt 2.11-14). A base experimental para estas instruções é a regeneração pelo Espírito Santo (Tt 3.3-7).

O modo pelo qual Paulo afirma a verdadeira doutrina, também nos oferece um discernimento teológico sobre a adoração no século I. Observe o que Hanson (1982,15) escreve:

> Seu principal objetivo não é introduzir um novo ensino, mas persuadir seus leitores a guardarem o antigo... Os estudiosos chegaram à conclusão de que a maioria das referências do autor à doutrina são na verdade citações dos primeiros hinos cristãos, como em 1 Timóteo 3.16; 2 Timóteo 2.11-13; ou das declarações de fé, como em 1 Timóteo 2.5,6; ou talvez de uma oração que era feita por ocasião da Santa Ceia, como em 1 Timóteo 1.17; ou até mesmo em um culto de batismo, como provavelmente em Tito 3.4-7.

Citando os fragmentos preexistentes da adoração, Paulo nos oferece vislumbres teológicos da adoração na igreja primitiva.

2. Primeira Carta a Timóteo

a. Destinatário

Tanto a Primeira como a Segunda Carta a Timóteo lhe são endereçadas enquanto ele está ministrando em Éfeso, tendo sido comissionado por Paulo (1 Tm 1.3). Embora estas cartas contenham saudações, orações, endossos e conselhos que Timóteo deve partilhar com sua congregação, a maior parte de seu conteúdo consiste em orientações pessoais e particulares de seu mentor, Paulo.

Timóteo era um associado missionário de Paulo, um cooperador e um emissário de confiança. O apóstolo se refere a ele como "nosso irmão" (2 Co 1.1; 1 Ts 3.2; Fm 1), "meu cooperador" (Rm 16.21; 1 Ts 3.2), "meu filho amado e fiel no Senhor" (1 Co 4.17; cf. 1 Tm 1.2), e "apóstolo de Cristo" (1 Ts 2.6). Era nativo de Listra, na Licaônia (Ásia Menor). Seu pai era um gentio (pagão) e sua mãe uma cristã judia, chamada Eunice (At 16.1; 2 Tm 1.5), que provavelmente se converteu durante a primeira missão de Paulo naquela cidade (At 14.6-23).

Sendo já reconhecido como cristão e tendo boa reputação diante dos crentes daquela região (At 16.1,2), Timóteo, como um homem jovem, foi escolhido por Paulo para acompanhá-lo em sua segunda viagem missionária (At 16.3). O apóstolo fez com que Timóteo fosse circuncidado, tornando-o completamente aceitável aos judeus — sendo assim um cooperador mais eficiente. A partir daí, Timóteo foi um freqüente cooperador do apóstolo (At 17.14,15; 18.5; 19.22; 20.4; 2 Co 1.1,19; Fp 1.1; 1 Ts 1.1; 2 Ts 1.1). Acompanhou Paulo e Silas pela Ásia Menor, a Troas, e então à Macedônia, e até Atenas na Acaia. De Atenas, Paulo enviou Timóteo a Tessalônica em uma importante missão: encorajar os tessalonicenses, avaliar sua situação, explicar o desejo que Paulo tinha de vê-los, a razão pela qual não podia visitá-los naquele momento, e trazer um relatório oficial ao apóstolo (1 Ts 3.2,3,5,6).

Na terceira viagem missionária de Paulo, Timóteo foi semelhantemente comissionado, viajando de Éfeso pela Macedônia a

Corinto com outras sérias responsabilidades: ser o portador da epístola de Paulo (1 Coríntios), lembrar à igreja os conselhos apostólicos e solucionar uma situação perturbadora (At 19.22,23; 1 Co 4.17; 16.10; Fp 2.19,23). Ao final da terceira viagem missionária, quando Paulo deixou Corinto encaminhando-se a Jerusalém com as ofertas das comunidades cristãs, Timóteo o acompanhou (At 20.4), permanecendo com ele durante seu primeiro encarceramento romano (Fp 1.1; Cl 1.1; Fm 1).

As Pastorais retratam Timóteo como um homem jovem inexperiente, facilmente intimidável, que precisava de instrução e encorajamento. J. Gillman (1992, 6:559) destaca como as instruções de Paulo em 1 Coríntios 16.10,11 revelam a apreensão do apóstolo a respeito da recepção que Timóteo teria em Corinto:

"... vede que esteja sem temor convosco", como se Timóteo estivesse nervoso e pudesse ser facilmente intimidado; "Portanto, ninguém o despreze", como se tivesse sido previamente rejeitado por eles ou como se o sentimento contra Paulo pudesse também ser dirigido a Timóteo; "...mas acompanhai-o em paz", como se anteriormente tivesse partido sem o apoio daqueles irmãos.

Alguém poderia pensar que Paulo tivesse dúvidas quanto a efetividade de Timóteo como um líder. Porém, pode-se observar a confiança que o apóstolo tinha em seu cooperador, atribuindo-lhe a responsabilidade por missões tão importantes.

Como companheiro e cooperador de Paulo, Timóteo é nomeado como co-remetente de seis das cartas de Paulo: (em ordem cronológica) 1 e 2 Tessalonicenses, 2 Coríntios, Colossenses, Filemom e Filipenses. A alta consideração que Paulo tinha para com a pessoa e obra de Timóteo pode ser vista em Filipenses 2.20-23, e a importância do relacionamento entre este e o apóstolo é vista pelo fato de ser o destinatário de duas cartas pastorais. Timóteo, "seu filho", é uma das pessoas que Paulo deseja muito que esteja a seu lado no final de sua vida (2 Tm 4.9,13,21).

Se de fato Timóteo uniu-se a Paulo em Roma, e se foi encarcerado naquela ocasião, tais fatos explicam o comentário em Hebreus 13.23 de que este jovem havia sido recentemente libertado da prisão.

Em 1 Timóteo 1.3 Paulo demonstra que pretendia que Timóteo retornasse e permanecesse em Éfeso. Uma tradição posterior, preservada por Eusébio (*História Eclesiástica*, 3.4), afirma que Timóteo foi o primeiro bispo de Éfeso. Esta cidade, na costa ocidental da Ásia Menor (atual Turquia), foi a quarta maior cidade do Império Romano. Em aproximadamente 100 a.C., os gregos jônicos conquistaram a área. Éfeso tornou-se uma das principais metrópoles do mundo da época, alcançando uma reputação de esnobismo intelectual, com cultura e tradição oriental, e uma predominância da religião de deusas. Em meados do século III a.C., os judeus se estabeleceram na área ao redor de Éfeso, e no século I d.C., a população judaica pode ter chegado a setenta e cinco mil pessoas. As evidências arqueológicas atestam, porém, que os judeus na Ásia Menor sincretizaram a religião de Jeová com o paganismo, usando mágica e distorcendo as narrativas de Gênesis (Kroeger e Kroeger, 1992, 47-55).

Paulo introduziu o cristianismo em Éfeso, de forma breve, em sua segunda viagem missionária, e lá deixou Priscila e Áquila para continuar seu ministério (At 18.18-21). Este casal foi acompanhado pelo grande pastor de Alexandria, Apolo, ministrando-lhe um ensino mais preciso e adequado a respeito de Jesus. (Deste modo, vemos na igreja de Éfeso uma mulher que recebeu do apóstolo Paulo a responsabilidade de ensinar um homem e liderar a igreja, sendo digna até mesmo de elogios [cf. Rm 16.3,4]. Este fato elucida o significado de 1 Timóteo 2.11-15.)

Quando Paulo retornou a Éfeso, em sua terceira viagem missionária (At 18.23; 19.1—20.36), ministrou o batismo em nome de Jesus e o batismo no Espírito Santo a um grupo de discípulos que eram ignorantes a este respeito. Paulo pregou ousadamente na sinagoga por três meses e então discursou diariamente durante dois anos na escola de Tirano. As Escrituras registram: "E durou isto por espaço de dois anos, de tal maneira que todos os que habitavam na Ásia ouviram a palavra do Senhor Jesus, tanto judeus como gregos" (At 19.10). Várias curas extraordinárias e expulsões de demônios aconteceram por intermédio do apóstolo, os sete filhos de Ceva (os exorcistas judeus) tentaram usar o nome de Jesus em seus encantamentos, com resultados infelizes (19.11-16). O impressionante sucesso do confronto entre o poder de Cristo e o poder do mal resultou em uma enorme fogueira de livros de magia, feita por aqueles que praticavam a feitiçaria, mas que agora criam em Jesus Cristo (19.17-20).

A onda de transformação da comunidade afetou toda a economia de Éfeso. Quando os negócios dos artesãos (que faziam suvenires do templo da deusa Artemis ou Diana) sofreram um impacto, eles incitaram a cidade inteira à revolta (At 19.23-41). Após o alvoroço, Paulo navega para a Macedônia e Acaia, e mais tarde retorna a Mileto onde se despede dos presbíteros efésios de modo emocionante, antes de regressar a Jerusalém (20.13-37). Preveniu os presbíteros de que uma doutrina diferente ou em desacordo com os padrões seria uma ameaça à igreja em Éfeso. Para contrariar a oposição que surgiu contra a ortodoxia, Paulo escreveu as Cartas Pastorais.

b. Procedência, Propósito e Data

Embora o texto não mencione explicitamente o lugar de origem de 1 Timóteo, presume-se, a partir de 1.3 ("Como te roguei, quando parti para a Macedônia, que ficasses em Éfeso..."), que Paulo ainda estivesse na Macedônia, reiterando as instruções que já lhes havia dado. As Cartas de Paulo a Timóteo (a primeira) e Tito têm objetivos e propósitos semelhantes; são livros que tratam essencialmente de assuntos relacionados à organização da igreja. Paulo deixou Timóteo em Éfeso para refutar e neutralizar os ensinos dos falsos mestres, e liderar a igreja. A Primeira Carta a Timóteo tem uma diferença em relação a Tito; parece que o apóstolo sentiu a necessidade que Timóteo tinha não só de instruções específicas para organizar a igreja, mas também de encorajamento e desafio pessoal.

A data da epístola depende da autoria e da cronologia do Novo Testamento. Aqueles que vêem a carta como pseudônima, posicionam-na em alguma data após a virada do século II. J. A. T. Robinson considera que a partida de Paulo de Éfeso com destino à Macedônia em 1 Timóteo 1.3 seja equivalente à sua partida para a Macedônia mencionada em Atos 20.1, após a revolta que aconteceu em Éfeso; atribui, assim, a data de 55 d.C. a esta carta, ocasião em que Timóteo era muito jovem (Robinson, 1976, 82-88). A maioria dos estudiosos pensa que esta epístola tenha sido escrita em uma data posterior a esta.

Timóteo esteve normalmente em companhia de Paulo em suas viagens, a partir da segunda viagem missionária em que se uniu ao apóstolo. A maioria dos que aceitam a carta como sendo genuinamente paulina não vêem nenhuma data anterior à terceira viagem missionária, à qual a carta possa ser atribuída. E uma vez que os erros combatidos em 1 Timóteo ainda não haviam surgido na terceira viagem missionária (At 20.29), a carta é claramente subseqüente àquela missão. Além disso, a organização que Paulo exorta Timóteo a estabelecer em Éfeso indica que a igreja já havia passado dos anos iniciais de sua existência.

Localizando a escrita da carta entre os encarceramentos romanos, estas datariam do início dos anos 60 d.C. A cronologia da vida de Paulo não é certa, mas geralmente é sustentado que ele estava em Roma (pela primeira vez) por volta de 59-61 d.C. Considerando a hipótese de que o apóstolo tenha estado preso por dois anos (At 28.30), sua soltura teria sido aproximadamente em 61 ou 62. Não sabemos se Paulo foi para a Espanha, como desejava antes de seu encarceramento (Rm 15.28). É tradicionalmente dito que ele foi martirizado sob ordens de Nero (que morreu em 68 d.C.). Embora

Eusébio considere que a morte de Paulo tenha ocorrido em 67, a maioria dos demais estudiosos datam-na como tendo sido durante o auge da perseguição de Nero (64-65 d.C.). Então, admitindo que a carta tenha sido escrita após Paulo ter sido solto, após sua subseqüente visita a Éfeso e antes de seu encarceramento final em Roma, pode ser datada em torno de 61-63 d.C.

3. Segunda Carta a Timóteo

Procedência, Propósito e Data

Embora o destinatário de 2 Timóteo seja o mesmo que o de 1 Timóteo (veja a introdução a 1 Timóteo), as circunstâncias em torno do autor são completamente diferentes. A Segunda Carta a Timóteo foi escrita por Paulo a partir de Roma, onde aguardava um julgamento como um prisioneiro, na expectativa de uma breve execução (2 Tm 1.8,16,17; 2.9; 4.6). Ele está sozinho e convoca Timóteo a se unir a ele rapidamente, antes do inverno, ocasião em que a navegação cessava (4.9-13,20,21a); ainda assim, não tem a certeza de que o verá novamente.

A carta consiste de advertências contra os falsos ensinos, e exortações à firmeza e à coragem. Tem a forma de um testamento literário, em que Paulo recorda sua carreira, ora concluída, tendo diante de si a coroa. Menos preocupado com os acordos eclesiásticos nesta epístola, o enfoque do apóstolo está em seu jovem sucessor e na tarefa a ele confiada.

Esta carta não pode ser datada como sendo da época do primeiro encarceramento romano de Paulo. O primeiro foi aprazível, o segundo foi severo (cf. At 28.30,31 com 2 Tm 2.9). No primeiro, Timóteo e Marcos estavam com Paulo; no segundo ele pede para que estes se unam a ele (cf. Cl 1.1; 4.10; Fm 24 com 2 Tm 4.9,11). Trófimo acompanhou o apóstolo a Jerusalém quando Paulo foi preso e enviado a Roma pela primeira vez, porém foi deixado enfermo em Mileto, antes do segundo encarceramento de Paulo (cf. 21.29 com 2 Tm 4.20). Se 2 Timóteo foi escrita durante o primeiro encarceramento, a capa e os livros de Paulo estariam na casa de Carpo por aproximadamente cinco anos (cf. 2 Tm 4.13 com At 20.5,6).

Aqueles que tomam as Pastorais como pseudônimas, datam 2 Timóteo como uma carta posterior à virada do século II. Aqueles que consideram esta carta autêntica, posicionam-na durante o encarceramento final de Paulo em Roma. Parece que logo após ter escrito a Primeira Carta a Timóteo, Paulo viajou para a Ásia Menor (Troas e Mileto) pela última vez, e agora está novamente na prisão. Sua situação tornou-se séria e seu martírio era iminente. Embora, de acordo com a ordem das Pastorais no Novo Testamento, a carta a Tito esteja após as duas cartas a Timóteo, a carta final de Paulo é 2 Timóteo — na qual encontra-se o testamento para seu filho amado. Se Eusébio, que data o martírio de Paulo como tendo ocorrido em 67 d.C., estiver correto, a data desta carta seria 66 ou 67. Se o martírio de Paulo ocorreu durante o clímax da perseguição de Nero, sua última carta teria sido escrita por volta de 64-65 d.C.

4. Tito

a. Destinatário

Esta carta é endereçada a Tito enquanto está ministrando na ilha de Creta, tendo sido designado por Paulo como o pastor naquele lugar (Tt 1.5). Como Timóteo, Tito também foi escolhido para ser um companheiro de viagem, um cooperador e um emissário de confiança do apóstolo.

Apesar de Tito jamais ter sido mencionado em Atos, Gálatas 2.1-15 indica que era um cristão gentio da igreja de Antioquia, que fora escolhido para viajar na companhia de Paulo e Barnabé a Jerusalém. Naquele tempo o apóstolo resistiu às exigências de que Tito fosse circuncidado (2.3). Esta viagem era tanto uma visita que tinha o objetivo de entregar a oferta aos pobres (At 11.27-30), como uma visita à liderança que estava em Jerusalém (15.2-29). Este último motivo parece ter sido o mais forte, uma vez que a liderança se reuniu para resolver o assunto da circuncisão, e Paulo tinha o propósito de apresentar sua missão de evangelizar os gentios aos líderes em Jerusalém. Deste modo, Tito, que era um exemplo da obra de Deus em relação aos gentios, tornou-se um modelo. Embora não sendo circuncidado, era uma testemunha poderosa da salvação de Deus e da recepção por parte da igreja.

Aproximando-se o final da terceira viagem missionária de Paulo, após ter sido notificado em Éfeso de que alguns dos coríntios haviam se rebelado contra ele, o apóstolo encarregou Tito de mediar esta situação tão difícil. Sendo um companheiro da confiança de Paulo, com habilidade pastoral comprovada, Tito foi o portador da carta de Paulo a que alguns se referiram como a "carta dolorosa" (2 Co 7.6,7,13-16), que fora enviada de Éfeso a Corinto. Sua missão foi tão bem-sucedida que ele restabeleceu a igreja coríntia, que quase havia sido considerada por Paulo como perdida, e fomentou a questão da oferta como um fundo de auxílio aos necessitados (para os santos pobres de Jerusalém). Em seguida, Paulo enviou Tito novamente a Corinto como seu precursor, desta vez a partir da Macedônia (onde os dois haviam combinado de se encontrar), para completar a oferta e redigir a Segunda Carta aos Coríntios (2 Co 8.6,16-20; 12.18).

Sendo assim, Tito pode ser descrito como um cooperador afetuosamente amado em quem Paulo tinha confiança e segurança. O apóstolo lhe confiou tarefas delicadas e difíceis, e Tito agiu de modo a merecer tal confiança — foi bem-sucedido nestas tarefas desafiadoras. Certa vez, quando Tito perdeu um encontro agendado, Paulo mostrou-se profundamente preocupado com seu cooperador (cf. 2 Co 2.13, "não tive descanso no meu espírito, porque não achei ali meu irmão Tito"; ou ainda conforme Paulo se expressou em 7.5-6, "em tudo fomos atribulados" [este foi o seu sentimento até que encontrasse Tito]).

Com exceção da Carta de Paulo a Tito (e Gálatas e a correspondência aos Coríntios, já discutidas), a única outra referência do Novo Testamento a este homem encontra-se em 2 Timóteo 4.10, que menciona a viagem de Tito de Roma, onde esteve com Paulo, à Dalmácia.

O momento mais provável da implantação da igreja de Creta parece ter sido logo após o primeiro encarceramento romano de Paulo. O outro único registro do Novo Testamento de que Paulo esteve em Creta é uma breve parada em um lugar chamado Bons Portos (At 27.7,8) enquanto prisioneiro a caminho de Roma (60 d.C.). O trabalho de evangelização com Tito não poderia ter acontecido durante esta breve visita, e é improvável que tenham trabalhado juntos ali anteriormente. Tito 1.5 indica que Paulo ministrou com Tito em Creta por algum tempo e então o deixou ali, incumbindo-o de dar prosseguimento à organização da comunidade, e à realização da obra do ministério.

b. Procedência, Propósito e Data

Paulo escreve referindo-se a Nicópolis na Macedônia (Tt 3.12), onde planeja passar o inverno. Os propósitos de Paulo para a carta são os seguintes: reiterar as instruções anteriores sobre a conclusão da obra que ele e Tito começaram em Creta (1.5), pedir que Tito se encontrasse com ele, assim que Ártemas ou Tíquico chegassem (3.12), e dar assistência a Zenas e Apolo em sua viagem (3.13). A carta é semelhante em forma e conteúdo a 1 Timóteo; é uma carta essencialmente relacionada à organização da igreja.

Aqueles que consideram que as Pastorais foram escritas sob pseudônimos dizem que a Carta a Tito foi escrita em algum momento durante o século II. Na opinião de J. A. T. Robinson (1976, 81-82) esta carta foi escrita durante a viagem de Paulo a Jerusalém em 57 d.C. Esta opinião é problemática, já que o livro de Atos não menciona que Paulo esteja em Creta ou em Nicópolis. Então, assumindo que a epístola tenha sido escrita após Paulo ter sido liberto da prisão, e após sua visita subseqüente a Creta, porém antes de seu encarceramento final em Roma, a Carta a Tito foi provavelmente escrita por volta de 61-63 d.C. (isto é, na mesma época em que a Primeira Carta a Timóteo foi escrita).

I TIMÓTEO
Deborah Menken Gill

ESBOÇO

1. Introdução (1.1-20)
 1.1. Saudação (1.1,2)
 1.2. Propósito da Carta: Assegurar a Firmeza da Fé em Éfeso (1.3-20)
  1.2.1. A Tarefa de Timóteo: Lutar contra as Falsas Doutrinas (1.3-11)
   1.2.1.1. O Comissionamento de Timóteo É Reiterado (1.3,4)
   1.2.1.2. A Identificação do Objetivo do Autor: O Amor (1.5)
   1.2.1.3. O Erro a que alguns se Desviaram: O Falso Uso da Lei (1.6,7)
   1.2.1.4. A Correção: O Uso Apropriado da Lei (1.8-11)
  1.2.2. O Testemunho de Paulo: A Graça do Senhor para com Paulo (1.12-17)
   1.2.2.1. O Senhor Designou o Apóstolo apesar de seu Passado (1.12,13a)
   1.2.2.2. A Misericórdia Concedida apesar da Ignorância e da Incredulidade (1.13b,14)
   1.2.2.3. Salvo apesar de seus Pecados (1.15)
   1.2.2.4. Um Exemplo Admirável da Paciência de Deus (1.16)
   1.2.2.5. Doxologia (1.17)
  1.2.3. O Encorajamento à Luta (1.18-20)

2. Organizando a Igreja: Princípios Gerais para a Edificação da Problemática Igreja em Éfeso (2.1—3.13)
 2.1. A Oração pela Paz (2.1-8)
  2.1.1. Exortação a Orar pela Paz (2.1,2)
  2.1.2. O Fundamento e a Bênção Trazidos pela Exortação (2.3-7)
   2.1.2.1. A Vontade de Deus: A Salvação e o Esclarecimento (2.3,4)
   2.1.2.2. O Papel de Cristo: Sacrifício e Testemunho (2.5,6)
   2.1.2.3. A Chamada de Paulo: Um Pastor e Apóstolo (2.7)
  2.1.3. O Desejo de que os Homens Orem (2.8)
 2.2. A Vestimenta e o Estilo de Vida das Mulheres (2.9-15)
  2.2.1. Dar Preferência ao Adorno Espiritual (2.9,10)
  2.2.2. A Ordem de Ensinar às Mulheres (2.11)
  2.2.3. A Ordem para que as Mulheres Permanecessem em Silêncio (2.12)
  2.2.4. A Ordem da Criação É Reiterada (2.13)
  2.2.5. A Explicação da Queda em Pecado (2.14)
  2.2.6. A Esperança de sua Salvação É Anunciada (2.15)
 2.3. Sobre os Bispos (3.1-7)
  2.3.1. As Aspirações à Liderança São Ratificadas (3.1)
  2.3.2. O Estabelecimento das Qualificações da Liderança (3.2-7)
 2.4. Sobre os Diáconos (3.8-13)
  2.4.1. Qualificações Gerais para todos os Diáconos (3.8-10)
  2.4.2. Qualificações Específicas para as Diaconisas (3.11)
  2.4.3. Qualificações Específicas para os Diáconos (3.12)
  2.4.4. Elogios aos Diáconos que Servirem Fielmente (3.13)

3. O Estabelecimento de Diretrizes a Timóteo: O Aconselhamento Específico para Estabelecer o Jovem Timóteo na Liderança (3.14—6.10)
 3.1. Defendendo a Fé (3.14—4.5)
  3.1.1. A Conduta Correta na Igreja (3.14-16)
  3.1.2. A Evidência do Falso Ensino (4.1-5)
   3.1.2.1. A Apostasia do Fim dos Tempos É Antecipada (4.1,2)
   3.1.2.2. O Ascetismo Estrito É Condenado (4.3-5)
 3.2. Aprendendo a Liderar (4.6-16)
  3.2.1. Princípios de Liderança (4.6-9)
  3.2.2. Modelos de Liderança (4.10-12)
  3.2.3. A Natureza Prática da Liderança (4.13-16)
 3.3. O Relacionamento com as outras Pessoas na Igreja (5.1-16)
  3.3.1. Como Tratar os mais Velhos e os Jovens (5.1,2)

I TIMÓTEO 1

3.3.2. Como Tratar as Viúvas (5.3-16)
3.3.2.1. Honrar as Viúvas que Sejam verdadeiramente Viúvas (5.3)
3.3.2.2. Qualificações das Viúvas (5.4-10)
3.3.2.3. Sobre as Viúvas mais Jovens (5.11-15)
3.3.2.4. O Encorajamento ao Apoio Individual às Viúvas (5.16)
3.4. Trabalhando com Líderes na Igreja (5.17-25)
3.4.1. Os Presbíteros Trabalhadores São Dignos de dupla Honra (5.17,18)
3.4.2. Como Lidar com as Queixas contra os Presbíteros (5.19-21)
3.4.3. A Proibição das Ordenações Precipitadas (5.22-25)
3.5. Exortando os Servos ou Escravos Crentes (6.1,2a)
3.5.1. Honrar os Mestres por Amor a Cristo (6.1)
3.5.2. Os Senhores Crentes Devem Ser ainda mais Honrados (6.2a)
3.6. A Luta contra os Falsos Mestres e o Amor ao Dinheiro (6.2b-10)
3.6.1. A Ordem para que a Ortodoxia Seja Ensinada (6.2b)
3.6.2. A Descrição dos Ensinadores de Heresias (6.3-5)
3.6.3. Tentações pelo Dinheiro Expostas (6.6-10)
4. Conclusão: Instruções Finais e Bênção (6.11-21)
4.1. Manter a Fé (6.11,12a)
4.1.1. Fugir do Materialismo (6.11)
4.1.2. Lutar pela Fé (6.12a)
4.2. Manter a Obediência (6.12b-15a)
4.3. Glorificado Seja Deus (6.15b,16)
4.4. A Instrução aos Ricos (6.17-19)
4.4.1. Enfocar a Deus (6.17)
4.4.2. Cultivar a Generosidade (6.18,19)
4.5. Guardar o Depósito (6.20,21a)
4.6. Conclusão (6.21b)

COMENTÁRIO

1. Introdução (1.1-20)

1.1. Saudação (1.1,2)

No período greco-romano as cartas começavam tipicamente com saudações polidas: o nome do escritor, o nome do destinatário e uma saudação; por exemplo, "Paulo... a Timóteo, meu verdadeiro filho na fé: graça, misericórdia e paz, da parte de Deus, nosso Pai, e da de Cristo Jesus, nosso Senhor". As primeiras cartas de Paulo traziam breves saudações (1 Ts 1.1a; 2 Ts 1.1), porém em suas cartas subseqüentes as saudações epistolares tornaram-se mais elaboradas. Na época das Cartas Pastorais, Paulo amplia as três partes da saudação.

O apóstolo se identifica pelo nome e título: "Paulo, apóstolo de Cristo Jesus" (Embora Paulo usasse freqüentemente a estrutura "Jesus Cristo", a expressão "Cristo Jesus" é uma ordem comum nas Pastorais). Nas epístolas em que precisa enfatizar sua autoridade, chama a si mesmo de apóstolo (1 e 2 Coríntios, Gálatas, Efésios e Colossenses). Nas que são mais pessoais refere-se a si mesmo como um "servo" (Filipenses e Romanos) ou "prisioneiro" (Filemom). Ainda que Timóteo fosse um amigo pessoal, Paulo menciona o apostolado em virtude dos oponentes em Éfeso, que tinham a intenção de ouvir secretamente a leitura desta carta. E ele o faz com muita ênfase, acrescentando a expressão "segundo o mandado de Deus". Sua descrição habitual é "pela vontade de Deus". A palavra grega traduzida como "mandado" aqui, era usada para ordens reais que deveriam ser obrigatoriamente obedecidas. A fim de reforçar as ordens que Timóteo proferirá em seu nome, Paulo deixa subentendido que Timóteo também está sob o comando divino.

Observe os epítetos usados para as fontes do comissionamento de Paulo: "Deus, nosso Salvador" e "Senhor Jesus Cristo, esperança nossa". Deus inaugura o plano da salvação e Cristo Jesus trará a redenção para a sua consumação no último dia. A identificação de Deus como Salvador tem uma rica história. A frase é judaica (Dt 32.15; Sl 24.5; 65.5), e o nome de Jesus em hebraico significa "o Senhor salva". Nas religiões pagãs misteriosas da época de Paulo, os deuses que supostamente davam a vida e o conhecimento da salvação eram chamados de "salvadores". A religião oficial do estado greco-romano aplicava este termo a Zeus, Apolo e Asclépio. O mais importante era o uso deste termo para o imperador romano: salvador do Estado por manter a ordem e o bom governo. Em rivalidade deliberada à adoração que era oferecida ao imperador, Paulo identifica a Deus como o Salvador, enfatizando o termo "nosso".

Embora o pai de Timóteo fosse um gentio, sua mãe era judia. De acordo com a lei de descendência materna, Timóteo poderia ser considerado um judeu. Contudo, de acordo com alguns ensinos judaicos, o nascimento de Timóteo seria ilegítimo. Não há dúvida de que estas considerações motivaram Paulo a fazer com que ele fosse circuncidado (At 16.3). Alguns estudiosos sugeriram que o pai de Timóteo já havia falecido quando ele foi circuncidado. Se estivesse vivo, provavelmente não o teria permitido. Paulo se tornou um substituto de seu pai, autenticando a condição judaica de Timóteo por meio da circuncisão, reconhecendo suas qualificações como verdadeiro descendente de Abraão pela fé em Cristo (cf. Gl 3.26-29) e adotando Timóteo como seu próprio filho. O apóstolo agora declara a legitimidade de Timóteo como seu próprio filho na fé.

A terminologia típica da saudação de Paulo é "graça e paz". Já em suas primeiras cartas, Paulo transformou a saudação grega comum *chairein* ("Saudações!") em uma saudação cristã, *charis* ("Graça a vós!"), e ainda acrescentou a saudação hebraica, *shalom* ("Paz!"). No entanto, somente nas cartas a Timóteo Paulo adorna a saudação com "graça, misericórdia e paz". Talvez, levando em conta as dificuldades que Timóteo está enfrentando em Éfeso, o apóstolo deseje a misericórdia de Deus como também sua graça e paz.

1.2. Propósito da Carta: Assegurar a Firmeza da Fé em Éfeso (1.3-20)

1.2.1. A Tarefa de Timóteo: Lutar contra as Falsas Doutrinas (1.3-11).
1.2.1.1. O Comissionamento de Timóteo É Reiterado (1.3,4). Nesta carta, Paulo lembra Timóteo de sua tarefa. O termo "como" reforça a lembrança e introduz um anacoluto (uma mudança abrupta da construção gramatical no meio de uma frase). As palavras omitidas e subtendidas aqui são colocadas entre colchetes: "Como te roguei... [pessoalmente, então agora o faço por escrito]". Quando Paulo estava a caminho da Macedônia, rogou a Timóteo que permanecesse em Éfeso a fim de silenciar os falsos mestres. Talvez por causa da relutância de Timóteo, o apóstolo teve de insistir. Éfeso era uma das cidades mais importantes na Ásia Menor, tanto geograficamente como culturalmente. A timidez de Timóteo pode ter causado o receio de realizar tal tarefa.

Paulo procura aumentar a autoridade de Timóteo declarando que ele se encontra sob a sua autoridade. A raiz do verbo traduzido como "rogar" em 1.3 é diferente da raiz do substantivo traduzido como "mandado" em 1.1. O verbo aqui é um termo militar, significando "forçar, legar o controle a outrem, dar ordens estritas (autoritariamente)".

Os oponentes do apóstolo são aqueles que (literalmente) "ensinam outra/[diferente] doutrina". Embora desejem "ser doutores da lei" (v. 7), não são mais do que ensinadores de inovações, isto é, daquilo que é alheio ao verdadeiro Evangelho. A polêmica de Paulo contra as heresias não é suficiente para identificar com certeza a doutrina a que está se opondo. Os mestres são amplamente descritos como aqueles dedicados a "fábulas ou genealogias intermináveis". As fábulas e as genealogias intermináveis não estão ligadas somente aqui, mas também no helenismo (cultura grega), no judaísmo helenístico (judaísmo influenciado pela cultura grega) e no gnosticismo (uma religião misteriosa em que a salvação era supostamente assegurada pelo conhecimento de segredos, tais como mitos e genealogias).

O termo "fábulas" ou "mitos" (*mythos*) poderia incluir narrações alegóricas, lendas ou ficção, ou seja, doutrinas espúrias em contraste com a verdade do Evangelho. Esta palavra era freqüentemente usada em um sentido pejorativo, denotando deste modo histórias falsas e tolas. A composição de histórias míticas baseadas no Antigo Testamento, agradou aos judeus daquele período (veja por exemplo, o Livro de Jubileu). Os mitos eram também uma parte integrante do ensino dos gnósticos, que tinham, por exemplo, versões alternativas da história da criação.

No judaísmo pós-exílio existia um profundo interesse de cada pessoa em identificar sua linhagem através da árvore genealógica, especialmente entre os judeus que sobreviveram ao exílio babilônico. Por exemplo, era necessário validar a linhagem de uma pessoa para que ela pudesse servir no segundo templo sob a liderança de Esdras e Neemias (Ne 7.64,65). As "genealogias" tornaram-se motivo de controvérsias entre judeus e cristãos judeus. A conexão mais forte entre fábulas e genealogias está no gnosticismo. As interpretações gnósticas das genealogias do Antigo Testamento eram compreendidas de forma mítica, e as especulações míticas sobre as enumerações dos principados e da eternidade eram temas centrais para a teologia gnóstica. O apóstolo chama estas genealogias de "intermináveis", quer dizer, sem fim ou desenfreadas.

Os mestres preocupados com tais questões não trouxeram nenhum resultado positivo para o povo. Não promoveram a "edificação de Deus" (literalmente, não fizeram a obra de Deus como seus despenseiros, que edificaria o povo). A devoção a tais assuntos não ajuda o homem a realizar a obra que lhe foi confiada por Deus como despenseiro. Ao invés disto, "mais produzem questões" (isto é, especulações, literalmente, "pesquisas que estão completamente fora do caminho"). Estes termos são desdenhosamente empregados como um antônimo de edificação.

1.2.1.2. A Identificação do Objetivo do Autor: O Amor (1.5). Paulo contrasta o propósito, finalidade, ou meta de suas instruções (pregações) com os resultados das atividades dos falsos mestres. O objetivo de Paulo é o amor que vem de "um coração puro, e de uma boa consciência, e de uma fé não fingida". A prevalência de expressões tríades nas Pastorais mostra uma inclinação a uma linguagem edificante. O amor ativo e o tratamento caridoso para com os outros tem os seguintes pré-requisitos: ter pureza na totalidade dos afetos morais, ser sensível a ponto de julgar-se a si mesmo e ter a fé que é literalmente "uma fé não fingida" (isto é, sem hipocrisia), mas sincera e que resulta, consistentemente, no amor a Deus e aos outros.

1.2.1.3. O Erro a que alguns se Desviaram: O Falso Uso da Lei (1.6,7). É característico identificar os oponentes nas primeiras polêmicas cristãs por meio da palavra grega *tis/tines* [plural], traduzida como "certos" ou "alguns" (1.3,6,19). "Alguns" perderam a marca do amor e as fontes virtuosas das quais este provém (um coração puro, uma boa consciência e uma fé sincera). Fracassaram na busca do principal objetivo, e deste modo se desviaram do caminho certo, voltando-se para conversas impróprias e tolas, ou argumentos vazios. No estilo da polêmica das Pastorais existe um ataque constante aos oponentes, mas pouca identificação sobre os mesmos. O verbo "desviar" (*ektrepo*) era às vezes usado como um termo médico significando "deslocar" ou "ser deslocado". A aberração do ensino destes falsos mestres era dolorosa no corpo de Cristo.

Ainda que os hereges aspirassem ser doutores da lei, eram completamente desqualificados, sendo que lhes faltava inteligência e conhecimento. "Doutores da lei" era uma expressão técnica do judaísmo (cf. Lc 5.17; At 5.34). Estes oponentes do apóstolo buscavam reconhecimento e posições oficiais por sua minuciosa exegese e demandas legalistas. Embora continuassem a fazer confiantes afirmações, insistindo que estavam corretos ou expressando sua opinião em um tom firme e dogmático, mostram-se continuamente (de acordo com a ênfase do tempo presente nesta frase) incapazes de compreender.

1.2.1.4. A Correção: O Uso Apropriado da Lei (1.8-11). Paulo explica que o benefício da lei é proporcional a seu uso apropriado e legítimo, isto é, seu uso deve estar de acordo com aquilo que nela está expresso: a restrição ao mal. Desde que a tratemos como lei, a lei é algo excelente (cf. Rm 7.12,16). A lei funciona bem quando nós a respeitamos; contudo se a infringimos, esta nos condena. Paulo introduz esta declaração como um princípio reconhecido, com a frase "sabemos..."

A lei não foi instituída em razão dos justos — pouca relevância tem para eles —, mas sim para os injustos. Paulo então lista quatorze tipos diferentes de pessoas injustas (agrupadas em quatro categorias duplas: "injustos e obstinados", "ímpios e pecadores", "profanos e irreligiosos", "parricidas e matricidas"; e seis categorias simples: "homicidas, fornicadores, sodomitas, roubadores de homens, mentirosos e perjuros"). O apóstolo, nesse caso, inclui todos os outros tipos de pecadores como "contrários à sã [salutar, saudável] doutrina". Sua ordem primeiramente se refere às pessoas culpadas de ofensas contra Deus, e àquelas que cometem crimes contra os outros. A partir do quarto tópico na seqüência de Paulo, a lista coincide aproximadamente com o Decálogo. No mundo antigo, as listas de virtudes e vícios (catalogando tipos de comportamento santo e pecador) eram comuns (cf. Rm 1.31). Era habitual citar os crimes mais sérios e incomuns em tais listas. O catálogo incluído aqui parece ser uma adaptação cristã de uma lista judaico-helenística.

Mais especificamente, as pessoas para quem a lei foi instituída são:
1) os sem lei;
2) aqueles que são insubordinados, incontroláveis, independentes, indisciplinados e rebeldes;
3) os que não adoram a Deus, isto é, aqueles que são ímpios, irreverentes;
4) os pecadores;
5) aqueles para quem nada é santo, para quem não existe nenhuma pureza interior;
6) os profanos, quer dizer, aqueles que se comportam irreverente e desdenhosamente para com as coisas de Deus;
7) aqueles que matam seus pais (parricídio; literalmente, "assassinos de pais", aqueles que eliminam seus pais através da morte ou do desrespeito);
8) aqueles que matam suas mães (matricidas);
9) homicidas;
10) adúlteros e fornicadores, ou seja, aqueles que praticam imoralidade sexual;
11) pervertidos, como sodomitas, homossexuais (literalmente, "[homens] que têm relações sexuais com outros homens" [cf. 1 Co 6.9]);
12) comerciantes de escravos (literalmente, "os que pegam um homem pelo pé"), inclusive todos aqueles que exploram outros homens ou mulheres para suas próprias finalidades egoístas;
13) mentirosos; e
14) os perjuros, que prestam falso testemunho, aqueles que mentem "contra [seu próprio] juramento" de honestidade.

Paulo conclui descrevendo a verdadeira fonte da sã doutrina: "o evangelho da glória do Deus bem-aventurado [bendito], que me foi confiado". A primeira frase descreve o conteúdo e o caráter do Evangelho; a segunda, sua fonte; e no final, a relação de Paulo com este.

1.2.2. O Testemunho de Paulo: A Graça do Senhor para com Paulo (1.12-17).

1.2.2.1. O Senhor Designou o Apóstolo apesar de seu Passado (1.12,13a).

Paulo é grato a Cristo Jesus, que concedeu-lhe forças, por considerá-lo fiel e designá-lo ao ministério. A habilitação na graça é apreciada como uma chamada divina, sendo uma capacitação tão necessária quanto a comissão. Ainda que Paulo tenha plena consciência da responsabilidade que tem para com a obra de Deus, está convencido da efetividade da graça de Cristo (veja 1 Co 10.15). Ele usa o tempo verbal aoristo "me tem confortado", recordando um tempo particular quando se tornou ciente deste crescente fortalecimento (provavelmente implícito em 2 Co 12.7-10). Por ter sido julgado confiável, Paulo foi designado a servir como um apóstolo.

Como em 1 Coríntios 15.9,10 e Gálatas 1.13-17, Paulo contrasta sua vida pré-cristã com sua vida cristã presente. Descreve sua antiga identidade como sendo um blasfemo (que calunia e maldiz a Deus), um perseguidor (que procura as pessoas como um caçador) e um homem opressor, violento, sádico (do grego *hybristes*).

A palavra [*hybristes*] indica alguém que por orgulho e insolência deliberadamente maltrata, desdenha, humilha, faz o mal e fere outras pessoas pelo simples prazer de ferir. Fala também de um tratamento premeditado que tem a finalidade de insultar e humilhar pública e abertamente as pessoas. A palavra é usada em Romanos 1.30 para descrever um homem insolente e arrogante, e retratar um dos pecados característicos do mundo pagão (Rienecker, 1980, 617).

1.2.2.2. A Misericórdia Concedida apesar da Ignorância e da Incredulidade (1.13b,14). Paulo se beneficia da distinção judaica entre pecados conscientes e inconscientes (Lv 22.14; Nm 15.22-31). Não reivindica que seus atos de ignorância e incredulidade o tornem menos culpado, porém menciona tais fatos para explicar como seu perdão foi possível. Mas "a graça de nosso Senhor" não tem fronteiras; aumenta até transbordar e "superabundou" na vida de Paulo. A graça, por sua natureza, é completamente imerecida; e, em sua medida, é extremamente generosa. A bondade não merecida e a capacitação divina foram abundantes na vida do apóstolo, e a fé e o amor foram os seus efeitos.

1.2.2.3. Salvo apesar de seus Pecados (1.15). Paulo insere a próxima declaração: "Esta é uma palavra fiel e digna de toda aceitação", e concluindo com uma aplicação pessoal, faz desta seu próprio testemunho. Sua estrutura introdutória, "esta é uma palavra fiel", aparece cinco vezes nas Pastorais (1 Tm 1.15; 3.1; 4.9; 2 Tm 2.11; Tt 3.8), e em nenhuma outra parte do Novo Testamento. Em cada uma destas ocasiões, esta frase introduz uma declaração cristã fundamental ou litúrgica (por exemplo, um fragmento de um hino [2 Tm 2.11-13], uma norma de fé [1 Tm 1.15], ou um aforismo ou provérbio [que se inicia em 4.8]), e afirma sua verdade (Kelly, 1963, 54). A própria declaração de que "Cristo Jesus veio ao mundo, para salvar os pecadores" era uma confissão comum entre os cristãos. De acordo com esta declaração, o propósito da vinda de Cristo era salvar, resgatar e libertar os pecadores (cf. 1 Jo 3.8b).

Paulo então se identifica, não como tendo sido, mas como sendo o pior dos pecadores (cf. 1 Co 15.9; Ef 3.8). Embora esteja convencido de que a graça o libertou das penalidades provenientes dos pecados cometidos no passado, adota uma posição de humildade pela memória e consciência do pecado no presente, e neste sentido ainda se reconhece como um pecador.

1.2.2.4. Um Exemplo Admirável da Paciência de Deus (1.16). A salvação de Paulo tem como finalidade mostrar a paciência ilimitada de Cristo Jesus para com outros candidatos à fé. O verbo "mostrar" é uma forma intensificada de "apresentar", como se apontasse o dedo indicador a um objeto. O termo empregado para paciência aqui é *makrothymia* (que etimologicamente significa a distância que Deus mantém de sua própria ira; isto é, evitar a exteriorização de sua ira), sua longanimidade e clemência. Como um exemplo para outros, Paulo é um protótipo da graça. É um paradigma missionário: único como apóstolo, porém típico convertido a quem os piores pecadores podem contemplar e ter esperança.

1.2.2.5. Doxologia (1.17). Como em outros exemplos nas Pastorais (1 Tm 2.5,6; 5.21; 6.13-16; 2 Tm 1.9,10; 2.8; 4.1), o apóstolo parece citar um material litúrgico. Desta vez, eleva-se a uma doxologia, uma confissão de louvor a Deus, em que atribui quatro características ao Senhor:
1) eternidade, permanecer para sempre;
2) imortalidade, incorruptibilidade, quer dizer, imunidade à decadência ou ao desfalecimento;
3) invisibilidade; e
4) singularidade, o único Deus existente.

O reconhecimento destas qualidades divinas atribuem eterna honra e glória a Deus.

1.2.3. O Encorajamento à Luta (1.18-20). O testemunho de Paulo em 1.18,19a leva-o a lembrar Timóteo do mandamento anteriormente dado em 1.3,4. Como apoio adicional e encorajamento a seu jovem amigo diante da responsabilidade que lhe havia sido atribuída, o apóstolo lembra Timóteo das profecias a seu respeito. Ele espera que, inspirado por estas, Timóteo combata o bom combate conservando a fé e a boa consciência.

Paulo cita então dois exemplos de falta de fé. Os dois apóstatas, Himeneu e Alexandre, são os pais infames da heresia (provavelmente as mesmas que foram mencionadas em 2 Tm 2.17; 4.14). Não está exatamente claro o que estes dois homens rejeitaram, a que viraram suas costas, ou o que repudiaram. O idioma grego o identifica por um pronome relativo singular feminino (traduzido como "essas" na NVI), cujo antecedente poderia ser qualquer um dos seguintes termos: mandamento, instrução, obrigação; combate, expedição militar, campanha, guerra; a fé; ou uma boa consciência. O resultado da apostasia destes homens, porém, está claro: "fizeram naufrágio na fé". Esta imagem é bastante vívida para Paulo, que por ocasião da escrita das Pastorais já havia sofrido quatro naufrágios. Em cada ocasião perdeu tudo, exceto sua vida.

A resposta de Paulo foi severa: entregou-os a Satanás (cf. 1 Co 5.5). Satanás é um tutor atormentador; o verbo "entregar" está mais associado à punição do que à instrução. Devem aprender a não caluniar ou blasfemar de Deus, o que neste caso provavelmente se refira a seu falso ensino ou à sua oposição à mensagem do Evangelho.

2. Organizando a Igreja: Princípios Gerais para a Edificação da Problemática Igreja em Éfeso (2.1—3.13)

2.1. A Oração pela Paz (2.1-8)

2.1.1. Exortação a Orar pela Paz (2.1,2). As instruções de Paulo sobre a oração ocupam o primeiro lugar em sua agenda, sendo o assunto de maior importância. Exorta com urgência que quatro tipos de oração devem ser oferecidos por todas as pessoas:
1) "Pedidos" ou "Deprecações" (*deesis*), isto é, petição ou intercessão, derivada do verbo que significa a felicidade de "ter uma audiência com o rei" para apresentar uma petição. Esta palavra era regularmente usada para rogar algo a um superior;
2) "Orações" (*proseuche*), que é a palavra comum para oração;
3) "Intercessões" (*enteuxis*), outra palavra para petição ou intercessão, que vem de um verbo que significa "apelar para"; e
4) "Ações de graças" (*eucharistia*), que é a palavra da qual vem o título litúrgico "eucaristia", usado por alguns referindo-se à Ceia do Senhor.

O apóstolo faz menção especial da oração pelas autoridades governamentais, explicando seus propósitos ou resultados. A expressão traduzida como "os que estão em eminência" indica etimologicamente "ter uma posição acima de..." Esta poderia incluir todos aqueles que estão em proeminência ou os superiores. A descrição da efetividade destas orações inclui quatro expressões para os tipos de vida a que a oração nos levará:
1) "quieta", pacífica, tranqüila ou imperturbável;
2) "sossegada" ou calma;
3) "em toda a piedade" ou devoção religiosa, ou seja, tendo a atitude correta em relação a Deus, que é derivada do conhecimento verdadeiro de Deus; e
4) "[em toda] honestidade", gravidade, seriedade ou dignidade, isto é, a seriedade moral que afeta o comportamento exterior e a intenção interior.

2.1.2. O Fundamento e a Bênção Trazidos pela Exortação (2.3-7).

2.1.2.1. A Vontade de Deus: A Salvação e o Esclarecimento (2.3,4). Paulo explica que a idéia da oração universal, por todas as pessoas, é boa (não somente *agathos*, "correta, praticável e moralmente boa", mas também *kalos*, "bonita e harmoniosa — agradável aos olhos humanos") (Lock, 1973, 22-23) e agradável aos olhos de Deus.

A vontade de Deus, nosso Salvador, é "que todos os homens se salvem e venham ao conhecimento da verdade". Embora o texto grego tenha palavras que diferenciem "homem [pessoa do sexo masculino]" (*aner*) de "ser humano [pessoa no sentido genérico]" (*anthropos*), o texto da NVI não distingue estas palavras em sua tradução.

Às vezes, isto pode dar aos leitores modernos uma impressão errada, já que não mais se lê "homem ou homens" de modo genérico. Um comentário cuidadoso ou uma consulta ao texto original tornarão este ponto mais claro para o leitor.

2.1.2.2. O Papel de Cristo: Sacrifício e Testemunho (2.5,6). Paulo parece estar novamente fazendo citações. O texto original de 2.5,6 foi reconhecido como poético, sendo certificado como tal no Novo Testamento grego. Estes versos eram provavelmente um primitivo hino cristão de cinco linhas:

Porque há um só Deus
e um só mediador entre Deus e os homens
   [ou humanidade, *anthropon*],
Jesus Cristo, homem [*anthropos*],
o qual se deu a si mesmo em preço de
   redenção por todos [o termo "homens"
   não está presente no texto grego],
para servir de testemunho a seu tempo.

Este hino afirma a singularidade e a unidade de Deus como sustentada pelos judeus, então acrescenta a revelação cristã de Jesus Cristo como o mediador ou intermediário. Tal mediação foi possível pela encarnação e culminou na crucificação de Cristo, quando sua vida foi oferecida como o preço pago pela libertação daqueles que estavam escravizados. Tudo isso aconteceu no tempo ordenado por Deus.

2.1.2.3. A Chamada de Paulo: Um Pastor e Apóstolo (2.7). Paulo foi encarregado de partilhar este testemunho com os gentios, como um "pregador" (ou arauto), "apóstolo" e "doutor" (ou ensinador).

O arauto era alguém que trazia importantes notícias. Anunciava freqüentemente um evento atlético ou uma festa religiosa, ou funcionava como um mensageiro político, o portador de notícias ou ordens da corte do rei. Deveria ter uma voz forte e proclamar sua mensagem com vigor, sem demora e sem discuti-la. A qualidade mais importante do arauto consistia em ser um fiel representante ou divulgador da palavra daquele que o havia enviado. Não tinha a obrigação de ser "original" ou criativo; deveria ser um fiel portador da mensagem de outrem (V. P. Furnish, citado em Rienecker, 1980, 619).

Um apóstolo é "um enviado [com uma incumbência]". Paulo novamente afirma fortemente a legitimidade de seu apostolado.

2.1.3. O Desejo de que os Homens Orem (2.8). Uma vez mais o apóstolo reitera seu desejo de que os santos orem; desta vez, porém, em contraste com as observações que seguem este verso, especificamente dirigidas às mulheres, os objetos da advertência imediata são os homens (plural de *aner*). A autoridade apostólica está implícita na palavra traduzida como "quero" (expressando o desejo ou a vontade de alguém). "Santas" neste verso descreve mãos dadas a ações piedosas, puras e limpas conforme os mandamentos de Deus, ao invés de serem mãos "ímpias" dedicadas à ira e às contendas.

A atitude mais geral em relação à oração na antiguidade para pagãos, judeus, e cristãos era semelhante e consistia em colocar-se de pé com as mãos estendidas e levantadas, com as palmas voltadas para cima. Os afrescos de pessoas orando, por exemplo, nas catacumbas romanas, fornecem uma vívida ilustração da vida da igreja primitiva (Kelly, 1963, 66).

2.2. A Vestimenta e o Estilo de Vida das Mulheres (2.9-15)

2.2.1. Dar Preferência ao Adorno Espiritual (2.9,10). Uma tradução literal do texto grego inicia este verso com a frase "do mesmo modo as mulheres" — indicando aparentemente que as mulheres, assim como os homens, deveriam orar, mas ao mesmo tempo deveriam ter cuidados em relação à sua aparência pessoal. O desejo do apóstolo é que seu traje (comportamento ou conduta) seja modesto (isto é, decente, próprio, moderado) "com pudor e modéstia". Estas duas últimas condições levam a um sentido sexual e denotam uma reserva feminina, bem como a repugnância moral a fazer o que é desonroso. Referem-se ao

A Quarta Viagem Missionária de Paulo
Aproximadamente entre 62 e 68 d.C.

Está claro a partir de Atos 13.1—21.17 que Paulo fez três viagens missionárias. Existem evidências para crermos que ele tenha feito uma quarta viagem após sua libertação do encarceramento romano, registrado em Atos 28. A conclusão de que tal viagem tenha realmente acontecido baseia-se no seguinte:
1) Na intenção declarada de Paulo de ir à Espanha (Rm 15.24,28);
2) Na declaração de Eusébio, de que Paulo tenha sido libertado depois de seu primeiro encarceramento romano (*História Eclesiástica* 2.22.2-3); e
3) Em declarações da literatura cristã primitiva que afirmam que o apóstolo levou o Evangelho até a Espanha (Clemente de Roma, *Epístola aos Coríntios*, cap. 5; *Actus Petri Vercellenses*, caps. 1-3; Cânon Muratoriano, linhas 34-39). Os lugares que Paulo pode ter visitado após sua libertação da prisão são indicados por declarações de intenção expressas em seus escritos anteriores, e por menções subseqüentes nas Cartas Pastorais. A ordem de sua viagem não pode ser determinada com precisão, mas o itinerário apresentado a seguir parece provável.

Provável Itinerário:
(Não se tem absoluta certeza a respeito das cidades visitadas)

1. **Roma:** libertação da prisão, 62 d.C.
2. **Espanha:** 62-64 (Rm 15.24,28)
3. **Creta:** 64-65 (Tt 1.5)
4. **Mileto:** 65 (2 Tm 4.20)
5. **Colossos:** 66 (Fm 22)
6. **Éfeso:** 66 (1 Tm 1.3)
7. **Filipos:** 66 (Fp 2.23,24; 1 Tm 1.3)
8. **Nicópolis:** 66-67 (Tt 3.12)
9. **Roma:** 67
10. **Martírio:** 67-68

aperfeiçoamento do domínio próprio, do controle dos apetites, ao pleno governo interior que é capaz de colocar rédeas em todas as paixões e desejos.

Paulo passa então a ser mais específico, desencorajando as mulheres de usarem estilos elaborados de cabelos, jóias de ouro ou pérolas, e roupas caras. Era notório que tanto as judias como as mulheres gentílicas gostavam de tudo isto. As pérolas eram os adornos mais caros (custando aproximadamente o triplo do valor do ouro). As mulheres usavam-nas para decorar os cabelos, orelhas, dedos, roupas, e até sandálias. "A ostentação na vestimenta era freqüentemente considerada um sinal de promiscuidade no mundo antigo [especialmente entre os cristãos], tais gastos, tão grandes, eram considerados injustificados em razão da difícil situação dos pobres" (Kroeger e Kroeger, 1992, 75).

O adorno apropriado de uma mulher que professa reverência a Deus são suas "boas obras", seu comportamento fiel. A verdadeira beleza não é uma questão de decoração exterior, e sim de virtudes interiores, que iniciam ações santas.

2.2.2. A Ordem de Ensinar às Mulheres (2.11).
Neste versículo, Paulo muda de foco, passa a dar mais importância ao fato de que as mulheres devem estudar a Palavra de Deus, e não somente ter uma vida de oração. Está claro que o apóstolo deseja que as mulheres na igreja aprendam (cf. 1 Co 14.35a). No período romano, fora da aristocracia, a maioria das mulheres, judias ou gentílicas, eram privadas da educação. A situação não era muito melhor no mundo religioso: não era permitido que as gentílicas participassem da religião oficial do Estado grego e romano, e as judias eram impedidas de estudar a Torá e não podiam ser incluídas no quorum da sinagoga. Entretanto, as ordens de Paulo estabelecem um padrão diferente para o cristianismo: "A mulher aprenda..." (literalmente, "que a mulher seja discipulada [*manthano*] ou ensinada").

O Antigo Testamento defendia que se fizesse silêncio na presença do Senhor (Sl 46.10; Is 41.1; Hc 2.20; Zc 2.13). Tal atitude provavelmente tivesse a finalidade de auxiliar o aprendizado. Até mesmo os estudiosos rabínicos deveriam aprender em silêncio, que era entendido como uma parede ao redor da sabedoria. Por três vezes a Septuaginta (a tradução grega do Antigo Testamento) acrescenta a "sujeição" ao "silêncio" de acordo com o Antigo Testamento hebraico (Sl 37.7; 62.1,5). O silêncio e a submissão eram considerados estados de absoluta receptividade.

A conduta que Paulo exigiu das estudantes ou discípulas (silêncio e completa submissão, veja vv. 11b,12b) nos faz relembrar a situação problemática que havia em Éfeso. Os falsos mestres infiltraram seus ensinos pervertidos entre as mulheres, provavelmente porque a verdade não lhes havia sido ensinada pela igreja. Portanto, o apóstolo desejou equipar estas mulheres com o conhecimento da verdade, de forma que pudessem se opor aos erros. Sua ordem em 2.11, para que as mulheres aprendessem, representa a correção dos erros divulgados pelos obreiros tolos de 2 Timóteo 3.6,7, que "aprendem sempre e nunca podem chegar ao conhecimento da verdade".

2.2.3. A Ordem para que as Mulheres Estejam em Silêncio (2.12). A próxima oração foi interpretada por muitos como uma denúncia inequívoca do apóstolo contra a liderança feminina, sua proibição absoluta de colocar uma mulher em uma posição de autoridade superior a um homem. Tal interpretação tem trazido perplexidade aos cristãos que crêem no Evangelho de uma forma completa, e que reconhecem o Espírito Santo como sendo o capacitador dos homens e mulheres para a liderança cristã, conforme a promessa relatada por Joel (2.28-32) e cumprida no dia de Pentecostes (At 2.17-21). Como se pode conciliar as duas declarações bíblicas, a saber, a promessa (e seu cumprimento) e a proibição?

Está claro que esta passagem apresenta desafios especiais para os intérpretes:[1]

1) O verbo *authenteo* (que na NVI é traduzido como "ter autoridade sobre") não está claro. E já que esta palavra ocorre somente uma vez em todo o Novo Testamento, e não consta na Septuaginta, devemos buscar recursos fora das Escrituras para discernir seu significado;
2) A ordem da frase que contém a palavra é incomum; uma tradução literal seria: "Para ensinar, ao contrário, às mulheres não dou permissão, nem para *authentein* um homem, mas que esteja em silêncio";
3) O desafio gramatical é compor suavemente um texto com duas partículas negativas (*ouk* e *oude*) e três infinitivos (*didaskein, authentein* e *einai*);
4) Os versos seguintes à injunção em 2.12 levantam questões adicionais: (a) Por que a referência à ordem na criação? (b) Por que a explicação do engano e da transgressão? (c) Por que a conexão entre a salvação e "dar à luz" filhos?
5) Mais significativamente, a interpretação tradicional (isto é, proibindo que as mulheres liderem) torna as palavras de Paulo contraditórias em vista de sua prática de afirmar a liderança cristã das mulheres em outras passagens.

O verso começa com a palavra *didaskein* "ensinar". As Pastorais dão grande ênfase ao ensino, porque somente o ensino preciso poderia combater as falsas doutrinas em Éfeso. É claro que de alguma maneira as mulheres estavam envolvidas no falso ensino (1 Tm 4.7; 5.11-13; 2 Tm 3.6,7; Tt 1.11). Ainda assim, Paulo não proíbe completamente a liderança das mulheres. Em outras passagens nas Pastorais, ele adota uma visão positiva relativa ao ensino das mulheres (veja 2 Tm 1.5; 3.14,15; 4.19; cf. At 18.26b). Além das Pastorais, o Novo Testamento contém numerosas afirmações nas cartas de Paulo sobre as mulheres no ministério (Rm 16.1,2,3-5,6,7,12; Fp 4.3).

Note também que o próprio apóstolo, em sua ausência, deixou Priscila e Áquila pastoreando os primeiros crentes na cidade de Éfeso (At 18.19). Era também conhecido que Priscila e seu marido ensinaram o eloqüente pastor alexandrino (um homem) chamado Apolo (At 18.26). Paulo havia elogiado esta mulher, mestre e cooperadora na liderança da igreja em Éfeso, que ainda estava viva e desfrutava de grande apreço no momento em que as Pastorais foram escritas (Rm 16.3,4; 2 Tm 4.19). O contexto histórico, portanto, esclarece que o apóstolo não proibiu o ensino feminino (como alguns interpretaram este texto), mas proibiu que ensinassem falsas doutrinas, da mesma maneira que os textos em 1 Timóteo 1.3,4 e Tito 1.9-14 proíbem o falso ensino de outros hereges. (Os versos seguintes [isto é, 1 Tm 2.13-15] revelam a natureza do ensino herético que Paulo proibiu.)

O maior desafio para se interpretar 1 Timóteo 2.12 está no significado do segundo infinitivo, o verbo raro *authenteo* (que é a forma infinitiva de *authentein*). Ainda que o seu significado, "ter autoridade sobre", tenha sido tradicionalmente aceito neste contexto, tal tradução é seriamente contestada hoje por estudiosos conservadores que realizaram uma extensa pesquisa sobre o uso da palavra fora do Novo Testamento. A gama dos significados de *authenteo* inclui o seguinte:
1) começar algo ou ser responsável por uma condição ou ação;
2) impor regras ou dominar;
3) usurpar o poder ou os direitos de outra pessoa; e
4) reivindicar propriedade, soberania, ou autoria (Kroeger e Kroeger, 1992, 84).

Os Kroegers oferecem duas traduções alternativas que levam em conta a ordem incomum das palavras no verso, seus desafios gramaticais, seu contexto histórico e a pesquisa léxica mais recente desta palavra:
1) "Não permito que uma mulher ensine nem se apresente como originador do homem" (ibid., 103); e
2) "Não permito que uma mulher ensine que é o originador do homem" (ibid., 191-192).

Tal ensino (de que Eva foi criada primeiro e que ela originou Adão) era uma das versões dos gnósticos a respeito da criação. Neste verso, Paulo está proibindo que as mulheres ensinem tal heresia.

Uma vez que tal interpretação não considera 1 Timóteo 2.12 como uma proibição contra todo o ensino e autoridade das mulheres no ministério, é consistente com as demais afirmações de Paulo a respeito da liderança das mulheres. Observe também como esta interpretação é clara no contexto dos versos que se seguem.

2.2.4. A Ordem da Criação É Reiterada (2.13). Depois de Paulo proibir o ensino deste aspecto de heresia dos gnósticos, declara a visão ortodoxa relativa à cronologia da criação. Enfatiza a descrição contida em Gênesis e afirma definitivamente: "... primeiro foi formado Adão, depois Eva".

2.2.5. A Explicação da Queda em Pecado (2.14). Outro mito dos gnósticos ensinava que a tentação da serpente não resultou no pecado, mas no esclarecimento, e que foi Eva, ao compartilhar o fruto, quem trouxe a luz a Adão. Para corrigir tal heresia, Paulo é obrigado a explicar a queda, como Eva foi enganada, e a primeira transgressão.

2.2.6. A Esperança de sua Salvação É Anunciada (2.15). O apóstolo conclui o assunto prometendo a salvação para as mulheres, se permanecerem em sua missão de mãe "com modéstia na fé, na caridade (ou amor) e na santificação". Os mitos dos gnósticos continham um ensino elaborado sobre uma suposta disseminação, de acordo com o qual cada um de seus descendentes, ao nascer, recebia partículas da luz divina do primeiro casal, que fora dotado destas partículas na criação. Toda geração subseqüente distribui suas partículas de luz entre sua descendência. Após a morte, quando um indivíduo gnóstico procurar realizar a viagem celestial, deixando este planeta material, estará proibido de deixar a terra até que todas as suas partículas de luz sejam reunidas. Se, tendo filhos, as partículas de luz de uma mulher gnóstica tiverem sido passadas a outros, ela estará presa na terra até a morte de toda a geração de seus descendentes, quando todas as suas partículas de luz poderão ser novamente reunidas.

Em outras palavras, de acordo com o ensino gnóstico, a salvação eterna tornou-se completamente impossível àqueles que têm filhos. Esta era possivelmente a razão pela qual os falsos mestres em Éfeso estavam proibindo o casamento (4.3). "Alguns textos gnósticos condenavam ter filhos, e outros chegavam até mesmo a afirmar que era impossível uma mulher alcançar a vida eterna" (Kroeger, Evans e Storkey, 1995, 442). Deste modo, Paulo corrige este ensino errôneo, prometendo assim a salvação a estas mulheres — ainda que tivessem filhos —, caso vivessem uma vida de santidade cristã.

A interpretação correta desta passagem põe um fim à falsa alegação de que a tradicional permissão do ministério e da liderança exercida pelas mulheres nos círculos pentecostais e carismáticos, onde se crê no evangelho como um todo, (e a aceitação contemporânea do ministério feminino em importantes denominações) seja uma violação das Escrituras. Assim como Pedro, que no dia de Pentecostes prometeu que nestes últimos dias o Espírito de Deus capacitaria os homens e as mulheres para o ministério (At 2.16-18), e da mesma maneira Paulo reconheceu que em Cristo as distinções sexuais são irrelevantes (Gl 3.28), esta passagem também não proíbe que os homens sejam ensinados pelas mulheres no exercício de sua liderança espiritual. Antes, o apóstolo está confrontando um problema local específico em Éfeso, silenciando os falsos ensinadores, e refutando os falsos ensinos.

2.3. Sobre os Bispos (3.1-7)

2.3.1. As Aspirações à Liderança São Ratificadas (3.1). O apóstolo volta sua atenção especificamente às posições de liderança na igreja, citando outro provérbio aparentemente famoso. Já naquele tempo, a igreja primitiva tinha uma coleção de curtas declarações (*logia*), de modo resumido, porções memoráveis de verdades comumente sustentadas pelos crentes. Tais expressões existiram antes do tempo da composição das Pastorais, e como reconhecimento de sua aceitação geral foram introduzidas em forma de citação como vemos aqui: "Esta é uma palavra fiel... " (veja comentários sobre 1.15).

Esta declaração cristã valida a aspiração que um crente possa ter de servir à igreja em uma posição de liderança ou supervisão. Qualquer crente que tenha esta aspiração, homem ou mulher (a palavra *tis* inclui ambos os gêneros), certamente deseja fazer um bom trabalho, desempenhar uma tarefa nobre. Ao citar este *logion*,* o apóstolo recomenda o ofício do bispo a qualquer pessoa que tenha as qualificações que se seguem (vv. 2-7).

As responsabilidades dos supervisores, superintendentes ou bispos (*episkopes*) estão longe de ser claras neste período primitivo da Igreja. O título parece ser equivalente ao de ancião ou presbítero (*presbyteros*) (5.17; Tt 1.5), embora pouco seja conhecido sobre as funções que desempenhavam. O papel dos oficiais da igreja era variável e flexível na época do Novo Testamento. Até o período patrístico primitivo, tais funções ainda não haviam sido padronizadas e regulamentadas.

2.3.2. O Estabelecimento das Qualificações da Liderança (3.2-7). Paulo inicia sua discussão sobre as condições exigidas aos candidatos à liderança da igreja com uma lista consecutiva de doze qualificações simples (vv. 2,3), seguidas por três requisitos, cada um destes acompanhado por uma base lógica (vv. 4-7). É importante notar que a lista inteira é estruturada pelo que é chamado de *inclusio*, um dispositivo literário de parêntesis ou colchetes em torno de um assunto particular. O primeiro requisito (v. 2a) é que o bispo "seja irrepreensível"; e o último (v. 7), é que "tenha bom testemunho dos que estão de fora". Logo o assunto como um todo — as qualificações para os líderes da igreja — está completamente envolvido por sua importância, que é superior à repreensão.

Esta não é uma lista de requisitos espirituais — nenhum dos itens é especificamente cristão. Também não é uma descrição das responsabilidades ou atribuições dos bispos. Antes, os itens refletem os mais elevados ideais da filosofia moral helenística. A lista sugere que o comportamento dos falsos mestres estava levando o Evangelho à perda de credibilidade. "Portanto, Paulo não está somente preocupado com os bispos, a fim de que estes tenham virtudes cristãs (assume-se de antemão que as tenham), mas que também reflitam os mais elevados ideais da cultura" (Fee, 1988, 78-79). As listas de qualificações eram comuns na antigüidade em meio aos gregos, romanos e judeus. O padrão de líderes "irrepreensíveis" era amplamente difundido no mundo antigo. "Paulo, reconhecendo os desafios que os cristãos enfrentavam já no início do preconceito demonstrado pelo mundo, estava determinado a sobrepujar os padrões da moralidade do mundo, não deixando que os escândalos maculassem a reputação da igreja" (Keener, 1991, 87).

1) A primeira e mais importante qualificação, então, é que os bispos tenham um caráter excelente, isto é, que sejam irrepreensíveis. Nunca deveria ser possível (literalmente) "surpreender um bispo" fora dos limites da integridade.
2) A próxima qualificação — que o bispo seja "marido de uma mulher" (não existe o termo "mas" no texto grego, como traduzido na NVI) — é fácil traduzir, porém é difícil interpretar. Três questões estão envolvidas: (a) Será que o apóstolo está condenando o divórcio, a poligamia, o concubinato, ou qualquer outra coisa? (b) Será que o apóstolo está exigindo que os bispos sejam casados, refutando aqueles que diziam que não se deveria casar? (c) Será que o apóstolo está exigindo que os bispos sejam homens e não mulheres?

(a) A primeira destas questões — "marido de uma mulher" — é: O que queria dizer "marido de uma mulher" no século I? A interpretação tradicional toma a frase como querendo dizer "marido de uma só esposa durante sua vida", às vezes acrescentando "a menos que ela morra". Tal interpretação das qualificações permite que as pessoas que se casam novamente após a morte do cônjuge tenham a oportunidade de servir na liderança da igreja, mas proíbe que aqueles que se casaram após um divórcio se candidatem à liderança. Aqueles que crêem em todo o Evangelho mantêm uma elevada visão da permanência do casamento e querem que seus líderes sejam exemplos do mesmo. Também mantêm uma elevada visão da graça de Deus e querem que suas práticas demonstrem a graça em ação. Conseqüentemente, as discussões sobre este texto foram tão grandes que as congregações carismáticas e as denominações pentecostais se dividiram a respeito da interpretação e da aplicação deste requisito para os líderes das igrejas.

O assunto torna-se especialmente complicado quando o candidato à liderança da igreja se enquadra em uma das seguintes categorias: se o divórcio e o novo casamento aconteceram antes da conversão, ou se o crente era a "parte inocente" em um divórcio (isto é, se o casamento foi terminado em bases bíblicas). Jesus permitiu o divórcio nos casos em que um dos cônjuges fosse infiel (Mt 5.31,32), e entende-se que Paulo permitiu o divórcio se um dos cônjuges abandonasse o lar (1 Co 7.15). O assunto é ainda mais complicado quando já tem ocorrido uma anulação eclesiástica (para o que não existe nenhuma citação nas Escrituras, no Novo Testamento).

Algumas igrejas reconhecem que o adultério e a deserção são bases bíblicas para o divórcio, mas em nenhum caso permitem um novo casamento. Seu apoio é que (i) nem em Marcos 10.11,12 nem em Lucas 16.18 a declaração de Jesus sobre o divórcio foi qualificada como uma "cláusula de exceção" (cf. Mt 5.31,32) — isto é, que todo novo casamento constitui um adultério; e (ii) que Paulo subordina sua exceção ao decreto de divórcio proferido por Cristo, como uma idéia própria e não do Senhor (cf. 1 Co 7.10-16; parece que Paulo desconhece qualquer exceção por parte de Cristo). Outras igrejas permitem o novo casamento no caso de pessoas que experimentaram o divórcio em bases bíblicas. Sua lógica é que o propósito do divórcio antigo era como uma sanção legal para o novo matrimônio.

O contexto de nosso mundo moderno e o rápido aumento do índice de divórcios (tanto fora como dentro da igreja) nos chama a discutir este texto. Talvez o contexto do mundo antigo e sua estrutura familiar e social possam elucidar o assunto. O que significava "marido de uma mulher" para os leitores originais de 1 Timóteo, para os judeus e para os pagãos? Que advertência específica, naquele contexto cultural, o apóstolo Paulo quis dar aos candidatos à liderança cristã para que fossem moralmente irrepreensíveis? Referia-se ao divórcio, à poligamia, ao concubinato, ou a qualquer outra coisa?

O divórcio era uma trivialidade no século I entre os pagãos. O judaísmo também permitiu o divórcio em muitas outras situações, tornando fácil que um marido se divorciasse de sua esposa (veja Mt 19.3, onde os fariseus perguntam a Jesus se o divórcio poderia acontecer "por qualquer motivo"; e 19.10, onde até os próprios discípulos de Jesus ficaram chocados pela severidade de sua resposta). Keener diz: "É quase impossível que [Paulo] esteja se referindo ao novo casamento de homens divorciados, porque ninguém na antigüidade, judeu ou greco-romano, trataria com desprezo o novo matrimônio do *homem*" ([a ênfase é do próprio Keener], Keener, 1991, 100).

A poligamia era contrária à lei romana, contudo, oficialmente legal no judaísmo palestino. Todavia, em meio aos judeus a monogamia era a norma mais aceita. Uma vez que a poligamia não era praticada nem pelos judeus fora da Palestina, nem pelos gregos na Ásia Menor, parece improvável que Paulo esteja escrevendo uma proscrição contra tal prática aos líderes da igreja em Éfeso.

Ainda que o concubinato não fosse uma prática habitual, não era desconhecido no século I do mundo greco-romano. Sabia-se que os soldados, que não podiam se casar oficialmente até que seu tempo de serviço militar fosse cumprido (um longo período de vinte anos), praticavam tal ato. Embora 1 Timóteo 3.2 possa estar proibindo o concubinato, esta prática provavelmente não era comum o bastante em Éfeso para merecer uma proibição.

O propósito das qualificações para os líderes da igreja era manter a reputação daqueles que estivessem no ministério, evitando que pudessem ser repreendidos pelos que estavam fora da igreja. Se o divórcio era socialmente aceitável no momento da escrita do Novo Testamento, se a poligamia não era praticada em Éfeso, e se o concubinato era incomum, qual comportamento era considerado escandaloso na estrutura social do século I, pelo qual o apóstolo Paulo excluía os candidatos ao ministério da igreja? Existem esclarecimentos adicionais no texto?

A expressão "marido de uma mulher" encontrada entre as qualificações do bispo em 1 Timóteo 3.2 e Tito 1.6, como também nas qualificações para o diácono em 1 Timóteo 3.12, tem sua contraparte na expressão "mulher de um só marido" (nota de rodapé da NVI), encontrada nas qualificações para as viúvas que estão habilitadas a receberem o apoio financeiro da igreja em 1 Timóteo 5. A estrutura das qualificações de Paulo para as viúvas mais velhas (5.3-16) é notavelmente semelhante às qualificações do apóstolo para os homens mais velhos, ou bispos (5.17-25). Parece que estas viúvas tiveram um lugar no ministério e foram honradas, desempenhando um trabalho de oração, recebendo, de certa forma, um pagamento por este (cf. vv. 5,9-16).

Tanto a palavra latina *univira* como a palavra grega *monandros* significam "[esposa] de um só marido" (literalmente, "mulher de um só homem"), sendo termos atribuídos não somente a viúvas fiéis ao Senhor, mas também encontrados como inscrições funerárias de esposas romanas virtuosas, honradas pelos maridos que viveram mais que elas. A expressão "mulher de um só marido" fala de mulheres que cumpriram o ideal "de um só marido" que havia na antigüidade, e que consistia em: (a) casarem-se somente uma vez; e (b) serem absolutamente fiéis a seu único marido por toda a vida. "A ênfase *funcional* da expressão está na fidelidade da esposa, como uma boa esposa durante todo o tempo do casamento... [Ela] foi fiel a seu marido, nunca tendo interesse por outro homem durante seu matrimônio" ([ênfase de Keener], Keener, 1991, 95). De fato, a NVI traduz a "mulher de um só marido" em 1 Timóteo 5.9 como uma viúva que "foi fiel a seu marido". Já que a antigüidade não assegurou aos homens um ideal "de uma só esposa", quando a expressão é usada no masculino, "homem de uma só mulher" (isto é, "marido de uma mulher"), refere-se ao cônjuge fiel e leal, que nunca se interessou por outra mulher no decorrer de todo o seu casamento.

O casamento com um único cônjuge por toda a vida nunca é aplicado aos líderes no mundo antigo como um pré-requisito; não é nem um elogio freqüente aos homens (que naquela cultura preencheram a maior parte dos papéis de liderança), sendo reservado mais fre-qüentemente às mulheres. O ideal de fidelidade matrimonial, porém, é muitas vezes exigido aos líderes... Na antigüidade, ter a casa em ordem era, habitualmente, um padrão para a liderança (ibid., 95).

"O que *era* ridicularizado nesta cultura? O divórcio sucessivo, a bigamia (inclusive manter uma concubina além do casamento), e a infidelidade matrimonial" ([ênfase de Keener], ibid., 100-101)

Um candidato à liderança da igreja vivendo uma vida moralmente desregrada, escandalizaria a reputação da igreja (como era o caso em Corinto, 1 Co 5). Note como o profeta Natã lamentou que a imoralidade sexual do rei Davi tenha dado aos inimigos do Senhor uma causa pela qual blasfemar (2 Sm 12.14).

Se Keener estiver correto, esta qualificação para os bispos (diáconos e viúvas) significa fidelidade matrimonial, de forma que o verdadeiro enfoque do apóstolo está na moralidade sexual dos candidatos à liderança da igreja. Tal interpretação sugere que Paulo possa sancionar a liderança de alguém que tenha sido vitimado pelo divórcio, enquanto desqualifique a liderança dos crentes que já foram sexualmente infiéis para com seus cônjuges (deste modo, talvez, proibindo a restauração do ministério dos líderes que decaíram moralmente, já que provaram não ser "marido de uma mulher"). Se a tradução da NVI — da contraparte feminina da expressão — for aplicada de modo consistente, então esta qualificação para os bispos (3.2; Tt 1.6) e para os diáconos (1 Tm 3.12) seria: "serem fiéis a seus cônjuges".

Em resumo, a interpretação e a aplicação do critério a um bispo que seja "marido de uma mulher" é um assunto difícil por várias razões significativas:

- Deus tem uma elevada consideração pelos que permanecem no casamento (cf. Ml 2.16; Mt 19.6b; Mc 10.9);
- Há uma falta de consenso sobre o significado da expressão traduzida como "marido de uma mulher"; e
- É importante exercitar uma natureza sensível no modo de proceder, assim como Cristo agiria em relação às pessoas envolvidas em situações matrimoniais infelizes.

A poligamia e o concubinato não parecem ser o ponto crucial das instruções de Paulo aqui; porém ainda se discute se é o novo casamento após o divórcio ou a infidelidade matrimonial que desqualifica alguém do exercício destas funções. Cada denominação evangélica, e cada congregação independente deve, em oração, discutir e estabelecer a questão. Em tais casos de incerteza teológica ou prática, nosso Senhor deu à igreja a autoridade para tomar decisões; e embora os diferentes grupos possam chegar a conclusões diferentes, Cristo comprometeu-se a honrar as decisões tomadas por seus representantes (Mt 16.19; 18.18,19). Nossa atitude deve ser como a de nosso Senhor — respeitar o julgamento de outros crentes quanto a assuntos controvertidos, ainda que possam diferir de nossas próprias conclusões (Compare o conselho do apóstolo em relação às diferenças de convicções em outros assuntos morais importantes do século I, como comer a carne sacrificada a ídolos [Rm 14.1-23; 1 Co 8.1-13]).

(b) A segunda questão da interpretação desta passagem — de um bispo ser "marido de uma mulher" — é que o apóstolo esteja exigindo que os líderes da igreja (bispos em 3.2 [cf. Tt 1.6], diáconos em 3.12 e viúvas em 5.9) sejam casados, de forma oposta àqueles que nunca se casaram.

No contexto local específico de Éfeso e Creta (século I), é possível que Paulo estivesse definindo que o matrimônio fosse preferível para os líderes da igreja. Os casamentos destes líderes locais seriam um testemunho de que rejeitaram o falso ensino que proibia o casamento, uma atitude que o apóstolo está combatendo nas Cartas Pastorais (veja 4.3). A presença de tal heresia no contexto histórico desta carta pode contribuir também para o encorajamento de Paulo às viúvas mais jovens para que se casem novamente, e para sua especificação de que somente as mulheres "de um só marido" (isto é, viúvas, não simplesmente as mulheres mais velhas) fizessem parte do grupo de cooperadores que recebem salários da igreja. "Pode ser que aquelas que ocupavam posições de honra na igreja precisassem ter sido anteriormente casadas, a fim de serem um exemplo contrário à retórica dos falsos mestres que rejeitavam o casamento" (Keener, 1991, 92). Contudo, ainda que este seja o significado aqui, esta qualificação não era um requisito universal para os líderes da igreja, mas um exemplo de que os representantes de Cristo devem estar acima de qualquer repreensão por parte daqueles que estão fora da igreja, como na situação cultural específica de Éfeso. O casamento certamente não era uma qualificação obrigatória para a liderança cristã. Provavelmente Timóteo fosse solteiro; Barnabé não tinha esposa (1 Co 9.1-5); o próprio Paulo era solteiro (1 Co 7.7,8); e nosso Senhor nunca foi casado. Ainda que o apóstolo estivesse sugerindo que os bispos e diáconos em Éfeso (e Creta) devessem ser casados, tal qualificação não seria obrigatória para os líderes cristãos em outras situações.

(c) A questão final da interpretação da qualificação de um bispo ser "marido de uma mulher" é: Será que o apóstolo está exigindo que os bispos sejam homens e não mulheres? Novamente, nesta colocação específica é possível que Paulo possa estar ordenando requisitos singulares para combater problemas locais. Em um local onde os falsos mestres tiveram um sucesso especial em meio às mulheres ignorantes (Keener, 1992, 111-112), o apóstolo pode estar sugerindo que os bispos devessem ser homens. Entretanto, ainda que tal hipótese seja possível, não é provável — a maioria dos falsos mestres parece realmente ter sido formada por homens.

Quando Paulo iniciou o assunto relacionado aos bispos, não especificou o gênero de tais líderes, mas usou a expressão genérica "se alguém deseja". A NVI usa o pronome masculino dez vezes na lista de qualificações, simplesmente porque não existe um pronome genérico para a terceira pessoa do singular no idioma inglês. Seria mais claro traduzir a lista como qualificações para os bispos (no plural), de forma que o pronome do gênero neutro da terceira pessoa do plural, "eles", pudesse ser usado. O texto grego original, porém (mesmo no singular), inclui ambos os gêneros. O apóstolo poderia facilmente tê-lo especificado como masculino, como fez em 1 Timóteo 2.8, mas escolheu usar o gênero neutro ao referir-se aos bispos.

Tendo em vista que Paulo elogiou a liderança espiritual das mulheres cristãs, como Febe (descrita literalmente como "... nossa irmã, a qual serve [ministra] na igreja que está em Cencréia", Rm 16.1,2), Junia (uma mulher que fazia um trabalho notável em meio aos apóstolos, Rm 16.7) e Priscila, que juntamente com Áquila, foi encarregada de liderar a jovem congregação em Éfeso (At 18.19), não é provável que o apóstolo considerasse que somente os homens pudessem desempenhar o ministério em Éfeso ou em qualquer outro lugar.

As próximas três qualificações no verso 2 são semelhantes (NVI):
3) Temperança ou moderação;
4) Autocontrole ou sensibilidade; e
5) Respeitabilidade ou bom comportamento.

A temperança é freqüentemente usada com relação a bebidas alcoólicas, todavia uma vez que o versículo 3 trata especificamente de não ser "dado ao vinho", é mais provável que o termo usado aqui tenha um sentido mais amplo, metafórico, isto é, "livre de toda forma de excesso, paixão, ou precipitação". Deste modo, o ministro deve ter plena consciência, uma mente sóbria e ser vigilante. As duas qualificações posteriores ocorrem juntamente em listas éticas de escritos seculares, como os elevados ideais de comportamento exigidos para o desempenho de várias ocupações. Falam do caráter interior e do comportamento exterior — a vida particular bem organizada da qual emana o cumprimento bem ordenado de todos os deveres.

6) É necessário que o bispo seja "hospita-

leiro" (v. 2), outra virtude grega. A hospitalidade é um dever de todos os crentes individualmente (5.10) e de toda a igreja coletivamente (Rm 12.13; 1 Pe 4.9; 3 Jo 5), no entanto, encontra sua expressão mais alta nos bispos que são descritos nos primeiros escritos cristãos como as árvores que abrigam as ovelhas, sendo merecedores de especial louvor pelo papel que desempenham (1 Clem 1.2,10,11). Uma bênção especial acompanha este ministério (Hb 13.2).

A hospitalidade no Novo Testamento é mais do que divertir os amigos, parentes e vizinhos, ou ter convidados para o jantar uma vez por semana. Refere-se à abertura de nossa casa para aqueles que são desconhecidos ou diferentes de nós mesmos. O adjetivo "hospitaleiro" significa, literalmente, "amar os estranhos". Refere-se à atenção para com os necessitados na congregação e na comunidade, e a hospedar em casa ministros que estão viajando, especialmente aqueles que vivem em outras localidades.

A igreja primitiva não poderia ter sobrevivido sem a prática desta virtude.

Na antigüidade quando se viajava, era natural encontrar alguém do próprio país ou comércio do viajante, que alegremente forneceria acomodações durante a noite. As pousadas cobravam preços injustamente altos e normalmente funcionavam como bordéis; então os viajantes com freqüência levavam consigo cartas de recomendação, pois assim seriam recebidos pelos amigos de seus amigos ou conhecidos em outras cidades.

Isto acontecia especialmente com os viajantes judeus, que se recusavam a hospedar-se em um bordel, se tivessem outras alternativas disponíveis. As casas onde funcionavam as sinagogas e as escolas poderiam ser usadas para este propósito, mas era melhor se hospedar na casa de um anfitrião. Parece que era apropriado o anfitrião insistir para que o convidado ficasse, permitindo-lhe partir somente se este insistisse. Paulo usufruiu freqüentemente deste costume em suas próprias viagens.

Embora a virtude deste tipo de hospitalidade devesse ser praticada em todas as culturas, provavelmente aparece na lista de Paulo por ser um sinal de grande respeitabilidade naquela cultura (Keener, 1991, 97).

7) "Convém, pois, que o bispo seja... apto para ensinar" (v. 2). O ensino é considerado um dom espiritual no Novo Testamento (cf. Rm 12.7; 1 Co 12.28,29; Ef 4.11). Os líderes devem se identificar com o grupo de presbíteros da congregação que se ocupam com a pregação e o ensino (1 Tm 5.17). A passagem em Tito 1.9 especifica três qualificações dos mestres espirituais: a compreensão da verdade que seja consistente com a tradição apostólica, a habilidade de transmitir esta verdade claramente aos outros e a habilidade de refutar os erros daqueles que procuram pervertê-la. O requisito de que os líderes espirituais tenham uma aptidão para o ensino é coerente com a proibição de novos convertidos serem autorizados a ensinar (v. 6).

8) O bispo não deve ter problemas com bebidas alcoólicas (v. 3; literalmente, não ser "dado ao vinho"). Fee (1988, 81) pergunta se estes critérios sugerem que os falsos mestres eram dados à embriaguez.

Talvez não, levando-se em conta seu asceticismo observado em 4.3. Entretanto, podem ter sido ascéticos sobre alguns alimentos e indulgentes a respeito do vinho. Em todo caso, a embriaguez era um dos vícios comuns na antigüidade; e poucos autores pagãos falam contra o mesmo — em geral, manifestam-se somente contra outros "pecados" que poderiam acompanhá-lo (a violência, a repreensão pública aos servos, etc.). Muitos teólogos entendem que de acordo com (5.23), o bispo não precisaria se abster totalmente, nem tampouco deveria se dar à embriaguez (cf. 3.8; Tt 1.7), porque esta é uniformemente condenada nas Escrituras.

As próximas três qualificações parecem caminhar juntas e provavelmente reflitam o comportamento dos falsos mestres. Estes, como descrito em 6.3-5 e 2 Timóteo 2.22-26 (cf. Tt 3.9), eram dados a discussões e disputas. Deste modo, os verdadeiros bispos não devem:

9) Ser "violentos", nem briguentos ou alvoroçadores, ou seja, inclinados à agressão ou às discussões;
10) Mas "moderados", que demonstram consideração — até mesmo quando corrigem os seus oponentes (2 Tm 2.23-25); e
11) Ser "contencioso".
12) A lista continua com o requisito de que o bispo não seja "avarento" (v. 3). A Primeira Carta a Timóteo 6.5-10 explica que a cobiça é um dos "pecados mortais" dos falsos mestres, a causa de sua ruína final. Uma advertência contra a avareza é incluída em cada lista de qualificações para a liderança, no Novo Testamento (3.8; Tt 1.7; cf. At 20.33; veja comentários sobre 1 Tm 6.5-10; 2 Tm 3.6,7).

Nos três tópicos finais (a vida da família dos líderes, sua maturidade na fé e sua reputação com os estranhos), Paulo oferece uma razão para cada requisito. Estes três também parecem ser questões relacionadas aos falsos mestres.

13) O requisito mais detalhado na lista de qualificações dos bispos está relacionado ao controle sobre seus filhos. Esta virtude era freqüentemente exaltada na antigüidade, sendo apresentada como um pré-requisito para liderar outros. Uma vez que no Novo Testamento as congregações se reuniam nos lares e se baseavam na organização doméstica (incluindo os membros das famílias, os escravos e os servos), a estabilidade da casa era importante para a manutenção de uma igreja forte. Já que este era um requisito padrão para os líderes respeitáveis, uma característica necessária para os líderes cristãos era serem "irrepreensíveis" (v. 2) também nesta área.

Mas o controle sobre a casa também era mais facilmente implementado naquele período do que atualmente. Quem não honrasse e obedecesse aos pais, não podia ser honrado na sociedade greco-romana; este conceito também era válido no judaísmo. O pai tinha também um papel tradicional de autoridade na sociedade romana; embora o poder da vida e da morte fossem raramente exercidos sobre os filhos adultos, o direito contínuo do pai de decidir se as crianças deveriam ser criadas ou expulsas de sua casa ressaltavam sua posição de poder no lar. Sua autoridade paterna era legalmente estendida até os netos e bisnetos, enquanto permanecesse vivo. Ainda que o amor dos pais por seus filhos fosse uma norma esperada, a disciplina era freqüentemente severa (incluindo o açoite), sendo enfatizada na educação dos filhos. Apesar de Paulo apoiar a minoria que desaprovava a disciplina severa (Ef 6.4), a cultura, como um todo, era muito mais orientada em direção à obediência filial e à autoridade dos pais do que em nossos dias (Keener, 1991, 98).

Os bispos devem "governar" bem suas famílias (*proïstemi*, um verbo que não sugere severidade), mantendo seus filhos sob submissão com todo o respeito. A razão para este requisito é que o aprendizado da administração da casa prepara a pessoa para administrar bem a casa de Deus. A palavra *proïstemi*, usada em relação aos bispos em 5.17 ("governam") e em 1 Tessalonicenses 5.12 ("presidem"), implica o exercício de direção e cuidadosa preocupação. O governo e o respeito desempenhados pelo bispo são "a perfeita combinação de dignidade e cortesia, independência e humildade" (Rienecker, 1980, 623).

A força da frase, "com todo o respeito", provavelmente não significa que os filhos "obedecerão" com "respeito", mas que seriam conhecidos por sua obediência e seu bom comportamento em geral... Existe uma diferença entre exigir obediência e consegui-la. O líder da igreja não "governa" a família de Deus, pelo fato de ter a responsabilidade de exortar o povo à obediência. Ele "cuida" da família, de tal modo que seus "filhos" serão conhecidos por sua obediência e bom comportamento (Fee, 1988, 82-83).

14) Os bispos não devem ser neófitos. Por quê? Oferecer aos novos crentes uma elevada posição muito cedo poderia tentá-los a se tornarem orgulhosos. Já que isto é exatamente o que é dito sobre os falsos mestres em 6.4 (cf. 2 Tm 3.4), parece que alguns deles podem ter se convertido recentemente, cujos "pecados... são manifestos" (1 Tm 5.24). As palavras traduzidas como "não neófito" são uma metáfora significando literalmente "uma pessoa que não tenha sido recentemente estabelecida" (Fee 1988, 83), se referindo a alguém recentemente batizado (cf. 1 Co 3.6, onde Paulo usa o verbo referindo-se a conversões). Deste modo, os candidatos devem ser cuidadosamente avaliados antes de serem designados para a liderança (cf. 1 Tm 5.22).

Na época em que Paulo estava escrevendo esta carta, a congregação de Timóteo em Éfeso tinha mais de dez anos, com líderes suficientemente preparados e maduros para serem escolhidos. Este requisito está ausente, porém, na lista de critérios para os líderes da congregação mais jovem, que estava em Creta, na carta de Paulo a Tito.

15) Um bispo deve ter uma boa reputação ou um "bom testemunho dos que estão de fora" da igreja, para evitar o fracasso. Esta lista inteira diz respeito ao comportamento que se pode observar, servindo como um testemunho para os estranhos. Como Fee (1988, 83) explica:

> A ênfase parece ser que uma reputação ruim junto ao mundo pagão fará com que o *episkopos* caia 'em afronta', ou seja caluniado, e deste modo a igreja com ele; e isto seria cair 'no laço do diabo'. O 'laço' preparado pelo 'diabo' consiste em que o comportamento dos líderes da igreja seja tal que os estranhos não se sintam inclinados a ouvir o Evangelho.

Os escândalos de certos líderes cristãos de nossos dias têm envergonhado a igreja como um todo e aprofundado a indiferença da América do Norte para com o Evangelho. Muitas vezes a igreja perdoa os fracassos dos ministros, porém o mundo não o faz. É especialmente diante dos "estranhos" que a reputação da liderança do ministério deve ser irrepreensível.

2.4. Sobre os Diáconos (3.8-13)

2.4.1. Qualificações Gerais para todos os Diáconos (3.8-10).

Da mesma maneira como fez com os bispos ou líderes, o apóstolo discute as qualificações (não os deveres) daqueles que servem à igreja como diáconos ou ministros. Embora sirvam como auxiliares da igreja e não como líderes, seus requisitos morais e espirituais são semelhantes; deste modo, o apóstolo introduz suas qualificações com a expressão "Da mesma sorte..."

Quem eram os diáconos? Ainda que seja uma prática comum considerar os que foram selecionados para servir às mesas em Atos 6.1-6 e 21.8 como protótipos daqueles que desempenham este papel, tais homens não foram chamados de diáconos.

> De fato eram claramente ministros da Palavra em meio aos judeus que falavam grego, o que eventualmente resultou no título de "os Sete" (At 21.8), que os distingue "dos Doze", porém utilizando uma expressão semelhante. Sendo assim, temos a certeza de que *episkopoi* [bispos] e *diakonoi* [diáconos] são funções distinguíveis na igreja, mas não sabemos exatamente o que eram no início da Igreja (Fee, 1988, 86).

Fee considera provável que tanto os "bispos" como os "diáconos" estavam abaixo da categoria mais ampla dos "presbíteros" (Fee 1988, 78). Ambos eram líderes da igreja. A palavra *diakonos* é, de fato, o termo favorito de Paulo no original em grego para descrever seu próprio ministério, bem como o de seus cooperadores (por exemplo, Rm 16.1; 1 Co 3.5; 2 Co 3.6; Cl 1.23; 4.7). A palavra é usada referindo-se a Timóteo em 4.6. Embora a NVI não mantenha uma distinção, nas versões em inglês o termo *diakonos* é normalmente traduzido como "diáconos" quando aparece no Novo Testamento no plural, e "ministro" quando aparece no singular.[2]

I TIMÓTEO 3

Como ocorre com outros títulos do Novo Testamento, parece haver uma oscilação na ênfase entre o ofício e a função.

Da mesma maneira que os assistentes (conforme a NVI, "aqueles que são capazes de ajudar") auxiliam os administradores (na NVI, "aqueles que possuem o dom de administrar") (1 Co 12.28), parece que o ministério dos diáconos no Novo Testamento é auxiliar os bispos/presbíteros. Seu papel subordinado é evidenciado pela ausência da menção de qualquer responsabilidade para com o ensino ou hospitalidade, e pelo fato de que seu escrutínio preliminar parece ser até mais rigoroso do que o dos bispos (Kelly, 1963, 81). Várias das qualificações para os diáconos parecem sugerir diretrizes para as pessoas envolvidas no trabalho de casa em casa (veja as qualificações [2] e [8] abaixo) e na supervisão dos fundos assistenciais da igreja (veja as qualificações [4] e [10] abaixo).

Acrescentando um qualificador masculino para o versículo 8, que não está presente no grego,[3] o verso seria traduzido como: "Os diáconos devem ser, igualmente, homens dignos de respeito". Muitas traduções e paráfrases em inglês (por exemplo, NVI, NASB, Phillips, Living Bible, NEB e Jerusalem Bible) deixam a impressão de que os diáconos deveriam ser homens. A KJV, TEV, RSV, NRSV e a NIV Inclusive Language Edition estão de acordo com o texto original, não apresentando estes versos como exclusivamente masculinos. De fato, as qualificações para os diáconos constam em três seções que podem ser claramente vistas na NVI: qualificações genéricas para todos os diáconos, tanto homens como mulheres (vv. 8-10); qualificações específicas para as diaconisas (v. 11); e qualificações específicas para os diáconos (v. 12). Os diáconos podem ser homens ou mulheres.

Existem seis qualificações genéricas para todos os diáconos:
1) Devem ser "honestos", dignos, respeitáveis e sérios. A palavra grega deriva-se da palavra usada no versículo 4 para o comportamento dos filhos dos bispos, "com respeito apropriado". Semelhante às qualificações do *inclusio*, entre parênteses, referindo-se aos bispos, com o requisito de serem "irrepreensíveis", "dignos de respeito", é um termo de "cobertura" que traz consigo todos os critérios que se seguem.

As próximas três qualificações são proibições no idioma original:
2) Os diáconos não deveriam ser hipócritas ou fingidos (literalmente, não terem "duas faces"), mas completamente fidedignos quanto ao que dizem (NVI, "sinceros"). A palavra pode se referir a falar da vida alheia (dizer algo a uma pessoa e algo diferente a outra) ou à hipocrisia (dizer algo enquanto pensa ou faz uma outra coisa);
3) Assim como os bispos (v. 3), os diáconos não devem ser "dados a muito vinho";
4) Como os bispos (v. 3), os diáconos não devem ser "cobiçosos de torpe ganância", ou seja, não devem procurar ganhos desonestos. A responsabilidade dos diáconos sobre os assuntos financeiros da congregação poderia expô-los a muitas tentações;
5) Acima de tudo, os diáconos devem ser pessoas convictas. O "mistério da fé" que os diáconos devem manter equivale à verdade do ensino cristão que transcende a razão humana, e que somente é acessível por meio da revelação divina. "Paulo está insistindo na relação íntima entre uma fé sadia e uma consciência irrepreensível e imaculada; sem esta última, a primeira será estéril" (Kelly, 1963, 82). A consciência dos diáconos deve ser livre de ofensas;
6) A qualificação genérica final para todos os diáconos é que deverão ser primeiramente avaliados, e se considerados inocentes, então, poderão servir. Porém o tipo de avaliação, exame, ou aprovação exigidos são incertos, contudo a idéia de selecionar as pessoas que forem aprovadas após um exame é também vista em 1 Coríntios 16.3 e 2 Coríntios 13.5. A frase "se não houver nada contra estes", que consta em algumas traduções, é um sinônimo de ser "irrepreensível", que é uma qualidade exigida aos bispos (v. 2), que também pode ser assim traduzida como a primeira qualificação exigida aos presbíteros em Tito 1.6. A sentença em grego inicias-se com *kai* ("também"), talvez implicando que como os bispos e os presbíteros, os diáconos também devam ser minuciosamente examinados antes de serem designados como tais.

I TIMÓTEO 3

QUALIFICAÇÕES EXIGIDAS DOS PRESBÍTEROS/BISPOS E DOS DIÁCONOS

Qualificação	Ofício	Referências nas Escrituras
Autocontrole	Presbítero	1 Tm 3.2; Tt 1.8
Hospitalidade	Presbítero	1 Tm 3.2; Tt 1.8
Aptidão ao ensino	Presbítero	1 Tm 3.2; 5.17; Tt 1.9
Não violento, mas moderado	Presbítero	1 Tm 3.3; Tt 1.7
Que não seja contencioso	Presbítero	1 Tm 3.3
Que não seja um amante do dinheiro	Presbítero	1 Tm 3.3
Que não seja recém-convertido	Presbítero	1 Tm 3.6
Tenha uma boa reputação com os estranhos	Presbítero	1 Tm 3.7
Não dominador	Presbítero	Tt 1.7
Que não seja de temperamento forte, iracundo	Presbítero	Tt 1.7
Amigo do bem	Presbítero	Tt 1.8
Justo, santo	Presbítero	Tt 1.8
Disciplinado	Presbítero	Tt 1.8
Irrepreensível (inculpável)	Presbítero/Diácono	1 Tm 3.2,9; Tt 1.6
Marido de uma esposa	Presbítero/Diácono	1 Tm 3.2,12; Tt 1.6
Brando, sóbrio	Presbítero/Diácono	1 Tm 3.2,8; Tt 1.7
Respeitável	Presbítero/Diácono	1 Tm 3.2,8
Não dado à embriaguez	Presbítero/Diácono	1 Tm 3.3,8; Tt 1.7
Que administre bem a sua própria família	Presbítero/Diácono	1 Tm 3.4,12
Que tenha os filhos em sujeição	Presbítero/Diácono	1 Tm 3.4,5,12; Tt 1.6
Que não procure ganhos desonestos	Presbítero/Diácono	1 Tm 3.8; Tt 1.7
Que sustente as verdades profundas	Presbítero/Diácono	1 Tm 3.9; Tt 1.9
Sincero	Diácono	1 Tm 3.8
Provado	Diácono	1 Tm 3.10

2.4.2. Qualificações Específicas para as Diaconisas (3.11). O verso 11 é traduzido na NVI como qualificações para as esposas dos diáconos. Contudo tal interpretação obscurece as outras traduções legítimas do texto grego, em que se lê literalmente, "Da mesma sorte as *mulheres* sejam honestas, não maldizentes, sóbrias e fiéis em tudo [ênfase acrescentada]". Quem são estas mulheres?

Existem três opções. Uma vez que a palavra grega usada aqui (*gynaikas*, plural de *gyne*) pode ser traduzida como "mulheres" ou "esposas", o texto pode ser entendido como uma lista de qualificações (a) para todas as mulheres cristãs em geral; (b) para as esposas de diáconos; ou (c) para as diaconisas. Julgando pelo contexto, a opção (a) parece improvável. Dado que este verso está localizado no meio de uma seção relacionada a diáconos, estas "mulheres" devem estar ligadas ao ofício do diaconato.

A opção (b) é a interpretação tradicional, baseada na suposição de que não é permitido às mulheres servir nos ofícios ministeriais da igreja. Tal suposição permaneceu intocável até o primeiro movimento fundamentalista/evangélico[4] e o nascimento do pentecostalismo;[5] ambos receberam as mulheres no ministério. Mais recentemente, as descobertas contemporâneas relativas à igreja primitiva forneceram o apoio histórico ao ministério das mulheres, que estes movimentos mais modernos sustentam na prática. Temos agora a evidência literária de que as mulheres serviram como diaconisas[6] e evidências escritas que documentam por nome e título o ministério de mulheres nos vários ofícios da Igreja Primitiva, inclusive no diaconato.[7]

Levando-se em conta a evidência das diaconisas na igreja primitiva, o consenso erudito está se tornando favorável a uma tradução que expõe a ambigüidade do grego e a possibilidade das três interpretações (veja a NRSV).

A opção (c) está se tornando cada vez mais freqüente nas notas de rodapé da Bíblia (cf. NRSV) ou até mesmo no texto (REB) e nos comentários.

Deste modo, tanto histórica como teologicamente, a opção (c), "diaconisas", é uma tradução legítima. Gramaticalmente falando, a opção (b), "esposas de diáconos", não é uma boa tradução. Já que *gynaikas* pode significar "mulheres" ou "esposas", uma das formas que os escritores originais usaram para esclarecer os leitores sobre o uso do termo era colocando um substantivo possessivo, um pronome ou um artigo (que pode funcionar como um pronome possessivo) na frente do substantivo. Por exemplo, "mulheres dos diáconos", "suas mulheres", ou "as mulheres [dos diáconos]" seria traduzido como "suas esposas". O substantivo *gynaikas*, porém, não tem nenhum artigo ou modificador no versículo 11; deste modo, o verso não está se referindo às esposas dos diáconos, mas às diaconisas.

Existem vários pontos adicionais a favor de se considerar este verso como a descrição das qualificações para as diaconisas:

1) A palavra grega *hosautos* ("da mesma sorte, igualmente" (cf. v. 8) "indica um novo parágrafo em uma seqüência de regras para um grupo diferente de oficiais" (Barrett, 1963, 61), isto é, diaconisas;
2) As virtudes exigidas destas eram as mesmas que se esperava dos ministros, não das esposas;
3) Já que o Novo Testamento não tinha nenhuma palavra especial para as diaconisas, o apóstolo provavelmente precisou escrever "semelhantemente as mulheres [diáconos]", onde "mulheres" funciona como um adjetivo, deste modo, "diaconisas" (ibid.);
4) Nenhum requisito especial é mencionado para as esposas dos bispos, que ocupam uma posição até mais influente que os diáconos (Guthrie, 1990, 85). "Por estas razões, a tradução 'diaconisas' (ou "diáconos mulheres") provavelmente seja a correta (Kelly, 1963, 83).

A NVI oferece uma nota de rodapé, sugerindo a tradução "diaconisas". Para os leitores da Bíblia em inglês, tal tradução é um refinamento léxico da opção (c), "diáconos mulheres", porém alguns julgam-na inaceitável, pois o termo diaconisa é anacrônico; entendem que tal ofício foi um desenvolvimento posterior (que limitou o ministério feminino ao diaconato). Esta ordem teve início durante um período menos carismático e mais institucionalizado da história da igreja, e foi especificamente projetado para reduzir os papéis que as mulheres vinham desempenhando no ministério.

Parece claro, então, que as palavras de 1 Timóteo 3.11 são entendidas originalmente como "diáconos mulheres". Enquanto estas qualificações referem-se especificamente a elas, são semelhantes às qualificações gerais para todos os diáconos. Não existe nenhuma indicação no texto de que a responsabilidade e as atividades das diaconisas difiram daquelas que os diáconos possuíam;

7) Devem ser "honestas" ou "respeitáveis" (cf. v. 8, qualificação [1]);
8) Não devem ser "maldizentes" ou maliciosas no falar (cf. v.8, qualificação [2]). Esta palavra em grego (*diabolos*; significa literalmente, "acusar, caluniar, difamar") é a mesma palavra traduzida no Novo Testamento como "Diabo" (o notório acusador; cf. Zc 3.1,2; este é o significado hebraico da palavra *hassatan*, "Satanás"). Embora suas funções pastorais possam oferecer freqüentes oportunidades a tal tentação, as diaconisas não devem usar sua língua para caluniar os membros da congregação onde servem;
9) A sobriedade ou temperança também é um requisito reiterado para as diaconisas (cf. v. 2, qualificação [3] dos bispos; v. 8, qualificação [3] dos diáconos); e
10) Finalmente, as diaconisas devem ser "fiéis em tudo" (cf. v. 8, qualificação [4]).

2.4.3. Qualificações Específicas para os Diáconos (3.12).
Fee sugere que após enfatizar as qualificações específicas para as diaconisas, Paulo acrescenta duas qualificações específicas para os diáconos quase como uma reflexão tardia (Fee, 1988, 89). Assim como os bispos, os diáconos também deveriam ser "maridos de uma mulher" (cf. v. 2) e um bom administrador de sua própria família (cf. v. 4). Devido à estrutura social do século I, estas duas qualificações são dirigidas aos homens, não às diaconisas.

2.4.4. Elogios aos Diáconos que Servirem fielmente (3.13).
Os diáconos, tanto homens como mulheres, que servem ou ministram bem, adquirem com eficácia para si mesmos uma dupla recompensa. A expressão "adquirirão para si uma boa posição" (*bathmos*) pode se referir à sua influência e reputação na igreja e diante de Deus. Esta palavra significa literalmente um "passo" ou "grau", semelhante a nosso uso moderno destes termos relacionados a nível profissional ou escala de ganhos financeiros. Foi sugerido que o termo *bathmos* possa estar se referindo a uma promoção eclesiástica, do ofício de diácono para o de bispo ou presbítero (Barrett, 1963, 63). Parece que Paulo está usando esta palavra como uma referência aos diáconos na comunidade cristã (e não diante de Deus), porque a segunda faceta de sua recompensa está relacionada à sua confiança na fé.

A palavra grega para "confiança" se refere à ousadia ou franqueza em relação a outros (2 Co 3.12; Fp 1.20; Fm 8), ou a Deus (Ef 3.12; Hb 10.19,35). Provavelmente o significado aqui seja a confiança em Deus, uma vez que Paulo especifica que a confiança está "na fé que há em Cristo Jesus". Deste modo, a recompensa dupla é uma boa reputação perante as pessoas e a confiança em Deus.

> Estes dois elogios, é claro, são justamente o que falta nos falsos mestres. Seu "ensino errôneo" (cf. 1.19), que inclui um comportamento impróprio e uma reputação imunda, levou-os também a abandonar a genuína fé em Cristo (1.5) (Fee, 1988, 90).

3. O Estabelecimento de Diretrizes a Timóteo: O Aconselhamento Específico para Estabelecer o Jovem Timóteo na Liderança (3.14—6.10)

3.1. Defendendo a Fé (3.14—4.5)

3.1.1. A Conduta Correta na Igreja (3.14-16).
A carta passa agora da primeira para a segunda seção principal. No ponto de transição, o apóstolo reitera sua declaração quanto ao propósito. Iniciou a carta com uma ordem a Timóteo para que ficasse em Éfeso com a finalidade de fazer oposição aos falsos mestres (1.3), então deu-lhe conselhos específicos relativos ao estabelecimento da igreja (2.1—3.13). Agora repete seu propósito, marcando-o com um hino cristão da época.

Paulo antecipa um encontro com Timóteo em um futuro próximo, porém caso haja algum atraso, lhe dá de antemão conselhos específicos para sua liderança na igreja. Timóteo tem a mesma responsabilidade dos bispos e dos diáconos, que devem governar bem sua própria casa e a de Deus (cf. 3.4,12). É aconselhável que a congregação saiba como se comportar, pois a igreja é o povo de Deus, "a coluna e firmeza da verdade". A confiança sagrada da igreja é verdadeira; se a verdade for comprometida, a própria igreja estará em risco. Os falsos mestres, por exemplo, já abandonaram a verdade (cf. 6.5; 2 Tm 2.18; 3.8; 4.4). É crucial que Timóteo não somente silencie os falsos mestres (1 Tm 1.3-11), mas também coloque a igreja novamente sobre seu correto alicerce.

Paulo mescla suas metáforas da igreja como família (cf. "Casa de Deus") com a igreja como templo (cf. "coluna e firmeza"). O grego tem duas palavras para "templo". *Hieron* é todo o complexo do templo, o lugar onde as pessoas se congregam para a adoração; *naos* é o santuário interior (por exemplo, o Lugar Santíssimo), o lugar onde Deus habita. Os templos gregos pagãos eram freqüentemente pequenos santuários, compostos por uma fundação e algumas colunas para alojar um ídolo. A imagem que Paulo mostra da igreja como *naos* de Deus não consiste em que Ele se una conosco, a congregação, no lugar onde nos reunimos para a adoração; mas que a Igreja (o corpo de crentes) é o próprio santuário no qual Deus tem prazer em habitar (cf. 1 Co 3.16,17; 2 Co 6.16; Ef 2.21).

> Com estas duas imagens, da família e do templo, Paulo expressa os dois pontos mais urgentes desta carta: sua preocupação com o comportamento apropriado em meio aos crentes e face a face com os falsos mestres, e a igreja como o povo a quem foi confiado o trabalho de sustentar e proclamar a verdade do Evangelho (Fee, 1988, 92).

A menção da "verdade" no verso 15 estimula o apóstolo a uma exclamação: "E, sem dúvida alguma, grande é o mistério da piedade". "A expressão traduzida como 'sem dúvida alguma' (do grego, *homologoumenos*) significa 'por consentimento mútuo', e expressa a convicção unânime dos cristãos" (Kelly, 1963, 88). O que se segue é uma recitação do "mistério" (isto é, da verdade revelada) da "piedade" (o conteúdo ou base do cristianismo, isto é, nossa fé). "Uma das características mais interessantes das Pastorais é a citação freqüente de resumos da adoração contemporânea. Esta nos dá uma noção muito mais rica de como era a adoração neste primeiro período que nós, de outra forma, não teríamos conhecido" (Hanson, 1982, 45).

Todos os estudiosos concordam que o que se segue foi um dos primeiros hinos cristãos, porém a análise da estrutura poética das seis linhas, o significado das várias linhas e o do hino como um todo causaram um considerável debate. No idioma original, cada linha tem dois membros: um verbo (no aoristo [tempo passado] passivo) seguido por uma frase prepositiva. O assunto de cada verbo é Cristo (compreendido). As versões inglesas modernas refletem possibilidades de estrutura poética. A JB vê cada linha como uma estrofe separada. A GNB e a RSV identificam duas estrofes de três linhas cada (de vários padrões). A NVI apresenta o hino com três estrofes de duas linhas cada. Uma paráfrase inglesa moderna do hino por Lock (1973, 42) expressa uma interpretação de suas nuances poéticas:

> Em carne desvelada à visão do mortal,
> Mantido justo pelo poder do Espírito,
> Enquanto anjos contemplavam-no do céu;
> Seus arautos percorriam rapidamente a terra, costa a costa,
> E os homens criam, por todo o grande mundo,
> Quando Ele, em glória prosseguia rumo às alturas.

Como Fee (1988, 92-95) explica: "Em vista de tantas dificuldades e discordâncias, as interpretações são oferecidas com certas reservas". Aqui está um resumo de sua interpretação. A importância dos versos 1, 4 e 5 parece ser mais claramente expressa como um hino do Evangelho, isto é, uma canção que mostra a história da salvação por intermédio de Jesus. Nesse caso, podemos ter um hino de duas estrofes, com três versos cada, sobre a humilhação e a exaltação de Cristo. A primeira estrofe expressa a história do ministério terreno de Cristo, que tem seu clímax em triunfo; a segunda, explica a mensagem de Cristo como proclamada pela Igreja, finalizando com glória.

O primeiro verso é característico dos hinos do Novo Testamento. A frase "aquele que se manifestou em carne" é universalmente reconhecida como uma afirmação da encarnação (cf. Jo 1.14; Rm 1.3; Fp 2.7,8), com implicações de preexistência (cf. Jo 1.1; Fp 2.6).

A sentença "[Ele] foi justificado em espírito" pode estar se referindo à ressurreição de Cristo. Uma vez que no grego a palavra "espírito" (*pneuma*) não tem nenhum artigo, não está claro se esta linha se refere ao Espírito Santo ou ao próprio espírito de Cristo durante sua encarnação. A frase poderia significar que o Espírito Santo provou que Cristo era verdadeiro

Estas dependências da comunidade de Qumran, nas proximidades do mar Morto, foram identificadas como o *scriptorium*, onde os escribas registravam as informações nos rolos. Os Rolos do mar Morto, que incluíram uma cópia do livro de Isaías que era mais antiga do que qualquer cópia previamente conhecida, foram encontrados em jarros de cerâmica em uma caverna nestas proximidades em 1947.

Nos tempos bíblicos, os livros eram escritos em rolos de papel. O início deste rolo, que é uma reprodução, é mostrado abaixo. O idioma hebraico é lido da direita para a esquerda. Em 2 Timóteo 4.13 Paulo pede que Timóteo traga seus "livros, especialmente os pergaminhos".

por meio dos milagres e da ressurreição, ou que o caráter de Cristo foi justificado pelo modo como Ele governou seu próprio espírito.

A frase "[Ele foi] visto dos anjos" pode estar se referindo à adoração, no céu, ao Cristo que para lá retornou. Em grego, *angelos* significa tanto anjo como mensageiro. Este verso pode significar que a vida terrena de Cristo foi testemunhada por seres celestiais (como vemos ao longo dos evangelhos), ou que a vida de Cristo foi testemunhada pelos mensageiros (isto é, as testemunhas) do Evangelho. Como Fee (1988, 94) explica, se o segundo verso se refere à ressurreição e a terceira à ascensão de Cristo, "então os três primeiros versos cantam a encarnação, a ressurreição e a glorificação de Cristo, formando uma estrofe sobre o próprio Cristo, que é visto 'de glória em glória'".

Os versos 4 e 5 (Ele foi "pregado aos gentios" e "crido no mundo") são geralmente reconhecidas como se referindo ao primeiro período da história apostólica, quando as Boas Novas foram divulgadas por todo o mundo conhecido na época. O verso 6 ("[Ele foi] recebido acima, na glória") é o clímax glorioso. Assim como o triunfo de Cristo em sua condição mortal alcançou seu ponto mais elevado na glória eterna, em seu estado divino, também Timóteo, se triunfar em sua tarefa, terá uma recompensa gloriosa no céu.

3.1.2. A Evidência do Falso Ensino (4.1-5).

3.1.2.1. A Apostasia do Fim dos Tempos É Antecipada (4.1,2).

A maior parte do restante de 1 Timóteo é dedicada ao aconselhamento sobre a conduta que o jovem cooperador deveria ter em seu ministério. O conselho do apóstolo é voltado contra as bases do falso ensino e as práticas errôneas dos hereges em Éfeso. Paulo desenvolve o tema baseando-se nas ordens expressas no capítulo 1, examinando primeiramente os erros dos falsos mestres (4.1-5; cf. 1.3-11,19,20), instruindo então Timóteo acerca de seu papel em Éfeso (4.6-16; cf. 1.18,19).

Em primeiro lugar, diz que o surgimento destes falsos mestres não deveria trazer qualquer surpresa — o

Espírito os preveniu claramente sobre estes; em segundo lugar, indica que a verdadeira fonte do ensino destes hereges é demoníaca; e em terceiro, especifica particularmente seus erros explicando as razões pelas quais estão errados (Fee, 1988, 97).

Este parágrafo é unido ao hino que o precede por meio da conjunção adversativa moderada *de*, em grego ("mas", em português). Embora a NVI não a traduza, a idéia transmitida é: "Mas o Espírito expressamente diz que, nos últimos tempos, apostatarão alguns da fé [isto é, da verdade]". O Espírito Santo, por meio do dom da profecia, indicou o aparecimento de tal apostasia antes que esta acontecesse. Paulo vê os "últimos tempos" como a situação presente em Éfeso. A Igreja reconheceu a vinda do Espírito Santo como o início do final dos tempos (At 2.16,17).

> O próprio Paulo creu, e fez parte de uma tradição que acreditava que o final dos tempos seria acompanhado por um período de intensa maldade (cf. 2 Ts 2.3-12), inclusive pela "apostasia" de alguns dentre o povo de Deus (veja 2 Tm 3.1; cf. Mt 24.12; Jd 17,18; 2 Pe 3.3-7). Deste modo, a cena presente era, para Paulo, a clara evidência de estar vivendo no final dos tempos (Fee, 1988, 98).

Paulo rotula tal erro como demoníaco, e a atividade de seus oponentes como inspiradas por Satanás (Dibelius e Conzelmann, 1972, 64).

A frase "... dando ouvidos a espíritos enganadores e a doutrinas de demônios, pela hipocrisia de homens que falam mentiras" (v. 2) mostra que tais ensinos vêm de pessoas que são exteriormente falsas (cuja abstinência [v. 3] é um engano) e que estão declarando fatos que não são verdadeiros. Têm "cauterizada a sua própria consciência". O verbo nesta oração pode indicar que esta cauterização destruiu a capacidade de discernirem a verdade da falsidade, ou ainda que haviam sido marcados como alguém que pertence ao próprio Satanás.

3.1.2.2. O Asceticismo Estrito É Condenado (4.3-5).

Dois destes falsos ensinos estão agora listados: a proibição do casamento e a abstinência de certos alimentos. Ainda que estas proibições possam estar relacionadas à idéia de que os falsos mestres queriam "ser doutores da lei" (1.7), como será que se relacionam com a alegação de que os falsos ensinos eram "fábulas ou genealogias intermináveis" (1.4), além de pensar que a ressurreição já havia acontecido? (2 Tm 218)

> Estas pessoas podem ter sido aquelas que insistiram que a nova era já havia sido introduzida por Cristo e que falharam em distinguir o tempo da consolação presente iniciado pela ressurreição de Jesus e da consumação a ser inaugurada pela ressurreição [futura] (Rienecker, 1980, 625).

Em Corinto, este tipo de visão sobre os últimos tempos estava aparentemente ligado ao dualismo helenístico, que acreditava que a matéria era corrupta ou má, e que somente o espírito era bom. Da mesma maneira que alguns coríntios negavam uma futura ressurreição corporal (1 Co 15.12,35), e ao menos alguns tiveram uma visão atenuada sobre o sexo (7.1-7) e sobre o casamento (7.25-38), é completamente provável que algo semelhante estivesse sendo imposto como uma "Lei" em Éfeso. Conseqüentemente, alguns estavam pregando que o caminho para a pureza era demarcado pela abstinência do casamento (ser como os anjos após a ressurreição [provavelmente se baseassem em Mateus 22.30]) e de "certos alimentos" (Fee, 1988, 99).

Estas tendências são características do gnosticismo.

Paulo não dá uma longa resposta sobre a questão do casamento, mas desafia seus tabus a respeito dos alimentos. Embora aborde tipicamente a questão de comer ou não certos alimentos com alguma ambivalência — cada um é livre para fazê-lo de acordo com o próprio entendimento (cf. Rm 14.1-23; 1 Co 10.23-33; Cl 2.16,21). "Paulo combate aqueles que passam do que deveria ser um mero 'julgamento' para a exigência de abstinência por razões religiosas ou teológicas, como em Colossenses 2" (Fee, 1988, 100).

A razão de Paulo recusar a abstinência de certos alimentos é dupla: "tudo que Deus criou é bom, e recebido com ações de graças; nada é recusável, porque pela palavra de Deus e pela oração é santificado". O primeiro argumento ataca diretamente a noção de dualismo, dizendo que tudo que Deus criou é bom (Gn 1) e não deveria ser rejeitado (por motivos de impureza de caráter ritual [Rm 14.14]). O segundo argumento é a evidência de que os primeiros cristãos (como os judeus) ofereciam ação de graças por seus alimentos; tais orações santificavam a comida tornando-a apropriada para ser consumida.

3.2. Aprendendo a Liderar (4.6-16)

3.2.1. Princípios de Liderança (4.6-9).

Neste ponto, Paulo se dirige pessoalmente a Timóteo. O tom desta seção é quase completamente construtivo — não existe nenhuma denúncia ou refutação aqui. Antes, o apóstolo encoraja seu jovem amigo a superar como um líder uma situação difícil, resistindo ao erro e vivendo como um modelo. Seu conselho para Timóteo cabe a qualquer ministro do Evangelho chamado para servir em situações semelhantes.

Timóteo deveria propor "estas coisas aos irmãos". O verbo "propor" não denota nenhuma sugestão de autoritarismo. A idéia é suave, não tem um caráter de "ordenar" nem de "instruir", mas de "sugerir". A palavra grega traduzida como "irmãos" (ou "irmandade" em traduções mais antigas) mantém o sentido inclusivo de "irmãos e irmãs". A igreja é uma família na qual somos todos irmãos. A meta é que Timóteo seja um "bom ministro de Jesus Cristo". A palavra para "ministro" aqui é novamente *diakonos* (veja comentários sobre 3.8). Timóteo deve ser um servo para os seus irmãos, não um senhor sobre seus liderados. Sua vida como ministro deve evidenciar sua educação, pois foi "criado com as palavras da fé e da boa doutrina" que estava seguindo. Deve nutrir-se e sustentar-se no Evangelho, vivendo na sã doutrina. "A metáfora da alimentação com a idéia da leitura e digestão interior e o particípio presente sugerem um processo contínuo" (Rienecker, 1980, 626).

Em um nítido contraste com as "palavras [verdades] da fé" e da "boa doutrina" estão as "fábulas profanas e de velhas" (v. 7; cf. 1.4). Estas fábulas devem ser fortemente recusadas e rejeitadas; convêm apenas a mulheres idosas e supersticiosas. Estas três últimas palavras em inglês e em português traduzem uma palavra em grego, um epíteto sarcástico usado pelos filósofos implicando absoluta ingenuidade. As mulheres em Éfeso não só criam nestes mitos, mas também os ensinavam. Deste modo, Timóteo foi obrigado a silenciar tais mestres e corrigir seus erros (veja comentários sobre 2.11-15).

Nos versos 7b e 8, Paulo exorta Timóteo dizendo vigorosamente: "exercita-te a ti mesmo em piedade".

A comparação entre a vida cristã e o exercício atlético ou o esporte é, sem dúvida, um dos meios favoritos de Paulo transmitir sua mensagem (veja especialmente 1 Co 9.24-27). Há uma forma de autodisciplina genuinamente cristã que Timóteo deveria praticar. Consiste geralmente no autocontrole, na devoção contínua à tradição do Evangelho, e talvez, acima de tudo (como 4.10 sugere), em aceitar alegremente a cruz do sofrimento que todos os cristãos devem esperar (Kelly, 1963, 99).

Como Paulo reflete em tal treinamento, cita o que soa como um provérbio comum: "Porque o exercício corporal para pouco aproveita, mas a piedade para tudo é proveitosa".

Paulo reconhece que o "exercício corporal" (*gymnasia*) "para pouco aproveita"; este tem um certo valor, porém está estritamente limitado a esta era. No entanto, expressa-se deste modo somente para introduzir sua verdadeira preocupação. *Eusebeia* (piedade) é onde se encontra o verdadeiro valor. Realmente, "a piedade para tudo é proveitosa" (ou melhor, "é proveitosa em todos os aspectos"), porque tem "a promessa da vida presente e da que há de vir". Aqui está uma clara referência à compreensão que Paulo tem da existência cristã como basicamente escatológica. A "vida", que significa a "vida eterna" (veja 1.16), já começou. A "vida" do futuro é, portanto, uma "realidade presente e uma esperança da vida futura" (Fee, 1988, 104).

A frase no versículo 9: "Esta palavra é fiel e digna de toda a aceitação" aparece pela terceira vez, dentre as cinco vezes que é utilizada nas Cartas Pastorais (veja os comentários sobre 1.15). É debatido se esta declaração se refere ao verso 10a ou 10b, ou ainda ao verso 8, ou talvez somente ao 8b. Uma vez que a frase "a piedade para tudo é proveitosa" tem o teor de uma declaração, sendo, de fato, o que o apóstolo continua a elaborar aqui, o elemento do verso 8 parece ser o que ele está endossando como a "palavra fiel".

3.2.2. Modelos de Liderança (4.10-12).

O comentário parentético no versículo 10 ("porque para isto trabalhamos e lutamos") se refere ao versículo 8b, a meta do "treinamento" cristão — a piedade e suas recompensas. Paulo continua a metáfora atlética iniciada no verso 7 com o verbo "exercitar" e usa outro verbo ("trabalhar") associado ao ministério de ensino dos presbíteros (*kopiao*, traduzido como "trabalho" em 5.17). A razão pela qual Paulo e Timóteo fazem parte deste contexto é "porque" (uma tradução melhor do que "aquela") colocaram sua esperança "no Deus vivo", que nos oferece ajuda tanto nesta vida como na que há de vir. Ele é a esperança viva, pois "é o Salvador [veja comentários sobre 2.4-6] de todos os homens, principalmente dos fiéis". O apóstolo está ciente de que a Igreja representa somente uma parte da humanidade, embora a salvação esteja disponível a todos.

No versículo 11, Paulo reitera instruções repetidas ao longo das Pastorais, que Timóteo deve ordenar e ensinar (veja 5.7; 6.2b; 2 Tm 2.2,14; Tt 2.15). Ele usou o primeiro verbo em 1.3,5,18; que pode também ser traduzido como "ordem" ou "instrução". Aquilo que Timóteo deve "ensinar" pode se referir a 4.8-10, ou talvez aos textos que se encontram a partir de 2.1 em diante (cf. 4.6).

O apóstolo então continua a encorajar o jovem pastor: "Ninguém despreze a tua mocidade". Esta exortação pode expor um motivo oculto pelo qual Paulo esteja escrevendo esta carta. Esta declaração pode ser vista de dois modos. Tem como objetivo encorajar um obreiro mais jovem a confiar no Senhor (que deveria ter provavelmente entre trinta e quarenta anos de idade), pois era provavelmente um homem tímido. Mas também deveria ser entendida pela congregação como um endosso apostólico. Fee (1988, 107) declara de modo sucinto: "Não devem tratá-lo com desprezo por ser jovem, mas devem imitá-lo tendo-o na mais alta consideração... como um exemplo para os crentes". O papel dos líderes cristãos como modelos é penetrante ao longo dos escritos de Paulo (1 Co 4.6; 11.1; Fp 3.17; 1 Ts 1.6; 2 Ts 3.7,9; cf. 2 Tm 1.13).

Paulo menciona as áreas em que Timóteo deve ser exemplar:
1) "na palavra", se refere à conversação diária; Timóteo não deveria ser contencioso (cf. 3.8; 4.5,6);
2) "no trato" ou no estilo de vida, refere-se ao comportamento ou conduta, que deveriam ser marcados por decoro e graça;
3) "na caridade" ou no amor;
4) "na fé" (ou na fidelidade); e
5) "na pureza", ou seja, na inocência, na castidade e na integridade — fala de três qualidades interiores que influenciam o comportamento exterior.

3.2.3. A Natureza Prática da Liderança (4.13-16).

Da vida pessoal de Timóteo, Paulo se volta para o seu ministério público. Na ausência do apóstolo, seu jovem assistente deverá se dedicar continuamente à leitura pública das Escrituras, a exortar e a ensinar (v. 13). A primeira tarefa provavelmente se refira a selecionar e preparar as passagens do Antigo Testamento para serem lidas; a segunda, à exposição e aplicação das Escrituras; e a terceira, ao ensino da doutrina cristã. Estas são as partes da adoração pública que Timóteo deve liderar. A partir de outras passagens, sabemos que estas não eram as únicas partes do culto de adoração do Novo Testamento. Também estavam incluídos: a oração (2.1-7; cf. 1 Co 11.2-6), o louvor (1 Co 14.26; Cl 3.16; cf. 1 Tm 3.16), as expressões carismáticas (1 Co 11.2-16; 12-14; 1 Ts 5.19-22) e a Ceia do Senhor (1 Co 11.17-34).

A próxima instrução que Paulo dá é: "não desprezes o dom [*charisma*] que há em ti" (v. 14; literalmente, "não negligencie o dom que há em seu interior"); fala de um dom da graça ou dom espiritual que capacita Timóteo a desempenhar seu ministério na comunidade cristã. "O devido desempenho destas tarefas não depende da habilidade nata de Timóteo, mas de um dom divino ou espiritual que recebeu" (Barrett, 1963, 70). O Espírito Santo é quem equipou Timóteo para seu ministério de pregador/ensinador/pastor em Éfeso; ele deve aprender a confiar e a contar com esta fonte e não com seus próprios esforços; não deve deixar de usar este novo dom. É uma grande tentação procurar fazer o trabalho do Espírito por meio de força humana. Esta advertência serve para todos nós. Da mesma maneira que Paulo ora pelos colossenses (Cl 1.9-11), também devemos estar cheios do conhecimento da vontade de Deus e do poder do seu Espírito para fazermos a sua vontade.

O dom espiritual de Timóteo lhe foi dado através de uma "profecia" e acompanhado pela (o termo grego *meta* é melhor traduzido como "com" ou "por" do que como "quando") imposição das mãos dos presbíteros. A NVI deixa uma impressão anacrônica disto quando Timóteo foi ordenado (um ritual ainda não padronizado); o Espírito Santo respondeu à imposição das mãos, dando-lhe, naquele momento, o dom espiritual que precisaria para desempenhar a posição à qual estava sendo designado. A analogia mais provável para esta referência pode ser vista em Atos 13.1-3, onde o Espírito fala (v. 2), aparentemente por intermédio dos profetas (v. 1), em resposta à imposição das mãos dos profetas e mestres, que o faziam como alguma forma de consagração. Em todo caso, a evidência contida ali e em outras passagens (2 Tm 1.6,7) indica que o Espírito é o elemento crucial; a imposição das mãos, entretanto, não é insignificante; é a resposta humana à atividade anterior do Espírito (Fee, 1988, 108).

Como uma declaração resumida (vv. 15,16), Paulo começa exortando Timóteo a ser diligente nestes assuntos, entregando-se inteiramente a estes. O primeiro verbo, que algumas traduções trazem como "ser diligente", é freqüentemente um termo agrícola para "cultivar"; por meio do segundo verbo, Paulo novamente levanta a metáfora atlética dos versos 7-10 (Fee, 1988, 109). O objetivo de tal prática e devoção era que todos vissem o seu progresso ou aproveitamento. Fee sugere, baseado na evidência de 2 Timóteo 2.16 e 3.9, que o termo "progresso" pode ter sido um slogan dos falsos mestres, um apelo elitista (através de sua especulação tola) ao "avanço" às "verdades mais profundas". "Sendo assim, esta declaração teria sido uma audaciosa oposição ao tipo de 'progresso' a que os falsos mestres se referiam... Através da fidelidade de Timóteo, por ser um fiel ministro da palavra do Evangelho, o povo poderá enxergar a realidade" (ibid.).

O versículo 16 traz mais três advertências como explicação dos assuntos mencionados no versículo 15. Com a frase "tem cuidado de ti mesmo", Paulo novamente enfatiza o papel crucial de Timóteo como um modelo. Pela frase "tem cuidado... da doutrina", o apóstolo enfatiza a função que Timóteo precisa exercer como mestre. Dizendo "persevera nestas coisas", acrescenta pela última vez sua ênfase apostólica de que este é o modo como o jovem pastor salvará tanto a si mesmo como aos que lhe ouvem. Barrett (1963, 73) explica o seguinte:

> O autor não quis dizer que o próprio ministério, mesmo envolvendo muita

dedicação, fosse o verdadeiro agente da salvação. Só Deus salva; contudo, sua salvação só pode entrar em vigor através da fiel pregação e ensino, e esta é uma verdade que nenhum ministro ousa esquecer.

3.3. O Relacionamento com as outras Pessoas na Igreja (5.1-16)

3.3.1. Como Tratar os mais Velhos e os Jovens (5.1,2). Como uma transição do conselho do apóstolo a respeito do relacionamento de Timóteo com categorias específicas de pessoas na congregação, Paulo lida primeiramente com as questões relacionadas à juventude de Timóteo. Em 4.12 o apóstolo exortou: "Ninguém despreze a tua mocidade". Agora diz (v. 1), "não repreendas asperamente os anciãos, mas admoesta-os como a pais". Podemos parafrasear, "nunca sejas severo com os mais velhos". Paulo não só transmite confiança ao jovem pastor, como também exige cortesia para com o rebanho. "Na administração da casa de Deus (note o tema 'família' em cada caso) existe um modo apropriado para o líder tratar as pessoas — exatamente como faria com a sua própria família (supondo uma idéia cultural de grande deferência e respeito no lar)" (Fee, 1988, 92-112).

Semelhantemente, Paulo aconselha: "trate os jovens como irmãos; as mulheres idosas como mães, as moças como irmãs." Parece que o relacionamento com as mais jovens era uma área de especial preocupação na congregação em Éfeso (cf. 5.11; 2 Tm 3.6,7), porque o apóstolo especifica que é exigida "toda [absoluta] pureza" em relação a estas mulheres.

3.3.2. Como Tratar as Viúvas (5.3-16).
3.3.2.1. Honrar as Viúvas que Sejam verdadeiramente Viúvas (5.3). As duas próximas seções principais (sobre viúvas e presbíteros) têm como enfoque alguns dos principais problemas que Timóteo deve enfrentar na igreja. A aparente preocupação com as viúvas refere-se ao relacionamento das viúvas mais jovens com os falsos mestres. Presumivelmente estas viúvas podem ser identificadas como "mulheres néscias carregadas de pecados, levadas de várias concupiscências" (2 Tm 3.6,7). Pode-se observar a considerável ênfase e o tamanho irregular desta passagem, quando comparada a outras questões tratadas nesta carta. Portanto, o apóstolo exorta que somente a verdadeira viúva deve ter a honra de ser registrada na lista oficial de viúvas da igreja (cf. vv. 9,11), recebendo deste modo não só o reconhecimento de seu ministério, mas também o sustento financeiro.

Esta é a passagem mais antiga da história cristã relativa a uma classe ou ordem especial de viúvas que serviram à igreja, e que foram sustentadas por esta. Aprendemos que nem toda viúva poderia ser qualificada como tal em um sentido técnico; e que aquelas que o fossem teriam direitos especiais e deveres específicos. Neste período da história, o termo "viúva" era usado para designar qualquer mulher que fosse viúva e o ofício das "viúvas da congregação". Tal versatilidade no uso do termo demonstra que este ofício ainda não havia sido rigidamente padronizado (cf. comentários semelhantes no capítulo 3 em relação aos ofícios dos bispos, diáconos e presbíteros). No período sub-apostólico, porém, as viúvas eram uma parte significativa das equipes ministeriais nas congregações locais. Naquela época, de acordo com Kroeger, Evans e Storkey (1995, 447):

> As viúvas eram consideradas como pessoas que tinham oportunidades especiais para o serviço cristão. Participaram ativamente no ministério da igreja primitiva, sendo especialmente honradas diante da congregação. Uma grande igreja, como Hagia Sophia em Constantinopla, pode ter tido uma equipe de centenas de viúvas. Elas visitavam os lares, levavam comida para os famintos, cuidavam dos doentes, confortavam os que perdiam seus entes queridos, oravam por todos aqueles que expressavam os seus pedidos, ajudavam na instrução e no batismo cristão, e aconselhavam aqueles que estivessem atravessando situações difíceis. Eram

tão poderosas na oração, que a antiga literatura cristã às vezes chama as viúvas de "altares de Deus".

A primeira preocupação expressa pelo apóstolo é que as "verdadeiramente viúvas" recebam o auxílio que merecem. A frase "Honra as viúvas que verdadeiramente são viúvas" (v. 3) significa, literalmente, "Dê o reconhecimento apropriado àquelas viúvas que realmente precisam". O tipo de honra a ser concedido às viúvas e aos presbíteros é a remuneração financeira expressa no verso 17 e o respeito descrito em 6.1. Deste modo, a "honra" ou o reconhecimento a que Paulo exorta não consiste apenas na estima de seu ministério, mas também no cuidado de suas necessidades.

Um dos temas constantes tanto no Antigo como no Novo Testamento é o cuidado para com as viúvas (Dt 10.18; Jó 22.9; 24.3; 31.16; Sl 94.6; Is 1.23; 10.2; Mc 12.40; Tg 1.18 [sic; deveria ser 1.27]). Deus pronuncia uma maldição contra aqueles que retêm a justiça das viúvas (Dt 27.19), enquanto aqueles que se importam com elas têm prometida a bênção de Deus (Jr 7.5-7). 'A nenhuma viúva... afligireis', adverte Êxodo 22.22, pois Deus é o defensor das viúvas (Dt 10.17; Sl 68.5; 146.9). Malaquias 3.5 declara que aqueles que defraudam os operários em seu salário e oprimem as viúvas não temem ao Senhor Todo-poderoso. Deus ordenou repetidamente que o seu povo aliviasse a aflição das viúvas.

Existe também uma ênfase a respeito de deixar algo para as viúvas. O dízimo do produto de cada três anos era designado às viúvas, aos órfãos, aos estrangeiros e aos levitas (Dt 26.12; 27.19).

Um indivíduo que deixa uma viúva em necessidades nega a fé e é pior do que um infiel (1 Tm 5.4,8). Na Primeira Carta a Timóteo foi definido que as viúvas deveriam ser financeiramente compensadas por seus trabalhos na igreja (5.3-16); e a opinião de Paulo era que um trabalhador é merecedor de seu salário (5.18) (Kroeger, Evans e Storkey, 1995, 446-47).

No mundo ocidental moderno, embora algumas viúvas sejam financeiramente desprovidas, outras vivem confortavelmente seguras por receberem o seguro de vida ou algum benefício mensal, como por exemplo a aposentadoria de seu falecido marido. Como podemos aplicar o intento deste requisito bíblico à nossa situação moderna? Entre as mulheres que enfrentam dificuldades financeiras hoje, as divorciadas são freqüentemente as mais vulneráveis aos maus-tratos e à exploração. A Igreja de hoje é também desafiada a ajudar financeiramente as mulheres e as famílias que amam ao Senhor, que servem à igreja, e que passaram pelo divórcio, desde que estejam realmente necessitadas.

3.3.2.2. Qualificações das Viúvas (5.4-10).

A primeira desqualificação para ser considerada viúva da igreja é ter "filhos ou netos" (v. 4). Uma prioridade na "prática" da "religião" destes descendentes é prover o sustento para suas mães e avós viúvas. A responsabilidade de sustentar as viúvas é principalmente dos filhos, não da igreja. Novamente, vemos a ênfase no comportamento cristão em relação à administração da casa de Deus (tanto da comunidade como da família biológica; cf. 3.4,5,12,15). Tal "reembolso a seus pais e avós" pelo cuidado que receberam "é bom e agradável diante de Deus" (cf. o quinto mandamento, Êx 20.12).

Entretanto, qualificar-se como genuína viúva (o advérbio "verdadeiramente" é repetido nos versos 3, 5 e 16) exige mais do que a necessidade financeira. Na verdade, ela deve estar completamente só e "desamparada", isto é, sem família para sustentá-la. Mas uma genuína viúva deve também ser fiel e dedicada à oração. Deste modo, uma verdadeira viúva deve apresentar três características: solidão, necessidade e religiosidade. Ligando estes fatos ao que foi dito nos versículos 3 e 4, a verdadeira viúva é aquela que se encontra "desamparada", não tendo marido nem filhos para sustentá-la. Contudo, uma viúva genuína não se desespera; antes, "espera em Deus e persevera de noite e de dia em rogos e orações". Observe como estas descrições são semelhantes às da profetiza Ana em Lucas 2.36-38, que também era uma viúva.

Em contraste com a devoção da verdadeira viúva, está aquela "que vive em deleites" (v. 6). Ao invés de ser uma mulher confiante e de oração, a auto-indulgência faz com que a viúva se torne uma mulher que mesmo "vivendo, está morta". Este tipo de viúva está de acordo com a descrição das viúvas mais jovens nos versos 11-13. Paulo acrescenta a instrução do versículo 7 para que as "viúvas", como os bispos (3.2) e os diáconos (3.8), sejam irrepreensíveis. "Todos os membros da igreja deveriam ser irrepreensíveis, mas é particularmente importante que isto seja verdadeiro na vida daqueles que ocupam posições de liderança, e que recebem o seu sustento da igreja" (Barrett, 1963, 75).

A responsabilidade de sustentar a família (v. 4) é revista no verso 8 com uma ênfase maior. Qualquer um que desconsidere esta obrigação de zelar pelas necessidades de sua família é culpado, tendo negado a fé. Por falhar ao demonstrar amor, aquela pessoa não é "nada" (1 Co 13.2). De acordo com Tiago, a fé de tal pessoa não resultará na salvação (Tg 2.14). Ilustrando que "a fé, se não tiver as obras, é morta em si mesma" (2.17), descreve o cenário de um crente que conhece a necessidade de um irmão ou irmã e não faz nada tangível a respeito (2.15,16). O apóstolo Paulo descreve tal comportamento como de um "infiel" (1 Tm 5.8; literalmente, "alguém que não crê"). "Na verdade, esta pessoa seria 'pior do que o infiel', não porque muitos gentios e judeus cuidavam de seus pais; mas por ter aceito os privilégios do apostolado cristão, recusando-se a cumprir suas obrigações" (Barrett, 1963, 75).

Nos versículos 9 e 10, Paulo expressa várias qualificações adicionais necessárias para o ingresso das viúvas (cf. vv. 4,5). O verbo *katalego*, utilizado nesta passagem com o sentido de ser colocada na lista, é um termo técnico que "deixa absolutamente claro que existia uma ordem definida de viúvas" (Kelly, 1963, 115). Tertuliano (em *Ad uxorem* 1.7) também traduziu o termo eclesiasticamente como "aceitar como parte do clero" (Dibelius e Conzelmann, 1972, 75). Os requisitos da lista para as verdadeiras viúvas parecem bem desenvolvidos para o período primitivo. É provável que o apóstolo tenha seguido o modelo judaico e talvez o dos apóstolos de Jerusalém (cf. At 6.1).

1) Uma verdadeira viúva deveria ter sessenta anos de idade. Esta era uma idade avançada na antiguidade. Considerava-se que uma pessoa atingia uma "idade avançada" quando cessavam as paixões sexuais e um novo casamento estava fora de questão. Tal requisito da idade reduziria muito o número de viúvas no ministério da igreja que poderiam se desviar para um tipo de comportamento que comprometeria sua função no ofício ministerial.

2) A exigência da viúva ter sido "mulher de um só marido" (NVI, "fiel a seu marido") corresponde aos pré-requisitos para os cargos de liderança como bispos (3.2), diáconos (3.12) e presbíteros (Tt 1.6; veja os comentários sobre 1 Tm 3.2,12). Esta expressão era freqüentemente usada para elogiar as mulheres que haviam se casado somente uma vez, mas foi também usada para aqueles que haviam sido fiéis a seus cônjuges no casamento. Embora existam evidências pagãs que mostrem que as mulheres que haviam sido casadas mais de uma vez estavam desqualificadas para o serviço da igreja, o patriarca da igreja chamado Teodoro Mopsuestia considerou que esta qualificação se referia à "fidelidade ao seu marido, não importando se esta teve somente um, ou se foi casada uma segunda vez" (Dibelius e Conzelmann, 1972, 65).

3) Uma viúva deve ter uma boa reputação, que corresponda às qualificações necessárias aos bispos (3.2,7), diáconos (3.10) e presbíteros (Tt 1.6; veja comentários sobre 1 Tm 3.2,7,10). A lista de condições para o ingresso de uma viúva assemelha-se a uma descrição de cargos e funções no passado. "Os membros da ordem das viúvas tinham deveres práticos a cumprir na comunidade; então o melhor testemunho que um novo membro poderia mostrar seria o zelo e a eficiência ao executar estas tarefas voluntariamente" (Kelly, 1963, 116). O testemunho das boas obras das viúvas é descrito em alguns itens específicos:

(a) Ela deve ter criado "filhos" — que é um ideal cultural e bíblico da mulher. "Mas é absurdo supor... que Paulo esteja excluindo as candidatas que não tiveram filhos... Um dos maiores problemas enfrentados pela igreja primitiva era cuidar dos órfãos (cf. Hermas, Mand. VII. 10; Apost. Cost. III, iii. 2; etc.); parece provável que as viúvas oficiais fossem encarregadas de cuidar destes órfãos" (Kelly, 1963, 116);

(b) Ela deve ter uma reputação de "hospitalidade", da mesma maneira que era exigido ao bispo (3.2), e a todos os outros cristãos (Rm 12.13). "As viúvas tinham uma tarefa a realizar ao lado dos bispos na recepção e cuidado dos evangelistas itinerantes, pregadores, mensageiros e cristãos em geral, que viajavam de uma parte a outra, o que era uma característica proeminente no cotidiano da igreja primitiva" (ibid., 117); (c) Ela deve ter "lavado os pés aos santos". Não está claro se esta declaração tem um sentido literal ou figurado. Existe uma falta de conhecimento dos costumes locais. De qualquer modo, este aspecto de sua reputação indica humildade e serviço; (d) Ela deve ter "socorrido os aflitos". As particularidades deste requisito também são obscuras, mas refletem um espírito generoso e servil; (e) Ela deve ter "praticado toda boa obra". Em resumo, sua boa reputação deve preceder seu ofício como uma viúva na igreja.

3.3.2.3. Sobre as Viúvas mais Jovens (5.11-15).
Paulo então cita desqualificações adicionais para o ofício das viúvas:

1) A idade é um destes fatores. As viúvas mais jovens deveriam ser desqualificadas quanto à consideração para o serviço e a remuneração das viúvas da igreja. O verbo *katastreniao* (que na NVI é traduzido com o seguinte sentido: "os desejos sensuais superam sua dedicação"; literalmente, "são contrários..."), que aparece somente aqui no Novo Testamento, esclarece a razão. "Sugere a metáfora de um boi jovem tentando escapar do jugo. As viúvas mais jovens não desejariam estar comprometidas com os deveres da igreja se lhes surgisse uma nova oportunidade de casamento" (Guthrie, 1990, 103).

Tal possibilidade (um novo casamento) traria um julgamento sobre estas jovens viúvas, já que seriam consideradas levianas contra Cristo, violando seu compromisso anteriormente assumido. Os estudiosos ofereceram três sugestões para a expressão "primeira fé":
a) O compromisso com o primeiro marido é quebrado pelo segundo casamento de uma viúva, deste modo abandonando o ideal de ser casada uma só vez (cf. v. 9);
b) O novo casamento de uma viúva na igreja é equivalente a abandonar a Cristo, ou o mesmo que seguir Satanás (v. 15);
c) O novo casamento é a quebra da garantia de uma viuvez perpétua, de um voto de celibato ao unir-se ao grupo de viúvas. "Está implícito que uma mulher que se apresenta voluntariamente para servir como viúva na igreja, compromete-se com Cristo a não se casar, e sim a se empenhar completamente nos trabalhos da igreja" (cf. 1 Co 7.34) (Barrett, 1963, 76). "O voto de celibato era considerado como um tipo de casamento com Cristo. Muitos anos mais tarde, a mulher que entrava em uma ordem religiosa era chamada de 'esposa de Cristo'" (Hanson, 1982, 60).

2) "A segunda razão para não contar as viúvas mais jovens juntamente com as verdadeiras viúvas, é que em seu presente não estão fazendo o que deveriam (oração v. 5 e boas obras vv. 9,10), e sim o que não deveriam fazer" (Fee, 1988, 122). Ao invés de se ocuparem com o cuidado do marido e dos filhos em sua própria casa, "aprendem também a andar ociosas de casa em casa" (v. 13). "Alguns imaginam se o problema aqui é simplesmente desperdiçar seu próprio tempo, e também o dos outros; ou se talvez isso envolva a ruptura de várias comunidades de adoração" (ibid.).

Dentre os tipos de serviço exigidos das viúvas da igreja está o ministério de visitar os lares. O apóstolo teme que as viúvas mais jovens sofram grandes tentações ao fazer este trabalho, transformando os momentos de testemunho e aconselhamento particular em ocasiões para conversas que não trazem edificação. Ao invés das atividades construtivas que podem ser desempenhadas durante a visitação, o que é esperado das viúvas mais velhas, as mais jovens poderiam se envolver em uma ociosidade destrutiva e em conversas vãs. Os pecados da língua mencionados aqui correspondem aos dos falsos mestres (veja 1.6,7; 4.7; 6.3,4; 6.20). Note também a relação desta seção com o requisito de que os diáconos não fossem de língua dobre (3.8) e que as diaconisas não fossem caluniadoras (3.11; veja os comentários sobre 3.8,11).

> Paulo está desenhando um retrato vívido do dano que a tagarelice causa. O apóstolo pensa que as mulheres jovens demais para estar nos trabalhos sociais seriam especialmente propensas a este tipo de conversação — ainda que a experiência da igreja tenha mostrado que nem as mulheres mais velhas nem os oficiais da igreja estão necessariamente isentos da mesma tentação (Kelly, 1963,118).

Em lugar da ociosidade e das conversações vãs, o apóstolo incentiva as viúvas mais jovens a praticarem três atividades e espera um resultado positivo (vv. 14,15). Devem se casar, ter filhos e administrar o lar. Deste modo não darão ao inimigo nenhuma oportunidade para calúnia. De acordo com o pensamento de Paulo (cf. 1 Co 7.25-40), embora um segundo casamento não seja o ideal, é o caminho sensato para as mulheres que estão sozinhas, em pleno vigor da juventude, principalmente diante de um histórico (em Éfeso) de incontinência. Kelly (1963, 77) sugere que "a esposa e mãe tem um ministério tão honrado e frutífero quanto o daqueles que recebem uma pensão por servirem à igreja".

Fee explica que o conselho do apóstolo para que as viúvas mais jovens se casem novamente não contradiz os versos 11 e 12, que parecem criticar o novo matrimônio e desqualificá-las com base em sua tendência ao novo casamento. "Nos versos 11-13, Paulo estava enumerando as razões pelas quais não deveriam ser contadas em meio às verdadeiras viúvas — basicamente por não estarem de acordo com as qualificações expressas nos versos 9 e 10. Agora aconselha as viúvas jovens quanto ao que devem fazer, já que são rejeitadas como verdadeiras viúvas" (Fee, 1988, 92-123).

A declaração enfática de que "já algumas se desviaram, indo após Satanás" (v. 15) demonstra que os versos 11-13 não são meras preocupações hipotéticas do apóstolo; antes, trata-se de um problema crítico presente, que necessita uma solução urgente. O verbo "se desviaram" é reincidente tanto em relação aos falsos mestres como àqueles a quem estes influenciaram.

3.3.2.4. O Encorajamento ao Apoio Individual às Viúvas (5.16). O que era declarado genericamente (independente do gênero) no verso 8 ("se alguém não tem cuidado dos seus e principalmente dos da sua família, negou a fé e é pior do que o infiel"; cf. v. 4) é agora especificado para a mulher cristã. "Se alguma crente tem viúvas, socorra-as [a expressão 'em sua família', que aparece em algumas traduções, não faz parte do texto grego]".[8] Não sabemos por que este mandamento foi dirigido especificamente às mulheres crentes; não conhecemos tais fundamentos. Talvez Paulo conhecesse mulheres ricas em Éfeso, semelhantes a Lídia em Filipos (At 16.14,15) ou Cloe em Corinto (1 Co 1.11), que provavelmente já tivessem trazido outras mulheres para cooperar na administração de suas casas. O apóstolo continua encorajando-as ao cuidado destas pessoas, para que a igreja não fosse sobrecarregada. Tal atitude deixaria os recursos da igreja disponíveis para o cuidado de outros.

> A razão pela qual Paulo provavelmente não impunha a mesma obrigação a um homem cristão de posição semelhante, deveria ser óbvia. Se tal homem fosse solteiro ou viúvo, seria inadequado que assumisse a responsabilidade por um grupo de viúvas; e, se fosse casado, a responsabilidade em todos os seus aspectos práticos seria naturalmente de sua esposa (Kelly, 1963, 121).

3.4. Trabalhando com Líderes na Igreja (5.17-25)

3.4.1. Os Presbíteros Trabalhadores São Dignos de dupla Honra (5.17,18). Fee sugere que a palavra "presbíteros" no versículo 17 provavelmente inclua "todos os que dirigem os assuntos da igreja", isto é, os bispos de 3.1-7 (cf. At 20.17,28; Tt 1.5-7) e os diáconos de 1 Timóteo 3.8-13. "A escolha da terminologia (veja também At 14.23; 15.4) reflete indubitavelmente a herança judaica da igreja; os presbíteros já eram parte integrante da estrutura das sinagogas" (Fee, 1988, 128).

O primeiro aspecto do ministério dos presbíteros é administrar ou dirigir "os assuntos da igreja". Paulo usou o verbo *proïstemi* em 3.4,12 referindo-se a administrar e cuidar da própria família. O verbo significa literalmente "ocupar a primeira posição, administrar, governar, exercer a superintendência". A forma do substantivo no particípio deriva deste verbo, que é o título descritivo de uma pessoa nesta posição; é o termo mais antigo usado pelo apóstolo para os líderes da igreja (veja Rm 12.8; 1 Ts 5.12; cf. uma palavra relacionada, usada para o ministério louvável de Febe em Romanos 16.2). Desde a época de Justino, o Mártir (150 d.C., conforme a obra *First Apology* 1.67), um substantivo no singular denota o líder de uma congregação. O elogio é em virtude daqueles presbíteros que cumpriram bem tal ministério.

O segundo aspecto do serviço de um presbítero é o trabalho de pregar e ensinar. O verbo usado aqui (*kopiao*) é um dos favoritos de Paulo para referir-se àqueles que trabalham em prol do Evangelho; usa-o quando fala a respeito de seu próprio ministério e do de Timóteo (4.10), como também do ministério de outros (por exemplo, 1 Co 15.10; 16.16; 1 Ts 5.12; cf. também Rm 16). Este verbo tem o sentido de trabalhar até ficar exausto. O fato deste verbo ter sido usado com referência ao aspecto do trabalho que o presbítero desempenha em relação ao ensino, e não à administração, é uma clara indicação dos valores apostólicos. Paulo está recomendando aos ministros que dediquem-se mais sabiamente, para que sejam mais eficientes no ministério. Ele não diz: "Dedique-se o máximo possível à administração, e então tente pregar bem". Antes, é como se estivesse dizendo: "Administre bem, mas realmente trabalhe, acima de tudo, no ministério da Palavra".

A "duplicada honra" é devida aos presbíteros que lideram bem e trabalham arduamente no ministério da Palavra. Baseando-nos no verso seguinte, sabemos que a "honra" inclui, no mínimo, a remuneração financeira. A ênfase do apóstolo, porém, provavelmente não signifique que os presbíteros que pregam devam receber o dobro do salário daqueles que não o fazem, ou que mereçam duas vezes mais que as viúvas. No entanto, assim como no ministério das viúvas, estes presbíteros merecem honra em dobro: respeito e remuneração. Paulo reitera um tema que enfatizou em outras passagens: aqueles que ministram a Palavra a uma congregação deveriam ser sustentados por ela (1 Co 9.7-14; cf. 2 Co 11.8,9; 1 Ts 2.7).

No versículo 18, em um bom estilo rabínico, o apóstolo cita Moisés como um apoio bíblico primário (Dt 25.4) e Jesus como a máxima autoridade em sabedoria (Lc 10.7;[9] cf. Mt 10.10), para a prática que acabou de elogiar a congregação que estava em Éfeso.

Paulo não apresentou uma descrição detalhada do trabalho dos presbíteros; este não era seu objetivo. Sua preocupação era recompensar aqueles que trabalharam bem; mas como nem todos os presbíteros em Éfeso o estavam fazendo, o apóstolo agora volta a tratar deste problema.

3.4.2. Como Lidar com as Queixas contra os Presbíteros (5.19-21).

Uma vez que ninguém é exposto a tantas reclamações e calúnias como o ministro que serve fielmente, os presbíteros merecem mais do que somente a proteção financeira. Merecem a confiança da congregação a menos que as reclamações sejam substanciadas por várias testemunhas. Em outras palavras, os ministros devem ser considerados inocentes até que seja provado o contrário, como ocorre com todas as pessoas (2 Co 13.1; cf. Dt 19.15; Jo 8.17; Hb 10.28). Calvino disse que tal prática "é um remédio necessário contra a malícia dos homens; ninguém está mais sujeito a calúnias e difamações do que os mestres piedosos" (citado em Barrett, 1963, 80).

No entanto, se as reclamações podem ser substanciadas, os pecados do presbítero não devem ser ocultados e sim expostos publicamente (v. 20). Este exemplo público não será apenas uma forte advertência aos demais presbíteros, mas também a toda a congregação.

> A solicitação do apóstolo se mostra forte no verso 21 quando exorta Timóteo a observar estas regras sem prejulgar o assunto, não fazendo nada por favoritismo... Ele invoca a Deus e a Cristo Jesus porque o juízo final está nas mãos do Senhor; Timóteo deve exercitar suas funções judiciais como seu representante, e também como alguém que será julgado por Cristo (Kelly, 1963, 127).

Note que o papel dos anjos no juízo final pode ser visto em Mateus 25.31; Marcos 8.38; Lucas 9.26; Apocalipse 14.10.

3.4.3. A Proibição das Ordenações Precipitadas (5.22-25).

A responsabilidade por uma eventual conduta imprópria dos presbíteros é compartilhada por aqueles que os ordenam. Portanto, Timóteo deve usar um critério cuidadoso antes de designar os oficiais da igreja. Os líderes cristãos que são chamados para julgar e punir os demais, devem viver acima de qualquer repreensão.

O conselho no versículo 23 parece estar fora de ocasião, interrompendo a conexão entre os versos 22 e 24. Alguns têm conjeturado que se trate de uma declaração colocada em um local errado ou um comentário erroneamente incluído no texto, embora não exista nenhum manuscrito que apóie uma ou outra hipótese. É provável que os comentários de Paulo se refiram à pureza pessoal, para que Timóteo não participasse "dos pecados alheios" (v. 22); pode ter vindo à memória do apóstolo o assunto da abstinência total promovida pelos falsos mestres (4.3) e agora praticada pelo jovem pastor.

O fato da proibição estar no tempo presente no versículo 23 (literalmente, "não continue bebendo") não proíbe o início de uma prática; exige a interrupção de uma prática em andamento. Paulo está aconselhando Timóteo a "não [continuar bebendo] somente água" (NVI). Todos os outros usos deste verbo na antigüidade se referiram a beber *apenas* água, isto é, abster-se do vinho. Provavelmente Timóteo tenha sido envolvido pela visão dos falsos mestres quanto à pureza, o que lhe estava causando problemas de saúde. O vinho era conhecido como um remédio contra a má digestão (dispepsia), como um tônico, e também um medicamento contra os efeitos da água impura. O comentário do apóstolo reflete o uso do vinho com propósitos medicinais, amplamente difundido na antigüidade.

O que se pode dizer sobre o assunto da abstinência total de álcool em nosso mundo moderno? Entre muitos pentecostais em nossos dias, a abstinência é uma questão significativa, relacionada à santidade. Contudo, a prática de beber vinho durante as refeições, sem embriagar-se, é um hábito culturalmente aceito entre muitos pentecostais em certos países. A completa abstinência é recomendável. Uma pessoa que se abstém completamente do álcool não se embriagará nem se tornará alcoólatra. Também não faria com que um ex-alcoólatra recaísse no pecado. É melhor prevenir do que remediar!

A tolerância em amor para com aqueles que têm opiniões diferentes, em assuntos discutíveis, é também virtuosa — especialmente levando-se em conta a alegação de alguns, de que as Escrituras, tanto do Antigo como do Novo Testamento, toleram o ato de consumir o vinho com moderação em certas ocasiões. Não há dúvida de que o apóstolo Paulo estava encorajando Timóteo a abandonar sua abstinência e começar a usar um pouco de vinho. As pessoas que crêem no Evangelho, não importando sua visão a respeito deste assunto, fariam bem se assumissem a postura dos reformadores: "Unidade naquilo que é essencial, liberdade naquilo que não é essencial, e amor em todas as coisas".

Nos versos 24 e 25, o apóstolo retorna à questão da avaliação do caráter dos candidatos ao presbitério.

Existem pessoas, ele assinala, cujos pecados são imediatamente óbvios, estando diante deles para julgamento — um outro modo de dizer que até o pastor mais inexperiente e sem discernimento não tem desculpa por não tê-los notado... Existem outros, porém, cujos pecados vêm como rastro atrás de cada um deles; isto é, só serão trazidos à luz quando comparecerem na presença do Juiz que tudo vê. A existência de tais pessoas sublinha a necessidade de se ter um extremo cuidado ao selecionar os ministros (Kelly, 1963, 129).

Paulo não deseja finalizar com uma nota negativa; conseqüentemente declara o provérbio do verso 24 de modo afirmativo: "Assim mesmo também as boas obras são manifestas, e as que são doutra maneira não podem ocultar-se" (v. 25). A mensagem para Timóteo é não rejeitar os candidatos que, a princípio, não parecem possuir as qualidades exigidas, porque as boas obras não podem ser ocultadas e certamente virão a público. Em outras palavras, as pessoas verdadeiramente merecedoras, com certeza aparecerão. Conforme um conhecido provérbio popular: "A nata sempre sobe!"

3.5. Exortando os Servos ou Escravos Crentes (6.1,2a)

Os escravos são a categoria demográfica final a que Paulo se dirige nesta carta. O fato de a igreja primitiva ter sido formada por muitos escravos e donos de escravos, pode ser uma surpresa para o leitor moderno, mas é importante lembrar três fatos relativos ao contexto histórico e teológico:
1) A instituição da escravidão estava profundamente enraizada na cultura greco-romana. E ainda que as pessoas estivessem nesse estado — e na estrutura social tais pessoas pertenciam à classe mais pobre —, era consideravelmente diferente do que foi praticado na história americana. Fee explica que a escravidão raramente era motivada pelo fator racial e, embora a alforria fosse uma prática comum, em muitos casos os escravos prefeririam a escravidão em lugar da liberdade em virtude da segurança e da boa posição que às vezes desfrutavam;
2) Já que os cristãos estavam esperando o retorno iminente de Cristo, a igreja investiu todas as suas energias na evangelização e não na reforma social;
3) Já que a verdadeira liberdade e a servidão dos crentes são baseadas em seu relacionamento com Cristo, sua posição social neste mundo não era considerada tão importante quanto sua relação com Cristo (Kelly, 1963, 130).

Apesar da aparente tolerância do Novo Testamento em relação à escravidão na cultura, e a consciência de sua presença na igreja, este não é o final da história. Apesar de Paulo se dirigir tanto aos escravos cristãos como aos senhores cristãos (cf. Ef 6.5-9; Cl 3.22—4.1), e também aos escravos cristãos que eram possuídos por senhores cruéis e irracionais (Tt 2.9,10; 1 Pe 2.18-20), a atitude cristã em relação à escravidão é melhor resumida por Paulo em sua Carta a Filemom. Discutindo a alforria, o apóstolo afirma que Onésimo não deve ser considerado "como servo; antes, mais do que servo, como irmão amado" (Fm 16). A igreja primitiva de fato praticava aquilo que pregava. Aquele escravo, Onésimo, foi libertado e tudo indica que tornou-se o bispo de Éfeso, e por volta do ano 220 d.C. Calisto, um antigo escravo, ascendeu ao bispado de Roma. Talvez estes versos (1 Tm 6.1,2a) sejam outra evidência de escravos ministrando como líderes na igreja.

3.5.1. Honrar os Mestres por Amor a Cristo (6.1). Barrett sugere que as primeiras palavras gregas no verso — literalmente, "Todos os servos que estão debaixo do jugo..." — não se referem aos escravos em geral (embora não seria inaplicável a qualquer escravo), mas particularmente aos presbíteros que são escravos (Barrett, 1963, 82). A advertência a considerar os senhores como "dignos de toda a honra" é dado sob um motivo decisivamente missionário. Se os escravos cristãos forem rebeldes, "o nome de Deus e a doutrina [o ensino da igreja]" são blasfemados. Aqui, novamente, como foi anteriormente evidente no caso das instruções de Paulo aos bispos e diáconos, o modo como administramos nossa vida cristã é essencial para a imagem da igreja perante os estranhos (cf. 2.2; 3.7; 5.14).

3.5.2. Os Senhores Crentes Devem Ser ainda mais Honrados (6.2a). A admoestação para respeitar os senhores é a mais adequada no caso dos senhores crentes. Da mesma maneira que Paulo advertiu Filemom de que Onésimo era mais do que um escravo — era um irmão (Fm 16) — diz agora o mesmo sobre os senhores crentes. Estes são mais do que senhores; são irmãos. Os escravos cristãos não devem, portanto, negligenciar suas obrigações simplesmente pelo fato da disciplina dos senhores crentes ser menos severa, por ser temperada com amor. Antes, cada um deve servir a seu senhor de modo ainda melhor, sabendo que um crente amado será beneficiado por seu trabalho.

3.6. A Luta contra os Falsos Mestres e o Amor ao Dinheiro (6.2b-10)

3.6.1. A Ordem para que a Ortodoxia Seja Ensinada (6.2b). À medida que o apóstolo se aproxima de suas injunções finais, exorta Timóteo dizendo: "Isto ensina e exorta". Ainda que o termo "isto" possa se referir ao que precede imediatamente este verso (o conselho relativo aos escravos), provavelmente se refira àquilo que vem a seguir (as instruções relativas aos falsos mestres — a razão para esta carta e as instruções do apóstolo desde 2.1).

3.6.2. A Descrição dos Ensinadores de Heresias (6.3-5). Em uma acusação final aos falsos mestres, Paulo contrasta as coisas que Timóteo deveria ensinar com as doutrinas errôneas dos hereges. O verbo que ele usa, referindo-se ao ensino das falsas doutrinas (o mesmo que em 1.3), significa "ensinar outra doutrina", isto é, ensinar uma doutrina falsa ou herética. O ensino destes homens não está de acordo com as instruções saudáveis que vêm da parte de Deus.

A sintaxe dos versos 3-5 é uma oração condicional assumida como sendo verdadeira. Em outras palavras, embora a declaração comece com a partícula condicional "se", a gramática que Paulo usa revela que ele sabe que está expressando as verdades como realmente são. O apóstolo caracteriza o falso mestre de dois modos:

1) "É soberbo e nada sabe" (v. 4). A NEB se refere aos falsos mestres como "ignorantes pomposos". Aqueles que pensam ser sábios (sendo deste modo soberbos por sua suposta importância), mas não entendem nada, são um tema constante nos escritos de Paulo (cf. 1.7; cf. 1 Co 1.18—4.21; 8.1-3; 2 Co 10—12; Cl 2; Tt 1.15,16);

2) O falso mestre também "tem um interesse insalubre em controvérsias e disputas sobre as palavras". Ao invés de se interessarem pela sã doutrina (cf. v. 3), sentem prazer "doentio" (BAGD, 543) pela controvérsia.

Paulo então descreve dois efeitos devastadores deste falso ensino: o detrimento da comunidade de Cristo e a enfermidade espiritual dos próprios mestres. A heresia, os argumentos e as palavras de ordem produzem inveja ou ciúme, o pecado mortal que faz com que as pessoas se voltem umas contra as outras (Rm 1.29; Gl 5.21). A "inveja" freqüentemente causa explosões de questões e contendas (que também fazem parte das listas de Rm 1.29; Gl 5.20). A "discussão", por sua vez, produz "contendas de palavras" e "suspeitas ruins". Em poucas palavras, existe um atrito constante. Em nome do conhecimento e da sabedoria, estes falsos mestres produziram o erro e a destruição.

Não só a igreja sofre, mas os próprios mestres experimentam uma doença espiritual terminal. Tornaram-se homens "corruptos de entendimento" — seu pensamento tornou-se decaído a ponto de decomposição. Foram até mesmo "privados da verdade". Ao tentar ganhar dinheiro por meio do Evangelho, empobreceram em relação à verdade. A cobiça, durante todo o tempo, levou-os ao caminho do erro.

3.6.3. Tentações pelo Dinheiro Expostos (6.6-10). Em contraste imediato com as últimas palavras do versículo 5, Paulo muda as frases. Os falsos mestres pensam que "a piedade seja causa de ganho", mas o verdadeiro ganho é a piedade que não busca o lucro material. O "contentamento" (v. 6), como um termo usado pelos filósofos, significa "satisfação, auto-suficiência, independência"; mas usando-o (cf. Fp 4.11), Paulo declara aos estóicos que o verdadeiro contentamento é a suficiência em Cristo, e não a auto-suficiência (Fee, 1988, 143).

Nos versos 7 e 8, o apóstolo dá duas razões para que "a piedade seja causa de ganho" (v. 5):
1) Uma vez que o lucro material é temporário, a cobiça é irracional. As palavras de Paulo ecoam como as de Jó 1.21: "Nu saí do ventre de minha mãe e nu tornarei para lá";
2) A suficiência ultrapassada ainda é suficiência, de forma que a busca da riqueza é fútil. Uma superabundância daquilo que é "suficiente" não encontra mais necessidades do que o suficiente. É virtuoso estar contente, isto é, satisfeito com o suficiente.

No verso 9, Paulo retorna à avareza dos falsos mestres e de todos os que "querem ser ricos". Fee (1988, 144-45) descreve as conseqüências da cobiça como uma espiral descendente. O ganancioso "cai em tentação". Como qualquer um que já pescou conhece, a atração (isto é, a isca, a tentação) leva a "uma armadilha". A armadilha é o desejo tolo e prejudicial que nos mergulha na ruína e na destruição. A linguagem original é vívida aqui: estes desejos são como um monstro que arrasta suas vítimas até o fundo, submergindo-as, e afogando-as. As palavras "ruína" e "destruição" sugerem uma perda irreparável (Guthrie, 1990, 113).

O apóstolo conclui o assunto (v. 10) citando um provérbio grego e um testemunho pessoal: "... o amor do dinheiro é a raiz de toda espécie de males". Fee (1988, 145) esclarece: "Este texto não diz, como é citado erroneamente, que o dinheiro é a raiz de todos os males, nem pretende dizer que todo o mal conhecido tem a avareza como raiz... A cobiça é uma armadilha cheia de muitos desejos nocivos que levam a todos os tipos de pecado". A triste realidade é que algumas pessoas — no contexto de Paulo, os presbíteros desviados da congregação dos efésios — em virtude da ganância, "se desviaram da fé e se traspassaram a si mesmos com muitas dores".

4. Conclusão: Instruções Finais e Bênção (6.11-21)

Em suas instruções finais para Timóteo, o apóstolo dá quatro ordens a seu jovem amigo pastor, uma instrução solene e um hino de louvor.

4.1. Manter a Fé (6.11,12a)

4.1.1. Fugir do Materialismo (6.11). Paulo transmite a Timóteo plena confiança ao identificá-lo como um "homem de Deus", um termo do Antigo Testamento usado para designar um servo ou agente de Deus. O apóstolo o previne a fugir "destas coisas" (isto é, das doutrinas e práticas dos falsos mestres) e a seguir uma vida virtuosa. O termo "justiça" significa uma conduta correta; "piedade" expressa um relacionamento correto com Deus e com os outros; "fé", aderência à verdade; "amor", caridade para com todos; "paciência", persistência tenaz em meio a situações difíceis; e "mansidão", um espírito meigo, terno.

4.1.2. Lutar pela Fé (6.12a). Paulo, então, volta-se ao conceito de lutar e manter-se firme. Alguns entendem que a expressão "Milita a boa milícia da fé" é uma metáfora realmente atlética (e não militar), encorajando-o a (literalmente) "continuar lutando na competição da fé".

4.2. Manter a Obediência (6.12b-15a)

O conceito de "tomar posse da vida eterna" dá continuidade à metáfora atlética. O jovem que está pelejando deve enfocar o prêmio e prosseguir na competição até a sua conclusão triunfante, quando receberá a recompensa da competição para a qual foi chamado. Paulo lembra Timóteo de sua confissão de fé, provavelmente feita por ocasião de seu batismo, diante de muitas testemunhas. Levando em conta o passado, o presente e o futuro, o apóstolo encoraja-o à obediência.

A instrução solene de Paulo a Timóteo, dada na presença de Deus (que pode preservar a vida) e na presença de Jesus Cristo (que fez a maior de todas as confissões), é que guarde este mandamento [isto é, que persevere na fé e no ministério] "sem mácula e repreensão". Sua perseverança consiste em continuar "até a aparição de nosso Senhor Jesus Cristo". A segunda vinda é descrita como certa (será proporcionada por Deus), e acontecerá de acordo com a soberania de Deus ("a seu tempo").

4.3. Glorificado Seja Deus (6.15b, 16)

O pensamento do retorno de Cristo e da soberania de Deus leva a uma majestosa doxologia. Kelly (1963, 146) sugere que o hino de louvor a Deus, com traços do Antigo Testamento e do judaísmo, seja "uma pedra preciosa do tesouro devocional da sinagoga helenística que os convertidos naturalizaram na igreja cristã". O Senhor Deus, que fará com que o Senhor Jesus Cristo venha pela segunda vez no tempo certo, é descrito com majestoso esplendor, por meio de cinco epítetos, seguidos por um hino de louvor. Todos os significados léxicos imagináveis estão incorporados para enfatizar a singularidade e a soberania de Deus:
1) Ele é o Deus bendito, o Juiz supremo, o "único poderoso Senhor". O uso do termo "único" enfatiza a soberania de Deus;
2) Ele é o "Rei dos reis e Senhor dos senhores". Esta frase em grego difere da construção usada em Apocalipse 17.14 e 19.16. "A diferença enfatiza o fato de que Deus é realmente o governador de todos os príncipes da terra" (Barrett, 1963, 87). Ele é o Rei dos que reinam como reis, e Senhor daqueles que exercitam o senhorio;
3) Ele é "aquele que tem, ele só, a imortalidade". Sua existência é sem fim e não está sujeita ao poder da morte;
4) Ele "habita na luz inacessível". O esplendor de sua santidade absoluta torna sua habitação inacessível;
5) Ele é aqUele "a quem nenhum dos homens viu nem pode ver". Ele é invisível, não porque seu lugar de habitação seja obscuro, mas porque é muito brilhante para os olhos mortais.

Doxologia: A Ele "seja honra e poder sempiterno. Amém". A doxologia é a expressão da glorificação a Deus. Já que não existe nenhum verbo nesta sentença, ela pode ser lida como uma declaração (isto é, "Honra e poder pertencem a Ele para sempre"), ou como um imperativo ou exortação (isto é, "Que a honra e o poder lhe sejam tributados para sempre"). O termo "Amém" significa "de acordo" ou "assim seja"; este último é o mais provável. Esta doxologia ordena que a honra (respeito, reconhecimento, valor ou dignidade) e o domínio absoluto sejam atribuídos a Deus eternamente.

4.4. A Instrução aos Ricos (6.17-19)

O apóstolo já havia se dirigido àqueles que queriam se tornar ricos; agora termina a carta com conselhos para aqueles que já são ricos.

4.4.1. Enfocar a Deus (6.17). Paulo começa dando a Timóteo duas ordens negativas quanto "aos ricos deste mundo":
1) Não devem ser altivos, isto é, comportarem-se de modo arrogante, pensando que são superiores;
2) Não devem colocar a sua esperança nas riquezas, mas em Deus. As riquezas são incertas, porém Deus é fiel. Ele é provedor, e age de modo a prover todas as coisas ricamente, não simplesmente suprindo nossas necessidades básicas, mas nos sustentando de uma maneira que nos traz alegria e prazer.

4.4.2. Cultivar a Generosidade (6.18,19). Então Paulo prossegue nas proibições por meio de ordens de caráter positivo. "Manda aos ricos deste mundo... que façam o bem, enriqueçam em boas obras, repartam de boa mente e sejam comunicáveis". A bondade e generosidade, demonstradas ativa e passivamente, deveriam caracterizar o rico justo. Como o próprio Senhor Jesus disse, tal bondade e generosidade são investimentos na eternidade (Lc 12.33; 18.22; cf. Mt 6.19-21), pois assim os ricos entesouram "para si mesmos" e estabelecem "um bom fundamento para o futuro". Cultivando deste modo a generosidade cristã, os ricos alcançarão a vida que realmente tem valor; a vida eterna.

4.5. Guardar o Depósito (6.20,21a)

A instrução final do apóstolo para Timóteo é: "guarda o depósito que te foi confiado". Isto significa que o jovem pastor deveria guardar de modo seguro aquilo que foi confiado aos seus cuidados. Os estudiosos debateram sobre o que seria aquele depósito sagrado confiado a Timóteo — o ensino sadio do Evangelho, seu dom espiritual para o ministério, a tarefa de resistir aos falsos mestres e manter sua própria vida pura. Comparando esta passagem com 2 Timóteo 1.12 (veja o comentário) e 1.14, parece melhor entender "o depósito" como a verdade do Evangelho. Uma vez mais o apóstolo exorta Timóteo a ter "horror aos clamores vãos e profanos e às oposições da falsamente chamada ciência" (veja também 1.6; 4.7; cf. 2 Tm 2.23). Infelizmente, Paulo reitera a perda de alguns crentes que professavam a fé, por causa deste erro.

4.6. Conclusão (6.21b)

"Finalmente, de uma maneira repentina, com sua ternura intrínseca, Paulo conclui a carta com sua bênção típica: 'A graça seja convosco'" (Fee, 1988, 162). Esta é uma oração breve, porém sincera, para que a graça de Deus esteja não somente com Timóteo, mas também com aqueles que estão sob seus cuidados (observe que a palavra "convosco" é plural). A situação é crítica, a conclusão é breve, mas a ajuda divina está disponível e é suficiente para trazer bom êxito ao sucessor de Paulo.

* N. do T.: O termo logion significa uma expressão ou dito atribuídos a Cristo, não registrados nos Evangelhos, mas conservada por tradição oral.

O ANTIGO TESTAMENTO NO NOVO TESTAMENTO

NT	AT	ASSUNTO
1 Tm 5.18	Dt 25.4	Não atar a boca do boi

NOTAS

[1] Todo o livro de Richard e Catherine Clark Kroeger, *I Suffer Not a Woman*, é dedicado a esta passagem. Contém bases históricas, culturais e uma excelente compreensão gramatical — o fruto de dez anos de pesquisa léxica da palavra *authenteo* (traduzida pela NVI como "ter autoridade sobre"). Meus comentários derivam do trabalho dos Kroeger.

[2] A exceção notável, que é uma tendência de tradução, é Romanos 16.1. Já que o ministro (*diakonos*) neste texto é uma mulher, Febe, os tradutores hesitaram em reconhecer o ofício que o apóstolo Paulo lhe atribuiu. Neste texto a NVI traduz o título deste ofício como "servo", enquanto oferece uma nota de rodapé que sugere a tradução "diaconisa". Esta tradução, embora possa ser utilizada, não é exata, uma vez que a palavra "diaconisa" é anacrônica (de um outro período). Veja também os comentários sobre 1 Timóteo 3.11.

[3] Nenhum dos manuscritos antigos especifica que estas sejam qualificações para oficiais do sexo masculino. Não existe nenhuma evidência nos manuscritos para crermos que isto fosse sequer uma questão na igreja primitiva. Tal exclusividade masculina em relação aos diáconos é uma convenção das traduções inglesas, não do texto no idioma original. A palavra *diakonos* pode ser tanto masculina como feminina, dependendo do artigo grego, que neste caso não consta no texto.

[4] Acreditando que a Segunda Vinda de Cristo estivesse próxima, e desejando envolver no trabalho da colheita todos

aqueles que estivessem dispostos, o antigo fundamentalismo na América (1880-1930) deu forte apoio ao ministério feminino. Janette Hassey documenta esta defesa bem como as razões de seu declínio nos círculos fundamentalistas mais antigos, na obra, *No Time for Silence: Evangelical Women in Public Ministry Around the Turn of the Century* (1986). Outro livro documenta as vastas contribuições das mulheres como missionárias no século XIX e no início do século XX: R. Pierce, Beaver, *American Protestant Women in World Mission: a History of the First Feminist Moviment in North America* (1968; cuja primeira publicação foi intitulada *All Loves Excelling*; 1980, edição revisada).

⁵ Reconhecendo o derramamento do Espírito Santo em Atos 2 como o cumprimento de Joel 2, que diz que "os vossos filhos e as vossas filhas profetizarão", "ou pregarão", as mulheres nos círculos pentecostais foram reconhecidas como chamadas e capacitadas por Deus para o ministério, desde o avivamento que ocorreu no início do século XX. As Assembléias de Deus, por exemplo, têm uma rica história do apoio de corajosas servas do Senhor, que foram ordenadas ao ministério do evangelho. O pentecostalismo afro-americano não só tem uma fervorosa história de mulheres no ministério, mas algumas das maiores pregadoras ainda vivas fazem parte deste grupo. Embora alguns carismáticos tenham tomado uma posição reacionária contra a ordenação de mulheres, o novo pentecostalismo (por exemplo, o Movimento da Palavra e a Terceira Onda) abraçou o ministério feminino.

⁶ De fato, o Distinctive Diakonate em Londres, Inglaterra, é completamente dedicado à pesquisa e restauração do ofício dos diáconos conforme o Novo Testamento para a igreja contemporânea. Suas descobertas se tornaram um impulso para o esforço ao retorno das mulheres a este ofício. Veja também a observação sobre os diáconos na referência a Filipenses 1.1 em Kroeger, Evans e Storkey, 1995, 407.

⁷ Recentes evidências documentando a extensa participação das mulheres no ministério da igreja primitiva, como também estudos léxicos e contextuais, desafiaram as interpretações tradicionais de várias passagens do Novo Testamento e convidaram a igreja a repensar seu ensino tradicional em relação ao papel das mulheres no ministério. Por exemplo, extensos estudos do erudito australiano Greg Horsely, dos papiros que contêm antigos documentos e antigas inscrições da igreja (inclusive epitáfios de lápides) recuperaram os nomes e as evidências de cinco presbíteros mulheres, uma oficial mestra e nove diáconos mulheres da igreja primitiva. Um resumo destas fontes de informação aparece na obra "Early Evidence of Women Officers in the Church", Priscilla Papers 1/4 (Fall, 1987): 3-4.

⁸ Esta mudança para o assunto referente às mulheres foi tão surpreendente, que alguns copistas alteraram o texto (supondo que estivessem fazendo uma correção) para que este incluísse ambos os gêneros.

⁹ Deve ser notado que na única outra passagem onde Paulo cita literalmente as palavras de Jesus (1 Co 11.24,25), também cita uma versão partilhada com Lucas, em contraste com Marcos e Mateus. Isto não deveria nos surpreender, em virtude da aparente proximidade de Paulo e Lucas (Fee, 1988, 129).

II TIMÓTEO
Deborah Menken Gill

ESBOÇO

1. **Introdução** (1.1-18)
   1.1. Saudação (1.1,2)
   1.2. Ternas Lembranças (1.3-7)
   1.2.1. Recordando as Lágrimas de Timóteo, Paulo Relembra-o em Oração (1.3,4)
   1.2.2. Relembrando a Herança Religiosa de Timóteo, Paulo o Incentiva a Reavivar seu Dom (1.5-7)
   1.3. O Encorajamento Inicial (1.8-14)
   1.3.1. Participar do Sofrimento (1.8-12)
   1.3.2. Duas Ordens Adicionais (1.13,14)
   1.4. Notícias Recentes (1.15-18)
   1.4.1. Aqueles que Estavam na Ásia se Apartaram de Paulo (1.15)
   1.4.2. A Casa de Onesíforo Recreou o Apóstolo (1.16-18)

2. **Exortações Pessoais ao Sucessor de Paulo** (2.1-13)
   2.1. Fortalecer-se na Graça (2.1)
   2.2. Transmitir a Responsabilidade a Pessoas Fiéis (2.2)
   2.3. Resistir conforme estes Exemplos (2.3-6)
   2.3.1. Sofrer como Bom Soldado — Não se Embaraçar! (2.3,4)
   2.3.2. Competir como um Atleta — De acordo com as Regras! (2.5)
   2.3.3. Trabalhar arduamente como um Lavrador e Participar da Colheita (2.6)
   2.4. Refletir por um Momento (2.7)
   2.5. A Base para o Apelo (2.8-13)
   2.5.1. Lembrar-se de Jesus Cristo: O Exemplo Excelente (2.8,9)
   2.5.2. A Consideração dos Motivos de Paulo: A Salvação dos outros (2.10)
   2.5.3. Meditar sobre esta Declaração: Um Hino de Persistência (2.11-13)

3. **Exortações de Liderança ao Sucessor de Paulo** (2.14-26)
   3.1. Mantenha a Doutrina! (2.14-18, cf. v. 23)
   3.1.1. Ensiná-los a não Contender por Palavras (2.14)
   3.1.2. Treinar-se para Ser Preciso na Palavra (2.15)
   3.1.3. Evitar absolutamente as Palavras Vazias (2.16-18)
   3.2. Viva uma Vida Santa! (2.19-22)
   3.2.1. O Selo de Deus (2.19)
   3.2.2. Um Vaso de Honra (2.20,21)
   3.2.3. Um Seguidor da Justiça (2.22)
   3.3. Paulo Abre um Parêntese: Rejeitar as Questões Loucas! (2.23; cf. vv. 14-18)
   3.4. Liderar como um Servo Humilde (2.24-26)
   3.4.1. Características do Servo do Senhor (2.24)
   3.4.2. O Servo do Senhor Deve Corrigir (2.25,26)

4. **A Advertência contra a Maldade e as Heresias Escatológicas** (3.1-17)
   4.1. A Maldade do Final dos Tempos (3.1-9)
   4.1.1. Virão Dias Difíceis (3.1)
   4.1.2. As Pessoas que Devem Ser Evitadas (3.2-5)
   4.1.3. O que Fazem os Falsos Mestres (3.6,7)
   4.1.4. Dois Exemplos Infames (3.8)
   4.1.5. O Fim de tais Pessoas (3.9)
   4.2. Encorajamento apesar dos Obstáculos (3.10-17)
   4.2.1. Timóteo Tem um Histórico de Fidelidade (3.10,11)
   4.2.2. A Perseguição Deve Ser Esperada (3.12)
   4.2.3. A Degeneração Aumentará (3.13)
   4.2.4. A Perseverança É uma Necessidade (3.14,15)
   4.2.5. A Escritura É Suficiente (3.16,17)

5. **Instruções Solenes Relativas ao Ministério** (4.1-8)
   5.1. Sobre o Ministério da Palavra (4.1-4)
   5.1.1. Pregue o Máximo Possível! (4.1,2)
   5.1.2. Você nem sempre Terá a Oportunidade (4.3,4)
   5.2. Sobre o Ministério em Geral (4.5-8)
   5.2.1. Agir corretamente em tudo (4.5)
   5.2.2. Não Estarei perto por muito Tempo (4.6-8)

6. **Conclusão: Considerações Finais** (4.9-22)
   6.1. Observações Pessoais (4.9-13)
   6.1.1. Venha Depressa! (4.9-11a)

6.1.2. Traga Marcos consigo (4.11b)
6.1.3. Tíquico É Recomendado (4.12)
6.1.4. Traga três Coisas (4.13)
6.2. Compartilhando uma Advertência: Tenha Cuidado com Alexandre (4.14,15)
6.2.1. "O Latoeiro Causou-me muitos Males" (4.14)
6.2.2. Guarda-te também dele! (4.15)
6.3. O Testemunho em meio às Dificuldades (4.16-18)
6.3.1. Todos me Desampararam (4.16)
6.3.2. Porém Deus Estava Presente (4.17)
6.3.3. Ele sempre Estará Presente (4.18)
6.4. Palavras de Despedida (4.19-22)
6.4.1. Saudação a três Irmãos (4.19)
6.4.2. Notícias sobre dois Irmãos (4.20)
6.4.3. Venha antes do Inverno! (4.21a)
6.4.4. Estes quatro (e os demais) o Saúdam (4.21b)
6.4.5. Conclusão (4.22)

COMENTÁRIO

1. Introdução (1.1-18)
1.1. Saudação (1.1,2)

Semelhante à primeira, a Segunda Carta de Paulo a Timóteo começa com uma breve saudação seguindo o padrão habitual. Pode parecer surpreendente que Paulo ainda esteja enfatizando seu apostolado a seu amado filho na fé. Por que faria isso? Já que esta carta é mais pessoal do que a primeira que foi endereçada a Timóteo, a razão que o levou a esta ênfase apostólica pode simplesmente ter sido o hábito, ou pode refletir um apelo urgente à lealdade. O apostolado de Paulo é descrito como sendo "pela vontade de Deus", não por vontade de Paulo; é "segundo a promessa da vida", que é o objeto e a intenção do compromisso; e a vida está "em Cristo Jesus", que é a fonte e a esfera do verdadeiro viver.

O modo como Paulo se dirige ao destinatário é quase idêntico a 1 Timóteo (veja comentários sobre 1 Tm 1.2), a não ser que a expressão "meu amado filho" substitua a expressão "meu verdadeiro filho na fé". Como uma correspondência íntima entre um apóstolo e seu aprendiz, não há necessidade de legitimar a posição de Timóteo diante da congregação; antes, Paulo simplesmente expressa os estreitos laços que compartilham. Timóteo sempre foi um "filho amado" para Paulo (veja 1 Co 4.17).

1.2. Ternas Lembranças (1.3-7)

A oração de ação de graças na abertura, lembrando Timóteo de sua lealdade passada, de sua fé e de sua herança religiosa, ajusta o tom para seu argumento de perseverança e contínua lealdade.

1.2.1. Recordando as Lágrimas de Timóteo, Paulo Relembra-o em Oração (1.3,4). Paulo se identifica como um sincero adorador e servo do Deus de seus antepassados. Seu Cristo está em uma clara continuidade com o Deus do Antigo Testamento; seu cristianismo é o supremo cumprimento do judaísmo. Também partilha tal herança religiosa com Timóteo. O verbo "servir" indica que o apóstolo está executando os deveres religiosos do ministério; seu tempo presente indica que tal serviço foi um hábito ininterrupto cuja intensidade jamais foi reduzida em sua vida (Rienecker, 1980, 637). Paulo é grato a Deus em todas as suas orações, "noite e dia", mencionando Timóteo em suas petições.

É a memória das lágrimas de Timóteo que move em Paulo o desejo de ver seu jovem amigo novamente, para que em sua próxima visita a dor presente possa ser substituída pela alegria. Não há dúvida de que o apóstolo mais velho está recordando o sofrimento de sua última despedida. Podemos ver uma sugestão da solidão de Paulo durante sua vigília final e como deseja a companhia de Timóteo, embora a obra em Éfeso ainda não esteja concluída.

1.2.2. Relembrando a Herança Religiosa de Timóteo, Paulo o Incentiva a Reavivar seu Dom (1.5-7). Outra memória aquece o coração do apóstolo: a fé sincera de Timóteo (1.5). O adjetivo significa "genuíno" (literalmente, "sem hipocrisia"); o substantivo "fé" (*pistis*) poderia referir-se à sua confiança em Deus, porém é mais provável que indique a fidelidade de Timóteo. A fidelidade genuína e a firmeza são as razões para que Paulo rendesse graças em mais de uma ocasião (cf. Rm 1.8; Cl 1.4; 1 Ts 1.3; 3.6,7; 2 Ts 1.3; Fm 5).

Em um esforço para encorajar a lealdade contínua de Timóteo (a Cristo, a Paulo e a seu ministério), o apóstolo lembra o jovem pastor de sua herança religiosa. Da mesma maneira que Paulo continuou fiel em seu serviço ao Deus de seus antepassados (v. 3), assim a firmeza de Timóteo diante do sofrimento representa uma continuidade da fé e da fidelidade de seus antepassados.

A mãe e a avó de Timóteo lhe transmitiram uma rica herança espiritual, que passou de geração a geração... O texto em 2 Timóteo 3.14,15 indica que muito cedo, em sua infância, Timóteo foi instruído nas Sagradas Escrituras... É provável que ele fosse o fruto de um "casamento misto", pois seu pai era grego e sua mãe era judia. Parece que o pai de Timóteo não era crente, já que sua fé não é mencionada. A passagem em 1 Coríntios 7.14 fala do marido incrédulo que é santificado por sua esposa crente, de forma que os filhos podem ser parte desta nova vida em Cristo.

Como são afortunadas e santificadas as crianças nascidas em famílias onde a Palavra de Deus é passada de geração a geração (Sl 78.1-7). Muitos dos patriarcas da igreja primitiva como Agostinho, João Crisóstomo, Gregório de Nazianzo, Basílio e Gregório de Nissa celebraram a influência religiosa de suas mães...

Pesquisas recentes relativas ao comportamento infantil enfatizam a importância do desenvolvimento da criança por meio de sua interação e de seu relacionamento com a mãe — isto é, o efeito recíproco da mãe sobre a criança, assim como da criança sobre a mãe (Kroeger, Evans e Storkey, 1995, 451-452).

O apóstolo conclui seu resumo sobre a herança religiosa de Timóteo com uma afirmação, declarando que estava persuadido de que esta fé também habitava em seu jovem cooperador : "... estou certo de que também habita em ti". Esta confiança na fé genuína de Timóteo torna-se o trampolim para o apelo que vem a seguir (1.6—2.13) (Fee, 1988, 223). Tal confiança na herança religiosa e na fé genuína é a base da recomendação de Paulo para que Timóteo "desperte" seu dom espiritual (v. 6).

Este verbo se refere a ativar, acender a chama para que se torne viva, e mantê-la acesa. Também significa "reacender" ou "manter a chama acesa em seu nível máximo". A declaração de Paulo não contém necessariamente uma censura, já que o fogo no mundo antigo nunca era mantido como uma chama ininterrupta; no entanto, mantinha-se vivo por meio de brasas de carvão que eram novamente acesas por um fole sempre que a situação o demandasse (Rienecker, 1980, 638).

É como se o apóstolo estivesse dizendo a seu amigo tímido: "Agora é o momento; a situação exige que você faça pleno uso do dom da graça de Deus". Em 1 Timóteo 4.14 lemos sobre o dom espiritual de Timóteo, e em 1.18 e 4.14 sobre as profecias a seu respeito; agora vemos que as mãos que lhe foram impostas não foram somente as dos presbíteros, mas também as mãos do apóstolo. Paulo enfoca sua própria situação pessoal ao autenticar o ministério de Timóteo, em um esforço de encorajar o jovem inseguro (cf. 1 Co 16.10,11; 1 Tm 4.12).

Em relação ao verso 7, Fee argumenta (1988, 226) que o "espírito", não de "temor", mas de "fortaleza", "amor" e "moderação" não é uma atitude interior, mas é o próprio Espírito Santo.

Paulo está se referindo não a algum "espírito" (ou atitude) que "Deus" nos tenha dado (a ele e a Timóteo, e em última instância a todos os outros crentes que devem igualmente perseverar diante das adversidades), mas ao Espírito Santo de Deus, o que é explicado por vários aspectos: (a) o termo explicativo "porque" que inicia esta oração, aproxima-a do verso 6; (b) o relacionamento próximo entre *charisma* ("dom", v. 6) e Espírito (v. 7) é uma característica completamente paulina...; (c) as palavras "fortaleza" e "amor" são especialmente atribuídas ao Espírito nos escritos de Paulo; e (d) existem fortes ligações entre este verso e 1 Timóteo 4.14, onde o "dom" de Timóteo está especificamente destacado como sendo uma obra do Espírito.

Além disso, nas expressões "não... mas", declarações que contrastam espíritos (Rm 8.15; 1 Co 2.12), o termo "mas" refere-se claramente ao Espírito Santo. "Deste modo, o intento de Paulo poderia ser expresso da seguinte maneira: Pois quando "Deus nos deu" o seu "Espírito", não recebemos "timidez" ou "temor", mas "fortaleza, amor e moderação" (ibid., 227). Diante das dificuldades presentes, é o Espírito de Deus que vence a covardia, contribui para o pensamento claro (especialmente diante dos falsos mestres), nos fornece poder e nos enche de amor.

1.3. O Encorajamento Inicial (1.8-14)

1.3.1. Participar do Sofrimento (1.8-12). Levando em conta a capacitação do Espírito, o apóstolo exorta Timóteo com duas ordens: "não te envergonhes", mas "participa das aflições do evangelho" (v. 8). Paulo primeiro exorta Timóteo a compartilhar de boa vontade do estigma e da vergonha de Cristo, o Messias crucificado, e de Paulo, seu embaixador em prisões. Isto é, Timóteo não deve evitar a humilhação baseada no testemunho de Cristo ou em sua associação com o apóstolo.

Além disso, Timóteo deve abraçar o sofrimento. Pelo fato de Paulo não se envergonhar do testemunho de Cristo, sofreu freqüentemente pelo evangelho (cf. Rm 8.17; 2 Co 4.7-15; Fp 1.12,29; Cl 1.24; 1 Ts 1.6; 2.14; 3.4). Entretanto, o sofrimento não é a situação presente designada somente a Paulo (2 Tm 2.9); é também o destino de Timóteo (3.12). A expressão traduzida como "participa das aflições" significa "assumir a sua parte no sofrimento de alguém"; o aoristo imperativo indica "que a ação deve ser imediatamente realizada" (Rienecker, 1980, 638). A capacitação para se passar por este sofrimento virá "segundo o poder de Deus".

A menção de Deus encaminha Paulo a uma confissão de fé no evangelho (vv. 9,10), da mesma maneira que faz em Tito 2.11-14 e 3.4-7. Esta declaração em forma de hino é particularmente apropriada à situação presente de Timóteo, que precisa de encorajamento para reavivar seu dom, renunciar à sua covardia e tomar sua parte no sofrimento por amor a Cristo. Embora os versos 8-11 formem uma única sentença no grego, os editores do texto grego apresentam os versos 9 e 10 em forma poética conforme a seguinte tradução literal:

[Foi Deus] quem nos salvou e nos chamou
    para [ou com] uma santa vocação,
não de acordo com as nossas obras,
    mas de acordo com o seu próprio
    propósito e graça,
que nos foram dados em Cristo Jesus
    antes do tempo imemorial,
mas agora foram revelados através do
    aparecimento de nosso Salvador,
    Cristo Jesus,
que, por um lado destruiu a morte, e,
    por outro trouxe luz à vida e a imortalidade através do evangelho.

O objetivo de Paulo para Timóteo é claro: "Seja firme: reavive seu dom; participe do sofrimento; já estamos entre aqueles que venceram a morte por meio de Cristo" (Fee, 1988, 230).

Antes de Paulo terminar a oração, declara novamente seu papel na proclamação do evangelho (v. 11); e no que se refere a isso, o apóstolo foi designado como "pregador, e apóstolo, e doutor". Este verso é semelhante a 1 Timóteo 2.7, porém a ênfase de Paulo aqui não consiste em um compromisso de ministrar para os gentios, mas em ministrar o evangelho. A ênfase dos três papéis não está na autoridade de Paulo como um apóstolo, mas no próprio evangelho e em sua relação com este (Fee, 1988, 231).

O papel de Paulo no que se relaciona ao evangelho é justamente a razão de sua presente situação (v. 12). Novamente ele serve como um modelo para Timóteo, porque não se envergonha, e seu depósito está seguro nas mãos de Deus.

O mesmo substantivo (*paratheke*) usado em 1 Timóteo 6.20, traduzido literalmente como "o depósito que te foi confiado", aparece aqui em 2 Timóteo 1.12 com o pronome possessivo na primeira pessoa do singular, "meu depósito" ou "aquilo que ele me confiou" (podendo ser provavelmente aceitável: "o que lhe confiei"); aparece novamente no verso 14, "Guarda o bom depósito" que lhe foi confiado (a expressão "a você" não faz parte do grego). Estas são as únicas três ocorrências de *paratheke* no Novo Testamento; em todos os três casos funciona como o objeto do verbo "guardar, proteger, manter seguro". Em 1 Timóteo 6.20 e 2 Timóteo 1.14, Timóteo deve "guardar o... depósito", enquanto em 2 Timóteo 1.12 o próprio Deus o está guardando.

O que é "o depósito"? É algo confiado por Deus ou algo que Deus nos confiou (neste caso, Paulo e Timóteo)?

> Embora os estudiosos tenham oferecido várias sugestões referentes a *paratheke* (a alma de Paulo, sua confiança, o dom divino para o ministério, etc.), Barrett (1963, 97) explica que se tomarmos "o depósito" como significando "a verdade do evangelho que foi confiada a Paulo, para que a pregasse", esta interpretação tem a grande vantagem de dar à palavra "depósito" o mesmo significado em todas as três passagens, aqui, em 1 Timóteo 6.20 e em 2 Timóteo 1.14. O próprio Deus assume a responsabilidade suprema pelo evangelho que confia a seus pregadores; conseqüentemente, "a palavra de Deus não está presa" (2 Tm 2.9). A pregação não poderia se suster nem sequer por um momento sobre qualquer outra base; quaisquer que sejam os fracassos e os sofrimentos de um pastor, Deus vela sobre a sua palavra para a cumprir. Seu cuidado continua até "àquele grande Dia" — do julgamento e da consumação (cf. 1.18; 4.8).

1.3.2. Duas Ordens Adicionais (1.13,14).

O apóstolo profere mais duas ordens a Timóteo, porém estas não são voltadas aos assuntos pessoais do pastor em relação à mocidade e à timidez, e sim à contínua ameaça dos falsos mestres:

1) Como tem enfatizado ao longo das Cartas Pastorais, Paulo exorta Timóteo a conservar o "modelo das sãs palavras" (veja comentários sobre 1 Tm 1.10), que "de mim tens ouvido" (cf. 2 Tm 2.2; 3.10; também 1 Tm 4.6); e à medida que o fizer, Timóteo será um modelo "na fé e na caridade que há em Cristo Jesus";

2) A outra ordem, paralela ao verso 12, é a seguinte instrução de Paulo a Timóteo: "Guarda o bom depósito [que te foi confiado] pelo Espírito Santo que habita em nós" (veja comentários sobre o verso 12). A sã doutrina do evangelho confiada por Deus a Paulo, e agora por Paulo a Timóteo, algum dia será confiada a outras pessoas fiéis, que também poderão ensiná-la a outros (2.2). Timóteo deve proteger a mensagem que recebeu contra qualquer contaminação doutrinária dos falsos mestres.

No entanto, Timóteo não está sozinho nesta tarefa, ele o fará por meio do auxílio do "Espírito Santo". Novamente Paulo afirma a espiritualidade do jovem pastor dizendo, em essência, que o precioso Espírito Santo é o mesmo que habita em ambos (cf. vv. 6,7). O mesmo que ajudou Paulo a guardar o tesouro divino será fiel, e concederá vitória a Timóteo.

1.4. Notícias Recentes (1.15-18)

O apóstolo agora compartilha um relatório de exemplos de fidelidade e de infidelidade. Embora esta seção possa parecer um desvio do tema principal, não é sem propósito. Levando em conta o apelo para que Timóteo "guardasse" aquilo que lhe havia sido confiado, o apóstolo lembra-se de muitos que não mantiveram a confiança, e de um homem que era exemplar ao compartilhar os sofrimentos de Paulo.

1.4.1. Aqueles que Estavam na Ásia se Apartaram de Paulo (1.15).

Paulo aborda uma situação da qual Timóteo está dolorosamente ciente: "... os que estão na

Ásia todos se apartaram de mim". Como a cidade de Éfeso ficava na Ásia, Timóteo também vivia esta situação de apostasia. Os detalhes sobre como, quando e onde estas apostasias aconteceram, são claros para Timóteo ("Bem sabes isto"), porém não o são para nós. Provavelmente todos aqueles que viviam na Ásia, que visitaram Paulo em Roma (exceto Onesíforo) desertaram e retornaram para suas casas. Pode ser ainda mais provável que a apostasia na Ásia tenha sido tão surpreendente (Kelly [1963, 169] identifica a descrição do apóstolo como "uma depressão exagerada"), a ponto daqueles amigos de quem teria esperado lealdade, inclusive "Fígelo e Hermógenes", também o deixarem. Embora não estejamos absolutamente certos daquilo que esta apostasia envolvia, parece que por abandonarem Paulo (provavelmente devido às notícias de sua prisão), o apóstolo considere que estivessem abandonando a Cristo. O verbo usado neste verso é o mesmo usado para a apostasia espiritual (veja 4.4; Tt 1.14); um verbo diferente é usado para apostasias pessoais (veja 2 Tm 4.10).

1.4.2. A Casa de Onesíforo Recreou o Apóstolo (1.16-18). Onesíforo é um exemplo positivo, um modelo para Timóteo. A oração de Paulo: "O Senhor conceda misericórdia à casa de Onesíforo", indica que este não está com sua família neste momento.

O fato de Paulo iniciar sua lembrança sobre Onesíforo deste modo, pedindo misericórdia por sua casa no presente, e no final (v. 18a) pedindo por misericórdia futura (naquele Dia) a favor do próprio Onesíforo, sugere que este homem tenha morrido neste ínterim. Um fato como este só poderia aumentar a dor e a solidão de Paulo (Fee, 1988, 236).

Fee oferece esclarecimentos adicionais a respeito deste bom companheiro. Em uma cultura onde o encarceramento freqüentemente envolvia o auto-sustento, Onesíforo "muitas vezes me recreou", disse Paulo, sem dúvida levando comida e palavras de ânimo ao apóstolo. Longe de estar preocupado com qualquer embaraço ou dificuldade, este homem se arriscou para visitar regularmente um prisioneiro do Estado condenado à morte; ele "não se envergonhou" das cadeias de Paulo. Parece que o apóstolo não estava em uma prisão pública e encontrá-lo demandava um esforço considerável; por esta razão, Paulo disse que quando estava em Roma, Onesíforo com muito cuidado o procurou e o encontrou. O principal tema ilustrado pelos eventos recentes é claro: "Não se envergonhe do evangelho ou de mim", diz Paulo. "Muitos se envergonham, mas não Onesíforo. Seja como ele, Timóteo!" (Fee, 1988, 236-237)

2. Exortações Pessoais ao Sucessor de Paulo (2.1-13)

2.1. Fortalecer-se na Graça (2.1)

Paulo inicia agora uma extensa seção de instruções pessoais a Timóteo. As nuances da conjunção "pois" são múltiplas, assinalando que as exortações que se seguem:
1) estão em contraste com os apóstatas;
2) consistem em manter o exemplo de Onesíforo;
3) resumem os imperativos dos versos 8-14; e
4) dão prosseguimento ao encorajamento a Timóteo que, através da capacitação do Espírito, tem todas as condições necessárias para ser bem-sucedido.

Paulo ordena a Timóteo: "Tu, pois, meu filho, fortifica-te na graça que há em Cristo Jesus". O termo "fortifica-te" está no imperativo passivo presente, indicando que Timóteo deve continuar sendo fortalecido por Deus. O termo "graça" ou tem um sentido local, expressando o reino ou a esfera em que Timóteo deve ser forte, ou um sentido instrumental, expressando os meios pelos quais Timóteo é capacitado a se fortalecer. Em um ou outro caso, a fonte desta graça é "Cristo Jesus".

2.2. Transmitir a Responsabilidade a Pessoas Fiéis (2.2)

A primeira tarefa de Timóteo é ser fortalecido para então confiar (o verbo relacionado ao substantivo "depósito", veja os comentários sobre 1.12) a pessoas "idôneas" (homens e mulheres) aquilo que tinha ouvido do apóstolo. Uma vez que Paulo está exortando Timóteo a deixar aquela cidade e unir-se a ele em Roma, embora seu trabalho ainda não esteja terminado em Éfeso, o jovem pastor deve confiar o que ouviu de Paulo a homens fiéis, e como tais, "idôneos para também ensinarem os outros". A preposição *dia* (traduzida na NVI como "na presença de") é melhor traduzida como "através de muitas testemunhas", significando que as coisas que Paulo ensinou haviam sido atestadas por (e não simplesmente mediadas por) muitos outros, com quem Timóteo também aprendeu (cf. 3.14).

2.3. Resistir conforme estes Exemplos (2.3-6)

2.3.1. Sofrer como Bom Soldado — Não se Embaraçar! (2.3,4) A razão mais significativa para Timóteo necessitar ser fortalecido é (como fez Onesíforo) compartilhar o sofrimento. "Sofre, pois, comigo, as aflições" (o mesmo verbo usado em 1.8) significa "sofrer os males junto com alguém, suportar a aflição junto com alguém, tomar parte com alguém em uma situação difícil".

O primeiro modelo de resistência ou perseverança é o de um "bom soldado de Jesus Cristo". Paulo usa freqüentemente exemplos militares (cf. 2 Co 10.3-5; Ef 6.10-17; Fm 2), especialmente no contexto de lutar com oponentes do evangelho (cf. 1 Tm 1.18). "Pela própria natureza de sua ocupação, o 'soldado' será com freqüência solicitado a participar dos sofrimentos" (Fee, 1988, 241).

Duas analogias extras surgem da metáfora do soldado: "Ninguém que milita se embaraça com negócio desta vida" e "a fim de agradar àquele [o seu comandante] que o alistou para a guerra". Os elementos simples das comparações da vida de Timóteo com um soldado são como a devoção à tarefa e à lealdade total ao chefe. O "comandante" é traduzido literalmente como a pessoa "que o alistou", cujo dever consistia em garantir que seus soldados estivessem bem equipados e supridos, tendo comida e abrigo.

2.3.2. Competir como um Atleta — De acordo com as Regras! (2.5) O segundo modelo de perseverança é o atleta, que deve "competir de acordo com as regras" ou "militar legitimamente", isto é, legalmente. Não está claro a que "regras" Timóteo deve aderir, mas pode estar se referindo às regras da competição ("não era permitido a um atleta ganhar sua luta infringindo as regras" [Rienecker, 1980, 640]) ou às regras de treinamento ("os jogos exigiam um período de dez meses de rígida disciplina [Fee, 1988, 242]). Em ambos os casos, a trajetória do atleta em direção "à coroa da vitória" incluía o sofrimento do vencedor.

2.3.3. Trabalhar arduamente como um Lavrador e Participar da Colheita (2.6). O terceiro modelo de resistência ou perseverança é o "lavrador". O lavrador também encontrará uma recompensa por seu sofrimento.

2.4. Refletir por um Momento (2.7)

O apóstolo está certo de que a análise destas analogias fará com que reflitam. A composição das três metáforas da resistência coloca igual ênfase em "participar das aflições" e "conquistar um prêmio". Barrett resume o significado das três analogias: "Além da guerra está a vitória, além do esforço do atleta há um prêmio, e além do trabalho agrícola há uma colheita. Da mesma maneira, a participação de Timóteo no sofrimento será seguida por uma recompensa" (Barrett, 1963, 102).

2.5. A Base para o Apelo (2.8-13)

Este parágrafo leva a uma conclusão: o longo apelo de Paulo (iniciado em 1.6-14 e retomado em 2.1) para que Timóteo permanecesse leal, a ponto de sofrer. Agora o apóstolo fornece a base teológica para tal apelo. Mais importante que a recompensa é o evangelho, que Paulo resume nesta seção.

2.5.1. Lembrar-se de Jesus Cristo: O Exemplo Excelente (2.8,9).

Em uma carta repleta de reminiscências, o enfoque da atenção deve estar no exemplo de Cristo. Em sua lembrança de Jesus Cristo, Timóteo deve enfocar duas realidades: que Jesus "ressuscitou dos mortos" e que "é da descendência de Davi". Ainda que a ênfase na ressurreição seja característica de Paulo (cf. Rm 1.4; 10.9), a ênfase sobre o descendente de Davi não o é (exceto em Rm 1.3). Como um apóstolo para os gentios, a demonstração da linhagem messiânica era um assunto mais significativo para os judeus do que para o público alvo de Paulo. Mas para Timóteo, que tinha uma herança judaica, estas duas realidades traziam um resumo apropriado do evangelho. A expressão "da descendência de Davi" sugere o cumprimento da história e da esperança israelita em uma pessoa humana, real; e o fato de ter "ressuscitado dos mortos", a irrupção escatológica neste mundo (o mundo de Davi, e de Jesus de Nazaré) do sobrenatural e divino (Barrett, 1963, 103).

Por pregar esta mensagem, o apóstolo está sofrendo "trabalhos e até prisões, como um malfeitor". A palavra para "malfeitor" no original grego é forte, um termo técnico reservado aos assaltantes, assassinos, traidores, e assim por diante. A única outra vez em que é usada no Novo Testamento é para referir-se aos ladrões que foram crucificados ao lado de Jesus (Lc 23.32,33,39). "Seu uso aqui sugere as condições do massacre promovido por Nero em vez do encarceramento relativamente brando de Atos 28" (Kelly, 1963, 177). Embora seu mensageiro esteja preso, o evangelho de Cristo não está! O tempo perfeito enfatiza que "não foi e não será impedido". Como em Filipenses 1.12-18, o encarceramento de Paulo não impediu que as Boas Novas fossem compartilhadas, mas forneceu novas oportunidades para tal.

2.5.2. A Consideração dos Motivos de Paulo: A Salvação dos outros (2.10).

É "por amor aos escolhidos" que Paulo sofre tudo isto (ou seja, resiste pacientemente sob todo este fardo). O termo "escolhidos" (o povo escolhido de Deus) é uma aplicação cristã para os crentes do Novo Testamento, que tem a sua origem em um termo que era usado no Antigo Testamento para o povo de Deus (cf. Tt 1.1; 2.14). "Já se gastou tinta demais escrevendo sobre as implicações teológicas deste termo, quer referindo-se aos "escolhidos" que já foram salvos quer aos "escolhidos" que ainda não foram. Tal teologia não está de acordo com o enfoque de Paulo" (Fee, 1988, 247).

O apóstolo está de algum modo convencido de que aquilo que está sofrendo contribuirá para a salvação dos escolhidos, mas não esclarece como. Alguns fizeram conjeturas quase "mágicas" sobre a conexão entre os sofrimentos de Cristo, os sofrimentos dos mensageiros e a salvação de outras pessoas (cf. 2 Co 1.6; Cl 1.24). O ponto-chave, porém, não é o sofrimento de Paulo pelo evangelho, mas o evangelho pelo qual ele sofre, e que traz a salvação (Fee, 1988, 248). Ao serem comparadas com a salvação dos escolhidos, "com glória eterna", quaisquer provas temporais perdem a sua importância (cf. Rm 8.18).

2.5.3. Meditar sobre esta Declaração: Um Hino de Persistência (2.11-13).

Paulo conclui esta seção principal de exortações pessoais a seu sucessor com outra "Palavra fiel" (veja comentários sobre 1 Tm 1.15). O paralelismo da idéia e o caráter rítmico das linhas sugerem que esta passagem tenha sido tirada de um hino litúrgico preexistente já conhecido por Timóteo e pela Igreja em Éfeso (observe o início do parágrafo na NVI). A teologia e a terminologia do hino são características de Paulo, devendo ter sido provavelmente originadas de uma de suas congregações ou até mesmo composta pelo apóstolo. O último verso, Ele "não pode negar-se a si mesmo", parece ser o ponto onde Paulo interrompe o hino. Seu motivo ao citar este hino é mostrar a conexão entre o sofrimento com Cristo e compartilhar a sua glória.

Embora a citação que Paulo faz deste hino se aplique ao sofrimento da perseguição e ao martírio, seu uso litúrgico original provavelmente refletisse um culto de batismo. A conexão entre as imagens de morrer para o pecado e para si mesmo, e a ressurreição para uma nova vida por meio do batismo dos crentes, é comum (cf. Rm 6.2-23; Cl 2.11,12; 3.3). Em seu comentário sobre esta passagem, Crisóstomo traz o contexto do batismo e do martírio juntamente com sua exortação: "se nossa morte com Cristo foi real e completa... devemos estar prontos para compartilhar sua morte literal" (citado por Lock, 1973, 96).

Entretanto, como Kelly escreve (1963, 180), "a morte do cristão com Cristo no batismo é só um primeiro episódio. Sua vocação é ser misticamente unido àquele que foi crucificado, abraçando uma vida de provas e dificuldades". Quer dizer, devemos "resistir também com Ele". Tal "é o pré-requisito para "reinar com Ele" (cf. 1 Co 15.24,25; Ap 1.6; 3.21; 5.10; 20.4).

O hino, em seu idioma original, passa por uma progressão cronológica em seus tempos verbais. Do tempo passado ("morrido" no batismo) para o tempo presente ("resistindo" aos sofrimentos do presente), o hino se move agora para a possibilidade futura de "negar" a Cristo. "Se o negarmos" (uma oração condicional seguida por um verbo futuro) "sugere uma possibilidade distante e não uma certeza" (Harris, Horton e Seaver, 1989, 8.449). Negar a Cristo resulta em seu repúdio para conosco no Dia do Juízo (cf. Mt 10.32,33; Lc 12.9). Esta segunda metade de 2 Timóteo 2.12 é o oposto da primeira. Pressupondo o contexto do sofrimento, esta é uma clara advertência para Timóteo e para os "escolhidos" contra a apostasia durante a perseguição. Aqueles que viviam na Ásia, descritos em 1.15, já haviam apostatado; deste modo, fica claro que já não eram mais parte da Igreja de Cristo.

Este verso do hino pode apontar para a identidade gnóstica dos falsos mestres. Em virtude de sua doutrina dualística e dicotomista, que cria na divisão entre o corpo e o espírito, um gnóstico poderia negar a Cristo com sua boca e continuar a confessá-lo com o espírito.[1] Existe pouca evidência sobre os mártires gnósticos; podiam renunciar ou abjurar publicamente e mais tarde negar sua apostasia. O apóstolo afirma neste hino ortodoxo: "O que dizemos conta! — Cristo negará aqueles que o negarem".

Ainda que a graça de Deus não se estenda à apostasia, ela pode alcançar a falta de fé. "Se formos infiéis, ele permanece fiel". "Infiéis" (*aspisteo*) não significa sem fé (isto é, incrédulo ou descrente"), mas sem fidelidade. Fee (1988, 251) explica:

> Isto ainda pode significar que Deus anulará nossa infidelidade por meio de sua graça (como sugere a maioria dos comentaristas), ou que sua fidelidade ao dom gracioso da salvação escatológica a seu povo não é negada pela falta de fé de alguns. Este ponto parece estar mais de acordo com os escritos de Paulo e o contexto imediato. Alguns demonstraram sua incredulidade, mas a fidelidade de Deus em relação à salvação não foi diminuída por este fato.

Barrett (1963, 104) explica: "A única base de segurança não é a fidelidade do homem, porém a de Deus, isto é, a fidelidade de Deus à sua palavra, às suas promessas e a si mesmo". A esperança escatológica está arraigada no caráter de Deus.

3. Exortações de Liderança ao Sucessor de Paulo (2.14-26)

O restante do capítulo 2 é a principal seção de exortações a Timóteo, como líder. Da doutrina e da santidade à humildade, o apóstolo apresenta uma série de assuntos sobre liderança.

3.1. Mantenha a Doutrina! (2.14-18, cf. v. 23)

Deixando as reminiscências pessoais (a Timóteo, suas lágrimas e sua fé sincera [1.3-5]) e a exortação àquilo que Timóteo não deve esquecer (seu dom e o evangelho [1.6; 2.8]), o apóstolo se volta agora ao que Timóteo deve ter sempre em mente: "Traze estas coisas à memória..."

3.1.1. Ensiná-los a não Contender por Palavras (2.14). "Diante do Senhor", a autoridade máxima a quem alguém pode apelar, avisou-os: "não tenham contendas de palavras". Esta era a principal característica dos falsos mestres (veja comentários sobre 1 Tm 2.8; 6.4,5; cf. Tt 3.9). A congregação deve ser advertida a não se envolver em tais disputas em razão das palavras divulgadas pelos falsos mestres. Estas não trazem nenhum benefício (cf. Tt 3.8); pelo contrário, "para nada aproveitam e são para perversão dos ouvintes".

3.1.2. Treinar-se para Ser Preciso na Palavra (2.15).

O próprio ensino de Timóteo deve estar em nítido contraste com o dos falsos mestres. O apóstolo o exorta a ser diligente, fazer o máximo, ou "tomar todas as dores para apresentá-las diante de Deus como alguém que pode suportar sua prova — como um verdadeiro obreiro que nunca será envergonhado por um trabalho de má qualidade ou feito às pressas, mas que ensina corretamente a mensagem da verdade" (Lock, 1973, 97). A passagem "Procura apresentar-te a Deus aprovado, como obreiro que não tem de que se envergonhar, que maneja bem a palavra da verdade" ou, como na tradução da KJV, "que compartilha corretamente" — "a palavra da verdade" — são expressões que ocorrem somente no Novo Testamento. Este verbo significa literalmente "ser objetivo, compartilhar a palavra da verdade diretamente, sem distrações" (Zerwick e Grosvenor, 1979, 641). Tem múltiplas analogias: "um arado preparando um sulco em linha reta" (Crisóstomo), "uma máquina abrindo uma estrada em linha reta", "um sacerdote preparando corretamente um sacrifício", e "um pedreiro medindo e cortando uma pedra para ajustá-la em seu devido lugar" (uma definição baseada em Pv 3.6; 11.5). A palavra era freqüentemente usada nas liturgias para descrever os deveres do bispo e para denotar a ortodoxia ("que é o ensino direto ou correto") (Lock, 1973, 98-99; Rienecker, 1980, 642).

3.1.3. Evitar absolutamente as Palavras Vazias (2.16-18).

O apóstolo profere agora uma advertência clara a Timóteo (cf. 1 Tm 6.20). O verbo no imperativo, "evita os falatórios profanos", significa literalmente "mudar ou se afastar, com a finalidade de evitar"; o objeto direto significa "conversa vazia, profana". O conteúdo da mensagem dos falsos mestres é sem propósito.

Como resultado, o falso ensino produzirá uma "impiedade" cada vez maior, falta de religiosidade e "roerá como gangrena". Tais ensinos não ferem somente os mestres, mas todos aqueles que os ouvem são infetados por seu veneno. Estas conversas vazias se espalham como um rebanho de gado "que pasta" em uma relva, um verbo usado para "espalhar a dor". O substantivo utilizado aqui era um antigo termo médico grego para gangrena, câncer, ou o aumento de uma úlcera.

> É uma doença pela qual qualquer parte do corpo que sofra uma inflamação torna-se tão corrompida que, a menos que um remédio seja aplicado, o mal se estenderá continuamente, atacará outras partes, e afinal corroerá os próprios ossos. A metáfora ilustra atitudes insidiosas, e nada poderia descrever mais adequadamente a maneira do avanço do falso ensino, seja este antigo ou moderno (Rienecker, 1980, 642).

"Himeneu e Fileto", que "se desviaram da verdade", são dois exemplos de falsos mestres (veja 1 Tm 1.6; 6.21). Sem dúvida, o mesmo Himeneu a quem Paulo "entregou a Satanás" em 1 Timóteo 1.20, ainda está trabalhando, pervertendo "a fé de alguns".

Estes dois homens ensinavam "dizendo que a ressurreição era já feita". Esta visão escatológica de que a ressurreição é experimentada em nossa morte e ressurreição espiritual por ocasião do batismo em Cristo era um falso ensino com o qual Paulo se deparava repetidamente (1 Co 4.8; 15.12; 2 Ts 2.2), uma doutrina que se encaixava perfeitamente no dualismo do gnosticismo. Tornando a ressurreição somente espiritual, isto é, um fenômeno não literal, estes falsos mestres estavam tentando destruir o principal fundamento da fé, e realmente já haviam pervertido a fé de alguns. "Para Paulo, a negação de (nosso futuro corpo) nossa ressurreição é negar a própria fé, e assim negar o nosso passado (a própria ressurreição de Cristo, que é a base de tudo aquilo que é pregado) e também o nosso presente" (Fee, 1988, 257). Todo o texto em 1 Coríntios 15 é dedicado a derrotar a falsa doutrina que negava a ressurreição literal, física de Cristo e de seus santos. Note as profundas implicações teológicas e espirituais da heresia divulgada por Himeneu e Fileto em 1 Coríntios 15.13,14,16,17:

> E, se não há ressurreição de mortos, também Cristo não ressuscitou. E, se Cristo não ressuscitou, logo é vã a nossa pregação, e também é vã a vossa fé... Porque, se os mortos não ressuscitam, também Cristo não ressuscitou. E, se Cristo não ressuscitou, é vã a vossa fé, e ainda permaneceis nos vossos pecados.

3.2. Viva uma Vida Santa! (2.19-22)

3.2.1. O Selo de Deus (2.19). Para não finalizar com uma nota negativa, o apóstolo, da mesma maneira que no hino contido em 2.13, termina esta seção com um comentário a respeito da fidelidade de Deus. Usando uma forte conjunção adversativa, "todavia", Paulo está convencido de que, apesar dos oponentes e apóstatas, "o [sólido] fundamento de Deus fica firme". A boa obra de Deus em Éfeso não pode ser impedida pelos falsos mestres. Ela resistiu à oposição e permanece firme.

O selo do Senhor, sua marca de propriedade, sustenta uma inscrição dupla que se refere a um correto relacionamento e a uma vida justa. "O Senhor conhece os que são seus" — a confiança do povo de Deus não consiste naquilo que conhecemos a respeito dEle, mas no que Ele conhece a nosso respeito. "Qualquer que profere o nome de Cristo aparte-se da iniqüidade" — o comprometimento com Cristo será evidenciado por meio de um claro rompimento com o pecado e a maldade.

3.2.2. Um Vaso de Honra (2.20,21). A próxima analogia de Paulo diz respeito à variedade de artigos em uma próspera casa antiga. Existem artigos caros, como os vasos "de ouro e de prata"; mas existem também aqueles que são baratos, como os vasos "de madeira e de barro". Alguns servem "para honra", para propósitos nobres, como por exemplo para serem admirados pelos convidados durante os banquetes; alguns servem "para desonra", a propósitos humildes, comuns, como conter o lixo que será eliminado. A metáfora era comum na antigüidade, tanto no Antigo (Jr 18.1-11) como no Novo Testamento (Rm 9.19-24), mas a aplicação do apóstolo neste contexto é nova.

A expressão "De sorte que", no início do verso 21 (não traduzida na NVI), liga a aplicação desta analogia ao verso 19, que diz que "qualquer que profere o nome de Cristo aparte-se da iniqüidade". "Se alguém se purificar destas coisas" — do reino do ignóbil, ou seja, do falso ensino — essa pessoa "será [um] vaso para honra, santificado e idôneo para uso do Senhor e preparado para toda boa obra". Somente o vaso "santificado e idôneo", nobre e honorável é que possui o mais elevado valor. O que importa não é o valor dos vasos ou do material de que são feitos, mas o conteúdo de cada um. Então, a fim de se enquadrar nesse perfil, cada um deve ser "santificado", isto é, separado para os propósitos sagrados, afastando-se dos ensinos e da prática do mal.

3.2.3. Um Seguidor da Justiça (2.22). Paulo exorta Timóteo a fugir "dos desejos da mocidade" e a "seguir" as qualidades cristãs. Estes desejos maus, Fee argumenta (1988, 263), não são paixões sensuais, mas determinadas coisas que atraem pessoas jovens: "questões loucas e sem instrução... que produzem contendas". Lock acrescenta à lista: "a impaciência, o amor pela disputa, a auto-afirmação, como também a auto-indulgência" (Lock, 1973, 101). Em vez de participar dos passatempos e diversões dos falsos mestres, Timóteo deve ser um seguidor da justiça. Nas três primeiras virtudes da lista (justiça, fé e caridade), Paulo usou um imperativo semelhante a 1 Timóteo 6.11 (veja os comentários). Timóteo deve procurar também "a paz com os que, com um coração puro, invocam o Senhor". "A comunhão fraternal deveria florescer em meio aos cristãos" (cf. Rm 12.18) (Kelly, 1963, 189).

3.3. Paulo Abre um Parêntese: Rejeitar as Questões Loucas! (2.23; cf. vv. 14-18)

Paulo interrompe sua linha de raciocínio para voltar a mencionar as "questões loucas". Fee (1988, 264) nos ajuda a traçar a conexão de seus pensamentos.

Justamente por Timóteo ter a obrigação de buscar a paz, deve "rejeitar" (o mesmo verbo usado em 1 Tm 4.7) as "questões loucas" (cf. Tt 3.9, um forte pejorativo) "e sem instrução" (*apaideutos*, "sem informação") que produzem "contendas" (veja o comentário sobre 1 Tm 6.4; Tt 3.9).

Timóteo, então, deve buscar a paz (v. 22), ou seja, rejeitar os debates tolos, que se baseiam na falta de instrução, porque estes só "produzem" (literalmente, "dão origem a") "contendas" (*machai*; cf. Tt 3.9; cf. também "batalhas de palavras", *logomachiai*, 1 Tm 6.4; 2 Tm 2.14) — um dos sérios pecados dos falsos mestres (veja especialmente o comentário sobre 1 Tm 6.4,5).

3.4. Liderar como um Servo Humilde (2.24-26)

3.4.1. Características do Servo do Senhor (2.24). A última questão relacionada à liderança, discutida pelo apóstolo Paulo, é a atitude. Diferentemente dos falsos mestres, "ao servo do Senhor não convém contender". O título usado aqui ("o servo do Senhor") provavelmente tenha sido influenciado pelas mensagens que Isaías transmitiu a respeito do Messias (Is 42.1-3; 53). O verbo "contender" (*machomai*) "era geralmente usado para referir-se a combatentes armados, ou àqueles que tomavam parte em uma luta corpo a corpo. Foi então usado para aqueles que participam de uma guerra de palavras com o sentido de disputar, discutir, rivalizar" (Rienecker, 1980, 643). Se o servo do Senhor, Cristo, não contendeu; Timóteo, você e eu também não devemos fazê-lo.

Antes, "ao servo do Senhor não convém contender, mas, sim, ser manso para com todos, apto para ensinar, sofredor". Ao invés de discutir, os ministros devem resistir ao erro, porém com uma disposição diferente. Como foi dito, "Se agirmos como o inimigo, nos tornaremos como este". A bondade e a mansidão são atitudes contrastantes com as dos falsos mestres, e é assim que Timóteo deve tratar até mesmo a estes (v. 25; cf. "seguindo a verdade em caridade" em Ef 4.15). Timóteo deve ter a habilidade de ensinar (cf. 1 Tm 3.2). Não deve ter ressentimentos, mas ser tolerante, paciente, e pronto a resistir ao mal. "A frase denota uma atitude de paciência em relação àqueles que estão em oposição" (Rienecker, 1980, 643).

3.4.2. O Servo do Senhor Deve Corrigir (2.25,26). Timóteo deve instruir "com mansidão os que resistem". Que lição para todos os servos do Senhor! Com que freqüência os ministros atacam aqueles que se lhes opõem, afastando-os ainda mais do arrependimento! Esta atitude mansa e dócil é expressa pelo substantivo *praütes* ("mansidão"). "Denota a atitude humilde e mansa que se expressa em particular através de uma postura paciente perante a ofensa, livre de malícia e do desejo de vingança (cf. 2 Co 10.1)" (Rienecker, 1980, 643). Sendo assim, o próprio mestre se torna o instrumento usado pelas mãos de Deus para conceder aos oponentes uma transformação de coração — para conceder-lhes o arrependimento e o "conhecimento da verdade".

Tal instrução mansa também trará de volta a seu juízo aqueles que são influenciados pelos falsos mestres, e os habilitará a fugir das armadilhas do Diabo, pelas quais tornaram-se cativos de sua vontade. Ver os oponentes como pessoas que estão enganadas, cativas e presas por Satanás, torna mais fácil instruí-las com mansidão. *Ananepho* ("recobrar o juízo ou a razão") é um significado do verbo "tornar-se sóbrio, retornar à sobriedade". "A metáfora implica alguém ser enganado por influências malignas, como no caso de uma intoxicação; o método do Diabo é 'entorpecer a consciência, confundir o juízo e paralisar a vontade'" (Rienecker, 1980, 643-644). Tendo tal compreensão desta situação embaraçosa em que vivem aqueles que estão enganados, o servo de Deus pode ser compreensivo, reconhecendo o estado de engano em que os oponentes se encontram, de forma que a abordagem do ensino tenha como ênfase uma clara atenção à verdade, sem ataques pessoais.

A ênfase na instrução é claramente redentora. "Paulo quer que Timóteo seja o modelo de um tipo de ensino que não apenas refutará os erros (Tt 1.9; 2.15), salvando assim seus ouvintes (1 Tm 4.16), mas que também será usado por Deus para resgatar aqueles que já tiverem sido enredados pelos falsos ensinos" (Fee, 1988, 266).

4. A Advertência contra a Maldade e as Heresias Escatológicas (3.1-17)

4.1. A Maldade do Final dos Tempos (3.1-9)

4.1.1. Virão Dias Difíceis (3.1). Abruptamente, o apóstolo volta sua atenção à maldade dos últimos dias e aos desastres dos erros doutrinários. Tal discussão é uma importante mudança na carta, passando das instruções pessoais a Timóteo para o enfoque dos falsos mestres. É o ataque final do apóstolo às heresias antes de sua conclusão pessoal de encorajamento a Timóteo.

Embora as Cartas Pastorais tenham repetidamente abordado a questão dos falsos mestres, neste contexto Paulo se refere ao conflito sob uma perspectiva teológica — a presença dos falsos mestres como uma indicação do final dos tempos. O Novo Testamento usa a expressão "últimos dias" para referir-se à vinda de Cristo, ao advento da nova era, e à era cristã (cf. At 2.16-21; Hb 1.2). Em outras palavras, os tempos do fim já chegaram, e estamos vivendo esta era.

O ponto principal é que Paulo deseja que Timóteo saiba (isto é, entenda, reconheça, perceba) "que nos últimos dias sobrevirão tempos trabalhosos". O verbo "sobrevir", nesta oração, não é simplesmente copulativo, uma vez que indica algo que é iminente. Fee (1988, 269) assinala a conexão entre o fim dos tempos e a dificuldade como uma característica comum no apocalipse judaico do Antigo Testamento (Dn 12.1), na literatura intertestamentária (1 Enoque 80.2-8; 100.1-3; Ascensão de Moisés 8.1; 2 Baruque 25-27; 48.32-36; 70.2-8), nas palavras de Jesus (Mc 13.3-23), e nos escritos da igreja primitiva (1 Co 7.26; 2 Pe 3.3; 1 Jo 2.18; Jd 17,18). Estes últimos dias são descritos como "trabalhosos" ou "terríveis", não simplesmente porque serão difíceis ou perigosos, mas por causa do mal associado a eles.

4.1.2. As Pessoas que Devem Ser Evitadas (3.2-5). Apesar de Paulo usar o tempo futuro no verso anterior, a lista de vícios apresentada reflete os problemas que prevaleciam na sociedade pagã, provando que Timóteo já estava vivenciando estes males. Já vimos uma lista de defeitos em 1 Timóteo 1.9,10 (cf. Rm 1.29-31; 1 Co 6.9,10), que era claramente organizada; porém esta lista de dezoito características parece não ter um padrão organizacional:

1) A lista começa descrevendo estas pessoas como "amantes de si mesmos" (v. 2). O egoísmo encabeça a lista dos males do final dos tempos;
2) O materialismo vem em segundo lugar; as pessoas serão "avarentas", amando o dinheiro e aquilo que este é capaz de comprar;
3) A arrogância é o terceiro vício. A palavra "presunçosos" se refere a "alguém que alardeia e ostenta suas realizações, e em sua jactância ultrapassa os limites da verdade, procurando se destacar e se engrandecer em uma tentativa de impressionar" (Rienecker, 1980, 644);
4) A pessoa "soberba" (isto é, arrogante ou altiva) é "alguém que procura se mostrar superior aos outros" (ibid.);
5) Os "blasfemos" são aqueles que usam suas palavras para caluniar os outros. O termo grego fornece a raiz da palavra portuguesa "blasfêmia";
6) Os "desobedientes a pais e mães" são os rebeldes;

7) Eles são "ingratos" ou mal-agradecidos;
8) Eles são "profanos" ou não religiosos (cf. 1 Tm 1.9);
9) Aqueles "sem afeto natural" (v. 3) são os que não amam a família, e insensivelmente não amam aos pais, isto é, desprezam o afeto natural. Sêneca cita a prática de expor os bebês indesejados como uma ilustração de tal falta de humanidade e sensibilidade, e de afeto natural (Brown, 1976, 2.542);
10) Os "irreconciliáveis" são aqueles cuja hostilidade não admitirá nenhuma trégua, aqueles que recusam a reconciliação, os implacáveis;
11) Os "caluniadores" são aqueles cujas palavras (literalmente) "diabólicas" colocam as pessoas em conflito umas com as outras. Promovem os conflitos na esperança de ter algum benefício (Lock, 1973, 106);
12) Aos "incontinentes" falta o poder e a autodisciplina da conversação até o apetite; não possuem a temperança;
13) Os "cruéis" são como os animais selvagens — indomados e incivilizados;
14) Aqueles que não têm "amor para com os bons" são indiferentes à bondade; odeiam o bem e não têm qualquer escrúpulo em relação à virtude;
15) Os "traidores" (v. 4) são falsos e enganadores. "Esta palavra era usada para alguém que traísse seu país ou que não cumprisse um juramento, ou ainda para aqueles que abandonassem outra pessoa em perigo" (Rienecker, 1980, 644);
16) Os "obstinados" são negligentes. Este adjetivo vem do verbo "cair à frente ou adiante"; isto é, ser precipitado em palavras ou atitudes. Estas pessoas "não medem as conseqüências para alcançar os seus objetivos" (Kelly, 1963, 194);
17) Os "orgulhosos" (literalmente) se "inflam, ou se enchem com fumaça", ou "incham". Todas estas imagens, como na idéia hebraica da névoa, da fumaça ou do vapor, significam vaidade, vazio, falta de autenticidade (veja também 1 Tm 3.6; 6.4);
18) Nesta lista, que apresenta pessoas com más condutas, existem numerosos exemplos de amor impróprio ou mal orientado. O exemplo final é o pior de todos — trata-se daqueles que são "mais amigos dos deleites do que amigos de Deus". Estes hedonistas mantêm a "aparência de piedade" (cf. 1 Tm 2.2; Tt 1.16) enquanto negam seu poder. O apóstolo retornou ao enfoque de suas observações que eram direcionadas aos falsos mestres.

Estes gostavam das expressões visíveis, das práticas ascéticas e das discussões intermináveis sobre trivialidades religiosas, pensando ser *obviamente justos* por serem *obviamente religiosos*. Mas assim "negaram" a eficácia ou o poder da piedade cristã, *eusebeia*, por tomarem parte em tantas atitudes e práticas "não religiosas" que caracterizaram o mundo pagão (Fee, 1988, 270-271; ênfases acrescentadas pelo autor).

O apóstolo Paulo tem uma ordem explícita para Timóteo a respeito de tais pessoas: "Destes afasta-te".

4.1.3. O que Fazem os Falsos Mestres (3.6,7). No versículo 6 o apóstolo mais uma vez expõe as práticas dos charlatões religiosos. Fee (1988, 271) assinala, entretanto, que Timóteo e sua congregação não aprenderam nada de novo sobre os falsos mestres por meio da repreensão severa de Paulo. O leitor moderno é esclarecido por esta censura. Alguns dos tipos de charlatanismo religioso com que os falsos mestres estavam comprometidos diziam respeito às mulheres. Estas informações servem como base para o ensino de Paulo em 1 Timóteo 2.9-15; 3.11; 4.7; 5.3-16.

Paulo liga as práticas dos falsos mestres à lista de maus comportamentos: "Porque deste número são os que se introduzem pelas casas e levam cativas mulheres néscias". O verbo grego descreve o modo como estes entravam nas casas. A expressão "se introduzem" denota métodos insidiosos: Penetravam ou se introduziam nas casas por meio da falsidade. Na expressão "assumir o controle" temos um verbo que se refere a fazer prisioneiros, conduzindo-os sob a ameaça da ponta da lança; seu uso metafórico implica cativar através do engano ou de uma liderança enganosa. Tal era o método dos falsos mestres (cf. v. 13; também 1 Tm 4.1,2).

As mulheres que se tornavam presas

destes mestres são descritas pejorativamente com um diminutivo, (literalmente) "mulherzinhas" ou "mulheres néscias", significando "bobas, mulheres tolas ou ociosas"; é uma palavra de desprezo. Elas são descritas como "carregadas de pecados" e "levadas de várias concupiscências" ou "levadas por todo tipo de desejos malignos". Os pecados destas mulheres são tantos, que se acumulam a ponto de controlá-las; o tempo perfeito implica uma condição ou um estado contínuo. Elas estão sendo também levadas por uma variedade de impulsos ou luxúrias. Isto pode sugerir um envolvimento sexual dos falsos mestres com tais mulheres, porém não deve ser limitado a tal significado.

Finalmente elas são descritas como pessoas que "aprendem sempre e nunca podem chegar ao conhecimento da verdade" (v. 7). Kelly (1963, 196) interpreta esta frase, bem como as duas anteriores, do seguinte modo:

> As mulheres, assim como os homens, estão prontas para abraçar o verdadeiro evangelho; porém o mesmo ocorre em relação à sua forma pervertida, quando se sentem conscientes da condição miserável e fútil de suas vidas... Estão anelantes, e talvez morbidamente curiosas a respeito das religiões e prontas para se entregarem a qualquer teoria de amor que lhes seja apresentada. No entanto, uma vez que lhes falta um sério propósito e se sentem simplesmente atraídas por uma novidade, provam ser "incapazes de alcançar o conhecimento da verdade".

4.1.4. Dois Exemplos Infames (3.8). Os oponentes da verdade pregada por Timóteo em Éfeso são comparados a dois feiticeiros de Faraó que se opuseram à verdade e a Moisés. Ainda que seus nomes não sejam mencionados em Êxodo 7.11; 9.11, documentos posteriores do judaísmo retrataram estudos a respeito de Moisés e identificaram os dois mágicos como Janes e Jambres. Embora não possamos ter a completa certeza de que os falsos mestres de Éfeso estivessem envolvidos na feitiçaria, Plummer argumenta que "a conexão entre a heresia e a superstição é muito próxima e real" (citado em Guthrie, 1990, 158). Este fato é tão verdadeiro nos tempos modernos como era antigamente. O movimento contemporâneo da Nova Era é claramente uma combinação de heresia e superstição. Estes homens foram descritos mais adiante como "homens corruptos de entendimento e réprobos quanto à fé". "Perderam o poder de raciocinar... não podem passar pelos testes da fé" (Barrett, 1963, 112).

4.1.5. O Fim de tais Pessoas (3.9). O sucesso destes mestres será breve, pois sua loucura será exposta. Guthrie (1990, 160) explica: "No final, os embustes são sempre descobertos".

4.2. Encorajamento apesar dos Obstáculos (3.10-17)

4.2.1. Timóteo Tem um Histórico de Fidelidade (3.10,11). O encorajamento de Paulo a Timóteo é outro apelo à lealdade e à perseverança baseado em sua herança religiosa e em seu histórico fiel. Afastando-se da discussão sobre os falsos mestres, Paulo contrasta seu apelo a Timóteo com as palavras: "Tu, porém, tens seguido a minha doutrina [literalmente, tem seguido de perto]". A seguir, o apóstolo reitera suas próprias virtudes (em contraste com o comportamento maligno dos falsos mestres descrito em 3.2-5), que foram observadas e imitadas por Timóteo durante o relacionamento mentor/aprendiz:

1) A "doutrina" de Paulo encabeça a lista. A instrução do apóstolo é ortodoxa; 2) Seu "modo de viver" ou conduta é santo;
3) Sua "intenção" é única e firme;
4) Sua "fé" em Deus;
5) Sua "longanimidade" com os outros;
6) Seu "amor" ou "caridade" para com todos;
7) Sua "paciência" em situações difíceis, são exemplares em todos os sentidos;
8) Em particular, Timóteo deve se lembrar das "perseguições"; e
9) "aflições" de Paulo "tais quais aconteceram em Antioquia [cf. At 13.50], em Icônio [cf. 14.2-6] e em Listra [cf. At 14.19,20]", a própria cidade natal de Timóteo.

"E o Senhor de todas me livrou", lembra Paulo. Fee (1988, 277) parafraseia o propósito do discurso de Paulo da seguinte forma:

> Lembre-se de que você estava em Listra quando fui apedrejado. E que tais padecimentos eram visíveis na época em que começou sua caminhada cristã. Então não desista agora em meio a esta presente — e vindoura — angústia... Fortaleça-se, peregrino, porque você também... tem sua parte nos sofrimentos.

4.2.2. A Perseguição Deve Ser Esperada (3.12). A perseguição é um princípio da vida cristã. É uma verdade universal.

4.2.3. A Degeneração Aumentará (3.13). O grego é quase irônico aqui: "Mas os homens maus e enganadores [se aperfeiçoarão] irão de mal para pior, enganando e sendo enganados".

4.2.4. A Perseverança É uma Necessidade (3.14,15). Timóteo tem a responsabilidade de continuar naquilo que aprendeu e tornar-se cada vez mais convencido disto, a saber, da verdade do evangelho. A veracidade da doutrina de Timóteo está na integridade de seus mestres (tanto do apóstolo como também de sua mãe e de sua avó) e em seu conhecimento vitalício das Escrituras. Tal conhecimento mesclado com a fé em Cristo Jesus produz a "salvação".

4.2.5. A Escritura É Suficiente (3.16,17). A inspiração é um princípio da Palavra, sendo totalmente útil a Timóteo em seu ministério. Já que a Escritura em sua totalidade foi "divinamente inspirada" (isto é, teve sua origem em Deus), é útil em todos os aspectos do ministério. Paulo enumera quatro destes aspectos: "para ensinar" (instruir no Evangelho), "para redargüir" (expor os erros), "para corrigir" (redirecionar o comportamento errado) e "para instruir em justiça" (nutrir os crentes em santidade). O resultado (ou propósito) da aplicação efetiva das Escrituras é que a pessoa que busca a Deus [o grego aqui é de gênero inclusivo] terá todas as demandas da vida e do ministério cristão devidamente supridas.

5. Instruções Solenes Relativas ao Ministério (4.1-8)

5.1. Sobre o Ministério da Palavra (4.1-4)

5.1.1. Pregue o Máximo Possível! (4.1,2) À medida que Paulo se aproxima da conclusão de sua última carta, dirige-se a seu jovem colega com exortações pessoais sóbrias: "Conjuro-te, pois, diante de Deus e do Senhor Jesus Cristo". Como no Antigo Testamento, que trazia juramentos e cobranças, os nomes listados são citados como testemunhas. Este fato é especialmente claro levando em conta a descrição de Cristo Jesus como aquEle que "há de julgar os vivos e os mortos". Como uma testemunha perpétua, Ele está qualificado a julgar aqueles que estarão vivos no momento de sua vinda, como também aqueles que já morreram.

Considerando "a vinda" e o "reino" de Cristo, Timóteo é instruído a "pregar a palavra", ou seja, anunciar ou ser um arauto da verdade. Esta instrução solene ao jovem pastor é modificada com quatro ordens adicionais:

1) "Pregues a palavra", mantenha-se firme nisto, guarde seu posto (isto é, sua pregação), quer seja quer não seja conveniente para você e seus ouvintes;
2) "Instes a tempo e fora de tempo", corrija "com tal sentimento eficaz... seja para trazer alguns ao menos a uma confissão, ou à simples convicção de pecado" (Trench, 1953, 13);
3) "Repreendas" ou censure claramente aqueles que estão no erro;
4) "Exortes", "encoraje" (quer dizer, implore, exorte, advogue, admoeste) a todos. Estas ordens e instruções devem ser executadas "com toda a longanimidade e doutrina" — um temperamento caracterizado pela paciência, que tolere as pessoas que são lentas a responder à correção e à instrução.

5.1.2. Você nem sempre Terá a Oportunidade (4.3,4). Ainda que Timóteo já esteja vivenciando os tempos trabalhosos dos últimos dias (3.1), o apóstolo o adverte de que o mal aumentará com a aproximação do fim. Virá o tempo, e realmente já chegou, quando as pessoas não tolerarão o ensino da sã doutrina, mas "tendo comichão nos ouvidos, amontoarão para si doutores conforme as suas próprias concupiscências", a saber, mestres que se adaptem a seus próprios desejos, que lhes digam aquilo que desejam ouvir ou aquilo que estimule sua fantasia ou sua curiosidade, sem quaisquer considerações a respeito da verdade" (Kelly, 1963, 206-207). Estes se afastarão deliberadamente da verdade para as mentiras e as "fábulas" (cf. comentários sobre 1 Tm 1.4).

5.2. Sobre o Ministério em Geral (4.5-8)

5.2.1. Agir corretamente em tudo (4.5). O apóstolo dá agora quatro ordens a Timóteo que contrastam com a obra dos falsos mestres:
1) "Sê sóbrio em tudo". Esteja alerta para não ser enganado! Isto é, permaneça vigilante, alerta, prestando atenção ao que está acontecendo ao seu redor e procurando trabalhar com tranqüilidade e objetividade (Rienecker, 1980, 648);
2) "Sofra as aflições" (cf. 1.8; 2.3);
3) "Faça a obra de um evangelista" (continue pregando a mensagem);
4) "Cumpre o teu ministério", ou seja, cumpra sua responsabilidade ministerial da melhor maneira possível.

5.2.2. Não Estarei perto por muito Tempo (4.6-8). Esta carta assume neste momento um tom obscuro, à medida que o apóstolo informa Timóteo de que o fim de sua própria vida é iminente. Após tratar a questão dos falsos mestres e oferecer o encorajamento necessário a seu jovem sucessor, Paulo parece abrir uma janela que mostre seu próprio sofrimento com o enfático pronome na primeira pessoa. É como se escrevesse, "mas quanto a mim". Descreve antecipadamente seu fim por meio de cinco retratos vívidos da palavra:
1) Retrata seu martírio iminente como se o seu sangue fosse uma libação prestes a ser derramada no altar do sacrifício;
2) Descreve sua partida desta vida como se fosse um navio levantando a âncora ao deixar a orla, ou como um soldado que rapidamente desmonta sua barraca antes de uma marcha. "O que para Timóteo poderia parecer o fim, para o apóstolo parece ser uma gloriosa nova era quando será libertado de todas as aflições presentes" (Guthrie, 1990, 169).

Os próximos três retratos da palavra (v. 7) são fundamentados em três verbos no tempo perfeito, indicando, deste modo, a culminação ou conclusão.

3) Paulo conclui dizendo que sua competição ou luta, representada pelo simbolismo atlético ou militar, foi um bom combate;
4) Comenta que concluiu sua carreira, usando a metáfora atlética de uma corrida a pé. Sua preocupação não era chegar antes dos outros, mas terminar sua carreira tendo feito o melhor possível;

O Coliseu, em Roma, onde se pode ver as dependências abaixo do piso da arena, onde os escravos treinavam como gladiadores; os prisioneiros e os animais aguardavam a hora de entrar na arena e lutar até à morte, em um esporte considerado como entretenimento pelos romanos.

5) Ele guardou a "fé". Esta frase tem amplas possibilidades metafóricas. Os estudiosos sugerem que a frase se refira à "promessa do atleta de obedecer às regras" (Easton), ou ao "juramento de fidelidade feito pelo militar" (Calvin), ou à "metáfora de um mordomo" (Guthrie), ou a uma "declaração de negócios que tem a finalidade de manter um compromisso" (Deissmann) (todos citados por Guthrie, 1990, 169-170). De qualquer modo, o apóstolo permaneceu fiel e verdadeiro.

No versículo 8 Paulo retorna mais uma vez à metáfora atlética, desta vez se referindo à escatologia. A coroa de louro ou laurel (a coroa do vencedor) lhe está seguramente reservada no céu. Os estudiosos diferem em suas opiniões a respeito do que seja esta "coroa da justiça". Fee (1988, 290) explica que alguns se referem a esta como "o prêmio por uma vida justa" (Bernard, Barrett e Kelly); Pfitzner argumenta que esta coroa "consiste no dom da justiça, que só um Juiz, por ser absolutamente Justo, pode dar". Fee (ibid.) conclui que a justiça final é concedida aos crentes, "não necessariamente como um prêmio por suas realizações ou obras", mas porque já receberam a justiça de Cristo.

A coroa da justiça não é uma exclusividade de Paulo; uma outra também está sendo preparada por Deus para Timóteo (se ele permanecer fiel) e outras para "todos os que amarem a sua vinda". Todo aquele que renunciou a seus desejos pessoais a fim de fazer a vontade de Cristo tem uma coroa de justiça reservada no céu.

6. Conclusão: Considerações Finais (4.9-22)

Estes versos finais formam o clímax da carta, as palavras particulares do apóstolo a um amigo íntimo. Ao preparar-se para o final de sua vida, fica claro que o grande apóstolo está sofrendo por causa da solidão.

6.1. Observações Pessoais (4.9-13)

6.1.1. Venha Depressa! (4.9-11a) Seu primeiro pedido é que Timóteo faça o possível para vir rapidamente a Roma. Embora a morte de Paulo seja iminente, ele espera que a demora no sistema judicial romano permita um tempo suficiente para que Timóteo faça a viagem e partilhe com ele a comunhão pela última vez.

O apóstolo então explica por que está só. Demas o desamparou, tendo escolhido amar o mundo presente mais do que a vinda de Cristo. Ele compartilha a experiência de nosso Salvador ao sentir-se abandonado. Crescente e Tito também partiram, provavelmente a serviço do ministério; Crescente para a Galácia (na Ásia Menor, atual Turquia) e Tito para a Dalmácia (o antigo Ilírico, atual região da extinta Iugoslávia). Lucas é o único cooperador que está presente com Paulo.

6.1.2. Traga Marcos consigo (4.11b). Paulo pede a Timóteo que quando vier traga consigo a Marcos (João Marcos). Na primeira viagem missionária de Paulo, Marcos, um parente de Barnabé, deixou a missão (At 13.13). Ainda que Barnabé estivesse disposto a perdoar Marcos e dar-lhe uma segunda chance em sua segunda viagem missionária, o apóstolo não estava disposto a fazê-lo. A contenda entre Paulo e Barnabé foi tão grande que o grupo ministerial se separou, partindo para direções diferentes (At 15.36-41). Nos anos seguintes, porém, Marcos cresceu e amadureceu espiritualmente, o que fez com que Paulo mudasse sua atitude a seu respeito. Trabalharam juntos novamente (Cl 4.10; Fm 24). Agora, encaminhando-se para o final de sua vida, Paulo faz o seguinte pedido a Timóteo: "Toma Marcos [implicando que este não estava em Éfeso] e traze-o contigo, porque me é muito útil para o ministério". O Senhor restabeleceu os sentimentos e trouxe a reconciliação que restaurou uma parceria positiva de mútua edificação, e contribuiu muito para o ministério de Cristo.

6.1.3. Tíquico é recomendado (4.12). Guthrie explica que as freqüentes referências a Tíquico nos escritos de Paulo ilustram que ele era um cooperador confiável. Ele foi o portador das Cartas aos Colossenses e aos Efésios, e provavelmente o vocabulário deste verso indique que Tíquico também seja o portador desta carta de Paulo a Timóteo. É mais provável que Paulo esteja enviando Tíquico a Éfeso com a missão de continuar o ministério em Éfeso, substituindo Timóteo durante sua ausência, enquanto visita Paulo em Roma (cf. Tt 3.12) (Guthrie, 1990, 173).

6.1.4. Traga três Coisas (4.13). O triplo pedido de Paulo a Timóteo oferece uma idéia de sua condição presente e de seus interesses pessoais. Parece que o apóstolo foi preso em Mileto (cf. v. 20), em viagem a Nicópolis através de Corinto, ou em Trôade, onde deixou sua capa na casa de Carpo. Era um grande artigo de vestuário, pesado, sem mangas, de lã, em formato circular com uma abertura no centro para a cabeça. Protegia da chuva e do frio, especialmente durante as viagens (Rienecker, 1980, 649). Esta capa quente seria uma bênção no inverno que se aproximava, o que pode indicar que o lugar onde Paulo estava preso era uma fria masmorra. O apóstolo esperava que Timóteo seguisse a mesma rota que seguiu de Éfeso a Roma, pedindo-lhe então que trouxesse sua capa.

O apóstolo também pede seus "livros, principalmente os pergaminhos". A primeira palavra se refere aos rolos de papiro, a segunda a códices de pergaminho (livros formados por folhas ou por partes presas nas extremidades). O primeiro item era barato, feito de um tipo de cana e usado para propósitos gerais; o segundo era caro, feito de peles de animais, muito duráveis, e reservado para documentos importantes. Os "livros" podiam ser uma coleção pessoal de Paulo de livros bíblicos, ou talvez até mesmo seu estoque de papiro para continuar sua correspondência com as igrejas. Os "pergaminhos" poderiam ser documentos legais de Paulo, como seu certificado de cidadania romana, escritos do Antigo Testamento, ou pré-escritos do Novo Testamento das palavras e obras do Senhor Jesus Cristo. Em meio à solidão e ao desconforto enfrentados por Paulo, ele aparentemente planejou obter forças meditando na Palavra de Deus, e talvez desejasse até mesmo continuar a fortalecer os demais cristãos, através de seus escritos.

6.2. Compartilhando uma Advertência: Tenha Cuidado com Alexandre (4.14,15)

6.2.1. "O Latoeiro Causou-me muitos Males" (4.14). Fee (1988, 296) sugere que foi Alexandre quem prendeu Paulo. Seu grande dano foi traduzido pelo apóstolo do seguinte modo: "... causou-me muitos males" (Guthrie, 1990, 175); o verbo empregado nesta passagem é freqüentemente usado em um sentido legal para o trabalho do informante (Fee, 1988, 296).

6.2.2. Guarda-te também dele! (4.15) A forte oposição de Alexandre "às nossas palavras' ou "à nossa mensagem" pode referir-se à sua resistência ao evangelho que Paulo pregava, ou a ser uma testemunha de acusação no processo de julgamento de Paulo. Timóteo é aconselhado a estar em guarda contra Alexandre.

Quem era este Alexandre, o latoeiro? Pode ter sido uma pessoa sobre quem não temos nenhum registro bíblico, ou o judeu que tentou acalmar a revolta em Éfeso (At 19.33,34), ou a pessoa que junto com Himeneu foi entregue por Paulo a Satanás (1 Tm 1.19,20). Nos dois últimos exemplos, pode-se estar tratando da mesma pessoa. Talvez Alexandre tenha procurado vingar-se de Paulo. Pode ter sido o responsável pelo encarceramento e martírio do apóstolo. Mas "o apóstolo restringe seu ressentimento natural citando as palavras do Salmo 62.12" (Guthrie, 1990, 174): "... o Senhor lhe pague segundo as suas obras" (2 Tm 4.14).

6.3. O Testemunho em meio às Dificuldades (4.16-18)

6.3.1. Todos me Desampararam (4.16). Talvez a lembrança da capa que deixou em Trôade tenha feito Paulo se lembrar de sua prisão, e conseqüentemente de Alexandre, que por sua vez agora o faz recordar de sua primeira defesa (provavelmente o *prima actio* romano, semelhante a uma audiência do grande júri ou uma audiência preliminar ante o imperador ou um magistrado; veja Fee, 1988, 296). Embora naquela audiência

Paulo tenha ficado só, oferece o perdão a todos aqueles que o abandonaram.

6.3.2. Porém Deus Estava Presente (4.17). Em contraste com todos aqueles que o deixaram, o apóstolo diz: "... o Senhor assistiu-me e fortaleceu-me". A presença de Cristo fortaleceu Paulo, fazendo com que se sentisse seguro. Assim como em Atos 24.1-20 (cf. 26.1-32), usou seu julgamento como uma oportunidade para dar um testemunho a respeito de Cristo; "para que", disse Paulo, "por mim, fosse cumprida a pregação e todos os gentios a ouvissem". A "boca do leão" mencionada pelo apóstolo foi variavelmente interpretada como uma referência a Satanás, a Nero, ou à própria morte. A última opção é fortalecida pelo Salmo 22, cujo conteúdo parece fazer parte deste contexto literário (cf. 22.1,4,5,21).

6.3.3. Ele sempre Estará Presente (4.18). O recente livramento (vv. 16,17) faz com que Paulo se lembre da fidelidade de Deus, que sem dúvida nunca falha, e que sempre o salvará "para o... Reino celestial" de Cristo. Fee (1988, 298) resume:

> Mais uma vez o enfoque da carta está na escatologia, na forma de uma das certezas triunfantes de Paulo: O apóstolo verá, por meio da consumação final, aquilo que Deus já realizou em Cristo; o Senhor realmente completará a salvação que Ele mesmo iniciou.

E esta verdade pede palavras de glorificação a Deus em forma de doxologia: "A quem seja glória para todo o sempre. Amém!" Apesar da realidade de sua terrível situação presente, o apóstolo olha em direção àquEle que é maior! Deus é a sua glória e aquEle que levanta a sua cabeça.

6.4. Palavras de Despedida (4.19-22)

6.4.1. Saudação a três Irmãos (4.19). Paulo envia saudações a vários membros proeminentes da congregação de Timóteo. Priscila (em grego, *Priska*) e Áquila foram os primeiros pastores da Igreja em Éfeso, a qual será liderada por Timóteo, que está sendo preparado por Paulo. *Priska* é um nome feminino da classe patrícia (a classe privilegiada dos cidadãos romanos, a classe governante cuja designação deriva da palavra romana que dá origem ao termo "senador"). Os romanos freqüentemente abreviavam os nomes pela metade; por exemplo, Silas, o nome do companheiro de Paulo em sua segunda viagem missionária (At 15.40), é o diminutivo de Silvano, o amanuense a quem Paulo ditou as Cartas aos Tessalonicenses (cf. 1 Ts 1.1; 2 Ts 1.1).

Priscila e Áquila são o casal de Roma que originalmente encontrou Paulo em sua segunda viagem missionária em Corinto, onde os três viveram e trabalharam juntos fabricando tendas, e no ministério durante um ano e seis meses (At 18.1-11). Quando Paulo deixou Corinto, eles o acompanharam a Éfeso. O apóstolo os deixou como os primeiros pastores daquela congregação que estava em fase de formação (vv. 18,19). Ali, este casal tomou Apolo, o grande evangelista de Alexandria, em particular, e ensinaram-lhe a respeito de Deus com precisão (vv. 24-28).

Quatro, das seis vezes em que este casal é mencionado por Paulo (em suas cartas) ou por Lucas (em Atos), o nome da esposa é mencionado em primeiro lugar (um fato completamente incomum no século I). A partir dos registros bíblicos de seu ministério, e em virtude do elevado nível da educação das mulheres da classe patrícia, os estudiosos concluíram que Priscila teve um papel público mais proeminente no ministério do que seu marido. É importante notar que a liderança espiritual de Priscila nunca foi desacreditada ou depreciada por Paulo ou Lucas — tanto ela como Áquila eram queridos e respeitados por seu trabalho em prol da pregação do evangelho. A igreja se reunia em sua casa, tanto em Éfeso como em Roma (Rm 16.3-5; 1 Co 16.19).

Existem muitos casais nos círculos pentecostais e carismáticos que são parceiros no ministério. Alguns cônjuges desempenham funções de liderança igualmente importantes; em alguns casos o marido assume a liderança, e em outros, a esposa. Priscila e Áquila são um modelo, não apenas de um casal que é parceiro no ministério, mas também um modelo de casal que faz pleno uso dos dons concedidos por Deus, de modo que pode-se considerar tão positivo uma mulher estar em uma posição de liderança acima do homem, assim como o inverso.

A saudação à "casa de Onesíforo" (sem incluir uma saudação específica a ele) sugere que este irmão já tivesse morrido (veja comentários sobre 1.16-18). A referência à sua casa pode se aplicar à sua família, aos seus parentes e/ou aos seus escravos, ou até mesmo a uma igreja que provavelmente se reunisse em sua casa.

6.4.2. Notícias sobre dois Irmãos (4.20). Paulo dá detalhes sobre mais dois cooperadores. Erasto ficou em Corinto; Trófimo permaneceu em Mileto em virtude de uma enfermidade. Existia um oficial (procurador) da cidade de Corinto que se chamava Erasto (Rm 16.23), e um cooperador de Paulo com o mesmo nome (At 19.22); é mais provável que Paulo esteja se referindo ao segundo.

6.4.3. Venha antes do Inverno! (4.21a) Paulo apressa Timóteo, não só porque precisa de sua capa por causa do inverno, mas também porque a navegação era interrompida de novembro a março.

6.4.4. Estes quatro (e os demais) o Saúdam (4.21b). Paulo envia a Timóteo e à igreja de Éfeso saudações de alguns de seus amigos em Roma. Êubulo, Pudente (ou Prudente), Lino e Cláudia são quatro nomes latinos, indicando que a congregação local continha crentes romanos e, provavelmente, líderes romanos. É notável que o quarto nome seja de uma mulher. Todos os irmãos e irmãs de Roma são incluídos na saudação de Paulo a Timóteo e aos efésios.

6.4.5. Conclusão (4.22). A despedida final de Paulo é uma conclusão em duas partes: uma bênção pessoal a Timóteo e "graça" a todos. As últimas palavras registradas nos escritos do apóstolo Paulo expressam uma oração para que a graça de Deus esteja com todo o seu povo.

NOTA

[1] As tendências ao gnosticismo podem ter sido o contexto teológico pelo qual foi necessário que Paulo explicasse em 1 Coríntios 12.3 que chamar Jesus de anátema não condiz com a reivindicação de ser um crente cheio do Espírito.

TITO
Deborah Menken Gill

ESBOÇO

1. Introdução: Saudação (1.1-4)
2. Designando os Líderes da Igreja (1.5—2.1)
   2.1. O Dever de Designar Presbíteros (1.5)
   2.2. As Qualificações dos Presbíteros (1.6-9)
   2.3. A Necessidade dos Presbíteros (1.10—2.1)
     2.3.1. O Princípio Geral (1.10,11)
     2.3.2. Um Exemplo Específico (1.12)
     2.3.3. O Exemplo É Confirmado (1.13a)
     2.3.4. A Aplicação do Exemplo (1.13b,14)
     2.3.5. A Explicação do Exemplo (1.15,16)
     2.3.6. O Chamado à Sã Doutrina (2.1)
3. O Aconselhamento aos Membros da Igreja (2.2—3.11)
   3.1. Um Conselho Específico (2.2-14)
     3.1.1. O Conselho para os Homens mais Velhos (2.2)
     3.1.2. O Conselho para as Mulheres mais Velhas (2.3-5)
     3.1.3. O Conselho para os Jovens (2.6-8)
     3.1.4. O Conselho para os Servos (2.9,10)
     3.1.5. A Capacitação Disponível para Seguir os Conselhos (2.11-14)
   3.2. O Encorajamento a Exortar (2.15)
     3.2.1. Recapitulação do Mandamento (2.15a)
     3.2.2. A Reafirmação da Autoridade de Tito (2.15b)
   3.3. A Aplicação do Conselho (3.1-8)
     3.3.1. Exemplos Práticos (3.1,2)
     3.3.2. O Testemunho Pessoal (3.3-8)
   3.4. Duas Proibições (3.9-11)
     3.4.1. Evite as Disputas Inúteis (3.9)
     3.4.2. Rejeite as Pessoas que Causam Divisões (3.10,11)
4. Conclusão (3.12-15)
   4.1. Instruções Finais (3.12-14)
     4.1.1. Pedindo a Companhia de Tito (3.12)
     4.1.2. Tito Deve Prestar Assistência (3.13)
     4.1.3. Exortação sobre o Comportamento da Igreja (3.14)
   4.2. Conclusão (3.15)
     4.2.1. Saudações (3.15a,b)
     4.2.2. A Bênção (3.15c)

COMENTÁRIO

1. Introdução: Saudação (1.1-4)

Em sua carta a Tito, Paulo descreve seus deveres como apóstolo em maiores detalhes que nas outras duas Cartas Pastorais (1 e 2 Timóteo). Ele chama a si mesmo de "servo [escravo] de Deus e apóstolo de Jesus Cristo". "Servo de Deus" é a designação favorita de Paulo (cf. 1 Co 4.1,2) quando referindo-se a si mesmo. É comum começar suas cartas descrevendo-se como um servo de Jesus Cristo (cf. Rm 1.1; Fp 1.1). Mas se a situação em torno da correspondência é de urgência exigindo a autoridade apostólica, acrescenta "apóstolo de Jesus Cristo". Paulo está chamando a si primeiramente de "servo" e depois de "apóstolo", o que sugere que a situação de Tito não era tão urgente quanto a de Timóteo (cf. comentários sobre 1 Tm 1.1).

Nesta carta Paulo expande a descrição de seu apostolado em termos de seu propósito. Ele foi escolhido "segundo a fé dos eleitos de Deus e [com a finalidade de que viessem ao] o conhecimento da verdade, que é segundo a piedade". Nas Cartas Pastorais a "verdade" é sinônimo do evangelho, e a "piedade" é seu verdadeiro objetivo (veja os comentários sobre 1 Tm 2.2; 3.16 em relação à piedade). A meta suprema do apostolado de Paulo é a "esperança da vida eterna". Dibelius e Conzelmann (1972, 131) resumem:

> Assim, a religião cristã pela qual o apóstolo trabalha no ministério é caracterizada por meio de três expressões: a fé daqueles que foram escolhidos, o "reconhecimento da verdade", e finalmente a "esperança", de um modo análogo a 2 Timóteo 1.1.

Esta esperança é segura devido a dois fatos:
1) Foi prometida "antes dos tempos dos séculos" por Deus, "que não pode mentir"; e
2) no momento certo Deus manifestou sua Palavra através da pregação. Em outras palavras, pode-se confiar na promessa de Deus porque "a promessa fez parte do eterno propósito de Deus que foi ratificado antes da existência da ordem criada", e porque Deus "demonstrou a verdade de sua promessa por revelar seu propósito no plano da história... A palavra de Deus não pode ser manifesta no vazio; ela teve uma expressão concreta na pregação que foi confiada a Paulo" (Kelly, 1963, 227-228).

Após sua eloqüente e envolvente introdução, Paulo se dirige a seu destinatário, Tito, a quem chama de "meu verdadeiro filho [literalmente, filho], segundo a fé comum" (v. 4; cf. 1 Tm 1.2). O apóstolo considera Tito como um de seus próprios frutos espirituais. Embora o livro de Atos não faça nenhuma menção de Tito, ele é claramente um confiável cooperador do apóstolo (2 Co 2.13; 8.23; 12.18; Gl 2.3; veja também a introdução a Tito). A saudação "graça e paz", que em algumas traduções difere das saudações contidas nas cartas a Timóteo, está de acordo com as outras cartas de Paulo; mas a frase "da parte de Deus Pai e da do Senhor Jesus Cristo, nosso Salvador" é uma variação da expressão "Deus nosso Salvador" (cf. 1 Tm 1.1; 2.3; 4.10; Tt 1.3; 2.10; 3.4).

2. Designando os Líderes da Igreja (1.5—2.1)

2.1. O Dever de Designar Presbíteros (1.5)

Neste verso, Paulo indica a razão pela qual deixou Tito em Creta. Parece que a missão em Creta era bastante recente e as igrejas muito jovens; por esta razão, Tito foi encarregado de colocar "em boa ordem" aquilo que ainda estava por ser concluído e, "de cidade em cidade", estabelecer presbíteros ou bispos. Paulo já havia dado ordens a Tito a respeito da consagração destes líderes, e esta carta é uma reiteração das instruções verbais anteriores.

2.2. As Qualificações dos Presbíteros (1.6-9)

As qualificações no verso 6, de acordo com o idioma original, são condições ou

Ruínas do grande palácio na cidade antiga de Cnosso, na ilha de Creta. A cidade, onde esteve o trono do legendário rei Minos, teve seu auge aproximadamente entre os anos 2000-1400 a.C. À esquerda estão os Chifres da Consagração. Paulo alertou Tito sobre os rebeldes de Creta.

questões indiretas relativas aos candidatos que estão sendo considerados para o ministério. O grego traduz literalmente: "Aquele que for irrepreensível, marido de uma mulher,[1] que tenha filhos fiéis, que não possam ser acusados de dissolução [desperdício de dinheiro] nem são desobedientes" — este pode ser considerado como um candidato ao presbitério (veja comentários sobre 1 Tm 3.2-7 a respeito das qualificações dos líderes, especialmente a discussão relativa a "marido de uma mulher").

Paulo parece estar usando as palavras "ancião/presbítero" (*presbyteros*, v. 5) e "líder/bispo" (*episkopos*, v. 7) de modo intercambiável (veja comentários sobre 1 Tm 5.17). Neste primeiro período da história da Igreja, os ofícios ministeriais eram variáveis e indistintos.

Paulo chama os bispos de "despenseiros da casa de Deus" (na NIV, "encarregados da obra de Deus"). Os despenseiros (pessoas encarregadas de administrar os negócios de uma casa) eram bem conhecidos daqueles que viveram no primeiro século. Uma vez que tais pessoas tinham perante o dono da casa a responsabilidade de cuidar desta, era necessário que fossem irrepreensíveis (veja comentários sobre o *inclusio* de 1 Tm 3.2-7). Note também que os bispos não são simplesmente responsáveis pela igreja como seus empregados; são responsáveis perante Deus como seus servos, cuidando das coisas de Deus.

Paulo cita cinco características negativas que desqualificam os candidatos a este ofício. O bispo não deve ser (1) "soberbo" (dominador), (2) "iracundo" (propenso à ira), (3) "dado ao vinho" (veja comentários sobre 1 Tm. 3:3), (4) "espancador" (dado a resolver os problemas por meio da violência), nem (5) "cobiçoso de torpe ganância" (aquele que almeja ganhos desonestos).

Paulo então especifica seis qualidades exigidas do líder cristão. Deve ser (1) "dado à hospitalidade" (literalmente, "amar os estranhos"), (2) deve ser "amigo do bem" (ou amar boas pessoas ou coisas), (3) deve ser "moderado", (4) "justo" (íntegro), (5) "santo" (devoto) e (6) "temperante" (disciplinado; deve ter completo autocontrole, dominando todos os seus impulsos, mantendo-se fiel a Deus) (Rienecker, 1980, 652).

Os bispos têm a responsabilidade de reter firmemente a "fiel palavra que é conforme a doutrina" (v. 9). O verbo utilizado para "reter firme" tem a dupla conotação de resistir contra algo hostil e "aplicar firmemente" (Rienecker, 1980, 652). As razões para esta instrução são equivalentes às tarefas que Paulo confiou a Timóteo (cf. 2 Tm 4.2) e a Tito (cf. Tt 1.13): encorajar os fiéis e confrontar os oponentes. O líder da igreja, que é seguramente a função desempenhada pelos presbíteros ou bispos, deve ser capaz de encorajar e admoestar (ou ainda "exortar"; cf. 1 Tm 4.13; 5.1; 6.2) "com a sã doutrina" (veja a discussão sobre 1 Tm 1.10). Deve também ser capaz de refutar (ou "convencer"; cf. 1 Tm 5.20; 2 Tm 3.16; 4.2) "os contradizentes" (Fee, 1988, 175).

2.3. A Necessidade dos Presbíteros (1.10—2.1)

2.3.1. O Princípio Geral (1.10,11).

O parágrafo precedente mostra os altos padrões exigidos da liderança cristã, e este parágrafo nos diz o porquê. Os presbíteros desempenham um papel crítico na vida da igreja por "silenciarem" os oponentes da verdade (v. 11). O idioma grego é vívido aqui — os líderes devem "tapar a boca" dos oponentes. Quem são estes oponentes da verdade? Outros membros da igreja que são "desordenados" ou "rebeldes" (v. 10). Estes "desordenados" geralmente se enquadram em duas categorias:

1) os passivos que são meros "faladores" — cujas palavras desprezíveis (a despeito de quão impressionantes possam ser) não têm nenhum conteúdo sólido de verdade; e
2) os ativos que são os "enganadores", cujo objetivo é iludir a mente. Não importando o método utilizado, o propósito dos dois tipos de oponentes de Tito é o mesmo: "o ganho desonesto" ou "por torpe ganância" (cf. 1 Tm 6.5). Estes falsos mestres são mercenários religiosos, que atraem os

convertidos com a finalidade de ganhar dinheiro. Alguns destes oponentes têm raízes judaicas: "os da circuncisão".

Que tarefa têm os líderes cristãos — "tapar a boca" destes! Como um líder pode silenciar os rebeldes? Imagine que todo líder cristão segura dois baldes em suas mãos: um balde de gasolina em uma das mãos e um balde de água na outra. Quando um membro insubordinado e rebelde da igreja tenta incomodar o grupo, o líder pode escolher usar o balde de gasolina para aumentar o combustível do fogo ou o balde da água para extinguir a fonte do conflito antes que esse se espalhe. A igreja precisa de mais líderes que possam "silenciar" ou "tapar a boca" dos rebeldes.

A conquista destes rebeldes em Creta é notável — arruinaram, preocuparam, destruíram ou transtornaram "casas inteiras". A rebelião transtorna todas as coisas; coloca o povo em uma situação de completa desordem. Confunde as pessoas a ponto de perderem a noção de direção. Em uma época em que as igrejas se reuniam nas casas de seus membros, segmentos inteiros da congregação de Creta foram desviados do verdadeiro caminho por tais pessoas.

Este capítulo destaca a necessidade de uma liderança fidedigna nos dias de Tito e também em nossos dias. As igrejas que se reúnem nas casas, as células e os pequenos grupos devem ter líderes que sejam modelos irrepreensíveis (vv. 6,7a), virtuosos amigos do bem que amem as pessoas (vv. 7b,8), biblicamente ortodoxos (v. 9), e leais à visão da igreja, certamente não rebeldes ou insubordinados (vv. 10,11). Devem ser capazes de "silenciar" os rebeldes (v. 11), "admoestar" ou encorajar os fiéis, "convencer" os oponentes (v. 9) reprendendo-os "severamente" (v. 13). Estas características formam uma lista excelente para avaliar os líderes cristãos e fornecem um excelente plano de ensino para treiná-los.

2.3.2. Um Exemplo Específico (1.12). Paulo cita Epimenides de Cnosso, em Creta, um ensinador de religião e adivinho, que viveu aproximadamente em 305-240 a.C. Kelly (1963, 235-236) explica:

Epimenides parece ter estigmatizado o povo de Creta como "sempre mentirosos" porque reivindicavam ter a tumba de Zeus em sua ilha. Isto era um flagrante embuste, pois Zeus era considerado o chefe dos deuses e, na visão de seus devotos, estava vivo. A declaração, porém, tornou-se um slogan popular jocoso, uma expressão da terrível reputação que o povo de Creta passou a ter no mundo antigo, como mentiroso. Esta situação prevaleceu de tal maneira, que o verbo "cretize", do grego *kretizein*, tornou-se uma palavra popular que significava mentir ou enganar...
Nenhuma insinuação profunda precisa ser extraída da expressão "bestas ruins, ventres preguiçosos". Paulo a considera como uma rude e precisa expressão da mentira, da grosseria e da cobiça do grupo dissidente de Creta.

A citação do versículo 12 é interessante porque refere-se ao mesmo assunto que Paulo mencionou nos versos 10 e 11. O termo "mentirosos" significa o mesmo que "faladores, vãos e enganadores" (v. 10b); as "bestas ruins" são semelhantes às pessoas "desordenadas" (v. 10a); e os "ventres preguiçosos" estão incluídos na "torpe ganância" (v. 11) (veja Fee, 1988, 179). Com o apoio de um dos próprios cretenses, considerado por estes como um profeta, as instruções e ordens de Paulo agora têm uma nova força.

2.3.3. O Exemplo é Confirmado (1.13a). A expressão "este testemunho é verdadeiro" refere-se novamente à citação de Epimenides. Tendo usado o próprio herói do povo cretense como um mensageiro contra eles, Paulo os expõe a um julgamento. Esta é uma das tarefas dos líderes da igreja.

2.3.4. A Aplicação do Exemplo (1.13b,14). "Repreenda-os severamente" (não com uma repreensão leve, mas forte, diretamente endereçada ao coração), "para que sejam sãos na fé", isto é, saudáveis na doutrina (não doentes ou infectados). Paulo identifica duas fontes a que os falsos mestres recorrem para as suas reivindicações: as "fábulas judaicas" (veja comentários sobre 1 Tm 1.4) e os "mandamentos de homens que se desviam da verdade". Os nomes específicos dos problemas que os líderes da igreja enfrentam em nossos dias podem diferir, todavia, as fontes gerais são as mesmas: as teorias não comprovadas e o legalismo extrabíblico. Os presbíteros da atualidade não devem considerar seu trabalho mais fácil ou menos necessário do que o daqueles a quem Paulo escreveu.

2.3.5. A Explicação do Exemplo (1.15,16). O presbítero havia sido instruído e os inimigos e os erros identificados; agora vem a razão. Paulo explica que "todas as coisas são puras para os puros". Esta não é uma reivindicação relativa à natureza do ambiente de um cristão, mas uma reivindicação relativa à perspectiva dos santos. Já que os puros, inocentes e fiéis estão procurando as mesmas coisas, é isso que vêem. Em contrapartida, o olho que está sempre procurando o mal, não deixa de encontrá-lo. Compare os comentários de Jesus em Mateus 6.22,23 e Lucas 11.34-36.

As características da pessoa impura são explicadas mais adiante (vv. 15b,16). Os impuros podem se parecer com as ovelhas, professando conhecer a Deus, mas o seu entendimento e a sua consciência estão contaminados. Suas reivindicações são vazias porque suas obras são perversas e tudo em sua vida nega a Cristo. Uma vez que estas pessoas são "abomináveis" e "desobedientes" ao próprio Deus, são desqualificadas para qualquer boa obra. Duas conclusões da última oração do verso 16 mostram que os impuros são impróprios para a liderança da igreja, e sua participação no ministério não deve ser considerada como algo bom.

2.3.6. O Chamado à Sã Doutrina (2.1). Levando em conta o conflito com os rebeldes (1.10-14), Tito é exortado a falar a verdade (literalmente, "fala o que convém à sã doutrina"). Deste modo, ele não só será um modelo de como silenciar os impuros, mas também orientará os seguidores a se tornarem futuros líderes puros para a obra do Senhor.

3. O Aconselhamento aos Membros da Igreja (2.2—3.11)

3.1. Um Conselho Específico (2.2-14)

3.1.1. O Conselho para os Homens mais Velhos (2.2). O apóstolo agora fornece uma extensa seção de instruções a vários grupos de crentes com relação a seu caráter e conduta. O vocabulário empregado não é tão específico, e a seção é tão semelhante às antigas discussões extrabíblicas relativas ao comportamento virtuoso, que Paulo parece não estar tratando dos problemas das congregações de Creta, mas "de modo geral está incentivando seus leitores às boas obras e a um estilo de vida cristão de modo que, 'em tudo, sejam ornamento da doutrina de Deus, nosso Salvador'" (v. 10) (Fee, 1988, 184). Os versos 2-10 são uma proteção espiritual — um medicamento ou um remédio que evita as enfermidades.

Paulo primeiramente ordena que "os velhos" tenham quatro virtudes. A palavra grega para "velhos" (*presbytes*) — e para "mulheres idosas" (*presbytis*) em 2.3; cf. também *presbytera* ("mulheres idosas") em 1 Timóteo 5.2 — está relacionada à palavra grega empregada em Tito 1.5 para "presbíteros" (*presbyteros*). Todas estas são derivadas da raiz léxica *presbys*, "velho". "Nos círculos judaicos e cristãos é freqüentemente difícil distinguir entre a designação da idade e o título do ofício" (Bromiley, 1985, 931). Todas as palavras acima também podem ser traduzidas como "presbítero [podendo ser aplicadas tanto a homens como a mulheres]". Nas Cartas Pastorais, Paulo usa a palavra "presbíteros" de modo inclusivo, isto é, para ambos os tipos de líderes da igreja ("supervisores/bispos" e "diáconos/auxiliares/ministros/servos") e ambos os gêneros (masculino e feminino).

As instruções específicas de Paulo consistem em que os homens mais velhos sejam: (1) "temperantes" ou "sóbrios" (cf. 1 Tm 3.2,11); (2) "graves", "merecedores de respeito" ou de bom caráter (cf. 1 Tm 3.8); (3) "prudentes" (cf. 1 Tm 3.2; Tt 1.8; 2.5,6); (4) "sãos" ou saudáveis nas três virtudes fundamentais: "na fé, na caridade e na paciência até o fim. Ainda que nada disto seja explicitamente dito a respeito dos grupos mencionados a seguir, podemos assumir que isto seja esperado por parte de todos" (Fee, 1988, 186).

3.1.2. O Conselho para as Mulheres mais Velhas (2.3-5). Semelhantemente, "as mulheres idosas" (*presbytis*, veja comentários sobre 2.2; esta palavra foi usada por Filo referindo-se às mulheres que passavam dos sessenta anos, nas *Leis Especiais* 2.33) devem ser "sérias no seu viver". Fee (1988, 186) explica:

> A palavra traduzida como "sérias", *hieroprepeis*, freqüentemente significa de forma simples "santo" (por exemplo, 4 Mac 9.25; 11.20), mas poderia também ter o sentido mais específico de "agir como uma sacerdotisa", o que é resultante de seu uso para descrever a conduta de um sacerdote. Já que esta é uma palavra incomum (ocorrendo somente nesta passagem na Bíblia em grego), é provável que Paulo tivesse em mente esta conotação mais ampla. Em poucas palavras, deveriam se comportar de um modo digno do serviço do templo.

Seu comportamento deve não ser "caluniador" (literalmente, "diabólico"). Apesar de na cultura do século I aqueles que bebiam muito fossem freqüentemente admirados, Paulo acrescenta que as mulheres idosas não devem ser "dadas a muito vinho" (cf. 1 Tm 3.8,11). Seu estilo de vida deveria ser caracterizado pelo ensino daquilo que é bom, devendo ser "mestras no bem" — isto é, serem orientadoras idôneas.nas questões voltadas à moralidade e vivificadoras das virtudes —, de forma que pudessem "ensinar as mulheres mais jovens" (literalmente, "trazê-las a seu juízo, transmitir-lhes sabedoria em suas responsabilidades como esposas") em sete atributos: (1) "amarem seus maridos" e (2) "amarem seus filhos". As mulheres mais velhas deveriam demonstrar também para as mais jovens como: (3) ter "autocontrole" ou prudência (cf. v. 2); (4) ser moralmente "puras" ou castas (cf. 1 Tm 5.22); (5) qualificadas para as tarefas ou deveres domésticos, sendo "boas donas de casa"; (6) generosas ou benevolentes; (7) "sujeitas a seus próprios maridos" (veja os comentários sobre o versículo 9). O propósito de viverem corretamente se deve à presença do evangelho na vida de cada uma delas, e como este será visto pelos incrédulos. Ao longo das Cartas Pastorais, Paulo freqüentemente destaca este ponto (veja os comentários sobre *inclusio* em 1 Tm 3.2-7).

3.1.3. O Conselho para os Jovens (2.6-8). Paulo é enfático ao instruir Tito a exortar os mais jovens (referindo-se aos homens e às mulheres em geral) a terem também domínio próprio. Este é o mesmo requisito dado às mulheres mais velhas no verso 2 e às mais jovens no verso 5 (o verbo "ensinar" no versículo 4 é também uma parte deste grupo de palavras; veja os comentários).

Relembrando 1 Timóteo 4.12, Paulo exorta Tito quanto à sua vida pessoal, dizendo: "Em tudo, te dá por exemplo de boas obras". Seu ensino deve ser caracterizado pela:
1) "integridade", que não deve ser maculada pela impureza, parcialidade, ou pelos erros doutrinários (em contraste com os rebeldes de 1.10-16);
2) "seriedade" (cf. 1 Tm 3.4), que inspira respeito;
3) linguagem sadia [cf. Tt 1.9,13; 2.1,2; também 1 Tm 1.10], que não pode ser condenada, uma vez que está acima de qualquer repreensão ou contradição. "Se o ensino de Tito for motivado pela pureza no conteúdo e no comportamento pessoal, seus oponentes serão envergonhados, já que não encontrarão nenhum motivo para acusar Tito ou Paulo" (Fee, 1988, 189).

3.1.4. O Conselho para os Servos (2.9,10). Os escravos são instruídos a serem sujeitos a seus [próprios] senhores em tudo. A voz do verbo no versículo 9 (referindo-se aos escravos), no verso 5 (referindo-se às mulheres mais jovens) e em 3.1 (referindo-se a todos os crentes) é melhor traduzida na voz média (isto é, com uma idéia reflexiva) do que na passiva. Deste modo, ao invés de escravos, mulheres e crentes sendo exortados a se "sujeitarem", a idéia é que se sujeitem por sua própria vontade, espontaneamente.

A atitude cristã exigida aos escravos é exemplificada nas instruções para que "agradem" a seus senhores, isto é, que sejam amáveis e obedientes, e não lhes respondam de uma maneira controversa, que dê ocasião a discussões. Os escravos cristãos não devem roubar a seus senhores. "Já que os escravos freqüentemente tinham a confiança de seus senhores para fazer as compras, e também uma certa privacidade, não deveriam furtar ou empregar mal as quantias que lhes eram confiadas, o que podia ser uma tentação comum para todos eles" (Fee, 1988, 190). Paulo quer que os escravos demonstrem uma completa honestidade a fim de que sejam testemunhas para os outros (cf. v. 5). Seu estilo de vida cristão deveria ser como a melhor peça que um joalheiro pudesse exibir, a pedra mais preciosa de Deus — o glorioso evangelho (Rienecker, 1980, 654).

3.1.5. A Capacitação Disponível para Seguir os Conselhos (2.11-14).

Este parágrafo (juntamente com 3.4-7) é o principal ponto teológico da carta. É a base teológica (o "indicativo", descrevendo o que Deus fez por nós) para as instruções (o "imperativo", descrevendo o que Deus espera de nós) em 1.10—2.10. Paulo inicia com o termo explicativo "porque", ligando o que deve ser ensinado aos vários grupos nos versos 2-10 com as respectivas razões (vv. 11-14). "A graça de Deus se *há manifestado*, trazendo salvação a todos os homens [ênfase acrescentada]". "O significado essencial do verbo em itálico é aparecer repentinamente, e seu uso está particularmente relacionado à intervenção divina, em especial para socorrer a humanidade, trazendo luz à escuridão" (Rienecker, 1980, 654). O tempo aoristo indica que se trata de um ato da graça de Deus que acontece uma única vez para sempre, "o aparecimento da glória do grande Deus e nosso Senhor Jesus Cristo" (v. 13; cf. 2 Tm 1.10).

A graça de Deus "nos ensina" eticamente em duas direções (v. 12):

1) negativamente: renunciar, repudiar ou rejeitar a "impiedade" e as "concupiscências mundanas";
2) positivamente: "vivamos neste presente século sóbria [veja comentários em vv. 2,5,6], justa [cf. 1 Tm 6.11] e piamente".

A graça de Deus nos ensina que devemos viver de uma maneira santa na época presente, enquanto aguardamos nossa perfeita santidade na Segunda Vinda de Cristo (v. 13; cf. Gl 5.5; Cl 1.5; 2 Tm 4.8). O propósito da morte sacrificial de Cristo é nos resgatar "de toda iniqüidade" e nos purificar como um povo separado para si mesmo, "zeloso de boas obras" (v. 14).

3.2. O Encorajamento a Exortar (2.15)

3.2.1. Recapitulação do Mandamento (2.15a).
Tendo preparado a base teológica, o apóstolo retorna a uma exortação de caráter geral, para dizer a Tito que ele deve ensinar as instruções precedentes.

3.2.2. A Reafirmação da Autoridade de Tito (2.15b).
Os três verbos no verso 15 são imperativos quanto à sua duração. Tito deve continuar tratando destes assuntos, encorajando continuamente os fiéis e repreendendo persistentemente os infiéis. Ele deve fazer uso de "toda a autoridade" que está disponível àqueles que estão em obediência a Deus, pois este deve ser o comportamento de um ministro cristão.

Em contraste com sua advertência a Timóteo, Paulo não fez nenhuma menção da juventude de Tito quando aconselhou: "Ninguém te despreze" (cf. 1 Tm 4.12). Embora os dois verbos traduzidos como "desprezar" nestes versos originem-se da mesma raiz, variam quanto à força de seus prefixos prepositivos contrastantes. O verbo que Paulo usou no caso de Timóteo significa "tratar com desprezo, afrontar, desacreditar", e o que usou no caso de Tito tem o sentido de "ignorar, negligenciar, desconsiderar" (Bromiley, 1985, 421). Os escritores na antigüidade usavam o primeiro verbo para designar "o desdém propriamente dito", e o segundo para designar "o desprezo em relação a uma pessoa orgulhosa" (Quinn, 1990, 178). Talvez Tito fosse mais velho que Timóteo, mas o desprezo de outros (por exemplo, dos "muitos rebeldes" de 1.10-14) ainda era uma possibilidade real. Apesar da insolência de seus oponentes, Tito deve falar com total autoridade.

3.3. A Aplicação do Conselho (3.1-8)

3.3.1. Exemplos Práticos (3.1,2). Paulo instruiu Tito a "admoestar" (ou lembrar) o povo de cinco deveres, atitudes e virtudes. O verbo "admoestar" ou "lembrar" significa que já deveriam conhecer estas obrigações como implicações do evangelho (Fee, 1988, 200-201). A obediência civil está no início da lista: submissão "aos principados e potestades" (veja os comentários sobre 2.9) e "obediência" a todos os homens. Fee (ibid., 201) explica que em certa época, "quando o estado ainda era um benfeitor dos cristãos", existia uma atitude positiva em relação aos governantes e às autoridades (cf. Rm 13.1-8). "Estas ordens levantam todos os tipos de questões em meio aos cristãos de nossos dias".

O dever cívico prossegue: Os cristãos devem "estar preparados para toda boa obra", isto é "devem estar acima de quaisquer outros ao demonstrar um espírito público" (Scott, citado em Fee 1988, 201). Além disso, os crentes não devem difamar a ninguém, mas ser pacíficos (literalmente não contenciosos cf. 1 Tm 3.3), mostrando toda mansidão e consideração para com todos os homens.

3.3.2. O Testemunho Pessoal (3.3-8). Depois de dar exemplos práticos para aplicar seu conselho (vv. 1,2), Paulo continua explicando a razão de seu apelo (v. 3). Seu primeiro apelo é um testemunho pessoal. "Porque também nós éramos, noutro tempo..." como os incrédulos (provavelmente incluindo os falsos mestres) que agora são: "insensatos, desobedientes, extraviados, servindo a várias concupiscências e deleites, vivendo em malícia e inveja, odiosos, odiando-se uns aos outros".

Paulo então descreve a resposta graciosa de Deus à condição humana através de uma formulação altamente condensada da doutrina da salvação. No verso 8 ele afirma que esta palavra é fiel (veja comentários sobre 1 Tm 1.15). Esta declaração de fé pode, portanto, ser considerada como ortodoxa (cf. o hino da salvação em 2 Tm 1.9,10, e a fórmula de afirmação em 1 Tm 1.15).

A "benignidade" mencionada no verso 4 é o aspecto da bondade de Deus que é generosa, paciente e misericordiosa. É a habilidade que Deus tem de ignorar nossas falhas e ministrar para nós. Seu "amor" é, literalmente, filantrópico — a compaixão de Deus pela humanidade exibida por intermédio da vinda de Cristo a este mundo (cf. 2.11) no meio dos pecadores, iluminando o mundo com as Boas Novas de um Pai amoroso e perdoador.

Paulo afirma fortemente que a salvação não é o resultado das "obras de justiça que houvéssemos feito", mas que fomos resgatados da penalidade que merecíamos pela "misericórdia" de Deus. Enquanto a justiça nos daria aquilo que mereceríamos ganhar, a misericórdia nos concedeu aquilo que jamais seríamos dignos de receber. São descritos dois aspectos da salvação:
1) a "lavagem da regeneração" — isto é, sermos limpos do pecado no momento de nossa regeneração, o que é simbolizado pelo batismo nas águas;
2) a "renovação do Espírito Santo" — que é o processo contínuo de se tornar uma nova criatura em Cristo, à medida que seguimos o conselho do Espírito Santo (cf. Rm 12.2; Gl 3.3).

O Espírito Santo foi dado em medida abundante por nosso Salvador Jesus Cristo, que o "derramou sobre nós... para que, sendo justificados pela sua graça, sejamos feitos herdeiros, segundo a esperança da vida eterna". A justiça estaria alcançando o que merecemos, a misericórdia não; e a *graça* está *alcançando* o que não merecemos.

Na última parte do verso 8, Paulo expressa seu desejo de que Tito "insista constantemente, e fale confiantemente de suas declarações prévias" (Rienecker, 1980, 656). Seu propósito é que os crentes tivessem o cuidado de se dedicarem continuamente a fazer aquilo que é bom. Fee (1988, 208) explica que "fazer o que é bom beneficia a todos, não só afetando-os positivamente, mas também atraindo-os para a verdade do evangelho".

3.4. Duas Proibições (3.9-11)

3.4.1. Evite as Disputas Inúteis (3.9).
No versículo 9, Paulo orienta Tito a evitar três situações. O verbo traduzido como "evitar" ou "não entrar em" significa "ficar fora do caminho destas coisas", "sair do caminho", "passar longe", "rejeitar ou afastar-se" (Rienecker, 1980, 657). As três situações são:
1) "questões loucas" — isto é, investigações, especulações, discussões e debates;
2) "genealogias" (veja os comentários sobre 1 Tm 1.4);
3) "contendas e debates acerca da lei [Mosaica]".

As "questões loucas" estão principalmente no âmbito das fortes discussões (como as discussões políticas ou domésticas, as discórdias ou as disputas), enquanto o termo "contendas" provavelmente envolva ameaças de violência real (Liddell, 1968, 1085).

Por que se deve evitar situações como estas? "Porque são coisas inúteis e vãs". Quer dizer, são fúteis e não trazem nenhuma recompensa; o tempo gasto nelas jamais será útil.

3.4.2. Rejeite as Pessoas que Causam Divisões (3.10,11).
A segunda proibição que Paulo faz é contra os facciosos, aqueles que causam divisões por meio de discordâncias. "Depois de uma e outra admoestação, evita-o", ou seja, tente ajudá-lo corrigindo seu erro através de advertências ou aconselhamento. Tais inimigos só devem ter duas chances e então devem ser evitados.

A razão pela qual o "herege" deve ser rejeitado é justamente esta; em sua divisão, "tal" homem demonstra que "está pervertido e peca, estando já em si mesmo condenado". Ao persistir em seu comportamento divisor, o "falso mestre" tornou-se pervertido ou "continua em seu pecado", deste modo "se autocondenando". Isto é, por sua própria persistência no comportamento pecaminoso, condenou a si mesmo, colocando-se de fora, sendo conseqüentemente rejeitado por Tito e pela igreja (Fee, 1988, 212).

4. Conclusão (3.12-15)

4.1. Instruções Finais (3.12-14)

4.1.1. Pedindo a Companhia de Tito (3.12).
No final da carta, Paulo faz dois pedidos pessoais. Primeiro pede que Tito o encontre em Nicópolis. Ele está viajando pela Macedônia e planeja permanecer por certo tempo em Nicópolis, onde está mais quente. O apóstolo pretende enviar Ártemas ou Tíquico para ministrar em Creta durante a ausência de Tito, que o visitará. Tíquico "da província da Ásia" (At 20.4) o acompanhou na entrega da oferta para os irmãos pobres em Jerusalém. Ele serviu ao apóstolo durante seu encarceramento romano e levou as suas cartas para as igrejas de Éfeso e Colossos (Ef 6.21,22; Cl 4.7,8). Paulo o chama de "irmão amado e fiel ministro do Senhor" (Ef 6.21).

4.1.2. Tito Deve Prestar Assistência (3.13).
O segundo pedido é que Tito ajude Zenas e Apolo. O título de Zenas indica que era um advogado judeu ou um advogado romano. Era aparentemente um companheiro de Apolo em suas viagens missionárias. O cuidado de Paulo para com Apolo mostra seu bom relacionamento.

4.1.3. Exortação sobre o Comportamento da Igreja (3.14).
A frase "E os nossos aprendam também a aplicar-se às boas obras" significa que os cristãos não deveriam ser preguiçosos. Os trabalhadores do Evangelho não devem apenas ensinar o que é bom, mas também fazer o que é bom. Fazendo isto, não somente terão o suprimento de suas necessidades materiais, como também produzirão um fruto eterno.

4.2. Conclusão (3.15)

4.2.1. Saudações (3.15a,b). Em suas outras cartas, Paulo sempre menciona os nomes daqueles que estão com ele. Nesta carta, porém, simplesmente escreve: "Saúdam-te todos os que estão comigo", e "Saúda tu os que nos amam na fé". Provavelmente isto se deva ao fato de Tito conhecer todos aqueles que estão com Paulo em Nicópolis.

4.2.2. A Bênção (3.15c). Na sentença final, Paulo profere as seguintes palavras de oração: "A graça seja com vós todos". A mesma bênção do Pai e do Filho que Paulo pronunciou a Tito na abertura desta carta, ele agora oferece, neste encerramento, a todos os crentes que estavam em Creta.

NOTA

[1] Este requisito foi declarado neste contexto no gênero masculino, embora o conceito de ter somente um cônjuge esteja relacionado a todos os líderes da igreja, sejam homens ou mulheres; cf. comentários sobre "marido de uma mulher" em 1 Tm 3.2,12 e "mulher de um só marido" em 5.9.

BIBLIOGRAFIA DAS CARTAS PASTORAIS

Comentários. C. K. Barrett, *The Pastoral Letters in the New English Bible* (1963); M. Dibelius e H. Conzelmann, *The Pastoral Letters,* Hermeneia (1972); G. D. Fee, *First and Second Timothy, Titus,* NIBC (1988); D. Guthrie, *The Pastoral Letters,* TNTC (1991); A. T. Hanson; *The Pastoral Letters,* NCBC (1982); R. W. Harris, S. M. Horton e G. G. Seaver, *The Complete Biblical Library, volume 8: Study Bible, Galatians-Philemon* (1989); J. N. D. Kelly, *A Commentary on the Pastoral Letters* (1963); W. Lock, *A Critical and Exegetical Commentary on the Pastoral Letters,* ICC (1973); J. D. Quinn, *The Letter to Titus,* AB (1990).

Outras Obras. G. W. Bromiley, *Theological Dictionary of the New Testament: Abridged in One Volume* (1985); Colin Brown et al., *The New International Dictionary of New Testament Theology,* 3 volumes (1976); D. A. Carson, D. Moo e L. Morris, *An Introduction to the New Testament* (1992); J. Gillman, "Timothy", "Timothy and Titus, Letters to" e "Titus", no *Anchor Bible Dictionary,* vol. 6 (1992); R. H. Gundry, *A Survey of the New Testament,* 3ª edição (1994); D. Guthrie, *New Testament Introduction,* edição revisada (1990); P. N. Harrison, *The Problem of the Pastoral Letters* (1921); C. S. Keener,... *And Marries Another: Divorce and Remarriage in the Teaching of the New Testament* (1991); idem, *Paul, Women, and Wives: Marriage and Women's Ministry in the Letters of Paul* (1992); C. C. Kroeger, M. Evans e E. Storkey, *Study Bible for Women: The New Testament* (NRSV) (1995); R. C. Kroeger e C. C. Kroeger, *I Suffer Not a Woman: Rethinking 1 Timothy 2.11-15 in Light of Ancient Evidence* (1992); W. G. Kümmel, *Introduction to the New Testament,* 17ª edição (1973); R. S. Liddell, R. Scott e H. S. Jones, *A Greek-English Lexicon,* 2ª edição (1968); F. Rienecker, *A Linguistic Key to the Greek New Testament,* ed. Cleon L. Rogers Jr. (1980); J. A. Robinson, *Redating the New Testament* (1976); R. C. Trench, *Synonymus of the New Testament* (1953); A. Wikenhauser, *New Testament Introduction,* traduzido por J. Cunningham (1958); M. Zerwick e M. Grosvenor, *A Grammatical Analysis of the Greek New Testament* (1979).

FILEMOM
Sven K. Soderlund

INTRODUÇÃO

A carta a Filemom é, sem dúvida, a mais curta das cartas preservadas de Paulo em nosso cânon; conseqüentemente é encontrada no final da coleção paulina (em geral as cartas de Paulo foram organizadas em termos de tamanho). Porém, sua importância não deveria ser medida por seu tamanho ou posição — o que parece ser o caso, julgando pelo número reduzido de vezes que é lida, pregada e estudada na igreja contemporânea. A carta, de fato, tem uma mensagem poderosa que deve ser conhecida e receber atenção. Esta mensagem não está muito relacionada à teologia — embora a teologia esteja presente, como praxe, na aplicação da verdade cristã para a vida. Aqui, a aplicação é a habilidade muito necessária de solucionar conflitos, a neutralização de distinções sociais na comunidade cristã, e uma oportunidade para minar a instituição da escravidão.

1. Autoria, Data e Local

Em relação a Romanos, 1 e 2 Coríntios, Gálatas, Filipenses e 1 Tessalonicenses, esta é uma das cartas sobre a qual não existe, na comunidade de estudiosos, qualquer dúvida quanto à sua autoria paulina. As evidências indicam que foi escrita por Paulo (v.1) e tem todas as marcas de seu estilo; sua presença no cânon só pode ser explicada por sua autenticidade. As questões debatidas sobre esta carta estão relacionadas ao *local* e à *data* em que foi escrita.

Uma importante consideração ao responder estas questões é sua relação com a Carta aos Colossenses, já que várias observações apontam para o fato de que estas duas cartas foram escritas ao mesmo tempo e no mesmo local. Note que ambas foram obviamente escritas durante um dos encarceramentos de Paulo (Fm 1,9,10,13,23; cf. Cl 4.3,10,18). Além disso, com uma exceção, as pessoas a quem as saudações são enviadas no princípio e no final de ambas são as mesmas: Timóteo (Cl 1.1; Fm 1); Epafras, Marcos, Aristarco, Demas e Lucas (Cl 4.10-14; Fm 23,24). Somente "Jesus, chamado Justo" em Colossenses 4.11 não é mencionado na Carta a Filemom. Além disso, um dos líderes da Igreja em Colossos, Arquipo, é mencionado em ambas as cartas (Cl 4.17; Fm 1). Mais importante, porém, é o fato de Onésimo, o escravo fugitivo que foi restituído a Filemom (cf. Fm 12), ser identificado em Colossenses 4.7-9 como um nativo de Colossos e estar retornando para lá na companhia de Tíquico. Em vista destas correspondências, é claro que aquilo que for determinado sobre a data e o local em que a Carta aos Colossenses foi escrita deve se aplicar igualmente à carta a Filemom — e vice-versa (cf. a discussão da autoria de Colossenses na introdução de seu respectivo comentário).

O verdadeiro local do encarceramento de Paulo não é certo, já que não existe nenhuma referência explícita em uma ou outra carta sobre o lugar de sua composição. De acordo com a tradição mais antiga, Roma era a cidade de origem de todas as cartas conhecidas como "da Prisão" (aos Efésios, Filipenses, Colossenses e a Filemom); porém, no caso de Colossenses/Filemom alguns estudiosos propuseram Éfeso como sendo o lugar da composição com base no fato de que esta cidade seria muito mais acessível para um escravo fugitivo de Colossos (Colossos ficava a apenas cento e quarenta quilômetros de Éfeso). O problema com esta sugestão é que não existe nenhuma menção, em qualquer passagem, nem em Atos nem nas cartas de Paulo, de um encarceramento de Paulo em Éfeso. Além disso, poderia ser argumentado que a distância e o anonimato que havia na maior metrópole de Roma seria uma provável razão para Onésimo ter fugido para lá.

Uma procedência romana seria também mais consistente com a presença de Lucas com Paulo no momento da composição

A carta de Paulo a Filemom, o líder de uma igreja que se reunia em uma casa em Colossos, provavelmente foi escrita enquanto o apóstolo estava preso em Roma. O rio Tibre atravessa Roma. O mausoléu mostrado aqui foi construído por Adriano por volta de 120 d.C., após a morte de Paulo.

(Fm 24; Cl 4.14); não temos nenhuma indicação de que Lucas estivesse com Paulo em Éfeso. Na ausência de evidências provando o contrário, portanto, este comentário procede da suposição de que a carta a Filemom tenha sido escrita de Roma durante a primeira fase do encarceramento de Paulo naquela cidade, entre os anos 60-62 d.C.

2. Contexto e Mensagem

A linha histórica reconstruída da carta é bastante simples. Um próspero irmão cristão, Filemom, que é também um amigo de Paulo e líder de uma igreja que estava em uma casa em Colossos, possui um escravo, Onésimo. Onésimo fugiu de seu senhor para Roma, tendo provavelmente roubado alguma importância em dinheiro ou algo de propriedade de Filemom (cf. Fm 18). Em Roma, através de uma desconhecida seqüência de eventos, Onésimo encontra Paulo e se torna crente. Ainda em Roma, Onésimo se torna um grande ajudador de Paulo durante seu encarceramento.

Após certo tempo, porém, Paulo decide devolver Onésimo a seu legítimo dono. A ocasião apropriada para esta atitude era a visita do evangelista de Colossos, Epafras, a Roma, cuja tarefa era compartilhar com Paulo algumas preocupações sobre a situação da Igreja em Colossos (veja a introdução a Colossenses). Em resposta a estas notícias, Paulo escreve uma carta aos crentes de Colossos, que deve ser entregue por seu emissário, Tíquico, que podia agora servir também como o companheiro ideal para Onésimo em sua viagem de volta a Colossos (cf. 4.7-9). Pelo fato da inesperada chegada de Onésimo a Colossos poder causar algum tipo de constrangimento, Paulo escreveu esta carta de recomendação a favor do culpado, porém agora convertido, escravo fugitivo.[1]

Porém a simplicidade desta linha de pensamento não deve nos impressionar quanto à qualidade literária da carta ou ao impacto de sua mensagem. Como será observado no comentário, a Carta a Filemom é uma obra-prima do uso da técnica diplomática e dos recursos retóricos. Tecnicamente, a carta pode ser classificada como uma "carta de recomendação", uma epístola bem conhecida na antiguidade (veja a obra de Chan-Hie Kim, *Form and Structure of the Familiar Greek Letter of Recommendation*, SBLDS [1972], esp. 123-28; cf. também Rm 16.1,2; 1 Co 16.15-18; Fp 2.29,30; 4.2,3; 1 Ts 5.12,13a). Neste exemplo, Paulo usa todas as convenções literárias apropriadas a esta categoria, embora o faça com seu próprio toque criativo.

Porém, esta carta é mais do que um modelo de escrita diplomática e persuasiva. Comunica, também, a verdade e o exemplo cristão em várias frentes. Dentre outras coisas, demonstra o poderoso impacto do evangelho na conversão de um escravo fugitivo e sua reabilitação como um útil servo cristão. Mostra Paulo como uma infatigável testemunha, até mesmo em meio à restrita condição da prisão, alcançando não só a "casa de César" (cf. Fp 4.22), mas também um humilde e criminoso escravo. Tal fato atesta a insignificância da hierarquia (no sentido de prepotência) na comunidade cristã, ao aplicar termos de estima semelhantes tanto ao senhor como ao escravo, plantando, deste modo, a semente da abolição da escravatura.

Mais diretamente, talvez, mostre como a mensagem de reconciliação deve ser trabalhada em meio às irmãs e irmãos cristãos pelo exercício do perdão e do amor, e como a comunidade (cf. vv.1,2,23,24) pode fazer o papel da consciência na solução de conflitos e na restauração da comunhão. Em uma sociedade como a nossa, onde as pessoas são exortadas a insistir sozinhas em seus direitos, levar as causas rapidamente aos tribunais, ou exigir compensação liberal — até mesmo em meio aos cristãos — a mensagem desta carta não parece ser apenas relevante, mas urgente. De certo modo, a carta pode ser lida como uma aplicação particular da exortação dada por Paulo a toda comunidade de Colossos: "Suportando-vos uns aos outros e perdoando-vos uns aos outros, se algum tiver queixa contra outro; assim como Cristo vos perdoou, assim fazei vós também" (Cl 3.13). Como tal, a carta chegou a nós, através dos séculos, trazendo o seguinte desafio: "Vai e faze da mesma maneira" (cf. Lc 10.37).

ESBOÇO

1. **Saudações Introdutórias** (vv.1-3)
   1.1. Autor (v. 1a)
   1.2. Destinatários (vv.1b,2)
   1.3. Saudações (v.3)
2. **Oração** (vv.4-7)
   2.1. Oração de Ação de Graças (vv.4,5,7)
   2.2. A Oração de Intercessão (v.6)
3. **O Pedido em Favor de Onésimo** (vv.8-22)
   3.1. A Base do Pedido (vv.8,9)
   3.2. O Tema do Apelo (vv.10-16)
   3.3. O Objetivo do Apelo (vv.17-22)
4. **Saudações Finais e Graça** (vv.23-25)

COMENTÁRIO

1. Saudações Introdutórias (vv.1-3)

Embora seja a carta mais curta e mais pessoal de Paulo, a fórmula da saudação introdutória é a mesma de todas as suas outras cartas ("Paulo... a..., saudações"), uma fórmula usada não só por Paulo, mas pela maioria dos escritores das cartas escritas na Antiguidade. Todavia, dentro da estrutura estereotípica da fórmula, existia também espaço para uma certa flexibilidade e criatividade — uma flexibilidade completamente explorada por Paulo. De interesse especial aqui são as semelhanças e diferenças que esta fórmula de saudação tem com a da carta aos Colossenses, à qual este documento está mais relacionado.

1.1. Autor (v.1a)

A frase de abertura da carta é idêntica à de Colossenses, com a exceção de que onde Colossenses descreve Paulo como "apóstolo de Jesus Cristo, pela vontade de Deus", a Carta a Filemom simplesmente o identifica como "prisioneiro de Jesus Cristo". Esta mudança de título de apóstolo para "prisioneiro" é significativa, considerando que a Carta aos Colossenses é também uma das cartas escritas na prisão (cf. Cl 4.3,10,18); sua condição de prisioneiro é muito mais enfatizada na breve Carta a Filemom. A carta não apenas é iniciada com a referência ao fato de Paulo estar preso, mas a frase é também repetida no verso 9. Nos versos 10 e 13 existe uma referência às "prisões" de Paulo e no verso 23 Paulo menciona Epafras como seu "companheiro de prisão por Cristo Jesus".

Parece claro que neste momento de sua carreira, Paulo estava muito consciente de sua condição como prisioneiro. Mas devemos observar de *quem* ele diz ser prisioneiro: não dos romanos ou de César — o que seria tecnicamente correto, se assim o dissesse — mas de "Cristo Jesus". Recordamos que Paulo, em várias ocasiões, refere-se a si mesmo como "servo [*doulos*] de Cristo Jesus" (Rm 1.1; Fp 1.1; Tt 1.1; cf. Gl 1.10), mas em que sentido era também "prisioneiro de Jesus Cristo"?

Provavelmente esta frase pode melhor ser explicada pela referência a Efésios 3.1, onde Paulo descreve a si mesmo como "o prisioneiro de Jesus Cristo *por vós, os gentios*" (cf. Ef 4.1). A razão pela qual estava na prisão relacionava-se diretamente a seu ministério como um apóstolo de Cristo aos gentios; os romanos eram somente os intermediários. Em última instância, sua vida e destino estavam nas mãos do Senhor Jesus. Portanto, onde quer que ele estivesse — até mesmo na prisão — pertencia ao Senhor.

Mas Paulo não estava só. Além daqueles mencionados na saudação final (vv.23,24, Epafras, Marcos, Aristarco, Demas, e Lucas) como estando presentes com Paulo, havia também Timóteo, seu amigo e leal cooperador. Fica claro que Timóteo é destacado dos demais cooperadores de Paulo pelo modo como é associado ao apóstolo nas saudações introdutórias de várias de suas cartas (cf. 2 Co 1.1; Fp 1.1; Cl 1.1; 1 Ts 1.1; 2 Ts 1.1). Especialmente notável, porém, é o fato de que até mesmo nesta carta mais pessoal, Paulo mencione Timóteo junto consigo. A relação entre Paulo e seu jovem cooperador era aparentemente tão próxima que mesmo sob estas circunstâncias delicadas, o apóstolo não hesitou em unir seu nome ao de Timóteo em sua saudação. Esta é outra lembrança de que, na verdade, Paulo não tinha, além de Timóteo, alguém de igual sentimento (Fp 2.20). Provavelmente, tanto Timóteo como Paulo conheceram Filemom durante o tempo de seu ministério em Éfeso (At 19).

1.2. *Destinatários (vv.1b,2)*

Três pessoas são mencionadas por seus nomes nesta saudação — Filemom, Áfia, e Arquipo. Porém, como se torna óbvio posteriormente, somente um destes é o principal destinatário, isto é, Filemom, a pessoa referida nos versos subseqüentes designada pelos pronomes singulares "teu/tua". Enquanto isso, cada uma das pessoas endereçadas na saudação é introduzida por uma frase descritiva: Filemom como o "amado cooperador" de Paulo [cf. Cl 1.7; 4.7,9,14]; Áfia como "irmã" de Paulo (cf. Rm 16.1) no Senhor; e Arquipo como seu "companheiro" ou "companheiro nos combates" (cf. Fp 2.25).

É impossível saber, com certeza, se estes três faziam parte da mesma família como marido, esposa e filho; embora esta sugestão certamente pareça interessante. A menção da frase a "igreja que está em tua casa", na saudação inicial, também pode implicar a existência de uma família que seria composta por Filemom, Áfia e Arquipo, e uma igreja que se reunia em sua casa;[2] todos estes fariam parte de uma comunidade de crentes em Colossos. Juntamente com Timóteo e os outros cooperadores mencionados nas saudações dos versos 23 e 24, a casa-igreja e a casa de Filemom se tornam uma parte da nuvem de testemunhas que observa, com preocupação, o drama que se desdobra entre Paulo, Onésimo e Filemom.

1.3. *Saudações (v.3)*

A fórmula de saudação ou cumprimento ("graça a vós e paz, da parte de Deus, nosso Pai, e a do Senhor Jesus Cristo") é idêntica àquela que é encontrada na maioria das cartas de Paulo (cf. Rm 1.7; 1 Co 1.3; 2 Co 1.2; Gl 1.3; Ef 1.2; Fp 1.2; 2 Ts 1.2). Embora tivesse evidentemente se tornado uma expressão formalizada, não era menos sincera em virtude de sua freqüente repetição. A frase busca invocar todas as bênçãos associadas à antiga e à nova aliança na comunidade da fé, reunida em Colossos.

O termo "paz" recorda a bênção de Arão em Números 6.26, enquanto "graça" se tornou a palavra escolhida por Paulo para expressar a extensão do amoroso favor de Deus para com seu povo através de Cristo (veja comentários em Cl 1.2). Paulo sempre quis o melhor para seus convertidos, individual e coletivamente. Também lhes desejava as mesmas bênçãos que havia experimentado em seu encontro com Deus, através de Cristo. Deste modo, até dentro da estrutura bastante previsível de uma abertura epistolar, Paulo é um exemplo do cuidado e do generoso amor pastoral.

2. Oração (vv. 4-7)

Ao manter sua convenção habitual, Paulo, após sua saudação introdutória, oferece uma oração de ação de graças e intercessão. O que é diferente nesta carta, juntamente com sua brevidade, é o enfoque em um indivíduo — Filemom — e não na congregação (cf. também 2 Tm 1.3). O parágrafo se move através das seguintes fases: o verso 4 introduz os temas de ação de graças e intercessão; os versos 5 e 6 dão respectivamente o conteúdo da ação de graças e da intercessão; o verso 7 retorna indiretamente ao tema da ação de graças, reconhecendo a importância do amor de Filemom a Paulo e à congregação colossense.

2.1. Oração de Ação de graças (vv. 4, 5, 7)

O aspecto pessoal desta carta se torna imediatamente aparente no princípio da oração, já que todos os pronomes e verbos estão no singular: "Graças *dou* ao meu Deus, lembrando-me sempre de *ti* nas minhas orações [singular, em grego]". Pode ser comparada a esta, a oração paralela em Colossenses 1.3, onde todos os pronomes e os verbos correspondentes estão no plural: "Graças *damos* a Deus, Pai de nosso Senhor Jesus Cristo, orando sempre por *vós* [plural, em grego]". Porém, o *motivo* para a ação de graças de Paulo na carta pessoal é idêntico ao que foi expresso na carta congregacional, consistindo na fé dos discípulos no Senhor Jesus e em seu amor "para com todos os santos" (Fm 5; cf. Cl 1.4; sobre isto veja O'Brien, 1982, 278 -79).

O que está especialmente enfatizado nesta carta é o amor de Filemom pelos "santos", um assunto elaborado no verso 7, onde Paulo elogia Filemom porque por ele "o coração dos santos foi reanimado". A palavra traduzida como "coração" (*splanchna*) significa literalmente "partes internas", "entranhas", mas era freqüentemente usada figuradamente para se referir aos sentimentos de afeto e compaixão (cf. Cl 3.12) ou para o local onde residem tais emoções. Não sabemos de que modo específico Filemom demonstrou compaixão; entretanto, em comparação com outras passagens onde o verbo "reanimar" é encontrado (por exemplo, 1 Co 16.18; 2 Co 7.13; Fm 20; cf. Mt 11.28), podemos observar a sugestão de que suas atitudes estariam relacionadas ao ministério de encorajamento. Como conseqüência, o conhecimento desta expressão do amor de Filemom (vv. 5, 7) pelos colossenses proporcionou a Paulo "grande gozo e consolação", inclusive porque o apóstolo estava prestes a apelar a Filemom por uma demonstração adicional daquela mesma generosidade de espírito (v. 20).

2.2. A Oração de Intercessão (v. 6)

Considerando que os versos 5 e 7 dão as razões para a ação de graças de Paulo, o verso 6 contém o conteúdo de sua petição a Filemom em favor de Onésimo. Infelizmente, não é fácil determinar a natureza precisa da petição como desejaríamos, pois a sintaxe grega desta parte da oração é mais complicada do que o padrão normal. Literalmente, a oração pode ser traduzida do seguinte modo: "Para que a comunicação [comunhão] da tua fé seja eficaz, no conhecimento de todo o bem que em vós há, por Cristo Jesus".

Mas o que isso significa? A maior ambigüidade cerca a frase "a comunhão [*koinonia*] da tua fé"; tal ambigüidade surge por causa da incerteza do significado a ser aplicado à palavra *koinonia*. O significado comum de *koinonia* normalmente é ter "comunhão" ou "compartilhar", mas de acordo com o contexto o significado posterior pode ter nuances diferentes — por exemplo, "compartilhar" no sentido de uma "contribuição" (cf. Rm 15.26), "parceria" (cf Fp 1.5), "companheirismo ao compartilhar algo" (cf. Fp 3.10), ou "compartilhar verbalmente", isto é, "comunicar".

A tradução do verso 6 pela NIV ("para que a comunicação da tua fé seja eficaz") pressupõe que a frase em questão se refere à comunicação verbal da fé de Filemom, que presumivelmente a "compartilhava" com os crentes e os incrédulos. Embora esta seja uma interpretação possível, tem o perigo de limitar nossa compreensão do papel de Filemom à comunicação verbal. Em vista de seu ministério na comunidade como o próspero anfitrião da igreja que se reunia em sua casa (v.2) e como o provável anfitrião e benfeitor de Paulo (v.22), a sugestão é pensar em Filemom como se estivesse também "compartilhando" seus recursos materiais. Portanto, deveríamos entender as palavras de Paulo como uma referência à generosidade de Filemom, que se originava de sua "fé" (O'Brien, 1982, 280).

Porém ainda que a nuance mostrada na frase "a comunicação [comunhão] da tua fé" permaneça incerta, existe uma pequena dúvida sobre o objetivo maior de Paulo em sua oração em favor de Filemom. Entendemos que o apóstolo desejava que o exercício de sua fé o levasse a uma compreensão de todo o bem que neles havia, por Cristo Jesus (v.6b), isto é, a uma consciência crescente de todos os recursos que estão disponíveis em Cristo. A implicação disso é clara: Considerando que uma fé inativa leva à estagnação, uma fé ativa leva ao crescimento espiritual — seguramente um princípio de aplicação universal.

3. O Pedido em Favor de Onésimo (vv.8-22)

Na saudação (vv.1-3) e no relato da oração (vv.4-7) Paulo habilmente preparou Filemom para o principal propósito da carta, isto é, seu pedido em favor do escravo fugitivo, Onésimo. O pedido propriamente dito constitui o "corpo" da carta (vv.8-22), e este também é desenvolvido com grande habilidade e sensibilidade.

Desde o início da carta, Paulo tem em mente um pedido específico sobre o qual toda a carta discorre, isto é, o pedido para que Filemom receba Onésimo como faria com o próprio Paulo (v.17). Porém, para alcançar o seu objetivo, Paulo precisa proceder lenta e diplomaticamente. Começando no verso 8, portanto, Paulo desenvolve o assunto passo a passo, enfocando a base para o pedido (o "amor" de Filemom e as circunstâncias de Paulo; versos 8 e 9), o tema do pedido (Onésimo, o escravo convertido, vv.10-16), e o objetivo do pedido (que Filemom receba de volta seu escravo fugitivo, versos 17-22).

A carta é direcionada pela interação entre os membros deste trio de irmãos Cristãos: Paulo, o advogado; Onésimo, o escravo fugitivo; e Filemom, o dono do escravo, que sofreu o prejuízo. Todos os três se conhecem, porém nunca estiveram reunidos. Como observadores, a congregação em Colossos, sem dúvida está interessada no desdobramento da crise na casa de Filemom, com uma mistura de simpatia e apreensão.

3.1. A Base do Pedido (vv.8,9)

Devido à autoridade apostólica de Paulo, ele sabia que poderia ser ousado e exigir que Filemom fizesse aquilo que deveria ser feito (v.8). Contudo, prefere uma estratégia diferente — uma estratégia de "apelo" (cf. o uso do verbo *parakaleo* nos versos 9 e 10). A base do apelo é dupla: o "amor" de Filemom e as circunstâncias de Paulo. Provavelmente, Paulo havia sido informado por Epafras quanto ao amor generoso de Filemom por "todos os santos" em Colossos (v.5). Além disso, o próprio Paulo havia recebido esta demonstração de "amor" com "grande gozo e consolação" (v.7). Agora, com base neste mesmo "amor" (v.9a) — este se mostra o motivo da expressão "pelo que" ou "por isso" no princípio do verso 8 — resolve apelar a Filemom por uma demonstração adicional de sua consideração, na questão relacionada a Onésimo.

Mas Paulo não se contenta com um apelo ao amor de Filemom; também reforça seu pedido mencionando suas próprias circunstâncias, referindo-se a si mesmo como "Paulo, o velho e também agora prisioneiro de Jesus Cristo" (v.9b). Filemom não só deveria atender ao pedido de Paulo "com base no amor", mas também pelo próprio Paulo, isto é, em consideração à sua idade e condição (v.9b). Nesta época, Paulo já teria mais de sessenta anos de idade e, com razão, podia referir-se a si mesmo como "um homem velho",[3] em relação à expectativa de vida daquele tempo. Não era apenas velho, mas também um prisioneiro por causa do evangelho. Mediante estas considerações, Paulo espera acrescentar um peso adicional à avaliação que seu amigo fará em relação aos méritos de seu pedido.

3.2. O Tema do Apelo (vv.10-16)

Até este ponto na carta — mais de um terço! — não há qualquer menção do motivo específico de Paulo estar escrevendo, muito menos a menção do nome da pessoa por quem Paulo está intercedendo. Mas no verso 10 a declaração tem a força de sustentação da retórica (no texto grego, a menção do nome "Onésimo" aparece somente no final de uma longa oração, sem dúvida, intencionalmente, a fim de maximizar a expectativa retórica; cf. a tradução literal do verso 10: "Peço-te por meu filho Onésimo").

Porém, tendo-o mencionado, Paulo agora está livre para dizer várias coisas sobre Onésimo. Ele o faz nos versos subseqüentes em uma série de três orações paralelas no princípio dos versos 10, 12, e 13 respectivamente, que podem ser literalmente traduzidos como: "Que gerei nas minhas prisões" (v.10), "eu to tornei a enviar" (v.12) e "eu bem o quisera conservar comigo" (v.13).

A frase "que gerei nas minhas prisões" (cf. NIV, "que se tornou meu filho enquanto eu estava em cadeias") é indubitavelmente uma referência ao envolvimento de Paulo com Onésimo, levando-o à fé em Jesus Cristo. Não somos informados a respeito de qualquer detalhe sobre as circunstâncias que aproximaram o velho apóstolo e o jovem fugitivo; entretanto, podemos imaginar que exista uma história interessante relacionada a tal fato. Como resultado de sua conversão, Onésimo se tornou "filho" de Paulo (cf. Timóteo em 1 Co 4.17; 1 Tm. 1.2,18; 2 Tm 1.2; 2.1, e em Tt 1.4), e Paulo se tornou o "pai espiritual" de Onésimo (GNB).

Porém, esta introdução positiva da relação "pai e filho" entre Paulo e Onésimo é imediatamente minimizada pela referência ao aspecto negativo do relacionamento prévio entre Filemom e Onésimo, isto é, o reconhecimento de que, apesar do significado do nome de Onésimo ser "lucrativo" ou "útil", o fugitivo tinha de fato se tornado "inútil" para seu dono (v.11). No entanto, Paulo se apressa a acrescentar — ainda empregando palavras elaboradas — que depois da conversão de Onésimo, este se tornou novamente "útil",[4] tanto para Filemom quanto para o próprio apóstolo.

Na segunda e terceira orações paralelas mencionadas acima ("eu to tornei a enviar", v.12; "eu bem o quisera conservar comigo", v.13), Paulo continua a nota positiva do verso 10. Onésimo não é somente seu "filho"; tornou-se também seu próprio "coração" (v.12; cf. comentários do verso 7). Não é surpreendente, portanto, que Paulo desejasse ter Onésimo consigo na prisão, como um companheiro e ajudante, ao invés de enviá-lo a Filemom (v.13). Mas Paulo não faria qualquer coisa sem o consentimento de seu amigo, para que não houvesse qualquer constrangimento a Filemom, e também para que a boa vontade deste para com o apóstolo não fosse como "por força" (v.14), mas espontânea. Conseqüentemente, Paulo decidiu devolver Onésimo a seu legítimo dono (v.12) pois, não mantendo sua vontade em segredo, talvez Filemom eventualmente permitisse que Onésimo servisse novamente ao apóstolo (veja os comentários do verso 21).

Desde o princípio, Paulo preparou o caminho para o pedido específico que pretendia fazer a Filemom. Porém, antes de explicitar o assunto (v.17), oferece a seu amigo uma reflexão adicional sobre a importância da fuga de Onésimo. Paulo expressa que talvez existisse uma razão transcendente para tudo isso, isto é, trazer Onésimo à fé; assim Filemom também teria alcançado um resultado positivo, pois teria Onésimo "para sempre, não já como servo; antes, mais do que servo, como irmão amado" (vv.15,16).

Este entendimento, é claro, levanta profundas questões sobre o desenrolar dos propósitos de Deus através das falhas e transgressões humanas (neste caso, o roubo e a fuga de Onésimo), questões que Paulo não deixa de tratar neste momento. Antes, sua estratégia é simplesmente encorajar Filemom a considerar o aspecto positivo da atitude negativa de Onésimo que, através de tudo aquilo que aconteceu, se tornou um "irmão amado", "mais do que servo" e "no Senhor". Esta posição de Onésimo como "irmão amado" foi certamente verdadeira em relação a Paulo, e o apóstolo espera que o seja ainda "mais" em seu relacionamento com Filemom.

3.3. O Objetivo do Apelo (vv.17-22)

Finalmente chegou o momento quando Paulo sentiu-se pronto para articular seu pedido diretamente a seu amigo. Despindo-se de todo o preâmbulo retórico (vv.1-16), utiliza uma frase pequena — porém comovedora (vv.18-21): "Recebe-o [Onésimo] como a mim mesmo" (v.17). Mas a brevidade da frase não deve nos enganar. É tão pesada quanto curta. "Recebe-o", Paulo exorta, "como a mim mesmo" — sem relutância ou ressentimentos, mas de forma calorosa, generosa e aberta. Na realidade, Paulo está pedindo a Filemom que receba de volta seu escravo renegado com o mesmo grau de afeto com que receberia o apóstolo, a quem Filemom deve sua própria vida (v.19).

A implicação do pedido de Paulo é que na comunidade da fé à qual Filemom pertence, e da qual Onésimo agora passou a ser participante, as distinções sociais e as queixas passadas não devem existir. Este é o resultado da aplicação específica do princípio anunciado na carta congregacional aos Colossenses, porque em Cristo não há "servo ou livre" (Cl 3.11). O perdão e a igualdade de tratamento deveriam caracterizar o relacionamento na nova comunidade, e não a separação por classes sociais e os planos de vingança. Tal mensagem, em nossos dias, é tão radical — e desafiadora — quanto naquela ocasião.

A formulação do pedido não está só, mas é precedida (v.17a) e seguida (v.18) por orações condicionais. Cada uma delas, à sua própria maneira, é calculada para acrescentar peso ao pedido simples, porém direto do verso 17b. O pedido específico em questão é realmente a parte da "resposta" à oração condicional introdutória: "Se me tens por companheiro [*koinonos*, uma palavra aplicada a Tito em 2 Co 8.23]" (v.17a) — uma escolha deliberada de palavras que afirmam algo positivo sobre o relacionamento entre Paulo e Filemom, que este último certamente não desejaria negar. Agora Paulo espera que Filemom não negue o favor específico que lhe está pedindo.

Isto leva ao verso 18, que contém a segunda oração condicional: "Se [Onésimo] te fez algum dano ou te deve alguma coisa, põe isso na minha conta". Por meio desta oferta de restituição, o apóstolo remove qualquer objeção de caráter financeiro que Filemom pudesse ter para receber o escravo de volta. De fato, Paulo considera o assunto tão sério que faz algo fora do comum: pára de ditar, toma a pena do secretário e escreve com profunda emoção: "Eu, Paulo, de minha própria mão o escrevi: Eu o pagarei". Paulo freqüentemente escreve a saudação final de suas cartas de próprio punho (cf. 1 Co 16.21; Gl 6.11; Cl 4.18; 2 Ts 3.17), porém, somente nesta carta interrompe o ditado para escrever, na realidade, um apelo pessoal! Então, como uma reflexão tardia — e que reflexão tardia poderosa! — o apóstolo acrescenta: "Para te não dizer que ainda mesmo a ti próprio a mim te deves" (v.19).

Não conhecemos por que razão ou de que modo Filemom devia sua própria vida a Paulo; presumivelmente o apóstolo esteja se referindo à conversão de Filemom e a todos os benefícios que vieram desta. Mas os detalhes são irrelevantes; o importante é que Filemom e Onésimo tinham algo em comum, ambos encontraram a vida através do ministério de Paulo. A implicação é que os dois, no mínimo, deveriam se reconciliar.

Paulo encerra a carta com um apelo final a Filemom por sua cooperação e obediência (vv.20,21), juntamente com um pedido pessoal de hospitalidade (v.22). O apelo à cooperação e à obediência faz referência ao vocabulário anteriormente empregado na carta, ajudando a reforçar os pontos previamente mencionados. Paulo começa dirigindo-se a Filemom como "irmão", o mesmo termo usado pelo apóstolo no verso 7 (cf. também "amado... cooperador" no verso 1b).

O fervoroso e sincero pedido de Paulo, do qual espera receber um "benefício" de Filemom, nos lembra um jogo de palavras anterior, onde Paulo mencionou o nome de "Onésimo" (cf. vv.10,11): o verbo grego empregado no verso 20a, *oninemi* (literalmente, "para que eu possa ter um ganho"), vem da mesma raiz de *onesimos* ("benéfico, lucrativo"). Na exortação "*reanima* o meu coração" (v.20b) Paulo usa o mesmo vocabulário da frase do verso 7, "por ti, ó irmão, o coração dos santos foi *reanimado*".

A referência à obediência de Filemom no verso 21 não soa como algo normal, pelo fato de Paulo não ter feito anteriormente qualquer uso de sua autoridade apostólica (vv.8,9). O ponto, porém, é que se Paulo desejasse verdadeiramente afirmar sua autoridade sobre Filemom, não teria feito o esforço de escrever uma carta tão cuidadosamente elaborada e persuasiva. Assim, a própria existência da carta é um testemunho da estratégia de fazer um "apelo" ao invés de dar uma "ordem". Ao mesmo tempo, não há qualquer dúvida na mente do leitor — nem na de Paulo! — sobre a resposta esperada. De fato, Paulo está "confiante" de que Filemom fará ainda "mais" do que lhe fora pedido.

A que este "mais" se refere? A comparação com os versos 13 e 14 sugere muitas interpretações para a probabilidade de Paulo realmente estar esperando o eventual retorno de Onésimo como seu ajudante, mas desta vez com o consentimento e a bênção de Filemom (v.14). Simplesmente não sabemos se isto veio a acontecer. Pode ser, de fato, que os eventos tenham tomado um curso muito diferente. Mesmo fazendo uma alusão ao retorno de Onésimo para que fosse o seu ajudante, antecipa também sua própria soltura e seu eventual retorno à região do Mar Egeu. Embora não tivesse previamente visitado Colossos (cf. Cl 2.1), desta vez esperava visitar a Igreja naquela cidade — conseqüentemente, faz o seguinte pedido: "Prepara-me também pousada, porque espero que, pelas vossas orações, vos hei de ser concedido" (v.22).

Não sabemos se Paulo realizou seu sonho de visitar Colossos, ou se Onésimo retornou a Roma para novamente servi-lo. Mas o que sabemos, e podemos afirmar com confiança, é que a Carta a Filemom, apesar de sua brevidade, serve como um poderoso testemunho da vitalidade, da diplomacia, da habilidade literária do apóstolo e, especialmente, de seu amor "no Senhor" para com cada indivíduo, a despeito de sua importância na escala social.

4. Saudações Finais e Graça (vv.23-25)

Com uma exceção, os nomes daqueles que enviaram saudações à casa de Filemom (vv.23,24) são idênticos àqueles que em Colossenses 4.10-14, enviam saudações à Igreja em Colossos (a exceção é "Jesus, chamado Justo" em Cl 4.11). Esta correspondência exata dos nomes é uma das fortes razões para se assumir que o lugar da residência de Filemom era de fato Colossos (juntamente com as claras indicações de que tanto Onésimo como Epafras eram colossenses; cf. Cl 4.9,12).

Embora os nomes sejam os mesmos, em ambas as cartas, a ordem é diferente. Na Carta a Filemom a pessoa mencionada primeiramente é Epafras, o evangelista, de quem os colossenses primeiramente ouviram o evangelho (cf. Cl 1.7), mas que era agora um "companheiro de prisão" de Paulo (o mesmo termo é aplicado a Aristarco em Cl 4.10). Os outros que enviaram saudações a Filemom são: Marcos, Aristarco, Demas e Lucas (cf. uma ordem diferente em Cl 4.10-14). Talvez esta variação na seqüência dos nomes signifique que dentre os cooperadores de Paulo — o mesmo termo aplicado a Filemom no verso 1 — não existisse nenhuma ordem fixa baseada em posição. É especialmente notável aqui a menção de Demas que mais tarde desertou (cf. 2 Tm 4.10) — *antes* da menção de Lucas (cf. Cl 4.14).

Será que a menção destes nomes sugere que todos os cooperadores de Paulo estavam cientes do conteúdo da carta? Provavelmente sim. É difícil pensar que não estivessem cientes da dinâmica que circundava o retorno de Onésimo a Colossos. É provável que o assunto fosse público, mais do que Filemom provavelmente desejasse. Este fato nos lembra — como seguramente deve ter lembrado Filemom — que os olhos do mundo, por assim dizer, estão postos sobre nós para ver como os conflitos são solucionados entre os cristãos. Nos lembra também que a solução de conflitos, entre irmãos e irmãs, que parecem ser assuntos particulares ou confidenciais, tem, freqüentemente, amplos desdobramentos e repercussões.

De maneiras diferentes, todos nós somos chamados a responder com amor e generosidade às situações de conflito em que estivermos diretamente envolvidos, como também àquelas em que nos encontramos na posição de observadores de outros que enfrentam dificuldades. Os cooperadores de Paulo, sem dúvida, aprenderam a ser observadores silenciosos, que permanecem em oração, trazendo, deste modo, uma contribuição positiva (e não negativa) à solução da tensão entre as partes envolvidas, neste caso, Filemom e Onésimo. Se esta é uma interpretação correta do papel dos irmãos mencionados nos versos 23 e 24, eles servem como um maravilhoso modelo para nós.

No original, a carta é encerrada (v.25) com a invocação da famosa fórmula da "graça" por parte de Paulo, desta vez dirigida a um indivíduo, e não à congregação. Quer seja endereçada a um ou a muitos, a mesma graça estava e está disponível a todos.

NOTAS

[1]Cartas semelhantes de intercessão por escravos fugitivos sobreviveram desde a antiguidade; a mais famosa é a de Pliny, *Epistles*, 9.21 (veja Lohse [1971], 196-97, n.2).

[2] Para outras referências às "casas-igreja" na era apostólica, veja Rm 16.5,23; 1 Co 16.19; Cl 4.15. Para uma discussão deste fenômeno e bibliografia adicional, veja Robert Banks, *Paul's Idea of Community*, ed. rev. (1994), 26-36, 203-4.

[3]Muitos comentaristas e traduções recentes sugerem que a palavra grega *presbytes* (traduzida na NIV e em outras traduções como "ancião") deveria ser traduzida como "embaixador" (cf. O'Brien [1982], Harris [1991], Bruce [1984], REB, NRSV marg.). O argumento é que, embora a ortografia normal para "ancião" fosse *presbytes* — como em todos os nossos manuscritos do verso 9 — e a ortografia padrão para "embaixador" fosse *presbeutes*, nos manuscritos da antiguidade, as duas formas eram freqüentemente intercambiadas; de fato, existem casos específicos na literatura grega onde o termo *presbytes* significa "embaixador". Esta linha de interpretação concordaria com a justaposição de Paulo, ao referir-se a si mesmo literalmente como "embaixador em cadeias", em outra passagem (cf. Ef 6.20). Além disso, teria a vantagem de evitar qualquer sugestão de que Paulo tenha apelado a Filemom baseando-se na autocomiseração, o que não estaria de acordo com o caráter do apóstolo, que normalmente considerava seus sofrimentos e prisões por Cristo como uma honra. Mas este argumento não é conclusivo. Em ambos os casos, o que é verdadeiro é que o apelo de Paulo, neste verso, é baseado *em sua própria situação*, e não na de Filemom ou até mesmo na de Onésimo.

[4]O jogo de palavras no grego é *achreston* ("inútil") / *euchreston* ("útil"). Tanto Onésimo como *euchrestos* significam "útil". Pode ainda haver um jogo de palavras adicional envolvendo o título *christos*, do seguinte modo: *achrestos* ("inútil") = *a-christos* ("sem Cristo"); *euchrestos* ("útil") = *eu-christos* ("bom cristão")!

BIBLIOGRAFIA

Os comentários sobre as Epístolas a Filemom e aos Colossenses têm sido combinados freqüentemente. Entretanto, foram publicados alguns estudos independentes sobre Filemom.

F.F. Bruce, *The Epistles to the Colossians, to Philemon and to the Ephesians*, NICNT (1984); Murray Harris, *Colossians and Philemon*, EGGNT (1991); John Knox, *Philemon Among the Letters of Paul: A New View of Its Place and Importance*, ed. rev. (1959); Eduard Lohse, *Colossians and Philemon*, tradução de William R. Poehlmann e Robert J. Karris, Hermeneia (1971); Peter T. O'Brien, *Colossians, Philemon*, WBC (1982); Norman R. Petersen, *Rediscovering Paul: Philemon and the Sociology of Paul's Narrative World* (1985).

HEBREUS
J. Wesley Adams

INTRODUÇÃO

1. Uma Misteriosa Mina de Ouro

O livro de Hebreus é diferente de qualquer outro no Novo Testamento. Ele ocupa o primeiro lugar em eloqüência e aprendizado e é característico em seu conteúdo, forma literária, maneira de referir-se ao Antigo Testamento e sua excepcional ênfase cristológica. Contudo, é o livro mais enigmático do Novo Testamento. Tem sido chamado de "o enigma do Novo Testamento" em virtude da incerteza quanto a quem o escreveu, para quem foi escrito, em que localidade, e em que ponto no primeiro século d.C. Deste modo, o livro apresenta dificuldades inigualáveis para o intérprete. A busca de respostas para o enigma, porém, pode ser esclarecedora e trazer uma maior compreensão. Por essa razão, é vantajoso explorar o mistério que cerca o livro de Hebreus a fim de descobrir sua mensagem e relevância duradouras.

Ao ser lido pela primeira vez, Hebreus parece difícil de ser entendido ou aplicado à vida de hoje. Seu complexo argumento é revestido de conceitos do Antigo Testamento e alusões tiradas do sacerdócio e do sistema sacrificial de Israel. Uma das principais tarefas do comentador é, deste modo, tornar claro o argumento intrinsecamente desenvolvido e explicar o significado de sua base de conhecimento. Somado ao problema da linguagem e dos conceitos pouco conhecidos estão as passagens de advertência, que podem facilmente ser mal-entendidas e mal aplicadas se não interpretadas no contexto do livro como um todo. Para crentes que queiram se aprofundar, porém, o livro de Hebreus é como uma rica mina de sabedoria e revelação de Deus, o Pai, e de Jesus, o Filho. O livro demonstra que o encorajamento e a advertência pastoral efetiva devem ser baseados em uma boa exposição e teologia bíblica.

2. Forma Literária

a. Inigualável e não Convencional

Com relação à sua forma inigualável e não convencional, Orígenes observou: "Começa como um tratado, prossegue como um sermão e termina como uma carta". Ao invés de iniciar com uma saudação, o primeiro parágrafo de Hebreus é semelhante às palavras de abertura de um tratado teológico formal (1.1-4). Então, o livro prossegue mais como um sermão do que como uma carta convencional do Novo Testamento, alternando-se entre um argumento cuidadosamente construído (baseado em uma exposição do Antigo Testamento) e uma séria exortação. Um escritor sugere que Hebreus era "um sermão escrito, que de alguma forma foi impedido de ser entregue oralmente e, então, despachado com uma nota para os seus destinatários, a fim de ser lido em voz alta por um deles" (Bartlet e Grobel, 1965, 11:291; cf. Lane, 1991, 1:lxx-lxxiv). O livro termina como uma carta (13.18,19,22-25).

b. Estilo Distintivo

O rico vocabulário e o estilo oratório polido do autor se aproxima mais do estilo grego clássico do que qualquer outro escritor do Novo Testamento (provavelmente com exceção de Lucas 1.1-4). Além de demonstrar a habilidade de um orador, o autor também revela o cuidado de um estudioso ao apresentar seu argumento. Cada palavra em cada sentença desempenha a sua função de transmitir com precisão o significado desejado. O idioma original de Hebreus era claramente o grego, não o hebraico. O argumento do autor é baseado no significado e na força das palavras gregas, o que não poderia ter ocorrido se tivesse escrito em hebraico.

3. Os Destinatários Originais

a. O Conhecimento Pessoal que o Autor Tinha dos Destinatários

O livro de Hebreus foi escrito para um grupo seleto de crentes em uma localidade específica. O autor conhecia os destinatários como também suas necessidades e os perigos que enfrentavam. Acreditava que muitos deles deveriam ser mestres (5.12). Pediu suas orações (13.18), esperava ansiosamente visitá-los no futuro (13.19,23) e enviou notícias sobre seu amigo comum, Timóteo (13.23). Recordou os "dias passados" quando seus amigos suportaram perseguições (10.32), doando-se generosamente a outros crentes (6.10), enfrentando alegremente as tribulações de terem suas propriedades confiscadas por causa de sua fé em Cristo (10.34), permanecendo com os outros em seus sofrimentos (10.33). O escritor aos Hebreus conhecia a atitude que demonstravam em relação a seus líderes (13.7,17) e lhes transmitiu saudações (13.24). Fica claro que o autor tinha um relacionamento com estas pessoas.

b. Judeus, Gentios, ou Ambos?

Os leitores não são explicitamente identificados em nenhuma parte do livro. O título em todos os primeiros manuscritos gregos é simplesmente "Aos Hebreus". Embora este título provavelmente não seja original, remonta pelo menos ao segundo século e é a designação comum para o livro depois desta ocasião. Não há nenhuma evidência de que ele já tenha circulado sob qualquer outro nome. Este título representa a crença da Igreja em um tempo antigo, de que os leitores originais eram cristãos judeus — quase certamente judeus helenísticos, convertidos no mundo romano, e não judeus palestinos (veja W. Manson, 1951, cap. 1). Por exemplo, o Antigo Testamento com o qual os leitores e o autor estavam familiarizados era a versão grega das Escrituras, não a hebraica. E também "o seu conhecimento do antigo ritual sacrificial de Israel era derivado da leitura do Antigo Testamento e não do contato direto com o serviço do Templo em Jerusalém" (Bruce, 1990, 9).

Alguns intérpretes recentes têm argumentado que Hebreus não foi escrito para os judeus em absoluto, mas para os crentes gentios que estavam em perigo de retornar ao paganismo e, deste modo, se apartarem "do Deus vivo" (3.12). Eles argumentam que se os crentes judeus abandonassem o judaísmo não estariam renunciando ao "Deus vivo", uma vez que continuariam a adorar o Deus de Israel. Porém este raciocínio é defeituoso, pois Hebreus ensina que a antiga aliança agora está obsoleta (8.13); Deus, sob a nova aliança, fala e se relaciona com seu povo por intermédio de seu Filho (1.1-3). Afastar-se de Jesus, o Filho de Deus, é renunciar à fé no Deus vivo que se tornou carne na pessoa de seu Filho e foi completamente revelado nEle (1.3).

Alguns intérpretes sugeriram que os destinatários eram uma congregação mista e que o título é puramente simbólico. Mas a grande maioria dos intérpretes e o peso cumulativo da evidência sugerem que os crentes a quem este livro foi endereçado eram uma pequena comunidade de judeus helenísticos no mundo romano.

c. Evidências da Origem Judaica dos Leitores

Quando o autor de Hebreus adverte seus leitores do perigo de abandonarem a fé em Deus, ilustra sua exortação referindo-se aos israelitas que haviam experimentado a graça e a misericórdia de Deus no Êxodo, entretanto caíram na incredulidade e pereceram no deserto (3.7-19). "O que era possível para os israelitas de tempos atrás, era igualmente possível para os israelitas daqueles dias" (Bruce, 1990, 6). O "fundamento" em 6.1-3 também indica a origem judaica dos leitores. A referência à morte de Jesus que fornece um "Mediador de um novo testamento, para que, intervindo a morte para remissão das transgressões que havia debaixo do primeiro testamento, os chamados recebam a promessa da herança eterna" (9.15), aponta diretamente para os convertidos judeus. A ênfase dada ao fato de que a antiga aliança foi substituída e se tornou obsoleta pela nova aliança e pela morte de Jesus (por exemplo, 8.1-10.18) não teria sentido se os leitores não estivessem predispostos a viver debaixo da antiga aliança.

Ao longo de Hebreus, o autor apela para a autoridade das Escrituras do Antigo Testamento, com a confiança de que seus leitores o reconhecerão, mesmo que a lealdade deles para com o evangelho esteja diminuindo. Esta probabilidade seria verdadeira especialmente no caso de judeus que reconheceram a autoridade do Antigo Testamento antes de se tornarem cristãos, e que continuariam a fazê-lo, ainda que negassem a Cristo e retornassem ao judaísmo. Os convertidos gentios do paganismo, porém, adotaram o Antigo Testamento somente como parte da fé cristã. Se desistissem da fé em Cristo, o Antigo Testamento também seria abandonado.

Além disso, ao longo de Hebreus o argumento do autor é baseado em premissas judaicas, tais como a crença de que o tabernáculo, os sacrifícios e o sacerdócio levítico foram instituídos por Deus para os judeus debaixo da antiga aliança. O livro de Hebreus persistentemente se refere às formas judaicas de adoração e manifesta uma ausência distinta de referência aos modos pagãos, tal como lemos nas cartas de Paulo aos gentios ou às congregações mistas. Podemos concluir seguramente, então, que Hebreus foi escrito para crentes judeus que estavam vacilando em sua fé em Jesus, e pensando em retornar a uma suposta segurança que sentiam no judaísmo.

d. Localização dos Destinatários

Não se pode estar absolutamente certo sobre a localização dos destinatários, uma vez que esta informação não é detalhada no livro. Existem, porém, algumas questões prováveis.

1) Como sugerido acima, os destinatários eram provavelmente judeus da dispersão em vez de judeus da Palestina, embora alguns estudiosos mais antigos como Westcott (1889-1980) e mais recentemente Buchanan (1972) sugeriram Jerusalém como o destino. Os judeus da dispersão residiam em quase todas as cidades importantes do mundo mediterrâneo. Algumas cidades dos que foram identificados como os possíveis destinatários originais são: Colossos, Éfeso, Galácia, Chipre, Corinto, Síria, Antioquia da Síria, Beréia, Alexandria e Roma.

2) Um estudo atual do Novo Testamento vê Roma como o destino mais provável para Hebreus (por exemplo, Guthrie, At-

Alguns trechos da antiga parede romana ainda podem ser encontrados na cidade. O livro de Hebreus foi escrito para um grupo específico de crentes, por alguém que os conhecia bem. Existem boas razões para crer que este grupo fazia parte da Igreja que estava em Roma.

tridge, Bruce, Lane, Ellingworth, Peterson). A frase "os da Itália vos saúdam" (13.24) é a indicação mais forte relacionada à localidade. Embora não seja impossível que esta frase signifique que pessoas que viviam "na Itália" estivessem enviando suas saudações aos crentes fora da Itália, o significado mais natural da expressão "da Itália" é que crentes italianos vivendo longe de sua pátria estivessem enviando saudações a seus compatriotas em algum lugar na Itália. "Dentro desta área, a igreja mais importante, e portanto o destino mais provável, era Roma" (Ellingworth, 1993, 29).

Vários outros fatores apóiam esta conclusão. (a) A evidência mais antiga do conhecimento e do uso de Hebreus está em Roma. Clemente de Roma faz extensivas citações a Hebreus em uma carta pastoral endereçada à Igreja em Corinto por volta de 95 d.C. (b) As alusões à generosidade dos destinatários (6.10,11; 10.33,34) estão de acordo com a história da comunidade da Igreja em Roma, que também é conhecida a partir de outras fontes (cf. Ignatius, *Romanos*, saudação). (c) A referência a "manjares" (Hb 13.9) sugere uma situação semelhante à de Romanos 14. (d) A descrição dos primeiros sofrimentos suportados pelos destinatários (10.32-34) corresponde à experiência de cristãos judeus romanos durante "o édito claudiano de expulsão em 49 d.C." (Lane, 1991, 1:lviii). (e) Timóteo, a quem o autor menciona como tendo laços de amizade com os leitores (13.23), era bem conhecido dos cristãos em Roma (cf. Cl 1.1; Fm 1). (f) A designação incomum de "líderes" ou "pastores" entre os destinatários como *hegoumenoi* (13.7,17,24) "é encontrada fora do Novo Testamento em fontes cristãs antigas associadas a Roma (por exemplo, 1 Clem 21.6; Herm, *Vis.* 2.2.6; 3.9.7)" (Lane, 1991, 1:lviii).

Embora não possa ser provado, há mais razões para fazer conexões de Hebreus com Roma do que qualquer outra localização. A hipótese de que o livro de Hebreus foi originalmente enviado a uma casa que funcionava como uma igreja, dentro da maior comunidade da Igreja em Roma, predominantemente composta por judeus ("Hebreus") que haviam tido fortes laços conservadores com o judaísmo, "atribui a Hebreus uma ampla solidez que falta em outras hipóteses, e fornece uma estrutura plausível para o documento" (Lane, 1991, 1:lviii).

4. Autoria

O autor de Hebreus não é identificado, quer no título antigo quer no próprio livro, e o escritor não se refere a quaisquer circunstâncias que poderiam revelar com certeza sua identidade ou a de seus leitores (talvez por causa da perseguição que ameaçava suas vidas nos dois extremos). O título da KJV (Versão do Rei Tiago), "A Epístola de Paulo, o Apóstolo, para os Hebreus", foi acrescentado pelos editores nos séculos posteriores e não tem nenhuma autoridade textual. No título antigo dos manuscritos gregos simplesmente se lê: "Para [os] Hebreus". A autoria de Hebreus tem sido um mistério pelo menos desde o segundo século.

Sem dúvida alguma, a identidade e as saudações pessoais do autor foram comunicadas verbalmente pela pessoa que entregou a Carta aos Hebreus aos destinatários originais — uma informação que para as gerações subseqüentes pode ser considerada perdida.

a. O Testemunho da História

Entre os patriarcas da igreja primitiva não há nenhum testemunho claro ou uniforme a respeito da autoria deste livro. O primeiro sinal de seu uso está relacionado a Clemente de Roma no final do primeiro século, possivelmente antes da morte do apóstolo João. Embora Clemente cite Hebreus livremente, nunca menciona o nome do autor. Apesar de escrever a uma igreja fundada por Paulo (Corinto), nunca a atribui ao apóstolo. Segue-se na literatura cristã um período de silêncio sobre Hebreus, durante o qual o autêntico conhecimento sobre a origem do livro parece desaparecer.

A primeira discussão conhecida sobre sua autoria ocorre em uma escola cristã em Alexandria (Egito), onde um professor chamado Panteno (aproximadamente no ano 185 d.C.) sugere que o livro de Hebreus tenha sido escrito por Paulo (embora não saibamos sobre que fundamentos baseou esta opinião). Clemente de Alexandria, um discípulo e sucessor de Panteno, viu uma diferença óbvia entre o estilo de escrever de Paulo e o de Hebreus. Ele conjeturou, portanto, que Paulo havia escrito Hebreus originalmente em hebraico, e que posteriormente tenha sido traduzido para o grego por Lucas, para que assim fosse endereçado aos gregos.

Orígenes (185-254 d.C.), o sucessor de Clemente de Alexandria, menciona que existia uma variedade de opiniões sobre a autoria de Hebreus, e declara a sua própria perplexidade sobre o assunto: "Somente Deus o sabe". Deste modo, durante seus dias, a questão da autoria estava aparentemente em aberto, sobre o que todos estavam livres para declarar sua própria opinião. Com a morte do estudioso Orígenes, houve uma diminuição do interesse por tais assuntos, e a igreja de Alexandria veio a manter a autoria paulina como um assunto livre de dúvida. Com base na tradição de Alexandria, "a autoridade de Hebreus como uma obra de Paulo estabeleceu-se no terceiro século em todas as igrejas do oriente" (W. Manson, 1951, 2).

Na metade ocidental do mundo mediterrâneo, o oposto era verdadeiro. As igrejas, até após a metade do quarto século, eram "decididamente contra a autoria paulina [de Hebreus]" (Schaff, 1950, 1:819). Isto é especialmente significativo, uma vez que as características mais antigas de Hebreus são encontradas na igreja romana (como vimos acima). O testemunho resoluto de Tertuliano, no norte da África (aproximadamente em 190 d.C.), de que Barnabé foi o autor de Hebreus é contemporâneo às opiniões de Panteno e de Clemente em Alexandria sobre a autoria de Paulo. A maioria das igrejas ocidentais, porém, manteve que a autoria de Hebreus era anônima até que as reivindicações pouco substanciais da autoria paulina se estendessem gradualmente para o ocidente durante o final do quarto século.

Até mesmo após a canonização oficial do livro de Hebreus no Concílio de Cartago em 419 d.C., quando foi colocado entre as cartas de Paulo, eruditos da Igreja como Jerônimo e Agostinho expressaram suas reservas quanto à opinião de que o livro tivesse sido realmente escrito por Paulo. Quando ambos finalmente se conformaram com a visão predominante, foi assegurado à autoria paulina uma posição incontestável até a Reforma. Em resumo, o testemunho da história do primeiro até o quinto século não é conclusivo, e não acrescenta nada significativo à solução do anonimato da autoria do livro de Hebreus.

Durante o avivamento dos estudos bíblicos no tempo da Reforma Protestante, a questão sobre a autoria do livro de Hebreus ressurgiu, e visões divergentes foram novamente expressas. Erasmo sugeriu que o autor seria Clemente de Roma; Lutero acreditava que fosse Apolo; Calvino estava propenso a acreditar que Lucas o tivesse escrito. Desde aquela época, os estudiosos bíblicos têm considerado quase todas as soluções possíveis para o mistério da autoria.

b. O Testemunho da Evidência Interna

Perfil do autor. A partir de um estudo cuidadoso de Hebreus, é possível traçar um perfil da personalidade do autor. Era um homem de cultura excepcional, que possuía um domínio magistral do idioma grego. Suas habilidades literárias e oratórias apontam para um escritor de rara eloqüência no primeiro século. Além disso, seu vocabulário, suas figuras de linguagem e modo de argumentar indicam que tinha o completo domínio dos métodos literários e teológicos de um judeu treinado ou influenciado pela escola de Alexandria. Por exemplo, seu método de introduzir e usar o material do Antigo Testamento é semelhante ao de Filo, o famoso filósofo e professor judeu de Alexandria. Usa também frases e imagens comuns entre outros escritores de Alexandria. O espírito e a atmosfera de Hebreus demonstra a influência alexandrina.

A evidência de Hebreus em si revela também, com o grau mais alto de probabilidade, que o autor era um judeu helenístico de nascença, e não um palestino —

> alguém que se sentia completamente à vontade ao escrever o grego (e bem menos em relação à escrita hebraica, se é que de fato a conhecia bem); estava também familiarizado à teologia judaico-alexandrina (e menos familiarizado à cultura rabínica da Palestina); um aluno dos apóstolos [originais]... um discípulo independente e um cooperador de Paulo; um amigo de Timóteo; [e não menos]... um homem de visão inspirada, que tinha o poder e a autoridade apostólica, e conseqüentemente merecedor de uma posição no cânon [do Novo Testamento] como "O Grande Desconhecido" (Schaff, 1950, 1:822).

A Autoria de Paulo. Muitos estudiosos conservadores da Bíblia, em nossos dias, acreditam que a autoria de Paulo é improvável, uma vez que o estilo polido da escrita do autor, sua oratória de origem alexandrina, o uso exclusivo da Septuaginta, a maneira de apresentar as citações do Antigo Testamento, o método de argumentação e ensino, e a relutância em identificar-se na carta são características distintamente não paulinas. Além disso, embora Paulo tenha insistido veementemente que o evangelho que pregava lhe fora dado por revelação, diretamente de Cristo (cf. Gl 1.11,12), e sempre considerado seu apostolado como estando no mesmo nível dos doze apóstolos originais (por exemplo, 1 Co 15.7,8; Gl 2.6-9), o autor de Hebreus se coloca entre os cristãos da segunda geração a quem o evangelho foi confirmado por testemunhas oculares do ministério de Jesus (2.3). Os intérpretes do Novo Testamento geralmente concordam que a evidência cumulativa e a declaração do autor em 2.3 pesam decisivamente contra a autoria paulina de Hebreus.

c. O Testemunho de Plausibilidade

Se não foi Paulo, quem então pode ter escrito Hebreus? Os estudiosos têm olhado para uma variedade de possibilidades, e os méritos de cada uma foram ponderados: Lucas, Clemente e Barnabé desde tempos antigos, e Apolo desde a Reforma; nas propostas dos tempos modernos são incluídos Áquila e Priscila, Silas, Pedro, Filipe, Epafras, Aristion e Judas. Destes nomes, os que se mostraram mais prováveis foram: Barnabé (mencionado pela primeira vez por Tertuliano, em aproximadamente 190 d.C.), Lucas (sugerido primeiramente por Clemente de Alexandria, por volta de 195-200 d.C.), Priscila e Áquila (Harnack, em 1900), e Apolo (que foi escolhido por Lutero e muitos estudiosos contemporâneos).

Barnabé. A favor de Barnabé, temos: (1) Foi nomeado muito cedo na história da igreja como o provável autor; (2) era nativo de Chipre, e os cipriotas eram conhecidos por sua excelência em grego; (3) era um levita, um fato que contribuiria para um conhecimento completo do sistema sacerdotal e sacrificial do Antigo Testamento que Hebreus reinterpreta cuidadosamente como sendo cumprido em Cristo; e (4) é chamado em Atos 4.36 de "filho da consolação" (NASB, NVI) ou "filho da exortação". Uma vez que o autor de Hebreus refere-se a este livro como "palavra desta exortação" (13.22), alguns o vêem como uma indicação da autoria de Barnabé.

As evidências contrárias a Barnabé como autor de Hebreus são: (1) Ele, como Paulo, não estava entre os crentes da segunda geração, como no caso do autor de Hebreus (2.3; cf. At 4.36,37); e (2) não há nenhuma evidência de que ele tenha sido influenciado pelo treinamento judeu-alexandrino, como é característico do autor.

Lucas. A favor de Lucas: (1) Sua vida está de acordo com a descrição do autor em 2.3 como tendo recebido o evangelho de testemunhas oculares do Senhor; (2) era capaz de compor uma excelente prosa em grego, como é evidente no prefácio ao seu evangelho; e (3) era um homem educado com certas afinidades no estilo hebraico.

As evidências contrárias a Lucas são: (1) Ele era gentio e não-judeu; (2) o estilo de escrever de Lucas — em Lucas e Atos —

não é oratório como é o de Hebreus; além disso, a semelhança do vocabulário e da maneira de expressão de Lucas com a de Hebreus não é maior que a semelhança entre 1 Pedro e as cartas de Paulo; e (3) não há nenhuma indicação de Lucas ter sido influenciado por Alexandria.

Priscila. Adolf von Harnack propôs que Priscila, com a ajuda de seu marido, escreveu Hebreus. A favor de Priscila e Áquila existe a seguinte evidência: (1) Eram crentes judeus e estavam qualificados como professores altamente cultos; (2) assim como o autor, pertenceram ao círculo paulino, e estiveram associados com Timóteo em Corinto por dezoito meses, como também em Éfeso; (3) faziam parte de uma das igrejas que se reuniam nas casas, em Roma, a quem o livro de Hebreus pode ter sido originalmente endereçado; e (4) o ponto forte de Harnack é "o enigma do anonimato", pois seria conveniente suprimir o nome do autor caso se tratasse de uma mulher. Era um mundo dominado pelos homens, e seria absolutamente correto evitar a divulgação de que uma mulher tivesse escrito uma carta autorizada. Priscila e seu marido eram judeus helenísticos cultos. Uma mulher que foi capaz de instruir Apolo na fé (Atos 18.26) pode ser, sem dúvida, considerada uma ensinadora talentosa.

Contra uma autoria predominantemente feminina de Priscila estão as seguintes observações de Dods (n.d., 4:224):

> (1) Uma autoria única é indiscutivelmente exigida por certas expressões na epístola [11.32; 13.19,22,23, etc.]... Não é possível interpretar estas frases que estão no singular como referindo-se a mais de um escritor; mas é possível interpretar os plurais da epístola como referindo-se a um escritor único ou ao escritor unindo-se aos seus leitores. (2) É certamente improvável que este escritor único tenha sido Priscila, tanto pela proibição de Paulo [veja 1 Tm 2.12], que sem dúvida seria observada por uma amiga tão leal como Priscila, quanto pelo fato de o escritor parecer ter sido um dos *hegoumenoi* [aqueles que presidem, governam, legislam, lideram; isto é, os principais oficiais ou líderes no cristianismo primitivo] o que Priscila não poderia ter sido. (3) A impressão deixada pela epístola é que ela procede de uma mente masculina... [o uso de um particípio masculino em 11.32 é decisivo]. (4) Além destes pontos, existe a importante consideração de que Priscila e Áquila tinham uma formação romana e não alexandrina.

Apolo. Muitos estudiosos do Novo Testamento nos séculos mais recentes acreditaram que o eloqüente Apolo seja o mais provável autor de Hebreus. Atos 18.24-28 traz o seguinte perfil de Apolo:

> E chegou a Éfeso um certo judeu chamado Apolo, natural de Alexandria, varão eloqüente e poderoso nas Escrituras. Este era instruído no caminho do Senhor; e, fervoroso de espírito, falava e ensinava diligentemente as coisas do Senhor, conhecendo somente o batismo de João. Ele começou a falar ousadamente na sinagoga. Quando o ouviram Priscila e Áqüila, o levaram consigo e lhe declararam mais pontualmente o caminho de Deus. Querendo ele passar a Acaia, o animaram os irmãos e escreveram aos discípulos que o recebessem; o qual, tendo chegado, aproveitou muito aos que pela graça criam. Porque com grande veemência convencia publicamente os judeus, mostrando pelas Escrituras que Jesus era o Cristo.

Esta descrição se ajusta bem ao que sabemos sobre o autor de Hebreus: Era um judeu, um nativo de Alexandria, um homem de rara eloqüência (o que explicaria sua forma literária), poderoso nas Escrituras do Antigo Testamento, fervoroso no espírito, bem instruído nos caminhos do Senhor e persuasivo em convencer os judeus de que Jesus era o Cristo. Como Lange define: "Se um escritor tentar colocar em uma ou duas breves sentenças todas as qualificações que seriam exigidas para a autoria da Epístola aos Hebreus, precisaria apenas escrever as sentenças contidas em Atos xviii. 24, etc". (Moll, n.d., 22:10).

As objeções levantadas contra Apolo são: (1) Seu nome está visivelmente ausente no passado. A princípio esta consideração parece importante, mas quando consideramos a natureza contraditória e superficial da discussão sobre a autoria, no passado, ela perde a maior parte de sua força. "Onde o testemunho positivo é de tão pouco valor, ao testemunho negativo do silêncio não pode ser atribuída nenhuma grande importância" (ibid., 22:10). (2) Não há nenhuma evidência de que Apolo fosse um escritor. Mas também não há evidências de que Marcos ou Judas fossem escritores, e que tenham escrito outras obras além de suas contribuições para o Novo Testamento. (3) Não há nenhum registro de que Apolo tivesse qualquer conexão com Roma, o provável destino de Hebreus. Esta objeção, porém, não é completamente significativa. Áquila e Priscila, que tiveram um interesse pessoal por Apolo e foram os responsáveis por ensinar-lhe o caminho do Senhor com mais perfeição, eram de Roma, e havia uma congregação que se reunia em sua casa naquela cidade (Rm 16.3-5). Apolo era um homem que se mudava com freqüência e livremente, não residindo em nenhuma localidade por longos períodos. Portanto, não é de forma alguma improvável que ele visitasse Roma e fosse talvez intimamente familiarizado com a congregação judaico-cristã que se encontrava na casa de Áquila e Priscila. Ele era também um conhecido bem próximo tanto de Paulo como de Timóteo.

Por fim, dentre aqueles, no Novo Testamento, que poderiam ter escrito Hebreus, Apolo é o mais qualificado por sua educação, pelas circunstâncias da vida, por seus dons, por seus antecedentes e pela experiência requerida para escrevê-lo. A. M. Hunter observa que se Apolo não escreveu Hebreus, então deve ter sido escrito por "seu irmão gêmeo" (1975, 64).[1] A despeito de quem tenha escrito o livro de Hebreus, podemos ter a certeza de que o autor o escreveu com uma perfeição apostólica do Espírito e com uma visão, revelação e autoridade apostólicas. A decisiva aceitação de Hebreus como uma Escritura do Novo Testamento, portanto inspirada por Deus, apesar da incerteza sobre sua autoria "testifica do poder intrínseco da própria epístola" (Guthrie, 1983, 19).

5. Data

Quando foi escrito o livro de Hebreus? Uma data no primeiro século pode ser considerada com certeza por três fatos: (1) O seu uso extensivo por Clemente de Roma (95 d.C.); (2) o testemunho do autor de que ele e seus leitores ouviram o evangelho daqueles que foram testemunhas oculares do ministério de Jesus (2.3); e (3) a referência à libertação de Timóteo em 13.23, assumindo que este Timóteo fosse o companheiro de Paulo (como parece provável).

Mas em que época do primeiro século o livro de Hebreus teria sido escrito? A ausência de qualquer referência ao fim do sistema sacrificial judaico (que ocorreu com a destruição de Jerusalém) sugere uma data anterior a 70 d.C., uma vez que o autor escreve como se este ainda fosse um assunto atual para os seus leitores. O argumento que sustentava, de que Cristo substituiu e cumpriu as condições da antiga aliança de sacerdócio e sacrifícios, tornando-os deste modo obsoletos, sugere que o ministério do Templo ainda não havia cessado. Afinal, se fosse escrito após esta data, um clímax convincente para seu argumento poderia ter sido apontar para o fato de que tais sacrifícios já haviam cessado. Quando o autor cita a profecia de Jeremias sobre o estabelecimento de uma "nova aliança", enfatiza que a "nova" tornou a "antiga" obsoleta. Então acrescenta: "Ora, o que foi tornado velho e se envelhece perto está de acabar" (8.13). Isto soa como uma declaração profética, precedendo imediatamente o ano 70 d.C.

Numerosas passagens em Hebreus tornam-se ainda mais convincentes se o contexto histórico estiver situado próximo ou durante a guerra romana de 66-70 d.C. e o cerco contra Jerusalém, "quando existia um chamado que compelia os judeus leais a lançarem a sua sorte com aqueles que lutavam contra Roma" (Morris, 1981, 8). Bruce data o livro de Hebreus imediatamente antes da impetuosa perseguição promovida por Nero (65 d.C.), quando a iminência da perseguição em Roma era notória. Ele aponta esta data porque a frase em 12.4 — "Ainda não resististes até ao sangue, combatendo contra o pecado" — sugere uma época anterior à violenta perseguição promovida por Nero (1990, 21). Porém, se esta declaração for entendida como sinônimo de martírio, então o livro de Hebreus pode ter sido escrito no final de 69 d.C. A menção de Timóteo, mas não de Paulo (13.23) pode indicar uma época posterior ao martírio de Paulo (67 d.C.), porém anterior à destruição da Jerusalém (70 d.C.). Portanto, uma data entre 67-69 d.C. parece se ajustar melhor a todas as circunstâncias conhecidas.

6. Propósito e Mensagem

O autor se refere à sua obra como uma palavra de "exortação" (13.22), que ele escreve como uma "resposta pastoral a uma comunidade em crise" (Lane, 1991, 1:xcix). A crise envolveu principalmente cristãos judeus que (1) estavam enfrentando as pressões e o desânimo de outro período de perseguição e (2) estavam em perigo de perder a sua fé em Cristo para retornar à sua antiga fé conforme a velha aliança. O autor escreve para aprofundar o nível de convicção da fé desses cristãos, exortá-los a sustentar a sua confissão até o fim, desafiá-los a prosseguir amadurecendo espiritualmente e adverti-los sobre as conseqüências da incredulidade ou do abandono da fé em Cristo.

A mensagem envolve tanto a exortação como a exposição. O principal propósito do autor é a exortação: "Para despertar, impelir, encorajar e exortar aqueles que estavam sendo incentivados a manter sua confissão cristã [como judeus convertidos] e a dissuadi-los de um curso de ação que o escritor acreditava que seria catastrófica" (Lane, 1991, 1:c). O principal enfoque de sua *exposição* das Escrituras do Antigo Testamento é Jesus — o Filho de Deus e o sumo sacerdote de nossa confissão — e seu sacrifício inigualável, único e suficiente pelo pecado. Seu propósito é apresentar a morte de Jesus como o cumprimento das exigências da antiga aliança de redenção que agora torna o sistema sacrificial judaico obsoleto, revelar a majestade de Jesus como o cumprimento da profecia messiânica do Antigo Testamento e mostrar a importância atual de Jesus como o sumo sacerdote e mediador do crente no céu.

O principal propósito da *exortação* do autor em Hebreus é motivar os leitores judeus a uma firme lealdade para com Cristo, mantendo uma fé perseverante e tenaz. A exposição fornece a base para a fé; a exortação pede a demonstração da fé. A segunda assume a precedência sobre a primeira ao expressar o propósito do autor por escrito. A persuasão da exortação se deve à exposição convincente das Escrituras como a voz de Deus. Portanto, o propósito de Hebreus é:

"fortalecer, encorajar e exortar os membros cansados e fatigados de uma igreja que se reunia em lares [provavelmente em Roma] a responderem com coragem e vitalidade à renovada perspectiva de sofrimento em vista dos dons e recursos que Deus estava derramando abundantemente sobre eles. A intenção do escritor é fortalecer a fé vacilante de homens e mulheres dentro daquele grupo, e lembrá-los da responsabilidade que tinham de viver ativamente em resposta à reivindicação absoluta de Deus em relação à vida de cada um deles, através do evangelho" (Lane, 1991, 1:c).

Uma avaliação desta inter-relação dinâmica entre exposição e exortação em Hebreus nos ajudará a entender a mensagem global do livro de um modo mais completo.

7. A Importância Duradoura de Hebreus

O livro de Hebreus continua falando com a Igreja hoje, oferecendo uma profunda contribuição à nossa compreensão global do evangelho e da nossa herança espiritual em Cristo. A seguir estão cinco exemplos.

1) Hebreus é o modelo de um respeito santo pelas Escrituras do Antigo Testamento como a palavra de Deus divinamente inspirada e autêntica. O autor constantemente as apresenta como Deus falando, revelando sua "convicção de que a fonte suprema do texto bíblico é Deus" (Lane, 1991, 1:cxvii). Em seu extenso uso do Antigo Testamento, Hebreus fornece uma rica visão da antiga interpretação cristã da tipologia, história, adoração e das profecias do Antigo Testamento com relação a seu cumprimento em Cristo. Revela uma profunda continuidade entre a nova e a antiga aliança, que estão centradas na revelação que Deus concedeu a respeito de Cristo, através do Espírito Santo. Embora a antiga aliança seja agora considerada em Hebreus como obsoleta em virtude da nova, as Escrituras Hebraicas claramente não o são. Um cuidadoso estudo de Hebreus aumentará nossa apreciação e entendimento a respeito do Antigo Testamento como parte da Bíblia do cristão.

2) O livro de Hebreus, em seu todo, é cristocêntrico. Fornece um testemunho nítido e inconfundível a respeito da identidade de Jesus, incluindo mais de vinte diferentes nomes e títulos que lhe são atribuídos. *Senhor* ocorre duas vezes; *Jesus*, seu nome humano, é usado oito vezes; *Cristo* é seu nome mais freqüente. Quando um artigo definido aparece antes do nome Cristo, o nome se refere geralmente a seu ministério messiânico. Também aparecem combinações — por exemplo, *Senhor Jesus, Jesus Cristo e Jesus, o Filho de Deus*. Mais característicos, porém, são os nomes *Filho* (1.1,5,8; 3.6; 5.5,8; 7.28), *Filho de Deus* (6.6; 7.3; 10.29), e especialmente *sacerdote* (5.6; 7.3,11,17,21; 8.4;10.21) e *sumo sacerdote* (2.17; 3.1; 4.14,15; 5.10; 6.20; 7.26; 8.1; 9.11). Outros títulos de Cristo, os soteriológicos, são: *Mediador de uma nova aliança* (8.6; 9.15; 12.24), *a causa de eterna salvação* (5.9), *Príncipe da salvação* (2.10), *precursor* (6.20), *apóstolo e sumo sacerdote da nossa confissão* (3.1), *grande Pastor das ovelhas* (13.20) e *Primogênito* (1.6).

O livro de Hebreus enfatiza a divindade e a preexistência de Cristo, sua humanidade e sua exaltação como o Filho e mediador celestial. Sob a antiga aliança a revelação de Deus foi parcial e progressiva e suas exigências para a redenção, temporárias; mas o autor de Hebreus declara vigorosamente que a revelação e a redenção de Deus em seu Filho são completas e plenas. Nada pode ser acrescentado à sua obra redentora. A mensagem de Hebreus é essencial em nossos dias, visto que a Igreja se depara com religiões e seitas que proclamam algo diferente da total suficiência da morte expiatória de Cristo para a nossa salvação.

3) É especialmente oportuno para qualquer indivíduo, igreja, ou geração que esteja enfrentando uma severa tribulação e uma difícil prova de sua fé. Hebreus oferece uma perspectiva completamente centrada em Cristo. Uma esperança eterna sobre a vida, que assegura aos crentes que em Cristo eles estão recebendo um reino que não pode ser abalado. É uma poderosa exortação aos crentes, para que sejam fiéis e firmes diante das sérias adversidades. Seu desafio a perseverar na fé e na esperança não é superado nas Escrituras. Hebreus 11, o capítulo mais significativo na Bíblia a respeito da fé, homenageia uma galeria de heróis da fé da época do Antigo Testamento, que viveram de acordo com a realidade das coisas invisíveis e eternas em meio às circunstâncias mais difíceis. Neste aspecto, Hebreus (juntamente com 1 Pedro e Apocalipse) é um livro para a Igreja que sofre e os crentes que vivem no tempo do fim.

4) Exorta os leitores a prosseguirem no pleno amadurecimento em Cristo, com sóbrias advertências a respeito das conseqüências que advêm do abandono da fé cristã. O livro de Hebreus adverte claramente sobre os perigos da apostasia, mais do que qualquer outra parte do Novo Testamento. Faz isso, porém, em um contexto de confiança, assumindo que os leitores perseverarão na fé e permanecerão leais a Cristo.

5) É um excelente modelo de como testemunhar a judeus não-cristãos a respeito de Jesus Cristo, e de como Ele cumpriu tudo aquilo que estava escrito no Antigo Testamento. Além disso, oferece encorajamento aos cristãos judeus contemporâneos a permanecerem firmes em sua

fé e compromisso, sendo leais a Jesus Cristo. Hebreus também é, deste modo, um importante livro do Novo Testamento para a Igreja de nossos dias.

8. Estrutura

O autor descreve o livro como uma "palavra [de] (desta) exortação" (13.22). Em 1.1–10.18 ele apresenta seu conteúdo: Como Filho de Deus, Jesus é a perfeita e completa revelação de Deus sobre a redenção. O argumento é baseado na exposição do Antigo Testamento e está intercalado com exortações e advertências. O argumento é que Cristo é superior aos profetas (1.1-4), aos anjos (1.5-2.18), a Moisés (3.1-6) e a Josué (4.1–11) em sua revelação a respeito de Deus, e maior que o sacerdócio levítico em seu ministério de mediação e sacrifício pelo pecado (4.14—10.18). A exposição serve como exortação, visto que a exortação é o propósito imediato do autor ao escrever.

Em 10.19—13.17, o autor exorta amplamente os seus leitores à fé, à esperança, e à santidade, para que estejam firmes em todas estas virtudes, porém estas exortações estão intercaladas com exposições e advertências do Antigo Testamento. Ao longo do livro, o autor se alterna entre exortação e exposição, advertência e encorajamento, a fim de ajudar uma pequena comunidade de crentes judeus a evitar um desastre espiritual.

Por esta razão, as passagens de advertência não são divagações nem parênteses no pensamento e propósito do autor. Antes, o entrelaçamento de exposição e exortação prática forma uma parte integral da estrutura do livro. Quando consideramos que Hebreus era algo como um sermão escrito "com a intenção de ser lido para uma congregação, a força destas passagens de advertência se torna ainda mais óbvia" (Marshall, 1969, 139). I. H. Marshall (1969, 137-157) identifica cinco passagens que constituem advertências (2.1-4; 3.7—4.13; 5.11—6.20; 10.19-39; 12.12—13.19). W. Lane (1991, 1:ci) também encontra cinco advertências, porém as identifica de modo ligeiramente diferente (2.1-4; 3.7-19; 5.11—6.12; 10.19-39; 12.14-29). Subdividi duas das passagens mais longas, onde as advertências exortativas são essencialmente duas em vez de uma, perfazendo, deste modo, um total de sete (veja o "Esboço"). Como Marshall assinala (1969, 137), as advertências "parecem mostrar a possibilidade de desvios e da apostasia na vida cristã". Embora estas passagens apresentem a apostasia como uma possibilidade "real", o objetivo do autor é inspirar em seus leitores uma fé perseverante e uma confiança segura em Cristo.

ESBOÇO

Primeira Parte: O Argumento: Cristo e sua Provisão de Redenção São Superiores ao Judaísmo (1.1—10.18)

1. A Supremacia de Cristo como a Plena Revelação de Deus (1.1—4.13)
   1.1. Superior aos Profetas (1.1-4)
   1.2. Jesus Cristo É Superior aos Anjos (1.5-14; 2.5-18)
   1.2.1. Superior aos Anjos em sua Natureza (1.5-14)
   1.2.2. Superior aos Anjos em sua Missão Redentora (2.5-18)
   1.3. Superior a Moisés (3.1-6)
   1.3.1. Superior a Moisés em Relação à sua Tarefa (3.1-4)
   1.3.2. Superior a Moisés em Grau e Autoridade (3.5,6)
   1.4. Superior a Josué (4.1-13)
   1.4.1. Superior a Josué no Repouso Oferecido (4.1-5)
   1.4.2. Exortação a Entrar em seu Repouso (4.6-13)

2. A Supremacia de Cristo como o Único Mediador entre Deus e a Humanidade (4.14—10.18)
   2.1. Superior a Arão e à Ordem Levítica em suas Qualificações para Ser Sumo Sacerdote (4.14—7.28)
   2.1.1. Superior a Arão e à Ordem Levítica em sua Habilidade de Compreender e Ajudar a Humanidade (4.14-16)
   2.1.2. Superior a Arão e à Ordem Levítica em sua Designação Divina e em sua Vida de Santidade (5.1-10)

2.1.3. Superior a Arão e à Ordem Levítica em sua Semelhança a Melquisedeque (7.1-10)
2.1.4. Superior a Arão e à Ordem Levítica em sua Permanência Perpétua (7.11-25)
2.1.5. Superior a Arão e à Ordem Levítica em sua Perfeição como o Filho (7.26-28)
2.2. Superior a Arão e à Ordem Levítica em seu Ministério como Sumo Sacerdote (8.1—10.18)
2.2.1. Superior a Arão e à Ordem Levítica porque seu Ministério Está Localizado em um Santuário Melhor (8.1-5)
2.2.2. Superior a Arão e à Ordem Levítica porque seu Ministério É Baseado em uma Aliança Melhor (8.6-13)
2.2.3. Superior a Arão e à Ordem Levítica porque seu Ministério É Desempenhado através de um Serviço Sacerdotal Melhor (9.1-22)
2.2.4. Superior a Arão e à Ordem Levítica porque seu Ministério É Cumprido por um Sacrifício Melhor (9.23—10.18)

Parte Dois: A Aplicação: Exortação à Firmeza (10.19—13.17)

3. O Desafio de Permanecer Firme na Fé (10.19–11.40)
3.1. A Fé e os Adoradores da Nova Aliança (10.19-25)
3.2. O Justo Deve Viver pela Fé (10.32-39)
3.2.1. Vitória Passada (10.32-34)
3.2.2. O Desafio Presente (10.35-39)
3.3. Características Essenciais da Fé (11.1-3)
3.4. Exemplos de Fé no Antigo Testamento (11.4-38)
3.4.1. A Fé durante o Período Anterior ao Dilúvio (11.4-7)
3.4.2. A Fé do Período Patriarcal (11.8-22)
3.4.3. A Fé durante a Era do Êxodo (11.23-29)
3.4.4. A Fé durante a Conquista (11.30,31)
3.4.5. A Fé desde o Tempo dos Juízes, do Reino de Davi e Posteriormente (11.32-38)
3.5. A Fé e o Cumprimento da Promessa (11.39,40)

4. O Chamado a Perseverar como Filhos (12.1-13)
4.1. O Incentivo do Exemplo de seus Antepassados (12.1)
4.2. O Incentivo do Exemplo de Cristo (12.2,3)
4.3. O Incentivo do Relacionamento Pai-Filho que Tinham com Deus (12.4-11)
4.3.1. A Disciplina do Senhor É parte do Amor do Pai (12.4-6a)
4.3.2. A Disciplina do Senhor se Refere aos Filhos e ao Treinamento (12.6b-8)
4.3.3. A Atitude Apropriada em Relação à Disciplina do Senhor É a Submissão (12.9)
4.3.4. O Objetivo da Disciplina do Senhor Inclui a Santificação e o Caráter (12.10,11)
4.4. O Compromisso Coletivo de Concluir a Carreira (12.12,13)

5. O Compromisso Contínuo de Viver uma Vida Santa sob a Aliança da Graça (12.14—13.17)
5.1. A Prioridade da Santidade (12.14-29)
5.1.1. A Santidade na Vida Prática É uma Questão Fundamental (12.14)
5.1.2. Incentivos para uma Vida Santa sob a Nova Aliança (12.18-24)
5.2. A Prática da Santidade (13.1-17)
5.2.1. A Demonstração do Amor na Prática (13.1-3)
5.2.2. Manter a Fidelidade Conjugal e a Pureza Sexual (13.4)
5.2.3. Permaneça Livre da Concupiscência e da Cobiça Material (13.5,6)
5.2.4. Apegar-se ao Ensino Sadio do Evangelho (13.7-12)
5.2.5. Levemos Alegremente o Vitupério de Cristo (13.13-16)
5.2.6. O Respeito aos Líderes Espirituais (13.17)

6. Conclusão (13.18-25)
6.1. Pedido Final (13.18,19)
6.2. A Bênção Final (13.20,21)
6.3. A Exortação Final (13.22,23)
6.4. Saudações Finais e a Bênção (13.24,25)

COMENTÁRIO

Primeira Parte: O Argumento: Cristo e sua Provisão de Redenção São Superiores ao Judaísmo (1.1—10.18)

Em Hebreus 1.1—10.18, o autor estabelece primeiro que Jesus, como Filho messiânico de Deus (1.5; Sl 2.7), é a perfeita e completa revelação de Deus para o povo judeu. Ele mostra respeito pela revelação do Antigo Testamento e menciona que os judeus ("nossos antepassados", Hb1.1) foram escolhidos de muitas formas para receber a revelação especial que Deus ofereceu sobre si mesmo. Todavia, a revelação do Antigo Testamento era parcial e temporária; agora uma nova era ("nestes últimos dias", 1.1) manifestou-se com o aparecimento do Filho de Deus; Ele é a perfeita e completa revelação de Deus na história. Hebreus continua a contrastar vários aspectos da revelação parcial e incompleta do Antigo Testamento (envolvendo os profetas, mensageiros angelicais, Moisés, Josué, etc.) com o Filho de Deus (1.1—4.13), e indicando assim a primazia e a finalidade da revelação de Deus em Cristo.

Além disso, Jesus, como Sumo Sacerdote eterno de Deus, é imensamente superior (Hb 5.6; 7.17,18; Sl 110.4) a toda a ordem levítica do ministério e da adoração que havia no Antigo Testamento, que se tratava de provisões temporárias que antecipavam o futuro cumprimento de suas profecias no Filho de Deus (4.14—10.18). A palavra-chave de Hebreus é "melhor" (usada treze vezes). Visto que Jesus é superior aos anjos e a todos os mediadores do Antigo Testamento, Ele oferece um melhor descanso, aliança, esperança, sacerdócio, sacrifício pelo pecado, promessas e aproximação a Deus. Mesmo quando os termos comparativos estão ausentes em Hebreus, o argumento do autor toma a forma de uma comparação (por exemplo, 2.2-4; 3.3-6a; 5.4-10; 10.26-29; 12.25).

1. A Supremacia de Cristo como a Plena Revelação de Deus (1.1-4.13)

1.1. Superior aos Profetas (1.1-4)

Estes quatro magníficos versículos formam uma frase única e poderosa em grego e introduzem todo o livro de Hebreus. Eles contêm um resumo de quase tudo aquilo que o autor explanará em relação à primazia de Jesus como o Filho de Deus em seu duplo papel de Revelador e Redentor.

Se Deus permanecesse em silêncio e não tivesse falado, a raça humana teria perecido na escuridão do pecado e da ignorância. Para nossa felicidade, Deus escolheu falar, revelando-se de modo progressivo, primeiramente nos tempos do Antigo Testamento e finalmente através de seu Filho. O livro de Hebreus é iniciado de modo eloqüente, com uma sentença elaborada e cuidadosamente construída, que começa com uma frase participial (1.1), uma oração principal (1.2a), e duas orações subordinadas (1.2b) com Deus como o sujeito, seguidas por duas orações subordinadas e frases participiais adicionais que têm o Filho como o sujeito (1.3,4) (Ellingworth, 1993, 89). A aliteração eloqüente e a assonância no versículo 1 são impossíveis de se reproduzir completamente em outro idioma. As palavras iniciais — *polymeros* e *polytropos* — são dois advérbios aliterativos com o prefixo *poly* significando "muitos". Estas duas palavras significam literalmente "em muitas partes e de muitas maneiras".

A tradução de Weymouth expressa bem o significado do versículo 1: "Deus, que outrora falou aos nossos antepassados por muitos fragmentos e por vários métodos através dos profetas". A revelação que Deus ofereceu de si mesmo nos tempos do Antigo Testamento veio "em muitos fragmentos" porque foi progressivamente dada pouco a pouco, primeiro para um profeta e então para outro. Deus também falou aos profetas e através deles, usando uma ampla variedade de métodos.

Ele falou a Moisés na sarça ardente (Êx 3.2ss), a Elias com uma voz tranqüila e suave (1 Rs 19.12ss), a Isaías em uma visão no templo (Is 6.1ss), a Oséias em suas circunstâncias familiares (Os 1.2) e a Amós em um cesto de frutos de verão (Am 8.1). Deus... transmitiu sua mensagem através de visões e sonhos, de anjos, de Urim e Tumim, através de símbolos, eventos naturais, uma coluna de fogo, de nuvem, ou ainda utilizando outros meios (Morris, 1981, 12).

Mas tudo isto "não constituiu a plenitude do que Deus tinha a dizer" (Bruce, 1990, 46). A palavra reveladora de Deus estava incompleta, até que Ele revelou a si mesmo de modo completo em seu Filho.

O autor de Hebreus faz dois importantes contrastes em sua declaração de abertura.

1) A expressão "no passado" (*palai*, lit., "outrora", não simplesmente "antigamente"; 1.1a) é contrastada com a expressão "nestes últimos dias" (1.2a) (ARA). A revelação que Deus concedeu sobre si mesmo tem profundas raízes nos dias de *outrora*, no tempo de "nossos antepassados", que é sinônimo da era do Antigo Testamento. A expressão "nestes últimos dias" se refere ao tempo do Messias, quando o Senhor trouxe a "grande salvação" para o seu povo (cf. 2.3). O Novo Testamento revela que os "últimos dias" foram inaugurados com a encarnação de Cristo e serão consumados em sua segunda vinda. Deste modo, a frase "estes últimos [*eschatou*, de onde vem o termo *escatológico*] dias" significa que com Jesus a era messiânica começou e Deus está falando de forma culminante e definitiva através de seu Filho. "Qualquer discurso adicional sobre o que resta para acontecer no futuro, nada mais é do que a elaboração daquilo que já começou" (Hagner, 1983, 2).

2) "Pelos profetas" (1.1) é contrastado com "pelo Filho" (1.2) (ARA). Há em Jesus tanto a continuidade como a descontinuidade em relação à antiga revelação de Deus no Antigo Testamento. Há *continuidade*, porque o mesmo Deus que falou pelos profetas do Antigo Testamento, também falou "pelo Filho". A antiga revelação foi uma preparação para a revelação posterior, e a posterior foi o cumprimento da antiga. "A palavra de Deus falada através de seu Filho é uma continuação daquilo que a precedeu, e não é estranha a tais revelações" (Hagner, 1983, 1). Mas há também uma *descontinuidade* em Jesus quanto aos profetas do Antigo Testamento, em virtude de sua natureza como o Filho. O grego não inclui nem o artigo definido nem um pronome possessivo com a palavra "Filho". Isto não significa, porém, que Jesus seja simplesmente um filho entre muitos. Antes, é enfatizado que a suprema revelação de Deus veio através de "um que é Filho" (Westcott, 1889/1980, 7). Aqui está sendo enfatizada a filiação de Jesus Cristo e sua natureza inigualável como Filho de Deus.

Fica imediatamente claro que o autor fala de Jesus como o Filho incomparável e extraordinário, nas várias revelações a seu respeito em 1.2b,3. Os profetas eram simplesmente servos de Deus, mas Deus escolheu seu Filho como sua revelação suprema aos homens (cf. Mc 12.1-12). Os profetas eram indivíduos ungidos pelo Espírito da Palavra; Jesus é o Ungido e a encarnação da Palavra. Os profetas eram mensageiros de Jeová; Jesus é a própria mensagem. Os profetas trouxeram a revelação de Deus "em parte" (cf. 1 Co 13.9); Jesus incorpora a graça e a verdade reveladora de Deus na medida completa (cf. Jo 1.14). E nisto reside a essência da mensagem de Hebreus: Deus falou por meio de seu próprio Filho no final dos tempos, de um modo total e completo, para que não houvesse nenhuma possibilidade de se desviarem dEle.

A revelação de Cristo é superior a do Antigo Testamento não só porque Ele veio por último ou no final de uma era, mas por causa do "caráter transcendental da pessoa, do grau, da posição e da autoridade daquEle através de quem e em quem Ele vem" (W. Manson, 1951, 89). O autor usa sete frases gloriosas para descrever a verdadeira natureza de Jesus como o Filho de Deus (1.2b-4 – ARA), mostrando-o como a revelação mais elevada que Deus pode dar. Estas frases constituem uma das declarações cristológicas mais completas do Novo Testamento.

1) Deus o designou como "herdeiro de todas as cousas" (1.2b). Isto cumpre a promessa messiânica contida no Salmos 2.8. A herança está relacionada à filiação; visto que Ele é o único Filho, é o herdeiro exclusivo de toda a criação, que existe por causa dEle como o agente da criação e para Ele como o herdeiro da criação. Duas observações especiais são teologicamente importantes. (a) "Herdeiro [*etheken*]" ou "herdeiro designado" não significa que houve um

tempo em que não fosse herdeiro; *etheken* (um aoristo grego) deve ser visto como infinito. "É sobre a realidade presente do decreto que o escritor está interessado, e não sobre quando foi decretado... Nunca houve um tempo em que o Filho não fosse o herdeiro" (Guthrie, 1983, 64,65). (b) O conceito de "herdeiro" não sugere a morte do Pai para que se torne efetivo. "O termo [herdeiro] aponta para a posse legal, porém sem indicar de que modo esta posse é assegurada" (Morris, 1981, 13).
2) O Filho era o agente de Deus "pelo qual também fez o universo" (1.2c). O termo "universo" significa literalmente "as épocas" ou "as eras" e refere-se a "todo o universo espacial e do tempo que foram criados" (Bruce, 1990, 47). Isto corresponde a outras declarações do Novo Testamento de que o Filho eterno foi o agente da criação: "Todas as coisas foram feitas por ele, e sem ele nada do que foi feito se fez" (Jo 1.3); "Porque nele foram criadas todas as coisas que há nos céus e na terra... tudo foi criado por ele e para ele" (Cl 1.16). Deus criou todas as coisas, exceto a sua própria pessoa, através do Filho e para o Filho. Deste modo, o Filho tem o lugar de preeminência no princípio (na criação) e no fim (na herança).
3) O Filho "é o resplendor da glória" de Deus (1.3a). A palavra grega *apaugasma* (utilizada somente nesta passagem, no Novo Testamento), se usada passivamente, significa "reflexão" (RSV, NRSV) — um brilho que espelha uma luz exterior. Aqui, porém, é usada com o significado ativo de "resplendor" (NVI, NASB) — um grande brilho causado pela luz interior — como foi confirmado pela maioria dos primeiros patriarcas da Igreja (*TDNT*, 1:508).
Apaugasma era uma palavra helenística usada por Filo e pelo autor de um livro intertestamentário chamado Sabedoria de Salomão. Eles a utilizaram ao falar sobre o sol e seus raios, fazendo uma analogia sobre o modo como o Deus transcendente pôde se manifestar no mundo. No Novo Testamento, Jesus Cristo, o Filho de Deus, é "a luz do mundo" (Jo 9.5) e como tal é o resplendor da glória de Deus, da mesma maneira que o raio é a luz do sol (cf. Jo 1.4,5,9). Em uma linguagem semelhante, Paulo nos assegura que Deus resplandeceu em nossos corações, para iluminação do conhecimento da sua glória, "na face de Jesus Cristo" (2 Co 4.6). O fato de resplandecer ou irradiar a glória de Deus deste modo, "pressupõe que o Filho compartilha da mesma essência do Pai, e não somente de sua semelhança" (Guthrie, 1983, 66).
4) `Isto fica claro na próxima frase do autor: O Filho é "a expressão exata do seu Ser" (1.3b). *Charakter*, a palavra grega para "expressão exata" (usada somente nesta passagem, no Novo Testamento), se refere à impressão ou marca que um carimbo deixava em um selo de cera ou moeda. A correspondência entre a impressão gravada e o carimbo é exata. Igualmente, o Filho, que resplandece a glória de Deus, assim o faz porque compartilha a mesma natureza de Deus.

A palavra *hypostasis* ("ser") refere-se à essência, à realidade subjacente, à própria natureza de algo ou de uma pessoa. Em outras palavras, o Filho e o Pai têm uma mesma essência. Deste modo, Jesus podia dizer: "Quem me vê a mim vê o Pai" (Jo 14.9). Ele "é a imagem de Deus" (2 Co 4.4), é a "imagem [visível] do Deus invisível" (Cl 1.15) e a plenitude da divindade em pessoa, "porque nele habita corporalmente toda a plenitude da divindade" (2.9). Jesus é a "expressão exata" daquilo que Deus é em seu caráter, natureza, ou essência. Portanto, a revelação que Deus concedeu sobre si mesmo não é mais fragmentária e incompleta como nos tempos do Antigo Testamento; na pessoa de Jesus a revelação do Pai é plena e completa.
5) Como o Filho foi no princípio o agente da criação, assim, no presente, Ele está "sustentando todas as cousas pela palavra do seu poder" (1.3). Os filósofos através dos séculos estiveram propensos a fazer perguntas como: "Qual é a realidade subjacente no universo?" "Qual é a dinâmica que sustenta tudo o que existe e faz com que o nosso sistema solar continue em um padrão de ordem?" A resposta de Paulo era que tudo subsiste em Cristo (Cl 1.17). Igualmente, o autor de Hebreus declara

que o Filho sustenta "todas as cousas" e que estas "subsistem por ele", ou seja, "pela palavra do seu poder". Morris observa: "Nada é excluído do âmbito da atividade do Filho, que sustenta todas as coisas. O autor retrata o Filho em primeiro lugar agindo na criação, e então, em continuidade ao seu interesse pelo mundo que ama, leva-o adiante em direção ao cumprimento do plano divino. E Ele o faz pela palavra do seu poder" (1981, 14). A "palavra" (*rhema*) é considerada ativa e poderosa. Foi o poder criador de sua palavra que chamou o universo à existência; como um complemento, "todas as coisas" criadas são sustentadas pelo espantoso poder de sua palavra e levadas adiante ao seu objetivo final.

6) O Filho eterno — que na ordem divina do universo é Criador, Sustentador e Fim — "se fez carne e habitou entre nós" (Jo 1.14) com a finalidade de prover a "purificação dos [nossos] pecados" (1.3d). Todas as religiões, século após século, têm se empenhado para dar uma resposta ao problema do pecado (Guthrie, 1983, 67). O fato de que o Filho de Deus veio para lidar decisivamente com este problema é uma questão que prende a atenção do autor do livro de Hebreus de um modo poderoso, e torna-se o principal enfoque deste sermão. A palavra "purificação" (*katharismos*) significa limpar ou remover o pecado juntamente com seu efeito contaminador. Esta purificação ou limpeza foi provida através da morte de Jesus, como o sacrifício definitivo pelo pecado, "de uma vez por todas".

A forma verbal "provida"(gr.) está no tempo aoristo e aponta para uma ação passada que está completa. O termo para "pecado" (*hamartia*) ocorre vinte e cinco vezes em Hebreus, um total que somente é excedido pelas quarenta e oito vezes que aparece em Romanos. O livro de Hebreus deixa claro que os sacrifícios da antiga aliança, que precisavam ser continuamente repetidos, eram inadequados para lidar com o problema chamado *hamartia*. Somente o sangue de Jesus seria capaz de purgar os nossos pecados. Deste modo, a "purificação dos pecados" tem uma correta conexão com as seis outras frases que descrevem a singularidade de Jesus como Filho, no relacionamento para com Deus Pai.

7) A grande declaração final sobre o Filho é que depois que o evento da purificação foi realizado, Ele se assentou "à direita da Majestade, nas alturas" (1.3e). A exaltação do Filho, ao assentar-se entronizado à direita do Pai, o lugar de honra e autoridade, envolve um testemunho triplo: (a) Sua obra de purificação pelo pecado está terminada e é completa; (b) o Filho é realmente o Messias prometido (Sl 110.1; este Salmos messiânico também estabelece a natureza de seu papel sacerdotal, como Hebreus, mais tarde, enfatiza); e (c) sua atividade atual no céu inclui seu ministério como Mediador entre Deus e os homens (7.23-25), por meio do qual provê livre acesso à presença e graça de Deus (4.14-16). Todas estas três verdades são mostradas em Hebreus.

Estas sete breves frases carregadas de poder mostram que a completa revelação de Deus em seu Filho não se manifesta somente naquilo que Ele diz, mas também em quem Ele é. O Senhor Jesus Cristo incorpora perfeitamente os três principais ofícios do Antigo Testamento: Como *profeta* (cf. At 3.22,23), Ele declara a suprema palavra de Deus; como nosso *Sumo Sacerdote*, fornece a mediação e a perfeita limpeza em relação ao pecado; e como o *Rei Messiânico*, Ele reina com Deus, à sua destra.

O versículo 4 é transitivo, concluindo o pensamento em 1.3 sobre Jesus ser superior aos profetas em virtude de sua ascensão à direita de Deus e apresentando o que se segue sobre o fato de ser superior aos anjos. Duas coisas parecem surpreendentes quando lemos este versículo pela primeira vez, a saber, que o Filho tendo se tornado superior aos anjos, "herdou" um nome mais excelente que o deles. O Filho, como descrito em 1.2,3 é *eternamente* superior aos anjos, tanto em sua pessoa como em seu nome. Em que sentido, então, Ele "se tornou" superior e "herdou" um nome melhor? A resposta tem relação com seu papel humano de humilhação e sua subseqüente exaltação (mencionados em 1.3).

O texto em Filipenses 2.6-11 é o melhor comentário para explicar o conteúdo e a relação de Hebreus 1.3, e 1.4. O Filho eterno, "sendo em forma de Deus" (Fp 2.6) e, por esta razão, superior aos anjos, voluntariamente se esvaziou da glória e das prerrogativas que eram legalmente suas na eternidade, assumiu a própria natureza de homem e de servo, e foi "obediente até à morte e morte de cruz" (2.7,8), a fim de prover a "purificação dos [nossos] pecados" (Hb 1.3). Mais tarde, porém, "Deus o exaltou soberanamente" (Fp 2.9a), e "assentou-se à destra da Majestade, nas alturas" (Hb 1.3). Neste contexto, pode-se dizer que o Filho encarnado, Jesus Cristo, "foi feito" muito superior aos anjos no céu.

Além disso, Deus "lhe deu um nome que é sobre todo o nome, para que ao nome de Jesus se dobre todo joelho dos que estão nos céus [inclusive os anjos], e na terra, e debaixo da terra, e toda língua confesse que Jesus Cristo é o Senhor, para glória de Deus Pai" (Fp 2.9b-11). Em resumo, o conteúdo de Hebreus 1.4 associa-se diretamente à declaração feita no final de 1.3 sobre a ascensão do Filho à destra do Pai. Como resultado de sua ascensão, Ele recebe uma posição inigualável e um nome honrado que claramente o distingue como superior aos anjos.

1.2. Jesus Cristo É Superior aos Anjos (1.5-14; 2.5-18)

Os anjos eram altamente estimados pelos judeus (e cristãos) por viverem em íntima proximidade a Deus e participarem como mensageiros celestiais revelando os propósitos de Deus para o seu povo. Os anjos desempenharam um papel importante na entrega da aliança do Antigo Testamento (2.2; cf. Dt 33.2; At 7.53; Gl 3.19). Talvez os crentes judeus, para quem Hebreus foi originalmente dirigido, tivessem uma compreensão deficiente da encarnação e tendessem a considerar os anjos como estando no mesmo nível de Jesus. Ou talvez a lógica de alguns dos leitores seguisse esta linha: A humanidade foi criada um pouco abaixo dos anjos; Jesus era um homem; portanto, Jesus está abaixo dos anjos. Deste modo, Hebreus enfatiza por toda a parte uma visão de exaltação de Cristo como um Ser divino, e, ao mesmo tempo, atribui grande importância à verdadeira humanidade de Jesus. Aqui, o autor acrescenta detalhes sobre a superioridade de Jesus aos anjos, em sua natureza (1.5-14) e em sua missão redentora (2.5-18). Entre estes dois discursos reside sua primeira exortação (2.1-4).

1.2.1. Superior aos Anjos em sua Natureza (1.5-14). O autor faz claras afirmações sobre a primazia do Filho sobre os anjos, recorrendo a sete passagens do Antigo Testamento como autoridade bíblica e evidências confirmadoras. Entre as passagens citadas (cinco são dos Salmoss), algumas eram vistas como messiânicas nos escritos judaicos; outras eram aceitas pela Igreja como messiânicas devido ao que Deus "nos falou... pelo Filho" (1.2a).

O autor cita estas sete passagens do Antigo Testamento como tendo significado profético de pelo menos três modos: (1) O próprio Deus está, no momento, falando das passagens (por exemplo, as Escrituras são vistas como a voz de Deus); (2) o que foi parcialmente realizado em um contexto histórico do Antigo Testamento é agora interpretado, de forma mais completa, de acordo com o significado profético de longo alcance, em relação ao Messias (as profecias do Antigo Testamento freqüentemente tinham a característica de um cumprimento imediato e outro, de longo alcance); e (3) passagens que durante a época do Antigo Testamento eram entendidas como descrevendo a Jeová são aplicadas profeticamente a seu Filho (cf. o contraste do autor da revelação parcial do Antigo Testamento com a revelação total e completa em Cristo [1.1,2a]).

O fato de que o autor dá sua opinião sobre a superioridade do Filho em relação aos anjos, simplesmente citando (sem interpretar) as passagens do Antigo Testamento como evidências acumulativas, pode indicar que todas estas eram comumente consideradas como profecias messiânicas na igreja primitiva. Observe que os primeiros apóstolos obtiveram inicialmente sua interpretação cristocêntrica do Antigo Testamento, do próprio Senhor ressurreto (cf. Lc 24.25-27,32,45-49; At 1.2,3). Somada a este ponto, estava a compreensão do Antigo Testamento que fora dada pelo Espírito, e que veio como uma conseqüência da plenitude do Espírito de revelação pós-Pentecostes (particularmente aos apóstolos e escritores das Escrituras do Novo Testamento). Portanto, as passagens do Antigo Testamento, citadas em Hebreus 1, não foram escolhidas arbitrariamente como "textos de prova" pelo autor; elas foram tiradas de um rico tesouro da Escritura messiânica do Antigo Testamento.

1) A primeira citação (1.5) está em Salmoss 2.7: "Tu és meu Filho; eu hoje te gerei" (tradução literal; cf. KJV, NASB, NKJV, NRSV). Embora os anjos fossem às vezes chamados coletivamente de "os filhos de Deus", nenhum deles jamais foi destacado a ponto de receber a condição de "Filho de Deus". Os judeus vieram a perceber que o Salmos 2 teve apenas uma aplicação imperfeita ou parcial quanto a Davi, e que "seria mais completamente percebido no Messias da linhagem de Davi, que surgiria no tempo do cumprimento" (Bruce, 1990, 53). Quando o Pai se pronunciou do céu por ocasião do batismo de Jesus (Mc 1.11 e passagens paralelas), e mais tarde em sua transfiguração (Mc 9.7 e passagens paralelas), declarou a mesma frase: "Tu és meu Filho". A igreja primitiva compreendia claramente o Salmos 2 como sendo uma profecia messiânica que foi cumprida em Jesus (veja Atos 13.33).

O termo "hoje" pode se referir à encarnação de Jesus, à sua ressurreição, ou à sua entronização à direita do Pai. O autor de Hebreus está mais preocupado com "o significado do termo gerar, em termos da condição de Filho... do que ligá-lo a uma ocasião específica" (Guthrie, 1983, 73).

2) A próxima citação (2 Sm 7.14) também enfatiza a relação de Pai e Filho, e "destaca o relacionamento do Messias com o Pai como um relacionamento diferente daquele que existe entre Deus e os anjos, que é o de criador-criatura" (ibid., 73). As palavras tiveram um cumprimento imediato e parcial em Salomão como o filho de Davi que foi escolhido para construir o primeiro Templo. Mas seu significado profético de longo alcance não foi cumprido até a vinda do Filho mais importante de Davi, Jesus Cristo, o Filho messiânico de Davi.

As muitas referências a Jesus nos Evangelhos, como o "Filho de Davi", claramente o identificam com a aliança davídica dada em 2 Samuel 7 e como o Messias davídico. O testemunho do Novo Testamento é que a salvação veio na pessoa do Filho de Deus, "que nasceu da descendência de Davi segundo a carne, declarado Filho de Deus em poder, segundo o Espírito de santificação, pela ressurreição dos mortos" (Rm 1.3,4) — fazendo-o infinitamente maior que os anjos. A evidência dos Manuscritos (ou Rolos) do Mar Morto indica que alguns grupos judeus não-cristãos no primeiro século também interpretaram 2 Samuel 7.14 como um texto messiânico.

3) A terceira citação é a de Deuteronômio 32.43 na Septuaginta (embora o Salmos 97.7 traga uma importante semelhança): "E todos os anjos de Deus o adorem". A ocasião desta adoração por parte dos anjos é descrita nas palavras que precedem a citação: "Quando outra vez [Deus] introduz o primogênito no mundo". Está claro que o termo "primogênito" se refere ao Filho, que é mencionado nos versículos anteriores. Ele não é um ser criado; por esta razão, não é o "primogênito" como alguém mais velho, mas por ser o herdeiro de todas as coisas como o Senhor soberano, que está acima de toda a criação (cf. Cl 1.15). O termo "primogênito" refere-se a ser o "primeiro em posição", aquele que é "supremo". No Salmos 89.27 o termo "primogênito" é usado referindo-se à posição de Davi como rei — embora ele não fosse o filho primogênito de Jessé — mas porque ele era o "primeiro em posição" como governante. O Filho Eterno é o "primeiro em posição" como o supremo governante de toda a criação.

O ponto em que o primogênito de Deus entra no mundo deve se referir à Encarnação, quando Jesus Cristo nasceu em Belém e os anjos de Deus o adoraram (Lc 2.1-20). O autor considerou esta evidência conclusiva de que os próprios anjos consideravam Jesus — embora nascido como um ser humano — superior, por ser o Filho de Deus. Note que o contexto original da terceira citação (Dt 32.43; Sl 97.7) envolvia a adoração a Jeová. Em seu cumprimento profético, abrangente, Hebreus 1.6 identifica o Filho claramente como o objeto de adoração sendo deste modo um com Jeová, o Deus conhecido do Antigo Testamento. Esta identificação é ainda mais uma evidência da divindade e superioridade do Filho em relação aos anjos.

4) A quarta citação, Salmoss 104.4 (na LXX) — "O que de seus anjos faz ventos e de seus ministros, labareda de fogo" — mais adiante enfatiza o ponto da supremacia do Filho mostrando que a função dos anjos (gloriosa como ela é) é inferior à dEle (1.8,9). O Targum Judaico descreve os anjos como mensageiros de Deus que executam suas ordens tão rapidamente quanto o vento e tão poderosamente quanto as labaredas de fogo (veja Morris, 1981, 19). A descrição dos anjos como "ventos" e "labareda de fogo" revela, porém, que sua função é transitória. Eles servem como mensageiros celestiais enviados do trono de Deus, ao passo que o Filho governa com o Pai no trono, "pelos séculos dos séculos" (1.8).

5) A próxima citação (Salmoss 45.6,7) é apresentada como se referindo profeticamente ao Filho, que é apresentado como Deus ("Ó Deus, o teu trono subsiste...", 1.8), enfatizando assim a divindade do Filho. "Deus" é melhor entendido no caso vocativo aqui e novamente na frase "Deus, o teu Deus, te ungiu... mais do que a teus companheiros" (ou "como a nenhum dos teus companheiros" — 1.9). É muito provável que o Salmos 45 tenha sido composto para ser cantado em um casamento real de um rei israelita. O rei davídico, como representante teocrático de Deus, foi na ocasião referido hiperbolicamente como *Elohim*, "Deus" (veja a nota de *FLSB* sobre o Sl 82.6). O cumprimento supremo, porém, pode estar somente no rei messiânico, *o Filho de Davi*, que se assenta entronizado à direita do Pai. "O que era simbolicamente verdadeiro em relação ao antigo rei hebreu, somente em virtude de seu ofício, é considerado pelo escritor de Hebreus como completamente verdadeiro a respeito de Cristo, em virtude de sua natureza" (Hawthorne, 1986, 1507).

O lugar do Filho como governante supremo é indicado por referências a seu "trono" perpétuo, "cetro", "reino", padrão

O "MAIOR QUE" EM HEBREUS

Um dos pontos principais do autor em Hebreus é o fato de Jesus ser maior que tudo e todos aqueles que estão associados à religião e ao estilo de vida judaicos. Às vezes, ele realmente utiliza a palavra "maior que"; às vezes, não o faz. Porém em todos os casos o tema é claro.

Tema	Passagem em Hebreus
Jesus é maior que os profetas	1.1-3
Jesus é maior que os anjos	1.4-14; 2.5
Jesus é maior que Moisés	3.1-6
Jesus é maior que Josué	4.6-11
Jesus é maior que os sumos sacerdotes	5.1-10; 7.26–8.2
Jesus é maior que os sacerdotes levíticos	6.20–7.25
Jesus, como Sumo Sacerdote segundo a ordem de Melquisedeque, é maior que Abraão	7.1-10
O ministério de Jesus é maior que o ministério do tabernáculo	8.3-6; 9.1-28
A nova aliança de Jesus é maior que a antiga aliança	8.7-13
O sacrifício de Jesus é maior que os sacrifícios do Antigo Testamento	10.1-14
Experimentar Jesus é algo maior que a experiência no Monte Sinai	12.18-24

de "justiça" e "unção" acima de todos os outros. Como parte de sua natureza como o Filho, amou "a justiça" e aborreceu "a iniqüidade" (*anomia*; literalmente, "ilegalidade") mais perfeitamente que qualquer outro. Ele não somente "amou a justiça" ou simplesmente "aborreceu a iniqüidade"; mas também demonstrou ambos com igual intensidade. Esta atitude é declarada como a base de sua grande unção, pela qual é chamado de "O Ungido" (do Hebraico, "Messias"; do grego, "Cristo"). Aqueles que são descritos como os "companheiros" do Filho são provavelmente os "muitos filhos" de Hebreus 2.10, a quem o Filho que é o "primeiro em posição" não tem vergonha de chamar "irmãos" (2.11). "A alegria deles é grande em razão de sua companhia, mas Ele continua sendo ainda maior" (Bruce, 1990, 61).

6) A sexta citação, Salmoss 102.25-27 (na Septuaginta - LXX), é a mais longa das sete. No Antigo Testamento as palavras citadas aplicavam-se originalmente a Jeová; aqui encontram seu cumprimento no Filho e chamam atenção para sua eternidade e supremacia acima da criação (cf. 1.2). O salmista, que em sua aflição ora a Jeová, é oprimido pela brevidade de sua própria vida e pela natureza perecível dos céus e da terra, que pertencem ao plano material. Ele louva a Jeová, porém, como constituindo "a permanência e a segurança cuja falta lhe é tão dolorosa" (Hagner, 1983, 14). O autor de Hebreus considera estas palavras como profeticamente aplicáveis ao Filho, em virtude de sua parte na criação (cf. 1.10 com 1.2). Embora o universo material pareça substancial e permanente, no final envelhecerá "como roupa" (1.11) e então "como uma veste", se mudará (1.12a). Mas o Filho permanece em um corajoso contraste ao caráter transitório da ordem criada: "Eles perecerão, mas tu permanecerás" (1.11a); "todos eles, como roupa, envelhecerão... mas tu és o mesmo, e os teus anos não acabarão" (1.11b-12c). O Filho é exaltado como Deus — imutável e eterno.

7) A citação final é a de Salmoss 110.1, a qual nosso autor aludiu anteriormente (1.3) quando falou sobre a entronização do Filho à direita do Pai, no céu. As seguintes observações a respeito deste versículo e deste Salmos são significativas e notáveis:

a) O Salmos 110 era considerado messiânico tanto pelo judaísmo do primeiro século como pela igreja primitiva. É duplamente importante para o autor, que vê nesta declaração profética não somente que o Messias será um rei como Davi, mas também que será um sacerdote como Melquisedeque (cf. Sl 110.4 com Hb 5.6-10; 7.1-28).

b) A revelação de que o Filho foi entronizado (como no Sl 110.1) foi o contraste final entre Ele e os anjos. Em tempo algum Deus jamais disse a um anjo: "Assenta-te à minha destra, até que ponha os teus inimigos por escabelo de teus pés" (1.13). Em 1.3 e 10.12,13, a entronização e a vitória do Filho vêm depois, e estão ligadas ao seu sacrifício único e suficiente pelo pecado.

c) Nas Escrituras os anjos são retratados como se curvando, ou permanecendo diante de Deus como adoradores e servos (cf. Dn 7.10; Lc 1.19; Ap 8.2); e a razão de o Filho ser descrito como estando assentado ao lado do Pai em honra e autoridade é uma evidência indiscutível de sua superioridade aos anjos.

d) O fato de que o Filho reina atualmente com o Pai no trono, embora possa parecer estranho que seus inimigos ainda não sejam "um estrado" debaixo de seus pés, fala da tensão conhecida como "já, mas ainda não" na mensagem do Evangelho. Ainda que uma vitória decisiva *já* tenha ocorrido na morte, ressurreição e ascensão de Jesus, há também um cumprimento futuro daquela vitória que *ainda não* foi realizada e aguarda a sua segunda vinda (cf. Hb 9.28). Deus tornará todos os inimigos de Cristo totalmente impotentes, na ocasião da conclusão de sua vitória (cf. Ap 19.11-21).

Nosso autor, tendo esclarecido seu ponto sobre a superioridade do Filho, não deseja menosprezar a função dos anjos de Deus (1.14). Eles adoram a Deus no céu (Is 6.1-4; Ap 5.11,12; 7.11,12), fazem a sua vontade (Sl 103.20), contemplam a sua face (Mt 18.10), são superiores aos seres humanos (Hb 2.6,7) e habitam no céu (Mc 13.32; Gl 1.8). Sua principal atividade em relação à terra, porém, é a sua participação na missão redentora de Cristo (veja Mt 1.20-24; 2.13; 28.2; Lc 1-2; At 1.10; Ap 14.6,7) e o serviço que prestam àqueles "que hão de herdar a salvação" (1.14).

Nesta capacidade os anjos se regozijam por um pecador que se arrepende (Lc 15.10), servem a favor do povo de Deus (Dn 3.25; 6.22; Mt 18.10; Hb 1.14), observam a vida da congregação cristã (1 Co 11.10; Ef 3.10; 1 Tm 5.21), trazem mensagens da parte de Deus (Zc 1.14-17; At 10.1-8; 27.23,24), trazem respostas à oração (Dn 9.1-23; At 10.4), aparecem em sonhos aos crentes (Mt 1.20; 2.13,19), às vezes ajudam a interpretar visões e sonhos proféticos (Dn 7.15,16), fortalecem o povo de Deus nas tribulações (Mt 4.11; Lc 22.43), protegem os santos que temem a Deus e odeiam o mal (Sl 34.7; 91.11; Dn 6.22; At 12.7-10), punem aqueles que são inimigos de Deus (2 Rs 19.35; At 12.23; Ap 14.17–16.21), lutam contra os demônios (Ap 12.7-9) e levam os salvos para o céu (Lc 16.22) (*FLSB*, 340).

Em resumo, as sete citações do Antigo Testamento de nosso autor confirmam que o Filho é o Messias, o objeto da adoração angelical, o Senhor soberano sobre a criação, que está entronizado no céu (depois de prover a salvação por seu sacrifício pelo pecado, Hb 1.3). Por trás do texto de Hebreus 1.14 está a compreensão de que o Filho é o Salvador (cf. 2.9,10); os anjos são "espíritos ministradores", comissionados por Deus para servirem àqueles que hão de herdar a sua salvação. No restante de Hebreus, o autor descreverá o papel de Jesus a nosso favor, ao prover a salvação, e o papel da fé perseverante de nossa parte em relação a Ele.

A Primeira Advertência Exortativa: O Perigo do Desvio Espiritual (2.1-4)

Esta é a primeira de sete passagens em Hebreus (veja Esboço) onde o autor combina uma urgente exortação com uma solene advertência a fim de mover seus leitores a uma confiança renovada, a uma esperança e fé perseverante em Cristo. Estas sete advertências não são divagações, no entanto se relacionam diretamente com o principal propósito do autor. A íntima conexão entre este parágrafo e a interpretação em 1.5-14 demonstra que a exposição bíblica do autor não era propriamente um fim, mas originou-se de sua preocupação por seus leitores e sua perigosa situação.

O rico vocabulário e os dons do autor como orador são novamente evidentes. A construção grega de 2.1-4 consiste em duas sentenças: uma declaração direta (2.1), seguida por uma longa sentença explicativa (2.2-4), que inclui uma pergunta retórica ("como escaparemos nós?") com uma condição ("se não atentarmos para [ou negligenciarmos] uma tão grande salvação", 2.3a).

A expressão "Portanto" (2.1) liga este parágrafo ao esplendor e à incomparável supremacia do Filho no capítulo 1. Pelo fato de o Filho ser superior aos profetas e aos anjos, se o que Deus "nos falou pelo Filho" (1.2) for negligenciado, seremos muito mais culpáveis: "Portanto, convém-nos atentar, com mais diligência, para as coisas que já temos ouvido, para que, em tempo algum, nos desviemos delas".

A expressão "as coisas que já temos ouvido" ou as "verdades ouvidas" refere-se à revelação de Deus em seu Filho, sobre a salvação (cf. 2.3a). Aqui, o perigo de se desviar não é devido a uma recusa rebelde de dar atenção ao Evangelho, mas a um descuido sobre o compromisso com Cristo, que é necessário. O verbo *prosecho* (lit., "atentar" ou "dar atenção a") não significa somente "prestar atenção" com a mente àquilo que se ouve, mas também "agir em relação àquilo que se percebe" (Morris, 1981, 21). Este verbo é análogo a *katecho* em 3.6,14; 10.23, onde os leitores são admoestados a "*permanecerem firmes* em sua confissão de fé, sem a qual o objetivo da salvação não pode ser alcançado" (Lane, 1991, 37).

A palavra grega traduzida como "desviemos" (*pararreo*) tem implicações náuticas, como na situação em que um navio se desvia de um porto e naufraga. O retrato assim transmitido em 2.1 é o de cristãos que estão "em perigo de serem levados pela correnteza, por não se firmarem em seu porto seguro, perdendo então a segurança de que necessitam" (Bruce, 1990, 66). O resultado de se desviar de Cristo é um fim pior do que o experimentado por aqueles que desobedeceram à lei de Moisés sob a antiga aliança (vv.2,3; cf. 10.28). Como Bruce observa, "o autor está advertindo os leitores cristãos, que ouviram e aceitaram o evangelho, que se eles se renderem à tentação de abandonar sua profissão de fé, sua situação se tornará desesperadora" (1990, 66).

"A palavra falada pelos anjos" (2.2) refere-se à lei dada no Sinai. Aqui começamos a ver a razão primária pela qual a superioridade do Filho aos anjos foi enfatizada em 1.5-14. O autor faz um argumento "à fortiori" (isto é, a discussão que passa de uma verdade menor, bem aceita, a uma verdade maior, para a qual existe até mesmo uma evidência mais forte) dos anjos ao Filho, e da lei ao evangelho (cf. 7.21,22; 9.13,14; 10.28,29). Os anjos tinham uma importância instrumental na questão menor da lei; o Filho tem uma importância suprema na questão maior, que é o evangelho (Hagner, 1983, 21). Se a lei acompanhada pelos anjos foi honrada, quanto mais devemos respeitar a palavra de Deus que veio por meio de seu Filho! Se "toda violação e desobediência" da lei tiveram conseqüências inevitáveis, como podemos esperar escapar das conseqüências de ignorar o evangelho de Cristo? O autor escreve a fim de "despertar a consciência para as sérias conseqüências de negligenciar" a mensagem de Deus em seu Filho (Guthrie, 1983, 80).

A resposta para a pergunta retórica no versículo 3 — "como escaparemos nós, se não atentarmos para uma tão grande salvação" — é óbvia: Não é possível fugir. Em Hebreus, a "salvação" (*soteria*) que foi prometida pelos profetas do Antigo Testamento (1.1) é cumprida por Jesus no tempo presente (2.3,10; 5.9), e será realizada em sua vinda futura (cf. 1.14; 6.9; 9.28; veja *TDNT*, 7:989-1012). Alguns vinculam o termo "escapar" à libertação da escravidão de Satanás, do poder do pecado e da condenação da morte. Embora seja certamente verdade que a vida sem Cristo é uma escravidão contínua a Satanás, ao pecado e à morte, a ênfase aqui e em outras passagens em Hebreus está nas conseqüências inevitáveis, terríveis e eternas para a apostasia (cf. 6.4-6; 10.26-31). Os primeiros passos nesta direção catastrófica ocorrem quando os cristãos se desviam de Cristo (2.1) e ignoram a salvação gloriosa de Deus em seu Filho (2.3a).

O autor identifica seus leitores como companheiros crentes usando o pronome "nós" em 2.1,3. Como I. Howard Marshall destaca, as advertências são dirigidas "às pessoas que ouviram o evangelho e responderam a este; em nenhum ponto na epístola é justificável assumir que os leitores aos quais o autor originalmente se dirigiu não eram cristãos" (1969, 139). Usando o pronome "nós" como um pregador, nosso autor não apenas identifica os leitores como crentes, mas também inclui a si mesmo e a todos os demais crentes na mesma advertência (cf. 3.6,14; 10.26,27; 12.25).

O autor prossegue em 2.3b-4 enumerando três níveis de testemunho para a grande salvação à qual o livro de Hebreus se refere (cf. Lc 1.1-4).

1) Foi anunciada pelo próprio Senhor (2.3b) em seu ministério em sua morte, ressurreição e ascensão. Jesus encarnou a salvação messiânica prometida pelos profetas, sendo, ele mesmo, a mensagem proclamada (cf. Mc 1.14,15; Lc 4.18-21). A descrição de Jesus como "o Senhor" nestas passagens liga-o ao nome de Deus no Antigo Testamento, mostrando-o, deste modo, como o Filho divino (1.2,3).

2) A mensagem do Senhor "foi-nos, depois, confirmada pelos que a ouviram" (2.3c) — isto é, pelas testemunhas oculares do ministério e ressurreição de Jesus, especialmente os doze apóstolos e Paulo, a quem o próprio Senhor apareceu (cf. 1 Co 9.1; 15.8). Duas questões são particularmente significativas nesta declaração:

a) Nosso autor "está ciente do tempo que separa o período de Jesus de sua própria época" (Lane, 1991, 39). Tanto ele como

os seus leitores ("nós") não receberam o evangelho do próprio Senhor, mas daqueles que o tinham ouvido". A maioria dos estudiosos considera este fato, isoladamente, como conclusivo contra a autoria paulina desta carta (veja a Introdução);
b) a mensagem de Jesus foi "confirmada" por testemunhas oculares confiáveis de sua vida, morte e ressurreição; testemunhas originais que autenticaram a veracidade da mensagem e garantiram a sua precisão (cf. Lc 1.2,4; At 1.21,22).
3) Deus também deu testemunho da validade do evangelho "por sinais, e milagres, e várias maravilhas, e dons do Espírito Santo" (2.4). Os mesmos sinais, prodígios e milagres que ocorreram durante o ministério terreno de Jesus (At 2.22) continuaram a ocorrer na igreja primitiva a partir do Pentecostes, conforme o testemunho de Atos e das cartas do Novo Testamento (At 2.43; 4.30; 5.12; 6.8; 14.3; 15.12; 19.11,12; 28.8,9; Rm 15.19; 2 Co 12.12). Não só os apóstolos, mas também diáconos como Estevão e Filipe tiveram sinais, prodígios, e milagres acompanhando o seu testemunho a respeito de Cristo e a proclamação do evangelho (At 6.8; 8.6-8). Paulo declara que quando pregou o evangelho em Tessalônica, ele o fez "não somente em palavras, mas também em poder, e no Espírito Santo, e em muita certeza" (1 Ts 1.5).

É evidente ao longo do Novo Testamento, que este era um padrão esperado na igreja primitiva (por exemplo, Mc 16.20; Jo 14.12-14; 1 Co 2.4-5; Gl 3.5). Os dons carismáticos do Espírito Santo eram especialmente predominantes na igreja primitiva como um aspecto importante da atividade contínua do Espírito no corpo de Cristo (At 2.4; 10.44-46; 19.6; Rm 1.11; 1 Co 12.4, 7-11; 14.1-5,26-31; 1 Ts 5.19-21; 1 Pe 4.10).

O autor expressa em Hebreus uma alta consideração pela presença e ministério do Espírito Santo, tanto aqui como em outras passagens (cf. Hb 3.7; 6.4; 9.8,14; 10.15,29). Ele chama a atenção tanto para a diversidade ("distribuição") como para a soberania ("por sua vontade", 2.4) quando se refere aos dons do Espírito, uma ênfase expressa por Paulo (1 Co 12.4,11). Para ambos os escritores, os dons do Espírito Santo são um sinal da salvação messiânica presente e a realidade de Cristo como o Senhor exaltado da Igreja (cf. At 2.33,36; 1 Co 12.3; Ef 4.7-10). Note que as manifestações sobrenaturais eram suficientemente difundidas na igreja primitiva, de forma que nosso autor podia recorrer confiantemente a elas como evidências que autenticam o evangelho. Bruce observa que tal recurso não poderia ter sido escolhido aqui ou por outros escritores do Novo Testamento, se os leitores não tivessem visto, experimentado, ou ouvido falar de tais coisas (1990, 69).

1.2.2. Superior aos Anjos em sua Missão Redentora (2.5-18). Esta seção dá continuidade ao pensamento iniciado em 1.5-14 a respeito da superioridade do Filho em relação aos anjos, porém sob uma perspectiva diferente. No capítulo 1 a ênfase estava na divindade da natureza do Filho; aqui o enfoque está em sua humanidade e no sofrimento como componentes necessários de sua missão redentora. Os anjos, por um lado, são servos; sua missão para o homem como "espíritos ministradores" é "servir a favor daqueles que hão de herdar a salvação" (1.14). O Filho, por outro lado, é o Salvador; sua missão para o homem como "o Príncipe da salvação deles" (2.10) é "salvar perfeitamente os que por ele se chegam a Deus" (7.25). Entretanto, como Salvador, a missão redentora do Filho envolvia tanto a humilhação como a glória. Isto constitui-se um obstáculo para as mentes judaicas. Os anjos são superiores aos homens, e Jesus era um homem. Como então Jesus, que verdadeiramente sofreu e morreu, poderia ser superior aos anjos?

Ao proferir esta questão, o autor de Hebreus faz várias considerações. Primeiramente lembra a seus leitores que "não foi aos anjos que [Deus] sujeitou o mundo futuro" (2.5). A frase "o mundo futuro" lembra a esperança profética de Israel de "novos céus e nova terra" (por exemplo, Is 65.17-25), quando "a terra se encherá do conhecimento do Senhor, como as águas cobrem o mar" (11.9). Este tempo de cumprimento redentor seria a obra do

Messias davídico (11.1-10), pois brotaria "um rebento do tronco de Jessé" (11.1) ou da "raiz de Jessé" (11.10). A expressão "o mundo futuro" é um sinônimo, no livro de Hebreus, para o "repouso" prometido por Deus (Hb 4.1-11), "a cidade que tem fundamentos, da qual o artífice e construtor é Deus" (11.10), "uma pátria melhor — a celestial" (11.16), "a Jerusalém celestial" (12.22) e "a cidade futura" (13.14).

Hebreus indica, todavia, que esta promessa e a realidade futura já começaram com o início "destes últimos dias" (1.2) e da entronização de Cristo à direita de Deus (1.13). Pela fé "seus benefícios estão sendo experimentados com antecedência pelos crentes (por exemplo, 2.4; 6.4-6; 12.22-24) enquanto aguardam o retorno de Jesus para trazê-los ao pleno prazer da salvação que Ele já ganhou para eles (por exemplo, 9.28; 10.36-39)" (Peterson, 1994, 1327). Esta tensão entre o "já" (escatologia realizada) e o "ainda não" (escatologia futura) em Hebreus é resumido em 2.8b: "[Deus] nada deixou que lhe não esteja sujeito [a Cristo]. Mas, agora, ainda não vemos que todas as coisas lhe estejam sujeitas".

Deus nunca sujeitou o mundo futuro aos anjos porque Ele designou seu Filho para ser o "herdeiro de tudo" (1.2), um fato que nosso autor vê profeticamente antecipado no Salmos 8, do qual ele agora cita os versículos 4-6 (na Septuaginta — LXX) (Hb 2.6-8a). O contexto original do Salmos 8 exalta a glória de Deus na criação (vv.1-3) e nos seres humanos, a quem Deus deu o domínio sobre o restante da criação (vv.5-8; cf. Gn 1.26-31; 3.14-19). Por causa de Satanás, do pecado e da morte, porém, o homem foi impossibilitado de exercer o domínio como Deus originalmente pretendia. Deste modo, o Salmos 8 é perfeitamente cumprido somente em um homem, no Senhor Jesus Cristo. Uma vez que o domínio perfeito é prometido ao Messias em Salmoss 110.1 (aparentemente o Salmos favorito do nosso autor), ele encontra ali o seu indício "para o significado e aplicação finais do Salmos 8.4-6" (Peterson, 1994, 1327). O que era verdadeiro quanto ao primeiro Adão na criação, é agora mais completamente verdadeiro em Jesus Cristo como o último Adão, e "cabeça da nova criação e governante do mundo vindouro" (Bruce, 1990, 72).

A aplicação profética do Salmos 8 a Jesus foi facilitada pela expressão "o filho do homem" (Hb 2.6), o título que o próprio Senhor Jesus preferiu ter durante o seu ministério terreno. Como Hagner observa, "uma vez que o pensamento se volta para Jesus no versículo 6, a seqüência temporal da encarnação e da exaltação pode ser prontamente percebida no versículo 7" (1983, 25). A declaração em 2.8a, "todas as coisas sujeitaste debaixo dos seus pés", corresponde aproximadamente à passagem messiânica Salmoss 110.1 (citado por nosso autor em 1.13). A expressão "todas as coisas" inclui seus inimigos (1.13) e toda a criação (cf. Ef 1.22) que devem finalmente ser trazidos à sujeição ao Filho.

Como o homem perfeito, Jesus se tornou o verdadeiro representante da raça humana e o cumprimento absoluto do Salmos 8. Somente Ele poderia cumprir "o propósito declarado do Criador quando trouxe a raça humana à existência" (Bruce, 1990, 74). Mas, assim fazendo, Ele teve de se identificar plenamente com a condição humana, incluindo o sofrimento humano (cf. Hb 4.15,16; 5.8), a fim de "abrir o caminho da salvação para a humanidade e agir eficazmente como o Sumo Sacerdote de seu povo na presença de Deus. Isto significa que Ele não é apenas aquEle em quem se cumpre a soberania destinada à humanidade, mas também aquEle que, por causa do pecado humano, deve concretizar esta soberania por meio do sofrimento e da morte" (Bruce, 1990, 74). Portanto, o Filho, que já foi apresentado como superior aos anjos, teve de ser feito "um pouco menor do que os anjos" (2.7a) antes de poder ser "coroado de glória e de honra" (2.7b) como Senhor sobre todas as coisas.

Nos versículos 8b e 9 nosso autor interpreta as palavras que acabaram de ser citadas no Salmos 8. O pronome masculino "ele" em Hebreus 2.8b refere-se primeiramente à humanidade e acima de tudo a Cristo (como é verdadeiro em todo o Salmos). Porém, antes de tudo, na mente do autor está a aplicação profética a Jesus, como fica claro em 2.9. Embora Deus tenha posto todas as coisas sob o domínio do Filho do Homem, Jesus, "agora ainda não vemos que todas as coisas lhe estejam sujeitas" (2.8b). O que vemos no momento é Satanás, o pecado e a morte como realidades sempre presentes em nosso mundo decaído. "Vemos, porém, [também] coroado de glória e de honra [sua exaltação] aquele Jesus que fora feito um pouco menor do que os anjos [sua encarnação], por causa da paixão da morte, para que, pela graça de Deus, provasse a morte por todos" (2.9; cf. Fp 2.8-11). A morte e a exaltação de Jesus fornecem a garantia presente para os crentes de que todas as coisas já lhe estão "debaixo dos pés" (2.8a); sua segunda vinda consumará o que foi realizado na cruz (cf. Cl 2.15; 2 Ts 1.5-10). Observe que o nome "Jesus" ocorre aqui pela primeira vez, dentre as treze que aparece em Hebreus. Esta é a designação favorita do nosso autor para o Salvador, e enfatiza sua humanidade.

Finalmente, em seus comentários sobre o Salmos 8, nosso autor acrescenta que pela graça de Deus, Jesus provou a morte por todos os homens (Hb 2.9c). Três verdades importantes estão sucintamente incorporadas aqui.
1) A morte de Jesus na cruz, para realizar a salvação, foi um ato da graça da Deus.
2) Sua morte foi em favor de (*hyper*) cada pecador; um claro ensino de Hebreus é que sua morte foi uma expiação substitutiva pelo nosso pecado (cf. 5.1; 7.27).
3) Sua morte não foi uma "expiação limitada" — isto é, para algumas pessoas seletas, como alguns reivindicam — mas Ele provou temporariamente a morte por todos os homens. Sua morte é de proveito para todo aquele que por fé se submete a Ele como Senhor e Cristo (cf. Rm 10.9-13).

Em grego, o versículo 10 inicia com as palavras "porque convinha". Como poderia ser conveniente ou correto o fato de Jesus, um homem inocente, ser condenado pelos líderes de sua nação, abandonado por seus discípulos, executado como um criminoso pelo império Romano, aparentemente abandonado por Deus e finalmente deixado para morrer em fraqueza, dor e vergonha desprezíveis? Para um observador do primeiro século que não fosse suficientemente esclarecido a respeito das verdades espirituais, tudo isto dificilmente seria diferente de uma maldição de Deus ou de uma desgraça. Para os judeus daqueles dias, "a idéia de um Messias em sofrimento era detestável e a reivindicação cristã de que isto convinha, deveria ser vista contra este panorama... Qualquer que seja a razão para a cruz, não há dúvida alguma de que tais fatos revelam a natureza de Deus. É neste sentido que "convinha" que as coisas ocorressem como de fato ocorreram (Guthrie 1983, 88).

A descrição de Deus como aquele "para quem são todas as coisas e mediante quem tudo existe" revela duas verdades essenciais: (1) que o sofrimento de Jesus não foi um acidente da história, mas, antes, foi o propósito de Deus desde a criação do mundo (cf. Ap 13.8), e (2) que o próprio Deus iniciou os sofrimentos de Jesus a fim de aperfeiçoá-lo como "o Príncipe da salvação". Somente deste modo Deus poderia realizar seu propósito de conduzir "muitos filhos à glória". Era necessário que Jesus se tornasse humano como nós (embora fosse o Filho de Deus desde a eternidade), para que pudéssemos nos tornar filhos como Ele (através da redenção). Note que o propósito de Deus é ter "muitos filhos", não somente alguns. A expressão "trazendo muitos filhos à glória" aponta para o esplendor da salvação final" (Montefiore, 1964, 60).

Jesus é "o Príncipe da salvação". A palavra *archegos* ("autor") tem dois significados relacionados:
1) líder, governante, príncipe, e
2) originador, fundador, autor. Os tradutores traduziram esta palavra de várias maneiras como "capitão" (KJV, NKJV), "pioneiro" (RSV, NRSV), "líder" (Moffatt, Williams, NEB) e "autor" (ASV, NASB, NVI). Bruce sugere que a idéia essencial é a de "desbravador" ou "explorador"; deste modo, Jesus "abriu o caminho da salvação pelo qual os 'muitos filhos' de Deus poderiam ser conduzidos à glória" (1990, 80). A palavra

ocorre novamente em 12.2 (também em At 3.15; 5.31) em relação a Jesus.

O verbo "tornar perfeito" (*teleioo*) ocorre aqui pela primeira vez em Hebreus e aparece freqüentemente ao longo da carta (5.9; 7.19,28; 9.9; 10.1,14; 11.40; 12.23; outras formas da mesma raiz estão em 5.14; 6.1; 7.11; 9.11; 12.2). O significado desta palavra proeminente em Hebreus é diferente quando aplicada a Jesus e aos crentes. Jesus já era moralmente e espiritualmente perfeito. O Filho perfeito tornou-se o Salvador perfeito "por meio do sofrimento" ou "pelas aflições". Aqui, como em outras passagens no Novo Testamento, os sofrimentos de Cristo e a nossa salvação "estão indissoluvelmente unidos" (Guthrie, 1983, 89). Sua obediência perfeita e sua morte substitutiva o qualificaram para ser o perfeito representante da humanidade e suportar a penalidade do pecado a nosso favor.

O versículo 11 reitera a plena identificação do Filho de Deus com aqueles a quem veio redimir. Aquele que "santifica" é Jesus (cf. 9.13; 10.10,14,29; 13.12), e que, em virtude de compartilhar uma humanidade comum conosco, tornou possível nossa santificação pelo sacrifício de sua vida em obediência à vontade de Deus (10.10; cf. Fl 2.8). Aqueles que são santificados, são redimidos por seu sangue da culpa e do poder do pecado (Hb 13.12; cf. Rm 6), e, deste modo, separados como o povo especial de Deus (cf. 1 Pe 2.9,10). Como Bruce eloqüentemente comenta: "A santificação é a glória iniciada, e a glória é a santificação completa" (1990, 81).

O enfoque aqui, porém, não está no ato da santificação, mas no fato de que tanto aqUele que santifica como aqueles que são santificados "são da mesma família". Não há nenhuma palavra no grego que corresponda à "família"; simplesmente é dito que eles são todos "de um". A frase pode ser interpretada de dois modos:
1) Tanto Jesus quanto os redimidos têm sua origem no mesmo Pai, ou
2) ambos descendem humanamente de Adão.
O segundo, que é mais provável neste contexto, enfatiza novamente que Jesus compartilha nossa humanidade. Por essa razão, Jesus "não se envergonha de lhes chamar irmãos". Observe que os membros do povo santo de Deus, redimidos por Jesus Cristo através de seu sofrimento, são variavelmente chamados de "filhos" (2.10,13), "irmãos" (2.11,12) e "descendentes de Abraão" (2.16).

A íntima relação entre Jesus e os redimidos é sustentada por três citações do Antigo Testamento em 2.12,13. A primeira vem das palavras do Salmos 22, que foram citadas por Jesus na cruz: "Deus meu, Deus meu, por que me desamparaste?" (Mt 27.46; Mc 15.34). Outras porções deste Salmos notavelmente fazem um paralelo com a descrição da crucificação de Jesus nos Evangelhos. Este Salmos foi largamente reconhecido pela igreja primitiva como messiânico e como uma previsão profética da própria experiência de Jesus. Assim sendo, modo nosso autor cita o Salmos 22.22 (da Septuaginta) como se Jesus o estivesse pronunciando do seguinte modo: "A meus irmãos declararei o teu nome". Ao referir-se à "congregação" (*ekklesia*) dos redimidos como "meus irmãos", a plena identificação de Jesus com a humanidade é novamente enfatizada.

A próxima citação (de Is 8.17, na Septuaginta), "porei nele a minha confiança" (Hb 2.13a), indica que Jesus, identificado aqui com a experiência de Isaías e deste modo com a humanidade, colocou sua confiança na fidelidade de Deus ao executar sua missão terrena, da mesma maneira que todos aqueles que fazem parte do povo de Deus devem confiar nEle quando enfrentarem as trevas ou os dias difíceis da vida.

A terceira citação é a de Isaías 8.18: "Eis-me aqui a mim e aos filhos que Deus me deu" (Hb 2.13b). Estas palavras se referiram originalmente a Isaías e a seus filhos, que estavam ligados a ele mesmo na obra de Deus. A identificação de Isaías com seus filhos profeticamente aponta para "o íntimo vínculo entre Cristo e seu povo" (Guthrie, 1983, 91). Esta é a única passagem no Novo Testamento onde os crentes da nova aliança são chamados de "filhos" de Cristo (cf. "filhos de Deus", 1 Jo 2.28-3.10). O enfoque aqui, porém, como em Hebreus 2.11,12 ("meus irmãos"), está uma vez mais na verdadeira humanidade que Jesus partilha com aqueles a quem veio salvar. Este pensamento introduz os demais versículos do capítulo 2.

Em 2.14,15, o autor se dirige mais diretamente à questão da razão pela qual o Filho preexistente (1.2) tornou-se um ser humano de carne e sangue. Porque "visto como os filhos participam da carne e do sangue, também ele participou das mesmas coisas" (2.14a) a fim de chegar ao verdadeiro problema — Satanás, o pecado, e a morte. Westcott comenta sobre os dois verbos, "ter" e "participar": O primeiro se refere à "natureza comum compartilhada em meio aos homens enquanto durar a raça humana"; o segundo "expressa o extraordinário fato da encarnação como uma aceitação voluntária da humanidade" (1889/1980, 53).

A íntima associação entre o pecado e a morte (cf. Rm 5.12; 6.23) explica por que o poder da morte é destruído pelo sacrifício único e suficiente que Jesus fez por causa dos pecados. Tal libertação do pecado e da morte exigiu uma encarnação de "sangue e carne" (esta é a ordem no texto grego). Tornando-se verdadeiramente humano, o Cristo eterno se fez vulnerável à morte. E aqui está o grande paradoxo: "Pela morte" Jesus aniquilou o Diabo, aquele "que tinha o império da morte" (Hb 2.14b), e livra "todos os que, com medo da morte, estavam por toda a vida sujeitos à servidão" (2.15). Mais tarde o autor deixa claro como a morte de Jesus libertou os crentes "da culpa de seus pecados, de suas consciências, e do horror de suas conseqüências" (Hawthorne, 1986, 1510; cf. 9.14; 10.11-22). No primeiro, século o medo da morte era real e prevalecia. Mas as boas novas do evangelho mostraram que Cristo veio para libertar "homens e mulheres deste medo (Ap 1.18). Eles são salvos e recebem uma esperança, e ao mesmo tempo uma certeza de vida eterna, uma vida cuja parte melhor se encontra além túmulo" (Morris, 1981, 29).

Concernente à destruição do Diabo e do poder da morte, devemos distinguir entre o que Cristo já realizou em sua vida, morte e ressurreição, e aquilo que aguarda uma consumação em seu retorno. O Diabo foi derrotado através do ministério de Jesus (Mt 12.28,29; Lc 10.17,18) e da cruz (Jo 19.30; Cl 2.15), no entanto, sua destruição final ocorrerá por ocasião da Segunda Vinda de nosso Senhor (Ap 20.10). Semelhantemente, Jesus aniquilou o "poder da morte" através de sua própria morte e ressurreição, porém esta somente será efetivamente banida da experiência humana por ocasião também de sua segunda vinda (cf. Hb 9.28; cf. 1 Co 15.51-55). Contudo, pela fé, agora participamos da vitória de Cristo sobre o Diabo e sobre o poder da morte, como um antegozo por sua completa destruição futura.

A comparação contínua entre o Filho e os anjos termina em 2.16-18. Pelo fato da missão do Filho em sua encarnação ter sido ajudar os "descendentes de Abraão" (2.16) e não os anjos, Ele se tornou como descendente de Abraão "em tudo" (2.17). O autor pode se referir deliberadamente aos descendentes de Abraão como parte de seu apelo aos Hebreus. No entanto, refere-se apropriadamente também a todos os crentes da nova aliança, que são os herdeiros daquilo que foi prometido a Abraão (6.15,17; Gl 3.29).

O Filho tornou-se como os descendentes de Abraão para um propósito triplo:
1) para ser seu "misericordioso e fiel Sumo Sacerdote" (2.17b);
2) "para expiar os pecados do povo" (2.17c); e
3) "socorrer aos que são tentados" (2.18). O termo "sumo sacerdote" é aplicado a Jesus somente em Hebreus, dentre todos os livros do Novo Testamento. Nosso autor o desenvolve como um de seus temas principais (começando no cap. 5). Hebreus 2.17 é a primeira sugestão de que Jesus cumpriu o papel de sumo sacerdote do Antigo Testamento no dia anual da propiciação (cf. Lv 16), quando por meio de um sacrifício de sangue o sumo sacerdote fazia a propiciação pelos pecados do povo (cf. 7.27; 9.11,12,24-26; 10.14). Como Sumo Sacerdote, Jesus foi tanto "misericordioso" quanto "fiel".

A expressão "expiar os pecados" (*hilaskomai*) significa "propiciar" ou "eliminar" os pecados do povo, os quais afastam a Deus; este processo torna possível a reconciliação com Deus. Além disso, "é o próprio Deus que provê a propiciação (cf. Rm 3.25) por meio de seu profundo amor pela humanidade: 'Mas Deus prova o seu amor para conosco em que Cristo morreu por nós, sendo nós ainda pecadores' (Rm 5.8)" (Guthrie, 1983, 95). A fim de ser um Sumo Sacerdote eficaz, o Filho teve de se identificar com aqueles que Ele representa na área da tentação e da tribulação, um ponto mais completamente declarado em Hebreus 4.15,16, e que se relaciona diretamente às dificuldades dos leitores.

1.3. Superior a Moisés (3.1-6)

A frase "pelo que" (3.1a) une tudo que havia sido dito em 1.1–2.18 àquilo que o autor está prestes a apresentar. Os versículos de abertura de Hebreus estabeleceram que o Filho é a revelação completa e final de Deus, sendo, deste modo, superior aos profetas do Antigo Testamento e sua revelação (1.1-4). A seguir, em uma longa discussão, o Filho de Deus foi mostrado como superior aos anjos, mesmo em seu estado de humilhação como um ser humano (1.5-14; 2.5-18). Agora, o autor volta sua atenção a Moisés, e revela como Jesus é superior a ele, a quem os judeus consideravam como o maior dos homens.

Moisés foi o mediador através de quem Israel recebeu a lei, a aliança, a adoração do tabernáculo, a identidade nacional e finalmente o judaísmo. Lane observa que "é difícil exagerar a respeito da importância de Moisés no judaísmo e da veneração com que ele era estimado" no primeiro século (1991, 74). A comparação entre Jesus e Moisés em Hebreus era especialmente relevante para os cristãos judeus, que estavam sendo tentados a voltar ao judaísmo. Nosso autor aceita a grandeza de Moisés, mas revela que a magnitude e a glória de Jesus ultrapassam grandemente às mosaica (cf. 2 Co 3.7-18). A comparação entre a era de Moisés (com seus sacrifícios, sacerdócio e promessas) e a de Jesus como o mediador da nova aliança continua ao longo deste livro (especialmente 4.15–10.31; 12.18-24; Lane, 1991, 73).

Antes de introduzir a comparação entre Moisés e Jesus, o autor dirige-se diretamente a seus leitores como "irmãos santos, participantes da vocação celestial" (3.1). "Santos" e "irmãos" são duas designações comuns para os crentes do Novo Testamento; aqui eles são colocados juntos para destacar a autenticidade de sua fé. Eles são "santos" porque foram redimidos pelo sangue de Cristo e separados por Deus para si mesmo. São "irmãos" (em um uso genérico; incluindo homens e mulheres crentes) porque seu irmão mais velho, Jesus, os fez membros da família de Deus. Como tais, eles "participam da vocação celestial". O sentido de "participantes" é literal (*metochoi*), uma palavra que também ocorre em 3.14 e em 6.4; em cada caso este substantivo se refere àqueles que responderam ao chamado de Deus para a salvação em Cristo (Lane, 1991, 74; Attridge, 1989, 106).

A expressão "vocação celestial", que ocorre uma única vez no Novo Testamento, diz respeito tanto à iniciativa de Deus quanto à participação dos crentes no reino espiritual, que está em contraste com a esfera terrena (cf. o uso de "celestial" em 6.4; 8.5; 9.23; 11.16; 12.22). A designação "irmãos santos" enfatiza especialmente "a dignidade com a qual Deus os investiu [como participantes da 'vocação celestial']; insultariam a Deus se tratassem tal dignidade levianamente" (Bruce, 1990, 91). Deste modo, o autor exorta seus leitores: "Considerai [atentamente; isto é, cuidadosamente] a Jesus Cristo, apóstolo e Sumo Sacerdote da nossa confissão".

Sob a antiga aliança o papel de "apóstolo" foi assumido primeiramente por Moisés, enquanto o ofício de "sumo sacerdote" foi desempenhado por Arão. O primeiro foi "um enviado" de Deus para representá-lo em meio ao povo; o segundo serviu como um representante do povo na presença de Deus. Jesus, o objeto da fé e da confissão dos crentes sob a nova aliança, é "apóstolo e sumo sacerdote"; Ele combina, em sua missão redentora, tanto o papel apostólico de Moisés quanto a função sacerdotal de Arão.

O autor do livro de Hebreus faz a comparação com Moisés imediatamente em 3.2-6; posteriormente faz a comparação com Arão em considerável detalhe sob título de "sumo sacerdote" (4.14–10.18). Lane observa também que "sempre que a expressão 'sumo sacerdote' ocorre em Hebreus, fica subentendido o Dia da Propiciação" (1991, 75). O título "apóstolo" designado para Jesus aparece somente aqui no Novo Testamento, embora a idéia de que o Pai o "enviou" seja um tema proeminente no Evangelho de João. O livro de Hebreus é incomparável no Novo Testamento, ao desenvolver o tema "sumo sacerdote" em relação a Jesus. No grego, o nome humano "Jesus" ocorre no final de 3.1, indicando que como "o Filho do Homem" Ele realiza sua obra como Apóstolo e Sumo Sacerdote (Morris, 1981, 31).

1.3.1. Superior a Moisés em Relação à sua Tarefa (3.1-4). Tanto Jesus quanto Moisés foram "fiéis" a Deus e fizeram o que Ele os designou para fazer. A declaração de que "Moisés era fiel em toda a casa de Deus" "... sendo fiel ao que o constituiu, como também o foi Moisés em toda a sua casa" é uma alusão a Números 12.7 (na LXX), apesar de este tema não ser desenvolvido até o versículo 5. A ênfase aqui é que Jesus foi fiel, com a referência a Moisés sendo subordinado (quase parentético). A "casa" (Hb 3.2) a que Moisés serviu fielmente não era o tabernáculo, mas os da casa de Deus, ou o povo de Deus como a comunidade da fé. É significativo notar que o autor de Hebreus não fala de uma casa de Moisés e uma outra de Jesus (isto é, Israel e a Igreja). Antes, tanto Moisés como Jesus foram fiéis na única casa de Deus. Sendo assim, existe uma continuidade entre Moisés e Jesus em dois aspectos:
1) ambos foram fiéis, e
2) estavam relacionados à mesma casa, embora de maneiras diferentes. A casa única aponta para a continuidade entre a antiga e a nova aliança na revelação progressiva de Deus.

Tendo mostrado uma continuidade entre Jesus e Moisés em 3.2, nosso autor reafirma em 3.3,4 a superioridade de Jesus em relação a Moisés. Ele "é tido por digno de tanto maior glória [*doxa*] do que Moisés", porque Ele é o construtor da casa de Deus, enquanto Moisés foi simplesmente parte da casa. Não havia maneira de Moisés, mesmo honrado como era, ser qualquer coisa diferente de um ser humano e um membro do povo de Deus. Mas Jesus é muito mais que um homem (cf. 1.1-3). Como Filho de Deus, é o fundador e o construtor da Igreja (cf. Mt 16.16,18). "Maior honra [*time*] do que a casa tem aquele que a edificou" (Hb 3.3b). *Doxa* e *time* têm uma íntima relação de significado aqui (cf. 2.7,9), e deste modo ambas são traduzidas pela NVI como "honra".

O versículo 4 amplia o argumento iniciado no versículo 3a, e explica a analogia declarada na parte b deste versículo, usando uma estrutura literária chamada "quiasma":
"Ele é tido por digno de tanto maior glória do que Moisés, quanto maior honra do que a casa tem aquele que a edificou."
Observe:

A Jesus é digno de maior glória que Moisés,
  B assim como o construtor da casa recebe mais honra do que a casa;
  B pois toda casa é construída por alguém,
A mas Deus é o construtor de todas as coisas.
(cf. Lane, 1991, 77)

Ocorrem três pares de comparações — Jesus/Moisés; construtor/casa; Deus/universo. O ponto principal é que "Jesus é digno de mais glória do que Moisés, na mesma medida em que Deus tem mais honra (ou glória) do que o universo que Ele mesmo criou" (Lane, 1991, 77). Teologicamente, é também verdade que o Filho é um com o Pai, que faz todas as coisas, e que Deus através de seu Filho fez o universo (1.2) e construiu sua própria casa, a comunidade da fé (3.3b-4; veja Bruce, 1990, 93). Expandir a analogia inicial para incluir o universo revela o significado mais pleno da glória e honra de Jesus como Filho (Attridge, 1989, 110).

1.3.2. Superior a Moisés em Grau e Autoridade (3.5,6).

O autor pretende mostrar, ao longo desta passagem, a continuidade entre Moisés e Jesus; mas a superioridade de Jesus em relação a Moisés é também claramente afirmada e atinge seu clímax com o apoio bíblico destes versículos. Novamente, ambos são apresentados como fiéis em relação à casa de Deus. Moisés, porém, foi fiel como um servo *na* casa de Deus, enquanto Jesus foi fiel como o Filho que presidiu *sobre* a casa de Deus. Como Lane observa, o argumento relativo à superioridade de Jesus reside "na distinção entre *therapon*, 'servo' e *huios*, 'filho', e entre as preposições *en* ('na casa') e *epi* ('sobre a casa')" (1991, 78).

O versículo 5 faz uma forte alusão a Números 12.7 (Septuaginta), porém com uma nova aplicação. Em Números, Moisés é colocado em um nível mais elevado do que outros profetas, como um servo de Deus que se comunicava com Ele face a face; em Hebreus, é colocado em um papel subordinado a Jesus, o Filho de Deus. Em vez de usar *doulos*, a palavra grega comum para um servo doméstico, o autor usa *therapon*, que descreve "um homem livre oferecendo serviço pessoal a um superior" (Ellingworth, 1993, 207). Esta palavra normalmente ocorria com referência ao sacerdócio, mas é usada aqui em relação ao papel profético de Moisés. O testemunho profético de Moisés (3.5b) apontava para um tempo futuro quando haveria uma revelação mais plena e o representante supremo de Deus se manifestaria (cf. Dt 18.15-19); o autor de Hebreus escreve que isto foi agora cumprido "nestes últimos dias" (1.2) na pessoa do próprio Filho de Deus.

No versículo 6, o autor insiste que tanto a posição quanto a autoridade do Filho eram maiores que a de Moisés. Enquanto Moisés foi fiel como um servo (e por mais honrado que seja), "Cristo é fiel como Filho". O título "Cristo" ocorre aqui pela primeira vez. Embora a NRSV apresente a tradução "Cristo... foi fiel" (no pretérito), a NVI, como a maioria das traduções, usa o tempo presente como o mais "adequado" para demonstrar a fidelidade constante de Cristo em relação ao seu povo.

A preposição "sobre [*epi*]" expressa mais do que apenas a superioridade do papel de Cristo em relação ao de Moisés; transmite seu senhorio sobre o povo de Deus, e a verdade em Hebreus de que Deus colocou todas as coisas debaixo de seus pés (Sl 110.1/Hb 1.13; Sl 8.6/Hb 2.8; veja Ellingworth, 1993, 210). Jesus é investido de maior glória e autoridade do que Moisés, porque Deus o designou para governar como o Filho exaltado e o Sacerdote Real (Sl 110; cf. 1 Sm 2.35; 1 Cr 17.14) sobre a sua casa.

A frase "a qual somos nós" (3.6b) indica que o termo metafórico "casa" nesta passagem se refere ao povo redimido por Deus, "a família da fé" (NASB, Gl 6.10; cf. Ef 2.19; 1 Tm 3.15; 1 Pe 2.5; 4.17), como uma comunidade de crentes. A casa de Deus, em última instância, abrange o povo que creu em Deus no Antigo Testamento e todos aqueles que estão sob a nova aliança. A casa é a mesma para eles e para nós. Como Hawthorne observa (1986, 1511), "esta passagem argumenta fortemente a favor de uma continuidade entre o Israel antigo e o novo 'Israel de Deus' (cf. Gl 6.16)".

O autor de Hebreus acrescenta um elemento condicional: somente somos casa de Deus "se tão-somente conservarmos firme a confiança e a glória da esperança até ao fim" (3.6c), isto é, se permanecermos firmes no que confessamos e esperamos em Cristo. Como uma das principais ênfases exortativas de Hebreus, este elemento marca "o início de um esforço sustentado para persuadir os ouvintes a permanecerem leais a Cristo na presença de pressões que os encorajariam a abandonar sua confissão" (Lane, 1991, 80; também Attridge, 1989, 111). Bruce acrescenta: "O aparente adiamento de sua esperança, e vários tipos de pressões que lhes foram aplicadas, de modo combinado, com a finalidade de ameaçar a firmeza de sua fé. Conseqüentemente, o autor com profunda preocupação exorta-os dizendo que têm tudo a ganhar se permanecerem firmes, e tudo a perder caso retrocedam" (1990, 94,95).

O livro de Hebreus considera a possibilidade de permanecer firme na fé ou de abandoná-la como uma escolha real, que deve ser feita por cada um dos leitores; o autor ilustra as conseqüências da segunda opção referindo-se à destruição dos hebreus rebeldes no deserto após sua gloriosa libertação do Egito (um tema que será abordado na próxima seção, 3.7-19).

A Segunda Advertência Exortativa: A Armadilha da Incredulidade (3.7-19)

A declaração final em 3.6 serve como uma transição para a advertência e exortação solenes em 3.7-19. Como foi traçada uma comparação entre Moisés e Jesus em 3.1-6, agora um paralelo é traçado entre
1) a resposta de incredulidade e a desobediência dos hebreus que foram resgatados do Egito sob a liderança de Moisés (3.7-11), e
2) a possibilidade da mesma resposta dos hebreus que foram resgatados por Cristo sob as condições de salvação da nova aliança (3.12-19).

Moisés foi fiel até o fim (3.2,5), porém a maioria daqueles que deixaram o Egito com ele foi infiel. Todos compartilharam pela fé a primeira grande libertação da Páscoa, mas posteriormente, por causa da incredulidade, endureceram seus corações contra Deus e pereceram no deserto (cf. Nm 13.26-14.38). Semelhantemente Cristo, que é muito superior a Moisés, também é fiel (Hb 3.2,6); no entanto, o autor de Hebreus estava profundamente preocupado que a comunidade de cristãos hebreus a quem estava se dirigindo, que havia experimentado a libertação da cruz, estivesse agora em perigo de sofrer um endurecimento em seus corações, vindo a perecer em razão da incredulidade quanto à promessa de Deus. Esta seção revela a natureza progressiva da incredulidade:
1) A semente da incredulidade é semeada e tem a permissão de brotar;
2) A incredulidade leva à dureza de coração;
3) A dureza leva à desobediência e à rebelião; e
4) A rebelião leva à apostasia e à perda definitiva do descanso prometido de Deus.

As poderosas advertências e exortações contidas nesta seção iniciam com uma citação do Salmos 95.7-11 (Hb 3.7-11) e prosseguem com a aplicação do autor a seus leitores (3.12-19). A aplicação é estruturada pela repetição do verbo *blepo* ("vede, irmãos" ou "tende cuidado", 3.12; e "vemos que" ou "vemos, pois", 3.19) e o substantivo *apistia* ("incredulidade", 3.12,19). Lane observa: "A advertência contra a incredulidade nos versos 12 e 19 fornece uma estrutura literária e teológica à admoestação para que seja mantida a posição básica da fé, que está centralmente colocada no verso 14" (1991, 83).

A comparação de Israel no deserto com a Igreja em nossos dias revela a legitimidade da tipologia entre a ação redentora de Deus no Êxodo e sua promessa de Canaã para Israel. Embora a alegoria possa encontrar arbitrariamente um significado implícito ou simbólico em uma história ou evento,

> a tipologia reconhece a realidade do evento passado e pressupõe uma correspondência genuína entre a atividade salvadora e julgadora de Deus no passado e no presente. Ela não é baseada em semelhanças superficiais, mas na consistência da ação divina dentro da estrutura da referência estabelecida por meio da revelação (Lane, 1991, 90,91).

Paulo escreve aos coríntios, por exemplo, que a murmuração e a desobediência de Israel e a subseqüente destruição no deserto servem como exemplos e advertências "para aviso nosso, para quem já são chegados os fins dos séculos" (1 Co 10.11). Semelhantemente, Judas (v. 5) se refere à geração do deserto — a quem o Senhor resgatou do Egito para ser seu povo, mas a quem mais tarde destruiu em virtude da incredulidade — como uma lição para seus leitores. O autor igualmente adverte seus leitores "contra desistir de sua fé e esperança" (Bruce, 1990, 97). A advertência de Hebreus 3.7-19 é que "aqueles que experimentaram a redenção da cruz poderiam se encontrar em uma situação semelhante" (Hagner, 1983, 43) à da geração do deserto que pereceu, caso endurecessem seus corações em incredulidade, deixando Cristo e voltando-se para o seu antigo estilo de vida. A passagem representa uma séria exortação ao discipulado perseverante e à fé resoluta.

A frase "como diz o Espírito Santo" (3.7) introduz a citação do Salmos 95 e revela duas importantes convicções sustentadas pelo autor de Hebreus:
1) As Escrituras do Antigo Testamento são a palavra reveladora de Deus dada pelo Espírito Santo (sendo deste modo independente dos homens); e
2) O Espírito Santo, através dela, ainda fala com a Igreja hoje (sendo deste modo independente do tempo).

O próprio Salmos 95 se divide em duas partes: A primeira é um chamado para adorar a Deus de coração (95.1-7a), e a segunda é uma advertência para não endurecer o coração contra Deus como Israel fez em Cades (95.7b-11; cf. Nm 13-14). Prestes a receber aquilo que Deus havia prometido, Israel, esqueceu-se da redenção passada, que fora oferecida por Deus, e rebelou-se por incredulidade em sua promessa. O salmista adverte sua geração para não seguir o exemplo de sua dureza. O ato de ouvir a "voz" de Deus hoje, assim como naquela ocasião, tem o potencial de endurecer o coração se não respondermos em fé. Na Bíblia Sagrada, o termo "coração" (*kardia*) refere-se metaforicamente ao ser interior como um todo — pensamento, emoções e vontade — com uma ênfase nos poderes cognitivos e volitivos. Endurecer o coração é desconsiderar a voz de Deus e agir de acordo com os próprios desejos ou medos.

O Salmos 95 (v.8) revela que este endurecimento por parte de Israel ocorreu primeiramente em Massá e Meribá, quando não havia água; eles murmuraram contra Moisés e provaram o Senhor em sua incredulidade (Êx 17.1-7). A Septuaginta traduz "Meribá" e "Massá" por seu significado descritivo, "rebelião" e "prova". Por causa de seus corações endurecidos, os israelitas não discerniram o propósito de Deus nem apreciaram suas providências a seu favor durante a jornada pelo deserto. Deste modo, eles "tentaram e provaram [a Deus]... por quarenta anos" (Hb 3.9). Hagner observa que esta referência a quarenta anos pode ter tido um significado especial para nosso autor e seus leitores, na medida em que se passaram cerca de quarenta anos (assumindo que o livro de Hebreus tenha sido escrito pouco antes de 70 d.C.) desde que Jesus havia morrido como o Cordeiro Pascal, e realizado o êxodo da escravidão do pecado à nova aliança (1983, 45).

O versículo 10 indica que a ira de Deus não foi provocada por um incidente único dos israelitas, mas por sua persistente recusa a confiar nEle ("não conheceram os meus [de Deus] caminhos"), porque a condição de seus corações era endurecida e incrédula. Em Salmoss 103.7 há uma declaração de que Israel viu as poderosas obras de Deus, porém Moisés conheceu os caminhos de Deus. Ele conheceu os caminhos do Todo-Poderoso porque seu coração era sensível e confiante, e por ter sido trabalhado por Deus em seu próprio deserto pessoal antes do Êxodo. Ele emergiu do quebrantamento e da solidão do seu deserto como um homem humilde, submisso, crente e temente a Deus. Por outro lado, a dureza de coração e a rebelião de Israel em Cades foram "a culminação de uma série de episódios em que este povo provocou ao Senhor através de suas amargas reclamações, desobediência e incredulidade" (Lane, 1991, 90), apesar de terem testemunhado os atos poderosos e a maravilhosa libertação que Deus lhes concedera no Êxodo.

Como o clímax de tudo isto, Deus jurou em sua ira que não entrariam em seu repouso (Hb 3.11). Estas palavras são um paralelo a Números 14.30: "Não entrareis na terra". A finalidade do julgamento de Deus "deve ser vista como uma justa recompensa à trágica provocação de Israel" (ibid., 96). A palavra "repouso" (*katapausis*), porém, não se refere primeiramente à Terra Prometida, mas a um lugar designado para o descanso espiritual, onde não há mais luta ou medo, somente satisfação e paz na presença de Deus. Em uma interpretação freqüentemente citada, o Rabi Aquiba entendeu que o Salmos 95 (e Nm 14.35) significa que os hebreus que pereceram no deserto não teriam nenhuma parte na era por vir (*b. Sanhedrin* 110b).

Em Hebreus 3.12, o autor aplica o Salmos 95 como uma advertência a seus companheiros cristãos. A palavra "irmãos" novamente indica que seus leitores são cristãos genuínos (cf. 3.1).[2] Ele está preocupado que nenhum deles se perca: "Vede, irmãos", exorta, "que nunca haja em qualquer de vós um coração mau e infiel, para se apartar [*apostenai*, em seu significado literal] do Deus vivo". Semelhante aos hebreus mencionados no Salmos 95.7-11, o povo de Deus sob a nova aliança "às vezes se aparta de Deus em apostasia... Isto pode ser provocado pelo sofrimento, pela perseguição ou pelas pressões de tentação, porém a causa da raiz é sempre a incredulidade" (Peterson, 1994, 1330).

O termo apostasia se refere a abandonar aquilo no que se cria previamente; neste caso, um repúdio a Jesus como o Filho de Deus e um afastamento da comunhão com outros crentes. Nosso autor chama esta atitude de "apartar-se do Deus vivo". Para estes cristãos hebreus, cortar relações com a Igreja e retornar ao lugar que tinham anteriormente no judaísmo, pode ser considerado como uma "inequívoca apostasia, um completo corte de relações com Deus... uma forma de pecado irreparável — o pecado contra a luz" (Bruce, 1990, 100; cf. 6.4-6). Como no caso da geração que peregrinou no deserto, a apostasia não é uma decisão momentânea, mas a culminação de um processo de endurecimento do coração (3.8,13,15) em incredulidade (3.12,19; cf. 4.2), resultando, no final, em rebelião contra Deus (3.8,15,16), desobediência (3.18; cf. 4.6), e finalmente em um completo afastamento de Deus (3.12; cf. 3.10).

Uma importante proteção contra a apostasia é uma comunidade amorosa e carinhosa de crentes verdadeiros: "Exortai-vos uns aos outros todos os dias" no Senhor (3.13). Estar isolado de outros crentes torna alguém particularmente vulnerável à sabedoria e às mentiras do mundo, às muitas tentações do Diabo, e ao "engano do pecado". Ceder a estas pressões resultará em "uma sensibilidade reduzida de consciência, que tornará mais difícil o reconhecimento do caminho certo em uma ocasião subseqüente" (Bruce, 1990, 101). A palavra "hoje" traz consigo tanto uma nota de urgência quanto de advertência, indicando que as janelas da oportunidade não duram para sempre. A crença errônea de que retornar ao judaísmo seria uma escolha melhor do que sofrer a censura com Cristo (cf. 12.4,5; 13.12,13) foi parte do "engano do pecado" para eles.

Os crentes são "participantes (*metochoi*, plural) em Cristo" (3.14 NVI); "participantes de Cristo" (NASB, NKJV); "parceiros de Cristo" (NRSV). Como Cristo veio para compartilhar nossa humanidade, então "em Cristo" compartilhamos sua vida, sua graça (4.16), sua salvação (2.10), seu reino (12.28), seu sofrimento (13.12,13) e sua glória (2.10). Começar bem é uma atitude digna de elogios, mas devemos reter "firmemente o princípio da nossa confiança até o fim" (3.14b). Como Bruce declara, "somente aqueles que se mantêm na disputa e concluem a corrida podem ter a esperança de ganhar o prêmio" (1990, 101; cf. 12.1-3). Devemos perseverar até que Jesus venha pela segunda vez (cf. 9.28), ou até nos encontrarmos com Ele por meio da morte (cf. 2 Co 5.8).

A "confiança" neste contexto sugere "a garantia que um dono de propriedade pode ter por possuir a sua escritura... Uma vez que exercitamos a fé, temos a garantia de que a nossa parte não pode ser tirada de nós, assim como ninguém pode reivindicar ser o dono de nossa propriedade se não possuir o título" (Guthrie, 1983, 108). O contrário poderá acontecer se deixarmos de persistir pela fé e se nos voltarmos a um estado de incredulidade e rebelião; neste caso, perderemos o direito por negligência. Em Hebreus 3.15 as duas linhas de abertura do Salmos 95.7b,8a são repetidas (cf. Hb 3.7,8; 4.7).

As implicações deste Salmos para os leitores cristãos são posteriormente expressas por uma série de cinco importantes perguntas retóricas (Hb 3.16-18). O fato e as conseqüências da rebelião (3.16a), do pecado voluntário (3.17b), da desobediência (3.18b) e da incredulidade (3.19) são especificamente mencionadas. A primeira pergunta, "quais os que, tendo ouvido, se rebelaram? (3.16a) diz respeito à questão da identidade. A resposta vem em outra pergunta: "Não foram, de fato, todos os que saíram do Egito por intermédio de Moisés?" (3.16b), isto é, o próprio povo que havia experimentado o poder redentor de Deus no Êxodo (Bruce, 1990, 102). O fato de ter sido uma rebelião em massa é enfatizado pela palavra "todos" (além disso, o fato de somente dois homens dentre uma nação inteira serem exceções, sustenta a amplitude do termo "todos").

A terceira pergunta, "e contra quem se indignou por quarenta anos? (3.17a) chama a atenção para a longa duração da provocação. A resposta vem na forma de outra pergunta retórica: "Não foi, porventura, com os que pecaram, cujos corpos caíram no deserto? (3.17b); a conduta desafiadora dos israelitas em Cades foi especialmente "pecadora" e resultou na penalidade de morte como um julgamento justo (cf. Rm 6.23). A próxima pergunta aponta para a sua desobediência: "E a quem jurou que não entrariam no seu repouso, senão aos que foram desobedientes? (3.18). Embora os israelitas tivessem feito uma aliança para obedecer a Deus e "tivessem todo o encorajamento para perseverar na fé durante sua viagem para a terra prometida... [no entanto] desqualificaram-se para entrar no seu descanso, porque persistentemente lhe *desobedeceram*" (Peterson, 1994, 1330).

O versículo 19 declara que no âmago da desobediência e da pecaminosidade dos israelitas estava a "incredulidade", que os excluíu de entrar na realidade e no cumprimento da promessa de Deus. O juramento de Deus em 3.18 (cf. 3.11) foi final e irrevogável: eles "não entrariam no seu repouso". Três observações são dignas de nota:

1) O descanso prometido por Deus nunca foi limitado apenas à terra de Canaã. O repouso de Deus "transcende todas as prefigurações terrenas" (Hagner, 1983, 47), como se tor-na claro em 4.1-13; "o repouso" se refere principalmente ao objetivo da redenção.
2) A geração do deserto havia experimentado a graça e o poder redentores de Deus. Seu "fracasso trágico... para atingir o objetivo de sua redenção chama atenção para um padrão de resposta à voz de Deus, que não deve ser imitado" (Lane, 1991, 89), isto é, o endurecimento do coração que leva à rebelião e à desobediência.
3) A incredulidade que levou Deus a excluir irrevogavelmente aquela geração de seu repouso, apresenta a advertência de que o arrependimento e a recuperação são impossíveis após um certo ponto de apostasia; um tema completamente desenvolvido mais tarde em Hebreus (cf. 6.4-8; 10.26-31; 12.16,17). A surpreendente implicação desta passagem é que a *incredulidade* finalmente exporá os crentes da nova aliança "à mesma situação precária que Israel enfrentou em Cades" (Lane, 1991, 89).

1.4. Superior a Josué (4.1-13)

Enquanto Moisés liderou os israelitas em sua saída do Egito, Josué liderou-os a entrar na terra da promessa e do descanso. Mas nem mesmo Josué poderia garantir aos israelitas o verdadeiro descanso de Deus. Nosso autor exorta seus leitores a entrarem no descanso superior que Deus prometeu, e que o Josué do Novo Testamento, Jesus Cristo, torna possível. A palavra "repouso" (*katapausis*), que primeiramente aparece em 3.11 e é repetida em 3.18, permeia 4.1-11. O substantivo ocorre seis vezes (4.1,3 [duas vezes], 5,10,11) e o verbo cognato (*katapauo*) três vezes (4.4,8,10). Hebreus 4 é o primeiro capítulo na Bíblia sobre o descanso prometido de Deus para o seu povo.

Ao interpretar esta passagem, devemos ter em mente que o nosso autor fala de três tipos de descanso:
1) o descanso de Canaã, a que Josué liderou a segunda geração de israelitas (sugerido em 4.8);
2) O próprio descanso de Deus que se seguiu à criação (4.4) e
3) O descanso espiritual em que os crentes devem entrar pela fé. Este último é mencionado repetidamente: "A promessa de

entrar no seu repouso [de Deus]" (4.1), "nós, porém, que cremos, entramos no descanso" (4.3a), "não entrarão no meu descanso" (4.3c,5), "resta que alguns entrem nele" (4.6), "resta ainda um repouso para o povo de Deus" (4.9), "aquele que entrou no seu repouso [de Deus]" (4.10) e "procuremos, pois, entrar naquele repouso" (4.11).

Há também três observações preliminares importantes a fazer sobre o caráter do descanso que Deus promete ao seu povo:
1) O descanso em Canaã é um tipo ou símbolo do repouso espiritual que Deus promete a seu povo, em Cristo.
2) Este repouso espiritual é prefigurado pelo descanso sabático de Deus.
3) Este descanso espiritual — como outros aspectos do reino de Deus — envolve tanto a realidade presente quanto a esperança futura para o povo de fé. Enquanto 3.12-19 enfatiza a experiência passada da geração do deserto que foi excluída do repouso de Deus por causa da incredulidade, o texto em 4.1-11 enfoca a oportunidade presente que os crentes da nova aliança têm de entrar no repouso de Deus, pela fé.

1.4.1. Superior a Josué no Repouso Oferecido (4.1-5).

"A contraparte espiritual da Canaã terrestre" (Bruce, 1990, 105) é a promessa de entrar no repouso de Deus. Pelo fato desta promessa continuar a ser o objetivo atual do povo de Deus, nosso autor exorta seus leitores a não falharem. "Temamos" (literalmente, "tenhamos medo") é a primeira palavra do versículo 1 e é enfática. Um correto temor a Deus e das consequências da incredulidade e da apostasia (3.12,18,19) é uma nota recorrente em Hebreus (cf. 10.27,31).

A preocupação pastoral do autor se torna novamente evidente: "Que, porventura, deixada a promessa de entrar no seu repouso, pareça que algum de vós fique para trás" (cf. 3.12,13; 4.11). Entrar no repouso de Deus não é algo que acontece automaticamente após a conversão a Cristo, da mesma maneira que Israel não entrou automaticamente em Canaã após a sua redenção do Egito. Como Bruce observa, os leitores "farão bem em temer a possibilidade de perder a grande bênção que nos está prometida, da mesma maneira que a geração de israelitas que morreu no deserto perdeu a Canaã terrestre, embora este fosse o objetivo que tinham diante de si quando saíram do Egito" (1990, 105).

A palavra "promessa" (*epangelia*) ocorre quatorze vezes em Hebreus, mais freqüentemente do que em qualquer outro livro no Novo Testamento (cf. dez vezes em Gálatas). O argumento básico do autor é que entrar na terra de Canaã não constituiu o cumprimento da promessa (embora esta seja um tipo ou símbolo do repouso prometido; cf. 4.8,9). Deus cumpre, sob a nova aliança, as promessas que deu sob a antiga aliança, àqueles que têm fé para herdá-las.

A conjunção "porque" liga o versículo 2 diretamente à preocupação expressa no versículo 1. "Foram pregadas as 'boas novas' [ou evangelho]" aos israelitas no deserto por ocasião de sua libertação do Egito, e sua aliança com Deus no Sinai foi acompanhada por sinais e milagres sobrenaturais. Eles não entraram no repouso de Deus, embora o convite tenha sido feito, porque a "palavra da pregação nada lhes aproveitou". As boas novas de Jesus foram pregadas aos cristãos hebreus do Novo Testamento quando lhes foi anunciada a libertação por meio da cruz e a nova aliança em seu sangue, com Deus confirmando sua realidade por meio de "sinais, e milagres, e várias maravilhas, e dons do Espírito Santo" (2.4). "A promessa de entrar no seu repouso" ainda permanece (4.1) para os crentes da nova aliança, mas a promessa deve ser tomada pela fé se a vida desértica com suas lutas e medos for trocada pelo repouso de Deus. Somente a fé pode assegurar a promessa.

O repouso de Deus, no qual os crentes são convidados a entrar, é algo para o presente ou para o futuro? Certamente o repouso de Deus em seu sentido mais amplo aguarda a era por vir, mas há também um sentido presente de entrar pela fé, como é indicado pelo versículo 3: "porque nós, os que temos crido [tempo passado], entramos [tempo presente] no repouso" (cf. a ênfase do tempo presente em 4.1,10,11). A fé torna possível, no presente, realidades que são futuras, invisíveis, ou celestiais (cf. 11.1).

Em 4.3-5, são enfatizados dois fatos importantes:
1) O repouso de Deus é uma realidade presente e completa (4.3c,4), e
2) Os israelitas não puderam entrar no repouso de Deus (4.3b,5b) por causa de sua incredulidade e desobediência (3.19; 4.6). Note que nosso autor cita Gênesis 2.2 em Hebreus 4.4 e se refere ao Salmos 95.11 (duas vezes) em Hebreus 4.3,5. Sua preocupação por seus leitores é que entrem no repouso de Deus agora *pela fé* e que não o percam para sempre, como fez a geração que peregrinou no deserto. A incredulidade fecha o coração para Deus e torna sua promessa sem efeito.

O que é o repouso de Deus? É um repouso baseado na conclusão de sua obra na criação (4.3c,4), do qual o sábado sagrado é um testemunho duradouro. Nossa participação em seu repouso é baseada na obra consumada de Cristo na cruz; o fato de Ele estar "assentado" (que inclui o pensamento do repouso) à direita do Pai é o testemunho duradouro. O fato de Deus ter repousado não significa que Ele, por conseguinte, tenha estado ou esteja em um estado de ociosidade, mas apenas que não há nada a se acrescentar àquilo que Ele fez. Deus repousou após criar todas as coisas porque sua obra (de criar) foi terminada "desde a fundação do mundo" (4.3c).

A paz e a tranqüilidade ocorrem quando a criatura encontra repouso no Criador. Entrar no repouso de Deus pela fé é uma experiência pessoal do espírito e da alma humana. Envolve sair do deserto de luta e cansaço da alma, e entrar no repouso e na força espiritual do próprio Criador. Nós entramos no repouso de Deus, crendo em sua Palavra, e confiando nEle ao invés de confiarmos em nós mesmos, recusando-nos a sermos perturbados por nossas circunstâncias. Por arrependimento e fé, de modo quieto e confiante (cf. Is 30.15) somos convidados a descansar na provisão daquele que é suficiente em todas as coisas.

1.4.2. Exortação a Entrar em seu Repouso (4.6-13). O versículo 6 resume o argumento anterior:

1) O convite para entrar no repouso de Deus ainda permanece, e aqueles que têm fé "entrarão"; e
2) A geração do deserto foi excluída irrevogavelmente "por causa da desobediência". As promessas de Deus para o seu povo são freqüentemente condicionais. Se uma geração não cumpre a condição, então a promessa passa para a próxima geração. Nosso autor enfoca somente duas gerações: a do Êxodo e a sua própria. A primeira geração perdeu o direito à promessa por causa da incredulidade e da desobediência; ele está preocupado que alguns de seus leitores não repitam o fracasso de seus antepassados.

Devemos tomar posse da promessa que Deus nos oferece de repouso, pela fé. Se não o fizermos, não teremos aquilo que Ele promete, e o Senhor, por sua vez, estenderá sua oferta a outros. A referência à "desobediência" da geração do deserto reafirma o tópico enfatizado em 3.16-18 e 4.2. Da mesma maneira que a incredulidade e a desobediência estão intimamente ligadas em 3.19 e 4.6, e assim como a fé (*pistis*) envolve a fidelidade, crer e obedecer são duas atitudes que estão unidas e as condições necessárias para se herdar aquilo que Deus promete.

Enquanto o enfoque de 4.3,5 está em Salmoss 95.11, a ênfase em Hebreus 4.6,7 está em Salmoss 95.7b,8a, isto é, na urgência que há "hoje" de entrar no repouso de Deus. Os escatológicos "últimos dias" previstos pelos profetas começaram quando Deus falou conosco através da encarnação de seu Filho (Hb 1.1,2). Este segmento da história é o "certo dia" (4.7) que Deus determinou para cumprir a promessa de entrar em seu repouso. Deste modo a exortação, "hoje, se ouvirdes a sua voz, não endureçais o vosso coração", tem um significado especial para os leitores de Hebreus que estão sob a nova aliança. Por um lado, é um apelo urgente a não endurecer o coração em virtude de que Deus está falando através de seu Filho; por outro lado, anuncia que chegou o tempo para o cumprimento da promessa de Deus de trazer seu povo a seu repouso. É um tempo crucial de oportunidade, e endurecer o coração "hoje" seria desastroso.

Está claro no Salmos 95 e em Hebreus 4 que a promessa de entrar no repouso de Deus não foi cumprida quando Josué conduziu a geração seguinte de israelitas a Canaã. O repouso temporal no estabelecimento de Canaã foi, na melhor hipótese, "somente um tipo ou símbolo do repouso completo que Deus quer oferecer a seu povo" (Lane, 1991, 101). Em grego (e hebraico), "Josué" e "Jesus" são o mesmo nome. Deste modo, um paralelo natural é estabelecido entre o "Jesus" do Antigo Testamento, que liderou sua geração à Canaã terrestre, e Jesus, o Filho de Deus, que conduz os crentes da nova aliança à sua herança espiritual (4.8). Enquanto este paralelo foi um tema na tipologia cristã antiga, o autor de Hebreus enfoca "o contraste entre o 'repouso' temporal em que Israel entrou sob a liderança de Josué e o repouso [espiritual] verdadeiro que ainda está reservado para o povo de Deus" (Bruce, 1990, 109).

O versículo 9 resume o argumento: "Portanto, resta ainda um repouso para o povo de Deus". O paralelo real para o repouso dado por Jesus Cristo não é o repouso de Josué, mas o de Deus, referido aqui como "repouso sabático" (*sabbatismos*). O "repouso de Deus" (4.10) está relacionado ao sábado original, quando Deus terminou sua obra de criação e descansou no sétimo dia. "Porque aquele que entrou no seu repouso, ele próprio repousou de suas obras, como Deus das suas" (4.10). O sábado terrestre é uma lembrança semanal do repouso de Deus. Isaías 58.13 indica que o repouso do sábado representou desistir de seu próprio caminho e deleitar-se no caminho do Senhor.

A realidade espiritual do repouso de Deus no tempo presente envolve a entrega de nossa vontade a Deus, de forma que não façamos mais como bem nos aprouver, mas vivamos alegremente de acordo com a sua vontade; cessamos assim as nossas "próprias obras" e deixamos que Ele trabalhe em nós de acordo com a sua vontade. Por um lado, o repouso de fé é um lugar de paz e segurança que vem quando se está completamente livre da incredulidade e de toda a insegurança que acompanha a incredulidade; por outro lado, entrar no repouso de Deus envolve também uma interrupção nas lutas do ego (egocentrismo, vaidade, etc.), um repouso dos esforços de uma vida orientada pelas obras rendendo-se completamente a Deus, que resulta em paz, bem-estar e segurança nEle.

Fica evidente, pela exortação dada no versículo 11, que nosso autor tem em mente a experiência de um repouso espiritual presente para seus leitores e não somente um repouso no futuro final dos tempos: "Esforcemo-nos" ou "Procuremos [*spoudazo*] pois, entrar naquele repouso". *Spoudazo* pode ter os seguintes sentidos: "sejamos diligentes" (NASB, NKJV), "esforcemo-nos sinceramente" (Alford), "empenhemo-nos" (Berkeley). Entrar no repouso de Deus exige diligência, não passividade; uma busca sincera, não indiferença; uma fé ativa expressa em obediência, não a incredulidade e a desobediência dos israelitas do Antigo Testamento. Como Guthrie comenta, "o escritor claramente pensa que há um grave perigo da história se repetir" (1983, 116).

Para evitar outra tragédia espiritual, o autor exorta os crentes a entrarem no repouso sobre o qual Jesus falou: "Tomai sobre vós o meu jugo, e aprendei de mim, que sou manso e humilde de coração, e encontrareis descanso para a vossa alma" (Mt 11.29). Foi através da mansidão e da humildade de coração que Jesus encontrou seu repouso no Pai, e convida os crentes a compartilharem do repouso de Deus. Este repouso envolve a liberdade das lutas da própria vida com sua labuta, ansiedade, cansaço e medo, e provê um lugar de paz em que "desfrutamos com Deus a satisfação e a perfeição de sua obra ao nos criar e nos redimir" (Peterson, 1994, 1331). "Aqueles que entram naquele repouso não cairão em fraquezas, seguindo o exemplo da desobediência da geração do deserto".

A conjunção "porque" (v. 12) liga os versículos 12 e 13 diretamente à exortação contida no versículo 11. Podemos entrar no repouso de Deus submetendo-nos à cirurgia da Palavra de Deus. "A Palavra de Deus" é tudo aquilo que Deus fala, seja nas Escrituras, seja através de seu

Filho (1.2), pela pregação do evangelho ou pela voz do Espírito Santo. O texto aqui refere-se especialmente ao Salmos 95.7-11 e à exortação de nosso autor nos capítulos 3 e 4. De um modo diferente das palavras humanas, a Palavra de Deus é onisciente e penetrante, e incorpora o próprio caráter de Deus. É viva, ativa, penetrante e perspicaz. Além disso, possui o poder de realizar o propósito de Deus pelo qual é enviada (cf. Is 55.11) e sempre exige uma resposta. Abençoa aqueles que a recebem com fé e julga aqueles que a menosprezam (Bruce, 1990, 111).

A Palavra de Deus é como uma espada afiada (veja Is 49.2; Ap 19.15), a espada do Espírito (Ef 6.17); e aqui é descrita como "mais penetrante do que qualquer espada de dois gumes" (Hb 4.12; cf. Ap 1.16). A imagem transmitida não é tanto a de um julgamento, como referindo-se ao bisturi de um cirurgião que fere, corta e perfura a fim de nos curar. A Palavra de Deus penetra tão completamente em nosso interior que discerne e define a obscura linha divisória entre a "alma [*psyche*] e o espírito [*pneuma*]" (4.12). Com relação às diferenças entre o "espírito" e a "alma", Guthrie comenta (1983,119; cf. Spicq, 1952, 1.52-54):

> "O uso de *pneuma* no Novo Testamento referindo-se ao espírito humano enfoca o aspecto espiritual do homem, *isto é*, sua vida em relação a Deus, enquanto *psyche* se refere à vida do homem independentemente de sua experiência espiritual, *isto é*, de sua vida em relação a si mesmo, suas [próprias] emoções e pensamentos [e escolhas]. Há uma forte antítese entre as duas na teologia de Paulo".

Embora muitos intérpretes acreditem que a distinção que Paulo faz entre a alma e o espírito não esteja presente nesta passagem, não há uma boa razão para desconsiderar isto. A obra de Deus desperta e fortalece sua vida em nosso espírito, e expõe a nossa alma, mostrando onde ela entra em conflito com a vida de Deus que está dentro de cada um de nós. A atividade da palavra de Deus é descrita adiante: Ela "é apta para [julgar] discernir [*kritikos*] os pensamentos e intenções do coração" (4.12).

O livro de Hebreus fala freqüentemente a respeito do "coração". Negativamente, o coração pode ser "endurecido" (3.8,15; 4.7), pode "errar" ou "desviar-se" (3.10), e ser "mau e infiel" (3.12). Positivamente, por causa da forma de Deus proceder, e de nossa resposta de fé, podemos ter a lei de Deus escrita em nossos corações (8.10; 10.16); nossos corações são então aspergidos com o sangue de Cristo (10.22) e fortalecidos pela graça (13.9). Submetendo-se voluntariamente à penetrante Palavra de Deus, nossos corações podem ser abrandados e mudados de forma que possamos verdadeiramente entrar no descanso de Deus.

Se endurecermos o nosso coração contra a Palavra de Deus, ela o julgará, e assim esta Palavra no final nos condenará, como ocorreu com a geração que peregrinou pelo deserto. A imagem em 4.13 de todas as coisas estarem "nuas" e "patentes" expressa vividamente a verdade de que nenhum de nós pode ter êxito em se esconder ou enganar o nosso Criador e Juiz, àquele "com quem temos de [finalmente] tratar" (cf. Ec 12.14; Rm 14.12; 1 Co 4.5; 2 Co 5.10). Hebreus 4.12,13 nos lembra da seriedade de nossas escolhas quando respondemos a Deus e à sua Palavra.

2. A Supremacia de Cristo como o Único Mediador entre Deus e a Humanidade (4.14—10.18)

"Sumo Sacerdote" é uma expressão chave em Hebreus. Cristo já foi apresentado como tendo "feito por si mesmo a purificação dos nossos pecados" (1.3) e como sendo um "misericordioso e fiel sumo sacerdote" (2.17). A exortação em 4.14 está ligada a 3.1: "Considerai a Jesus Cristo, apóstolo e *sumo sacerdote* da nossa confissão" (ênfase do autor). O autor agora começará uma argumentação completa sobre Jesus como nosso "grande Sumo Sacerdote" (4.14), imensamente superior a Arão e a toda a ordem levítica de mediação sacerdotal (que Jesus tanto cumpriu como tornou obsoleta), e como um sacerdote para sempre segundo a "ordem de Melquisedeque" (5.6; 7.17,18; Sl 110.4). Como nosso Sumo Sacerdote, Jesus ofereceu o sacrifício expiatório perfeito, único e suficiente pelos nossos pecados, se compadece das nossas fraquezas e nos representa diante do Pai no Santo dos Santos do céu, o trono da graça (4.14–10.18). Em seu eterno papel de Sumo Sacerdote, Ele é o alicerce para uma fé perseverante e firme.

2.1. Superior a Arão e à Ordem Levítica em suas Qualificações para Ser Sumo Sacerdote (4.14-7.28)

2.1.1. Superior a Arão e à Ordem Levítica em sua Habilidade de Compreender e Ajudar a Humanidade (4.14-16).

Podemos entrar no repouso de Deus e permanecermos firmes na fé, uma vez que temos um grande Sumo Sacerdote que pode "nos ajudar" (4.16). No Antigo Testamento o sumo sacerdote era geralmente chamado de "grande sumo sacerdote". Aqui, a expressão "grande sumo sacerdote" é mais completa, contribui para a comparação geral de Jesus como maior que Arão e seus sucessores.

Sua grandeza está imediatamente evidente por dois fatos:
1) Ele "penetrou os céus" na santa presença de Deus, na sala do trono a nosso favor, da mesma maneira que o sumo sacerdote do Antigo Testamento passava através do véu no Santo dos Santos a favor do povo no Dia da Expiação. Subseqüentemente, Jesus foi "feito mais sublime do que os céus" (7.26; cf. Ef 4.10) e agora se assenta entronizado (conforme implícito em 4.16, no "trono da graça") como "Senhor e Cristo" (At 2.33,36). Lá, Ele continua seu ministério celestial de mediação e intercessão sacerdotal.
2) Nosso Sumo Sacerdote é "Jesus, Filho de Deus". Seu nome terreno, "Jesus", fala de sua humanidade e de seu ministério, como aquele que nos salva do pecado (cf. Mt 1.21); seu título "Filho de Deus", fala de sua divindade e poder como Sumo Sacerdote para nos trazer à amizade com Deus. Ele é tanto imanente (conosco) quanto transcendente (acima de nós); é tanto misericordioso quanto poderoso. Por esta razão, "retenhamos firmemente a nossa confissão". O conhecimento da grandeza e da glória de Jesus como nosso Sumo Sacerdote é a chave para entrarmos no repouso de Deus e em uma firme vida de fé.

Uma qualificação importante de um sumo sacerdote é que se compadeça, seja manso e paciente com aqueles que se perdem na ignorância, em pecados não intencionais, ou fraquezas (4.15; 5.2). Nosso autor antecipa a possível objeção de que a pura grandeza de Jesus como Filho de Deus, entronizado no céu ao lado do Pai, poderia sugerir que Ele está indiferente e incapaz de compartilhar as nossas dificuldades ou se compadecer das nossas fraquezas. Para se opor a este raciocínio, o escritor faz três afirmações em contrário:
1) Nosso Sumo Sacerdote pode "compadecer-se das nossas fraquezas". "Compadecer-se" (*sympatheo*, que literalmente significa "sofrer junto com") não se refere à compaixão psicológica ("lamentar-se"), mas a uma compaixão existencial que nosso Sumo Sacerdote sofre junto conosco em nossas fraquezas e traz de fato o auxílio (Lane, 1991, 108, 114). O termo "fraquezas" diz respeito a qualquer área de vulnerabilidade inerente à fraca humanidade.
2) Nosso Sumo Sacerdote "em tudo foi tentado, mas sem pecado". Suas tentações não foram representadas ou falsas; eram tão genuínas quanto as nossas. "Em tudo" não significa que Ele passou por toda tentação que coletivamente nós temos, mas que foi tentado nos mesmos três modos básicos em que nós todos somos tentados: o desejo da carne, o desejo dos olhos e o orgulho da vida (cf. Gn 3.6; Lc 4.3,6,7,9-11; 1 Jo 2.15,16). As tentações de Jesus consistiam especialmente em tentativas de evitar o cumprimento de sua missão como o Servo sofredor. Em Hebreus, a tentação dos leitores envolve também a tentativa de evitar que sofram por Cristo. Neste sentido Ele experimentou a tentação em sua completa abrangência.

3) Jesus, no entanto, foi "sem pecado". Este fato não significa que Ele era incapaz de pecar, mas que estava sem pecado por causa de decisões conscientes em meio à tentação real. A tentação em si não é o próprio pecado; ceder, sim, é pecado. Somente Jesus conhece a plena intensidade da tentação, porque somente Ele jamais cedeu. Deste modo, temos um Sumo Sacerdote em quem estão unidas a pureza perfeita e a compaixão perfeita, o que faz com que lide mansamente conosco (5.2).

Portanto, diz nosso autor: "Cheguemos... com confiança ao trono da graça" (4.16). Sob a lei de Moisés, a única pessoa que tinha a permissão para "se aproximar" do trono de misericórdia do tabernáculo no Santo dos Santos era o sumo sacerdote, uma prática que estava restrita a uma vez por ano, no Dia da Expiação. A obra expiatória de Jesus realizada na cruz e sua posição como Sumo Sacerdote no trono de misericórdia celestial ("trono da graça") obteve para os crentes da nova aliança "o que Israel nunca gozou, isto é, o acesso imediato a Deus e a liberdade de aproximar-se dele continuamente" (7.19,25; 9.8-12,14; 10.1,22; Lane, 1991, 115).

Há três características importantes no versículo 16:
1) Nossa aproximação a Deus através de Cristo deve ser caracterizada por uma "confiança" ou coragem santa que está livre do medo. É a confiança de aproximar-se de Deus como "nosso Pai" pelo sangue de Cristo.
2) Nossa aproximação deve ser em direção ao "trono da graça". Chegar-se ao trono de Deus e à sua presença real "seria aterrorizante se sua característica principal não fosse a graça, *isto é*, o lugar onde o favor gratuito de Deus é distribuído" (Guthrie, 1983, 124). Aproximamo-nos do trono da graça através da oração em nome de Jesus. Andrew Murray declara: "A medida de nossa proximidade e acesso a Deus é o índice do nosso conhecimento de Jesus" (n.d., 171).
3) No trono recebemos uma ajuda tripla em nossa hora de tribulação ou tentação: "misericórdia", "graça" e "ajuda" oportuna de Deus. A "misericórdia" se relaciona ao perdão e ao amor de Deus que se tornaram possíveis pelo sacrifício de seu Filho; a "graça" envolve um desejo e poder dados por Deus ao nosso ser interior, nos capacitando para sermos vitoriosos sobre a tentação e nas tribulações da vida; e a graça de Deus, disponível para "nos ajudar em nosso tempo de necessidade", é uma ajuda apropriada e oportuna.

2.1.2. Superior a Arão e à Ordem Levítica em sua Designação Divina e em sua Vida de Santidade (5.1-10).

A ligação desta passagem com os três versículos anteriores é especialmente clara em grego pela conjunção de abertura *gar* ("porque"; omitida na NVI). O autor agora enfoca as qualidades que devem caracterizar "todo sumo sacerdote" no sacerdócio arônico, do ponto de vista de Deus. Estas qualidades são brevemente resumidas sob (1) requisitos horizontais que se relacionam com aqueles que ele representa (5.1-3), e (2) um requisito vertical em relação a Deus (5.4). Então, o autor mostra como Cristo preencheu estes requisitos de modo superior (5.5-10).

1) O primeiro requisito horizontal para o sacerdote era que fosse "tomado dentre os homens" (5.1), não dentre os anjos ou seres celestiais. Ele deveria estar sujeito às mesmas fraquezas humanas, pressões e tribulações da vida como outros homens porque era "constituído a favor dos homens", o povo da aliança diante de Deus, "para que ofereça dons e sacrifícios pelos pecados". O que está primeiramente em vista aqui é o ministério do sumo sacerdote no Dia da Expiação, quando ele oferecia sacrifícios pelo pecado, por si mesmo e pelo povo (cf. 5.3). Em Hebreus 9 e 10 é enfatizado que Cristo cumpriu este ministério sacerdotal.

Para o sumo sacerdote cumprir seu ministério de maneira digna, não tinha apenas que atentar para o desempenho preciso de seu ministério sacerdotal, mas deveria também demonstrar paciência e compaixão interior que o habilitasse a "compadecer-se ternamente dos ignorantes e errados" (5.2). Os dois particípios usados aqui compartilham um artigo definido, que sugere que se tem em vista uma determinada categoria de pessoas — isto é, todos "aqueles que erram pela ignorância"

(Zerwick, na obra *Biblical Greek*, citada em Lane, 1991, 108).

A Lei de Moisés não proporcionava a expiação pelas transgressões rebeldes e deliberadas. Aqueles que pecavam desafiadoramente deveriam ser excluídos do povo de Deus e de sua parte na expiação (Nm 15.30,31). Entretanto, o sumo sacerdote podia se compadecer e ter compaixão daqueles que erravam por ignorância, porque ele próprio estava sujeito às mesmas fraquezas. Por essa razão, o sumo sacerdote deveria "tanto pelo povo como também por si mesmo, fazer oferta pelos pecados" (5.3).

Neste ponto, naturalmente, Jesus era diferente de Arão e da ordem levítica; embora fosse tentado em todas as coisas, à nossa semelhança, Ele era "sem pecado" (4.15). Esta é uma das primeiras características distintivas de Jesus como nosso Sumo Sacerdote. Por ser "santo, livre de malícia e corrupção, [Ele] não tinha necessidade de oferecer um sacrifício preliminar por si mesmo. Foi suportando as fraquezas e tentações comuns à condição humana, e não cedendo a elas, que estabeleceu seu poder não apenas para se compadecer de seu povo, mas também para trazer-lhes ajuda, libertação e vitória" (Bruce, 1990, 121). A semelhança-chave de Jesus a Arão reside em sua obra expiatória pelos pecados do povo, embora seu sacrifício pelo pecado tenha sido infinitamente superior ao dos sacerdotes arônicos (veja os caps. 9 e 10).

2) O segundo requisito para o sacerdote levítico era vertical; deveria ser "chamado por Deus" (5.4). O papel de sumo sacerdote era tão importante que nenhum homem tinha o direito a tomar "para si essa honra". Somente Deus tem a prerrogativa e o poder de estabelecer um homem como sumo sacerdote. O decreto de Deus em relação a Arão (Sl 105.26) fixou o padrão para todos os seus herdeiros e sucessores (Êx 28.1-3; Nm 23-26, especialmente 25.10-13). A Bíblia registra que aqueles que tentaram tomar a honra de executar os deveres sacerdotais caíram sob o juízo de Deus — como nos casos de Corá (Nm 16), Saul (1 Sm 13.8-14) e Uzias (2 Cr 26.16-21). Outros, não descendentes de Arão que em tempos de crise nacional cumpriram o ministério intercessório e mediador como os dos sacerdotes arônicos, fizeram-no pelo chamado e decreto direto de Deus — como no caso de Samuel (1 Sm 7.3-17).

Os requisitos gerais para o ofício e ministério de sumo sacerdote, como representado por Arão e seus descendentes (5.1-4), estão especificamente aplicados a Jesus Cristo em 5.5-10, porém em ordem inversa.

1) Cristo está qualificado para ser Sumo Sacerdote porque foi "chamado por Ele, como Arão" (5.4c,5a), nomeado por Deus e "não se glorificou a si mesmo, para se fazer sumo sacerdote" (5.5). Há aqui um padrão semelhante de comparação e contraste entre Arão e Jesus, assim como havia entre Moisés e Jesus no capítulo 3. Moisés e Jesus eram semelhantes em sua fidelidade a Deus, que os nomeou (3.1,2); entretanto a descontinuidade entre eles é enfatizada, e Jesus é visto como claramente superior a Moisés em suas diferenças essenciais (veja 3.3-6a).

Igualmente, Arão e Jesus eram semelhantes pelo fato de o próprio Deus tê-los constituído para o ofício de sumo sacerdote, ao invés de eles mesmos terem se elevado àquela posição. Mas o escritor então mostra, implicitamente, a descontinuidade entre Jesus e Arão e a superioridade de Jesus, ligando dois Salmoss messiânicos a Cristo: O Salmos 2.7 o identifica como o Messias davídico (investido com poder e autoridade reais como o Filho), e o Salmos 110.4 o identifica como o Messias sacerdotal por sua semelhança a Melquisedeque.

Em alguns círculos judaicos, dois Messias eram esperados: um rei e outro sacerdote. Talvez os destinatários originais de Hebreus sustentassem esta dupla esperança messiânica. Bruce acrescenta: "Mas aqui eles estão seguros de que Jesus, que foi aclamado por Deus como o Messias davídico em Salmoss 2.7 foi também aclamado por Deus como Sumo Sacerdote em Salmoss 110.4. Os cristãos não reconhecem dois Messias, mas um, e que este é tanto Rei como Sacerdote" (1990, 123-124). Observe que a filiação de Cristo está também afirmada em Salmoss 2.7. Jesus, como o Filho de Deus, era a ênfase predominante em Hebreus 1.1–4.13; agora Jesus, como o "Sacerdote" ou o "Sumo Sacerdote" é o principal enfoque em 4.14–10.18.

O Salmos 110.4 declara: "Tu és sacerdote eternamente" (5.6). "Eternamente" é outra característica da superioridade de Cristo. Arão e todos os seus sucessores sacerdotais tiveram seu tempo e então saíram de cena. Cristo, como Sacerdote, permanece para sempre e não tem necessidade de um sucessor. Assim como Melquisedeque (cf. Gn 14.18), que foi rei e sacerdote e não há registro de que tenha tido um sucessor, Jesus é um sacerdote à sua semelhança. A tradução de "a ordem de Melquisedeque" (5.6c) é enganosa porque "não existiu nenhuma sucessão de sacerdotes de Melquisedeque, e, deste modo, não pode ter existido nenhuma '*ordem*'. Jesus, porém, era um sacerdote deste tipo — não como Arão e seus sucessores" (Morris, 1981, 49). Uma aplicação mais completa do Salmos 110.4 e do tipo de sacerdócio de Melquisedeque comparado a Jesus ocorre em Hebreus 7.

2) Hebreus 5.7-10 discute em muito mais detalhes uma segunda razão pela qual Jesus está qualificado para ser o Sumo Sacerdote — por causa de sua humanidade, na qual experimentou (como o Filho divino) provas e sofrimentos. O contraste aqui entre os sofrimentos de Jesus e seu estado atual de exaltação como Sumo Sacerdote tem notável paralelo em 1.3d: "Havendo feito por si mesmo a purificação dos nossos pecados, assentou-se à destra da Majestade, nas alturas". Hebreus 5.7,8 nos assegura de que Jesus participou plenamente da experiência humana de sofrimento (cf. 2.14-18) sendo, portanto, completamente capaz de se compadecer de nós em nossas tribulações e provas (cf. 4.15; 5.2).

Jesus assumiu a condição do sofrimento humano de modo tão completo, que proferiu um grande "clamor" e derramou "lágrimas", fazendo "orações e súplicas" (5.7). Estas palavras descritivas não têm paralelo em nenhuma passagem no Novo Testamento em termos de sua intensidade. Uma vez que "orações e súplicas" estão no plural, nosso autor pode ter sabido de vários incidentes ocorridos na vida de Jesus quando orou com tal intensidade. Para nós que estamos restritos ao Novo Testamento estas palavras soam como a agonia que Jesus sofreu no jardim do Getsêmani, quando suas orações foram tão intensas que o seu suor se transformou em grandes gotas de sangue (cf. Mt 26.31-46; Lc 22.41-44). Jesus, que chorou na sepultura de Lázaro, diante do sofrimento e pesar humanos, sentiu fortes emoções, o que é sugerido pelas palavras "clamor e lágrimas". Guthrie comenta: "Nosso Sumo Sacerdote não se colocou em uma posição tão superior a ponto de estar acima das lágrimas" (1983, 129). Ele com certeza se identificou completamente com nossa situação humana difícil, de sofrimento.

As intensas orações de Jesus foram dirigidas "ao que o podia livrar da morte" (5.7). Além disso, "foi ouvido" pelo Pai, mas a resposta não veio como o impedimento da experiência da morte. Antes, Jesus foi ouvido, porque recebeu a graça de Deus para se submeter ao sofrimento que lhe havia sido decretado, e foi então liberto da morte através da ressurreição. Às vezes, nossas orações mais fervorosas parecem ficar sem resposta, porém são mais tarde respondidas de maneiras inesperadas e mais completas.

O versículo 7 acrescenta que Jesus foi ouvido "quanto ao que temia". O substantivo grego *eulabeia* pode significar "temor", "piedade", ou "temor reverente". Alguns estudiosos acreditam que todos estes significados sejam válidos aqui (*TDNT*, 2:751-754). Deste modo, encontramos em versões recentes traduções como: "Por causa da sua piedade" (NASB), "por causa de seu temor piedoso" (NKJV) e "por causa de sua submissão reverente" (NVI; NRSV). Nas intensas orações de Jesus, havia tanto devoção pessoal quanto submissão reverente à vontade redentora do Pai.

A frase "ainda que era Filho" (v. 8) significa "embora fosse o Filho [de Deus]" (cf. 1.2-5; 4.14); o escritor prossegue, declarando que Jesus "aprendeu a obediência, por aquilo que padeceu" (5.8). Jesus, como o Filho encarnado de Deus, teve de aprender em sua humanidade (como ocorre com todos os filhos, cf. 12.7-11) "o que significa obedecer a Deus quando cercado pelos sofrimentos e tentações humanas. Uma vez que seus sofrimentos e tentações eram genuínos... então sua obediência somente poderia ter sido ganha [isto é, concretizada] por meio do sofrimento" (Hawthorne, 1986, 1514).

Além disso, Jesus foi "consumado" ou "aperfeiçoado" (5.9) através de seu sofrimento, pelo qual tornou-se o perfeito Salvador e o Supremo Sumo Sacerdote, porque enfrentou suas aflições e tentações sem pecar. Assim, nosso autor liga eficazmente a obra salvadora de Jesus com seu ministério como Sumo Sacerdote. Sendo o Filho eterno de Deus, e ao mesmo tempo estando em forma completamente humana (o Filho encarnado de Deus), estava qualificado sob todos os aspectos para ser "a causa de eterna salvação para todos os que lhe obedecem" (5.9) e o perfeito Sumo Sacerdote à semelhança de Melquisedeque (5.10).

A salvação que Jesus tornou possível é "eterna", não apenas porque "ela se estende além do tempo, mas também porque é verdadeira, celestial e não feita por homens" (Lane, 1991, 122; cf. 9.23,24). Tal salvação é "para todos os que lhe obedecem" (5.9). Jesus se mostrou obediente; a verdadeira fé e união com Ele serão comprovadas pelo fruto da obediência em nossa vida (cf. Jo 8.31; Rm 1.5; 16.26; Tg 2.17-26), que permitem que Cristo nos transforme conforme a sua semelhança, preparando-nos, assim, para nos unirmos a Ele na glória eterna. Como Murray declara, "a obediência à vontade de Deus na terra é o caminho para a gloriosa vontade de Deus no céu" (n.d., 189).

Finalmente, vale notar que três frases em Hebreus 5.9,10 são introdutórias à exposição que se segue em 7.1-10.18. Está completamente revelado em 7.1-28 que Jesus foi um sumo sacerdote como Melquisedeque (5.10); em 8.1–9.28, Ele foi "consumado" ou "aperfeiçoado" (5.9) em relação à nossa redenção; e é perfeitamente explicado em 10.1-18 que Jesus é o autor ou a fonte da salvação eterna (5.9). Enquanto isso, o autor insere advertências exortativas em 5.11–6.20 a fim de despertar seus leitores, resgatando-os do estado de vacilação espiritual, para que possam receber o "sólido mantimento" (5.12) que se segue em 7.1–10.18 (cf. Lane, 1991, 125-128).

A Terceira Advertência Exortativa: O Perigo de Permanecer Espiritualmente Imaturo (5.11–6.3)

O autor do livro de Hebreus já apresentou as qualificações superiores de Cristo, que o habilitam plenamente a ser nosso Sumo Sacerdote (4.14–5.10). Mas antes de continuar a explorar o profundo significado deste sacerdócio (7.1–10.18), ele repreende seus leitores por sua estagnação espiritual e os exorta a progredirem na maturidade espiritual (5.11–6.3). Adverte-os de que há um sério perigo de ficarem apáticos, de ouvirem e agirem como crianças espirituais, quando na realidade deveriam progredir em sua maturidade no Senhor. Se persistirem na regressão espiritual, poderão experimentar, no final, uma apostasia irreparável (6.4-20).

Estas duas advertências exortativas, como as anteriores (2.1-4; 3.7-19), revelam de modo inequívoco que o autor está se dirigindo pastoralmente a verdadeiros crentes, cuja condição espiritual é bem conhecida dele. Após uma intensa advertência (6.4-8), porém, o autor informa os seus leitores (a quem chama de "queridos companheiros", NVI; "ó amados", NASB, NKJV) que espera confiantemente "coisas melhores e coisas que acompanham a salvação" (6.9).

O autor diz: "Muito [mais] temos que dizer" (5.11) sobre o assunto do sacerdócio de Cristo (iniciado em 4.14), incluindo, naturalmente, Melquisedeque prefigurando a Cristo (5.10). No entanto, uma discussão a mais sobre aquele sacerdócio seria "de difícil interpretação" — não por causa das limitações do autor ou porque seja um assunto difícil, mas porque seus leitores haviam se tornado "negligentes para ouvir". A expressão "vos fizestes negligentes para ouvir", poderia sugerir que fossem naturalmente lentos para aprender. Todavia, o verbo grego sugere que nem sempre foram assim; antes, tornaram-se lentos".

Em grego, a frase "negligentes para ouvir" é, literalmente, "lento para ouvir" ou "apático ao ouvir" (cf. a ênfase anterior sobre a importância de uma audição atenta em 2.1; 3.7,8,15; 4.2,7). Os crentes abandonaram o zelo que caracterizava sua antiga vida cristã (cf. 10.32-34), e se tornaram "tardios para ouvir" (NASB, NKJV) e lentos para entender (5.12). Já eram crentes há tanto tempo que poderiam ser mestres do evangelho; porém, em vez disso, ainda precisavam que se lhes tornassem a ensinar quais eram os "primeiros rudimentos" da Palavra de Deus.

O contexto mais amplo do livro sugere que sua lentidão para ouvir e a regressão espiritual a uma fase infantil eram uma situação recente que tinha a finalidade de evitar um confronto com companheiros judeus não-cristãos, ou evitar uma perseguição posterior em virtude de sua identidade com Cristo. É muito provável que a frase "os primeiros rudimentos [literalmente, oráculos] das palavras de Deus" se refiram a um entendimento cristocêntrico do Antigo Testamento. Sua lentidão para ouvir a respeito destas "palavras de Deus" é uma condição perigosa para os judeus que foram chamados para uma obediência radical a Jesus (5.9). Isto sugere "uma relutância a sondar as implicações mais profundas do compromisso cristão, e a responder com fé e obediência (cf. 2.1-4; 4.1,2). Se esta atitude apática não fosse contida, seriam levados a uma inércia espiritual e à erosão da fé e da esperança" (Lane, 1991, 136).

O contraste entre "leite" e "sólido mantimento" em 5.12 é a diferença entre a infância espiritual e a maioridade ou maturidade espiritual (5.13,14), e não o contraste paulino entre mundano e espiritual (1 Co 3.1-4). Neste contexto, a expressão "sólido mantimento" se refere ao assunto do autor sobre o sumo sacerdócio de Cristo, como o cumprimento imensamente superior, do qual o sacerdócio arônico foi um mero tipo ou sombra.

Os versículos 13 e 14 contêm um contraste quíntuplo entre crianças (meninos) espirituais e aqueles que são espiritualmente maduros.

1) As crianças espirituais precisam ser constantemente ensinadas (5.12); aqueles que são maduros podem ensinar a outros (5.12) — não no sentido de um ensino formal (isto é, um ensino carismático), mas em seu fervoroso desejo de compartilhar sua fé e conhecimento de Cristo com outras pessoas.

2) Aqueles que são "crianças" no plano espiritual, vivem à base de uma dieta de "leite"— isto é, o ABC da revelação de Deus — estes cristãos exigem repetidamente que se "torne a ensinar" (5.12,13a); aqueles que são maduros vivem à base de uma dieta de "mantimento sólido" (5.14).

3) Crianças espirituais são inexperientes ou infantis em sua compreensão da "palavra da justiça" (5.13); por dedução os adultos são experientes nesta palavra. Não está claro se "justiça" aqui se refere à justiça de Deus que é revelada em Cristo e livremente disponibilizada a todo aquele que crê, ou se ela se refere à conduta correta que os crentes maduros devem demonstrar como o fruto da justiça de Deus neles. Em qualquer um destes casos, a completa "palavra da justiça" deve incorporar ambos elementos.

4) Crianças espirituais carecem de discernimento quanto ao bem e o mal, quanto àquilo que honra a Deus e aquilo que o desonra; os adultos, porém, têm suas faculdades espirituais treinadas pela prática constante de distinguir entre o bem e o mal (5.14: cf. NASB, NKJV, NRSV). Bruce observa que as pessoas espiritualmente maduras "construíram no curso da experiência um princípio ou padrão de justiça pelo qual podem passar por julgamentos distintivos em situações morais, quando estas surgem" (1990, 136).

5) Crianças espirituais conhecem somente "os rudimentos da doutrina de Cristo" (6.1-3); por dedução os adultos são aqueles que alcançaram uma revelação maior a respeito

de Cristo, tal como seu ministério sumo sacerdotal (6.1; cf. 5.11).

Uma vez que 6.1-3 é uma continuação de 5.11-14, as palavras de abertura trazem uma surpresa: "Pelo que, deixando os rudimentos da doutrina de Cristo, prossigamos até a perfeição". Poderíamos ter esperado que o autor (como Paulo) se acomodasse à suposta necessidade de "leite" dos seus leitores (5.12c; cf. 1 Co 3.2). Em vez disso, ele os exorta a procurar o caminho maduro. Por que será que ele utiliza a expressão "pelo que"? "Provavelmente porque sua condição particular de imaturidade fosse tal que somente uma avaliação daquilo que estaria envolvido no sumo sacerdócio de Cristo seria capaz de curá-los" (Bruce 1990, 138). Lane, por outro lado, acredita que a expressão "pelo que" indica que o autor usou uma ironia em 5.13,14 a fim de envergonhar seus leitores por agirem como crianças ao invés de adultos maduros. "Pelo que", por causa da vergonha, deveriam agir como adultos espirituais (o que eram na realidade), e atingirem a maturidade (1991, 139).

"Os rudimentos da doutrina de Cristo" se referem a um ensino fundamental que os leitores devem deixar para trás, não no sentido de abandoná-lo, mas de continuar a construir uma estrutura adequada. O fundamento foi aplicado de forma correta em suas vidas e não precisa ser colocado novamente ou repetidamente (6.1c). A "maturidade" ou a "perfeição" neste contexto envolve uma resposta ativa e uma aplicação do evangelho de Cristo (5.14; 6.1) procurando diligentemente a realização plena de sua esperança (6.11), e demonstrando uma fé constante e uma firme perseverança (6.12).

A lista resumida dos "rudimentos" que se segue não é exclusivamente cristã, pois "praticamente cada item poderia ter seu lugar em uma comunidade judaica bastante ortodoxa" (Bruce, 1990, 139). A lista se divide em três grupos de dois: *a resposta pessoal a Deus* (o "arrependimento" [de ações que levam à morte] e a "fé"; 6.1); *as ordenanças exteriores* ("instrução sobre batismos" [provavelmente referindo-se a um cerimonial judaico de limpeza inicial; batismos nas águas e no Espírito sob a nova aliança] e "a imposição de mãos" [para ungir ou separar alguém para um ministério específico]; 6.2); e *as verdades sobre o futuro* ("a ressurreição dos mortos" e o "juízo eterno"; 6.2).

Até aqui, como estas verdades elementares já faziam parte do ensino do Antigo Testamento, os leitores judeus tiveram este fundamento geral quando aceitaram a revelação mais completa de seu significado em Cristo. Em razão do aspecto judaico deste fundamento, porém, foi possível sob a pressão da perseguição desistir gradualmente das características mais distintamente cristãs destas verdades, sem sentir que abandonaram o fundamento. É precisamente neste ponto em que reside o perigo sutil de retornar ao judaísmo, sem a aparência de "abandonar" a Deus, que o autor os desafia a avançarem à maturidade em Cristo (6.1-3) e os confronta com uma advertência ainda mais solene em sua carta (6.4-8). A declaração condicional em 6.3 sugere que alguns leitores provavelmente não sejam capazes de avançar, porque por sua própria decisão podem "colocar-se além do alcance da permissão de Deus" (Hawthorne, 1986, 1515).

A Quarta Advertência Exortativa: A Possibilidade Temerosa de uma Irreparável Apostasia (6.4-20)

Alguns intérpretes combinam 5.11–6.20 como uma unidade exortativa. No entanto, há boas razões para dividir a passagem em duas advertências separadas (embora relacionadas). Enquanto 5.11–6.3 enfoca o perigo da lentidão e da regressão espiritual, com uma exortação para avançar em direção à maturidade, a segunda advertência enfoca a terrível possibilidade de uma apostasia irreparável, se tal regressão prosseguir de modo incontrolável (6.4-8). O autor então encoraja e desafia seus leitores a progredirem, prosseguindo em esperança e fé com perseverança (6.9-20).

Hebreus 6.4-6 constitui uma frase longa e complexa em grego, que adverte solenemente sobre a possibilidade de abandono (apostasia) da fé cristã e da impossibilidade desta vir a ser restaurada, uma vez que tal condição tenha ocorrido. A frase começa com a declaração "é impossível", seguida de cinco particípios aoristos em uma construção paralela descrevendo quem está em discussão (6.4-6a), seguida por um infinitivo declarando a impossibilidade de arrependimento para os apóstatas (6.6a), e concluindo com duas frases participiais no presente declarando por que os apóstatas não podem ser restaurados (6.6b)³.

A palavra "impossível" (*adynatos*) ocorre quatro vezes em Hebreus. Em 6.18 "é 'impossível' que Deus minta"; em 10.4 "é 'impossível' que o sangue dos touros e dos bodes tire pecados"; em 11.6 "sem fé é 'impossível' agradar-lhe [a Deus]; e aqui (6.4) é "impossível" que os apóstatas sejam restaurados através do arrependimento. Em cada caso a impossibilidade é absolutamente declarada.

Quem são os sujeitos desta impossibilidade? A grande maioria de estudiosos do Novo Testamento acredita que os versículos 4 e 5 descrevam cristãos genuinamente convertidos — pessoas que são exortadas ao longo de Hebreus a perseverarem em sua fé, e não indivíduos que devem ser persuadidos a se tornarem verdadeiros cristãos (veja a nota número 2, no final). João Calvino (coerente com suas pressuposições teológicas) e muitos de seus seguidores acreditavam que as pessoas aqui descritas nunca estiveram no meio dos eleitos. I. Howard Marshall torna-se o representante dos estudiosos modernos da Bíblia quando declara: "Um estudo das descrições oferecidas aqui em uma série de quatro particípios [aorista grego] sugere de modo conclusivo que uma experiência cristã genuína está sendo descrita" (1969, 142).

1) "Os que já uma vez foram iluminados" (6.4a) não significa simplesmente que aqueles a quem o texto está se referindo haviam recebido a instrução cristã, mas que ali ocorreu "uma entrada decisiva da luz do evangelho em suas vidas" (Peterson, 1994, 1335), que resultou na renovação da mente e da experiência cristã.

2) A menção a terem provado "o dom celestial" (6.4b) se refere a terem recebido o dom de Cristo, juntamente com todas as bênçãos espirituais que Ele graciosamente concede. O termo "provaram" indica algo além do precioso conhecimento de Cristo; sugere "experimentar algo de uma maneira real e pessoal (não somente 'provar uma pequena quantidade')" (Peterson, 1994, 1335). A distinção calvinista entre "provar" e "comer" é injustificada aqui. O verbo "provar" diz respeito a experimentar o sabor ou a realidade daquilo que é comido, e não à quantidade daquilo que é comido.

3) A menção de que os sujeitos também haviam sido "participantes do Espírito Santo" (6.4c) — literalmente, "tornaram-se participantes do Espírito Santo" — refere-se claramente a uma experiência cristã em Hebreus (cf. Jo 20.22). O autor usa a palavra "participantes" (*metochoi*) três vezes em Hebreus como um de seus termos técnicos para aqueles que responderam à chamada de Deus para a salvação (Lane, 1991, 74; Schmidt, *TDNT*, 3:487-493). Deste modo os verdadeiros crentes são "*participantes* na vocação celestial" (3.1), "*participantes* de Cristo" (3.14), e "*participantes* do Espírito Santo" (6.4c). Bruce acrescenta: "Tem sido questionado se é possível que alguém — que tenha sido, em qualquer sentido real, um participante do Espírito Santo — cometa apostasia, mas nosso autor não tem nenhuma dúvida de que isto é possível... 'fizer agravo ao Espírito da graça' (10.29)" (1990, 146).

4) Aqueles que são descritos como os que "provaram a boa palavra de Deus e as virtudes do século futuro" (6.5). Note que o que é provado não é a Palavra de Deus em si, mas a sua bondade. Esta distinção é importante, desde que seja possível ler a Palavra de Deus "sinceramente, porém sem qualquer prazer ou apreço" (Guthrie, 1983, 143). O único modo de experimentar a *bondade* da Palavra de Deus, porém, é pelo Espírito Santo. Ele também é a pessoa que capacita os crentes a experimentarem os poderes do mundo vindouro através de "sinais, e milagres, e várias maravilhas, e dons do Espírito Santo" (2.4), concedendo a cada um que participe no presente de um antegozo das bênçãos da salvação futura (9.11).

HEBREUS 6

Assim, nestes quatro particípios aoristos descritivos listados um após o outro (6.4,5), o autor apresenta intencionalmente o peso da evidência acumulativa de que as pessoas descritas haviam testemunhado "o fato de que a salvação e a presença de Deus [em Cristo] eram as realidades inquestionáveis de suas vidas" (Lane, 1991, 142).

"E se caírem é impossível (6.4a) outra vez renová-los para arrependimento" (6.6a). Embora os crentes em 6.4,5 sejam descritos como tendo experimentado um despertamento espiritual e se tornado participantes de Cristo, constituindo-se a habitação do Espírito Santo e tendo conhecido a bondade de Deus pela sua Palavra e poder, nosso autor agora apresenta a queda destes na fé como uma possibilidade real. A frase "e recaíram" (em inglês "se eles caírem", NVI; também NKJV) não é uma oração condicional no grego (não há "se" em grego). Antes, a frase é um particípio aoristo (como nos versículos 4 e 5) e deve ser traduzida no tempo passado — literalmente, "recaíram" ou "tendo caído" (cf. ASV, NASB, NEB, NRSV, Williams). Desta maneira, nosso autor adverte: É impossível que aqueles que de modo premeditado e voluntário, cometem apostasia, depois de terem sido participantes de Cristo e do Espírito Santo, sejam "renovados para arrependimento".

Então nosso autor acrescenta mais dois particípios (desta vez no tempo presente, com um sentido de continuidade) para descrever justamente o que seu lapso na fé significa e por que é impossível que sejam renovados para o arrependimento.

1) A impossibilidade existe porque "de novo crucificam o Filho de Deus" (6.6b). A impossibilidade de arrependimento aqui envolve mais do que lamentar pelo pecado passado; inclui uma mudança de pensamento ou atitude em relação a Cristo, como ocorreu inicialmente na conversão cristã. A seriedade da apostasia reside no fato de que ela "não é o resultado de uma decisão rápida em um momento de fraqueza, mas de um processo de endurecimento gradual dentro da mente que se cristalizou agora em uma 'atitude constante de hostilidade a Cristo'" (Hawthorne, 1986, 1516). Este fato é transmitido aqui pelo particípio do tempo presente. A linguagem referente a crucificar a Jesus Cristo novamente identifica a apostasia com o cinismo, a incredulidade e a malícia que o levaram originalmente à crucificação.

2) A frase "o expõem ao vitupério" (6.6c) sugere um repúdio e um desprezo vergonhosos a Cristo e "uma atitude de hostilidade incessante" (Guthrie, 1983, 144). O fato de ambos particípios descrevendo o significado da apostasia estarem no tempo presente indica que "a ação de apostatar envolve uma postura contínua e obstinada em relação a Cristo... [que] os remove da única esfera onde o verdadeiro arrependimento e a reconciliação com Deus são possíveis" (Attridge, 1989, 172) — isto é, no próprio Cristo. Deste modo, a sua queda ou apostasia é irremediável.

O estudioso F. F. Bruce observa corretamente (1990, 147-149) que o texto em 6.4-6 foi tanto "indevidamente minimizado" quanto "indevidamente exagerado". Foi *indevidamente minimizado* por aqueles que argumentam de uma forma ou de outra que as pessoas descritas em 6.4, 5 nunca foram cristãos completamente regenerados (por exemplo, Grudem, 1995, 133-182), ou que este foi somente um caso hipotético sendo apresentado pelo autor e não algo que pode realmente acontecer na prática (por exemplo, Hewitt, 1960, 110-111). A passagem também foi *indevidamente exagerada* por aqueles que ensinam que uma vez que uma pessoa tenha se convertido e sido batizada em Cristo, e em seu corpo, e então por um lapso cair novamente em sua antiga vida pecaminosa, não poderá haver um perdão futuro ou uma restauração ao convívio cristão (por exemplo, Tertuliano sobre o pecado pós-batismal). Estas interpretações estão sendo aplicadas à passagem sem uma consideração de seu contexto, e não fazem nenhuma distinção entre "desviar-se" e "apostatar".

O significado de 6.4-6 pode ser assim resumido:

1) O termo "recaíram" (v.6) não se refere a pecar de modo geral, mas especificamente a apostatar, e envolve negar a fé

em Cristo *após* ter experimentado a sua graça e a sua salvação (freqüentemente abraçando qualquer outra religião, como por exemplo o judaísmo, o budismo, o ateísmo, etc.). Qualquer um que repudie "a salvação concedida por Cristo, não a achará em nenhum outro lugar" (Bruce. 1990, 149).

2) Os dois particípios presentes no versículo 6 sugerem uma ação resistente que torna o arrependimento impossível. As Escrituras e a experiência semelhantemente indicam que é possível para homens de boa vontade tomar decisões, e chegarem a um estado de coração e vida, que não sejam mais capazes de responder a Deus com um verdadeiro arrependimento.

3) A passagem é uma advertência, não uma declaração de fato. Nem a comunidade endereçada, nem alguns de seus membros abandonaram sua fé em Cristo (6.9), embora a apostasia seja um perigo real para eles.

4) O propósito mais importante do autor é evidente em 6.9-20 (como ao longo de todo o livro de Hebreus) — isto é, encorajar seus leitores a permanecerem firmes na fé e a herdarem as promessas que estão em Cristo.

Os versículos 7 e 8 ilustram como o resultado da graça de Deus na vida dos cristãos não é sempre o mesmo, usando a metáfora de dois tipos de terra (cf. Mc 4.3-20 e passagens paralelas). Aqueles que perseveram na fé são como a terra cultivada que, depois de receber a chuva (a graça de Deus), produz uma colheita útil (6.7). Aqueles que abandonam a fé em Cristo são como a terra que, depois de receber a chuva (a graça de Deus), "produz espinhos e abrolhos... e perto está da maldição" (6.8). A referência da "bênção" (6.7) e da "maldição" (6.8) aponta para um contexto de aliança. "A promessa da bênção está condicionada à obediência, mas a sanção da maldição é invocada em oposição à apostasia e à desobediência (cf. Dt 11.26-28)" (Lane, 1991, 143).

Tendo proferido palavras de repreensão (Hb 5.11–6.3) e uma severa advertência (6.4-8), o autor prossegue novamente assegurando a seus leitores a confiança que deposita neles, bem como o caloroso afeto que sente por eles. A frase "esperamos coisas melhores" (6.9) está no princípio da frase grega e soa como uma nota de certeza baseada em

1) Seu relacionamento com eles ("queridos amigos", NVI; literalmente, "amados");
2) Seu conhecimento do amor genuíno que tinham para com Deus e seu serviço para com o seu povo (6.10); e
3) A justiça de Deus (6.10). As "coisas melhores" (6.9) estão em contraste com a apostasia e a maldição mencionada em 6.6,8. O autor está confiante de que seus leitores serão como a terra em 6.7, que produz bons frutos e recebe a bênção de Deus — "coisas que acompanham a salvação" (6.9).

Este viçoso vinhedo na Judéia, com Tel Gezer ao fundo, ilustra a mensagem de Hebreus 6.7,8. Os cristãos que perseveram na fé são comparados à terra cultivada que recebe muitas chuvas e produz uma colheita abundante.

Estes crentes, no passado, mantiveram-se firmes diante do sofrimento, foram expostos publicamente aos insultos e à perseguição, posicionaram-se a favor de outros que estavam sendo assim tratados, foram solidários com aqueles que estavam presos e aceitaram alegremente o confisco de suas propriedades por causa de sua fé (10.32-34). E ainda serviam (6.10) o povo de Deus naquela ocasião. Deste modo, demonstraram a autenticidade de sua profissão de fé cristã. O que fizeram não passará de modo desapercebido por um Deus justo (cf. Mt 5.11,12).

"Desejamos que cada um de vós mostre o mesmo cuidado até ao fim" (6.11). O autor expressa um forte desejo de que cada indivíduo na congregação persevere diligente na fé (literalmente, "continue mostrando diligência") até o retorno de Cristo, quando a "completa certeza da esperança" (tradução literal do verso 11c) será completamente realizada (cf. 9.28). O papel da "esperança" como uma motivação para perseverar em amor e fé é um elemento importante em Hebreus e na igreja primitiva. Biblicamente, esperança é a confiança baseada na Palavra e nas promessas de Deus. Nestes versículos, "amor" (v.10), "fé" (v.12) e "esperança" (v.11) aparecem juntos, como freqüentemente aparecem em outras passagens no Novo Testamento (Rm 5.2-5; 1 Co 13.13; Gl 5.5,6; Cl 1.4,5; 1 Ts 1.3; 5.8; Hb 10.22-24; 1 Pe 1.21,22).

O versículo 12 começa com uma frase grega *hina* de propósito: (literalmente) "Para que vos não façais negligentes" (isto é, "lerdos", "vagarosos", ou "letárgicos"; este termo foi traduzido como "lentos" na NVI em 5.11). Ao invés disso, os leitores devem ser "imitadores dos que, pela fé e paciência, herdam as promessas" (6.12). O autor previamente advertiu seus leitores em 5.11-6.3 que a lentidão ou a preguiça, "se não for contida, desenvolverá uma inabilidade, impedindo que o indivíduo faça qualquer progresso" (Guthrie, 1983, 149), o que por sua vez pode levar à apostasia (6.4-6). Portanto, tal indolência deve ser diligentemente evitada. A exortação para imitar os santos do passado que por sua fé herdaram as promessas é ilustrada pela vida de Abraão em 6.13-15 e antecipa as ilustrações de Hebreus 11, o grande capítulo da "fé". A "fé" capacita o crente a permanecer firme até que aquilo que lhe foi prometido seja alcançado; a "paciência" sugere "a qualidade de ser impávido diante das dificuldades" (Morris, 1981, 58).

A fim de posteriormente combater a influência dos judeus não-cristãos, juntamente com a inclinação presente dos leitores de cederem aos seus argumentos (2.1-3), o autor agora enfatiza dois fatos bíblicos:

1) A validade duradoura da promessa de Deus para Abraão, ainda mais assegurada por meio de um juramento divino, e
2) O supremo exemplo de Abraão (por dez vezes mencionado em Hebreus) como uma pessoa que creu na promessa de Deus e fielmente perseverou na esperança até o final, a despeito das circunstâncias adversas que não ofereciam nenhum encorajamento à sua fé.

A promessa que Deus fez a Abraão foi o fundamento de todas as promessas da aliança e da atividade redentora de Deus (Gn 12.1-3), que foram repetidas em inúmeras ocasiões e de formas diferentes ao longo da história do Antigo Testamento (por exemplo, Gn 15.1-21; 26.2-4; 28.13-15; Êx 3.6-10). Porém, numa ocasião em particular, após Abraão quase ter sacrificado Isaque em obediência ao teste de Deus, Deus tornou a veracidade de sua promessa enfática por meio de um juramento (Gn 22.16: "Por mim mesmo, jurei, diz o Senhor"). Hebreus 6.13,14 indica que este juramento mais tarde encorajou Abraão a esperar "com paciência", e assim, posteriormente "alcançou a promessa" (6.15).

Westcott (1889/1980, 158) observa que o uso de um juramento por parte de Deus sugeria uma demora posterior antes do cumprimento da promessa. Se a intenção de Deus fosse cumprir sua promessa imediatamente, não teria havido nenhuma necessidade de um juramento. A espera paciente de Abraão é vista em sua disposição de "aguardar o tempo de Deus para o cumprimento da promessa" (Morris, 1981, 59). Durante a vida de Abraão, Deus começou a cumprir sua promessa (após esperar vinte e cinco anos por Isaque, Gn 21.5; e mais sessenta anos por seus netos, 25.26), mas o cumprimento final veio somente através do Senhor Jesus Cristo (cf. Gl 3.16). Deste modo, os leitores são exortados a imitar a fé e a paciência de

Abraão, esperando o cumprimento das promessas de Deus em suas vidas (cf. 6.12; 11.8-19).

A importância do juramento de Deus é enfatizada em 6.16-18. Em acordos humanos "o juramento para confirmação é... o fim de toda contenda" (6.16). A palavra "confirmação" (*bebaiosis*) é uma palavra técnica para uma garantia legal, e aponta para a confirmação de um juramento. O próprio Senhor Deus jurou, por si mesmo, em um juramento legalmente firmado a Abraão a fim de "mostrar mais abundantemente a imutabilidade do seu conselho" — não somente para Abraão, mas "aos herdeiros [plural] da promessa" (6.17). O termo "herdeiros" refere-se aos descendentes espirituais de Abraão (cf. Gl 3.7, 26-29), especialmente para "nós" (6.18c) que somos os crentes da nova aliança em Cristo (cf. cap. 8).

Deus destaca "a imutabilidade [e a irrevogabilidade] de seu conselho" (6.17) por meio de "duas coisas imutáveis, nas quais é impossível que Deus minta" (6.18) — isto é, a promessa a Abraão e o juramento que o acompanhou. Deus agiu deste modo a fim de conceder o maior incentivo possível a seu povo, para que creia e confie nEle. A dupla afirmação excepcionalmente forte nos versículos 17 e 18 se opõe a qualquer argumento judeu de que a fé em Cristo envolva uma mudança ou abandono, ao invés do cumprimento das promessas em que os santos do Antigo Testamento basearam a sua fé. A frase "nós, os que pomos o nosso refúgio" (6.18c) se refere especificamente aos crentes da nova aliança que fugiram da incredulidade do mundo com sua hostilidade a Deus, a fim de reterem "a esperança proposta" (6.18c) em Cristo.

Tendo enfatizado que a esperança do crente não reside em um pensamento desejoso, mas no propósito imutável e na promessa fidedigna de Deus, apoiada por seu juramento, nosso autor continua a declarar que "temos [a esperança] como [a] âncora da alma segura e firme". A "esperança", como a âncora de um navio, contrapõe-se à tendência de "se afastar" (2.11), estabilizando "a alma" em todas as circunstâncias. "Firme" significa que a esperança centrada em Cristo "não é perturbada por influências externas", e "segura" significa que "é firme em seu caráter inerente" (Westcott, 1889/1980, 163). Além disso, por nossa esperança "somos atracados a um objeto imóvel... [isto é] ao trono do próprio Deus" (Bruce, 1990, 155) no "interior do véu" (6.19b).

Esta linguagem do tabernáculo e do templo do Antigo Testamento se refere ao Santo dos Santos, onde Deus está entronizado em toda a sua glória e "onde Jesus, nosso precursor, entrou por nós" (6.20a). A expressão "por nós", representa o ministério sumo sacerdotal de mediação e intercessão de Jesus. Sua ida antes de nós como precursor (*prodromos*) indica que o seguiremos.

Peterson (1994, 1336), de uma maneira inspirada, resume o significado das imagens em 6.19,20 e da passagem maior:

> Nosso destino [em Cristo] é viver para sempre na santa e gloriosa presença de Deus. Podemos ir literalmente para onde Jesus foi. Deste modo o santuário celestial é outro modo de descrever o "mundo futuro" (2.5), o "repouso [*sabático*] para o povo de Deus" (4.9) e "a pátria" ou "cidade celestial" (11.16; 12.22-24; 13.14), que tem sido a esperança suprema do povo de Deus através dos tempos. Estes objetivos que se esperam foram alcançados e abertos para nós por nosso Salvador. Jesus, como nossa "*esperança*", entrou no santuário e permanece lá como uma "*âncora da alma, segura e firme*".

Assim, o antídoto para a apatia e a apostasia espiritual é a renovação da esperança. A esperança é a motivação para a fidelidade e o amor. A base para a nossa esperança é a promessa de Deus, confirmada por meio de um juramento. Uma vez que as promessas salvadoras de Deus já foram cumpridas para nós na morte e na exaltação celestial do Senhor Jesus Cristo, recebemos todo o encorajamento necessário para crermos que aqueles que confiam em Jesus compartilharão com Ele a herança eterna que está prometida".

Na declaração final de 6.20, o autor retorna a uma outra promessa profética (Sl 110.4), também acompanhada pelo juramento divino; ela encontra seu pleno cumprimento em Jesus, que foi "feito eternamente sumo sacerdote, segundo a ordem de Melquisedeque". Este tema é desenvolvido no capítulo 7.

2.1.3. Superior a Arão e à Ordem Levítica em sua Semelhança a Melquisedeque (7.1-10).

O capítulo 7 faz uma exposição a respeito do sacerdócio de Cristo, conforme foi profetizado no Salmos 110.4, um tema cristológico que somente é encontrado em Hebreus, no Novo Testamento. A mensagem deste versículo, isto é, que Deus faz um juramento para estabelecer seu Filho como Sacerdote para sempre, segundo a semelhança de Melquisedeque, arde como fogo no espírito do autor. Em vista disso, ele enfoca o assunto de Melquisedeque como um tipo ou um presságio do inigualável sacerdócio de Cristo, um fato a que foi feita uma prévia alusão (5.6,10; 6.20). Seu principal propósito é revelar com mais profundidade que Jesus, como nosso Sumo Sacerdote (4.14-16) é superior a Arão e ao sacerdócio levítico. Em 7.1-10, identifica o Melquisedeque da profecia contida no Salmos 110.4 com o Melquisedeque da história contida em Gênesis 14.17-20. Em Hebreus 7.11-28, faz uma exposição sobre o significado profético do Salmos 110.4 mais diretamente em relação a Cristo.

O autor de Hebreus respeita profundamente o texto bíblico ao se referir à base histórica de Melquisedeque em Gênesis. Usando Gênesis 14.17-20, formula duas perguntas fundamentais: (1) Quem foi Melquisedeque? (7.1-3), e (2) qual é a importância de seu encontro com Abraão? (7.4-10).

Melquisedeque traz consigo dois títulos importantes (7.1).
1) Ele foi "rei de Salém", a cidade que mais tarde se tornou Jerusalém (cf. Sl 76.2). "Salém" (é um nome relacionado ao termo hebraico *shalom*) significa "paz"; deste modo ele era "o rei da paz" (um título que antecipa o Messias; por exemplo, Is 9.6,7).

2) Melquisedeque é também apresentado como "sacerdote do Deus Altíssimo", isto é, do Deus de Abraão. Embora Melquisedeque não fosse um israelita, estando deste modo fora do centro da história redentora, conheceu a Deus por revelação e foi nomeado por Deus como sacerdote. Em virtude de seu sacerdócio, ele "abençoou" Abraão quando este "regressava da matança dos [quatro] reis", e recebeu de Abraão "o dízimo de tudo" (7.2a), isto é, do despojo da batalha. (Esta questão é tratada com mais detalhes em 7.4-10). O Salmos 110 profetizou que o Messias-Filho, como Melquisedeque, seria tanto rei (110.1-3,5-7) quanto sacerdote (110.4).

Os versículos 2b e 3 posteriormente desenvolvem o significado de Melquisedeque. Seu nome é um substantivo combinado, composto por duas palavras hebraicas: *melek*, que significa "rei", e *tsedek*, que significa "justiça". Deste modo, seu nome significa literalmente "rei de justiça". O versículo 2 explica que "rei de Salém" significa "rei de paz". Esta combinação de justiça e paz (cf. Sl 85.10) antecipa o ministério distintivo do Messias.

A expressão "sem pai, sem mãe" não sugere que Melquisedeque não tivesse pais ou que fosse de origem celestial. Antes, é sinônimo de "sem genealogia" e simplesmente significa que ele não teve nenhuma linhagem registrada, como era exigido no sacerdócio levítico. Na colocação histórica de Gênesis, a Escritura é silenciosa sobre a descendência sacerdotal de Melquisedeque: "Nada é dito de sua ascendência, nada é dito de sua linhagem ou progenitura, nada é dito de seu nascimento, nada é dito de sua morte" (Bruce, 1990, 160). Além disso, nada é dito sobre este homem ter sido substituído por um sucessor; ele permanece em seu lugar na história, como um sacerdote vivo (cf. 7.8).

Em tudo isso, por meio do silêncio, Melquisedeque prefigura Cristo, que não teve início de dias ou fim da vida e não tem nenhum sucessor. Hawthorne faz uma observação significativa: "O escritor de Hebreus não identifica Melquisedeque com Cristo, mas diz que ele se assemelha '*ao Filho de Deus*' (v.

3). Melquisedeque, deste modo, foi o 'facsímile' do qual Cristo é a realidade" (1986, 1518). Deste modo a noção de eternidade — "sacerdote para sempre" (7.3) — está apenas prefigurada em Melquisedeque, porém se cumpre em Cristo.

Em 7.4-10 o autor continua a falar da grandeza de Melquisedeque. Seu sacerdócio é o precedente histórico para um outro tipo de sacerdócio além daquele de Arão, "um sacerdócio superior baseado em um caráter separado da linha de descendência, e ordenado por Deus separadamente da lei" (Lane, 1991, 171). "Considerai, pois, quão grande era este"! (7.4). Abraão, "o patriarca" do povo hebreu, lhe "deu os dízimos dos despojos" (7.4) e recebeu sua bênção sacerdotal (7.6). Destes dois modos, Abraão — "o que tinha as promessas" (7.6) — reconheceu por duas vezes que ele era "o menor" e Melquisedeque "o maior" (7.7).

Igualmente, Melquisedeque era maior que os sacerdotes levitas, a quem precedeu e suplantou em tempo, sendo superior a Abraão, o antepassado dos sacerdotes (7.5,6,9,10). Quando Abraão pagou o dízimo a Melquisedeque, assim fez Levi, que "ainda... estava nos lombos de seu pai" (7.10). Uma vez que Melquisedeque é maior que Abraão, seu sacerdócio é então maior que o sacerdócio levítico. Tudo isto aponta para a superioridade do sacerdócio de Cristo; pois dado que Cristo é maior que Melquisedeque, assim como a realidade é maior que a prefiguração, então Cristo é superior a Abraão, a Levi, e a todos os seus descendentes. Portanto, Cristo é "a substituição definitiva do sacerdócio levítico" (Lane, 1991, 171).

2.1.4. Superior a Arão e à Ordem Levítica em sua Permanência Perpétua (7.11-25).

Em 7.11-25 a história de Gênesis 14.17-20 é deixada para trás, e o autor volta sua atenção à profecia do Salmos 110.4. Virtualmente, todas as frases nesta profecia são aplicadas ao sacerdócio de Cristo: como "Melquisedeque" (Hb 7.11-14), "eternamente" (7.15-19,23-25), "Jurou o Senhor e não se arrependerá" (7.20-22). A exposição do Salmos 110.4 feita pelo autor não é apenas cristológica, mas intensamente prática. Ele mostra como Deus, que deu o sacerdócio levítico, continua a agir decisivamente no presente em seu decreto de Cristo como Sacerdote Eterno — muito superior a Arão e aos sacerdotes levitas. Nesta passagem são mencionados sete aspectos importantes sobre a superioridade do sacerdócio de Jesus, e todos apontam para a permanência duradoura de seu ministério sumo sacerdotal.

1) A pergunta retórica no início de 7.11 é deduzida da declaração profética contida no Salmos 110 e sugere que o sacerdócio levítico deva ser julgado como inadequado, uma vez que foi predito que o sacerdote messiânico seria "segundo a ordem de Melquisedeque, e não... segundo a ordem de Arão". A incapacidade do sacerdócio levítico era dupla:

a) Era incapaz de assegurar a "perfeição" (*teleiosis*) do povo (7.11); isto é, não podia capacitá-los a aproximarem-se de Deus em uma base ininterrupta. Aproximar-se de Deus através de Jesus como sumo sacerdote "é algo mais forte, e traz uma certeza muito maior do que a antiga prática no Antigo Testamento e no judaísmo" (*TDNT*, 2:331).

b) Além disso, a ordem do sacerdócio de Arão "não foi criada e nem era competente para inaugurar o tempo do cumprimento" (Bruce, 1990, 165; cf. 7.18,19). O sistema levítico foi criado como uma sombra antecipando a essência; a essência atinge a perfeição e anuncia o tempo do cumprimento. O versículo 12 acrescenta que a mudança no sacerdócio profetizada no Salmos 110.4 também envolvia necessariamente uma "mudança" [no sentido de colocar de lado] "da lei" [mosaica]. Enquanto a principal perspectiva do autor em relação à lei e ao evangelho é contínua, envolvendo a preparação e o cumprimento, aqui ele reconhece uma importante descontinuidade entre o velho e o novo. Como Bruce observa: "Em princípio Paulo e nosso autor concordam que a lei era uma dispensação temporária de Deus, válida somente até que Cristo viesse para inaugurar o tempo da perfeição" (1990, 167).

2) Jesus "pertence a outra tribo", isto é, à tribo real de Judá em vez da tribo sacerdotal de

Levi (vv. 13,14). Na era do Antigo Testamento, ninguém, exceto os descendentes de Arão, "servia [regularmente] ao altar" das ofertas queimadas no tabernáculo/templo judeu. Era "manifesto" (7.14) que o sacerdócio de Jesus ("nosso Senhor") não era dependente da descendência física de Arão como estava prescrito na lei de Moisés. A palavra grega traduzida como "procedeu de" (*anatello;* 7.14) é usada na Septuaginta referindo-se ao nascimento de uma estrela ou para o brotar de um ramo, em contextos que eram considerados como profecias messiânicas do Antigo Testamento (por exemplo, Nm 24.17; Jr 23.5). Há, deste modo, uma sugestão dupla de Jesus ser tanto o Messias real quanto o Messias sacerdotal, como está expresso no Salmos 110.

3) Em 7.15-17, o autor intensifica a comparação entre Jesus como Sacerdote e os sacerdotes arônicos prefaciando suas observações agora como sendo "muito mais manifesto [ou claro]" (v. 15a; cf. v. 14a). Nos versículos 13 e 14 ele declarou que o sacerdote prometido como Melquisedeque não possuía a qualificação levítica em termos de descendência; em 15-17, declara que o novo sacerdote "se tornou e permanece" (o sentido do tempo perfeito grego) um sacerdote "segundo a virtude da vida incorruptível" (7.16).

A expressão "vida incorruptível" define notavelmente o significado profético de "eterno" no Salmos 110.4 e se refere à existência eterna de Jesus, o novo Sacerdote, a partir da perspectiva de sua ressurreição. Lane (1991, 184) observa que a palavra "incorruptível" foi cuidadosamente escolhida... [e] serve bem para reconhecer que, embora a vida humana de Jesus tivesse sido exposta a *katalusis*, "destruição", através da crucificação, sua vida não foi destruída pela morte sofrida na cruz. A frase *dunamin zoes akatalutou* ["a virtude [o poder] da [de uma] vida incorruptível [indestrutível]"] descreve a nova qualidade da vida com que Jesus estava dotado em virtude de sua ressurreição e exaltação ao mundo celestial, onde Ele foi formalmente estabelecido em seu ofício como Sumo Sacerdote.

Deste modo, Jesus cumpre a profecia do Salmos 110.4 em razão de sua vida ressurrecta, que não termina e nem pode ter fim (7.17).

4) Os versículos 18 e 19 enfatizam que o sistema levítico com todos os seus regulamentos "é ab-rogado" (literalmente, "revogado") pela vinda de Cristo como o sacerdote messiânico (como cumprimento do Salmos 110.4) porque o antigo regulamento "era fraco e inútil" (7.18). A opinião do autor é que enquanto a lei levítica serviu para o seu propósito antes do tempo do cumprimento, teve de desaparecer porque era defeituosa e inútil para trazer o povo de Deus à sua presença.

Enquanto um antigo regulamento é anulado, "é introduzida uma melhor esperança [em Cristo], pela qual chegamos a Deus" (7.19). Enquanto o sistema levítico mantinha o povo a uma distância de Deus, Cristo como o Sacerdote da nova aliança abriu um caminho de livre acesso a Deus. A palavra "melhor", uma palavra favorita de nosso autor (usada treze vezes), se refere caracteristicamente à condição superior de redenção introduzida e possibilitada por Cristo, tal como um descanso melhor, uma melhor esperança, uma aliança melhor, um melhor sacrifício, promessas melhores, e assim por diante. O pensamento de "chegar a Deus" tem para o autor tanto um aspecto presente (4.16) quanto futuro (6.18-20). Aqui a ênfase está na certeza do acesso que se tornou possível pelo efetivo e permanente sacerdócio de Cristo.

5) O sacerdócio de Jesus também é descrito como superior ao sacerdócio levítico, pois é amparado pela segurança do juramento de Deus, enquanto a ordem de Arão não o é (vv. 20-22). O Salmos 110.4 é novamente citado, porém desta vez começa com uma frase antiga: "Jurou o Senhor e não se arrependerá". O juramento confere a garantia de Deus de que o novo sacerdócio de Cristo é permanente e deste modo continuará para sempre. O verbo contido na expressão "foram feitos" (Hb 7.20,21) é incomum (o tempo perifrástico perfeito) e em si mesmo pode sugerir um estado contínuo. O juramento divino fornece a

plena garantia de que o sacerdócio de Cristo é final, eterno e imutável, sendo, portanto, a garantia de um melhor (veja 7.19) concerto (7.22).

A palavra "concerto" (*diatheke*) é um outro termo importante em Hebreus, ocorrendo não menos que dezessete vezes (comparado a não mais do que três vezes em qualquer outro livro do Novo Testamento). Aqui, sacerdócio e aliança estão ligados. Uma vez que Jesus é imensamente superior aos sacerdotes levitas, sua aliança é melhor do que a deles. O assunto do capítulo 8 refere-se ao "novo concerto" predito por Jeremias (Jr 31.31-34) e é um termo, chave no argumento que se segue em Hebreus 8.1–10.18. Uma "melhor esperança" está ligada a um "melhor concerto".

6) Os versículos 23-25 enfocam os contrastes temporais e eternos entre os dois sacerdócios. Enquanto a "morte impedia" os sacerdotes levitas de "permanecer" ou de "continuarem no ofício" (7.23), Jesus "permanece eternamente" como o Senhor que ressuscitou e ascendeu aos céus e, portanto, "tem um sacerdócio perpétuo" (7.24). Em 7.16,17 o autor havia declarado que Jesus é "sacerdote eternamente", "segundo a virtude da vida incorruptível". Agora ele enfatiza a permanência duradoura de seu ministério sacerdotal em contraste com os sacerdotes levitas, cujo ministério era continuamente interrompido pela morte.

De acordo com Josefo, houve oitenta e três sumo sacerdotes que viveram e morreram de Arão até a destruição do segundo Templo em 70 d.C. (*Antiquities* 20.227). O sumo sacerdócio de Jesus, por outro lado, é "perpétuo". A palavra usada aqui (*aparabatos*) significa "inviolável" e deste modo "imutável". Jesus nunca terá de passar seu ministério sacerdotal para outra pessoa, porque é absoluto, eterno e imutável.

A palavra "portanto", no início do versículo 25, aponta para as conseqüências lógicas e práticas de Jesus ser "um sacerdote eterno" em cumprimento ao Salmos 110.4. Ele pode fazer o que nenhum sacerdote levítico foi capaz de fazer, isto é, "salvar perfeitamente os que por ele se chegam a Deus" (7.25). Peterson observa que o tema de "aproximar-se", "chegar-se", ou "vir" a Deus é dominante em Hebreus (cf. 4.16; 7.19; 10.1,22; 11.6; 12.18,22). Ele acrescenta que este tema "expressa a idéia de um relacionamento com Deus. O sacerdócio e o sistema sacrificial do Antigo Testamento proviam apenas imperfeitamente a favor de tal relacionamento, mas Jesus pode salvar completamente aqueles que se relacionam com Deus através dEle" (1994, 1338).

Finalmente, pelo fato de o ministério sumo sacerdotal de Jesus ser permanente, Ele vive "sempre para interceder" (7.25b) pelo povo de Deus. O resultado direto de sua intercessão é duplo:

a) Podemos confiantemente nos aproximar do trono de Deus como um lugar de graça, não de juízo, e assim receber sua misericórdia, graça e ajuda para nos sustentar em toda prova e tentação da vida (4.14-16).

b) Jesus nos assegura, como nosso Sacerdote intercessor, tudo o que é necessário para a salvação completa quando "por Ele nos chegamos a Deus". O verbo "chegar" aqui indica que aqueles que respondem pela fé, em uma vida de constante aproximação a Deus através de Cristo, são os que Ele pode salvar. A intercessão de Cristo é feita em seu lugar supremo no céu, como o que morreu pelos nossos pecados e ressuscitou para a nossa justificação, não em "uma ação litúrgica contínua no céu para nosso benefício" (Morris, 1981, 71).

2.1.5. Superior a Arão e à Ordem Levítica em sua Perfeição como o Filho (7.26-28). O autor agora declara explicitamente a incapacidade de Arão e dos sacerdotes levitas de atingir o objetivo de perfeição e a realização plena da perfeição que é atingida por Jesus como o Filho. Ele enfatiza a perfeição do Filho em termos de seu caráter, sacrifício e ministério celestial.

O versículo 26 começa com a importante conjunção *gar* ("Porque", omitida na NVI), que olha novamente para a intercessão celestial contínua de Jesus (7.25) e que olha adiante quanto à sua conveniência perfeita para este papel (7.26-28). Como nosso Sumo Sacerdote para sempre, Jesus atende (supre) as nossas necessidades. Esta expressão aqui e em 2.10 diz respeito à sua perfeição em seu papel sacerdotal.

Cinco qualidades perfeitamente distintas em Jesus Cristo são mencionadas em 7.26.
1) Ele é "santo" (*hosios*). Duas palavras gregas ocorrem no Novo Testamento referindo-se a "santo": *hagios*, que aponta para a qualidade de ser separado para Deus; e *hosios*, que enfatiza a questão de caráter da pureza e da fidelidade (sem deserção moral).
2) "Inocente" significa "inocência" no sentido de não ter malícia e não ser tocado pelo mal.
3) "Imaculado" significa "sem mácula" e deste modo completamente qualificado para cumprir o papel de sumo sacerdote na presença de Deus.
4) Além disso, diferentemente dos sacerdotes arônicos, Jesus é "separado dos pecadores".
5) Finalmente, Ele é "feito mais sublime do que os céus". Bruce habilmente comenta sobre as duas últimas características: "Embora Ele tenha vindo para a terra na semelhança de carne pecadora, viveu no meio de pecadores, recebeu pecadores, comeu com pecadores, era conhecido como amigo de pecadores, porém era separado dos pecadores, 'em uma classe diferente da dos homens pecadores'; e é agora exaltado acima de tudo nos céus para compartilhar o trono de Deus" (1990, 176). A santidade pessoal, a pureza, e a esfera do ministério sumo sacerdotal de Cristo falam de sua perfeição como o Filho, e deste modo de sua superioridade à ordem arônica de sacerdotes.

O autor continua a descrever a principal realização de Jesus como o Sumo Sacerdote Perfeito, isto é, seu sacrifício único e suficiente pelo pecado (v. 27): não necessita "oferecer cada dia sacrifícios, primeiramente, por seus próprios pecados e, depois, pelos do povo", como fizeram "os sumos sacerdotes". Isto é verdade por duas razões: (1) porque Ele próprio era sem pecado, e (2) porque sua inigualável oferta de si mesmo pelo pecado pôs fim a todo o sistema de sacrifícios levíticos (tanto aos sacrifícios diários como ao Dia da Expiação, a cada ano). Como Sacerdote espiritualmente e moralmente perfeito (v. 26), Jesus podia oferecer o sacrifício perfeito e definitivo (v. 27), e isto Ele fez. Quando a Bíblia nos diz que seu sacrifício pelos pecados foi feito "uma vez por todas" ou "uma vez" (*ephapax*), significa que Ele foi tanto completo quanto permanentemente válido, sem necessidade de repetição. O caráter decisivo da obra de Cristo é uma legitimidade de Hebreus. Embora explicitamente introduzido aqui pela primeira vez, ele aguarda por um desenvolvimento adicional nos capítulos 9 e 10 (veja 9.12,26,28; 10.10).

A apreciação por parte do autor em relação a uma forte antítese está bem demonstrada no versículo 28, quando ele enfatiza e resume as profundas diferenças entre Cristo e os sacerdotes levíticos em um triplo contraste final.
1) A primeira antítese está entre "a lei" e "o juramento", onde ambos parecem "nomear" (embora Deus em última instância tenha constituído tanto a lei como o juramento); a lei nomeou os sacerdotes levíticos, enquanto o juramento "constitui ao Filho". Porque a lei era temporária e os sacerdotes a quem ela designou eram ineficazes para atingir o propósito de Deus de redenção para seu povo, Deus fez um juramento para "estabelecer um sacerdócio radicalmente diferente, com a finalidade de substituir a instituição levítica" (Lane, 1991, 195). A idéia de substituir é indicada pela frase "que veio depois da lei" (Hb 7.28).
2) A segunda antítese está entre os sumos sacerdotes do Antigo Testamento como "homens" e o Sacerdote do Novo Testamento como "o Filho". O juramento divino relativo ao sacerdote do Novo Testamento como profetizado no Salmos 110.4 e o Filho divino como previsto no Salmos messiânico 2.7 são ambos cumpridos em Jesus Cristo, estando deste modo legitimamente combinados.
3) A antítese final está entre os antigos sacerdotes que eram "fracos" e o novo Sacerdote que foi feito "perfeito para sempre". Os sumos sacerdotes levíticos eram "fracos" porque eram sujeitos às limitações terrenas, às fraquezas e à mortalidade, comuns à

humanidade pecadora. O Filho, porém, foi feito "perfeito para sempre" através do sofrimento (2.10; 5.8,9), de forma que sua mediação sumo sacerdotal possa continuar ininterrupta para sempre no santuário celestial. Deste modo, o sumo sacerdócio do Filho "é absolutamente eficaz e eternamente qualificado para atender à necessidade do povo" (Bruce, 1990, 179). Ele é incomparavelmente perfeito.

2.2. Superior a Arão e à Ordem Levítica em seu Ministério como Sumo Sacerdote (8.1–10.18)

Por enquanto o autor de Hebreus descreveu a grandeza e a superioridade de Jesus como nosso Sumo Sacerdote. Agora se volta à parte do coroamento de seu argumento: a grandeza do *ministério* de Jesus como Sumo Sacerdote e como Ele desempenha esta função. Os próximos dois capítulos e meio revelam que seu ministério é indescritivelmente superior ao antigo sacerdócio porque está

1) Localizado em um melhor santuário, o celestial (8.1-5);
2) Baseado em uma melhor aliança, a nova (8.6-13);
3) Executado através de um melhor serviço, o eterno (9.1-22); e (4) cumprido por um sacrifício melhor, o perfeito (9.23-10.18).

2.2.1. Superior a Arão e à Ordem Levítica porque seu Ministério Está Localizado em um Santuário Melhor (8.1-5). O autor inicia com duas declarações importantes que resumem o "ponto" principal do que ele tem dito a respeito de Jesus como o Sumo Sacerdote dos cristãos (8.1,2).

1) `A primeira declaração enfatiza que a posição de Jesus no céu é uma honra e uma autoridade suprema: Ele está assentado "nos céus à destra do trono da Majestade" (cf. 1.3 e Salmoss 110.1, que fala da exaltação do Filho). "A posição de Jesus, assentado, aponta para uma obra que está completa" (Morris, 1981, 74). A expressão "nos céus à destra do trono da Majestade" é um modo reverente de descrever a Deus como o governante do céu e da terra. Cristo, deste modo, compartilha do governo do Pai.

2) `Cristo é o "ministro do santuário e do verdadeiro tabernáculo" (v. 2). A sala do trono divino é deste modo também o Santo dos Santos celestial ou o "verdadeiro tabernáculo", onde Cristo serve como nosso Sumo Sacerdote. O tabernáculo terreno construído por Moisés segundo a ordem de Deus (cf. 8.5) "corresponde a uma realidade celestial, e é na realidade celestial que o ministério de Cristo é exercido" (Morris, 1981, 75). Este é um ponto crucial no argumento do autor para a superioridade do sacerdócio de Jesus Cristo à ordem levítica. O "verdadeiro tabernáculo" está em contraste não com o que é falso, mas com o que é simplesmente uma sombra da realidade verdadeira. Bruce observa que o "santuário" e o "tabernáculo" do céu pertencem "à mesma ordem do descanso perpétuo dos santos dos capítulos 3 e 4, a pátria melhor e a cidade bem fundada de 11.10,16, o reino inabalável de 12.28" (1990, 182).

Se Jesus ministra como Sumo Sacerdote no verdadeiro tabernáculo, qual é a natureza de seu ministério? Logicamente, onde há sacerdotes, há sacrifícios a serem oferecidos. O autor já fez entender em 5.1 o que repete agora em 8.3: "Todo sumo sacerdote é constituído para oferecer dons e sacrifícios ['pelos pecados' em 5.1]". A expressão "dons e sacrifícios" (cf. Lv 21.6; Hb 5.1; 9.9) se refere à variedade de sacrifícios que os sacerdotes levíticos ofereciam a Deus a favor do povo como prescrito pela lei de Moisés. Portanto Jesus, como Sumo Sacerdote, deve também oferecer "alguma coisa" para a remoção do pecado. Aqui o autor não declara o que é, embora seja evidente em 7.27 que Ele "ofereceu a si mesmo", um assunto que será desenvolvido em detalhes mais adiante (9.14).

Em 8.4 o contraste entre as duas ordens de sacerdócio é novamente mencionado. Enquanto a lei regulava o ministério terreno dos sacerdotes levíticos, fica enfaticamente claro que o sacerdócio de Jesus não é desta terra. "Na terra Jesus se portou como um leigo... [e] não executou nenhuma função sacerdotal judaica em qualquer santuário terreno" (Morris, 1981, 75). Entretanto, seu sacerdócio é categoricamente superior ao terreno, por ser exercido em outro lugar, no verdadeiro santuário do reino celestial.

O serviço dos sacerdotes levíticos na terra está em um "santuário" que na melhor hipótese apenas serve como exemplo e sombra das coisas celestiais (8.5). Embora o santuário terreno tenha sido instituído por Deus, era incompleto e imperfeito. As expressões "exemplar e sombra" ou "figura e sombra" apontam para uma realidade maior no céu, por trás daquilo que é visto na terra. Guthrie comenta (1983, 175):

> Uma cópia de uma grande obra de arte de um mestre não é real, porém dá alguma idéia de como é a original. A semelhança é incompleta, e a plenitude da glória não é reconhecida até que o original seja visto. Semelhantemente uma sombra não pode de fato existir a menos que haja um objeto para lançá-la. Há alguma correspondência, mas a sombra é um retrato inevitavelmente distorcido, desprovido dos traços característicos do real. O propósito do escritor não é reduzir a glória da sombra, mas aumentar a glória da essência.[4]

A mente do autor se volta para Êxodo 25.40, onde Deus revelou a Moisés como construir o tabernáculo terreno: "Atenta, pois, que o faças conforme o seu modelo, que te foi mostrado no monte" (Hb 8.5c; cf. At 7.44). O termo "modelo" (*typos*), de onde obtemos a palavra "tipo", indica que foi mostrado algo objetivamente visível a Moisés, e que não lhe foi dada apenas uma instrução verbal (Lane, 1991, 207). O padrão "pode ter sido um modelo para o qual as instruções verbais serviram como um comentário; Moisés pode ter tido permissão para ver a habitação celestial de Deus" (Bruce, 1990, 184). Deste modo, o tabernáculo terreno, apesar de imperfeito, foi uma representação real da realidade celeste maior; nesse caso, fica claro que o ministério sumo sacerdotal de Jesus no céu é muito maior do que o ministério dos descendentes de Arão na terra.

Com respeito à tipologia do Antigo Testamento, cinco elementos importantes caracterizam os tipos do Antigo Testamento (Broomall, 1960, 534).

1) Eles estão completamente arraigados na história do Antigo Testamento e não naquilo que é mitológico (por exemplo, Melquisedeque é uma figura histórica). Ocorrem em alguma parte da história hebraica e encontram sua incorporação plena ou antítipo na história do Novo Testamento.

2) Os tipos do Antigo Testamento são proféticos em seu propósito, apontando para um cumprimento futuro na época do Messias. Assim, Melquisedeque, um contemporâneo de Abraão e rei de Salém (Gn 14.18-20), profeticamente aponta para o Senhor Jesus Cristo, que sozinho é o Eterno Sacerdote.

3) Os tipos do Antigo Testamento são criados por Deus como uma parte integral da história redentora. Em outras palavras, eles não são uma reflexão tardia lida no Antigo Testamento de forma retrospectiva. Antes, foram criados por Deus no início da história redentora para prefigurar algo em uma fase posterior desta história.

4) Os tipos do Antigo Testamento são cristocêntricos. Todos, de uma forma ou de outra, apontam para Jesus Cristo, antecipando várias facetas de seu ministério — um ponto que Hebreus enfatiza repetidamente.

5) Os tipos do Antigo Testamento são edificadores, isto é, eles têm um significado espiritual para o povo de Deus sob ambas as alianças (a antiga e a nova). Os crentes do Antigo Testamento eram edificados pela adoração, pelos sacrifícios e pelo ministério sacerdotal do tabernáculo. Quão edificados são os crentes do Novo Testamento sob o ministério de Jesus, que cumpre todos os tipos do Antigo Testamento! O primeiro era a sombra, a realidade reside em Jesus Cristo.

2.2.2. Superior a Arão e à Ordem Levítica porque seu Ministério É Baseado em uma Aliança Melhor (8.6-13). No capítulo 8 o ministério que Jesus recebeu (8.6) é superior ao sacerdócio arônico porque Ele é o ministro do santuário no céu (8.1-5), e é o mediador da nova aliança na terra (8.6-13).

Três comparativos ocorrem em 8.6.
1) "Mais excelente" (*diaphoroteros*) é uma expressão usada em Hebreus referindo-se à primazia de Cristo (a) como o Filho de Deus, e deste modo a revelação plena de Deus (por exemplo, 1.4), e (b) como o único Mediador (Sumo Sacerdote) entre Deus e a humanidade (8.6). Como tal, Jesus tem incomparavelmente maior honra, poder e autoridade que os sacerdotes arônicos.
2) O segundo comparativo, traduzido na NVI como "superior", é uma palavra grega diferente, *kreitton* (literalmente, "melhor"), e se refere a Jesus como sendo o "mediador de um melhor concerto" (KJV, NKJV, NASB, NRSV). Em Hebreus o termo "mediador" está sempre associado à nova aliança (8.6; 9.15; 12.24; cf. 7.22), uma vez que "a nova aliança exigiu um novo mediador" (Lane, 1991, 208). Um mediador é um árbitro ou um intermediário, cuja tarefa é manter a amizade entre duas partes (neste caso, Deus e os homens) de acordo com os termos ou condições da aliança.
3) A nova aliança (ou concerto) é melhor que a antiga porque está confirmada "em [*kreitton*] melhores promessas". Estas "melhores promessas" estão registradas na longa citação de Jeremias que se segue em 8.8-12.

Foi necessária uma segunda ou uma melhor aliança, porque algo estava "errado com aquela primeira aliança" (8.7). Por "primeira" aliança (ou concerto) entenda-se a aliança do Sinai, e não as alianças, cronologicamente antigas, feitas por Deus a Noé ou Abraão. A falha essencial do "primeiro concerto" foi "o povo" (8.8a, isto é, os israelitas) que "não permaneceu naquele meu concerto... diz o Senhor" (8.9).

A palavra "aliança" ou "concerto" (*diatheke*) ocorre pelo menos dezessete vezes em Hebreus e é crucial no argumento do autor para a supremacia de Cristo. Deus escolheu redimir e se relacionar com os descendentes prometidos de Abraão por meio de uma aliança. A aliança não foi estabelecida em uma base igual, mas o próprio Deus teve a iniciativa exclusiva de estabelecê-la, anunciando as condições sob as quais a sua relação de aliança com Israel existiria. Os israelitas se tornaram seu povo da aliança (em conjunto) no Monte Sinai e lhe prometeram um amor leal e firme (Êx 19.3-8).

Porém esta aliança era imperfeita, pois era principalmente exterior, ao invés de ser uma relação de coração. Tanto a lei como a adoração no tabernáculo eram exteriores para o povo. Quando o povo falhou em seu relacionamento para com Deus sob a antiga aliança, Deus prometeu através de Jeremias que "faria uma nova aliança" com seu povo, em um tempo em que a lei e a adoração seriam interiorizadas como uma realidade do coração, baseada em conhecê-lo, e que o seu povo teria livre acesso a Ele.

O livro de Hebreus discute fortemente que a primeira aliança era imperfeita e incompleta, uma provisão temporária de Deus, até que o tempo para o perfeito chegasse (cf. 8.6,7). A "nova aliança" não era uma reflexão tardia na mente de Deus, que se tornou necessária simplesmente porque a primeira aliança não estivesse funcionando. Antes, a nova aliança foi necessária desde o início e sempre esteve no coração e no plano de redenção de Deus.

Como sabemos que Deus sempre desejou uma nova aliança?
1) Ele revelou seu plano de uma nova aliança aos profetas do Antigo Testamento séculos antes deste se tornar uma realidade histórica (8.8-12; cf. Jr 31.31-34; Ez 37.26-28).
2) Deus nunca pretendeu que a primeira aliança fosse permanente, uma vez que desde o início seu plano estava centralizado em seu Filho, antes da criação do mundo (Ef 1.4). Desde o início se tornou aparente que a primeira aliança seria temporária, e anteciparia a aliança superior a todos os tipos e sombras construídos por Deus na antiga aliança, que prefiguravam a Cristo.
3) Cristo, e não as provisões da antiga aliança, é o cumprimento da aliança original com Abraão (Gl 3.14,16,29) e de todos os tipos e sombras do Antigo Testamento (Hb 4.1-10.18; cf. Lc 22.7,8, 14-22).

A nova aliança predita por Jeremias está em contraste com o fracasso da antiga. A raiz do problema da primeira aliança, depois de Deus tomar Israel "pela mão, para os tirar da terra do Egito" (destacando a iniciativa de Deus), era o povo da aliança que não permaneceu "naquele meu concerto" (Hb 8.9; literalmente, "não continuaram na minha aliança"). Antes, seguiram outros deuses, como os profetas do Antigo Testamento enfatizam. A nova aliança, portanto, prometia estabelecer um novo relacionamento com o povo da aliança de Cristo, com três características.

1) Seria interior: "Porei as minhas leis no seu entendimento e em seu coração as escreverei" (8.10). A santidade e a justiça de Deus foram dadas e interiorizadas nos crentes pela habitação do Espírito Santo, de forma que haja um novo coração e um desejo íntimo de ser o povo santo de Deus.
2) A nova aliança seria pessoal: "Todos me conhecerão, desde o menor deles até ao maior" (8.11). Conhecer a Deus não é apenas uma experiência em comunidade, mas uma questão de conhecer a Deus de forma direta, pessoal e individual, uma experiência que deve ocorrer na vida de cada membro da comunidade da aliança. "A verdadeira comunidade cristã deve ser um grupo em que todos estão em uma condição de igualdade de acesso a uma experiência comum e pessoal com o Senhor" (Guthrie, 1983, 177). O livro de Hebreus vê esta promessa cumprida na aproximação direta a Deus que Cristo, como nosso Sumo Sacerdote, torna possível (4.16; 7.25; 10.19-22; cf. 12.22-24).
3) A nova aliança lidaria completamente com o pecado: "Serei misericordioso para com as suas iniquidades e de seus pecados e de suas prevaricações não me lembrarei mais" (8.12). Os crentes conhecerão completamente a realidade do perdão de Deus para com os seus pecados através de uma consciência que foi purificada (cf. 9.14). Enquanto o sangue de touros e bodes podia somente cobrir o pecado, o sangue de Cristo permite que a mancha do pecado seja removida de forma que Deus não se lembre mais dela.

O autor conclui, enfocando as implicações da palavra-chave "novo(a)" na profecia de Jeremias (8.13). Deus que havia estabelecido a primeira aliança em antecipação à nova, agora cumpriu e tornou antiquada a antiga estabelecendo a nova. "Dizendo 'novo' concerto, [Deus] envelheceu o primeiro". Antigamente Deus falou através da lei e dos profetas do Antigo Testamento, mas agora Ele fala por seu Filho, que permanece para sempre. Uma vez que tudo aquilo que estava associado à primeira aliança "perto está de acabar", é fútil cogitar um retorno a ela. Deus remove a primeira aliança a fim de estabelecer a segunda (10.9). Historicamente, o Templo com seus sacrifícios e sacerdócio da antiga aliança desapareceu em 70 d.C., logo depois da escrita deste livro, quando Jerusalém foi destruída pelos soldados romanos.

2.2.3. Superior a Arão e à Ordem Levítica porque seu Ministério É Desempenhado através de um Serviço Sacerdotal Melhor (9.1-22).

De alguma maneira o texto em 9.1–10.18 é o âmago do argumento do autor. Por meio de um número considerável de detalhes, ele contrasta o serviço sacerdotal terreno, a antiga aliança, com o novo ministério sacerdotal de Cristo (o celestial) da nova aliança, a fim de completar seu argumento de que a antiga foi simplesmente um presságio e uma preparação para a nova, e que a nova cumpre, ultrapassa e substitui a antiga. Consequentemente, seus leitores não podem retornar à antiga aliança sem que sofram resultados desastrosos (cf. 10.19-31).

Na seção presente, o autor revela a sua apreciação pelas glórias do passado (9.1-10), mas também orienta seus leitores a contemplarem a extraordinária glória do ministério sacerdotal de Cristo (9.11-22). Repetindo no princípio de 9.1 a palavra, chave de 8.1-13, "o primeiro [concerto]", o autor habilmente amplia a continuidade daquilo que foi precedido com o que se segue, quando muda de um aspecto de seu tema para outro (Lane, 1991, 217).

Tematicamente, no capítulo 8 Jesus está assentado no céu como (1) o Ministro do santuário no céu (8.1-5), e (2) o Mediador da nova aliança na terra (8.6-13). No capítulo 9, a insuficiência da antiga ordem é especialmente vista em relação ao sangue. Somente o poder do sangue de Cristo é capaz de abrir o santuário no céu e inaugurar a nova aliança na terra. A palavra "sangue" não aparece em Hebreus até o capítulo 9, onde ocorre doze vezes. Em contraste com a utilidade limitada do sangue de bodes e touros debaixo da antiga aliança (9.6-10,12,13,18-22), o sangue de Cristo abre o Santo dos Santos no céu e limpa eficazmente nossas consciências de forma que possamos entrar (9.12-14). Pelo sangue de Cristo a nova aliança é estabelecida e levada a efeito (9.15-22).

Em 9.1, o autor apresenta dois importantes assuntos relacionados ao ministério sacerdotal sob o "primeiro" concerto: (1) as "ordenanças de culto divino", e (2) o "santuário terrestre" (ou "tabernáculo", 9.2a), que ele discute em ordem inversa em 9.2-5 e 9.6-10. O tabernáculo é chamado de "terrestre" (*kosmikon*) porque foi feito por mãos humanas (cf. 8.2; 9.11,24) e denota a esfera de sua atividade, em contraste com a esfera celestial não feita por mãos humanas, onde Jesus Cristo agora ministra (cf. 8.5,6; 9.11,12).

O autor destaca que o tabernáculo do Antigo Testamento (quando construído por Moisés no deserto) era dividido em dois compartimentos (ou salas): "Santuário" (9.2) e "Santo dos Santos" (9.3). Estas duas salas do tabernáculo são distinguidas pelos termos "primeiro" e "segundo". Cada uma delas continha uma mobília que tinha um significado simbólico, conforme as instruções dadas por Deus, e o véu que separava as duas salas também tinha um profundo significado.

No versículo 2, três móveis ou utensílios são mencionados no Santo dos Santos.
1) "O candeeiro" tinha sete hastes e segurava sete lâmpadas de azeite (Êx 25.31-40; 37.17-24). As lâmpadas eram alimentadas com azeite (rico em simbolismo bíblico). Os pavios das lâmpadas eram enfeitados e iluminavam durante toda a noite, queimavam continuamente à noite, e então eram apagadas a cada manhã. Deus serviu como a luz de Israel em um mundo escuro. Profeticamente, o candelabro apontava para Jesus, que declarou: "Eu sou a luz do mundo" (Jo 8.12).
2) O Lugar Santo também continha "a mesa" e (3) "os pães da proposição". Doze bolos de pão não levedado (para cada uma das doze tribos), organizados em duas filas de seis, eram exibidos na mesa de trinta e seis polegadas de comprimento (cerca de 90 cm), dezoito polegadas de largura (cerca de 45 cm), e trinta polegadas de altura (cerca de 75 cm). Eram comidos no sábado sagrado, pelos sacerdotes e substituídos por pães frescos. O pão representava a completa dependência que Israel tinha em relação a Deus, para a provisão de seu pão cotidiano. Profeticamente, o pão aponta para Jesus, que declarou: "Eu sou o pão da vida" (Jo 6.48).

Após designar a localização do Santo dos Santos (9.3), nos versículos 4 e 5 o autor descreve dois móveis associados a este: "o incensário de ouro" e "a arca do concerto, coberta de ouro". É surpreendente a identificação do altar do incenso com o Santo dos Santos, uma vez que o Antigo Testamento o coloca imediatamente diante do véu no Lugar Santo, onde estava em uso diário (cf. Êx 30.6-8). A explicação mais provável para esta aparente discrepância é que o autor tinha em mente sua associação em termos de significado em vez de sua localização. Hawthorne (1986, 1521) explica esta distinção a seguir:

Deve ser notado que o escritor diz que "depois do segundo véu, estava o tabernáculo que se chama o Santo dos Santos, que tinha o incensário de ouro" (3 e 4). Ele não diz "onde está o altar de ouro" como fez ao descrever a posição da mobília mencionada acima, no verso 2. A substituição de "qual" para "que" "aponta claramente para algo diferente de mera posição". Provavelmente tenha havido a intenção de dizer que o altar pertencia propriamente ao Santo dos Santos. "A arca e o altar do incenso simbolizavam as duas concepções mais íntimas do santuário celestial: a manifestação de Deus e a adoração espiritual oferecida pelos homens. Deste modo

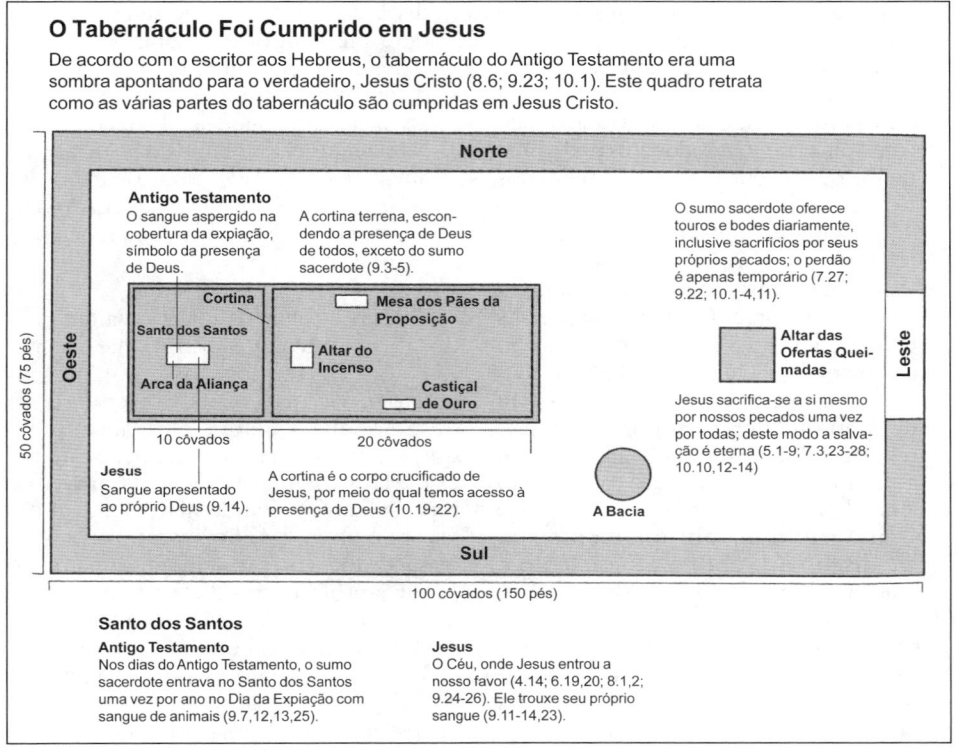

O Tabernáculo Foi Cumprido em Jesus

De acordo com o escritor aos Hebreus, o tabernáculo do Antigo Testamento era uma sombra apontando para o verdadeiro, Jesus Cristo (8.6; 9.23; 10.1). Este quadro retrata como as várias partes do tabernáculo são cumpridas em Jesus Cristo.

Norte

Antigo Testamento
O sangue aspergido na cobertura da expiação, símbolo da presença de Deus.

A cortina terrena, escondendo a presença de Deus de todos, exceto do sumo sacerdote (9.3-5).

O sumo sacerdote oferece touros e bodes diariamente, inclusive sacrifícios por seus próprios pecados; o perdão é apenas temporário (7.27; 9.22; 10.1-4,11).

Cortina
Santo dos Santos
Arca da Aliança

Mesa dos Pães da Proposição
Altar do Incenso
Castiçal de Ouro

Altar das Ofertas Queimadas

Oeste — 50 côvados (75 pés)
Leste

10 côvados | 20 côvados

Jesus
Sangue apresentado ao próprio Deus (9.14).

A cortina é o corpo crucificado de Jesus, por meio do qual temos acesso à presença de Deus (10.19-22).

A Bacia

Jesus sacrifica-se a si mesmo por nossos pecados uma vez por todas; deste modo a salvação é eterna (5.1-9; 7.3,23-28; 10.10,12-14).

Sul

100 côvados (150 pés)

Santo dos Santos

Antigo Testamento
Nos dias do Antigo Testamento, o sumo sacerdote entrava no Santo dos Santos uma vez por ano no Dia da Expiação com sangue de animais (9.7,12,13,25).

Jesus
O Céu, onde Jesus entrou a nosso favor (4.14; 6.19,20; 8.1,2; 9.24-26). Ele trouxe seu próprio sangue (9.11-14,23).

---

são colocados em uma significativa conexão no Pentateuco: Êx 30.6; 40.5; cf. Lv 4.7; 16.12,18".

Montefiore concorda, dizendo: "Nosso autor não se compromete realmente com a visão de que o altar do incenso esteja situado no santuário: diz apenas que ele pertencia ao santuário" (1964, 145). Seu significado é claro: Os sacerdotes deveriam colocar um incensário de fogo no altar do incenso, e queimar o incenso neste todas as manhãs e à noite. A fumaça perfumada enchia o Lugar Santo e penetrava no Santo dos Santos (a presença de Deus). A fumaça do incenso representava as orações perpétuas do povo de Deus que sobem para Ele, que está assentado em seu trono (cf. Ap 8.3-5).

A "arca do concerto" era a parte mais importante do Santo dos Santos (Êx 25.10-22; 26.33; 40.21). Era uma arca retangular (as medidas eram aproximadamente 3 3/4 pés de comprimento [cerca de 124 cm], 2 1/4 pés de largura [cerca de 74 cm], 2 1/4 pés de altura), feita de madeira de acácia e revestida com ouro puro por dentro e por fora. A tampa da arca era chamada de "propiciatório" ou "lugar de misericórdia" (ASV). Aqui, o sangue era aspergido pelo sumo sacerdote, todos os anos, no Dia da Expiação. Dois querubins de ouro foram esculpidos em uma só peça com o topo da arca, um em cada extremidade, um de frente para o outro com suas asas estendidas para frente. "Os querubins da glória, que faziam sombra no propiciatório" (9.5), representam a cena celestial, onde os querubins pairam sob o trono de Deus. Ali Jesus serve como o Sumo Sacerdote dos cristãos, ministrando como Mediador e Intercessor no trono da graça a nosso favor (cf. 4.14,16; 7.24,25; e também Rm 8.34).

A tripla descrição do conteúdo da arca — "um vaso de ouro, que continha o maná, e a vara de Arão, que tinha florescido, e as tábuas do concerto" (9.4) — é mencionada somente nesta passagem em toda a Bíblia, e todos estão dentro da arca.

Há duas opiniões contrastantes sobre o significado do conteúdo.
1) Eles eram parte do testemunho positivo da aliança: o maná como uma lembrança da provisão de Deus no deserto, a vara de Arão como uma lembrança dos atos poderosos de Deus, e as duas tábuas de pedra dos Dez Mandamentos como uma recordação do padrão de santidade de Deus para o seu povo (cf. *FLSB*, Hb 9.4, nota).
2) Seu conteúdo trazia os símbolos da rebelião de Israel (cf. Crisóstomo: "As tábuas da aliança, porque ele quebrou as primeiras, e o maná que havia sido o motivo da murmuração deles... e a vara de Arão que floresceu porque eles se rebelaram") e foi colocado entre Deus e o pecado do povo no lugar da expiação (Hawthorne, 1986, 1521).

O autor termina abruptamente sua breve discussão sobre o tabernáculo e sua mobília, com a seguinte declaração: "Das quais coisas não falaremos agora particularmente" (9.5b). Por que não? Porque estes móveis (embora cheios de simbolismo profético) são secundários para seu argumento principal. Bruce observa que o autor "nos deixa com a impressão de que poderia ter se aprofundado sobre seu simbolismo, se tivesse optado por fazê-lo" (1990, 205). Antes, mantém-se em seu enfoque primário ao descrever o tabernáculo em 9.2-5, que é a distinção e a importância independente de seus dois compartimentos (Lane, 1991, 217).

Nisto reside uma importante base teológica de Hebreus. Os sacerdotes levíticos podiam entrar no Lugar Santo para ministrar, mas um véu os separava do acesso direto à santa presença de Deus que era representada pelo Santo dos Santos. Deus, como Santo, e Israel, como pecador, não poderiam habitar juntos.

> O tabernáculo expressava, deste modo, a união de duas verdades aparentemente contraditórias. Deus chamou o homem para vir adorá-lo e servi-lo e, contudo, este não pode se aproximar muito: o véu o mantinha a uma certa distância... A entrada do sumo sacerdote uma vez por ano, durante alguns momentos, era um tênue prenúncio de que viria o tempo em que o acesso ao Lugar Santíssimo seria concedido. Na plenitude dos tempos, a justiça e o amor seriam revelados em sua harmonia perfeita, naquele em quem aqueles tipos e sombras encontram seu cumprimento (Murray, n.d., 285).

A distinção entre os dois compartimentos do tabernáculo é posteriormente descrita em 9.6,7 em termos dos regulamentos para o serviço sacerdotal que deveria ser desempenhado naquele lugar. O povo que estava sob a antiga aliança somente poderia aproximar-se de Deus através de representantes sacerdotais. Foi dito que, a favor do povo, "a todo o tempo entravam os sacerdotes no primeiro tabernáculo [o Lugar Santo] cumprindo os serviços". Isto incluía a conservação diária das lâmpadas, que consistia em acendê-las e cuidar delas (Êx 27.21), a substituição semanal do pão da consagração (Lv 24.5-9), e duas vezes por dia queimar incenso no altar do incenso (Êx 30.7,8).

"Mas, no segundo [o Santo dos Santos], só [entrava] o sumo sacerdote, uma vez no ano", no Dia da Expiação. A entrada no Santo dos Santos nunca ficava sem sangue, que o sumo sacerdote oferecia por si mesmo e pelos pecados que o povo havia cometido por ignorância" (cf. Lv 16). Por causa da pecaminosidade humana, nunca podemos nos aproximar da santa presença de Deus "sem sangue". O sangue expiatório, como o meio pelo qual temos acesso a Deus, é repetidamente declarado a partir deste ponto em Hebreus (9.12,13,14,18,20,21,22; 10.4,19,29; cf. 11.28; 12.24; 13.11,12,20). Lane observa que "este fato destaca a importância da referência ao sangue de Cristo no argumento resultante" (1991, 223).

O uso da palavra "oferecia" (*prosphero*) no versículo 7, em referência à aplicação do sangue feita pelo sumo sacerdote, no recinto do Santo dos Santos, é especialmente significativa e sem paralelo em nenhuma outra passagem das Escrituras. Este evento anual "encontra seu cumprimento escatológico na morte de Cristo (*prosphora*, 'oferta'; 10.10,14). O uso criativo de uma terminologia incomum para descrever o ritual da expiação no verso 7 é a indicação de que a interpretação do escritor do rito levítico é controlada pelo evento de Cristo" (Young, 1980-81, 207-210).

O autor declara, em seguida, que o Espírito Santo estava revelando, através do modelo da adoração no tabernáculo, que não havia nenhum acesso direto a Deus. "Enquanto se conservava em pé o primeiro tabernáculo", a congregação do povo de Deus não tinha nenhum acesso direto "ao Santo dos Santos" ou "Santuário" da presença de Deus (v. 8). O "primeiro tabernáculo" pode se referir ou ao "primeiro compartimento" (ou tenda) — isto é, ao Lugar Santo (Lane, 1991, 224; Peterson, 1994, 1340) — ou a todo o santuário da "primeira" aliança, envolvendo tanto o Lugar Santo como o Santo dos Santos (Bruce, 1990, 208). A primeira opinião sustenta que o "primeiro compartimento" representa simbolicamente a "primeira aliança"; a outra interpretação vê todo o tabernáculo servindo a este propósito (a opinião mais provável).

O tabernáculo inteiro, deste modo, serve como "uma alegoria para o tempo presente" da pessoa e da obra concluída de Cristo, cujo sangue sozinho pode, quanto à consciência, aperfeiçoar cada adorador (9.9). Uma consciência limpa era algo que os "dons e sacrifícios" do Antigo Testamento sozinhos não poderiam prover. O livro de Hebreus ensina que a barreira real para o livre acesso a Deus é interior, e não exterior; espiritual, e não material. A barreira existe na consciência. Somente quando a consciência é limpa, a pessoa está "livre para se aproximar de Deus sem reservas e oferecer-lhe a adoração e o culto que lhe sejam aceitáveis. E o sangue sacrificial de touros e bodes é inútil com relação a isto" (Bruce, 1990, 209).

As ordenanças do Antigo Testamento quanto à adoração levítica envolviam coisas como "manjares, e bebidas, e várias abluções" (9.10). Estas providências externas e temporárias foram válidas somente "até ao tempo da correção". Cristo cumpre o que é antecipado e prenunciado na antiga aliança. Sua vinda foi, deste modo, uma emenda ou reforma completa da estrutura religiosa de Israel. Como Bruce observa, "a antiga aliança deveria agora dar lugar à nova; a sombra deveria dar lugar à essência; a cópia exterior e terrena deveria dar lugar à realidade interior e celestial" (1990, 211).

Os versículos 11 e 12 formam uma longa sentença em grego, assim como os versículos 13 e 14. Estes quatro versículos formam o âmago do argumento de nosso autor. Este parágrafo contrasta a natureza definitiva do serviço sacerdotal de Jesus Cristo com o serviço sacerdotal sob a antiga ordem (9.1-10). Sob a antiga aliança, as formas e os regulamentos que governavam o serviço sacerdotal eram obrigatórios "até ao tempo da correção" (9.10). Agora que Cristo (*Christos*, "o Ungido", o Messias) veio como Sumo Sacerdote, os "bens futuros" *já chegaram* com a nova ordem "desta criação" (9.11).[5] Guthrie observa habilmente que "enquanto a antiga [ordem] foi um prenúncio dos bens futuros, a nova [ordem] se baseia em um fato já realizado" (1983, 185). Por Cristo ter vindo a este mundo, "as sombras deram lugar à realidade perfeita e permanente" (Bruce, 1990, 212).

O livro de Hebreus enfatiza especialmente dois, dentre os "bens" ou as "boas coisas", que já começamos a experimentar pela redenção messiânica a partir do rasgar do véu.

1) Agora temos o Sumo Sacerdote Perfeito que intercede e serve em nosso favor no santuário celestial, dos quais os sacerdotes arônicos e o tabernáculo terreno eram somente um prenúncio (4.14-16; 7.23-26; 8.1,2,5; 9.11-14).

2) O sangue de Cristo provê uma limpeza interior decisiva, limpa de todo o pecado, fornece pleno acesso ao Santo dos Santos, que representa a presença de Deus, e capacita os crentes a adorarem e servirem a Deus em sua presença com uma consciência limpa (9.12-14).

1) Cristo serve como "o Sumo Sacerdote dos bens futuros" em virtude de ter cumprido

perfeitamente o papel sumo sacerdotal simbolizado no Dia anual da Expiação. O sumo sacerdote, com a oferta de sangue sacrificial, passando pelo compartimento exterior entrava no Santo dos Santos. Lá "o sangue de bodes e bezerros" (9.12) era aspergido no propiciatório como uma intercessão pelo povo. Igualmente Jesus, depois de sacrificar-se a si mesmo na cruz e ao cumprir a realidade daquilo que o Dia da Expiação prefigurava, veio "por um maior e mais perfeito tabernáculo, não feito por mãos, isto é, não desta criação" (9.11) e "por seu próprio sangue, entrou uma vez no santuário, havendo efetuado uma eterna redenção" (9.12).

O "maior e mais perfeito tabernáculo" através do qual Jesus passou se refere ao santuário celestial ("não feito por mãos"), especialmente a porção exterior (correspondendo ao Lugar Santo), a caminho da presença celestial de Deus, que está assentado em seu trono (correspondendo ao Santo dos Santos). Jesus entrou na presença imediata de Deus não em virtude do sangue de sacrifícios de animais, mas em virtude de "seu próprio sangue". Seu sangue testifica da realidade de sua encarnação, de sua obediência até à morte, da eficácia de seu sacrifício na cruz, e de sua vida sacrificada e derramada a favor de nossa redenção eterna. Seu precioso sangue justifica todo aquele nele crê (Rm 3.24,25), limpa o coração e a consciência humana da culpa e da corrupção do pecado (Hb 9.14), santifica o povo de Deus (13.12; cf. 1 Jo 1.7) e abre o caminho para que o redimido, lavado com o sangue, possa ir diretamente a Deus por graça e misericórdia (Hb 4.14-16), oferecendo-lhe adoração e culto (9.12,14).

2) As palavras "entrou uma vez no santuário" (9.12) transmitem uma finalidade específica sobre aquilo que Cristo fez, e se colocam em contraste com a função repetitiva do sacerdócio arônico, que entrava na contraparte terrena ano após ano. No entanto, a ação redentora de Cristo está definitivamente completa e, portanto, exclui toda a necessidade ou possibilidade de repetição. Lane (1991, 239) observa que neste contexto o autor vê a morte de Jesus, sua ascensão e sua entrada no Santo dos Santos celestial como constituindo uma unidade, cuja ênfase recai em sua chegada ali "a fim de consumar a obra de salvação na presença de Deus" (9.24-26).

Declarado de outro modo, o sacrifício único e suficiente de Cristo na cruz não exige nenhuma repetição (7.27; 10.10), e sua exaltação ou entrada de uma vez por todas na presença celestial de Deus valida para sempre a "eterna redenção" (9.12) obtida na cruz. A palavra "redenção", aqui, significa "libertar" do juízo e da culpa que são produzidos pelo pecado, uma libertação que se tornou possível por meio de um alto custo para o Redentor. A "eterna redenção" se relaciona à sua providência, "de uma vez por todas", e à sua oferta consagrada de perdão, em que Deus não se lembra mais dos nossos pecados (cf. Jr 31.34).

Os versículos 13 e 14 continuam a contrastar a antiga e a nova ordem. A antiga ordem proveu uma limpeza exterior, de dois modos: (a) "o sangue dos touros e bodes" (cf. Lv 16.15,16) como uma oferta do pecado, e (b) "a cinza de uma novilha, esparzida sobre os [cerimonialmente] imundos" (Nm 19.11-22), como quando alguém toca um corpo morto. As cinzas de uma novilha queimada eram misturadas com a água e aspergidas sobre aqueles que estavam contaminados de forma que não eram excluídos do relacionamento da aliança. A eficácia limitada e exterior destas providências da ordem antiga prepara o caminho para a discussão do "quanto mais", a respeito do sacrifício de Cristo sob a nova ordem (9.14). Bruce comenta que os antigos sacrifícios do Antigo Testamento "nada mais eram que sacrifícios de sinais; porém o sacrifício de Cristo foi uma verdadeira oferta de si próprio, realizada no plano moral e espiritual" (1990, 217).

Nosso autor faz quatro importantes declarações no versículo 14 que indicam por que "o sangue de Cristo" é eficaz:
a) Foi "pelo Espírito eterno" que Cristo ofereceu-se a Deus. O significado da frase

"Espírito eterno" não é completamente claro em grego. Quando escrito com letra maiúscula é entendido como se referindo ao Espírito Santo (como na NVI e na maioria das traduções). Muito provavelmente esta frase signifique que, como Jesus dependia do poder do Espírito Santo em todos os aspectos de sua vida e ministério para realizar a vontade do Pai, então Ele se ofereceu pelo poder do Espírito Santo em sua morte substitutiva (cf. Is 42.1). O Espírito e o sangue estão unidos na redenção (1 Jo 5.8).

b) Jesus Cristo "se ofereceu a si mesmo imaculado a Deus". Enquanto os sacrifícios de animais do Antigo Testamento exigiam que estes não tivessem quaisquer defeitos físicos, o autor afirma que a vida de perfeita obediência de Jesus ao Pai, que culminou com sua morte na cruz, representou um sacrifício pelo pecado, moralmente e espiritualmente inculpável. O seu auto-sacrifício foi perfeito e completo, e seu sangue foi inexprimivelmente precioso para Deus e eficaz em relação ao pecado.

c) O fato de Jesus ser moralmente e espiritualmente perfeito significa que seu sangue está divinamente capacitado para purificar a "nossa consciência das obras mortas". A purificação de nossa consciência está em contraste com a limpeza exterior que fazia parte da antiga aliança (9.13). Bruce observa que "aqueles que desejarem ter uma comunhão de coração com Deus, precisarão de uma purificação interior e espiritual" (1990, 218). Assim como a sensibilidade à dor física penetra o corpo inteiro, a corrupção da consciência penetra todo o nosso ser espiritual. Quando a consciência está limpa, toda a nossa natureza espiritual está limpa.

Sob a antiga aliança, a corrupção poderia vir do contacto com um corpo morto; a corrupção mencionada em relação à consciência que exige purificação é das "obras mortas" (tradução literal) ou "de atos que levam à morte" (NVI). As "obras mortas" geralmente têm uma conotação religiosa e se referem aos atos relacionados à justiça da lei ou a ações realizadas a fim de alcançar algum mérito na presença de Deus. Quando os esforços próprios se mostram inválidos ou quando ocorre a corrupção do legalismo, a consciência pode precisar ser purificada do fracasso ou do farisaísmo. Mas a tradução da NVI, que aponta para a corrupção por atos e atitudes pecadoras que poluem a consciência com a culpa e conduzem à morte espiritual, parece retratar o caso mais provável aqui.

d) Quando as nossas consciências são limpas da corrupção e da poluição espiritual, somos espiritualmente emancipados para que possamos servir "ao Deus vivo". O sangue de Cristo não somente torna possível a purificação interior e espiritual, mas abre também para nós o Santo dos Santos da presença viva de Deus, para que o possamos servir em um sacerdócio santo (cf. 1 Pe 2.5,9) e como adoradores aperfeiçoados "em espírito e em verdade" (Jo 4.23). É para isso que fomos criados à imagem de Deus, e este é o propósito de toda a redenção; porém o sangue da antiga aliança nunca foi capaz de atingir este objetivo. Agora que a nova ordem chegou (9.10,11), o Santo dos Santos foi aberto para nós em virtude do sangue de Cristo, e nossas consciências foram limpas pelo mesmo sangue, a fim de que possamos estar completamente separados, como sacerdotes, para servi-lo, tanto agora quanto por toda a eternidade.

Um desenvolvimento paralelo entre os capítulos 8 e 9 está refletido em 9.15a. Em 8.1-6, Jesus serve como Sumo Sacerdote a nosso favor no santuário celestial; em 8.7-12, Ele é o Mediador da aliança melhor, que trouxe a bênção expressa em Jeremias 31.31-34 ao povo de Deus na terra. Em 9.11-14, Jesus, por seu próprio sangue, abriu o Santo dos Santos celestial para o redimido entrar; em 9.15-22, Ele é o mediador da nova aliança, tendo agora a ênfase em sua morte e na necessidade da ratificação da nova aliança. "Por isso" (9.15a) aponta para uma forte relação causal entre 9.11-14 e o resultado declarado em 9.15. "Por Jesus oferecer livremente sua vida em obediência a Deus, tornou-se o mediador sacerdotal de uma nova aliança" (Lane, 1991, 241).

Três conseqüências importantes são declaradas em 9.15b-17 como resultado da morte de Cristo como o Mediador da nova aliança.
1) Por causa de sua morte, "os chamados" recebem "a promessa da herança eterna". O termo "chamados" geralmente se refere aos crentes (incluindo os santos do Antigo Testamento que morreram) e nos lembra da iniciativa de Deus ao estender o chamado celestial (cf. 3.1). A promessa de uma herança sob a antiga aliança era principalmente no nível terreno, como, por exemplo, a terra de Canaã; a aliança inaugurada por Cristo oferece a promessa de uma "herança eterna". Em Hebreus isto é, como Peterson (1994, 1341-1342) declara,

o equivalente ao "mundo futuro" (2.5), o "repouso [sabático] para o povo de Deus" (4.9), "a Jerusalém celestial" (12.22) e outras descrições semelhantes a respeito de nosso destino como cristãos. Jesus abriu o caminho de sua herança para nós, tratando o assunto do pecado que nos impede de nos aproximarmos de Deus.

A herança do cristão cerca todas as bênçãos da nova aliança da salvação eterna (1.14; 3.1; 5.9; 10.36).
2) Cristo morreu como um resgate para libertar a humanidade dos pecados cometidos debaixo da primeira aliança (9.15c). A palavra "resgate" se refere "ao preço pago para libertar um escravo ou prisioneiro ou uma pessoa condenada à morte" (Morris, 1981, 88). Somente a morte de Jesus, como um sacrifício de aliança, possui o poder para libertar os cativos do pecado. Seu poder é retroativo em seu efeito, sendo deste modo válido para todo aquele que confiou em Deus para o perdão dos pecados sob a primeira aliança. Além disso, Jesus provou a morte "por todos" (2.9). Uma vez que Ele é o homem representativo (o segundo Adão), sua morte redentora é a morte representativa. Deste modo, pode salvar "os que por ele se chegam a Deus" (7.25).
3) A morte de Cristo como o Mediador da nova aliança assegura que "o testamento" daquela aliança seja sancionado, tornando assim os termos da nova aliança ativos e imutáveis (9.16,17). A menção de uma "herança eterna" no versículo 15 leva o autor a utilizar o significado duplo da palavra grega *diatheke*, que pode ser traduzida como "aliança" ou como "testamento". Em Hebreus, esta palavra normalmente significa "aliança". Mas, nesta passagem, o autor utiliza o segundo significado de *diatheke* — "um testamento". A razão para esta decisão é que ele agora enfatiza a morte do "testador", o *diatheke* (9.16), com o comentário adicional de que "um testamento tem força onde houve morte" (9.17).

Alguns comentaristas (por exemplo, Westcott, Hawthorne e mais recentemente Lane) argumentaram que *diatheke* significa "aliança", tanto aqui como em outras passagens em Hebreus. De acordo com esta opinião, a morte em 9.16 se refere aos animais que são mortos por ocasião da ratificação de uma aliança. A leitura natural de 9.17, porém, exige a morte literal, não simbólica, da pessoa que faz o *diatheke*. Isto não é verdade em relação a uma "aliança", mas é verdade em relação a um "testamento" (NVI). Usando a linguagem legal da lei romana, "o testamento" não se torna efetivo até "a morte do testador". Hagner observa que "a singularidade de Cristo e sua obra são tais que, mesmo sendo expressos em categorias tanto de aliança quanto de testamento, transcendem as estipulações ordinárias de ambas" (1983, 126). A singularidade de Cristo é vista por Ele ser tanto o testador como o executante do testamento, seu fiador e mediador.

O autor então retorna a seu argumento expositivo, isto é, o que aconteceu quando o primeiro concerto foi estabelecido: "[Ele] não foi consagrado sem sangue" (9.18). Os próximos três versículos ilustram este fato em detalhes, destacando a ligação íntima entre a Lei de Moisés e o penhor da aliança pela aspersão de sangue. Moisés fez duas coisas:
1) Ele anunciou "a todo o povo todos os mandamentos segundo a lei" (9.19a). Isto é, explicou cuidadosamente os termos da aliança, para que todo o povo entendesse

que a participação nesta aliança significava que deveriam obedecer às leis de Deus.

2) Moisés enfatizou a importância do sangue em relação à aliança, como mostra nosso autor referindo-se a Êxodo 24.1-8 (talvez também fazendo alusão a Lv 8.15, 19; 14.4-6; Nm 19.18,19). Moisés tomou metade do sangue dos animais sacrificados e o colocou em bacias; a outra metade lançou no altar.

O sangue nas bacias, misturado com água, era então aspergido — usando "lã purpúrea e hissopo" — no livro e em todo o povo (9.19). Então o escritor acrescenta: "Este é o sangue da aliança" (9.20), por meio do qual a relação de aliança e a obediência à aliança com Deus foram confirmadas. Lane observa corretamente que em uma posição central ao argumento do autor está o fato de que "existe uma relação íntima entre aliança e sangue sacrificial" (1991, 244). Ainda são feitas alusões a outros detalhes sobre a aspersão de sangue no Antigo Testamento em 9.21, para indicar a grande importância do sangue no estabelecimento da aliança entre Deus e Israel.

O autor então conclui: "Quase todas as coisas, segundo a lei, se purificam com sangue" (9.22a) — quase tudo, mas não absolutamente tudo. Algumas raras exceções são mencionadas no Antigo Testamento, como a purificação pela água, incenso, fogo (por exemplo, Lv 5.11-13; Nm 16.46; 31.22,23,50). Mas a premissa fundamental permanece: "Sem derramamento de sangue não há remissão" (9.22b).

Esta é a terceira declaração no capítulo 9 que enfatiza a importância crucial do sangue sacrificial: Não há acesso a Deus "sem sangue" (9.7); não há inauguração da primeira aliança "sem sangue" (9.18); e não há perdão "sem... sangue" (9.22). Sendo assim o escritor destaca, neste capítulo, a importância e a eficácia do sangue da aliança. O sangue concede acesso (9.7); o sangue purifica a consciência (9.14); o sangue estabelece as alianças (9.18); o sangue santifica o povo (9.19); o sangue purifica todos os vasos de adoração (9.21); o sangue purifica

quase tudo debaixo da lei (9.22a); e o sangue torna possível o perdão dos pecados (9.22b) (cf. Lane, 1991, 246). Porém o significado do perdão, e a realidade para a qual o sangue da primeira aliança apontava, nunca foi completamente compreendido até que Cristo veio (9.11) e derramou seu próprio sangue a fim de purificar nossas consciências e perdoar os nossos pecados.

2.2.4. Superior a Arão e à Ordem Levítica porque seu Ministério É Cumprido por um Sacrifício Melhor (9.23–10.18).

A expressão "de sorte que" ou a palavra "portanto" em 9.23 (*oun*, "portanto") liga o que está para vir com o que foi declarado em 9.19-22 (especialmente em 9.22b). A necessidade de sacrifícios de animais e a utilização de sangue no tabernáculo do Antigo Testamento, seus utensílios e seus adoradores apontam para a necessidade de um sacrifício perfeito e uma aplicação maior do sangue à realidade celestial, da qual a ordem terrena não foi mais do que um fraco prenúncio. O sistema mosaico consistia simplesmente em "figuras das coisas [*originais*] que estão no céu". Porém são necessários "sacrifícios melhores" do que aqueles providos sob a ordem antiga, se "as próprias coisas celestiais" precisarem ser purificadas.

Dois problemas surgem neste momento.
1) Por que o plural "sacrifícios melhores"? O plural ocorre "por causa do contraste genérico com os sacrifícios da antiga aliança" (Hagner, 1983, 128). Entretanto, quando nosso autor aplica o princípio ao cumprimento da nova aliança, fala clara e enfaticamente de um só sacrifício superior — isto é, o sacrifício único e suficiente do próprio Senhor Jesus Cristo (cf. 9.26b,28a).
2) O segundo problema diz respeito "às próprias coisas celestiais" precisando de purificação. Lane acredita que a passagem em 9.23 "sugere claramente que o santuário celestial também se tornou corrompido pelo pecado do povo" (1991, 247). Peterson responde que o céu, propriamente dito, não pode ser corrompido pelo pecado humano, "caso contrário Deus teria de deixá-lo" (1994, 1342). Bruce sugere que os redimidos são

o verdadeiro tabernáculo de Deus sob a nova aliança, e são eles os que precisam da purificação espiritual pelo sangue de Cristo (1990, 228-229).

Embora o que Bruce diz seja teologicamente verdadeiro, a dificuldade com esta interpretação é que a expressão "as próprias coisas celestiais" seria uma maneira estranha de se referir ao povo de Deus na terra (Morris, 1981, 91). Além disso, o versículo 24 nos lembra que o contexto do capítulo 9 diz respeito ao contraste entre o terreno e o celestial, isto é, entre o ministério sacerdotal levítico no santuário terreno feito por mãos de homens e o "próprio céu", onde Jesus como nosso Sumo Sacerdote entra, "um maior e mais perfeito tabernáculo, não feito por mãos" (9.11), o Santo dos Santos que está na presença de Deus. Este continua claramente a ser o contexto de 9.23. Como a corrupção infecciosa do pecado ultrapassa o aspecto individual para manchar a sociedade e o tabernáculo terreno de adoração, talvez também se estenda, de alguma maneira, ou em algum sentido, ao reino celestial (Lane, 1991, 247).

Certamente parece claro em 9.23 que o sacrifício perfeito e completo de Cristo na cruz purificou o reino celestial de algum tipo de corrupção espiritual; é muito provável que se trate da "corrupção" que resultou da rebelião de Satanás e seus anjos no céu (cf. Cl 1.20; 2.15). Da mesma maneira que o efeito universal da rebelião de Satanás no céu alcança a terra, a fumaça da maldade da terra sobe até o céu (cf. Ap 14.10,11a; 19.1-3). A situação pecaminosa da terra também é refletida no reino celestial, como pode ser observado pelas orações dos santos no céu para que seja feita justiça na terra (cf. Ap 8.1-5; 15.5-8). Com relação a estas coisas, "agora, vemos por espelho" (1 Co 13.12).

O termo "porque" em 9.24 liga a purificação das "próprias coisas celestiais" (9.23) à ascensão de Jesus e à sua entrada "no mesmo céu, para agora comparecer, por nós, perante a face de Deus". O autor amplia o contraste apresentado em 9.11, baseado na imagem do Dia da Expiação. Jesus, como nosso Sumo Sacerdote, "não entrou num santuário feito por mãos, figura do verdadeiro" (9.24), mas antes em "um maior e mais perfeito tabernáculo" (9.11). A palavra grega para "figura" em 9.24 é *antitypo* (antítipo), que é usado aqui em contraste com "o verdadeiro" (isto é, o original); mais comumente "antítipo" significa a realidade para a qual um "tipo" aponta (cf. 1 Pe 3.21).

O autor então desenvolve posteriormente aquilo que foi apresentado em 9.12. Por um lado, "o sumo sacerdote cada ano entra no Santuário com sangue alheio" (9.25) — isto é, com "sangue de bodes e bezerros" (9.12). Por outro lado, a entrada de Cristo no Santo dos Santos do céu é decisiva, não é algo que deva ser feito "muitas vezes" (9.25), como acontecia sob a primeira aliança. Sua entrada envolve "seu próprio sangue" (9.12), que representa o sacrifício concluído e perfeito de si mesmo" (9.26) para a "eterna redenção" (9.12). Pelo fato de o ato expiatório de Jesus ser eternamente eficaz, não precisa ser repetido. Na verdade, seria impossível proceder como era feito na primeira aliança, pois isto exigiria sofrer a morte "muitas vezes" (9.26a), enquanto a todos (inclusive a Cristo) "está ordenado morrer uma [*só*] vez" (9.27).

O versículo 26, então, declara cinco verdades sobre Cristo e sua morte:
1) Ele "se manifestou" (9.26); esta frase se refere à sua encarnação e afirma que sua morte foi uma realidade histórica, de carne e sangue.
2) Sua encarnação e sua morte foram eventos únicos e suficientes.
3) Ocorreu "na consumação dos séculos" (tradução literal), isto é, no momento do cumprimento da promessa messiânica (também chamado de "estes últimos dias", 1.1).
4) O propósito de sua morte foi o de "aniquilar o pecado" (cf. 1 Jo 3.5). No Antigo Testamento o sangue de sacrifícios de animais somente podia cobrir o pecado, e não removê-lo. Mas a morte expiatória de Jesus torna possível a anulação do poder do pecado e a remoção da corrupção do pecado.

5) Sua morte envolveu o "sacrifício [voluntário] de si mesmo" como o Filho de Deus (cf. 1.3), um sacrifício superior e eficaz que seria impossível sob a ordem levítica.

Nos últimos dois versículos do capítulo 9, o autor assinala um paralelo entre a experiência universal da humanidade e a de Jesus Cristo. Nos dois casos, a experiência de morte física é um decreto divino. Ao contrário da crença na reencarnação, após a morte segue-se o juízo eterno para todos (9.27). Depois da morte de Cristo, como o sacrifício perfeito "para tirar os pecados de muitos" (9.28), vem a salvação eterna para aqueles que crêem. O termo "muitos" aqui não significa que Jesus morreu pelos pecados de muitos, mas não para todos; antes, "o termo 'todos' pode ser expresso por 'muitos' quando a grandeza de 'todos' está sendo enfatizada" (Hawthorne, 1986, 1524). Anteriormente foi explicitamente declarado que Cristo morreu "por todos" (2.9). O termo "muitos" ecoa as palavras a respeito do Servo do Senhor em Isaías 53.12 ("ele levou sobre si o pecado de muitos").

Cristo, que tratou decisivamente do problema do pecado por meio de seu próprio sacrifício em sua primeira vinda, "aparecerá segunda vez" (9.28b), para um propósito diferente — trazer a salvação final "aos que o esperam". Este reaparecimento recorda a experiência do sumo sacerdote levítico no Dia da Expiação. Depois de ter entrado no Santo dos Santos com sangue, para fazer a expiação pelos pecados do povo, os israelitas o aguardavam apreensivamente enquanto ele estava fora do alcance de sua vista, e então se regozijavam muito quando retornava. Igualmente os cristãos, sabendo que seu Sumo Sacerdote e Mediador entrou no Santo dos Santos celestial na presença de Deus, estão aguardando o seu retorno sob uma fervorosa expectativa, pois trará todas as bênçãos de sua plena salvação e de sua herança eterna (cf. Rm 8.19,23,25; 1 Co 1.7; Fp 3.20).

No capítulo 10, o autor chega à conclusão do longo argumento que sustentou (4.14–10.18) com relação à superioridade do ministério sumo sacerdotal de Cristo sobre a ordem levítica da antiga aliança. Ele redeclara vigorosamente o caráter superior do sacrifício de Cristo pelo pecado, (1) resumindo sucintamente a insuficiência dos sacrifícios da antiga aliança para que a humanidade pudesse aproximar-se de Deus (10.1-4), e (2) mostrando posteriormente a partir das Escrituras do Antigo Testamento que Cristo é o sacrifício completo e suficiente pelo pecado (10.5-10). Como o Mediador perfeito e o Sacrifício perfeito, Cristo torna possível a experiência do cumprimento total da promessa profética da nova aliança contida em Jeremias 31.33,34 (Hb 10.11-18).

"A lei" de Moisés (10.1) com seu sistema sacrificial era severamente limitada porque (1) era somente "a sombra" (*skia*) e "não a imagem exata" da realidade (*eikon*), e (2) não podia "aperfeiçoar" aqueles que desejavam aproximar-se de Deus como adoradores. O contraste entre *skia* e *eikon* (literalmente, a "imagem" que lança a sombra) é o contraste entre a antiga e a nova aliança, entre a lei mosaica e o evangelho; entre os sacrifícios mosaicos de animais e o sacrifício único e suficiente de Cristo. Uma sombra é uma revelação incompleta de seu objeto, "o esboço mais simples da realidade" (Guthrie, 1983, 207). Uma vez que a forma real ou a realidade é vista, a sombra se torna irrelevante.

A lei serviu, no passado, como "uma testemunha de uma realidade futura" (Lane, 1991, 259) quando prefigurou "os bens futuros" (10.1). Estes "bens" (que sob a perspectiva do Antigo Testamento estavam no futuro) vieram agora (9.11) no ministério sumo sacerdotal e na morte sacrificial de Cristo.

Uma evidência da insuficiência e da imperfeição dos sacrifícios do Antigo Testamento era que aqueles tinham de ser "continuamente oferecidos a cada ano". Embora os sacrifícios fossem oferecidos pelos sacerdotes levíticos diariamente e no Dia anual da Expiação pelos pecados do povo, eles nunca podiam "aperfeiçoar os que a eles se chegam". A perfeição do povo de Deus está relacionada à decisiva purificação de suas consciências da corrupção do pecado, de forma que possam sinceramente entrar na santa presença de Deus como adoradores. Se os sacrifícios do Antigo Testamento tivessem alcançado este objetivo (10.2), "não teriam deixado de ser oferecidos?" Se o povo de Deus do Antigo Testamento tivesse experimentado uma purificação decisiva de sua consciência, teria tido livre acesso a Deus e "nunca mais teriam consciência de pecado". Porém este não foi o caso, que foi exigida a morte expiatória de Cristo para conceder ao povo de Deus uma purificação única e suficiente do pecado, e o livre acesso a Deus como adoradores.

A entrada solene do sumo sacerdote levítico no Santo dos Santos no Dia da Expiação, com sangue sacrificial nas mãos, para aspergir no propiciatório, era um testemunho duplo.

1) Era "uma lembrança anual" (10.3) (a) de que a realidade dos pecados do povo constituía uma barreira para o acesso desimpedido e para a comunhão com seu Deus santo; e (b) que este pecado trouxe o juízo de morte e uma penalidade de morte, representada pelos sacrifícios de animais, que tinha de ser paga.

2) O Dia anual da cerimônia da Expiação testemunhava que a barreira do pecado continuava a existir ano após ano "porque é impossível que o sangue dos touros e dos bodes tire pecados" (10.4). O sangue dos sacrifícios de animais podia apenas temporariamente "cobrir" o pecado, não removê-lo. Somente o sangue de Cristo pôde tirar os pecados (9.28). Deus exigiu os sacrifícios do Antigo Testamento como uma lição objetiva para ensinar Israel que era necessário um sacrifício suficiente para pagar a penalidade do pecado, purificar a consciência da corrupção do pecado e conceder aos adoradores o livre acesso a Deus.

No parágrafo que se segue (10.5-10), o autor argumenta que os sacrifícios levíticos ineficazes foram substituídos pelo sacrifício completo e suficiente de Cristo (o Messias) pelo pecado. Em 10.5-7, nosso autor recorre ao Salmos 40.6-8 (na Septuaginta) como o apoio profético para seu argumento. Porções deste Salmos podem ter sido entendidas como sendo messiânicas (cf. Bruce, 1990, 239), com o próprio Cristo preexistente falando no Salmos 40.6-8. Na exposição da passagem de nosso autor (10.8-10), ele utiliza apropriadamente o Salmos 40.6-8 referindo-se a Cristo e à sua obra, uma vez que "Cristo é o propósito das Escrituras do Antigo Testamento" (Hagner, 1983, 136).

A citação do Salmos 40 começa com uma declaração do descontentamento de Deus com os sacrifícios e as ofertas convencionais quando desacompanhados de um desejo correspondente de obedecer-lhe (cf. 1 Sm 15.22; Sl 50.8-10; 51.16,17; Is 1.10-13; 66.2-4; Jr 7.21-24; Os 6.6; Am 5.21-27). Além de concordar com este tema profético do Antigo Testamento, o Cristo preexistente prediz sua encarnação ("mas corpo me preparaste") e declara a sua intenção como o Servo-Filho encarnado ("Eis aqui venho, para fazer, ó Deus, a tua vontade"). A referência ao "livro" (Hb 10.7a) é provavelmente à Torá (os cinco livros de Moisés).

Na exposição que o nosso autor faz do Salmos 40.6-8 em Hebreus 10.8-10, ele enfatiza duas questões.

1) Destaca o desgosto de Deus pela formalidade dos sacrifícios do Antigo Testamento e a extinção destes no sacrifício de seu Filho. Os quatro termos usados aqui para os sacrifícios (10.8) cobrem totalmente os diferentes tipos de sacrifícios levíticos que eram exigidos pela lei:

a) "Sacrifício" se refere a dois tipos de sacrifícios de animais: "o sacrifício pacífico" (Lv 3), que demonstrava a comunhão de Israel com Deus, e "o sacrifício pelos pecados ocultos" (Lv 5), que era exigido quando os direitos de propriedade de outrem eram violados, intencionalmente ou não;

b) "oferta" se refere às "ofertas de manjares" (Lv 2), que simbolizavam a dedicação do fruto do trabalho de alguém a Deus, e representavam a gratidão a Ele;

c) "ofertas queimadas" (Lv 1) envolviam a queima total de um animal como um sinal da dedicação de si mesmo a Deus; e

d) "oferta pelo pecado" (Lv 4), diz respeito a sacrifícios de animais dados para expiar os pecados intencionais ou os pecados por ignorância.

2) Em contraste com os sacrifícios levíticos, nosso autor enfatiza a natureza volitiva e voluntária da obediência de Cristo: "Eis aqui venho para fazer, ó Deus, a tua vontade"

(10.9a). Através de sua perfeita obediência, Cristo "Tira o primeiro [isto é, a ordem levítica], para estabelecer o segundo" [isto é, o novo concerto baseado em seu sangue]". A perfeita obediência de Cristo à vontade de Deus é explicitamente vista "pela oblação do corpo de Jesus Cristo, feita uma vez" (10.10b). Esta expressão enfatiza a perfeição e a finalidade do sacrifício do corpo de Cristo pelo pecado.

O povo de Deus é assim santificado (10.10a) por seu sacrifício, porque Ele proveu uma purificação decisiva do pecado e de sua corrupção, que por sua vez nos capacita a termos livre acesso a Deus, e daqui por diante "oferecer uma adoração aceitável" (Bruce, 1990, 243). Nossa adoração santificada e o serviço consagrado a Deus são agora possíveis por causa da "obediência sincera de Cristo... que foi perfeitamente expressa" (Peterson, 1994, 1343) no sacrifício completo e suficiente de si mesmo pelo pecado, para sempre (deste modo um sacrifício sem necessidade de repetição).

É de extrema importância ter sempre em mente que a obediência de Cristo foi perfeita e completa quando Ele sacrificou seu corpo à morte de cruz. Todo o sistema levítico de sacrifícios foi agora abolido pela realização da verdadeira vontade de Deus, pela obediência leal à sua vontade. Além disso, é muito importante saber que seu sacrifício pelo pecado tenha sido feito "uma única vez" por todas as pessoas, de todas as épocas. Isto se contrasta nitidamente com a natureza redundante dos sacrifícios levíticos. Morris observa que "não há nenhuma outra religião na qual um grande acontecimento traga a salvação através dos séculos, alcançando o mundo todo. Esta é a doutrina distintiva do cristianismo" (1981, 100).

Em 10.11,12, o autor contrasta Jesus e os sacerdotes levíticos pela última vez, embora de outro ângulo. O novo ponto de contraste está centralizado em torno de sua postura presente, como sacerdotes. "Cada dia" todo descendente sacerdotal de Arão "se coloca de pé" enquanto executa seus deveres sacerdotais. A postura *de pé* indica que o trabalho do sacerdote levítico continua porque seus deveres sagrados estão sempre inacabados. "Todo sacerdote aparece cada dia, ministrando e oferecendo muitas vezes os mesmos sacrifícios". Esta repetição é necessária porque os sacrifícios de animais "nunca podem tirar pecados".

Jesus, por outro lado, está *assentado* (10.12). Sua postura fala de descanso, não de trabalho, e significa que sua obra sacrificial é "uma obra concluída e um sacrifício aceito" (Bruce, 1990, 245). Seu sacrifício sacerdotal é eternamente eficaz — "oferecido para sempre". E seu sacrifício expiatório está eficazmente completo: "Um único sacrifício pelos [por todos os] pecados". Bruce acrescenta que "o preço do seu sacrifício e a dignidade de sua pessoa são posteriormente indicados quando Ele assentou-se não somente na presença de Deus, mas também à direita de Deus" (1990, 246) — o lugar de mais elevada honra. Pela fé em Jesus Cristo e em virtude de seu sacrifício perfeito e de sua mediação sempre presente, "temos ousadia e acesso com confiança, pela nossa fé nele" (Ef 3.12), a fim de adorá-lo (Hb 10.19-25), para "alcançar misericórdia e achar graça" (4.16), e servi-lo com um coração alegre (Dt 28.47).

No versículo 13, o autor cita novamente o Salmos 110, um de seus principais textos do Antigo Testamento, onde o papel do Messias como rei (110.1) e a função sacerdotal (110.4) estão unidos. O espaço de tempo "até que os seus inimigos sejam postos por escabelo de seus pés" corresponde ao tempo entre a entronização de Cristo e seu triunfo final sobre seus inimigos, isto é, a era presente entre a ascensão e a segunda vinda de Cristo. A demora em subjugar seus inimigos representa uma prolongação dos dias da graça, sendo, portanto um sinal da misericórdia e da paciência de Deus (Hughes, 1977, 402).

O fruto evidente da eficácia da obra concluída por Cristo na cruz, e de sua entronização subseqüente à direita de Deus, é que Ele "aperfeiçoou para sempre os que são santificados" (10.14). Isto era algo que os sacerdotes levíticos e os sacrifícios jamais poderiam fazer. A frase "aperfeiçoou para sempre" refere-se à ação consumada da morte eternamente sacrificial e eficaz de

Cristo, por meio da qual Ele toma pessoas imperfeitas e as ajusta à comunhão com Deus para sempre. A frase "os que são santificados" é um particípio presente, e enfatiza a obra santificadora progressiva de Cristo pelo Espírito na vida de cada membro de seu povo, durante a presente era.

Nosso autor encontra apoio bíblico para estas conclusões na profecia da "nova aliança" expressa por Jeremias (Hb 10.15-17). Ele novamente demonstra um profundo respeito pela autoridade das Escrituras do Antigo Testamento como a Palavra de Deus, e pelo ministério do Espírito Santo, que inspirou os homens para que redigissem as Escrituras (cf. 2 Pe 1.20,21). A frase "e também o Espírito Santo no-lo testifica" (10.15) usa um verbo no tempo presente para indicar que o Espírito Santo está falando conosco, agora, por meio da revelação profética que foi concedida aos profetas.

Em 10.16,17, a citação abreviada que o autor faz de Jeremias 31.33,34 apóia sua discussão anterior de dois modos.

1) `O Espírito Santo havia predito pelo profeta Jeremias que a era da "nova aliança" marcaria a perfeição e a santificação do povo de Deus (cf. Hb 10.10,14). Isto ocorreu por causa do sacrifício redentor de Jesus pelo pecado e pelo ministério do Espírito Santo, por meio do qual as leis de Deus são interiorizadas nos corações e mentes renovadas do povo de Deus, juntamente com uma comunicação da "vontade e do poder para executá-los" (Bruce, 1990, 248).

2) A promessa expressa por Jeremias de um tempo em que Deus perdoaria decisivamente "seus pecados e suas iniqüidades", e não se lembraria mais deles, ocorreu justamente porque Jesus ofereceu "um único sacrifício pelos pecados" (10.12).

Uma vez que a profecia de Jeremias foi cumprida por Jesus Cristo e a nova aliança é agora uma realidade, somente é possível ter uma única conclusão sobre o sistema levítico de sacrifícios. "Onde há remissão destes [pecados e iniqüidades], não há mais oblação pelo pecado". Os antigos sacrifícios de animais são obsoletos. Aquilo que procuraram transmitir está agora perfeitamente cumprido em Cristo (Guthrie, 1983, 209). O povo de Deus tem agora a liberdade para adorá-lo e servi-lo com uma consciência limpa, e a garantia pessoal de que seus pecados passados foram "eternamente riscados do registro de Deus, para nunca mais serem apresentados contra eles" (Bruce, 1990, 248).

Parte Dois: A Aplicação: Exortação à Firmeza (10.19—13.17)

3. O Desafio de Permanecer Firme na Fé (10.19—11.40)

O autor de Hebreus, um homem poderoso nas Escrituras, concluiu seu argumento cuidadosamente (1.1–10.18). Argumentou que o plano de salvação de Deus vai além das promessas da antiga aliança — com seus tipos e sombras, suas provisões temporárias e incompletas de acesso a Deus — para as provisões da nova aliança para a salvação, que tem como centro o Filho de Deus, Jesus Cristo, por quem todos os crentes agora têm acesso ao Lugar Santíssimo da presença de Deus. Capítulo por capítulo ele mostra como a revelação de Cristo é imensamente superior à revelação do Antigo Testamento, pois Jesus Cristo traz em si mesmo as realidades espirituais, das quais a antiga aliança era apenas uma sombra.

Sua conclusão é clara: Cristo é o plano supremo e final de Deus para a nossa salvação. O autor agora passa de seus argumentos cuidadosamente sustentados e debatidos a uma aplicação profunda e séria de sua verdade positiva na vida de seus leitores. Não deve haver nenhum retrocesso na vida cristã. Ao contrário, os crentes devem permanecer firmes na fé, na perseverança e na santidade a fim de herdarem as promessas de Deus.

A incredulidade era o pecado mortal que fez com que os israelitas voltassem a Cades Barnéia e perecessem no deserto (cap. 3). A fé teria sido seu caminho para a terra prometida. A fé é também a porta de acesso a Cristo e a todas as promessas espirituais que estão nEle. Retroceder ou afastar-se dEle, voltando assim à incredulidade, faria com que perecessem, assim como aconteceu com seus pais no deserto.

Deste modo, o livro de Hebreus exorta os novos israelitas a urgentemente tomarem posse de seus privilégios em Cristo e a permanecerem firmes na fé até o fim, como seus antepassados no capítulo 11.

3.1. A Fé e os Adoradores da Nova Aliança (10.19-25)

Estes versos resumem (em uma longa frase em grego) o argumento do autor (a partir de 7.1) sobre o papel de Jesus como o nosso Sumo Sacerdote, seu sangue eficaz da nova aliança e sua abertura do santuário divino para os adoradores desta nova aliança. Em vista de tudo o que Cristo realizou por nós, temos duas bênçãos como adoradores da nova aliança (10.19-21). Baseados nestas bênçãos (cf. o termo "tendo" no início dos versos 19 e 21) o autor cita três sérias exortações aos crentes (10.22-25).

1) A primeira bênção é a "ousadia ou confiança [*parresia*] para entrar no Santuário, pelo sangue de Jesus (10.19). *Parresia* é uma palavra importante, que consta quatro vezes em Hebreus (3.6; 4.16; 10.19,35; 10.35). Às vezes significa fundamento da fé, convicção ou segurança; aqui representa a idéia de uma ousada liberdade devido à autorização "para entrar no Santo dos Santos" ou "para entrar no Santuário" da presença de Deus.

As promessas da antiga aliança manifestavam uma conotação de medo ligada à presença de Deus. Os filhos de Arão, Nadabe e Abiú morreram enquanto ofereciam fogo e incenso estranhos diante do Senhor (Lv 10.1,2). Quando o sumo sacerdote passava através do véu do tabernáculo ao Lugar Santíssimo, no Dia da Expiação, estava diante de um momento de medo. Era comum que este não se demorasse ali, para que as pessoas não ficassem apavoradas (Morris, 1981, 103). Mas os crentes da nova aliança, como um sacerdócio santo (1 Pe 2.5), são autorizados a entrar no Lugar Santíssimo da presença de Deus *ousadamente* em virtude do sangue de Jesus.

Esta liberdade de acesso autorizada é descrita como um "novo e vivo caminho" (10.20). É *novo* em contraste com a antiga aliança (com os sacrifícios de animais), no que diz respeito à finalidade do sacrifício de Cristo e seu efeito eficaz. É também *vivo* porque está para sempre ligado ao Senhor Jesus ressuscitado, cuja vida foi dada por nós. A idéia de "caminho" ou "acesso" em Hebreus, previamente introduzida em 9.8, fala de nosso acesso a Deus através de Cristo.

Este novo e vivo caminho à presença de Deus é "pelo véu, isto é, pela sua carne" (10.20; literalmente, "sua carne"). No tabernáculo terrestre, o sumo sacerdote entrava no Lugar Santíssimo através de uma cortina ou véu. Nos Evangelhos sinópticos o véu do templo foi rasgado em duas partes no momento da morte de Jesus, simbolizando que o caminho agora estava aberto através da barreira que separava o povo de Deus de sua presença. Semelhantemente, em Hebreus o autor está declarando "que toda a barreira para a presença de Deus para sempre havia sido derrubada através do sangue e da carne de Jesus (cf. 2.14 para esta mesma ordem)" (Hawthorne, 1986, 1525). Isto significa que na morte sacrificial de Jesus, "o próprio Deus é revelado a nós e o caminho de acesso a Ele é amplamente aberto" para aqueles que nEle confiam (Bruce, 1990, 251).

2) A segunda bênção que temos como adoradores da nova aliança é "um grande sacerdote sobre a casa de Deus". A expressão "grande sacerdote" é "a tradução literal mais comum do título do sumo sacerdote em Hebreus", como sendo a mais alta categoria sacerdotal (Bruce, 1990, 253; cf. 4.14). Jesus, o mais excelente Sacerdote, serve como Sumo Sacerdote na casa de Deus, que é a comunidade dos crentes. Este verso tem seu paralelo em 3.6a: "Cristo, como Filho, sobre a sua própria casa". A oração seguinte em 3.6b identifica a casa de Deus como os crentes, que mantêm sua confiança e esperança nEle. Podemos ver Jesus colocando-se como servo em sua morte, a fim de nos abrir o caminho à presença de Deus (10.19,20); seu *senhorio* é visto no poder que tem sobre todos os que vêm a Deus através dEle (10.21). Como Morris observa, "uma vez mais temos a mais alta cristologia combinada com o reconhecimento de que Jesus serviu de modo humilde" (1981, 104).

As duas bênçãos são seguidas por três exortações que assinalam a resposta dos adoradores da nova aliança: "Cheguemo-nos" (10.22); "retenhamos firmes" (10.23); e "consideremo-nos uns aos outros" (10.24). Em cada uma destas expressões o tempo verbal presente em grego está ligado à tríade de virtudes cristãs: fé (10.22), esperança (10.23) e amor (10.24,25).

1) "Cheguemo-nos [continuemos a nos chegar] com verdadeiro coração, em inteira certeza de fé" (10.22). É na aproximação contínua a Deus

> "que a face do Pai é vista e seu amor é experimentado. Aqui sua santidade é revelada e a alma participa dela. Aqui o sacrifício do amor, do louvor e da adoração, o incenso da oração e da súplica é oferecido no poder... Aqui, a alma, na presença de Deus, cresce na mais completa união com Cristo, e com mais conformidade à sua semelhança. Aqui, na união com Cristo, na sua intercessão incessante, somos incentivados a tomar nosso lugar como intercessores, que podem ter poder com Deus e prevalecer. Aqui, a alma sobe como em asas de águia... as forças são renovadas, e a bênção, o poder e o amor são dados de forma que [nós] como sacerdotes de Deus podemos abençoar um mundo agonizante. Aqui, todos os dias, podemos experimentar a unção [do Espírito e da presença de Deus]" (Murray, n.d., 355,356).

O autor cita quatro condições para aproximarmo-nos de Deus (10.22).
a) Devemos fazê-lo com um coração sincero ou "com verdadeiro coração" — ou seja, com um coração genuíno, puro, livre de fingimentos. Espiritualmente, o "coração" representa o todo de nossa vida interior. Devemos ser corretos interiormente quando nos aproximamos de Deus em virtude daquilo que Cristo fez por nós.
b) Devemos também nos aproximar de Deus com "inteira certeza de fé" — isto é, sem dúvidas ou erros quanto ao livre acesso a Deus que nos foi aberto através de Cristo como nosso Sacrifício e supremo Sumo Sacerdote. Guthrie observa que a preposição "em" sugere que "esta garantia de fé seja a esfera ou o ambiente em que a aproximação deve ser feita" (1983, 213). O autor de Hebreus acrescenta que: "É necessário que aquele que se aproxima de Deus creia que ele existe e que é galardoador dos que o buscam" (11.6).
c) Outra condição para se aproximar de Deus é ter "o coração purificado da má consciência". O termo "purificado" é derivado da lei do Antigo Testamento e envolvia a aplicação exterior de sangue de animais sobre o adorador (por exemplo, Êx 24.8; 29.21). Em Hebreus se refere à limpeza interior, do coração, pelo sangue de Cristo, que livra a consciência da culpa e habilita o adorador da nova aliança a se aproximar de Deus sinceramente.
d) A quarta condição é ter "o corpo lavado com água limpa". Quase todos os comentaristas vêem isto como uma referência às águas do batismo cristão, que na nova aliança substitui todos os rituais de limpeza anteriores. As duas orações — "purificando [aspergindo]" nossos corações e "lavando" nossos corpos — são um exemplo de paralelismo retórico e apontam para os aspectos interiores e exteriores da conversão cristã.

2) A segunda exortação é: "Retenhamos firmes a confissão da nossa esperança" (10.23). O autor retorna à sua preocupação pelos leitores, que estão em perigo de se afastar de sua fé e da confissão da esperança em Cristo (cf. 2.1-3; 3.12-14; 4.1; 6.4-6; 10.26-31). "Reter firme" significa literalmente não se desviar nem para um lado nem para o outro", e deste modo significa estar "firme", "estável", "inabalável" (Lane, 1991, 289). Para os leitores, reter firme sua "esperança" em Cristo como judeus convertidos incluía permanecerem firmes em sua fé, crendo que Jesus Cristo é o seu sacrifício pelo pecado e o seu sumo sacerdote diante de Deus. A "esperança", porém, é mais abrangente do que a "fé", porque inclui as promessas específicas de Deus sobre o futuro (Guthrie, 1983, 214). O incentivo mais forte possível para continuarem em direção à esperança é o caráter fidedigno de Deus: "Porque fiel é o que prometeu". Como Bruce observa habilmente, "nossa esperança é baseada na promessa infalível de Deus; por que não

HEBREUS 10

apreciarmos e confessarmos isto confiante e ousadamente?" (1990, 256).

3) A terceira exortação é: "Consideremo-nos uns aos outros, para nos estimularmos à caridade [ou ao amor] e às boas obras" (10.24). Este verso enfoca o "amor" (10.24,25), que completa a tríade com a fé (10.22) e a esperança (10.23). Os cristãos devem encorajar-se mutuamente e estimularem-se uns aos outros ("incitar", "provocar") às expressões práticas do amor. O objetivo desta ação é o aumento e o aprofundamento do "amor e das boas obras" em meio aos crentes. O amor deve ter "um resultado prático" (Guthrie, 1983, 215) e "uma expressão tangível" (Lane, 1991, 289).

O duplo sentido da expressão "não deixando..." no verso 25 não se trata de exortações adicionais, embora assim pareça na NVI. Antes, trata-se de uma frase participial no tempo presente — significando literalmente "não desistir de estarem juntos" e "encorajarem-se mutuamente" — que suplementa e sustenta a exortação de 10.24. Isto é, os leitores não poderão estimular-se uns aos outros às expressões práticas de amor se faltarem às reuniões da igreja que têm como finalidade o encorajamento mútuo.

Por que alguns leitores tinham o hábito de faltar à assembléia local? Seria por causa da apatia ou da indiferença? Ou seria devido ao medo de serem perseguidos se fossem vistos por estranhos? Ou seria por algum tipo de cansaço relacionado à espera da volta de Cristo? Qualquer que seja a razão ou as razões, o escritor aos Hebreus considerou a negligência ou a deserção da adoração e da comunhão "como extremamente séria" (Lane, 1991, 290). Os crentes podem e devem mostrar o amor (*ágape*) uns aos outros através da participação ativa na comunhão, reunindo-se freqüentemente e "encorajando-se mutuamente".

Os crentes precisam uns dos outros, especialmente em razão das circunstâncias difíceis e à medida "que se vai aproximando aquele dia" (10.25). "O dia" que se aproxima é o dia do ajuste de contas. Existem três interpretações principais sobre seu significado.

a) O cerco romano contra Jerusalém poderia já ter começado quando a carta aos Hebreus foi escrita. Deste modo, o dia da destruição da cidade e do Templo que foi profetizado por Jesus pode ter sido um evento iminente e um sinal patente para todos os judeus (cristãos e outros), em relação à dissolução da antiga ordem.

b) Pode se referir ao Dia do Julgamento, quando "cada um de nós dará conta de si mesmo a Deus" (Rm 14.12).

c) Pode se referir principalmente à aproximação do retorno de Cristo e à responsabilidade que tal evento representa. Este fato forneceria um incentivo adicional para ser um participante ativo na vida da igreja local.

A perseguição era parte da vida de um cristão na época em que o livro de Hebreus foi escrito. Muitos cristãos se esconderam em cavernas subterrâneas, chamadas catacumbas, em cujas paredes pintaram as histórias do passado. Aqui, Sansão é pintado tendo em suas mãos a queixada de um jumento, conforme o texto de Juízes 15. Pedro e Paulo foram sepultados nas catacumbas de Roma.

Por mais longo que possa ser o período entre a primeira vinda de Cristo e seu retorno, o tempo de sua volta está sempre próximo (Ap 1.3). Bruce comenta que "cada geração cristã sucessiva é chamada a viver como a geração do final dos tempos", para quem Cristo pode retornar em breve (1990, 259). Uma vez que como crentes verdadeiros já experimentamos "as virtudes do século futuro" (6.5) e recebemos "um reino que não pode ser abalado" (12.28), existe uma realidade presente em nossa adoração, e na esperança do final dos tempos. Assim, continuemos inabaláveis no caminho da esperança, em completa lealdade para com Cristo e seu povo.

*A Quinta Exortação:
A Seriedade do Pecado
Deliberado e suas
Conseqüências (10.26-31)*

Esta severa advertência é paralela, tanto na forma como na função, ao texto em 6.4-8 que adverte sobre a natureza da apostasia e suas conseqüências irreversíveis.[6] De 7.1 a 10.18 foi enfatizado o trabalho mediador de Cristo como nosso Sumo Sacerdote. Em virtude do poder do seu sangue de nos livrar de nossas transgressões e de limpar nossas consciências da corrupção do pecado, somos prevenidos, como adoradores da nova aliança, a nos aproximarmos do trono de Deus como um lugar de graça, misericórdia e ajuda nos momentos de dificuldade. Abandonar a provisão de Deus da graça que Ele concede aos cristãos reunidos (10.25), porém, pode levar à rejeição de sua provisão de graça pessoal em relação a Cristo, que por sua vez abre o caminho para o pecado deliberado e para a perdição eterna. Neste evento "a aproximação do dia" (10.25) significará um julgamento sério (10.27) ao invés da salvação gloriosa (cf. 9.28). Este pensamento solene de julgamento se torna a ocasião para a severa advertência que se segue.

As palavras do autor "se pecarmos voluntariamente" (10.26) são claramente endereçadas a seus leitores e a si mesmo como cristãos (cf. 2.1). No grego, a posição da palavra "voluntariamente", na oração, enfatiza a natureza voluntária e calculada do pecado. O que está sendo referido aqui não é uma única transgressão deliberada depois da conversão cristã. Antes, o verbo *"pecar"* é o particípio presente de uma ação contínua. Deste modo, a NVI traduz corretamente este texto dando-lhe o sentido de continuar pecando deliberadamente, envolvendo uma persistência intencional.

Esta intenção de persistir no pecado indica uma rejeição a Cristo e um desprezo pelo Espírito Santo (10.29), que necessariamente remove a pessoa da esfera da graça. A lei do Antigo Testamento fez provisões relacionadas ao comportamento pecaminoso não intencional, mas não ao pecado intencional. A pessoa culpada de pecado intencional deveria ser "extirpada" do convívio com as pessoas da assembléia porque estava, de fato, blasfemando contra ou menosprezando o Senhor (Nm 15.30,31). Sendo assim, o pecado em Hebreus 10 não envolve ser enlaçado ou cair em uma transgressão (cf. Gl 6.1); antes, envolve o ato deliberado e intencional de pecar, menosprezando o Senhor (10.29).

Como em 6.4-8, o pecado específico que nosso autor tem em mente é a rejeição voluntária e consciente de Cristo (isto é, a apostasia). Também como em 6.4-8, a vasta maioria dos estudiosos do Novo Testamento acredita que a advertência em 10.26-31 seja dirigida a cristãos genuinamente convertidos, mas que estavam começando a vacilar em sua fé em Cristo (veja a nota final número 2). Estes são referidos aqui como verdadeiros cristãos de quatro modos.
1) Receberam "o conhecimento [*epignosin*] da verdade" (10.26b). Considerando que o termo *gnosis* significa "conhecimento", como no caso do conhecimento intelectual, *epignosis* sugere um conhecimento total, correto e experimental, como ocorre no caso da autêntica experiência cristã. A "verdade" é a revelação cristã encarnada em Cristo, isto é, a "verdade salvadora" (Lane, 1991, 292).

2) Eles haviam sido "santificados" (isto é, separados como santos) pelo sangue da aliança (10.29). Em Hebreus estas expressões significam que os leitores haviam sido limpos pelo sangue de Jesus e entraram no Lugar Santíssimo da presença de Deus através de Jesus como seu Sumo Sacerdote.
3) Nos "dias passados", os leitores haviam sido "iluminados" (10.32), com "a luz do evangelho da glória de Cristo" (2 Co 4.4). Como crentes judeus espiritualmente iluminados, suportaram "grande combate de aflições" quando perseguidos por sua fé em Cristo (10.32,33).
4) Finalmente, estão entre aqueles que demonstraram "confiança" em Cristo; agora precisam perseverar na fé como "aqueles que crêem e são salvos" (10.35,36,39).

Se uma pessoa recebe "o conhecimento [experimental] da verdade" em Cristo e então o rejeita, tal pessoa "rejeita o único modo de salvação" (Bruce, 1990, 261). A principal mensagem de Hebreus é que o sacrifício suficiente de Cristo pelo pecado é a única resposta para este problema. Rejeitar a Cristo e seu sacrifício significa que "já não resta mais sacrifício pelos pecados" (10.26c). Em outras palavras, não existe nenhum outro modo de perdão ou aceitação junto a Deus. "Abandonar o sacrifício que foi feito de uma vez por todas pelo pecado é abandonar toda a esperança de salvação" (Peterson, 1994, 1345).

O que permanece é "uma certa expectação horrível de juízo" (10.27a). O inevitável julgamento de Deus é mais adiante descrito como um "ardor de fogo, que há de devorar os [seus] adversários" (10.27b; cf. Is 26.11). Assim como Corá e seus seguidores foram consumidos pelo julgamento ígneo (de fogo) de Deus sob a antiga aliança (Nm 16.35; 26.10), os apóstatas enfrentarão o julgamento ígneo e irrevogável de Deus sob a nova aliança. "Seu destino é o mesmo daqueles que nunca se voltaram a Cristo ou que ativamente se opuseram ao evangelho" (Peterson, 1994, 1345). Esta séria inevitabilidade de julgamento para o apóstata é vigorosamente enfatizada em Hebreus 10.28. Qualquer israelita que rejeitasse ou desafiasse a lei de Moisés sob a antiga aliança era morto "sem clemência", se testemunhas suficientes fossem encontradas. Quão mais severa deverá ser a punição que aguarda o apóstata que rejeita ou desafia a provisão da graça de Deus sob a nova aliança!

O verso 29 contém três acusações descritivas contra o apóstata, cada uma das quais revela a gravidade do pecado sobre o qual os leitores estão sendo advertidos.
1) O apóstata, por sua decisão e ação, de fato pisou "o Filho de Deus". Esta vívida linguagem mostra o repúdio ou a contenciosa negação da verdadeira natureza e identidade de Cristo.
2) Tais pessoas, por suas próprias ações, trataram também o sangue da aliança que os santificou como algo "profano". O sangue reconciliador de Cristo leva o crente a uma relação santa ou santificada com Deus (cf. 10.10; 13.12). Abandonar tal relação é, com efeito, o equivalente a tratar o sangue de Cristo como "profano" (*koinon*, literalmente, "comum"). Deste modo, ao invés de confiar e aceitar pela fé que o sangue de Cristo é o meio sagrado de Deus para a nossa salvação, o apóstata o considera igual ao sangue de qualquer outra pessoa (isto é, não eficaz); comum.
3) A pessoa que se afasta de Cristo insultou também o "Espírito da graça". Hebreus enfoca amplamente a pessoa e a obra de Cristo e não desenvolve uma teologia do Espírito Santo. Não obstante, o Espírito Santo é visto como uma pessoa (não uma influência impessoal), que fala e dá aos crentes todos os benefícios da graça de Deus e da obra de Cristo (cf. 2.4; 3.7; 6.4; 9.8,14; 10.15). Como crentes, podemos entristecer o Espírito Santo quando ignoramos sua presença, sua voz, ou sua liderança (Rm 8.5-17; Gl 5.16-25; 6.7-9). Podemos resistir também ao Espírito Santo (At 7.51) e apagar a sua chama dentro de nós (1 Ts 5.19). Mais sério do que tudo isto, é que alguém pode insultar o Espírito Santo.

Bruce observa que o autor de Hebreus "não é dado a grandes exageros e quando usa uma linguagem como esta, escolhe as palavras com seu cuidado habitual" (1990, 261). O desafio da lei mosaica resultou na pena de morte para um israelita que estava sob a antiga aliança (10.28). "De quanto maior castigo cuidais vós será julgado merecedor aquele que pisar o Filho de Deus, e tiver por profano o sangue do testamento, com que foi santificado, e fizer agravo ao Espírito da graça? Isto "denota o desprezo mais flagrante (Moffatt 1924, 151), e é provavelmente o sinônimo que Jesus usou para a blasfêmia contra o Espírito Santo, dizendo que quem o fizer "será réu do eterno juízo" (Mc 3.29).

A inevitável severidade do castigo que aguarda os cristãos apóstatas é indicada por duas citações de Deuteronômio 32.
1) Deus declara: "Minha é a vingança, eu darei a recompensa" (Hb 10.30a; veja Dt 32.35). O próprio Deus assume pessoalmente a responsabilidade pelo julgamento e vingança contra os seus adversários.
2) Novamente, "o Senhor julgará o seu povo" (Hb 10.30b; Dt 32.36). Dessa forma, vindicará o justo e punirá o apóstata. Qualquer um que considere a apostasia deve se lembrar de que: "Horrenda coisa é cair nas mãos do Deus vivo" (Hb 10.31). A palavra "horrenda", traduzida como "horrível" em 10.27, significa "assustador" ou "apavorante". É apavorante porque Deus está vivo — em sua majestade e santidade — e porque seu "fogo consumidor" (12.29; cf. Is 33.14) destruirá todos os seus inimigos.

Será que o ensino em 10.26-31 exclui a possibilidade de arrependimento e perdão para o apóstata voluntário? I. Howard Marshall nota que Martinho Lutero acreditava que esta passagem não tratava deste assunto. Marshall acrescenta, porém, que "o teor geral da passagem, juntamente com o [explícito] ensino do capítulo 6, sugere a impossibilidade de que o retorno possa estar na mente do autor. Em todo caso, a passagem é novamente hipotética, no sentido que se refere a um perigo ameaçador para os leitores e não a um pecado em que realmente caíram" (1969, 149). Esta passagem é hipotética apenas no sentido de que ainda não aconteceu para os leitores; a possibilidade da apostasia propriamente dita não é hipotética, mas real em Hebreus.

3.2. O Justo Deve Viver pela Fé (10.32-39)

A declaração do autor em 10.38, "mas o justo viverá da fé" (citação de Hc 2.4), é a marca desta seção. Para o justo não existe nenhuma alternativa a uma vida de fé. "Fé" significa firme confiança em Deus, embora Deus seja invisível e o mundo visível esteja cheio de dificuldades e sofrimentos. A fé mostra também a nuança da fidelidade e da lealdade para com o Senhor Jesus Cristo, mesmo quando se identificar com Ele signifique compartilhar sua rejeição e sofrimento. Esta passagem enfatiza o que é exigido da fé e prepara o leitor para os exemplos descritivos da fé em 11.1-40.

3.2.1. Vitória Passada (10.32-34). Assim como a severa advertência em 6.4-8 é seguida por palavras de encorajamento em 6.9-12, a advertência em 10.26-31 é seguida pelo encorajamento e pela exortação contidas em 10.32-36 (para uma comparação do grau de paralelismo entre os dois capítulos, veja o quadro de Lane, 1991, 296, 297). Aqui o autor encoraja seus leitores a lembrarem-se "dos dias passados" (10.32) em que foram "iluminados", durante o seu primeiro amor (cf. 6.4,10). Naquela fase de sua vida cristã, suportaram "grande combate de aflições". A palavra "combate" (*athlesis*, da qual deriva-se a palavra "atlética") referia-se originalmente à intensa competição em uma arena de esportes. Aqui é usada metaforicamente para a intensa perseguição e o sofrimento que os leitores suportaram firmemente na fé.

O passado dos crentes demonstra um firme compromisso com Cristo diante do sofrimento, e é recordado a fim de "fortalecer a decisão cristã no presente" (Lane, 1991, 297). Ainda que não possamos datar precisamente esta antiga experiência de perseguição, ela corresponde à experiência dos cristãos judeus romanos durante o decreto de expulsão feito por Cláudio, que teve início em 49 d.C. Esta perseguição era dirigida contra o povo judeu em geral, mas incluiu os cristãos judeus, como é evidente em relação a Áquila e Priscila (At 18.2; veja Bruce, 1990, 268-270).

Os versos 33 e 34 dão detalhes sobre o sofrimento que estes crentes previamente suportaram. A estrutura literária dos dois versos está na forma de um quiasma, que revela duas categorias separadas de sofrimento (cf. Lane, 1991, 299):

A "Em parte, fostes feitos espetáculo com vitupérios e tribulações" (10.33a)
B "Em parte, fostes participantes com os que assim foram tratados" (10.33b)
B "Também vos compadecestes dos que estavam nas prisões" (10.34a)
A "E com gozo permitistes a espoliação dos vossos bens" (10.34b)

A categoria "A" representa a perseguição ativa e direta contra os leitores, envolvendo a ridicularização pública (10.33a) e o confisco de suas propriedades (10.34b). A categoria "B" representa a solidariedade com aqueles que também sofreram a perseguição (10.33b) e o encarceramento (10.34b).

A expressão "fostes feitos espetáculo" (10.33a) é vívida, mostrando que a exposição ao ridículo e à vergonha eram um espetáculo público. Sua provação de humilhação pública é descrita com duas palavras-chave.

1) O "vitupério" indica o ridículo e o abuso verbal. Aparece também em 11.26, onde descreve a ridicularização e a repreensão que Moisés suportou pela rejeição de sua posição real no Egito por amor a Cristo, e em 13.13, onde descreve o que aguarda aqueles que saem "fora do arraial", por Cristo. Está proximamente associada à repreensão suportada pelo próprio Senhor Jesus Cristo (cf. Rm 15.3).

2) A palavra "tribulações" pode ser traduzida como "aflições" (cf. Cl 1.24) e indica que os atos de violência também aconteciam juntamente com os abusos verbais (Lane, 1991, 299).

Além de sua própria perseguição, foram "participantes" (10.33b) do sofrimento dos demais irmãos. A palavra grega usada aqui descreve a forte união que existe na comunidade cristã. Sofrer juntos por Cristo "é a comunhão em seu nível mais profundo" (Guthrie, 1983, 222). Tal união incluía simpatizar-se com "os que estavam nas prisões" (10.34a) — presumivelmente encarcerados por causa de sua fé em Cristo. Antigamente os prisioneiros eram dependentes dos amigos e parentes para sua comida e suprimentos. Aqueles que não contavam com nenhum tipo de ajuda externa, freqüentemente morriam de fome e pelas conseqüências do abandono. Porém, demonstrar compaixão genuína para com os prisioneiros religiosos era perigoso, porque poderia resultar em perseguição ao ajudador e à sua família. Ainda assim, os leitores mostraram tal compaixão.

No passado, os leitores aceitaram também "com gozo... a espoliação dos [seus] bens" (10.34b) ou de suas propriedades. Podiam regozijar-se de tais sofrimentos por Cristo (cf. Lc 6.22,23), pois demonstraram precisamente a fé a que nosso autor agora os conclama a demonstrar no presente, da qual fala mais detalhadamente no capítulo 11. Sua fé nos dias passados os habilitou a alegremente abrir mão de suas posses "temporárias", porque sabiam que tinham "uma possessão *melhor* e permanente" (10.34c). "Melhor" é uma palavra-chave em Hebreus (constando treze vezes) e expressa "a qualidade superior da realidade que os cristãos possuem em Cristo" (Lane, 1991, 300).

Embora através da perseguição o mundo tenha infligido aos crentes insultos, danos, encarceramento e o saque de suas possessões terrestres, eles sabiam que não podiam separar seus corações de Cristo e de seus tesouros celestiais. Demonstraram a verdadeira fé que considera todo sacrifício como uma alegria e toda perda como ganho, e sabem que Deus tornará todo sofrimento cristão em "um peso eterno de glória".

3.2.2. O Desafio Presente (10.35-39).

Considerando que os leitores demonstraram fé, esperança e amor nos "dias passados", estavam agora em perigo de se cansarem e desfalecerem (cf. 12.3), a ponto de desistirem de sua fé em Cristo. Deste modo, o autor os exorta e desafia: "Não rejeiteis, pois, a vossa confiança, que tem grande e avultado galardão. Porque necessitais de paciência, para que, depois de haverdes feito a vontade de Deus, possais alcançar a promessa". Anteriormente, neste capítulo, a palavra "confiança" (*parresia*) se referia à total liberdade do crente entrar com ousadia no Lugar Santíssimo da presença de Deus, por meio do sangue de Cristo (por exemplo, 10.19; cf. 4.16). Em outras passagens este termo tem o sentido de base da crença e ousada confissão de Cristo (por exemplo, 3.6). A palavra "confiança" como foi usada aqui, inclui ambos os significados. Sem "confiança", falta ao crente a coragem e a força necessárias para que persevere na fé sob circunstâncias desanimadoras; falta também a habilidade de ter acesso ao trono da graça em oração, alcançando assim todos os privilégios da comunhão e da graça de Deus.

"O grande e avultado galardão" (cf. 10.35b) corresponde à "possessão melhor e permanente" em 10.34c e à bênção da completa salvação prometida por Deus àqueles que esperam por Cristo (cf. 9.28; 10.23,25; cf. Lane, 1991, 302). Dado que a salvação envolve uma promessa futura, os crentes precisam "de paciência" ou "perseverança" (10.36a) a fim de fazer a vontade de Deus e "alcançar a promessa" (10.36c). A forma verbal "necessitais" indica "algo absolutamente necessário, não somente desejável" (Morris, 1981, 111). Sem uma decisão perseverante e resistente, sem a paciência e a renovação diária da fé, não podemos herdar o que Deus prometeu. Murray observa: "Entre a fé que aceita uma promessa e a experiência que a herda ou a recebe completamente, freqüentemente são necessários anos de disciplina e treinamento para que a pessoa se ajuste e se aperfeiçoe a fim de possuir aquilo que Deus tem para lhe dar" (n.d., 415). Os anos intervenientes de espera pelo cumprimento das promessas de Deus exigem fé e fidelidade perseverantes. Fazer a vontade de Deus (a obediência da fé) é o caminho para receber a promessa de Deus (a recompensa da fé).

Em 10.37,38, o autor cita as Escrituras do Antigo Testamento como uma evidência a mais de que os crentes precisam de perseverança. O tempo de espera pelo retorno prometido de Cristo ainda não está terminado. Quanto tempo devemos esperar? Devido à brevidade desta vida e a duração infinita da eternidade, nossa espera não é longa. "Porque ainda um poucochinho de tempo [ecoando o pensamento de Isaías 26.20], e o que há de vir virá e não tardará", além do tempo designado (veja Hc 2.3). Para as pessoas de fé, a vinda do Senhor está sempre próxima. O povo de Deus confia nEle, não somente vivendo no presente, pela fé, naquilo que não vê, mas também na esperança de um futuro antecipado, um tempo em que Deus promete intervir na história a favor dos justos. Durante o intervalo entre a promessa e o cumprimento, "o justo viverá da fé" (Hb 10.38a; cf. Hc 2.4).

Paulo cita esta mesma declaração de Habacuque 2.4 em Romanos 1.17 e Gálatas 3.11 para enfatizar como uma pessoa se torna justa: pela fé. O autor de Hebreus, porém, cita este texto do Antigo Testamento mantendo a ênfase em seu contexto profético, ou seja, os justos devem continuar vivendo pela fé. A pessoa que persevera na fé receberá o cumprimento daquilo que Deus prometeu (10.36). Mas Deus acrescenta: "Se ele [alguém] recuar, a minha alma não tem prazer nele" (Hb 10.38b).

A fé firme e o retrocesso à incredulidade são apresentados como respostas opostas em Hebreus. Por um lado, o retrocesso resultará em morte e destruição, como aconteceu com os Israelitas no deserto (3.12-19). Por outro lado, a resposta da fé firme e do compromisso leal a Jesus Cristo levará à vida e à herança que Deus prometeu (6.12; 10.36). Declarado de outro modo, aqueles que perseveram na fé receberão a vida, enquanto aqueles que recuam a perderão, demonstrando que são reprováveis (Bruce, 1990, 274).

Em 10.39, o autor se identifica novamente com seus leitores rejeitando a escolha e o destino reservado àqueles que recuam, afirmando-lhes a resposta da fé firme: "Nós, porém, não somos daqueles [como os apóstatas] que se retiram para a perdição, mas aqueles que crêem para a conservação da alma" (10.39). Os heróis inspiradores da fé do Antigo Testamento em meio a seus antepassados, homens e mulheres que ousaram acreditar e foram salvos, constituem o assunto do próximo capítulo.

3.3. Características Essenciais da Fé (11.1-3)

O capítulo 11 é um tratamento cuidadosamente construído do tópico da fé. Este tópico é formalmente introduzido pela citação de Habacuque 2.4, no final do capítulo 10: "Mas o justo viverá da fé" (10.38). A ênfase da fé em Habacuque e em Hebreus está na fé pela qual cada justo vive sua vida, não na fé pela qual somos justificados ou declarados justos (como em Romanos e Gálatas). A fé em Hebreus está intimamente ligada à resistência firme e à herança das promessas de Deus (cf. 6.12). Ela faz com que todo o curso da vida do crente possa ser regulado pelas promessas de Deus (isto é, o futuro) e por realidades espirituais que são presentemente invisíveis — a despeito das adversidades ou das circunstâncias desencorajadoras. A fé é a confiança em Deus "que habilita o crente a seguir firmemente de modo independente daquilo que o futuro lhe reserve" (Morris, 1981, 112).

A palavra "fé" (*pistis*) consta mais freqüentemente em Hebreus do que em qualquer outro livro do Novo Testamento — vinte e quatro vezes, somente no capítulo 11. Aqui se enfatiza a fé em ação, e não a fé como um corpo de convicções. A fé em ação envolve as seguintes características. Pela fé:

- Somos salvos (10.39)
- Nossa esperança está baseada nas promessas de Deus (11.1a)
- Temos certeza das realidades espirituais invisíveis (11.1b)
- Recebemos o elogio ou a aprovação de Deus (11.2)
- Entendemos que Deus, por sua Palavra, criou o universo material (11.3)
- Adoramos a Deus (11.4)
- Deixamos para trás um testemunho duradouro (11.4)
- Cremos em Deus, buscando diligentemente tanto a Ele como as suas promessas (11.6)
- Agradamos a Deus (11.5,6)
- Tememos a Deus e não aos homens (11.7,27)
- Somos diferentes de nossa perversa geração e do mundo que perece (11.7)
- Obedecemos a Deus, e nos entregamos à sua vontade para as nossas vidas, embora não a conheçamos (11.8,9)
- Somos sustentados e movidos por uma visão celestial (11.10)
- Consideramos a Deus como fiel (11.11)
- Herdamos as promessas de Deus (11.11,12; cf. 6.12)
- Estamos dispostos a receber suas promessas com alegria, e à distância, se necessário (11.13)
- Vivemos como peregrinos e estrangeiros na terra (11.13)
- Estamos em busca de um país melhor, divino (11.14-16)
- Não retornamos ao país que deixamos, isto é, ao mundo (11.15)
- Somos aprovados nos severos testes de Deus (11.17-19)
- Cremos que Deus é maior que a morte (11.19)
- Abençoamos confiantemente a próxima geração de crentes (11.20,21)
- Antevemos a futura visitação de Deus (11.22)
- Temos coragem e revelações (11.23)
- Abdicamos dos prazeres do presente, visando uma recompensa futura (11.24-26)
- Vemos aquele que é invisível (11.27)
- Partimos do Egito (isto é, do sistema corrupto do mundo), e abraçamos as providências milagrosas de Deus (11.27-29)
- Somos libertos do destruidor por conhecermos, por revelação, a importância do sangue do Cordeiro (11.28)
- Conquistamos cidades pelo propósito e pelo poder que nos são revelados por Deus (11.30)
- Cooperamos com aquilo que Deus está dizendo e fazendo (11.31; cf. 4.2)
- Como povo de Deus, realizamos poderosas proezas e podemos receber livramentos milagrosos de sua parte (11.32-35a)
- Sofremos espontaneamente e de boa vontade por amor à justiça (11.35b-38)
- Corremos, com paciência e perseverança, a carreira que nos está proposta (12.1-3)

Em virtude de uma fé viva em Deus, todas estas coisas são verdadeiras ou possíveis, como ilustradas pela vida dos santos do Antigo Testamento.

Mas o que precisamente é a fé? Alguns consideram o verso 1 como a única tentativa de definição de fé na Bíblia. O que é dado aqui, porém, não é uma definição formal, mas dois elementos essenciais da fé ilustrados na vida daqueles que são mencionados neste capítulo. Os dois elementos correspondem às duas metades deste verso.[7]

1) "Fé é [a certeza] o firme fundamento [*hypostasis*] das coisas que se esperam". A palavra-chave, *hypostasis*, pode ser entendida em um sentido objetivo ou subjetivo. *Hypostasis* significa literalmente "aquilo que resiste sob".
   a) Objetivamente compreendida, significa "substância", "essência" de um assunto, "realidade objetiva". Esta compreensão é representada pela KJV/NKJV ("fé é a *essência* das coisas esperadas"), NEB (a "fé dá *substância* às nossas esperanças"), NJB ("a fé pode garantir as bênçãos que esperamos"), e por intérpretes como Spicq (1952, 2:337,338), Attridge (1989, 305-310), Lane (1991, 325-326, 328-329), Ellingworth (1993, 564-565) e Koester (*TDNT*, 8:586). De acordo com sua importância objetiva, a fé nos habilita a nos apegarmos e possuirmos a realidade daquilo que Deus nos prometeu, antes mesmo que tal promessa se cumpra. A esperança olha sempre para o futuro, mas a fé se apega à sua realidade agora. Através da operação da fé, Deus "chama as coisas que não são como se já fossem" (Rm 4.17b, NASB). Conseqüentemente, "coisas que ainda não existem no reino físico tornam-se reais e substanciais pelo exercício da fé" (Bruce, 1990, 277).
   b) Subjetivamente compreendida, *hypostasis* significa "garantia" (NASB, NRSV), "garantia confiante" (Weymouth, NAB), "estar certo" (NVI) daquilo que se espera, baseado na promessa de Deus. A fé e a esperança estão intimamente relacionadas. Na Bíblia Sagrada, a "esperança" não tem o seu fundamento no pensamento tendencioso, que está de acordo com a vontade humana, mas naquilo que Deus prometeu. A fé espera confiantemente o que é prometido, em contraste com a presunção, que espera o que quer. Deste modo, a NVI enfatiza a "fé como uma expressão de nossa confiança nas promessas de Deus ['aquilo que esperamos']" (Peterson, 1994, 1346).

Na realidade, a fé é *hypostasis* tanto em seu objetivo como em seu significado subjetivo. A fé se apega (no presente) à realidade daquilo que Deus prometeu (esperança) e tem a certeza que isto acontecerá no futuro (cf. Mc 11.24). A diferença entre a fé e a presunção é esta: A fé é a nossa resposta à palavra reveladora e à iniciativa de Deus; a presunção espera que Deus responda à nossa palavra e iniciativa.

2) Fé é "a [convicção] prova [*elenchos*] das coisas que se não vêem" (11.1b). Considerando que "as coisas que se esperam" estão relacionadas ao que é prometido (11.1a), "as coisas que se não vêem" estão relacionadas àquilo que é invisível (11.1b). *Elenchos* é a palavra-chave relativa à fé e às coisas invisíveis. Como *hypostasis*, *elenchos* pode ser entendido com um objetivo ou sensação subjetiva.
   a) De modo objetivo, este termo significa "trazer à luz", "testar", "evidenciar", "provar". Esta compreensão é representada pela KJV/NKJV ("a evidência das coisas não vistas"), Williams ("a prova da realidade das coisas que não podemos ver"), e NJB ("a prova da existência das realidades que não são vistas"). Como existem dois tipos de conhecimento, o sensorial e o revelatório, existem também dois tipos de visão: a física e a espiritual. O olho natural vê o que é visível (visão física), enquanto o olho do coração, através da operação da fé, vê o que é invisível (visão espiritual). Deste modo, a fé pode se apossar da evidência da realidade espiritual que é invisível para o olho físico. Nas palavras de uma mulher de fé do século vinte, "a fé é como um radar que vê através da neblina a realidade das coisas, a uma distância que o olho humano não seria capaz de ver" (Corrie ten Boom).
   b) Subjetivamente compreendida, a palavra *elenchos* significa a "convicção" (NASB, NRSV) ou a certeza (NVI) das coisas não vistas. A fé que se apega às realidades espirituais produz uma convicção ou certeza confiante sobre as "realidades invisíveis [não apenas das promessas não vistas do futuro] como a existência de Deus, sua fidelidade para com sua Palavra e seu controle sobre o nosso mundo e suas atividades" (Peterson, 1994, 1346).

Em resumo, o entendimento objetivo da fé em 11.1 inclui a realidade da garantia subjetiva (que é baseada na graça de Deus e na revelação/promessa de sua Palavra) como uma fonte ou nascente de uma vida de fé. A atividade e a obediência da fé são as principais ilustrações contidas no capítulo 11. A fé como a de Noé, Abraão e Moisés se apega, no presente, às realidades futuras, reconhecendo a realidade das coisas invisíveis, e governa toda a vida por meio destas realidades. De um modo semelhante, Paulo diz que — como pessoas de fé — não devemos atentar "nas coisas que se vêem, mas nas que se não vêem; porque as que se vêem são temporais, e as que se não vêem são eternas" (2 Co 4.18). Vivendo este lado da eternidade, estaremos andando "por fé e não por vista" (2 Co 5.7).

Hebreus 11.1 não fornece uma definição precisa sobre a fé, mas nos mostra uma descrição daquilo que a fé autentica contempla e faz. Afirma que Deus fornece a essência e a evidência na prática da fé, nos habilitando a crer confiantemente que o que Ele promete (isto é, esperança que olha para a realização futura) realmente acontecerá, e aquilo que é invisível (o reino espiritual), é de fato a verdadeira realidade (embora se encontre além do campo natural da compreensão).

Foi por causa deste tipo de fé que os antigos foram elogiados: "Por ela, os antigos alcançaram testemunho" (11.2). "Os antigos" são (literalmente) "os anciãos", não em um sentido técnico, mas com o significado de "antepassados" (isto é, santos do Antigo Testamento). Os termos "testemunho" ou "testificar" (*martyreo*) são usados em sete passagens em Hebreus, em referência às testemunhas das Escrituras (7.8,17; 10.15; 11.2,4,5,39). Assim, 11.2 mostra que os antepassados, pela fé, receberam "o testemunho de aprovação das Escrituras, e conseqüentemente do próprio Deus, que fala por seu Espírito através da palavra escrita" (Trites, citado em Lane, 1991, 330). Testemunhando pela fé, como registrado nas Escrituras, Deus os preservou como "testemunhas" (12.1; *martir*) "da verdadeira fé para nós" (Peterson, 1994, 1346). Estas testemunhas são listadas (11.4-32) em seqüência histórica de Abel a Davi, e de Samuel aos profetas, em um esboço da história da salvação, e seu avanço em direção a Jesus, "autor e consumador da fé" (12.2).

Antes de continuar o testemunho sobre a fé dos antepassados (iniciado em Gênesis 4 com Abel), o autor ilustra (v. 3) o princípio (v. 1) de que a fé se apega à evidência das coisas não vistas (Gn 1, a criação). Como Peterson observa, "o escritor onde Gênesis começa, porque a fé em Deus como o Criador de tudo aquilo que existe é fundamental para a visão bíblica da realidade" (1994, 1347). "Pela fé entendemos que o universo foi formado por ordem de Deus". Peterson comenta: "Se Deus está no controle da natureza e da história, tanto passada quanto presente, toda a geração de crentes pode confiar em suas promessas sobre o futuro, não importando o que lhes custe" (1994, 1347).

A expressão "pela fé" (*pistei*) é colocada no princípio da oração para dar ênfase, como acontece dezoito vezes neste capítulo, com um impacto cumulativo pretendido. A ênfase aqui é que "pela fé, entendemos". Existem dois tipos de conhecimento: *conhecimento sensorial*, isto é, o conhecimento obtido através dos cinco sentidos físicos; e o *conhecimento revelatório*, isto é, o conhecimento sobre Deus e o reino espiritual, transmitido pelo Espírito Santo para o nosso espírito e entendido pela fé. No reino de Deus a nossa compreensão não vem da mente natural, mas da revelação e da fé. Deste modo, a mente natural não pode entender as coisas de Deus (cf. 1 Co 2.12), inclusive a criação; apenas uma "mente renovada" pode compreender tais coisas.

Quanto à relação entre a fé e a compreensão, o teólogo Agostinho escreveu perceptivamente: "O entendimento é a recompensa da fé. Portanto, não procure compreender aquilo em que você deve crer; mas creia, e assim um dia entenderá" (Em *Evangelium Johannis tractatus*, 29.6). A revelação e a fé precedem necessariamente a compreensão de que o universo "foi criado pela ordem de Deus" (*rhemati*, a palavra de Deus, falada), como revelado pelas palavras: "E disse Deus...", em Gênesis 1.3,6,9,14,20,24,26. Sendo assim, o testemunho da Palavra escrita de Deus é intrínseco, para uma fé que entende "que aquilo que se vê não foi feito do que é aparente". Uma pessoa ainda não regenerada pode crer que a parte material da terra e do universo evoluíram a partir de gases existentes e substâncias disformes; mas a fé entende este fato de um modo diferente. "A fé discerne", como Peterson observa, "que o universo do espaço e do tempo tem uma fonte invisível [isto é, a vontade de Deus e o poder de sua Palavra falada] e que continua a ser dependente de suas ordens [isto é, de Deus; tudo é sustentado e assegurado por Deus; cf. Cl 1.17]" (1994, 1347). Bruce (1990, 279) sustenta que em 11.3 o autor de Hebreus estava afirmando a doutrina da *creatio ex nihilo* ("criação a partir do nada"; para uma discussão sobre este assunto, veja Hughes, 1977, 443-452). Podemos acrescentar que a "nova criação" ou a "nova criatura" (2 Co 5.17) do crente, em Cristo, é semelhante à criação original porque (1) ambos os casos envolvem um milagre criativo de Deus que se tornou possível pelo poder da sua Palavra, e (2) nossa compreensão do milagre em cada caso é pela fé, baseada na revelação de Deus contida nas Escrituras.

3.4. Exemplos de Fé no Antigo Testamento (11.4-38)

O autor prossegue descrevendo o poder dinâmico da fé na vida das pessoas, de vários modos durante os séculos que precederam a primeira vinda de Cristo. A intenção de seu testemunho de fé é inspirar a fé firme em nós que vivemos nos séculos precedentes à segunda vinda de Cristo. A lista se move sistematicamente de Gênesis a Josué (11.4-31), com destaque especial para Abraão e Sara (11.8-19), e Moisés (11.23-28). Esta seção é concluída com um breve resumo dos triunfos da fé em meio aos grandes obstáculos e provas, de juízes até a era dos Macabeus no segundo século a.C. (11.32-38).

3.4.1. A Fé durante o Período Anterior ao Dilúvio (11.4-7). O autor seleciona três homens de Deus para uma menção especial da criação até o grande dilúvio: Abel, Enoque e Noé. Suas vidas ilustram vários aspectos da fé demonstrada durante este período.

Abel (11.4). Três coisas são mencionadas sobre a fé de Abel.
1) Ele é elogiado por ser um adorador de Deus. Por que Deus mostrou consideração para com a adoração de Abel enquanto rejeitou a de Caim? Alguns crêem que a qualidade do sacrifício de Abel era superior; outros crêem que a quantidade da oferta de Abel era maior; e ainda outros crêem que foi porque Abel ofereceu um sacrifício de sangue e Caim uma oferta de grãos. Todas estas sugestões fogem da razão principal. A Escritura somente diz que "pela fé, Abel ofereceu a Deus maior [melhor] sacrifício do que Caim", porque o sacrifício de Abel era uma expressão de adoração que envolvia toda a sua vida e fé. Apresentou toda a sua fé a Deus; não manteve qualquer reserva. Isto representou uma total devoção ao Senhor, não simplesmente uma cerimônia religiosa. Pela fé, adentrou a mais profunda realidade espiritual e interior do sacrifício ao Deus invisível.
2) "Alcançou testemunho de que era justo". Caim não era justo; Deus lhe disse que sua oferta somente seria aceitável se fizesse o que era certo (Gn 4.3-7; cf. Pv 15.8). A vida de Caim era espiritualmente e moralmente deficiente, como pode ser visto no subseqüente assassinato de seu irmão. Deus rejeitou a adoração de Caim porque seu coração não era justo. Abel, por outro lado, demonstra a íntima relação entre a retidão e a fé em 10.38. Sua adoração agradou a Deus porque vivia e agia pela fé como um homem justo.
3) Foi mencionado por seu testemunho. Abel morreu como o primeiro mártir profético da história (cf. Lc 11.50,51); seu testemunho duradouro passou por sucessivas gera–ções e continua a falar da vida de fé que agrada a Deus, como um homem fiel que adora a Deus de todo o seu coração.

Enoque (11.5). Considerando que a fé de Abel fala através de um mártir, em Enoque a fé encontra um testemunho duradouro através de um homem que nunca morreu, mas que "foi trasladado para não ver a morte e não foi achado, porque Deus o trasladara". O verbo *metatithemi*, que aparece duas vezes neste verso, significa "transferir" ou "trasladar" de um reino a outro. A trasladação de Enoque diretamente deste mundo para o próximo (sem morrer) o coloca na mesma e singular categoria de Elias, o profeta. A expressão "não foi achado" transmite uma idéia de que seu desaparecimento era verdadeiro "apesar de uma busca completa" (BAG, 1957, 325)".

O mais importante para o nosso autor, porém, não é sua milagrosa trasladação, mas sim ter agradado a Deus como um homem de fé. O texto hebraico de Gênesis, por duas vezes declara que Enoque "andou com Deus", falando de sua íntima comunhão com Jeová. Aqui (como na Septuaginta) é dito que "alcançou testemunho de que agradara a Deus", indicando que sua vida de intimidade espiritual com Deus era especialmente agradável a Ele. É também um indicativo de que esta vida espiritual, que Enoque tinha com Deus, era caracterizada pela fé, pois "sem fé é impossível agradar-lhe [a Deus]" (11.6).

Em 11.6, o autor aplica a todos os seus leitores, o padrão da fé que estava em ação na vida de Enoque. Sem fé, nem Enoque nem nós podemos agradar a Deus. Este verso não diz que sem fé é difícil conhecer e agradar a Deus, e sim que é "impossível" fazê-lo; "porque é necessário que aquele que se aproxima [*proserchomai*; cf. 7.25; 10.22] de Deus" como um adorador (cf. 10.1) demonstre os dois elementos da fé descritos em 11.1.

1) Devemos crer "que ele existe". A fé envolve o que não é diretamente aparente para aos sentidos físicos (Hagner, 1983, 167), isto é, "as coisas que se não vêem" (11.1b). Bruce (1990, 286-287) escreve com uma profunda visão a respeito deste assunto:

> A crença na ordem espiritual invisível envolve, primeiramente e acima de tudo, a crença de que Ele é o "Rei dos séculos, imortal, invisível, o único Deus" (1 Tm 1.17); e a crença em Deus envolve necessariamente a crença em sua Palavra. Não é a convicção na existência de *um*

Deus, mas a crença na existência *do* Deus que uma vez declarou sua vontade aos pais através dos profetas, e nestes últimos dias falou por seu Filho.

2) Devemos crer que Ele "é galardoador dos que o buscam". A fé envolve crer e confiar em Deus de acordo com sua Palavra e promessas, resultando em uma confiança nas "coisas que se esperam" (11.1a). A fé nos habilita a crer que a Palavra de Deus é verdadeira, a desejá-lo e buscá-lo verdadeiramente (ainda que outros não o façam; cf. Sl 53.2), e a manter nosso coração aberto a Ele, esperando humildemente com perseverança a recompensa de nossa fé. A fé nos habilita a crer na bondade do caráter de Deus quando as circunstâncias de nossa vida forem severas e adversas. Quanto mais seguro e íntimo for o nosso relacionamento com Deus, mais forte será nossa fé nEle. A fé opera no relacionamento, e não no vazio. Deste modo, a fé busca a face e a comunhão com Deus, como fez Enoque, até mesmo em uma geração excessivamente corrupta (cf. Jd 14,15). E qual é a recompensa para aqueles que buscam diligentemente a Deus? Como com Enoque, é a alegria de encontrá-lo, conhecê-lo, agradar-lhe e apreciá-lo para sempre.

Noé (11.7). O exemplo de Noé ilustra especialmente a disposição que a fé traz para se crer naquilo que Deus disse, arriscando a reputação e o futuro. "Pela fé", Noé creu na advertência de Deus a respeito "das coisas que ainda não se viam". Quando Deus falou a Noé sobre os eventos futuros, ordenou-lhe que fizesse algo nunca dantes feito, a fim de salvar sua família do julgamento sem precedentes, do dilúvio (cf. Gn 6.13-22).

Neste contexto, o autor menciona quatro realizações da fé de Noé.

1) Creu na mensagem de Deus e, conseqüentemente, "temeu"; e assim construiu a arca. O "temor" aqui representa (a) uma "submissão reverente" a Deus (cf. 5.7, onde a resposta de Jesus ao Pai é descrita) e (b) o temor relativo à Palavra de Deus em relação ao julgamento futuro. A questão da fé obediente e do temor de Noé é demonstrada pela construção da arca.

2) As duas próximas realizações da fé de Noé têm uma dimensão coletiva para eles; a primeira delas se refere à salvação. A fé de Noé era efetiva, não só individualmente, mas também a favor de sua família. Pela fé, Noé creu e agiu de acordo com a advertência de Deus. Ao fazê-lo, sua fé aderiu-se fortemente à realidade da Palavra de Deus, e se tornou "a prova das coisas que se não vêem", e assim salvou sua família.

3) Por outro lado, por sua fé, Noé também "condenou o mundo". Ele é descrito em 2 Pedro 2.5 como um "pregoeiro da justiça", que confrontou sua geração com a mensagem de Deus (cf. Gn 6.9; Ez 14.14,20). Paulo se refere à sua própria vida e testemunho da seguinte maneira: "Porque para Deus somos o bom cheiro de Cristo, nos que se salvam e nos que se perdem. Para estes, certamente, cheiro de morte para morte; mas, para aqueles, cheiro de vida para vida..." (2 Co 2.15,16). Semelhantemente, para aqueles que estavam sendo salvos, a fé de Noé era a salvação e a vida; mas para aqueles que estavam perecendo, sua fé era a condenação e a morte. Porém, quando as águas do dilúvio vieram, foram, para alguns, o meio de salvação (cf. 1 Pe 3.20,21). Mas as mesmas águas eram a condenação da incredulidade do mundo e o meio de sua destruição. Novamente, como em 11.6, a ação de Noé dramatiza os dois elementos da fé em 11.1. Embora ninguém tenha ouvido falar de um dilúvio, e Noé fosse desprezado por seus contemporâneos por manter tal convicção, ele (a) tinha a certeza de que o que Deus havia prometido, aconteceria (11.1a), e (b) estava certo das coisas ainda não vistas (11.1b).

4) A última realização da fé de Noé é que ele "foi feito herdeiro da justiça que é segundo a fé". Noé é o primeiro homem explicitamente chamado de justo no Antigo Testamento. Ele respondeu a Deus com "uma medida completa de fé (Lane, 1991, 340) ao crer naquilo que Deus disse e agindo de acordo". O termo "*herdeiro*" sem o artigo definido é traduzido com mais precisão como "um herdeiro", o que sugere que "aqueles que respondem a Deus com a fé que Noé demonstrou partilharão com ele a justiça que Deus concede às pessoas de fé" (Lane, 1991, 341). Em Hebreus, Jesus, o Filho de Deus, foi constituído por Deus "herdeiro de tudo" (1.2); e nós, que firmemente cremos nEle, somos descritos como os herdeiros da salvação (1.14), das promessas de Deus (6.12,17; cf. 9.15) e da justiça que vem pela fé (11.6).

3.4.2. A Fé do Período Patriarcal (11.8-22).

O período patriarcal do Antigo Testamento se estende de Abraão a José. Abraão é o centro das atenções; somente um verso é dedicado a Isaque (v. 20), Jacó (v. 21) e José (v. 22). Isto é compreensível, já que Abraão, o homem de fé por excelência no Antigo Testamento, desempenha um papel central no princípio da história hebraica e na obra do plano de salvação de Deus. No Novo Testamento, Abraão é mencionado mais extensivamente do que qualquer outra figura do Antigo Testamento (por exemplo, Jo 8.31-58; At 7.2-8,16,17; Rm 4.1-24; Gl 3.6-18,29; Hb 6.12-15; 7.1-10; 11.8-19).

Aqui, em Hebreus 11, três principais episódios da vida de Abraão são mencionados para ilustrar as três importantes facetas de sua jornada de fé.

1) Ao obedecer ao chamado de Deus para partir de Ur dos Caldeus para uma terra prometida desconhecida, Abraão demonstrou *fé no futuro não visto* (11.8-10).
2) Durante os longos anos de espera pelo filho e descendentes prometidos em circunstâncias humanamente impossíveis, Abraão demonstrou *fé na promessa impossível* (11.11,12).
3) Quando Deus pediu que sacrificasse Isaque (seu único filho da promessa), Abraão demonstrou *fé em meio à prova ou ao teste severo* (11.17-19). Além destes modos em que a fé está poderosamente ilustrada, um parêntese em 11.13-16 chama a atenção para uma linha comum de fé que percorre a vida de Abraão e dos outros patriarcas.

1) Abraão demonstrou *fé no futuro não visto*: "Pela fé, Abraão, sendo chamado" por Deus para deixar Ur dos Caldeus, "obedeceu, indo para um lugar que havia de receber por herança; e saiu, sem saber para onde ia" (11.8; cf. Gn 12.1-3; 15.7; At 7.2,3). O chamado de Deus é sempre acompanhado por sua promessa e a fé verdadeira na promessa está sempre unida à obediência

ao chamado (Murray, n.d., 438). O enfoque deste verso está na correlação entre a fé de Abraão e sua pronta resposta de obediência ao chamado. A expressão "sendo chamado" (no particípio presente) indica que obedeceu pela fé mesmo quando estava sendo chamado, isto é, enquanto o chamado "ainda estava soando em seus ouvidos" (Morris, 1981, 118).

O chamado de Abraão envolvia (a) o ato de deixar a segurança do que lhe era conhecido e familiar, e (b) ir em busca da promessa e da herança de Deus apesar de lhe serem desconhecidas (cf. 11.1). Este verso é "uma clássica declaração da obediência à fé" (Morris, 1981, 118), pois Abraão prosseguiu pela fé, e não por aquilo que via. Ele sabia que Deus o estava chamando para ir adiante, mas não sabia para onde o levaria. "Deixar as certezas e sair em busca daquilo que é desconhecido — não contando com nada além da Palavra de Deus — é a essência da fé" (ibid.). Isto é o que o autor de Hebreus quer que seus leitores assimilem: uma vida de fé firme, em que todos se entreguem completamente a Deus, ao seu chamado para uma vida de peregrinação na qual todos o sigam fielmente, e a promessa de Deus envolvendo um futuro e uma esperança por se cumprir — tudo em harmoniosa e feliz obediência.

A fé de Abraão envolvia enfaticamente mais do que seu ato inicial de obediência ao deixar os confortos seguros da influente cidade de Ur. Envolvia também migrar para "a terra prometida" e lá viver em cabanas como um estrangeiro "em terra alheia" (11.9). Lane nota que "o agudo contraste entre '*a terra prometida*' e '*um país estranho*' serve como um alívio por parte do escritor ao retratar a vida instável de Abraão" (1991, 350). Sua nova situação em Canaã exigiu tanta fé como na ocasião em que deixou Ur. Onde quer que Abraão fixasse sua tenda, incorria no estigma de um estranho e um peregrino nômade. Isto exigiu "fé renovada e um compromisso de obediência (Lane, 1991, 350) dia após dia". O fato de Abraão ter morado "em cabanas com Isaque e Jacó" representa um testemunho e o compartilhamento de sua condição de estrangeiros nômades residindo em um país estranho, e sua peregrinação mútua de fé como "herdeiros... da mesma promessa". Pela fé estavam certos da promessa e certos do que ainda não viam (11.1).

No entanto, a maior promessa da qual todos os patriarcas eram herdeiros, não era a Canaã terrestre, mas a transcendente cidade de Deus (11.10). Abraão sabia através da revelação que a terra prometida neste mundo não era o destino final de sua peregrinação de fé. Quando recebeu o chamado de Deus para deixar a cidade de Ur, Abraão recebeu também uma visão de Deus (At 7.2), que pode

Os beduínos nômades vivem em tendas no deserto, assim como fez Abraão depois que Deus lhe disse que deixasse seu lar em Ur, e viajasse mais de mil e seiscentos quilômetros até a "terra de Canaã".

ter incluído uma visão da cidade que tem fundamentos, cujo "artífice e construtor é Deus". Nesse caso, dali por diante, estava ansiosamente almejando a cidade de Deus como sua meta.

A expressão "esperava a cidade..." (literalmente, "ele esperou") é intensa e transmite o sentido de que Abraão "esperou com confiança absoluta" (Spicq, 1952, 2:347). O tempo imperfeito enfatiza "uma expectativa contínua" (Lane, 1991, 344). Esta fé paciente tinha essência e evidência, e deste modo garantia e confiança, que o levava a suportar firmemente o estigma e as inconveniências de viver em cabanas como um residente estrangeiro em um país estranho.

A descrição da cidade como tendo "fundamentos", em contraste com a existência nômade de Abraão vivendo em tendas, fala de uma promessa "bem estruturada" e segura. As fundações da cidade são realmente eternas, uma vez que seu "arquiteto" (isto é, "artífice") e "construtor" (isto é, "criador") é o próprio Deus. Embora alguns poucos intérpretes tenham buscado relacionar esta cidade de Deus à Jerusalém terrestre, que Abraão previu como parte da herança de seus descendentes (cf. Buchanan, 1972, 188-189), o autor de Hebreus, indubitavelmente, tinha em mente a Jerusalém celestial (veja 11.16; 12.22; 13.14; cf. Ap 21.2). Para Abraão, a promessa estava relacionada ao futuro e não era vista no presente; ainda por causa da fé, sua realidade era um fator motivador presente em sua vida até mesmo nas circunstâncias mais tênues. A visão divina o sustentou em sua jornada terrestre porque estava vivendo pela fé, e não pelo que via.

2) Abraão demonstrou *fé na promessa impossível*, isto é, seria o pai de descendentes tão numerosos "como as estrelas do céu, e como a areia inumerável que está na praia do mar" (11.12). Era humanamente impossível que Abraão tivesse filhos por duas razões:

a) Sua esposa, Sara, foi estéril ao longo de toda a sua vida (11.11) e há muito havia "passado da época de gerar filhos" (cf. Gn 15.1-6; 17.15-22; 18.9-15). Ela se aproximava dos noventa anos de idade e assim já não podia mais ter filhos (Gn 18.11). Sara riu incredulamente da profecia de que teria um filho dentro de um ano: "Terei ainda deleite [isto é, prazer sexual e a honra de ter um filho] depois de haver envelhecido, sendo também o meu senhor já velho [impotente]?" (Gn 18.12). Como Lane observa, "o ato de compartilhar de intimidade física aparentemente havia cessado para o casal e a menopausa havia acontecido há muito tempo" (1991, 354).

b) As funções sexuais já haviam cessado no corpo de Abraão. Isto está especialmente indicado pela frase "pelo que também de um, e esse já amortecido..." (Hb 11.12), significando que ele havia perdido sua habilidade física de poder ser pai (cf. Rm 4.19). Somente por um milagre poderiam retomar as relações sexuais. Pela fé Abraão foi habilitado a se tornar pai [*eis katabolen spermatos*, literalmente, depositar o esperma] "porquanto teve por fiel aquele que lho tinha prometido" (11.11). Pela fé Abraão creu que Deus era fiel e, então, seria fiel à sua promessa. Como Peterson observa, "a base de sua confiança era a palavra de Deus e ele confiou que Deus seria fiel à sua palavra" (1994, 1347). Os inumeráveis e incontáveis descendentes no verso 12 são um testemunho do fruto da fé de Abraão.

Abraão é o sujeito do verso 11, na tradução da NVI (e também na TEV e na NRSV), e não Sara, como em algumas traduções (por exemplo, KJV/NKJV, NASB, NEB). Duas considerações de peso sustentam decisivamente a tradução da NVI.

a) A frase *eis katabolen spermatos* no verso 11 é uma linguagem helenista fixa para a função masculina na procriação, e não a habilidade da mulher conceber.

b) O sujeito do verso 12 está intimamente relacionado ao verso 11, já que o pronome "um" (*enos*; "homem" não está no texto grego) e o particípio qualificativo "esse já amortecido..." são ambos do gênero masculino (Lane, 1991, 344) e tem como seu antecedente o sujeito do verso 11. Conseqüentemente, Abraão continua sendo o sujeito contínuo de 11.8-12. A frase "Sara recebeu a virtude de conceber e deu à luz já fora da idade" (11.11), ou como vemos em Gênesis, "Sara foi estéril e não tinha filhos"

(Gn 11.30) é melhor aceita, de acordo com Bruce, "como uma oração circunstancial" (1990, 296; também Attridge, 1989, 325; Lane, 1991, 344; Ellingworth, 1993, 588) que fornece uma evidência adicional da natureza impossível (humanamente falando) da promessa de Deus.

Um particular. Em 11.13-16, o autor, de um bom modo literário, faz uma pausa para resumir o que havia dito sobre a verdadeira natureza da fé, como foi primeiramente descrito em 11.1. A identidade de "todos estes" não é inicialmente especi-ficada, mas a parte posterior do verso os identifica como aqueles que confessaram abertamente (pela maneira que viviam) que "eram estrangeiros e peregrinos na terra" (cf. 1 Pe 2.11, onde a expressão "eram estrangeiros e peregrinos" é uma designação para os cristãos judeus da Diáspora; cf. 1.1). Esta descrição, juntamente com as palavras mencionadas em Hebreus 11.14-16, identifica tais pessoas como Abraão e Sara, além de Isaque e Jacó (cf. 11.9,11).

Embora Deus lhes tivesse prometido um lugar (11.8), permaneceram como peregrinos na "terra da promessa" (11.9), porque sua fé esperava pela promessa maior de uma cidade divina (11.10) e uma pátria (11.16). "O caráter objetivo da promessa (Lane, 1991, 356), pela fé que possuíam, era para eles uma realidade significativa" (11.1). Estavam ainda vivendo conforme o princípio operacional da fé: "Todos estes morreram na fé, sem terem recebido as promessas [a volta de Cristo; cf. 11.39,40], mas, vendo-as [através dos olhos da fé] de longe, e crendo nelas, e abraçando-as [como coisas esperadas], confessaram que eram estrangeiros e peregrinos na terra. Ainda que as promessas tivessem sido adiadas, não obstante, sua realização era certa e então podiam ser aceitas a partir de uma distância temporal. Isto ilustra vivamente a declaração sobre a fé em 11.1.

A frase de abertura no verso 14 muda para o tempo presente: "os que isso dizem claramente mostram..." O autor deseja que a confissão de 11.13c seja o testemunho e a experiência de seus leitores. Eles podem viver como "estrangeiros e peregrinos" (11.13c) neste mundo porque "buscam [desejam, esperam] uma pátria" que lhes pertença. Seu maior desejo não é materialista ou nacionalista (isto é, mundano); ao contrário, consiste em uma pátria espiritual idêntica à "cidade que tem fundamentos" eternos em 11.10, e uma "pátria melhor — celestial" em 11.16. Bruce escreve que "o progresso de sua peregrinação" por este mundo tinha como meta um lar em outro lugar. Canaã não era mais sua casa porque buscavam o país que seus corações desejavam; um lugar superior ao deserto que era a casa de seus descendentes nos dias de Moisés, que viajaram do Egito até Canaã" (1990, 298-299).

Se o desejo do patriarca quanto a um país fosse a terra de seus antepassados na Mesopotâmia, sua vida nômade e instável em Canaã teria lhe dado razões suficientes para que retornassem (11.15). "Se seus corações estivessem no país que deixaram" (conforme a tradução da NEB), poderiam ter voltado. Porém, sua fé em Deus e em suas promessas excluiu a possibilidade e anulou o desejo natural de retornarem à sua antiga "pátria". Quando Abraão buscou obter uma noiva para seu filho Isaque, queria que ela fosse de sua antiga pátria. Mas nem ele nem Isaque retornaram para lá. Antes, Abraão enviou um de seus servos para fazer a viagem, instruindo-o: "Guarda-te, que não faças lá tornar o meu filho" (Gn 24.6). Semelhantemente, embora Jacó tivesse retornado para lá ao fugir da ira de seu irmão Esaú, e tivesse igualmente obtido ali uma esposa (duas, na verdade), considerou que Canaã era seu "lugar" (Hb 11.8), não a Mesopotâmia. Além disso, ouviu Deus dizer: "Torna à terra dos teus pais e à tua parentela, e eu serei contigo" (Gn 31.3). Foi em Canaã, não na Mesopotâmia, onde Sara, Abraão, Isaque, Jacó e José escolheram ser enterrados.

Todas estas pessoas sinceramente creram na palavra da promessa de Deus. Se tivessem suas mentes e seus corações voltados para as coisas materiais e terrenas, voltariam para a Mesopotâmia. Mas a fé é o oposto do recuo (cf. 10.38). A fé firme dos patriarcas os levou adiante "em grande contraste com a geração que peregrinou pelo deserto e fracassou ao compartilhar do descanso de Deus (4.6), desejando retornar ao Egito" (Hagner, 1983, 177). Os patriarcas "simplesmente... caminharam no caminho da fé" (Morris, 1981, 121) e puseram seus corações na peregrinação (cf. Sl 84.5-7).

"Mas, agora" (11.16) ao invés de regular suas vidas pelos desejos naturais da razão humana, como retornar à tranqüilidade da "boa vida" na Mesopotâmia, a vida dos patriarcas era regulada pela fé e pela visão de uma "pátria melhor". A palavra "melhor" (usada treze vezes em Hebreus) normalmente descreve a superioridade das promessas cumpridas em Cristo em relação às limitadas promessas da antiga aliança. Aqui, esta palavra é usada como um sinônimo de "celestial", isto é a transcendente e eterna cidade, o país fundado por Deus, que aguarda aqueles que colocam sua fé e confiança nEle (cf. 12.22; 1 Co 2.9; Ap 21.1–22.6). Como peregrinos da fé, os patriarcas fixaram seus olhos, assim como devemos fazer, "não atentando... nas coisas que se vêem, mas nas que se não vêem; porque as que se vêem são temporais, e as que se não vêem são eternas" (2 Co 4.18).

No contexto da profecia de Deus contra a casa de Eli, Deus declara: "Aos que me honram honrarei, porém os que me desprezam serão envilecidos" (1 Sm 2.30). Os patriarcas honraram a Deus por sua fé firme, e Ele os honrou não se envergonhando de declarar-se "seu Deus" (11.16b) — "o Deus de Abraão, o Deus de Isaque e o Deus de Jacó" (Êx 3.6,15,16, etc.). Bruce observa: "Que honra maior do que esta poderia ser dada a um mortal? Estes três patriarcas não eram perfeitos, mas Deus não se envergonha de ser chamado seu Deus, porque eles seguiram a sua palavra". Bruce acrescenta que, embora a conduta de Jacó algumas vezes tenha sido a menos exemplar da dos três, "Deus é muito mais freqüentemente chamado de 'o Deus de Jacó', na Bíblia Sagrada, do que o Deus de Abraão ou de Isaque. A despeito de todas as suas negligências, Jacó conhecia o verdadeiro sentido dos valores espirituais que se originavam de sua fé em Deus" (1990, 300).

Quando se referia à designação de Deus como o Deus dos patriarcas de Êxodo 3.6, Jesus acrescentou: "Deus não é Deus dos mortos, mas dos vivos" (Mt 22.32). As palavras de Jesus, como as da passagem presente, apontam para o fato de que os patriarcas (como outros homens e mulheres de fé, que viveram antes de Cristo) compartilharão "a mesma herança de glória que está prometida aos que crêem em Cristo nos tempos do Novo Testamento" (Bruce, 1990, 301). Ele "já lhes preparou uma cidade" (Hb 11.16c). A cidade de Deus está especificamente preparada para os justos, como os patriarcas que viveram pela fé (10.38) como "estrangeiros e peregrinos na terra" (cf. 11.8-10,13), e que enxergaram além das circunstâncias presentes o futuro prometido por Deus.

3) Tendo concluído seus comentários sobre a linha comum de fé dos patriarcas (11.13-16), o autor retorna ao exemplo supremo da fé de Abraão (1.17-19). A expressão recorrente "pela fé" (*pistei*) introduz a terceira principal demonstração da fé de Abraão; *fé em meio à prova ou ao teste severo*, quando Abraão foi chamado para sacrificar seu filho Isaque (cf. também Tiago 2.21-23). "Deus provou" Abraão (Hb 11.17a) em seus valores mais estimados na vida.

A prova foi um forte desafio à fé de Abraão em pelo menos três áreas.

a) Testou a fé de Abraão em Deus e seu relacionamento com Ele. Seria possível confiar em Deus mesmo após ter recebido uma ordem como esta? Pode-se confiar no caráter de Deus em circunstâncias humanas, quando estas aparentemente não fazem sentido? A conclusão de Abraão foi: "Sim, Deus é digno de absoluta confiança". Ele escolheu confiar em Deus de coração em vez de restringir sua resposta à razão (cf. Pv 3.5,6). Escolheu crer que o amor de Deus é imutável e que a sabedoria de Deus é infinitamente maior que a sua própria e limitada compreensão. Somente quando definimos a questão da probidade de Deus é que podemos crer que Deus é *sempre* bom e perfeito, e que age da melhor maneira a nosso favor (cf. Rm 12.2).

b) O pedido de Deus também provou a fé de Abraão em relação à sua afeição natural e ao amor por seu "único" (*monogenes*) filho (11.17b). A palavra grega *monogenes* significa literalmente "único" ou "sem igual". Abraão e Sara em sua velhice tinham em seus corações um afeto especial por Isaque, o "filho do milagre" ou "filho da promessa". Isaque tem um lugar sem igual na história da salvação. Ele era o "único" filho de Sara e Abraão, o "único" filho da promessa, e, portanto, aquele que era verdadeiramente "sem igual e insubstituível" (Bruce, 1990, 303).

c) O pedido de Deus provou a inabalável fé de Abraão na promessa de Deus, de uma posteridade inumerável e incontável através de Isaque (cf. 11.12; Gn 15.2-6). Como poderia a promessa de Deus — de que "em Isaque" seria chamada a descendência de Abraão (Hb 11.18) — ser reconciliada com a ordem de Deus para sacrificá-lo? Se considerarmos os dois pronunciamentos de Deus isoladamente em relação à fé, pareceriam totalmente contraditórios, com o segundo anulando o primeiro. Mas Abraão cria que Deus tinha um propósito e cumpriria sua promessa ainda que não pudesse explicar como. Isto era o mesmo que colocar a fé no fogo para que fosse refinada como o ouro, e assim se tornasse completa (cf. Tg 2.22; 1 Pe 1.7). A prova da fé torna possível o seu amadurecimento; uma fé não provada não pode ser completa, madura.

Existe uma progressão discernível na fé de Abraão em sua jornada rumo à maturidade. Quando Abraão pela fé obedeceu ao chamado de Deus para deixar Ur dos Caldeus, renunciou o seu passado. Quando teve de esperar ano após ano — em um total de vinte e cinco anos, "em esperança... contra a esperança" (Rm 4.18, NASB) — por um filho humanamente impossível, renunciou o seu presente. Mas quando Deus lhe pediu que sacrificasse seu filho, o filho da promessa, também teve de renunciar o seu futuro. A fé que é completa "é capaz de renunciar até mesmo às promessas de Deus, para que o cumprimento destas aconteça de acordo com a sua vontade" (*FLSB*, nota sobre 11.13).

Pela fé, Abraão aceitou aquilo que não podia compreender, baseado na integridade de Deus e na confiabilidade de sua palavra. A medida da entrega que Abraão fez de seu futuro é indicada pelas duas ocorrências do verbo *prosphero* no verso 17, traduzido como "ofereceu" (em 11.17a, b). "Ofereceu" é o tempo perfeito de *prosphero*, indicando uma ação completada. Morris observa que "da parte de Abraão o sacrifício estava completo. Em sua vontade e intenção, ele ofereceu o seu filho. Não reteve nada consigo" (1981, 122). A segunda ocorrência de *prosphero* está, em muitas traduções, no tempo imperfeito, indicando que a ação foi interrompida durante o processo, e não se consumou porque Deus interveio a tempo de salvar a vida de Isaque. Quando entregamos completamente os nossos tesouros futuros a Deus, Ele freqüentemente os devolve de maneiras inesperadas. Pedro lembra aos cristãos que no final da jornada, depois que a fé é aprovada como "genuína", resultará "em louvor, e honra, e glória na revelação de Jesus Cristo" (1 Pe 1.7).

O conflito entre a confiança inabalável de Abraão na integridade de Deus e em sua palavra, por um lado, e sua obediência fiel à ordem de Deus para sacrificar Isaque, por outro, encontrou a resolução em seu coração, colocando toda sua confiança no poder de Deus para levantar seu filho dos mortos (11.19). Abraão "considerou [isto é, contou como verdade] que Deus era poderoso para até dos mortos o ressuscitar" (11.19a). A confiança que Abraão tinha no poder de Deus para ressuscitar os mortos era revelação e fé. Deste modo, quando chegou ao Monte Moriá, onde o sacrifício de Isaque deveria acontecer, Abraão instruiu seus servos a ficarem com o jumento e acrescentou: "Eu e o moço iremos até ali; e, havendo adorado, tornaremos a vós" (Gn 22.5). Abraão realmente esperava ter de sacrificar Isaque, como Deus havia ordenado, e então voltaria com Isaque ressuscitado dos mortos, já que o cumprimento das promessas feitas por Deus dependia da sobrevivência de Isaque.

A integridade e o poder de Deus eram a fonte da segurança e da certeza de Abraão. O autor de Hebreus acrescenta que pela fé Abraão recobrou, "de modo figurado [*en parabole*], Isaque de volta da morte" (11.19b). *Parabole significa* parábola; Lane (como outros) acredita que a expressão *en parabole* aqui signifique "em um pressagio" (1991, 362-363). Este incidente com Isaque estava oculto por um "pressagio" ou uma pré-figura do sacrifício e da ressurreição de Jesus, que é o único Filho de Deus. Bruce acrescenta (1990, 304,305) que é provável que este episódio estivesse relacionado a Jesus, pois Ele mesmo disse: "Abraão, vosso pai, exultou por ver o meu dia, e viu-o, e alegrou-se" (Jo 8.56).

Isaque, Jacó e José eram detentores da mesma aliança de Abraão. Além disso, demonstraram, como Abraão, "a perspectiva visionária da fé (Lane, 1991, 364), que os capacitou a enxergar, além dos limites de suas próprias vidas, as promessas de Deus que ainda estavam reservadas para o futuro (11.1). Quando os patriarcas agonizantes abençoavam seus filhos (e netos), revelavam sua firmeza, sua fé em Deus e no cumprimento futuro de suas promessas. Lane observa que "embora todos tenham morrido sem ter experimentado o cumprimento das promessas, 'viram' seu cumprimento com os olhos da fé e as saudaram de longe" (1991, 364).

Isaque. "Pela fé, Isaque abençoou Jacó e Esaú, no tocante às coisas futuras" (11.20). Três coisas são notáveis aqui.

1) A bênção de Jacó estava diretamente ligada às promessas da aliança de Deus com Abraão. Quando Isaque abençoou Jacó, as promessas relativas ao futuro, que haviam sido transmitidas por Abraão a Isaque, passaram a ter efeito na vida de Jacó. Deste modo, a herança espiritual de Abraão passou para a quarta e quinta geração.

2) A ordem da bênção foi primeiro Jacó, depois Esaú. Isto era contrário à preferência natural de Isaque por seu primogênito. Não obstante, pela fé Isaque pronunciou as bênçãos prometidas a Abraão primeiramente sobre Jacó, o filho mais jovem, de acordo com a própria escolha de Deus. Isaque também deu a Esaú a bênção relativa ao futuro, embora não se tratasse daquela que estava ligada à promessa de Abraão.

3) A bênção de Isaque "no tocante às coisas futuras" não era sobre um futuro desconhecido, mas sobre um futuro ainda não visto (Lane, 1991, 364).

Jacó. "Pela fé, Jacó, próximo da morte", expressou a fé relativa ao futuro (da mesma forma que Isaque) quando "abençoou cada um dos filhos de José" (11.21). Como Isaque, Jacó abençoou Efraim e Manassés em ordem inversa ao nascimento; mas diferentemente de Isaque, Jacó deu deliberadamente a bênção maior ao filho mais jovem por entender que esta era a escolha de Deus (cf. Gn 48.8-20). Creu que as promessas de Deus seriam cumpridas de acordo com o propósito e o tempo de Deus. Jacó, adorando a Deus "encostado à ponta do seu bordão" em sua velhice sofrida, porém não amarga, abençoando seus filhos e netos, é um retrato de fé e submissão aos caminhos de Deus. Lane acrescenta: "O ato final da adoração de Jacó, apoiando-se em seu bordão, é característico de alguém que viveu sua vida como um estrangeiro e peregrino" (1991, 365).

José. Existiram muitos incidentes e momentos na vida de José que poderiam ter sido selecionados para ilustrar sua fé. Mas novamente nosso autor escolheu um incidente próximo de sua morte, que revelou "a mesma fé firme no cumprimento das promessas de Deus" (Bruce, 1990, 306) e a certeza das "coisas por vir" que caracterizou os seus antepassados. "Pela fé, José... fez menção da [futura] saída dos filhos de Israel" do Egito (11.22) — uma promessa que Deus havia feito a Abraão antes do nascimento de seu filho prometido, e muitos anos antes de seus descendentes irem para o Egito, durante um tempo de escassez (Gn 15.12-16). José teve de acreditar que seus descendentes um dia partiriam do Egito e retornariam à terra prometida.

Embora José tivesse vivido toda a sua vida adulta no Egito, e tivesse alcançado uma posição de grande proeminência e honra, não obstante — "por meio da visão de futuro que é conferida pela fé" (Lane, 1991, 366) e com total confiança sobre os eventos "ainda não vistos" — ele "deu ordem" (cf. Gn 50.24,25) de que seus ossos fossem enterrados, não no Egito, mas em Canaã, a terra da promessa de

Deus a Abraão, Isaque e Jacó. A fé de José provou ser justificada, assim como a partida de Israel do Egito talvez tenha se tornado o evento mais significativo em toda a história da salvação antes da vinda de Cristo. Quando o Êxodo aconteceu, séculos mais tarde, o esquife e o corpo embalsamado de José foram levados do Egito (Êx 13.19), assim como ele havia pedido, pela fé. Quando os israelitas se fixaram em Canaã, depois do Êxodo e da conquista, seus restos mortais foram enterrados em Siquém (Js 24.32).

3.4.3. A Fé durante a Era do Êxodo (11.23-29).
O terceiro segmento da história do Antigo Testamento mencionado neste capítulo fala de Moisés e do Êxodo. Moisés, como um homem de fé, é altamente honrado tanto no judaísmo como no cristianismo. Porém, Morris assinala que entre os dois há uma diferença fundamental de perspectiva a respeito do lugar que Moisés tem na história. "Os judeus tendem a colocar Moisés em um nível mais elevado, e consideram Abraão como alguém que guardou a lei antes de Moisés; os cristãos, por sua vez, com sua ênfase na fé, preferem colocar Abraão em uma posição mais exaltada em relação a Moisés, vendo este último como alguém que seguiu os passos da fé de Abraão" (1981, 125). Deste modo, não é surpreendente que Hebreus 11 dedique doze versos a Abraão como um exemplo de fé, e a metade deste número a Moisés. Porém não é surpreendente que a fé de Moisés seja mais extensamente discutida do que a de Isaque, Jacó e José combinadas.

O verso 23 revela que a fé de Moisés teve início com seus corajosos pais. A vida de Moisés foi poupada quando criança por causa da fé de seus pais, que o esconderam por três meses depois de seu nascimento, desafiando a ordem de Faraó de matar todos os bebês hebreus do sexo masculino que nascessem (cf. Êx 1.22). Às custas de grande risco pessoal, seus pais confiaram no livramento que Deus lhes daria.

O autor cita duas explicações para o ato de fé dos pais de Moisés.
1) Eles o esconderam "porque viram que era um menino formoso [*asteion*]" (11.23b).

Asteios significa literalmente "bonito" ou "notavelmente atraente". Estevão (At 7.20) declara que o pequeno Moisés era "mui formoso [*asteios*]" aos olhos de Deus. Estas duas passagens indicam que Moisés, mesmo sendo uma criança, tinha algum tipo de favor eletivo discernível relativo aos propósitos de Deus ainda não vistos por Israel. Pelo fato de os pais de Moisés terem sentido algo a respeito do futuro do menino, arriscaram suas próprias vidas para preservar sua vida e o propósito vocacional de Deus para ele (Lane, 1991, 370). De acordo com Josefo, Deus concedeu uma revelação a este respeito ao pai de Moisés, Anrão, em uma visão noturna (*Antiquities*, 2.210-216).

2) Os pais de Moisés "não temeram o mandamento do rei" (11.23c). Se sua desobediência ao decreto de Faraó tivesse sido descoberta, a penalidade seria severa sob aquele déspota. Não obstante, ao invés de temer o Faraó, confiaram suas vidas a Deus (cf. Êx 1.17-21). Sua fé no poder que Deus tem para realizar seus soberanos propósitos deu-lhes a coragem para agir justamente contra o decreto do rei. Os pais de Moisés são um nobre exemplo da capacidade que a fé tem de superar o medo.

Moisés "sendo já grande" demonstrou muita fé, através de suas próprias escolhas morais (11.24,25). Para ele, como para nós, as escolhas corretas envolvem tanto decisões negativas quanto positivas. Negativamente, ele "recusou ser chamado filho da filha de Faraó" (11.24b). O tempo do verbo "recusar" indica um ato específico de escolha (Guthrie, 1983, 239). Esta não era a decisão de um adolescente rebelde ou uma decisão tomada impulsivamente da qual Moisés se arrependeria mais tarde. Sabia exatamente o que estava fazendo. Indubi–tavelmente, o futuro líder de Israel ponderou profundamente sobre a política opressiva de Faraó contra o povo hebreu e acreditou fortemente que era moralmente errada. Entendeu que sua posição e poder privilegiados na aristocracia egípcia como o filho adotivo da filha do Faraó estava em jogo. Como um ato de fé e boa consciência, Moisés desistiu decisivamente de tudo para ser identificado com seu próprio povo oprimido. Pelos padrões do mundo esta decisão seria "um ato de loucura" (Bruce, 1990, 310). Mas como Estevão indica em Atos 7.25, a fé de Moisés incluía uma firme convicção de que Deus o estava chamando para resgatar seu povo.

Moisés não só tomou uma decisão negativa difícil, como também fez uma escolha positiva difícil. Enfrentou duas alternativas: "Ser maltratado com o povo de Deus" ou "ter o gozo do pecado" (embora passageiro) (Hb 11.25). Pela fé, escolheu o primeiro e não o segundo. A expressão "maltratado com" sugere estar intimamente ligada ao sofrimento, "uma solidariedade no sofrimento" (Guthrie, 1983, 239). O conforto e a segurança luxuosa de viver nas cortes reais e regozijar-se, enquanto seu povo estava sendo maltratado como escravo e oprimido pela mesma realeza, eram pecados para Moisés. Considerou que continuar em sua privilegiada posição aristocrática como um herdeiro real depois de ter "visto o caminho do dever diante de si, teria sido pecado — o pecado do coroamento da apostasia contra o qual os destinatários desta carta precisavam ser insistentemente advertidos" (Bruce, 1990, 310-311). Moisés pesou os assuntos cuidadosamente, e então tomou uma decisão pela fé, fazendo o que sabia ser certo.

Diferentemente de Esaú, que trocou o bem futuro pelo prazer momentâneo presente, Moisés negociou o prazer momentâneo pelo bem futuro, que seria permanente (11.26). Ele pôde fazer tal escolha por duas razões.

1) Era um homem de valores espirituais: teve por maiores riquezas, o "vitupério de Cristo"; ou seja, considerou-o como mais valioso do que toda a riqueza material do Egito. A identificação do sofrimento de Moisés com o de Cristo não é arbitrária se lermos sua história sob a perspectiva do Novo Testamento. Existem vários caminhos possíveis para entender isto.

a) O estigma ou a reprovação que vieram a Moisés por identificar-se com o sofrimento do povo de Deus, é a mesma reprovação que Cristo recebeu posteriormente; deste modo, esta foi uma identificação com Cristo (DeAngelo, citado em Lane, 1991, 373).

b) O Cristo eterno é, de algum modo, identificado com o sofrimento do povo de Deus nos tempos do Antigo Testamento; deste modo, quando Moisés sofreu, ele o fez com Cristo (Morris, 1981, 126).

c) Moisés escolheu sofrer a reprovação que necessariamente acompanha "o ungido" — isto é, qualquer ungido que é enviado por Deus (Hawthorne, 1986, 1528).

d) Devido aos tipos e sombras de Hebreus, a disposição que Moisés demonstrou para com o sofrimento por amor ao avanço do plano redentor de Deus também foi por amor a Cristo, pois todo o sofrimento redentor era parte da missão de Cristo, que realizou o plano da salvação. De qualquer forma, o ponto principal aqui é claro: o triunfo dos valores da fé sobre o materialismo mundano.

2) Moisés era um homem de visão profética: Ele "tinha em vista a recompensa [ainda não vista]". Cria confiantemente que Deus existe e "é galardoador dos que o buscam" (11.6). Se a recompensa que Moisés estava antecipando era a poderosa libertação que Deus daria aos hebreus no Egito, ou uma recompensa eterna transcendente a ser dada posteriormente por Deus, pela fé o patriarca estava certo daquilo que esperava e certo daquilo que havia visto (11.1). Desviou-se do presente temporal, material, e dos prazeres sensuais do Egito e olhou para a duradoura recompensa espiritual de Deus, ainda não vista. Os crentes a quem a Carta aos Hebreus foi endereçada podiam identificar a experiência do sofrimento de Moisés e suas difíceis escolhas porque experimentaram sofrimentos semelhantes por causa de Cristo e estavam presentemente enfrentando algumas escolhas difíceis que exigiriam uma grande fé, como a de Moisés.

Pela fé, Moisés "deixou o Egito, não temendo a ira do rei" (11.27). Deixou o Egito em duas ocasiões — quando fugiu para Midiã depois de matar um opressor egípcio (Êx 2.11-15), e quando liderou os israelitas no Êxodo. A maioria dos intérpretes contemporâneos acredita que a referência aqui é à primeira partida (por exemplo, Bruce, 1990, 312; Attridge, 1989,

342; Lane, 1991, 374; Ellingworth, 1993, 615). Alguns intérpretes, porém, acreditam que a referência que está sendo feita aqui é à partida do Êxodo (por exemplo, Westcott, 1889/1980, 373; Montefiore, 1964, 204; Spicq, 1952, 2:359; Hagner, 1983, 183). Porém é mais provável que a seqüência dos versos 27-29 seja cronológica: Moisés deixou o Egito e foi para o deserto de Midiã (11.27); quando retornou, guardou a primeira Páscoa (11.28); posteriormente, liderou o Êxodo de Israel do Egito através do Mar Vermelho (11.29).

A passagem em 11.27 declara que Moisés não temia a ira do rei. Considerando a passagem em Êxodo 2.14,15 nota-se que depois de matar o egípcio Moisés teve medo, fugindo assim para Midiã. Bruce (1990, 313) acredita que não exista nenhuma contradição, já que o medo de Moisés era que sua ação violenta se tornasse de conhecimento público, e a sua fuga não está ligada à passagem em Êxodo 2.14:

> Seguramente tinha medo, mas não foi por isso que deixou o Egito; foi por um ato de fé. "Pela fé, deixou o Egito, não temendo a ira do rei". Por seu impulsivo ato de violência, Moisés tornou-se um homem mal visto pela corte egípcia; porém, poderia ter, naquele episódio, feito com que uma revolta de escravos eclodisse. Mas pela fé não tomou nenhuma atitude deste tipo; "teve a perspicácia para enxergar que a hora de Deus ainda não havia chegado, e então virou resolutamente as suas costas ao caminho que havia começado a trilhar, e planejou novamente os seus passos até entrar pelo caminho mais difícil. Era mais difícil viver por seu povo do que morrer por ele" (Peake).

Moisés não temia a ira de Faraó "porque ficou firme, como vendo o invisível" (11.27). Talvez Moisés tenha tido um sonho ou visão profética na qual pode ter visto a Deus, sendo assim fortalecido e dirigido ao próximo passo (cf. Mt 1.20,21; 2.13,14). Porém é mais provável que o ato de ver "o invisível se refira à visão vitalícia que Moisés teve de Deus", e aí estivesse guardado o segredo de sua fé e perseverança (Bruce, 1990, 314). Lane observa uma chave para entender a parte posterior do verso 27, isto é, na expressão verbal utilizada existe um significado fixo na linguagem helenística que deve ser entendido como: "ele continuou a ver continuamente" (1991, 375). A ênfase aqui não está na perseverança, mas no ato de ver continuamente o Deus invisível (BAGD, 405). A realidade do não visto é o ponto mais importante da fé em Hebreus 11, como é evidente na lista a seguir:

Verso 1 — Esperamos pelo que não vemos.
Verso 3 — Aquilo que se vê não foi feito do que é aparente (ou visível).
Verso 6 — Deus existe e é galardoador.
Verso 7 — "Coisas que ainda não se viam".
Verso 8 — Não sabia para onde estava indo.
Verso 10 — Esperava ansiosamente "a cidade que tem fundamentos".
Verso 13 — "Vendo-as de longe [as promessas], e crendo nelas, e abraçando-as".
Verso 14 — "Buscam uma pátria".
Verso 16 — "Desejam uma [pátria] melhor".
Verso 22 — "José... fez menção da saída dos filhos de Israel" do Egito.
Verso 26 — "Tinha em vista a recompensa".
Verso 27 — "Vendo o invisível".

Além destas referências explícitas, ao longo deste capítulo, os heróis da fé agiram como tais por causa de sua plena confiança e convicção na realidade não vista de Deus e suas promessas (Hagner, 1983, 169).

Foi também "pela fé" que Moisés "celebrou [instituiu] a Páscoa" (11.8), com atenção cuidadosa a todas as detalhadas instruções dadas por Deus (cf. Êx 11.1–12.28). Uma especial menção é feita aqui sobre "a aspersão do sangue". O sangue do cordeiro pascal foi aplicado em cima e nas laterais dos batentes das portas de cada casa, usando um galho de hissopo (Êx 12.22). Onde quer que o sangue do cordeiro fosse aspergido, o anjo da destruição ignoraria a casa e não tocaria os primogênitos dos israelitas. Pela fé, Moisés e os israelitas (seguindo seu exemplo) concordaram com a diretriz de Deus, poupando deste modo seus primogênitos e seu gado da praga da morte, que assolou as casas egípcias (cf. Êx 11.4,5; 12.12,27,29,30).

Finalmente, foi a fé de Moisés que inspirou o povo de Deus de forma que "passaram o Mar Vermelho, como por terra seca" (Hb 11.29). Agiram "pela fé", especificamente de acordo com a ordem de seguir adiante que fôra dada por Deus a Moisés (Êx 14.15). Como em nossa salvação, os israelitas tinham a responsabilidade de tomar posse da libertação que lhes estava sendo dada por Deus, através de sua resposta em fé. Isto é, a fé de Moisés e do povo tornou possível a impossível travessia do mar como pelo leito de um rio seco. Os egípcios, que não tinham fé, tentaram seguir os israelitas na travessia, e "se afogaram". Seu destino revela que a fé de Moisés e dos israelitas tinha essência e era real a ponto de fazê-lo. Este episódio também revela que Deus é tremendo em seu poder e forte para livrar aqueles que demonstram ter fé nEle. Os eventos do Êxodo — a ação redentora central de Deus no Antigo Testamento — eram bênçãos alcançadas por meio da fé.

3.4.4. A Fé durante a Conquista (11.30,31).

No capítulo 3, o autor mencionou a incredulidade e a infidelidade da geração que peregrinou no deserto. Não é de admirar, portanto, que não exista nenhuma menção dela neste capítulo, após a milagrosa travessia do Mar Vermelho. Os testemunhos de fé resumem-se à entrada na terra prometida e à queda dos muros de Jericó.

A omissão do nome de Josué como um herói da fé em 11.30 é surpreendente, embora seja mencionado em 4.8, e sua fé esteja implícita em 4.2. Certamente foi a fé de Josué em Jericó, como a fé de Moisés no Mar Vermelho, que tornou possível o triunfo coletivo da fé. Josué creu e implementou as instruções que lhe foram dadas pelo chefe angelical do exército do Senhor (Js 5.14). Mas a queda dos muros de Jericó também envolvia a fé do povo. Lane habilmente declara: "A fé, nesta situação, consistia na prontidão para agir conforme a ordem de Deus. Foi expressa por Josué, pelos sacerdotes, e pela companhia de homens de guerra" (1991, 378), como também por aqueles que rodearam os muros de Jericó "durante sete dias".

Somente a fé poderia ver a cidade sendo conquistada desta maneira. De modo natural, como Bruce observa, "nada poderia parecer mais tolo do que homens crescidos marchando ao redor de uma fortaleza por sete dias seguidos, liderados por sete sacerdotes soprando chifres de carneiros. Quem já ouviu falar de uma fortaleza sendo tomada deste modo?" (1990, 317). Não obstante, no sétimo dia, quando Josué e os israelitas rodearam a cidade sete vezes e os chifres de carneiros soaram, o povo, conforme a instrução, "Gritou... e o muro caiu abaixo [como um ato direto de Deus], e o povo subiu à cidade... e tomaram a cidade" (Js 6.20). Este tipo de fé ainda é relevante em nossos dias? Bruce responde: "É por esta mesma fé que outras fortalezas como Jericó, tanto grandes como pequenas, ainda podem ser subvertidas" (1990, 317). É "pela fé" que tomamos parte da guerra espiritual para conquistar fortalezas (2 Co 10.4), a fim de estender o reino de Deus e possuir o que Ele prometeu.

Pela fé, Raabe, a meretriz, e sua família foram poupadas durante a destruição de Jericó (11.31; cf. Js 6.23). Com exceção de Sara (Hb 11.11), Raabe é a única mulher mencionada pelo nome, na lista dos heróis da fé em Hebreus 11. Sua fé é revelada por ter acolhido e ocultado dois espias enviados por Josué a Jericó antes da conquista. É também evidente em sua confissão — "Bem sei que o Senhor vos deu esta terra" (Js 2.9) — uma fé baseada naquilo que ouviu e creu sobre o relatório do milagroso Êxodo de Israel do Egito, e das vitórias de Israel a leste do Jordão, antes de rodearem Jericó (2.10-13). "Pela fé" ela creu que o Deus de Israel era o Deus do céu e da terra (2.11).

Além disso, Raabe demonstrou sua fé (cf. Tg 2.25) arriscando o "presente por causa da preservação futura (Lane, 1991, 379; cf. Js 2.12-16). Deste modo, quando Jericó foi conquistada e seus habitantes destruídos, Raabe "não pereceu com os incrédulos" (isto é, os desobedientes da cidade). "Desobediência" e "incredulidade" são sinônimos em Hebreus (cf. Hb 3.18,19; 4.6). Raabe foi poupada — uma mulher gentílica, prostituta secular, pecadora contumaz — este é um clássico exemplo, no Antigo Testamento, de uma pessoa que, pelo fato de Deus ser rico em misericórdia e abundante em graça, é salva pela graça através da fé (cf. Ef 2.3-9).

3.4.5. A Fé desde o Tempo dos Juízes, do Reino de Davi, e posteriormente (11.32-38). Até este ponto o autor expôs exemplos do Antigo Testamento falando da fé de Abel até a conquista (11.4-31). A conquista da terra prometida, porém, marcou somente o início dos grandes testemunhos de fé na subseqüente história de Israel. Sabendo que o tempo e o espaço não o permitiriam continuar escrevendo com tais detalhes (11.32a), o escritor prossegue dando uma amostra aleatória de seis nomes do Antigo Testamento em uma rápida sucessão (11.32). Então, conclui a narrativa com um resumo geral das proezas da fé dos juízes, reis, profetas, exilados, e mártires (11.33-38), que "estão profundamente gravadas nos anais da história de Israel" (Hawthorne, 1986, 1528).

Quatro dos seis nomes listados no verso 32 como exemplos de fé são do tempo dos juízes: Gideão (Jz 6.11–8.32), Baraque (Jz 4.6–5.31), Sansão (Jz 13.2–16.31) e Jefté (Jz 11.1–12.7). Dois fatos sobre estes homens são notáveis:
1) `Não há nenhuma razão aparente para que os primeiros dois e os últimos dois homens sejam mencionados em ordem inversa ao seu aparecimento no Antigo Testamento (como indicam as referências acima).
2) Embora o Antigo Testamento revele que todos os quatro homens demonstraram deficiências de um ou outro tipo, evidenciaram, em sua aguçada consciência, que tinham fé na realidade do Deus invisível e lutaram contra tudo aquilo que se opunha a este surpreendente conhecimento. O que Deus aprova não é o perfeccionismo (isto é, a ausência de defeitos), mas a fé.

As últimas duas pessoas mencionadas em 11.32, Davi (1 Sm 16; 2 Sm 24) e Samuel (1 Sm 1-15), não nos surpreendem. As grandes proezas de Davi quando jovem (matando um leão, um urso e Golias) e como o segundo e maior rei de Israel, seguramente, o colocam na galeria dos heróis da fé. Igualmente, Samuel serviu a Deus e a Israel valorosamente desde sua mocidade até a velhice como um homem de fé, um intercessor e um profeta fiel. Lane habilmente observa que a longa vida de Samuel era distinta pela integridade e intensidade de uma fé ativa" (1991, 385). Porém, eles também são surpreendentemente mencionados em ordem inversa ao seu aparecimento no Antigo Testamento. O propósito desta reversão pode ter sido ligar Samuel de modo mais próximo aos "profetas" no final do verso 32, uma vez que ele representava o início formal da longa linha de "sucessão profética" na história subseqüente do Antigo Testamento (cf. At 3.24; Bruce, 1990, 320).

A mera menção dos "profetas" (que inclui não só aqueles que escreveram os livros proféticos do Antigo Testamento, mas também profetas que não escreveram, como Elias e Eliseu) era suficiente para "evocar uma impressão clara de homens que eram exemplares na fé para a sua própria geração. A fé fazia parte de suas palavras e de suas ações" (Lane, 1991, 385).

Em 11.33 a frase característica "pela fé" agora é mudada para "os quais, pela fé" ou "por meio da fé" (*dia pisteos*), e o autor passa da descrição da fé de indivíduos específicos para um recital resumido de realizações da fé por parte dos santos da antiga aliança, em geral. As curtas orações descritivas que seguem estes dois versos e meio são organizadas em três grupos.
1) O primeiro grupo descreve a fé como tornando possível grandes realizações a favor da nação teocrática. Em combate aos inimigos de Israel (isto é, as hostis nações vizinhas), meros homens como Josué, os juízes e Davi, "por meio da fé", "venceram reinos". Na liderança do povo da aliança

de Deus e na oposição ao mal, tais homens também "praticaram a justiça". Seu governo e administração representavam as ordens de Deus, que têm sempre como base "justiça e juízo" (Sl 97.2) e são executadas com sabedoria e integridade pessoal. Através da fé também alcançaram aquilo que foi prometido por Deus em ocasiões específicas, como no caso de Gideão (Jz 6.12-16; 7.7), Baraque (4.6,7,14) e Sansão (13.5). Esta frase também pode se referir à obtenção de promessas adicionais relativas ao futuro, como no caso de Davi (2 Sm 7.8-16).

2) O segundo grupo descreve aqueles que por meio da fé experimentaram o notável livramento da morte, que em cada ocasião se mostrava certa (Hb 11.33,34b). O testemunho da fé de que seguramente "fecharam as bocas dos leões" se refere à experiência do livramento de Daniel na cova dos leões, onde sua diligente e inflexível vida de oração e devoção a Deus foi vindicada (Dn 6).

A alusão à experiência de Daniel nos lembra a notável salvação de seus três amigos — Sadraque, Mesaque e Abede-Nego — que através da fé viram "a força do fogo" ser extinta a seu favor, e saíram da fornalha de fogo incólumes depois de recusarem a se curvar e adorar a estátua de ouro de Nabucodonosor (Dn 3). A essência de sua fé, porém, não se encontrava em seu livramento das chamas, mas em sua disposição de morrer por seu Deus. Sua fé brilhou como um diamante brilhante quando confiantemente colocaram suas vidas nas mãos de Deus: "Eis que o nosso Deus, a quem nós servimos, é que nos pode livrar; ele nos livrará do forno de fogo ardente e da tua mão, ó rei. E, se não, fica sabendo, ó rei, que não serviremos a teus deuses nem adoraremos a estátua de ouro que levantaste" (Dn 3.17,18). Foi este tipo de fé que "apagou a força do fogo".

Finalmente, a declaração de que alguns "escaparam do fio da espada" descreve as experiências de Elias (1 Rs 19.2-18), Eliseu (2 Rs 6.31-7.2), Jeremias (Jr 36.19,26) e outros homens e mulheres de fé que foram poupados da morte pela espada. (Note, porém que a passagem em 11.37 nos lembra que outros homens e mulheres de fé igualmente válida foram "mortos a fio de espada").

3) O terceiro grupo descreve aqueles que através da fé obtiveram forças e poderes sobrenaturais da parte de Deus (11.34c,35a). Pela fé houve também aqueles que "da fraqueza tiraram forças". O texto grego diz literalmente que estes indivíduos "receberam poder estando em uma condição de fraqueza", indicando que a fonte de sua nova força era o poder de Deus (cf. 2 Co 12.9,10; Fp 4.12,13). É repetidamente dito sobre os juízes que o Espírito do Senhor veio sobre eles com poder; e assim venciam os inimigos e o reino de Deus era estabelecido ou avançava (por exemplo, Jz 3.10; 6.34; 11.29; 14.6,19; 15.14). Somente através da fé e do poder do Espírito Santo nossa fraqueza pode ser transformada em força. Este é o testemunho de Ana (1 Sm 2.4), Sansão (Jz 16.17-21,25-30) e de numerosos santos sob ambas alianças.

Sempre que a fraqueza dos juízes e dos israelitas se tornava a ocasião, através da fé, para a demonstração do poder de Deus, eles se esforçaram nas batalhas, colocando em fuga os exércitos dos estranhos. Virtualmente, a mesma linguagem pode ser usada para descrever o triunfo dos Macabeus sobre Antíoco Epifânio IV e seu exército da Selêucia, na história judaica posterior (Lane, 1991, 387). Assim como Jônatas, eles sabiam que "para com o Senhor nenhum impedimento há de livrar com muitos ou com poucos" (1 Sm 14.6). Como Josafá, acreditavam que a batalha não era deles e sim de Deus (2 Cr 20.15), de forma que um homem poderia perseguir mil inimigos, e dois, colocar dez mil em fuga (cf. Dt 32.30; Js 23.9,10).

Finalmente, por meio da fé "as mulheres receberam, pela ressurreição, os seus mortos". Para os destinatários originais de Hebreus, tais obras poderosas lembrariam a viúva de Sarepta (1 Rs 17.17-24), a mulher sunamita (2 Rs 4.18-37), a viúva de Naim (Lc 7.11-15), as irmãs de Lázaro (Jo 11.3,43,44), e talvez outras.

O termo "outros" em 11.36 distingue-se em um forte contraste — não necessariamente dos seis indivíduos e dos "profetas" mencionados em 11.32, mas de todos os que experimentaram vitórias, como aqueles que foram descritos nos versos precedentes. O vocábulo "outros" (11.36) se refere a homens e mulheres piedosos que, ao invés de receberem livramentos, foram sujeitos a severos sofrimentos, a perseguições, e até à morte violenta por causa de sua firme fé em Deus. A verdadeira fé não só habilita a grandes proezas (11.33-35), mas também faz com que os crentes entrem em grande conflito com o mundo. A fé genuína não impede que os crentes sofram perseguições, sofrimentos, ridicularizações, ou até mesmo a morte. Pelo contrário, a fé santifica o sofrimento. O sofrimento, por sua vez, testa, prova e amadurece a fé. O que importa não é o resultado do sofrimento, mas o resultado da fé.

Alguns, pela fé, "escaparam do fio da espada" (11.34), enquanto outros, pela mesma fé, foram "mortos a fio de espada" (11.37). O resultado da fé em ambos os casos é o triunfo: no primeiro caso citado acima a fé traz uma grande recompensa nesta vida; e, no segundo, uma recompensa na vida por vir. Deste modo, uma teologia da fé deve incluir tanto uma teologia de sofrimento como uma teologia do poder de Deus, que é a união da teologia da cruz e a teologia da ressurreição, Pentecostes.

Alguns santos "foram torturados" — isto é, foram cruelmente sujeitos ao sofrimento intenso e constante por seus perseguidores. As "torturas" mencionadas aqui eram aquelas nas quais uma pessoa era estirada em uma armação e espancada até a morte (Bruce, 1990, 325). Alguns sistemas políticos totalitários ainda hoje usam a tortura e a ridicularização para controlar e manipular as pessoas. Não obstante, quando lhes era oferecida a liberdade em troca de renunciarem sua fé, alguns santos do passado não aceitavam o "livramento, para alcançarem uma melhor ressurreição" (11.35b). A "melhor ressurreição" está em contraste com a ressurreição referida na primeira metade do verso 35; a diferença está entre a ressurreição para a vida mortal e a ressurreição para a vida eterna (Hagner, 1983, 190).

Quando os leitores originais de Hebreus lessem o verso 36 — "E outros experimentaram escárnios e açoites, e até cadeias e prisões" — se recordariam como alguns dentro de seu próprio grupo de convívio sofreram estas coisas por causa de sua fé (cf. 10.32-34). Isto também lhes mostraria que não eram os primeiros a trilharem este caminho (Bruce, 1990, 327). Outros israelitas fiéis "foram apedrejados" (por exemplo, Zacarias, 2 Cr 24.21; cf. Mt 23.37). Enquanto outros "foram serrados" ao meio (11.37) com uma serra de madeira afiada, o modo de tortura infligido ao profeta Isaías pelo maldoso rei Manassés (de acordo com a antiga tradição judaica).

Alguns, por meio da fé, "escaparam do fio da espada" (11.34), mas outros, pela fé, foram "mortos a fio de espada" (uma ocorrência comum na antiguidade; cf. 1 Rs 19.10). No Novo Testamento, o apóstolo Tiago, o irmão de João, foi "morto à espada" (At 12.2); mas quando Herodes planejou fazer o mesmo com Pedro, Deus o livrou. A razão de alguns morrerem pela fé e outros viverem pela fé é parte do mistério de Deus e da guerra espiritual.

O fato de ser uma pessoa cuja fé é firme, nem sempre significa enfrentar uma oposição violenta, mas ser "destituído, perseguido e maltratado". Esta expressão de desamparo, juntamente com a menção das pessoas que andavam "errantes pelos desertos, e montes, e pelas covas e cavernas da terra" (11.38), é especialmente descritiva. Bruce observa:

> Aqueles judeus religiosos que fugiram da perseguição de Antíoco Epifânio [um tipo de anticristo do final dos tempos]... ao serem encontrados e sitiados em seus esconderijos — para não infringir a lei mosaica — recusaram-se a oferecer resistência ou deixar suas cavernas no sábado sagrado, e assim cerca de mil pessoas morreram 'em sua inocência'... Eram considerados como pessoas fora da lei, despreparadas para o convívio em uma sociedade civilizada; na verdade, aquela sociedade 'civilizada' era imprópria para elas" (1990, 329).

A profunda conclusão de Hebreus em relação a todos os homens e mulheres de fé que foram menosprezados e maltratados é: "O mundo não era digno" deles (11.38a).

3.5. A Fé e o Cumprimento da Promessa (11.39-40)

O autor conclui este magnífico capítulo lembrando os crentes da nova aliança de que somos parte da mesma caminhada triunfal da fé, que seria incompleta se estivéssemos ausentes. Todos aqueles, cuja fé é mencionada neste capítulo, como tendo alcançado um testemunho da parte de Deus, e aqueles que mesmo assim não alcançaram a promessa (11.39) receberam o cumprimento de promessas específicas (plural) como em 11.11,33, porém não receberam o cumprimento *da promessa* (no singular).

Esta promessa definitiva envolve um plano "melhor" de Deus (11.40a), que Ele revelou em seu Filho (1.1,2). Na linguagem de Hebreus, este plano melhor inclui a "melhor" esperança, descanso, promessas, aliança, sacrifícios, sumo sacerdócio, país, possessões e ressurreição — todas estas bênçãos formam a herança prometida ao povo da aliança de fé. "Todos estes" (isto é os santos da antiga aliança), "tendo tido testemunho pela fé, *não* alcançaram a promessa [*não* receberam o que havia sido prometido]" (11.39b), porque esta promessa aguardava a vinda de Cristo e o povo da nova aliança. "Para que eles, sem nós, não fossem aperfeiçoados" (11.40) — isto é, fossem aperfeiçoados em todos os sentidos através do cumprimento daquilo que Deus prometeu em seu Filho, do que também somos participantes.

No intervalo de tempo entre a promessa de Deus e o seu cumprimento, a fé é a dinâmica espiritual que leva o povo de Deus a prosseguir em direção às "coisas que se esperam". Deste modo, a fé é a ponte entre a promessa e seu cumprimento. No ínterim entre a promessa e seu cumprimento, a fé deve ser forte em tempos difíceis, resistente em circunstâncias adversas, obediente a Deus e à sua Palavra em todos os momentos, e capaz (como o amor) de suportar todas as coisas, enquanto segue em direção à meta que Deus prometeu. A fé não recua ou desiste quando desencorajada. Está sempre ousando, aventurando-se, e se dispondo a arriscar tudo pelas coisas prometidas, porém ainda não vistas. O completo cumprimento da promessa aguarda a segunda vinda de Cristo e a consumação desta era.

4. O Chamado a Perseverar como Filhos (12.1-13)

O vínculo entre a fé e a perseverança (ou paciência) no capítulo 11 torna-se a plataforma para o chamado à perseverança em 12.1-13. Em 11.40, duas frases sinalizam o retorno à aplicação pessoal para os leitores originais e para nós: "Alguma coisa melhor a nosso respeito" e "para que eles, sem nós, não fossem aperfeiçoados". Tendo descrito a história e os triunfos espirituais dos antigos santos, que se tornaram possíveis por causa de sua fé e perseverança, o autor novamente enfoca o desafio que seus leitores têm de serem firmes na fé e perseverantes para suportar as provas (cf. 12.1-3,7 com 10.32,36). Ele desenvolve três incentivos principais que deveriam inspirar seus leitores a perseverarem como crentes no Senhor.

4.1. O Incentivo do Exemplo de seus Antepassados (12.1)

Paulo freqüentemente usa a imagem de uma competição atlética para descrever a disciplina, o enfoque e a dedicação que são necessários para a vida cristã (por exemplo, 1 Co 9.24-27; Gl 2.2; 5.7; Fp 2.16; 3.13,14; 1 Tm 6.12; 2 Tm 4.7,8a). O autor de Hebreus se refere também à vida cristã como uma "carreira que nos está proposta" (12.1c). Ele se identifica com os seus leitores como um dos que participam da corrida (o termo "nós" está implícito na frase).

O verso 1 declara três fatos sobre a corrida.
1) Existe uma multidão de testemunhas inspiradoras ao nosso redor (12.1a). A pa-

lavra "nuvem" é usada metaforicamente referindo-se a uma hoste de "testemunhas", que novamente diz respeito ao grande número de heróis da fé mencionados e não mencionados no capítulo 11. Mas em que sentido são testemunhas? Será que estão assistindo do céu (como espectadores em um estádio) e aplaudem a presente geração de corredores cristãos, de acordo com seu progresso em direção à meta? Ou são testemunhas no sentido de serem exemplos para a geração presente, sobre as possibilidades da fé e da perseverança, por terem vencido a corrida anteriormente? F. F. Bruce acredita que o autor se referia à segunda opção (Bruce, 1964, 333). Igualmente, J. Moffatt declara: "O que vemos neles, não é o que eles vêem em nós; este é o ponto principal que o escritor deseja destacar" (1924, 193). O escritor Leon Morris, porém, acredita que ambas as idéias possam estar presentes. Ele observa: "Talvez devêssemos pensar sobre algo como uma corrida de revezamento, onde aqueles que terminaram sua participação e entregaram seu bastão estejam assistindo e encorajando seus sucessores" (1981, 133). Esta interpretação pode ser considerada um exagero.

2) Devemos participar da corrida para ganhar (12.1b). O ponto aqui, porém, não é somente que uma pessoa possa ganhar a corrida, mas que um atleta faz certas coisas a fim de completar a corrida com sucesso. O corredor coloca de lado tudo o que dificulta a corrida e evita qualquer coisa que possa desqualificá-lo ou impedi-lo de vencer. A distinção entre "todo embaraço" e "o pecado que tão de perto nos rodeia" é notável. O "embaraço" significa qualquer tipo de peso; algo que, mesmo não sendo pecado, dificulte ou impeça que o corredor ganhe a corrida. Os atletas dispensam qualquer peso desnecessário e não levam nenhuma bagagem para a corrida. Da mesma maneira, os cristãos devem evitar as distrações e todos os impedimentos para que possam compreender a vontade de Deus, de uma forma completa.

"O pecado que tão de perto nos rodeia" é a incredulidade (a antítese da fé), e os pecados relacionados a esta são discutidos em Hebreus: a tendência ao desvio na vida espiritual, a estagnação, a imaturidade prolongada e o ato de pecar deliberadamente. Estas coisas podem prender os pés e levar uma pessoa a cair, sair da corrida e perder o prêmio, "que é a vida eterna, o presente de Deus para todos aqueles que completam a corrida" (Peterson, 1994, 1329).

3) Devemos correr "com perseverança" ou "paciência" (12.1c). Quando a vida cristã é comparada a uma corrida, não se trata de uma prova de curta distância, mas de uma maratona ou de uma corrida que cruza um país. É necessário que se tenha determinação e perseverança nesta longa prova. Não é difícil correr velozmente um trecho de curta distância; porém correr de modo estável e persistente uma longa distância exige resistência. Os heróis da fé correram com perseverança, e devemos fazer o mesmo.

4.2. O Incentivo do Exemplo de Cristo (12.2,3)

A vida terrena de Jesus é o exemplo supremo do incentivo à fé perseverante. Como um corredor fixa seu olhar na meta, nós também devemos fixar nossos olhos em Jesus (12.2a) como nosso ponto fixo de referência. Se fixarmos nossos olhos nos problemas, nas pessoas, ou nas circunstâncias, tropeçaremos ou afundaremos, como aconteceu com Pedro, que desviou seu olhar de Jesus, passando a contemplar o vento e as ondas quando caminhou sobre as águas (Mt 14.28-31). Fixando nossos olhos em Jesus somos ancorados na fé e progressivamente nos transformamos, tornando-nos semelhantes a Ele (cf. 2 Co 3.18; 4.16-18; Fp 3.12,13).

Mas Jesus não é somente o "objeto de visão da fé" (Hawthorne, 1986, 1529); Ele é também seu "autor e consumador". O termo "autor" (*archegos*) também pode ser traduzido como "pioneiro" ou "líder". Como seu "autor", Jesus é a fonte e o princípio da verdadeira fé, tendo aberto o caminho para Deus através de sua morte na cruz. Como o "pioneiro" ou "líder" da fé, Ele está à frente da corrida. Ele é também "consumador" ou "aperfeiçoador" (*teleiotes*), pois leva a fé à sua meta perfeita. Como o Filho de Deus, Ele "consumou a fé do começo ao fim [e]... cumpriu as promessas de Deus para todos os que crêem" (Peterson, 1994, 1349). A palavra "consumador" sugere que "tudo aquilo que a fé espera, tem sua consumação nEle" (Hawthorne, 1986, 1529). Deste modo, a expressão "autor e consumador" mostra o espectro total das atividades de Jesus em relação à nossa fé.

Em relação ao papel de Jesus como "líder" da fé, Ele nos dá o exemplo da perseverança que tem um propósito (12.2c,3). No Getsêmani, Jesus comprometeu-se a suportar o sofrimento da cruz, que incluía ser "rejeitado e desprezado pelos homens" (Is 53.3), além de ser ferido, golpeado e afligido por Deus como um castigo por nossas transgressões e iniqüidades (53.4,5). A crucificação, propriamente dita, era uma terrível forma de punição capital, a forma mais desprezível e degradante de morte no mundo romano, reservada aos escravos e criminosos não-romanos, dos níveis mais baixos. Jesus precisou ter uma inabalável fé no caráter do Pai quando enfrentou a cruz. Bruce diz o seguinte a respeito da provação e do sofrimento de Jesus: "Foi a profunda fé em Deus, sem a assistência de qualquer evidência visível ou tangível, que o fez suportar a ironia, o escárnio, a crucificação, a agonia mais amarga da rejeição, a deserção e o desamparo" (1990, 338).

Jesus pôde desprezar o sofrimento, a afronta e a vergonha da cruz porque "suportou a cruz" por um propósito, isto é, "pelo gozo que lhe estava proposto" (12.2c). Mesmo na noite que antecedeu a crucificação, quando Jesus fez a oração sacerdotal, pediu ao Pai que seus discípulos tivessem em sua alegria completa em si mesmos (Jo 17.13). Jesus viu, além da cruz, a alegria inexprimível pelo cumprimento do maravilhoso plano da salvação (cf. 19.30). Quando morreu como o sacrifício pelo pecado, e mesmo agora que vive como Sumo Sacerdote, tendo se assentado "à destra do trono de Deus" (Hb 12.2c; cf. Sl 110.1), fica claro que não suportou a cruz a favor de si mesmo. Antes, o fez por todos aqueles que crêem nEle, para que sejam repletos de sua alegria e glória (Jo 17.20,22).

Seu alegre propósito quando suportou a cruz foi trazer muitos filhos à glória (Hb 2.10). De maneira semelhante, devemos considerar nossos sofrimentos (que são muito menores do que os de Cristo) "como um pequeno preço a pagar pelo prêmio a ser ganho no final da corrida que nos está proposta" (Hawthorne, 1986, 1529). Os leitores são exortados a considerar o exemplo de Jesus, que suportou as "contradições dos pecadores" (12.3a) — a mesma situação que estavam enfrentando — para que não se enfraquecessem, e desfalecessem em seus ânimos (12.3b). A mensagem do exemplo de Cristo é: Persevere diante de todas as formas de provações, das perseguições, e do sofrimento por causa da justiça.

4.3. O Incentivo do Relacionamento Pai-Filho que Tinham com Deus (12.4-11)

Ao longo do livro de Hebreus o autor conclama seus leitores a novas resoluções e à fidelidade em meio às provas e adversidades. Embora já tivessem suportado intensa perseguição em sua luta contra o pecado (envolvendo insultos, encarceramento, e confisco de suas propriedades, 10.32-34), ainda não haviam resistido a ponto de derramarem seu sangue (12.4). Sendo uma casa que funcionava como uma igreja, dentro da comunidade (cf. 13.17,24), até agora não haviam experimentado uma perseguição sangrenta. Seu "combate contra o pecado" provavelmente se refira ao pecado de seus opressores, que estariam procurando pressioná-los para que abandonassem sua fé. Resistir "até o sangue" significa resistir a ponto de ser morto ou martirizado pelos opressores.

Em outras palavras, até este ponto, seus leitores não tiveram que morrer por sua fé. Mas a perseguição era acirrada e fazia com que estivessem prestes a perder a perspectiva. Seu sofrimento era pequeno em comparação ao que os valorosos heróis da fé suportaram antes deles (especialmente 11.35b-38; 12.1), e ao do próprio Senhor Jesus Cristo, que sujeitou-se à cruz (12.2,3). O verso 4, com efeito, de certa forma "envergonha" os leitores pelo "enfraquecimento de sua postura e comprometimento" (Lane, 1991, 417), e os desafia a serem firmes em sua fé e leais a Cristo, a despeito das conseqüências.

4.3.1. A Disciplina do Senhor É Parte do Amor do Pai (12.4-6a).

Experimentar injustamente a hostilidade e o sofrimento pode perturbar a fé e provocar dúvidas sobre o amor de Deus. O autor comenta este assunto em 12.5-11 mostrando como Deus age nas situações de adversidades e experiências severas da vida, e como as usa amorosamente para nos ensinar a disciplina e nos treinar como seus filhos na fé, desenvolvendo em nós o caráter filial (cf. Sl 119.67,71).

Lane observa que "este estilo de caráter retórico" de 12.5 favorece a frase de abertura como se esta fosse uma pergunta: "E já vos esquecestes da exortação que argumenta convosco como filhos?" Ele acrescenta que esta frase "representa uma repreensão firme, porém suave. Os membros daquela casa-igreja pareciam ter se esquecido completamente do conceito bíblico do sofrimento disciplinar ou educativo" (1991, 420). Deste modo, em 12.5b,6, o autor se refere à passagem em Provérbios 3.11,12, onde a disciplina do Senhor e a filiação estão juntas; ele cita esta passagem como sendo uma palavra pessoal de Deus para aqueles que apreciam ser seus filhos pela nova aliança através da fé em Jesus Cristo.

A palavra grega para "correção" ou "disciplina" (*paideia*) é rica em significado e deriva da relação pai-filho dos tempos antigos. Não apresenta somente nuances de repreensão e correção, mas também envolve o ensino positivo, o treinamento, e as instruções de um pai amoroso que cria um filho ou uma filha visando seu amadurecimento futuro. "O Senhor corrige o que ama" (12.6a) porque, como um Pai amoroso, deseja o bem para seus filhos. Devemos suportar nossas provas como uma expressão de sua disciplina amorosa.

O verso 5b descreve duas respostas erradas possíveis, embora opostas, à disciplina do Senhor em meio às nossas circunstâncias adversas.

1) Podemos responder insensivelmente "ignorando" ou "desprezando a correção do Senhor", isto é, não a levando a sério. Esta resposta freqüentemente envolve a desconsideração ou o menosprezo da disciplina do Senhor.
2) Podemos também responder de modo excessivamente sensível "desmaiando" quando por Ele formos repreendidos. Esta resposta freqüentemente envolve o ressentimento; é a resposta de uma criança que é propensa a se retirar ou desistir sempre que qualquer correção lhe é aplicada pelo pai, a despeito de seu propósito amoroso. Ao contrário destas duas respostas erradas, nós, como filhos amados de Deus, deveríamos considerar a disciplina do Senhor como uma evidência de seu amor responsável, de sua graça e de seu compromisso para conosco como nosso Pai.

4.3.2. A Disciplina do Senhor se Refere aos Filhos e ao Treinamento (12.6b-8).

Todos os filhos devem ser disciplinados; deste modo, a disciplina e a filiação ao Senhor andam necessariamente juntas. Ele "corrige [*mastigoo*, uma palavra diferente de *paideia*; que significa literalmente, 'açoitar' ou 'punir' visando a correção] a qualquer que recebe por filho" (12.6b). A "correção", aqui, sugere a disciplina, não o julgamento. Está mais relacionada ao nosso futuro do que ao nosso passado; àquilo que devemos nos tornar e não ao fracasso passado ou a algum comportamento ruim. A disciplina de Deus pode ser corretiva, mas envolve especialmente assuntos de treinamento e caráter. Então, devemos suportar o sofrimento como disciplina (12.7a), já que Deus está nos tratando como seus filhos. Da mesma maneira que um pai responsável não negligenciaria disciplinar um filho a quem ama (12.7b), o mesmo ocorre entre Deus e seus filhos. Até Jesus, como único Filho de Deus e o herdeiro de todas as coisas, "aprendeu a obediência, por aquilo que padeceu" (5.8).

A disciplina é a ponte entre a fé e a obediência. A disciplina do Pai é proposital porque nos treina na obediência e nos caracteriza como seus filhos através de nossas experiências de sofrimento, que são demonstrações da autenticidade de nossa posição de filhos e de seu amor. Não ser disciplinado pelo Pai é uma evidência de que a pessoa indisciplinada é um "filho ilegítimo, um bastardo" (12.8), sem a honra e os privilégios familiares de um filho verdadeiro, sendo deixado à própria sorte. Tais pessoas são normalmente cheias de ódio, e caracterizadas pela baixa auto-estima, porque não foram suficientemente amadas e disciplinadas. Assim, a experiência do sofrimento disciplinar é a evidência de que o Pai está assumindo total responsabilidade por nosso treinamento como seus "verdadeiros filhos" (12.8). A disciplina do Senhor é deste modo tanto proposital como necessária.

4.3.3. A Atitude Apropriada em Relação à Disciplina do Senhor É a Submissão (12.9). Um pai que fracassa em disciplinar seu filho é deficiente em sua responsabilidade paterna. Igualmente, uma criança que não for corretamente disciplinada desde pequena, perde sua relação de filiação. Esta época permissiva, em que a autoridade dos pais para disciplinar está se corroendo, está trazendo a perda de um elemento essencial da filiação. Conseqüentemente, em tal ambiente "os filhos" acham difícil entender ou submeter-se à disciplina do Senhor. Por outro lado, quando "nossos pais segundo a carne" nos disciplinam apropriadamente como filhos, "nós os reverenciamos". Por quê? Em parte sabemos intuitivamente que têm autoridade legítima para fazê-lo, e ainda mais, sua disciplina amorosa mostra que temos valor ou que somos importantes, e que esta atitude seria a melhor para a nossa vida.

O autor então argumenta do menor ao maior, do plano humano ao plano espiritual: "Não nos sujeitaremos muito mais ao Pai dos espíritos, para vivermos?" A expressão "o Pai dos espíritos" é única no Novo Testamento (cf. Nm 16.22; 27.16). O contexto presente, porém, torna seu significado claro. O comentário de Bruce é incisivo: "Assim como 'nossos pais segundo a carne' [na NVI, os nossos pais humanos] são os nossos pais físicos (ou terrestres), 'o Pai dos espíritos' é nosso Pai espiritual (ou celestial)" (1990, 344).

Nossa atitude de submissão voluntária (e feliz) à disciplina de nosso Pai celestial é essencial. Caso contrário, sua disciplina não nos acrescentaria nada, não seríamos treinados por ela, e conseqüentemente seu propósito estaria perdido. Lane observa que o "direito de Deus disciplinar... procede da mais elevada autoridade" (1991, 424). Mas se não aprendêssemos a respeitar a autoridade e a disciplina de nossos pais terrestres, provavelmente consideraríamos difícil confiar e submetermo-nos à autoridade e à disciplina de Deus. Lane acrescenta: "O maior grau de respeito que é devido a Deus como Pai, faz com que a submissão se torne uma imposição da disciplina divina muito mais necessária do que seria no caso da disciplina paterna comum" (ibid.).

Como "o temor do Senhor é o princípio da sabedoria" (cf. Pv 9.10), então a submissão à disciplina do Senhor em temor leva à sabedoria e a uma vida plena (cf. 3.7,8,11-18). Somente um tolo resistiria a Deus e rejeitaria sua disciplina, uma vez que tal atitude o levaria à morte e não à vida. Como Satanás procura explorar toda experiência de adversidade para seus propósitos, somos aconselhados a resistir-lhe em todas as lutas, mesmo quando nos submetemos a Deus (Tg 4.6-8).

4.3.4. O Objetivo da Disciplina do Senhor Inclui a Santificação e o Caráter (12.10,11). Existe uma importante diferença qualitativa entre a disciplina de um pai terrestre e a de nosso Pai celestial. A primeira pode ser feita de modo imperfeito, injusto, ou até pela ira em virtude da imperfeição humana. Além disso, a duração desta disciplina é "por um pouco de tempo... como bem lhes parece" (12.10a), isto é, durante a infância. Em contraste a isto, "Deus nos disciplina" perfeitamente e justamente por sua infinita sabedoria e amorosa preocupação com o nosso bem-estar *eterno*. Ele nunca negligencia ou se excede, mas administra a disciplina constantemente "para nosso proveito", sobretudo o curso de nossa vida. O objetivo de sua disciplina é claro: "Para sermos participantes da sua santidade" (12.10b).

A "santidade de Deus" (*hagiotetos*) é "o atributo essencial do caráter de Deus, que os cristãos devem compartilhar" (Lane, 1991, 425; cf. Procksch, *TDNT*, 1:114). A ênfase aqui não está no empenho humano (como em 12.14), mas na iniciativa de Deus ao nos dar sua vida e caráter como um dom, através do processo de sua disciplina. A disciplina do Pai, recebida corretamente, tem o "efeito saudável de amadurecer os cristãos (na fé e no caráter) como homens e mulheres de Deus" (Lane, 1991, 425), moldando-os à semelhança de Cristo (cf. Rm 8.18,28,29). Embora a variada disciplina do Senhor pareça "dolorosa" ou "de tristeza" (12.11a) enquanto está sendo administrada, no final "produz um fruto pacífico de justiça [isto é, de santificação ou uma vida e um caráter voltados a Deus; cf. 1 Pe 4.1,2] nos exercitados por ela" (Hb 12.11b).

Os que foram "exercitados" pela disciplina do Senhor são aqueles que a aceitaram em espírito, por se submeterem voluntariamente a Deus e a seu propósito. Esta submissão não está simplesmente aceitando alguns exemplos de equilíbrio, mas "é a prática de uma vida correta" (Morris, 1987, 138). O verbo "exercitar" (*gymnazo*; de onde vem a palavra "*ginásio*") está freqüentemente relacionado ao treinamento atlético. Assim, aponta novamente para o tema que está contido em 12.1, de correr uma maratona com persistência e alcançar a linha de chegada de modo triunfal.

Paulo se refere ao mesmo princípio quando diz aos crentes em Tessalônica que as perseguições e as lutas que estavam enfrentando eram as evidências do justo julgamento de Deus contra os seus perseguidores, e o meio pelo qual estes crentes seriam considerados dignos do reino de Deus (2 Ts 1.4-7). Bruce acrescenta que "a pessoa que aceita a disciplina de Deus como algo projetado por seu Pai celestial, para seu bem, deixará de parecer ressentido e rebelde" (1990, 346). O crente irá para um lugar onde sua alma estará em paz e descanso. A vida será mais disciplinada, mais justa e mais receptiva à vontade de Deus. A disciplina de Deus, que torna possível que compartilhemos sua paz e seu caráter santo, tem o objetivo maior de nos preparar para vivermos com Ele para sempre.

4.4. O Compromisso Coletivo de Concluir a Carreira (12.12,13)

Os dois versos finais do texto em 12.1-13 contêm duas expressivas exortações.
1) Os membros individuais na comunidade da Igreja, que tenham "mãos cansadas" e "joelhos desconjuntados", devem se fortalecer devido à amorosa disciplina de Deus, a seu bom propósito, e à graça disponível. "Estão sendo exortados a ordenar suas situação e prosseguir" (Morris, 1981, 139). Não é muito tarde para que participem da corrida como atletas treinados e perseverem demonstrando uma renovada decisão.
2) A comunidade da Igreja como um todo deve permanecer no caminho escolhido por Deus e conceder um auxílio compassivo aos seus membros mais fracos (12.13).

Duas Escrituras do Antigo Testamento parecem ser a inspiração para estas duas importantes exortações.
1) A referência a Isaías 35.3,4a é endereçada àqueles que foram previamente chamados de fracos e que corriam o risco de desfalecer em seus ânimos (Hb 12.3,5):

Confortai as mãos fracas e fortalecei os joelhos trementes. Dizei aos turbados de coração: Esforçai-vos e não temais.

O medo e o desespero são exaustivos; o autor exorta estes tipos de crentes a livrarem-se destes pesos negativos.

2) A exortação em 12.13 e em Provérbios 4.26 — "Fazei veredas direitas [literalmente, retas] para os vossos pés" — e "Pondera a vereda de teus pés, e todos os teus caminhos sejam bem ordenados!" é uma advertência a seguir o caminho de Deus sem desviar-se para a direita ou para a esquerda. Os desvios e o piso desnivelado são especialmente perigosos para os que "manquejam" espiritualmente, cujas pernas podem ser facilmente deslocadas tornando-se assim vítimas espirituais. A comunidade deve permanecer no caminho reto "para que o que manqueja... seja sarado". Em outras palavras, as decisões corretas que forem tomadas pelos fortes beneficiarão os fracos, e assim todos poderão completar juntos a carreira, sem que alguns se desviem.

5. O Compromisso Contínuo de Viver uma Vida Santa sob a Aliança da Graça (12.14-13.17)

A vida do crente de fé sob a nova aliança da graça, como resultado da plena revelação de Deus em seu Filho e de sua morte sacrificial, é acompanhada por maiores privilégios e responsabilidades. Não devemos simplesmente perseverar na fé e receber aquilo que Deus nos prometeu através de sua Palavra; devemos também compartilhar sua santidade" (12.10) e viver uma vida que seja santa para com o Senhor (12.14). Ao receber Cristo, recebemos "um reino que não pode ser abalado" (12.28a); através de sua mediação podemos servir "a Deus agradavelmente com reverência e piedade" (12.28b). Estes privilégios são maiores que os da antiga aliança, embora também incluam obrigações maiores em amor, pureza, visão e valores espirituais (13.1-16). Os cristãos são chamados a imitar a fé dos líderes espirituais do passado (13.7), a submeterem-se com obediência à autoridade espiritual de seus líderes atuais (13.17) e assim "em tudo... portar-se honestamente" (13.18).

5.1. A Prioridade da Santidade (12.14-29).

Como a santidade pertence à essência de Deus, e é sua mais elevada glória, deve caracterizar o povo de Deus. Fomos escolhidos em Cristo para sermos santos (Ef 1.4), e Deus nos disciplina como seus filhos de forma que possamos compartilhar "sua santidade" (12.10). Sua natureza torna-se nossa natureza; sua vida, nossa vida; seus valores, nossos valores. Ele é puro e sem pecado; sua pureza deve se tornar nossa pureza. Lane observa que "em Hebreus, os termos 'puros' e 'santos' são intercambiáveis, porque aqueles que se tornaram santos são aqueles por quem Cristo fez a purificação... Os cristãos têm a seu alcance a santidade que é indispensável para ver a Deus" (1991, 451).

5.1.1. A Santidade na Vida Prática É uma Questão Fundamental (12.14). A santidade "não é algo opcional ou extra na vida cristã, mas algo que pertence à sua essência. Somente aqueles que têm o coração puro verão a Deus; ninguém mais (Mt 5.8). Aqui [Hb 12.14], como no verso 10, trata-se da santidade na vida prática (Bruce, 1990, 348). Deste modo, 12.14 começa exortando os crentes a procurarem verdadeiramente a paz e a santidade como um estilo de vida. Fazer todo o esforço possível (*dioko*) transmite a idéia da diligência na busca da paz e da santificação, e não um esforço que produz obras mortas e justiça própria".

Muitos intérpretes entendem a busca da "paz" em 12.14 como se referindo à paz com todos (como na NVI). A preposição grega neste verso, porém, é *meta* com o genitivo, que traz um sentido de "junto com" (cf. 11.9; 13.23). Deste modo, o termo "todos" significa especialmente junto com "todos os outros crentes" (cf. 13.24; Lane, 1991, 438), que também estão sendo exortados a procurar a paz de Cristo na comunidade. Como um objeto direto do verbo *dioko*, a paz é vista como uma realidade objetiva ligada a Cristo e à sua morte redentora na cruz, que torna possível a harmonia e a solidariedade na comunidade cristã (cf. Cl 1.20).

Semelhantemente, a "santidade" é essencial para a comunidade cristã (cf. 12.15). O pecado divide e contamina o Corpo de Cristo (a Igreja), da mesma maneira que o câncer faz com o corpo humano. Procurar a santidade sugere um processo de santificação no qual nossa vida e nossa maneira de viver são separadas para Deus como santas e como instrumentos de honra a Ele. Somos transformados conforme a semelhança de Deus, quando nos aproximamos e nos mantemos no Lugar Santíssimo de sua presença. Na união e na comunhão com Deus, no Lugar Santíssimo, reside o poder da "paz" e da "santidade". Andrew Murray observa corretamente: "Aquele que não sabe o que é entrar, permanecer e adorar no Lugar Santíssimo, separar-se do mundo e de sua comunhão para passar a ter comunhão com o Santo, em vão buscará se tornar santo por meio de suas orações ou esforços" (n.d., 499).

O verso 14 conclui que "sem a qual [sem a santidade] ninguém verá o Senhor". "Ver" e "conhecer" profundamente o Senhor são realidade que estão intimamente relacionadas. Ver o Senhor "é a maior e a mais gloriosa bênção que os mortais podem apreciar; porém esta santa visão é reservada àqueles que são santos de coração e em sua vida" (Bruce, 1990, 349). As coisas que não são santas bloqueiam eficazmente a visão e o conhecimento de Deus, e no final impedem que as pessoas herdem o reino de Deus (cf. 1 Co 6.9-10).

A Sexta Advertência Exortativa: O Perigo de Fracassar na Graça de Deus (12.15-17)

Os crentes devem estar vigilantemente alerta em relação ao bem-estar espiritual de cada membro da Igreja. A expressão traduzida como "tendo cuidado de" (*episkopeo*; 12.15a) transmite a idéia de descuido espiritual e está relacionada à função dos supervisores, presbíteros ou anciãos.

Este verbo é um particípio ativo presente com a força de um imperativo, e tem o sentido de "vigiar continuamente". Três orações de advertência subordinadas seguem este verbo, cada uma introduzida pelas palavras "que ninguém" (*me tis*): Tendo cuidado de:

"Que ninguém se prive da graça de Deus" (12.15a),

"que nenhuma raiz de amargura, brotando..." (12.15b),

"[que] ninguém seja fornicador ou profano..." (12.16a).

Este apelo à vigilância espiritual é um chamado para a Igreja como um todo.

A exortação, "tendo cuidado de que ninguém se prive da graça de Deus" (12.15a), é uma declaração-chave. Permanecer firmes na fé (10.19-11.40), na rígida disciplina como filhos (12.1-13), e procurar a paz e a santificação (12.14) são atitudes relacionadas à graça de Deus, e envolvem a nossa salvação. Se a entrada na vida cristã se dá pela graça de Deus, assim também a continuidade e a conclusão desta são alcançadas por meio da mesma graça. A terrível possibilidade da graça de Deus ser perdida não se deve ao fato de sua graça ser inacessível, mas porque alguns podem escolher não ajudar a si mesmos. Por essa razão, é possível que uma pessoa (embora sendo crente) não alcance a meta que é somente atingível por meio da operação da graça, através da fé (cf. 3.12; Bruce, 1990, 349).

Marshall faz várias observações em relação a esta passagem de advertência (1969, 149-151).

1) Existe a possibilidade de um crente recuar na graça de Deus (12.15a; cf. 2 Co 6.1; Gl 5.4). O contexto da advertência aqui, como em outras passagens em Hebreus (por exemplo, Hb 2.1-4; 6.4-8; 10.26-31), indica que se trata de um crente verdadeiro.

2) Onde a graça de Deus é perdida, a amargura lançará raízes e poderá contaminar outros membros da Igreja (12.15b). Os pecados mortais da incredulidade e a raiz de amargura que tem uma função venenosa funcionam como uma doença fatalmente contagiosa que pode "contaminar muitos" na comunidade.

3) Ninguém deve ser "fornicador [*pornos*; literalmente, fornicador] ou profano, como Esaú". Esaú era um homem sensual em vez de ser um homem espiritual — tinha pensamentos completamente terrenos, ao invés de pensamentos divinos — "por um manjar, vendeu [a seu irmão] o seu direito de primogenitura" (12.16b) para a satisfação momentânea de seus sentidos

físicos. Representa aqueles que fariam a inconcebível troca da herança espiritual duradoura (isto é, coisas esperadas, mas ainda não vistas, 11.1) por benefícios presentes tangíveis e visíveis, momentâneos. Posteriormente, quando Esaú percebeu a tolice de sua escolha, quis herdar sua bênção mas não pôde, pois "foi rejeitado" por Deus (12.17a).

Attridge observa que o comentário sobre Esaú "mostra a advertência mais severa" desta passagem (1989, 369). Embora alguns entendam o verso 17b como se Esaú não pudesse fazer Isaque mudar de idéia, o sentido mais provável é o da rejeição por Deus — ou seja, o arrependimento não foi aceito por Deus. "Deus não deu a Esaú a oportunidade de mudar de idéia e assim receber aquilo que lhe seria destinado. O autor pretende que seus leitores apliquem esta história a si mesmos e à sua salvação. Da mesma maneira que Esaú foi rejeitado por Deus, eles também podem ser rejeitados se recusarem seu direito espiritual" (Marshall, 1969, 150). Bruce concorda que este exemplo de Esaú "é um reforço da advertência dada em um estágio anterior do argumento, de que após a apostasia não é possível arrepender-se novamente" (1990, 352).

As "lágrimas" de Esaú representam o remorso por ter perdido seu direito de primogenitura, não o arrependimento por ter menosprezado o dom de Deus e a aliança pela qual era assegurado. Isto é imediatamente aplicável aos leitores deste livro, pois Esaú representa "os apóstatas que estão prontos a virar suas costas a Deus e às promessas divinas, ignorando as bênçãos asseguradas pela morte sacrificial de Jesus Cristo" (Lane, 1991, 455). Em outras palavras, uma pessoa pode perder a graça de Deus e a herança espiritual da vida eterna que possa ter recebido. Em tais casos "Deus pode não permitir... uma oportunidade de arrependimento. Nem todos os pecadores vão tão longe; porém um apóstata pode pensar ter levado a misericórdia de Deus a seu limite, de forma que não possa mais retornar" (Marshall, 1969, 150-151).

5.1.2. Incentivos para uma Vida Santa sob a Nova Aliança (12.18-24).

Nosso autor prossegue sua severa advertência com suas características palavras de encorajamento. Lembra aos leitores sobre seus gloriosos privilégios sob a aliança da graça, que tornam sua resposta de fé firme e seu compromisso leal ainda mais significativos e necessários. Esta passagem pinta um retrato do profundo contraste entre a aliança da lei dada no Monte Sinai e a aliança da graça representada pelo Monte Sião celestial. Serve para enfatizar porque os crentes devem procurar diligentemente a paz e a santidade encontradas em Cristo, e cuidadosamente se protegerem contra a apostasia que está em seu meio. O contraste entre a descrição de medo e terror por ocasião da manifestação de Deus no Monte Sinai e a descrição da alegria festiva na presença de Deus no Monte Sião (12.22-24) é realmente notável.

O contraste entre 12.18-21 e 12.22-24 é introduzido pelo verbo *proserchomai*, "chegar a" ou "vir a" (v.18, repetido no v.22). Este verbo é usado em Hebreus exclusivamente em referência a aproximação de Deus (cf. 4.16; 7.25; 10.1,22; 11.6; veja Lane, 1991, 460). Em 12.18, ele introduz a *impossibilidade de aproximação* da santidade de Deus no Monte Sinai e a separação que existia entre Deus e Israel. Em 12.22, o verbo introduz a possibilidade de aproximação de Deus em sua grandiosa santidade no Monte Sião como resultado do ministério de Jesus como Mediador e seu sangue eficaz. Deste modo, Sinai e Sião servem como ricas metáforas proféticas que apontam para as diferenças qualitativas na relação com Deus sob a antiga e a nova aliança, sob a lei e a graça.

As sete palavras ou frases descritivas em 12.18-20a sobre o evento no qual as leis foram dadas no Monte Sinai são descritas a seguir.
1) O "monte palpável" descreve o Sinai como algo visível e tangível. Embora a palavra "monte" não conste em muitos manuscritos, é mencionada no verso 20 e deve ser subentendida aqui. A palavra "Sinai" não aparece em nenhum lugar na passagem,

A pequena capela no monte Sinai (abaixo) foi construída em 1934 no mesmo lugar onde a tradição diz que Moisés recebeu de Deus os Dez Mandamentos. As pedras utilizadas pertenceram a uma capela do século VI. O Mosteiro de Santa Catarina (à esquerda), com suas origens no século IV, está localizado no vale onde os israelitas esperaram pelo retorno de Moisés.

embora as descrições apontem para o evento ocorrido no Sinai (cf. Êx 19.16-22; 20.18-21; Dt 4.11,12; 5.22-27).

A manifestação da presença e da santidade de Deus nos quatro próximos termos descritivos em 12.18b —

3) "escuridão",
4) "trevas", e
5) "tempestade" retratam uma cena que causaria terror a qualquer coração.
6) A referência ao "sonido da trombeta" (12.19a) no monte Sinai é repetidamente mencionada no Antigo Testamento (por exemplo, Êx 19.16,19; 20.18). Representa a declaração angelical da presença de Deus (como no caso da introdução majestosa de um rei) e chama a atenção para a autoridade das ordens de Deus que serão proferidas.
7) A frase descritiva final se refere à "voz das palavras" (12.19). Esta voz audível de Deus no Sinai apavorou tanto as pessoas, que elas "pediram que se lhes não falasse mais; porque não podiam suportar o que se lhes mandava" (12.19b,20a). A voz de Deus "trouxe medo em lugar de compreensão" (Lane, 1991, 462) por causa da distância entre a santidade de Deus e a humanidade daqueles que o ouviam; a única ponte possível para esta separação seria a encarnação de Cristo e sua morte reconciliadora. O Sinai estava tão envolvido pela santidade de Deus, que se os seres humanos ou os animais o tocassem certamente morreriam (12.20b). A visão não era apavorante só para o povo, pois até Moisés, que teve um relacionamento próximo com Deus, ficou "todo assombrado e tremendo" (12.21).

Toda a descrição em 12.18-21 não enfatiza somente a impossibilidade da aproximação a Deus sob a antiga aliança, mas também a terrível possibilidade de recuar e perder a graça de Deus (12.15), de ser assim rejeitado por Ele (12.17), e de cair nas mãos do "Deus vivo" (10.31) em julgamento; porque, separadamente da obra mediadora de Jesus Cristo e seu sangue eficaz, o nosso Deus "é um fogo consumidor" (12.24,29).

Os cristãos, porém, são privilegiados por viverem suas vidas, não de acordo com a revelação temerosa que é representada no Sinai, mas de acordo com a alegre revelação de Cristo e sua aliança da graça. A atmosfera festiva do monte Sião (12.22-24), em contraste com a solene atmosfera anterior do monte Sinai, enfatiza os privilégios superiores dos cristãos na adoração e acesso à santa presença de Deus sob a nova aliança. Em cada uma das sete imagens descritivas do monte Sião, há um nítido contraste com as sete características assustadoras do monte Sinai.

1) "Porque não chegastes ao monte palpável, aceso em fogo, e à escuridão, e às trevas, e à tempestade... Mas chegastes ao monte Sião, e à cidade do Deus vivo, à Jerusalém celestial" (12.22a). Estas três frases são sinônimas por descreverem (embora com terminologias diferentes) a mesma realidade. O "Monte Sião", a colina em Jerusalém, na qual o Templo de Salomão foi construído, se tornou um símbolo do lugar da verdadeira adoração a Deus. Considerando que o monte Sião terrestre era o lugar da adoração e encontro para as tribos do antigo Israel, o monte Sião celestial é o ponto de encontro para o novo Israel (Bruce, 1990, 356). É onde o Cordeiro se encontra com os 144.000 em Apocalipse 14.1.

A "Jerusalém celestial" é um presságio da "Nova Jerusalém" como o lar dos redimidos de todas as épocas, no final da história (cf. Ap 21.1–22.6). Pela fé, os crentes se apegam a esta realidade espiritual ainda futura como se já fosse presente. Esta cidade é o objetivo que Abraão e todos os peregrinos de fé buscaram. Suas fundações são sólidas e eternas, porque seu "artífice e construtor é Deus" (Hb 11.10). É a cidade "do Deus vivo" e de seu povo, que pela fé é redimido pelo sangue de Cristo (cf. 11.8,16; 13.12-14).

2) No Monte Sião celestial, os crentes se unem à grande hoste de anjos que estão em volta de Deus, como no Monte Sinai; mas no Monte Sião, diferentemente do Sinai, trata-se de uma reunião festiva. A densa multidão de anjos é descrita como "muitos milhares de anjos" (12.22b) em uma grande assembléia de adoração, alegremente celebrando "a vitória alcançada por Cristo" (Lane, 1991, 467).

3) Com os anjos na adoração está a "igreja dos primogênitos" (12.23). Westcott observa que uma característica impressionante aqui é que os anjos e o povo redimido de Deus não estão mais separados como no Sinai, por sinais de grande terror, mas unidos em uma grande assembléia" (1889/1980, 413). A designação "primogênito" tem sido variavelmente interpretada como se referindo aos anjos, aos santos do Antigo Testamento, aos primeiros cristãos, aos primeiros cristãos que morreram e aos mártires cristãos. O significado mais provável, porém, é que estes primogênitos sejam aqueles que nasceram de novo em Cristo, e, deste modo, o termo se refere aos crentes da nova aliança em geral.

O texto em 1.6 se refere à encarnação do Filho, Jesus Cristo, chamando-o de "primogênito" (cf. Rm 8.29; Cl 1.15; Ap 1.5). É "através de sua união com Ele, que é o Primogênito *por excelência*, que todos os membros do povo de Cristo se tornam os 'filhos primogênitos de Deus'" (Bruce, 1990, 359). Não trocaram, de modo néscio, o direito de primogenitura que receberam pela satisfação momentânea ou por coisas temporárias deste mundo, como fez Esaú. A frase adicional, "que estão inscritos nos céus", é claramente uma referência aos redimidos do Senhor, não aos anjos (cf. Lc 10.20; Fp 4.3; Ap 21.27). Alguns intérpretes consideram o termo "primogênito" como uma palavra que compreende todos os "homens e mulheres fiéis, tanto da antiga como da nova aliança que incluirá 'os primogênitos do céu'" (NEB) (Lane, 1991, 469).

4) Dentre as sete imagens que descrevem a realidade celestial para a qual os cristãos vieram, a frase central é: "A Deus, o Juiz de todos" (12.23b). A revelação de Deus como o Juiz de toda a humanidade envolve a antiga e a nova aliança. Através de Cristo como Mediador, porém, os cristãos — diferentemente dos israelitas no Sinai — podem se aproximar da presença de Deus, até em seu papel solene como Juiz, sem medo da condenação. Não obstante, a menção de Deus como Juiz serve como um forte incentivo para aqueles que ainda tentam viver vidas santas enquanto estão na terra, sabendo que nada está oculto à sua visão (cf. 4.13). Sabemos que "o Senhor

julgará o seu povo" (10.30); assim sendo, "horrenda coisa é cair nas mãos do Deus vivo" (10.31) para aqueles que estão separados de uma firme confiança em Cristo e em seu sangue. Esta confiança se torna possível através da fé e da perseverança. Portanto, ninguém deve desconsiderar o Senhor (cf. 12.25).

5) Parte do papel de Deus como Juiz é recompensar corretamente e justificar aqueles que são fiéis, por seus sofrimentos por amor a Ele. Deste modo, no Monte Sião, também nos unimos "aos espíritos dos justos aperfeiçoados" (12.23c). A palavra "espírito" é variavelmente usada em Hebreus. Deus é descrito como "Pai dos espíritos" (12.9), e os anjos são descritos como "espíritos ministradores" (1.14). Morris acredita que a frase em questão aqui simplesmente mostre a natureza espiritual da cidade celestial, onde o justo vive agora. Porém é mais provável que se refira aos justos que morreram nas eras pré-cristãs (veja por exemplo o capítulo 11), uma vez que "foram aperfeiçoados" por causa do sacrifício retroativo de Cristo e seu presente ministério mediador que também se estende a seu favor (Bruce, 1990, 360). Lane pensa que o termo "justos" envolve todos os fiéis no céu, tanto na antiga quanto na nova aliança, "que haviam sido 'aperfeiçoados' com base no sacrifício de Jesus" (1991, 471; também Attridge, 1989, 376). Os justos são possivelmente chamados de "espíritos" porque ainda não possuem os corpos da ressurreição.

6) Todos os crentes pela fé vieram a "Jesus, o Mediador de uma nova aliança", que é a razão para a assembléia festiva no Monte Sião. Este é um dos principais temas de Hebreus, isto é, o ministério sumo sacerdotal de Jesus Cristo a favor dos verdadeiros crentes. Ao reconhecer Jesus como o Mediador da nova e efetiva aliança, o autor "fornece o contraste entre Ele e Moisés, o mediador da antiga aliança, que se sentiu 'assombrado e tremendo' (v. 21) na presença de Deus no monte Sinai (Lane, 1991, 472). Isto resume a mensagem de Hebreus: Quão "melhor" e infinitamente superior é a nova aliança quando comparada à antiga, e Jesus quando comparado a Moisés. Voltar à antiga aliança após a chegada da nova não é somente loucura, mas também uma apostasia que incorrerá em julgamento (cf. 12.25,29).

7) Finalmente, o custo e o testemunho da nova aliança, o "sangue da aspersão" (12.24b) de Jesus, oferece a alegria e a liberdade de acesso à santa presença de Deus, que os crentes têm no monte Sião. Este sangue "fala melhor do que o de Abel" (12.24b). Considerando que o sangue de Abel clama pela justiça e vingança, o sangue de Jesus satisfaz a justiça de Deus e fala do perdão dos pecados e da limpeza da consciência (cf. 10.12,22). O sangue de Jesus realiza o que o sangue de Abel, mesmo sendo justo como era, não poderia realizar. Somente o sangue de Jesus pode nos levar para o glorioso e alegre destino da Jerusalém celestial, a cidade de Deus.

A Sétima Advertência Exortativa: A Loucura de Recusar a Deus e seu Reino (12.25-29)

O autor agora deixa de comparar a revelação da antiga aliança de Deus no monte Sinai (12.18-21) com a revelação da nova da aliança no Monte Sião (12.22-24), dando uma advertência final baseada na comparação mencionada anteriormente. A urgência da advertência é mostrada através de uma antecipação profética do grande abalo do final dos tempos, que atingirá tudo aquilo que pode ser abalado, removendo tudo o que não é permanente. Somente aquele que estiver associado ao reino de Deus (e a seu Filho) poderá permanecer. Se transgredir sob a antiga aliança era temeroso e o castigo inevitável, quão mais sério é ignorar deliberadamente a graça de Deus e a plena revelação de seu Filho sob a nova aliança. Recusar a misericórdia de Deus que precede seu julgamento é tornar a si mesmo culpável diante do Juiz, pois "o nosso Deus é um fogo consumidor" (12.29). Esta advertência final é contrabalançada, como Hagner assinala, por uma ênfase "na segurança suprema daqueles que permanecem fiéis" (1983, 215).

A palavra de ligação entre o parágrafo precedente (12.18-24) e esta advertência (12.25-29) é "fala" (12.24,25). A condição privilegiada dos cristãos como filhos de Deus traz consigo "uma maior responsabilidade qualitativa... a de ouvir atentamente a voz de Deus. Aqueles que ignoram deliberadamente a revelação escatológica de Deus através de seu Filho e que [assim] se mostram resistentes à bênção da nova aliança, não escaparão do julgamento" (Lane, 1991, 474-475).

"Vede que não rejeiteis ao que fala" — o locutor é o próprio Deus, como no monte Sinai. Os israelitas no deserto não escaparam do julgamento de Deus, quando desconsideraram sua voz que lhes foi dirigida. Deus "falou-nos, nestes últimos dias, pelo Filho" (1.1), e nós devemos "atentar, com mais diligência" para o que Ele falou através de seu Filho (2.1-4). Esta advertência é agora trazida a um contexto completo: "Porque, se não escaparam aqueles [isto é, os antigos israelitas] que rejeitaram o que na terra os advertia, muito menos nós, se nos desviarmos daquele que é dos céus". Argumentando a partir do ponto de menor importância até o de maior importância (cf. 2.2,3; 10.28,29), a verdade é novamente esclarecida: aquele que desobedecer o evangelho de Cristo, "com toda a certeza incorrerá em um julgamento mais terrível do que aquele que foi sofrido pelos que desobedeceram a lei" [cf. 3.16-18] (Bruce 1990, 363).

O espírito da advertência aqui é o mesmo que declarou anteriormente: "Se ouvirdes hoje a sua voz... não endureçais o vosso coração, como [os israelitas] na provocação" (3.7,8,15; 4.7). O tempo presente do particípio que está em 12.25a (literalmente, "aquele que está falando") indica que o perigo é real e urgente. A recusa que os leitores demonstram em ouvir ainda não é um fato consumado (como argumentado por Westcott, 1889/1980, 419), mas é uma possibilidade real que ameaça a igreja que se reunia em um lar, à qual a carta é endereçada (Lane, 1991, 478).

No Monte Sinai, a voz de Deus abalou a terra, mas em Ageu 2.6 Ele prometeu mais uma vez abalar todo o universo (Hb 12.26). As palavras "ainda uma vez comoverei" mostram um abalo que tem uma finalidade, isto é, o abalo na consumação da história (cf. Mc 13.31: 2 Pe 3.7). A realização deste abalo no final dos tempos está aqui claramente associada à ira e ao juízo de Deus, como em Isaías 13.13. Novamente, a advertência subjacente é que aqueles que rejeitarem a revelação da nova aliança de Cristo, no final receberão um julgamento ainda mais severo do que aqueles que recusaram a revelação da antiga aliança.

O escritor se refere novamente a "esta palavra" (12.27) e as interpreta como apontando para o maior abalo em que ocorrerá "a mudança das coisas móveis, como coisas feitas, para que as imóveis permaneçam". Aqueles que estão sujeitos ao julgamento da ira de Deus serão abalados e removidos; aqueles que compartilham pela fé o reino inabalável de Deus (12.28), como firmes participantes da comunhão com Cristo (3.14), são inabaláveis e permanecerão. A palavra "remover" refere-se a mover algo de um local até outro; a palavra "permanecer" significa "manter-se", "ser duradoura". Lane (1991, 483) explica o completo significado da aplicação desta linguagem descritiva do autor a seguir:

> O evento [do abalo final realizado por Deus] resultará na remoção decisiva da comunidade, daqueles que desconsideraram aquilo que Deus disse e rejeitaram sua advertência solene (v. 25). Estes não experimentarão somente a perda de seus direitos como filhos (cf. v. 16,17) e a bênção da nova aliança revisada nos versos 22-24, mas também a invocação das sanções contidas na maldição por não guardar a aliança (cf. v. 25b). Em meio aos que "permanecerão" estão aqueles que compartilham do estado inabalável do Juiz de todos, que é Deus (v. 27b). Sua fidelidade para com a nova aliança é a base da garantia de que desfrutarão uma salvação eterna, recebendo como seu legado um reino inabalável (v. 28a).

Deste modo o abalo final exporá o coração e a vontade, ou a repugnância de cada pessoa de submeter-se àquele que falou do céu por meio de seu Filho.

Os crentes que têm comunhão com Cristo têm boas razões para serem gratos, já que receberam "um reino que não pode ser abalado" (12.28). Esta ordem material criada é transitória e perecível. Tudo o que pode ser abalado, o será, mas as realidades eternas jamais passarão. O reino de Deus, diferentemente dos reinos deste mundo, é um reino eterno (Lc 1.33; cf. Dn 2.44,45; 4.3; 7.14,18). A Palavra de Deus também é inabalável; embora o céu e a terra passem, o que Deus falou jamais passará, durará para sempre (cf. Mc 13.31). Jesus Cristo permanece "o mesmo ontem, e hoje, e eternamente" (Hb 13.8). A herança dos santos é "uma herança incorruptível, incontaminável que não pode murchar, guardada nos céus", porque é mantida segura no céu para aqueles que perseveram na fé até o fim (1 Pe 1.4; cf. Hb 3.14).

A atitude apropriada para se receber o reino inabalável de Deus e sua graça inalterável é oferecer a Deus, com toda disposição, uma abundante adoração, que é fruto de um coração grato, maravilhado e temente a Deus. A palavra "adorar" ou "reverenciar" (v. 28, *latreuo*) é usada para vários tipos de "serviço" ao Senhor. Ela foi usada anteriormente, em Hebreus, para descrever o serviço dos sacerdotes levitas (por exemplo, 8.5; 9.9; 10.2; cf. também 13.10). Aqui é espiritualmente usada referindo-se à vida de devoção do cristão, que é acompanhada pela "reverência e temor" diante do "fogo consumidor" (12.29) de sua santidade e justiça.

A declaração final: "Nosso Deus é um fogo consumidor" está relacionada à descrição da manifestação de Deus no monte Sinai (12.18). O fogo, a escuridão e as trevas do Sinai pressagiam a realidade que será vista quando o julgamento de Deus em sua santidade ocorrer na vida daqueles que rejeitaram seu Filho. "Sua santidade é um fogo, que, pela lei eterna de sua natureza, deve consumir tudo o que é mal. Igualmente, seu amor é um fogo que deve queimar e destruir totalmente tudo aquilo que dificulta ou rejeita o triunfo do amor" (Murray, n.d., 515). Deste modo, o terrível fogo de Deus pode ser encontrado como o fogo do julgamento ou como o fogo purificador. Dependendo de como nos relacionamos com seu Filho, Ele nos encontrará como amigo ou inimigo.

5.2. A Prática da Santidade (13.1-17)

Em 12.14, o autor declarou que viver em santidade é uma prioridade na vida cristã. Nós, que fomos redimidos e santificados pelo sangue de Cristo (13.12), somos chamados a demonstrar a pureza (a santidade de Deus em nós; cf. 12.10) através de um estilo de vida distintamente cristão que envolve escolhas sociais, éticas e morais, como descritas em 13.1-17. O próprio conceito da adoração aceitável em 12.28 envolve a revelação do fogo refinador (12.29) e a implementação de uma vida santa em reverência a Deus, e a serviço dos semelhantes (veja 12.28,29). A verdadeira adoração, então, está diretamente relacionada à santidade, conforme o texto em 13.1-17. As passagens em 12.14 e 12.28 estão ligando a seção anterior (12.14-29) à passagem que estamos analisando.

A principal característica de 13.1-17 é o imperativo presente (cf. 13.1,2,3,7,9,17; cf. também 13.18, onde é feito um pedido de oração). Este estilo polido de advertência utiliza imperativos como ordens, de forma concisa, uma reminiscência do estilo literário do Novo Testamento, como pode ser observado no livro de Tiago. Conseqüentemente, nenhum tópico isolado recebe um extenso tratamento nestes versos. O propósito do conselho não é ensinar, mas relembrar e chamar a atenção ao modo de vida que honra a Deus, e que deve caracterizar todos os cristãos.

De maneira consistente com este propósito, a rápida série de exortações pungentes em 13.1-17 aborda a vontade dos crentes de viver vidas santas e não perder seus objetivos ou enfoques: "Permaneça a caridade [ou amor] fraternal" (13.1); "Não vos esqueçais da hospitalidade [ou de mostrar amor aos estrangeiros]" (13.2); "Lembrai-vos dos presos... e dos maltratados" (13.3); "Venerado seja entre todos o matrimônio" (13.4); "Sejam vossos costumes sem avareza, contentando-vos com o que tendes" (13.5); "Lembrai-vos dos vossos [antigos] pastores... a fé dos quais imitai" (13.7); "Não vos deixeis levar em redor por doutrinas várias e estranhas" (13.9); "Temos um altar" (13.10); "Saiamos, pois, a ele fora do arraial" (13.13); "Ofereçamos sempre, por ele, a Deus sacrifício de louvor" (13.15); "Não vos esqueçais da beneficência e comunicação" (13.16); "Obedecei a vossos pastores e sujeitai-vos a eles" (13.17). Para um estudo da forma literária, estrutura, simetria e arte desta seção, veja Lane, 1991, 495-509.

5.2.1. A Demonstração do Amor na Prática (13.1-3). Demonstrar amor pelos demais crentes é um aspecto essencial do significado de seguir "a santificação", sem a qual ninguém verá o Senhor (12.14). Este é um ensino comum no Novo Testamento, como indicado na declaração de João: "Quem não ama seu irmão, ao qual viu, como pode amar a Deus, a quem não viu? E dele temos este mandamento: que quem ama a Deus, ame também seu irmão" (1 Jo 4.20,21; cf. Jo 13.34; Rm 12.10; 1 Ts 4.9; 1 Pe 1.22; 2 Pe 1.7; 1 Jo 2.9,10; 3.11,14-18). É, portanto, apropriado que a revelação da santidade de Deus em Hebreus 12.28,29 devesse ser seguida pela advertência, "permaneça a caridade [ou amor] fraternal" (13.1). Esta ênfase da igreja primitiva deriva do ensino de Jesus, que resumiu a lei do Antigo Testamento na dupla ordem de amar a Deus e ao próximo como a si mesmo (Mt 22.37-40; Mc 12.29-31; cf. Rm 13.9,10). Deste modo, o amor é a mais importante virtude cristã, até mesmo maior que a fé e a esperança (1 Co 13).

O amor fraternal referido em 13.1 é descrito pela palavra *philadelphia*. Ela expressa a qualidade do amor freqüentemente referido em Hebreus, que une os crentes como irmãos e irmãs na família de Deus (cf. 2.11,12,17; 3.1,12; 10.24; 13.22,23). Tal amor mútuo caracterizou a vida dos leitores originais (10.32-34). Se sua fé estivesse começando a vacilar, ocorreria um enfraquecimento correspondente dos laços de amor que os mantinham unidos.

A prática da santidade não é vista somente na expressão do amor prático para com os crentes da mesma comunidade da Igreja, mas também deve se estender à hospitalidade àqueles que são de fora (13.2). A maior parte da igreja primitiva se reunia nas casas. As igrejas nas casas favoreceram, naturalmente, a possibilidade de se demonstrar a hospitalidade aos cristãos que estivessem em viagem; a hospitalidade, por sua vez, "serviu para expandir a cadeia de interdependência que une a família de Deus" (Lane, 1991, 511). Lane acrescenta que os pregadores e os professores viajantes do evangelho, além dos refugiados das perseguições, realmente "contavam com as casas cristãs para encontrar abrigo e sustento" (1991, 512). O Didache, um importante documento cristão do segundo século, declara: "A qualquer que vier em nome do Senhor, deve ser permitido entrar e ser recebido... Se vier como viajante, ajude-o, o quanto for possível" (12.1,2).

No Novo Testamento existem claras referências a este tipo de hospitalidade nos planos de viagem de Paulo e de seus companheiros (por exemplo, Rm 15.28,29; 16.1,2; 1 Co 16.10,11; Fp 2.24,29; Fm 22), e desta prática na Igreja (2 Jo 5-11; cf. Rm 12.13; 1 Pe 4.9,10). A frase "porque, por ela, alguns, não o sabendo, hospedaram anjos" faz alusão ao encontro de Abraão com os três visitantes misteriosos a quem mostrou hospitalidade, e que previram o nascimento de Isaque dentro de um ano (Gn 18.1-21). Esta referência serviu de inspiração aos crentes, levando-os a uma disposição de estender a hospitalidade a estranhos e viajantes cristãos, com a expectativa de que seus convidados pudessem ser mensageiros de Deus (*angeloi*), e por sua vez pudessem enriquecer a vida da família do anfitrião (cf. Bruce, 1990, 371; Lane, 1991, 512-513).

A advertência a mostrar compaixão pelos prisioneiros e pelos maltratados demonstra que o amor cristão era um aspecto importante na vida de santidade. A expressão "lembrai-vos dos presos" se refere especialmente aos irmãos crentes que haviam sido encarcerados em um ato de perseguição por causa de sua fé. Antigamente, os prisioneiros sofriam severas privações, a menos que recebessem alimentos, roupas, cobertores e outros itens necessários, da família ou amigos durante seu encarceramento. Os prisioneiros poderiam ser rapidamente esquecidos; esta é a razão da advertência a "lembrarem-se" deles.

Às vezes, as pessoas temiam ser identificadas como alguém que ajudasse os prisioneiros, por temerem ser sujeitados ao mesmo tratamento. Mas os leitores são admoestados a lembrarem-se destes "como se estivessem presos com eles", isto é, nas mesmas circunstâncias e com eles. No passado, os leitores haviam demonstrado corajosamente este tipo de solidariedade e amor, na prática, para com os encarcerados (veja os comentários em 10.32-34), e são agora exortados a continuar fazendo o mesmo. A referência "aos maltratados" (13.3b) inclui um grande número de irmãos e irmãs em Cristo que, embora não encarcerados, estavam enfrentando perseguições e abusos por causa de sua fé (cf. 11.25,36-38). Apoiar estes irmãos crentes não era apenas um ato de amor, mas também uma confissão de fé.

5.2.2. Manter a Fidelidade Conjugal e a Pureza Sexual (13.4). Respeitar o casamento, seus votos sagrados e sua intimidade física é um outro aspecto da vida santificada à qual Deus chama o seu povo. Tal respeito inclui implicações relativas à pureza sexual tanto para os casados quanto para os solteiros. O "leito sem mácula" é um eufemismo para a intimidade e as relações sexuais entre o marido e a esposa. Ao contrário do estilo de vida sexualmente promíscuo do mundo, o alto padrão de Deus para a sexualidade humana consiste na pureza e na fidelidade. A união e a intimidade sexual são reservadas para o casamento, e Deus as considera como honradas e puras. A intrusão sexual de uma terceira pessoa na relação do casamento a contamina, e é condenada por Deus. Semelhantemente, a intimidade e as relações sexuais antes do casamento ou fora do casamento são consideradas por Deus como a transgressão dos limites por Ele estabelecidos.

"Aos que se dão à prostituição e aos adúlteros Deus os julgará". A palavra "adúlteros" denota indivíduos casados de um ou outro sexo que tomam parte em atividades sexuais fora da relação do casamento. Envolve necessariamente a infidelidade à aliança do casamento e a traição a um dos cônjuges. O adultério freqüentemente envolve a quebra de duas alianças matrimoniais e a traição de dois cônjuges (uma tragédia dupla). A palavra empregada para aqueles que são "sexualmente imorais" (*pornoi*) significa, literalmente, "fornicadores". A fornicação abrange uma grande variedade de atividades sexuais fora do casamento, inclusive a intimidade heterossexual de pessoas solteiras, relações homossexuais, o relacionamento com prostitutas e outras paixões degradantes. Aqueles que contaminam o casamento com o adultério, ou transgridem os limites proibidos através da fornicação, podem estar certos de que enfrentarão o juízo de Deus. "Porque por essas coisas vem a ira de Deus sobre os filhos da desobediência" (Ef 5.6; cf. 1 Co 6.9,10; Cl 3.5,6; 1 Ts 4.3-6). As palavras de Paulo em 1 Tessalonicenses 4.7 correspondem à exortação presente nesta passagem: "Porque não nos chamou Deus para a imundícia, mas para a santificação".

5.2.3. Permaneça Livre da Concupiscência e da Cobiça Material (13.5,6). O desejo sexual ilícito e o amor pelo dinheiro freqüentemente compartilham um desejo pecaminoso comum chamado "avareza" ou "cobiça" (cf. Êx 20.17). No Novo Testamento estas práticas estão freqüentemente ligadas (por exemplo, 1 Co 5.10,11; Ef 4.19; 5.3-5; 1 Ts 4.3-6). Os desejos ligados à cobiça levam uma pessoa a procurar seus próprios objetivos sexuais ou financeiros, sem considerar o bem-estar espiritual dos outros (Morris, 1981, 147). Outra motivação comum para ambos os pecados é o amor ao prazer. O escritor Lucian, do segundo século, escreveu: "O amor ao prazer leva ao adultério e ao amor pelo dinheiro" (*Nigrinus* 16).

Em relação ao dinheiro e às posses, Jesus nos advertiu: "Não podeis servir a Deus e a Mamom [ou às riquezas]" (Mt 6.24; Lc 16.13). Ele também disse que a vida não consiste na abundância de posses (Lc 12.15). Semelhantemente, Paulo, em suas cartas, associa a cobiça à idolatria (por exemplo, 1 Co 5.11; Ef 5.5; Cl 3.5), indicando que existe uma dimensão demoníaca na luxúria e na cobiça material, assim como uma traição da confiança em Deus.

Com a finalidade de buscarmos a santificação e vivermos uma vida santa diante do Senhor, o livro de Hebreus nos previne do seguinte modo: "Sejam vossos costumes sem avareza, contentando-vos com o que tendes" (13.5a). De igual forma, Paulo escreveu a Timóteo dizendo que "é grande ganho a piedade com contentamento", e que deveríamos estar satisfeitos por termos o nosso alimento e as nossas vestes, as provisões básicas da vida, sabendo que "os que querem ser ricos caem em tentação, e em laço, e em muitas concupiscências loucas e nocivas, que submergem os homens na perdição e ruína. Porque o amor do dinheiro é a raiz de toda espécie de males; e nessa cobiça alguns se desviaram da fé e se traspassaram a si mesmos com muitas dores" (1 Tm 6.6-10).

As chaves para estar livre do amor ao dinheiro são: (1) nos contentarmos com o que temos, o que exige lidar friamente com a questão da cobiça e da ambição; (2) ter confiança de que Deus será a nossa fonte de provisão (cf. Mt 6.25-33), que é o principal ponto da fé. O autor enfatiza corretamente que a satisfação não é determinada por quanto dinheiro alguém tem, mas pela confiança que tem em Deus e em sua presença infalível (Hb 13.5b) como nosso ajudador na vida (13.6a). A garantia de Deus: "Não te deixarei, nem te desampararei" (13.5b), é a revelação de sua fidelidade no Antigo Testamento (por exemplo, Dt 31.6,8; Js 1.5).

A resposta do crente à garantia de Deus pode ser encontrada em uma citação do Salmos 118.6,7, e contém uma tripla demonstração de confiança. (1) "O Senhor é o meu ajudador" (13.6a), isto é, devemos confiar em Deus como nosso ajudador em todas as experiências de uma vida santificada e em todas as provações ou perseguições. (2) Por causa da presença e graça de Deus o crente pode dizer confiantemente, "não temerei" (13.6b). O temor e a fé são opostos. O temor habilita Satanás a trabalhar contra nós; a fé habilita Deus a trabalhar por nós. O crente deve estar livre do amor ao dinheiro e do medo da privação ou da morte, através da fé em Deus, crendo que Ele é um ajudador fiel em cada momento de necessidade. (3) A expressão retórica, "o que me possa fazer o homem" (13.6c), é de fato uma corajosa e confiante confissão de que Deus é o "meu ajudador". O crente confiante pode declarar corajosamente com Paulo: "Que diremos, pois, a estas coisas? Se Deus é por nós, quem será contra nós?... Quem nos separará do amor de Cristo? A tribulação, ou a angústia, ou a perseguição, ou a fome, ou a nudez, ou o perigo, ou a espada?... Mas em todas estas coisas somos mais do que vencedores, por aquele que nos amou" (Rm 8.31,35,37).

5.2.4. Apegar-se ao Ensino Sadio do Evangelho (13.7-12). Os próximos três versos devem ser vistos como uma unidade de pensamento, sendo 13.8 a ponte entre 13.7 e 13.9. Jesus Cristo é o enfoque invariável da mensagem do evangelho (13.8), que foi fielmente pregado por seus líderes originais (13.7) e que deve permanecer de acordo com o padrão da verdade, pelo qual todos os ensinos serão julgados (13.9) (cf. Lane, 1991, 528-529).

"Lembrai-vos [uma ênfase na continuidade no tempo presente, isto é, continue lembrando] dos vossos pastores, que vos falaram [no passado, isto é, antigos líderes] a palavra de Deus" (13.7). Por três vezes neste capítulo o escritor menciona os líderes espirituais dos leitores (13.7,17,24). Em todas, é utilizado o termo *hegoumenoi*, que se refere a homens de autoridade em uma posição de liderança (por exemplo, na política, na vida militar, ou na liderança da igreja local). Em 13.17, os leitores devem obedecer aos seus líderes, e em 13.24, o autor envia suas saudações a todos os líderes; em ambos os versos o autor se refere aos líderes atuais. Em 13.7, porém, são seus antigos líderes que devem ser lembrados.

São recordados dois fatos importantes a respeito destes antigos líderes.

1) Proclamaram "a palavra de Deus" (13.7a); isto é, eram homens de autoridade espiritual em virtude de se manterem enfocados na Palavra de Deus. É mais provável que a igreja (local), que se reunia em uma casa, à qual a carta aos Hebreus foi enviada, tenha sido fundada como o resultado da pregação e do ministério de ensino destes líderes. Nesse caso, estes patriarcas fundadores são referidos previamente em 2.3,4 como homens ungidos que pessoalmente ouviram ao Senhor e subseqüentemente se tornaram pregadores, e cujo ministério era atestado por Deus "por sinais, e milagres, e várias maravilhas, e dons do Espírito Santo" (2.4). Parece que estes "antigos líderes já haviam falecido [e]... sua pregação pertencia ao passado da comunidade" (Lane, 1991, 527).

2) Eram homens de "fé" (13.7b), cuja qualidade de fé e modo de vida exemplar os colocaram ao lado dos heróis da fé sob a antiga aliança (veja 11.4-38). Sua vida e fidelidade a Cristo eram tão exemplares que o autor agora exorta os leitores a "imitarem" sua fé. Como Bruce observa, existe mais poder no testemunho de uma pessoa que conhecemos ou vimos do que quando apenas lemos ou ouvimos a seu respeito (1990, 375). A advertência a considerar o resultado de suas vidas também aponta para o seu falecimento; agora a totalidade de sua vida pode ser vista juntamente com seu triunfo final de fé, na partida para estar com o Senhor.

Pelo fato de estes antigos líderes não estarem mais com eles, e por sua perda provavelmente ter sido fortemente sentida, as mudanças subseqüentes na liderança podem ter resultado em uma mudança geral na congregação. Não obstante, "Jesus Cristo" — a quem seus líderes fielmente pregaram e que permanece sendo o objeto de sua fé — "é o mesmo ontem, e hoje, e eternamente" (13.8). Não importa o que os leitores enfrentem hoje ou o que os aguarde amanhã; Cristo será sempre "o mesmo". Ele compartilha a mesma natureza imutável de Deus (cf. Sl 102.27; Is 48.12). Embora todos mudem ao nosso redor, Jesus nunca muda. Ele é o mesmo amanhã, como era ontem, e o será eternamente. Bruce (1990, 375) explica claramente, no contexto de Hebreus, o passado, o presente e o futuro aplicados a Jesus:

> *Ontem* Jesus "ofereceu, com grande clamor e lágrimas, orações e súplicas ao que o podia livrar da morte" (Hb 5.7); *hoje* Ele representa seu povo na presença de Deus, como o Sumo Sacerdote que é capaz de compreender suas fraquezas, porque "em tudo foi tentado", "mas sem pecado" (4.15); este mesmo Jesus vive *para sempre*, e intercede "por eles" (7.25). Sua ajuda, sua graça, seu poder e sua direção estão permanentemente a disposição do seu povo; por que então deveriam desfalecer em seus ânimos? Os homens servem à sua geração pela vontade de Deus, e mais tarde passam o sacerdócio a outros; "mas este, porque permanece eternamente, tem um sacerdócio perpétuo [intransferível]" (7.24). Ele nunca precisa ser substituído, e nada pode ser acrescentado à sua obra, que é perfeita.

O autor exorta seus leitores a continuarem tendo uma fé invariável no Cristo que é imutável como Sumo Sacerdote do crente, para sempre (um resumo da mensagem do livro). Como nossa fé se apega a esta verdade e permanece naquEle que é "o mesmo" para sempre, ela "participará de sua imutabilidade" (Murray, n.d., 526).

Em contraste com o permanente testemunho da Palavra de Deus (13.7), e a estabilidade e imutabilidade de Cristo (13.8), estavam as "doutrinas várias e estranhas" que circulavam entre os cristãos judeus. A situação aqui tem alguns paralelos com o problema de Paulo na Galácia, onde seus convertidos estavam sendo desviados da "graça de Cristo para outro evangelho", estavam se afastando da graça a ser presos à escravidão da lei do Antigo Testamento (cf. Gl 1.6-9; 5.1-6). A advertência "não vos deixeis levar..." aponta para um perigo semelhante nestes ensinos, que eram estranhos ao evangelho de Cristo, pregado por seus patriarcas (13.7,8).

A referência aos "manjares" (13.9), a um altar e a comer (13.10), e à cerimônia do Antigo Testamento conduzida por um sumo sacerdote (13.11) apontam para uma antiga aliança em um contexto judaico, diferente do ensino que está sendo referido. Eram doutrinas "estranhas" quando comparadas com o evangelho de Cristo (Guthrie, 1983, 272), não significando que fossem estranhas para o modo de pensar dos judeus (como no caso do gnosticismo). Estes cristãos judeus não deveriam dar atenção aos ensinos a respeito dos rituais relacionados aos alimentos, às festas ou às comidas sacrificadas, como um meio de fortalecimento espiritual.

Como seguidores de Cristo, "bom é que o coração se fortifique com [sua] graça e não com manjares". Ao longo de Hebreus, o autor enfatiza que todas as formas, comidas, cerimônias e ministério sacerdotal da antiga aliança haviam sido cumpridos (e então se tornaram obsoletos) em Cristo (cf. 9.10). Além disso, em vez de proporcionar o fortalecimento espiritual, quando os alimentos são colocados em um contexto religioso, "desviam o coração da graça mediada através da palavra de Deus" (Lane, 1991, 531) e da fé em Cristo. Deste modo, devemos ter nossos corações fortalecidos somente "pela graça", que vem do trono da graça, não pelos "manjares" cerimoniais. "Porque o reino de Deus não é comida nem bebida, mas justiça, e paz, e alegria no Espírito Santo" (Rm 14.17).

Embora as leis da nutrição digam que aquilo que comemos impacta nossa saúde e bem-estar físico geral, a comida não tem nada a ver com o nosso bem-estar espiritual. Bruce corretamente nota que o "jejum voluntário [isto é, a abstenção de alimentos], conforme a instrução de nosso Senhor em Mateus 6.16-18... [pode ser espiritualmente edificante]; mas esta não é a questão aqui" (1990, 377).

A frase "temos um altar" em 13.10 marca o retorno do autor a seu tema nos capítulos centrais de Hebreus, isto é, que o sacerdócio levítico, os sacrifícios e o Santuário do Antigo Testamento encontram seu cumprimento na morte e no ministério perpétuo de Jesus Cristo. Cristo é o Sumo Sacerdote do crente diante do altar, o sacrifício do crente pelo pecado no altar, e o altar do crente. Nosso altar é Cristo e a cruz; os sacerdotes e os adoradores levíticos não compartilham os seus benefícios. "'Comer do altar' é uma expressão figurada que se refere a participar do sacrifício" (Lane, 1991, 539), e à participação da comida sacrificada que às vezes era servida em seguida. A frase "não têm direito de comer" não se refere à Ceia do Senhor, mas, figuradamente, à essência eterna do sacrifício de Cristo, da qual cada cristão deve se apropriar pela fé no próprio Cristo.

Em Hebreus, a expressão "sumo sacerdote" normalmente sinaliza uma referência a algum aspecto do dia do ritual da expiação (Lv 16; por exemplo, Hb 5.3; 7.27; 8.1-3; 9.7,11,12,24-26). As duas características distintas do "sacrifício pelo pecado" no dia da expiação são referidas em 13.11,12. O "sangue" do sacrifício era levado ao "Santo dos Santos" e "os corpos dos animais" do sacrifício eram "queimados fora do arraial" — ambos pressagiaram o sacrifício de Cristo como uma oferta pelo pecado na cruz (o dia da nossa expiação).

1) Pelo sangue derramado por Jesus Cristo, o perdão dos pecados e o acesso a Deus foram obtidos (9.12); e seu sangue continua a nos dar acesso e comunhão com Deus (10.19,20). Assim, o chamado é expresso em Hebreus: "Saiamos, pois, a ele" (cf. 4.16; cf. 10.22).

2) Jesus, porém, sofreu "fora da porta" para "santificar o povo pelo seu próprio sangue" (13.12). Deste modo, a morte de Jesus na cruz, fora dos muros da cidade de Jerusalém, corresponde à queima do corpo sacrificial fora do arraial de Israel no dia da expiação. O propósito claro de sua morte é santificar seu povo de forma que sejam apresentáveis a Deus e possam compartilhar sua glória. As expressões "fora do arraial" e "fora da porta" da cidade não só representam o cumprimento do ritual do dia da expiação através da

morte de Jesus no Gólgota, mas também transmitem a mensagem de que a morte de Jesus envolveu a mesma vergonha do caso de uma execução e exclusão de um criminoso dos limites sagrados de Jerusalém. A implicação prática da enorme rejeição e vergonha que estão contidas nestas imagens se torna clara na exortação que vem a seguir.

5.2.5. Levemos alegremente o Vitupério de Cristo (13.13-16).

A advertência, chave nestes quatro versos é: "Saiamos, pois, a ele fora do arraial" (13.13a). A expressão "fora do arraial/fora da porta" ocorre três vezes em três versos (13.11,12,13), e é o pensamento central nesta passagem. Aqui há um significado duplo.

1) Os leitores devem romper decisivamente todos os seus laços emocionais e religiosos com o judaísmo (veja Hughes, 1977, 580-582; Lane, 1991, 545-546; Peterson, 1994, 1352). Quando Jesus foi levado para fora dos muros de Jerusalém para ser crucificado, isto foi "uma pequena amostra de sua rejeição por tudo aquilo que Jerusalém representava... Neste contexto o 'arraial' representa a comunhão e as ordenanças do judaísmo" (Bruce, 1990, 381). Romper os laços com o judaísmo era algo difícil, porém necessário para os cristãos judeus, que estavam sentindo "o peso de sua herança judaica, uma vez que se sentiam cansados de... manter seu compromisso com Jesus em uma sociedade hostil" (Lane, 1991, 346). A expressão "fora do arraial" pode igualmente se aplicar a qualquer instituição religiosa que prejudique a fiel devoção a Jesus Cristo ou à Palavra de Deus.

2) Também se pretende expressar uma convocação mais geral ao apostolado, como é indicado pela frase "levando o seu vitupério" (13.13b). Ir ao encontro de Jesus "fora do arraial" é uma expressão paralela ao chamado ao discipulado, que envolve negar a si mesmo, tomar a cruz e segui-lo (Mt 10.38; 16.24; Mc 8.34; Lc 14.27). De acordo com Paulo, ser identificado com o Cristo crucificado no primeiro século era um estigma e uma humilhação escandalosa para os judeus, e uma tolice para os gentios que buscavam a sabedoria (1 Co 1.23). Suportar o mesmo tipo de vergonha, rejeição e reprovação que Jesus experimentou era parte integral do discipulado. Deste modo, permanecer "dentro do arraial" envolve qualquer situação onde assumimos um compromisso de seguir a Jesus, visando o respeito ou a aceitação em meio às pessoas cujo relacionamento significa algo para nós; ir para "fora do arraial" é pagar o preço da rejeição e do vitupério.

Em Hebreus 13.14-16, o autor menciona três maneiras pelas quais podemos suportar alegremente o vitupério de Cristo.

1) Devemos manter em vista nosso destino eterno e nossa recompensa divina, em todos os momentos (13.14). Podemos deixar decisivamente a segurança de uma cidade terrena se estivermos "buscando a cidade futura", isto é, aquela que é "permanente". Abraão deixou a rica cidade de Ur para seguir a Deus pela fé, e assim foi capaz de suportar a condição de peregrino neste mundo, "porque esperava a cidade [permanente] que tem fundamentos, da qual o artífice e construtor é Deus" (11.10; também 11.16). Semelhantemente, Moisés deixou o Egito para seguir a Deus pela fé, porque "tinha por maiores riquezas, o vitupério de Cristo... [e] "porque tinha em vista a recompensa... [e] porque ficou firme, como vendo o invisível" (11.26,27).

Tal fé e firme enfoque no objetivo divino com sua permanência e estabilidade são necessários, se quisermos seguir a Jesus "fora do arraial", e suportar o vitupério que Ele suportou. Afinal, nossa verdadeira cidadania e devoção estão no reino de Deus, não na religião e nas instituições políticas deste mundo. Como Bruce declara, "toda instituição terrena pertence às coisas que são abaláveis (12.27); em nenhuma delas o coração humano pode encontrar descanso permanente" (1990, 382). Quanto mais seguirmos a Jesus, suportando seu vitupério, maior acesso encontraremos através dEle para entrarmos em sua glória.

2) Outro modo pelo qual podemos alegremente suportar o vitupério de Jesus é "oferecendo sempre, por ele [através dele], a Deus sacrifício de louvor" (13.15a). O sangue

de Cristo que nos santifica e nos separa para Deus e sua obra nos conduzirá para fora do arraial na terra (discipulado) e nos levará ao Santuário no céu (adoração). O discipulado é o principal assunto em 13.13,14; a adoração de coração é o assunto central em 13.15,16. Em comunhão com Jesus e como participantes, pela fé, dos benefícios de seu sacrifício único e perfeitamente eficaz, somos chamados a adorar a Deus oferecendo-lhe "sacrifício de louvor", isto é, um sacrifício que consiste na gratidão e na ação de graças a Deus.

A linguagem do sacrifício, tão proeminente em Hebreus, encontra sua suprema expressão aqui e em 13.16. Considerando que o sacrifício de Jesus pelo pecado foi único, como uma contraparte para todo o sistema sacrificial da antiga aliança, o que vem a nós através dEle é o contínuo sacrifício do "louvor cristão" ao sacrifício que Jesus fez na cruz e à multiforme graça de Deus. A adoração do cristão deve ser especificamente oferecida a Deus "através de Jesus", nosso Sumo Sacerdote, e não através de qualquer outro sacerdote (judeu ou não).

O "sacrifício de louvor" é também chamado de "fruto dos lábios que confessam o seu nome" (13.15b; cf. Os 14.2). A fala é uma das dádivas mais maravilhosas que Deus nos deu. Nossos lábios passaram a pertencer a Ele quando fomos redimidos por Cristo, e devem ser usados na adoração e na confissão ininterrupta de seu nome. Confessar seu nome, aberta e publicamente, por amor a Ele, por nós e por aqueles que nos ouvem "é um elemento indispensável de uma vida cristã vigorosa" (Murray, n.d., 534). Não pode haver uma vida de alegria ininterrupta se não oferecermos a Ele, continuamente, o fruto de nossos lábios.

3) Finalmente, não devemos nos esquecer da "beneficência e comunicação [*koinonia*]" (13.16). Esta antiga expressão se refere aos atos de generosidade que demonstram preocupação pelo bem-estar dos semelhantes. *Koinonia* se refere à vida compartilhada e à comunhão espiritual dos crentes unidos por Cristo na comunidade da fé. Quando deixamos "o arraial" e a segurança terrena que ele representa, não estamos sozinhos com Jesus. Antes, nos tornamos membros de outra comunidade, a de seus seguidores na terra, que levam o vitupério do glorioso Filho. Este povo compartilha uma terna comunhão, diferentemente da sociedade impessoal da qual devemos partir. *Koinonia* aqui inclui a ação tangível que dá e/ou recebe dos irmãos crentes ajuda financeira "como um sinal de sociedade compartilhada". Sem estes tipos de demonstrações práticas de amor em meio aos cristãos, "falta integridade no louvor a Deus" (Lane, 1991, 552).

Nosso "sacrifício de louvor" e nossas obras de devoção amorosa são os tipos de sacrifícios dos quais "Deus se agrada". Uma vez que o sacrifício reconciliador de Cristo está decisivamente no passado, a resposta de nossas vidas em louvor, adoração e obras de amor "são os únicos sacrifícios apropriados que restam para a comunidade redimida" [cf. Rm 12.1; Tg 1.27; 1 Pe 2.5] (Lane, 1991, 553).

5.2.6. O Respeito aos Líderes Espirituais (13.17).

O respeito apropriado aos líderes espirituais inclui obediência e submissão. Considerando que 13.7 aponta para os antigos líderes desta congregação, este verso se refere aos líderes atuais. Obedecer-lhes e submeter-se à sua autoridade faz parte do melhor interesse e bem-estar espiritual dos leitores (cf. 1 Co 16.16; 1 Ts 5.12). A desobediência e a insubordinação só podem torná-los mais vulneráveis às doutrinas estranhas de outras fontes e à sua própria inclinação a abandonar sua fé cristã retornando ao judaísmo.

A palavra utilizada para "líderes" (*hegoumenoi*; cf. os comentários em 13.7) se refere aos principais líderes na comunidade da igreja local, cuja autoridade espiritual deriva de uma fonte dupla.

1) Deriva primeiramente da "Palavra de Deus" (cf. 13.7), a qual são chamados e habilitados por Deus a proclamar. Aqui não existe nenhuma sugestão de uma estrutura hierárquica ou de uma autoridade eclesiástica que seja derivada de um ofício da igreja. A autoridade de seus líderes é espiritual em sua natureza e deriva-se mais diretamente de Deus do que de um cargo ou título.

2) Sua autoridade é também pastoral e deriva-se de sua diligência como fiéis supervisores: Eles "velam por vossa alma [*psychon*, literalmente, suas almas; cf. 10.39], como aqueles que hão de dar conta delas" a Deus. Os ensinadores de doutrinas estranhas não fazem o mesmo.

O verbo "velar" (*agrypneo*) significa manter a si mesmo acordado, estar despertado (BAGD, 14). Os líderes espirituais estão em constante vigilância, chegando até mesmo a despertar durante a noite, preocupados com o bem-estar espiritual daqueles que estão confiados a seus cuidados (cf. Lc 21.36; Ef 6.18; o substantivo cognitivo se refere a "noites sem dormir" em 2 Co 11.27,28). Os líderes devem fazer a obra ministerial alegremente. Por outro lado, a ovelha desobediente e insubordinada tornará o trabalho dos líderes "um fardo", e o autor diz que isso não lhes seria útil.

Esta sóbria observação indica que o bem-estar espiritual de uma congregação é afetado pela resposta de seus membros a seus líderes espirituais. Em outras palavras, "as tensões que existem entre a comunidade e seus líderes devem ser resolvidas" (Lane, 1991, 556). Bruce argumenta que estes líderes podem ter sido participantes "da igreja na cidade grande, cuja comunhão e jurisdição o grupo endereçado na epístola se sentia tentado a abandonar" (1990, 385).

6. Conclusão (13.18-25)

6.1. Pedido Final (13.18,19)

O pedido final do autor enfatiza a importância da oração: "Orai por nós" (imperativo presente) trazendo um sentido de continuidade ("continuem orando por nós"). O fato deste pedido ocorrer sem uma transição literária do verso 17 indica que o autor estava de alguma maneira incluído no grupo de "líderes". A própria natureza do livro sugere que o autor tinha uma posição de autoridade e responsabilidade para com o povo a quem escrevia.

A principal questão de interpretação neste pedido de oração está relacionada à natureza do plural na frase "orai por nós" (13.18a). Poderia ser o caso de um plural autoral, pelo qual o autor se referiria apenas a si mesmo (esta é a opinião de Bruce, 1990, 386; Attridge, 1989, 402; Peterson, 1994, 1353), ou seria um plural genuíno, que incluiria um grupo de líderes não mencionados que estaria junto com o autor? (esta é a opinião de Westcott, 1889/1980, 446; Guthrie, 1983, 277; Lane, 1991, 556; Ellingworth, 1993, 724-725). No caso da segunda opção, o plural se referiria aos líderes como ele e Timóteo, que eram itinerantes, ou incluiria os líderes da comunidade presente em 13.17?

Lane acredita que o restante de 13.18 é claramente apologético. O pedido "orai por nós [por, *gar*, omitido pela NVI], porque confiamos que temos boa consciência, como aqueles que em tudo querem portar-se honestamente" é uma razão incomum para pedir oração. Deve sugerir algum tipo de defesa. Nesse caso, o autor pode estar defendendo sua própria integridade (de motivos e conduta) bem como a dos líderes de então, "cujo conselho e direção parecem ter trazido algum ressentimento à comunidade" (1991, 556). Talvez o ataque que gerou esta defesa fosse direcionado aos falsos ensinadores implícitos em 13.9 ou a alguns membros da congregação que eram influenciados por estes[8]. O autor possivelmente tenha escrito a convite dos demais líderes com a finalidade de tratar o problema, e aqui uniu-se a estes pedindo oração para que todas as questões fossem completamente resolvidas.

A primeira pessoa do singular na frase "rogo-vos, com instância, que assim o façais para que eu mais depressa vos seja restituído" (13.19) mostra o pedido pessoal do autor. O desejo de ser "restituído depressa" sugere que sua separação física naquela ocasião era involuntária, e aponta para uma relação pessoal prévia, em que esteve presente entre eles. Isto indica que o livro de Hebreus não era originalmente um sermão anônimo, mas que foi escrito por causa de uma relação próxima com os leitores.

6.2. A Bênção Final (13.20,21)

Esta é, no Novo Testamento, uma das bênçãos mais eloqüentemente compostas, tendo sido, como as demais, teologicamente fundamentada e redigida. Embora estando na parte final do livro, apresenta um perfeito equilíbrio com a introdução da cristologia e sua exaltação em 1.1-3. Os oito principais pontos da bênção expressam concisamente alguns dos principais temas do livro.

1) A expressão "o Deus de paz" (13.20a) identifica Deus como a fonte e o doador da paz tanto no plano pessoal como no coletivo. Uma vez que a congregação se mostrava espiritualmente instável e atravessava uma situação tumultuada, este pronunciamento da paz de Deus sobre eles é especialmente apropriado (cf. Rm 15.33; 16.20; 2 Co 13.11; Fp 4.9; 1 Ts 5.23; 2 Ts 3.16).
2) Foi "pelo sangue do concerto eterno" (13.20b) que Deus
3) "tornou a trazer dos mortos a nosso Senhor Jesus Cristo" (13.20c). Esta ligação do sangue à ressurreição de Jesus expressa uma importante verdade em Hebreus: "Jesus morreu na cruz como o sacrifício da aliança... entrou no santuário divino e ali aspergiu seu próprio sangue, antes da ressurreição. A ressurreição de Jesus aconteceu em virtude da aspersão de seu sangue no santuário divino, e do estabelecimento da nova aliança (Lane, 1991, 563)".

A nova aliança é "eterna" porque está baseada em um sacrifício melhor, e é superior à antiga por permanecer para sempre. Nunca se tornará obsoleta e não precisará ser substituída, como a antiga aliança. Pode parecer assombroso que esta seja a única referência explícita à ressurreição de Jesus em Hebreus. Nas demais passagens, a ênfase está na exaltação de Jesus à direita de Deus (cf. a proeminência do Salmos 110.1,4) e na exposição que o autor faz do ministério sumo sacerdotal de Jesus. Agora, porém, o autor declara que uma parte importante do estabelecimento da aliança eterna estava acontecendo; esta consistia em trazer de volta, do reino dos mortos, a nosso Senhor Jesus Cristo como uma demonstração sobrenatural do poder de Deus, que era o precedente necessário para seu ministério mediador duradouro como nosso Sumo Sacerdote, para sempre.

4) A descrição de Jesus como o "grande pastor das ovelhas" (13.20d) está profundamente arraigada na revelação que o Novo Testamento traz a seu respeito (por exemplo: Jo 10.1-18; 1 Pe 2.25; 5.4; cf. Mc 6.34; 14.27; Mt 9.36; 18.12-14; 25.32; 26.31; Lc 15.3-7). O adjetivo "grande" enfatiza uma vez mais "a incomparável superioridade de Jesus, o Mediador da nova aliança, em relação a Moisés, o mediador da antiga aliança (Lane, 1991, 562). Moisés é descrito no Antigo Testamento como "o pastor de ovelhas" a quem Deus "tirou" do Egito; Jesus é "o grande pastor das ovelhas" a quem Deus "tirou" do reino da morte. Só Jesus tem as qualificações para servir como o Mediador da aliança eterna (ibid.).
5) A petição do autor ao proferir a bênção, deve-se ao fato de que o povo da nova aliança poderia ser equipado por Deus "em toda a boa obra, para fazer a sua vontade" (13.21a). Estes são os dons carismáticos (da graça) de Deus, por meio dos quais somos equipados para a obra de Deus (cf. 1 Pe 4.10,11). "É Deus quem fortalece o coração com a graça (13.9), que o preenche e sustenta com os dons espirituais (2.4; 6.4,5; 13.9), de forma que não oscile nem sofra deficiências, mas possua a capacidade de fazer a vontade de Deus" (Lane, 1991, 564).
6) Deste modo, Deus opera em nós "o que perante ele é agradável" (13.21b). Isto está de acordo com a declaração de Paulo: "Deus é o que opera em vós tanto o querer como o efetuar, segundo a sua boa vontade" (Fp 2.13).
7) A expressão "por [através de] Cristo Jesus" (Hb 13.21c) nos faz lembrar a obra do ministério mediador de Cristo a nosso favor. Nos aproximamos de Deus e lhe oferecemos uma adoração aceitável através de Cristo. O que quer que seja agradável a Deus (cf. 13.15,16) "será realizado 'através de Jesus Cristo' como o Mediador da graça e do poder de Deus dentro da comunidade da nova aliança" (Lane, 1991, 565).
8) A quem é atribuída a "glória para todo o sempre"? (13.21d). A Deus, que é o sujeito da frase que contém a bênção, ou a Jesus Cristo, o antecedente imediato da doxolo-

gia? Talvez o autor não estivesse fazendo uma distinção precisa aqui, mas, falando de um modo geral, a glória seria a Deus o Pai, através de Cristo, o Filho (cf. 13.15).

6.3. A Exortação Final (13.22,23)

O autor se refere ao livro de Hebreus como "a palavra desta exortação" (13.22). Lane sugere que esta frase era uma "designação idiomática" para um discurso ou sermão edificante no primeiro século, como é indicado pela passagem em Atos 13.15 e por outras fontes. Referia-se habitualmente à exposição e aplicação das Escrituras que eram lidas em voz alta para uma congregação reunida (1991, 568). Esta é uma boa descrição de Hebreus, como um todo, embora tenha sido uma obra escrita e não falada, devido às circunstâncias do autor (Hb 13.19,23).

De um modo gentil e afetuoso — "rogo-vos, porém, irmãos" — o autor pede a seus leitores que suportem a exortação que lhes escreveu abreviadamente. (A palavra "carta" que consta na NVI, não faz parte do texto original grego). Bruce observa que o livro poderia ser visto como uma longa carta, mas não como um longo sermão, já que poderia ser lido em voz alta para a congregação em aproximadamente uma hora (1990, 389). Ainda que este livro seja considerado uma carta, não é tão longo como Romanos ou 1 Coríntios.

A designação de Timóteo como "o irmão" ou "nosso irmão" (13.23) é uma das muitas indicações de que Paulo não tenha sido o autor de Hebreus, porque costumava referir-se a Timóteo como "meu filho". Pode-se ter a certeza de que o Timóteo a que está sendo feita a referência nesta passagem era o cooperador de Paulo (Bruce, 1990, 390). Aparentemente, Timóteo havia sido recentemente libertado da prisão, e o autor espera que os dois viajem juntos para visitar os leitores em um futuro próximo. Timóteo é a única pessoa mencionada, pelo nome, no livro inteiro. A breve menção que o autor faz de uma visita planejada indica que preferia falar direta e pessoalmente com eles, e não substituir sua presença por seus escritos.

6.4. Saudações Finais e a Bênção (13.24,25)

Os dois últimos dois versos apresentam as características mais semelhantes do livro. Contêm três diferentes tipos de saudações. Observe que a palavra "saudar" (*aspazomai*) era muito conhecida e comum naquela cultura, e transmitia a idéia de um terno abraço (Windisch, *TDNT*, 1:496-502).

1) O autor envia suas saudações pessoais a todos os líderes atuais e a "todos os santos" (13.24a) na primeira pessoa — provavelmente se referindo aos irmãos crentes "das igrejas que estavam em outras casas, e não apenas àqueles que faziam parte da mesma comunhão a que pertenciam, na própria cidade" (Bruce, 1990, 391).

2) Gramaticamente, as saudações dos "da Itália" (13.24b), podem ter sido enviadas por italianos que residiam na Itália ou fora de seus limites. O único outro paralelo à Itália no Novo Testamento, porém, significa claramente "de" referindo-se a alguém que estava residindo "fora" da Itália (At 18.2). Se o autor estiver escrevendo a uma igreja judaico-cristã que se reunia em uma casa em Roma (veja a introdução), então o texto estaria transmitindo a saudação dos crentes italianos (provavelmente de várias partes da Itália), que estariam agora residindo fora da Itália, no mesmo local de onde o autor envia suas saudações aos irmãos, em sua pátria. Se o autor estivesse escrevendo "de Roma" ou de alguma outra cidade italiana, seria mais natural incluir saudações daquela localidade particular, ao invés de utilizar a expressão geral "da Itália".

3) A terceira saudação, na forma de uma bênção cristã comum no Novo Testamento — "a graça seja com todos vós" (13.25) — freqüentemente introduzia o encerramento das cartas do Novo Testamento, ou da adoração na igreja primitiva. Porém, representa mais do que um fechamento formal. Os santos, nos tempos bíblicos, criam que o pronunciamento da bênção "ativava" o poder de Deus, concedendo graça e bênçãos espirituais (Lane, 1991, 571). Pensando deste modo, o autor conclui seu sermão e guarda sua pena.

O ANTIGO TESTAMENTO NO NOVO TESTAMENTO

NT	AT	ASSUNTO	NT	AT	ASSUNTO
Hb 1.5	Sl 2.7	Tu és meu Filho	Hb 8.5	Êx 25.40	O modelo do tabernáculo
Hb 1.5	2 Sm 7.14; 1 Cr 17.13	O Pai e o Filho	Hb 8.8-12	Jr 31.31-34	A nova aliança
Hb 1.6	Dt 32.43	Jubilai, ó nações	Hb 9.20	Êx 24.8	O sangue do concerto
Hb 1.7	Sl 104.4	Anjos e ventos			
Hb 1.8	Sl 45.6,7	O trono eterno de Deus	Hb 10.5-9	Sl 40.6-8	Ofertas e obediência
Hb 1.10-12	Sl 102.25-27	A eternidade e a imutabilidade de Deus	Hb 10.16,17	Jr 31.33,34	A nova aliança
			Hb 10.28	Dt 17.6	Duas ou três testemunhas
Hb 1.13	Sl 110.1	À destra de Deus	Hb 10.30	Dt 32.35	Deus vinga os pecados
Hb 2.6-8	Sl 8.4-6	Menores que os anjos	Hb 10.30	Dt 32.36; Sl 135.14	Deus julga o seu povo
Hb 2.12	Sl 22.22	Anunciando o nome de Deus	Hb 10.37,38	Hc 2.3,4	Perseverar na fé
			Hb 11.18	Gn 21.12	Deus escolheu Isaque
Hb 2.13	Is 8.17	Confiança em Deus	Hb 12.5,6	Pv 3.11,12	Amor e disciplina
Hb 2.13	Is 8.18	Filhos de Deus	Hb 12.13	Pv 4.26	Caminhos a serem seguidos
Hb 3.2,5	Nm 12.7	A fidelidade de Moisés	Hb 12.15	Dt 29.18	Nenhuma raiz de amargura
Hb 3.7-11,15	Sl 95.7-11	Nenhum repouso para os maus	Hb 12.20	Êx 19.12,13	Não tocar no monte
Hb 4.3,5,7	Sl 95.7-11	Nenhum repouso para os maus	Hb 12.21	Dt 9.19	O temor de Moisés
Hb 4.4	Gn 2.2	Deus descansou no sétimo dia	Hb 12.26	Ag 2.6	Abalar a terra
Hb 5.5	Sl 2.7	Tu és meu Filho	Hb 12.29	Dt 4.24	Deus é um fogo consumidor
Hb 5.6	Sl 110.4	Melquisedeque	Hb 13.5	Dt 31.6	A fidelidade de Deus
Hb 6.14	Gn 22.17	O Juramento de Deus a Abraão	Hb 13.6	Sl 118.6,7	O Senhor é o meu ajudador
Hb 7.17,21	Sl 110.4	Melquisedeque			

NOTAS

[1] Os intérpretes que sustentam Apolo como o provável autor incluem: Alford, 1859, 4:58-62; Bartlet, 1913, 548-51; Howard, 1951, 80-91; Lenski, 1966, 21-24; T. W. Manson, 1962, 254-58; Moll, n.d., 22:9-10; Montefiore, 1964, 9-15; Spicq, 1952, 1:207-19. Alguns que cautelosamente recomendam Apolo como o mais provável candidato incluem: Ellingworth, 1993, 21; Guthrie, 1990, 679-80; Robertson, 1932, 5:329; Zahn, 1909, 2:356.

[2] O argumento de alguns intérpretes, de que nem todos os leitores eram cristãos genuínos não tem nenhum apoio textual ou contextual em Hebreus. Aqueles que assim argumentam pensam que alguns, por serem judeus curiosos, mostravam-se interessados e estariam entre o grupo ao qual as passagens de advertência foram dirigidas; porém esta carta, ou livro, foi escrita devido ao perigo de se afastarem da salvação em Cristo, o que não representava a situação de judeus não convertidos. Ao longo de Hebreus nosso autor se dirige aos seus leitores como cristãos genuínos, não como aqueles a quem espera persuadir a se tornarem cristãos. Exorta, como irmãos, àqueles a quem se dirige, incluindo a si mesmo: "Conservarmos firme a confiança e a glória

da esperança até ao fim" (3.6); "Nunca haja em qualquer de vós um coração mau e infiel, para se apartar do Deus vivo" (3.12); "Nos tornamos participantes de Cristo, se retivermos firmemente o princípio da nossa confiança até ao fim" (3.14); "Retenhamos firmemente a nossa confissão" (4.14); "Deixando os rudimentos da doutrina de Cristo, prossigamos até a perfeição" (6.1); "Retenhamos firmes a confissão da nossa esperança" (10.23); "Se pecarmos voluntariamente, depois de termos recebido o conhecimento da verdade, já não resta mais sacrifício pelos pecados, mas uma certa expectação horrível de juízo e ardor de fogo" (10.26,27a); "De quanto maior castigo cuidais vós será julgado merecedor aquele que... tiver por profano o sangue do testamento, com que foi santificado..." (10.29); "Necessitais de paciência, para que, depois de haverdes feito a vontade de Deus, possais alcançar a promessa" (10.36); "Considerai, pois, aquele que suportou tais contradições dos pecadores contra si mesmo, para que não enfraqueçais, desfalecendo em vossos ânimos" (12.3).

³ Hebreus 6.4-6 é uma passagem-problema tanto para os calvinistas como para os arminianos. Os calvinistas rejeitam a possibilidade de deserção dos crentes verdadeiros, e os arminianos rejeitam a impossibilidade dos apóstatas serem restaurados. Para um esboço sobre os muitos diferentes modos de interpretação desta passagem pelos estudiosos, veja Solari, 1970, 1-7; Eaton, 1995, 208-12.

⁴ É comumente assumido que o conceito platônico de "idéias" celestiais como o modelo de todas as coisas terrenas, está por trás do uso que o autor faz de "exemplar e sombra". Na opinião de Lane, o contraste do autor desenvolvido em 8.1-5 é obscuro e anti-histórico, e representa a filosofia metafísica de Platão. Porém o contraste aqui está entre uma situação histórica do passado (a ordem Levítica) e uma situação que a substituiu no devido tempo (a exaltação de Cristo), sendo, deste modo, uma distinção escatológica e não filosófica. Para um tratamento específico sobre este assunto, veja Lane, 1991, 207-8.

⁵ Existe uma discordância a respeito dos manuscritos gregos antigos, sobre como o verbo em 9.11 seria originalmente escrito. A primeira evidência manuscrita pode ser traduzida de ambos os modos, como fazem as traduções modernas.
1) A idéia de futuro contida na expressão "bens futuros" (KJV, NASB, NKJV) é sustentada pela maioria dos manuscritos, que servem como testemunho;
2) A idéia presente de que "já vieram/já estão aqui" (NEB, NVI, RSV, NRSV), é sustentada pelos mais antigos e diversos manuscritos. Esta leitura também é favorecida por razões de estilo e contexto. A maioria dos estudiosos bíblicos de Hebreus concorda com Lane, admitindo que o enfoque contrastado pelo autor no contexto imediato (9.10,11) é decisivo para estabelecer a leitura correta de modo favorável à tradução da NVI (1991, 236).

⁶ Para uma discussão e desenvolvimento do notável paralelismo entre 6.4-12 e 10.26-36 veja Lane, 1991, 291, 296-97. Para um resumo da história da interpretação do texto em 10.26-31, que é uma passagem de advertência, veja Grässer, 1963, 192-98.

⁷ Alguns estudiosos (por exemplo, Ellingworth, 1993, 566; Lane, 1991, 328-30) vêem as duas metades de 11.1 — as "coisas que se esperam" e as "coisas que se não vêem" — como virtualmente sinônimas ao se referirem às realidades futuras. A evidência de apoio do capítulo 11, porém, aponta para dois reinos diferentes (embora relacionados) exigindo a atividade da fé: as coisas esperadas/o futuro (11.1a) e as coisas invisíveis (11.1b) (por exemplo, Attridge, 1989, 310-11; Bruce, 1990, 277; Peterson, 1994, 1346). "As 'coisas invisíveis' não são simplesmente o equivalente às "coisas que se esperam". Não há coisas invisíveis, ou não vistas, somente no futuro — estas também existem no presente; é o caso das realidades eternas, como Deus, que não é visto (11.27); da existência e providência de Deus (11.6); da fidelidade de Deus (11.11); e do poder de Deus (11.19)" (Attridge, 1989, 311).

⁸ Ellingworth (1993, 724) menciona esta possibilidade, mas reconhece o fato como simples especulação.

BIBLIOGRAFIA

Henry Alford, *The Greek Testament*, vol. 4 (1859); H. W. Attridge, *A Commentary on the Epistle to the Hebrews*, Hermeneia (1989); William Barclay, *The Letter to the Hebrews* (1957); James Vernon Bartlet e W. Kendrick Grobel, "The Epistle to the Hebrews," *Encyclopaedia Britannica*, vol. 11 (1965); James Vernon Bartlet, "The Riddle of the Epistle to the Hebrews," *Expositor* 8 (1913): 548-51; idem, "The Epistle to the Hebrews Once More," *ExpTim* 34 (1922-23): 58-61; Wick Broomall, "Type, Typology," *Baker's Dictionary of Theology* (1960); F. F. Bruce, *The Epistle to the Hebrews*, NICNT (1964/1990); George Wesley Buchanan, *To the Hebrews*, AB (1972); Marcus Dods, "Hebrews," *EGT*, vol. 4 (n.d., re-impresso em 1976); Ralph Earle, *Word Meanings in the New Testament* (1986); Michael A. Eaton, *A Theology of Encouragement* (1995); Paul Ellingworth, *Commentary on Hebrews*, NIGTC (1993); E. Grässer, *Der Glanbe in Hebaebrief* (1963); Wayne Grudem, "Perseverance of the Saints: A Case Study From Hebrews 6.4-6 and Other Warning Passages in Hebrews," *The Grace of God, The Bondage of the Will* (1995); Donald Guthrie, *New Testament Introduction* (1990); idem, *The Letter to the Hebrews*, TNTC (1983); Donald A. Hagner, *Hebrews*, Good News Commentary (1983); Gerald F. Hawthorne, "Hebrews," *The International Bible Commentary* (1986); Thomas Hewitt, *The Epistle to the Hebrews*, TNTC (1960); W. F. Howard, "The Epistle to the Hebrews," *Interpretation* 5 (1951); Philip E. Hughes, *A Commentary on the Epistle to the Hebrews* (1977); A. M. Hunter, *The New Testament for Today* (1975); William L. Lane, *Hebrews*, 2 vols., WBC (1991); G. H. Lang, *The Epistle to the Hebrews* (1951); R. C. H. Lenski, *The Interpretation of the Epistle to the Hebrews and the Epistle of James* (1966); T. W. Manson, *Studies in the Gospels and Epistles* (1962); William Manson, *The Epistle to the Hebrews* (1951); I. Howard Marshall, *Kept By the Power of God: A Study of Perseverance and Falling Away* (1969); James Moffatt, *A Critical and Exegetical Commentary on the Epistle to the Hebrews*, ICC (1924); Carl Bernhard Moll, "The Epistle to the Hebrews," *Lange's Commentary on the Holy Scriptures* (n.d., reimpresso em 1960); Hugh Montefiore, *The Epistle to the Hebrews*, Black's/Harper's New Testament Commentary (1964); Leon Morris, "Hebrews," *EBC*, vol. 12 (1981); Andrew Murray, *The Holiest of All* (n.d.); David G. Peterson, "Hebrews," *New Bible Commentary* (21st Century Edition) (1994); A. T. Robertson, *Word Pictures in the New Testament*, vol. 5 (1932); Theodore H. Robinson, *The Epistle to the Hebrews*, The Moffatt New Testament Commentary (1933/1964); Philip Schaff, *History of the Christian Church*, vol. 1 (1950); E. F. Scott, *The Epistle to the Hebrews* (1922); J. K. Solari, "The Problem of Metanoia in the Epistle to the Hebrews," Ph.D. diss. (1970); C. Spicq, *L'Ep"tre aux Hebreux*, 2 vols. (1952); A. M. Stibbs, "The Epistle to the Hebrews," New Bible Commentary (1970, ed. rev.); Charles A. Trentham. "Hebrews," *The Broadman Bible Commentary, vol. 12 (1972);* B. F. Westcott, *The Epistle to the Hebrews (1889/1980);* R. McL. Wilson, *Hebrews, New Century Bible (1987);* N. J. Young, "The Gospel According to Hebrews 9," *NTS (1980-81);* Theodore Zahn, *Introduction to the New Testament, vol. 2 (1909).*

TIAGO
Timothy B. Cargal

INTRODUÇÃO

Muito tem sido discutido, não só em nossos tempos, mas também entre os patriarcas da igreja primitiva, a respeito da autoria e do cenário histórico da Carta de Tiago. Porém uma coisa é certa: esse livro está colocado entre os últimos a serem aceitos e reconhecidos pela Igreja como parte do cânon das Escrituras. As principais razões deste atraso devem-se a dúvidas sobre a autoria, e deram causa a um progressivo reconhecimento seguido de sua generalizada aceitação pela Igreja. Esses fatos devem ser levados em consideração quando se procura respostas a questões a respeito da autoria do livro, a data em que foi escrito, para quem e porque.

1. Autor

O autor desse livro se identifica na saudação inicial (1.1) como "Tiago", ou "*Iakobos*" em grego, uma transliteração do conhecido nome hebraico do Antigo Testamento "Jacó". Considerando que "Jacó" ou "Tiago" era um nome judeu muito comum no primeiro século (existem cinco ou mais diferentes homens chamados "Tiago" no próprio Novo Testamento) a questão foi obviamente levantada em relação à precisa identidade do "Tiago" que escreveu esse livro. Infelizmente, o autor não nos fornece quaisquer indícios a respeito de sua autobiografia, além de se incluir entre os "mestres" (3.1) da Igreja.

De acordo com a tradicional identificação do autor, utilizada desde o período dos patriarcas da Igreja, esse Tiago era irmão de Jesus (Mc 6.3; Gl 1.19). Ele foi um dos primeiros líderes da Igreja em Jerusalém (At 15.13; 21.18; Gl 2.9) e se tornou conhecido como "Tiago, o Justo". Podemos considerar aqui três argumentos geralmente oferecidos para dar suporte a essa identificação.

1) Tiago não procura se identificar através do uso de um patronímico (nome que indica o pai ou predecessor, como por exemplo "filho de Zebedeu" ou "filho de Alfeu" [Mt 10.2,3]) ou de qualquer outro título específico (tal como "apóstolo"). Isso pode sugerir que o autor, além de ser bastante conhecido, talvez não fosse um dos apóstolos originais, características essas que se aplicam a Tiago, o Justo.
2) Foi muitas vezes sugerido que somente alguém com a proeminência e a influência de Tiago, o Justo, poderia ter escrito no tom autoritário que encontramos nessa carta (mais de cinqüenta verbos no imperativo em seus 108 versos).
3) A teologia e a linguagem dessa carta, com suas características judaicas e cristãs, são consistentes com o que se conhece a respeito de Tiago, o Justo, em Atos dos Apóstolos e Gálatas.

Embora esses argumentos realmente venham a corroborar a possibilidade da carta ter sido escrita por Tiago, o Justo, estes estão aquém de serem conclusivos. Nunca se pode chegar a conclusões concretas a partir daquilo que alguém não disse o que se esperava que dissesse (os chamados "argumentos silenciosos"), como acontece nesse caso, ao lado da ausência de títulos ou de outras referências pessoais. Se os primeiros leitores cristãos dessa carta realmente reconheceram-na ou não como uma forma autoritária de ensinar de uma das "colunas" da Igreja (Gl 2.9), isso é o que menos importa. Afinal, ela está entre os últimos livros a serem aceitos pela Igreja para fazer parte do cânon das Escrituras, e isso talvez se deva às dúvidas sobre se havia ou não sido escrita por um apóstolo. Finalmente, semelhanças de linguagem ou de conceitos entre essa carta, e outras declarações encontradas em Atos e atribuídas a Tiago, o Justo, são demasiado limitadas para servirem de ajuda. Entretanto, muitos comentaristas conservadores e católicos afirmam que Tiago, o Justo, é o provável autor dessa carta.

Entretanto, muitos estudiosos criteriosos se opõem a essa afirmação dizendo que o autor da carta usou de um pseudônimo, e que ela foi escrita por outra pessoa que usou o nome de Tiago, o Justo, para conferir autoridade à sua obra. Alguns dos argumentos oferecidos a favor dessa opinião deixaram de ser tão convincentes como antes. Foi mencionado, por exemplo, que faltavam a Tiago, o Justo, a fluência em grego e a capacidade literária necessárias para escrever uma carta que foi, no cômputo geral, considerada uma das melhores obras literárias em grego do Novo Testamento. Porém, estudos recentes relacionados com a capacidade da população judaica da Palestina de falar grego, e a possibilidade de que Tiago pudesse ter tido a assistência de um secretário, mostraram que, na melhor das hipóteses, esse argumento não é conclusivo. Um dos pontos mais fracos dessa opinião é que muitos que usaram os pseudônimos encontrados nos escritos da antiguidade vão a extremos para vincular, explicitamente, a obra à pessoa cujo nome está sendo usado. Como já vimos anteriormente, referências às tradições relacionadas com Tiago, o Justo, estão totalmente ausentes dessa carta.

Entretanto, a fragilidade dos argumentos em favor do uso de um pseudônimo não oferece qualquer apoio substancial ao tradicional ponto de vista sobre sua autoria. O problema principal, relacionado com a tese de que Tiago, o Justo, escreveu essa carta, ainda persiste principalmente em relação à data (veja a discussão pormenorizada a seguir). Nessa carta, a presença de algumas características que parecem preceder a morte de Tiago, ao lado de outras indicações de um período posterior a ela, levou dois comentaristas evangélicos (P. Davids e R. Martin) a concluir que, embora a carta contenha material originário das pregações de Tiago, no Novo Testamento, ela parece ter sido escrita por um de seus discípulos algum tempo depois de sua execução pelo sumo sacerdote Ananias II, no ano 62 d.C. (veja a obra *Antiquities*, 20.9.1, de Josefo [197-203]).

Ainda resta uma terceira possibilidade, isto é, de que o autor realmente tenha se chamado "Tiago", mas que tenha permanecido desconhecido de todos desde as primeiras tradições cristãs. Essa proposta poderia explicar a ausência de tentativas explícitas de ligar o autor ao conhecimento tradicional sobre Tiago, o Justo, e permitiria algum tempo para que a carta fosse escrita após seu martírio. Se o autor não fosse um dos primeiros apóstolos, ou mesmo amplamente conhecido pela Igreja, isso poderia explicar a demora no reconhecimento de sua canonicidade em vista das dúvidas sobre sua origem apostólica.

Finalmente, Tiago não baseou sua autoridade para escrever essa carta em qualquer identidade pessoal, porém em sua condição de "servo de Deus e do Senhor Jesus Cristo" (1.1). Essa credencial foi a base de sua reivindicação de autoridade, não só em relação à audiência original como também aos cristãos da atualidade (veja o comentário).

2. Data e Local dos Escritos

A carta de Tiago já recebeu várias datas, isto é, como fazendo parte dos primeiros escritos do Novo Testamento, ou dos últimos, ou mesmo como tendo sido escrita em algum momento entre os dois períodos. Obviamente, aqueles que identificam o autor como sendo Tiago, o Justo, devem colocar nela uma data anterior ao ano 62 d.C. (veja o item anterior). Muitos desses estudiosos situam esse livro em um período anterior ao "Concílio de Jerusalém" (Atos 15) e, portanto, por volta do ano 40 d.C. Outros estudiosos situam a carta no final dos anos 50, convencidos de que em 2.14-26 a discussão sobre a fé e as obras pressupõem os ensinamentos de Paulo a respeito da justificação pela fé.

Na verdade, existem paralelos impressionantes verificados nas discussões sobre o relacionamento entre a "fé" e as "obras" (em grego, *ergon*) para a salvação, em 2.14-26 e em Romanos 3.21-4.25, incluindo exemplos comuns (Abraão, Tg 2.21-23; Rm 4.1-22) e textos-prova compartilhados (Tg 2.24; Rm 4.3,22 todos citam Gn 15.6), e frases semelhantes (comparar "o homem é justificado pelas obras e não somente pela fé" [Tg 2:24, literalmente] e "a fé sem obras é morta" [2.26, literalmente] com "o homem é justificado pela fé, sem as obras da lei" [Rm 3.28, literalmente]). Se nesse ponto houver alguma influência indireta entre Paulo e Tiago, então a data da carta está relacionada ou ao fato de Paulo estar respondendo a Tiago (essa carta é anterior), ou Tiago está respondendo a Paulo (qualquer data após a metade do primeiro século) ou o debate não foi feito diretamente entre Paulo e Tiago (o que sugere uma data posterior no final do primeiro século).

Essa terceira possibilidade corresponde a um consenso geral existente entre os estudiosos da atualidade, isto é, Tiago está respondendo a uma concepção mal compreendida ou mal aplicada dos ensinamentos de Paulo. Paulo ensinou que o comportamento adequado de um cristão seria o produto de uma vida de fé e salvação (Fp 2.12,13), embora tais obras em nada contribuíssem para a justificação de uma pessoa (Rm 3.28; cf. Ef 2.8,9). Certos grupos "libertinos" que vieram depois de Paulo, levaram seus ensinamentos ao extremo. Estes afirmavam que, desde que uma pessoa tivesse fé em Cristo (isto é, cresse nas coisas certas a respeito de sua divindade e em sua obra realizada para conceder perdão), não importaria se os atos dela fossem bons ou maus. O próprio Paulo havia previsto este abuso, repudiando-o completamente (Rm 6.1,2). Na verdade, é contra essa má concepção do evangelho que Tiago argumenta quando afirma que as "obras" são uma prova da fé (Tg 2.18). Dessa forma, Tiago não está discordando de Paulo, mas daqueles que interpretaram mal a Paulo ou corromperam seus ensinamentos.

Se, como vemos em Tiago 2.14-26, essa reconstrução do contexto histórico da discussão for correta, ela sugere que a data em que a carta foi escrita é posterior à metade do primeiro século. Deve-se conceder algum tempo não só para a circulação das idéias das cartas de Paulo, mas também para o desenvolvimento e circulação da má interpretação e aplicação que Tiago procurou desmentir. Dessa forma, essa carta foi escrita provavelmente no último trimestre do primeiro século por um Tiago que não era Tiago, o Justo, (veja o tópico "Autor"). Tal data está em concordância não só com a falta de qualquer menção feita a ela pelos patriarcas da Igreja que precederam o final do segundo século, como também com a demora de sua introdução no cânon do Novo Testamento.

A carta de Tiago não nos fornece qualquer indicação óbvia sobre seu lugar de origem. Muitos comentaristas, adeptos da opinião tradicional de que seu autor é Tiago, o Justo, argumentam que algumas imagens e figuras de retórica existentes na carta sugerem que esta tenha uma proveniência Palestina. Entre os exemplos mais freqüentemente citados estão os ventos quentes ou "sirocos" (1.11), o fogo de Geenna (NIV "inferno", 3.6), as fontes salinas (3.11) e a "chuva temporã (precoce) e serôdia (tardia)" (5.7). No entanto, a importância dessas imagens, como indicadoras das reais experiências do autor, está prejudicada por se encontrarem também presentes em fontes literárias anteriores.

Outras alusões a respeito dela ter se originado na Palestina podem ser encontradas em seu relacionamento com outras tradições dos primórdios do cristianismo. Existem semelhanças entre os ensinamentos éticos dessa carta e os assim chamados depoimentos "Q" de Jesus, preservados nos Evangelhos de Mateus e Lucas. Além disso, muitos estudiosos afirmam que "Q" teve sua origem na Palestina. Também o fato de que as primeiras citações da carta de Tiago, e que seu suporte mais consistente e seu uso são encontrados nos escritos de Orígenes e de outros patriarcas de Alexandria e da Palestina desde o final do segundo século até o quarto, podem indicar que a carta primeiramente circulou naquela região. Considerando a ausência de quaisquer indicações de que tenha se originado fora da Palestina, seria mais plausível considerá-la como proveniente desta região.

3. Destinatários

Essa carta foi dirigida às "doze tribos dispersas" entre as nações (literalmente "na dispersão/Diáspora"; 1.1). Essa referência é claramente simbólica, se considerarmos que a estrutura tribal de Israel havia cessado de ser um conjunto literal de doze tribos desde pelo menos a conquista Assíria do Reino do Norte em 722 a.C. A questão que se apresenta, então, é: Até que ponto Tiago estende aos seus leitores os elementos metafóricos de sua designação?

A interpretação mais "literal" da saudação é que cópias dessa carta foram enviadas aos judeus (às "doze tribos") que estavam vivendo fora da Palestina ("dispersos entre os gregos"; cf. Jo 7.35). No entanto, levando em conta que a carta obviamente não representa um tratado evangelístico destinado a converter os judeus ao cristianismo, esse entendimento pode ser rapidamente excluído. Os destinatários são apresentados como já possuindo a fé em Jesus Cristo (2.1) e, sendo assim, a linguagem a respeito das "doze tribos" é geralmente aceita como simbolizando a crença de que os cristãos são agora o povo de Deus, e formam o novo Israel ou o Israel espiritual.

Como deveríamos compreender a descrição literária de estarem "dispersos"? Sabemos que alguns dos primeiros cristãos consideravam-se como o povo escolhido de Deus, que havia sido "disperso" ou "espalhado" através de um mundo mau, e que ansiavam retornar ao seu lar espiritual ao lado de Deus (1 Pe 1.1; cf. Fp 3.20; Hb 11.13; 13.14). Embora Tiago estivesse preocupado com as diferenças entre o que é "terreno" e o "que vem do alto" (3.15), ele não desenvolve especificamente essa imagem dos cristãos como alienígenas espirituais em um mundo cruel. Conseqüentemente, alguns intérpretes que adotam a opinião tradicional sobre a sua autoria sugeriram que a carta foi enviada de Jerusalém aos cristãos que haviam sido dispersos pela perseguição (cf. At 8.1; 11.19,20). Novamente, porém, a história da demora na aceitação da carta no cânon não vem em apoio a essa conclusão que, desde o início, foi amplamente divulgada.

Nossos comentários adotam a posição de que Tiago não só se referiu a seus leitores como uma "Diáspora" no sentido metafórico, mas que nessa carta ele também desenvolveu a metáfora de uma forma bastante particular. Tiago acreditava que seus leitores haviam se tornado "dispersos" por terem se "desviado da verdade" (5.19). O que era exatamente aquela "verdade" da qual haviam se extraviado, e como Tiago esperava recuperá-los de seu erro (5.20), será discutido abaixo (veja "Propósito"). Porém, como Tiago tinha conhecimento e preocupações muito especiais a respeito dos destinatários, é provável que a carta tenha sido dirigida a uma única congregação, com a qual mantinha um relacionamento pessoal.

As evidências já discutidas em relação à origem e à data da carta sugerem que essa congregação estava localizada em algum lugar da região da Palestina. Em vista da variedade das questões discutidas nessa breve carta — inclusive assuntos relacionados à classe rica, pobre e de mercadores (2.1-9,15,16; 4.13-15; 5.1-6) — a Igreja parece ter abrangido um significativo âmbito da sociedade, pelo menos em seus contatos, se não também no tocante a seus membros. Pode, inclusive, ter havido algumas tensões dentro da congregação a respeito de assuntos relacionados à posição social e autoridade (3.1,2; 4.1,11,12).

4. Propósito

Já de longa data a carta de Tiago foi reconhecida como um exemplo de *"paraenesis"* religiosa, isto é, de ensinamentos éticos arraigados em crenças e valores religiosos. Esse tipo de literatura procura não apenas influenciar e dirigir o comportamento de seus leitores, como também ir além e fundamentar suas ações dentro de uma compreensão particular do mundo e do lugar de cada um dentro dele. Como será que os propósitos gerais desse tipo de literatura podem estar relacionados com o caso específico da carta de Tiago?

O maior objetivo de Tiago era mudar o comportamento de seus leitores através da condenação das más obras (chamadas de "pecados de comissão" pelos teólogos mais recentes) e até a identificação da omissão de alguém quanto a realizar boas obras (4.17, mais tarde chamada de "pecados de omissão"). Ele identifica a raiz do problema e considera esse comportamento como estando relacionado à "sabedoria" (especialmente 3.13-18). Faz um contraste entre a sabedoria que é "terrena, animal e diabólica" que leva a uma atividade pecaminosa, com a "sabedoria que vem do alto", que leva a um comportamento que lembra o que Paulo chama de "fruto do espírito" (compare 3.17,18 com Gl 5.22,23). Se os crentes desejam conseguir viver de uma forma agradável a Deus, não só pelo que evitam fazer, mas também pelo que realmente fazem, deverão ter essa sabedoria celestial ao invés de uma sabedoria terrena.

Tiago diz a seus leitores que a única forma de receber essa sabedoria será como um dom de Deus (1.5). Seu problema é que hesitaram em pedir a Deus esse dom, aparentemente por acreditarem que Ele poderia enviar provações à sua vida como uma forma de experimentá-los e de ensinar-lhes a sabedoria (veja comentários em 1.2-4). Tiago lembra-lhes que "toda boa dádiva e todo dom perfeito vêm do alto", vem de Deus (1.17), e que Deus não é a fonte das tentações na vida deles (1.13,14). Apoiando-se na misericórdia de Deus, poderão, por fé, pedir a sabedoria de que necessitam tendo a confiança de que Deus a concederá generosamente, pois "a todos dá liberalmente e não o lança em rosto" (1.5). Aqueles que "duvidam" que Deus distribui apenas dádivas perfeitas são "inconstantes", pois, ao mesmo tempo em que confiam que Deus irá prover-lhes com a sabedoria de que necessitam, temem que usará provações e tentações (1.13 e comentários) como forma de esclarecê-los sobre essa sabedoria. Tais crentes, duvidosos e inconstantes, nada receberão de Deus e permanecerão incapazes de viver uma vida consistentemente agradável a Ele (1.6-8).

Dessa forma, o propósito fundamental de Tiago ao escrever, é recuperar os leitores que tenham "se desviado da verdade" (5.19), que mostra que Deus é o doador de "toda boa dádiva e todo dom perfeito vêm do alto, descendo do Pai das luzes, em quem não há mudança, nem sombra de variação" (1.17). Dessa forma, terão fé para pedir a Deus o dom da sabedoria que necessitam para sair do "erro do [seu] caminho", tanto em termos de oportunidades perdidas para por em prática a vontade de Deus, como das ações pecaminosas (1.27) e, dessa forma, "cobrirá uma multidão de pecados" (5.20). Para Tiago, uma adequada confiança na misericórdia de Deus é o pré-requisito para um comportamento que não só agrada a Deus, como também mostra amor e bondade para com os semelhantes.

ESBOÇO

Como acontece com muitas cartas do Novo Testamento, o fluxo geral da Carta de Tiago vai desde uma discussão mais teológica até o tratamento pragmático de assuntos materiais com que seus leitores se defrontam. É a discussão teológica inicial que fornece o contexto e a base para as exortações que se seguem. Embora Tiago não obedeça a essa estrutura básica, o fato desse início teológico ser tão prático em suas preocupações faz com que às vezes seja muito difícil discernir a sua configuração. Entretanto, como já vimos, até onde essas preocupações teológicas e práticas estão relacionadas ao propósito da carta, só nos resta isolar esses assuntos dentro de sua própria estrutura.

Seguindo a introdução epistolar convencional, Tiago desenvolve sua carta ao longo de quatro movimentos básicos. A primeira unidade (1.2-21) desenvolve suas preocupações mais amplas a respeito da crença de seus leitores em relação à natureza do relacionamento entre Deus e os cristãos. Ele os encoraja a confiar em Deus para alcançarem a sabedoria de que necessitam, ao invés de procurarem aprendê-la através de suas respostas às dificuldades da vida. Na segunda unidade (1.22-2.26), Tiago começa a focalizar o diagnóstico do problema. Mostra-lhes como suas ações revelam que realmente lhes falta sabedoria (cf. 1.5), e novamente enfatiza que qualquer forma de crença, que não resulte em obras consistentes com a vontade de Deus, não poderá proporcionar vida espiritual (2.14,26). Na terceira

(3.1-4.10) e na quarta unidade (4.11-5.20) trata da responsabilidade dos leitores por suas próprias ações e pela vida espiritual dos semelhantes, respectivamente.

Esta compreensão dos movimentos da carta está representada no seguinte esboço:

1. **Saudação** (1.1)
2. **Provações, Sabedoria e a Palavra** (1.2-21)
   2.1. Razões para se Regozijar nas Provações (1.2-12)
   2.1.1. O Propósito das Provações (1.2-4)
   2.1.2. Pedindo o Dom da Sabedoria (1.5-8)
   2.1.3. Orgulhando-se da "Coroa da Vida" (1.9-12)
   2.2. As Origens da Vida e da Morte Espiritual (1.13-21)
   2.2.1. A Origem Interior da Tentação (1.13-16)
   2.2.2. O nascimento através da Palavra (1.17,18)
   2.2.3. Salvos pela Palavra em Nós Enxertada (1.19-21)
3. **Cumprindo Fielmente a Palavra** (1.22-2.26)
   3.1. Agindo Consistentemente com a Palavra (1.22-2.13)
   3.1.1. Viver Aquilo que Ouvimos (1.22-25)
   3.1.2. A Religião Pura e Imaculada (1.26,27)
   3.1.3. Um Exemplo de Inconsistência (2.1-9)
   3.1.4. A Necessidade de Consistência (2.10-13)
   3.2. A Fé que Vive e Faz Viver (2.14-26)
   3.2.1. As Obras São a Evidência da Fé (2.14-19)
   3.2.2. Salvo por uma Fé que Produz Resultados (2.20-26)
4. **Preparando-se para o Juízo** (3.1-4.10)
   4.1. A Sabedoria Humana e a Celestial (3.1-18)
   4.1.1. O Poder Benéfico do Discurso (3.1-5a)
   4.1.2. O Poder Destrutivo do Discurso (3.5b-12)
   4.1.3. As Ações Revelam as Origens da Sabedoria (3.13-18)
   4.2. O Julgamento Divino e a Aceitação (4.1-10)
   4.2.1. As Obras da Concupiscência (4.1-4)
   4.2.2. Submetendo-se a Deus (4.5-10)
5. **Preparando o Semelhante para o Julgamento** (4.11-5.20)
   5.1. O Julgamento daqueles que se Esquecem de Deus (4.11-5.9)
   5.1.1. Julgar ou Submeter-se à Lei? (4.11,12)
   5.1.2. Planejar de Acordo com a Vontade de Deus (4.13-17)
   5.1.3. O Desespero no Dia da Destruição (5.1-9)
   5.2. As Responsabilidades dos Profetas (5.10-20)
   5.2.1. A Paciência de Jó (5.10,11)
   5.2.2. As Responsabilidades da Fé dentro da Comunidade (5.12-18)
   5.2.3. Cobrindo uma Multidão de Pecados (5.19,20)

COMENTÁRIOS

1. Saudação (1.1)

Para discussões a respeito da identidade de Tiago e dos destinatários de sua carta, veja "Introdução". Tiago se identifica simplesmente como um "servo" ou "escravo" (em grego, *doulos*) de Deus e do "Senhor" Jesus. Essa figura de "escravo"-"Senhor" tem dois objetivos na abertura da carta: estabelece a autoridade do autor perante os leitores, e introduz o que seria o tema subjacente mais importante da carta.

A afirmação de que Tiago estabelece sua autoridade ao adotar a designação de "servo", pode deixar admirados muitos leitores modernos já que em economias escravocratas recentes a condição de escravo certamente não concede qualquer autoridade a uma pessoa. No entanto, dentro da cultura grega e romana, escravos podiam alcançar alguma medida de autoridade e de posição social nas ocasiões em que eram usados pelos senhores como seus representantes pessoais. Em tais casos, o escravo recebia a condição social de escravo de acordo com a posição social do seu senhor e podia exercer a autoridade deste. Assim, ser "servo de Deus e do Senhor Jesus Cristo" significa ocupar uma posição de honra e de considerável autoridade dentro da comunidade cristã.

No entanto, mesmo dentro desta cultura, os escravos perdiam sua independência de acordo com a vontade de seus senhores. É isso que um dos principais temas de Tiago sugere, isto é, que as obras de um cristão devem ser determinadas pela vontade de Deus. Esse tema é desenvolvido mais explicitamente em 4.13-15, porém está subjacente a todas as discussões sobre a sabedoria, a palavra e as obras. Ao invés de obedecerem à "sua própria concupiscência" ou a seus próprios "desejos malignos", que darão "à luz o pecado" e finalmente à "morte" (1.14,15), os cristãos devem ser "ouvintes da palavra" para aprender qual é a vontade de Deus e, também devem ser "cumpridores da palavra" (1.22). Ao descrever a si próprio como "servo do Senhor", Tiago está indicando que aceitou a vontade de Deus como se fosse sua própria vontade.

2. Provações, Sabedoria e a Palavra (1.2-21)

Como já foi observado na introdução, Tiago inicia a carta fazendo um diagnóstico dos problemas que acredita existir entre a crença dos leitores e seu relacionamento com Deus. Criam que Deus empregava "provações" como meio de instruí-los e de corrigi-los a fim de torná-los "perfeitos e completos, sem faltar em coisa alguma" (1.4), para ao final conceder-lhes a "coroa da vida" (1.12). No entanto, Tiago sugere que na vida cristã as "provações" servem para uma finalidade diferente. Ao invés de representarem uma oportunidade de aperfeiçoamento pessoal, as provações servem para revelar a necessidade de nossa dependência de Deus, e nos levam a pedir-lhe que conceda aquilo que precisamos. Assegura aos leitores que Deus realmente "dá liberalmente e não o lança em rosto" (1.5) As provações não ensinam a sabedoria aos cristãos; pelo contrário, nos convencem a renunciar à nossa autoconfiança e a receber com mansidão a palavra em nós enxertada, a qual pode salvar a nossa alma (1.21).

2.1. Razões para se Regozijar nas Provações (1.2-12)

2.1.1. O Propósito das Provações (1.2-4).

Tiago inicia sua carta discutindo o relacionamento entre as provações da vida presente e a fé cristã. Ao interpretar a frase de abertura, a NIV acompanha o consenso existente entre os tradutores como sendo uma exortação aos leitores para que respondam às provações com alegria, porque essa prova de sua fé tem uma finalidade positiva; ela aumenta sua resignação e maturidade. No entanto, a tradução do verbo grego "considerar" ou "tende" poderia estar no indicativo, ao invés do imperativo; isto é, Tiago pode estar comentando a habitual resposta dos leitores a tais provações ("considerá-las como pura alegria...") e não encorajando-os a responder de uma forma diferente ("considerem-nas como pura alegria..." ou "tende grande gozo..."). Geralmente, os verbos gregos têm diferentes formas e ortografias nos modos indicativo e imperativo, porém no caso desse verbo (*hegeomai*) as formas são idênticas. Então, qual seria o sentido pretendido por Tiago para esse verbo?

A maioria dos tradutores e comentaristas prefere interpretar esse verbo como uma exortação, pois nessa carta existem vários verbos no modo imperativo (dentre os intérpretes, o número varia entre 54 e 59, nos 108 versos). No entanto, ao ler ou ouvir essa carta pela primeira vez, ninguém é capaz de supor o que virá a seguir. Considerando que no verso 3 Tiago enfatiza que os leitores já adquiriram conhecimento ("sabendo que..."), o modo indicativo ganha maior sustentação a partir do contexto imediato. Além disso, esse modo também é justificado pelo fato de Tiago incluir nesse conhecimento a idéia de que a "paciência" tenha completado a sua obra "sem faltar em coisa alguma" (v.4). Ao mesmo tempo, afirma que "se algum de vós tem falta de sabedoria" ela deverá ser recebida como um dom de Deus (1.5, veja abaixo em 1.5-8).

Dessa forma, Tiago inicia sua carta descrevendo a crença de seus leitores a respeito das provações, da prova de sua fé e das respostas a elas. Estes acreditavam que as difíceis experiências da vida proporcionariam oportunidades de crescimento e desenvolvimento espiritual, uma idéia expressa também em outras passagens das Escrituras (cf. Rm 5.3-5; 1 Pe 1.6,7). É por esse motivo que se tornarão capazes de responder com "grande gozo" ao enfrentar tais circunstâncias. Entretanto, Tiago parece ter algum receio de que seus leitores não se tornem totalmente capazes de suportar esse processo, pois o verso 4 também pode ser traduzido da seguinte maneira: "Mas, a perseverança deverá concluir a sua obra, para que sejais perfeitos e completos, sem terdes falta de coisa alguma".

No que será exposto a seguir, ficará cada vez mais claro que Tiago não compartilhava de todas as crenças de seus leitores a respeito da prova da fé, particularmente em relação à origem dessas provações (veja esp. 1.14,15), ou que, frente a tais provações, somente a paciência seria o necessário para alcançar a maturidade espiritual (v.5). É importante observar, no entanto, que Tiago não lhes diz que sua resposta de grande gozo às provações está fora de propósito. A segurança de que pertencemos a Deus, e que somos protegidos pelos seus cuidados, (Rm 8.31-39) representa uma fonte de alegria e de paz nas provações dessa vida (cf. Mt 5.11,12; Fp 4.4-7). O problema era que haviam colocado demasiada confiança em sua própria capacidade de aprender a sabedoria de Deus através da tolerância aos sofrimentos da vida.

Esses versos do início da carta servem como uma admoestação contra o orgulho espiritual. O crescimento e a maturidade espiritual não podem ser alcançados somente através dos esforços próprios.

Não importa o quanto a resposta de uma pessoa possa ser alegre ou paciente perante os sofrimentos da vida, a maturidade e a plenitude espiritual ("sem faltar em coisa alguma") não podem ser alcançadas apenas através da determinação e da perseverança humana. Como Tiago enfatizará nos versos seguintes, a sabedoria espiritual só pode ser adquirida como um dom de Deus. Então, considerando que se trata de uma dádiva, não poderá haver lugar para o orgulho ou presunção (compare Efésios 2.8,9). Se existe qualquer benefício oculto quando somos expostos a provações, não é porque estas proporcionem a oportunidade para um aperfeiçoamento pessoal ou espiritual. Ao contrário, as provações podem nos trazer alegria porque nos lembram de nossa necessidade de Deus e nos motivam a nos apoiar plenamente em sua força e não na nossa (compare 2 Co 12.7-10).

2.1.2. Pedindo o Dom da Sabedoria (1.5-8). Tiago acreditava que a única forma de se alcançar a verdadeira sabedoria espiritual era através de um dom de Deus (v.5). Sendo uma "sabedoria que vem do alto" (3.17), deve se originar em Deus: qualquer sabedoria que se origine em nós mesmos "não é a sabedoria que vem do alto, mas é terrena", podendo ser até mesmo "diabólica" (3.15). Ele concorda com seus leitores que a "paciência" (ou perseverança) durante "a prova da vossa fé" realmente produz benefícios como, por exemplo, a "maturidade" (1.3,4), porém a maturidade não pode compensar a falta de uma sabedoria celestial.

Enfim, o que está sendo debatido nestes versos é a antiga questão da ênfase encontrada nas tradições israelitas e nas primeiras tradições judaicas, a respeito da sabedoria. Alguns sábios salientaram o conceito de que Deus usa os sofrimentos desta vida como uma forma de punição e disciplina para o seu povo (Jó 5.17; cf. Tg 5.11), com a específica esperança de que um dos resultados dessa punição seja o aprendizado da sabedoria. Talvez os leitores de Tiago tenham se tornado mais capacitados a "enfrentar as provações" com "grande gozo" (1.2-4 e comentários) por também terem dado importância a esse aspecto das primeiras tradições.

Tiago, no entanto, enfatiza uma outra linha de pensamento a respeito da tradição da sabedoria. Ele se coloca ao lado daqueles sábios que enfatizaram que os sofrimentos da vida não eram uma "escola de duros golpes" através da qual aprendemos a sabedoria; ao contrário, representam ocasiões que le-

TIAGO E AS PALAVRAS DE JESUS

Tiago mostra uma surpreendente familiaridade com as palavras proferidas por Jesus nos Evangelhos, especialmente no Sermão da Montanha (Mt 5-7). O quadro abaixo descreve os inúmeros paralelos existentes entre Tiago e Jesus, observados pelos estudiosos tanto no que se refere às palavras como aos temas.

Tema	Tiago	Evangelhos
Júbilo na perseguição	1.2	Mt 5.11,12; Lc 6.22,23
O objetivo de ser perfeito e maduro	1.4	Mt 5.48
Pedir e receber de Deus	1.5	Mt 7.7; Lc 11.19
Pedir com fé e sem duvidar	1.6	Mt 21.21,22; Mc 11.22-24
A mudança do orgulho à humildade	1.9,10; 4.6,10	Mt 23.12; Lc 14.11; Lc 18.14
O sol escaldante faz com que as plantas definhem	1.11	Mt 13.6; Mc 4.7
Bênçãos à perseverança sob provações	1.12	Mt 5.11,12
Deus como provedor dos dons	1.17	Mt 7.11; Lc 11.13
Não só ouvir, mas praticar a Palavra de Deus	1.22; 2.14,17	Mt 7.21-27; Lc 6.46-49
Compaixão pelos necessitados e aflitos	1.27; 2.15	Mt 25.34-36
Os pobres herdarão o reino	2.5	Mt 5.3; Lc 6.20
Amar o próximo como a si mesmo	2.8	Mt 22.39; Lc 12.31
Não infringir sequer o menor mandamento	2.10	Mt 5.19
O julgamento daqueles que não demonstram misericórdia	2.13	Mt 18.23-34; 25.41-46
Tornar-se amigo de Deus pela obediência	2.23	Jo 15.13-15
Os mestres serão julgados com maior severidade	3.1	Mc 9.38, 40; Lc 20.45,47
Somos julgados pelo que dizemos	3.2	Mt 12.37
O que corrompe é aquilo que sai de nossas bocas	3.6	Mt 15.11,18; Mc 7.15,20; Lc 6.45
A mesma fonte não pode produzir o bem e o mal	3.11,12	Mt 7.16-18; Lc 6.43,44
Os pacificadores são abençoados por Deus	3.18	Mt 5.9
Um povo (espiritualmente) adúltero	4.4	Mt 12.39; Mc 8.38
A amizade com o mundo significa inimizade com Deus (ou vice e versa)	4.4	Jo 15.18-21
O riso transformado em pranto	4.6	Lc 6.25
Não julgar os semelhantes	4.11,12; 5.9	Mt 7.1,2
Deus pode tanto salvar como também destruir	4.12	Mt 10.28
A tolice de planejar o futuro de modo independente de Deus	4.13,14	Lc 12.18-20
A punição para aqueles que conhecem a vontade de Deus e se recusam a cumpri-la	4.17	Lc 12.47
Ai dos ricos	5.1	Lc 6.24
A riqueza removida pela traça e pela ferrugem	5.2,3	Mt 6.19,20
A auto-indulgência sem qualquer preocupação pelos pobres	5.5	Lc 16.19,20,25
O retorno do Juiz está às portas	5.9	Mt 24.33; Mc 13.39
A perseguição aos profetas	5.10	Mt 5.10-12
Não fazer juramentos	5.12	Mt 5.33-37
Recuperar os irmãos e irmãs que haviam se perdido	5.19-29	Mt 18.15

vam os crentes a reconhecer sua completa dependência de Deus e a implorar-lhe pela sabedoria, que somente pode ser obtida como um dom divino. Nas Escrituras, o principal exemplo dessa ênfase é Salomão que, frente à responsabilidade de governar o povo escolhido, pediu a Deus o dom da sabedoria (1 Rs 3.7-9; cf. Pv 2.6; Sabedoria de Salomão 8.21; 9.6; Siraque 1.1). Muitas vezes esse dom divino era mencionado como "o espírito da sabedoria" (Sabedoria de Salomão 7.7), associado ao "Espírito Santo" de Deus (Sabedoria de Salomão 9.17, NRSV), embora o próprio Tiago não tenha desenvolvido essa noção específica de "sabedoria" como um dom espiritual.

Tiago enfatizou que Deus "a todos dá [sabedoria] liberalmente e não o lança em rosto" desde que peçam "com fé" (*en pistei*; Tiago usa uma frase preposicionada e não uma construção verbal, como sugere a NIV quando diz "deve acreditar"). Mas o que será que significa "fé" nesse contexto? Muitos intérpretes concluíram que, para Tiago, "fé" é uma questão de acreditar em certas coisas verdadeiras a respeito de Deus e de possuir uma "teologia adequada" (cf. 2.18,19). A princípio, essa forma de entender de Tiago parece estar apoiada no contraste que faz com a "dúvida", que é uma incerteza intelectual. No verso 6, o problema com essa interpretação é que Tiago está agora relacionando a "dúvida" não com uma incerteza, mas com a "instabilidade" e a "inconstância" (v.8).

Tiago desenvolveu a imagem de um homem "inconstante" [*dipsychos*] a partir do conceito judaico de um "coração dividido" ou "que possui duas inclinações". O tema aqui não é ser dividido por duas idéias ou crenças contraditórias, mas em estar dividido por dois desejos — um desejo ou inclinação por aquilo que é bom, e um desejo ou inclinação pelo mal. Uma implicação a respeito de fazer pedidos a Deus, que se pode ter a partir desta idéia, é que aquilo que se pede deve estar de acordo com a vontade de Deus e não do mal (veja 4.3 e comentários).

Nos versos 5-8, Tiago desenvolve outra implicação. Quando afirma que devemos pedir sabedoria, sem "duvidar", quer dizer que devemos fazer essa solicitação sem qualquer reserva. Dessa forma, o contraste com a "fé" está centralizado no significado habitual dessa palavra no grego comum do primeiro século, isto é, "confiança". Quando alguém pede "sabedoria" a Deus, deve confiar sinceramente (literalmente, "pedir com fé") porque Deus "a todos dá liberalmente e não o lança em rosto", e não deve confiar e ao mesmo tempo desconfiar de Deus por causa de um coração instável ("Peça-a, porém, com fé, não duvidando").

Mas o que pode provocar "dúvidas" no sentido de desconfiança? Precisamente a idéia de que Deus possa responder à nossa solicitação de "sabedoria", não com um "dom perfeito" (1.17), mas que "lançando em rosto", envie "várias tentações" ou "provações de muitas espécies" (1.2) para que possamos aprender a "sabedoria" (cf. 1.13 e comentários). Aqueles que pensam poder alcançar a "sabedoria" através de seus próprios esforços nas lutas da vida, não poderão recebê-la simplesmente como um dom de Deus (v.7) e, portanto, permanecerão "inconstantes" (v.8).

Tiago ainda não explicou o que quer dizer com a palavra "sabedoria". À medida que a carta prossegue torna-se cada vez mais claro que ele entende a "sabedoria" em termos práticos. Ela é um entendimento da vontade de Deus, que orienta e direciona todas as ações em nossa vida (4.13-15). Na verdade, Tiago irá identificar a sabedoria com a "palavra da verdade" através da qual Deus "nos gerou" (1.18). É uma "palavra plantada em nós, e que pode nos salvar", se conformarmos a vontade de nosso dividido e indeciso coração humano à vontade de Deus (1.21 e comentários). Uma vez que o dom da sabedoria está tão intimamente ligado ao novo "nascimento" e à salvação que recebemos de Deus, não é de admirar que Tiago tenha começado sua carta enfatizando a única maneira pela qual podemos obter essa sabedoria "que vem do alto" (3.17).

2.1.3. Orgulhando-se da "Coroa da Vida" (1.9-12). Outra tradição originária dos israelitas e do reflexo da sabedoria nos primeiros judeus, e que desempenha um papel importante na carta de Tiago, é a chamada "compaixão pelos pobres". Essa tradição enfatizou que Deus tem uma preocupação especial com os pobres (1.27; 2.16 e comentários), e irá interferir ao final dos tempos para julgar os ricos pelas suas práticas de exploração social e econômica (5.1-9). Tiago usa o efeito quente e seco do vento "siroco" sobre a vegetação jovem, para descrever uma imagem vívida desse iminente julgamento (v.11).

Pelo fato de Deus resistir aos soberbos, dando, porém, graça aos humildes (4.6, citando Pv 3.34), Tiago pode em 1.9,10 oferecer os conselhos que com tanto alarde contradizem as reações normais da sociedade humana e da sabedoria convencional. Assim, enquanto o "irmão abatido" pode se gloriar "na sua exaltação" (v.9), Deus ao final irá fazer (v.12) com que os ricos, que agora se gloriam de sua fortuna e poder (cf. 4.13-16), possam se gloriar apenas dentro de um sentido irônico, isto é, quando as bases de sua ostentação se extinguirem (v.10; pois outra razão plausível porque os ricos podem se gloriar é "em seu abatimento", veja comentários em 5.1-9).

Outro aspecto da compaixão pelos pobres seria sua aceitação pela tradição da sabedoria que considerava as provações da vida como uma forma de instrução divina. Como já vimos, uma vez que os leitores de Tiago eram partidários dessa opinião (embora o próprio Tiago tivesse algumas reservas a esse respeito; veja comentários em 1.5-8), seria razoável concluir que estavam inclinados a se identificar com os "irmãos em circunstâncias humildes" ou "abatidos".

Como as últimas seções da carta mostrarão, a ironia consistia em que seus leitores estavam muito conscientes de sua posição, e nem sempre se aproveitavam das oportunidades para demonstrar a preocupação de Deus por aqueles que estavam necessitados (2.14-17). Já se orgulhavam de sua elevada posição, talvez por se considerarem "ricos", moralmente superiores, mesmo quando se identificavam com as armadilhas das posições elevadas e do poder (veja 2.1-13 e comentários). Até mesmo pensavam a respeito de sua salvação utilizando a imagem de sua posição social, isto é, "a coroa da vida". Essa coroa era o *stephanus* ou laurel, a coroa de folhas de louro que era concedida pela vitória nas competições atléticas, ou conquistada como um distintivo de honra social, diferente de *diadema*, que era a coroa da realeza (Ap 19.12). Dessa forma, mesmo quando Tiago afirma que Deus julgará aqueles que se vangloriam em sua autoconfiança e aumentam suas riquezas explorando os outros, de uma forma sutil está chamando sua atenção, e revela preocupação a respeito da ambição de seus leitores pela riqueza, questionando a profundidade de sua dedicação aos pobres.

Em outras palavras, esses versos servem tanto para afirmar que as gloriosas bênçãos preparadas para aqueles que fielmente amam a Deus não podem ser comparadas às dificuldades da vida (v.12; cf. Rm 8.18,31-39), como para prevenir contra uma devoção a Deus baseada exclusivamente na esperança de recompensas materiais futuras. Os atos que se originam apenas da vontade de satisfazer a desejos e prazeres pessoais, ao final levarão ao materialismo e ao afastamento da presença de Deus, mesmo que esse prazer pessoal seja "espiritualizado" como uma forma de "recompensa celestial". As pessoas somente podem encontrar a verdadeira paz espiritual quando são motivadas por um desejo de agradar a Deus, que emerge de um genuíno amor por Ele, e não pelas bênçãos materiais ou até mesmo espirituais que Deus tem a oferecer. Como disse Agostinho, "Nossos corações não têm repouso, ó Deus, até que possam repousar em Ti" (*Confessions*, 1.1.1).

2.2. As Origens da Vida e da Morte Espiritual (1.13-21)

2.2.1. A Origem Interior da Tentação (1.13-16). Dentro desse parágrafo, Tiago confronta diretamente a crença de seus leitores que pensavam que Deus usa as provações para ensinar sabedoria, embora muitas vezes isto nem sempre esteja bastante claro na tradução inglesa. O verbo grego *peirazo,* traduzido nesses versos como "tentar", em português, por sua vez, traduzido da NIV, é o cognato do substantivo *peirasmos*, traduzido como "provações" em 1.2,12. De fato, em vista do uso inicial desse substantivo, é muito provável que os primeiros leitores da carta tenham entendido o verbo grego como "Quando posto à prova, ninguém poderia dizer, 'Deus está me provando'". Somente após a posterior afirmação de Tiago de que "a concupiscência... dá à luz o pecado" (v.15), parece ser necessário um significado mais restrito de "pôr à prova" no verso 13. No mínimo, poderíamos dizer que quando alguém diz: "De Deus sou tentado", essas "tentações" podem ser consideradas como exemplos específicos de provações, que servem para "testar" a "fé" e instruir em "sabedoria".

Tiago contraria essa opinião asseverando enfaticamente que "Deus não pode ser tentado pelo mal e a ninguém tenta" (v.13). Deus não tenta, nem põe ninguém à prova, para instruir na sabedoria (como alguns sábios pensavam); ao contrário Deus "a todos dá liberalmente [a sabedoria] e não o lança em rosto" (1.5 e comentários).

Porém, Tiago não vai ao extremo oposto de localizar a origem de todas as tentações e provações em Satanás; ao invés disso, atribui a principal responsabilidade à nossa "própria concupiscência" (v.14; cf. 4.1). À medida que os crentes procurarem localizar a fonte de todas as suas tentações em qualquer origem exterior, seja em Deus ou em Satanás, isso desviará sua atenção do verdadeiro problema — eles próprios. A única maneira de uma pessoa evitar a instabilidade de uma "inconstância" (1.8) é fazer com que essa "concupiscência" interior seja substituída por uma transformação da natureza pessoal (veja 1.21 e comentários), de forma que seus desejos sejam estabelecidos de acordo com a vontade de Deus. A tentativa de localizar todos os nossos problemas fora de nós mesmos, não leva a nada a não ser à frustração (v.16).

Para Tiago, vontade e desejo representam a verdadeira origem de todas as obras. Ele desenvolve essa idéia através da imagem da concepção e do nascimento: "Depois, havendo a concupiscência concebido, dá à luz o pecado; e o pecado, sendo consumado, gera a morte" (v.15). O fato de que o desejo humano possa levar à morte representa, em si mesmo, a prova de que as tentações não têm sua origem em Deus, e que seu caráter e suas conseqüências são fundamentalmente pecaminosos. O desejo ou vontade de Deus, no sentido de capacidade para desejar certas coisas, é fundamentalmente diferente da vontade do inconstante coração humano: "Porque Deus não pode ser tentado pelo mal" (v.13). Os cristãos devem "crer e não duvidar"

(1.6), isto é, devem ter total confiança em Deus, porque a vontade de Deus só poderá ser boa e nunca pecaminosa ou má. Tiago continua a enfatizar este ponto no parágrafo seguinte, quando explicitamente contrasta a seqüência "concupiscência... pecado... e morte" com os resultados da vontade de Deus.

2.2.2. O Nascimento através da Palavra (1.17-18).
Nesse capítulo de abertura, ao insistir que "Toda boa dádiva e todo dom perfeito vêm do alto" (v.17), Tiago está realçando dois pontos cruciais de seu argumento.

1) Deixa claro que um "dom perfeito", tal como a sabedoria, necessário para tornar uma pessoa "madura" ("madura" em 1.4 e "perfeita" em 1.17 são traduções da mesma palavra grega, *teleios*), não pode ser recebido através do esforço humano, pois este vem somente de Deus.

2) Ao afirmar que "todos" esses dons têm sua origem em Deus, Tiago está também declarando sua convicção de que *somente* bons dons vêm de Deus. Quando diz que Deus é o "Pai das luzes, em quem não há mudança, nem sombra de variação", está provavelmente fazendo uma alusão a fenômenos astronômicos, tais como eclipses lunares ou solares, ou às fases da Lua. Considerando que a vontade de Deus não vacila, nem atravessa fases de distribuição de bons ou maus dons (cf. Lc 11.11-13) pode-se confiar que cada dom de Deus será bom e não resultará em qualquer tentação ou provação (1.13 e comentários).

A vontade de Deus difere da humana não só em sua perfeita bondade, mas também em seus efeitos. Enquanto a vontade humana, pela sua inclinação ao mal, originária de nossa natureza pecaminosa, leva a ações que irão ao final resultar em morte, a vontade de Deus leva à vida. Na verdade, Tiago estabelece o contraste desses diferentes resultados por meio de paralelos entre os processos de três estágios que se iniciam com a vontade humana e a divina.

Em relação ao processo humano, ele diz: "Depois, havendo a concupiscência concebido, dá à luz o pecado; e o pecado, sendo consumado, gera a morte" (v.15).

Por outro lado, em relação à vontade divina, Deus, "segundo a sua vontade, nos gerou pela palavra da verdade, para que fôssemos como primícias das suas criaturas" (v.18). Em todos os exemplos, a vontade de cada pessoa, através de uma ação intermediária (seja ela o "pecado" humano ou a "palavra da verdade" que pertence a Deus), trará claras e definidas conseqüências ("morte" e "nascimento", respectivamente). Tiago faz alusões às formas específicas como Deus usa a "palavra da verdade" (isto é, o dom de Deus da "sabedoria", 1.5) no processo de "enxerto" ou "geração" em 1.21. Esse contraste impressionante entre as ações que se originam da vontade humana, com as ações que se originam da "palavra da verdade", é uma das principais características contidas na carta.

Tendo em vista que, nos últimos anos, muito mais "calor" do que "luz" tem sido lançado sobre a questão dos nomes específicos dos gêneros e das metáforas de Deus, seria importante parar por um momento e analisar as imagens que Tiago emprega nos versos 17 e 18. Começa referindo-se a Deus como "O Pai das luzes" usando a imagem masculina do pai que se tornou o nome cristão para a primeira pessoa da Trindade, Deus "o Pai". Sem muito esforço, Tiago se transporta para uma imagem feminina de Deus, quando fala da escolha de Deus de "nos gerar" usando uma palavra grega (*apokueo*) tipicamente empregada ao descrever o processo do parto e do nascimento (cf. 1.18). Assim sendo, nesses versos a linguagem de Tiago representa Deus metaforicamente, tanto como pai quanto como mãe.

A conclusão a ser tirada dessa passagem não é que a natureza de Deus seja uma espécie de mistura andrógena de homem e mulher, mas que ambas as imagens masculinas e femininas de Deus nas Escrituras (e existem inúmeras de ambas) representam metáforas que descrevem a pessoa de Deus de maneira que os homens sejam capazes de entendê-lo. A distinção dos gêneros tende a ser fundamental ao nosso conceito de "pessoa", pelo menos nas culturas ocidentais. Observe que, por exemplo no idioma inglês (no português isto não ocorre), a discussão a respeito de se poder fazer referência ao Espírito Santo utilizando o gênero neutro, como se Ele não fosse uma pessoa, é recusada por muitos porque o pronome neutro tem uma nuança fortemente "impessoal" e, definitivamente, o Espírito Santo é uma pessoa. Porém, nem a "masculinidade", nem a "feminilidade", são propriedades de Deus, e as Escrituras nos lembram que Ele transcende essas qualidades da existência humana, empregando imagens masculinas e femininas para revelar-se a nós.

2.2.3. Salvos Pela Palavra em Nós Enxertada (1.19-21). Da mesma forma que acontece quando se lê um livro de romance que envolve mistério, muitas vezes as coisas vão se tornando mais claras e significativas quando se lê primeiramente a conclusão. Essa estratégia é particularmente útil para entendermos esse parágrafo da carta de Tiago, pois a cláusula final é ao mesmo tempo o ápice e a chave para o que a precede. Tiago aconselha seus leitores dizendo: "Recebei com mansidão a palavra em vós enxertada, a qual pode salvar *a vossa alma*" (v.21; literalmente).

Essa exortação representa a soma dos inúmeros temas levantados por Tiago até esse ponto de sua carta.

1) Observe que é a palavra que pode salvar a "alma", ou a "vida" de uma pessoa (em grego, *psyche*), e relembra que foi "através da palavra da verdade" que Deus "nos gerou" (1.18). Tiago sugere como ela pode realizar esse feito ao descrevê-la como a palavra que foi "enxertada" em nós. A palavra grega para "enxertada" (*emphytos*) está relacionada à palavra grega traduzida como "natureza" (*physis*); assim, o enxerto da Palavra de Deus em uma pessoa transformará a sua natureza (cf. Jr 31.33). A inconstante vontade humana (1.8) está inclinada não apenas em direção às coisas boas, mas também à "concupiscência" e ao "pecado". Só podemos escapar da "morte" (1.14,15) se nossa natureza for transformada pela "Palavra" de Deus como a "sabedoria" que conforma a nossa vontade à vontade de Deus (cf. Rm 12.2).

2) O fato de que devemos receber "com mansidão" essa palavra ressalta novamente o fato de que ela deve ser recebida como um dom (1.5), e não aprendida através de sofrimento pessoal com "provações" (1.2 e comentários), ou quaisquer outras conquistas das quais alguém poderia "se gloriar" (1.9). Aqueles que recebem a palavra com mansidão reconhecem que sua "exaltação" é um dom recebido de Deus (1.9). Devemos nos comportar como Mozart e outros que dedicaram ao Senhor a sua obra: *soli Deo gloria*, "somente a Deus, seja dada a glória".

Essa ênfase na necessidade de interiorizar a Palavra de Deus acrescenta um significado especial à exortação de Tiago de que todos devem ser "prontos para ouvir, tardios para falar, tardios para se irar" (v.19). Ele não está simplesmente repetindo a sabedoria convencional que diz "cuide de suas maneiras", mas também especificamente encorajando os cristãos a serem "prontos para ouvir" a Palavra de Deus. Devemos nos lembrar de ser "tardios para falar" não apenas porque nossas palavras podem ferir os semelhantes, mas porque às vezes falamos asperamente e incorretamente a respeito de Deus (por exemplo, quando se diz: "De Deus sou tentado", 1.13).

O conselho de Tiago para sermos "tardios para nos irar" novamente faz um contraste entre o resultado da vontade humana, "a ira do homem", e a vontade de Deus, isto é, a vida virtuosa que Deus deseja que tenhamos, "porque a ira do homem não opera a justiça de Deus" (v.20). Somente quando conseguirmos unificar nossa inconstante natureza, pela vontade de obedecer à Palavra de Deus enxertada em nós, é que poderemos "rejeitar toda imundícia e acúmulo de malícia" (v.21), não apenas externamente no mundo em que vivemos, mas também internamente em nossa "concupiscência" que "dá luz ao pecado e gera e a morte" (1.15).

3. Cumprindo Fielmente a Palavra (1.22-2.26)

Tendo mostrado até esse ponto as razões porque seus leitores necessitam ser transformados através da interiorização da Palavra de Deus, na próxima importante divisão de sua carta Tiago volta a atenção às conseqüências dessa atitude, que devem ser evidentes em sua vida. Ele faz a ligação entre termos como "palavra", "lei" e "obras" para estabelecer o ponto de vista de que as obras de uma pessoa devem ser a expressão das transformações que Deus realizou dentro dela (cf. Lc 6.45). Essa unidade alcança o clímax em 2.26: "Porque, assim como o corpo sem o espírito está morto, assim também a fé sem obras é morta". Embora alguns intérpretes (inclusive notáveis teólogos como Martinho Lutero) tenham se preocupado com o fato de que o argumento de Tiago poderia levar a um legalismo cristão, pelo qual a salvação da pessoa seria alcançada pelas suas obras, e não através da fé em Jesus Cristo, esse perigo fica reduzido quando se mantém sob perspectiva a configuração da crença, como um todo.

Tiago está preocupado com a circunstância dos cristãos terem uma fé viva, e com isso quer dizer duas coisas:
1) Deve ser uma fé que "salva" a pessoa (2.14), isto é, uma fé capaz de trazer vida espiritual e não morte. Visto que Tiago já enfatizou que a "palavra" de Deus é que gera a vida espiritual (1.18,21), a fé salvadora está claramente ligada à sabedoria que deve ser recebida como um dom de Deus (1.5). Dessa forma, a fé não é em si mesma uma ação ou uma obra: não é um exercício mental caracterizado pela capacidade de "acreditar em dez coisas impossíveis antes do café da manhã". Fé é a disposição de ter total confiança em Deus para tudo aquilo que possamos necessitar espiritualmente, e em todos os demais aspectos da vida.
2) Os cristãos devem ter uma fé ativa, no sentido dela estar presente em suas ações diárias. Tiago insiste que apenas professar a confiança ou a crença em Deus não é suficiente. A fé deve ser demonstrada através daquilo que os cristãos desejam e fazem (2.18), porque seus atos se originam da palavra — da vontade de Deus — que foi enxertada neles (1.21). Dessa forma, embora Tiago esteja relacionando essa "palavra" à "lei perfeita" (1.22-25), não está

defendendo uma salvação legalista. Não podemos edificar nossa fé e receber os dons de Deus simplesmente por fazermos aquilo que lhe é agradável. Ao contrário, somente poderemos fazer a vontade de Deus depois que ela tiver sido enxertada dentro de cada um de nós, e de confiarmos que Deus nos concederá "toda boa dádiva e todo dom perfeito" (1.17), ao invés de tentarmos adquirir sabedoria por nossos próprios esforços.

3.1. Agindo Consistentemente com a Palavra (1.22-2.13)

3.1.1. Viver Aquilo que Ouvimos (1.22-25). Para sinceramente "receber com mansidão a palavra em nós enxertada" (1.21) é necessário ser "cumpridor do que ela diz" (literalmente, "ser um praticante da palavra", v.22). Tiago insiste que aqueles que são "somente ouvintes" da Palavra (literalmente, aqueles que apenas a ouvem) estão enganando a si mesmos. Ele sugere que embora tenham ouvido a Palavra por um ouvido, ela simplesmente sairá pelo outro se não produzir algum efeito duradouro sobre aqueles que a ouviram. O exemplo para essa experiência é aquele de uma pessoa que se observa atentamente no espelho, contudo "...foi-se, e logo se esqueceu de como era" (v.24). Quando tudo parece estar em seu lugar, e não se pretende nenhuma outra modificação, esquecemos o que acabamos de ver no espelho porque geralmente nossa aparência não modifica a maneira como vivemos nossa vida.

Tiago prossegue com a imagem visual de sua descrição de uma pessoa que se considera dentro da "lei perfeita" (v.25). Ao invés de "se afastar e esquecer imediatamente" o que viu, ela "continua" a agir de acordo com a lei. Essa pessoa não é "um ouvinte descuidado" (tradução literal), porém, um "cumpridor da palavra" (transcrição literal). Voltando à imagem inicial do auditório ("ouvintes") Tiago é capaz de estabelecer claramente a ligação entre "cumpridores da Palavra" (v.22) e "fazedores da obra" (v.25). Dessa forma, a obra ou os "atos" (em grego, *ergon*), que Tiago discutirá no capítulo 2, representam a resposta de uma pessoa à Palavra concedida por Deus. Embora uma pessoa seja abençoada pelo que faz em resposta à Palavra, a bênção inicial do dom da sabedoria da própria Palavra não é alcançada somente através daquilo que realizou.

Nesses versos, outro aspecto da imagem de Tiago nos permite um comentário especial. Ele descreve a Palavra como sendo a "lei perfeita da liberdade". Normalmente, não concebemos a "lei" como algo que permite liberdade de ação, mas sim algo que proíbe ou restringe certos comportamentos. Muitas vezes, essa atitude perante a "lei" disfarça também nossa percepção da vontade de Deus. Nosso primeiro instinto é pensar a respeito dos pecados que devemos evitar e caracterizar nossos padrões de piedade principalmente pelo que não fazemos (como muitas vezes minha mãe descreveu sua educação pentecostal quando era adolescente: "Não bebemos, não fumamos e não namoramos aqueles que o fazem"). Tiago, no entanto, nos desafia a ver a lei de Deus como algo que "traz liberdade".

Porém, liberdade do quê? Em parte, liberdade de nossa própria "concupiscência" que nos engana e nos seduz a realizar ações que levam não só a situações difíceis nesta vida, como até à morte espiritual. (1.14,15). Se precisarmos de liberdade para ser aquilo para o que Ele nos criou, então devemos ser internamente transformados pela Palavra/lei de Deus para que nossos desejos estejam unidos à sua vontade (cf. Jr 31.33; Rm 8.2).

3.1.2. A Religião Pura e Imaculada (1.26,27). Fazendo eco com seu conselho anterior de ser "tardio no falar" (1.19), e antecipando discussões mais detalhadas do discurso humano que aparecerão posteriormente (3.2-12; 4.11-16), Tiago revela, nesse ponto, que um dos sinais para se saber se o comportamento religioso de alguém é ou não agradável a Deus, é a capacidade de "manter a língua sob rédeas curtas".

Nesse conselho ele inclui a proibição contra discursos vulgares ou mal intencionados, porém os dois exemplos de discurso impróprio, colocados imediatamente após essa declaração, ilustram outras ofensas da linguagem humana que devem ser refreadas pelos cristãos.

1) Os crentes devem estar seguros de que suas palavras e suas ações sejam consistentes umas com as outras. Tiago ilustra esse problema, ao lembrar a seus leitores que já ofenderam a honra das pessoas que estão a seu lado, e que também acreditam que Deus está especialmente preocupado com o uso de uma linguagem que mostre favoritismo dentro da comunidade da fé, o que destrói a unidade da vontade de Deus (2.1-5).

2) O discurso humano tanto pode ser usado como sinal dos cuidados de uma piedade religiosa como serve até de pretexto para a falta da prática daqueles atos que Deus poderia desejar (2.15,16 e comentários). Assim, os crentes deveriam falar apenas daquilo que estão desejosos de colocar em prática: devem "praticar o que pregam", e não cair em "vazios religiosos". Uma pessoa que não controla sua língua, seu modo de falar, engana a si próprio, e sua religião não serve para nada, é vã (v.26).

Ainda no tema do discurso, Tiago enfatiza a necessidade de nos lembrarmos que não existem somente pecados de comissão (isto é, ações más associadas a coisas impuras — "mantenha-se longe da contaminação do mundo"), mas também pecados de omissão (isto é, a omissão de fazer as coisas que Deus deseja que sejam feitas em seu nome — "visitar os órfãos e as viúvas nas suas tribulações", v.27; cf. Mt 25.37-49). Aos olhos de Deus, uma religião pura e imaculada tem tanto a ver com o que fazemos como com o que deixamos de fazer. Em parte por ter suas raízes nos movimentos de renovação da santidade, e em parte por causa de sua rejeição ao "movimento do evangelho social" do início do século vinte, os pentecostais foram rápidos em realçar a santidade das pessoas e lentos ao se pronunciar a respeito da responsabilidade social. Tiago nos lembra que isso não é uma questão de "fazer isto *ou* aquilo" mas de fazer "tanto isto *como* aquilo".

3.1.3. Um Exemplo de Inconsistência (2.1-9).
Em seguida, Tiago nos apresenta um exemplo específico do que significa ser alguém que faz o que diz, ao invés de meramente ouvir (veja 1.22). O problema é o "favoritismo" (v.1), ou a aplicação de sua descrição mais diretamente às modernas categorias, a prática discriminatória do "classicismo". O fato de ele ter escolhido esse pecado em particular (v.9), é bastante revelador porque seus leitores haviam utilizado a sabedoria tradicional da "compaixão pelos pobres" para se identificar com aqueles que, apesar de suas humildes circunstâncias, deveriam se orgulhar de sua elevada posição, ou exaltação (1.9), porque Deus escolheu "aos pobres deste mundo para serem ricos na fé e herdeiros do Reino" (v.5). Embora procurassem chamar para si mesmos aquela especial atenção de Deus pelos pobres, suas ações revelavam que se identificavam com os ricos e poderosos e discriminavam os menos afortunados.

Já foram realizados consideráveis debates entre os intérpretes em relação ao preciso propósito da "reunião" ou "ajuntamento" (v.2) que fornece o cenário para esse exemplo. No entanto, Tiago não está preocupado se a Igreja se reuniu para adoração ou para o estudo de algum assunto de disciplina escolástica ou de trabalho; seu interesse está dirigido ao espalhafatoso favoritismo demonstrado para com os ricos, e o desrespeito aos pobres (cf. v.6). Enquanto dizem àquele que usa "anel de ouro no dedo, e vestes preciosas" — "Assenta-te tu aqui, num lugar de honra", dizem ao "pobre com sórdida vestimenta" — "Tu, fica aí em pé ou assenta-te abaixo do meu estrado" (vv.2,3). Desse modo, os ricos são orientados a assentar-se "*aqui*" entre os leitores, enquanto os pobres são afastados para "ficarem aí", longe dos leitores, ou pelo menos para submeter-se à posição superior dos leitores, sentando-se no chão, a seus pés. Através desse escandaloso ato de favoritismo, Tiago foi capaz de sutilmente expor a sujeição real dos leitores aos ricos e poderosos.

Tiago está determinado a mostrar que tal discriminação é incompatível com a genuína "fé" (v.1 traduz literalmente, "Não tenhais a fé de nosso Senhor Jesus Cristo, Senhor da glória, em acepção de pessoas"), portanto oferece três argumentos contra esse tipo de comportamento. Esses argumentos podem ser reordenados para mostrar sua relativa importância dentro da teologia de Tiago.

1) Os cristãos não devem dispensar tratamento especial aos ricos, por já terem se mostrado indignos dessa honra. Exploraram e legalmente perseguiram os cristãos, até mesmo difamando-os por causa de seu comprometimento religioso (vv. 6-7; cf. 5.4-6). Aqueles que exibem tal comportamento merecem ser julgados e não honrados (1.10,11; 5.1-3).
2) Mais importante, ainda, os cristãos não devem mostrar qualquer forma de favoritismo, pois a lei real encontrada nas Escrituras ordena: "Amarás a teu próximo como a ti mesmo" (v.8, citando Lv 19.18).
3) A principal razão para não discriminar os menos favorecidos é que "Deus escolheu aos pobres"; é vontade de Deus que estes sejam honrados e não "desonrados" (v.6). Na verdade, o argumento apresentado pela citação de Levítico é um perfeito exemplo da vontade de Deus, que os cristãos ouviram através da palavra, e que devem praticar.

Dessa forma, Tiago novamente enfatiza que devemos ter nossos "maus pensamentos" e desejos (v.4) substituídos pela sabedoria da vontade de Deus, se quisermos evitar o pecado (veja 1.14,15 e comentários). "A Escritura, a lei real" (v.8) é "a lei perfeita da liberdade" (1.25) para fazermos aquilo que conhecemos da vontade de Deus, uma vez que ela foi "enxertada" em nós (1.21). Mostrar "favoritismo" pelos ricos (vv.1-4) e não "visitar os órfãos e as viúvas nas suas tribulações" não representa a religião "a religião pura e imaculada" que é agradável a Deus, nosso Pai (1.27).

Infelizmente, a discriminação e o preconceito que se originam das diferenças sociais e econômicas ainda são demasiadamente comuns em nossas igrejas. Em alguns aspectos, são mais perniciosos que o escandaloso e legalmente imposto e sancionado racismo existente no passado, na América do Norte. Muitos cristãos prontamente aceitam membros de outros grupos étnicos e raciais desde que pertençam à igual ou maior situação econômica, porém tornam-se desconfiados e rejeitam aqueles que vêm do lado pobre da cidade. Quem você acha que teria mais probabilidade de receber uma atenção especial e auspiciosa em nossas igrejas, os abastados que podem contribuir para nosso ministério e nossos projetos, ou um sem teto que vem das ruas?

Em outras palavras, a voz de Tiago ecoa através dos séculos, rotulando nosso "classicismo" como pecado e lembrando-nos que Deus ainda escolhe "aos pobres deste mundo para serem ricos na fé e herdeiros do Reino que prometeu aos que o amam". Se nossa vontade estiver de acordo com a vontade de Deus, também os escolheremos e amaremos como a nós mesmos. Porém, esse amor exige ações e não apenas palavras religiosas vazias (veja 2.15-17).

3.1.4. A Necessidade de Consistência (2.10-13). Agora Tiago faz um parêntese para inserir um breve resumo dos comentários sobre a necessidade da consistência entre palavras e atos (veja esp. v.12), antes de passar para o segundo exemplo do erro cometido entre seus leitores (veja comentários sobre 1.22-2.26). Muitos intérpretes entenderam a afirmativa de Tiago de que "qualquer que guardar toda a lei e tropeçar em um só ponto tornou-se culpado de todos" (v.10), ao lado de sua afirmação de que seremos "julgados pela lei da liberdade" (v.12), como uma prova da tendência legalista de sua teologia. No entanto, em parte, essa impressão pode ter se originado porque as culturas e as igrejas ocidentais modernas têm uma concepção de "lei" diferente daquela que Tiago tinha em mente.

Para leitores modernos, que vivem nos regimes democráticos do ocidente, "a lei" é entendida principalmente como um conjunto de estatutos formais e individuais que geralmente servem para restringir algumas atividades. Embora todos acreditem que nas democracias constitucionais esses estatutos sejam consistentes com o contrato social estabelecido de acordo com a constituição específica de cada governo, ninguém espera que documentos fundamentais estejam completamente unificados em seu propósito e em suas formulações; por exemplo, a constituição dos Estados Unidos foi quase que imediatamente modificada pela "Declaração dos Direitos Humanos". Dessa forma, acreditamos ser fundamentalmente injusto afirmar que por uma pessoa simplesmente cometer um crime de menor gravidade, devesse ser atingida por todo o compêndio da lei; uma infração por estacionar em local proibido não torna ninguém culpado de cometer homicídio doloso no trânsito.

No entanto, a maioria dos judeus do primeiro século tinha um entendimento muito diferente do que era "a lei". Particularmente, consideravam sua lei religiosa como um todo unificado, que definia a abordagem a ser usada durante toda a vida. Pode-se, na verdade, argumentar que a palavra hebraica geralmente traduzida para o português como "lei" *(torah)* em muitos casos seria melhor traduzida como "instrução". A lei os ensinava como viver "a vida correta" que era agradável a eles, às outras pessoas e a Deus. Uma vez que a lei era um todo unificado não se poderia quebrar qualquer parte dela, como também não se pode "simplesmente quebrar" a base de uma taça de cristal; embora o bojo do cálice possa ter permanecido intacto, o cálice está quebrado, porque se tornou inútil.

Na verdade, a frase em grego do verso 11, traduzida pela NIV como "pois aquele que disse" *(ho eipon)*, é ambígua. Ela pode tanto querer dizer "Pois a lei disse" como "Pois foi aquele (Deus) que disse". Essa ambigüidade não representou um problema para Tiago, pois em seu entendimento não havia qualquer diferença real, e a "lei" se apresentava como a expressão da vontade unificada de Deus para toda a vida. Por essa razão, ela é "a lei perfeita da liberdade" e não uma lei que restringe a liberdade (veja 1.25 e comentários).

A escolha de duas citações particulares dos Dez Mandamentos (a proibição de cometer adultério e de matar, v.11) torna-se bastante interessante dentro de todo o contexto dessa carta. Por meio de suas colocações, Tiago parece sugerir que mesmo que seus leitores não tenham cometido adultério (embora mais tarde venha realmente referir-se a eles como "adúlteros", 4.4; veja comentários), em certo sentido cometeram um assassinato. Alguns comentadores sugeriram que Tiago está se lembrando dos ensinamentos de Jesus, que estendiam a proibição do "assassinato" a qualquer forma de cólera dirigida às pessoas (Mt 5.21,22). Porém, Tiago faz alegações muito mais diretas de assassinato posteriormente em sua carta (veja Tg 4.2; 5.6). Talvez esteja tentando mostrar que a omissão em cuidar dos órfãos e das viúvas (1.27), ou de atender às necessidades físicas de outras pessoas na Igreja (2.15,16), tenha resultado em mortes que poderiam ser consideradas como assassinatos. Dessa forma, embora os leitores continuem puros por terem evitado o pecado do adultério, seu "pecado de omissão" resultou em um "assassinato" (veja comentários sobre 1.26,27); portanto, tornaram-se "transgressores da lei".

Então, uma genuína consistência entre a palavra e os atos (entre "falar e agir", v.12) impõe não só que evitemos os pecados condenados através de nossa pregação, mas também a demonstração do amor e da graça de Deus sobre os quais estamos pregando. A ênfase de Tiago em "obedecer a toda a lei" (v.10) não resulta em um legalismo porque a "ênfase não está na observância da soma total das minúcias, mas na manutenção de uma completa integridade entre a palavras e os atos" (Laws, 1980, 116) em relação à vontade de Deus tal como foi "enxertada em nós" (1.21).

Tiago encerra esse resumo com uma réplica final às alegações de legalismo: "Misericórdia". Deus, que é o "único Legislador e um Juiz" (4.12) julgará com misericórdia aqueles que interiorizaram a vontade divina e agiram com misericórdia em relação aos seus semelhantes, pois a "misericórdia triunfa sobre o juízo!" (2.13).

3.2. A Fé que Vive e Faz Viver (2.14-26)

3.2.1. As Obras São a Evidência da Fé (2.14-19). Nesse ponto, Tiago apresenta

seu segundo exemplo da necessidade de existir uma consistência entre palavras e obras e, nesse processo, introduz o argumento da inseparabilidade entre a "fé" e as "obras" que, necessariamente, deve se originar dessa consistência. Ele abre essa seção com duas perguntas retóricas (v.14): "Meus irmãos, que aproveita [ou, qual é o benefício] se alguém disser que tem fé e não tiver as obras?" Fica claro que Tiago tem em vista dois "benefícios" especiais que deveriam se originar da "fé". O primeiro é apresentado na sua segunda pergunta retórica: "Porventura, a fé pode salvá-lo?" A fé deveria ser capaz de proporcionar o benefício da salvação àquele que a possui; se não o fizer, então essa fé é, de certo modo, defeituosa (mas não uma falsa fé, como veremos abaixo). Porém, a fé deveria também ter uma segunda finalidade: beneficiar os semelhantes mostrando a bondade de Deus para com eles (vv.15,16).

Essa dupla preocupação por tudo de "bom" que a fé deveria proporcionar representa uma importante lembrança para a nossa cultura individualista. Fé não é apenas salvar a alma individual do julgamento eterno, mas também construir comunidades a fim de mostrar o amor de Deus não só no meio dos próprios crentes, mas também no mundo em que vivem.

Muitos já perceberam na frase de Tiago, "se alguém *disser* que tem fé", uma insinuação de que essa "fé declarada" não é uma "fé verdadeira". No entanto, nos versos 15,16, detalhes particulares desse exemplo mostram que essa fé deve ser genuína porque produziu aquele resultado que Tiago disse anteriormente que produziria na vida de um crente. Quando confrontado por um membro faminto e desamparado da comunidade cristã, outro membro da Igreja ("algum de vós") responde dizendo: "Ide em paz, aquentai-vos e fartai-vos". Aparentemente, essa maneira padronizada de responder revela, na verdade, que essa pessoa sabe o que Deus exige nessa situação. Os judeus do primeiro século muitas vezes usavam o verbo na voz passiva para evitar nomear Deus como o agente que praticava a ação. Receavam, inadvertidamente, tomar o nome do Senhor, seu Deus, "em vão" (Êx 20.7). Assim, podemos parafrasear essa bênção como: "Ide na paz de Deus; e que Deus possa aquecer-vos e conceder-vos todo alimento de que necessitais". Considerando que aqueles que ofereciam essa bênção conheciam a vontade de Deus, sua "fé" deveria representar aquela genuína confiança que os levou a pedir e receber de Deus o dom da sabedoria, que é o entendimento da sua vontade (1.5-8 e comentários).

No entanto, Tiago pode perguntar "qual benefício" será alcançado pelo seu conhecimento da vontade de Deus se não realizarem o que sabem ser o seu desejo para com o crente necessitado. Se nosso desejo tornou-se realmente igual ao desejo de Deus (ver comentários sobre 1.19-21), então como podemos deixar de fazer alguma coisa a respeito de suas necessidades físicas? (v.16) Tiago não está censurando o pronunciamento da bênção de Deus àqueles que são "pobres aos olhos do mundo", que foram escolhidos por Deus (2.5), mas apenas a omissão dos crentes de tornarem-se servos da misericórdia, da justiça e do amor de Deus (cf. Mt 23.23; Lc 11.42). Uma fé somente falada ("se alguém *disser* que tem fé", v.14), "se não tiver as obras, é morta em si mesma" (v.17), e não produz benefícios físicos para os semelhantes, nem para a própria salvação.

A objeção que Tiago antecipa em relação a esse argumento é difícil de interpretar, devido à ausência da pontuação necessária nos primeiros manuscritos gregos; não têm registro de períodos, vírgulas ou aspas que poderiam nos ajudar a imaginar onde termina (o que alguém diria, v.18 "Mas dirá alguém..."), e onde começa a resposta de Tiago. A tradução dessa objeção pela NIV como: "Tu tens a fé; e eu tenho as obras", associa o mesmo diálogo retórico de Tiago que essencialmente admite o argumento. No entanto, o sentido deve ser provavelmente entendido como menos específico do que "você" (Tiago) e "Eu" (alguém que faz a objeção), e é mais geral em sua referência:

"Aqui está alguém que declara ter fé e outro que mostra suas obras" (NEB). O cerne dessa objeção é que "fé" e "obras" seriam independentes, ou separáveis.

Em termos da teologia de Tiago, outra forma de traduzir o grego que torna mais claro que a fé e as obras são inseparáveis é a seguinte: "Mas dirá alguém: Tu tens a fé, e eu tenho as obras; mostra-me a tua fé sem as tuas obras, e eu te mostrarei a minha fé pelas minhas obras'", ou "se alguém me disser: "Você tem fé?" Responderei: "Eu tenho obras". Dessa forma, a objeção é que a ênfase de Tiago sobre as obras, poderia implicar que a própria fé fosse de pouca ou nenhuma importância. Tiago responde que se suas obras são consistentes com a vontade de Deus, e não com a sua própria "concupiscência", então está provado que ele tem fé — isto é, confiança em Deus para que Ele conceda a sabedoria de que necessita (veja novamente comentários sobre 1.13-16,19-21). Por outro lado, se alguém não pratica obras consistentes com a vontade de Deus ("mostra-me a tua fé sem as tuas obras"), então é possível que sua fé ainda esteja associada à dúvida (veja 1.5-8 e comentários).

A concepção de Tiago sobre a "fé", principalmente como uma questão de confiança na bondade de Deus, é essencial para a compreensão de seu argumento sobre a unidade de Deus. A tradução da NIV do verso 19, "Tu crês que há um só Deus" (*heis theos estin*), acompanha uma série de manuscritos gregos da carta e adota essa declaração como uma confirmação intelectual do monoteísmo. Poderíamos fazer a seguinte paráfrase: "Acreditas que existe um, e somente um Deus". Porém, alguns dos mais antigos e melhores manuscritos dizem: "Acreditas que Deus é um" (*heis estin ho theos*), uma declaração que está de acordo com a crença dos judeus do primeiro século a respeito da unidade de Deus.

A segunda leitura tem mais probabilidade de ser a original porque é mais compatível com a ênfase que Tiago aplica na consistência e na imutabilidade de Deus (veja 1.17,18 e comentários). Enquanto os seres humanos têm uma natureza que está dividida entre os bons e maus desejos, "Deus é um" em sua vontade divina e em seu propósito. A certeza que os demônios têm da imutabilidade da vontade e dos decretos de Deus, faz com que "estremeçam" perante certos juízos escatológicos. Aquilo em que acreditam determina suas ações, mesmo que não faça com que se submetam à vontade de Deus. A fé de alguém — aquilo em que alguém verdadeiramente acredita, em oposição ao que professa acreditar — está inseparavelmente ligado às suas ações.

3.2.2. Salvo por uma Fé que Produz Resultados (2.20-26).

A crítica que Tiago utiliza quando se dirige a seu companheiro de diálogo (primeiramente introduzido em 2.18), é inquestionavelmente áspera — "ó homem vão" (v.20). A palavra grega (*kenos*) significa literalmente "vazio", porém traz consigo várias nuanças. A maioria dos estudiosos menciona seu uso para depreciar a capacidade intelectual de uma pessoa, relacionando-a à expressão de desprezo em aramaico *raqa* ("tolo"; veja Mt 5.22), uma palavra com conotações de fraqueza moral e intelectual. Embora o conceito de deficiência intelectual seja confirmado pelo texto seguinte ("queres tu saber?" ou "você quer prova?"), a discussão mais abrangente no capítulo 2 sobre declarações não comprovadas por ações, pode indicar o significado da expressão "tola presunção", encontrado em outras literaturas gregas. Finalmente, pode ser que Tiago esteja sugerindo que declarações de fé, não comprovadas por obras, podem ser apenas "palavras vazias"; seu companheiro de diálogo é "vazio" no sentido de não ter praticado quaisquer "obras" com as quais pudesse demonstrar sua fé (2.18). Esse aspecto final está apoiado pelo jogo de palavras dentro da pergunta de Tiago: "A fé sem as obras (*ergon*) é morta (*arge*, isto é, *a+ergon*, sem efeito)".

Duas indagações precisam ser respondidas a respeito do uso que Tiago faz das imagens de Abrão e de Raabe como "prova": que "obras" praticaram pelas quais foram "justificados" (vv.21,25) e o que Tiago quer dizer com "foram considerados justos"?

1) Ao responder à primeira questão vários intérpretes procuraram restringir "obras" aos atos de misericórdia da caridade cristã, e alguns vão mais longe e sugerem que Tiago não está realmente preocupado com a "fé" e com as "obras", mas somente com a exposição de suas afirmações anteriores de que "a misericórdia triunfa sobre o juízo" (2.13). Embora seja bastante verdadeiro que as obras de misericórdia representam uma grande preocupação para Tiago (e nos reportamos à definição da "religião pura" em 1.27), se tivesse desejado limitar "obras" aos atos de caridade cristã, porque teria preferido enfatizar o ato de Abraão oferecer seu único filho Isaque no altar? (v.21; veja Gn 22.1-18). Por que não fazer um paralelo entre a hospitalidade de Raabe aos "espias" (do grego *angelos* em Tiago 2.25; veja Josué 2) e a hospitalidade de Abraão "aos anjos" (do grego *angelos* em Gênesis 19.1), quando estavam a caminho de Sodoma? (cf. a história em Gênesis 18).

Se reexaminarmos a história do "compromisso de Isaque" em Gênesis 22.1-19, e a maneira como tradicionalmente ele se desenvolvia no judaísmo e no princípio do cristianismo, existem vários aspectos que podem sugerir as razões pelas quais Tiago teria escolhido esse incidente específico para expandir a definição de "obras", além de simples atos de misericórdia. Como tanto a tradição judaica e a do Gênesis deixam claro, em relação às "dez provas de Abraão", o pedido para "oferecer" Isaque era um "teste" (cf. Gn 22.1); isto poderia até parecer con-firmar a convicção dos leitores de que Deus podia ser a origem da prova (veja 1.13 e comentários). No entanto, Tiago pode ter pretendido enfatizar outro aspecto da tradição de Abraão fazendo com que esse incidente fosse o "cumprimento" da citação de Gênesis 15.6 que diz: "Abraão creu em Deus" ou, como em outra tradução: "E creu ele [Abraão] no Senhor". Tiago entendia que a fé estava relacionada ao conhecimento da misericórdia de Deus, e confiava em que Ele concederia apenas "coisas boas" àqueles que as pedissem com fé (Tg 1.5,17,18). Ele pode estar sugerindo que o que tornou possível a Abraão aceitar a vontade de Deus em relação à oferta de Isaque, foi sua crença de que Deus ressuscitaria Isaque dos mortos caso fosse sacrificado (veja Hb 11.17-19).

Outro aspecto dessa história, que merece atenção, é o pronunciamento final feito "pelo anjo do Senhor" em Gênesis 22.16-18: "Porquanto fizeste esta ação e não me negaste o teu filho, o teu único, que deveras te abençoarei... porquanto obedeceste à minha voz" (literalmente, "ouviste minha voz"). Abraão foi abençoado porque "praticou" aquilo que "ouviu" da "voz" do Senhor, exatamente como Tiago afirmou anteriormente que aquele que é um cumpridor da obra da palavra nele enxertada (1.21), ao invés de ser somente um ouvinte, será "bem-aventurado no seu feito" (1.25). As "obras"

Para enfatizar que fé e as obras são inseparáveis, Tiago relembra a história do quase sacrifício de Isaque, único filho de Abraão, em obediência à ordem de Deus. O monte Gerizim, visto em segundo plano nesta fotografia, segundo a tradição samaritana é o mesmo que o monte Moriá. O Grande Pilar de Pedra que se vê no centro, fazia parte do templo-fortaleza de Siquém.

não estão limitadas a atos de misericórdia, mas incluem todos os atos de obediência à vontade de Deus. É nesse sentido que "a fé [de Abraão] cooperou com as suas obras e que, pelas obras, a fé foi aperfeiçoada" (v. 22); se Abrão tivesse duvidado que Deus é bom, sua vontade não poderia ter estabelecido que deveria oferecer seu filho quando ouviu a voz do Senhor.

2) oltando à questão do que Tiago pretende dizer quando afirma que Abraão "foi justificado pelas obras" (v.21), a maneira mais lógica para começarmos, é com o substantivo "justiça" no verso 23. Embora não exista qualquer indicação de que Tiago tenha compreendido a afirmação "foi justificado", como uma declaração de absolvição feita por um tribunal (como encontramos na interpretação feita por Paulo de Gênesis 15.6; veja Romanos 4.1-3,9-13,23-25), as indagações retóricas que faz em 2.14 deixam claro que ser considerado "justificado pelas obras" deve ser entendido como "salvo". Tiago não está simplesmente discutindo que uma fé que coopera com as suas obras seja antes mais "justa", ou mais agradável a Deus; está afirmando que somente a "fé" e as "obras" operando juntas podem "salvar". O que está em discussão é a justificação e a salvação em um sentido escatológico.

No verso 24, Tiago completa seu apelo à prova de Abraão fazendo um contraste entre a crença correta de que "uma pessoa é justificada pelo que faz", e a crença incorreta de que "somente a fé" pode justificar alguém. Porém devemos enfatizar que o ponto principal desse contraste *não é* que "as obras, sozinhas" possam justificar uma pessoa (o que seria uma espécie de legalismo), mas que "somente a fé" (isto é, a ausência de sua resposta na vida de alguém) não pode justificar. Dessa forma, e de acordo com a teologia de Tiago, a presença de "obras" é uma prova não só da pregressa recepção da "sabedoria", que determina a vontade de agir, mas também da "fé" que é o pré-requisito para o recebimento da "sabedoria" como um "dom" de Deus (1.5-8 e comentários).

De forma idêntica, a alusão de Tiago à história de Raabe ressalta sua convicção de que é o conhecimento da bondade de Deus que leva cada um a confiar nEle e, finalmente, àqueles atos que colocam a vontade divina em prática. De acordo com Josué 2.1-21, a própria Raabe explicou que a razão de sua fé em Deus era a descrição que havia ouvido dos israelitas a respeito de sua milagrosa fuga do Egito. Seu ato de esconder os espias resultou diretamente na salvação de sua vida e da vida de seus familiares quando a cidade de Jericó foi destruída. Sua "fé" levou a "obras" que a salvaram da morte.

Na tradição judaica, Abraão e Raabe eram exemplos comuns da importância de se mostrar hospitalidade aos desconhecidos. Portanto, é provável que os leitores de Tiago tenham feito essa ligação, mesmo na ausência de qualquer menção explícita à hospitalidade de Abraão (veja acima). Dessa forma, os dois exemplos de Tiago, juntos, servem para ilustrar explícita e implicitamente seus dois pontos de interesse nessa seção da carta. O aspecto explícito do exemplo de Abraão é que a fé necessariamente leva às obras, e o aspecto implícito é a alusão a Raabe. A hospitalidade é uma expressão da preocupação de Deus pelos pobres (veja Tiago 2.14-16), o que está explicitamente afirmado em relação a Raabe, e implicitamente ilustrado por Abraão. Nesse ponto, o argumento de Tiago "em nível geral, está relacionado à tradução da fé nas obras correspondentes, porém... em nível particular, à maneira pela qual os pobres são tratados dentro da comunidade" (Johnson, 1995, 249).

Tiago resume os principais pontos de sua teologia na comparação que conclui o capítulo: "Porque, assim como o corpo sem o espírito está morto, assim também a fé sem obras é morta" (v.26). O resultado seguro de se afastar as "obras" da "fé", é o mesmo de se afastar o espírito do corpo, isto é, a morte.

4. Preparando-se para o Juízo (3.1-4.10)

Tendo estabelecido o contexto teológico de suas recomendações éticas, Tiago passa agora a focalizar, especificamente, assuntos de natureza mais prática que seus leitores possam vir a enfrentar. Essas mudanças de comportamento são urgentes, pois em um futuro não muito distante (veja 5.9), os crentes deverão ser julgados pelo único "Legislador e Juiz" (4.12), e alguns serão julgados com maior severidade que outros (3.1). A certeza desse iminente julgamento perante Deus traz consigo muitas responsabilidades não só para cada um deles, como para com seus semelhantes.

Tiago usa esse segmento da carta para encorajar os leitores a examinarem primeiro a si próprios, para se assegurarem de que estão individualmente preparados para esse julgamento, antes de se preocuparem em preparar os demais (cf. Mt 7.1-5). Ele os adverte a evitarem a pressa para considerarem-se mestres (3.1), e afirma enfaticamente que nenhum mestre tem autoridade para julgar os demais (4.11,12). Esse desejo de exercer autoridade sobre os semelhantes (ao invés de assumir a responsabilidade pelo seu cuidado espiritual; veja 5.13-20) é um sintoma do principal problema de seus leitores — naquele tempo e também agora. Todas as más ações se originam dos "deleites, que nos vossos membros guerreiam" (4.1,2; veja também 1.14,15 e comentários), e daqueles desejos que se manifestam através da cobiça pelas posições sociais (3.1), pela "inveja e espírito faccioso" (3.16) e pelo orgulho (4.6). A única maneira de solucionar esse problema é "humilhar-se perante o Senhor" (4.10; cf. 1.21). Em toda esse seção, Tiago continua a enfatizar a ligação entre o discurso de uma pessoa, e todas as suas atitudes ou obras (3.2).

4.1. A Sabedoria Humana e a Celestial (3.1-18)

4.1.1. O Poder Benéfico do Discurso (3.1-5a). Embora Tiago esteja preocupado com um possível uso indevido da posição de professor ou mestre, por aqueles que não alcançaram a maturidade espiritual, ainda assim acredita que o discurso do homem desempenha um papel importante na determinação e no controle de todas as formas de conduta. Portanto, inicia afastando-se um pouco dos leitores, não porque seja merecedor de alguma honra especial, mas porque agora se tornou objeto de um maior escrutínio ("Meus irmãos, muitos de vós não sejam mestres, sabendo que receberemos mais duro juízo", v.1). Em seguida, conduz seus leitores de volta à discussão ("*Todos* tropeçamos", v.2) de forma a não se elevar tanto perante eles e deixar clara a impressão de que os "professores" ou "mestres" não são possuidores de uma posição superior ou de uma perfeição moral dentro da Igreja (estes também "tropeçam").

Essas manifestações de retórica são importantes porque o ofício de ensinar era altamente considerado nos primórdios da Igreja, e a pretensão de "muitos" da congregação de se tornarem mestres, aos quais Tiago está se dirigindo, é a causa de sua preocupação com a ambição pelo poder e pela posição (veja 1.9,12; 2.1-4 e comentários). Os que podem suportar o julgamento mais rigoroso que aguarda os mestres são aqueles cujo discurso e obras devem ser mutuamente consistentes; devem não somente ser "perfeitos e poderosos" no que dizem, mas também capazes de "refrear todo o corpo" (v.2).

Tiago emprega duas metáforas para descrever a habilidade da língua em "refrear todo o corpo" — o freio nas bocas dos cavalos e o leme no navio. Nos dois exemplos, qualquer uma das menores partes é capaz de controlar a direção e as ações de todo o conjunto. No entanto, a relação entre a língua e o resto do corpo é diferente daquela de um freio com o cavalo ou de um leme com o navio; ela não controla *diretamente* as ações de uma pessoa. Devido à imperfeita adaptação dessa analogia, alguns comentaristas sugeriram que Tiago está estendendo sua discussão ao papel dos professores da Igreja. É a "língua" do mestre que controla todo o "corpo" da Igreja

Porém, a principal preocupação de Tiago nessa seção da carta (veja comentários sobre 3.1 – 4.10) está dirigida às atitudes individuais dos crentes, e não à vida coletiva da Igreja (uma questão que ele analisa em 5.13-20). Assim sendo, é possível que esteja pretendendo que suas metáforas sejam entendidas dentro de um sentido mais amplo. Pode ainda estar fazendo uma ilustração da idéia dos ensinamentos de Jesus quando diz que "do que há em abundância no coração, disso fala a boca" (Mt 12.34; cf. Tg 3.10, onde o desejo do indeciso coração humano profere tanto a bênção quanto a maldição). A própria "língua" é uma metáfora da linguagem humana, indicando claramente a natureza dos desejos interiores que definitivamente orientam e determinam todas as ações de uma pessoa. Tiago chama a atenção para essa questão fundamental da vontade dizendo explicitamente que freios são usados "para que [os cavalos] nos *obedeçam*" (v.3), e que o leme é utilizado para que dirija as naus "para onde quer a *vontade* daquele que as governa" (v.4).

Até esse ponto, Tiago tem enfatizado os aspectos positivos do discurso humano. Se a frase "se alguém não tropeça" estiver expressando a aceitação e a conformidade com a vontade de Deus, como se fosse a nossa própria, então seremos capazes de "também refrear todo o corpo" e de nos dirigirmos para longe das "muitas coisas" nas quais "todos tropeçamos" (v.2). Porém, agora ele está sugerindo que muitas vezes a "língua" não está a serviço dos propósitos mais nobres. Embora a língua seja "um pequeno membro... gloria-se de grandes coisas" (v.5). A ostentação pode ser "maligna" (4.16) se indicar autoconfiança ou auto-realização, ao invés de ser uma expressão de confiança e louvor pelo que Deus já realizou em nós (veja 1.9,10 e comentários). Nos versos seguintes, Tiago muda seu enfoque para o uso indevido do discurso humano.

4.1.2. O Poder Destrutivo do Discurso (3.5b-12). A forma rude que Tiago emprega para denunciar o poder destrutivo do discurso humano quase parece contrariar as afirmações anteriores a respeito de sua capacidade de "controlar" o comportamento de uma pessoa. Essa tensão é mais claramente vista no contraste entre sua declaração no verso 8 de que "nenhum homem pode domar a língua", com sua descrição anterior do "varão perfeito" como sendo aquele que "não tropeça em palavra" (3.2). Porém Tiago não pretende que sua linguagem seja entendida muito literalmente ou que o fluxo de seus pensamentos seja pressionado por uma estrita consistência lógica. Antes, Tiago está empregando a linguagem poética da "hipérbole, com uma clara exortação à luta para fazer precisamente aquilo que dizemos ser impossível fazer" (Laws, 1980, 154); ele nos convoca a tornarmo-nos maduros (em grego, *teleios*, traduzido na NIV como "perfeitos") através da submissão da nossa língua e do controle de nosso comportamento.

A Carta de Tiago tem mais o floreado e o sabor retórico de um sermão do que uma linguagem repleta das nuanças disciplinares de um ensaio teológico. Portanto, a despeito de imagens extremamente negativas (como por exemplo, "é inflamada pelo inferno", v.6), ele não acredita que o discurso humano seja um mal irremediável, pois manifesta, muitas vezes, os desejos permanentemente instáveis existentes em uma pessoa (capazes de proferir "bênção e maldição", v.10). Por esse motivo, o discurso pode ser particularmente pernicioso e incansavelmente mau (v.8).

Continuando a fazer o contraste dos tremendos efeitos da pequena e aparentemente insignificante "língua" (veja 3.3,4), Tiago faz agora a ligação do discurso humano com a centelha que pode incendiar uma floresta. A tradicional tradução portuguesa de "floresta" ou "natureza" (em grego, *hyle*) pode trazer à lembrança uma imagem errônea para brasileiros e europeus modernos, que geralmente associam essa palavra a uma antiga floresta de carvalhos. Na Palestina, assim como na bacia oriental do Mediterrâneo, o padrão típico de uma floresta sugere mais a imagem de um "matagal" ou de uma "vegetação rasteira"; portanto, podemos imaginar um fogo que rapidamente se alastra pela mata.

A imagem do "fogo" era usada convencionalmente nos ensinamentos éticos gregos para simbolizar as paixões e os desejos de uma pessoa. As primeiras imagens dos condutores de bigas e dos timoneiros (3.3,4) representavam figuras que dominavam a razão. Juntando essas três imagens tradicionais, Tiago dá ênfase não apenas ao impacto tremendamente pernicioso de uma linguagem fora de controle, como também se prepara para um retorno ao tema de que "desejos maus" (1.13-15) são a mais importante fonte de problemas para seus leitores (4.1-10).

A razão pela qual o discurso humano pode ser destrutivo, tanto para o indivíduo (pois "contamina todo o corpo") como para os membros da comunidade (pois "inflama o curso da natureza", v.6), e tão especialmente difícil de controlar (vv.7,8), é que seu mal é incansável (no grego, *akatastatos*, a mesma palavra traduzida como "inconstante" em 1.8). Sendo uma manifestação dos desejos de uma pessoa "instável", divididos entre o bem e o mal, aqueles que a cercam não conseguem imaginar o que esperar de seu discurso. Será que louvará a nosso "Deus e Pai" ou será que amaldiçoará "os homens, feitos à semelhança de Deus" (v.9)? Desse modo, pode destruir a pessoa enquanto a divisão permanecer dentro dela. Ele envenena (v.8) a comunidade tornando as pessoas temerosas de confiar e de se abrir conosco, pois não sabem se irão receber instrução e apoio (5.13-20) ou se serão feridas pela "maldição" e pelo juízo (4.11,12; cf. 1.5-8 e comentários).

Se "nenhum homem pode domar a língua" (v.8) haverá alguma forma de extinguir esse fogo? Tiago sugere a solução através de imagens nos versos 11e 12. Já que coisas incompatíveis não podem se originar da mesma fonte ("pode uma fonte dar água salgada e doce?"), e nada é capaz de produzir algo diferente de sua própria natureza ("pode também a figueira produzir azeitonas ou a videira, figos?"), a solução será unificar a fonte dentro da pessoa segundo sua própria natureza. Isto é, a vontade da pessoa não só deve ser única e não dividida, como também estar de acordo com sua própria natureza.

Considerando que a própria natureza é determinada pelo fato de termos sido "feitos à imagem de Deus" (v.9), também a nossa vontade deverá ser apropriadamente igual à vontade de Deus. Tiago já mostrou que a vontade humana só poderá se conformar com a vontade divina se "humildemente aceitarmos a palavra enxertada [por Deus] em nós" (1.21; veja comentários). Dessa forma, embora "nenhum homem possa domar a língua" por suas próprias forças (cf. 1.5-8 e comentários) ela pode ser controlada (3.2) se Deus unificar os desejos que ela expressa.

4.1.3. As Ações Revelam as Origens da Sabedoria (3.13-18). Esse capítulo começa com Tiago prevenindo contra a soberba de sermos ensinadores, e pode estar ampliando esse conceito nos versos 13 e 14. A maneira mais adequada de demonstrar que alguém é "sábio e inteligente" não é simplesmente colocar-se à frente dos semelhantes e discursar sobre seus conhecimentos, mas através de mostrar "pelo seu bom trato, as suas obras em mansidão de sabedoria". A verdadeira sabedoria espiritual somente poderá ser demonstrada através da consistência que existe entre palavras e obras, uma consistência que não só expressa a vontade de Deus, mas que também pratica essa vontade no mundo (2.14-16 e comentários). Se a motivação que leva alguém a ser um ensinador for "amarga inveja e sentimento faccioso", mostrará que seus desejos interiores, em seu coração, ainda estão divididos e que ela ainda não aceitou a "sabedoria" como um dom de Deus (1.21 e comentários). Gabar-se de sua "sabedoria", como sendo uma conquista pessoal, é o mesmo que iludir a si próprio e "mentir contra a verdade", v.14; cf. 1.10,11).

Para Tiago, a única sabedoria verdadeira é a "sabedoria que vem do alto" (v.17); porém antes de se voltar a esta, primeiramente expõe a verdadeira natureza da assim chamada "sabedoria" (observe como a NIV coloca essa palavra entre aspas no verso 15), que encontra sua expressão em "amarga inveja e sentimento faccioso". Ele emprega três adjetivos para descrever essa falsa sabedoria.

1) Ela é "terrena"; Tiago deixa claro que ela não se origina do "Pai das luzes", e portanto não pode ser um "dom perfeito e bom" (1.17).
2) Ela não é espiritual (no grego, *psychikos*). Essa palavra não sugere que a assim chamada

"sabedoria" se oponha às coisas espirituais de per si, mas que ela se origina da "alma" humana (em grego *psyche*) e não do Espírito de Deus (cf. a ligação que João faz com o Espírito e de ter "nascido do alto", Jo 3.5-8; veja a nota do texto da NIV sobre 3.3).

3) Essa falsa "sabedoria" é, principalmente, "diabólica" (no grego *daimoniodes*, literalmente "demoníaca"). Utilizando este termo, Tiago não está dizendo que ela seja "do demônio", no sentido de ter se originado dele, mas que é "demoníaca" em sua qualidade. Essa assim chamada "sabedoria" tem sua verdadeira natureza exposta pelo fato de resultar em "perturbação e toda obra perversa" (v.16). Ao invés de ser uma "sabedoria" genuína, é simplesmente igual à mesma "concupiscência" que "dá à luz o pecado" (1.14,15), a respeito do qual Tiago anteriormente já preveniu seus leitores.

O retrato que Tiago nos oferece daquilo que é considerado como "sabedoria" pela maioria das pessoas é bastante perturbador, mas precisamos ser cuidadosos para não entendermos sua linguagem erroneamente. Ele não está sugerindo que não exista qualquer coisa boa na humanidade (lembremos de seu aviso de que fomos "feitos à semelhança de Deus", 3.9). O problema com essa sabedoria "terrena, animal e diabólica" é que tem sua origem na alma humana. Sendo assim, participa dos desejos divididos dos "inconstantes"; é capaz de fazer o bem ("bendizer a Deus e Pai", 3.9), mas também de muitas vezes levar a "toda obra perversa". Quando nossa "sabedoria" é simbolizada pela "mansidão" (v.13), que reconhece que sua principal origem está em Deus (1.5,21) e não em nós mesmos (como resultado de nossa egoísta ambição", vv.14,16) então os bons desejos existentes dentro de nós, por termos sido criados à semelhança de Deus, unem-se à Sua vontade em uma vida correta, e de bom trato (v.13).

Tiago se volta às qualidades que simbolizam o "bom trato" nos versos 17 e 18. A lista de características e virtudes que Tiago nos oferece aqui é semelhante à descrição que Paulo faz do "fruto do Espírito" (Gl 5.22,23; cf Tg 3.17). Tanto Paulo como Tiago enfatizam que essas características devem ser a conseqüência natural de uma vida renovada por Deus.

O que há de particular interesse nessa lista de Tiago é o número de termos que expressam diretamente ações ao invés de simples qualidades. Aqueles que têm em si mesmos a sabedoria que vem da Palavra que foi neles "enxertada" (1.21), não são apenas "amantes da paz", mas também "pacificadores". São atenciosos com os seus semelhantes e não procuram apenas satisfazer sua ambição egoísta. São submissos à vontade de Deus ao invés de serem "atraídos e engodados pela sua própria concupiscência" (veja 1.14). Seus atos são misericordiosos (cf. 2.12,13), são imparciais e sinceros e não como aqueles que demonstram favoritismo (2.1,9). O resultado de viver de acordo com a "sabedoria que vem do alto" é uma safra de virtudes (cf. 2.21-23).

4.2. O Julgamento Divino e a Aceitação (4.1-10)

4.2.1. As Obras da Concupiscência (4.1-4).

De acordo com sua insistência de que são os desejos interiores de uma pessoa que determinam seus atos (1.13-15 e comentários), Tiago afirma que os problemas enfrentados pela comunidade como um todo, ("guerras e pelejas entre vós") vêm, da mesma forma, dos "deleites que nos vossos membros guerreiam" (4.1). Enquanto não houver "paz" (3.17) entre os crentes não haverá paz dentro da comunidade.

A característica de "staccato" (ou de "separação de frases") vista nas frases curtas dos versos 2 e 3 de Tiago, une-se à ausência daquela pontuação convencional da língua grega, tornando difícil o presente relacionamento entre suas idéias na tradução portuguesa. Talvez o melhor equilíbrio entre o estilo e as idéias seja alcançado traduzindo-se os versos em dois paralelos, onde a primeira linha de cada um representa as atitudes interiores que dão origem às ações apresentadas na segunda.

"Você deseja, mas não tem; então você mata.
Você tem inveja, mas é incapaz de conseguir;

então, você guerreia e peleja" (tradução pessoal do autor).

Essas "guerras e pelejas" dentro do indivíduo, que levam à "guerras e pelejas" dentro da comunidade, poderiam ser evitadas se as pessoas simplesmente pedissem a Deus as coisas que necessitam, particularmente a "sabedoria" ou a "palavra", que conformaria seus desejos à vontade de Deus. Pois, mesmo quando realmente pedem, seus motivos divididos e pecaminosos (manifestados aqui pelo desejo de "gastar em vossos deleites") representam a certeza de que não "receberão do Senhor alguma coisa" (1.7; veja comentários em 1.5-8).

Existe entre os comentaristas uma acentuada tendência para interpretar a exortação de Tiago "combateis e guerreais" (4.2), como uma simples figura de retórica e não uma verdadeira acusação de assassinato. De acordo com esses estudiosos, Tiago está acompanhando a precedência de Jesus quando se referiu ao ódio como assassinato (veja Mt 5.21,22). Porém, pode existir um aspecto pelo qual Tiago acredita que essa alegação seja apropriada dentro de um sentido mais literal. Se a omissão de cuidar "dos órfãos e das viúvas" (1.27), assim como de outros membros indigentes da comunidade (2.15,16) foi a causadora de mortes desnecessárias, então o desejo pecaminoso de "gastar em vossos deleites" (4.3) pode também ser uma espécie de assassinato (veja comentários sobre 2.11; 5.6). Devemos nos perguntar se nosso desejo de "espiritualizar" o ódio como a acusação de Tiago de "combater e guerrear", não está mascarando a culpa relativa à omissão de usar as coisas que Deus nos concede, para o benefício dos necessitados. É muito mais fácil tranqüilizar nossa consciência, de que não odiamos tão intensamente alguém a ponto de desejar que morra, do que verificar se nossos talões de cheques revelam que nossos desejos estão verdadeiramente conformados com a vontade de Deus para com os pobres (2.5-7,15,16 e comentários).

A expressão que Tiago usa para chamar a audiência de "adúlteros e adúlteras" (v.4), provavelmente se originou não só de uma anterior associação com os mandamentos que condenam o assassinato e o adultério (2.11), como também da associação usual de "deleites" (4.3) com o desejo sexual. Isso lembra duas poderosas imagens do Antigo Testamento: uma delas é a descrição do "caminho da mulher adúltera" que "come" (um eufemismo para as relações sexuais) e depois diz, "não cometi maldade" (Pv 30.20). Sua declaração está de acordo com aquela atitude de impunidade e de vulgaridade, à qual Tiago acusa de levar seus leitores a cometer pecados.

A outra imagem é a tradição profética que considerava Israel como a esposa infiel de Deus (Jr 3.20; Ez 16; Os 2.2-5; 3.1). Da mesma forma como Israel procurou estabelecer acordos não só com o Deus de Abraão, mas também com Baal, Asera e outras divindades de Canaã, os leitores de Tiago também procuraram estabelecer tanto a "amizade com o mundo", quanto com Deus. Mas tão certo como o adultério destrói a relacionamento entre os casais, o desejo ambivalente pelo bem e pelo mal — amizade com Deus e com o mundo — ao final transformará as pessoas em "inimigos de Deus".

4.2.2. Submetendo-se a Deus (4.5-10). O apelo de Tiago à "Escritura" no verso 5 representa um problema para os intérpretes, pois o que se segue no remanescente desse verso não reproduz uma citação direta a qualquer livro, nem do Antigo, nem do Novo Testamento. Enquanto alguns comentaristas sugerem que Tiago está citando um livro judeu, ou um livro do início do cristianismo, que desapareceu, outros dizem que está apenas fazendo uma extensa alusão ao tema bíblico do ciúme de Deus pelo povo escolhido. No entanto, a dificuldade não está limitada à ambigüidade da referência, mas também inclui uma incerteza em relação à própria idéia expressa na ultima metade do verso.

Essa incerteza concerne à função gramatical da palavra "Espírito" dentro do verso. Se ela for o sujeito da cláusula, então o verso pode ser traduzido como "O Espírito (Deus) que em nós habita tem ciúmes" (esta tradução está de acordo com a NIV). Nessa interpretação a cláusula novamente reitera a preocupação de Tiago com o fato de que as pessoas podem ser "inconstantes", com seus desejos divididos entre as coisas boas ("o Espírito que em nós habita") e as coisas más (no entanto, o "ciúme" está sendo motivado por "inveja e espírito faccioso", 3.16).

Alternativamente, no verso 5, a palavra "Espírito" poderia ser o objeto do verbo nessa cláusula, resultando a tradução "Deus, tem ciúme, e anseia pelo espírito que ele fez habitar em nós" (nota da NIV). Esta tradução fornece a base para a interpretação de que o apelo às Escrituras deva ser o motivo mais amplo dos ciúmes de Deus por seu povo. A maioria dos substantivos gregos tem maneiras diferentes de usar o sujeito e o predicado ou objeto, porém isso não acontece com substantivos gramaticalmente neutros (por exemplo, "espírito" ou *pneuma*). Somente o contexto poderia resolver essa ambigüidade gramatical, porém nesse caso, o próprio contexto é parte da dificuldade.

Voltando à questão particular do apelo de Tiago à "Escritura" deve-se observar que no verso 6 existe uma citação bíblica facilmente identificada, proveniente de Provérbios 3.34, e que é precedida pela fórmula introdutória: "Diz a Escritura". Portanto, a solução mais simples é que Tiago não esteja apelando para duas diferentes passagens das Escrituras (uma no v.5, e outra no v.6), mas esteja introduzindo por duas vezes seu apelo a Provérbios 3.34. Assim, os versos 5 e 6 contêm duas sentenças — uma questão retórica ("Ou cuidais vós que em vão diz a Escritura?"), seguida por uma declaração que esclarece a razão pela qual Deus nos "dá maior graça". Esse esclarecimento é obtido se considerarmos o "Espírito" como o objeto da segunda sentença do verso 5: "O Espírito que em nós habita tem ciúmes? Antes, dá maior graça". Nesse caso, o provérbio é a prova do texto de que a promessa de "graça" das Escrituras não é sem razão. Por Deus ter "ciúmes" dos seus escolhidos, Tiago pode dar-lhes o nome de adúlteros e adúlteras por desejarem a amizade do mundo (v.4).

Nesse provérbio, a promessa de que Deus "dá... graça aos humildes" também nos fornece a base da exortação de Tiago: "Sujeitai-vos, pois, a Deus" (v.7) e "Humilhai-vos perante o Senhor, e ele vos exaltará" (v.10; cf. 1.9,10). Entre estas exortações paralelas, Tiago está oferecendo conselhos práticos sobre como alguém pode passar toda a sua vida com essa atitude de humildade perante Deus. Embora seja nosso dever "resistir ao Diabo" (4.8) afastando de nós a característica de egoísmo da assim chamada "sabedoria" que é "terrena, animal e diabólica" (3.15 e 16), devemos ao mesmo tempo "chegarmo-nos a Deus" com a plena confiança de que "ele se chegará a nós" (v.8) e nos "dará liberalmente" (1.5) a "sabedoria que vem do alto" (3.17; cf. 1.17). Essa dádiva de sabedoria purificará os corações (veja comentários sobre 1.21) dos "inconstantes" conformando sua vontade e suas ações ("limpando as mãos") à vontade de Deus (4.8).

O "riso" e o "gozo" que vêm da "amizade com o mundo" devem ser substituídos por lamento, pranto e tristeza quando alguém percebe que se tornou "inimigo de Deus" (vv.4,9). Essa atitude de genuína humildade e arrependimento — isto é, de afastar-se do mal e voltar-se para Deus — é a única maneira de alguém se adequar ao "único Legislador e Juiz" (4.12).

5. Preparando o Semelhante para o Julgamento (4.11-5.20)

Tendo convocado individualmente seus leitores para se arrependerem, aconselhando-os a "humilharem-se perante o Senhor" (4.10), Tiago conclui sua carta encorajando-os a seguirem seu exemplo convidando outros pecadores a também se arrependerem (5.19,20). Sua preocupação pastoral se estende àqueles que claramente pertencem à comunidade cristã ("irmãos, se algum de entre vós se tem desviado da verdade...", 5.19), àqueles cuja posição dentro da Igreja é algo questionável (os mercadores em 4.13-16), e mesmo àqueles que condenaram e mataram homens inocentes ou justos (5.6).

Entretanto, os cristãos não podem executar essa tarefa profética acusando e julgando aqueles que necessitam arrepender-se (4.11,12). Antes, devem lembrar-lhes da misericórdia e da provisão de Deus através da oração em comum, do louvor e da confissão (5.13-16), a fim de restabelecerem a verdadeira fé e confiança em Deus, eliminando as "dúvidas" dessas pessoas "inconstantes" (veja 1.5-8 e comentários). É esse serviço ao Senhor (1.1) que o próprio Tiago procurou colocar em prática em nome de seus leitores, ao escrever essa carta.

5.1. O Julgamento daqueles que se Esquecem de Deus (4.11-5.9)

5.1.1. Julgar ou Submeter-se à Lei? (4.11,12). Tiago inicia uma transição da convocação dos crentes para o seu preparo para o iminente julgamento, exortando-os a cumprir sua responsabilidade perante os semelhantes que, por sua vez, também o enfrentarão. Faz essa mudança de retórica repetindo o aviso feito em 3.1, que voltará a focalizar em 5.1-9, aconselhando a respeito da atitude que as pessoas devem ter para com seus semelhantes.

Tiago é claramente enfático na sua denúncia sobre como os crentes às vezes tratam os outros ("não faleis mal uns dos outros", v.11). Essa tendência de falar julgando e condenando os outros, talvez sem um verdadeiro motivo (calúnia), certamente representa uma das razões pelas quais ele previne contra o orgulho de assumir as responsabilidades de um ensinador (3.1). O adequado papel de um mestre é "converter do erro do seu caminho um pecador" (5.20), e não condená-lo (cf. Mt 7.1-5).

Tiago identifica dois problemas que se originam quando as pessoas reivindicam as prerrogativas de um julgamento que por direito pertence somente a Deus, o "único Legislador e Juiz" (v.12).
1) Ao condenar os outros, estamos principalmente condenando a própria lei. Talvez Tiago acreditasse que esse era o caso porque quando condenamos as pessoas estamos condenando aqueles que foram "feitos à semelhança de Deus" (3.9), e assim, implicitamente, estamos condenando o próprio Deus (cf. Rm 14.1-8, esp. vv.4, 8).
2) Aqueles que julgam os semelhantes estão se posicionando como juizes acima da lei ao invés de submeterem-se a ela ("se tu julgas a lei, já não és observador da lei, mas juiz", Tg 4.11); isto é, inevitavelmente o padrão de comportamento reproduz o desejo do juiz humano e não a vontade de Deus (veja 4.13-17). Ao invés de nos atermos às omissões dos semelhantes na obediência à lei de Deus, deveríamos nos concentrar em nossa submissão a Ele (4.7) e à sua lei.

Ao enfatizar a verdade de que Deus é o "único Legislador e Juiz", uma das ciladas que enfrentamos é o risco de sugerir que as pessoas devam servir a Deus somente pelo medo do castigo e não como um ato de amor e devoção. O entendimento de que Deus é aquEle que é capaz de "salvar e destruir" (v.12) pode despertar em uma pessoa tanto a gratidão ("salvar") como o medo ("destruir"). Como Tiago consegue relacionar esse fato com sua convicção de que Deus é a fonte de "toda boa dádiva e todo dom perfeito", e somente de coisas boas? (1.17 e comentários). Será que a "dúvida" e a "inconstância" (veja 1.6-8 e comentários) não seriam a conseqüência de uma pessoa não saber se receberá de Deus a salvação ou a destruição?

Respondendo à primeira pergunta, Tiago observa que a destruição pode ser uma coisa boa ou má, dependendo da perspectiva de cada um. Obviamente, o julgamento de Deus traz conseqüências negativas para aqueles que são destruídos (veja como os demônios tremem ao tomar conhecimento do infalível julgamento que os espera, 2.19). No entanto, Tiago acredita que esse castigo, além de ser consistente com a justiça divina, representa um bem em si mesmo. Isto é, é bom que Deus destrua aqueles cujas "concupiscências" deram origem ao pecado e à morte (1.14,15). Além disso, o julgamento divino salva aqueles a quem Deus gerou (1.18,21) e a quem recompensa com o emblema da única posição que tem verdadeira importância — "a coroa da vida" (1.12, veja também 1.9; 4.10).

À segunda pergunta, Tiago responderia que não existem razões para que uma pessoa tenha incertezas ou "dúvidas" a respeito de seu destino por ocasião do juízo de Deus (novamente, até os demônios conhecem o suficiente a respeito de Deus para terem esta certeza). Os únicos que irão "duvidar" serão aqueles que lutam sozinhos para aprender a vontade de Deus através dos sofrimentos da vida (1.2-4), e que permanecem aflitos entre o desejo de fazer o bem e as suas concupiscências que os tentam e os seduzem (1.13-15). Por outro lado, aqueles que confiam na misericórdia divina e aceitam sua "sabedoria" como uma dádiva generosa (1.5), recebida através da "palavra enxertada neles" (1.21), sabem que sua vontade está conforme a vontade de Deus. O que, então, temeremos? (cf. Sl 27.1; Rm 8.31-39). Aqueles que verdadeiramente acreditam na misericórdia e bondade divina, não só confiarão em Deus como se entregarão a ela, pois a "misericórdia triunfa sobre o juízo" (2.13).

5.1.2. Planejar de Acordo com a Vontade de Deus (4.13-17). A vontade de Deus tem sido um outro constante tema em toda essa carta; agora ela ascende à sua superfície. Tiago prefere discutir esse tema prevenindo contra o presunçoso orgulho (v.16) de ser capaz de controlar a própria vida (cf.1.2-4 e comentários). A partir das atividades desempenhadas pelos destinatários desses conselhos, podemos considerar que devem ser membros da classe dos mercadores (viajam de cidade em cidade para fazer negócios e ganhar dinheiro, v.13); porém, como está claro no resumo de sua declaração no verso 17, as atitudes que Tiago prescreve aos mercadores devem ser válidas a todos.

Embora Tiago não acredite que o orgulho seja intrinsecamente mau (veja 1.9, onde ele usa a mesma palavra em grego, *kauchaomai*), admite a existência de problemas com o orgulho particular dos mercadores ("toda glória *tal como esta* é maligna". 4.16; cf. 1.10 e 11). Deve-se salientar também que o problema não reside no fato de alguém fazer planos para o futuro, como deixa claro em sua afirmação: "Devíeis dizer: Se o Senhor quiser, e se vivermos, faremos isto ou aquilo" (v.15). Planos para o futuro podem tornar-se manifestações de um orgulho maléfico se forem feitos sem levar em consideração a vontade de Deus, e, sobre esse aspecto, Tiago enfatiza dois temas em particular:

1) O primeiro problema em relação ao planejamento futuro é ignorar o fato de que a vida humana depende de Deus ("Se o Senhor quiser, e se vivermos"...). Tiago enfatiza a diferença entre a existência humana e a divina lembrando os limites do conhecimento do homem ("não sabeis o que acontecerá amanhã"), e também sua metáfora que compara a vida humana a um "vapor" passageiro (v.14). Uma vez que Deus é o grande controlador dos acontecimentos, todos os planejamentos humanos dependem de sua vontade; nada poderemos fazer se Deus decidir o contrário, ou os impedir.

2) Entretanto, mais importante ainda é conseguir que a vontade divina nos conceda o *conteúdo* de nossos planos futuros. Nossos planos não devem apenas depender da aprovação de Deus em um sentido contingencial ("Se o Senhor quiser"...), mas devem ser elaborados de acordo com a vontade de Deus. Assim, o problema com o orgulho dos mercadores é que, no final, seus planos representam a expressão de seus próprios desejos materialistas ("iremos... contrataremos, e ganharemos" v.13; cf. 1.14,15; 4.3).

A preocupação de Tiago, ao enfatizar esses dois aspectos problemáticos dos orgulhosos planos dos mercadores, foi bem detalhada por Douglas Moo: "O que Tiago está encorajando não é uma verbalização constante da fórmula "Se o Senhor quiser", que facilmente pode se tornar uma oratória vazia e sem sentido, mas um reconhecimento sincero pelo controle de Deus sobre os acontecimentos e por sua vontade específica em nosso benefício" (1985, 157).

Tiago insiste nessa advertência aos mercadores e a estende a todos os crentes no verso 17: "Aquele, pois, que sabe fazer o bem e o não faz comete pecado". Essa afirmação lembra sua advertência anterior quando exortou os cristãos a praticarem a Palavra de Deus, ao invés de somente ouvi-la (1.22-25) e a demonstrarem sua "fé" através de suas "obras" (2.14-16) e sua sabedoria através de uma vida conhecida "pelo seu bom trato" (3.13). Esses "pecados de omissão", assim como os "pecados de comissão" em 1.15 são a conseqüência de deixar de praticar as obras que Deus deseja que sejam feitas no mundo, das quais estão conscientes. A recomendação implícita aqui é que "pecados de omissão" podem facilmente tornar-se "pecados de comissão" como já deixou bem claro nos versos de abertura do capítulo 5, quando denuncia a opressão dos pobres pelos ricos.

5.1.3. O Desespero no Dia da Destruição (5.1-9). Essa severa admoestação que Tiago dirige aos ricos que oprimem os semelhantes (v.4) na tentativa de satisfazer sua luxúria e concupiscência (v.5), pode encontrar sua justificativa nos terríveis e desastrosos efeitos de seus atos ("condenastes e matastes o justo", v.6). Porém, quando considerada em relação às suas recomendações anteriores de não "julgar" e de "não caluniar" os demais (4.11,12), o rigor dessa acusação pode parecer exagerado (observe o verso 3: "A sua ferrugem... comerá como fogo a vossa carne").

Poderíamos asseverar que aí não existe qualquer inconsistência, pois a recomendação de Tiago, contra o julgamento dos semelhantes, está se referindo especificamente àquele que "julga ou fala mal" de seu irmão (4.11); essas atitudes dos ricos, já descritas, certamente impedirão que sejam considerados membros da Igreja. Será que devemos, então, entender que um padrão de conduta se aplica àqueles que compartilham nossa fé, e que outro padrão é usado para os que não o fazem? Aparentemente esse não é o caso, pois ao final desse parágrafo Tiago repete sua recomendação: "Não vos queixeis uns contra os outros, para que não sejais condenados" (v.9). Como, então, essas duas passagens poderiam ser relacionadas?

A primeira coisa que devemos observar é que Tiago está extraindo seus exemplos da tradicional acusação contra os ricos encontrada nos escritos dos profetas de Israel, e na misericórdia para com os pobres (veja comentários sobre 1.9-12). Isto não significa, no entanto, que esses exemplos não estejam espelhando a terrível condição dos pobres agricultores autônomos, que eram oprimidos pelos proprietários abastados. O enorme volume de alimentos colhidos em suas imensas propriedades, permitia-lhes exercer considerável controle sobre os mercados onde esses produtos eram vendidos. Estavam ainda em condições de explorar os trabalhadores diaristas porque a grande parte do solo arável estava sob seu domínio, o que limitava as possibilidades de encontrar trabalho.

Já que poderíamos razoavelmente presumir que esses "ricos" agricultores não se encontravam entre os participantes de sua audiência original, existem duas razões pelas quais Tiago aparentemente inclui essas acusações a partir da misericórdia para com os pobres: (1) Para assegurar aos seus leitores que seus "clamores... entraram nos ouvidos do Senhor dos Exércitos" (v.4) e (2) Para encorajá-los a "serem pacientes" até que Deus intervenha para restaurar a justiça no mundo (vv.7,8). Mas, por que deveriam "ser pacientes"? Por que Deus não intervém imediatamente a fim de "destruir" (4.12) aqueles que oprimem os semelhantes? Por que Deus *ainda* "está à porta" (5-9)?

A resposta a essas perguntas está vinculada à resposta que Tiago espera dos ricos, perante "o desespero iminente", isto é, que "chorem e pranteiem" (v.1). Esse verso registra a segunda vez que Tiago exorta alguém a "prantear". Em 4.9 já havia convocado os leitores a se arrependerem dizendo: "lamentai, e chorai; converta-se o vosso riso em pranto, e o vosso gozo, em tristeza". É interessante observar que, no verso anterior, o verbo "prantear" (*talaiporeo*) é um cognato do substantivo "miséria" (*talaiporia*) (5.1). Também existe uma conexão com sua descrição anterior dos ricos em 1.10,11, onde a imagem da beleza passageira da flor é claramente análoga à descrição que faz da deterioração das posses materiais em 5.2,3.

Então, a exortação que faz aos ricos para chorarem e prantearem não é uma forma de regozijo repleto de sadismo e zombaria pela destruição futura dos maus e opressores. Antes, espera que quando a "miséria" chegar às suas vidas, reconheçam sua dependência de Deus e se arrependam de seus pecados passados. Se assim o fizerem, então o "abatimento" (1.10) provocado por sua "miséria" os levará a se humilharem perante o Senhor, e Ele os exaltará (4.10; cf. 1.9).

Tiago dá outra indicação de que pretende que sua recomendação aos ricos seja uma exortação ao arrependimento, e não uma comemoração por sua ruína, embora seu conciso estilo grego o torne de difícil compreensão. O verso 6 diz, literalmente: "Condenastes e matastes o justo; ele não vos resistiu". Os tradutores da NIV identificaram corretamente o uso do substantivo singular "justo" como sendo um substantivo coletivo; não foi um indivíduo em particular que sofreu nas mãos dos ricos, porém um homem inocente. Entretanto, na cláusula final, Tiago não nos oferece qualquer sujeito explícito para o singular do verbo "resistir". Será que "o justo" seria um grupo que se opõe aos ricos, ou um individuo em particular?

Somente uma outra vez Tiago emprega o verbo "resistir", ou "opor-se" (no grego, *antitasso*); "Deus resiste aos soberbos, dá, porém, graça aos humildes" (4.6). Se "Deus" é o sujeito que está implícito no verbo em 5.6, então Tiago certamente não quer dizer "Deus não resiste ou se opõe a você". Entretanto, usando a pontuação da cláusula como sendo uma pergunta, e não uma afirmação (lembremos que os primeiros manuscritos gregos não têm sinais de pontuação) a tradução seria "Deus não se opõe a você?" A negativa grega específica que foi usada (*ou*) indica que Tiago espera uma resposta afirmativa a essa questão retórica; certamente Deus se opõe àqueles cuja arrogância e auto-indulgência os leva a condenar e assassinar os semelhantes. Porém, àquele que se humilhar "perante o Senhor" (4.10), Tiago lembra tanto aos ricos como a todos os demais, receberão a graça de Deus, pois Ele "dá... graça aos humildes" (4.6).

Um genuíno e sincero arrependimento, com certeza, resultará em uma mudança de atitude, pois, o fato de humilhar-se perante Deus significa aceitar a vontade divina como se fosse a própria vontade (1.21 e comentários). Uma mudança específica que ocorrerá no rico que se arrepender será uma nova disposição em relação à sua riqueza acumulada (5.3). Sua prática de acumular fortuna pessoal deixando de pagar seus empregados (v.4) é a base da acusação específica de Tiago quando menciona "matar o justo" (v.6), porque "tirar o pão de um semelhante é cometer assassinato; privar um empregado do salário é derramar seu sangue" (Siraque 34.26,27, NRSV).

Os exemplos que usam a corrosão dos metais preciosos, assim como vestes corroídas por traças, indicam não só que ambos igualmente passarão "como a flor da erva" (1.10), mas que também foram impedidos de exercer sua finalidade precípua. Como observou Peter Davids, o fato das "vestes representarem o alimento das traças, o dinheiro guardado se tornar manchado, e o ouro e a prata se enferrujarem, não sendo utilizados por seus donos quando poderiam ter sido destinados aos pobres... indica que foram afastados da função à qual Deus lhes destinou" (1982,176). Se os ricos aceitarem a vontade de Deus como a sua própria, então usarão suas posses para suprir as necessidades dos semelhantes (2.15,16) ao invés de viver em luxúrias e deleites (5.5; cf. 4.3).

Dessa forma, Tiago nos conclama a sermos "pacientes, até a vinda do Senhor" (v.7) porque sua demora permitirá outras oportunidades de arrependimento (cf. 2 Pe 3.9). Como lavradores espirituais, devemos aguardar que a terra produza o seu "precioso fruto" de almas através das chuvas "temporã e serôdia". As misérias que estão por chegar aos ricos (Tg 5.1) servirão, na vida dos infiéis, ao mesmo propósito que as "provações" servem na vida dos crentes (1.2-4). É um lembrete de que não podemos alcançar a maturidade espiritual, nem através do sucesso material (cf. Lc 12.16-21), nem de nossa própria determinação. Além disso, tanto os ricos quanto os pobres estão convidados a humilhar-se perante Deus, simplesmente aceitando a graça e os dons que Ele concede (Tg 1.5; 4.6).

A promessa de que "a vinda do Senhor está próxima" (v.8), serve de estímulo àqueles que aceitaram a vontade de Deus como sendo a sua própria, e também de advertência àqueles que "entesouraram para os últimos dias" (v.3) para que pudessem viver em luxúrias e deleites (v.5). Ao invés de nos queixarmos "uns contra os outros" (v.9) por causa das injustiças da falta de humanidade entre os homens, Tiago nos encoraja a trabalhar para sua redenção. O tempo é curto: "Eis que o juiz está à porta!"

5.2. As Responsabilidades dos Profetas (5.10-20)

5.2.1. A Paciência de Jó (5.10,11). Esses versos marcam a transição dos ensinamentos de Tiago sobre nossa responsabilidade por aqueles que estão fora da comunidade da Igreja, para com os que estão dentro dela, à luz do julgamento de Deus. Faz essa transição através de dois exemplos que os crentes devem seguir; "os profetas que falaram em nome do Senhor" (v.10) e a fidelidade de Jó em suas adversidades (v.11). Nos dois exemplos, o ponto que Tiago deseja enfatizar é que devemos considerar aqueles que perseveraram como abençoados. Por saberem que "o Senhor é muito misericordioso e piedoso", Jó e os profetas foram pacientes frente às aflições que sofreram.

Os crentes precisam imitar o exemplo da perseverança de Jó sem se "desviarem da verdade" (5.19) de que Deus é a imutável fonte de "toda boa dádiva e de todo dom perfeito" (1.17). Precisam imitar o exemplo dos profetas falando "em nome do Senhor", isto é, usando de seu discurso para mostrar a divina "misericórdia e piedade" (v.11) para que possam trazer de volta aqueles que se desviaram da verdade por atos pecaminosos ou por terem acusado a Deus por suas dificuldades (1.13). Aqueles que assim fizerem serão abençoados com a vida eterna e com o perdão se seus pecados (5.20).

Entretanto, os exemplos de Tiago não servem apenas para o passado. Lembra-nos dizendo: "Vistes o fim que o Senhor lhe deu" (v.11) referindo-se à história de Jó (veja especialmente a bondosa restauração das posses que ele havia perdido, em Jó 42). A frase exata que Tiago usa é "o fim que o Senhor..." (em grego, *to telos kyriou*), e a palavra "fim" era freqüentemente usada com o sentido de "conclusão da questão". Porém é provável que Tiago também tivesse em mente o resultado que o Senhor finalmente *trará* "nos últimos dias" (5.3). O conhecimento de que "a vinda do Senhor está próxima" (5.8) fortalece nossa perseverança ou paciência, e, ao mesmo tempo, torna urgente nossa missão profética.

5.2.2. As Responsabilidades da Fé dentro da Comunidade (5.12-18). Tiago introduz esse segmento da carta com as palavras "Mas, sobretudo" (v.12). Com essa interjeição ele não quer dizer que a proibição de fazer juramentos, que vem logo em seguida, seja a injunção mais importante de sua carta. Essa expressão era, pelo contrário, uma forma padrão de comunicar que a carta havia terminado, além de servir também para enfatizar a importância da conclusão como um todo. Tiago determina a sincera responsabilidade que os cristãos devem ter uns com os outros, dentro do contexto de seu relacionamento com Deus. A exortação, "Mas, sobretudo" torna-se muito importante porque a responsabilidade de ser sincero, orar e de se regozijar com os demais crentes são exemplos particulares de responsabilidade no relacionamento com Deus.

Esse contexto de responsabilidade comum, como uma obrigação para com Deus, acrescenta outro significado à referência de Tiago sobre a proibição feita por Jesus em relação aos juramentos (veja Mt 5.34-37). Tiago não está preocupado com quais palavras devem ou não ser usadas nos juramentos (ou se fazer juramentos é um pecado em si), mas com a necessidade de que cristãos se relacionem uns com os outros com verdadeira sinceridade. Existem várias maneiras pelas quais nossas relações com Deus se ligam a essa proibição. Não devemos invocar a Deus ("jurar pelos céus", um eufemismo comum para se referir a Deus) para garantir nossa aparente e questionável sinceridade. Qualquer deslealdade gritante que arrola Deus como cúmplice faz da pessoa um "inimigo de Deus" (Tg 4.4) e resultará em sua "condenação" (5.12).

Talvez Tiago estivesse particularmente preocupado com os juramentos, porque alguns de seus leitores já estivessem blasfemando ao declarar seu descontentamento com os sofrimentos presentes em sua vida, particularmente pela exploração dos membros mais fracos da sociedade pelos mais poderosos (cf. 5.1-5). Portanto, Tiago passa da proibição de discursos impróprios ("juramentos") para o emprego de exemplos de uma adequada linguagem dentro da comunidade cristã. A resposta apropriada para as "aflições" é a oração, enquanto para o "contentamento" é "cantar louvores" (v.13). Através dessas expressões os crentes podem demonstrar que reconhecem sua completa dependência de Deus, tanto nos momentos de aflição como de alegria.

Para Tiago, tanto a oração como o louvor demonstram "a disposição de verdadeiramente se submeter à boa vontade de Deus (veja 1.2-9), ...e a eficácia da oração está ligada à disposição de se submeter ao plano divino e de aguardar a intervenção de Deus" (Martin, 1988, 200-201). As observações específicas de Tiago a respeito de orações destinadas à cura e à confissão, se encaixam nesse mesmo contexto e demonstram que mesmo as orações destinadas aos aspectos mais pessoais da vida pertencem, apropriadamente, à vida coletiva da Igreja.

Essas instruções a respeito de orações pelos enfermos e da unção com óleo têm uma importância particular para cristãos pentecostais e carismáticos. Não só os "presbíteros" da igreja têm a responsabilidade de orar pelos demais membros (v.14), mas todos os cristãos têm o dever de orar uns pelos outros, para que sejam curados (v.16). Esse dever não pode ser delegado exclusivamente àqueles que têm o dom espiritual de curar.

O papel específico dos "presbíteros" como sendo daqueles que "ungem com óleo", sugere que Tiago acreditava que esse ato tem uma importância religiosa especial. Embora o óleo fosse muito usado para fins medicinais no mundo greco-romano (cf. Lc 10.32,33), referências à unção com óleo presentes no Novo Testamento, ao lado de orações pelos enfermos (somente nesta passagem e em Mc 6.13), não indicam que esse ato tivesse o propósito de ser uma terapêutica medicinal. Provavelmente Tiago esteja dizendo que ungir com óleo tenha um simbolismo religioso, não sendo meramente um ponto de contato físico para a fé de alguém. Da mesma forma que os antigos sacerdotes de Israel ungiam as pessoas e as coisas com óleo para separá-las para Deus (por exemplo, Êx 40.9-15; conforme o uso metafórico da unção em Lc 4.18,19; 2 Co 1.21,22), a unção dos enfermos pode simbolizar que estão sendo separados para receberem o cuidado especial de Deus.

Dois aspectos dos ensinamentos de Tiago em relação à oração pelos enfermos, tornaram-se ciladas potenciais nas doutrinas pentecostais no que se refere à cura divina.

1) Pelo fato de algumas relacionarem a cura ao perdão ("e a oração da fé salvará o doente" [a palavra grega *sozo,* também é traduzida em outro local da carta como "salvar"] ... e, se houver cometido pecados, ser-lhe-ão perdoados", v.15). Tiago repete a crença tradicional que ligava a enfermidade ao pecado (Jo 9.1,2), porém não tem a intenção de acrescentar qualquer explicação para a origem da enfermidade. Nas três vezes anteriores em que empregou a expressão *sozo* (1.21; 2.14; 4.12) essa palavra tinha consistentemente o sentido da salvação de uma pessoa, com um olhar dirigido à sua total redenção no final dos tempos (veja também em 5.20). Assim, Tiago enfatiza que devemos nos preocupar tanto com o bem-estar físico, como com o espiritual. É verdade que certos males e enfermidades são conseqüência de atos pecaminosos, porém Tiago não ensina que todas as enfermidades resultam do pecado (cf. Jo 9.3).

2) A segunda cilada está relacionada à confiante afirmação de Tiago sobre a "[poderosa e eficaz] oração do justo" (v.16) e à ilustração desse ponto de vista referente a Elias (vv.17,18). Se "Elias era homem sujeito às mesmas paixões que nós", então por que suas orações foram respondidas de forma tão espetacular, enquanto nossas orações para alcançar a cura às vezes não têm resposta? Alguns procuraram encontrar a culpa

por tais orações não atendidas contestando a "justiça" da pessoa doente ou daqueles que oram em seu benefício. No entanto, essa assertiva de Tiago não é a respeito de procurar a culpa, mas de sua confiança na bondade e misericórdia divina. Assim como Deus respondeu as orações de Elias, e preparou-o para realizar a missão profética, da mesma forma responderá às orações dos crentes quando desempenharem sua missão em benefício dos demais.

A explicação que Tiago oferece sobre porque algumas orações para a cura dos enfermos não resultam em sua recuperação física, vai até o ponto em que os presbíteros devem "orar e ungir com azeite "em nome do Senhor" (v.14). A invocação do "nome do Senhor" não é só um apelo ao poder e autoridade da vontade de Deus, mas também um reconhecimento de que nossos desejos — mesmo através da oração — devem estar em conformidade com a vontade divina (cf. 4.3 e comentários). Talvez Tiago também estivesse desejando desafiar nosso entendimento, a respeito da razão pela qual tantas orações pelos enfermos ficam "sem resposta". Lembremo-nos que ele escreveu que "a oração da fé salvará [*sozo*] o doente, e o Senhor o levantará" (v.15). A vida física não é a única vida, ou mesmo a mais importante que existe (veja 5.20). A bondade de Deus, ao nos elevar à vida espiritual e eterna, é uma resposta à "oração da fé" pela qual demonstramos plena confiança na misericórdia divina para nos tornar completamente sãos, no sentido mais amplo desta palavra.

5.2.3. Cobrindo uma Multidão de Pecados (5.19,20).

Tiago conclui sua carta encorajando-nos a fazer, por nossos semelhantes, o mesmo que ele fez por meio de seus escritos ao povo de Deus, "às doze tribos que andam dispersas" (1.1). Se observarmos uma pessoa "desviando-se da verdade", a vontade de Deus é que façamos com que ela volte (v.19), porque "o Espírito que em nós habita tem ciúmes" (4.5, nota da NIV), quando "segundo a sua vontade, ele nos gerou pela palavra da verdade" (1.18). Dessa forma, nós também nos tornamos "servos de Deus e do Senhor Jesus Cristo" (1.1).

A "verdade", da qual alguns se "desviam", representa a convicção de Tiago de que Deus é a fonte de "toda boa dádiva e de todo dom perfeito" (1.17), e de nada que seja mau ou pecaminoso. Para Tiago, esse "erro" teológico (v.20) tem profundas conseqüências éticas. Aqueles que crêem que Deus é a fonte de todas as coisas ruins em sua vida (1.13) duvidarão que Deus esteja disposto e desejoso de lhes conceder como uma dádiva generosa, a sabedoria de que necessitam (1.5-8). Seus esforços frustrados de aprender essa sabedoria através das lutas da vida, mostrarão que permanecem "inconstantes", desejosos de agradar a Deus, mas ao mesmo tempo possuidores de uma "concupiscência" que os tenta a "pecar" (1.14,15). Tais pessoas não podem ser trazidas de volta para Deus através de palavras de condenação (4.11,12), somente sendo novamente convencidas de sua misericórdia serão capazes de confiar nEle e de "receber com mansidão a palavra nelas enxertada" (1.21; cf. 4.7-10).

Tiago encerra sua carta com uma maravilhosa promessa àqueles que praticarem essa responsabilidade pela vida espiritual dos semelhantes: "Saiba que aquele que fizer converter do erro do seu caminho um pecador salvará da morte uma alma e cobrirá uma multidão de pecados" (v.20). Existe alguma ambigüidade nessa promessa em relação ao antecedente do pronome "sua" ou "uma" que modifica a palavra "alma". Será a alma daquele que trouxe de volta o pecador, ou a alma do próprio pecador que é salva da morte? A tradução da NIV soluciona essa ambigüidade em favor da alma do pecador ao traduzir "uma alma" como simplesmente referindo-se a "ele". Mas também é possível que o antecedente seja "qualquer um que faça com que o pecador retorne"; ao realizar esse trabalho alguém não só "salvará da morte uma alma" mas também "cobrirá uma multidão de pecados" que foram cometidos por estes dois membros da comunidade. Esses dois significados são possíveis porque Tiago acredita que é através da realização dessas "obras", consistentes com a vontade de Deus, que os cristãos serão "abençoados" ou "bem-aventurados" (1.22-25), e que

O ANTIGO TESTAMENTO NO NOVO TESTAMENTO

NT	AT	ASSUNTO
Tg 2.8	Lv 19.18	Amar ao próximo como a si mesmo
Tg 2.11	Êx 20.14; Dt 5.18	Sétimo mandamento
Tg 2.11	Êx 20.13; Dt 5.17	Sexto mandamento
Tg 2.23	Gn 15.6	A Fé de Abraão
Tg 4.6	Pv 3.34	Graça aos humildes

sua "fé" será capaz de salvá-los da morte espiritual (2.14,26).

BIBLIOGRAFIA

T. B. Cargal, *Restoring the Diaspora: Discursive Structure and Purpose in the Epistle of James* (1993); P.H. Davids, *The Epistle of James*, NIGTC (1982); M. Dibelius, *James*, Hermeneia (1975); L.T. Johnson, *The Letter of James: A New Translation with Introduction and Commentary*, AB (1995); S. Laws, *A Commentary on the Epistle of James*, HNTC (1980); R.P. Martin, *James*, WBC (1988); D.J. Moo, *James*, TNTC (1985); P. Perkins, *First and Second Peter, James and Jude*, Interpretation (1995).

I e II PEDRO
Roger Stronstad

INTRODUÇÃO A I PEDRO

A primeira Epístola de Pedro é classificada como uma das cartas gerais (ou "católicas"). Recebeu essa classificação porque Pedro a enviou aos habitantes de diversas províncias como Ponto, Galácia, Capadócia, Ásia e Bitínia, ao contrário de Paulo que escreveu a indivíduos ou aos cristãos de uma cidade específica (por exemplo, de Corinto ou Roma). Existem cinco fatores importantes que compõem o cenário da exposição dessa carta de caráter tão geral: (1) autoria, (2) data e local dos escritos, (3) destinatários, (4) ocasião e/ou propósito e (5) estrutura geral.

1. Autoria

Aqueles que escreveram o Novo Testamento não tinham qualquer interesse biográfico específico em relação aos seus heróis ou apóstolos, como acontece atualmente. No entanto conseguiram registrar, incidentalmente, importantes informações que são suficientes para elaborarmos um quadro bastante abrangente de Pedro.

a. Pedro nos Evangelhos

Na primeira vez que Pedro apareceu nas páginas do Novo Testamento, ele e seu irmão André eram pescadores e sócios de Tiago e de João, filhos de Zebedeu (Lc 5.10). Pedro era casado e vivia em Cafarnaum (4.38,39), tendo antes vivido em Betsaida (Jo 1.44). No Novo Testamento, ficou conhecido por seus três nomes: Simão/Simeão (filho de João), Cefas e Pedro, que é a tradução grega para o nome aramaico Cefas (1.42).

Juntamente com Tiago e João, Pedro compunha o círculo mais íntimo dos discípulos de Jesus. Simbolicamente, ele é o primeiro a ser mencionado. Esses três discípulos acompanharam Jesus quando Ele ressuscitou a filha de Jairo, o oficial da sinagoga de Cafarnaum (Mc 5.37).

Também estavam com Jesus no chamado Monte da Transfiguração (9.2). Essa posição especial de Pedro se devia, em parte, à sua sensibilidade espiritual e não é de admirar que o ministério público de Jesus tenha sido coroado pela confissão de Pedro, "Tu és o Cristo" (8.29). Pelo fato de Pedro ter reconhecido Jesus como o Cristo, isto é, o Messias, tornou-se um dos cooperadores de Jesus na edificação da igreja primitiva. Podemos ver a liderança de Pedro, cheio do Espírito Santo no início da Igreja (At 1-12).

Era um apóstolo de temperamento instável e impetuoso. Por exemplo, em reposta a seu impulso, caminhou sobre as águas atendendo ao convite de Jesus (Mt 14.9). Mais tarde, quando Judas traiu Jesus, desembainhou sua espada em uma disfarçada tentativa de defender o Mestre (Jo 18.10). Porém, a despeito de sua fé e coragem negou a Jesus (Mc 14.66-72), tal como havia sido anteriormente advertido (14.30).

b. Pedro em Atos dos Apóstolos

O livro de Atos retrata Pedro como um dos mais importantes apóstolos da (At 1-12). Além de ter iniciado a escolha do décimo segundo apóstolo (1.15-26) em substituição a Judas, era ele quem pregava à multidão de peregrinos no dia de Pentecostes (2.14-36). Juntamente com os demais apóstolos, ensinou (2.42) e realizou muitos sinais e maravilhas (2.43), como por exemplo, a cura do mendigo paralítico (3:1-10). Por duas vezes testemunhou perante o Sinédrio (4.8-12; 5.29,30). Além de cooperar na liderança da comunidade carismática de Jerusalém (1.2-6.7), ele também ensinava fora dessa cidade — primeiramente ao lado de João em Samaria (8.14-25) e, mais tarde, em algumas cidades da Judéia ocidental (Lida, Jope e Cesaréia; 9.32-11.18). Um anjo salvou-o das mãos do Rei Herodes, que havia mandado executar Tiago (12.1-18) e, ao final, aparece em Atos defendendo a missão de Paulo e Barnabé junto aos gentios (15.6-11).

O apóstolo Pedro, em Atos, era um profeta carismático. Juntamente com 120 outros discípulos, foi batizado com o Espírito Santo no dia de Pentecostes (1.5), capacitado pelo Espírito (1.8) e cheio do Espírito (2.4). Na linguagem de Joel, o Espírito de profecia fora derramado sobre Pedro (2.17-21). Conseqüentemente, e também como o próprio Senhor Jesus Cristo que o antecedeu (Lc 24.19), Pedro foi um poderoso profeta tanto em palavras como em obras. Na verdade, todos os seus testemunhos, não só em Jerusalém como também em Samaria e na Judéia ocidental, foram inspirados pelo Espírito (2.14; 4.8,31, etc.), e todas as suas expressões de testemunho, proferidas nesses locais, haviam sido capacitadas pelo Espírito. Por inúmeras razões, a reputação que recebera de ser um apóstolo "coluna" era merecida (Gl 2.9).

Em algumas passagens, Pedro, e não Paulo, foi descrito por Lucas como o herói da igreja primitiva. Em relação à geografia, Pedro ensinou em Jerusalém (At 1-6), depois em Samaria (At 8) e finalmente na Judéia ocidental (At 9-11). Em termos étnicos, ele ensinou a judeus (At 1-6), samaritanos (At 8) e gentios (At 10-11). De acordo com os relatos de Lucas, não é de admirar que o ministério de Pedro tenha representado um modelo de padrão, podendo ser até mesmo comparado à descrição do ministério de Paulo. Por exemplo, se Paulo foi três vezes cheio do Espírito Santo (9.17; 13.9,52), Pedro também o foi antes dele (2.4; 4.8,31). Se Paulo foi chamado para ser o apóstolo dos gentios (9.15), Pedro já havia inaugurado um precedente desse ministério quando foi à casa do gentio Cornélio (10.1-11.18; 15.6-11). O ministério de Paulo era itinerante e peripatético (13.1-28.31), da mesma forma como fora o de Pedro antes dele (9.32-11.18).

Lucas relata inúmeras outras semelhanças entre Pedro e Paulo, inclusive as seguintes: (1) tanto Pedro como Paulo curaram aleijados (3.1-10; 9.32-35; 14.8-13); (2) ambos curavam enfermos através de meios exteriores (por exemplo, a sombra de Pedro [5.5] e os lenços e aventais de Paulo [19.12]); (3) Pedro e Paulo, como ministros do Senhor Jesus Cristo, oravam para que outros cristãos recebessem os dons do Espírito Santo (8.15-17; 19.1-7); (4) ambos repreendiam os feiticeiros ou mágicos (8.18-24; 13.6-12); (5) ambos ressuscitavam os mortos (9.40; 20.10); e (6) não somente Pedro, mas também Paulo, foram submetidos a julgamento perante o Sinédrio (4.1-22; 22.30-23.10). Embora em Atos o ministério de Paulo tenha ido mais além do que o de Pedro, ficou claro que o ministério de Pedro já havia estabelecido precedentes étnicos e carismáticos em relação ao de Paulo.

c. Pedro e Roma

Embora o livro de Atos dos Apóstolos nada mencione a respeito dos últimos anos do ministério de Pedro, é evidente que ele visitou Roma, talvez até mesmo no início do reinado de Cláudio (41-54 d.C.). Eusébio, um historiador da Igreja (cerca de 265 a 339 d.C.), registra o fato

Esse busto mostra o jovem Nero, imperador do Império Romano de 54 a 68 d.C. Nero, que perseguiu os cristãos em Roma, mandou matar Pedro no ano 64 d.C. Aproximadamente na mesma época, também mandou que Paulo fosse decapitado.

de que em seguida à ida de Simão, o feiticeiro, a Roma, durante o reinado de Cláudio, Deus conduziu Pedro àquela cidade "como contra uma praga gigantesca à vida" (*Ecclesiastical History*, 2.14). Se essa tradição tem alguma base histórica, Pedro pode ter fugido para Roma após escapar milagrosamente da perseguição de Herodes contra os apóstolos (At 12.1,19). É provável que Pedro também tenha visitado a Igreja em Corinto durante esse período (1 Co 1.12; 9.5; *Ecclesiastical History*, 2.25.7-8).

Pedro também esteve em Roma durante o reinado de Nero (54-68 d.C.), o sucessor de Cláudio. Eusébio relata o testemunho de Clemente, associando Pedro a Marcos na autoria do Evangelho de Marcos. Aqueles que ouviram Pedro fazer a proclamação do Evangelho exortaram Marcos, que foi seu companheiro por muito tempo, a registrar o que havia sido dito. Segundo comentários, Pedro nem proibiu nem estimulou Marcos a fazê-lo (*Ecclesiastical History*, 6.14.6-7). Essa tradição é significativa, não só porque associa Pedro e Marcos a Roma, mas também porque concede autoridade apostólica a um Evangelho que foi escrito por alguém que não era um apóstolo.

Eusébio também preserva a tradição de que Pedro foi executado em Roma durante a perseguição promovida por Nero à comunidade cristã daquela cidade. Nero ordenou que Paulo fosse decapitado e, praticamente na mesma época, que Pedro fosse crucificado. Ambos foram enterrados no mesmo cemitério e considerados fundadores da Igreja em Roma (*Ecclesiastical History*, 2.25.5-8). Um relato fantasioso do martírio de Pedro encontra-se preservado no apócrifo *Acts of Peter* (E. Hennecke, *New Testament Apocrypha*, 2:314-22).

2. Data e Local da Escrita da Carta

De acordo com as evidências disponíveis, a primeira carta de Pedro foi escrita em Roma. Observe a saudação final dessa carta: "A vossa co-eleita em Babilônia vos saúda" (1 Pe 5.13). A menção de Babilônia como sendo uma alusão sigilosa a Roma, e não uma referência literal a quaisquer cidades com o mesmo nome na Mesopotâmia ou no Egito, fundamenta-se em duas considerações: (1) No Apocalipse, João também identifica a cidade de Roma como sendo a *Babilônia* (Ap 17-18) e (2) o livro de Colossenses associa Marcos a Paulo durante a prisão desse apóstolo em Roma (Cl 4.10). Além disso, é improvável que a associação de Marcos a Paulo, assim como a de Marcos a Pedro, tenha ocorrido em duas cidades diferentes.

Vários acontecimentos revelam a data da carta como sendo o início dos anos 60. (1) Foi escrita antes do martírio de Pedro nas mãos de Nero no ano 64 d.C. (2) Foi escrita depois que a Igreja já havia sido amplamente estabelecida em Ponto, Galácia, Capadócia, Ásia e Bitínia (1 Pedro 1.1). Lucas relata que a província da Ásia (isto é, cidades como Éfeso, Colossos e Laodicéia [Cl 4.16]) havia sido evangelizada durante a longa permanência de Paulo em Éfeso (At 19.10; 53-56 d.C.). Assim sendo, Pedro não poderia ter escrito sua carta antes do ano 56 d.C. Deste modo, uma data entre o ano 56 e 64 d.C., provavelmente mais próxima do ano 64, seria a mais provável. As várias tradições relatadas por Eusébio, apóiam plenamente as observações a respeito de quando e onde Pedro escreveu essa carta (*Ecclesiastical History*, 2.15.2; 3.3.2).

Os ensinamentos da Primeira Epístola de Pedro foram dirigidos tanto aos judeus como aos gentios convertidos ao cristianismo, na Ásia Menor, uma área que atualmente abrange a Turquia ocidental e central.

3. Destinatários

A partir de seu conteúdo, muita coisa pode ser deduzida a respeito dos destinatários da carta de Pedro. Sua audiência era formada por comunidades cristãs extensamente dispersas em cinco das províncias romanas localizadas na região atualmente compreendida pela Turquia central e ocidental. (1 Pe 1.1). Portanto, sua audiência incluía não somente judeus convertidos ao cristianismo como também cristãos pertencentes a uma grande variedade de grupos gentios.

As evidências de que judeus convertidos ao cristianismo estavam entre os destinatários, pode ser constatada pelos seguintes fatos: (1) Pedro se apropria e emprega o termo diáspora (ou dispersos) aos seus leitores (1.1), isto é, um termo técnico empregado para descrever a nação de Israel, dispersa entre as nações dos gentios (Jo 7.35; cf. 2 Mac 1.27); (2) apela às profecias do Antigo Testamento que já se haviam cumprido (1.16 et al.); e (3) de modo oportuno introduz metáforas do Antigo Testamento, tais como a do Templo (ou casa espiritual) e a das pedras (2.4-10) para descrever sua audiência. Todas essas características podem ser entendidas com maior clareza pela presença de judeus cristãos entre os destinatários.

Embora a audiência de Pedro inclua um significativo número de judeus cristãos, seus leitores são principalmente gentios cristãos. Esse elemento está indicado através da observação de Pedro, "Porque é bastante que, no tempo passado da vida, fizéssemos a vontade dos gentios — andando em dissoluções, concupiscências, borracheiras, glutonarias, bebedices e abomináveis idolatrias" (1 Pe 4.3). Essa observação fica ainda mais reforçada com o apelo que o autor faz a Oséias para descrever seus leitores: "vós que, em outro tempo, não éreis povo, mas, agora, sois povo de Deus; que não tínheis alcançado misericórdia, mas, agora, alcançastes misericórdia" (2.10).

Além disso, a audiência de Pedro inclui escravos e mulheres, cujos maridos ainda não eram cristãos (2.18; 3.1). Trata-se, na verdade, de um grupo de leitores composto por pessoas de diferentes gerações, de jovens a anciãos (5.1-5). Como era de se esperar, tendo em vista a data relativamente tardia dessa carta (os anos 60) e seu destino estar localizado fora da Palestina, nenhum de seus leitores havia tido qualquer experiência com Jesus na terra (1.8). Finalmente, era essa audiência que estava sendo afligida por várias provações (1.6).

4. Ocasião e/ou Propósito

Pedro escreveu essa carta porque os cristãos que se encontravam dispersos pela região central e ocidental da Turquia, estavam passando por variadas provações em inúmeros contextos (1 Pe 1.6). Por exemplo (1), o relacionamento dos cristãos com os diversos níveis do governo (2.13-17), (2) os escravos domésticos submetidos a senhores injustos (2.18-25), (3) as mulheres casadas com maridos não cristãos (3.1) e (4) os jovens que se encontravam sob a liderança dos presbíteros (5.5). Em todos esses contextos os cristãos eram desafiados a defender sua liberdade em Cristo contra a ordem social predominante. Pedro reafirma sua liberdade e os previne contra os desvios de sua aplicação: "como livres e não tendo a liberdade por cobertura da malícia, mas como servos de Deus" (2.16). O apóstolo ordena de modo consistente, que seus leitores se submetam à ordem social que prevalecia em seus dias (2.13,18; 3.1; 5.5). Afinal, esse foi exatamente o exemplo que Cristo lhes deu (2.21-25).

Pedro escreveu não só porque a maioria de seus leitores estava sendo submetida a diferentes provações, mas especificamente por que alguns deles estavam passando por uma "ardente prova" (1 Pe 4.12), isto é, uma declarada perseguição. Estavam sendo insultados, e Pedro declara: "pelo nome de Cristo, sois vituperados" (4.14), e estavam sofrendo "como cristãos" (4.16). Essa espécie de sofrimento, naquela situação, poderia ser um castigo divino (4.17), e estava de acordo com a vontade de Deus (4.19). Novamente nos lembramos de que Cristo é o exemplo de sofrimento de acordo com a vontade de

Deus (3.17-22). Pedro afirma que todas essas diferentes e dolorosas provações representavam instrumentos e testes de aperfeiçoamento (2.7; 4.12). Portanto, em meio a essas dificuldades, o povo de Deus não deveria retaliar (3.9), mas manter uma boa consciência (2.19; 3.16), e regozijar-se (1.8; 4.13).

Dentre os muitos leitores de Pedro, alguns haviam abandonado ou estavam prestes a abandonar a vida santificada, pelo fato de ser uma minoria em relação às estruturas sociais e de poder vigentes, que vivia em uma cultura muitas vezes insensível e cruel, sendo ofendida porque se identificava com Cristo e pressionada para viver conforme o estilo pecaminoso de seus pares. Por um lado, precisavam livrar-se da malícia, engano, hipocrisia, inveja e calúnia (2.1); isto é, tinham que se abster dos desejos pecaminosos (2.11). Por outro lado, deveriam abandonar os pecados de seu passado pagão: "dissoluções, concupiscências, borracheiras, glutonarias, bebedices e abomináveis idolatrias" (4.3). Finalmente, nenhum deles deveria padecer como "homicida, ou ladrão, ou malfeitor, ou como o que se entremete em negócios alheios" (4.15).

A fim de cumprir os requisitos de uma vida de santidade, os leitores de Pedro deveriam estar preparados para praticar o domínio próprio (1.13), contrariar desejos pecaminosos (1.14), obedecer à ordem divina "sede santos" (1.16) e agir como santos sacerdotes de uma nação santa (2.5,9). Uma vida de santidade estava ao alcance desses sitiados cristãos, porque haviam sido escolhidos em "santificação do Espírito" (1.2) e porque a santidade de Deus era a base da santidade de seu próprio povo (1.16).

O leitor que passa a 1 Pedro após ter lido o livro de Atos dos Apóstolos, pode ficar surpreso ao observar quão pouco o apóstolo e líder carismático Pedro escreve a respeito do Espírito Santo. Na verdade, faz apenas quatro referências diretas e uma indireta. A primeira referência aparece em sua saudação: "Eleitos segundo a presciência de Deus Pai, em santificação do Espírito, para a obediência e aspersão do sangue de Jesus Cristo" (1.2). Em seguida, escreve a respeito do "Espírito de Cristo", que é o Espírito da profecia que fala através dos profetas (1.10,11). Nesse mesmo contexto, Pedro observa que o evangelho foi pregado a uma audiência dispersa "pelo Espírito Santo enviado do céu", isto é, pelo mesmo Espírito da profecia que havia falado a respeito de Cristo através dos profetas (1.12).

Na única referência indireta ao Espírito Santo, Pedro faz alusão ao Espírito quando, em dois resumos, escreve sobre o "dom" ou o carisma (do Espírito) que cada cristão recebeu, entre os diversos dons da palavra e das obras (4.10,11). Finalmente, Pedro escreve a respeito do "Espírito da glória de Deus" que repousa sobre seus leitores que sofrem (4.14). Nesse contexto, o Espírito é portador de bênçãos a todos aqueles que participam dos sofrimentos de Cristo; isto é, a glória da ressurreição é a suprema recompensa para aqueles que sofrem.

Entretanto, a importância de um assunto ou doutrina bíblica nem sempre é determinada pela freqüência de suas referências. Por exemplo, como demonstrado pelo episódio do nascimento virginal do Senhor Jesus Cristo, mesmo um pequeno número de referências pode transmitir um importante ensino. O mesmo acontece com as poucas referências de Pedro a respeito do Espírito Santo. Por detrás das cinco referências acima, encontramos uma rica variedade de ensinamentos apostólicos dos primeiros cristãos a respeito do Espírito e da Trindade; sobre o papel do Espírito Santo na santificação, nas profecias e na evangelização; seu poder carismático (isto é, os dons do Espírito capacitando os cristãos para uma eficiente atuação); e a escatológica aprovação divina através da ressurreição. Nessas referências Pedro faz uma alusão a um rico e abrangente legado de ensinamentos sobre o Espírito Santo, e a experiência que seus leitores tiveram com Ele.

5. Estrutura Geral

Tratando-se de uma carta, a estrutura geral de 1 Pedro está de acordo com a estrutura típica das cartas do período do Novo Testamento. Essa estrutura inclui os seguintes componentes básicos: (1) saudação (1.1-2), (2) corpo da carta (1.3-5.11), e (3) comentários e saudações finais (5.12-14). O corpo da carta enfoca três temas sucessivos: santidade (1:3-2:10), submissão e sofrimento (2.11-4.19) e (3) visão pastoral (5.1-11). Pedro apresenta Deus, o Pai, como modelo de santidade (1.15-16), e Cristo como modelo de submissão e sofrimento (2.21-25; 3.17-22). O apóstolo se apresenta como modelo de supervisão pastoral (5.1).

ESBOÇO DE I PEDRO

1. **Saudação** (1.1,2)
2. **Viver como Deus: A Santidade** (1.3—2.10)
   2.1. Uma Esperança Viva (1.3-12)
   2.1.1. Cultivar uma Orientação Futura (1.3-5)
   2.1.2. Regozijar-se Frente às Atuais Provações (1.6-9)
   2.1.3. Adotar a Atitude dos Profetas (1.10-12)
   2.2. A Convocação à Vida de Santidade (1.13-2.3)
   2.2.1. A Adoção de Atitudes Cristãs (1.13-16)
   2.2.2. A Motivação para a Vida de Santidade (1.17-21)
   2.2.3. A Dimensão Social da Vida em Santidade (1.22-25)
   2.2.4. As Dimensões Positivas e Negativas da Vida de Santidade (2.1-3)
   2.3. O Povo Santo de Deus: Um Templo e uma Nação (2.4-10)
   2.3.1. A Metáfora da Pedra ou do Templo (2.4-8)
   2.3.2. A Nova Nação (2.9,10)
3. **Viver como Cristo: Submissão e Sofrimento** (2.11-4.19)
   3.1. A Submissão por Amor ao Senhor (2.11-3.12)
   3.1.1. Exortação Introdutória (2.11,12)
   3.1.2. A Submissão ao Governo (2.13-17)
   3.1.3. Escravos, Sujeitai-vos aos seus Senhores (2.18-25)
   3.1.4. Esposas, Sujeitai-vos a vossos Maridos (3.1-7)
   3.1.5. Resumo das Exortações (3.8-12)
   3.2. Sofrer por Amor ao Senhor (3.13—4.19)
   3.2.1. Sofrer por Amor à Justiça (3.13-17)
   3.2.2. Cristo: O Modelo de Sofrimento (3.18-22)
   3.2.3. A Obrigatoriedade da Ética (4.1-6)
   3.2.4. Uma Série de Obrigações Práticas (4.7-11)
   3.2.5. Sofrer como Cristão (4.12-19)
4. **Viver como Pedro: A Supervisão Pastoral** (5.1-11)
   4.1. Apascentar o Rebanho de Deus (5.1-4)
   4.2. Uma Série de Obrigações Práticas (5.5-11)
5. **Comentários e Saudações Finais** (5.12-14)

COMENTÁRIO SOBRE A PRIMEIRA EPÍSTOLA DE PEDRO

1. Saudação (1.1,2)

Pedro inicia sua carta acompanhando o padrão, ou a fórmula usual das cartas do período do Novo Testamento: saudação ao destinatário.

O autor da carta se identifica como "Pedro". O pequeno ensaio biográfico, na introdução desse comentário sobre 1 Pedro, resume o que se conhece a seu respeito, tanto na literatura do Novo Testamento como na tradição da igreja primitiva. Pedro se identifica como "apóstolo de Jesus Cristo". Ao se qualificar como apóstolo, está expressando uma dupla conscientização: (1) que está sob a autoridade de Jesus e (2) que é o representante autorizado de Jesus perante seus leitores.

Pedro dirige sua carta aos "eleitos de Deus... estrangeiros dispersos" no mundo. A palavra traduzida como "estrangeiros" significa simplesmente "aqueles que permanecem algum tempo em um lugar estranho" (BAGD, 625). Essa palavra é empregada tanto para descrever Abraão (Gn 23.4: Hb 11.13) como os cristãos (1 Pe 1.1; 2.11). A audiência de Pedro está "dispersa" nas províncias romanas de "Ponto, Galácia, Capadócia, Ásia e Bitínia" — uma região atualmente compreendida pela Turquia central e ocidental. Pouco se sabe a respeito da evangelização dessas províncias. Os peregrinos convertidos no dia de Pentecostes podem ter sido os primeiros a levar o evangelho à Capadócia, ao Ponto e à Ásia (At 2.9-11). De alguma maneira, mais tarde, Paulo e seus companheiros evangelizaram a Galácia e a Ásia (At 13-14; 19; Cl 1.7). Finalmente, Paulo comunicou aos romanos: "Desde Jerusalém e arredores até ao Ilírico, tenho pregado o evangelho de Jesus Cristo" (Rm 15.19). A partir dessa informação fica evidente que muitos anos antes de Pedro escrever sua carta às igrejas espalhadas pelas províncias romanas, o evangelho já havia sido estrategicamente disseminado pelas províncias do setor oriental do Império Romano.

A palavra "dispersa" (diáspora) era um termo técnico empregado para descrever a nação de Israel que havia sido espalhada entre as nações dos gentios (Jo 7.35; cf. 2 Mac 1.27). Também era usada para designar "os cristãos que vivem dispersos no mundo, longe de seu lar celestial" (BAGD, 188; veja Tg 1.1; 1 Pe 1.1). A mensagem de Pedro lembra seus leitores que, assim como Abraão, eles não têm nem residência nem cidadania permanentes nessa terra e que, assim como Israel, se encontram dispersos entre povos ateus e hostis.

Além de serem estrangeiros dispersos, os leitores de Pedro também são os "eleitos" (1.2). Essa palavra descreve "aqueles que Deus escolheu entre toda a humanidade em geral e trouxe para si" (BAGD, 242). Ao descrever seus leitores dessa maneira, Pedro lhes está estendendo as palavras que Jesus disse aos seus discípulos, "não me escolhestes vós a mim, mas eu vos escolhi a vós" (Jo 15.16). Na igreja apostólica, essa expressão rapidamente se transformou em um termo técnico para descrever o povo de Deus (Rm 8.33; Cl 3.12; 2 Tm 2.10; Tt 1.1).

Esses cristãos haviam sido escolhidos "segundo a presciência de Deus Pai". Nesse ponto Pedro reafirma uma perspectiva amplamente difundida pelo Novo Testamento: Deus tomou a iniciativa de escolher seres humanos para a salvação — uma iniciativa que se originou de sua presciência ("conhecer antecipadamente", Rm 8.29; cf. 1 Pe 1.20; "presciência" At 2.23; 1 Pe 1.2). Em contraste com as limitações temporais dos sofrimentos da humanidade, a presciência de Deus nos lembra que Ele é atemporal, podendo portanto conhecer e escolher com antecedência os acontecimentos das épocas futuras.

Além disso, os leitores de Pedro haviam sido eleitos "em santificação do Espírito". É o Espírito que realiza a santificação ou a santidade na vida dos exilados de Deus. Por ser Ele o agente divino da santificação, o Espírito de Deus é mais comumente chamado de Espírito Santo no Novo Testamento. Sua obra santificadora introduz o tema dominante da seção de abertura dessa carta — o tema da santidade (1 Pe 1.3-2.10).

Finalmente, os leitores de Pedro haviam sido escolhidos "para a obediência e aspersão do sangue de Jesus Cristo". Ao associar um relacionamento salvador com Deus, seus escolhidos recebem muitos benefícios e privilégios; mas também recebem novas obrigações, sendo a mais importante a obediência ao seu Salvador, Jesus Cristo. Essa obrigação é apropriada, pois os cristãos foram espargidos com o seu sangue. Isto é, foram salvos ou redimidos pela morte sacrificial de Jesus. Essa dívida para com Jesus, pela salvação, é a mais poderosa de todas as motivações para viver em obediência a Ele.

Dirigindo-se à sua audiência, Pedro relembra que a salvação é o resultado de um esforço conjunto da Trindade de Deus. O papel do Pai é escolher ou eleger o povo para a salvação, o papel do Espírito é santificar ou transformar sua vida, e o papel de Jesus é tomar sobre si o castigo pelos pecados do povo, por meio de seu próprio sacrifício.

Pedro os saúda com a frase, "graça e paz vos sejam multiplicadas". Nas regiões onde se falava a língua grega, na época do Novo Testamento, a forma habitual de cumprimentar era *chairein* (literalmente, "alegre-se"), uma palavra semelhante àquela traduzida como "graça" (*charis*), que se tornou uma saudação habitual entre os cristãos. Da mesma forma, no mundo hebreu a saudação tradicional era "paz" (*shalom*). Nas cartas do Novo Testamento, essas duas formas de saudar alguém estão geralmente unidas (por exemplo, Rm 1.7; 1 Co 1.3; 2 Pe 1.2). Isso reflete o fato de que o evangelho está dirigido aos gregos, ou gentios, e aos hebreus; isto é, a toda humanidade. Além disso, os apóstolos não usavam esses termos simplesmente com seu sentido convencional, mas infundindo neles uma importância teológica. Portanto, essa saudação resume ou traz em si o evangelho: graça significa a obra de Deus para a salvação e paz descreve a bênção que é concedida àqueles que recebem essa salvação (Rm 5.1).

2. Viver como Deus: A Santidade (1.3-2.10)

Pedro instrui seus leitores dando-lhes três modelos com os quais poderão organizar sua vida futura. Deus é o primeiro modelo — de santidade (1.3-2.10); Cristo é o modelo de submissão e sofrimento (2.11-4.19); e o próprio apóstolo é o modelo de liderança entre o povo de Deus (5.1-11).

2.1. Uma Esperança Viva (1.3-12)

Pedro está se dirigindo a uma audiência formada por exilados dispersos entre povos ímpios (1.1). Além disso, essa audiência está sendo submetida a várias provações (1.6). Estas incluem a luta ou a guerra contra os apelos inferiores da carne (2.1,11; 4.1-4), o injusto sofrimento (2.18-20), o sofrimento como cristãos (4.16), ou a perseguição (4.12). Como um antídoto aos cristãos nessas circunstâncias, Pedro dá primeiramente aos leitores uma dupla orientação: (1) foram novamente gerados para uma esperança viva e, portanto, deverão cultivar uma perspectiva de futuro e de eternidade (1.3-5) e (2) deverão regozijar-se tanto perante as provações presentes (1.6) quanto no próprio Senhor Jesus (1.8).

2.1.1. Cultivar uma Orientação Futura (1.3-5). Pedro introduz essa orientação futura como parte de sua invocação dirigida ao "Deus e Pai de nosso Senhor Jesus Cristo!" Essa bênção inicial fala primeiramente do propósito de Deus em relação à humanidade, de "sua grande misericórdia". O propósito de Deus era "nos gerar de novo". A palavra traduzida como "novo nascimento", ou "gerar de novo" foi usada exclusivamente por Pedro em sua primeira carta (1.3,23). Entretanto, a origem da expressão "nascer de novo" se originou, sem dúvida, diretamente dos ensinamentos de Jesus a Nicodemos (Jo 3.3-9). Esta é uma das muitas palavras do Novo Testamento que descrevem a entrada na vida cristã. Outras palavras utilizadas são: "justificados" (linguagem dos tribunais), "remidos" (linguagem dos mercados de escravos) e "propiciados" (linguagem do sistema sacrificial). Essa imagem de "ser gerado de novo" é bastante apropriada para exprimir a entrada na vida cristã, e posteriormente será mais desenvolvida em 2.1-3.

Nosso "novo nascimento" dá início à "esperança". Ao contrário da conotação dessa palavra no português contemporâneo, isto é, acreditar naquilo que se deseja que seja verdade, a conotação do Novo Testamento é muito mais positiva e dinâmica. A esperança pode ser definida como a certeza presente de uma expectativa futura. Essa esperança que Pedro está descrevendo é uma esperança "viva", "através da ressurreição de Jesus Cristo dos mortos" — um tema predominante nas pregações de Pedro no livro de Atos (2.22-36; 3.14-15; 4.10, etc.). Na verdade, trata-se de uma esperança porque a ressurreição de Cristo garante a futura ressurreição dos salvos para a vida eterna (8.23-25; 1 Co 15.12-58).

Ao escrever sobre esperança e ressurreição, os pensamentos de Pedro voltam-se "para uma viva esperança, pela ressurreição de Jesus Cristo dentre os mortos, para uma herança incorruptível, incontaminável e que se não pode murchar, guardada nos céus para vós" (1.4). Herança que, teologicamente falando é a linguagem da eternidade e representa o objetivo do "novo nascimento". Sua grandeza reside no fato de ser uma herança indestrutível, ao contrário da prata e do ouro (1.7,18). É também imaculada e pura, em contraste com as obras da natureza humana (2.1). Além disso, essa herança também é imperecível, em contraste com o frágil caráter da humanidade (1.24; cf. Is 40.6,7). Tal herança é reservada no céu, na presença de Deus, para os crentes.

Essa esperança na ressurreição e na subseqüente herança seria verdadeiramente acreditar no que se deseja se não fosse pelo fato de que o povo de Deus está "guardado na virtude de Deus" (1.5). As promessas de Deus são garantidas pela sua veracidade intrínseca e testificadas pela sua fidelidade ao longo da história. Entretanto, Pedro também assegura a seus leitores que Deus tem o poder de cumprir o que prometeu. Embora esse poder seja a garantia divina dessa herança, a "fé" é a resposta humana necessária para que alguém se aproprie da provisão de Deus. Essa fé precisa permanecer "para a salvação já prestes a se revelar no último tempo". Assim, tanto o poder de Deus como a fé dos cristãos estão direcionados à consumação final da provisão salvadora de Deus.

O desafio que Pedro apresenta a seus leitores no início da carta é o de cultivar, no momento presente, essa orientação futura em direção ao céu, mantendo suas provações e tribulações dentro de uma perspectiva adequada. Este fato nos lembra também que a salvação tem três dimensões temporais. No passado, quando os cristãos nasceram novamente, foram salvos do castigo do pecado. Essa entrada na vida cristã deu início a um processo permanente de crescimento e santificação. Essa é a salvação contra o poder da atração inferior do pecado. As dimensões de passado e presente da salvação levam ao futuro, quando o povo de Deus será finalmente salvo da própria presença do pecado.

2.1.2. Regozijar-se Frente às Atuais Provações (1.6-9). Tendo orientado seus leitores em direção a uma futura perspectiva celestial, Pedro agora conduz seus ensinamentos a uma resposta cristã às difíceis circunstâncias da vida. Contrariando a natureza humana, os cristãos podem regozijar-se perante situações de provação e tribulação, contanto que o façam através de Jesus Cristo.

"Em que vós grandemente vos alegrais". "Em que" refere-se especificamente à declaração anterior de Pedro a respeito da salvação final (1.5) e, mais genericamente, a tudo que já havia escrito sobre a viva esperança e a herança dos cristãos (1.3,4). O gozo dos cristãos transcende as circunstâncias da vida daqueles que estavam "por um pouco contristados com várias tentações". Algumas traduções consideram a palavra utilizada por Pedro como "provas" (*peirasmos*), porém seria melhor traduzi-la como "provações" (ou tentações). A forma verbal dessa palavra é usada para descrever o teste a que Jesus foi submetido no deserto (Mc 1.13). O substantivo é usado por Tiago em um contexto semelhante (Tg 1.2) e Pedro irá usá-lo posteriormente nessa carta para descrever terríveis provações (1 Pe 4.12). O apóstolo qualifica esses testes de duas maneiras: existem durante algum tempo e são de várias espécies. Nessa discussão, estabelece um contraste entre a salvação final e as provações presentes, e entre o gozo (que é a resposta do espírito humano) e a angústia (que é a resposta psicológica natural).

Pedro lembra a seus leitores que muitas provações ou testes que experimentavam existiam para que sua fé fosse genuinamente comprovada (1.7), isto é, a provação é um meio de testar a fé do povo de Deus, com a finalidade de mostrar se é ou não genuína. Pedro considera essa prova de fé como "mais preciosa do que o ouro que perece". Nessa comparação está implícito o fato de que a comprovação da fé é uma experiência maior do que qualquer tesouro humano, como por exemplo, o ouro. Tal prova da fé é preciosa, mesmo sendo provada "pelo fogo". É um tesouro, não somente porque comprova a fé, mas porque também a refina e purifica. Esse processo de refinamento já está sendo experimentado pelos leitores a quem Pedro está se dirigindo (4.12).

A comprovação da fé resultará em "louvor, honra e glória na revelação de Jesus Cristo" (1.7). Essa cláusula pode parecer ambígua — e provavelmente o seja, deliberadamente. Pode tanto significar que aqueles que têm sua fé comprovada receberão louvor, glória e honra, ou que glorificarão a Cristo nos últimos dias. Não precisamos escolher entre uma ou outra, pois ambas são verdadeiras.

Tendo escrito sobre a revelação de Jesus Cristo, Pedro lembra que seus leitores não o viram (1.8). Embora esses leitores não tivessem tido o mesmo privilégio de Pedro, de um encontro pessoal com Jesus, eles "o amam" [*agapao*]. Quando Pedro escreve sobre seu amor, pode estar recordando que, como discípulo, havia negado a Jesus em sua hora de provação (Mc 14.66-72) e que mais tarde somente poderia confessar uma espécie de amor filial e não o amor *agape* (Jo 21.16-18).

Por meio de contrastes, os leitores de Pedro são caracterizados por terem uma qualidade *agape* de amor. Embora "não o vendo agora", não somente o amam como também crêem nele. Jesus é ao mesmo tempo o objeto de seu amor e de sua crença, que estão sendo provados. Esse amor e fé centrados em Cristo permitem que os cristãos se alegrem "com gozo inefável e glorioso". Em sua experiência, Jesus faz a diferença entre o desespero atual (1.6) e uma incrível alegria (1.8) que transcende todas as provações da vida.

Essa preciosa experiência de fé comprovada e purificada, alcança o objetivo da fé, que é "a salvação da alma" (1.9). Essa é a consumação do processo da salvação que será revelado nos últimos dias (1.5), "na revelação de Jesus Cristo" (1.7).

2.1.3. Adotar a Atitude dos Profetas (1.10-12). Para futura orientação de seus leitores naquilo que concerne à salvação, Pedro indica o exemplo e o encorajamento dos profetas.

Primeiramente, "inquiriram e trataram diligentemente" da salvação. Pedro não está negando que os profetas ensinaram à sua própria geração. Entretanto, está convencido que profetizaram sobre a mesma salvação que seus leitores cristãos estão ansiosos por alcançar (1.3-9). Essa salvação também pode ser chamada de "graça", o que indica um caráter que não é merecedor da salvação e ecoa a importância teológica da saudação, "Graça e paz vos sejam multiplicadas" (1.2). Além disso, Pedro observa que os profetas não compreendiam a futura dimensão da salvação que estavam pressagiando: "Da qual... inquiriram e trataram diligentemente".

O objetivo de sua investigação era duplo, pois indagava "que tempo ou que ocasião de tempo o Espírito de Cristo, que estava neles, indicava" (1.11). O Espírito da profecia era também o Espírito de Cristo, pois falava do futuro "Cristo" (o equivalente grego do termo hebraico *Messiah* ou "o Ungido"). Falando a respeito de Cristo, através dos profetas, o Espírito anteriormente testificou sobre os "sofrimentos que a Cristo haviam de vir" — um tema que posteriormente predominará nessa carta (2.21-25) e que está profundamente arraigado aos profetas do Antigo Testamento (Is 53.9). O Espírito de Cristo também predisse "a glória que se lhes havia de seguir". Isso está relacionado ao louvor, à glória e à honra na revelação de Jesus Cristo (1.7), e à experiência atual de um gozo inefável e glorioso (1.8). Esse padrão messiânico ou cristológico de sofrimento atual e de glória futura é igualmente verdadeiro para os cristãos (5.10). O Espírito, que falou através dos profetas como o Espírito de Cristo, é para os cristãos "o Espírito da glória de Deus" que permanece neles (4.14).

Ainda que os profetas não compreendessem plenamente o futuro, foi-lhes "revelado que, não para si mesmos, mas para nós, eles ministravam estas coisas" (1.12). Portanto, seu ministério era em parte para Israel e em parte para a Igreja. Não foram apenas os profetas que predisseram o futuro através da inspiração do Espírito de Cristo, mas também os apóstolos, herdeiros e sucessores deles, conforme 1.12, "... agora, vos foram anunciadas por aqueles que, pelo Espírito Santo enviado do céu, vos pregaram o evangelho". Embora seja verdade que os profetas não compreendessem plenamente a era messiânica da salvação que estavam prevendo, também é verdade que até mesmo os anjos partilhavam da mesma ignorância.

Assim como os profetas não compreenderam a futura dimensão da obra divina da Salvação, também a audiência de Pedro, submetida a diversas provações, não compreenderia plenamente como Deus estava realizando essa obra de salvação em sua vida. Além disso, observamos no apelo de Pedro à experiência dos profetas, uma definida consciência apostólica da progressiva revelação da salvação. A comunidade apostólica conhece mais a respeito dos planos e dos propósitos de Deus do que os profetas de Israel, por viver desse lado da cruz.

2.2. A Convocação à Vida de Santidade (1.13-2.3)

Embora os leitores de Pedro, da mesma forma que os profetas, também não pudessem compreender plenamente o futuro, deveriam naquele momento viver uma vida de santidade — um estilo de vida modelado de acordo com o caráter do próprio Deus. Nesse ponto de sua carta, Pedro inverte seu argumento. Em 1.3-9 havia dado uma orientação futura a seus leitores que estavam sendo submetidos a provações. Agora, volta-se à necessidade da santidade perante as provações, isto é, sobre a necessidade de refletir e demonstrar o santo caráter de Deus em meio às severas provações da vida. Primeiramente, Pedro pede à sua audiência que adote atitudes cristãs (1.13-16). Em seguida, apresenta a morte de Cristo como uma motivação à santidade (1.17-21) e descreve a sua dimensão social (1.22-25). Finalmente, discute os aspectos positivos e os aparentemente negativos dessa santidade (2.1-3).

2.2.1. A Adoção de Atitudes Cristãs (1.13-16). Para Pedro, era imperioso que sua audiência levasse uma vida santificada. Com essa finalidade, ordena que adotem novas atitudes (1.13,14) e que imitem o santo caráter de Deus em sua conduta (1.15,16).

Pedro os ensina a prepararem suas mentes para a ação, dizendo: "... cingindo os lombos do vosso entendimento". Essa linguagem está enraizada na cultura do Antigo Testamento (Êx 12.11; 1 Rs 18.46) e sugere o preparo para a ação. Quando Pedro emprega essa metáfora está indicando tomar atitudes e não vestir algo, pois escreve literalmente a respeito dos "lombos do vosso entendimento". Essa metáfora lembra aos leitores que a doutrina da salvação tem implicações éticas e morais, que se iniciam com uma mudança de atitudes. O cristão que adotar essas novas atitudes terá "autocontrole", isto é, será equilibrado, autocontrolado... tendo em todas as circunstâncias completo domínio próprio" (BAGD, 538).

Em seguida, Pedro ordena que esperem "inteiramente na graça que se vos ofereceu na revelação de Jesus Cristo". Essa esperança é o complemento do domínio próprio. Ela equilibra a experiência atual do teste da provação (1.6,7) com a perspectiva de uma graça futura. Anteriormente, a saudação de Pedro lembrava a seus leitores de que a graça é uma bênção presente (1.2). Porém, a graça também será concedida na consumação dos tempos, no momento da revelação de Jesus Cristo. Essa graça futura é a herança incorruptível, imaculada e imperecível que o povo de Deus receberá. O povo de Deus sempre se relacionará com Ele tendo como fundamento a graça divina, e não a recompensa; esta é uma verdade para a salvação inicial (nascer de novo, 1.3) e também o é quando se trata da salvação final (herança, 1.4).

À medida que os leitores de Pedro cumprirem sua ordem de preparar suas mentes para a ação, tornar-se-ão "filhos obedientes" (1.14). Na verdade, Deus os havia escolhido para obedecer a Jesus Cristo (1.2) e essa obediência representa uma obrigação familiar para aqueles que Deus escolheu para serem seus filhos, pois nasceram de novo (1.3,23). Pedro escreve a essa família: "Não vos conformando com as concupiscências que antes havia em vossa ignorância". O novo nascimento e a obrigação de obedecer a Deus significa que os filhos não podem ceder aos antigos desejos pecaminosos que haviam dominado sua vida quando ainda ignoravam o santo chamado de Deus e quando ainda não haviam sido tocados pelo poder santificador do Espírito Santo (1.2).

A obediência tem duas dimensões: a positiva e a negativa. Os filhos de Deus não devem se conformar com os desejos pecaminosos que tinham no passado;

antes, devem "ser santos" em tudo que fizerem (1.15). Isso porque aquele que os chamou é santo. Isto é, Deus é o modelo de conduta e de comportamento para seus filhos. Obviamente, os filhos de Deus devem refletir a característica de santidade da família — uma característica nitidamente diferente daquela de seu antigo estilo de vida (1.14; 2.1; 4.3). Na terminologia contemporânea, esse relacionamento entre o Pai e a conduta dos filhos é chamado de "modelo de conduta".

Essa obrigação de santificação inclui obediência às Escrituras, pois está escrito: "Sede santos, porque eu sou santo" (1.16). Pedro utiliza uma citação de Levítico 11.44 — uma citação que tem duplo significado.
1) Indica que, sob o novo pacto, o povo de Deus deve ter o mesmo padrão de santidade que obedecia quando ainda estava sob o antigo pacto. Isto é, embora possa existir uma nítida diferença quanto à expressão da santidade — termos predominantemente sectários em Israel e morais na Igreja — a obrigatoriedade da santidade não pode sofrer mudanças. Naturalmente, essa obrigação não poderia mudar, pois Deus, que é o modelo da santidade, não muda.
2) O apelo de Pedro a Levítico 11.44 aponta para a convicção de que a Igreja é herdeira e sucessora de Israel (veja 2.9).

Portanto, como a salvação é uma questão de graça e aquele que convoca à salvação é santo, torna-se imperativo que os leitores de Pedro também sejam santos. Entretanto, a fim de que possam obedecer a essa ordem, devem adotar atitudes e condutas que estejam de acordo com seu santo modelo. Uma atitude negativa seria insistir em permanecer em sua antiga conduta de desejos pecaminosos (1.14); e a positiva seria ter uma atitude de autocontrole (1.13). Devem assumir a identidade de serem santos (1.15,16). À medida que o povo de Deus atender a essa ordem de santificar sua vida, adotará novas atitudes em relação ao pecado (2.1-3), ao Estado (2.13-17), à escravidão (2.18-25) e ao casamento (3.1-7).

2.2.2. A Motivação para a Vida de Santidade (1.17-21). Pedro não só ordena aos leitores que devem modelar sua conduta conforme o exemplo divino (1.13-16), como também procura motivá-los a uma vida de santidade (1.17-21). Para tanto utiliza dois temas: o temor de Deus, que os considera responsáveis por sua conduta (1.17) e o custo de sua redenção (1.18-21).
1) Pedro lembra que Deus Pai, "sem acepção de pessoas, julga segundo a obra de cada um" (1.17). Falar sobre o papel de Deus como juiz é lembrar tanto de seu padrão moral, como de seu propósito para os filhos. O julgamento de Deus é imparcial porque está baseado na realidade — isto é, na conduta e na obra de cada pessoa. Sabendo que o Pai tem um propósito moral para os filhos, Pedro os ensina a assumir uma constante reverência durante toda sua vida, vivendo como peregrinos no mundo, em respeitoso temor. Na realidade, os filhos de Deus são responsáveis por sua conduta perante o Pai.
2) Embora um temor respeitoso represente uma motivação poderosa e legítima para a vida de santidade, Pedro utiliza um fator de motivação ainda mais forte: o preço da salvação, que não é apenas a experiência presente, mas também a esperança futura de seus leitores (1.3-9). A respeito da salvação, insiste que foram "resgatados" ou "remidos" (1.18). "Remidos" tem o sentido geral de "tornar livre... resgatar" e o sentido particular de "tornar livre pelo pagamento de um resgate" (BAGD, 482). Não há dúvida de que o uso apostólico desse termo está enraizado na consciência que Jesus havia expressado a respeito da natureza de seu próprio ministério. Ele ensinou os discípulos a modelarem seu ministério de acordo com o seu: "Porque o Filho do Homem também não veio para ser servido, mas para servir e dar a sua vida em resgate de muitos" (Mc 10.45).

Além disso, essa terminologia da redenção está fundamentada no extraordinário ato de redimir ou libertar Israel da servidão no Egito (Êx 6.6; 15.3); portanto, essa terminologia está enfatizando que Ele continua realizando no presente, para seu novo povo, a Igreja, aquilo que realizou no passado remoto para Israel. Ao escrever sobre o custo da redenção, Pedro faz um contraste entre um preço hipotético e o preço verdadeiro. Seus leitores não haviam sido salvos "com coisas corruptíveis, como prata ou ouro" (cf. 1.7, para uma terminologia semelhante em relação ao precioso valor da prova da fé), mas com "o precioso sangue de Cristo".

Ao descrever o sangue como o preço da redenção, Pedro está empregando uma terminologia sacrificial. Ecoando a descrição da cerimônia da Páscoa, esse sacrifício é o de "um cordeiro imaculado e incontaminado" (1.19; cf. Êx 12.4,5). De um modo geral, essa terminologia descreve a perfeição física do cordeiro Pascal; porém, da maneira como foi usada por Pedro, está descrevendo a perfeição moral de Cristo que representa o precioso sacrifício da redenção. Esse contraste entre o ouro perecível e o precioso sangue serve para esclarecer aos leitores de Pedro que a morte de Jesus é um tesouro de inestimável valor. Esse preço pago por Cristo por nossa salvação, deveria servir-nos de estímulo para que modelássemos nossa conduta de acordo com o santo caráter de Deus.

Além disso, a salvação encontrada na morte de Cristo não representou qualquer plano de emergência idealizado por Deus, para tirar o maior proveito de uma situação que havia saído de seu controle, pois Cristo "foi conhecido [escolhido], ainda antes da fundação do mundo" (1.20). Antes da criação e da introdução do pecado no mundo, Deus já tinha o propósito de oferecer seu Filho em sacrifício para a salvação. Esse eterno propósito redentor ratifica que a escolha de Deus obedeceu à sua presciência (1.2).

Cristo deu início ao cumprimento do divino e eterno propósito da salvação quando foi "manifestado nestes últimos tempos". Essa linguagem reflete a dupla perspectiva temporal do judaísmo — os dias anteriores/os últimos dias ou esta era/a era vindoura. De acordo com a perspectiva de Pedro e dos outros apóstolos, Jesus havia inaugurado os últimos dias (At 2.17; Hb 1.1,2). Em seguida, Pedro menciona que Cristo veio ao mundo "por amor de vós". A morte de Cristo não foi o resultado de qualquer falta que houvesse cometido, mas Ele morreu em nosso benefício, em nosso lugar. Isto é, pela morte de Cristo, fomos redimidos.

A vinda de Cristo, nesses últimos tempos, permitiu que a audiência de Pedro "cresse em Deus" (1.21). O Deus que havia sido o objeto de sua fé ou crença foi reconhecido como aquele que "ressuscitou [Jesus] dos mortos e lhe deu glória". Pedro, então, descreve a ressurreição, através da qual Deus declara sua aceitação ou aprovação de Cristo como o sacrifício Pascal (cf. Rm 1.4), e o inevitável aspecto complementar de sua glorificação ou exaltação (cf. At 2.32-33). À luz da divina ressurreição e exaltação de Jesus, a "fé e a esperança" dos leitores de Pedro estão "em Deus".

2.2.3. A Dimensão Social da Vida em Santidade (1.22-25). A vida de santidade, modelada de acordo com a santidade divina e motivada pela morte sacrificial de Cristo, não significa algo meramente particular ou privado: ela também é expressa nos relacionamentos interpessoais. Pedro diz aos seus leitores: "Purificando a vossa alma na obediência à verdade..." (1.22). Isto é, os leitores de Pedro já estão vivendo na obediência e na santidade anteriormente recomendada por ele (1.14,15). Além disso, devem demonstrar uma profunda "caridade fraternal, não fingida". Em outras palavras, essa dimensão social da santidade envolve a expressão do amor de Deus para com os membros da família, de uma maneira ativa. Em sua segunda carta, Pedro faz a conjugação dessas duas dimensões quando escreve a respeito das virtudes supremas, isto é, o amor fraternal e a caridade (2 Pe 1.7).

Tendo escrito sobre a dimensão familiar e social da vida de santidade, Pedro lembra que seus leitores vieram a participar desse relacionamento por terem sido gerados novamente (1 Pe 1.23). Voltando a empregar uma terminologia que lhes era familiar, descreve esse novo nascimento como uma semente incorruptível, imortal (cf. 1.4-7,18,19). Pedro está empregando a linguagem da procriação humana para descrever uma realidade eterna e espiritual, pois a semente eterna representa a "palavra de Deus, viva e que permanece para sempre". Para Pedro, a palavra de Deus não é algo que possa se deteriorar; ao contrário, é tão permanente e duradoura quanto o próprio Deus.

Tendo estabelecido um contraste entre a semente incorruptível e a perecível, Pedro utiliza uma passagem apropriada das Escrituras para enfatizar e reforçar esse contraste (1.24,25). Cita textualmente:

> "Porque toda carne é como erva, e toda a glória do homem, como a flor da erva.
> Secou-se a erva, e caiu a sua flor; mas a palavra do Senhor permanece para sempre".

Esse texto extraído de Isaías 40.6-8 (também mencionado em Tg 1.10,11) faz uma comparação entre a fragilidade humana e a erva dos campos, e estabelece um vívido contraste entre essa fragilidade e o caráter eterno da palavra de Deus: "E esta é a palavra que entre vós foi evangelizada" (1.25; cf. 1.12).

A exposição de Pedro sobre as bases doutrinárias da esperança viva que sua audiência está experimentando (1.3-12), assim como sua subseqüente recomendação para que pratique uma vida de santidade à semelhança do modelo divino (1.13-25), ensina que a verdadeira doutrina e a conduta ética são inseparáveis e mutuamente interdependentes. A verdadeira doutrina desacompanhada da prática da virtude é hipocrisia, e a prática da virtude sem a doutrina verdadeira se transforma em legalismo. Tiago também nos lembra que a junção das duas produzirá a religião pura e imaculada (Tg 1.27).

2.2.4. As Dimensões Positivas e Negativas da Vida de Santidade (2.1-3). Após ter discutido as dimensões doutrinárias e éticas da salvação, Pedro aplica essa verdade dupla à sua audiência. Portanto escreve — isto é, à luz da promessa de Deus, a salvação, e da subseqüente obrigação uma vida de santidade — seus leitores devem deixar "toda malícia, e todo engano, e fingimentos, e invejas, e todas as murmurações". Essa lista de pecados relaciona de forma breve algumas das luxúrias que haviam antigamente caracterizado suas atitudes e conduta (1.14; 2.11; 4.13). Embora estejam classificados de várias maneiras, a lista de pecados feita por Pedro é semelhante a outras relações contidas no Novo Testamento. Jesus classificou-os de pecados que vêm do coração (Mc 7.21-23); Tiago chamou-os de sabedoria que é terrena, animal e diabólica (Tg 3.14,15) e Paulo os classifica como "obras da carne" (Gl 5.19-21) ou obras "do velho homem com os seus feitos" (Cl 3.9).

Além de abandonar o pecado, os leitores de Pedro devem desejar "afetuosamente, como meninos novamente nascidos, o leite racional" (2.2). Essa terminologia desenvolve a linguagem de 1.23, onde Pedro descreve seus leitores como tendo sido "de novo gerados... pela palavra de Deus, viva e que permanece para sempre". Os crentes devem adotar o apetite insaciável e sempre voraz dos recém nascidos, e se alimentar com o leite espiritual da palavra. Esse alimento resultará em seu crescimento na graça e na salvação. Isto é, embora os leitores de Pedro sejam

Essas flores desabrocham no deserto do Sinai após a chuva, mas como todas as flores irão fenecer e morrer. Pedro faz um contraste entre a fugaz existência das flores e a permanência da palavra de Deus: "Secou-se a erva, e caiu a sua flor; mas a palavra do Senhor permanece para sempre".

como bebês quanto ao seu apetite, deverão crescer e se tornar adultos em sua conduta e maturidade espiritual.

Para estimular os leitores a se alimentarem da palavra de Deus para o crescimento espiritual, Pedro lembra-lhes de sua experiência anterior: "... já provastes que o Senhor é benigno" (2.3). Utiliza várias palavras para descrever a bondade e a misericórdia de Deus tais como graça, paz e salvação. Entretanto, a bondade de Deus torna-se ainda mais evidente porque, em vista de sua enorme misericórdia, Ele fez com que fossem "gerados novamente" (1.3). Tendo já experimentado a bondade de Deus, seus filhos podem confiar que não ficarão desapontados ao alimentar-se com a palavra que foi evangelizada.

2.3. O Povo Santo de Deus: Um Templo e uma Nação (2.4-10)

Em 1.3 e 2.3, Pedro usa a metáfora da família para descrever seus leitores. Deus é seu pai (1.3,17); foram gerados novamente (1.3,23) e se alimentaram com sua palavra (2.2). Além disso, são filhos obedientes (1.14), têm muitos irmãos (1.22) e por meio de sua vida santificada refletem as características da família (1.15,16). Nessa seção (2.4-10), Pedro descreve seus leitores empregando uma nova imagem: são um templo e uma nação. Adota uma terminologia do Antigo Testamento, aplicando-a espiritualmente à família de Deus da época do Novo Testamento.

2.3.1. A Metáfora da Pedra ou do Templo (2.4-8). Antes de aplicar essa imagem a seus leitores, Pedro aplica-a a Jesus. Ao responder ao chamado de Deus, seus leitores vieram a Ele, a "pedra viva". Essa descrição de Jesus pode parecer estranha aos ouvidos modernos. No entanto, escrita por alguém que teve seu nome mudado por Jesus, de Simão para Cefas (em aramaico) = Pedro (em grego) = Pedra (como em João 1.42) e que havia ouvido Jesus falar de si mesmo, em termos do Antigo Testamento, como sendo uma pedra que os edificadores rejeitaram (Mc 12.10-12; cf. Sl 118.22), essa metáfora torna-se bastante apropriada e significativa. Pedro qualifica essa pedra como "viva", não só deixando bem claro que está escrevendo metafórica e espiritualmente, mas talvez aludindo até à ressurreição de Jesus dos mortos (1.3,19-21). Desenvolve essa alusão à morte e ressurreição de Jesus ao descrevê-lo como "rejeitado pelos homens" e, ao mesmo tempo, como eleito por Deus e precioso".

Não só Jesus é uma pedra viva, mas os leitores de Pedro também são "como pedras vivas", uma descrição que indica sua íntima identificação com o Senhor. Pedro continua a descrever seus leitores através de um conjunto de imagens do Antigo Testamento. Eles foram "edificados casa espiritual e sacerdócio santo, para oferecerem sacrifícios espirituais, agradáveis a Deus, por Jesus Cristo" (2.5). Ao empregar essa terminologia do Antigo Testamento, Pedro está afirmando que o povo de Deus do Novo Testamento é herdeiro espiritual e sucessor de Israel.

O verdadeiro templo de Deus deixou de ser o magnífico templo de Herodes, cujas maravilhosas edificações de pedra eram tão admiradas pelos discípulos (Mc 13.1), e passou a ser formado pelos estrangeiros ou exilados dispersos pelo mundo (1.1). Além disso, o verdadeiro sacerdócio não está mais restrito à tribo de Levi, sendo agora constituído por todo o povo de Deus, santificado pelo Espírito (1.3). Após a morte de Jesus (1.19), o verdadeiro sacrifício não mais será oferecido com bois, cabras ou carneiros e sim com a adoração espiritual de todo o povo de Deus. Isto se tornou possível "através de Jesus Cristo".

A conquista de Jesus, criando um substituto para o sistema sacrificial do Antigo Testamento — uma casa espiritual, um sacerdócio e um sacrifício — não é uma inovação e sim a realização prática do plano de longo prazo de Deus, anunciado pelas Escrituras. Pedro demonstra essa tese com três citações (Is 28.16; Sl 118.22 e Is 8.14). O apóstolo pôde anteriormente afirmar que Jesus era o escolhido e o precioso (1 Pe 2.4), pois também na linguagem do Antigo Testamento Ele é uma pedra "provada e preciosa" (cf. Is 28.16). Como o cumprimento vivo das palavras das Es-

As pessoas em primeiro plano parecem diminutas em frente às imensas pedras usadas na época de Herodes para construir o Muro Ocidental do Templo do Monte. Essa seção está localizada nas proximidades do Portão de Barclay. Pedro chama Jesus de "pedra viva".

crituras, Jesus tornou-se a pedra angular da estrutura da casa espiritual, composta por inúmeras pedras vivas (2.5).

Pedro observa que Jesus não é somente precioso à vista de Deus, mas precioso também para aqueles "que crêem" (2.7a; cf. Is 28.16b). No entanto, como as Escrituras anunciam, Ele também é um fator de separação ou de divisão. Essa divisão acontece na resposta humana a Jesus. Isto é, por Jesus ter um valor tão precioso para aqueles que crêem, para aqueles que não o fazem Ele representa "a pedra que os edificadores reprovaram" (1 Pe 2.7b; cf. Sl 118.22).

Além disso, para aqueles que o rejeitaram, Jesus tornou-se, segundo a linguagem das Escrituras, "uma pedra de tropeço e rocha de escândalo" (1 Pe 2.8; cf. Is 8.14). A nação de Israel tropeçou em Jesus por desobedecer a mensagem. Aqui, como em qualquer outra passagem do Novo Testamento, a incredulidade (2.7) e a desobediência (2.8) estão intimamente associadas (cf. Hb 3.18,19). Essa desobediência é uma desobediência à "mensagem". Pedro considera a mensagem como a dupla proclamação apostólica de que Jesus é o Cristo e que a salvação só é encontrada nEle (1.11,12,23-25).

Tendo assim descrito a responsabilidade humana de responder a Jesus Cristo, Pedro agora muda sua ênfase para a soberania de Deus, observando que foram destinados para tal desobediência (2.8b), que faz parte do propósito soberano de Deus para Israel. Essa verdade representa um dos muitos paradoxos da Bíblia, como por exemplo, a natureza divina e humana de Jesus, que não pode ser nem harmonizada nem refutada. De acordo com Pedro, Israel deve assumir total responsabilidade por sua rejeição a Jesus, embora essa rejeição esteja, ao mesmo tempo, de acordo com o propósito soberano de Deus.

2.3.2. A Nova Nação (2.9,10). Em contraste com o presente Israel que pela incredulidade e desobediência rejeitou seu Messias, os leitores de Pedro, através da fé em Cristo, se tornaram uma nova nação — "a geração eleita, o sacerdócio real, a nação santa, o povo adquirido". Essa nova condição de nação teocrática é exatamente o que Deus havia originalmente pretendido para Israel através do pacto mosaico (Êx 19.5,6). Ao aplicar esse texto à família de Deus do Novo Testamento, Pedro está reafirmando que a comunidade messiânica é herdeira e sucessora de Israel.

Além disso, ao transformar esse povo em uma nova nação, Deus deseja que anunciem as virtudes daquele que os chamou das trevas para a sua maravilhosa luz. Tanto pela palavra quanto pelas obras, a nova nação de Deus deverá proclamar sua misericórdia (1.3), sua santidade (1.16), seu propósito salvador em Cristo (1.12,25) e (na tipologia do Êxodo) sua chamada para que outros se tornem participantes desta nação. Isto é, exatamente como Deus havia anteriormente conduzido a saída de Israel do Egito (Os 11.1), da mesma forma chama essa nova nação da escuridão das trevas espirituais à maravilhosa luz de sua salvação ou redenção.

Pedro cita as palavras de Oséias para justificar sua afirmação de que Deus criou uma nova nação para ser herdeira e sucessora de Israel. O casamento de Oséias, assim como os nomes de seus filhos, foram transformados na parábola da quebra do pacto entre Israel e Deus. Citando Oséias, Pedro relaciona o significado dos nomes de seu segundo e terceiro filho aos seus leitores, pois antes não "eram um povo", mas agora "são o povo de Deus"; antes "não haviam alcançado misericórdia" mas agora "alcançaram misericórdia" (2.10; cf. Os 1.6,9; 2.23). Embora em Oséias o texto anuncie a derradeira restauração de Israel, tanto para Pedro como para Paulo (Rm 9.25) esse texto está anunciando a salvação dos gentios que, juntamente como os judeus cristãos, se tornaram o novo povo de Deus.

Não somente os leitores de Pedro, que foram santificados pelo Espírito Santo (1.3) reproduzem individualmente a divina santidade do Pai (1.16), mas como cumprimento das imagens do templo e da nação do Antigo Testamento, também reproduzem sua santidade em um plano comunitário — tanto como um sacerdócio santo (2.5) como uma nação santa (2.9).

3. Viver como Cristo: Submissão e Sofrimento (2.11-4.19)

Pedro inicia sua carta fazendo uma exposição da doutrina da salvação (1.3-12), seguida de uma exortação a seus leitores para que demonstrem sua salvação através de uma conduta moralmente ética (1.13-2.3). Termina descrevendo seus leitores como herdeiros e sucessores de Israel (2.4-10). Fundamental a essas palavras de abertura é a observação de Pedro de que Deus é santo e que seu povo, tanto individualmente como na comunidade messiânica, deve reproduzir em sua conduta o atributo divino da santidade.

Na seção seguinte (2.11–4.19), Pedro enfatiza como Cristo representa o exemplo da submissão e do sofrimento. Volta ao assunto geral das inúmeras provas necessárias, utilizadas pelo Pai como meio de provar a fé de seu povo (1.6,7), e aplica o exemplo de Cristo à conduta de seus leitores quando submetidos a condições específicas de provação. Resumindo os ensinamentos do apóstolo, a santidade é uma característica da família proveniente dos traços do Pai, assim como a submissão e o sofrimento são características provenientes dos traços do Filho; tais qualidades devem modelar no povo de Deus uma existência semelhante a Cristo.

3.1. A Submissão por Amor ao Senhor (2.11-3.12)

Como um dos doze apóstolos, Pedro havia testemunhado como, voluntariamente, Jesus submeteu-se à morte na cruz (2.21-24). Também tinha ouvido seus ensinamentos de que o apostolado exige submissão e não represálias (Mt 5.38-42). Após uma breve introdução (2.11,12), Pedro aplica esse tema da submissão cristã a três relacionamentos específicos:
1) Do povo ao governo (2.13-17);
2) Dos servos aos senhores (2.18-25); e

3) Das esposas aos maridos (3.1-7). O quadro abaixo serve para ilustrar o íntimo relacionamento existente entre os ensinamentos de Pedro e de Paulo a esse respeito:

Cidadãos / Governo	1 Pedro 2.13-17	Romanos 13.1-7
Servos / Senhores	1 Pedro 2.18-25	Efésios 6.5-9 Colossenses 3.22-4.1
Esposas / Maridos	1 Pedro 3.1-7	Efésios 5.22-33 Colossenses 3.18,19

3.1.1. Exortação Introdutória (2.11,12). Pela primeira vez em sua carta, Pedro dirige-se a seus leitores como "Amados", lembrando-lhes sua preocupação pastoral e o amor que Deus sente por eles. Lembra, também, que são "peregrinos e forasteiros", isto é, são cidadãos de um reino divino, celestial, e não terreno (1.1; 2.9). Com este pensamento, Pedro os exorta a se absterem de "concupiscências carnais". Essa luxúria e esses desejos têm sua origem na matéria, e se expressam através da carne. Anteriormente, Pedro havia chamado esses desejos de "concupiscências" (1.14) em contraste com a vida santificada (1.15,16); eles incluem pecados como a malícia, o engano, os fingimentos, as inveias e as murmurações (2.1). Empregando uma terminologia semelhante à descrição feita por Paulo de sua luta contra o pecado que está no interior de cada um (Rm 7.23) e da oposição entre a carne e o Espírito (Gl 5.17), Pedro observa que essa luxúria combate contra a alma.

Ao invés de se tornarem prisioneiros de desejos hostis e destruidores, os leitores de Pedro devem "viver honestamente entre os gentios". Sua preocupação é que conservem uma boa reputação que possa refletir sua exortação anterior à uma vida santificada (1.13-2.3); também antecipa o tema central dessa seção da carta — a necessidade dos crentes viverem em submissão. Provavelmente, Pedro tinha ouvido que os pagãos estavam acusando alguns de seus leitores de serem "malfeitores". Nesse contexto, essa acusação não reflete apenas a participação nas luxúrias carnais, mas provavelmente também nas atividades contra o governo (2.16), em delitos de escravos (2.20) e/ou no desrespeito por parte das esposas em relação a seus maridos incrédulos (3.2).

Ao contrário dos malfeitores que espalham a difamação, as "boas obras" praticadas publicamente pelos leitores de Pedro farão com que os que as observam "glorifiquem a Deus no Dia da visitação", isto é, no dia em que Jesus Cristo for revelado (1.7,13). A abstinência do pecado (2.11) ou, de forma positiva, uma excelente conduta acompanhada de boas obras (2.12) resultará na salvação dos gentios que, por sua vez, irão juntar-se aos leitores de Pedro para glorificar a Deus quando Jesus se revelar no final dos tempos.

3.1.2. A Submissão ao Governo (2.13-17). Para o judaísmo do primeiro século a submissão a um governo estrangeiro constituía uma questão transitória que, ao final, eclodiu na revolta dos anos 66-73 d.C. Quando o ministério público de Jesus atingia seu clímax em Jerusalém, seus críticos submeteram-no a um teste sobre esse assunto, perguntando "É lícito pagar tributo a César ou não?" (Mc 12.14). Com um denário em suas mãos, Jesus lhes disse: "De quem é essa imagem, e inscrição?" (12.16). Tendo forçado seus oponentes a admitir que era de César, Jesus ensinou "Dai, pois, a César o que é de César e a Deus, o que é de Deus" (12.17). Em outras palavras, pelo fato da moeda ter a efígie de César, pertence a César; portanto, é justo pagar os impostos (cf. Rm 13.6,7).

No entanto, os seres humanos foram criados à imagem de Deus, devendo, portanto, uma *completa e incondicional* obediência somente a Ele, não a César ou a qualquer outra autoridade humana. Dessa forma, os leitores de Pedro, formados por forasteiros e estrangeiros (1.1; 2.11), cidadãos de um reino divino (2.9) e que reconhecem Jesus, não César, como seu Senhor absoluto (2.13), são confrontados com a questão de sua atitude e conduta perante o governo. Ecoando o ensino de Jesus, Pedro os instrui a respeito de seu relacionamento com o governo humano.

O apóstolo começa com uma ordem: "Sujeitai-vos, pois, a toda ordenação humana". O motivo dessa submissão não é uma simples responsabilidade cívica, mas "por amor do Senhor" — dessa forma os cristãos não serão caluniados e Cristo não será censurado. De uma forma geral, é necessário obedecer a todas as instituições humanas; especificamente, isso significa que os leitores de Pedro devem obedecer "ao rei, como superior".

Essa submissão não deve ser oferecida apenas ao rei, mas também aos seus representantes, isto é "aos governadores, como por ele enviados". De acordo com Pedro, o governo é responsável por manter as condições morais da sociedade. As instituições humanas, quer na pessoa do rei ou de seus representantes, governam "para castigo dos malfeitores e para louvor dos que fazem o bem". Pedro reconhece que existem obrigações recíprocas na sociedade humana. Os cidadãos são obrigados a obedecer ao governo, e os governos são obrigados a preservar a lei e a ordem em favor da paz, da proteção e da segurança de seus subordinados.

Considerando que todos os cidadãos devem obedecer ao governo, o povo de Deus deve prestar uma obediência especial porque esta "é a vontade de Deus". Essa perspectiva contrasta com a do judaísmo do período intertestamentário, onde o zelo pela lei periodicamente incitava à anarquia e à rebelião. Segundo o ponto de vista de Pedro, seus leitores estarão desobedecendo à vontade de Deus se não se submeterem ao governo. Além disso, essa submissão tem um efeito benéfico, pois tapa "a boca à ignorância dos homens loucos". Em outras palavras, a submissão não está somente de acordo com a vontade de Deus, mas também afasta qualquer oportunidade dos ignorantes — isto é, do mundo dos gentios — caluniarem o povo de Deus.

Embora os leitores de Pedro devam se submeter ao governo e muitos deles sejam escravos (2.18 e seguintes), devem também viver "como livres". Entretanto, Pedro adverte: "não tendo a liberdade por cobertura da malícia". Portanto, embora a liberdade não seja incompatível com a submissão, é incompatível com a anarquia ou a ilegalidade. A liberdade é paradoxal.

Os crentes devem não só agir como seres humanos livres; devem também agir como "servos de Deus". Nesse caso, Pedro emprega a palavra usual para "servo" a fim de enfatizar tanto a propriedade de Deus como a obrigação recíproca de obedecer à sua vontade (2.15).

No verso 17, Pedro utiliza um comando quádruplo para resumir sua recomendação inicial de que sua audiência deve se submeter a todas as autoridades constituídas: "Honrai a todos. Amai a fraternidade. Temei a Deus. Honrai o rei". A ordem desses imperativos é do geral para o particular — todas as pessoas, a família de Deus e finalmente o próprio Deus e o rei (seu representante no governo humano). Portanto, embora o povo de Deus seja formado por pessoas diferentes, tem uma responsabilidade universal. A família de Deus, da ordem criada, e o rei devem ser honrados e, em particular, a família cristã deve ser amada (veja comentários sobre 1.22,23). Finalmente, Deus deve ser temido — isto é, reverenciado e adorado — pois Ele manifesta graça, misericórdia e bondade (1.2,3; 2.3).

O governo dos homens encontra sua esfera legítima na autoridade concedida por Deus, e os cristãos são obrigados a se submeterem a ela. É de admirar que Pedro, escrevendo durante o reinado do Imperador Nero, ainda veja o estado como uma instituição divinamente ordenada para a preservação do bem e a punição do mal. No entanto, quando Nero usurpou as prerrogativas divinas, Pedro teve a experiência de, juntamente com outros cristãos, resolutamente colocar a autoridade de Deus à frente de César, e assim caminharam para a morte como mártires.

3.1.3. Escravos, Sujeitai-vos aos seus Senhores (2.18-25). O cristianismo proporcionou não só igualdade religiosa, mas também racial, social e sexual aos seus membros (Gl 3.19-21). Como resultado, encontrou pronta resposta entre os elementos desprivilegiados da sociedade romana, e a maioria das igrejas possuía um elevado percentual de adeptos oriundos desse nível da sociedade (1 Co 1.26-29). Portanto, ao escrever aos seus leitores,

Pedro também tinha que abordar a atitude e a conduta que o escravo cristão deveria adotar em relação aos seus senhores.

Dirigindo-se àqueles que tinham o maior direito de procurar a liberdade (2.16), Pedro escreve: "Vós, servos, sujeitai-vos com todo o temor a vosso senhor". Não emprega a expressão usual para "escravo" que costuma ser traduzida como "servo" (2.16), porém, uma expressão que é mais corretamente traduzida como "escravo doméstico". Entretanto, embora esteja se dirigindo a uma classe particular de escravos, seus ensinamentos podem ser aplicados a todos eles: Devem submeter-se aos seus senhores. Pedro usa o termo *despotes* para "senhores" (uma palavra que foi absorvida pelos idiomas inglês e português como "déspota", embora em grego nem sempre tenha a conotação de tirano).

A atitude submissa que o servo deve adotar é aquela de respeito, ou mais literalmente, temor. Embora Pedro tivesse usado essa expressão para descrever sua atitude em relação a Deus (2.17), no relacionamento servo-senhor, ela tem uma conotação mais simples, de um simples respeito. Refletindo o caráter radical do cristianismo, esse respeito deve ser prestado "não somente ao bom e humano" — um desafio relativamente simples — "mas também ao mau". A descrição que Pedro faz desses senhores tem uma variedade de conotações, inclusive aqueles que são "desonestos, inescrupulosos e corruptos" (BAGD, 756). Em sua opinião, quer o senhor do escravo seja atencioso ou cruel, o escravo cristão deve lhe prestar obediência e respeito.

A sujeição de um escravo cristão ao seu senhor "é coisa agradável" (literalmente "graça", cf. 1.3). Como em 1.7, a linguagem de Pedro pode ser deliberadamente ambígua, pois nenhum senhor, por mais cruel que seja, desaprovaria a submissão e o respeito; mais importante ainda, Deus aprova tal conduta. Em 2.13, Pedro havia ordenado aos seus leitores que obedecessem ao governo, por amor ao Senhor. Aqui, o apóstolo introduz uma outra dimensão para motivar o escravo à submissão: "Por causa da consciência para com Deus". Sabendo que a submissão encontra favor aos olhos do Senhor, um escravo somente pode manter uma boa consciência aos olhos de Deus através da submissão. Para muitos escravos dentre os leitores de Pedro, esse desejo de manter uma boa consciência perante Deus irá, sem dúvida, exigir que cada um "sofra agravos, padecendo injustamente".

Pedro não tem qualquer ilusão de que a conduta de cada escravo cristão de sua audiência é exemplar, porém percebe que para alguns o sofrimento é merecido. Assim, pergunta retoricamente, "Porque que glória será essa, se, pecando, sois esbofeteados e sofreis?" É obvio que não existe nenhuma glória em suportar um castigo merecido. Mas o oposto também é verdade. Assim, Pedro encoraja os escravos de sua audiência: "Se fazendo o bem, sois afligidos e o sofreis, isso é agradável a Deus". Nessa promessa de divina aprovação pelo sofrimento injusto, Pedro repete a essência do verso anterior, de que sofrer injustamente em nome da consciência encontra favor em Deus.

Em sua saudação, Pedro havia observado que, em geral, seus leitores foram escolhidos ou chamados para obedecer a Jesus Cristo. Agora, ao se dirigir aos escravos cristãos de sua audiência, observa que "para isto sois chamados", isto é, para suportar pacientemente o sofrimento por ter agido corretamente. Sabendo que isso dificilmente será aceito, imediatamente lembra que "Cristo padeceu por nós". O sofrimento de Jesus não foi apenas para salvar — em seu nome — mas foi também um exemplo, "deixando-nos o exemplo, para que sigais as suas pisadas". Portanto, o sofrimento injusto que os escravos de sua audiência experimentaram é uma obrigação recíproca ao sofrimento anterior de Jesus. À medida que imitarem seu exemplo, talvez tenham que sofrer injustamente em nome da consciência para com Deus, porque Ele sofreu a favor de cada um de nós.

Embora Jesus seja um exemplo de sofrimento para os escravos de sua audiência, esse sofrimento foi também único: "o qual não cometeu pecado, nem na sua boca se achou engano" (Is 53.9). Portando, ao citar Isaías, Pedro está lembrando à sua audiência que embora sua conduta seja relativamente virtuosa e seu sofrimento relativamente não merecido, a conduta de Jesus foi absolutamente virtuosa e seu sofrimento absolutamente não merecido.

A absoluta injustiça no sofrimento de Jesus ficou dramaticamente evidente em sua resposta aos seus algozes e executores. Como testemunha ocular da morte de Jesus, Pedro lembra que "quando o injuriavam, não injuriava e, quando padecia, não ameaçava". Essa resposta confirma não somente a completa inocência de Jesus, que jamais pecou, como também reforça o caráter imerecido de seu sofrimento. Jesus era capaz de adotar uma atitude de não retaliação porque "entregava-se àquele que julga justamente". Ao escrever a respeito da submissão de Jesus ao sofrimento injusto, Pedro enfatiza a integridade e a confiabilidade do caráter de Deus em seu exclusivo papel de Justo Juiz, que ao final inocentará aqueles que sofreram injustamente.

Ao introduzir o exemplo do sofrimento de Jesus, Pedro lembra aos seus leitores que Ele "padeceu por nós" — isto é, em nosso nome ou em nosso benefício (2.21). Em seguida, completa que em seu sofrimento Jesus os estava substituindo, por haver se entregado a Deus, "levando ele mesmo em seu corpo os nossos pecados sobre o madeiro". Os judeus julgaram-no merecedor da morte sob a acusação de blasfêmia (Mc 14.64); os romanos crucificaram-no sob a acusação de sedição, pela sua suposta reivindicação de ser o rei dos judeus (15.26); porém, os discípulos de Jesus, inclusive os leitores de Pedro, experimentaram sua morte como um sacrifício substitutivo pelo pecado.

A morte de Jesus, pelo pecado, produz um resultado duplo naqueles que são capazes de se apropriar de sua importância salvadora, tendo como ponto negativo a expressão "para que, mortos para os pecados", e, como ponto positivo a expressão "pudéssemos viver para a justiça". Em outras palavras, a morte pelo pecado e a vida para a justiça resultam em uma vida de santidade (1.15,16). Aludindo à missão do servo sofredor em Isaías, Pedro aplica os benefícios da morte de Jesus à sua audiência escrevendo, "pelas suas pisaduras, fomos sarados" (cf. Is 53.5). Embora essa terminologia seja freqüentemente usada para defender a doutrina da cura (física) divina, no contexto dessa argumentação de Pedro ela se aplica à cura espiritual que se tornou possível quando Jesus levou nossos pecados sobre si na cruz.

Continuando a extrair sua inspiração do texto de Isaías sobre o servo sofredor, Pedro descreve a antiga condição de sua audiência: "Porque éreis como ovelhas desgarradas" (cf. Is 53.6). Jesus deu grande relevância a essa metáfora pastoral em sua parábola sobre o pastor e a ovelha perdida (Lc 15.3-7) a fim de justificar sua característica comunhão com os pecadores (15.1,2). Embora no passado seus leitores tenham se comportado como ovelhas desviadas, agora voltaram "ao Pastor e Bispo" de suas almas. Não há dúvidas de que Pedro está se lembrando da afirmação enfática de nosso Senhor, ao descrever Jesus como pastor: "Eu sou o bom pastor" (Jo 10.14) — uma afirmação que evoca tanto a imagem do divino pastor (Sl 23.1; Is 40.11) quanto a imagem do verdadeiro pastor (Jr 3.15; 23.4) do Antigo Testamento. Sendo um pastor espiritual, Jesus também é aquele que cuida deles, cujo termo bíblico é muitas vezes traduzido como "Bispo", mas que também tem o significado geral de "guardião". A confiança de Pedro na supervisão pastoral de Jesus sobre a congregação ficou sem dúvida fortalecida pelo próprio teste anterior (Lc 22.31,32), por sua negação (Jo 18.15-27) e subseqüente restauração à posição de subpastor (21.15-17).

O ensinamento de que os escravos devem obedecer a seus senhores, muitas vezes cruéis, poderá, provavelmente, revelar-se ofensivo a muitos leitores modernos, pois além de Pedro estar deixando de ser um defensor dos direitos humanos ou das reformas sociais, está apoiando as condições vigentes na sociedade romana. Entretanto, embora seus ensinamentos possam parecer inadequados em termos de direitos humanos, não podem ser nem ignorados nem rejeitados por estarem simplesmente condicionados à cultura da época.

Na verdade, embora as instruções de Pedro aos escravos possam ser socialmente conservadoras, elas também são espiritualmente radicais e revolucionárias. Ele defende que o povo de Deus deve, voluntariamente, renunciar aos direitos humanos mais básicos a fim de promover seu testemunho cristão e conservar sua boa consciência perante Deus. Esses ensinamentos também deixam bastante claro que o cristianismo pode ser vivido independentemente de quaisquer condições sociais adversas ao povo de Deus. Quando Pedro recomenda aos escravos de sua audiência que modelem suas vidas segundo o exemplo de Cristo, está ensinando que se submeter a qualquer sofrimento injusto é a resposta mais semelhante a Cristo que poderão oferecer nessa circunstância.

3.1.4. Esposas, Sujeitai-vos a vossos Maridos (3.1-7). Prosseguindo seus ensinamentos sobre o tema da submissão, Pedro dirige-se às esposas: "Semelhantemente, vós, mulheres, sede sujeitas ao vosso próprio marido". Isto é, da mesma forma que os cristãos geralmente se submetem ao governo (2.13-17) e os escravos cristãos se submetem aos seus senhores (2.18-25), as esposas cristãs devem se submeter a seus maridos. Essa submissão é mais do que um simples dever ocasional, pois a linguagem de Pedro indica uma resposta presente e habitual.

Além disso, essa submissão é particularmente importante, pois é provável que a maior parte das mulheres dentre os leitores de Pedro, e não a sua minoria, tivesse maridos que "não obedeciam à palavra". Essa condição está em contraste com a divina exortação de obedecer a Cristo (1.2,22) e equivale, em seu significado, às palavras "descrente", "pessoa não salva" ou "não cristã". Portanto, Pedro observa que a submissão de uma esposa cristã a seu marido pode ter um propósito evangelístico: "Para que também, se algum não obedece à palavra, pelo procedimento de sua mulher seja ganho sem palavra". Ao dirigir-se a essas esposas, Pedro emprega um jogo de palavras. Embora seus maridos desobedeçam às palavras do evangelho (1.12,23-25), essas mulheres testemunham sem dizer sequer uma palavra; isto é, em silêncio. Segundo a opinião de Pedro, o bom comportamento e a submissão da esposa serão muito eficientes para conseguir que o desobediente passe a obedecer a Cristo.

Este testemunho silencioso torna-se ainda mais eficaz quando cada marido considera a "vida casta, em temor" de sua esposa. O comportamento das esposas deve incluir conduta e atitude: deverão ser moralmente castas ou puras e respeitosas. Nesse ponto, Pedro aplica características que devem ser válidas para todos os cristãos, especialmente para as esposas. Isto é, assim como todos os cristãos devem ser santos (1.15,16), as esposas devem ser castas. Além disso, pelo fato de todos os cristãos deverem temer ou reverenciar a Deus (2.17) e os escravos deverem respeitar seus senhores (2.18), as esposas deverão respeitar (literalmente "temer") seus maridos. Esse comportamento, ao mesmo tempo submisso e benéfico, é obrigação de uma esposa cristã em relação a seu marido e uma forma eficiente de evangelizar ou conquistar um marido descrente para Cristo.

Tendo discutido as virtudes das esposas, tais como submissão, castidade, e respeito, Pedro passa a instruí-las sobre sua beleza, que não deve ser no "exterior" (isto é, no frisado dos cabelos, no uso de jóias de ouro, na compostura de vestes). Pedro não proíbe os adornos exteriores, mas sabe que a santidade é uma questão de atitude e conduta (1.13—2.3) e nunca de austeridade exterior. Antes, como mostra o verso seguinte, ele faz o contraste entre dois tipos de beleza — um que é meramente o resultado de decoração (3.3) e outro que vem de uma qualidade interior (3.4).

A beleza das esposas cristãs deve estar no interior, encoberta "no coração". Na verdade, essa beleza interior é aquela "no incorruptível trajo de um espírito manso e quieto". A meiguice ou mansidão e a calma ou tranqüilidade não apenas complementam as qualidades de submissão, castidade e respeito, como também, tal qual a herança do crente (1.4) e a semente do nascimento espiritual (1.23), jamais perecem. Por essa beleza ser imperecível, também contrasta com o caráter superficial e transitório dos adornos exteriores. Além disso, a permanente beleza do caráter se mostrará mais atraente ao marido e será preciosa "diante de Deus".

Assim como Pedro havia anteriormente levado os escravos de sua audiência a Cristo, como exemplo de submissão a sofrimentos injustos (2.21-25), agora direciona as esposas de sua audiência às esposas de Israel como exemplo de adorno e submissão. Usando uma de suas terminologias mais características, esses exemplos eram "as santas [cf. 2.5,9] mulheres que esperavam [cf. 1.3,21] em Deus". Como mulheres exemplares, faziam-se belas e estavam sujeitas aos seus próprios maridos. Nesse duplo contexto de adorno e submissão a seus maridos, as esposas da época do Antigo e do Novo Testamento se destacavam por seu caráter e conduta.

Após ter feito um apelo ao exemplo generalizado das santas mulheres do Antigo Testamento, Pedro menciona agora o exemplo específico de Sara, que "obedecia a Abraão". Sua obediência se torna evidente pela maneira como se dirige a ele, chamando-o de "senhor". Deste modo mostrou-lhe a submissão e o respeito que as esposas cristãs devem dedicar a seus maridos (3.1,2). Da mesma forma como homens e mulheres de fé tornam-se filhos de Abraão (Gl 3.7), assim também as mulheres que respeitosamente obedecem, ou se submetem a seus maridos, tornam-se como "filhas [de Sara] fazendo o bem e não temendo nenhum espanto" (esta é uma tradução literal; "bem"). Ao fazer o que é correto para seus maridos, as mulheres cristãs tornam-se capazes de "não temer nenhum espanto". Portanto, conforme Pedro descreve, a submissão da esposa não é servil nem temerosa; é apenas uma das dimensões de uma vida de santidade.

Depois de descrever os deveres das esposas para com seus maridos, Pedro ensina os maridos a respeito das responsabilidades em relação às esposas (3.7): "Igualmente vós, maridos, coabitai com ela com entendimento". Apresenta os deveres dos maridos para com as esposas empregando o termo "igualmente" (cf. 3.1). Esse termo obriga os maridos a perceberem que, exatamente como podem com todo direito esperar a obediência das esposas, também têm um dever recíproco e semelhante para com elas. Deverão, principalmente, tratar as esposas com consideração e compreensão, uma compreensão que se desenvolve a partir do conhecimento da esposa como mulher e como indivíduo. Em particular, maridos atenciosos reconhecerão que a esposa é o "vaso mais fraco". Ao descrever as mulheres dessa maneira, Pedro está simplesmente fazendo uma observação trivial — as mulheres são, em geral, fisicamente mais frágeis do que os homens.

Embora os maridos reconheçam que as esposas são fisicamente mais frágeis e as tratem de forma correspondente, devem também reconhecer que são espiritualmente iguais a eles. Portanto, os maridos devem tratá-las como igualmente herdeiras da graça da vida. Isto é, devem considerar as esposas como destinatárias da graça de Deus, uma graça que é, em todos os sentidos, semelhante à graça que receberam. O resultado será "para que não sejam impedidas as vossas orações". Em outras palavras, Pedro ensina que aqueles maridos que deixam de considerar as esposas como companheiras na herança da graça de Deus perderão o direito a essa graça: Deus se recusará a ouvir as suas orações.

Assim como acontece com os ensinamentos de Pedro aos escravos, os ensinamentos às esposas podem ser facilmente mal entendidos ou deturpados. Portanto, devemos observar, em primeiro lugar, que Pedro não ensina que as *mulheres* devem se submeter aos *homens*: antes, está simplesmente ensinando que as esposas devem se submeter aos maridos. Além disso, não define submissão em termos de subserviência, mas de castidade e respeito. Finalmente, os maridos têm deveres semelhantes e recíprocos em relação às esposas. Obviamente, os ensinamentos de Pedro elevam e enobrecem a posição das mulheres no casamento e enfatizam que esse relacionamento tem responsabilidades mútuas, tanto por parte dos maridos como das esposas.

3.1.5. Resumo das Exortações (3.8-12).

Pedro apresentou Cristo como exemplo de submissão, e demonstrou como aplicar esse modelo à conduta cristã através de exemplos específicos de cidadãos, escravos e esposas (2.13-3.7). Agora, aplica esse ensinamento à conduta cristã em geral.

Pedro inicia sua exortação com a palavra "finalmente", indicando que pretende fazer um resumo das implicações da submissão na conduta cristã em geral. Fazendo uma relação das diversas virtudes e empregando uma terminologia que é praticamente única nessa carta, exorta seus leitores a viverem em harmonia uns com os outros (cf. 3.8), isto é, "terem a mesma mente, unida pelo espírito" (BAGD, 569). Essa exortação à harmonia está em evidente contraste com a disputa potencial ou real entre os cidadãos e o governo, os escravos e os senhores e as esposas e os maridos nas ocasiões em que os cristãos ainda não se submeteram, em nome do Senhor, àqueles que exercem autoridade.

No entanto, de forma geral, Pedro exorta todo o povo de Deus a viver em harmonia em todos os relacionamentos. E, aumentando sua relação, recomenda que seus leitores sejam "compassivos", uma palavra já usada anteriormente por Jesus e seus discípulos, e que significa "simpatizar com, ter ou mostrar simpatia por alguém" (BAGD, 778; cf. Hb 4.15; 10.34).

Ecoando seu ensino anterior sobre o relacionamento familiar do povo de Deus (1.3,22,23), o apóstolo os conclama a amar os irmãos. Esse amor fraternal será promovido quando o povo de Deus responder à exortação de ser "compassivo", isto é, ser "bondoso" (BAGD, 326; veja Ef 4.32). Esse estilo de vida somente será atingido à medida que o povo de Deus renunciar a seus direitos e tornar-se "humilde".

Nesse ponto da exposição, Pedro transporta a ênfase nas atitudes para uma ação mais evidente e dos relacionamentos dentro da família de Deus para os relacionamentos com o mundo. Àqueles que são maltratados recomenda: "Não tornando mal por mal ou injúria por injúria". Essa recomendação é especialmente pertinente aos cidadãos, aos escravos e esposas que poderão estar sofrendo injustamente nas mãos do governo, dos senhores e dos maridos, respectivamente, quando abusam de sua autoridade. Ao invés de pagar mal com mal, Pedro conclama a retribuir o mal e a injúria "bendizendo", assim como Jesus havia ensinado seus discípulos: "Bem-aventurados sois vós quando vos injuriarem, e perseguirem, e, mentindo, disserem todo o mal contra vós" (Mt 5.11).

Pedro muda a ênfase da bem-aventurança do cristão sofredor para o perseguidor. Eis aqui uma conduta que exemplifica a submissão cristã, pois Pedro já observou que "quando o injuriavam, não injuriava" (2.23). Os eleitos de Deus devem não só submeter-se ao sofrimento injusto, como também abençoar os seus antagonistas. Pedro escreve que essa conduta é necessária, a fim de que os cristãos alcancem a bênção.

Para explicar essa exortação e talvez até para cingir sua autoridade apostólica com autoridade bíblica, Pedro apela para o Salmos 34.12-16:

"Quem é o homem que deseja a vida, que
    quer largos dias para ver o bem?
Guarda a tua língua do mal e os teus
    lábios, de falarem enganosamente.
Aparta-te do mal e faze o bem; procura
    a paz e segue-a.
Os olhos do Senhor estão sobre os jus-
    tos; e os seus ouvidos, atentos ao
    seu clamor.
A face do Senhor está contra os que
    fazem o mal, para desarraigar da terra
    a memória deles".

Esse apelo de Pedro à sabedoria do Salmo reflete um entendimento comum do Antigo Testamento, dentro do cristianismo apostólico. As Escrituras eram consideradas como uma autoridade não só para a doutrina (cf. 1 Pe 1.24), mas também para atitudes e condutas (cf. também 1.16, que cita Lv 11.44). Portanto, o Salmo 34 apresenta uma relevância direta à exortação de Pedro, e explica seu ensinamento de que Deus se obriga a abençoar aqueles que abençoam seus antagonistas.

Além disso, essa bênção divina não se limita à futura revelação de Jesus (1.4,5), mas é a herança atual dos justos (isto é, daqueles que fazem o bem). O principal aspecto da citação que Pedro faz do Salmo 34 tem uma dimensão positiva e outra negativa. Positivamente, ela ensina que aquele que abençoa, ao invés de revidar, pode esperar uma bênção do Senhor porque "os olhos do Senhor estão sobre os justos; e os seus ouvidos, atentos ao seu clamor". O aspecto negativo é que essa citação ensina que aquele que revida o mal com o mal somente poderá esperar receber o desagrado e o julgamento do Senhor, pois "a face do Senhor está contra os que fazem o mal".

3.2. Sofrer por Amor ao Senhor (3.13—4.19)

Nessa seção, Pedro desenvolve o tema principal da seção anterior, embora tenha mudado sua ênfase. Na situação vivida pelo escravo cristão, Cristo era o exemplo da submissão ao sofrimento (2.18-25). Agora, a ênfase está no sofrimento independente da exortação à submissão. Além disso, não está limitado à condição dos escravos cristãos, mas está sendo proclamado à todo o povo de Deus. Portanto, os ensinamentos de Pedro sobre o sofrimento continuam diretamente a partir do término do parágrafo da seção anterior (3.8-12), com as expressões "fazer o bem" (3:10, 13) e "bênção" (3.9,14) ligando as duas seções. Além de abrir essa seção sobre o assunto do sofrimento (3.13-17), Pedro também conclui com o mesmo assunto (4.12-19). Esses dois parágrafos agrupam um apelo ao exemplo ou modelo do sofrimento de Cristo (3.18-22), um mandamento subseqüente a uma vida virtuosa (4.1-6) e uma série de mandamentos práticos (4.7-11).

3.2.1. Sofrer por Amor à Justiça (3.13-17). A essa altura da carta, Pedro analisa a questão que era, ao mesmo tempo, milenar (exemplo Jó) e atual para sua audiência: Porque os justos sofrem? Encontra a resposta a essa situação na provável vontade inescrutável de Deus (3.17) — uma resposta reforçada com um apelo ao sofrimento salvador de Cristo (3.18; cf. 2.21-25).

Lançando um desafio por meio de uma questão retórica, Pedro pergunta: "E qual é aquele que vos fará mal, se fordes zelosos do bem?". Supõe que sua audiência, que deverá seguir o exemplo de Cristo, estará ansiosa e entusiasmada para fazer boas obras, até mesmo com o risco de retribuir a bênção com o mal (3.9). Embora aqueles que não seguem o exemplo de Cristo possam, em contraste, retribuir muitas vezes o mal com o mal (3.9), Pedro espera que desistam de retribuir o bem com a injúria ou o mal, quando descobrirem que foi promovido e praticado pelo povo de Deus.

Deixando implícita, através da estrutura de sua frase, uma situação pouco provável no futuro, Pedro continua: "Mas também, se padecerdes por amor da justiça..." Isto é, alguns que ainda não estavam sofrendo poderiam, como aqueles escravos aos quais se dirigiu anteriormente (2.18-20), vir a sofrer no futuro. Em sua questão retórica (3.13), essa condição de exceção torna o sofrimento, por amor à justiça, semelhante a receber a injúria ou o mal ao praticar o bem. Também ecoa seu ensinamento anterior de que os cidadãos devem se submeter ao governo "por amor do Senhor" (2.13) e que os escravos devem se submeter ao sofrimento injusto "por causa da consciência" (2.19, traduzido literalmente). Àqueles que sofrerão por fazer o bem ou aquilo que é justo, Pedro anuncia que são "bem-aventurados". Essa afirmação resume sua promessa anterior de bênção àqueles que retribuírem o mal com o bem (3.9), àqueles que fazem o bem (3.11) e àqueles que são justos (3.12). Além disso, Pedro reforça sua promessa de bem-aventurança com um encorajamento dos profetas: "Não temais o seu temor, nem tampouco vos assombreis" (Is 8.12). Essa garantia de divina bem-aventurança tem a finalidade de libertar os cristãos que sofrem da servidão do medo e da perturbação.

Servindo-se de um imperativo, Pedro continua: "Antes, santificai a Cristo, como Senhor, em vosso coração". Embora tenha ensinado anteriormente o dever de obedecer à autoridade humana legítima (isto é, governos, senhores e maridos), agora ordena que se voltem à soberania cósmica de Cristo, experimentalmente real em sua própria atitude e conduta — não devem fazer nada a não ser "consagrar e tratar com santa reverência" (BAGD, 8-9) a Cristo como Senhor. Essa soberania deve estar em seus corações, isto é, ela é ao mesmo tempo interior e espiritual. Para ele, portanto, não apenas as bênçãos, mas também a soberania de Cristo, representam o antídoto para o medo e a perturbação.

Quando Cristo é verdadeiramente honrado como Senhor, seu povo está "sempre preparado para responder com mansidão e temor". Ao invés de dar uma resposta pessoal, ou defender sua conduta boa e justa, os crentes deverão defender sua fé "a qualquer" que pedir que o façam. O povo sofredor de Deus deve dar a "razão da esperança" que neles há. Essa é a esperança viva, baseada na ressurreição (1.3); é incorruptível, imaculada e permanente (1.4) e está garantida pelo divino poder protetor (1.5). Tanto a bem-aventurança, como a soberania de Cristo, representam o antídoto para o medo e a perturbação, porém a esperança reveste o sofredor, dando-lhe a perseverança necessária.

Em seguida, Pedro sugere que o comportamento do defensor é tão importante quanto sua resposta. A reposta imediata da defesa deve ser dada com "humildade, cortesia, consideração, mansidão (BAGD, 699) e respeito" [literalmente, temor]. Fazendo um deliberado jogo de palavras, aqueles que fizerem de Cristo o Senhor de seus corações não devem temer seus antagonistas e, semelhantes às esposas cristãs que temem/respeitam seus maridos descrentes (3.6), devem responder suas perguntas com temor/respeito.

Além de defender a fé com mansidão e respeito, é necessário conservar uma "boa consciência". Segundo a perspectiva de Pedro, uma boa consciência nasce da remoção do pecado e é simbolizada pelo batismo (3.21); ela motiva o povo de Deus a suportar o tratamento injusto (2.19) e deve ser mantida mesmo que as pessoas falem mal "de vós, como de malfeitores..." e blasfemem "do vosso bom procedimento em Cristo". Jesus, que não cometeu nenhum pecado, foi insultado. De forma semelhante, aqueles que caluniam a conduta dos leitores de Pedro também falam contra eles de forma aviltante.

Em outras palavras, Pedro lembra que em seu sofrimento estão simplesmente recebendo a mesma ofensa verbal e física que seu Salvador. A finalidade de manter uma boa consciência, de saber que aquilo que se fez foi feito corretamente apesar da calúnia, é para que aqueles que falam maliciosamente "fiquem confundidos". Portanto, o bom comportamento não só mantém uma boa consciência perante Deus, mas também fará com que "fiquem confundidos os que blasfemam do vosso bom procedimento" (2.15) e os cobrirá de vergonha, mostrando que as acusações revelam o que realmente são — calúnias.

Concluindo seus ensinamentos sobre o sofrimento com uma aplicação geral de suas instruções anteriores aos escravos (2.18-20), Pedro escreve que "melhor é que padeçais fazendo o bem... do que fazendo o mal". Pedro observou duas razões para o sofrimento: por fazer o que é direito (2.19; 4.16) e por fazer o que está errado (2.20; 4.15). Se os cristãos devem sofrer, é melhor que seja pela primeira razão e não pela última.

Além disso, dirigindo-se àqueles que possam ter abrigado a falsa expectativa de que a bênção divina (3.9,14) deve garantir a libertação do sofrimento, Pedro inclui uma qualificação condicional: "Se a vontade de Deus assim o quer". Como em 3.14, a construção gramatical dessa cláusula indica uma condição futura pouco provável. O sofrimento faz parte da vontade de Deus para seu povo (observe 4.19), mas ainda assim Pedro não sabe se tal sofrimento será uma condição igual para todos. Portanto, anuncia que pode haver uma possibilidade, porém não uma certeza, para cada um deles. Ao escrever sobre a vontade de Deus, Pedro é enfático, e sua declaração pode ser traduzida como: "Se a vontade de Deus assim o quer". Que Deus possa desejar que seu povo sofra injustamente por fazer o que é certo, não representa um dilema teológico para Pedro, pois Deus quis que seu Filho também sofresse (2.21-24; 3.18; 4.13). Dessa forma, assim como a santidade e a submissão, o sofrimento representa apenas um dos traços familiares do povo de Deus.

Pedro descreve três aspectos do sofrimento cristão.
1) Não deve ser merecido — por amor à justiça (3.14), pelo bom comportamento (3.16) ou por fazer o que é correto (3.17).
2) A bênção de Deus é derramada sobre aqueles que sofrem sem merecer (3.14).
3) O sofrimento está dentro dos limites da vontade de Deus para seu povo (3.17). Obviamente, essas perspectivas de Pedro sobre o sofrimento são incompatíveis com as atitudes comodistas assumidas em relação ao sofrimento por muitos cristãos de uma opulenta igreja contemporânea na América do Norte ou noutro país, que tem um grande número de membros e que não admite que tais provações possam ter a aprovação de Deus.

3.2.2. Cristo: O Modelo de Sofrimento (3.18-22). O quadro abaixo mostra que a disposição dos ensinamentos de Pedro sobre o sofrimento, é paralela às suas anteriores instruções dirigidas aos escravos (2.18-25):

A questão do sofrimento não merecido	2.18-20	3.13-17
Cristo: o modelo de sofrimento	2.21-25	3.18-22

Embora o contexto tenha mudado da submissão para o sofrimento, aqui, como na passagem anterior, Pedro introduz o exemplo dos sofrimentos de Cristo com o mesmo propósito duplo. (1) Apelando para o exemplo de Cristo, Pedro transporta os sofrimentos de sua audiência de uma condição puramente pessoal para um contexto cristológico e salvador. (2) Por outro lado, deseja encorajar e fortalecer aqueles que, sem merecer, estão sofrendo ou virão a sofrer. Além disso, à medida que discute o sofrimento, a morte redentora de Cristo deixa de ser simplesmente um acontecimento para tornar-se um processo que inclui sua morte (3.18), seu ministério no Espírito (3,18b,19) e sua exaltação (3.22).

Após terminar de escrever sobre o sofrimento por fazer o bem, de acordo com a vontade de Deus (3.17), Pedro retorna naturalmente ao exemplo da morte de Cristo. Essa morte representa um exemplo para a audiência de Pedro, e é especial, "porque também Cristo padeceu uma vez pelos pecados". Isto é, em contraste aos (muitos?) sofrimentos experimentados pela audiência, Cristo morreu uma vez e por todos (veja Hb 9.12,28; 10.10). Além disso, ao escrever que Cristo morreu pelos pecados, Pedro está afirmando que os pecados da humanidade, e não qualquer falta do próprio Cristo, foi a razão de sua morte. Na verdade, sua morte foi a morte do "justo" — do único absolutamente justo — como um substituto "pelos injustos" — a favor dos pecadores (cf. Rm 5.6-8).

A finalidade da morte vicária e única de Cristo era "para levar-nos a Deus". Ele morreu para apresentar a Deus aqueles que foram "aspergidos com seu sangue" (1.2). A morte de Cristo foi única, tanto em caráter como em propósito, e atinge seu pleno significado no fato de que, tendo sido "mortificado, na verdade, na carne", foi "vivificado pelo Espírito". Pedro faz um contraste entre a morte de Cristo, uma experiência do passado, com o resultado presente da salvação e sua volta à vida, seu estado subseqüente e imutável. Também contrasta o corpo (o reino de sua morte) com o Espírito (o reino de sua vida).

Antes de tentar interpretar esse verso e os seguintes, devemos fazer duas observações.
1) Seria talvez apropriado inserir aqui as observações de Pedro sobre as cartas de Paulo. Segundo ele, Paulo escreveu "pontos difíceis de entender" (2 Pe 3.16). A dificuldade dessa passagem significa que qualquer interpretação representa necessariamente uma tentativa.

2) Como indica o quadro seguinte, tanto 2 Pedro como Judas contêm passagens paralelas que auxiliam a compreensão do texto:

Espíritos / anjos em prisão	1 Pedro 3.19	2 Pedro 2.4; Judas 6
A salvação de Noé	1 Pedro 3.20	2 Pedro 2.5

Após sua morte, tendo Jesus retornado à vida pelo Espírito, "foi e pregou". O verbo "pregar" significa "anunciar, tornar conhecido" (BAGD, 431). Portanto, Jesus fez um anúncio aos "espíritos em prisão". A palavra "espíritos" é empregada no Novo Testamento para "anjos", sejam eles bons ou maus (Lc 10.20; Hb 1.14). A hipótese de que nesse verso esteja se referindo aos anjos caídos é reforçada pela qualificação de que agora estão "em prisão" e também por passagens paralelas em 2 Pedro e Judas, que empregam a palavra "anjos" em lugar de "espíritos". Portanto, Pedro quer dizer que Jesus, em virtude de sua morte, foi até os anjos aprisionados e anunciou sua vitória sobre a morte e as conseqüências de seu triunfo, isto é, de que seu julgamento já estava selado.

Os espíritos estavam na prisão porque haviam "desobedecido" há muito tempo; na verdade, essa desobediência foi a razão de sua prisão. Em suas duas cartas, esse julgamento dos anjos leva os pensamentos de Pedro ao julgamento do mundo da época de Noé. No entanto, observa que o julgamento foi adiado porque "... a longanimidade de Deus esperava nos dias de Noé". A respeito do adiamento desse julgamento, Pedro escreve "[o Senhor] é longânimo para convosco, não querendo que alguns se percam, senão que todos venham a arrepender-se" (2 Pe 3.9; Cf. Rm 2.4). A paciência de Deus permaneceu "enquanto se preparava a arca" (1 Pe 3.20), isto é, enquanto Noé construía a arca, Deus esperou que o povo se arrependesse e evitasse, assim, seu julgamento. Entretanto, somente "poucas (isto é, oito) almas se salvaram pela água". Apesar da oportunidade de se arrepender enquanto a arca estava sendo construída, somente Noé e seus familiares, dentre todas as outras pessoas, se salvaram (2 Pe 2.5; cf. Gn 6.19; 7.7). Dessa forma, as águas do dilúvio foram o meio para julgar o mundo e, ao mesmo tempo, o meio para a salvação da família de Noé.

Pedro aplica o exemplo da salvação de Noé das águas do dilúvio aos seus leitores escrevendo que essa água simboliza o batismo que agora também os salva. O adjetivo que é traduzido como "simboliza", ou "figura", também aparece na língua inglesa como a palavra "antítipo". Assim, o "salvamento de Noé do dilúvio é um tipo, ou o 'prenúncio' a que corresponde o batismo" (BAGD, 76). A importância do batismo não pode ser entendida como um ritual de purificação — não é o "despojamento da imundícia da carne" — porém deve ser entendida como a "indagação de uma boa consciência para com Deus". Através da pregação de Pedro no Pentecostes, tomamos conhecimento de que essa boa consciência não é nada menos que o perdão dos pecados (At 2.38). Embora Jesus tenha morrido pelos pecados, essa boa consciência ou perdão dos pecados foi garantido "pela ressurreição de Jesus Cristo". Portanto, para que pudesse perdoar os pecados, a ressurreição de Jesus tornou-se um complemento necessário à sua morte.

O povo de Deus coloca-se perante Ele com uma boa consciência, não somente pela ressurreição de Jesus, mas também por sua exaltação, pois Ele está "à mão direita de Deus" (cf. At 2.32-35). Historicamente, o ministério de Jesus na terra terminou com sua ascensão, testemunhada por Pedro e os outros apóstolos (1 Pe 1.9-11). Tendo "subido ao céu", o Senhor Jesus Cristo goza da honra e autoridade que lhe foram negadas na terra. Deus elevou-o a essa posição de autoridade — "havendo-se-lhe sujeitado os anjos, e as autoridades, e as potências" (3.22; cf. Ef 1.20-22; Cl 1.16; 2.15). Portanto, a morte de Jesus teve uma dimensão cósmica, pois Deus lhe sujeitou todos os poderes espirituais que lhe eram hostis.

Implícita na justaposição desses dois parágrafos (3.13-17; 3.18-22), a morte de Cristo representa um exemplo de sofrimento para aqueles a quem Deus pode desejar que sofram por fazerem o bem. Além disso, a morte de Cristo é o caminho para a justificação (ressurreição, 3.21) e honra (exaltação, 3.22), exatamente como o sofrimento injusto dos leitores representa o caminho para a bem-aventurança (3.14). Além disso, o salvamento de Noé simboliza ou tipifica o batismo cristão; assim como foi para Noé e sua família, e também para os cristãos, a água representa o meio da salvação. Entretanto, em contraste com o salvamento de Noé do julgamento, o batismo significa a realidade interior do perdão. Portanto, a morte e ressurreição de Cristo são um modelo para o povo de Deus, e o ritual do batismo representa esse modelo (4.1-2; cf. Rm 6.3-5). Por outro lado, o resgate de Noé através das águas do dilúvio também representa um tipo de salvação para o povo de Deus, e o batismo simboliza essa salvação.

3.2.3. A Obrigatoriedade da Ética (4.1-6).

Em seguida, Pedro desenvolve as implicações éticas e morais da morte e ressurreição de Cristo em relação à conduta do povo de Deus. (1) Ele ordena que morramos para o pecado e vivamos para a vontade de Deus (4.1,2). (2) Reforça essa ordem estabelecendo um contraste, não só entre a conduta antiga e a nova, mas também entre a conduta pagã e a cristã (4.3-6).

Depois, Pedro faz um resumo de seu apelo à morte de Cristo em 3.18-22, dirigindo-se aos leitores com as seguintes palavras: "pois, já que Cristo padeceu por nós na carne". Ecoando sua ênfase anterior sobre a dimensão física do sofrimento redentor de Cristo (2.24), a expressão "padeceu por nós na carne" equivale à expressão "morreu [padeceu] pelos pecados" (4.1; cf. 3.18). Empregando um termo que muitas vezes tem conotação militar, Pedro dá a seguinte ordem: "Armai-vos também vós com este pensamento". É necessário que estejam prontos para se equiparem com o mesmo propósito (literalmente, disposição, pensamentos) do Senhor Jesus Cristo (4.14), cujo nome ostentam, porque "aquele que padeceu na carne já cessou do pecado". Portanto, assim como Cristo sofreu em seu corpo, morrendo pelos pecados, os cristãos também devem sofrer no corpo, isto é, sofrer por fazer o bem e por amor à justiça (2.20; 3.14), colocando um ponto final na prática do pecado em suas vidas.

Pedro espera que seus leitores adotem a atitude de Cristo em relação ao pecado e ao sofrimento. Essa atitude, no decorrer da vida, se estenderá até a morte — até o final da vida terrena. Da forma como Pedro descreve, esse estilo de vida cristã tem dimensões positivas e negativas. Quanto ao aspecto negativo, o cristão não vive mais "segundo as concupiscências dos homens". Pedro já descreveu essa natureza pecaminosa como "as concupiscências que antes havia em vossa ignorância" (1.14) e deu como exemplos desses antigos pecados a malícia, o engano, os fingimentos, as inveja e todas as murmurações (2.1). No verso seguinte descreve essa conduta como fazer "a vontade dos gentios" (4.3).

Segundo o aspecto positivo, e contrastando com essa conduta proibida, é necessário viver "segundo a vontade de Deus". De acordo com a perspectiva de Pedro, a vontade de Deus para os cristãos é semelhante à sua vontade anterior em relação a Israel, e é encontrada no imperativo: "Sede vós também santos em toda a vossa maneira de viver, porquanto escrito está: Sede santos, porque eu sou santo" (1.15b,16). Obviamente, para viver conforme a vontade de Deus, seu povo deve imitar o sofrimento de Cristo e a santidade de Deus em sua conduta.

Demonstrando uma boa capacidade retórica, Pedro faz a conexão do verso 3 com o verso anterior, não apenas lógica mas também lingüisticamente falando: "Porque é bastante que, no tempo passado da vida, fizéssemos a vontade dos gentios". Nos versos 2 e 3, implicitamente faz o contraste entre o tempo que se estende até o futuro e o tempo que já passou. Além disso, esses dois períodos de tempo são caracterizados por dois diferentes estilos de vida. Para sua audiência, viver de acordo com a vontade de Deus caracteriza um tempo presente e futuro, enquanto viver de acordo com o desejo dos gentios caracteriza um tempo passado.

Ao estabelecer o contraste entre os gentios e os cristãos, Pedro aplica à Igreja, que é a herdeira espiritual de Israel (2.9,10), a divisão da humanidade entre judeus e gentios. Como gentios, sua audiência tem vivido em "dissoluções, concupiscências, borracheiras, glutonarias, bebedices e abomináveis idolatrias". Essa relação de pecados pagãos completará a lista anterior de pecados (2.1) que, conforme a perspectiva do apóstolo, são incompatíveis com uma vida de santidade.

A conduta cristã é radicalmente diferente da conduta pagã, pois em tudo "acham estranho não correrdes com eles no mesmo desenfreamento de dissolução". Aqueles cuja conduta é dominada pelos pecados que Pedro acabou de relacionar ficam surpresos quando outros se recusam a imergir com eles "na mesma corrente de devassidão" (BAGD, 793). Pelo fato dos cristãos se recusarem a se juntar aos pagãos em seus pecados, são blasfemados, no sentido de "ofenderem a reputação, insultarem e difamarem" (BAGD, 142) o povo de Deus. Entretanto, embora Pedro esteja preocupado com que sua audiência mantenha uma boa reputação no mundo, isto não será alcançado às custas de uma conduta pecaminosa.

Os pagãos podem difamar os cristãos por sua vida de santidade, mas terão, por sua vez, que "dar conta ao que está preparado para julgar os vivos e os mortos". Aqui, pela terceira vez nessa carta, Pedro escreve a respeito de Deus em sua posição de juiz. Anteriormente, havia escrito que Deus julga imparcialmente de acordo com as obras de cada um e que julga de modo justo (1.17; 2.23); agora escreve que Deus também julga os vivos e os mortos. Essa frase relembra que toda a humanidade é responsável perante Deus. Portanto, essa responsabilidade resulta na condenação dos pagãos que difamam o povo de Deus — aqueles que freqüentemente sofrem por amor à justiça.

Nesse ponto, Pedro parte da condenação do mundo pagão para a justificação do povo de Deus e traz uma boa nova: "Por isto, foi pregado o evangelho também aos mortos". A finalidade dessa boa nova, que havia sido antes proclamada a alguns que agora estão mortos, é dupla: "Para que, na verdade, fossem julgados segundo os homens, na carne" mas que "vivessem segundo Deus em espírito". Com uma contínua ênfase na "carne", os cristãos, que sofreram na carne (4.1) e que viveram o tempo que lhes restava na carne segundo a vontade de Deus (4.2), também serão julgados no corpo. Esse julgamento não é em relação ao pecado, mas à sua humanidade, pois os cristãos serão julgados como seres humanos. Isto é, embora tenham sido escolhidos, santificados, renascidos (1.1-3) e redimidos (1.18), ainda permanecem na carne e assim morrerão.

Entretanto, apesar da morte física, estão vivos em espírito (cf. Rm 8.10,11). Portanto, como Pedro descreve, a experiência do povo de Deus, embora não seja idêntica à de Cristo, é bastante semelhante à sua morte e exaltação: ambos sofreram na carne (4.1) e ambos morreram (3.18a; 4.6a), mas apesar da morte, ambos vivem em espírito (3.18b; 4.6c).

Resumindo, a morte vicária de Cristo pelo pecado tem implicações na conduta e na ética dos cristãos. Em seu aspecto negativo, os crentes deverão terminar com o pecado e, no positivo, viver conforme a vontade de Deus. À medida que o povo de Deus obedecer a esse imperativo, sua conduta será diferente não só da conduta anterior, mas também daquela do mundo não cristão. Ironicamente, a vida daqueles que se dedicam a obedecer à vontade de Deus é um convite à difamação para aqueles cuja vida está dominada pelo pecado. Entretanto, todas as pessoas são responsáveis perante o julgamento divino. Os pecadores estarão sujeitos à condenação, enquanto o povo de Deus receberá sua aprovação ou justificação.

3.2.4. Uma Série de Obrigações Práticas (4.7-11). Na continuação de sua carta, Pedro deixa os imperativos éticos (4.1-6) e passa a discutir uma série de ensinamentos práticos (4.7-11). Esses ensinamentos são de dois tipos:
1) Aqueles que se relacionam com atitudes e condutas nos relacionamentos interpessoais (4.7-9) e

2) Os que se relacionam com atitudes e condutas na prática dos dons da graça (4.10,11). A conjunção dessas duas dimensões mostra a íntima e interdependente conexão entre as áreas de serviço, que muitos do povo de Deus estão inclinados a dividir em categorias isoladas e independentes. Como podemos observar no quadro seguinte, os ensinamentos de Pedro sobre esses assuntos são bastante semelhantes aos de Paulo, embora sejam mais breves e estejam em ordem inversa.

Ensinamentos práticos/amor
1 Pedro	Romanos	1 Coríntios
4.7-9	12.9-21	13.1-13

A prática dos dons
1 Pedro	Romanos	1 Coríntios
4.10,11	12.6-8	12.1-31

Embora a essência dos ensinamentos seja comum aos dois apóstolos, sobre esse e muitos outros assuntos, a competência, integridade ou autoridade de ambos não diminui.

Deixando de se ater ao tema geral dessa seção (sofrimento), Pedro abruptamente muda de assunto. Acabou de lembrar à audiência que Deus é o juiz de toda a humanidade e que seus propósitos permanecem até a consumação final de todas as coisas. Assim, escreve: "Já está próximo o fim de todas as coisas". A palavra grega traduzida como "próximo" também significa "finalidade". Segundo a perspectiva de Pedro, a história tem um objetivo e um fim específico: o julgamento final de toda humanidade (4.5) e a salvação final do povo de Deus por ocasião da revelação de Jesus Cristo (1.9). Esse fim está se aproximando. Embora os cristãos mais recentes tenham interpretado esse termo como uma referência ao tempo, para o cristianismo apostólico em geral e para Pedro ele se refere a um evento sem uma referência específica a datas ou à sua própria duração. Em outras palavras, o ministério público e a subseqüente morte de Cristo pelos pecados (2.24; 3.18) tornou possível uma revelação complementar de Jesus para o julgamento final.

Esse reconhecimento de que Cristo aproximou o fim deve influenciar atitudes e condutas no presente. "Portanto", Pedro ordena, "sede sóbrios". Não quer que sua audiência se deixe apavorar pela perspectiva do fim do mundo, ou que seja apanhada por um fervor apocalíptico ou escatológico; antes, deseja que sejam "justos, sensatos, sérios e que mantenham seu autocontrole" (BAGD, 802). Não só ordena que tenhamos a mente pura, mas também que tenhamos vigilância em oração.

Repetindo o conteúdo de um apelo anterior: "Amai-vos ardentemente uns aos outros" (1.22), Pedro insiste que, acima de tudo é necessário que os cristãos amem profundamente uns aos outros. Ensina que à luz do julgamento que se aproxima, a sobriedade e o domínio próprio são importantes, porém o amor é o mais importante. Quanto à intensidade, o amor deve ser profundo e constante; quanto à aplicação, deve ser de uns para com os outros, isto é, entre toda a família de Deus.

O amor é vital porque cobre uma multidão de pecados. Segundo o ensino bíblico, o amor não perdoa pecados, mas leva o pecador ao arrependimento. Tiago escreve: "Saiba que aquele que fizer converter do erro do seu caminho um pecador salvará da morte uma alma e cobrirá uma multidão de pecados" (Tg 5.20; cf. Pv 10-12). Semelhantemente, no contexto dos ensinamentos de Pedro, cobrir uma multidão de pecados com amor recupera o pecador e evita o julgamento que está por acontecer (1 Pe 4.5). Além disso, este ministério de restauração reforça a ordem de Pedro para que o autocontrole seja exercido e dirigido à oração (4.7). O amor associa-se à oração para promover a restauração do pecador.

Pedro continua a insistir que sejamos "hospitaleiros uns para os outros, sem murmurações". Pode ser que tenha considerado a hospitalidade um exemplo específico da prática do amor, pois em todo o Novo Testamento a hospitalidade está intimamente associada ao amor (Rm 12.9,13; Hb 13.1,2). Embora a hospitalidade seja uma importante virtude do cristianismo apostólico, ela não deve ser concedida indiscriminadamente: aqueles que não aderirem ao cristianismo apostólico não devem recebê-la (2 Jo 10,11), mas deve ser concedida àqueles que o fazem (3 Jo 5-8). Pedro ensina que na prática do amor, a atitude pela qual a hospitalidade é oferecida é tão importante quanto a própria hospitalidade. Deve ser oferecida com boa vontade, sem murmurações ou queixas.

A perspectiva da proximidade do fim de todas as coisas acarreta implicações para a prática dos dons no serviço cristão. Pedro escreve: "Cada um administre aos outros o dom como o recebeu" (4.10). Essa palavra "dom" é a tradução do termo grego *charisma*, que Paulo geralmente emprega quando escreve sobre os "dons" (*charismata*) do Espírito (Rm 12.6; 1 Co 12.4-9,28-31). Da mesma forma que Paulo, Pedro também ensina que cada um de nós recebeu um dom (1 Co 12.7). Além disso, a palavra "dom" lembra que o ministério ou o serviço não depende de méritos dos humanos, mas sim da multiforme graça (*charis*) de Deus.

Por termos recebido um dom, devemos "administrar aos outros". Nesse ponto, Pedro lembra sua audiência que os dons são para o serviço e que, exatamente por deverem amar uns aos outros (4.8) e ser hospitaleiros (4.9), devem servir aos semelhantes. Portanto, os dons não têm uma finalidade pessoal ou particular, mas são para o benefício da comunidade cristã. Além disso, seus leitores devem praticar seus dons "administrando fielmente a graça de Deus sob várias formas" ou "como bons administradores da variada graça de Deus" (BAGD, 560). Assim como alguns de seus leitores são escravos domésticos (2.18), todos os cristãos são "administradores domésticos" ou "despenseiros" (BAGD, 560). Como administradores da casa de Deus, devem cuidar da graça de Deus que é multiforme ou variada, tão diversificada quanto o número daqueles que compõem o povo de Deus.

Tendo enfatizado o princípio de que cada cristão recebeu um dom e que deve servir fielmente ao próximo com o dom que recebeu, Pedro enfoca o exemplo de dois dons que servem para ilustrar esse princípio: O ministério da palavra e o serviço administrativo.

1) Ao escrever sobre o ministério da palavra, o apóstolo aconselha: "Se alguém falar, fale segundo as palavras de Deus". Ao escrever sobre o dom da palavra, Pedro não explica se esse dom seria a exposição da palavra de Deus, no sentido das Escrituras (At 7.38; Rm 3.2; possivelmente Hb 5.12), ou dons que são expressos verbalmente como profecia, sabedoria, conhecimento, variedade de línguas ou a sua interpretação (1 Co 12.8-10). O apóstolo simplesmente enfatiza que todos aqueles que receberam esse dom precisam entender que devem proclamar uma mensagem divina e não humana.

2) De acordo com a perspectiva de Pedro, a prática das obras complementa o ministério da palavra (At 6.1-6). "Se alguém administrar", Pedro continua, não deve servir conforme seu próprio poder, mas "segundo o poder que Deus dá". A finalidade de servir pelo poder de Deus é "para que em tudo Deus seja glorificado por Jesus Cristo", que é o agente através do qual Deus é glorificado. Existe um contraste implícito nesse ensinamento de Pedro: embora o serviço prestado em conformidade com o poder do homem possa falhar, aquele que é administrado através do poder divino sempre glorifica a Deus. Tendo escrito que Deus deve ser glorificado através das obras de seu povo, Pedro conclui com a seguinte doxologia: "A quem pertence a glória e o poder para todo o sempre. Amém".

A proximidade da consumação de todas as coisas traz implicações para a conduta atual do povo de Deus. Pelo fato do fim estar próximo, devemos ser sóbrios, ter autocontrole, amar profundamente e praticar a hospitalidade. Além disso, como povo de Deus, temos no exercício de nossos diversos dons a responsabilidade de ser bons despenseiros e servos fiéis. Pedro ensina especificamente a respeito desses dons:

1) Deus concedeu um dom a cada indivíduo de seu povo;
2) Estes dons têm a finalidade de servir aos semelhantes e não de trazer qualquer mérito ou promoção pessoal;
3) São graças concedidas independentemente de qualquer capacidade humana, realização ou mérito; e

4) Por virem de Deus, e serem destinados ao serviço dos semelhantes, os dons devem ser usados para glorificar a Deus e não para aumentar a posição e o prestígio de quem os exerce.

3.2.5. Sofrer como Cristão (4.12-19).

Pela terceira vez em sua carta, Pedro analisa a questão do sofrimento (4.12-19). Assim como anteriormente havia mudado a ênfase do sofrimento dos escravos de sua audiência, para o sofrimento como uma situação potencial de todo o povo de Deus (2.18-25; 3.13-17), agora muda a ênfase do sofrimento, em seu aspecto geral, para o sofrimento como o meio de provar o povo de Deus (3.13-17; 4.12-19). O ensino de Pedro nessa seção não apenas ecoa seu ensino prévio sobre o sofrimento, mas constitui-se um paralelo muito próximo a seu ensino sobre a prova do povo de Deus (1.6-9). Dessa forma, seus ensinamentos sobre o sofrimento, como forma de prová-lo, também têm uma estreita afinidade com os ensinamentos de Paulo e Tiago sobre o mesmo assunto (Rm 5.3-5; Tg 1.2-4).

Em 2.11, Pedro havia se dirigido aos leitores como "amados". Sem dúvida, devido à natureza penosa deste assunto, conclui o ensino sobre o sofrimento voltando a dirigir-se a seus leitores do mesmo modo (4.12). Tendo, dessa maneira, assegurado sua preocupação pastoral e o amor de Deus para com eles, Pedro ordena: "Não estranheis a ardente prova que vem sobre vós". Alguns intérpretes consideram que a linguagem de Pedro se refira ao início da perseguição de Nero contra os cristãos no ano 64 d.C. Culpando os cristãos pelo grande incêndio que devastou a cidade de Roma, Nero mandou executar alguns deles cobrindo-os com piche e ateando-lhes fogo para que iluminassem seu jardim. Entretanto, a referência de Pedro a essa cruel e dolorosa provação pode refletir seus ensinamentos anteriores sobre a prova da fé através do fogo (1.6,7). Considerando que Deus submete seu povo a provações, a fim de testar sua fé, não devemos considerar um fato como este "como se coisa estranha... acontecesse". Através de um jogo de palavras, os leitores de Pedro não deveriam se surpreender com essa provação ígnea, pois ela não é algo estranho ou surpreendente. Está implícita nessa perspectiva, a idéia de que ao invés de se surpreender com a provação, o povo de Deus deve esperá-la.

Ao invés de qualquer reação de surpresa perante a prova, os cristãos devem se "regozijar". Embora essa provação possa ser humanamente considerada como um infortúnio (1.6), espiritualmente os cristãos devem se regozijar por serem "participantes das aflições de Cristo". Para o povo de Deus, as várias provações que experimentam são uma forma de teste. No entanto, muito mais que isso, servem para identificar seu povo com a vergonha e a ignomínia dos sofrimentos e morte de Cristo. E é nessa identificação com Cristo que Pedro descobre um propósito futuro no gozo presente: "Para que também na revelação da sua glória vos regozijeis e alegreis". Assim como existe um contraste dramático entre a vergonha e a ignomínia do sofrimento de Cristo e sua glorificação, também existe um contraste implícito entre o sofrimento presente de seus leitores e sua glória futura. No dia em que participarem da glória de Cristo, se regozijarão em triunfo (cf. 1.6,8). Segundo a perspectiva de Pedro, portanto, a condição presente de sofrimento nada mais é que o doloroso prelúdio de um incomparável júbilo final.

Entretanto, naquele momento os leitores de Pedro não estavam participando da glória de Cristo, mas de seus sofrimentos: "... se, pelo nome de Cristo, sois vituperados". Aqui, a palavra usada por Pedro como "vitupério" tem um sentido literal pois significa "ultrajar, lançar insultos sobre" (BAGD, 570), sendo um sinônimo para os insultos que foram lançados contra Cristo na cruz (2.23). No início de seus ensinamentos, Pedro havia instruído os escravos a submeter-se ao sofrimento injusto em nome da consciência (2.19), e a todo o povo de Deus a esperar o sofrimento por amor à justiça (3.24). Agora, devem sofrer pelo (literalmente, "em") nome de Cristo.

Ecoando a promessa de Jesus de abençoar os discípulos que serão insultados por sua causa (Mt 5.11), Pedro os assegura que são "bem-aventurados" (cf. 3.14). Seus leitores serão abençoados, não por qualquer vantagem ou benefício pessoal que possam receber através do sofrimento, mas porque sobre os tais "repousa o Espírito da glória de Deus". Anteriormente, Pedro havia se referido ao Espírito como o Espírito de santificação (1.2), o Espírito de Cristo (1.11) e o Espírito Santo (1.12). Agora, chama-o de "Espírito da glória" porque o Espírito é o agente da glorificação (cf. Rm 1.4; Fp 3.3). Nos termos do Antigo Testamento, Ele também é o "Espírito de Deus", que repousa sobre os anciãos de Israel (Nm 11.25,26), sobre Eliseu (2 Rs 2,15) e sobre o futuro descendente de Davi (Is 11.1,2). Em contraste com o Antigo Testamento, no entanto, o Espírito de Deus repousa sobre todo o seu povo.

Os leitores de Pedro devem, inevitavelmente, participar dos sofrimentos de Cristo; mas se sofrerem, Pedro explica, "que nenhum... padeça como homicida, ou ladrão, ou malfeitor, ou como o que se entremete em negócios alheios". Embora Pedro tenha assegurado a seus leitores que serão abençoados se forem insultados em nome de Cristo, o sofrimento em si não é meritório e pode ser resultado de uma conduta incompatível com a conduta cristã.

Pedro já havia desafiado os escravos de sua audiência com uma pergunta: "Que glória será essa, se, pecando, sois esbofeteados e sofreis?" (2.20). Em seguida descreve quatro pecados sobre os quais advertira o povo de Deus: homicídio, roubo, malfeitoria ou comportamento criminoso, e intromissão. O significado da palavra "intromissão" ainda não foi determinado com precisão, porém nesse contexto pode significar "ocultar objetos roubados, espiar, ser informante ou aquele que se intromete em assuntos que não lhe dizem respeito" (BAGD, 40). Essa relação de delitos, em ordem decrescente de gravidade, simplesmente representa as transgressões que são o oposto de se fazer o bem (3.13,14) e que, portanto, constituem os fundamentos iníquos que trazem o sofrimento.

Os leitores de Pedro jamais devem sofrer como malfeitores e sim "como cristãos".

Aqui Pedro emprega um nome raro no Novo Testamento para o povo de Deus. Nas únicas ocorrências dessa palavra no Novo Testamento, Lucas relembra que a primeira vez que os discípulos foram chamados de cristãos foi em Antioquia (At 11.26) e Agripa disse que Paulo tentou transformá-lo em cristão (At 26-28). Os autores clássicos do primeiro e do segundo século, como Luciano, Tácito, Suetônio, "Pliny, the Younger" (*Plínio, o Moço*) e Trajano, empregaram essa palavra negativamente para descrever os seguidores de Cristo (BAGD, 886). Portanto, é evidente que o nome "Cristão" era usado por estranhos, muitas vezes com significado pejorativo e não como uma saudação.

É nesse sentido que Pedro aconselha seus leitores a sofrerem como cristãos. Nesse contexto, sofrer como cristão equivale a ser "insultado [vituperado] pelo nome de Cristo" (4.14). Se qualquer um de sua audiência vier a sofrer por ter sido identificado com Cristo, Pedro exorta-o a não se sentir "envergonhado". O nome cristão pode significar uma ofensa; mas ao invés de se sentir envergonhado, deve portar-se como Cristo que suportou a cruz e desprezou a afronta (Hb 12.2), e "glorifique a Deus nesta parte". Isto é, os cristãos devem louvar ou glorificar a Deus quando sofrem porque o Espírito da glória de Deus repousa sobre eles (4.14; cf. 1.8) e também porque a fé provada resultará em louvor, glória e honra quando Jesus Cristo for revelado (1.7).

Tendo exortado seus leitores a regozijarem-se no sofrimento como cristãos, Pedro lembra que "já é tempo que comece o julgamento pela casa de Deus". Deus deve julgar até sua própria família, se agirem mal (2.20; 4.15). Considerando que Deus julga as transgressões dos cristãos, Pedro faz uma pergunta retórica: "E, se primeiro começa por nós, qual será o fim daqueles que são desobedientes ao evangelho de Deus?" Os cristãos foram escolhidos para obedecer a Jesus Cristo (1.2). No entanto, apesar de terem sido julgados segundo os homens, na carne, vivem segundo Deus em espírito, embora venham a morrer fisicamente (4.6).

Porém aqueles que recusam obediência ao evangelho que lhes foi pregado (1.12) serão julgados com muito mais rigor do que no caso da punição de Deus sobre seu povo. Concluindo, não só morrerão fisicamente como permanecerão espiritualmente mortos.

Pedro usa uma citação de Provérbios para reforçar sua advertência sobre o julgamento divino: "Eis que o justo é punido na terra; quanto mais o ímpio e o pecador!" (cf. Pv 11.31). Essa pergunta retórica é bastante apropriada para os ensinamentos de Pedro, pois estabelece o contraste entre a salvação dos justos e a condenação dos pecadores.

Concluindo seus ensinamentos sobre o sofrimento, Pedro dirige-se aos que "padecem segundo a vontade de Deus". Uma vez que sofrer como cristão contraria a maior parte das expectativas das pessoas a respeito da bênção divina, pela segunda vez em sua carta Pedro explicitamente ensina que há ocasiões em que Deus considera necessário o sofrimento de seu povo (cf. 3.17). Aqueles que sofrem de acordo com a vontade de Deus devem encomendar-lhe "a sua alma, como ao fiel Criador, fazendo o bem". Isto é, deverão modelar sua resposta conforme o padrão de Cristo, que se entregou "àquele que julga justamente" (2.23). Enquanto Cristo entregava-se a Deus como seu juiz, os cristãos devem se entregar a Deus como seu criador, buscando nEle o cuidado e a proteção de que necessitam. Dessa forma, aqueles que fazem o bem (3.17) entregam-se àquele que, tanto na criação como na redenção, fielmente lhes fará o bem.

O ensinamento de Pedro sobre o sofrimento constitui uma das respostas bíblicas à pergunta: Por que os justos sofrem? Uma possível resposta é que há ocasiões em que Deus entende que seu povo deve sofrer (4.19), pelo menos por duas razões:
1) Porque o sofrimento não merecido é uma prova de fé (4.12) e
2) Porque o sofrimento não merecido identifica-os com o sofrimento salvador, e também não merecido, de seu Filho (4.13).

Além disso, Deus abençoa aqueles que participam dos sofrimentos de Cristo (4.14). No entanto, pelo fato das transgressões serem uma violação ao seu santo caráter, Ele julga aqueles que sofrem por fazerem o mal (4.15,17,18). Finalmente, uma vez que Deus deseja testar seu povo e identificá-lo com seu Filho através do sofrimento não merecido, o povo não deverá se surpreender se vier a sofrer (4.12); deverá alegrar-se (4.13), glorificar a Deus (4.16) e entregar-se a Ele com a confiança de que lhes fará o bem (4.19).

4. Viver como Pedro: A Supervisão Pastoral (5.1-11)

Dirigindo-se aos "estrangeiros" (1.2) que haviam sido dispersos entre povos infiéis, e freqüentemente hostis, Pedro inicia sua carta com um imperativo à vida santificada baseada no exemplo de Deus Pai (1.3—2.10). Pelo fato de muitos de seus leitores poderem sofrer injustamente e de modo abusivo nas mãos de cruéis agentes do governo, senhores ou maridos, na parte central e mais importante de sua carta Pedro manda que se submetam à autoridade e sofram, mesmo sem merecer, segundo o exemplo de Cristo (2.11-4.13). Nesta seção final da carta, Pedro dirige-se aos presbíteros, responsáveis pelo pastoreio do rebanho de Deus (5.1-4). Escrevendo como um presbítero mais experiente, Pedro é seu modelo de liderança sobre o povo de Deus (5.1-11). Termina os ensinamentos com uma série de obrigações aplicáveis não só aos presbíteros, mas também a todo o povo de Deus (5.5-11).

4.1. Apascentar o Rebanho de Deus (5.1-4)

Primeiramente, Pedro direciona seus ensinos aos deveres e motivações dos presbíteros (5.1-4). A ênfase do apóstolo é pessoal, porém os ensinamentos podem ser comparados às instruções de Paulo aos bispos e aos presbíteros (At 10.17; 20.17-35; 28.31; 1 Tm 3.1-7; 5.17-20; Tt 1.5-9) e aos diáconos (1 Tm 3.8-10).

À luz de suas instruções anteriores sobre santidade, submissão e sofrimento, e também à luz do fato de que "já é tempo que comece o julgamento pela casa de Deus" (4.17), Pedro apela agora aos presbíteros. A palavra traduzida como "presbítero" geralmente significa "homem idoso" ou "ancião" (1 Tm 5.1). Porém, tanto no costume judeu como no grego, tornou-se um termo técnico para designar oficiais civis e religiosos (Nm 11.25-30; Mt 16.21; 26.3– 27.41). Semelhantemente, a cristandade em geral também adotou esse termo, que foi introduzido nos idiomas inglês e português pela palavra "presbítero", um termo usado para algumas das posições de liderança da Igreja (At 14.23; 15.2; 20.17,28).

O apelo que Pedro faz aos presbíteros vem de alguém que também é um presbítero, isto é, faz esse apelo como sendo um deles, tendo também as mesmas responsabilidades. Embora esteja mais implícito do que explícito, como um companheiro presbítero, o apóstolo representa um modelo de liderança sobre o povo de Deus. Pedro entende que tem a obrigação e o direito de exortá-los por ser uma "testemunha das aflições de Cristo". Como testemunha do ministério, morte e ressurreição de Cristo, está qualificado para ser um apóstolo (At 1.21,22) e, como tal, exerce a autoridade apostólica (1.1). Finalmente, Pedro é um "participante da glória que se há de revelar". Esse apelo, baseado no padrão de sofrimento e glorificação do ministério de Cristo (1.11), identifica Pedro com o próprio sofrimento e futura glorificação dos presbíteros (cf. 1.7,8; 4.13).

Empregando uma linguagem pastoral, Pedro ordena aos presbíteros: "Apascentai o rebanho de Deus que está entre vós, tendo cuidado dele". Essa ilustração pastoral está fundamentada na descrição do Senhor como sendo o Pastor de seu povo (Sl 23.1) e também ecoa a afirmação de Jesus quando revelou-se como o bom pastor (Jo 10.11; veja 1 Pe 2.25; 5.4). Além disso, essa ordem reitera a ordem de Jesus a Pedro: "Apascenta os meus cordeiros" e "Apascenta as minhas ovelhas" (Jo 21.15-17), e é semelhante à incumbência que Paulo deu aos presbíteros em Éfeso de serem pastores da Igreja de Deus (At 20.28). Em outras palavras, com base no cuidado pastoral de Deus e de Jesus, os apóstolos e os presbíteros são subpastores que exercem o cuidado pastoral pelo povo de Deus.

Em seguida Pedro apresenta três determinações, cada uma com dimensões positivas e negativas, para orientar os líderes em seu ministério pastoral.
1) Os presbíteros devem ser pastores do povo de Deus "não por força, mas voluntariamente; nem por torpe ganância, mas de ânimo pronto", porque esta é a vontade de Deus. Em outras palavras, Deus deseja que os presbíteros sirvam ao povo, não por dever ou obrigação, mas voluntariamente.
2) Os presbíteros não devem ser ávidos por dinheiro, mas devem servir com boa vontade e disposição. A palavra traduzida como "torpe ganância" seria melhor traduzida como "por apego ao lucro desonesto" (BAGD, 25; veja 1 Tm 3.8; Tt 1.7). Ao invés de exercer seu ofício por vantagens econômicas, os presbíteros devem servir "voluntária, pronta e livremente". (BAGD, 706).
3) Os presbíteros *não* devem servir ao povo de Deus "como tendo domínio sobre a herança de Deus", mas como "exemplo ao rebanho". Nesse ponto, Pedro ecoa os ensinamentos de Jesus quando observou: "Sabeis que os que julgam ser príncipes das gentes delas se assenhoreiam, e os seus grandes usam de autoridade sobre elas" (Mc 10.42). Em contraste com esse modelo de liderança sobre os gentios, os discípulos devem tornar-se servos e seguir o exemplo cristológico: "Porque o Filho do Homem também não veio para ser servido, mas para servir e dar a sua vida em resgate de muitos" (10.45). Da mesma forma, assim como Cristo é um exemplo de serviço para seus discípulos, também os presbíteros deverão ser "exemplos" (literalmente, "tipos") para o rebanho. Isto é, os presbíteros estarão mais próximos de imitar o exemplo de Cristo, não quando exercem domínio sobre seu povo, mas quando se tornam líderes pelo próprio exemplo que dão ao povo.

Embora os presbíteros devam renunciar à torpe ganância e à autoridade no pastoreio do rebanho de Deus (5.2c,3), Pedro lembra que terão seu dia de recompensa "quando aparecer o Sumo Pastor". Pedro é o único escritor do Novo Testamento a dar a Jesus o título de "Sumo Pastor" (veja 2.25). Esse título é bastante apropriado porque anteriormente Jesus havia aplicado a imagem do pastor ao seu próprio ministério (Jo 10.11-18).

Em 1.20, Pedro havia observado que Jesus apareceu nos últimos tempos aos crentes e que estes podiam aguardar confiantemente "uma herança incorruptível, incontaminável e que se não pode murchar" (1.4); agora escreve que quando o Sumo Pastor aparecer no final dos tempos, alcançarão "a incorruptível coroa de glória". Essa coroa é semelhante à grinalda concedida ao vencedor nas provas de atletismo (1 Co 9.25). Embora Cristo tivesse recebido uma coroa de espinhos como a recompensa humana pelo seu ministério (Mc 15.17), os presbíteros receberão a coroa imperecível da glória como recompensa divina por seu ministério pastoral, se imitarem o padrão dos ensinamentos de Pedro (5.2,3).

As instruções de Pedro aos presbíteros contêm diversas lições que são aplicáveis a todo cristão que praticar qualquer forma de liderança pastoral sobre o povo de Deus.

1) Segundo a perspectiva de Pedro, pode-se entender que as atitudes ministeriais de cada um são mais importantes que o próprio ministério. Isto é, embora seja imperativo que os líderes cristãos cuidem do rebanho, não devem estar motivados por um senso de obrigação; antes, deverão servir voluntária e prontamente.
2) Embora os líderes cristãos devam ser mantidos por aqueles a quem ministram (Mt 10.9,10; 1 Co 9.1-18; 1 Tm 5.17,18), não devem se valer de seu ofício para obter ganhos financeiros, porém servir zelosa e livremente.
3) No exercício da supervisão espiritual do povo de Deus, os líderes cristãos não devem ser autoritários; antes, devem liderar por meio de seu exemplo.
4) Líderes cristãos devem servir com uma futura expectativa celestial.

Embora os líderes possam vir a receber alguma recompensa nessa vida, caso pratiquem essas atitudes receberão uma incorruptível coroa de glória na vida futura. Em outras palavras, todos os líderes cristãos devem adotar as atitudes de Cristo e dos apóstolos em seu ministério.

4.2. Uma Série de Obrigações Práticas (5.5-11)

Pedro conclui sua carta com uma série de obrigações práticas. Primeiramente dirige-se aos jovens (5.5a) e, em seguida, a todos (5.5b,10). Finaliza com uma doxologia endereçada ao Deus de toda a graça (5.11). Em sua maior parte, essas obrigações são muito parecidas com os ensinamentos contidos nas cartas de Paulo e Tiago. Tendo ordenado aos presbíteros que cuidassem do rebanho de Deus, ordena agora aos jovens que igualmente obedeçam àqueles que são mais velhos. Isto é, pelo fato dos presbíteros serem responsáveis pelo pastoreio dos jovens, estes têm uma obrigação recíproca de obedecer aos seus presbíteros. Nesse contexto, provavelmente Pedro esteja empregando a palavra "presbíteros" com um significado duplo, ao se referir não só aos líderes da Igreja, mas também aos mais velhos em geral. Essa obrigação de obedecer aos anciãos associa os jovens aos cristãos, sejam eles cidadãos, escravos ou esposas, que foram igualmente exortados a obedecer àqueles que exercem uma autoridade legítima sobre eles (2.13-3.7).

Ao terminar de descrever os deveres dos jovens para com os anciãos, Pedro ordena que se revistam de humildade no trato mútuo. Esse imperativo repete sua exortação anterior que visava que todo o povo de Deus se tornasse humilde (3.8). Paulo também havia empregado a mesma palavra grega para humildade quando exortou os Filipenses: "Nada façais por contenda ou por vanglória, mas por humildade; cada um considere os outros superiores a si mesmo" (Fp 2.3). O povo de Deus deve revestir-se de humildade ao adotar uma atitude apropriada, tanto em relação a si mesmos como à comunidade cristã.

Pedro reforça seu imperativo lembrando que, segundo as Escrituras, "Deus resiste aos soberbos, mas dá graça os humildes" (1 Pe 5.5; cf. Pv 3.34; Tg 4.6). À luz desse princípio, Pedro manda que os leitores se humilhem "debaixo da potente mão de Deus". Assim como outros escritores do Novo Testamento, Pedro observa que existe um propósito divino na humildade — "para que, a seu tempo, vos exalte". Em outras palavras, assim como o sofrimento é o prelúdio da glorificação (1.11), a humildade é o prelúdio da exaltação. Esse padrão de humilhação-exaltação está baseado no exemplo de Cristo, que se humilhou e foi em seguida extremamente exaltado por Deus (cf. Fp 2.8,9). Tiago também aplicou esse padrão cristológico a seus leitores exigindo: "Humilhai-vos perante o Senhor, e ele vos exaltará" (Tg 4.10). Esse tipo de humilhação tem duas dimensões: por um lado, o povo de Deus deve humilhar-se no presente e, por outro, Deus exaltará seu povo no tempo apropriado.

Dirigindo-se àqueles que estão sendo testados por diferentes provações (1.6; 4.12), tais como o sofrimento pelo bom comportamento (2.20; 3.13-17), e por serem cristãos (4.14-16), Pedro insta que "lancem sobre ele toda a... ansiedade". Jesus ensinou seus discípulos a adotarem uma atitude livre de ansiedade, usando o termo "estar inquieto/preocupado" por seis vezes em apenas dez versos (Mt 6.25-34). Semelhantemente, Paulo também ordenou aos cristãos de Filipos que não estivessem "inquietos por coisa alguma" (Fp 4.6). Todos esses ensinamentos refletem a perspectiva do salmista quando escreve: "Lança o teu cuidado sobre o Senhor, e ele te susterá" (Sl 55.22). Portanto, embora as circunstâncias possam provocar a ansiedade, os leitores de Pedro devem recolher toda essa ansiedade e lançá-la sobre Deus, da mesma forma que os discípulos lançaram [o termo empregado aqui é literalmente lançar] as suas vestes sobre o jumentinho no qual Jesus montaria (Lc 19.35).

Pedro assegura àqueles que estavam dominados pela ansiedade, que deveriam lançar todos seus cuidados e preocupações sobre Deus, "porque ele tem cuidado de vós". Assim, lembra que apesar das aparências contrárias, Deus verdadeiramente se preocupa com eles em sua condição atual. Esse é um grande apoio e um seguro conforto para o povo de Deus em tempos de provações, dificuldades e sofrimentos.

Pela terceira vez em sua carta Pedro escreve sobre o autocontrole, ordenando de modo conciso: "Sede sóbrios" (5.8; observe 1.13; 4.7). Complementando esse imperativo, Pedro pede aos leitores que "vigiem". Por três vezes Jesus havia ordenado a seus discípulos que vigiassem (Mt 24.42; 25.13; 26.41). Agora, em um contexto diferente, Pedro transmite essa mesma ordem.

A sobriedade e a vigilância são necessárias porque "o Diabo, vosso adversário, anda em derredor, bramando como leão". Por definição, "o Diabo" é o "caluniador" (BAGD, 182). Ele é também o "oponente em uma ação legal... pois aparece no tribunal como acusador" (cf. Rm 8.33) ou é, de modo geral, o "inimigo e oponente" (BAGD, 74). Portanto, Pedro previne os cristãos de que alguém os acusa com calúnias e identifica o inimigo de sua alma. Enfatizando a ferocidade de tal inimigo, Pedro escreve que ele anda em derredor, bramando como leão, "buscando a quem possa tragar". Embora, como animal predador, deseje devorar ou engolir os filhos de Deus, não poderá alcançá-los, pois estão protegidos pelo poder de Deus (1.5). Pelo fato de Deus se preocupar com o seu povo (5.7), extraiu, por assim dizer, as presas e aparou as garras do inimigo.

Tendo prevenido os cristãos sobre o inimigo, Pedro agora ordena que resistam a ele. Essa palavra tem o significado de "colocar-se contra, fazer oposição, resistir, impugnar" (BAGD, 67). A uma ordem semelhante, Tiago acrescenta: "Resisti ao Diabo, e ele fugirá de vós" (Tg 4.7b). Entretanto, Pedro descreve *como* é possível resistir — "firmes na fé". Devem permanecer firmes na fé "sabendo que as mesmas aflições se cumprem entre os... irmãos no mundo". Em outras palavras, os leitores de Pedro devem entender que suas várias provações não são exclusivas; antes, são comuns em toda a irmandade dos cristãos. Isto acontece porque são peregrinos e forasteiros em um mundo hostil e pecador.

Embora Pedro saiba que o sofrimento está de acordo com a vontade de Deus (3.17; 4.19), parece dizer que alguns desses sofrimentos que provam seu povo são intermediados por Satanás (cf. Jó 1,2). Portanto, deverão resistir ao Diabo à medida que se mantiverem firmes na fé, não sucumbindo à força de sua perseguição.

O tema único e predominante dessa carta é o sofrimento. Pedro ensinou que no presente aqueles que estiverem sofrendo devem encomendar-se a Deus (4.19). Tendo anteriormente recomendado aos leitores que sua provação duraria pouco (1.6), termina seu ensino com uma frase encorajadora: "E o Deus de toda a graça, que em Cristo Jesus vos chamou à sua eterna glória, depois de haverdes padecido um pouco, ele mesmo vos aperfeiçoará, confirmará, fortificará e fortalecerá". Nesse ponto, Pedro mostra o contraste entre o sofrimento que dura pouco e a glória que é eterna.

Ecoando em parte as palavras de sua saudação (1.1,2), Pedro lembra aos leitores que foram chamados por causa da graça abrangente de Deus e através de Cristo pelo seu sacrifício redentor (1.18,19; 2.24; 3.18). Além disso, se o sofrimento for uma forma de testar e, ao mesmo tempo, o prelúdio da glorificação, então é também o primeiro estágio pelo qual Deus aperfeiçoará ou "colocará na devida condição" (BAGD, 417) aquele processo de salvação que foi iniciado com a morte de Cristo e tornado apropriado pela fé. Finalmente, empregando três palavras com sentido superposto, Deus também agirá a favor daqueles que sofrem, tornando-os fortes, firmes e capazes de resistir. Aqui Pedro faz uma comparação entre a ordem precedente de resistir (5.8,9) e a garantia enfaticamente surpreendente da preservação divina.

Tendo garantido que Deus aperfeiçoa, confirma, fortalece e estabelece o seu povo, Pedro conclui com uma doxologia: "A ele seja a glória e o poderio, para todo o sempre. Amém". Como as outras doxologias, essa também confere poder eterno, governo e soberania a Deus (cf. 1 Tm 6.16; 1 Pe 4.11; Jd 25; Ap 1.6; 5.13).

Nesse último parágrafo de sua carta, Pedro volta a enfocar alguns aspectos da dimensão humana e divina da salvação. Será imperativo que o povo de Deus se humilhe, lance todas suas ansiedades sobre Ele, exerça o autocontrole, seja vigilante e resista ao Diabo. Em troca, Deus se obriga a exaltar aqueles que se humilharem, a cuidar de seu povo e a aperfeiçoar, confirmar, fortalecer e fortificá-lo.

5. Comentários e Saudações Finais (5.12-14)

Em vista do nível relativamente baixo da aptidão literária, assim como da dificuldade de obter materiais escritos, as cartas da época do Novo Testamento eram geralmente

O ANTIGO TESTAMENTO NO NOVO TESTAMENTO

NT	AT	ASSUNTO
1 Pedro 1.16	Levítico 11.44,45	O mandamento da santidade
1 Pedro 1.24,25	Isaías 40.6-8	A eternidade da Palavra
1 Pedro 2.6	Isaías 28.16	A confiança na pedra fundamental
1 Pedro 2.7	Salmos 118.22,23	A rejeição da pedra fundamental
1 Pedro 2.8	Isaías 8.14	A pedra de tropeço
1 Pedro 2.9	Isaías 43.21	Declarando louvor a Deus
1 Pedro 2.10	Oséias 1.6,9	Não é o povo de Deus
1 Pedro 2.10	Oséias 2.23	Agora é o povo de Deus
1 Pedro 2.22	Isaías 53.9	O Servo sem pecado
1 Pedro 2.24	Isaías 53.4	Ele levou as enfermidades
1 Pedro 2.25	Isaías 53.6	Como ovelhas desgarradas
1 Pedro 3.10-12	Salmo 34.12-16	O abandono do pecado
1 Pedro 3.14,15	Isaías 8.12,13	Não temer
1 Pedro 4.8	Provérbios 10.12	O amor cobre o pecado
1 Pedro 4.18	Provérbios 11.31	Recebendo a devida recompensa
1 Pedro 5.5	Provérbios 3.34	Graça aos humildes

ditadas a um escriba profissional e assinadas pelo remetente. Muitas vezes, essas cartas dão provas de terem sido escritas dessa maneira. Por exemplo, Tércio foi o escriba de Paulo quando escreveu sua carta aos cristãos em Roma (Rm 16.22). Mesmo quando o nome do escriba não é mencionado, Paulo geralmente indicava o ponto em que havia assinado pessoalmente (1 Co 16.21; Gl 6.11, Cl 4.18; 2 Ts 3.17). Semelhantemente, Pedro também usou um escriba para escrever sua carta aos cristãos das províncias romanas da Ásia Menor.

"Escrevi abreviadamente", informa seus leitores "por Silvano" (ou "com a ajuda de Silvano"). O escriba de Pedro pode, sem dúvida, ser identificado com o profeta Silas (At 15.32), que não só levou a decisão do Concílio de Jerusalém a Antioquia (At 15.22-32) como também acompanhou Paulo em sua segunda viagem missionária (At 15.40-18.5). Em relação às duas formas de seu nome, ou tinha um nome latino e semítico como Paulo, "ou Silvano [*Silvanus*] é a forma latina do mesmo nome que corresponde ao grego *Silas*" (BAGD, 750). Com as palavras "vosso fiel irmão, como cuido", Pedro recomenda Silas aos seus leitores. O uso de Silas, antigo companheiro de Paulo, como escriba responde por muitas das semelhanças entre as cartas desses dois apóstolos.

Pedro escreveu essa breve carta com o propósito de exortar e testificar "que esta é a verdadeira graça de Deus", na qual estavam firmes. Em outras palavras, escreveu para encorajar ou exortar seus leitores a adotarem uma conduta cristã, e também para informar ou testemunhar a respeito da natureza de sua salvação. Para o apóstolo, havia apenas uma única resposta adequada à graça salvadora de Deus e era imperativo que permanecessem firmes.

Pedro acrescenta: "A vossa co-eleita em Babilônia vos saúda". Como em grego a palavra igreja é do gênero feminino, o artigo feminino que foi traduzido como "a" provavelmente se refira à Igreja e não a qualquer pessoa. Provavelmente o termo Babilônia seja uma referência secreta a Roma (cf. Ap 16.19-18.24). Essa igreja estava unida à audiência de Pedro por escolha divina, tendo sido "co-eleita" (veja 1.1). Não só a igreja de Roma envia saudações, como também "meu filho Marcos". Marcos pode ser identificado como o primo de Barnabé, João Marcos (At 13.13; 15.36-38), que estava com Paulo quando este foi preso em Roma (Cl 4.10; Fm 24). A tradição da Igreja Católica considera que Pedro e Marcos estiveram juntos em Roma (Eusébio, *EH*, 6.14.6-7). Marcos é filho de Pedro (segundo a fé), da mesma forma que Timóteo é o "verdadeiro filho na fé" de Paulo (1 Tm 1.2). Assim, pouco antes de seu martírio nas mãos do imperador Nero (aproximadamente no ano 64-65 d.C.) Pedro escreveu, de Roma, essa carta aos cristãos que estavam na Ásia Menor.

Ao concluir, Pedro ordena: "Saudai-vos uns aos outros com ósculo de caridade". Essa saudação é idêntica ao ósculo santo das cartas de Paulo (cf. Rm 16.16; 1 Co 16.20; 2 Co 13.12; 1 Ts 5.26). Finalmente, repetindo sua saudação inicial (1 Pe 1.2) Pedro invoca uma bênção sobre seus leitores: "Paz seja com todos vós que estais em Cristo Jesus. Amém".

INTRODUÇÃO A II PEDRO

No início da história da Igreja, a segunda carta de Pedro foi classificada como sendo um "livro duvidoso" (Eusébio, *Ecclesiastical History*, 3.1.1). Embora ao final tivesse sido aceita como uma obra canônica, continuou a gerar consideráveis controvérsias. Por exemplo, a autoria de Pedro foi questionada e identificada por muitos estudiosos como sendo um pseudônimo e o livro considerado um documento falsamente epigrafado. Discutiu-se, ainda, se esse livro foi uma obra do primeiro ou do segundo século. Por um lado, também existem dúvidas quanto à relação entre 1 e 2 Pedro e, por outro, entre 2 Pedro e Judas. Para uma carta tão breve, as questões introdutórias de 2 Pedro são quase tão complexas quanto o estudo dos Evangelhos. Portanto, essa carta ainda constitui um desafio ao consenso dos estudiosos.

1. Autoria

Se existe algo que se aproxime de um consenso a respeito de 2 Pedro, é a opinião de que Pedro não é o autor da carta que leva seu nome, isto é, ela pertence à categoria das falsas epígrafes e (talvez) o verdadeiro autor tenha sido um companheiro ou discípulo de Pedro, escrevendo em seu nome — escrevendo, portanto, sob sua autoridade. Essa opinião se baseia em uma série de observações, tais como:
1) Diferenças alegadas de estilo entre 1 e 2 Pedro,
2) Diferenças quanto à matéria do estudo,
3) Dependência literária de Judas,
4) Emprego da linguagem dos mistérios religiosos e do gnosticismo e,
5) O ambiente social nos primórdios do catolicismo durante o segundo século.

Porém, a importância desses argumentos foi extremamente exagerada por seus proponentes. Com base nos dados disponíveis, não existe nada de constrangedor na teoria do pseudônimo do autor e nada que possa impedir a autoria de Pedro.
1) Embora o uso de um amanuense diferente para cada carta seja muitas vezes arbitrariamente rejeitado como explicação para as diferenças de estilo entre 1 e 2 Pedro, esta explicação é suficiente ao considerarmos as diferenças de estilo que existem entre muitas das cartas de Paulo.
2) Quanto à matéria do assunto, as ocasiões de 1 e 2 Pedro eram diferentes; entretanto, os ensinamentos de Pedro sobre a santidade, que aparecem em sua segunda carta (1.3-11), são substancialmente semelhantes aos ensinos sobre esse mesmo assunto encontrados em sua primeira carta (1 Pe 1.3-2:10).
3) Caso a dependência literária de Judas seja convincentemente provada, isso não nega a autoria de Pedro, assim como a dependência que Mateus e Lucas tiveram da colaboração de Marcos não nega a autoria dos Evangelhos que trazem os seus nomes.
4) A linguagem do mistério religioso e, mais ainda, do gnosticismo, não é nem recente nem tardia (isto é, do segundo século); ela estava presente no mundo do Novo Testamento. Na verdade, a teologia desses movimentos religiosos é que é recente. E quando parece que Pedro está empregando a linguagem encontrada nesses movimentos, está apenas usando a linguagem dos falsos mestres dirigida contra eles próprios.
5) Ao contrário do que muitas vezes se afirma, 2 Pedro não apresenta as características específicas do início do catolicismo, isto é, uma crescente institucionalização da Igreja, a cristalização da "fé" em formas estabelecidas e o gradual desaparecimento da expectativa de uma iminente Parousia.

Existe um aspecto decisivo *a favor* da autoria de Pedro: o argumento central é uma advertência contra os falsos mestres, através de uma implícita polêmica contra eles. Embora raramente reconhecido, esse aspecto é definitivamente fatal contra a teoria do pseudônimo do autor, especialmente no que diz respeito à opinião que apóia a tese de uma data posterior à morte de Pedro. Sua carta claramente implica um contato entre os falsos mestres e a audiência de Pedro. Isto é, a ameaça é real e não teórica. Mas ninguém na audiência de Pedro teria a triste oportunidade de ouvir os ensinos dos falsos mestres somente através dos comentários contidos nessa carta, em seu todo ou em parte, caso ela estivesse sob um pseudônimo. Os falsos mestres simplesmente a repudiariam, dizendo: "Todos nós sabemos que Pedro morreu em Roma, sob o reinado de Nero. Portanto, essa carta não foi escrita por Pedro e não tem sua autoridade. Com essa carta, não há base para rejeitar-nos ou a nossos ensinos".

Não há dúvida que os cristãos dos anos 80 d.C., ou mesmo mais tarde, admitiriam que a carta recém conhecida não poderia ter sido escrita por Pedro e seria, portanto, despida de qualquer autoridade apostólica. À luz dessa situação — a presença e a ameaça de falsos mestres — a teoria de que o autor da carta havia usado um pseudônimo é, em si mesma, contestável e refutável.

Assim sendo, a introdução que se segue prosseguirá na suposição de que seu autor é realmente Pedro. Para um resumo a respeito de Pedro, veja a seção "Autoria" na introdução do comentário sobre 1 Pedro.

2. Data e Local dos Escritos

Uma série de fatores ajuda a estabelecer, aproximadamente, a data e o local onde a segunda Epístola de Pedro foi escrita. Aceitando a suposição da autoria de Pedro, ela foi obviamente escrita antes de seu martírio sob Nero (cerca de 64 d.C.). Além disso, Pedro tinha conhecimento das cartas que Paulo havia escrito às igrejas e também estava se dirigindo às mesmas igrejas (3.15,16) localizadas em cidades como Éfeso, Colossos e Laodicéia (Cl 2.1; 4.16). Portanto, Pedro escreveu essa segunda carta depois da libertação de Paulo da prisão romana (ano 62 d.C.) e enviou-a à mesma audiência (3.1) de sua primeira carta, escrita no início dos anos 60 d.C. Ao escrevê-la, Pedro estava na expectativa de sua morte iminente (1.14). Isso prova que foi escrita em Roma, pouco antes de seu martírio no ano 64 d.C.

3. Destinatários

Pedro dirige essa carta "aos que conosco alcançaram fé igualmente preciosa pela justiça do nosso Deus e Salvador Jesus Cristo" (1.1b). Se não houvesse qualquer outra informação a respeito de seu destino, poderíamos imaginar ter sido dirigida a todos os crentes. Porém, ao seu final, o autor identifica a carta como sendo a segunda que havia enviado à sua audiência (3.1). Isso significa o seguinte:

1) Estava escrevendo às cinco províncias localizadas a noroeste da Ásia Menor (1 Pe 1.1);
2) Estava escrevendo a uma audiência mista, onde havia judeus e gentios convertidos ao cristianismo; e
3) Embora esses povos não tivessem visto o Senhor (1 Pe 1.8), receberam ensinamentos sobre os Evangelhos através de pregações de apóstolos inspirados pelo Espírito Santo (1 Pe 1.12; 2 Pe 3.2), que certamente incluíam Paulo e Barnabé (At 16,6,7; 19.1-10; Rm 15.19) e também os irmãos do Senhor, o próprio Pedro e os demais (1 Co 9.5).

Os destinatários de Pedro formavam uma audiência heterogênea que incluía escravos, esposas com maridos pagãos, jovens e anciãos (1 Pe 2.13; 3.1; 5.5), e falsos mestres (2 Pe 2.1). A latente licenciosidade pagã denunciada em 1 Pedro (1.14; 2.11; 4.3,4) havia se tornado a plataforma dos falsos mestres (2 Pe 2.1-22).

4. Ocasião e Propósito

Pedro escreve essa carta porque sua morte está se aproximando (1.14). Antes de sua ascensão, Jesus o havia prevenido sobre o martírio (1.14b; cf. Jo 21.19). Pedro considera a morte como (literalmente) "deixar um tabernáculo" (2 Pe 1.13,14a) e, na linguagem da experiência da transfiguração de Jesus, uma "partida" (1.15; em grego *exodus*; cf. a mesma palavra usada em Lucas 9.31).

Pedro também escreve essa carta porque, assim como falsos profetas apareceram entre os israelitas, falsos mestres haviam se introduzido em sua audiência. Eles estavam ameaçando levar a Igreja a negar "o Senhor que os resgatou" (2.1). Essa negação representa a negação moral daqueles que "têm prazer nos deleites cotidianos" (2.13); e foi com o propósito de voltar à licenciosidade pagã que a colocaram no tempo passado (cf. 1 Pe 4.3). Essa negação de Cristo é apoiada e incentivada pela segunda negação, aquela que se refere à segunda vinda de Cristo, isto é, a Parousia de Cristo (2 Pe 3.4,5), e pela conseqüente negação do julgamento divino.

A partir do contexto dessa carta de Pedro, fica aparente que os falsos mestres a respeito dos quais está escrevendo são *falsos profetas*. Seu "testamento" é o de uma testemunha ocular da Transfiguração e da tradição dos profetas (1.16-21). Compara ainda os falsos mestres, que se encontram no meio da audiência, aos falsos profetas que apareceram no meio dos israelitas (2.1). Além disso, o ensino é uma das funções mais importantes do profeta cristão. Jesus é o exemplo do papel do profeta como mestre. Lucas relata que, após ter recebido o Espírito Santo por ocasião de seu batismo nas águas (Lc 3.21,22) e antes de se identificar como o profeta ungido pelo Espírito Santo (4.16-30), Jesus iniciou seus ensinamentos (4.15). Da mesma forma, no dia de Pentecostes, os discípulos tornaram-se profetas batizados com o Espírito Santo, capacitados pelo Espírito Santo e cheios do Espírito Santo (At 1.5,8; 2.4,16-21).

Assim, Pedro, que desde o Pentecostes havia se tornado um profeta, agora escreve essa carta como um verdadeiro profeta, atacando os falsos profetas ou falsos ensinadores que haviam se infiltrado em sua audiência. Essa confrontação não representa um evento isolado no mundo do Novo Testamento. Por exemplo, cerca de vinte anos antes, Paulo, um verdadeiro profeta cheio do Espírito Santo (At 13.1-9), enfrentou e amaldiçoou um falso profeta judeu chamado Barjesus (13.4-12).

Pedro enfrenta essa situação composta por duas grandes dificuldades — sua morte iminente e a crise dos falsos profetas — deixando instruções (1.3-11), um lembrete ou testamento (1.12-21), uma exposição e denúncia sobre os falsos mestres (2.1-3.7) e uma exortação (3.14-18). Esse aspecto de ser um "testamento" constitui a única e exclusiva característica da carta (subgênero) que pode ser comparada aos dois "testamentos" de Paulo (At 20.18-35; e a Segunda Epístola a Timóteo). Todos esses três testamentos pertencem à antiga tradição desde o período intertestamentário (por exemplo, os testamentos dos doze patriarcas) estendendo-se até Josué (Js 23-24) e Moisés (Dt 31).

ESBOÇO DE II PEDRO

1. **Lembrai-vos de vossa Chamada** (1.1-15)
   1.1. Saudação (1.1,2)
   1.2. Lembrando a Provisão Divina (1.3,4)
   1.3. Lembrete sobre a Responsabilidade Humana (1.5-11)
   1.4. Admoestação Pessoal de Pedro (1.12-15)
2. **Lembrai-vos dos Conselhos** (1.16–2.22)
   2.1. Pedro Lembra sua Experiência Passada (1.16-18)
   2.2. Lembrete sobre a Autenticidade Profética (1.19-21)
   2.3. Lembrete da Advertência sobre os Falsos Ensinadores (2.1-3a)
   2.3.1. Advertência contra as Heresias de Perdição (2.1)
   2.3.2. Resultado e Metodologia (2.2,3a)
   2.4. A Lembrança da Advertência sobre o Inevitável Julgamento (2.3b-9)
   2.4.1. A Advertência sobre o Precedente Histórico (2.3b-6)
   2.4.1.1. O Julgamento Celestial (2.3b-4)
   2.4.1.2. O Julgamento Terreno (2.5)
   2.4.1.3. O Julgamento Civil (2.6)
   2.4.2. O Livramento dos Justos (2.7-9)
   2.5. Advertência contra o Caráter Ímpio (2.10-22)
   2.5.1. A Falência Moral (2.10)
   2.5.2. O Contraste com os Anjos (2.11)
   2.5.3. As Ações daqueles que Ignoram a Verdadeira Sabedoria (2.12-19)
   2.5.4. Advertência contra Desviar-se da Verdade (2.20-22)
3. **Lembrar-se da Esperança Futura** (3.1-18)
   3.1. Propósito da Carta (3.1-2)
   3.2. A Admoestação sobre a Esperança Futura (3.3-10)
   3.2.1. A Lembrança de que os Escárnios São Inevitáveis (3.3,4)
   3.2.2. Recordando a Fidelidade de Deus no Passado (3.5,6)
   3.2.3. Recordando a Fidelidade de Deus no Futuro (3.7-10)

3.3. Admoestação sobre a Conduta Cristã (3.11-14)
3.3.1. Conduta em Vista da Volta do Senhor (3.11,12)
3.3.2. Lembrete sobre a Promessa do Senhor (3.13)
3.3.3. Admoestação a Ser Diligente, Imaculado e Irrepreensível (3.14)
3.4. Lembrete sobre a Harmonia Apostólica (3.15,16)
3.4.1. Lembrete sobre as Cartas de Paulo (3.15)
3.4.2. A Natureza das Cartas de Paulo (3.16)
3.5. A Admoestação a Estar Alerta (3.17,18a)
3.6. Doxologia (3.18b)

COMENTÁRIO SOBRE A SEGUNDA EPÍSTOLA DE PEDRO

1. Lembrai-vos de vossa Chamada (1.1-15)

1.1. Saudação (1.1-2)

Essa carta começa com a fórmula padrão das cartas do primeiro século: autor, destinatário e bênção (cf. At 15.23; 1 Pe 1.1). O nome completo do apóstolo ("Simão Pedro"), tal como foi usado aqui, também é encontrado em Mateus 16.16 e Lucas 5.8. Alguns comentaristas argumentam que os dois nomes são usados porque Pedro está se dirigindo a uma audiência de judeus e gentios. Outros, ao contrário, afirmam erroneamente que tal uso tinha o propósito de dar autenticidade a um autor anônimo que usava a autoridade de Pedro.

Esse duplo nome de Pedro é bastante significativo. "Servo" acompanha, sem dúvida, a ordem de Pedro de viverem "como livres... mas como servos de Deus" (1 Pe 2.16b). Embora em sua carta anterior Pedro tivesse usado apenas o título de apóstolo, o acréscimo da palavra "servo" estabelece um nítido contraste com os falsos mestres, a quem ele intitulou de "servos da corrupção" (2 Pe 2.19). A palavra "apóstolo" carrega o peso da autoridade em questões doutrinárias e éticas. Posteriormente nessa carta, Pedro se referirá ao "mandamento do Senhor e Salvador, mediante os vossos apóstolos" (3.2). Considerando que essa segunda carta trata de questões sobre imoralidade e licenciosidade, Pedro se apóia em sua autoridade apostólica ao proferir essa acusação formal. Além disso, existe um senso de profunda humildade associado a essa grande autoridade, onde os dois termos se encontram intimamente unidos. Dessa forma, Pedro torna-se o reflexo do Senhor Jesus.

Provavelmente os destinatários sejam os mesmos de 1 Pedro (cf. 2 Pe 3.1), isto é, os "estrangeiros dispersos no Ponto, Galácia, Capadócia, Ásia e Bitínia" (1 Pe 1.1). Assim, a audiência de Pedro era formada pelos habitantes da parte central e noroeste da Ásia Menor (atualmente Turquia). Isso também ajuda a explicar como Pedro e sua audiência tinham conhecimento dos escritos de Paulo (2 Pe 3.15), como a carta aos Gálatas, por exemplo.

A frase seguinte, "aos que conosco alcançaram fé igualmente preciosa" (1.1), significa que essa preciosa fé é a mesma para todas as pessoas. Pedro assegura à sua audiência que sua fé é igual à do próprio apóstolo. Mostra essa verdade em 1 Pedro 1.8, dizendo: "... ao qual, não o havendo visto, amais". Essa igualdade vem diretamente "da justiça de Deus". Essa frase traz a conotação de um tema e não significa, necessariamente, que "justiça" esteja aqui se referindo ao aspecto soteriológico da conversão, porém, segundo o emprego dessa mesma palavra no decorrer da segunda carta de Pedro, tem o significado de retidão ética (1.1,2; 2.5,7,8,21; 3.13). Na verdade, a idéia aqui acompanha o que Pedro acabou de asseverar a respeito da mesma fé preciosa, que a prática da retidão ética é imparcial.

No verso 2, a saudação de Pedro é semelhante à saudação típica encontrada em todas as cartas do Novo Testamento. Ela contém as duas saudações: a grega (*charis*, ou "graça") e a hebraica (*shalom*, ou "paz"). O que torna essa saudação especial e única é que em nenhuma outra ocasião no Novo Testamento o tema do "conhecimento" seja usado ao transmitir a saudação. Pela natureza polêmica da carta, esse tema foi obviamente acrescentado contra aqueles que não tinham o verdadeiro conhecimento. Em outras palavras, Pedro já havia estabelecido um dos temas principais: o conhecimento experimental de Deus e de Cristo.

1.2. Lembrando a Provisão Divina (1.3,4)

Em 1.3, Pedro dá a chave para uma vida de santidade, sobre a qual havia escrito em 1 Pedro 3.2-10. Observe o equilíbrio entre o agente divino e o agente humano: (1) "O seu divino poder" e "sua glória e virtude" e (2) "Pelo conhecimento daquele que nos chamou". Assim como em 1.2, e também através do restante da carta, *o conhecimento* é o termo-chave para Pedro. É uma palavra *relacional*, que se refere àqueles que têm um conhecimento íntimo e um relacionamento com Deus. Não se trata de um simples fato, mas de uma realidade experimentada. O poder de Deus, sua glória e bondade, e nosso conhecimento dele, têm nos dado tudo que necessitamos para uma vida santificada. A preocupação de Pedro aqui tem dois aspectos: o soteriológico (cf. 1 Pe 1.5) e o ético, e ambos estabelecerão o tom do restante da carta. Aqueles que, no capítulo 2, professavam ser cristãos, desaprovavam-na por sua *ética*; no entanto, a santidade não pode estar divorciada da vida cristã.

A chamada de Deus vem para todos. Pedro revela o tema dessa chamada — isto é, para "glória e virtude" de Deus. Portanto, nosso conhecimento experimental de Deus, que recebemos através de "seu divino poder", nos forneceu tudo que necessitamos, soteriológica e eticamente falando. Pedro considera a chamada de Deus em termos de seu plano divino: "O Deus de toda a graça, que em Cristo Jesus vos chamou à sua eterna glória" (1 Pe 5.10b).

A palavra "elas" em 1.4 refere-se diretamente ao verso precedente, isto é, à glória e à virtude de Deus. Entretanto, a referência aqui não é à vida de santidade, mas às promessas. Isso irá, posteriormente, contrastar com a promessa sedutora de 2.19, onde a promessa de liberdade é ao mesmo tempo grande e preciosa. Pedro usou esses dois adjetivos em sua primeira carta quando descreveu uma fé "muito mais preciosa do que o ouro" (1 Pe 1.7) e mencionou o "precioso sangue de Cristo" (1.19).

Essas preciosas promessas têm um resultado duplo: (1) a participação na natureza divina, isto é, seremos santos, refletindo o caráter de Deus; e (2) escaparemos da "corrupção que há no mundo". Esse resultado é semelhante a 1 Pedro 1.14 e contrasta com os falsos mestres que não escaparam "das corrupções do mundo" (2 Pe 2.20). Essa corrupção é causada "pela concupiscência que há no mundo" (1.4), de que Pedro lhes havia previamente descrito dizendo: "Não vos conformando com as concupiscências que antes havia em vossa ignorância" (1 Pe 1.14). Portanto, segundo Pedro, a salvação determina uma mudança nas aspirações e no comportamento.

1.3. Lembrete sobre a Responsabilidade Humana (1.5-11)

Nessa seção sobre responsabilidade humana, Pedro toma bastante cuidado para fazer uma relação que corresponda à seção sobre santidade constante de

Qualidade	Grego	1 Pedro	2 Pedro	Gálatas
Fé	*pistis*	1.5,7,9,21	1.5	
Bondade	*arete*	2.9	1.5	5.22
Conhecimento	*gnosis*	3.7	1.5	
Temperança	*enkrateia*	1.13; 4.7; 5.8	1.6	5.23
Perseverança	*hypomone*		1.6	5.22
Piedade	*eusebeia*		1.6; 3.11	
Benignidade	*philadelphia*	1.22	1.7	5.22
Amor	*agape*	4.8; 5.14	1.7	5.22

sua carta anterior. Observe que existem oito qualidades nessa relação, muitas das quais podem ser comparadas à relação de Paulo sobre "o fruto do Espírito" (Gl 5.22,23). Uma diferença notável é que Paulo começa com amor e Pedro termina com amor. As qualidades relacionadas aqui abrangem todas aquelas qualidades que caracterizam uma vida em Cristo. Assim, Pedro está usando a pessoa de Cristo como modelo para sua vida. Observe também que quase todas essas qualidades têm seu correspondente negativo nos falsos mestres mencionados no capítulo 2. O quadro abaixo mostra como seis das oito qualidades encontram um equivalente em 1 Pedro.

Pedro inicia sua relação com a qualidade "fé". A fé é o princípio essencial e fundamental em um relacionamento com Deus (1 Pe 1.5,7,9,21). A fé bíblica incorpora à sua qualidade dois elementos invariáveis:
1) A fé é uma convicção firme que se baseia na revelação de Deus. É a inquestionável fidelidade a Deus que se manifesta através da inabalável certeza de que Ele está apto e desejoso a realizar o que disse.
2) Mais do que uma simples convicção, a fé é demonstrada através das ações que produz. Usando essa palavra, Pedro está unindo o conceito de fé com as obras, de forma que uma convicção firme e salvadora da Palavra de Deus resulta em uma conduta pessoal dentro da ética e da moral. Isso está perfeitamente de acordo com a soteriologia de Pedro, que faz a conexão entre a vida virtuosa e a crença em Deus.

A "bondade", naturalmente, acompanha de perto a fé, mas esse termo não significa uma qualidade etérea; antes, é a fé em ação. Denota uma justiça que vem através da fé — é a fé colocada em prática. Assim como as demais qualidades relacionadas aqui, a bondade é dinâmica. É a crença em Deus colocada em ação através de uma atitude bondosa para com os semelhantes. Aqui começamos a reconhecer como a fé nos coloca em linha com o caráter de Deus. Paulo usa esse termo em contraste com a palavra "severidade" em Romanos 11.22.

O "conhecimento", para o apóstolo, não é jamais uma simples coletânea de fatos. Como a bondade, é uma qualidade dinâmica e não estática. É um termo de *relacionamento*, isto é, quanto mais uma pessoa conhecer a Deus e for conhecida por Ele, maior e mais profundo será o seu desenvolvimento. Na verdade, o conhecimento representa para Pedro um conceito-chave para a noção da conduta ética. Esse conhecimento não é apenas um exercício intelectual, mas uma obra do Espírito Santo. Assim, aquilo que começa com a fé e é exteriorizado pela bondade passa a ser governado pelo conhecimento de Deus.

A "temperança" segue o conhecimento, dentro da cadeia das qualidades dinâmicas de Pedro. Essa qualidade é mais que uma simples moderação de atitudes, embora a moderação faça parte da temperança. Age como uma salvaguarda contra o abuso do conhecimento. Por exemplo, aqueles que se ufanam da liberdade cristã até o cúmulo da licenciosidade (como os falsos mestres) têm o conhecimento, mas não têm o suficiente autocontrole para renunciar às suas obras. Essa qualidade está sob a proteção do Espírito Santo (Gl 5.22,23).

A "perseverança" não é um conceito novo para a audiência de Pedro (1 Pe 2.20). Com o significado literal de "permanecer sob", esta qualidade lembra a fé, com a qual a cadeia se iniciou. Na verdade, fé e perseverança não podem estar dissociadas. Para o cristão, a perseverança pode ser exteriorizada passivamente — como em provações e tribulações (Lc 21.19) — ou ativamente — como na persistência (Lc 8.15; Rm 2.7; Hb 12.1). Talvez Pedro tenha colocado a perseverança nesse ponto porque somente depois de exercer a temperança (ou o domínio próprio), a mente e o corpo conseguem se disciplinar para uma vida virtuosa e santa. Novamente, cada qualidade e cada traço de caráter se associam e se edificam mutuamente de forma dinâmica e exponencial.

A "piedade" é aquela qualidade que distingue o cristianismo de todas as outras formas de religião. É uma atitude de devoção, ou religiosidade, caracterizada por uma atitude de humildade perante Deus. Porém, significa mais que uma simples aparência de piedade, pois se manifesta através da obra de Deus. Em outras palavras, pessoas piedosas agem com a mesma caridade, misericórdia e generosidade com que Deus age.

A "benignidade" foi colocada como contraste e complemento da próxima qualidade, o amor. Na cadeia de Pedro, a benignidade vem do afeto — dos sentimentos de estima e complacência que sentimos em relação a uma pessoa amiga. Representa o auge do amor de uma pessoa por outro ser humano e está vinculada à lealdade e indulgência perante as excentricidades de um semelhante.

O "amor", por outro lado, é completamente sobrenatural. Pedro usa tanto o termo "benignidade" como o termo "amor" para fazer a distinção entre o que cada uma destas qualidades pode naturalmente despertar e a capacitação que o Espírito pode dar. Amor — aquela qualidade *agape* — era o que diferenciaria todos os discípulos e demonstraria ao mundo que eram realmente cristãos (cf. Jo 13.34,35). Com muita sabedoria, Pedro coloca o amor como o clímax de sua relação de qualidades. Na verdade, estas foram palavras que, pessoalmente, lhe causaram grande embaraço quando esteve com o Senhor Jesus Cristo após a ressurreição (cf. Jo 21.15-17). Para os cristãos contemporâneos, o amor é concedido de modo sobrenatural pelo Espírito como um fruto (Gl 5.22). E foi assim que Pedro elaborou uma relação dinâmica e distinta das qualidades que devem refletir a vida cristã.

No verso 8, em algumas traduções, Pedro chama a relação acima de "qualidades". Estas são as "marcas registradas", ou representam a identidade do crente. A essas características de identificação Pedro acrescenta a frase: "Se em vós houver e aumentarem estas coisas...". Esta é uma frase bastante significativa porque santidade, piedade, amor, bondade, fé, etc., não são qualidades estáticas. Não são demonstrações passageiras, mas representam qualidades contínuas e crescentes. Em outras palavras, essa é uma lista dinâmica.

O resultado do desenvolvimento dessas qualidades tem dois aspectos: (1) evita que o crente se mantenha ineficaz e (2) que se mantenha improdutivo no conhecimento do Senhor. No cristianismo, provavelmente possamos dizer que a ineficiência muitas vezes pode ser pior do que não ter nenhum conhecimento cristão. Foi por serem cristãos indiferentes e ineficazes, ou mornos, que Jesus declarou: "Vomitar-te-ei da minha boca" (Ap 3.16). O cristianismo tépido pode ser claramente evitado se possuirmos as qualidades descritas nos versos 5-7 e em medida "crescente". Ser improdutivo no conhecimento do Senhor traz consigo um senso de irresponsabilidade, isto é, obter contínuas informações, mas raramente ou nunca colocá-las em prática, representa um hábito perigoso para o cristão.

Se as qualidades estáticas levam a uma vida ineficiente e improdutiva, sua completa ausência, isto é, a cegueira, miopia ou negligência são dignas de uma censura ainda maior (v.9). Aqui reside o perigo de um cristianismo apenas nominal, daquela forma de vida insípida que começa e termina às portas de uma igreja. A vida cristã deve ser dinâmica e constantemente progressiva. Na verdade, o crescimento cristão reproduz o tema de todo o Novo Testamento. A miopia e a cegueira não são apenas duas características distintas, mas o caminho do retrocesso. Essas pessoas não vêem o imenso panorama que se descortina através de qualquer de seus atos levando, portanto, muitos de seus semelhantes a extraviarem-se. A questão implícita na frase "havendo-se esquecido da purificação dos seus antigos pecados", não se refere à condição dessas pessoas quanto à salvação, se são ou não salvas, pois é a negligência ou a amnésia espiritual que está na raiz do problema.

À luz da advertência sobre um cristianismo insípido, Pedro exorta os cristãos a aumentarem seus cuidados (v.10). Encoraja-os a tornarem ainda mais firmes sua "vocação e eleição". Isso é totalmente consistente com tudo que Pedro já havia escrito. O cristianismo é um chamado à santidade (1 Pe 1.15) e uma garantia da eleição (1.1,2). O apóstolo também mostra como se certificar sobre esse chamado e eleição, dizendo: "Porque, fazendo isto, nunca jamais tropeçareis". Não existem condições especiais ou ações esotéricas nas Escrituras e, nesse ponto, Pedro lhes diz clara e sucintamente como devem viver.

No verso 11, continua a citar um dos aspectos mais emocionantes do cristianismo: a esperança do crente no futuro. Observe que ele não discute uma vida de recompensas ou condescendências; ao contrário, serve-se da parábola dos talentos para falar sobre o serviço que podemos prestar a favor do reino de Deus (Mt 25.14-30). Ao crente "será amplamente concedida a entrada no Reino eterno de nosso Senhor e Salvador Jesus Cristo". Essas boas vindas representam a própria recompensa. Naturalmente, a referência de Pedro ao "reino" vem dos ensinos de Cristo. O fato de ser um reino "eterno" representa uma referência à profecia (Dn 7.27).

Toda a seção introdutória foi marcada por soteriologia, ética e escatologia. Em poucas palavras, Pedro conseguiu transmitir a seus leitores tudo que precisavam saber a respeito do que fazer para viver uma vida santificada. Agora passa a lhes revelar um testamento.

1.4. Admoestação Pessoal de Pedro (1.12-15)

O lembrete pessoal, isto é, a seção do testamento dessa carta, não é uma passagem singular nas Escrituras. Observe o que Lucas registra em Atos 20.18-35, e o que Paulo escreve como testamento em 2 Timóteo (especialmente no capítulo 4). Isso é totalmente consistente com o esboço temático desse comentário. Essa segunda carta foi adequadamente intitulada por alguns como *um lembrete, para estimular os leitores de Pedro a um pensamento saudável*. Realmente, toda a carta foi elaborada em torno de lembranças:
1) lembrança da experiência passada,
2) lembrança da advertência atual e
3) lembrança da esperança futura.

No verso 12, Pedro diz: "Não deixarei de exortar-vos sempre acerca destas coisas". A expressão "destas coisas" está se referindo aos versos 1-11. O conceito de um lembrete não é totalmente bem recebido em nossa sociedade. Estamos, todo o tempo, ansiosos por coisas novas e nos atemos à idéia de que o pastor deve dizer as coisas apenas uma vez e nunca falar sobre aspectos negativos; essa atitude está muito longe do intuito de Pedro. A frase "não deixarei de exortar-vos..." é uma expressão que vem do amor e representa uma salvaguarda aos leitores, pois nós, seres humanos, temos uma forte tendência ao esquecimento. A narrativa histórica do Antigo Testamento está repleta de frases como: "... e eles esqueceram..." Segundo Pedro, o lembrete é usado mesmo sabendo que sua audiência já conhece o assunto sobre o qual está falando e que está firmemente estabelecida na verdade.

O propósito de Pedro ao relembrar e despertar a memória dos leitores é incentivado por saber que seu próprio tempo na terra logo terminará (vv. 13,14), e isso acrescenta um elemento de urgência a essa carta. A revelação de sua morte iminente vem do próprio Senhor. Não está muito claro se Pedro está se referindo às palavras de Jesus em João 21.18 ou a uma visão ou sonho não registrados. O que está claro, no entanto, é que Pedro tem certeza de que sua morte está próxima.

O coração de Pedro brilha no verso 15. Havia guardado em seu coração a ordem do Senhor de alimentar e cuidar de suas ovelhas (Jo 21.15,16). Independentemente de sabermos se Pedro está se referindo às cartas que escreveu, ou a transferir sua liderança para outra pessoa e, portanto, a ter que confiar seus leitores a algum outro supervisor, o fato é que está aplicando todos os esforços para se certificar de que nunca se esquecerão daquilo que lhes disse. As palavras do apóstolo fazem recordar o lembrete de Moisés aos israelitas (Dt 31-33), e aquilo que Josué disse ao mesmo grupo de pessoas (Js 23-24). Mais importante ainda, Jesus disse a seus discípulos: "Mas aquele Consolador, o Espírito Santo, que o Pai enviará em meu nome, vos ensinará todas as coisas *e vos fará lembrar* de tudo quanto vos tenho dito" (Jo 14.16, o grifo é do autor).

2. Lembrai-vos dos Conselhos (1.16—2.22)

Essa parte do testamento de Pedro dá início aos lembretes sobre as advertências da carta. Na verdade, essa advertência está baseada na experiência passada e nas ameaças futuras.

2.1. *Pedro Lembra sua Experiência Passada (1.16-18)*

Pedro inicia essa seção assegurando a seus leitores de que ele e os demais apóstolos não edificaram sobre um fundamento de engenhosas invenções: "Porque não vos fizemos saber a virtude e a vinda de nosso Senhor Jesus Cristo, seguindo fábulas artificialmente compostas, mas nós mesmos vimos a sua majestade" (v.16). Assim, faz a distinção entre o verdadeiro e o falso. O ensino dos apóstolos baseava-se no relato daquilo que viveram e presenciaram. Sua referência ao poder e à volta do Senhor está relacionada com a história da transfiguração relatada em Marcos 9.1-8. Lucas, no entanto, registra precisamente o fato de que "viram a sua glória" (Lc 9.32b). Se a verdade somente é estabelecida pelo testemunho de duas ou três pessoas, certamente os testemunhos de Pedro, Tiago e João merecem total credibilidade.

Pedro testemunhou a majestade de Cristo com seus próprios olhos, pois viu a glória de Jesus (juntamente com Moisés e Elias), e também com seus ouvidos, pois ouviu uma voz do céu que reafirmou a filiação de Jesus, em quem o Pai declarou se comprazer (vv.17,18). Além disso, embora não conste da carta de Pedro, os autores dos Evangelhos registram a ordem do Pai: "... a ele ouvi" (Mc 9.7; Lc 9.35). Essa é a base para a afirmação anterior de Pedro de que não ouviu "fábulas artificialmente compostas" (v.16). Refere-se ao Monte da Transfiguração como a um monte "santo". Esse adjetivo (*hagios* ou "santo") é muito freqüente em suas cartas. Pedro fala sobre um "sacerdócio santo" (1 Pe 2.5), uma "nação santa" (2.9), um "santo mandamento" (2 Pe 2.21) e "santos profetas" (3.2).

2.2. *Lembrete sobre a Autenticidade Profética (1.19-21)*

Em seguida, Pedro começa a estabelecer o contraste entre os verdadeiros e os falsos profetas. Dá uma severa ordem para que se preste atenção às palavras dos profetas. Pode fazê-lo por ter o suporte das próprias Escrituras. O salmista, inspirado, referiu-se à palavra de Deus nos seguintes termos: "Lâmpada para os meus pés é tua palavra e luz, para o meu caminho" (Sl 119.105). Sob uma inspiração semelhante, Pedro fala da palavra profética como "uma luz que alumia em lugar escuro" (2 Pe 1.19).

O apóstolo atribui uma dimensão de tempo a essa luz: "Até que o dia esclareça, e a estrela da alva apareça em vosso coração". É possível que essa "estrela da alva" seja uma referência ao quarto oráculo de Balaão, em Números 24.17a: "Vê-lo-ei, mas não agora; contemplá-lo-ei, mas não de perto; uma estrela procederá de Jacó, e um cetro subirá de Israel". Esse também é o nome de Cristo que aparece em Apocalipse 22.16. Provavelmente Pedro esteja usando o exemplo de um falso profeta como a representação de um lugar escuro, e a estrela da manhã como uma palavra profética a respeito de Cristo. Qualquer que seja o significado desse verso, está enfocando a necessidade de dirigirmos nossa atenção às palavras dos profetas.

Pedro atribui a origem da profecia ao Espírito Santo (vv. 20,21). Esse tema é fundamental para a doutrina da inspiração das Escrituras e está evidente ao longo tanto do Antigo quanto do Novo Testamento. O próprio Pedro está consciente do papel do Espírito na inspiração profética, pois o Espírito orientou os profetas do Antigo Testamento à medida que escreviam a respeito do Messias (1 Pe 1.11). Além disso, Lucas registra: "Convinha que se cumprisse a Escritura que o Espírito Santo predisse pela boca de

Davi..." (At 1.16; cf. 2.30). Dessa forma, Pedro demonstra que a profecia nunca se originou da própria interpretação dos profetas nem da vontade humana. Novamente, este fato contrasta com as "fábulas artificialmente compostas" (2 Pe 1.16) e também com os falsos profetas mencionados no capítulo 2.

2.3. Lembrete da Advertência sobre os Falsos Ensinadores (2.1-3a)

2.3.1. Advertência contra as Heresias de Perdição (2.1). Pedro começa essa seção sobre os falsos mestres com a frase: "E também houve entre o povo falsos profetas". Talvez essa seja uma referência a Balaão, a quem mais tarde citará especificamente (2.15,16), embora já tenha mencionado uma frase de seu oráculo em Números (veja comentários sobre 1.19). Pedro previne que tais falsos mestres, de forma semelhante, "introduzirão encobertamente heresias de perdição" na Igreja. Esse é o desafio da Igreja do Novo Testamento. As heresias começam com argumentos plausíveis na interpretação das Escrituras, baseando doutrinas e crenças no silêncio das Escrituras e não nas palavras explícitas sobre algum assunto.

O ponto crucial da mensagem de Pedro é uma advertência contra aqueles que moralmente negam a soberania de Cristo; contrasta com o discurso destes a voz de Deus que ouviu por ocasião da Transfiguração, quando ordenou que seu Filho fosse ouvido. Esses falsos mestres não estão ouvindo e por isso negam moralmente o senhorio e a soberana propriedade que Cristo tem sobre suas vidas. Tal negação lhes trará rapidamente a destruição. O tema sobre "quem os resgatou" é uma parte muito importante da soteriologia de Pedro (1 Pe 1.18,19).

2.3.2. Resultado e Metodologia (2.2,3a). A presença dos falsos mestres não representa um fenômeno novo e parece tragicamente previsível que com a introdução da heresia "muitos [os] seguirão". O que é ainda mais trágico é que a mentira freqüentemente conquista pessoas de bom coração, que se tornam motivo de blasfêmia contra o caminho da verdade pelo exemplo que dão aos outros.

O motivo da heresia é a "avareza" — o ganho financeiro (2.3). Basta simplesmente analisar as palavras e a fé contidas nas teologias de várias seitas nos dia de hoje, para se entender a relevância e a urgência das advertências de Pedro. Os falsos mestres enganam os cristãos com histórias engenhosas (1.16), um padrão diretamente oposto à verdade que Pedro e os demais apóstolos testemunharam.

Em seguida, Pedro fundamenta seu argumento a partir da história. À luz dos feitos desses falsos mestres, o apóstolo afirma que o julgamento de todas essas pessoas não está adormecido, e passa a demonstrá-lo referindo-se a julgamentos sobre todas os níveis da criação: o celestial, o terreno e o civil.

2.4. A Lembrança da Advertência sobre o Inevitável Julgamento (2.3b-9)

2.4.1. A Advertência sobre o Precedente Histórico (2.3b-6)

2.4.1.1. O Julgamento Celestial (2.3b,4). Primeiramente, Pedro apela para o julgamento celestial dos anjos que pecaram. Judas recorre a minuciosos detalhes para explicar que esses anjos não conservaram sua posição de autoridade, mas abandonaram-na (com implicações de atividades sexuais: veja Judas 6,7 e comentários). Pedro emprega um argumento breve, porém severo: "Porque, se Deus não perdoou aos anjos que pecaram, mas, havendo-os lançado no inferno...", quanto mais julgará aqueles que negam o senhorio de Cristo!

2.4.1.2. O Julgamento Terreno (2.5). Deus não julgou apenas o pecado celestial, mas também o mundo pré-diluviano. Começamos, então, a perceber a imparcialidade das ações e julgamentos divinos sobre o pecado e a iniqüidade. Uma diferença significativa em relação ao julgamento celestial é que Noé, um pregador da justiça, foi preservado junta-

mente com sete membros de sua família. Provavelmente, esse acontecimento foi narrado com dois propósitos:
1) Os seres humanos são significativamente diferentes dos anjos, e Pedro considera impossível escrever a respeito de qualquer indício desse fato (um conceito importante nesse ponto) em relação aos anjos; e
2) Exatamente como Noé suportou e foi justo mesmo vivendo em um mundo iníquo, aqueles a quem Pedro se dirige são capazes de suportar a vida em meio aos falsos mestres.

2.4.1.3. O Julgamento Civil (2.6). A cláusula "se" (v.4) está novamente chamando a atenção da audiência sobre o argumento breve, porém severo: se Deus condenou os anjos que pecaram lançando-os no inferno, se Deus condenou o mundo antigo destruindo-o pelo dilúvio, se Deus condenou as cidades da planície reduzindo-as a cinzas, então é absolutamente certo que os falsos mestres também receberão sua condenação! Aqui, e pela primeira vez nesse julgamento, Pedro chama essa tríplice condenação de "exemplo". Não existe qualquer parcialidade nos julgamentos de Deus, pois isso é o que acontecerá com os ímpios.

2.4.2. O Livramento dos Justos (2.7-9). Assim como o Senhor resgatou Noé e sua família, em vista de sua justiça, Ele também livrou Ló, um homem justo, da destruição de Sodoma e Gomorra. Essa é uma passagem muito intrigante. Ao ler o relato de Gênesis, o leitor não se convence de que Ló seja um "justo" (a mesma palavra empregada para Noé no verso 5). Na verdade, poderia até pensar exatamente o contrário. Entretanto, Pedro lança uma luz diferente sobre a história de Ló e usa duas palavras para caracterizar sua situação: "enfadado" e "aflito".

Pedro está preocupado a respeito de seus leitores, isto é, até onde sua percepção alcançará o sentido correto na interpretação dessa passagem. Insiste que Ló era um homem justo, porém enfadado pela vida impura dos homens desregrados; porque, na verdade, "afligia todos os dias a sua alma justa" pelo que via e ouvia. Portanto, as almas justas dos leitores a quem Pedro está escrevendo podem, igualmente, ter que enfrentar em breve provações semelhantes. No entanto, a boa nova é que assim como o Senhor Deus sabia como salvar Ló, da mesma forma salvará os justos das provações. Pedro apresenta uma compensação dizendo que o Senhor sabe "livrar da tentação os piedosos e reservar os injustos para o Dia de Juízo". Nesse ponto, Pedro está mostrando a retidão e a justiça de Deus (veja também 1 Pe 2.23). Essa passagem se tornará mais encorajadora à medida que os dias sombrios dos falsos mestres e de suas heresias se tornarem mais fortes.

2.5. Advertência contra o Caráter Ímpio (2.10-22)

2.5.1. A Falência Moral (2.10). Tendo estabelecido o precedente histórico para a condenação dos falsos mestres, Pedro agora se dedica a comentar seu caráter. Um dos principais e óbvios traços do caráter destes é que "andam em concupiscências de imundícia e desprezam as dominações". Cada igreja, instituição religiosa ou família cristã está bem consciente dessa triste verdade: muitos problemas se originam do desprezo à autoridade. Seja por causa de um espírito rebelde, ou da resistência ao castigo, a verdade é que tudo tem sua origem no conflito com a autoridade. O sinal mais revelador do desprezo pela autoridade é o atrevimento e a arrogância (v. 10b). Não sentem respeito ou um reverente temor perante pessoas ou coisas maiores que elas, nem mesmo quando se trata de assuntos divinos.

2.5.2. O Contraste com os Anjos (2.11). Contrastando com esses homens "atrevidos e obstinados", os anjos, considerados por Pedro como "maiores em força e poder", não ousam fazer acusações contra seres celestiais na presença do Senhor. Basta nos lembrarmos dos tele-evangelistas que "sapateiam na cabeça do Diabo", ou discutem com este em frente às câmeras, para perceber que isso também acontece hoje em dia. Os romances em que o protagonista consegue, de fato, insultar o demônio, sem que nada lhe aconteça, abarrotam as prateleiras das livrarias cristãs. As palavras de Pedro, entretanto, nos conduzem a uma perspectiva mais apropriada. Na verdade, o orgulho dos falsos mestres, por estar dirigido à hierarquia celestial, é dolorosamente óbvio.

2.5.3. As Ações daqueles que Ignoram a Verdadeira Sabedoria (2.12-19). No verso 12, Pedro mostra a insensatez dos métodos dos falsos mestres. Esses homens não têm a noção do que estão fazendo e, portanto, seus atos são blasfemos. Na verdade, esses atos não são mais humanos e sim animalescos — "animais irracionais". Por causa de sua tendência, a destruição é inevitável, pois receberão "o galardão da injustiça" (v.13). Muitas e muitas vezes Pedro se esforça para lembrar aos leitores e advertir os falsos mestres que o dia da retribuição está chegando. À luz das três condenações já citadas, esses homens receberão a recompensa por seus atos pecaminosos.

Abandonando a imagem animal, Pedro passa a utilizar a imagem médica e chama os falsos mestres de "nódoas e máculas" (v.13). Na verdade, representam máculas quando o assunto é uma vida virtuosa. "Têm prazer nos deleites cotidianos" (isto é, à vista de todos) e procuram fazê-lo na companhia dos crentes. Isso se torna possível porque *secretamente* introduziram heresias (2.1). Nenhum falso mestre usará um distintivo informando sobre sua posição teológica ou ética. Mas, vagarosa, ilusória e insidiosamente, os falsos mestres penetram imperceptivelmente e trazem máculas à comunhão dos verdadeiros crentes.

No verso 14, Pedro descreve cinco características desses falsos mestres.
1) Têm os olhos "cheios de adultério". João denomina essa característica como "concupiscência dos olhos" (1 Jo 2.16). Esses homens procuram o pecado em tudo que vêem.
2) Seu pecado é constante. Ao invés de sempre fazerem o bem, estão constantemente pecando.
3) Engodam ou seduzem "as almas inconstantes". Mais tarde, Pedro descreverá o homem inconstante como sendo aquele que procura distorcer e alterar as Escrituras (2 Pe 3.16). A escolha do verbo engodar ou seduzir é bastante significativa. Esses homens parecem ortodoxos, mas gradualmente levam seus ensinamentos ao domínio da heresia.
4) Esses falsos mestres têm "o coração exercitado na avareza". Isso se relaciona com o que Pedro havia anteriormente destacado como sendo uma de suas motivações (2.3). A avareza é o principal e costumeiro pecado dos falsos mestres.
5) São "filhos de maldição". Essa é uma das frases mais condenatórias encontrada nas Escrituras. Ser maldito é estar separado de Deus (cf. Rm 9.3).

No verso 15, Pedro usa o exemplo de Balaão, um falso profeta, para mostrar a forma de agir dos falsos mestres contemporâneos. A referência ao amor ao "prêmio" dá a idéia de um ato motivado pela ambição. Pedro demonstra como esses falsos mestres abandonam o caminho direito a fim de acompanhar Balaão (cf. também Jd 11; Ap 2.14). O pecado de Balaão foi terrível e semelhante ao dos falsos mestres — o sincretismo. Em Números 25, esse sincretismo incluiu a união da adoração a Jeová com a adoração a Baal. Pelo fato do sincretismo tornar parecida a adoração aos falsos deuses com a adoração ao Senhor, torna-se tão sedutor, enganoso e secreto. É assim que os falsos mestres conseguem "ter prazer nos deleites cotidianos" (2 Pe 2.13). O sincretismo também explica como esses falsos mestres conseguem participar das festas de adoração da igreja — engodando outros crentes com a complacência. Assim, acompanhar os caminhos de Balaão significa não só introduzir heresias que negam a soberania de Cristo, mas também manter uma aparência de ortodoxia. Este é um dos pecados mais perniciosos e sedutores da Igreja contemporânea.

Por sua "transgressão", Balaão foi repreendido pelo Senhor (v.16). Aqui Pedro novamente enfatiza que será impossível fugir à condenação pelos maus procedimentos. Existe uma ironia na frase "o mudo jumento", pois o apóstolo havia anteriormente comparado os falsos mestres aos animais irracionais.

PRINCIPAIS DESCOBERTAS ARQUEOLÓGICAS RELACIONADAS AO NOVO TESTAMENTO

Região ou Objeto	Local	Escrituras
ISRAEL		
Templo de Herodes	Jerusalém	Lucas 1.9
Palacio de Inverno de Herodes	Jericó	Mateus 2.4
Herodium	Nas proximidades de Belém	Mateus 2.19
Masada	Sudoeste do Mar Morto	Cf. Lucas 21.20
Antiga Sinagoga	Cafarnaum	Marcos 1.21
Tanque de Siloé	Jerusalém	João 9.7
Tanque de Betesda	Jerusalém	João 5.2
Os Registros de Pilatos	Cesaréia	Lucas 3.1
A inscrição em uma pedra no templo, proibindo o acesso dos gentios	Jerusalém	Atos 21.27-29
Restos do esqueleto de um homem crucificado	Jerusalém	Lucas 23.33
A casa de Pedro	Cafarnaum	Mateus 8.14
Poço de Jacó	Nablus	João 4.5,6
ÁSIA MENOR		
Inscrição em Derbe	Kerti Hüyük	Atos 14.20
Inscrição de Sérgio Paulo	Antioquia da Pisídia	Atos 13.6,7
Altar de Zeus (Trono de Satanás?)	Pérgamo	Apocalipse 2.13
Muros do Século 4 a.C.	Assôs	Atos 20.13,14
Templo e Altar de Ártemis	Éfeso	Atos 19.27,28
Teatro de Éfeso	Éfeso	Atos 19.29
Lojas dos artesãos	Éfeso	Atos 19.24
Estátuas de Ártemis	Éfeso	Atos 19.35
GRÉCIA		
Inscrição de Erasto	Corinto	Romanos 16.23
Inscrição na Sinagoga	Corinto	Atos 18.4
Inscrição no açougue	Corinto	1 Coríntios 10.25
Salas para refeições em templos dedicados a ídolos	Corinto	1 Coríntios 8.10
Tribunal (Bema)	Corinto	Atos 18.12
Mercado (Bema)	Filipos	Atos 16.19
Portal de largada para corridas	Isthmia	1 Coríntios 9.24,26
Inscrição de Gálio	Delphos	Atos 18.12
Via Egnatia	Kavalia (Neápolis), Filipos, Apolônia, Tessalônica	Atos 16.11,12; 17.1
Inscrição de Acusação	Tessalônica	Atos 17.6
ITÁLIA		
Túmulo de Augusto	Roma	Lucas 2.1
Prisão Marmetina	Roma	2 Timóteo 1.16,17; 2.9; 4.6-8
Via Ápia	Roma	Atos 28.13-16
Palácio Dourado de Nero	Roma	cf. Atos 25.10; 1 Pedro 2.13

As metáforas das "fontes sem água" e das "nuvens levadas pela força do vento" (v.17) dão a idéia de falta de credibilidade e instabilidade. Esses falsos mestres não são confiáveis e muito menos estáveis. Na verdade são como Balaão, irresponsáveis em sua função de profetas e instáveis em sua loucura de tentar amaldiçoar Israel visando vantagens pessoais. O resultado final, semelhante ao dos anjos caídos e de todos os seguidores do pecado, será "a escuridão das trevas". A acusação "... falando coisas mui arrogantes de vaidades" (v.18) é a expressão concreta da metáfora das fontes sem água. Essas pessoas são capazes de prometer qualquer coisa para conquistar a confiança dos outros.

Além disso, a metodologia dos falsos mestres é absolutamente terrível. Apelam às "concupiscências da carne e às dissoluções" — em total contraste com as qualidades que os crentes devem ter em grau sempre crescente, das quais "estavam se afastando" (cf. 1.8,9). Tragicamente, suas vítimas são aqueles que acabaram de se livrar de uma vida de depravação. Muitas vezes, falhando em seu papel de educar e orientar, a Igreja deixou os recém convertidos expostos e suscetíveis à sedução dos falsos mestres.

A maior ironia é que esses vazios prenunciadores prometem "liberdade, sendo eles mesmos servos da corrupção" (v.19). Esse provérbio usado por Pedro é bastante apropriado: "... sendo eles mesmos servos da corrupção. Porque de quem alguém é vencido, do tal faz-se também servo". É bastante significativo que Pedro se considere um servo, mas servo de Cristo (1.1).

O quadro abaixo mostra um resumo dos quinze atos e das treze características dos falsos mestres. Como Pedro demonstra com toda lucidez, uma pessoa se torna escrava de qualquer coisa que a domine.

2.5.4. Advertência contra Desviar-se da Verdade (2.20-22). Existem duas principais opiniões adotadas pelos comentaristas a respeito desses versos. De

CARACTERÍSTICAS DOS FALSOS MESTRES EM II PEDRO

Versos	Atos	Características	Resultado Final
Verso 1	Introduzir heresias de perdição; negar a soberania do Senhor.		Perdição imediata
Verso 2	Comportamento vergonhoso; levar a verdade ao descrédito.		
Verso 3	Engodar com histórias fantasiosas	Avareza	Condenação e perdição iminente
Verso 10a-b	Desprezar a autoridade	Atrevimento e arrogância	
Versos 10c-12	Caluniar; blasfemar	Caluniar sem temor; Animalidade irracional; Sem domínio dos instintos	Perecerão
Verso 13	Entregar-se à luxúria; deleitar-se em enganos.	Nódoas e máculas	Receberão a iniqüidade que merecem
Verso 14	Pecar sempre; seduzir	Olhos cheios de adultério; Especialistas em avareza	Filhos de maldição
Verso 15	Abandonar o caminho reto		
Verso 17		Fontes sem água, nuvens levadas pela força do vento	A escuridão das trevas lhes está reservada
Verso 18	Palavras vazias e arrogantes; enganar as pessoas		
Verso 19		Servos da depravação	
Verso 20			Estado final pior do que o inicial

um lado, alguns dizem que Pedro está se referindo aos falsos mestres como pessoas que nunca se salvariam porque o cão e o porco fazem apenas o que está de acordo com sua natureza; portanto, a nova natureza cristã nunca fez parte de sua experiência de conversão. Outros, por outro lado, acreditam que servem de advertência e realidade àqueles que são salvos: uma *advertência* para se precaverem e crescerem naquelas qualidades de Cristo descritas no capítulo 1, e uma *realidade* no sentido de que, se uma pessoa que já foi salva se envolver novamente com o mundo e for subjugada por ele, a condenação será inevitável.

A segunda opção tem maior credibilidade. Se as palavras têm algum significado, então as frases "Depois de terem escapado das corrupções do mundo, pelo conhecimento do Senhor e Salvador Jesus Cristo" e "melhor lhes fora não conhecerem o caminho da justiça" devem se referir à experiência da conversão. Em toda a carta de Pedro, a palavra *conhecer* traz consigo o sentido de um conhecimento íntimo e experimental, que somente pode ser adquirido com a experiência (veja comentários sobre 1.2). Seria absurdo acreditar que esses elogios e essa honra pudessem ser aplicados a pessoas não regeneradas que, em primeiro lugar, nunca foram salvas.

3. Lembrar-se da Esperança Futura (3.1-18)

3.1. *Propósito da Carta (3.1,2)*

Em 3.1, Pedro informa que essa é sua segunda carta e também menciona a finalidade de ambas: são lembretes. Têm a finalidade de convidar as pessoas a pensar de uma forma saudável. Isso não deixa de ser interessante, pois tal propósito é pouco comum na sociedade contemporânea. Muitas homilias e sermões são agora dirigidos à auto-estima tendo como enfoque exclusivo a psique das pessoas. Pedro, porém, escreve essa carta para despertar "com exortação o ânimo sincero", através de admoestações. Alcançou esse objetivo ao lembrá-los de sua experiência passada e dos riscos do presente, prevenindo-os que deveriam conhecer a diferença entre a verdadeira profecia e os falsos ensinos. Em seguida, passa a lembrá-los a respeito da esperança futura.

A advertência de Pedro, no verso 2, está dirigida à autoridade do Antigo Testamento e aos ensinamentos e mandamentos do Senhor, comunicados através dos apóstolos. Em outras palavras, os "santos profetas" representam o Antigo Testamento e os "apóstolos" representam o Novo Testamento. Pedro emprega novamente o verbo "lembrar", para atingir seu propósito de que esta seja uma carta que os faça lembrar de suas admoestações. Para distinguir os falsos profetas dos escritores do Antigo Testamento, chama estes últimos de "*santos* profetas".

3.2. *A Admoestação sobre a Esperança Futura (3.3-10)*

3.2.1. A Lembrança de que os Escárnios São Inevitáveis (3.3,4). Pedro previne os leitores de que haverá escarnecedores, e que não devem ficar admirados quando se manifestarem. Virão "nos últimos dias". Para o apóstolo, e na verdade para toda a história sagrada, a idéia dos últimos dias tornou-se conhecida no Pentecostes através do derramamento do Espírito Santo. Pedro mostra estar completamente consciente desse fato no sermão proferido nessa ocasião, que começou com uma citação de Joel: "E nos últimos dias acontecerá, diz Deus, que do meu Espírito derramarei sobre toda a carne" (At 2.17). Assim, por quase dois mil anos, a Igreja tem estado nos últimos dias, e pelo mesmo espaço de tempo os escarnecedores estiveram presentes. As origens do escárnio são "suas próprias concupiscências".

A base do escárnio é a aparente falta do cumprimento da promessa da volta de Jesus. Isso se assemelha à dúvida a respeito da palavra de Deus que a serpente colocou na mente de Eva. Esses escarnecedores nos levam a questionar a Segunda Vinda de Cristo. Apelam para a continuidade dos tempos como prova de sua zombaria: "Todas as coisas permanecem como desde o princípio da criação". Aqui, o que colocam em questão é a confiabilidade de Deus e a veracidade da profecia (isto é, das Escrituras). Sagazmente, Pedro adverte seus leitores contra tais argumentos enganadores, pois sabe que duvidar da fidelidade de Deus e de sua Palavra é um pecado humano. Observe, a partir do quadro abaixo, como Pedro está consciente, através da experiência, do padrão dos acontecimentos dos últimos dias, tanto no que se refere à promessa como aos escarnecedores:

Últimos dias	2 Pedro 3.3	Atos 2.17
Promessa	2 Pedro 3.4	Atos 1.4
Escarnecedores	2 Pedro 3.3	Atos 2.13

3.2.2. Recordando a Fidelidade de Deus no Passado (3.5,6). Em seguida, Pedro estabelece seu segundo argumento a partir de um precedente histórico. (O primeiro foi em relação ao inevitável julgamento; veja 2.3b-9). A palavra de Deus sempre mereceu confiança e Pedro mostra que a própria criação foi formada através desta (cf. Jo. 1.1-4). Essa é uma área irrefutável, deliberadamente esquecida pelos escarnecedores. Se Deus criou o mundo através de sua palavra, então cumprirá fielmente sua promessa de retornar.

Tanto o ato da criação através da palavra de Deus (que tem como objetivo mostrar sua fidelidade às suas promessas), quanto o julgamento do mundo por sua palavra (que também tem como objetivo mostrar sua fidelidade às suas promessas), são irrefutavelmente mantidos. A criação de Deus, seu julgamento pelo Dilúvio e a Salvação de Noé são eventos baseados na veracidade do cumprimento de suas promessas.

3.2.3. Recordando a Fidelidade de Deus no Futuro (3.7-10). Tendo estabelecido a base da confiança no cumprimento da Palavra de Deus, Pedro deixa o passado e enfoca o presente e o futuro. A mesma Palavra reservou "os céus e a terra... para o fogo... até o Dia do Juízo", ou seja, para o julgamento do "fogo" (v.7). Esse julgamento também resultará na perdição dos "homens ímpios". Em outras palavras, assim como Deus foi fiel em seus atos de criação e preservação, também será fiel ao julgar o mundo pecador. Tudo isso se coloca em contraste com a zombaria dos escarnecedores que querem saber onde está a promessa da volta de Deus.

O cronômetro de Deus é diferente do nosso. Com um jogo de palavras, Pedro não quer que seus leitores esqueçam algo que os escarnecedores esqueceram: "Um dia para o Senhor é como mil anos, e mil anos, como um dia" (v.8). Os crentes que se sentem desanimados ou deprimidos em relação à vinda do Senhor, ou que devido à zombaria dos escarnecedores foram levados a duvidar da fidelidade de Deus, precisam saber que o tempo do Senhor é imensamente diferente do tempo humano. Fomos chamados para uma vida de fé, e não para uma vida de comprovação de fatos. Tendo estabelecido essa verdade, pouca diferença fará se o Senhor retornar amanhã ou no próximo milênio, pois, para o cristão, Deus *retornará* de acordo com sua promessa.

No verso 9 Pedro destaca que a motivação existente por detrás da programação do Senhor é a misericórdia. De fato, o apóstolo insiste que a paciência do Senhor está baseada na misericórdia. Isto está em contraste com a idéia que alguns podem ter de que Deus "retarda a sua promessa". Essa aparente negligência tem o objetivo de levar muitas almas à salvação. Em uma carta onde um capítulo inteiro está dedicado ao julgamento e à punição, o coração de Deus se mostra paciente e misericordioso.

Embora consciente ou não de que estava escrevendo profeticamente, o apóstolo mais uma vez assegura que, segundo a promessa das Escrituras, "o Dia do Senhor virá" (v.10). Isso é de extrema e crucial importância. As últimas décadas desse século revelaram um acentuado declínio no estudo da escatologia. Essa é uma grande perda para a Igreja, pois a volta do Senhor é irrefutável e iminente. Talvez, também, o comportamento ético das pessoas seja proporcional à sua crença na Segunda Vinda de Cristo.

Pedro continua a enfatizar a maneira como a segunda vinda acontecerá: "Como o ladrão de noite". Essa expressão está relacionada à surpresa e à rapidez de um momento inesperado. Não há dúvida de que Pedro esteja se lembrando das palavras do Senhor no Sermão do Monte quando promete voltar como um ladrão de noite (Mt 24.43). A mensagem é clara: **esteja alerta**. O dia da volta do Senhor surpreenderá apenas os desavisados; aqueles que o esperam estarão prontos para recebê-lo.

Em seguida, Pedro examina rapidamente o duplo julgamento da terra. (1) Os céus passarão com grande estrondo, e os elementos, ardendo, se desfarão, e (2) a terra e as obras que nela há se queimarão. Tudo será exposto. Isto é, tudo será colocado sob os olhos escrutinadores do Senhor. Tudo aquilo que as pessoas fizeram em segredo, será publicamente proclamado.

3.3. Admoestação sobre a Conduta Cristã (3.11-14)

3.3.1. Conduta em Vista da Volta do Senhor (3.11,12). No verso 11, encontramos novamente o tema da santidade. Dessa vez volta à luz da natureza transitória das coisas materiais. A pergunta de Pedro é retórica: se tudo será destruído e todas as coisas na terra serão expostas à inspeção, que tipo de pessoas devemos ser? Embora essa questão seja retórica, Pedro a responde: "Santos e piedosos".

Como já havia ficado implícito, aqueles que são santos e piedosos estarão ansiosos aguardando o retorno de Cristo (v.12) e, na verdade, até mesmo "se apressarão" para esse retorno. Não serão tomados de surpresa, mas estarão aptos a reconhecê-lo quando o momento chegar. Os ímpios e os pecadores é que não terão qualquer idéia da destruição que estará por acontecer. Mais uma vez, Pedro reitera a forma da destruição: o fogo. Este é um contraste com a primeira forma de condenação terrestre: a água. Ambos elementos têm a capacidade de destruir e esterilizar.

3.3.2. Lembrete sobre a Promessa do Senhor (3.13). Embora a ordem presente venha a ser destruída pelo fogo, esse não é o foco no qual a mente do cristão deve se ater. Pedro volta a mencionar a certeza do cumprimento da promessa de Deus. Os cristãos devem aguardar ansiosamente uma nova ordem que será caracterizada pela "justiça". Essa foi a qualidade que caracterizou Noé e Ló (2.5-9). Para o apóstolo, *justiça* é a expressão que denota uma vida ética e moral em um mundo imoral (veja comentários sobre 1.1). Ele não entende como pode haver salvação sem uma vida justa.

3.3.3. Admoestação a Ser Diligente, Imaculado e Irrepreensível (3.14). Se a principal característica da nova ordem criada é a justiça, Pedro nos exorta a procurar que "dele sejais achados imaculados e irrepreensíveis em paz". Mais uma vez, o apóstolo está conclamando os leitores a assumirem a natureza divina. Enquanto os falsos mestres são "nódoas e máculas" nos eventos que eram conhecidos como banquetes de amor (2.13), seus queridos amigos devem ser imaculados, exatamente como Jesus era "imaculado e incontaminado" (1 Pe 1.19). Existe uma óbvia impressão de responsabilidade humana fluindo através da carta de Pedro. Embora Deus seja aquEle que faz preciosas promessas, e embora recebamos seu divino poder e chamada, a responsabilidade humana é acrescentada ao elemento divino. Uma vida moral e ética não se adquire instantaneamente após a conversão antes, é um modo de vida consistente e cotidiano alcançado gradualmente.

3.4. Lembrete sobre a Harmonia Apostólica (3.15,16)

3.4.1. Lembrete sobre as Cartas de Paulo (3.15). Esse verso volta a referir-se à cronologia de Deus em 3.8,9. Observe também a referência implícita de "ter em mente". Isso é totalmente consistente com a carta "lembrete" que Pedro está escrevendo (veja comentários sobre 3.1,2). Em seguida, Pedro passa a escrever sobre Paulo. Ele conhece as cartas que Paulo escreveu às igrejas a noroeste da Ásia Menor. Talvez as tenha lido, ou talvez alguém lhe tenha relatado seu conteúdo. Embora seja apenas uma especulação, é possível que Pedro e Paulo tenham conversado a respeito de seus escritos em Roma. E é também possível que Pedro tenha sido inteirado sobre o conteúdo das cartas de Paulo através de Lucas, Silas ou Marcos.

3.4.2. A Natureza das Cartas de Paulo (3.16).

Pedro revela que Paulo escreveu a mesma verdade profética que ele escreve. Na verdade, as cartas de ambos dizem, essencialmente, as mesmas coisas. Mas existe uma notável diferença: Pedro reconhece que os escritos de Paulo contêm alguns "pontos que são difíceis de entender". Sua advertência é que os "indoutos e inconstantes torcem" essas cartas. Pedro já havia chamado aqueles que são facilmente seduzidos pelos falsos mestres de "inconstantes" (2.14). Em seguida, eleva os escritos de Paulo ao nível das "outras Escrituras". Talvez saiba que o que Paulo escreveu havia sido inspirado pelo Espírito, pois Paulo foi cheio do Espírito em Atos 9.

Podemos imaginar, com algum grau de certeza, o tema sobre o qual Paulo escreveu e que havia sido distorcido. Todo o conteúdo das cartas de Pedro está relacionado a uma vida ética e moral. Na verdade, tanto em 1 Pedro como em 2 Pedro, ele escreve que o povo de Deus deve ser santo, isto é, deve assumir o caráter de Jesus. Provavelmente aquilo que Paulo escreveu sobre libertação e liberdade cristã tenha sido levado ao extremo, de forma que mestres sem princípios tenham se aproveitado disso para promover a licenciosidade.

3.5. A Admoestação a Estar Alerta (3.17, 18a)

Pela segunda vez, Pedro dirige-se aos destinatários chamando-os de "amados" (3.1). Afirma que já conhecem o que escreveu e que, provavelmente, estejam até mesmo aplicando seus princípios em suas vidas. Adverte-os a "guardarem-se" a fim de não serem afastados da verdade pelos modernos Balaãos. Novamente, o argumento da possibilidade dos cristãos se abaterem é reforçado pela advertência de Pedro: "... sejais juntamente arrebatados

O ANTIGO TESTAMENTO NO NOVO TESTAMENTO

NT	AT	ASSUNTO
2 Pedro 2.22	Provérbios 26.11	O retorno do cão ao seu vômito
2 Pedro 3.13	Isaías 65.17	Novos céus e nova terra

e descaiais da vossa firmeza". Os versos 17 e 18a fornecem o contraste final entre os justos e os ímpios. O quadro a seguir mostra o contraste entre estes dois tipos de pessoas.

CONTRASTES DE CARÁTER EM II PEDRO

Justo	Ímpio
Fiel (1.5)	Escarnecedor (3.3)
Bom (1.5)	
Instruído (1.5)	Ignorante (3.16)
Temperante (1.6)	Instável (3.16)
Perseverante (1.6)	Míope, cego (1.9)
Benigno (1.7)	Avarento (2.3)
Amoroso (1.7)	Sedutor, adúltero (2.14)
Santo (3.11)	Corrompido (2.19)
Piedoso (3.11)	Ímpio (2.6)
Imaculado, irrepreensível (3.14)	Abominável (3.17)
	Despreza a autoridade (2.10)
	Atrevido, obstinado (2.10)
	Prazer nos deleites cotidianos (2.13)

3.6. Doxologia (3.18b)

Toda teologia deve levar à doxologia. A carta de Pedro termina com uma nota de exortação e louvor. À medida que as pessoas crescem "na graça e no conhecimento de nosso Senhor e Salvador Jesus Cristo", sua vida e adoração serão louvores a Ele.

I – III JOÃO
Robert Berg

INTRODUÇÃO

Os livros seguintes a 2 Pedro no Novo Testamento são chamados de 1, 2 e 3 João ou "cartas joaninas". No entanto muitos estudiosos argumentam que a assim chamada primeira carta de João, não é nem de João e nem mesmo uma carta. Trataremos de tais afirmações nesta parte introdutória. Este comentário apresenta uma análise do conhecimento histórico para cada um destes livros do Novo Testamento como um auxílio para a interpretação. Tal discussão é especialmente importante em relação a estas três cartas. Na verdade, 1 João contém afirmações que são facilmente mal interpretadas, à parte da perspectiva obtida através de um estudo das circunstâncias que levaram à escrita desta. Por esta razão, a consideração destes escritos sob o título de carta "geral" ou "universal" não é particularmente apropriada; 1, 2 e 3 João são endereçadas a destinatários específicos, tratando de assuntos específicos. O tempo investido na avaliação do material introdutório das cartas de João será ricamente recompensado quando passagens específicas forem consideradas.

1. Autor

Muitas controvérsias têm envolvido este assunto. 1 João é anônima; 2 e 3 João são escritas por um indivíduo que se refere a si mesmo como "presbítero". A associação com João, o filho de Zebedeu, está enraizada na tradição da igreja primitiva. Ao final do segundo século, 1 João e em uma extensão menor, 2 João, foram citadas pelos patriarcas da Igreja como tendo autoridade; no terceiro século, 3 João foi também considerada desta maneira.

A primeira afirmação específica de que o Evangelho de João e 1 João foram escritos pela mesma pessoa foi feita por Dionísio de Alexandria no terceiro século.

Por muitos anos existiu a dúvida a respeito da autoria comum do dito Evangelho e das três cartas porque 2 e 3 João foram escritas pelo "presbítero", aparentemente sendo distinguida do apóstolo associado ao referido Evangelho e a 1 João. As cartas de 2 e 3 João eventualmente foram também atribuídas ao apóstolo, o qual chamava a si próprio de "presbítero" sem qualquer modéstia. Tal reticência pode ser vista como uma semelhança à maneira pela qual João, seu suposto autor, é aceito, por ter se referido a si mesmo no seu Evangelho como o "discípulo a quem Jesus amava".

As evidências nos próprios textos têm sido usadas para argumentar tanto a favor como contra a mesma autoria do Evangelho e das cartas. O caso contra a mesma autoria baseia-se em várias observações.

1) Estudiosos afirmam que as cartas refletem um tempo bastante posterior. Embora o evangelho de João tenha se originado no período da separação da sinagoga judaica, as cartas refletem um tempo em que a comunidade cristã, a qual foram endereçadas, enfrentava uma crise inteiramente nova; a ruptura com o judaísmo havia acontecido no passado, e agora o conflito estava acontecendo entre os segmentos do grupo cristão.
2) O pensamento e a linguagem das cartas, particularmente em 1 João, são diferentes do pensamento e da linguagem usados no seu Evangelho. Assim, por exemplo, o vocabulário do próprio Senhor Jesus no dito Evangelho (por exemplo, "Palavra", "vida") nas cartas refere-se ao ensinamento ou à tradição da Igreja. Não é raro ler nos comentários a crítica de que 1 João é decididamente um trabalho inferior em relação ao Evangelho em termos de criatividade e estilo.
3) Para alguns é inconcebível que um apóstolo como João não citasse seu nome e sua autoridade inerente na luta contra os falsos profetas.

Nenhum destes argumentos é atrativo. As diferenças percebidas no pensamento e na expressão podem discutivelmente ser consideradas como responsáveis pela mudança no propósito, formato e circunstâncias. E não podemos simplesmente estar tão certos de que um apóstolo não poderia, por qualquer razão, referir-se a si mesmo como "presbítero". De qualquer modo, a mesma autoria destes livros por João, o filho de Zebedeu, não é enfim crucial em termos de interpretação e certamente não o é em termos de inspiração e autoridade. Não há nenhuma razão para que um assistente de João não pudesse ser o responsável pelos escritos de 1 João (ou ser o "presbítero"), assim como tal pessoa foi aparentemente responsável pelo testemunho de João 21.24. O termo "nós" implícito neste verso sugere que o "discípulo a quem Jesus amava", quer possamos ou não, com certeza, identificá-lo com João, o apóstolo, foi a testemunha imbuída em autoridade para um grupo de fiéis.

As extraordinárias semelhanças entre o Evangelho de João e 1 João, evidentes nos primeiros versos de cada um destes escritos, indicam que embora a mesma autoria não possa ser provada, a mesma tradição e perspectiva não podem ser questionadas. Com tais qualificações em mente, então, este comentário sobre 1 João usará o nome "João" como a maneira mais conveniente de referir-se ao escritor.

2. Data e Local da Escrita

Faz mais sentido, de acordo com os textos, sugerir que as cartas foram escritas depois do Evangelho (a ocasião da escrita das cartas será examinada mais adiante). Se o Evangelho é datado de aproximadamente 90 d.C., como é comum, as cartas poderiam presumivelmente ser datadas alguns anos depois, possivelmente no final dos anos 90. Se o evangelho for anterior, podemos ajustar também a data das cartas.

Não há indicação interna do local da escrita. Com base nas primeiras tradições, a melhor circunstância pode ser Éfeso, uma cidade na Ásia Menor, onde, de acordo com um famoso relato atribuído por Irineu a Policarpo, um jovem discípulo de João, João aparentemente morou e trabalhou. De acordo com esta estória, o apóstolo teria saído de um banheiro público em Éfeso gritando que Cerinto, o "inimigo da verdade", estava lá dentro (na obra *Against Heresies*, 3.3.4). Fontes de informações cristãs no segundo século também identificam João, o apóstolo, com o João que escreveu o livro do Apocalipse, que é endereçado a várias igrejas na Ásia Menor, incluindo Éfeso. De qualquer modo, o conhecimento do local específico da escrita e seus leitores não são cruciais para a interpretação dos livros.

3. Destinatários

Os crentes implícitos em João 21.24, sabiam "que o seu testemunho [do autor]" era verdadeiro e, no próprio Evangelho de João demonstram que o testemunho do discípulo a quem Jesus amava foi preservado e propagado. Estes crentes experimentaram a dor da separação forçada da sinagoga (Jo 16.1-4), passando a fazer parte de uma facção em um debate com os representantes do judaísmo farisaico. Os confrontos hostis que Jesus tem com os líderes judeus no supracitado Evangelho poderiam ser vistos como protótipos de suas próprias experiências (15.20,21). Não há nada nas cartas que sugira um confronto contínuo com a sinagoga, mas esta provação teria certamente deixado suas marcas neles.

Os estudiosos modernos freqüentemente se referem a estes crentes como "a comunidade joanina". Este termo é importante para descrever crentes cristãos que têm certas tradições e práticas que os distinguem de outros grupos cristãos. Em outras palavras, assim como os membros das igrejas que foram fundadas por Paulo podem ser mencionados como uma parte da "cristandade paulina", também existiram, na mesma época, crentes cuja fé podia ser observada de acordo com o que é chamado de "escritos joaninos". Esta "comunidade" poderia muito provavelmente ter sido uma associação de várias congregações ou igrejas que se reuniam nas casas.

As cartas de 2 e 3 João sugerem que alguns dos grupos locais podem ter sido

O EVANGELHO DE JOÃO E A PRIMEIRA CARTA DE JOÃO

Há uma notável semelhança de linguagem e tema entre o Evangelho de João e a Primeira Epístola de João. O quadro a seguir esboça estes paralelos.

Tema	I João	Evangelho de João
A Palavra era desde o princípio e tornou-se carne, e a vimos	1 Jo 1.1; 2.14	Jo 1.1,2,14
Nossas mãos tocaram a Palavra da vida	1 Jo 1.1	Jo 20.27,29
A Palavra era "a vida"	1 Jo 1.2; 5.20	Jo 1.4; 11.25; 14.6
A Palavra estava "com o Pai"	1 Jo. 1:2	Jo 1.1,18
Devemos dar testemunho da Palavra	1 Jo 1.2	Jo 15.27
A alegria completa, disponível através de Cristo	1 Jo 1.4	Jo 3.29; 16.24; 17.13
A luz de Deus dissipa as trevas	1 Jo 1.5-7	Jo 1.4,5; 3.19-21
A vida através do sangue do Filho de Deus	1 Jo 1.7	Jo 6.53-56
A Palavra não tem lugar na vida dos incrédulos	1 Jo 1.10	Jo 5.38
Jesus como o sacrifício expiatório pelo pecado do mundo 1 Jo 2.2; 3.5; 4.10		Jo 1.29; 3.16; 7; 11.51
O amor de Deus envolve a obediência aos seus mandamentos	1 Jo 2:3, 5; 3:22; 5.2,3	Jo 14.15,21; 15.10
Jesus como nosso exemplo	1 Jo 2.6	Jo 13.15
O mandamento de Jesus de amarmo-nos uns aos outros	1 Jo 2.7; 3.11,23; 4.7,11	Jo 13.34; 15.12,17
Jesus como a verdadeira luz que brilha	1 Jo 2.8	Jo 1.9; 8.12; 9.5
Andar em trevas e tropeçar	1 Jo 2.11	Jo 11.9,10; 12.35
A Palavra de Deus habitando em nós	1 Jo 2.14	Jo 5.38
Aqueles que não têm o amor de Deus em si	1 Jo 2.15	Jo 5.42
O conhecimento obtido através do Espírito Santo	1 Jo 2.20,27	Jo 14.16
Conhecendo a verdade	1 Jo 2.21	Jo 8.32
Conhecer o Pai envolve conhecer o Filho	1 Jo 2.23	Jo. 8.19; 14.7
Permanecer no Pai e no Filho	1 Jo 2.24,27; 3.24	Jo 15.4
O amor de Deus que nos torna seus filhos	1 Jo 3.1,2	Jo 1.12; 3.16
Aqueles que não conhecem a Deus	1 Jo 3.1	Jo 15.21; 16.3
O Filho de Deus é sem pecado	1 Jo 3.5	Jo 8.46
O Diabo pecou desde o princípio	1 Jo 3.8	Jo 8.44
Nascidos de Deus	1 Jo 3.9; 4.7; 5 1,4,18	Jo 1.13; 3.3,6
Odiados pelo mundo	1 Jo 3.13	Jo 15.18,19; 17.14
Passando da morte para a vida	1 Jo 3.14	Jo. 5.24
Jesus deu sua vida por nós	1 Jo 3.16	Jo 10.11
Dando nossa vida pelos outros	1 Jo 3.16	Jo 15.13
A verdade é encontrada no Filho de Deus	1 Jo 3.19	Jo 14.6; 18.37
Deus conhece todas as coisas	1 Jo 3.21	Jo 21.17
Recebendo de Deus o que pedimos	1 Jo 3.22; 5.14,15	Jo 14.13,14; 15.7,16; 16.23
O mandamento de crer no Filho de Deus	1 Jo 3.23	Jo 6.29
Jesus veio em carne	1 Jo 4.2	Jo 1.14
Vencendo o mundo	1 Jo 4.4; 5.4,5	Jo 16.33
O mundo ama os que são do mundo	1 Jo 4.5	Jo 15.19
Aqueles que não são de Deus não o ouvem	1 Jo 4.6	Jo 8.47
O Espírito da verdade	1 Jo 4.6; 5.6	Jo 14.17; 15.26; 16.13
Deus enviou seu único Filho para que pudéssemos viver	1 Jo 4.9,14; 5.11,12	Jo 1.18; 3.16,17,36; 20.31
Ninguém viu a Deus	1 Jo 4.12,20	Jo 1.18
Jesus é o Salvador do mundo	1 Jo 4.14	Jo 3.17; 4.42; 12.47
Estamos em Deus e Deus está em nós	1 Jo 4.16	Jo 15.4,5; 17.21
Jesus, a água e o sangue	1 Jo 5.6-8	Jo 19.34,35
O testemunho humano e o testemunho divino	1 Jo 5.9,10	Jo 5.32-37; 8.14-17
Como saber que temos vida eterna	1 Jo 5.13	Jo 20.30,31
Crer no nome do Filho de Deus	1 Jo 5.13	Jo 1.12
Satanás como o príncipe deste mundo	1 Jo 5.19	Jo 12.31; 14.30
Conhecendo o Deus verdadeiro	1 Jo 5.20	Jo 17.3
Jesus como o Deus verdadeiro	1 Jo 5.20	Jo 1.1; 20.28

geograficamente afastados uns dos outros. O fato de 1 João ter sido escrita sugere que estes crentes não estavam todos no mesmo local; presumivelmente o autor reside com um segmento e escreve a outros segmentos que compartilham a mesma fé (veja 2 Jo 1.13). Tanto 2 João como 3 João indicam uma certa distância entre o presbítero e os destinatários de suas cartas (2 Jo 12; 3 Jo 10.14). Estas duas cartas menores também retratam uma situação na qual "irmãos" viajam de uma comunidade local a outra (2 Jo 10,11; 3 Jo 5-10). Sua coesão parece repousar em seu compromisso com uma tradição cristã comum, que é de alguma forma supervisionada por aqueles que transmitiram a tradição (1 Jo 1.1-4). O "presbítero" de 2 e 3 João provavelmente pode ser identificado com estas pessoas em termos de autoridade. Em uma área urbana como Éfeso, os gentios presumivelmente fizeram parte da comunidade, apesar de existir pouco nas cartas para argumentar de uma ou outra maneira.

Os destinatários são crentes que nasceram de Deus e receberam o Espírito (3.1-3,21-24; 4.13-15; 5.1-5,13). O escritor se dirige a eles com termos afetuosos, tais como "filhinhos" e "queridos amigos" (literalmente, "amados"). A Segunda Carta de João é endereçada "à senhora eleita e a seus filhos", provavelmente referindo-se a uma igreja e seus membros; esta leitura é baseada na saudação final "tua irmã, a eleita", a congregação local dos crentes joaninos com os quais o presbítero, ao menos até aquele momento, estava morando. A Terceira Carta de João é endereçada a um indivíduo, Gaio, evidentemente um membro de outra destas comunidades locais. É especialmente interessante que esta seja a única referência, nas cartas, a qualquer organização da Igreja. Diótrefes parece ser um líder de uma igreja localizada nas proximidades de onde Gaio vive, mas tem de muitas maneiras rejeitado a autoridade do presbítero.

4. Ocasião e Propósito

Uma reconstrução do imediato contexto histórico das cartas joaninas sugere que a comunidade tenha passado por uma "divisão na Igreja". Infelizmente, muitos cristãos modernos têm tido uma experiência direta ou indireta com o rancor que acompanha tais situações. Aqueles que têm experimentado ou observado como amigos antigos podem tornar-se inimigos amargos, como ambas facções podem afirmar ser a correta e acusar a outra de ter parte com o demônio, e como membros das igrejas não comprometidos com nenhuma facção são cortejados por ambas as partes que competem dos dois lados, podem começar a compreender o sentido que está por trás da argumentação de 1 João.

Algumas pessoas deixaram a comunidade (1 Jo 2.19). Sua partida poderia ter sido excessivamente ruim, em vista do compromisso ardente que o autor tinha de amar a todos. Mas três fatores tornam as coisas bem piores: Aqueles que partiram

1) desposaram uma visão totalmente inaceitável a respeito de Jesus Cristo,
2) demonstraram um desdém em relação à exigência de manterem um comportamento que estivesse de acordo com o discipulado cristão, e
3) tentaram converter os membros da comunidade fiel, representada pelo escritor.

1) O primeiro fator é a negação da encarnação, a realidade histórica de Deus se tornando humano, da vinda de Jesus Cristo "em carne" (1 Jo 2.22,23; 4.1-3; 5.5; 2 Jo 7). Dada a ênfase em 1 João, podemos concluir que o ponto crucial da discussão foi a natureza salvífica da morte de Jesus (1 Jo 1.7; 2.2; 4.10; 5.6). Não sabemos exatamente no que estes oponentes acreditavam. Muitos têm sugerido uma identificação com as crenças de Cerinto, de quem João teria fugido na estória popular do banheiro público. O ponto central das opiniões atribuídas a Cerinto é que pensava que o Cristo espiritual teria descido sobre o justo homem Jesus depois de seu batismo, mas que teria eventualmente partido dele, deixando que Jesus sofresse e morresse sozinho (Ireneu, *Against Heresies*, 1.26.1). Tem sido freqüentemente argumentado que a passagem em 1 João 5.6 foi dirigida contra tal ensino.

Outros associaram a idéia dos oponentes ao docetismo. O docetismo (da palavra grega *dokeo*, parecer), defendia que Jesus não foi realmente humano: ele somente "parecia" ser. Ignácio, escrevendo a uma igreja na Ásia Menor, somente algumas décadas após estas cartas, adverte contra aqueles que "não confessam que Ele [Jesus] foi vestido de carne" (*Carta aos Esmirnianos*, 5.2).

Este primeiro assunto, então, trata da "cristologia", um termo que se refere ao modo como uma pessoa ou um grupo pensa a respeito de Jesus Cristo. A cristologia dos oponentes pode ser considerada deficiente, porque aparentemente rejeita elementos cruciais da confissão cristã da divindade e humanidade de Jesus.

2) O segundo fator que torna a partida destes oponentes pior, é que mostraram pouco interesse em exibir o tipo de comportamento esperado para um filho de Deus. João repetidamente os acusa de falta de amor para com os irmãos (1 Jo 2.9-11; 3.11-24; 4.7-21).

Mas é difícil saber precisamente o que isto significa. Talvez aqueles que partiram estivessem preocupados apenas com os membros de seu próprio grupo e, deste modo, mostraram amor somente por aqueles que estavam "do seu lado". Provavelmente João tenha interpretado isto como uma falha no amor para com os irmãos, uma vez que "os irmãos" para ele eram os membros de *todo o seu* grupo. Além disso, os versos 1.6,8,10 provavelmente reflitam a posição assumida pelos separatistas de que não estavam envolvidos em atividades pecaminosas e, deste modo, não eram culpados por nenhum pecado.

Esta atitude foi alarmante para João, não somente porque representava um repúdio à Palavra de Deus, mas também porque poderia vir a ser uma atitude adotada pelos membros de sua própria comunidade (1 Jo 1.5-2.2). Não há indicação nas cartas de que aqueles que partiram eram culpados de qualquer pecado flagrante; poderíamos esperar encontrar tal pecado denunciado especificamente. Mas o próprio conceito de estar em um estado sem pecado teve que ser severamente rejeitado, porque colidia com o próprio fundamento da fé e com a posição do ser humano em relação a Deus. Tal posicionamento era contrário à morte redentora de Jesus Cristo.

3) Além do erro cristológico e a deficiência na conduta, o terceiro fator provavelmente foi o maior responsável para João escrever esta carta. Os anticristos não somente os enganaram (1 Jo 1.8), mas estavam também procurando ativamente enganar os membros da comunidade ligada ao autor (2.26; 5.1). E estavam aparentemente tendo algum sucesso em ganhar vários deles; a expressão "o mundo os ouve" (4.5) sugere que seu número estava crescendo. A crise real aqui foi representada pelo perigo dos membros do grupo de João também unirem-se a eles. A própria existência de 1 João com seus apelos urgentes a "permanecer" naquilo que haviam sido ensinados, e seus testes claramente definidos que deveriam ser aplicados à crença e ao comportamento, provam que a situação era muito séria. Os crentes joaninos não deveriam receber estes falsos profetas em suas casas, nem mesmo saudá-los (2 Jo 10,11).

Existe uma consideração adicional deste assunto que é de interesse particular aos pentecostais. Como alguns estudiosos têm discutido, a compreensão e experiência do Espírito parece ter desempenhado um papel chave nos acontecimentos que levaram à crise refletida nas cartas. O Evangelho de João fornece muitas evidências de que a comunidade joanina deu considerável atenção ao Espírito Santo. O Espírito Santo proporcionou o seu nascimento do alto (Jo 3.3-8) e tornou sua adoração aceitável a Deus (4.24), habitou neles como fonte de água viva (4.14; 7.37-39), ensinou-lhes todas as coisas (14.26) e os guiou a toda verdade (16.13). O próprio Senhor Jesus disse que os seus seguidores estariam amparados quando Ele os deixasse, porque só então poderia vir o *parakletos* (16.7).

Em contraste com tão alta descrição do Espírito no Evangelho, em 1 João observa-se um notável silêncio quanto aos ensinamentos sobre o Espírito Santo. Por que o escritor não apela ao Espírito como uma refutação às afirmações dos oponentes? Na verdade, o escritor apela por três vezes ao Espírito, e em cada caso o papel do Espírito é simplesmente testemunhar sobre uma correta compreensão de Jesus Cristo (1 Jo 3.24; 4.6; 4.13-15; 5.6-8). A seção que começa com 3.24 tem interesse especial. Como saberemos se Deus vive em nós? Pelo Espírito que Ele nos deu. Mas então estamos imediatamente confrontados com uma outra pergunta: Como saberemos que este Espírito (ou espírito!) que temos é de Deus (4.1)? O que encontraremos na seção seguinte (4.1-6) é uma tentativa de apresentar a questão do Espírito conforme padrões verificáveis, em lealdade com a fé preservada pelos testemunhos refletidos no prefácio. A presença do Espírito de Deus é testada por meio da confissão de que Jesus Cristo veio em carne. Uma segunda prova para a presença do "Espírito da verdade" é se a pessoa ouve (isto é, dá atenção ou obedece) ao escritor e às demais testemunhas (4.6).

Outros fatores sugerem que os oponentes estavam reivindicando ter a presença do Espírito. É significativo que todas as referências ao Espírito estejam concentradas nestas seções da carta (veja abaixo), nas quais João responde à falsa cristologia. Este é o caso, embora a seção dedicada à cristologia seja muito menor do que as seções dedicadas aos assuntos morais em 1 João. No início destas seções (2.18-27), há duas referências ao *chrisma* ou unção; estas são únicas no Novo Testamento e podemos ter a certeza de que esta palavra é uma maneira de se referir ao Espírito Santo. O termo enfático "vós" em 2.20 indica que os oponentes podem ter afirmado que o *seu* grupo havia recebido a unção (observe também a afirmação no verso 27). Se a tradução da NIV estiver correta — "e todos sabeis a verdade" — estes verso podem representar uma resposta à reivindicação dos separatistas, de que eram os únicos que conheciam a verdade.

A referência ao Espírito em 1 João 3.24, não faz parte da cristologia em nosso resumo, mas poderia fazer, desde que isto funcionasse como a transição para os próximos versos com seu foco nos assuntos do espírito. Nesta seção está bem claro que os oponentes, os falsos profetas que "se têm levantado" (4.1; que são idênticos aos anticristos que "saíram..." em 2.18,19), tinham um "espírito" de algum tipo; sem dúvida estes oponentes afirmaram que eram *eles* que tinham o Espírito de Deus. É plausível que os oponentes tenham enfatizado o papel do *parakletos*, o termo joanino característico para o Espírito Santo, encontrado no Evangelho de João (Jo 14.16,26; 15.26; 16.7), e por esta razão, o escritor de 1 João, não somente evita esta identificação, mas designa o título ao próprio Senhor Jesus (1 Jo 2.2).

Se os separatistas negaram a realidade física de Jesus — ou pelo menos a importância de sua morte física — tal visão pode ter sido encorajada por um enfoque na obra do Espírito. Podem ter concluído que, uma vez que o Espírito habita em qualquer pessoa que nasça de Deus e dá acesso direto a Deus, a figura de Jesus não seria essencial na continuidade do plano para todas as coisas; a vida estaria ligada ao Espírito e não a Jesus. Esta visão, por outro lado, poderia ter contribuído para sua percepção errônea de que o perdão dos pecados, baseado na morte expiatória de Jesus, não tenha sido um assunto importante (1 Jo 1.5; 2.2). Tal visão poderia explicar a linguagem de 2 João 7-9, que também se refere aos separatistas como anticristos e enganadores que "entraram no mundo". Os leitores são então advertidos que aquele que "prossegue" e não permanece nos ensinamentos de Jesus, não tem Deus. Se os oponentes têm em essência "se movido" de Jesus para o Espírito como o ponto focal de sua experiência, esta linguagem se torna compreensível. Se isto for uma representação justa daquilo que estava acontecendo, serve como um alerta para aqueles que dão o lugar principal à sua experiência com o Espírito, em detrimento de seu comprometimento com Jesus, que deu sua vida por eles; deste modo estão em perigo de perder todo o contato com o Deus a quem afirmam servir.

Em resumo, então, o propósito de 1 e 2 João é demonstrar os erros dos oponentes nas áreas da cristologia e conduta prática, garantir aos membros da comunidade que *estão* desfrutando um perfeito relacionamento com Deus através de seu Filho e exortá-los a renovarem o amor mútuo, diante de uma igreja dividida e da ameaça que os oponentes apresentavam.

A terceira carta de João dá poucas indicações de que o assunto em 1 e 2 João esteja em questão. O presbítero, aparentemente uma figura de autoridade espiritual, escreve a Gaio, um membro da comunidade em outro local. Talvez Demétrio, mencionado em 3 João 12, tenha sido o portador da carta. Gaio é recomendado por causa de sua hospitalidade aos "irmãos" ligados ao presbítero. Diótrefes é denunciado por rejeitar a autoridade do presbítero, falar maliciosamente a seu respeito e usar sua posição para negar qualquer recepção a estes "irmãos" na igreja local. A carta, deste modo, serve para elogiar Gaio e exortá-lo a continuar servindo fielmente na fé.

5. Estrutura

É difícil perceber uma estrutura clara em 1 João. Alguns têm até mesmo se sentido desanimados por não encontrar qualquer desenvolvimento de pensamento coerente. Um estudioso, com muita ironia, escreveu: "Na verdade 1 João tem quase o mesmo sentido quando lido de trás para frente, sentença por sentença" (Parker, 1956, 303). O que encontramos são dois ou três temas que são repetidos por toda parte, freqüentemente trazendo pequenas variações em sua apresentação. Deste modo não poderíamos sugerir que o autor de 1 João tivesse em mente algum esboço particular quando escreveu. Mas o formato fornecido abaixo é útil por retratar o fluxo do argumento e os pontos que são enfatizados.

O esboço apresentado para 1 João, aqui, é uma adaptação de três partes originalmente propostas por T. Haering há um século, e aceito de alguma forma por vários comentaristas desde então. Duas observações devem ser mencionadas:
1) Apesar de existirem apenas dois ou três temas principais, a linguagem usada para apresentar estes temas varia consideravelmente. As metáforas são esboçadas e entrelaçadas para compor (basicamente) o mesmo ponto. As próprias metáforas, embora vívidas, não são perfeitamente adequadas para serem usadas como uma estrutura geral. Por exemplo, luz e trevas parecem ser conceitos principais desde o início da carta; cada um é usado seis vezes entre 1.5 e 2.11. Mas, então, a metáfora é completamente abandonada, e nem a luz nem as trevas são novamente mencionadas. Outras metáforas servem a este propósito.
2) Há frases transicionais ou versos entre uma parte e outra que poderiam ser colocados com o que antecede ou com o que vem a seguir, ou mesmo divididos entre as duas posições. Por exemplo, a parte final de 3.24 que incluímos na seção 2.28-3.24, é uma introdução para 4.1-6; o discurso de 4.1 divide melhor as seções, porém conceitualmente, a frase precedente ajusta-se perfeitamente à que se segue. Outro exemplo é 5.1. Esta parece melhor colocada na seção cristológica de 5.1-12, mas a referência a "filhos" claramente serve como uma ligação à seção moral em 4.7-21. Para o autor, o cristológico e o moral estão integralmente relacionados, e o esboço não deve ser considerado de modo a enfraquecer essa unidade.

A preocupação principal de João, então é a cristologia (a fé em Jesus Cristo de modo correto) e a moral (a conduta própria do crente). Em seu forte comentário, Raymond Brown propôs que 1 João seja dividido em duas partes; a primeira governada pela "mensagem" em 1.5 que diz que Deus é luz e a segunda pela "mensagem" em 3.11 que diz que Deus é amor (Brown, 1982, 116-29). Esta divisão é atrativa, mas há certas partes do livro que simplesmente não podem adaptar-se a tal esboço; 2.7-11, por exemplo, faz um sentido melhor na segunda parte da carta, e a passagem em 4.1-6 certamente estaria fora de lugar. De qualquer modo, a ênfase dupla é predominante. A Primeira Carta de João enfatiza o dever de se observar os mandamentos divinos e em 3.23 encontramos uma identificação precisa deste mandamento: "E o seu mandamento é este: que creiamos no nome de seu Filho Jesus Cristo e nos amemos uns aos outros, segundo o seu mandamento" (cristologia e conduta). Há dois exemplos no qual uma pessoa, por seus erros, colocaria Deus na condição de mentiroso (1.10): quando afirma não ter pecado (conduta; 1.10) e quando não crê no Filho de Deus (cristologia: 5.10).

Na realidade, 1 João não tem os elementos formais de uma carta. Tem, deste modo, sido chamada de estudo ou tratado. Mas está claro que a pesar de não ser formalmente uma carta, foi uma obra escrita para um grupo particular. As freqüentes inserções de saudações pessoais, tais como "amados" ou "filhos amados", também dá a estes escritos o sentido de uma carta, embora o prefácio e a conclusão inclinem-se justamente ao oposto.

Já 2 e 3 João seguem o formato das cartas padrão da época. Cada uma cita o remetente da carta, o (s) destinatário(s), e uma bênção ou votos finais; estes elementos são considerados parte da saudação. Segue-se o corpo da carta que, de acordo com o costume, transmite resumidamente a informação contida na carta. Segue-se então um fechamento, que normalmente inclui outra saudação. A dupla mensagem discutida acima, para 1 João, é também o conteúdo do corpo de 2 João; conduta (vv.4-6) e cristologia (7-11), e pode ser refletida na "verdade e na caridade [ou amor]" expressos em 1.3. A Terceira Epístola de João refere-se a vários indivíduos e estabelece alguns pontos diferentes; seu esboço é menos focado do que o esboço de 2 João.

ESBOÇO DE I JOÃO

1. **Prefácio** (1.1-4)
2. **A Mensagem** (1.5 — 2.27)
   2.1. O Comportamento do Cristão (1.5 — 2.17)
   2.1.1 A Mensagem: Deus É Luz (1.5)
   2.1.2. Três Falsas Afirmações com Relação ao Pecado São Refutadas (1.6-2.2)
   2.1.3. Conhecer a Deus Significa Obedecer à Palavra de Deus (2.3-6)
   2.1.4. O Mandamento do Amor (2.7-11)
   2.1.5. Exortação à Comunhão (2.12-14)
   2.1.6. O Amor ao Mundo como uma Antítese do Amor a Deus (2.15-17)
   2.2. A Fé em Cristo (2.18-27)
   2.2.1. Os Anticristos que Saíram pelo Mundo (2.18,19)
   2.2.2. Permanecer no Ensino da Unção Dada por Jesus (2.20-27)
3. **A Mensagem Novamente** (2.28-4.6)
   3.1. O Comportamento do Cristão (2.28-3.24)
   3.1.1. A Esperança dos Filhos de Deus (2.28-3.3)
   3.1.2. Uma Característica dos Filhos de Deus: Não Viver em Pecado (3.4-10)
   3.1.3. Outra Característica dos Filhos de Deus: O Amor aos Irmãos na Fé (3.11-24)
   3.2. A Fé em Cristo (4.1-6)
   3.2.1. A Fé em Jesus como um Teste que Determina Quem É de Deus (4.1-3)
   3.2.2. A Afirmação de que os Leitores São de Deus (4.4-6)
4. **Ainda a Mensagem** (4.7-5.12)
   4.1. O Comportamento do Cristão (4.7-21)
   4.1.1. O Exemplo do Amor: (4.7-10)
   4.1.2. O Exemplo do Amor: Seguido pelos Filhos de Deus (4.11-21)
   4.1.2.1. O Amor de Deus se Completa em nosso Amor pelos Irmãos (4.11-16)
   4.1.2.2. O Amor de Deus Torna-se Completo Através de Nossa Confiança no Dia do Juízo (4.17,18)
   4.1.2.3. O Amor aos Irmãos Deve Acompanhar o Amor a Deus (4.19-21)
   4.2. A Fé em Cristo (5.1-12)
   4.2.1. Crendo em Jesus Obedecemos aos Mandamentos de Deus (5.1-5)
   4.2.2. Através da Fé em Jesus Aceitamos o Testemunho de Deus sobre seu Filho (5.6-12)
5. **Observações Finais** (5.13-21)
   5.1. A Segurança da Vida Eterna e nossa Aproximação a Deus (5.13-15)
   5.2. O Pecado que Leva à Morte (5.16,17)
   5.3. Os Filhos de Deus São Protegidos do Maligno e Permanecem no Verdadeiro Deus (5.18-20)
   5.4. Recomendações Finais (5.21)

COMENTÁRIO SOBRE I JOÃO

1. Prefácio (1.1-4)

Os primeiros quatro versos de 1 João são chamados de prefácio (literalmente, o que vem antes do corpo principal do trabalho), uma parte freqüentemente mais formal do que aquilo que vem a seguir. Um prefácio pode apresentar elementos chave do livro como um todo, como por exemplo um pregador que esboça para a sua congregação aquilo que vai dizer a seguir. O prefácio de 1 João é muito mais resumido do que sua famosa contra parte no Evangelho de João (Jo 1.1-8), e é inevitável que uma avaliação dos versos presentes considere o outro prefácio. Assim como existem semelhanças notáveis no vocabulário, no estilo e no pensamento entre o Evangelho de João e 1 João, existem também paralelos surpreendentes nos dois prefácios. Usam palavras semelhantes: "Palavra", "vida", "ver", "testemunho" e "Pai". Ambos testificam sobre o aparecimento da fonte divina da vida entre a humanidade, Jesus Cristo, que veio e tornou Deus, o Pai, conhecido. Acima de tudo, as palavras de introdução de 1 João ("O que era desde o princípio") trazem logo à mente o texto de João 1.1 "No princípio...".

Tendo dito isto, é importante observar que as palavras de 1 João não devem ser usadas da mesma maneira como no Evangelho de João. Na verdade, descobriremos que algumas palavras comuns a ambos *não são usadas* com o mesmo significado. De acordo com a regra básica da interpretação, nossas decisões sobre o significado das palavras em 1 João serão guiadas primeiramente pelo contexto. Infelizmente, haverá várias passagens onde o contexto nos deixará um tanto perplexos; nestes pontos, especialmente, outros usos joaninos serão valiosos.

A gramática destes versos não é clara no grego. "Anunciar", o verbo principal da série de orações relativas ao verso 1, não aparece até o verso 3. O fluxo do pensamento é também minado pela interrupção desta série de orações no verso 2, por uma elaboração da "vida" mencionada no final do verso 1. Em um esforço para suavizar a difícil construção grega, a NIV adicionou, no verso 1, um travessão seguido pelas palavras "isto proclamamos..." A versão do Rei Tiago (King James), como faz freqüentemente, mantém o texto original; o verso 2 é parentético e o verbo principal não é expresso até o verso 3. Comparando-o com o Evangelho de João, então, este prefácio parece bem menos polido, o que torna mais difícil seu acompanhamento e interpretação com segurança. Mas a nossa preocupação em estudar 1 João não é coletar exemplos da gramática grega. A maneira como as frases são escritas e a urgência da "interrupção" do verso 2 são importantes orientações para avaliar o ponto central na apresentação de João.

O livro começa com quatro orações introduzidas por pronomes relativos, traduzidas na NIV como "o que". As primeiras palavras referem-se ao que "era desde o princípio". As palavras introdutórias do Evangelho de João, "no princípio", fazem clara alusão à mesma frase de Gênesis 1.1. O prefácio do Evangelho pretende com a frase afirmar a pré-existência do "Verbo", mais tarde identificado como Jesus, o Filho de Deus. O Filho existiu com Deus, o Pai, antes que qualquer coisa fosse criada. É possível, então, que "princípio" em 1 João 1.1 deva ser compreendido desta maneira. A referência então poderia ser ao Filho de Deus, que estava com Deus "no" (e tem sido "desde o") princípio.

Duas considerações, no entanto, nos deixam cautelosos em relação a esta conclusão.
1) Embora a expressão "desde o princípio" (1 Jo 1.1) possa se referir à existência do Filho antes da criação (que pode ser o significado de 2.13,14), os cinco outros usos menos ambíguos desta frase nesta carta refere-se a algum outro "princípio". Em quatro destes cinco, "desde o princípio" refere-se à origem da comunidade cristã a que a primeira carta de João é endereçada (2.7; 2.24 [2x]; 3.8; 3.11).
2) Todos os pronomes relativos no verso 1 (e também os do verso 3) são de gênero neutro. A importância do gênero neutro é que não há qualquer antecedente aparente para estes pronomes; isto é, embora no grego um pronome deva concordar em gênero com a palavra a que se refere, não há nenhuma palavra no prefácio que seja neutra. Assim, a NIV traduziu cada um destes "o que" como "aquele que", que é o

I JOÃO 1

que deveria ser esperado se a preocupação do escritor fosse enfatizar a personalidade daquilo ou de quem era desde o princípio. Não é impossível referir-se a uma pessoa com tais pronomes neutros, mas é raro.

Somos confrontados desde a primeira frase, então, com uma tensão que volta a acontecer nos três primeiros versos. Jesus Cristo, o Filho de Deus, está claramente na mente do autor pela alusão ao "princípio" conforme registrado em João 1.1. A referência a tocá-lo em 1 João 1.1 dificilmente pode ser uma referência a qualquer coisa, exceto à genuína humanidade do Filho de Deus, que, de acordo com João 1.1,14, estava eternamente com Deus e então em um ponto no tempo "se fez carne". João ainda parece estar preocupado não somente com a pré-existência de Jesus, mas também com o papel fundamental do ministério terreno de Jesus e a conservação do correto ensino a seu respeito. A segunda frase, "o que ouvimos" (v.3), poderia ser entendida no sentido de que Jesus foi ouvido pelos seus seguidores. Ao mesmo tempo, o significado parece incluir a *mensagem sobre* Jesus. O uso em 2.24 reflete uma exigência crítica dos leitores: "Portanto o que desde o princípio ouvistes permaneça em vós". Esta conjunção do verbo para ouvir e "o que desde o princípio ouvistes" (é explicitamente repetida na segunda metade do 2.24, mas não é refletida na NIV) é um paralelo íntimo com 1.1. Este "princípio" poderia ser uma referência à mensagem confiável que tem suas origens no próprio Jesus e à sua fiel preservação por meio das testemunhas representadas por João.

Antes de prosseguir, uma pergunta deve ser feita: Quem são estes "nós" referidos neste prefácio? O leitor pode fazer esta mesma pergunta a respeito da notável afirmação de João 1.14: "E [nós] vimos a sua glória...". O Evangelho de João foi endereçado àqueles que não tinham tido o privilégio de ver Jesus fisicamente (veja Jo 20.29), e então o "nós" pode referir-se às testemunhas oculares. Porém, tanto João como 1 João freqüentemente usam a idéia de "ver" em um sentido espiritual; neste sentido, todos os crentes têm "visto" a glória de Deus em Jesus. João freqüentemente inclui os seus leitores quando utiliza os termos "nós", "nos" e "nosso". Observe como escreve que "[*nós*] temos um Advogado para com o Pai" (1 Jo 2.1), ou "*nós* devemos dar a [*nossa*] vida pelos [*nossos*] irmãos" (3.16).

Mas isto é somente uma evidência do que o conceito de "nós" não está incluído neste prefácio, pois o pronome "vós" é diferenciado de "nós" (1 Jo 1.2,3). Aqui o "nós" parece referir-se a João e a outros como ele, que têm um papel mediador entre Jesus e os leitores. São estes indivíduos que têm ouvido, visto e tocado, e conseqüentemente dão testemunho e proclamam aos leitores. Estas referências de contato sensorial com as origens da fé servem não somente para afirmar a perceptível realidade de Jesus. É importante compreender que também servem para o autor como uma base para sua autoridade. Uma vez que esta carta é endereçada a uma comunidade que crê que não precisa de mestres (2.27), a autoridade de João está enraizada no fato verificável de que ele é uma testemunha ocular daqUele que dá a vida. O prefácio, então, verifica a origem e o conteúdo do ensinamento da comunidade, Jesus Cristo. O prefácio também examina os meios pelos quais o ensinamento foi anunciado e continua a ser proclamado à comunidade — João e aqueles que também são testemunhas.

A terceira frase "o que vimos com os nossos olhos", serve ainda mais a esta dupla ênfase. Como observado acima, "ver" na literatura de João pode referir-se à percepção espiritual ao invés da percepção física, embora seja menos comum em 1 João do que no Evangelho de João. Aqui, a referência à expressão "com os nossos olhos", especialmente à luz das frases que seguem, é melhor entendida de um modo literal. Isto é o que deve ser chamado de garantia mútua: A realidade do ministério físico de Jesus é atestada pelas testemunhas; e a autoridade das testemunhas, conseqüentemente, é atestada pelo seu contato direto com Jesus.

As duas próximas frases tratam do mesmo assunto. O verbo traduzido como "contemplar" parece ser uma variação estilística de "ver". A especificação do que "nossas mãos tocaram" fornece uma forte afirmação física de toda a série. É um elemento adicional na validação da credibilidade do autor. Por outro lado, pode ser também uma resposta polêmica àqueles que deixaram a comunidade e que negam que "Jesus Cristo veio em carne" (1 Jo 4.3; 2 Jo 7). Jesus de fato teve um corpo humano real, que seus companheiros verdadeiramente tocaram.

A frase "da Palavra da vida" (1 Jo 1.1) no grego vem logo depois do verbo "tocar", embora deva, certamente, relacionar-se de alguma maneira com todas as orações. No verso 3 a NIV destacou o verbo "anunciar", que tem uma dupla função nos versos 1 e 2. João, no entanto, não usa o verbo principal até o verso 3, primeiramente porque a referência à "vida" o conduz a uma elaboração que interrompe o fluxo do pensamento. De qualquer modo, o que João experimentou e aquilo que testifica, se refere à "Palavra da vida".

Os tradutores da NIV escreveram "Palavra" com letra maiúscula; assim fazendo, trouxeram alguma interpretação ao leitor; porém é contestável se isto tem servido bem ao leitor. Lembre-se que todos os originais do Novo Testamento foram escritos com letras maiúsculas. A palavra grega usada aqui, *logos*, pode significar muitas coisas dependendo do contexto. Nas cinco outras passagens em 1 João em que *logos* é usada, a NIV a traduz como "palavra" ou como "mensagem". Porque então "Palavra" em 1.1? Como você pode ter suposto, isto se deve ao texto em João 1.1: "No princípio era o Verbo (*logos*)...".

Já temos observado um relacionamento entre o prefácio do Evangelho de João e o de 1 João; muitos pensam que o prefácio de 1 João é uma adaptação consciente do prefácio do Evangelho. O uso de *logos*, como uma referência ao Filho de Deus, é limitado ao prefácio do Evangelho; isto deve sustentar o propósito de *logos* sendo usado desta maneira no prefácio de 1 João, embora não seja usado neste sentido em qualquer outra passagem no livro. Se a referência é então a Jesus, a Palavra, a construção genitiva que segue, "da vida", é um "genitivo apositivo"; isto é, "vida" é outro termo para "Palavra", ou serve como uma especificação do termo "Palavra". A mensagem é, deste modo, sobre a Palavra (Jesus Cristo), que é a vida (cf. Jo 14.6).

Esta compreensão faz sentido, particularmente devido ao modelo do prefácio no Evangelho de João. Ali, a Palavra (ou o Verbo) estava no princípio com Deus e fez-se carne; isto é, o Filho divino tornou-se um ser humano. Neste prefácio em 1 João, a Palavra, que estava "com" (v.2; do grego *pros*, como em João 1.1) Deus e que era desde o princípio, "nos foi manifestada" de uma maneira que permitiu que fosse ouvido, visto e tocado; isto é, o Divino Filho tornou-se um ser humano.

Porém também existem razões pelas quais *logos* talvez não se refira à Palavra Divina, mas antes à revelação ou à mensagem que se originou em Jesus.

1) Se a intenção do escritor foi identificar *logos* com a pessoa de Jesus Cristo, alguém poderia supor que os pronomes do verso 1 poderiam ser masculinos, para concordar com *logos*. Se, no entanto, *logos* significa revelação ou mensagem, os neutros são mais facilmente explicados.

2) Como mencionado acima, logos denota em todos os outros exemplos em 1 João uma "palavra" ou "mensagem" (1.10; 2.5,7,14; 3.18). É particularmente notável o reaparecimento de *logos*, "ouvir" e "desde o princípio" em 2.7, que identifica o "mandamento antigo, que desde o princípio tivestes" com a "palavra [ou mensagem, *logos*] que ouvistes". Como veremos, o foco da mensagem original do Evangelho de João está bem alinhado com o principal tema do livro.

3) Parece curioso que, se *logos* foi uma referência a Jesus, a Palavra Divina, João pudesse interromper seu fluxo de pensamento para elaborar não sobre a Palavra, mas sobre o termo qualificativo "vida". Como observado por muitos comentaristas, a ênfase do verso 2 não está em *logos*, mas na vida associada ao *logos*. Não foi a Palavra que apareceu, mas "a vida". Se, no entanto, *logos* se refere à mensagem do evangelho, "da vida", então está descrevendo a natureza da mensagem (cf. o

"pão da vida" de João) ou o seu conteúdo ("a mensagem sobre a vida").

Em outras palavras, existe tensão entre uma referência a Jesus, (a Palavra ou o Verbo) que era *no/desde o* princípio absoluto, e a mensagem do evangelho que foi desde o princípio da comunidade joanina de crentes. Mas isto não deveria ser surpresa para ninguém familiarizado com o evangelho de João. Neste encontramos uma fluidez semelhante no uso da terminologia. Talvez seja muito relevante para nossa consideração o fato de que o próprio Senhor Jesus possa ser identificado como "a vida" (14.6) e ainda sua "Palavra" também possa ser identificada como "vida" (6.63). À medida que prosseguirmos o estudo de 1 João, tornar-se-á claro que a pessoa de Jesus é o tema central do livro. Ao mesmo tempo, é evidente que a ênfase repetida pelo escritor consista em que os leitores possuam um ensino particular *a respeito de* Jesus, um ensino que foi proclamado e preservado pelas testemunhas referidas no prefácio.

Quando o escritor usa *logos da vida*, interrompe sua série de orações relativas cujo foco está nesta "vida". Esta palavra tanto no Evangelho de João como em 1 João é equivalente a "vida eterna" (cf. Jo 5.39,40; 6.53,54; 10.10,28; 1 Jo 5.11). Sua importância no pensamento joanino não pode ser superestimada. João 20.31 afirma que o propósito do evangelho que foi escrito por ele, João, é que os leitores possam crer que Jesus é o Cristo, o Filho de Deus, e crendo tenham vida em seu nome. E o propósito de 1 João, de acordo com 5.13, é que os leitores que crêem no nome do Filho de Deus possam saber que têm a vida eterna. "Vida" é o princípio divino ou qualidade da existência que caracteriza o Pai e o Filho (Jo 5.26); foi personificado na terra em Jesus Cristo (Jo 14.6) e se tornou disponível através de Jesus (3.16; 6.33). Aqueles que crêem em Jesus "têm" esta vida (por exemplo, 3.36; 5.24; 6.47) em si mesmos.

O Novo Testamento, enraizado no ensinamento do próprio Senhor Jesus, afirma que as bênçãos que os judeus esperavam para o futuro haviam sido antecipadas para o presente ou para "agora" (Lc 11.20; Rm 8.23; Hb 8.7-13). Esta ênfase em experimentar as bênçãos do Reino de Deus no presente é muito desenvolvida nos escritos de João. Quando Marta afirmou que cria que Lázaro poderia ressuscitar na ressurreição do último dia, Jesus declarou: "Eu sou a ressurreição e a vida" (Jo 11.24,25). Em nenhuma outra parte podemos encontrar uma afirmação tão dramática deste princípio: Em Jesus, Deus inaugurou a era vindoura e suas bênçãos.

O fato desta "vida" ser descrita como "eterna" significa muito mais do que algo duradouro ou sem fim. Podemos ter a certeza de que a morte foi aniquilada; quem crê naquele que é a ressurreição e a vida "nunca morrerá" (Jo 11.26). Mas estamos tratando de algo superior à existência viva e vigorosa. "Na verdade, na verdade vos digo que quem ouve a minha palavra e crê naquele que me enviou tem a vida eterna e não entrará em condenação, mas passou da morte para a vida" (5.24). A "morte", então, é também um princípio ou qualidade da existência; esta caracteriza todo aquele que, ainda que fisicamente vivo, não tem "vida". Descrever esta vida como "eterna", então, é simplesmente outra maneira de associá-la a Deus. "E a vida eterna é esta: que conheçam a ti só por único Deus verdadeiro e a Jesus Cristo, a quem enviaste" (17.3). Verdadeiramente, o cristianismo ortodoxo tradicionalmente tem mencionado que *todo* ser humano passará a "eternidade" desfrutando recompensas ou sofrendo uma merecida punição. Na tradição joanina, a vida "eterna" é a vida caracterizada por uma certa qualidade, e não por uma certa duração. Parece claro, então, que a referência à "vida eterna" em 1 João 1.2 seja somente uma variação, com a possível finalidade de enfatizar a "vida" no início do verso.

No verso 2 é afirmado por duas vezes que a vida (eterna) foi "manifestada". O verbo usado aqui fala de tornar conhecido, expor o que alguém ou alguma coisa realmente é. É usado em 1 João para referir-se à primeira (3.5,8) ou à Segunda (2.28; 3.2) Vinda de Cristo. No final de 1.2, lemos que a vida eterna "nos foi manifestada", o que nos faz recordar uma passagem anterior que diz: "A vida foi manifestada, e nós a vimos (usando a mesma forma do verbo da terceira frase do v.1), e testificamos dela..." A palavra traduzida como "testificamos" é uma das favoritas do escritor, usada predominantemente em situações de conflito ou diferença de pontos de vista. A cena descrita é a de um tribunal, onde uma testemunha é chamada para testificar solenemente. De particular interesse são os exemplos em que testificar baseia-se em "ver"; a testemunha declara o que viu, e por esta razão sabe que se trata da verdade. Dentre estes testemunhos estão palavras que o próprio Senhor Jesus atribuiu a si mesmo (na terceira pessoa): "E aquilo que ele viu e ouviu, isso testifica; e ninguém aceita o seu testemunho" (Jo 3.32). Em João 3.11, onde o pronome "nós" soa como os primeiros crentes falando com Jesus, João declara: "Nós dizemos o que sabemos e testificamos o que vimos". A autoridade do testemunho de uma comunidade é também integralmente ligada àquilo que João tem visto com seus próprios olhos: "E aquele que o viu testificou, e o seu testemunho é verdadeiro, e sabe que é verdade o que diz, para que também vós o creiais" (Jo 19.35; cf. 1 Jo 4.14). Então, aqui no prefácio, encontramos novamente um testemunho baseado naquilo que foi visto.

Existe uma progressão natural no verso 2. A vida divina apareceu na pessoa de Jesus Cristo. Esta vida foi vista por aqueles que estiveram com Cristo. Aqueles que viram esta vida agora (tempo presente) testificam sua experiência; testificam o que sabem. E em um segundo verbo no tempo presente, aqueles que viram e testificaram também "anunciam" o que sabem ser verdade. O autor considera o que todos chamamos de uma proclamação em 1 João — uma proclamação "para vós", ou seja, dirigida aos leitores, cuja situação espiritual era incerta por causa da influência dos falsos mestres.

Esta carta é uma proclamação da vida eterna: "Vos anunciamos a vida eterna, que estava com o Pai e nos foi manifestada". Esta linguagem dificilmente pode ser considerada como se referindo a outra coisa ou pessoa, senão ao Filho de Deus, em verdadeira forma humana. A repetição da forma idêntica do verbo "manifestar" neste verso chama nossa atenção. Aqui, pode-se seguramente concluir tratar-se de um ponto importante: O visível, audível e tangível Jesus é a manifestação da vida trazida por Deus. E, para a comunidade joanina, Deus é melhor conhecido como o Pai. Certamente outros segmentos da igreja primitiva pensavam em Deus como Pai e teriam usado esta referência (Mt 6.9; Lc 11.2; Gl 4.1-6). O Evangelho de João é notável, contudo, pelo uso distinto de termos simples como "Filho" e "Pai" ao referir-se a Jesus e a Deus. A Primeira Carta de João desenvolve a metáfora de Deus como Pai, encontrada no Evangelho (veja Jo 8.42), levando-a a limites desconhecidos (veja abaixo, 1 Jo 3.9).

O breve desvio de João da forma de frases relativas ao "círculo da vida" termina no verso 2, e assim nos encontramos novamente na forma original. No grego, as primeiras palavras após a frase "nos foi manifestada" no final do verso 2, são: "O que vimos [a *terceira vez* que esta mesma forma verbal é usada] e ouvimos [a mesma forma verbal do verso 1]". Este tipo de sintaxe é o que se pode esperar de uma transcrição de comentários verbais, e não de um prefácio cuidadosamente planejado e escrito. De qualquer modo, a repetição das formas verbais descrevendo ver e ouvir reforça a ênfase na realidade física de Jesus, conforme já observamos.

A NIV não reflete o grau em que a distinção entre "nós" e "vós" é feita no grego. Como observado acima, o pronome "nós" se refere a João e às testemunhas que ele representa, e o "vós" denota os destinatários — crentes e membros da comunidade que estão em perigo de se tornarem presas dos enganos dos oponentes. Este é o grupo anterior que teve contato íntimo com a vida; o grupo posterior recebe a proclamação destes testemunhos. As testemunhas têm comunhão "com o Pai e com seu Filho, Jesus Cristo". Embora este seja o primeiro uso específico do nome de Jesus, ele em estado no centro deste prefácio "desde o princípio". De acordo com o Evangelho de João e 1 João, a comunhão com Deus está necessariamente condicionada à aceitação de Jesus como seu Filho (Jo 3.36; 5.23; 10.30; 1 Jo 2.23; 5.12).

O livro é escrito para que os destinatários possam ter "comunhão" com o escritor e com as demais testemunhas. A palavra "comunhão" (do grego *koinonia*) pode se referir ao compartilhamento de quase todas as coisas; está relacionada à palavra "comum", de modo que está subentendido nesta palavra, ter algo em comum com outra pessoa. Podemos encontrar neste verso as duas maneiras como este termo é amplamente usado no Novo Testamento.
1) João deseja que os leitores tenham comunhão com ele e com as demais testemunhas. Neste sentido, comunhão é compartilhar a fé em Jesus Cristo, e o comprometimento mútuo exigido por esta fé.
2) Esta comunhão, no entanto, é também com Deus, o Pai, e com seu Filho Jesus Cristo. Existe ampla base no Evangelho de João para concluir que os crentes joaninos haviam sido criados em uma comunidade que realçava o que pode ser chamado de uma "habitação interior mútua" referindo-se a Deus e ao crente: O crente está em Jesus ou no Pai (Jo 15.4,5; 17.21), e o pai ou Jesus está no crente (14.20, 23; 15.5; 17.26). Então, a verdadeira comunhão divina é com o Pai e o Filho.

A palavra *koinonia* não é usada no Evangelho de João, e é possível que este tenha sido um termo dos oponentes; como veremos abaixo, sua reivindicação de ter *koinonia* com Deus é rejeitada (1 Jo 1.6) e a refutação do escritor (1.7) é esclarecida de acordo com os assuntos envolvidos. Ainda que a idéia de "nossa" comunhão pudesse ser extensiva aos leitores, é mais provável, devido ao uso constante de "nós" no prefácio referindo-se às testemunhas, que este não seja o caso. Os oponentes reivindicam ter comunhão com Deus, mas estão enganados; sua visão equivocada a respeito de Jesus Cristo mostra que não têm comunhão nem com o Pai nem com o Filho. João exorta seus leitores a prestarem atenção à sua mensagem, porque a *koinonia* com Deus somente é possível mediante a "palavra da vida", que ele, não os oponentes, anuncia.

Em meio ao sofrimento dos discípulos em sua última refeição com Jesus, o Senhor lhes prometeu seu próprio gozo (Jo 15.11; veja também 17.13). Aquele gozo poderia substituir a tristeza que sofreriam quando Jesus fosse morto (16.20-24), e é freqüentemente expresso como "abundância de alegria", um benefício garantido à pessoa que está em comunhão com aqUele que venceu o mundo (16.33). Embora a tradução "vossa alegria" tenha o suporte de muitos manuscritos e sem dúvida faça sentido, a melhor tradução parece ser "nosso gozo" (como em 2 Jo 12). Neste caso, a testemunha expõe que sua alegria estará incompleta a menos que seus filhos espirituais estejam em comunhão genuína com Deus e seu Filho (cf. 2 Jo 4; 3 Jo 3). Em outras palavras, "escrevemos isto" para que os destinatários continuem nesta comunhão verdadeira; de acordo com 1 João 5.13, os leitores crêem realmente em Jesus e realmente têm a vida eterna. Mas o escritor está bastante preocupado porque esta comunhão está em perigo.

Em suma, o prefácio de 1 João serve para
1) confirmar a genuína natureza humana de Jesus Cristo, o Filho de Deus;
2) declarar a autoridade e confiabilidade das testemunhas representadas por João; e
3) conclamar os leitores, de uma maneira introdutória, a permanecerem em comunhão com Deus e seu Filho e com aqueles que dão testemunho do aparecimento da vida divina na experiência humana. Apesar de o prefácio não introduzir todos os temas importantes desta obra, nos dá uma visão prévia dos principais aspectos da argumentação contida em 1 João.

2. A Mensagem (1.5 — 2.27)

2.1. O Comportamento do Cristão (1.5 — 2.17)

2.1.1 A Mensagem: Deus É Luz (1.5). Por todas as considerações, a declaração do verso 5 é a crucial. Tem sido igualmente sugerido que esta seja praticamente uma afirmação dramática para o livro todo. Sua importância é indicada pela posição inicial logo após o prefácio pelo uso de idéias verbais, chave do prefácio ("ouvir" e "anunciar/declarar"), e pela centralidade do conceito de que "Deus é luz", válido para muitas discussões contidas no livro.

Os escritos joaninos são notáveis por suas afirmações a respeito de Deus: como, por exemplo, "Deus é Espírito" (Jo 4.24); "Deus é amor" (1 Jo 4.8,16). Está igualmente envolvida na afirmação de que Deus é "luz", a maneira pela qual Deus lida com a natureza humana e com a sua própria natureza. "Luz" é uma imagem bíblica comum para a revelação de Deus ou a salvação que Ele disponibiliza (Sl 27.1; 119.105,130; Pv 6.23; Is 60.19,20). Também descreve a santidade, a pureza e a integridade do Senhor (Sl 104.2; 1 Tm 6.16). Os versos que se seguem indicam a preocupação de João em estabelecer desde o princípio que o caráter de Deus é de certo tipo, e que este caráter requer certa conduta daqueles que são seus e exclui outros tipos de conduta.

A frase seguinte a "Deus é luz" é enfática: "E não há nele trevas nenhumas". Um ponto chave do prefácio é também mantido. Esta mensagem foi ouvida "dele", certamente uma referência a Jesus, e nestes escritos está sendo declarada aos leitores; novamente, testemunhas fiéis testificam o que sabem ser verdadeiro.

Uma peculiaridade dos escritos joaninos deve ser observada neste ponto. A luz era uma metáfora comum usada no mundo antigo em referência àquilo que é divino. Mas o Novo Testamento foi escrito em um tempo na história quando houve muitos movimentos que perceberam o mundo e/ou a existência humana "dualisticamente"; isto é, pensavam que a realidade seria melhor compreendida em termos de dois poderes ou princípios opostos, tais como "luz" e "trevas". Estas duas forças, quer fossem deuses ou tendências humanas interiores, estavam em contínuo conflito, e o resultado era duvidoso, uma vez que nenhuma das partes tinha uma vantagem decisiva.

Tanto o Evangelho como as Cartas de João exibem uma maneira dualística de pensamento e escrita. Foi descrita uma variedade de contrastes absolutos: luz versus trevas; verdade versus falsidade ou engano; vida versus morte; de cima versus de baixo. A metáfora da luz e das trevas aparece bem cedo no Evangelho de João e em 1 João; em ambos, este conflito é descrito no quinto verso do primeiro capítulo, embora em contraste com o mundo antigo, a solução deste conflito nunca esteve em dúvida. Devemos reconhecer que a terminologia é variável. No evangelho, Jesus é "a luz do mundo" (8.12), significando primeiramente que Ele veio de Deus para trazer vida divina, libertando as pessoas das trevas (8.13; veja também 1.4-9). Em 1 João, "Deus é luz". Apesar de numerosas passagens sugerirem que o escritor de 1 João muitas vezes não se sentiu compelido a fazer uma clara distinção entre o Pai e o Filho, a mudança para Deus, como luz, ao invés de Jesus, provavelmente tenha sido motivada pelas circunstâncias (veja abaixo). E o fato de que embora Deus, sendo luz (1 Jo 1.5), também possa ser descrito como andando "na luz" (v.7) é mais uma demonstração da flexibilidade da linguagem empregada.

Os estudantes dos escritos joaninos têm procurado discernir entre este mundo dualístico de pensamento e expressão, comparando-o com os escritos de outros grupos. Durante muitos anos, os estudiosos propuseram uma conexão com o que é conhecido como pensamento "gnóstico". O termo *gnosticismo* origina-se do grego *gnosis*, que significa conhecimento. Um gnóstico era alguém que cria que sua salvação estava baseada na aquisição de algum conhecimento secreto, e não no evento histórico da morte de Jesus. O gnosticismo foi completamente desenvolvido muito mais tarde do que o Novo Testamento, e envolvia tipicamente mitos elaborados, numerosos níveis de seres divinos e a associação do físico com o maligno.

Muitas pesquisas ocorreram durante as últimas décadas sobre os escritos recentemente descobertos que descrevem o que pode ser chamado de "um cristianismo gnóstico". A primeira carta de João não pode, sob nenhuma justificativa, ser rotulada como "gnóstica", ainda que seja possível que aqueles contra os quais adverte tenham tendências gnósticas. O escritor usa uma terminologia que foi popular entre o gnósticos; por exemplo, "conhecendo" é um termo caracteristicamente joanino (Jo 8.32; 14.7; 1 Jo 2.3-5,13,14; 4.16). Mas, como *logos* no prefácio do Evangelho, esta terminologia é usada para proclamar a verdade, que não é de modo algum gnóstica, de que Deus apareceu na forma humana material e morreu uma morte verdadeira, que dá a salvação àqueles que crêem.

As poucas décadas passadas trouxeram também à atenção do mundo o que tem sido chamado de Manuscritos do Mar Morto, ou Rolos do Mar Morto. Uma parte destes rolos consiste em cópias das Escrituras hebraicas, e são importantes porque datam de séculos anteriores a quaisquer outras cópias destes escritos sendo, deste modo, um testemunho da precisão da transmissão dos textos. Um grande número de outros rolos contém os escritos de uma seita judaica ativa durante o tempo de Jesus. Intensos debates prosseguem sobre a conexão entre os rolos e a suposta comunidade que viveu em Qumran, perto das cavernas onde os rolos foram encontrados. O que é importante para o nosso estudo é que estes escritos exibem uma linguagem e, em alguns casos, pensamentos semelhantes aos escritos joaninos.

Alguns segmentos descrevem o conflito entre os filhos da luz e os filhos das trevas, e uma passagem (*Manual of Discipline* 3.15-26) é particularmente notável pela maneira como fala do espírito da verdade e do espírito do erro (cf. 1 Jo 4.6). Aqui, encontramos muito mais do que um caso para comparação com 1 João. O grupo refletido nos rolos partilha muitos aspectos com os primeiros cristãos. Tinham uma formação judaica, estavam comprometidos com o fiel cumprimento dos mandamentos de Deus e com a autoridade de um testemunho respeitado (o "Mestre da Retidão"), e aguardavam uma breve vinda de Deus à terra. E também como a igreja primitiva, consideravam-se um remanescente santo no meio de um mar de descrença e injustiça. Os paralelos entre estes grupos são impressionantes. Uma crença em Jesus Cristo como o Filho de Deus, é claro, foi o que mais distinguiu a comunidade de João da seita de Qumran. Como veremos, foi um componente importante que os distinguiu daqueles contra quem 1 João advertiu.

2.1.2. Três Falsas Afirmações com Relação ao Pecado São Refutadas (1.6-2.2).

Em 1 João, a terminologia de luz e trevas não é utilizada para relatar histórias sobre a origem do Universo (como no caso dos gnósticos) ou para mapear uma batalha final entre o bem e o mal (como em Qumran). Antes, em 1 João esta linguagem serve para levar o povo de volta a um aspecto moral saudável: *Ninguém pode reivindicar ter comunhão com Deus, que é luz, se não viver de uma maneira digna do caráter desse Deus.*

As três afirmações "se dissermos..." nos versos 6, 8 e 10 talvez sejam caracterizações da posição daqueles contra quem João está escrevendo. Em cada caso, esboça a afirmação dos oponentes com uma rejeição, e então, em 1.7,9 e 2.1,2, completa cada unidade com um "se...", como uma frase própria que declara uma posição correta. O fato de João continuar tratando este assunto imediatamente após o prefácio, sugere

1) que a questão do "pecado" e a ligação entre a conduta de alguém e sua relação com Deus era urgente,
2) que a declaração teológica em 1.5 define a condição necessária para que a discussão seja feita nos versos seguintes, e
3) que a forma de expressão da refutação das primeiras afirmações no verso 6, motivaram o escritor a referir-se à autêntica comunhão no próprio prefácio (1.3,4).

Em outras palavras, 1.6, 8 e 10 contêm afirmações que são paralelos aproximados, embora pareçam ser uma intensificação à medida que o leitor prossegue por este trio. O "nós" do prefácio, que se referiu às testemunhas, contra o "vós" dos leitores, foi deixado para trás no verso 5. Agora, o "nós" inclui os leitores e é usado, às vezes conscientemente, para contrastar os verdadeiros seguidores de Deus com o "eles" dos oponentes (2.19; 4.5,6). De agora em diante, João usa o pronome mais familiar "eu" (mesmo que de modo implícito) para referir-se a si mesmo. Este fato, juntamente com a freqüência dos termos afetivos de estima, tais como "meus filhinhos", mudam o foco de um grupo seleto de testemunhas para a fé conjunta e a experiência de todos na comunidade cristã.

Os oponentes aparentemente afirmam ter comunhão com Deus. Mas isto é impossível, João afirma, porque Deus é luz (v.5) e está na luz (v.7); nEle não há trevas (v.5). Recordando isto nesta estrutura de dois reinos (luz — trevas; verdade — falsidade; vida — morte) são mutuamente exclusivos; ou se está em um reino ou no outro. Para ter qualquer associação com Deus, então, deve-se "andar na luz". "Andar" é uma metáfora comum para "viver" e é vista tanto no Antigo como no Novo Testamento (Sl 1.1; Rm 8.1). Se alguém andar nas trevas, esta realidade não corresponderá à afirmação de ter comunhão com Deus; tal pessoa não viverá na verdade.

João muitas vezes usa a família de palavras ligadas aos termos "mentir" e "enganar" para caracterizar seus oponentes (1.8; 2.4,22,26; 3.7; 4.1,6,20; 2 Jo 7); estas são as várias maneiras de referir-se à antítese da verdade. "Verdade" no Evangelho de João denota aquilo que corresponde ao caráter de Deus, de absoluta confiabilidade e autenticidade, e à realidade de como Deus o torna conhecido (Jo 17.17; "Tua palavra é a verdade"). Porque Jesus é o Deus revelado na forma humana, pelo fato de ser "cheio de graça e de verdade" (1.14) pode ser compreendido como a personificação da verdade (14.6). O "Espírito da verdade" (14.17) é assim chamado porque o Espírito conduz à verdade (16.13), o que basicamente significa que o Espírito é uma testemunha de Jesus, a verdade (14.26; 15.26; 16.14).

Esta carta uniformemente usa a palavra "verdade" não em um sentido pessoal de Jesus, mas como uma designação do que corresponde à realidade como revelada por Deus em Jesus, um uso também comum no Evangelho (por exemplo em Jo 5.33; 8.40,44-46). Quando uma pessoa vive nas trevas e ainda afirma ter comunhão com Deus, que é luz, mente e não vive na verdade; se tal pessoa não fosse mentirosa, então Deus o seria (1 Jo 1.10;

5.10). Jesus disse: "quem me segue não andará em trevas, mas terá a luz da vida" (Jo 8.12). A conduta dos oponentes é prova de que eles estão removidos da luz, da verdade e da vida. A expressão traduzida como "andarmos em" no verso 6 vem da palavra grega que significa "praticar". Embora "praticar a justiça" ou "praticar a verdade" (1 Jo 3.10) esteja de acordo com o estilo de Hebreus (por exemplo, Mq 6.8), nesta carta o uso repetido deste verbo "praticar" acentua a ênfase na ação prática em contraste com as afirmações verbais facilmente feitas (1 Jo 3.18).

Tendo contestado a primeira afirmação de seus oponentes, João exorta seus leitores à devida conduta própria baseada no ensinamento correto. Se vivermos em conformidade e estivermos esclarecidos pela própria revelação de Deus, teremos "comunhão... uns com os outros"! Esta é uma surpresa. Poderíamos esperar que a negação de que os oponentes tenham comunhão com Deus fosse levada adiante por meio de uma afirmação que a comunidade fiel *tem* comunhão com Deus (cf. 1.3). Ao invés disso, o escritor diz que temos comunhão uns com os outros. Ter comunhão com outros crentes é um elemento essencial do viver na luz; isto antecipa o tema básico do amor fraternal encontrado ao longo de todo o livro.

O segundo resultado de andar na luz é que "o sangue de Jesus Cristo... nos purifica de todo pecado". A terminologia da purificação dos pecados está enraizada no sistema sacrificial da primeira aliança (Lv. 14.19; 16.30), mas é única aqui no Novo Testamento, embora a idéia certamente não o seja. Podemos dizer que a vinda de Cristo e as Escrituras são elementos básicos da solução de Deus para a situação causada pelo pecado humano. Um aspecto importante de 1 João é o foco na morte expiatória de Jesus (1 Jo 2.2; 4.10); no Evangelho de João este conceito está relativamente pouco desenvolvido, enquanto a própria encarnação é um tema central. Faz sentido sugerir que esta atenção na morte de Jesus resultou das crenças e afirmações dos oponentes, as quais estão sendo respondidas nesta parte do livro. O pecado, que mais tarde João identifica como a transgressão da lei (3.4) e a injustiça (5.17), entra na discussão por causa da segunda e da terceira afirmação dos oponentes citadas em 1.8,10. O que é demonstrado nos versos 6 e 7 é que a comunhão com Deus e com os outros crentes, e a purificação dos pecados, que torna tal comunhão possível, estão disponíveis somente para aqueles que andam na luz.

Não devemos concluir que os crentes precisam alcançar um certo nível de conduta de retidão antes de Deus purificá-los de seus pecados. É vital que compreendamos estas palavras no contexto em que foram escritas. A luz é o Reino de Deus revelado em Jesus Cristo. Os oponentes têm se retirado deste reino, negando a obra de salvação de Jesus e o estilo de vida a que Ele tem chamado os seus seguidores. Assim fazendo, estão em trevas, afastados de Deus e da purificação dos pecados que é proporcionada através de seu Filho.

A segunda afirmação atribuída aos oponentes em 1.8 é mais surpreendente. Os resultados desta afirmação fazem um paralelo com os resultados observados no verso 6: "Enganamo-nos a nós mesmos (mentimos), e não há verdade em nós (não vivemos pela verdade)". A afirmação "não temos pecado" é surpreendente. Os oponentes de João realmente fizeram tal afirmação? O que esta poderia significar? Duas coisas chamam a atenção.

1) Tal afirmação não é absurda tendo em vista a tradição joanina de que os oponentes haviam se associado antes de deixarem a comunidade. É concebível que a identificação do pecado com a falha em crer em Jesus, no Evangelho de João (16.9), possa ter conduzido a uma determinada percepção, embora errada, de que uma vez que cremos, já não existe pecado.
2) Antes de classificarmos os oponentes como extremistas teológicos e estranhos, deveríamos observar que o próprio escritor de 1 João faz uma afirmação parecida em relação à sua própria comunidade nos versos 3.9 e 5.18. Se o escritor de 1 João pode afirmar, os oponentes podem facilmente ter feito o mesmo.

Uma abordagem desta aparente contradição entre a afirmação de João e a afirmação dos oponentes consiste em observar a diferença na terminologia. No verso 8, a verdadeira expressão da afirmação dos oponentes é que estes dizem não ter "pecado". No Evangelho de João esta frase parece ter a conotação de ser culpado pelo pecado (Jo 9.41; 15.22,24; 19.11). A ausência de culpa não traria a necessidade de perdão ou purificação. A linguagem da afirmação do verso 10 parece ser realmente ousada: "Se dissermos que não pecamos..." Alguns estudiosos defendem que no verso 8 um "princípio" do pecado esteja à vista, e no verso 10 as ações particulares do pecado. Se na verdade os oponentes aderiram à tradição contida no Evangelho de João, podem ter concluído que uma vez que nasceram de Deus, não têm cometido pecado. Tal afirmação, é claro, somente poderia estar enraizada na aceitação do princípio anterior, de que o pecado não era uma possibilidade para aquele que é nascido de Deus. O resultado das afirmações dos versos 8 e 10, então, poderia descartar a necessidade da confissão e perdão uma vez que não existia pecado nem culpa.

Afirmar nunca ter pecado é enganar a si mesmo (1.8). Afinal, a Palavra de Deus dá um amplo testemunho do alcance e do poder e penetração do pecado (como Paulo discute em Rm 3). Negar o que Deus disse mostra que sua Palavra não está em nós e que, em essência, acreditamos que Ele seja um mentiroso (1.10). Mas se admitirmos que pecamos e se confessarmos estes pecados, Deus, de acordo com seu caráter fiel e justo, perdoará estes pecados e nos purificará de toda injustiça (1.9).

A expressão em 5.17 sugere que o pecado e a injustiça sejam dificilmente distinguíveis, conforme a referência à purificação do pecado em 1.7 e à injustiça em 1.9. O termo posterior, *adikia*, talvez tenha sido introduzido como um contraste para a caracterização de Deus (1.9) e de Jesus (2.1) assim como *dikaios*, que significa justo. Quando confessamos que às vezes nos comportamos de uma maneira injusta, Jesus, que é justo, intercede a nosso favor junto ao Pai, que é justo e fiel para nos perdoar. Contudo, se recusarmos tal confissão em nossa vida, nenhum perdão e purificação serão possíveis.

Dirigindo-se a seus "filhinhos" de um modo pessoal e pastoral, o autor declara que está escrevendo para que não pequem. Mas sua resposta à terceira falsa afirmação é que há uma provisão caso alguém peque. A razão pela qual existe uma mudança da primeira pessoa do plural das outras afirmações e alegações para um termo indefinido, é que a última expressão soa como mais discreta e de algum modo menos aceitável quanto ao pecado, quando este ocorre. Mas devido à negação de que alguém possa reivindicar estar sem pecado, o sentido deve ser "se alguém pecar...".

Jesus é chamado "O Justo", que pode ser um antigo título cristão que lhe fora atribuído (At 3.14; 22.14). Esta peculiaridade é importante não somente porque o qualifica como um sacrifício apropriado pelos pecados (1 Jo 2.2), mas também porque o estabelece como o padrão de conduta para todos aqueles que nEle crêem (2.6; 4.4,5). João também chama Jesus de *parakletos* (de acordo com a tradução da NIV, "aqUele que fala... em nossa defesa") na presença (*pros*, como em Jo 1.1 e em 1 Jo 1.2) do Pai. Esta palavra é encontrada somente nos escritos joaninos, principalmente em vários exemplos ao longo do Evangelho de João (14.16,17,26; 15.26; 16.7), e refere-se ao Espírito Santo. Os equivalentes em nossa língua são inadequados por causa da variedade de funções atribuídas a este *parakletos*: consolador, mestre, testemunha de Jesus, aqUele que convence o mundo e dirige. Por ser um termo tão distintivo para o Espírito Santo na tradição joanina, é surpreendente que seja usado como uma referência a Jesus. Provavelmente os oponentes tenham enfatizado o papel do Espírito de uma maneira excessiva, e o autor tenha desejado colocar o foco novamente em Jesus.

Chamar Jesus de *parakletos* não foi, é claro, uma total inovação, pois Jesus prometeu a vinda de "outro" *parakletos* (1 Jo 14.16); o próprio Jesus foi o modelo de *parakletos*. Como um advogado, Ele fala em nossa defesa diante do Pai, o Supremo Juiz. O conceito de nos representar ou interceder por nós diante do Pai pode ser encontrado em outras passagens no Novo Testamento (Rm 8.34; Hb 7.25). Mas devemos rejeitar a idéia de que Jesus tenha que persuadir a um Deus nada simpático, que reluta em nos deixar impunes. O juiz é Deus o Pai, que nos amou e enviou seu Filho (Jo 3.16; 1 Jo 4.9,10), que tem gerado filhos (Jo 1.12,13 1 Jo 3.9; 5.4) e que é fiel para nos perdoar e purificar (1 Jo 1.9).

Além disso, Jesus é "a propiciação pelos nossos pecados e não somente pelos nossos, mas também pelos de todo o mundo". A palavra grega usada aqui é novamente encontrada, no Novo Testamento, somente em 4.10 e aparece em textos não bíblicos com a conotação de "propiciação", isto é, apaziguar uma divindade indignada por meio de certos atos. As culturas antigas oferecem muitos exemplos do sacrifício de uma vida, animal ou humana, para se alcançar o favor de um deus. Mas pelo fato de não existir menção da ira de Deus aqui e tendo em vista que o próprio Deus fornece os meios, muitos estudiosos preferem o termo *expiação*, a remoção da ofensa ou da culpa pelo pecado.

O uso bíblico deste gupo de palavras não é surpeendente, estando muito concentrado em Êxodo, Levítico e Números, descrevendo os requisitos do sistema sacrificial da aliança iniciada no Sinai. Uma palavra intimamente relacionada a esta usada em 1 João 2.2 ocorre em Romanos 3.25, onde Jesus é chamado de "propiciação", tratando com os pecados de uma maneira justa através de seu sangue. Os mesmos elementos chave são encontrados aqui: um sacrifício expiatório; pelos pecados; através do sangue de Jesus; e a justiça de Deus. Se escolhermos ou não enfartizar a ira de Deus contra o pecado, está claro em 1 João que a morte de Jesus é o fundamento no qual todos podemos ter os pecados perdoados e vir à luz da comunhão com Deus; se faltar isto, todos estaremos nas trevas da alienação em relação a Deus. Embora João não use o termo "reconciliação", isto é o que ele está querendo dizer. Paulo igualmente ensina que aqueles que foram uma vez separados de Deus e que se tornaram seus inimigos, foram trazidos a um relacionamento de paz com Ele através do sangue de Jesus (Ef 2.1-18; Cl 1.20-22).

2.1.3. Conhecer a Deus Significa Obedecer à Palavra de Deus (2.3-6).

Como indicado acima, a discussão de 1 João está ligada à ameaça de um grupo que deixou a Igreja e agora estava tentando ganhar os convertidos. As três afirmações destes oponentes em 1.6,8,10 eram refutadas através do apelo à natureza de Deus, que é luz, e que proporcionou os meios pelos quais os pecados podem ser perdoados. A próxima seção (2.3-11) também contém três afirmações que muito provavelmente se originam destes oponentes. Ao invés da expressão "se dissermos", a linguagem da seção anterior, 2.4,6,9 começa com "aquele que diz" (a NIV não indica uma forma idêntica nestes versos, trazendo a expressão "o homem que diz" no v.4, "qualquer que afirmar" no v.6, e "qualquer um que afirmar" no v.9.) O ímpeto de 2.3-11 está focado na refutação destas três afirmações. Embora a atenção ao pecado que predominou em 1.5-2.2 seja deixada para trás, a preocupação em 2.3-11 continua centralizada na conduta prática dos crentes. Permanecem nos mandamentos de Deus e amam os irmãos. Em 2.11, o escritor retornou à metáfora da luz e das trevas; novamente, cada pessoa vive em um destes dois estados.

O primeiro assunto levantado em 2.3-11 é a questão de "conhecer" a Deus. O que significa "conhecer" a Deus? Tal conhecimento é verificável para o indivíduo ou para os outros? É importante estar ciente que "conhecer" na linguagem bíblica geralmente envolve muito mais do que o intelecto; quando digo que conheço quais são as capitais dos estados, ou que sei quem é o presidente da França, não estou usando a palavra no sentido típico encontrado nas Escrituras. Biblicamente, "conhecer" envolve uma experiência ativa com uma pessoa ou com alguma coisa. Quando Gênesis 4.1, por exemplo, nos diz que "conheceu Adão a Eva, sua mulher", significa que teve relações sexuais com ela.

"Conhecer" é, então, um termo adequado particular para a intimidade compartilhada entre marido e mulher; a profundidade deste elo é descrita na linguagem de "uma só carne", física e espiritual.

Os seres humanos foram criados com um profundo desejo de "conhecer" a Deus, que deu-lhes a vida. Este tipo de conhecimento envolve o intelecto, é claro, porque ser criado à imagem de Deus inclui o intelecto. Mas vai bem além de conhecer algo *a respeito* de Deus. O espírito humano não se satisfaz com uma mera declaração de que Deus é amor; ansiamos por uma experiência com Deus, que ama infinitamente, ultrapassando a forma mais pura de amor que podemos encontrar em qualquer outro lugar. É também o desejo de Deus que o seu povo o conheça, que tenha uma íntima comunhão com Ele. E é uma promessa notável que quando Deus faz uma nova aliança com seu povo, deseja que todos o conheçam (Jr 31.34). De acordo com o evangelho de João, o Filho compartilha o conhecimento mútuo com Deus o Pai (Jo 10.15), e tornou possível que seus seguidores também conheçam o Pai (14.7). Na verdade, a vida eterna pode ser descrita como conhecer a Deus e seu Filho, Jesus Cristo (17.3). Este tipo de conhecimento é o que distingue o povo de Deus (17.25,26).

Aparentemente, os oponentes aos quais João se refere afirmaram conhecer a Deus (2.4), e João sente que deve reprovar esta afirmação. Mas como pode tal afirmação ser negada? Será que um relacionamento pessoal com Deus é algo que não posso julgar, pois, aquele que o fizer, também será julgado? (Mt 7.1) Mateus ainda registra mais adiante, no mesmo capítulo, as orientações de Jesus quanto a discernir profetas: "Por seus frutos os conhecereis (literalmente, conhecer)" (7.16). João aplica este ensinamento à presente crise. Em 1 João 4.1 usa, para seus oponentes, o mesmo termo que Jesus usou em Mateus 7.15: "Falsos profetas". Assim como Jesus advertiu sobre os falsos profetas que poderiam "enganar" (Mt 24.24), João também adverte contra aqueles que "enganam" (1 Jo 2.26; a NIV utiliza a expressão "desviam") e que são caracterizados pelo "espírito do erro" (4.6; na NIV "falsidade").

O fundamento do caso contra os oponentes pode ser descrito, usando a metáfora de Jesus, como sendo os seus "maus frutos". Como João escreve, não obedecem os "seus mandamentos" (1 Jo 2.3). A obediência à vontade revelada de Deus é um tema repetido no Antigo e no Novo Testamento. Os livros de Moisés estão repletos de instruções ao povo de Deus, para que obedeçam aos mandamentos divinos; esta foi uma parte essencial de seu relacionamento de aliança com o Senhor. A tradição joanina reitera esta verdade nas palavras de Jesus a seus discípulos: "Se alguém me ama, guardará a minha palavra, e meu Pai o amará, e viremos [meu Pai e Eu] para ele e faremos nele morada" (Jo 14.23); é impossível ter o amor e a morada do Senhor em nosso interior sem que sejamos obedientes. Então o escritor pode evidentemente declarar que a afirmação dos oponentes é uma mentira. Observe como 2.4 é notavelmente semelhante a 1.6:

Em cada caso encontramos uma afirmação dos oponentes, uma breve anotação de sua conduta real, uma insensível rejeição de suas afirmações como falsas, e a mudança dos oponentes da esfera da verdade, isto é, do próprio Deus. Este padrão ilustra a ameaça para a qual 1 João é uma resposta e a estratégia que o autor usa para neutralizá-la — mostrar a discrepância entre as afirmações dos oponentes e sua conduta ou ensino. João espera que sua conclusão em cada caso seja evidente a seus leitores.

Também está claro que algumas das pessoas às quais o autor se dirige estão confusas sobre em quem devem crer, e sobre a sua própria posição. Aqueles "que vos enganam" (2.26) alegam *que são os que* conhecem a Deus. Poderiam estar certos?

1.6	2.4
"Se dissermos que temos comunhão com ele e andarmos em trevas, mentimos e não praticamos a verdade".	"Aquele que diz: Eu conheço-o e não guarda os seus mandamentos é mentiroso, e nele não está a verdade".

Nós poderíamos estar errados? João estabelece como um de seus principais objetivos aliviar esta incerteza e assegurar seus leitores que *eles* (ou algumas vezes *nós*), e não os oponentes, estão na verdade, na luz, e em Deus. A freqüência da frase "nisto/por isso sabemos" ou "conhecemos" (2.3,5; 3.16,19,24; 4.2,13; 5.2) e frases semelhantes (3.10; 4.9,10,17) demonstram que 1 João foi escrita ao menos em parte para estabelecer os critérios pelos quais seus leitores podem *conhecer* que têm vida eterna (5.13). Se tiverem esta certeza, resistirão ao ensino enganoso dos oponentes.

Os dois critérios — a crença e a conduta apropriada em Jesus Cristo — em um sentido podem ser aplicados universalmente, e em outro devem ser entendidos como sendo particulares a cada situação. Os verdadeiros cristãos sempre crerão em Jesus como o Filho de Deus e como o meio pelo qual os pecados são perdoados, e viverão guardando a natureza de Deus e sua vontade revelada. Entretanto, o "teste" a ser aplicado à própria crença, conforme descrito em 1 João era a resposta específica aos falsos ensinamentos dos oponentes — Jesus veio em carne? Existem grupos em nossos dias que seriam aprovados neste "teste" sobre o significado da encarnação, mas que seriam deficientes em outros aspectos.

João assegura a seus leitores que "sabemos que o conhecemos" (2.3). Como? Esta garantia está enraizada no fato de que um crente obedece aos mandamentos de Deus. Em tal pessoa, o amor de Deus está "verdadeiramente aperfeiçoado" (v.5). Esta afirmação não significa que exista algo deficiente no amor divino, assim como a afirmação de que Jesus foi consagrado pelas aflições (Hb 2.10) não implica nenhuma falha de sua parte. Em cada caso, o que não tem defeito em si mesmo é trazido para servir inteiramente ao propósito de Deus. Um martelo, por exemplo, pode não ter defeito, mas somente cumpre a sua tarefa quando é usado para cravar um prego, seu principal propósito. O amor de Deus, então, não está completo até que atue na vida dos crentes.

É difícil decidir o significado preciso deste "amor *de Deus*" (2.5). Este "de" das frases, chamado genitivo, pode ser ambíguo. Sabemos que a expressão "amor do dinheiro", representa o amor que alguém tem pelo dinheiro. E sabemos que a expressão "amor de mãe", representa o amor que uma mãe tem por seus filhos. Mas e o "amor de Deus?" Será que este se refere ao amor de Deus por nós, ao nosso amor por Deus, ou a um dos vários outros sentidos gramaticalmente possíveis? Cada uma destas formas genitivas tem sido avaliada em seu próprio contexto. O significado aqui parece ser o amor que se origina em Deus e é agora uma realidade experimentada pelos crentes através de Jesus Cristo. Muitas pessoas que não conhecem o grego têm ouvido a respeito do termo *agape*, como o tipo de amor de Deus. Esta palavra, que toma seu sentido completo no Novo Testamento, é quase definida em 4.10,11, onde o *amor* de Deus é identificado com o *ato* de Deus enviar seu Filho como a solução para os nossos pecados. Embora alguém possa argumentar, baseado em João 3.16, que o amor de Deus é o que motiva o ato, João, aqui, está acima de tudo preocupado em identificar o amor de Deus com a conduta prática. O amor é ativo. Jesus nos mostrou o significado do termo *agape* e os crentes devem seguir seu exemplo (1 Jo 3.16).

João também garante a seus leitores que "estamos nele" (2.5). Novamente encontramos uma afirmação de João baseada em uma resposta à reivindicação dos oponentes. O verso 6 contém a segunda das três afirmações que lhes foram atribuídas em 2.3-11. Afirmam "estar nele". Esta frase é pouco distinguível da afirmação "conheço-o", contida no verso 4. Ao ler o verso 6 nos confrontamos com o uso do verbo *meno* (literalmente; permanecer). Esta palavra comumente encontrada nos escritos joaninos é traduzida pela KJV (Versão do Rei Tiago) como "permanecer", na famosa passagem da videira e dos ramos (Jo 15). Nesta, os seguidores de Jesus são exortados a "permanecer" (NIV — Nova Versão Inglesa) na videira, que é Jesus. Se um crente permanecer em Jesus, Jesus permanecerá nele (15.4). Mas guardar os seus mandamentos é o pré-requisito para estar ou permanecer em Jesus e no seu amor (15.10), assim como para que o Pai e o Filho habitem no interior do crente (14.23).

Esta habitação mútua do Pai e do Filho no interior do crente torna-se um tema principal em 1 João, e não deveria ser uma surpresa que João desenvolvesse especialmente a necessidade de se obedecer aos mandamentos divinos. Os leitores devem "permanecer" nos ensinos e guardar os mandamentos que ouviram desde o princípio a fim de "permanecerem" em Deus (2.24; 3.24). Em resumo, os dois "mandamentos" que devem ser obedecidos para garantir a morada divina no interior do homem e da mulher que servem a Deus, são fundamentais para todo o livro: Crer em Jesus da maneira correta, e amar os irmãos (3.23,24; 4.15,16). A palavra "permanecer" assume maior relevância, uma vez que os leitores estão sendo exortados a não partir e a não se unir aos falsos profetas, mas a permanecerem na verdade revelada em Jesus e testemunhada por João.

Aquele que afirma "estar nele" deve viver (ou andar) como Jesus viveu (ou andou). Há alguns aspectos do ministério de Jesus que são únicos e não se repetem. Por exemplo, ninguém mais pode ser um sacrifício expiatório pelos pecados do mundo. Mas os escritores do Novo Testamento muitas vezes recorrem a Jesus como um modelo de conduta e atitude para seus seguidores (1 Co 11.1; Fp 2.3-11; Hb 12.2,3; 1 Pe 2.20-25). Esta prática, sem dúvida, origina-se no próprio ensino de Jesus (Jo 13.2-17). O contexto de 1 João 2.6 indica que João primeiro tem em mente o amor divino que Jesus demonstrou (v.5,7-11) em sua vida cotidiana, assim como em sua morte. As outras duas passagens de 1 João nas quais aparece a palavra que no verso 6 é traduzida como "deve" (3.16; 4.11), enfatizam o mesmo tema: Os crentes devem amar uns aos outros como Jesus os amou.

2.1.4. O Mandamento do Amor (2.7-11). Os leitores são tratados como "irmãos" ou "amados" (*agapetoi*, uma palavra baseada em *agape*, mencionada no v.5). Este é um termo de afeição e parece ser particularmente apropriado aqui, uma vez que o tópico se refere ao amor que caracteriza o estilo de vida cristão. Estas são as pessoas que vivem no reino do amor de Deus.

Uma comparação com 2 João 5,6 mostra que este "mandamento antigo" é o mesmo que "amar uns aos outros". Em sua última refeição com os discípulos, Jesus deu-lhes o que chamou de um "mandamento novo"; a novidade está aparentemente ligada à maneira pela qual o próprio Jesus amou os seus discípulos (Jo 13.34). Deste modo, João não escreve aos crentes um "mandamento novo", mas um mandamento que tiveram desde o princípio de sua vida cristã. Portanto enfatiza em seu ataque contra os falsos profetas que sua mensagem está enraizada em Jesus; como observado em 1 João 2.6, aquele que diz que "está nele" deve seguir o exemplo de Jesus. Este "mandamento antigo", então, não é diferente da "palavra" que têm ouvido; originou-se em Jesus, e *agape* é cumprido quando alguém obedece a "sua palavra" (v.5).

João continua dizendo: "Outra vez vos escrevo um mandamento novo" (v.8). Dizer que é novo, logo após ter negado que era novo, não é uma contradição. Originou-se em Jesus, então não é novo. Contudo *é* novo pelo fato de seu mandamento poder ser visto nele e nos destinatários da carta (v.8). O crucial neste verso é a parte que diz "e em vós". O significado de "verdadeiro... em vós" no verso 8 é quase o mesmo que "verdadeiramente" no verso 5, e "em verdade" em 3.18. O amor de Deus é por natureza algo que deve ser vivido. A "novidade" do mandamento está então relacionada à maneira pela qual os leitores têm praticado o amor divino, ensinado e modelado por Jesus; estão dispostos, em total contraste com os oponentes, a sacrificarem suas vidas por seus irmãos (Jo 15.12,13; 1 Jo 3.16).

Pelo fato dos verdadeiros crentes estarem colocando em prática o princípio do amor, as trevas estão desaparecendo e a verdadeira luz já está brilhando. Aqui temos um retorno à metáfora das trevas e da luz de 1.5-7. Ali foi estabelecido que a luz é o reino de Deus, e as trevas são a antítese de tudo o que Deus representa. A linguagem aqui é bem parecida com a de João 1.9 e provavelmente o texto de 1 João seja uma adaptação desta. No evangelho, Jesus é "a luz verdadeira, que alumia a todo homem"; contudo as trevas permanecem como a condição na qual muitos vivem, por escolherem não vir para a luz. Os "filhos da luz" (Jo 12.36) não devem esperar uma melhor recepção do que aquela que foi oferecida à própria Luz (3.19-21; 15.20,21).

Não é possível, então, que João queira dizer por "passando as trevas", que as condições para o Evangelho melhorarão gradualmente à medida que a luz da verdade gradualmente elimine todos os traços de hostilidade a Deus. A afirmação final do verso 8 está baseada na anterior: A verdade do novo mandamento é vista "nele e em vós"; isto é, a luz brilha e as trevas passam *na vida dos crentes*. Aquele que segue a Jesus não anda mais em trevas (Jo 8.12; 12.46). Em contraste, os oponentes estão "em trevas" até agora (1 Jo 2.9); estão no reino do mundo, sob o controle do maligno (5.19). Os reinos da luz e das trevas continuarão até a volta de Cristo e assim é seguro dizer que as palavras de Jesus aos seus discípulos sobre a aflição neste mundo (Jo 16.33) permanecerão verdadeiras. Mas este mesmo verso pronuncia que aquele que é a Luz venceu o mundo. Não precisamos mais estar sob o domínio das trevas.

Em 2.4,6 descobrimos caracterizações dos oponentes na forma de "aquele que diz..." No verso 9 encontramos a terceira destas formas. Como com as duas primeiras, a afirmação tem sido estabelecida no verso anterior por uma afirmação verdadeira: A luz está brilhando. Contudo, João escreve, aquele que afirmar estar na luz (ou estar "nele", ou "conhecê-lo", ou "ter comunhão com ele") e odiar seu irmão está em trevas.

Devemos considerar o que dever ser entendido pelos termos "ódio" e "irmão". Consideramos que quando alguém diz "odeio você", significa que esta pessoa tem uma hostilidade viva a seu respeito; não significa que você seja uma pessoa menos desejável do que qualquer outra. Na Bíblia, entretanto, "odiar" pode ter um sentido bastante diferente. Quando Malaquias 1.2,3 registra Deus dizendo: "Amei a Jacó e aborreci a Esaú", não devemos considerar este ódio no sentido da hostilidade ativa. Esta é, antes, uma linguagem de contraste vibrante. Deus não odeia como a pessoa que foi exemplificada acima; significa simplesmente que Esaú não foi o filho escolhido para dar continuidade à linhagem do Messias. Quando Jesus disse que deveríamos "odiar" ou "aborrecer" nossa vida neste mundo, quis dizer somente que não deveríamos "amar" ou atribuir a máxima prioridade à vida terrena, pois então a "perderíamos" (Jo 12.25). Então aqui João faz um contraste com alguém que tem amor *agape* pelos irmãos (1 Jo 2.10; como também em 3.14,15). Não ter *agape* pode significar uma omissão negligente ao invés de uma hostilidade ativa.

Quem, então, é o "irmão" que está sendo "odiado" e como este ódio é demonstrado? A linguagem da fraternidade baseia-se na linguagem da paternidade; isto é, os crentes são irmãos e irmãs porque Deus é nosso Pai. Na terminologia joanina, somente Jesus é o Filho de Deus, mas os crentes que são "nascidos de Deus" (3.9; 5.1,4,18) são filhos de Deus (3.1,2). O ódio com relação aos irmãos, então, deve referir-se a alguma atitude ou comportamento para com os crentes. Os oponentes costumavam insultar os cristãos? Como poderia estar crescendo o seu número e como poderiam ser atrativos para alguém da comunidade joanina se o comportamento dos opoentes era tão abusivo? Pode não ter sido completamente abusivo. Na verdade, a questão pode passar a ser definir quem é um "irmão". A partir da perspectiva de João, os "irmãos" são os membros de sua comunidade. Observe que em 2.19 João torna claro que estes falsos profetas não eram e nunca tinham sido parte da comunidade de crentes; a divisão simplesmente o trouxe à luz. Pode ser que os oponentes nem sequer considerassem os membros do grupo representado por João como "irmãos", ao mesmo tempo que João *os* exclui da comunidade de crentes.

De qualquer modo, o "ódio" em relação aos irmãos parece ser uma falta de preocupação com as necessidades materiais de outros crentes (3.17,18). Quando alguém vê uma verdadeira necessidade e não age para supri-la, tal comportamento somente pode ser chamado de ódio. Não sabemos se tal desinteresse pelas necessidades práticas foi causado por uma tendência teológica particular. O interesse exagerado destes oponentes pela experiência espiritual pessoal, poderia ter conduzido a uma deficiência quanto à preocupação pelo bem da comunidade; sabemos que algo semelhante aconteceu em Corinto (1 Co 12–14). Podemos estar certos da necessidade de os leitores estarem conscientes de tal conduta por parte dos oponentes; por outro lado, um apelo por parte de João a tal situação como uma prova dos erros destes, poderia ser inútil.

A preocupação ativa com os irmãos crentes, então, é um teste prático pelo qual alguém pode discernir se uma pessoa é de Deus ou não. Aquele que demonstra amor está "na luz" (v.10), independentemente das reivindicações feitas pelos outros. Em tal pessoa não existe nada que lhe fará tropeçar. Este é um nítido contraste com as pessoas que estão em trevas e andam em trevas; estas não sabem para onde estão indo (estando assim destinadas a tropeçar) "porque as trevas lhe cegaram os olhos" (cf. Jo 11.9,10). Conforme a narrativa em João 9, a cegueira espiritual é muito mais séria do que a cegueira física. O único caminho para a luz é admitir a cegueira (9.39-41) e estar disposto a ter sua vida iluminada pela intensa e penetrante luz de Deus (3.19-21). Se alguém afirmar estar na luz (1 Jo 2.9) ou estar em comunhão com Deus, que é luz (1.5,6), enquanto falha, porém, em admitir o pecado ou em amar os irmãos, estará na verdade entregando-se às trevas.

2.1.5. Exortação à Comunhão (2.12-14). Um rápido olhar para o texto da NIV nos diz que 2.12-14 é diferente de 1 João; estes versos têm um estilo que traz algumas qualidades poéticas. Seis vezes encontramos a expressão, "escrevo-vos", seguida por destinatários alternados e então por uma oração começando com "porque". A repetição em geral, e de certas frases em particular, justifica a maneira pela qual esta seção foi escrita. O efeito que João deseja é a afirmação e a exortação de seus leitores.

Foram utilizados quatro diferentes termos em grego no tratamento aos leitores: duas palavras semelhantes traduzidas como "filhinhos" ou "filhos" (vv.12,13c), *"pais"* (vv.13a, 14a) e "jovens" (vv.13b,14b). Várias propostas têm sido feitas, acerca do motivo pelo qual muitos grupos diferentes foram envolvidos. A melhor solução é entender "filhinhos" como referindo-se a toda comunidade de crentes. Esta abordagem é apoiada pelo fato de que tanto o termo *teknia* (cf. 2.28; 3.7,18; 4.4; 5.21) como *paidia* (cf. 2.18), são usados fora desta parte estilizada para referir-se a todos os leitores, embora os outros dois não o sejam. O termo "pais" talvez se refira àqueles crentes que são relativamente mais velhos e mais maduros na fé, e "jovens" aos que são relativamente mais novos.

A tradução da NIV, ao longo de toda a seção do "porque", sugere que o que está escrito está baseado em, ou é o resultado do fato que é citado na oração explicativa. Deve ser mencionado que a palavra traduzida como "porque" (*hoti*) poderia ao mesmo tempo ser propriamente traduzida como "que"; em outras palavras, cada uma das tais orações poderia não ser explicativa (isto é, no v.14, "porque sois fortes"), mas declarativa ("que sois fortes"). De qualquer maneira, a seção tem o objetivo de encorajar os crentes diante da incerteza. Um pai deve encorajar o filho que está inseguro sobre a atividade que exerce, dizendo: Estou orgulhoso por você estar fazendo um trabalho tão bom!" Alguns dos destinatários de 1 João, como neste exemplo do pai e do filho, não estão tão certos sobre quão bem as coisas estão indo. João, como o pai, está consciente da incerteza e quer exortá-los a uma maior confiança e desempenho. Esta seção é adequada ao propósito desta carta como um todo.

O que João diz aos "filhinhos", então, é uma afirmação a respeito de todos os crentes da comunidade, que seus pecados foram perdoados por causa do nome de Jesus, e que conhecem o Pai — as duas afirmações pronunciadas anteriormente (1.9-2.3). No pensamento bíblico "o nome" de alguém é muito mais do que uma série de letras com um certo som; significa a verdadeira identidade de alguém. "Crer no nome de Jesus" (Jo 1.12; 1 Jo 3.23; 5.13) é crer em quem Ele realmente é; é comparável a crer nEle (Jo 3.18). Quando algo é feito "em nome de Jesus", significa que é feito com a autoridade de Jesus por aqueles que têm se submetido ao seu Senhorio (Jo 14.13,14; 20.31; At 2.38; 1 Co 5.4). Ir ou ser enviado, ou realizar algo "em seu nome" (Jo 5.43; 10.25; 12.13) é atuar como um representante dEle, com a autoridade de Deus. Jesus veio "no nome" do Pai, e em seguida enviou seus discípulos em seu próprio nome. O perdão dos pecados, então, está baseado na obra expiatória de Jesus (2.2), e em sua chamada a seus seguidores para que proclamem sua mensagem (Jo 20.21-23). É significativo observar que o conhecimento de Deus e o perdão dos pecados, assim como outras bênçãos concedidas aos crentes, estão ligadas à expectativa profética dos últimos dias (Jr 31.34).

Os "pais" são duas vezes descritos como aqueles que têm conhecido aquEle que é desde o princípio, presumivelmente para lembrá-los de seu compromisso de longo prazo, diante da deserção dos oponentes. É discutível se o termo "aquele" refere-se a Jesus ou ao Pai, mas a abertura do prefácio sugere que o autor tem Jesus em mente.

Os "jovens" têm vencido o maligno (mencionado duas vezes); são fortes e a Palavra de Deus habita neles. Não é surpresa encontrarmos a força associada à juventude, mas somente vencem o maligno através da obra de Cristo e da Palavra de Deus que neles habita (Jo 16.33; Ap 12.11). Neste caso, os vencidos são os oponentes (1 Jo 4.4) e o mundo com o qual estão associados (5.4,5). A palavra traduzida como "maligno" pode ser interpretada simplesmente como "mal", como é usualmente apresentada na Oração do Senhor (Mt 6.13) e na própria oração de Jesus em João 17.15. Mas a NIV está provavelmente correta ao interpretá-la como uma referência pessoal (1 Jo 3.12; 5.18,19); na linguagem joanina, o Diabo (3.8,10) é um homicida (Jo 8.44), e 1 João 3.11-15 associa o "maligno" a um "homicida". Os seres humanos são filhos de Deus ou filhos do Diabo, e seus atos revelam a distinção (3.9,10). Deus impulsiona os crentes; o Diabo impulsiona e controla o mundo (4.4; 5.18).

2.1.6. O Amor ao Mundo como uma Antítese do Amor a Deus (2.15-17). O termo "mundo" (*kosmos*) pode ter diferentes conotações, dependendo de como é usado. Este fato não é mais evidente em qualquer outra parte, como nos escritos joaninos. No Evangelho de João, o mundo pode ser uma esfera global, equivalente à Terra (cf. Jo 21.25). O mundo foi tão amado por Deus, que Ele enviou seu Filho ao mundo para trazer vida (3.16) e era (e continua sendo) a vontade de Jesus que o mundo assim creia (17.21,23). O mundo foi o cenário do ministério redentor de Jesus (1.9; 9.5) e do ministério continuado de seus seguidores (17.15,18). Contudo, a expressão "o mundo" também pode se referir àquilo que é contrário a Deus (8.23; 17.14,16), a um reino cujo dominador é o Diabo (12.31; 14.30; 16.11). Em 1 João, o termo *kosmos* também pode ser usado sem as conotações negativas. Jesus é tanto o Salvador do mundo como também o sacrifício expiatório pelos pecados do mundo (1 Jo 2.2; 4.14). O mundo é o lugar onde vivemos (4.17) e seus bens devem ser compartilhados com os outros (3.17). Mas o termo "mundo", em 1 João, freqüentemente significa aquilo que está em contraste com Deus. Está sob a influência do maligno (5.19) e é o local onde o anticristo aparece (4.3). É o reino ao qual os falsos profetas têm enganado (4.1,5).

Uma vez que, de acordo com 3.13, o mundo odeia os verdadeiros cristãos (porque odiou Jesus, cf. Jo 15.18,19) poderia ser surpreendente ler a advertência de que não devemos amar o mundo ou qualquer coisa que há no mundo. Isto não é como dizer à pessoa que está na luz: "Não ame as trevas? Ou será que "mundo" tem uma conotação diferente aqui? O amor pelo mundo é a antítese ao amor do Pai, isto é, *agape*, que é um dos aspectos que distinguem o crente verdadeiro (1 Jo 2.15). O verso 16 explica aquilo que se deseja dizer, exatamente, com a expressão amar o mundo, quando mostra os complementos da frase "tudo o que há no mundo..."

O amor de Deus é incompatível com o amor ao mundo porque o que está no mundo, antes de tudo, são os "desejos do homem pecador". Esta pode não ser a melhor maneira para traduzir o que o texto diz literalmente: "A concupiscência da carne [*sarx*]". Esta palavra grega não tem nos escritos joaninos o mesmo sentido negativo que tem em Romanos 8, por exemplo, onde o significado é claramente a natureza pecaminosa. No evangelho de João, *sarx* é aquilo em que o Verbo se tornou (Jo 1.14; veja também 6.51-56); o único outro uso desta palavra em 1 João tem o objetivo de insistir que Jesus Cristo veio em carne (1 Jo 4.2). No Evangelho, esta palavra comumente se refere ao reino natural, físico; é incapaz de alcançar o mundo divino do espírito (Jo 3.6), mas também não é seu inimigo mortal (1.13; 6.63; 8.15). Assim, a "concupiscência da *sarx*" poderia ser melhor traduzida como "desejos físicos".

Na próxima frase, a NIV interpreta a mesma palavra grega "concupiscência" como a "luxúria", que está localizada nos olhos. Mas, de acordo com a frase anterior, isto é melhor entendido para referir-se ao que é visualmente atraente; os olhos, como a *sarx*, não operam no reino espiritual. Os olhos físicos estão destinados a ver coisas visíveis; deste modo funcionam como Deus planejou. Mas o problema surge quando o físico, que é tangível e visível, torna-se o principal foco da vida humana. A "soberba da vida" esclarece as duas primeiras frases e descreve muitas pessoas modernas, para as quais o acúmulo de bens materiais assume a mais elevada prioridade.

A crítica de João, então, não é contra as atividades pecaminosas grosseiras, tais como a imoralidade sexual, que alguns deduzem a partir do uso do termo *sarx* e "concupiscência". Verdadeiramente, não há nada em todas as cartas joaninas que faça qualquer alusão ao flagrante comportamento pecaminoso dos oponentes; dada a situação crítica, poderíamos esperar que João tivesse usado tal munição se estivesse disponível. O motivo pelo qual "o mundo" ouve os oponentes é que eles "falam do mundo" (1 Jo 4.5) ou "falam a partir do ponto de vista do mundo". Não provocam a hostilidade do mundo porque esta resulta somente da exibição de seus feitos malignos, quando são revelados pela luz da mensagem de Deus (Jo 7.7; cf. 1 Jo 3.12).

Os oponentes de João podem ter sido como certos oponentes de Paulo, que foram atraídos ao que era visível e que impressionava (2 Co 10-11). Em resposta, Paulo insistiu que os cristãos devem manter seus olhos (espirituais) fixos não no visível, que é apenas temporário, mas no invisível, que é eterno (2 Co 4.18). Isto é notavelmente semelhante à linguagem do verso final desta seção: Qualquer coisa associada com o mundo "passa", mas "aquele que faz a vontade de Deus permanece para sempre". A fascinação pelo que é material é grande. Mas somente um louco acumula tesouros na terra, que breve serão perdidos, ao invés de acumulá-los no céu, onde jamais serão perdidos (Mt 6.19-21).

2.2. A Fé em Cristo (2.18-27)

2.2.1. Os Anticristos que Saíram pelo Mundo (2.18,19). O verso 18 contém um de apenas dois usos da frase "última hora" no Novo Testamento. Pode ser uma forma de João enfatizar uma frase muitas vezes encontrada em seu relato no Evangelho: "Últimos dias". Os cristãos primitivos estavam convencidos de que viviam nos "últimos dias" (At 2.16,17; Hb 1.2). O Novo Testamento freqüentemente fala sobre o retorno de Cristo e das condições que prevalecerão pouco antes deste evento. Um desenvolvimento antecipado foi a aparição dos falsos profetas e dos "falsos cristos" e, em alguns textos, um indivíduo que poderia representar o clímax da rebelião e liderar a oposição final contra Deus (2 Ts 2.1-12; Ap 13). Somente em 1 e 2 João esta pessoa é chamada de "anticristo" (2.18,22; 4.3; 2 Jo 7); os leitores têm conhecimento de que tal figura virá.

Este indivíduo não é importante em si próprio, mas apenas um representante dos oponentes, que têm uma falsa visão de Cristo (veja v.22). Os crentes sabem que é já a "última hora" porque "agora muitos se têm feito anticristos". Mais precisamente, João pretende dizer que os falsos profetas defendem um ensino sobre Cristo que é uma manifestação do espírito do anticristo (4.3).

Como discutido na introdução, este verso descreve uma igreja dividida e os versos 18 e 27 refletem a linguagem severa usualmente associada a tal divisão. Um segmento da comunidade partiu e sua saída prova que nunca pertenceu realmente à Igreja que crê; se não fosse assim não teria partido. A ênfase do livro na natureza reveladora das obras de alguém é novamente vista; as ações dos desertores mostram o que sempre foram (cf. 1 Co 11.19). Falharam por não "permanecer"; mais uma vez, o verbo *meno* é crucial, quer esteja se referindo a permanecer em Deus, na Palavra que receberam, ou na comunidade da fé.

2.2.2. Permanecer no Ensino da Unção Dada por Jesus (2.20-27). O pronome "vós" no verso 20 é enfático e poderia ser também indicado em itálico: "E *vós* tendes a unção do Santo". O título "Santo" pode referir-se ao Pai, que é santo (Jo 17.11), mas muito provavelmente refira-se a Jesus, a quem Simão Pedro confessou como "o Santo de Deus" (6.69).

Os pentecostais identificam esta "unção" (*chrisma*) com a capacitação especial de uma pessoa, tal como no caso de um pregador, pelo Espírito Santo. Apenas em 1 João 2.20,27 encontramos este termo no Novo Testamento. Este *chrisma* é melhor entendido com relação ao verbo *chrio* que significa ungir. No Antigo Testamento, as pessoas eram ungidas para o serviço a Deus e ao seu povo, e o derramamento literal de óleo tornou-se identificado com o derramamento do Espírito Santo, por Deus (1 Sm 16.13; Is 61.1). O Evangelho de Lucas, em particular, narra a vinda do Espírito Santo sobre Jesus por ocasião de seu batismo (Lc 3.22), sua direção subseqüente pelo Espírito (4.1) e sua consciência do cumprimento da "unção" mencionada em Isaías 61 (Lc 4.18-21). Parece adequado, então, dizer que os crentes têm um *chrisma*, uma unção, do *christos*, o próprio Ungido.

Mas a unção não está ligada aqui à pregação abrasadora. Uma vez que têm a unção, conhecem a verdade. Como sugerido por uma nota de rodapé na NIV, há importantes manuscritos deste verso que teriam a seguinte tradução: "E vocês conhecem todas as coisas", e que não poderiam ser diferentes da afirmação no verso 27 que diz: "A sua unção vos ensina todas as coisas". Mas o texto da NIV faz sentido de acordo com o "vós" enfático inicial no verso. São os membros da comunidade fiel, *não* os falsos profetas, que têm a unção (a despeito de suas reivindicações). E em contraste com as possíveis alegações de certos oponentes de que sejam aqueles que "conhecem", o escritor insiste em que *todos* os crentes verdadeiros conhecem todas as coisas (e assim não precisam de pessoas que se autoproclamem "iluminadas" para lhes ensinar, v.27). A "unção", então, é o Espírito que habita em nós, que, em cumprimento à promessa de Jesus (Jo 14.26; 16.13), dirige os crentes ao verdadeiro entendimento.

O escritor continua assegurando aos seus leitores que está convencido de que *conhecem* a verdade. Assim como as trevas não têm parte na luz, "nenhuma mentira vem da verdade". O "mentiroso" no evangelho de João é o Diabo: "Não há verdade nele" (Jo 8.44). Em 1 João, o "mentiroso" representa os oponentes, que falharam nos dois principais testes da cristologia e da moralidade (1 Jo 2.4,22; 4.20); são filhos do pai da mentira (3.10; cf. Jo 8.44).

Os oponentes são irmãos daqueles que tinham "por pai o Diabo", e que rejeitaram a Jesus como o Cristo durante seu ministério terreno (Jo 8.41-47). Como uma manifestação do anticristo dos últimos tempos, negam que Jesus é o Cristo — então negam não somente o Filho, mas o Pai que o enviou e que é completamente revelado no Filho (Jo 1.18; 10.30; 14.9). Não sabemos exatamente como os oponentes negaram que Jesus é o Cristo. Parece claro que não foram os judeus que rejeitaram a afirmação cristã de que Jesus é o Messias profetizado nas Escrituras judaicas; esse tipo de oponente foi o antagonista apresentado no Evangelho de João, mas o conflito com a sinagoga não está em evidência nas cartas. A visão deles, em algum sentido, envolveu a negação de que Jesus Cristo "veio em carne" (1 Jo 4.2).

Julgando a partir daquilo que 1 João enfatiza como resposta, parece que o assunto crucial era a morte genuína e expiatória de Jesus pelos pecados de todos (2.2; 4.10). A fé cristã requer a afirmação de que Jesus de Nazaré, um ser humano físico e verdadeiro (1.1.2), era o Cristo divino, o Filho que estava desde o princípio com Deus (1.2; 4.15). Muitos judeus no Evangelho de João reivindicaram ter Deus como seu Pai (Jo 8.41), porém rejeitaram Jesus como sendo de Deus. O Evangelho de João insiste que a rejeição ao Filho é equivalente à rejeição a Deus, o Pai (3.36; 5.23; 8.47; 15.23). Então aqui (e em 2 Jo 9), a condição de alguém em relação a Deus é dependente de sua atitude para com o Filho. A terminologia de "ter" o Pai (1 Jo 2.23) é única no Novo Testamento. Devemos evitar qualquer pensamento, é claro, da existência ou possibilidade de alguma outra forma de se ter a presença do Deus Todo-Poderoso. Antes, essa é a linguagem joanina da habitação de Deus em nosso interior; o crente não é somente habitado pelo Espírito (Jo 14.17; 1 Jo 3.24) e pelo Filho (Jo 17.23,26), mas também por Deus, o Pai (Jo 14.23; 1 Jo 3.24; 4.12).

A construção grega de 2.24 é semelhante à de 2.27, e a expressão "quanto a vós" que a NIV usou no verso 27 também poderia iniciar esta sentença. A descrição dos oponentes nos versos 22 e 23 está entre afirmações contrastantes sobre a comunidade de crentes nos versos 20 e 21 ("vós tendes a unção" e "não porque não soubésseis a verdade, *mas porque a sabeis*") e nos versos 24 e 25. A distinção, no entanto, é dependente da preservação contra a influência daqueles que negam o Filho.

A importância do verbo *meno* para estes escritos é evidente no verso 24 (sobre *meno*, veja as observações sobre 2.6); embora a NIV não torne isto claro, esta palavra é usada três vezes no verso 24 e "o que desde o princípio ouvistes" é declarado duas vezes. A verdadeira mensagem que ouviram a respeito de Jesus Cristo desde o princípio de sua vida espiritual (cf. 2.7), deve ser mantida. Embora este "permanecer" possa ser visto como uma realidade presente (2.14), a ênfase aqui está em manter firmemente aquilo que pode ser perdido. A urgência desta solicitação de vigilância é vista pelos seguintes aspectos:
1) A negação solene de que, aqueles que rejeitam a mensagem citada nos versos 23 e 24, tenham qualquer associação com Deus;
2) a ordem verbal "Portanto, o que desde o princípio ouvistes *permaneça* em vós...";
3) a frase condicional: "Se em vós permanecer..." Somente quando a verdadeira crença é preservada, pode-se permanecer no Filho e, como resultado, no Pai.

Esta habitação no Filho e no Pai é a essência da "vida eterna" (veja as observações sobre 1.2). Um dos principais propósitos dos escritos de 1 João é assegurar àqueles que têm a crença correta em Jesus como o Filho, que têm a vida eterna (5.11-13).

Esta interpretação é confirmada nos versos 26 e 27. As coisas que foram escritas se referem àqueles que "vos enganam". Estes, é claro, são aqueles que negam que Jesus é o Filho, que deixaram a comunidade e que têm sido chamados de "anticristos". O apelo a "permanecer" é relevante particularmente neste contexto; João está ansioso para advertir seus filhos espirituais contra a influência tóxica destes oponentes (cf. 3.7). Porém constrói sua próxima sentença, como fez no verso 24, para tornar o contraste ainda mais evidente. Há enganadores lá fora, mas "a unção que vós recebestes dele [de Deus, embora "dele" possa também referir-se a Jesus] fica em vós" (a respeito da unção, veja as observações sobre o verso 20).

Como nos versos 20 e 21, a unção do Espírito está ligada à instrução; aqueles que recebem a unção conhecem a verdade (v.20) e não precisam que ninguém os ensine. É notável que o único uso do verbo "ensinar" nas cartas de João, consta nos três exemplos contidos neste verso. À luz do verso 27, entendemos melhor esta afirmação, não como uma rejeição a todos os mestres cristãos, mas como uma rejeição ao ensinamento dos oponentes em particular. Não precisamos *ouvi-los*. Enquanto alguns poderiam contestar que o próprio João estivesse agindo como um mestre, ele poderia facilmente se identificar como uma testemunha fiel de Cristo (veja as observações sobre 1.1). Tais testemunhas transmitem o ensino de Cristo (cf. 1 Co 15.3,4), em contraste com aqueles que afirmam ser mestres mais "avançados" (2 Jo 7-10).

A unção dos verdadeiros crentes, que 1 João em cada caso identifica com seu divino Senhor, como aquEle que a concede ("do Santo" no verso 20; "dele" e "sua" no verso 27) lhes ensina "todas as coisas". Isto faz lembrar a promessa de Jesus em João 14.26 de que o Espírito ensinará "todas as coisas" aos seus seguidores. Nos dois casos, a provisão traz a orientação divina em quaisquer circunstâncias ou necessidades em que os crentes se encontrarem. Como o texto em 14.26 torna explícito, esta instrução estará sempre de acordo com o próprio ensino de Jesus. Isto é precisamente o que desqualifica o ensino dos oponentes. A mensagem destes (e sua assim chamada "unção") é uma mentira — uma palavra uniformemente associada aos oponentes (1.8; 2.21). A unção do crente é verdadeira — está de acordo com a verdade de Deus em Cristo.

3. A Mensagem Novamente (2.28-4.6)

3.1. O Comportamento do Cristão (2.28-3.24)

3.1.1. A Esperança dos Filhos de Deus (2.28-3.3). As questões básicas foram levantadas e resolvidas. Os falsos mestres que deixaram de ensinar corretamente a respeito de Jesus Cristo, e de demonstrar amor pelos outros crentes, tornam-se uma ameaça à fé dos destinatários de 1 João.

Esses primeiros leitores foram exortados a continuar a prática dos ensinamentos, firmemente arraigados no fiel testemunho do próprio Cristo. A seção que se inicia em 2.28 é uma variação desse tema. A exortação a "permanecer nele" (NIV "permanecer/continuar nele"), que concluiu a seção anterior, é repetida no primeiro verso da nova seção; para João, essa é obviamente uma preocupação crucial.

Como observamos na discussão de 2.18, a vinda dos falsos mestres representa o prenúncio da chegada da "última hora"; ela é, especificamente, a última hora antes que "ele se manifeste". Embora seja verdade que a ênfase dos escritos de João esteja em possuir a vida no presente, isso não impede a expectativa existente em outras passagens do Novo Testamento, de um retorno cataclísmico de Cristo. João 6, por exemplo, fala da ressurreição do último dia (vv.39,40,54). Em 1 João 2.28, o desejo de estar confiante nesse retorno (*parousia*) sem ter de que se envergonhar, é mencionado como um incentivo à permanência em Cristo. Essa confiança perante Deus, que vai até o ponto da condenação de todos os que estão despreparados (Mt 24-25; 2 Ts 2.8-12), só é possível quando verdadeiramente se crê no Filho (Jo 3.18,36; 5.28,29). Somente assim uma pessoa poderá ser considerada irrepreensível "em santidade diante de nosso Deus e Pai" na *parousia* de nosso Senhor Jesus Cristo (1 Ts 3.13). O Filho de Deus veio para dar a vida e tirar o pecado (1 Jo 1.2; 3.5,8). Ele *aparecerá* uma segunda vez e, para o crente, o resultado dessa volta será um relacionamento ainda mais profundo com Deus (3.2; cf. Jo 14.1-3).

Em 1 João 2.29 está contido um outro lembrete trazido por essa carta, de que a confiança nesse retorno somente deve ser baseada na verdadeira crença, e na prática cotidiana da fé. Considerando que Jesus é justo, aqueles que nasceram dEle só podem praticar a justiça (2.6). Aqueles, como os adversários de João, que não crêem e não se comportam de um modo justo, não nasceram dEle e serão condenados na *parousia*.

Na NIV, a ordem das palavras em 3.1 enfatiza a reafirmação do grande amor que o Pai generosamente derramou sobre nós. Somos chamados de "filhos de Deus" e é exatamente isso que somos! Todos aqueles que crêem no Filho são nascidos de Deus (Jo 1.12,13) e "têm o Pai" (1 Jo 2.23). O tempo verbal indica que o amor foi e continua sendo derramado sobre nós. O mundo incrédulo é incapaz de perceber essa família porque nossa origem e nossa vida vêm de uma natureza divina e não humana (Jo 1.13). Dessa forma, não conheceram a Deus, o Pai (17.25) nem o Filho (1.10).

Não sabemos se o pronome "ele", no final de 3.1, está se referido especificamente a Deus ou a Jesus, especialmente porque o conhecimento do Pai implica o conhecimento do Filho e vice-versa (cf. Jo 8.19; 16.3). Em todo caso, os descrentes não reconhecem a Deus, nem a seus filhos. Jesus disse a seus discípulos que não deveriam esperar um tratamento ou uma recepção diferente daquela que ele mesmo recebeu (15.18-16.4). Faremos bem em ter em mente que os adversários, com o aparente sucesso de suas alegações (1 Jo 4.4-6), nunca estão longe da discussão. Em 3.1,2, a dupla afirmação de que somos "filhos de Deus" torna-se mais justificada quando lembramos que os destinatários de 1 João parecem ter dúvidas precisamente sobre esse assunto. Será que os adversários estariam certos? Essa carta insiste que *nós*, que permanecemos no Filho e na prática da verdadeira crença, somos filhos de Deus e o veremos, confiantes, quando Cristo voltar.

Nem sabemos, também, "o que havemos de ser". Entretanto, o que realmente *sabemos* é que quando Cristo voltar "seremos semelhantes a ele; porque assim como é o veremos". Em certo sentido, o que *vimos* do Filho durante sua Primeira Vinda foi o resultado de uma transformação (1.1-3), portanto o que *veremos* em sua Segunda Vinda também será o resultado de uma transformação. Seremos transformados (1 Co 15.51,52) e faremos parte da colheita da qual Jesus foi as primícias (1 Co 15.20). O processo da "glorificação progressiva" (2 Co 3.18) será concluído em um instante, pois veremos o Filho "face a face" em toda a sua glória (1 Co 13.12).

As palavras em 1 João 3.3 têm praticamente a mesma função que em 2.29. Como o Filho que voltará é puro, aqueles que mantêm "esta esperança" também purificarão a si mesmos; assim sendo, essa expectativa exige um comportamento adequado. Novamente, encontramos implícita a afirmação de que os adversários não têm essa esperança. No Novo Testamento, "esperança" significa a certeza ou a segurança de algo que acontecerá no futuro. A certeza do retorno de Cristo, portanto, representa uma motivação para permanecer nEle e para viver uma vida santificada.

3.1.2. Uma Característica dos Filhos de Deus: Não Viver em Pecado (3.4-10).

A referência à "lei", no verso 4, é única em 1 João. Na verdade, a palavra "lei" não é usada, porém um outro termo com o significado de "ilegalidade". O pecado é identificado aqui como a prática do que é ilegal. Como os debates sobre a lei mosaica foram deixados para trás no Evangelho de João, e como nenhuma referência foi feita à própria "lei", parece que nesse contexto a palavra "iniqüidade" ou "ilegalidade" significa uma atitude de rebelião geral contra os mandamentos de Deus.

Os versos que se seguem retornam abertamente ao tema dos adversários e seu comportamento. Estes desafiam os principais mandamentos de Deus, isto é, crer no Filho e amar os semelhantes (3.23). Para João, o ponto mais importante é que a vida dos crentes não será caracterizada pelo pecado. A Primeira Vinda de Jesus teve a finalidade de tirar os nossos pecados, embora Ele mesmo fosse sem pecado (cf. Jo 8.46; Hb 4.15). Novamente, João apela ao exemplo de Jesus. Aqueles que alegam viver (literalmente, permanecer) nEle, devem viver como Ele (1 Jo 2.6,29; 3.3); "qualquer que permanece nele não peca".

Muito apropriadamente, a NIV traduz o verbo no tempo presente, isto é, "qualquer que permanece nele não continua pecando", ao invés de "não peca", embora ambas as formas sejam gramaticalmente aceitáveis. Da mesma forma, na frase seguinte, que significa literalmente "qualquer que continua pecando", João não está dizendo que o crente seja absolutamente sem pecado. A afirmação do verso 5 revela algo que é exclusivo de Jesus; isto é, somente "nele não há pecado". Na verdade, embora o autor tivesse anteriormente rejeitado a possibilidade de alguém alegar estar sem pecado ou de nunca ter pecado, agora não está contradizendo essa sua opinião, e o conflito com os adversários serve novamente como uma chave para essa explicação. O pecado é uma atitude de rebelião contra os mandamentos de Deus, que em 1 João consistem na crença no Filho e no amor pelos irmãos. Até mesmo um mandamento da lei mosaica como a proibição do assassinato, representa em 3.11-15 uma referência específica à ausência do amor ao próximo na vida dos oponentes. Assim, o autor pode concluir que ninguém que continue no pecado (isto é, os adversários) jamais viu ou conheceu a Deus e a Jesus.

Essa linguagem de não "ver" ou não "conhecer" a Deus é uma lembrança das referências anteriores aos judeus infiéis que caracterizam o "mundo" no Evangelho de João (5.37; 8.19; 14.17; 16.3). Nessa carta, os adversários chegaram a ser identificados com o mundo (1 Jo 4.1-6; 5.1-5). Quer estas passagens se refiram aos judeus que alegam conhecer a Deus, mas que rejeitam a Jesus, ou aos falsos mestres que alegam conhecer a Deus, mas fracassam por não crer que Jesus veio em carne, o resultado é o mesmo: não se pode ter um relacionamento com Deus sem aceitar e crer em seu Filho, Jesus Cristo.

Em 3.7, a referência àqueles que levam os outros à perdição é semelhante à que foi mencionada em 2.26; a carta de 1 João foi escrita de uma forma abrangente para proteger os leitores contra os adversários que procuram enganar os fiéis. O conceito dos versos 7-10 é semelhante àquele reproduzido no debate de Jesus com seus adversários em João 8.31-47. Naquela passagem, Jesus argumentou que o comportamento das pessoas, e particularmente sua reposta a Ele, indicam sua linhagem espiritual. Os judeus incrédulos afirmavam que Abraão era seu pai; Jesus reconheceu que eram seus descendentes físicos, porém não seus *filhos*. De acordo com essa perspectiva, os filhos herdam as características do pai. A rejeição dos judeus a Jesus e, portanto a Deus, provava que não eram filhos espirituais do crente Abraão. Antes, eram filhos espirituais do Diabo.

Os paralelos entre a linguagem de Jesus em João 8, e a de 1 João 3, são impressionantes. Em cada uma, a demonstração dos ancestrais dos "filhos" é feita de acordo com a aceitação ou rejeição da mensagem de Deus, e o Diabo é associado ao pecado, ao assassinato e à rebelião contra Deus "desde o princípio". Em 1 João 3, como Jesus é justo, aqueles que crêem nele (os filhos de Deus) praticam a justiça. Em contraste, aqueles que praticam o pecado são filhos do Diabo. O Diabo é o protótipo da pessoa iníqua (v.4) que está rebelada contra Deus; isto é o que encontramos o Diabo fazendo desde o início do registro bíblico em Gênesis 3—4. Entretanto, o Filho de Deus veio para "desfazer as obras do Diabo" e, sendo assim, torna-se o protótipo de todos aqueles que se opõem à rebelião do diabo contra Deus.

Nesse ponto, 1 João repete a alegação de que essa é uma atitude impossível para o crente (v.6), e ilustra essa posição intensificando a metáfora de ser nascido de Deus em 2.29. O verso 9 se apresenta com um estilo a-b-c-b-a (isto é, em diagonal):

a) Qualquer que é *nascido de Deus*
b) Não comete [ou *não continua no*] pecado
c) Porque a sua semente [ou a semente de Deus] *permanece nele*;
b) E não pode pecar [ou *continuar pecando*]
a) Porque é *nascido de Deus*.

A linha do meio identifica graficamente a base para "a" e "b", isto é, "a semente [*sperma*] de Deus permanece nele". De acordo com essa metáfora, o crente é portador do material genético do Pai. Aqui, o provérbio "tal pai, tal filho" é estendido.

Essa linha de argumentação foi seguida com o objetivo de fazer entender o princípio do verso 10. Podemos *conhecer* quem está do lado de Deus e quem está do lado do Diabo. Nesse verso, estão envolvidos dois critérios que foram apresentados de forma negativa: "Qualquer um que não pratica a justiça e não ama a seus irmãos (outros crentes), não é de Deus". Estes correspondem às duas bases do argumento de todo o livro: uma crença e um comportamento adequados. Portanto, o verso 10 é outra forma de afirmar o que foi dito em 3.23 e 5.1,2.

A expressão "pratica a justiça" é melhor interpretada, não em termos de obedecer a certos regulamentos ou de se abster de certas atividades, mas em termos do contraste exposto nos versos 7 e 8 entre praticar o pecado (rebelar-se contra os mandamentos de Deus) e aceitar esses mandamentos. Como observamos no verso 6, esse contraste não é uma exigência à perfeita pureza do crente, de modo a ser perfeitamente isento de pecados. Antes, esses critérios serviram aos leitores originais como testes, por meio dos quais poderiam medir a validade das alegações dos adversários, que reivindicavam falar da parte de Deus. Eles pecaram por terem rejeitado o chamado de Deus para crer em Jesus como seu Filho, e negaram a ordem que lhes deu de demonstrar uma carinhosa preocupação para com a comunidade de crentes.

Embora não devamos julgar outras pessoas, não deixa de ser nossa responsabilidade avaliar os ensinos e o comportamento daqueles que afirmam ser cristãos. Essa responsabilidade envolve especialmente todos aqueles que ocupam posições de liderança e autoridade. Deus determinará o destino eterno de cada pessoa. O cristão é convocado a determinar se deve se acautelar quanto a um ensinador em particular, ou se deve apoiá-lo. Se formos negligentes ao fazê-lo, e recebermos a mensagem de um falso mestre como veremos em 2 João 11, teremos "parte nas suas más obras".

3.1.3. Outra Característica dos Filhos de Deus: O Amor aos Irmãos na Fé (3.11-24).

O parágrafo seguinte renova a preocupação revelada em 2.7-11, isto é, que ninguém pode afirmar ser um crente se não demonstrar amor pelos semelhantes. Nesse caso, essa pessoa "odeia" os outros (2.9,11) e um observador pode, com bastante certeza, concluir que ela está vivendo longe da luz de Deus.

O princípio do amor é chamado "mandamento" em 2.7. Mas ele é tão fundamental para João e seus leitores que pode, juntamente com os ensinamentos a respeito da natureza de Deus (1.5), ser intitulado como "mensagem" — uma mensagem, como em 2.7, que os crentes ouviram desde o princípio de sua vida cristã dentro da comunidade. Esse mandamento está radicado na diretiva registrada em João 13.34. Em sua última ceia com os discípulos, Jesus declarou que a demonstração de amor entre eles deveria servir a todos como prova de que eram seus discípulos. Da mesma forma, 1 João afirma que o amor aos irmãos na fé serve como prova de serem filhos de Deus. Esse padrão pode ser usado tanto para avaliar os demais (1 Jo 2.7-11; 3.10,14-23; 4.7,8, 19-21) como a si próprios (3.14,19,20).

Talvez, o autor cite o exemplo negativo de Caim por duas razões.

1) O incidente com Caim ilustra o ponto principal dessa seção: os atos exteriores de uma pessoa revelam a sua natureza interior. Caim pertencia ao mal, também chamado de maligno em 2.13,14 e 5.18,19. De acordo com a lógica "tal pai, tal filho", observada nos versos 7-11, as ações de Caim revelavam o que estava em seu interior: o mal e o pecado, isto é, a rebelião contra os mandamentos de Deus. As ações de seu irmão, ao contrário, eram "justas"; em seu interior, Abel era justo diante de Deus (cf. v.7). Os atos, necessariamente, revelam a natureza de uma pessoa. Foi assim que Jesus Cristo nos mostrou como é o amor; Ele deu sua vida por nós (v.16). Deste modo, apenas as palavras a respeito do amor cristão são insuficientes. No caso dos oponentes, as palavras são desmentidas por meio de suas atitudes (2.9; 3.15; 4.20). Os verdadeiros crentes, então, devem amar "por obra e em verdade" (v.18). É assim que os cristãos sabem que passaram da morte para a vida (v.14).

2) João introduz a história de Caim a fim de dramatizar o mal causado pelos adversários. Vimos que estes foram anteriormente descritos como "odiando" os outros crentes (veja notas sobre 2.9). Com a ajuda da história de Caim, o autor agora insiste nesse ponto: "Qualquer que aborrece a seu irmão é homicida. E vós sabeis que nenhum homicida tem permanente nele a vida eterna" (v.15). Os adversários são identificados com Caim; suas ações demonstram que, como Caim — e como o protótipo original, o próprio Diabo — eles são os pecadores em rebelião contra Deus. Posteriormente, João escreve que seus leitores não devem se surpreender se o mundo os odiar. Jesus disse a seus discípulos para não esperarem um tratamento melhor do que Ele próprio havia recebido; o mundo os odiaria assim como odiou a Jesus porque, assim como Ele, não pertenciam ao mundo (Jo 15.18-16.4). Estas afirmações identificam os adversários com o mundo.

"*Sabemos* que *passamos* da morte para a vida, porque amamos os irmãos" (v.14). Os oponentes mostram, por sua falta de amor, que pertencem ao mundo, que está "no maligno" (5.19); portanto, permanecem "na morte" (v.14).

Mais uma vez, Jesus é mencionado como modelo de comportamento cristão. Sua morte sacrificial representa a essência do significado do amor. É claro que para todos os cristãos a morte de Jesus significa mais do que um simples exemplo de comportamento. Ela é o alicerce sobre o qual todas as experiências da vida e do amor são possíveis. Na linguagem de Paulo, todos nós estávamos mortos no pecado, e éramos objetos da ira de Deus, até que Deus, através da morte expiatória de Jesus Cristo, nos deu vida (Ef 2.1-5). João declara que pelo fato de Deus ser amor, derramou esse amor sobre nós, e assim nos tornamos filhos de Deus (1 Jo 3.1; veja também 4.8-10,19). Portanto, embora a morte de Jesus seja mais do que um exemplo de comportamento, ainda assim não deixa de ser um exemplo.

A expressão usada no verso 16: "Ele deu a sua vida por nós", é específica de João e foi usada muitas vezes no seu evangelho quando se refere à morte sacrificial de Jesus (Jo 10.11,15,17). A passagem em João 15.12,13, onde Jesus diz: "O meu mandamento é este: Que vos ameis uns aos outros, assim como eu vos amei. Ninguém tem maior amor do que este: de dar alguém a sua vida pelos seus amigos", é particularmente importante. Aqui, João insiste essencialmente nesse mesmo ponto: Jesus nos mostra o perfeito modelo do amor. Aqueles que o seguem devem ter a mesma atitude e comportar-se da mesma maneira (cf. a palavra de Paulo em FP 2.3-11). Já conhecemos (experimentamos) o amor através de Jesus Cristo; agora devemos agir com esse amor em relação aos semelhantes.

Entretanto, o verso 17 sugere que o que está na mente das pessoas está um pouco distante do sacrifício de sua vida física. As palavras usadas aqui indicam, mais uma vez, que os adversários estão próximos. Como poderá alguém possuído pelo amor de Deus, e tendo posses materiais, ver um irmão passando necessidades e não sentir piedade dele? Aqui, a expressão "não sentir piedade" ou "lhe cerrar o seu coração", significa mais do que simplesmente sentir pena de alguém. A expressão grega corresponde, literalmente, a alguém "fechar o seu interior [*splanchna*]" (uma expressão única nos escritos de João). Em outras passagens do Novo Testamento, *splanchna* se refere ao que podemos chamar de "coração" (Fm 7,12,20) ou a sede dos sentimentos (2 Co 6.12) ou compaixão (Cl 3.12). Foi dito que o próprio Deus tem um *splanchna* misericordioso (Lc 1.78). Aqueles que nasceram de Deus, que são impulsionados pelo amor de Deus, demonstrarão essa atitude em seu comportamento. Abrirão seu coração para atender às necessidades dos outros.

Então, o amor divino deve ser exibido "por obra e em verdade". A expressão "em verdade" provavelmente signifique mais do que apenas "verdadeiramente" ou "genuinamente". (A respeito da "verdade", veja observações sobre 1.6). Uniformemente, nos escritos de João, "em verdade" significa "de acordo com a revelação de Deus através de Jesus", ou mais simplesmente, "em Jesus Cristo" (Jo 4.23,24; 16.13: 17.17,19; 2 Jo 1,3,4). Portanto, "por obra e em verdade" pode ter o sentido de "com obras derivadas da verdade". (Esse sentido também esclarece as duas primeiras sentenças nesse verso: palavras que derivam da língua). Portanto, a passagem em 1 João 3.19 dá suporte a essa interpretação, pois reafirma o princípio do verso 14, de que é através da demonstração desse amor que "somos da verdade". O mesmo amor divino que motivou Jesus, que é a verdade, a oferecer sua vida por nós (v.16), motiva todos os que pertencem a Ele a agirem de modo sacrificial, em amor.

O enunciado dos versos 19-21 é algo obscuro, mas a NIV consegue, aparentemente, transmitir o sentido que está implícito. A frase que inicia o verso 19 revela um novo momento em que o autor está preocupado em assegurar aos leitores a sua correta posição perante Deus. Os dois principais verbos contidos nestes versos ("conhecer" e "ter segurança") estão no tempo futuro, mas seriam talvez mais bem compreendidos no presente, com a expressão "... se o nosso coração nos condena..." do verso 20. Pelo fato da verdade interior ser demonstrada através do comportamento dos crentes, podemos saber que pertencemos à verdade e podemos tranqüilizar nosso coração na presença de Deus (no presente) se o nosso coração nos condenar.

No Novo Testamento, a palavra traduzida como "condenar" aparece somente nos versos 20 e 21 e em Gálatas 2.11, onde Paulo descreve Pedro como sendo "repreensível". De acordo com o pensamento bíblico, o coração é considerado o centro dos processos mentais e psicológicos. A citação de Isaías 53.1, em João 12.40, ilustra como a "compreensão" está relacionada ao coração das pessoas. O consolo que Jesus oferece aos discípulos, em João 14.25-27, também serve para mostrar como alcançar a paz: seu "coração" não deveria se perturbar porque o Espírito mostraria à sua mente o que Jesus lhes havia ensinado. Como em João 14.1,27, o termo "coração" está no singular, sugerindo que a comunidade dos crentes está sendo incluída. Portanto, ser "condenado pelo coração" pode ser ligeiramente semelhante a ser "condenado pela própria consciência".

Não existe dúvida de que essa experiência de "condenação" acontecerá. O conceito é semelhante ao de 1 João 2.1,2. De acordo com esses versos, essa carta foi escrita para que os leitores não caíssem em pecado; porém, se alguém pecar, temos em Jesus Cristo um advogado *pros* (favorável) junto ao Pai. E, dessa forma, a posição do crente perante (*pros*) Deus (3.21; cf. v.19) fica assegurada. Se o coração do crente lhe disser que fracassou para com Deus, ainda assim poderá assegurá-lo. Esse fato é verdadeiro por duas razões. Examinando os versos 18 e 19, o fato de Deus habitar no interior dos crentes produz ações que revelam a sua fé. Além disso, de acordo com o verso 20, o Deus Onisciente é maior que nosso coração. Esse é um princípio proporcional ao restante das ações e assim nos concede uma bem-vinda medida da graça. As obras são essenciais, especialmente nas circunstâncias que envolviam essa carta, em que os falsos mestres estavam negando sua importância. No entanto, ainda é vital saber que Deus conhece nosso coração, mesmo quando nossas obras não estão à altura do exemplo estabelecido por Jesus.

Um jogo de palavras gregas, que foi perdido na tradução para o português, vem reforçar essa opinião. A palavra usada para "conhecer" (*ginosko*), no final do verso 20, é a palavra básica e rima com a palavra "condenar" (*kataginosko*) que aparece anteriormente no verso. Isto é, o conhecimento de Deus (*ginosko)* substitui a condenação (*kataginosko*) de nosso coração. O Deus que tudo sabe conhece aqueles que lhe pertencem melhor do que estes se conhecem a si mesmos. Por fim, essa carta foi escrita para assegurar aos leitores que, se crerem no nome do Filho de Deus, terão vida eterna (cf. 5.13).

Embora, em certas ocasiões, os crentes possam experimentar esse sentimento de "condenação", em situações normais o nosso coração não faz essa acusação. E, perante Deus, acreditamos que 1 João está associada à certeza da segunda vinda (2.28; 4.17) ou à nossa aproximação com Ele através da oração. Podemos nos aproximar de Deus com confiança, e receber o que pedimos, porque obedecemos a seus mandamentos e fazemos o que lhe é agradável. As orações serão atendidas, e nossos pedidos concedidos, se, conforme 5.14 pedirmos "segundo a sua vontade". Solicitações egoístas dirigidas àquilo que é supérfluo parecem não estar incluídas nesta possibilidade. Quando, conscientemente, nos submetemos à vontade revelada de Deus, nossas orações estarão em conformidade com a vontade divina. O mandamento que devemos obedecer, isto é, o conceito de praticar o que "é agradável" a Deus, resume-se em crer em Jesus como seu Filho e amarmo-nos uns aos outros (v.23). Já observamos que esses são os dois temas centrais em 1 João. Quando cremos naquilo que Deus disse, e quando vivemos da maneira que Ele ordenou que vivêssemos, recebemos dEle tudo que estamos pedindo ou necessitando.

"Aquele que guarda os [literalmente, *permanece nos*] seus mandamentos, nele está" (v.24). Essa linguagem lembra a do sermão de despedida de Jesus em João 14.16. Os crentes habitam nEle, e Ele nos crentes (Jo 14.23), especialmente no sentido de "permanecer" (15.4-7). Esse relacionamento íntimo está vinculado à obediência dos crentes aos mandamentos (14.15,21; 15.10), e resulta em pedidos atendidos (14.13,14; 15.7,16; 16.23,24).

Finalmente, como um outro exemplo do tema "E nisto conhecemos que..." em 1 João, os crentes também devem estar seguros de que Deus permanece neles "pelo Espírito que nos tem dado". Esse conceito também é semelhante ao sermão de despedida, pois foi em João 14 e 16 que Jesus prometeu a vinda do Espírito para habitar no crente (14.16,17), e para dar testemunho dEle (14.26; 15.26; 16.13-15). Essa referência ao Espírito tem dupla finalidade para o autor: fornece uma base adicional de segurança aos leitores fiéis, pois o Espírito só será derramado sobre os que nEle crêem (Jo 7.37-39; 14.16,17), e essa referência ao Espírito serve também como um ponto de transição para a seção seguinte do livro, onde o "Espírito" se torna o tema central.

3.2. A Fé em Cristo (4.1-6)

3.2.1. A Fé em Jesus como um Teste que Determina Quem É de Deus (4.1-3). No esboço proposto, essa seção desenvolve os assuntos cruciais que foram discutidos primeiramente em 2.18-27, sobre a crença que distingue os verdadeiros crentes dos adversários. Nessa passagem, os membros do grupo daqueles que "saíram de nós" foram identificados como anticristos, porque "negaram que Jesus é o Cristo" (2.22). Nesta passagem os ensinamentos que proclamaram foram denunciados e descritos mais especificamente. Os leitores são prevenidos do seguinte modo: "Não creiais em todo espírito, mas provai se os espíritos são de Deus". Os versos seguintes se referem a espíritos que reconhecem ou não Jesus Cristo. Embora o Novo Testamento mostre uma situação em que um espírito imundo que habita um corpo humano é expulso por Jesus (Mc 5.1-20), é bastante improvável que, nesse contexto de 1 João, o autor tivesse em mente tal entidade demoníaca. Na verdade, existem fundamentalmente apenas dois espíritos que merecem consideração. Um deles é o Espírito de Deus (v.2), enquanto o outro é o do anticristo (v.3); um é o Espírito da verdade, enquanto o outro é o espírito do erro (v.6). Esses espíritos correspondem, naturalmente, a dois grupos em conflito.

Nessa passagem, vários detalhes indicam que os adversários estão sendo mais enfatizados do que os "espíritos" propriamente ditos.

1) Os leitores são exortados a provar os espíritos, "porque já muitos falsos profetas se têm levantado [*exerchomai*] no mundo". Não há dúvida de que esta seja mais uma referência aos adversários, os quais João já havia declarado como tendo saído (e*xerchomai*) da comunidade (2.19; veja também 2 Jo 7), e que estão uniformemente associados à raiz da palavra mentira ou falsidade (1 Jo 1.6; 2.4,21,22; 4.20; e em um sentido diferente: 1.10; 5.10).
2) Em outras passagens das cartas de João, o "reconhecimento" é feito pelas pessoas (2.23; 4.15) e, decisivamente, a semelhança com 2 João 7 assegura essa interpretação.
3) Consideramos apenas uma variação estilística, o fato de chamar os adversários de "anticristos" (1 Jo 2.18; veja 2 Jo 7) ou de classificá-los como aqueles que mostram o "espírito do anticristo" (1 Jo 4.3).
4) A linguagem dos versos 4-6 faz o contraste entre "nós" (os verdadeiros crentes) e o pronome implícito "eles" (os adversários).

A terminologia do "espírito", então, é a forma pela qual João caracteriza os grupos conflitantes. Os adversários são caracterizados por um espírito que não reconhece Jesus. Os verdadeiros crentes, ao contrário, são caracterizados por um espírito, ou *pelo* Espírito, que realmente reconhece Jesus. Embora a palavra traduzida como "provai" apareça uma única vez nesses escritos de João, é freqüentemente usada de uma forma positiva no Novo Testamento, para referir-se a um processo de avaliação crítica (por exemplo, Lc 14.19; Rm 12.2; 2 Co 13.5). O paralelo mais próximo com 1 João 4.1 é o mandamento de Paulo, em 1 Tessalonicenses 5.21, de "examinar tudo". Em seu contexto imediato, essa ordem provavelmente se refira à avaliação das manifestações proféticas na congregação. O que 1 João 4.1-6 está procurando encorajar é precisamente uma cuidadosa avaliação. De fato, o autor repetidamente forneceu os testes pelos quais o crente pode determinar se um indivíduo pertence ou não a Deus.

Não devemos nos admirar, portanto, de encontrar no verso 2 um outro exemplo da fórmula: "Nisto conhecereis..." O Espírito de Deus é conhecido por meio do reconhecimento de que "Jesus Cristo veio em carne". Como observamos na seção introdutória a respeito da ocasião e do propósito de 1 João, isso parece responder à crença dos adversários que negavam a realidade histórica do Deus transformado em homem (2.22,23; 5.5; 2 Jo 7). Além disso, a forma como essa carta insiste na natureza salvadora da morte de Jesus (1 Jo 1.7; 2.2; 4.10; 5.6) sugere que os adversários minimizaram, ou mesmo rejeitaram, esse princípio cristão fundamental. Seria mera especulação procurar maior precisão de detalhes sobre um ensino que provocou tanta insistência no fato de que Jesus Cristo era um genuíno ser humano. O que pode ser dito é que os verdadeiros cristãos criam e crêem que o Jesus que morreu na cruz era, ao mesmo tempo, plenamente Deus e plenamente homem. Se não tivesse sido plenamen-

AS EVIDÊNCIAS BÍBLICAS DA TRINDADE

De acordo com a Bíblia, existe apenas um Deus (Dt 6.4; Is 45.21; 1 Tm 2.5; Tg 2.19). Porém, esse único Deus se revelou através de três pessoas: o Pai, o Filho e o Espírito Santo. A palavra usada para expressar essa doutrina é "Trindade" – que significa "tri-unidade" ou "três em um". Embora não seja usada na Bíblia, expressa adequadamente o ensino bíblico. Não é muito difícil reconhecer o Pai como Deus. Em relação à divindade de Jesus, o Filho, veja o quadro que relaciona as passagens que indicam a divindade de Cristo. Quanto ao Espírito Santo ser chamado especificamente de Deus, veja Lucas 1.32,35 e Atos 5.3,4.

Alusões à Trindade no Antigo Testamento

Deus se refere a si mesmo como "Nós" e não "Eu"	Gn 1.26,27; 3.22; 11.7; Is 6.8
Deus promete enviar alguém que é Deus	Is 7.14; 9.6
O "anjo do Senhor" fala como se fosse o próprio Senhor	Gn 16.10; 22.15-17; Êx 3.6; 23.20-23; Jz 6.14

A Trindade no Novo Testamento

O Pai, o Filho e o Espírito Santo têm um só nome	Mt 28.19
O Pai, o Filho e o Espírito Santo estavam presentes no batismo de Jesus	Mt 3.16,17; Lc 3.21,22
O Espírito foi enviado pelo Pai, através do Filho	Jo 15.26
O Espírito testifica que somos filhos de Deus e co-herdeiros com Cristo	Rm 8.16,17; Gl 4.4-6
Um Espírito, um Senhor Jesus e um Deus	1 Co 12.4-6
Uma bênção do Pai, do Filho e do Espírito Santo	2 Co 13.13
Eleitos pelo Pai, aspergidos com o sangue de Jesus Cristo e santificados pelo Espírito	1 Pe 1.2
O Espírito testifica que Jesus veio do Pai	1 Jo 4.2
Outras passagens no Novo Testamento onde Pai, Filho e Espírito Santo aparecem juntos	Rm 5.5,6; 1 Tm 1.2-5; 2 Tm 2.13; Tt 3.4-6; Jd 20,21
A santidade é atribuída ao Pai, ao Filho e ao Espírito Santo	Jo 17.11; Rm 1.4; 1 Co 1.30
A eternidade é atribuída ao Pai, ao Filho e ao Espírito Santo	1 Tm 1.17; Hb 1.2,3,8; 9.14
Pai, Filho e Espírito Santo; oniscientes	Mt 6.8,32; Jo 2.24,25; 1 Co 2:10-11
Pai, Filho e Espírito Santo; onipotentes	Sl 135.5-7; Mt 28.18; Rm 15.13,17; 1 Co 15.24-27
Pai, Filho e Espírito Santo; onipresentes	Sl 139.7-10; Jr 23.24; Mt 28.20
Pai, Filho e Espírito Santo envolvidos na criação	Gn 1.1,2; Sl 104.30; Jo 1.3
Pai, Filho e Espírito Santo envolvidos na dádiva da vida espiritual	Ez. 37.14; Jo 10.10; Ef 2.4,5
Pai, Filho e Espírito Santo envolvidos em milagres	1 Rs 18.38; Mt 4.23,24; Rm 15.19
Pai, Filho e Espírito Santo envolvidos no ensino	Sl 71.17; Is 48.17; Jo 13.13; 14.26
Pai, Filho e Espírito Santo se entristecem pelo pecado	Gn 6.6; Lc 19.41-44

te Deus, não poderia ter sido o perfeito sacrifício necessário à purificação dos pecados. Se não tivesse sido plenamente humano, não poderia ter sido o *nosso* perfeito sacrifício, isto é, um ser humano como nós, em todos os aspectos, embora sem pecado (Hb 2.17; 4.15).

Os eventos do fim do mundo já estão ocorrendo. No passado, os leitores de 1 João foram informados de que, nos últimos dias, um indivíduo surgiria e levaria à rebelião contra Deus (veja notas sobre 2.18), mas é somente em 1 e 2 João que esse personagem é chamado de "anticristo". No entanto, não deixa de ser curioso que no único lugar onde esse termo é usado nada tenha sido mencionado a seu respeito, a não ser que "vem o anticristo" (1 Jo 2.18; 4.3). O que importa é que o aparecimento dos falsos profetas, que revelam um espírito de rebelião contra Deus e seus mandamentos, serve para sinalizar a chegada dos últimos dias (2.18; cf. Mc 13.22). Jesus havia predito que seus seguidores seriam odiados (Mt 24.9; cf. 1 Jo 3.13), que muitos se afastariam da fé (Mt 24.10; cf. 1 Jo 2.19) e até odiariam uns aos outros (Mt 24.10) ao invés de amarem uns aos outros (1 Jo 3.11), e também que muitos falsos profetas apareceriam para enganar a muitos (Mt 24.11; cf. 1 Jo 4.1; 2.26; 3.7). Mesmo que conhecessem os ensinamentos de Paulo aos presbíteros de Éfeso que advertiam que muitos de seu grupo abandonariam a fé (At 20.30) ainda assim deve ter sido traumático ver antigos companheiros tornarem-se inimigos de Cristo — anticristos!

3.2.2. A Afirmação de que os Leitores São de Deus (4.4-6). Pelo fato de falsos profetas estarem continuando a seduzir aqueles que não se afastaram (2.26), torna-se crucial para o autor estabelecer uma certa distância entre estes e os leitores. Os fiéis devem entender que qualquer associação com os adversários é impossível. Portanto, a polêmica torna-se aguda. Eles são mentirosos e enganadores. Estão nas trevas e são assassinos. Pertencem ao próprio Diabo e são anticristos.

Mas, no decorrer dessa seção (assim como anteriormente), o autor dirige-se aos leitores com expressões de afeto: "Filhinhos" (2.28; 3.7,18; 4.4), "meus irmãos" (3.13) e "queridos amigos" (literalmente, "amados"; 3.2,21; 4.1). E, juntamente com o contraste com os "espíritos" que caracteriza os dois lados, o autor emprega uma única preposição para enfocar a origem e a natureza de cada um. Em 4.1-6, há sete ocorrências que a NIV traduz como "de" e que são traduções do termo grego *ek*, que significa "fora de", "a partir de" ou simplesmente "de". A NIV tem tentado reproduzir a variação do sentido expresso por João. Por exemplo, em 2.19, "saíram de [*ek*] nós, mas não eram de [literalmente, não eram *ek*] nós". Ser *ek* [de] alguém, ou *ek* [de] algo, significa que esse alguém ou esse "algo" é a origem ou a natureza do próprio ser em questão. Os crentes são *ek* [da] verdade (2.21; 3.19), pois vivem em conformidade com a verdade. Os adversários são *ek* [do] Diabo (3.8), pois agem de acordo com ele. Pela mesma razão, Caim é considerado como *ek* [do] espírito do mal (3.12).

A predominância dessa palavra, em 4.1-6, indica que nessa importante passagem o autor está usando esse artifício para fortalecer seu argumento. Considerando que os adversários não são *ek* [de] Deus (vv.3,6), mas *ek* [do] mundo (v.5), os leitores e suas fiéis testemunhas são *ek* [de] Deus (vv.2,4,6). Essa é a base para o teste do verso 1: Será que um espírito é *ek* [de] Deus? Tendo estabelecido um padrão (vv.2,3), os adversários fracassarão e os verdadeiros crentes passarão no teste.

Os versos 4 e 6 funcionam, principalmente, como uma garantia. Usando a linguagem que descreve uma luta, João declara que seus leitores os venceram (isto é, venceram os adversários). Estes últimos são *ek* [do] mundo e falam *ek* [do] mundo, portanto, o mundo os ouve (v.5). Aparentemente, estão sendo bem sucedidos ao angariar adeptos, ou pelo menos uma audiência. Porém, argumenta o autor, seu sucesso não deve surpreender. Como os adversários repudiaram os ensinos de Jesus, o mundo não mais os odeia, mas os aceita (cf. Jo 15.18-25); portanto, sua volta ao mundo envolve o abandono daquilo que os tornava diferentes desse mesmo mundo.

Diante do fato de os adversários serem recebidos pelo mundo, João lembra os leitores das palavras de Jesus: "No mundo tereis aflições, mas tende bom ânimo; eu venci o mundo" (16.33). Eles, da mesma forma, venceram os mundanos adversários "porque maior é o que está em vós do que o que está no mundo" (1 Jo 4.4). Embora muitos textos falem de Jesus como residindo no crente, as referências feitas no contexto imediato revelam ser mais provável que, nesse ponto, João tenha Deus como o tema principal (veja 3.24). Deus é maior do que o Diabo, que tem o controle sobre "o mundo" (5.19).

O conceito expresso nessa passagem é semelhante ao encontrado em 3.19,20. Nas duas ocasiões, a suficiência de Deus substitui, na percepção do crente, a sua própria insuficiência. Seja ela a percepção de um coração condenado, ou do sucesso mundano dos adversários, Deus é "maior". De acordo com o verso 6, "somos *ek* [de] Deus" e, embora o mundo dos infiéis acredite nos falsos profetas, aqueles que conhecem a Deus "ouvem-nos". Portanto, temos agora outro critério pelo qual podemos testar se alguém está de fato nEle, pelo qual também podemos reconhecer o Espírito da verdade, em oposição ao espírito do erro. A palavra "nós", no verso 6, é um retorno ao "nós" do prólogo: aqui, o autor fala como uma fiel testemunha de Jesus. Aqueles que continuam ouvindo a autoridade de seus ensinamentos são caracterizados pelo Espírito de Deus; aqueles que não o fazem são caracterizados pelo espírito do erro.

A seção que intitulamos "A Mensagem Novamente" repete, com maior elaboração, os dois principais testes pelos quais os leitores podem saber se possuem a "vida eterna" (5.20); o amor aos irmãos e a fé no Cristo divino que se fez completamente humano.

4. Ainda a Mensagem (4.7-5.12)

4.1. O Comportamento do Cristão (4.7-21)

4.1.1. O Exemplo do Amor: Deus Doa seu Filho (4.7-10). O autor retorna, pela última vez, ao tema do amor entre os cristãos. A exortação contida em 4.7 reafirma o mandamento de Jesus, que foi transmitido desde o início dessa comunidade (3.11). Por que devemos nos amar uns aos outros? Porque "o amor é [vem] de [*ek*] Deus" e "qualquer que ama é nascido de [*ek*] Deus e conhece a Deus". Pelo fato de Deus ser amor (v.8), aqueles que nasceram dEle, isto é seus filhos, exibem as mesmas características familiares (observe 3.10). Conhecer a Deus — uma outra forma de descrever o relacionamento com Ele — já foi relacionado à obediência aos seus mandamentos; quem afirma conhecer a Deus, porém sem obedecê-lo (2.4) e sem abandonar o pecado (3.6) não pode ser considerado.

O padrão dos versos 7-11 segue exatamente o dos versos 3.11,16,17:

1) a exortação a amar uns aos outros (4.7,8),
2) a demonstração e a definição do amor divino no sacrifício de Jesus Cristo (4.9,10) e
3) A exortação a amar de acordo com o que está determinado em (2) (4.11). A segunda seção é mais elaborada e é, na verdade, constituída por duas afirmações paralelas — um estilo semelhante ao que é chamado de paralelismo na poesia hebraica, na qual uma segunda afirmação (v.10) estabelece um esboço praticamente igual ao argumento da primeira (v.9), porém com variações e elaborações. As duas afirmações são introduzidas com a palavra "nisto", e apresentam as bases pelas quais o amor divino tornou-se conhecido. O verso 9 declara, com uma linguagem que lembra João 3.16, que Deus enviou seu Filho unigênito *(monogenes)* para que pudéssemos viver através dEle. Embora, como assevera o verso 12, ninguém jamais tenha visto a Deus, em 1.14,18 João afirma que esse Deus invisível foi realmente "visto", porém unicamente no *monogenes*.

O importante no verso 9 é que (a) Deus nos ama, e deseja que vivamos; e (b) este amor foi demonstrado através do sacrifício de seu Filho unigênito, que Ele enviou ao mundo. O verso 10, então, reafirma esse mesmo aspecto: (a) o amor de Deus era por nós, para propiciar um sacrifício expiatório pelos nossos pecados; e (b) foi demonstrado por Deus quando enviou seu Filho como o próprio sacrifício (veja notas sobre 2.2). A elaboração desse segundo verso inclui a afirmação de que Deus já nos amava inicialmente; mas nós não o amávamos. O amor cristão pelos semelhantes, seguindo o modelo de Jesus, não é afetado pela atitude dos outros.

4.1.2. O Exemplo do Amor: Seguido pelos Filhos de Deus (4.11-21)

4.1.2.1. O Amor de Deus se Completa em Nosso Amor pelos Irmãos (4.11-16). Embora o verso 11 possa ser entendido como um complemento dos versos 7-11, serve também como o início de uma nova seção, conforme sugerido pelo modo de se referir aos destinatários; "amados", que chama a atenção para a necessidade dos crentes seguirem o exemplo do amor de

Deus. Enquanto 1 João afirma que o Deus invisível foi revelado em Jesus Cristo, 1 João 4.12 propõe que enquanto os crentes amam uns aos outros Deus habita em nós e é revelado em nós; em tal comunidade amorosa, o amor de Deus se manifesta de modo perfeito. Essa expressão implícita se refere ao cumprimento de uma tarefa ou a um princípio em ação (cf. Jo 4.34; 5.36; 17.4; 19.28; 1 Jo 2.5; 4.17,18). Deus, que é amor, é revelado quando aqueles que nasceram dEle vivem plenamente esta natureza interior. Além disso, Deus nos deu o supremo exemplo a seguir, quando enviou seu Filho unigênito para que pudéssemos viver.

Pode parecer que o autor esteja caindo em redundância. E é verdade que o restante do capítulo 4 percorre um caminho já conhecido: o verso 13 reitera 3.24, enquanto o verso 15 é uma variação de 2.23, e a última parte do verso 16 repete os versos 7 e 8. Mas existem novos desenvolvimentos e interessantes elaborações de pontos já estabelecidos. No verso 14, o autor muda do "nós" no seu sentido inclusivo (pois... "nos deu do seu Espírito", v.13) para o "nós" das testemunhas oculares de Jesus que são os curadores de seus ensinos. Esse grupo esteve presente e viu (1:1, cf. Jo 1.14) e agora testemunha (1.2) que o Pai enviou seu Filho para ser o "Salvador do mundo". Essa frase, que somente é encontrada nos escritos joaninos aqui e em João 4.42, é notória porque retrata o mundo dos descrentes como o objeto da obra salvadora de Deus. Para nos assegurarmos disso, essa verdade volta a ser afirmada novamente em textos como João 3.16 e 1 João 2.2. Mas como "o mundo" traz consigo uma conotação negativa nos escritos de João (veja notas sobre 2.15), essa referência torna-se um lembrete necessário para alguns estudiosos que afirmam que, segundo o pensamento de João, o mundo foi considerado virtualmente perdido.

Na verdade, o autor dedica considerável atenção à distinção entre os filhos de Deus e os filhos do Diabo. Porém, Deus enviou Jesus para ser o meio pelo qual os indivíduos se tornam filhos de Deus e "para desfazer as obras do Diabo" (3.8). Somente a descrença e a desobediência podem confinar uma pessoa ao reino do mundo. A todos os que crêem em Jesus, Deus dá o direito de tornarem-se seus filhos (cf. Jo 1.12). *Qualquer* pessoa que reconheça que Jesus é o Filho de Deus, pode ter a certeza de que Deus viverá nela e ela em Deus (1 Jo 3.15). Podemos confiar no amor de Deus, que é maior do que qualquer obstáculo à nossa fé (3.20; 4.4). Encontramos, novamente, a dupla ênfase desse livro: enquanto o verso 15 fundamenta a habitação de Deus no interior de cada cristão através da fé, o verso 16 fundamenta-a em uma vida de amor. Como observamos acima, o amor somente se torna completo quando é demonstrado ativamente, segundo a forma insistentemente recomendada nessa carta.

4.1.2.2. O Amor de Deus Torna-se Completo Através de Nossa Confiança no Dia do Juízo (4.17,18).
Já foi observado muitas vezes que o pensamento de João está enfocado na realidade presente dos eventos que são geralmente considerados como futuros, como por exemplo, o juízo e a ressurreição (Jo 3.17; 5.24,25; 11.24,25). Mas isso não significa que João tenha eliminado as expectativas futuras. Haverá uma ressurreição no último dia e um dia de juízo (5.28,29; 6.39,40,44). Portanto, devemos cuidar de nosso comportamento para que possamos ter confiança no dia do juízo (1 Jo 2.28). Podemos ter essa confiança porque em nossa vida terrena (cf. "neste mundo", v.17) somos semelhantes a Ele, que será o próprio juiz (cf. 2.28; Jo 5.27).

O pronome "ele", em 1 João 4.17, provavelmente se refere a Jesus. A palavra grega correspondente é *ekeinos*, um pronome demonstrativo que, via de regra, João usa quando se refere a Jesus (2.6; 3.3,5,7,16; 4.17). Em certo sentido, os cristãos agora são como Cristo (3.3,7), e essa semelhança se tornará completa quando o virem como Ele realmente é (3.2). Paulo estabelece o contraste entre a servidão do temor e a liberdade dos filhos de Deus de se aproximarem dEle quando o chamam "Aba, Pai" (Rm 8.15). Da mesma forma, 1 João afirma que o medo é incompatível com o "perfeito amor", porque está relacionado com a expectativa do castigo.

As referências ao "perfeito amor" e à pessoa atemorizada que "não se tornou perfeita através do amor" devem ser interpretadas à luz do significado de "tornar-se completo" nos versos 12 e 17. Aquele que se tornou completo (v.17) é o que vive através do amor (v.16), e o amor de Deus se torna completo em nós se nos amarmos uns aos outros (v.12). O "perfeito amor", então, parece ser o amor que se torna completo, o amor que é expresso através dos sentimentos. Seremos "como ele" nessa vida, à medida que nossa vida for caracterizada pelo amor sacrificial, exatamente como foi a vida de Jesus (3.16). Quando nossa vida evidenciar o amor cristão, saberemos que passamos da morte para a vida (3.14), que pertencemos à verdade (3.19), que nascemos de Deus (4.7) e que vivemos em Deus e Ele em nós (4.12,16).

4.1.2.3. O Amor aos Irmãos Deve Acompanhar o Amor a Deus (4.19-21).

Essa seção final do livro, dedicada ao amor aos irmãos volta, no verso 19, ao fato de que nosso amor pelo semelhante está baseado no amor que Deus teve primeiramente por nós (v.10). O foco não está na graça divina dirigida aos indignos pecadores, como em Romanos 5.6. Antes, o argumento é outra vez a necessidade de praticar o amor cristão em conformidade com a natureza e o exemplo de Deus.

O verso 20 está diretamente relacionado a 1.6 e 2.4: (a) + (b) = (c), onde (a) é uma afirmação de estar em comunhão com Deus, (b) é um comportamento que está em conflito com a afirmação de (a), e (c) é uma assertiva de que a afirmação de (a) é uma mentira ou que a pessoa que está afirmando é mentirosa. Não há dúvida de que quem não demonstra amor pelos irmãos que estão à sua frente, não deverá merecer crédito quando afirmar que ama a Deus. É fácil fazer declarações de amor a um Deus invisível. O verdadeiro teste para ser um filho de Deus é amar os irmãos necessitados. Esse é o mandamento de Deus; o amor a Deus deve ser acompanhado pelo amor aos irmãos.

4.2. A Fé em Cristo (5.1-12)

4.2.1. Crendo em Jesus Obedecemos aos Mandamentos de Deus (5.1-5).

Os primeiros versos dessa seção final, a respeito da verdadeira fé, servem como uma transição da passagem anterior. Na última parte do verso 1, encontramos uma outra variação sobre o tema do amor fraternal, mencionado em 4.7-21. Esse verso diz literalmente que "... todo aquele que ama ao que o gerou" também "ama ao que dele é nascido". A tradução da NIV transmite esse sentido, embora não reflita o fato de que ambas as expressões são formas diferentes da mesma palavra grega. Aqui se presume a validade do fato exposto anteriormente, de que os filhos ostentam a natureza e refletem o caráter do pai.

Mais uma vez João insiste que aqueles que aceitam os verdadeiros ensinamentos a respeito de Jesus (veja notas sobre 4.1-3) são "nascidos de Deus" (cf. 2.29; 3.9; 5.4,18 — o tempo perfeito indica que "são" nascidos de Deus porque, em certo momento do passado "nasceram" de Deus); pode-se afirmar que carregam a "semente de Deus" dentro de si (3.9). Esse fato leva, sem qualquer dúvida, a um outro teste de autenticidade: "Nisto conhecemos que amamos os filhos de Deus: quando amamos a Deus e guardamos os seus mandamentos" (A frase "nisto conhecemos" é encontrada em 2.3,5; 3.16,19,24; 4.2,6,13; além disso, "nós sabemos" ou "vós sabeis" ocorre em 2.18, 29; 3.2, 5, 14, 15; 4.2, 16; 5.13,15,18,19,20). Esse pode ser o primeiro dos "testes" de João, sendo realmente surpreendente, por ser exatamente o contrário daquilo que ele vem enfatizando ao longo de toda sua carta. Até agora, e repetidamente, o amor aos semelhantes tem validado o amor a Deus (veja especialmente 4.20). Mas agora, temos o amor a Deus validando o amor aos semelhantes!

Os estudiosos propuseram várias explicações para o que parece ser um tipo de raciocínio em círculos. Sugerimos que, na "variação do tema" em 5.1-5, o autor esteja enfatizando o critério supremo, que é até mesmo mais básico do que o critério do amor pelos semelhantes. Esse elemento essencialmente fundamental é a crença em Jesus como Filho de Deus. Isso acontece porque nos tornamos filhos de Deus como resultado de nossa fé (v.1). O amor pelos irmãos, embora represente uma *evidência* crucial de alguém ser filho de Deus, não pode ser a *base* da filiação divina devido às incertezas que estão envolvidas neste raciocínio. Será que amei *suficientemente* a meu irmão? Posso estar absolutamente seguro a respeito de *quem*, exatamente, está qualificado como um irmão?

O que João faz quando se aproxima da conclusão do livro, é voltar-se ao princípio mais fundamental: a fé em Jesus. Os versos 1-5 foram estruturados, no início do verso 1 e no final do verso 5, por referências à fé em Jesus, e a condição essencial do amor deve ser considerada à luz dessa fé. Isso poderá ser alcançado através de uma série de passos.

Passo 1 (v.2): Como podemos saber se estamos amando os filhos de Deus de maneira apropriada? Basicamente, pelo fato de que amamos a Deus e obedecemos aos seus mandamentos.

Passo 2 (v.3): O que é o amor a Deus? É obedecer aos seus mandamentos. Ao ler o verso 2, à luz do verso 3, vemos que o amor a Deus se identifica com a observação/obediência aos seus mandamentos. Porém, quais são exatamente os mandamentos a serem obedecidos que podem ser identificados com o amor a Deus? Já vimos que em 1 João "seus mandamentos" podem ser resumidos na fé em Jesus e no amor aos irmãos (3.22,23). O fluxo de seu pensamento indica claramente que o autor tem o primeiro em mente.

Passo 3 (vv.3,4): "Seus mandamentos" não são pesados porque todos aqueles que nasceram de Deus vencem o mundo (veja João 16.33).

Passo 4a (v.4): Nossa vitória é nossa fé.

Passo 4b (v.5): Quem possui essa vitória? Somente aquele que crê que Jesus é o Filho de Deus. A essência da obediência aos mandamentos de Deus é crer em seu Filho (cf. Jo 6.28,29). Esse parágrafo serve para colocar em perspectiva o mandamento do amor. O amor pelos irmãos estava ausente nos adversários, e essa deficiência prova que não eram filhos de Deus. O amor serve como evidência. Mas somente a fé em Jesus, como Filho de Deus, é a base suprema para que alguém permaneça com Deus (veja notas sobre 5.13).

4.2.2. Através da Fé em Jesus Aceitamos o Testemunho de Deus sobre Seu Filho (5.6-12).

Os adversários afirmam que também conhecem a Deus e que são seus filhos. Mas, de acordo com 2.22, negam "que Jesus é o Cristo". Em certo sentido, seu conceito envolve a negação da genuína humanidade de Jesus, ou ao menos a importância de sua morte física (segundo a expressão "em carne" em 4.2,3). A afirmação contida em 5.6 responde, sem qualquer dúvida, a esse conceito errado sobre Jesus.

Porém é muito mais difícil afirmar, com certeza, como essa formulação poderia ser melhor compreendida. Nesse contexto, João insiste que Jesus Cristo veio "não só por água, mas por água e por sangue" (v.6). Muitos intérpretes aceitam essas palavras como uma referência ao batismo e à Ceia do Senhor. Porém, isso não faz muito sentido no contexto de uma discussão sobre a natureza de Jesus Cristo. Outra sugestão é que a água e o sangue se refiram aos fluidos que saíram do lado de Jesus durante a crucificação (veja Jo 19.34); isso seria, portanto, uma forma particular de representar a morte de Jesus. Mas o problema com essa interpretação é que a expressão "veio por" parece estranha. Essas duas palavras são melhor entendidas se estivermos se referindo a eventos que fazem parte da vida terrena do Verbo transformado em carne (Jo 1.1,14; 1 Jo 1.1,2). A palavra "água" provavelmente está se referindo ao batismo de Jesus por João, e "sangue" significa sua morte.

Devemos reconhecer, entretanto, que somente nos cabe fazer uma tentativa de explicar porque João insiste que Jesus veio "não só por água, mas por água e por sangue". No início da história da Igreja foi sugerido que essa linguagem estava relacionada aos ensinamentos dos adversários, adotados a partir de Cerinto (veja comentários sobre Cerinto na Introdução). Provavelmente, estes tenham negado uma identificação precisa do Divino Cristo, o Filho de Deus, com o Jesus humano. Podem até ter admitido que o Espírito de Deus tenha vindo sobre Jesus em seu batismo, em vista da tradição contida no Evangelho de João (Jo 1.32-34). Mas, nessa reconstrução, provavelmente negarão que o Filho de Deus estivesse presente quando a pessoa humana de Jesus morreu na cruz.

Em outras palavras, de acordo com a terminologia dos adversários, o divino provavelmente "veio [em Jesus] por [*en*] água". João insiste, contudo, que uma vez que Jesus era a Palavra eterna, era também o Cristo, Filho de Deus, durante todo o tempo que esteve na terra, *inclusive na sua morte na cruz*. Fazendo uma adaptação de sua linguagem, João reafirma que Jesus veio "por [*en*] água e por [*en*] sangue". Considerada em seu todo, inclusive pelas referências à morte como uma "propiciação pelos nossos pecados" (2.2; 4.10), essa referência sugere que o escritor está mais preocupado em afirmar, perante os falsos mestres, a importância salvadora do genuinamente humano Filho de Deus.

O Espírito de Deus testifica essa verdade "porque o Espírito é a verdade". Na tradição de João, mais do que em qualquer outra tradição do Novo Testamento, o papel do Espírito Santo é testificar a respeito de Jesus (Jo 14.26; 15.26; 16.13-15). Pelo fato de seu papel principal consistir em enfocar Jesus, que é a verdade (14.6), Ele é chamado de Espírito da verdade (14.17; 16.13; 1 Jo 4.6). Nesse contexto, o Espírito foi trazido à discussão por causa da alusão feita ao batismo de Jesus. Em uma associação com a tradição a respeito desse batismo, João Batista testemunhou que viu o Espírito vir e permanecer sobre Jesus (Jo 1.32-34). Como testemunha da verdadeira identidade de Jesus perante adversários que afirmam que o Espírito esteve apenas temporariamente sobre Ele, João refuta esse argumento usando uma de suas expressões favoritas, "estar" ou "permanecer", para reforçar a permanência da presença do Espírito. Aparentemente, os adversários também reivindicaram possuir a unção do Espírito. Mas como está bastante claro em 3.24-4.6, o Espírito de Deus *não pode* ser associado a algo que não seja uma plena confissão de que Jesus Cristo é o Filho de Deus.

Em seguida, aparece uma expressiva variedade de usos de um grupo de palavras baseadas na raiz grega *martyr: martyreo* ("testificar"), nos versos 6,7,9 e 10, e *martyria* ("testemunho") nos versos 9 (3 vezes), 10 (duas vezes) e 11. As únicas duas vezes em que esse grupo de palavras é usado em 1 João também está em conexão com a verdade de que Jesus Cristo é o Filho de Deus (1.2; 4.14). Parece que João reservou essa terminologia para o propósito mais importante que tinha em mente ao escrever esse livro: dar solene testemunho da pessoa de Jesus, o Filho de Deus. O Espírito, a água do batismo, e o sangue na cruz foram reunidos em um ("único") testemunho a respeito de Jesus; cada um aponta para a verdade da proclamação do autor a respeito de Jesus. (Para termos adicionais do verso 7, na referência feita pela KJV ao Pai, à Palavra e ao Espírito Santo, veja Brown, págs. 775-87).

O Evangelho de João já havia estabelecido um precedente para o tema "testemunho". Por exemplo, em uma curta seção de João 5, as seguintes expressões são consideradas como "testemunho" de Jesus: o próprio Jesus (Jo 5.31), Deus (5.32,37), João Batista (5.33), as obras de Jesus (5.36) e as Escrituras (5.39). O testemunho de Deus é maior do que o de qualquer ser humano, e nós o aceitamos

1) porque é o testemunho de Deus, sendo portanto totalmente confiável e
2) porque é um testemunho a respeito do Filho de Deus e, portanto, infinitamente mais importante do que qualquer assunto comum sobre o qual as pessoas dão testemunho.

Inerente a esse raciocínio está o princípio que diz: se uma verdade de menor importância for estabelecida, uma verdade muito maior será muito mais estabelecida. Se aceitarmos o testemunho humano a respeito de assuntos de menor importância, certamente devemos aceitar o testemunho de Deus a respeito de assuntos relativos à vida espiritual e à morte. Esse testemunho divino está no coração das pessoas que crêem no Filho de Deus. O verso 10 apresenta ao leitor três usos do verbo "crer" e três usos do grupo de palavras "testemunhar". "A quem em Deus não crê mentiroso o fez, porquanto não creu no testemunho que Deus de seu Filho deu" (veja 1.10). Esse é o testemunho: Deus deu aos crentes a vida eterna, que, segundo a terminologia joanina, se refere à qualidade de uma existência que se deriva da comunhão com Ele (veja notas sobre 1.2). E essa vida está (somente) em seu Filho. De uma forma mais simples: a pessoa que tem o Filho tem a vida, mas aquele que não tem o Filho não tem a vida. É claro que, "ter" o Filho significa crer em Jesus Cristo, de acordo com a revelação que Deus concedeu a respeito dEle. Tudo mais depende dessa verdade.

5. Observações Finais (5.13-21)

5.1. A Segurança da Vida Eterna e Nossa Aproximação a Deus (5.13-15)

A declaração do propósito contida em 5.13, dá suporte à nossa discussão de que em 5.1-12 o autor conseguiu apresentar seu argumento no nível mais fundamental. Ao longo de todo o livro existem evidências de que 1 João foi escrito para fornecer aos leitores os critérios pelos quais teriam condições de reconhecer que eram filhos de Deus e, portanto, que tinham a vida eterna.

É crucial observar que essa segurança não estava baseada na presença do amor aos irmãos ou na ausência do pecado. A vida eterna estava condicionada à crença no nome do Filho de Deus. Essa conexão é virtualmente a mesma feita na declaração de propósito em João 20.31 — para que o leitor possa crer que Jesus é o Cristo, o Filho de Deus, e que assim possa ter vida em seu nome ("o nome" é uma forma estilística de se referir a tudo que Jesus é, de forma que crer no Filho, em 1 João 5.10, não é diferente de crer em seu nome em 5.13). Observe, também, que embora o amor pelos irmãos seja um dos dois temas centrais desse livro, essa preocupação está ausente tanto do prólogo como da conclusão. O autor iniciou o prólogo com o que é mais importante: a proclamação fiel da verdade de que Deus concedeu a vida divina, e que essa vida está em seu Filho encarnado, Jesus Cristo (1.1,2). A seção final retorna a esse mesmo tema tão importante: a verdadeira crença em Jesus como o Filho de Deus, para que se tenha a vida eterna.

Essa crença em Jesus é a base tanto do amor aos irmãos, segundo o mandamento de Deus, como da ausência do pecado exigida em 1 João. Ela também é a base da confiança através da qual podemos nos aproximar de Deus com as nossas petições. Em 3.21,22, essa confiança em oração está ligada ao fato de fazermos aquilo que é agradável a Ele; o verso 23 especificou essas atitudes como sendo a crença em Jesus e o amor aos irmãos. Em 5.14, "essa" confiança foi limitada à crença reiterada no verso 13. Quando os crentes estão "em" Deus e Deus está "neles" (cf. 2.24; 3.6,24; 4.4,12,13,15,16; 5.20), sabem que qualquer coisa que pedirem será concedida, desde que seja "segundo a sua vontade".

O Evangelho de João e 1 João contribuem com critérios chave que estão relacionados à oração cristã. Será que Deus concede "qualquer" coisa que pedirmos? Jesus disse aos discípulos, em João 14.14: "Se pedirdes alguma coisa em meu nome, eu o farei". Alguns poderiam entender que essa seria uma promessa ilimitada e que tudo que fosse pedido seria concedido, desde que o "nome de Jesus" estivesse incluído no final da oração. Porém, a expressão "em meu nome" envolve muito mais do que proferir algumas palavras. Fazer alguma coisa "em nome" de alguém é agir não só com a autoridade do outro, mas também de acordo com o caráter e a vontade dessa pessoa. Dessa forma, Jesus foi enviado pelo Pai, com a autoridade do Pai, e agiu de acordo com o caráter e a vontade do Pai, isto é "em nome de meu Pai" (Jo 5.43;

10.25). A eficácia da oração dos crentes também está ligada ao propósito daquilo que está sendo pedido: que o Pai seja glorificado (14.13). Referências subseqüentes, feitas no Evangelho de João, indicam que os pedidos serão concedidos para que os crentes possam "dar frutos" (15.16), e para que sua alegria possa ser completa (16.24). Essa carta ainda acrescenta que recebemos o que pedimos porque obedecemos aos mandamentos de Deus e fazemos o que lhe é agradável (1 Jo 3.22) e, segundo esse texto, se pedirmos "segundo sua vontade".

Assim, o panorama geral da oração cristã é este: quando um filho de Deus estiver vivendo de acordo com a vontade conhecida de Deus, e fizer um pedido que tem como objetivo glorificar a Deus e dar frutos em sua obra, Deus concederá o que foi pedido. Podemos evitar as razões iníquas que levam a uma oração egoísta (Tg 4.3) se observarmos seu ensino: "Se vós estiverdes em mim, e as minhas palavras estiverem em vós, pedireis tudo o que quiserdes, e vos será feito" (Jo 14.7).

5.2. O Pecado que Leva à Morte (5.16,17)

A prática da oração continua sendo o tema do verso 16, onde o leitor é exortado a orar pelo irmão que está passando por circunstâncias especiais. Existem dúvidas sobre o que, exatamente, João tinha em mente nos versos 16 e 17. A oração deve ser feita pelo irmão que cometeu um pecado "que não seja para a morte". Esse pecado é completamente contrastado com o pecado que é "para morte". O autor deixa bem claro que não está orientando a orar nesse último caso.

Alguns entendem que essa frase constitui a base para estabelecer a diferença entre pecado "mortal" (suficientemente grave para levar à morte) e "venial" (um pecado menos grave). Outros afirmam que ela se refere a pecados intencionais ou não, sendo que o último é perdoável e o primeiro, não (Nm 15.22-30). Mas seria mais aconselhável interpretar esses termos, ainda desconhecidos, no contexto do conflito com os adversários que, na verdade, se estende por todo o livro. A "morte" é a arena onde vivem aqueles que não foram nascidos de Deus: "Quem não ama a seu irmão permanece na morte" (1 Jo 3.14). Essa passagem, dentre muitas outras em 1 João, é dirigida aos falsos mestres. A última parte de 5.12 poderia muito bem ser reformulada: aquele que não tem o Filho de Deus permanece na morte. Portanto, João está afirmando que, embora todo o mau procedimento seja pecado (v.17), alguns pecados não resultam na perda da vida espiritual em Cristo. Mas existe um pecado que realmente resulta em morte: a negação de que Jesus Cristo é o Filho de Deus.

A urgência dessa ameaça levou João a enfatizar a necessidade de orar pelo "irmão" que faz parte da comunidade cristã. Semelhantemente, os escritos de João enfocam a necessidade de amar os outros crentes (Jo 13.14; 15.12,17; 1 Jo 3.11,23; 2 Jo 5). Porém, embora sua preocupação não negue um outro mandamento que consiste em amar os inimigos (Mt 5.44), 1 Jo 5.16,17 também não deixa implícito que devamos nos abster de orar por aqueles que não são crentes. Deus enviou seu Filho para que aqueles que vivem no mundo da incredulidade possam ser salvos de seus pecados (2.2; 4.14).

5.3. Os Filhos de Deus São Protegidos do Maligno e Permanecem no Verdadeiro Deus (5.18-20)

O verso 18 repete o 3.9 com alguns acréscimos, "sabemos que todo aquele que é nascido de Deus [ou de Jesus] não peca; mas o que de Deus é gerado conserva-se a si mesmo, e o maligno [isto é, o Diabo] não lhe toca". Sabemos que, como filhos de Deus, estamos protegidos e até mesmo derrotamos o Diabo (2.13,14) porque o Filho de Deus veio para desfazer as suas obras (3.8). Ainda assim, os infiéis, que estão comprometidos com o mundo, fazem a obra do Diabo (3.7-12) e estão sob seu domínio (5.19; literalmente, o mundo "jaz" no maligno).

A referência a Jesus, como aquEle que nasceu de Deus, é única. E é também um pouco surpreendente, pois a expressão "ser nascido de Deus" tem sido uniformemente usada para designar os crentes. Entretanto, existe uma alteração significativa no tempo do verbo. O crente "é nascido de Deus" — esse tempo (presente) serve para enfatizar uma situação atual (agora somos filhos de Deus [3.2]) baseada em um nascimento ocorrido no passado. A referência a Jesus Cristo como "aquele que é nascido de Deus" está no tempo que chamamos de aoristo e indica que, em um momento específico do passado, o Filho de Deus nasceu para viver uma existência humana (Jo 1.1,14: Lc 1.32, 1 Jo 1.1,2). Na terminologia joanina essa diferença é mantida: Jesus é o Filho e nós somos os filhos; Jesus "nasceu de Deus" e nós "fomos nascidos de Deus". Portanto, através desse nascimento único, esse Filho veio e nos concedeu o entendimento necessário para que pudéssemos conhecê-lo, àquele que é a verdade.

Embora a expressão "o que é verdadeiro" (v.20) possa facilmente se referir a Jesus, a quem o adjetivo "verdade" está muitas vezes associado no Evangelho de João (Jo 1.9; 6.32; 8.16; 15.1), a terminologia da frase seguinte indica que esta se refere a Deus, que é a verdade, ou o verdadeiro (7.28; 17.3). A vinda de Jesus permitiu que conhecêssemos a Deus (1.14,18; 17.3,6,26).

A próxima sentença no verso 20 afirma literalmente: "E no que é verdadeiro estamos, isto é, em seu Filho Jesus Cristo". A tradução da NIV acrescentou a palavra "mesmo", reconhecendo assim que "em" pode ser interpretado de mais de uma maneira. Mas pode simplesmente significar que estamos tanto "em" Deus como "em" seu Filho. Porém, uma pesquisa dos escritos joaninos sugere que, nessa expressão, "em" tem o sentido de "através de". Assim, *através de* nossa crença no Filho também estamos "em" Deus, o Pai. Mas alguém só pode estar em Deus quando está no Filho (Jo 3.36; 1 Jo 5.12). Ele é o verdadeiro Deus, e Ele "é" a vida eterna. Isto é, a vida eterna significa conhecer o único Deus verdadeiro e Jesus Cristo, a quem Ele enviou (Jo 17.3).

Observe, novamente, a repetição de "sabemos" (no início dos versos 18, 19 e 20). Até o final, João está concentrado em assegurar aos leitores de que são verdadeiramente filhos de Deus, em contraste com os oponentes que, juntamente com o resto do mundo estão "no" maligno, enquanto aqueles que estão "em" Jesus Cristo, o Filho de Deus, estão "em" Deus.

5.4. Recomendações Finais (5.21)

A Primeira Epístola de João não segue o padrão de uma carta formal. No entanto, o verso 5.21 pode ser interpretado como uma declaração final. O que é interessante é que encontramos, em sua última sentença, uma palavra que é única no evangelho e nas cartas de João. No Novo Testamento, a palavra "ídolo" geralmente se refere a imagens associadas com a adoração pagã, que era proibida pela Lei Mosaica (Êx 20.4) (Existem dez outras passagens onde essa palavra foi usada no Novo Testamento e sempre se refere às imagens pagãs [veja, por exemplo, 1 Co 8.4,7]). Podemos concluir, então, que o emprego dessa palavra de forma tão consistente aqui mostra a exigência desse significado, isto é, que o autor está advertindo contra a adoração de imagens pagãs.

Entretanto, o argumento conhecido contra essa interpretação é que essa expressão nada tem a ver com tudo o mais que João escreveu em sua carta. É difícil acreditar que o autor teria enfocado com tal tenacidade dois pontos chave ao longo de toda sua carta (a crença no Filho e o amor pelos irmãos) e, em seguida, concluiria fazendo referência a um tema totalmente alheio a estas preocupações. Parece melhor, portanto, entender a referência aos "ídolos" de modo figurativo. Um ídolo, em um sentido mais amplo, pode ser qualquer coisa que se tornou objeto de devoção ou de atenção e que substitui a suprema devoção ao único Deus verdadeiro. João não se cansa de reiterar que conhecemos este Deus, e que esse conhecimento só foi possível através de seu Filho, Jesus Cristo. Portanto, um ídolo é alguma coisa que impede a verdadeira adoração (Jo 4.23,24) exigida por Deus. A rejeição ao testemunho do próprio Deus a respeito de seu Filho é, então, idolatria.

Isso é o que os falsos mestres representam. Ao se negarem a aceitar o que Deus disse, estão afirmando que Deus é mentiroso (1 Jo 5.10). Subordinam Deus e sua Palavra à razão, à experiência ou a qualquer outra coisa que possa se constituir a base de sua negação em relação ao Filho. Isto é idolatria. Portanto, em linha com toda a obra de 1 João, seu comentário final a respeito dos adversários, é: Fiquem longe deles!

ESBOÇO DE II JOÃO

1. Saudação (vv.1-3)

2. Andar em Amor (vv.4-6)

3. Permanecer nos Ensinos de Cristo (vv.7-11)

4. Saudação Final (vv. 12,13)

COMENTÁRIO SOBRE II JOÃO

1. Saudação (vv.1-3)

De um modo diferente de 1 João, a segunda epístola de João segue o padrão de uma carta. Os primeiros três versos constituem o que chamamos de saudação. Essa saudação inclui
1) o remetente,
2) o(s) destinatário(s) e
3) uma bênção.
1) O remetente se identifica como "o presbítero". Para uma breve consideração sobre a autoria de 2 João, deve-se consultar a introdução destas cartas. Nesse caso, a expressão "presbítero" ou "ancião" pode simplesmente indicar um homem mais velho (veja, por exemplo, Atos 2.17). Pode ainda referir-se a um oficial até mesmo da comunidade judaica (freqüentemente ligado aos sumos-sacerdotes nos Evangelhos) ou da igreja cristã primitiva; a referência feita em Atos 14.23, por exemplo, não parece exigir uma idade mínima. Estamos bem cientes da importância desses indivíduos, tanto em Atos, onde estavam ligados aos apóstolos (At 15), como nos escritos de Paulo (1 Tm 5.17; Tt 1.5).

O que podemos concluir, com alguma certeza, é que "o presbítero" conhece e é conhecido pelos leitores, e que se dirige a eles como alguém que tem autoridade. Espera que seus leitores sigam suas instruções sobre no que devem crer e como devem se comportar (vv.7-11). Talvez esse presbítero tenha a responsabilidade de supervisionar várias congregações, que estejam de alguma forma associadas; a "senhora" e a "irmã", dos versos 1 e 13, podem ser melhor entendidas como referências figurativas às igrejas. Se a tradição estiver correta ao identificar o presbítero com o apóstolo João, a Segunda Carta de João pode ter sido escrita de Éfeso a uma congregação situada a alguma distância, e que ele deve ter visitado de tempos em tempos (v.12). Os versos 13 e 14 da Terceira Carta de João são paralelos ao verso 12. Seu destinatário, Gaio, pode ter sido um membro de outra congregação, dentro dessa associação.

2) A "senhora eleita" pode ser então melhor entendida como uma dessas congregações, e "seus filhos" como uma forma de se referir aos crentes nesta igreja. Segundo a linguagem de João, é claro que somos filhos de Deus; porém dentro de um sentido secundário, o presbítero pode referir-se aos crentes como "meus filhos" (3 Jo 4). Além disso, o sentido de "pertencer a" alguém pode ser descrito em termos de ser uma criança ou um filho (Jo 12.36; 1 Ts 5.5,8).

Nesses versos, a palavra "eleita" é a mesma que foi traduzida como "escolhido" ou "eleito" na NIV e em outras versões, como por exemplo em Marcos 13.20,22; Tito 1.1; e 1 Pedro 1.2. Esses textos, juntamente com outros, indicam que esse termo era comumente usado como sinônimo de cristãos. A forma verbal é também freqüentemente usada para enfatizar que os crentes foram eleitos ou escolhidos. Veja, por exemplo, essa frase no evangelho de João: "Não me escolhestes vós a mim, mas eu vos escolhi a vós" (Jo 15.16; cf. também 6.70; 13.18). A manifesta importância da responsabilidade pessoal que vemos nessa carta não nega a verdade de que a Igreja é formada por aqueles que são eleitos por Deus (veja também v.13). Essa tensão é semelhante àquela que é encontrada no Evangelho de João, onde "todo aquele que crê" (por exemplo, 3.16-21) deve estar em conformidade com a linguagem da soberana escolha de Deus (por exemplo, 10.25-29).

Como em 1 João 3.18 (veja as respectivas notas), a expressão "em verdade" significa mais que "verdadeiramente"; ela é, por assim dizer, equivalente à expressão "em Cristo" utilizada por Paulo. O presbítero escreve que seu amor por esses crentes é compartilhado por "todos os que têm conhecido a verdade", isto é, pelos verdadeiros crentes. Além disso, o enunciado do verso 2 sugere que esse amor existe "por causa da verdade" ou "por amor da verdade". É a verdade, encontrada apenas em Jesus Cristo, que proporciona a base para o amor que é compartilhado entre os seus seguidores. Essa verdade "está [novamente, como em 1 João, a palavra é "permanece" ou "habita"] em nós" [nos crentes] e, como o Espírito da verdade que guia a toda verdade (Jo 16.13), ficará conosco para sempre (cf. 14.16).

3) A saudação do verso 3 combina os mesmos três elementos da experiência cristã como em 1 Timóteo 1.2 e 2 Timóteo 1.2. Essa semelhança, e o fato de que essas palavras são extremamente raras nos livros de João, sugere que o presbítero esteja empregando uma linguagem padrão em sua saudação. A "graça" é o favor que Deus demonstra para conosco, quando não podemos oferecer nada que o mereça (Jo 1.14,17; Rm 3.24; Ef 2.8). A "misericórdia" fala da compaixão que Deus demonstra ao nos salvar (Lc 1.50,54; Tt 3.5). A "paz" é o estado de bem estar denotado pelo termo hebraico "*shalom*". Está arraigado em uma vida correta com Deus (Rm 5.1), estendendo-se ao nosso relacionamento com os semelhantes (Ef 2.14-18). O Evangelho de João registra a promessa que Jesus fez a seus seguidores, de uma paz que desafia as tribulações do mundo (Jo 14.27; 16.33).

Como é habitual nas saudações das cartas do Novo Testamento, Deus, o Pai, e Jesus, o Filho, são a fonte das bênçãos. O fato do verso 3 terminar com a expressão "na verdade e caridade [ou amor]", é significativo por duas razões: (a) essa é a quarta vez, na

A Basílica de Augusto, em Éfeso, foi construída no primeiro século d.C., após o período em que o apóstolo João serviu como pastor na igreja local.

saudação de João, que é citada a palavra "verdade". Isso indica que aquilo que é verdadeiro é tão crucial para os propósitos de 2 João como era em 1 João (cf. vv.7-11). (b) a expressão "verdade e caridade [ou amor]", reflete a ênfase na crença apropriada em Jesus Cristo (verdade) e a conduta apropriada em relação aos semelhantes (caridade ou amor), também evidente em 1 João (veja as notas acima). Essa ênfase dupla serve, claramente, para dividir o volume de 2 João: o amor nos versos 4 e 6, e a verdade nos versos 7 e 11.

2. Andar em Amor (vv.4-6)

O enfoque sobre a verdade continua até o verso 4. O presbítero se regozijou porque encontrou certos membros dessa igreja que andavam "na verdade". Nos escritos de João, a conotação da verdade, e o paralelo nos versos 7 e 11 com a crise de 1 João, sugerem que "andar na verdade" representa uma outra variação do tema de permanecer nos verdadeiros e fiéis ensinos a respeito de Jesus Cristo, diante dos falsos ensinos dos anticristos que andam em trevas (1 Jo 1.6; 2.11). Possivelmente, pode-se concluir que, enquanto "alguns" da comunidade estão andando na verdade, outros não estão. Esses outros podem estar participando da obra iníqua dos adversários (2 Jo 11).

A linguagem do mandamento do Pai (final do verso 4) pode ser comparada a 1 João 3.23, onde esse mandamento é resumido em crer no Filho (verdade) e amar uns aos outros (caridade ou amor). Assim, não é de admirar que no verso 5 a igreja ("senhora") seja convocada ao amor entre os irmãos; esse é um dos temas mais característicos dos livros de João (Jo 13.34,35; 15.12,17; 1 Jo 3.11; 4.7,11). Semelhantemente, a afirmação de que esse mandamento não é novo, mas conhecido desde o início da comunidade cristã, também é encontrada em 1 João 2.7.

O fluxo do pensamento do verso 5 até o verso 6 é semelhante ao pensamento encontrado em 1 João 5.3. O amor exigido por Deus pode ser igualado à obediência aos mandamentos. Jesus disse aos seus discípulos que permaneceriam em seu amor e seriam seus amigos se obedecessem aos seus mandamentos (Jo 15.10,14). Especialmente em 1 João, a demonstração prática do amor pelos irmãos é um teste pelo qual os verdadeiros filhos de Deus podem ser distinguidos dos filhos do Diabo (1 Jo 3.10-15). Pelo fato de os crentes serem interiormente habitados por Deus, que é amor, demonstrarão o amor divino que age de modo sacrificial pelos outros (4.7-21). O Novo Testamento descreve o amor como o "fruto do espírito" (Gl 5.22), sugerindo que o amor se desenvolverá naturalmente a partir da presença do Espírito no interior de cada um.

No entanto, a tradição joanina também nos confronta com a importante verdade de que o amor não é, essencialmente, um sentimento ou mesmo uma atitude. O amor é uma conduta sacrificial. Isso é amor: Deus enviou seu Filho por nós (1 Jo 4.9). É assim que sabemos o que é amor: Jesus Cristo deu sua vida por nós (3.16). Portanto, este é o amor em nossa vida: agir sacrificialmente a favor de nossos irmãos (3.16; 4.11,19-21). Essa obrigação resulta em uma contínua e diária convocação aos crentes — andar em amor.

3. Permanecer nos Ensinos de Cristo (vv.7-11)

Como já foi mencionado na introdução às cartas de João, os "enganadores" que estavam causando toda sua inquietação, e que levaram João a escrever sua Segunda Carta, podem ser identificados com os oponentes em 1 João (onde foram chamados de "falsos profetas" [4.1] e de "anticristos" [2.18]). A raiz da palavra que dá origem ao termo "enganadores" foi aplicada, uniformemente, aos adversários na primeira carta. Esses adversários enganam a si próprios quando afirmam não ter pecado (1 Jo 1.8) e são caracterizados pelo espírito da mentira e do engano, em contraste com o Espírito da verdade (4.6). Estão procurando ativamente conquistar a submissão dos membros da comunidade dos fiéis através do engano (2.26; 3.7). Essa era a crise que estava exigindo a redação da Primeira e da Segunda Carta de João.

II JOÃO 7–11

A linguagem dos "muitos" que "entraram no mundo" tem um paralelo em 1 João 4.1 e 2.19, tendo sido suplementada pela afirmação de que "saíram de nós". Portanto, esses enganadores haviam sido membros da comunidade joanina. Sua principal descrição é que "não confessam que Jesus Cristo veio em carne". A semelhança com 1 João 4.2,3 é inequívoca, embora o tempo do verbo "vir" esteja diferente (tempo presente) do de 1 João 4.2 (tempo perfeito). Nessa passagem, alguns estudiosos argumentam que essa mudança indica uma diferença de significado; possivelmente o termo "veio" em 2 João se refira à presença de Cristo nos elementos da Ceia do Senhor. Porém, temos encontrado regularmente variações de terminologia nos escritos de João, mais por razões estilísticas do que essenciais. Assim, parece preferível considerar 1 João 4.2 e 2 João 7 como se referindo ao mesmo assunto, isto é, que Jesus Cristo veio em carne.

Em algumas passagens paulinas, o termo "carne" se refere ao que está em conflito com o Espírito e que, por definição, é pecado (Rm 8.1-17). Nessa passagem, entretanto, essa expressão não admite tal conotação. Antes, "carne", aqui, significa humanidade. O Verbo, que é Deus, tornou-se carne, isto é, tornou-se um ser humano e viveu entre nós (Jo 1.1,14). Ignoramos os detalhes precisos dos ensinos dos enganadores. Mas, como discutimos na introdução, parece que envolviam a negação da verdadeira humanidade do Filho de Deus, ou pelo menos uma negação da importância essencial de sua humanidade que está relacionada à sua obra redentora na cruz. Isso poderia explicar melhor a ênfase que 1 João atribui à "propiciação pelos nossos pecados" (1 Jo 2.2; 4.10), uma vez que essa terminologia não havia sido empregada em seu Evangelho.

Não sabemos quando ou como alguns daqueles participantes dessa comunidade cristã vieram a "negar" (1 Jo 2.22,23) Jesus como o Cristo, o Filho de Deus. Porém, esse abandono da verdade serviu para revelar sua verdadeira natureza e o fato de que nunca realmente pertenceram à comunhão cristã (2.19).

Nesse ponto, o presbítero está preocupado não propriamente com os adversários, mas com seus leitores e com a possibilidade de serem conquistados por esses enganadores e anticristos. Portanto, ele os exorta: "Olhai por vós mesmos" (v.8). Podem perder tudo aquilo pelo que trabalharam. Lembramo-nos do ensino de Jesus, de acordo com o qual é necessário "trabalhar pelo alimento" que permanece para a vida eterna, o alimento dado pelo Filho do Homem. Essa passagem demonstra que o que parece ser um enfoque excessivamente estrito sobre a crença em Jesus, em 1 e 2 João, está fundamentado na tradição do próprio Senhor. Quando lhe perguntaram qual era a "obra" que Deus exigia, Jesus respondeu de uma maneira bastante objetiva: "A obra de Deus é esta: que creiais naquele que ele enviou" (Jo 6.29). Os crentes trabalharam para conquistar uma recompensa completa da parte de Deus. Esperam a volta de Cristo porque não serão julgados, mas serão semelhantes ao seu Senhor (1 Jo 2.28; 3.2; 4.17). Os leitores devem manter-se em guarda para que essa bênção não seja perdida.

A linguagem do verso 9 é intrigante. A expressão "doutrina de Cristo" poderia significar o próprio ensinamento de Cristo transmitido através de testemunhos fiéis, ou qualquer ensinamento a respeito de Cristo. É verdade que a repetição do mandamento de Jesus de amar uns aos outros (Jo 13.34; 15.12) nas cartas (1 Jo 3.11; 2 Jo 5) indica que o verdadeiro ensino transmitido por Jesus foi preservado em sua comunidade. Na realidade, o prólogo de 1 João declara que testemunhas fiéis haviam transmitido aos leitores o que haviam ouvido. No entanto, considerando o ímpeto do verso 7, a segunda possibilidade parece ser mais plausível. Nesse ponto, a preocupação do presbítero não é a transmissão fiel das instruções de Jesus, mas o correto ensino a seu respeito, afirmando especificamente a sua condição humana. O crente deve continuar (literalmente, "permanecer") fiel a essa doutrina.

Em uma seção que demonstra igual preocupação com as perigosas crenças mantidas pelos adversários a respeito de Cristo, João exorta seus leitores, dizendo: "Portanto, o que desde o princípio ouvistes permaneça em vós" (1 Jo 2.24). Observe que "permanecer" não é um conceito passivo. É um ato planejado de vontade e de ação pelo qual os falsos ensinos são refutados e a verdade é proclamada. A não ser que alguém seja forçado a manter uma determinada conduta, outrem poderá desviar sua direção e "conduzi-lo ao erro" (conforme a tradução da NIV em 1 João 2.26; 3.7). A possibilidade de nos voltarmos para o que é falso torna-se maior se deixarmos de renovar nosso comprometimento com a verdade. No entanto, aqueles que permanecem nesse ensino verdadeiro têm o Pai e o Filho. A tradição joanina insiste que não podemos "ter" Deus sem aceitar seu Filho; aceitar Jesus é o mesmo que aceitar os dois, enquanto que rejeitá-lo é o mesmo que rejeitar a ambos (Jo 5.23; 12.44; 15.23; 1 Jo 2.23).

Portanto, permanecer no ensino de Cristo significa crer em Jesus, como foi ordenado por Deus, e isto significa "ter" ao mesmo tempo o Pai e o Filho. Essa frase equivale a estar "em" Deus (1 Jo 2.24; 4.15) ou a ter vida (5.12). A comunhão do cristão é com o Pai e com seu Filho, Jesus Cristo (1.3). Os adversários fracassaram em perseverar nesse ensino. Antes, prevaricaram (2 Jo 9). Sugerimos, na introdução dessas cartas, que os adversários poderiam ter crido que sua experiência com o Espírito os capacitava a avançar além dos ensinamentos tradicionais transmitidos por Jesus, através de seus discípulos. Podem até ter dirigido sua atenção ao Espírito, ao invés de Jesus, porque o Espírito ensina todas as coisas (Jo 14.26) e guia a toda a verdade (16.13). De qualquer modo, deixar de se manter firme nos ensinos de Cristo é estar separado de Deus.

A dinâmica dessa situação foi, de certo modo, esclarecida pelos versos 10 e 11. O presbítero encontra-se separado dos destinatários por certa distância, e está ciente de que "alguns" na congregação estão andando na verdade (v.4), embora esse fato sugira que outros não estejam fazendo o mesmo. Os falsos profetas haviam deixado a comunidade dos crentes, aderindo a um conceito a respeito de Cristo que resultaria na morte espiritual. Como, então, os leitores são instruídos pelo presbítero a proceder nessa tensa circunstância? *Exige total separação deles.* Qualquer um que se aproxime dos leitores de João, sem trazer essa doutrina a respeito de Cristo, não deverá ser recebido em suas casas.

No verso 10, essa referência pode ter o sentido de não hospedar alguém. Porém, a interpretação pode também ser uma ordem para que não se permitisse que qualquer um desses falsos profetas fosse recebido nas reuniões que aconteciam em casas que eram utilizadas como igrejas. Esse último sentido pode estar sendo sugerido pela ausência da palavra "vossa" no original grego antes de "casa", e pela preocupação óbvia com os ensinos. Sabemos que o ensino era certamente parte das reuniões dos crentes, agendadas nas casas que eram utilizadas como igrejas. Considerando que os ensinos dos oponentes eram um veneno espiritual, era essencial que não lhes fosse permitida qualquer oportunidade de transmiti-los. Não deveriam receber permissão para entrar nessa reunião. Não deveriam nem mesmo ser "saudados".

A expressão "Eu te saúdo" ou simplesmente "Saúde", era um cumprimento habitualmente usado entre as pessoas (veja Mt 26.49; 28.9) e no início das cartas (Tg 1.1). Essa proibição, no entanto, pode ser mais incisiva do que a simples recusa de se admitir uma pessoa em casa ou nas casas que eram utilizadas como igrejas, podendo até mesmo ser estendida à proibição de saudar alguém na rua. Caso fosse esse o propósito de João, esta poderia na prática se assemelhar à exclusão da sinagoga (Jo 9.23; 12.42; 16.2), na qual a pessoa excluída era socialmente ignorada, como se não existisse. As instruções de Paulo a respeito do tratamento que deve ser dispensado a alguém que professa o cristianismo, porém vive de forma imoral (1 Co 5.11) refletem uma abordagem semelhante. Os destinatários não devem ter qualquer contato com tais pessoas, pois lhes dar boas-vindas, recebendo-as em suas casas, ou mesmo saudá-las, significaria ter "parte nas suas más obras".

O fato de suas obras serem iníquas identifica tais oponentes com o Diabo, que é chamado de "maligno" em 1 João 3.12; 5.18,19. As Escrituras relacionam os últimos dias com o aparecimento de falsos profetas e falsos cristos para enganar a muitos (Mt 24.5,11,23,24; 1 Jo 2.18). Além disso, o aparecimento de uma figura geralmente reconhecida como anticristo está especificamente associado ao engano dos últimos dias (2 Ts 2.1-12; Ap 13; cf. 2 Jo 7). Isso não é diferente de ser um dos anticristos (1 Jo 2.18) ou de ter o "espírito do anticristo" (4.3). Portanto, João exige enfaticamente que lhes seja recusada qualquer ajuda ou encorajamento.

4. Saudação Final (vv.12,13)

O sentimento expresso pelo presbítero é conhecido por muitos de nós. Escrever é uma maravilhosa forma de comunicação, mas existem momentos em que sentimos toda a sua limitação. O presbítero tem muito a partilhar com esses crentes, portanto, espera visitá-los e falar-lhes face a face. Há uma expressão idiomática em grego que literalmente significa falar "de boca a boca". Essa expressão tem o mesmo significado das expressões "encontrar face a face" ou ter uma conversa "de coração para coração", como foi usada no Antigo Testamento, inclusive na passagem que descreve como Deus se comunicou com Moisés (Nm 12.8). O presbítero está prevendo a intimidade de um diálogo entre as pessoas. O amor que João sente pelos leitores (veja 2 João 1), é percebido mais claramente na carta através de sua preocupação pelo seu bem estar espiritual, e pode ser melhor expresso dessa maneira. Na intimidade de uma comunhão pessoal, as palavras aparentemente rudes dos versos 10 e 11 ficam temperadas pela "graça, misericórdia e paz" (v.3) de Deus, vistas no presbítero.

Não há dúvida de que o presbítero está preocupado com os indivíduos que não foram incluídos entre "aqueles" que estavam andando na verdade (v.4). Espera que um encontro não só edifique a fé de alguns, como possivelmente traga a oportunidade de uma conversa com aqueles que estariam andando em perigo. Sabemos, a partir de 3 João, que o presbítero havia sido mal acolhido por um indivíduo que tinha certa autoridade, e que até mesmo recusou hospitalidade aos irmãos. O próprio presbítero pode ter se admirado deste tipo de recepção. Porém, sua atitude na carta é positiva, pois desejava ter comunhão com eles afim de que sua alegria fosse completa (2 Jo 12).

Essa linguagem cheia de esperança pode estar provavelmente fundamentada na promessa de Jesus a seus discípulos, quando disse: "Para que... a vossa alegria seja completa" (Jo 15.11; 16.24). Essa alegria depende dos crentes "permanecerem" no Filho, como está bem claro nas passagens do Evangelho de João. Então, uma das bênçãos que está em perigo, pela influência dos falsos mestres, é a alegria da vida cristã em Deus. A Primeira Epístola de João com suas advertências contra os enganadores foi escrita para que o gozo deles se cumprisse (1 Jo 1.4). E quando o presbítero encontra alguns dos membros da comunidade mantendo sua crença no Filho e o seu comprometimento com os seus mandamentos, diz: "Muito me alegro" (2 Jo 4; cf. 3 Jo 4). Jesus havia prometido dar a seus discípulos a sua "paz", que é diferente da suposta paz do mundo (Jo 14.27). Sua paz lhes daria sustento nos tempos de provação. De forma semelhante, Jesus mostrou que os seus seguidores teriam a sua alegria à medida que ouvissem suas palavras (Jo 17.13). O presbítero faz o mesmo apelo. A alegria do Filho será completa se os crentes perseverarem firmemente na "doutrina de Cristo" (v.9)

As notas sobre o verso 1 sugerem que a expressão "à senhora eleita" era uma forma figurativa de se referir à igreja, e que "seus filhos" eram os membros dessa igreja. Da mesma forma, então, a frase "os filhos de tua irmã, a eleita" provavelmente se refira aos membros da congregação onde o presbítero vivia. A maneira pela qual conclui a carta serve não só para enviar uma saudação final, como também para lembrar seus leitores de sua participação na comunidade da fé, que se estende até a congregação a partir da qual está escrevendo. Estes são os que conhecem a verdade (v.1) e a quem ele ama, porque em seu interior compartilham a mesma verdade divina (v.2). Estes, com o presbítero, juntam-se aos destinatários em seu compromisso de andar conforme os mandamentos do Senhor.

ESBOÇO DE III JOÃO

1. Saudação (vv.1,2)
2. O Elogio a Gaio (vv.3-8)
  2.1. O Elogio a Gaio por sua Fidelidade (vv.3,4)
  2.2. O Elogio a Gaio por sua hospitalidade (vv.5-8)
3. Acusação a Diótrefes (vv.9,10)
4. A Exortação ao Bem (vv.11,12)
  4.1. Imitar o Bem (v.11)
  4.2. O Exemplo de Demétrio (v.12)
5. Palavras Finais e Saudação (vv.13,14)

COMENTÁRIO SOBRE III JOÃO

1. Saudação (vv.1,2)

Essa carta apresenta fortes evidências de ter sido escrita pelo "presbítero" responsável por 2 João (veja notas sobre 2 Jo 1). Assim como 2 João, essa obra está em conformidade com o estilo padrão das cartas da época. Entretanto, ao contrário de 2 João, o destinatário é um indivíduo (Gaio) e não uma congregação. Conhecemos Gaio, que foi companheiro de Paulo (At 19.29; Rm 16.23), porém, não há dúvida de que nessa carta trata-se de outra pessoa. Aqui ele é tratado como "amado" (como também em 3 Jo 2,5,11). Esse tratamento revela uma forma singular dessa expressão, tendo sido usada várias vezes em 1 João quando o autor se dirige aos crentes (por exemplo, 1 João 2.7; 4.1). Está baseada na palavra que originalmente significa "amor" (*agape*) podendo ser interpretada, portanto, como "amado" ou "querido" (como na KJV). O presbítero escreve baseando-se na afeição que tem por Gaio, pois o ama (*agapao*) na verdade (2 Jo 1). Como observamos em 2 João 1, "na verdade" corresponde a uma versão joanina da expressão "em Cristo", que é a verdade, e em quem unicamente podemos encontrar a verdade.

A Terceira Carta de João não apresenta uma "saudação" propriamente dita, como encontramos em 2 João 3, e na maioria das cartas do Novo Testamento. Por outro lado, 3 João inclui o que é muito raro nos escritos do Novo Testamento, porém comum nas cartas seculares desse período, isto é, um "voto de saúde". Muitas vezes, as cartas do primeiro século incluíam, após a saudação, uma "oração" ou "voto" pela saúde e bem-estar do destinatário. João expressa o desejo de que Gaio possa estar prosperando e em boa saúde, da mesma forma como sua alma está prosperando. Os versos subseqüentes testificam da prosperidade da vida espiritual de Gaio. Ele demonstra fidelidade à verdade, firmeza no caminho da verdade, e amor e hospitalidade, o que demonstra uma experiência espiritual genuína.

A "alma" pode ter diversas conotações no Novo Testamento. O uso que prevalece na literatura de João tem em seu contexto a idéia de alguém "dar a vida [alma]", como em 1 João 3.16. Porém, o sentido aqui parece estar mais próximo do "interior da pessoa", como quando Jesus disse que sua "alma" estava perturbada (Jo 12.27). O presbítero ora para que Gaio possa ter saúde física e bem estar proporcionais à sua vida espiritual. Considerando que essa preocupação é um elemento muito comum nas cartas do primeiro século, não seria apropriado afirmar que esse verso ensina que Deus está pretendendo que todos os crentes vivam em prosperidade material. Seria difícil encontrar qualquer indicação na tradição de João que pudesse dar suporte a essa idéia. Na verdade, Jesus disse a seus discípulos que não deveriam esperar nada melhor do que aquilo que Ele mesmo havia experimentado: seriam odiados, expulsos das sinagogas e mortos por causa de sua fé (Jo 15.18-16.4). A visão de um crente desprovido de posses materiais não deveria levar ao ensino de técnicas de aperfeiçoamento da fé, mas ao atendimento de suas necessidades através de ofertas que podem ser consideradas como sacrifícios (1 Jo 3.17,18).

2. O Elogio a Gaio (vv. 3-8)

2.1. O Elogio a Gaio por sua Fidelidade (vv. 3, 4)

Alguns crentes elaboraram um bom relatório a respeito de Gaio. Não estamos certos sobre a identidade desses "irmãos" (uma designação comum para os cristãos em João 20.17; 21.23; e também nas cartas de João) ou o motivo pelo qual viajaram da região onde Gaio vivia até a região do presbítero. No entanto, é provável que possam ser comparados aos irmãos mencionados no verso 5 e/ou verso 10. Um cenário possível seria o presbítero enviando esses crentes à igreja, sobre a qual Diótrefes tinha influência (verso 9), onde receberem a hospitalidade de Gaio e de onde, em seguida, retornaram ao presbítero para relatar o que havia acontecido. De qualquer modo, deram testemunho da fidelidade de Gaio e de sua persistência (o verbo está no presente) na conduta cristã.

A linguagem do verso 3 é semelhante àquela encontrada em 2 João 4: o presbítero sentiu "grande alegria" pelo relatório sobre aquele que "anda na verdade". Já vimos que tanto 1 João como 2 João, foram escritas com o propósito principal de evitar que os leitores não se afastassem dos ensinos de Cristo, que constituem a verdade (2 Jo 9). Em meio à influência dos falsos mestres, o presbítero sente, sem dúvida, grande alívio e grande alegria quando fica sabendo que, pelo menos alguns se mantiveram na fé (1 Jo 2.18-27; 4.1-6; 2 Jo 4,7,8).

Entretanto, ao contrário de 1 e 2 João, a Terceira Epístola de João não fornece qualquer indicação da existência de um conflito sobre cristologia. Diótrefes pode estar cometendo um erro doutrinário, mas o presbítero não afirma ser esse o caso. Como a própria carta irá mostrar, a questão está relacionada ao comportamento; portanto, nesse caso, "andar na verdade" (v.4) pode se referir, predominantemente, ao amor pelos irmãos. A Primeira Epístola de João nos dá ampla evidência da associação que João faz entre o amor e viver na verdade (1 Jo 2.3-11; 3.16-19). João considera como seus filhos aqueles que são semelhantes a Gaio, da mesma forma que considera aqueles a quem escreve em 1 João (1 Jo 2.1). São seus dependentes espirituais, por assim dizer. Esse relacionamento explica a maneira pela qual ele dá orientações (2 Jo 10,11) e expressa seu desprazer quando suas instruções não são seguidas (3 Jo 9.11). Tanto os pais naturais como os espirituais podem se referir ao sentimento expresso pelo presbítero no verso 4.

2.2. O Elogio a Gaio por sua Hospitalidade (vv. 5-8)

O tempo presente da expressão "procedes fielmente" sugere, novamente, que essa é uma prática constante de Gaio. Ele serviu a seus irmãos em Cristo, embora estes lhes fossem estranhos. À luz do verso 10, "os irmãos" são aqueles que estão, de alguma forma, associados ao presbítero e, pelo menos alguns deles, são desconhecidos por Gaio. Ao contrário de Diótrefes, Gaio lhes deu boas-vindas e eles, por sua vez, relataram o amor de Gaio perante a igreja onde o presbítero vivia.

Entretanto, essa seção não serve apenas como um elogio ao comportamento passado. O presbítero exorta Gaio a demonstrar a mesma conduta no futuro, quando os irmãos puderem retornar. Deverão ser ajudados em seu caminho com qualquer assistência material que for necessária (cf. 1 Co 16.6,11). A expressão "como é digno para com Deus", é muitas vezes comentada em 1 João: aqueles que afirmam pertencer a Deus devem agir de uma maneira que reflita esta natureza e, em particular, o amor sacrificial de Deus (1 Jo 1.5,6; 3.16-20; 4.7-21). Qualquer coisa que não fosse uma hospitalidade amorosa aos irmãos cristãos em sua viagem, não seria "digna" do Deus que é amor (4.8-16). Dessa forma, João está encorajando uma contínua hospitalidade, embora o leitor pudesse interpretar, a partir de 3 João 9,10, que tal conduta traria problemas entre Gaio e Diótrefes. Outros que procuraram ser hospitaleiros com esses irmãos foram excluídos da igreja sob a liderança de Diótrefes.

Esses irmãos partiram em missão "pelo [seu] Nome". A ausência de qualquer palavra ou frase qualificando "o Nome" (como em 1 Jo 3.23; 5.13) não é comum; algumas traduções trazem o pronome "seu" visando melhorar a compreensão desta expressão (2.12; cf. Jo 1.12; 20.31). Esse verso, então, nos dá um dos primeiros exemplos de uma utilização que se tornou habitual no início da literatura cristã. Jesus veio em nome de seu Pai (Jo 5.43; 10.25), significando que ensinou como um representante que possuía a autoridade de Deus. Dizer que Jesus tornou conhecido o nome do Pai (17.6) é o mesmo que dizer que Jesus tornou conhecido o Pai. De forma semelhante, Jesus outorga a autoridade de seu nome a seus discípulos (14.13,14; 16.23,24) e, no livro dos Atos, os crentes são batizados em seu nome. A profecia de Jesus em João 15.21 sobre a rejeição e perseguição que seus seguidores sofrerão, é particularmente relevante para este assunto: "Tudo isso vos farão por causa do meu nome". Aqueles que fielmente proclamam a mensagem de Jesus, suportarão as tribulações criadas pelos infiéis, simplesmente por trazerem consigo "o Nome" (At 5.41; 1 Pe 4.16-18).

Esses irmãos não receberam qualquer ajuda dos pagãos e, ainda pior, embora merecessem ser acolhidos, tiveram que suportar uma visível hostilidade daqueles de quem esperavam receber assistência (vv.9,10). Os que oferecem hospitalidade são os "cooperadores da verdade" de Jesus Cristo, ao contrário daqueles que compartilham das obras malignas dos que se opõem à verdade. Embora em 3 João esteja faltando uma indicação precisa da existência de uma batalha doutrinária sobre a correta crença em Jesus, a distinção entre aqueles que representam a verdade, e aqueles que lhe são contrários, está claramente exposta.

3. Acusação a Diótrefes (vv.9,10)

O presbítero escreveu "à igreja", provavelmente fazendo uma referência à congregação próxima ao local onde Gaio vivia.

Essa carta pode ter assumido o formato e o estilo de 2 João, também escrita pelo presbítero. Ela dá a impressão de que o autor tem alguma autoridade sobre a congregação à qual se dirige; e espera que sua proibição de oferecer hospitalidade aos falsos mestres em 2 João 7-11 seja obedecida. Mas, nesse caso, a carta não foi respeitada, em vista da influência de um indivíduo chamado Diótrefes, que "procura ter entre eles o primado". Este "não recebe os irmãos", em outras palavras, rejeita a autoridade de João. A expressão "entre eles" (que não consta no verso 9 da NIV) sugere que Gaio não faça parte do grupo ou da congregação envolvida. A maneira pela qual o verso 10 parece informar Gaio das ações de Diótrefes também sugere que Gaio está, de alguma maneira, longe dos acontecimentos descritos.

Em todo caso, qualquer que seja sua posição nessa igreja, Diótrefes está contrariando os propósitos do presbítero, e o faz proferindo publicamente e em particular, palavras maliciosas contra o presbítero e seus associados, recusando-se a receber os irmãos e impedindo que os outros lhes mostrem hospitalidade, chegando a ponto de excluí-los da igreja sob sua liderança. Em outras palavras, em uma congregação um pouco distante do presbítero, um indivíduo adquiriu poder suficiente para se opor abertamente à autoridade que este representa. Fala "palavras maliciosas" (tradução literal) a respeito do presbítero e daqueles que o acompanham — palavras que prejudicaram a obediência de pelo menos alguns deles.

Com certo sarcasmo, o presbítero continua afirmando que "não contente com isso" Diótrefes foi mais além, recusando-se a aceitar "os irmãos" que eram seus associados. Na verdade, ele "lança fora da igreja" aqueles que procuram oferecer-lhes hospitalidade. Isso indica que muito mais que palavras hostis foram proferidas; aqueles que mostravam uma conduta rebelde haviam assumido o controle da congregação. O presbítero escreve que, se vier, estará atento a todas as ações de Diótrefes. Está confiante, naturalmente, ou ao menos espera, que embora "os irmãos" que o representavam tenham sido rejeitados, ele mesmo seja bem recebido por aquela igreja.

4. A Exortação ao Bem (vv.11,12)

4.1. Imitar o Bem (v.11)

É natural imitar àqueles que temos em alta consideração. As crianças gostam de fazer as coisas exatamente como seus pais. De forma semelhante, Paulo exortou seus filhos espirituais a imitá-lo (1 Co 4.16; 11.1; 1 Ts 1.6; 2 Ts 3.7-9) e 1 João traz uma mensagem que enfatiza a necessidade de seguir o exemplo de Jesus (2.6; 3.16), que é o mesmo que imitar o próprio Deus (Ef 5.1). Embora tenha sido empregado o gênero neutro ("*o que* é mau" e "*o que* é bom"), o texto em 2 João 11 deixa bastante claro que João tem em mente o exemplo das pessoas.

Aquele que faz o bem é "*de* Deus" (no sentido do termo *ek*, traduzido como "*proveniente de*" ou "*de*"; veja notas sobre 1 Jo 4.1-6), mas quem faz o mal "não tem visto a Deus". Essa afirmação é uma espécie de critério para avaliar a verdadeira fé, e que prevaleceu em 1 João (por exemplo 3.7-10). O leitor se lembrará imediatamente de Diótrefes como aquele que "faz o mal". Pode-se concluir que este homem não estava desfrutando um correto relacionamento com Deus: uma conduta pecaminosa desmente a afirmação de ter visto a Deus (1 Jo 3.6).

4.2. O Exemplo de Demétrio (v.12)

Enquanto Diótrefes se apresenta como um exemplo negativo, um homem chamado Demétrio é mencionado como alguém que faz o bem sendo, portanto, digno de elogios. A razão pela qual é apresentado nesse ponto provavelmente seja porque o presbítero o esteja recomendando a Gaio, para uma futura consideração. Além de citar um testemunho unânime a seu respeito, vindo de várias pessoas, o próprio presbítero acrescenta seu testemunho. Faz até mesmo uma declaração solene sobre a confiabilidade de sua palavra (uma linguagem semelhante é encontrada em João 19.35 ressaltando a veracidade do testemunho da morte de Jesus). Sugere-se aqui que Gaio não conhecia Demétrio pessoalmente, embora possa ter ouvido falar dele anteriormente. Este não é apenas a antítese de Diótrefes, mas, segundo informações do presbítero, alguém que em pouco tempo precisaria de hospitalidade. É possível que Demétrio tenha sido o portador desta carta, e 3 João 12 parece ser uma espécie de recomendação a Gaio.

O presbítero, portanto, deixa claro que a elogiável hospitalidade de Gaio (vv.5-8), como uma demonstração de estar "andando na verdade" (v.4), deve continuar. "A mesma verdade", por assim dizer, dá testemunho de que Demétrio era um dos irmãos digno de receber hospitalidade, pois trabalhava "pela verdade", sendo desta forma um "cooperador da verdade" (v.8). Imitar a falta de hospitalidade demonstrada por Diótrefes é aliar-se ao que é iníquo em oposição ao que vem de Deus (v.11).

5. Palavras Finais e Saudação (vv.13,14)

A linguagem desses dois versos é extremamente parecida com a de 2 João 12. O presbítero tem muito a dizer, mas prefere esperar para tratar este assunto pessoalmente (literalmente, como em 2 João 12, "de boca a boca"). Até mesmo em nossos dias, dispondo de meios como telefone e correio eletrônico, com os quais podemos nos comunicar imediatamente, ainda assim temos dificuldades com o tempo de resposta. A ansiedade de Paulo sobre os novos convertidos em Tessalônica levou-o a ponto de não poder "esperar mais" (1 Ts 3.1,5). A melhor opção era esperar pela volta de Timóteo, seu representante, que traria notícias sobre a situação daqueles amados irmãos. O presbítero, sem dúvida, experimentou muitos dias de preocupação a respeito do estado espiritual das distantes igrejas que estavam sob sua responsabilidade.

Uma diferença entre o verso 14 e o verso 12 de 2 João, é que o presbítero acrescenta a palavra "brevemente". No Novo Testamento, essa palavra geralmente significa "urgentemente" ou "imediatamente", e é possível que esteja mostrando uma urgência maior do que em 2 João. Diótrefes é uma ameaça tão grande à autoridade do presbítero e à mensagem que ele representa, que é necessário fazer uma visita imediata. Já que Gaio parece estar na mesma região, o presbítero espera vê-lo assim que possível. Essa mesma possibilidade é mais um incentivo para que Gaio mantenha seu elevado padrão de comportamento (cf. Fm 22).

Uma saudação de paz é muito comum, tanto no começo (2 Jo 3, e nos vários escritos de Paulo) como no final (Gl 5.16; Ef 6.23; 1 Pe 5.14) das cartas do Novo Testamento. Essa saudação tem suas raízes na saudação hebraica "*shalom*" e/ou em seu emprego pelo próprio Senhor Jesus (Jo 20.19,21,26). Especialmente na tradição joanina, essa "paz" somente é concedida pelo Filho (14.27; 16.33). "Os amigos" (um termo que se refere aos "irmãos" ou àqueles que conheciam Gaio) também enviam sua saudação. Finalmente, Gaio é instruído a saudar "os amigos pelos seus nomes". Isso pode significar que o presbítero conheça alguns crentes ali, ou simplesmente que deseja que os fiéis sejam saudados pessoalmente.

A única outra ocasião, no Novo Testamento, em que a frase foi traduzida como "pelos seus nomes" está em João 10.3, que enfatiza a atenção individual dispensada pelo pastor a cada uma de suas ovelhas.

O presbítero, em seu papel de líder espiritual, considera seriamente a responsabilidade de cuidar das ovelhas que lhe foram confiadas. Sua carta, assim como sua visita, evidencia que a ameaça de Diótrefes é a sua maior preocupação. O contato pessoal de Gaio com alguns de seus filhos espirituais é a forma pela qual o presbítero procura mantê-los andando na verdade (3 Jo 3,4).

BIBLIOGRAFIA

R. E. Brown, *The Letters of John,* AB (1982), 30; G. Burge, *The Anointed Community: The Holy Spirit in the Johannine Tradition* (1987); J. H. Charlesworth, ed., *John and Qumran* (1972): E. E. Ellis, *The World of St John* (1984); T. F. Johnson, *1, 2 and 3 John,* NIBC (1993); E. Malatesta, *Interiority and Covenant,* Analecta Biblica 69 (1978); I. H. Marshall, *The Epistles of John,* NICNT (1978); P. Parker, "Two Editions of John", *JBL 75 (1956): 303-14;* S. S. Smalley, *1, 2, 3 John,* WBC (1984).

JUDAS
Roger Stronstad

INTRODUÇÃO

1. Autoria

Jesus foi o filho primogênito de Maria e José, seu pai adotivo (Lc 2.7). Até o começo do seu ministério a família cresceu, incluindo quatro irmãos mais jovens e um número não específico de irmãs. Marcos identifica os quatro irmãos de Jesus como: Tiago, José, Judas e Simão (Mc 6.3), presumivelmente listando-os do mais velho ao mais novo. Nesta lista de irmãos de Jesus, Mateus inverte a ordem de dois irmãos mais novos (Mt 13.55). O autor da carta que traz o nome de Judas identifica-se como "Judas, servo de Jesus Cristo e irmão de Tiago". Entre os diversos Judas do Novo Testamento, este é o único que pode ser um dos quatro irmãos mais novos de Jesus.

Nos primeiros dias do ministério público de Jesus, sua família não o aceitava como o Messias. Certo dia, depois que uma grande multidão havia se reunido em torno de Jesus, seus familiares vieram para levá-lo, alegando que Ele estava fora de si (Mc 3.21). Apesar de seus parentes não poderem aceitar a opinião de outros membros da família, logo depois disto, a mãe de Jesus e seus irmãos também vieram buscá-lo (Mc 3.31,32). Mais tarde, não crendo nEle, seus irmãos escarneciam-no dizendo que subisse a Jerusalém, à Festa dos Tabernáculos, para que ali realizasse milagres e se mostrasse ao mundo (Jo 7.1-5).

Porém antes do Dia de Pentecostes, após a Páscoa dos Judeus durante a qual Jesus foi crucificado, a situação mudou; além dos apóstolos, "Maria, mãe de Jesus e... seus irmãos" são contados entre os 120 cristãos que estão constantemente em oração (At 1.14). Mais tarde, escrevendo à Igreja em Corinto, Paulo dá uma explicação a respeito da transição da incredulidade dos irmãos (Jo 7.5) para sua fé (At 1.14). Escrevendo sobre a manifestação da ressurreição de Jesus, ele declara: "Depois, foi visto por Tiago" (1 Co 15.7) O Novo Testamento se mantém, de um modo impressionante, silencioso sobre se Jesus apareceu ou não a Judas e aos outros irmãos. Independente de Jesus ter ou não aparecido a eles, a realidade de sua ressurreição transformou Judas e seus irmãos em crentes.

Com o passar do tempo, Tiago se tornou um proeminente líder na Igreja que estava em Jerusalém (At 15.12-21; Gl 1.19; 2.9). Em contraste, nem Judas nem seus outros dois irmãos, José e Simão, são identificados fora dos Evangelhos. Contudo como os outros apóstolos e como Pedro, Judas e seus irmãos viajaram por causa do evangelho (1 Co 9.5). Neste contexto de um ministério difundido, Judas escreve sua carta. Eusébio relata a tradição encontrada em Hegesipo, que diz ter o imperador Domiciano (81-96 d.C.) mandado executar dois netos de Judas por serem descendentes de Davi (Eusébio, *História Eclesiástica*, 3.19.1).

2. Data e Local onde a Carta Foi Escrita

Em sua saudação, Judas não dá pistas a respeito da data ou lugar onde a carta foi escrita. Alguns deduzem uma data tardia, mesmo no pós-apostólica, a partir de duas afirmações de Judas: (1) Ele escreve sobre a "fé que uma vez foi dada aos santos" (v.3). (2) Conclama seus leitores a lembrarem-se das palavras que "foram preditas pelos apóstolos de nosso Senhor Jesus Cristo" (v.17). Mas estas afirmações não implicam necessariamente em uma data posterior. A fé que estava confiada aos santos é a mensagem do evangelho que foi desde o início dada aos discípulos, e por intermédio deles aos seus convertidos. Além disso, a profecia apostólica a respeito dos escarnecedores dos últimos dias (vv. 17,18) não implica nem que os apóstolos estejam mortos, nem que uma era futura tenha se iniciado, pois eles ensinaram que com o derramamento do Espírito Santo no Pentecostes, os últimos dias já haviam chegado (At 2.17).

O problema da imoralidade na Igreja, que é o assunto tratado por Judas em sua carta, não foi um problema desenvolvido mais tarde. Surgiu tão cedo quanto a época em que Paulo escreveu às igrejas da Galácia e de Roma, e continuou a ser um problema até o final do primeiro século (Ap 3.4). Com base nessas observações, podemos concluir que Judas deve ter escrito sua carta durante seu ministério ativo. Se 2 Pedro tomou algo emprestado de Judas, então Judas deve ter escrito esta carta algum tempo antes do martírio de Pedro em Roma, durante o reinado de Nero.

Judas também não dá nenhuma informação direta sobre os destinatários, ou o lugar onde a carta foi escrita. Mas sua carta pertence ao ambiente do judaísmo. Naturalmente, mas não certamente, isto estabelece o lugar da escrita como sendo algum ponto da Palestina. Porém sabemos a partir da primeira carta de Paulo aos coríntios, que Judas (e os outros irmãos de Jesus) viajou por todo o Império Romano (1 Co 9.5). Portanto, esta carta pode ter sido escrita de qualquer parte do império que fosse consistente com a atmosfera judaica expressa na carta de Judas. Uma vez que há um relacionamento literário entre Judas e 2 Pedro, sua origem pode ser a própria Roma, com sua grande e mesclada comunidade judaica e judaico-cristã.

3. Destinatários

Judas endereça sua carta "aos chamados, queridos em Deus Pai e conservados por Jesus Cristo" (v.1). Estes cristãos chamados queridos e conservados são uma comunidade, ou comunidades de judeus que se converteram ao cristianismo. Os destinatários podem ser os próprios moradores da Palestina ou de uma parte do mundo da Diáspora, onde os judeus tinham aceitado a Jesus como o seu Cristo ou Messias. O ambiente judaico-cristão da carta é evidenciado pelo fato de estar enraizada no Antigo Testamento, e ter valorizado os escritos pseudo-epigráficos.

Assim como a comunidade carismática que foi estabelecida em Jerusalém a partir do Dia de Pentecostes (At. 2.1-6.7), os destinatários de Judas também são uma comunidade carismática. Os apóstolos que lhes falaram são profetas (Jd 17,18). Em contraste, os falsos mestres em seu meio "não têm o Espírito" (v.19). Apesar desta acusação contra os falsos mestres, Judas conclui que os apóstolos têm o Espírito; isto é, são os verdadeiros profetas. Além disso, sem qualquer explicação mais detalhada, Judas instrui seus leitores a orarem "no Espírito Santo" (v.20). Não explica o que quer dizer com esta instrução, pois sabe que faz parte da vida carismática da comunidade à qual escreve.

4. Ocasião e Propósito

Entre a ocasião em que Judas primeiramente considerou escrever para o seu povo, e a época em que na verdade escreveu, toma conhecimento de que "se introduziram [secretamente] alguns... homens ímpios" (v.4). Judas identifica estes homens como "adormecidos" (v.8), uma palavra comumente empregada para profetas carismáticos (At 2.17; Jl 2.28). Próximo ao final de sua carta, Judas também observa que eles "não têm o Espírito" (v.19). Estes indivíduos, então, são provavelmente (falsos) profetas itinerantes, que vieram aos destinatários da carta de Judas. Quaisquer que sejam suas alegações a fim de validar seus ministérios, fica evidente que são falsos profetas pelas observações de que "convertem em dissolução a graça de Deus e negam a Deus, único dominador e Senhor nosso, Jesus Cristo" (v.4b). Assim, como os falsos mestres ou falsos profetas de 2 Pedro, defendem uma libertinagem moral, que é nada menos do que uma negação moral de Jesus.

Neste contexto, Judas escreve com três propósitos: (1) De um lado, os seus leitores estão lutando pela fé que uma vez lhes foi entregue (v.3) pelos verdadeiros profetas, os apóstolos (v.17). Por outro lado, devem rejeitar a "nova" revelação-sonho dos falsos profetas. (2) Judas também pede aos seus leitores que perseverem na caminhada cristã (vv.17-21) e (3) Finalmente, conclama seus leitores a preservar outros em misericórdia (vv.22,23).

ESBOÇO

1. **Destinatários (vv.1,2)**
2. **A Advertência com Exemplos** (vv.3-16)
    2.1. A Razão da Advertência –
    A Infiltração de Homens Ímpios (vv.3,4)
    2.2. A Lembrança de Julgamentos Passados (vv.5-7)
    2.2.1. A Destruição daqueles que não Creram (v.5)
    2.2.2. O Julgamento Celestial (v.6)
    2.2.3. O Julgamento Cívico (v.7)
    2.3. O Primeiro Conjunto de Traços do Caráter (vv.8-10)
    2.3.1. O Contraste com a Submissão dos Anjos à Autoridade (vv.8,9)
    2.3.2. Uma Marca Registrada: A Rebelião (v.10)
    2.4. Protótipos do Antigo Testamento (v.11)
    2.5. O Segundo Conjunto de Traços do Caráter (vv.12,13)
    2.5.1. A Primeira Metáfora –
    As Promessas Quebradas (v.12)
    2.5.2. A Segunda Metáfora –
    A Instabilidade (v.13)
    2.6. A Certeza do Julgamento (vv.14-16)
3. **A Chamada à Perseverança** (vv.17-23)
    3.1. A Conscientização da Situação Atual (vv.17-19)
    3.2. Exortações a Perseverar (vv.20,21)
    3.3. Evangelizar com Misericórdia (vv.22,23)
4. **Doxologia** (vv.24,25)

COMENTÁRIO

1. Destinatários (vv.1,2)

Judas inicia sua carta com um formato padrão para as cartas do primeiro século: remetente, destinatário, e bênção (At 15.23; 1 Pe 1.1). Judas identifica-se como "servo de Jesus Cristo" e não como seu irmão. Alguns comentaristas acreditam que isto demonstre humildade de sua parte, enquanto outros pensam que Judas deseja levar a verdade de que sua ligação de parentesco com Cristo, como meio-irmão, de maneira nenhuma lhe conferiu a primazia ou alguma posição de destaque. Na verdade, contudo, ele está adotando um termo que Pedro, João e Paulo também usam para se identificar.

As três identificações dos destinatários são significativas com relação ao restante da carta. Judas dirige-se a eles como: (1) aos "chamados", (2) aos "queridos em Deus Pai", e (3) aqueles que são "conservados por Jesus Cristo". O chamado de Deus é para toda a humanidade (1 Pe 2.9). Judas está se referindo aqui a um chamado para a salvação, e não a um chamado específico para o ministério. Começa com esta qualificação, para distinguir seus leitores daqueles que negam o senhorio de Cristo através de atos libertinos. A realidade de serem amados por Deus é a base de seu chamado. Não é fundamentado em alguma obra que tenham feito anteriormente; o amor e a misericórdia de Deus estabelecem seu chamado. Mais tarde, ele os advertirá a "conservarem-se no amor [caridade] de Deus" (v.21). Finalmente, os leitores de Judas recebem a proteção divina de Cristo, a garantia da salvação; a maior segurança para os cristãos é que o próprio Senhor os está guardando (Sl 121.7; 1 Pe 1.5).

Judas segue seu endereçamento com uma saudação que é, de fato, uma bênção: "A misericórdia, e a paz, e a caridade vos sejam multiplicadas". Esta é diferente das bênçãos características de Paulo, "graça a vós e paz..." (Fp 1.2; Cl 1.2), e de Pedro, "graça e paz vos sejam multiplicadas..." (1 Pe 1.2, 2 Pe 1.2). Judas inicia sua saudação com a palavra 'misericórdia". A misericórdia de Deus, tão grande e incomparável, perdoa os nossos pecados. Este é um termo significativo para o autor, pois aparece três vezes ao final desta pequena carta. Começando e terminando sua carta desta maneira, Judas deseja que seus leitores reconheçam e administrem misericórdia do princípio ao fim. Até mesmo as passagens obscuras que falam sobre o juízo devem ser lidas através das lentes da misericórdia.

"Paz", no Novo Testamento, é muito mais do que simplesmente uma ausência de guerra. É uma condição estabelecida de relacionamento. Considerando que todos nós estávamos em inimizade com Deus (isto é, em oposição a Deus) antes da conversão, os cristãos estão agora em um relacionamento de paz (isto é, de bem-estar) com Ele. A ordem das palavras aqui é importante: a misericórdia precede a paz na conversão do pecador.

"Amor" completa a tríplice saudação. Está ligado à marca identificadora contida no verso 1, "queridos em Deus Pai". O amor caracteriza o relacionamento de Deus com o cristão e a vida abundante que o cristão deve experimentar.

Paz e amor, juntamente com a misericórdia, são pronunciados "em abundância" ou "multiplicadas", sobre os destinatários. A vida cristã demonstra a bondade de Deus através destas três qualidades. Na verdade, William de Langland em *Piers Plowman* escreveu: "Mas toda a maldade que o homem possa fazer ou pensar no mundo não é, para a misericórdia de Deus, mais do que um pedaço de carvão em brasa no oceano".

2. A Advertência com Exemplos (vv.3-16)

2.1. A Razão da Advertência — A Infiltração de Homens Ímpios (vv.3,4)

Judas identifica os destinatários de sua carta como "queridos". Isto é importante, pois o tom da carta adquire uma severidade que não é comum nas cartas do Novo Testamento. Judas torna os seus leitores conscientes de uma carta que planejou escrever-lhes, mas foi interrompido devido à urgência da situação atual. Deste modo, a carta sobre a salvação que compartilhavam nunca entrou no cânon, ao passo que a carta mais urgente, que Judas sentiu que deveria enviar, entrou. As circunstâncias atuais garantiram uma carta poderosa, sucinta e de advertência. À medida que a carta progride, o leitor começa a entender a necessidade de Judas pela urgência.

Judas exorta seus leitores a "batalhar pela fé". Não há nenhuma dúvida de que esta é a mesma salvação a que tinha se referido. Judas classifica esta fé através da frase: "Que uma vez foi dada aos santos". Esta qualificação é de grande importância. Enfatiza dois elementos principais da fé cristã: (1) Não há nenhuma nova revelação em termos de cânon (isto é, a revelação foi dada de uma vez por todas); (2) esta fé tem sido confiada aos crentes.

No verso 4, Judas claramente estabelece a motivação que está por trás desta carta: "Porque se introduziram alguns... homens ímpios". A exortação é severa e franca. O acesso disfarçado destes heréticos na comunhão cristã não diminui a verdade sobre quem são. Fica claro que a condenação destes tem sido estabelecida há muito tempo. Estes homens são chamados de "ímpios", pois "convertem em dissolução a graça de Deus". É precisamente o fato de promoverem a libertinagem que concomitantemente faz que neguem a Jesus Cristo como Senhor. Desta maneira são semelhantes aos falsos mestres de 2 Pedro (veja os comentários sobre esta carta).

Em contraste com os falsos mestres mencionados em 2 Pedro, no entanto, Judas tem duas diferenças notáveis: (1) Enquanto Pedro observa estes indivíduos desde o início como "falsos mestres", Judas simplesmente os qualifica como "alguns". (2) A segunda carta de Pedro é um aviso contra aqueles que *poderiam* entrar na comunhão da verdadeira fé (2 Pe 2.1). Mas em Judas, a infiltração já havia começado. Este fato colabora para a urgência e a linguagem direta da carta de Judas.

2.2. A Lembrança de Julgamentos Passados (vv.5-7)

2.2.1. A Destruição daqueles que não Creram (v.5). Agora Judas continua a provar, a partir dos precedentes históricos, que Deus não permitirá que este atual tipo de imoralidade e subversão continue. Como Pedro em sua Segunda

Epístola, Judas lembra seus leitores que agora conhecem os seus ensinos (isto é, sobre a fé que de uma vez por todas lhes foi dada). À luz da grande salvação divina de Israel da escravidão do Egito, os leitores devem ter em mente que tal libertação não é uma garantia de segurança eterna. Na verdade, as pessoas que foram libertas (isto é, redimidas) da escravidão do Egito pelo poder de Deus, foram destruídas no deserto por sua incredulidade. Judas está claramente usando este exemplo para exortar seus leitores de que, mesmo que certas pessoas tenham declarado sua fé em Cristo, se um estilo de vida contínuo de fé não estiver presente, a realidade do julgamento é iminente. Esta é a primeira prova das Escrituras.

2.2.2. O Julgamento Celestial (v.6).
Judas passa agora de sua segunda prova da história da salvação dos judeus, para o julgamento celestial dos anjos desobedientes. Como em 2 Pedro, Judas se refere ao conteúdo de 1 Enoque e a partes do Antigo Testamento para reforçar os seus exemplos. Talvez o uso que Judas faz do julgamento dos anjos tivesse o objetivo de demonstrar a imparcialidade dos atos justos de Deus. Certamente, se Deus não poupou aos anjos, que foram criados um pouco maiores que a raça humana, que oportunidade as pessoas terão se persistirem no pecado e na incredulidade?

Este assunto, no entanto, é mais profundo. Judas pesquisa a respeito deste motivo. Estes anjos "deixaram a sua própria habitação", ou seja, "não mantiveram sua posição de autoridade". Isto é importante, pois esta prova do precedente histórico demonstra um julgamento devido à rebelião. Os anjos rebeldes que Judas tem em mente não estavam contentes em permanecer na ordem ou domínio para os quais Deus os havia ordenado. Este conceito será desenvolvido com mais detalhes na passagem em que Judas se refere especificamente à disputa entre Miguel e Satanás (v.9). Estes anjos estão reservados na escuridão, esperando o julgamento do último dia. Observe que o método de restrição aos anjos é "na escuridão e em prisões eternas até ao juízo daquele grande Dia". Judas quer mostrar aos seus leitores a gravidade do pecado da rebelião e da libertinagem.

2.2.3. O Julgamento Cívico (v.7).
Judas une esta terceira prova das Escrituras ao julgamento dos anjos através da frase: "Assim como". A ligação tem duas explicações possíveis:

1) A ligação pode ser de *causa*. Isto é, assim como "Sodoma, e Gomorra, e as cidades circunvizinhas" foram punidas por suas perversões e imoralidades, assim também os anjos foram mantidos em prisões. Se esta explicação estiver correta o pecado dos anjos pode ser a união sexual com as mulheres humanas (Gn 6.1-4). Esta explicação tem algum valor apesar do crescente conhecimento de Gênesis que parece interpretar "filhos de Deus" em Gênesis 6, não como seres angelicais, mas como uma linhagem de Sete.

2) A ligação entre os anjos rebeldes e Sodoma e Gomorra talvez seja melhor expressa pelo fato de ambas serem citadas como *exemplos* de punição pelo pecado e pela incredulidade, com a violação específica da pureza sexual citada no caso das cidades da planície. A ligação para os três exemplos é que cada um trata com a desobediência e a falta de fé. Além disso, cada um trata do julgamento inevitável que acontece como resultado do pecado, com três pecados diferentes sendo listados: desobediência, rebelião e imoralidade sexual. Observe abaixo a lista de exemplos de precedentes históricos, julgamento e razão para o julgamento:

Exemplo	Julgamento	Razão
Libertação do Egito	Destruição daqueles que não creram	Incredulidade
Anjos	Trevas/ mantidos em cadeias	Rebelião
Sodoma e Gomorra	Fogo eterno perversão	Imoralidade sexual/

Com estes três exemplos, Judas agora começa a mostrar as semelhanças alarmantes do problema contemporâneo que seus leitores estão enfrentando.

2.3. O Primeiro Conjunto de Traços do Caráter (vv.8-10)

2.3.1. O Contraste com a Submissão dos Anjos à Autoridade (vv.8,9).
A chave para se entender os versos 8-10 está ligada à palavra "semelhantemente". Isto assinala o propósito de Judas para as três ilustrações que acaba de citar. Agora muda de "alguns" para "adormecidos" (isto é, profetas autoproclamados: veja na Introdução o tópico "Ocasião e Propósito"). Estes homens têm três traços de caráter dominantes: Luxúria ("contaminam a sua carne"), rebelião ("rejeitam a dominação") e irreverência ("vituperam as autoridades"). Observe na lista abaixo como estes três traços de caráter estão em paralelo com aqueles exemplos de exortação sobre o julgamento.

Razão (histórica)	Acusação (contemporânea)
Incredulidade	Rejeição de autoridade
Rebelião	Difamação de seres celestiais
Imoralidade sexual / perversão	Contaminação de seus próprios corpos

Para muitos, estes traços de caráter são bem familiares nos círculos de algumas igrejas "modernas" em nossos dias. Basta olharmos para algumas das "trapalhadas" destes tele-evangelistas que pisam duramente na cabeça de Satanás, ou fingem competir com este em frente às câmeras, para sermos surpreendidos de quão perto chegamos do paralelo da descrição que Judas faz daqueles que moralmente negam o senhorio de Cristo.

Para mostrar o extremo a que estes indivíduos têm chegado, Judas cita que mesmo os anjos de mais elevada posição nunca entraram em uma disputa irreverente com Satanás (v.9). A referência de Judas à disputa entre Miguel e Satanás pelo corpo de Moisés origina-se do livro apócrifo Assunção de Moisés (cf. Testamento de Moisés). Mas este não é o significado completo da ilustração. O uso que Judas faz deste texto mostra que nem mesmo um arcanjo é autônomo. Isto é um contraste com aqueles anjos que agiram independentemente quando "não guardaram o seu principado, mas deixaram a sua própria habitação" (v.6). Os dois exemplos são dados para ilustrar os atos que são por natureza autônomos em relação à ordem estabelecida por Deus. Para relacionar isto ao presente, Judas nos dá um rigoroso contraste; estes homens que falam abusivamente contra o que não entendem são completamente opostos à dependência de Deus, a quem professam servir.

2.3.2. Uma Marca Registrada: A Rebelião (v.10).
Como em 2 Pedro, Judas refere-se a estes indivíduos como "animais irracionais". A marca registrada destes homens ímpios é seu desdém em relação à autoridade, isto é, agem de modo autônomo. Toda igreja, toda instituição religiosa, na verdade toda família, está penosamente ciente desta triste verdade: os problemas se originam do desprezo à autoridade. De fato, após constantes abusos, estes indivíduos não são mais humanos, porém animais — criaturas dirigidas pelo instinto.

2.4. Protótipos do Antigo Testamento (v.11).

Judas novamente usa um exemplo triplo de como estes homens pecadores têm agido. Na primeira tríade (vv.5-7), estabeleceu o fato irrevogável do julgamento sobre o pecado. Na tríade atual, Judas expõe a natureza do pecado deles. Observe na tabela a seguir como Judas habilmente escreveu o seu argumento a partir dos precedentes históricos. Cada tríade de exemplos está edificada sobre a anterior. Começa por uma maldição mencionada no Novo Testamento: "Ai deles". De fato, assim como o Senhor pronunciou o julgamento para os escribas e fariseus incrédulos, Judas pronuncia a mesma maldição para estes homens maus. É aqui que Judas se alinha com a avaliação de Pedro destes homens como "falsos mestres". Por esta razão, a severidade do julgamento é ainda maior.

Explica as ações deles através da prova das Escrituras:

Razão (histórica)	Acusação (contemporânea)	Exemplos
Descrença	Rejeição à autoridade	Caim
Revolta	Difamação de seres celestiais	Corá (ou Coré)
Imoralidade sexual/ perversão/	Contaminação de seus próprios corpos	Balaão

1) "Entraram pelo caminho de Caim". Caim foi o primeiro homicida (Gn 4.1-9). Mais do que isto, foi invejoso e fugiu de qualquer responsabilidade por seu irmão, e, assim, rejeitou a lei natural de Deus contra o homicídio. De acordo com Hebreus 11.4, Caim serve como exemplo de um homem sem fé. No caso dos falsos mestres, seguir o caminho de Caim implica em homicídio espiritual. Isto significa que eles mesmos não se consideram responsáveis pelos atos de seus irmãos. Na verdade, definitivamente, não existe amor nestes homens.

2) "Foram levados pelo engano do prêmio de Balaão". Como em 2 Pedro, Judas usa os pecados de Balaão como exemplo do que estes homens são. Balaão foi um falso profeta e um paradigma de falso mestre, o que mostra o *modus operandi* dos sonhadores contemporâneos e dos falsos profetas. A referência explícita ao "prêmio de Balaão" aqui em Judas, e ao "prêmio da injustiça" em Pedro 2.15 (também em Ap 2.14) dão a idéia de atos motivados por ganância.

O pecado de Balaão foi tão grave quanto o daqueles homens — o sincretismo. Isto é o que o torna tão sedutor, e por esta razão se introduziram sem serem notados. A ostensiva heresia poderia ter sido imediatamente detectada. Mas estes homens penetraram secretamente na comunhão, e, de modo sedutor, espalharam seu sincretismo licencioso oferecendo um cristianismo que, na verdade, não é cristianismo. A referência a Balaão vem de Números 25, onde induziu os filhos de Israel ao sincretismo (isto é, à união da adoração a Jeová com a adoração a Baal). A porta de entrada ao sincretismo foi a "imoralidade sexual" entre os homens de Israel e as mulheres moabitas (Nm 25.1). Deste modo, os falsos mestres, movidos pela ganância, inclinaram-se aos erros de Balaão, introduzindo uma negação moral do senhorio de Cristo, enquanto ainda mantinham uma aparente ortodoxia.

3) "Pereceram na contradição de Corá". Aqui está o ponto crucial da prova das Escrituras quanto aos atos pecaminosos destes homens. O nome Corá é sinônimo de revolta contra a liderança nomeada e ungida (Nm 16.1 e seguintes). Este traço de caráter se une à segunda tríade de ilustrações. Assim como Corá desejou ser independente dos líderes israelitas divinamente nomeados, estes homens também desdenham dos seres celestiais que não agem de maneira autônoma.

2.5. O Segundo Conjunto de Traços do Caráter (vv.12,13)

Judas então passa novamente a caracterizar os falsos mestres, desta vez usando uma linguagem mais intensa e severa. Ao invés de alimentar o rebanho de Deus com a verdade, estes indivíduos, em sua ganância, alimentam-se a si mesmos (Ez 34.2). Como em 2 Pedro, Judas usa figuras médicas para estes homens: "Manchas em vossas festas de caridade" (v.12). Isto é, são máculas naqueles que vivem retamente. O sentido mais profundo de *koinonia* ("comunhão") é a refeição comum entre os crentes, uma festa de caridade, ou banquete de amor. Judas enfatiza que estes indivíduos participam desta festa sem qualquer sentimento de consciência que os possa condenar. Estão ali por si próprios, alimentando-se a si mesmos.

2.5.1. A Primeira Metáfora – As Promessas Quebradas (v.12). Judas traz então uma cadeia de metáforas relacionadas. O primeiro par contém metáforas de promessas não cumpridas. As nuvens e as árvores de outono são metaforicamente usadas para transmitir a promessa. O lavrador olha para as nuvens esperando a chuva; o semeador olha para as árvores no outono esperando os frutos. No entanto, estas nuvens estão sem chuvas, e estas árvores, sem frutos. Na verdade, estas árvores estão desarraigadas — duplamente mortas — antes de mais nada, estão mortas por não terem dado os frutos esperados; então, sendo desarraigadas, morrem desde a raiz. Isto é uma figura de promessa não cumprida; assim também estes homens são cheios de promessas vãs e vazias.

2.5.2. A Segunda Metáfora — A Instabilidade (v.13). O segundo par contém metáforas de instabilidade. Ondas bravias do mar são instáveis para os marinheiros. Do mesmo modo, um marinheiro que delineia o seu curso por estrelas errantes, com certeza perde-se no mar. Assim, estes homens são instáveis; os verdadeiros cristãos não podem colocar sua confiança ou fé neles, pois, como estrelas errantes, desviarão a outros.

2.6. A Certeza do Julgamento (vv.14-16)

Judas conclui esta parte dos traços do caráter dos falsos mestres, mostrando a inevitabilidade do julgamento. Isto é interessante, pois Judas usa Enoque como seu modelo; diferentemente dos anjos que deixaram seu primeiro estado, Enoque, que foi trasladado por Deus por causa de sua fé (Gn 5.21-24), profetiza sobre a volta do Senhor com seus anjos para o julgamento. Judas está aqui citando o livro apócrifo de 1 Enoque. O objetivo desta citação é óbvio: o Senhor está voltando para julgar os infiéis.

No verso 16, Judas oferece um conjunto final dos traços do caráter dos incrédulos, antes de retornar aos seus leitores cristãos. A figura principal a respeito destes homens é que são descontentes. Sempre murmurando e reclamando, nunca estão contentes. Assim, "as suas concupiscências" são a origem desta queixa. Com grande orgulho envaidecem-se, enquanto lisonjeiam a outros apenas por interesses pessoais. Mais uma vez, é aterrorizador perceber que pessoas como estas estão presentes no círculo da Igreja de nossos dias.

3. A Chamada à Perseverança (vv.17-23)

3.1. A Conscientização da Situação Atual (vv.17-19)

Judas traz agora o círculo completo da carta. Mais uma vez, enfoca seus leitores como seus "amados". Como em 2 Pedro, conclama-os a lembrarem-se das palavras que lhes "foram preditas pelos apóstolos de nosso Senhor Jesus Cristo". Na verdade, estes homens subversivos não deveriam ter passado desapercebidos pelos cristãos, pois sua presença na Igreja tinha sido predita pelos apóstolos (veja especialmente 2 Tm 4.1; 2 Pe 3.3). Infelizmente, a presença deles é um sinal "do último tempo". É importante notar que Judas contrasta esses homens com os cristãos, destacando que "não têm o Espírito".

3.2. Exortações a Perseverar (vv.20,21)

Judas contrasta as exortações que profere a seus amigos com a exposição dos homens incrédulos:

Comunidade cristã	Falsos mestres
Seus membros edificam-se em sua santíssima fé	São homens que os dividem com heresias
Oram no Espírito Santo	Não têm o Espírito
Mantêm-se no amor de Deus	Têm uma mente mundana

Esta "santíssima fé" é a mesma fé com que Judas começa sua carta, exortando seus leitores a batalharem "pela fé que uma vez foi dada aos santos". Então, acrescenta: "Orando no Espírito Santo". Certamente estas palavras ecoam o conceito de Paulo, de orar no Espírito (Ef 6.19). Judas não menciona explicitamente se está se referindo à *glossolalia*, ou a uma oração no Espírito, na língua nativa da pessoa. Contudo, a ação do Espírito Santo é explícita. Judas prossegue, dando mais dois mandamentos: "Conservai a vós mesmos na caridade de Deus", e esperai pela "misericórdia de nosso Senhor Jesus

Cristo". Observe novamente aqui o tema predominante da misericórdia e do amor (veja comentários sobre o v.2). Observe também a fórmula trinitária de Judas:

Deus o Pai: Permaneçam no amor de Deus.
Jesus Cristo: Esperem pacientemente o retorno de Cristo.
Espírito Santo: Orem no Espírito, como o agente efetivo.

3.3. Evangelizar com Misericórdia (vv.22,23)

Os verdadeiros cristãos não devem somente esperar pela misericórdia do Senhor, mas devem também exercitar a misericórdia para com os outros. O cristão deve acolher os duvidosos e os céticos com misericórdia. Provavelmente Judas se recorde da reação misericordiosa do Senhor para com a dúvida de Tomé. De qualquer maneira, conclama os cristãos a serem misericordiosos com aqueles que estão em dúvida. Alguns, no entanto, não estão somente duvidosos; já estão no fogo. Certamente a referência de Judas ao fogo, nesta passagem, é figurada. Contudo, seu objetivo maior ainda é "salvá-los" de tal condenação eterna.

Nos versos 22 e 23, a "misericórdia" é novamente citada como uma ferramenta para ganhar ou salvar estas pessoas. Judas faz alusão a Zacarias 3.1-7, onde as roupas de Josué haviam sido manchadas. Aqui temos o testemunho bíblico para uma frase freqüentemente citada: "Ame os pecadores, odeie o pecado". Devemos mesclar esta misericórdia "com temor" — temor de nossa própria vulnerabilidade e inclinação ao pecado. É somente pela misericórdia que os outros vêem a graça de Deus.

4. Doxologia (vv.24,25)

Judas finaliza sua carta com uma observação sobre esperança e certeza. A doxologia mostra como o cristão pode ter a certeza de sua salvação — é Deus quem nos guarda da queda. Na verdade, Deus deve ser louvado e exaltado por sua habilidade de guardar-nos de cair, e apresentar-nos em sua presença gloriosa sem máculas e com grande alegria. Tendo este conhecimento, atribuímos a Deus, nosso Salvador, "glória e majestade, domínio e poder". À luz desta verdade, podemos continuar a servi-lo até a sua volta.

O ANTIGO TESTAMENTO NO NOVO TESTAMENTO

NT	AT	ASSUNTO
Judas	Zacarias 3.2	A repreensão a Satanás

APOCALIPSE
Timothy P. Jenney

INTRODUÇÃO

1. Plano deste Comentário

A estrutura característica deste volume obedeceu a uma seqüência de comentários sobre os parágrafos de cada um dos livros do Novo Testamento. Os comentários feitos sobre o Apocalipse acompanham essa mesma estrutura, com um importante acréscimo. Os principais textos sobre personagens, lugares e temas importantes foram distribuídos ao longo dos comentários gerais. Cada um desses temas reúne todo o material constante no Apocalipse, de acordo com seu respectivo tópico, o que permite ao leitor um acesso fácil e rápido ao amplo escopo de cada assunto. Esta pareceu ser a melhor maneira de administrar os temas tão complexos e interligados do Apocalipse, sem que cada comentário se tornasse cansativo com suas intermináveis e desnecessárias repetições.

O comentário foi enumerado em seqüência (1.1., 1.2., 1.3., etc.), e seguiu a mesma formação que os demais livros deste volume. Cada tema abordado, constante dos versos do Apocalipse, contém a ocorrência mais importante sobre o assunto. Quando um assunto aparece em outras passagens do Apocalipse as referências cruzadas orientam o leitor conduzindo-o ao tema apropriado. Um índice alfabético pode ser encontrado ao final deste comentário.

2. Autor

O autor do livro de Apocalipse se identifica simplesmente como "João" (1.4), sem qualquer outra denominação a não ser "irmão e companheiro" (v.9). Os patriarcas da Igreja acreditavam que havia sido escrito por João, o apóstolo, mas no terceiro século Dionísio de Alexandria desafiou essa suposição. Comparando o evangelho de João com o livro de Apocalipse, ele descobriu numerosos contrastes em teologia, vocabulário e gramática a ponto de duvidar que ambos teriam sido escritos pela mesma pessoa.

Não podemos imaginar a razão pela qual Dionísio rejeitou o apóstolo João como autor do Apocalipse, mas não do quarto evangelho. Afinal de contas, essa obra identifica seu autor como sendo João, enquanto o quarto evangelho nada menciona. Uma possibilidade plausível é que a igreja dos gentios estava se tornando cada vez mais anti-semítica e o próprio Dionísio não fazia segredo de sua aversão à doutrina do Milênio que aparece no Apocalipse (que colocava Israel e os judeus em um lugar de destaque nas profecias).

Muitos estudiosos modernos estão de acordo com Dionísio e rejeitam o apóstolo João como autor do Apocalipse. Poderíamos argumentar, antes da Segunda Guerra Mundial que essa atitude anti-semítica era proveniente dos eruditos alemães que dominavam os estudos sobre o Novo Testamento. Mas isso não é mais verdade, atualmente. Recentemente, alguns estudiosos mostraram-se relutantes a admitir que a mensagem de Jesus tivesse *algum* componente escatológico, ou mesmo algum sentido apocalíptico ou milenial (H. Koester, 14, censurou recentemente alguns desses estudiosos precisamente por causa dessa atitude).

Esse posicionamento pode responder por uma certa predisposição erudita contra a autoria de João; mas quais seriam, especificamente, as objeções levantadas por Dionísio? Ele está correto em relação às diferenças gramaticais e de linguagem. Nesse sentido, as duas obras são muito distintas. Muitas dessas diferenças são devidas a diversidades encontradas entre o quarto evangelho e o Apocalipse, enquanto outras se devem ao fato de o Apocalipse se apoiar intensamente em várias passagens apocalípticas do Antigo Testamento, em termos de vocabulário e imagens. Também não é difícil imaginar que a competência de João, tanto na língua grega como no estilo de seus escritos, poderia ter mudado de maneira significativa, especialmente porque trinta anos haviam se passado entre o término de uma obra e o início da outra. Outros estudiosos pensam que João pode ter usado um competente amanuense para escrever o quarto evangelho, ou mesmo que seus discípulos escreveram em seu lugar, para homenagear o mestre após sua morte, embora João estivesse sozinho em Patmos quando escreveu o Apocalipse.

O argumento de que os dois livros têm uma teologia diferente é bastante significativo, especialmente se considerarmos que esse argumento está centrado na escatologia. Muitas pessoas observaram que o quarto Evangelho não contém qualquer escatologia apocalíptica (ao contrário dos sinópticos) e nenhum dos extensos ensinamentos de Jesus sobre sua volta (por exemplo, Mt 24-25; Mc 13; Lc 17). Antes, enfatiza como devemos viver uma vida cristã na terra.

Em nossa opinião, essa também é a mensagem do Apocalipse: como viver e morrer como cristão. Sua linguagem e suas imagens apocalípticas são apenas o veículo, não a própria mensagem. Sua mensagem é profética, e de fato apenas uma pequena parte é realmente futurista. João lembra à sua audiência que Deus compartilha de seu sofrimento e promete libertar a todos sem demora. Enquanto isso, devem procurar ser fiéis testemunhas e adorar o verdadeiro Rei dos reis e Senhor dos senhores.

O Evangelho de João e o livro de Apocalipse não só transmitem a mesma mensagem, como também o mesmo *centro* escatológico. Este centro é a visão de Zacarias 14, uma das leituras litúrgicas para a Festa dos Tabernáculos (veja o comentário sobre o Evangelho de João, por B. Aker, na obra *Full Life Bible Commentary*, que relaciona o tema central desse Evangelho à Festa dos Tabernáculos). Somente o quarto evangelho registra as palavras de Jesus nesta festa: "Se alguém tem sede, que venha a mim e beba. Quem crê em mim, como diz a Escritura, rios de água viva correrão do seu ventre" (Jo 7.37,38).

No Antigo Testamento, o paralelo mais próximo a esta referência das Escrituras está em Zacarias 14.8, como parte das leituras litúrgicas para a Festa dos Tabernáculos. Segundo ela: "Naquele dia, também

Os patriarcas da igreja primitiva criam que o livro de Apocalipse havia sido escrito pelo apóstolo João e não por qualquer outro João, enquanto esteve exilado na ilha de Patmos em virtude de sua fé, por ordem do Imperador Domiciano.

acontecerá que correrão de Jerusalém águas vivas" (considerada, então, como sendo o centro da terra). O Evangelho de João interpreta as águas vivas de Zacarias 14.8 como o prometido derramamento do Espírito Santo (Jo 7.38,39; cf. 4.14; 20.22). O quarto Evangelho continua a representar a crucificação como uma síntese da Páscoa e da Festa dos Tabernáculos: o corpo de Jesus era o sacrifício pascal (Jo 1.36; 19.36; cf. Êx 12.46); o sangue e a água que jorraram de seu lado eram as libações ("ofertas líquidas") da Festa dos Tabernáculos (Jo 19.37; Zc 12.10).

O Apocalipse também tem uma dependência semelhante de Zacarias 14, de modo que pode ser caracterizado como uma extensão deste livro. Ambos se iniciam com a proclamação do Dia do Senhor (Zc 14.1; Ap 1.10) e terminam com a visão de uma nova Jerusalém, onde tudo e todos são santos (Zc 14.20,21; Ap 21). Ambos predizem pragas, como o juízo de Deus sobre os infiéis (Zc 14.12-15; Ap 6.1-17; 8.6-9.21; 16), assim como períodos de estiagem e seca (Zc 14.18; Ap 11.6). Ambos relatam a vinda do Senhor com suas hostes celestiais (Zc 14.5; Ap 19.11-16), e a grande batalha que se seguirá (Zc 14.2; Ap 19.17-21). Ambos falam de um rio de águas vivas (Zc 14.8; Ap 4.6; 22.1,2,17) e da adoração a Deus como o rei da terra (Zc 14.9,16,17; Ap 11.17-19).

Concluindo, aceitamos a própria afirmação do Apocalipse de que foi escrito por João. Embora o autor pudesse ter sido um cristão do primeiro século, chamado João, os primeiros patriarcas da Igreja acreditavam que a autoria era do apóstolo que tinha esse nome. Não encontramos qualquer razão substancial para refutar essa afirmação. Embora o quarto evangelho não traga o nome de João, sua mensagem geral e seu centro escatológico estão completamente de acordo com o Apocalipse. Não existe qualquer razão legítima para as duas obras não terem sido escritas pela mesma pessoa, apesar do fato de serem diferentes na linguagem, vocabulário e estilo. Aqueles que pensam que essas diferenças excedem as semelhanças fariam melhor se rejeitassem o apóstolo João como o autor do evangelho, ao invés de rejeitá-lo como o autor do Apocalipse.

3. O Cenário Litúrgico

Mesmo uma leitura superficial do Apocalipse não deixa passar desapercebida sua elevada liturgia e suas extensas descrições sobre a adoração. Infelizmente, hoje em dia, a maioria dos cristãos desconhece a liturgia hebraica, ou a Festa dos Tabernáculos; porém o autor poderia estar certo de que esta familiaridade existia entre os membros de sua audiência. Conseqüentemente, ignoramos a fonte onde o Apocalipse foi buscar suas imagens, isto é, a celebração da Festa dos Tabernáculos no primeiro século. Os textos litúrgicos relacionados a essa festa vêm do Antigo Testamento, embora muitas práticas do primeiro século tenham sido "adições" — expressões da devoção popular que não estavam prescritas pela lei mosaica.

A ligação entre a Festa dos Tabernáculos e a escatologia apocalíptica não começou nem terminou com o Apocalipse. Zacarias 14, escrito muito antes do primeiro século, nos dá testemunho da antiguidade de uma tradição que persistiu entre os judeus até muito tempo depois do livro de Apocalipse ser escrito. Jerônimo, ao comentar sobre Zacarias 14.6 no final do século IV d.C., menciona que os judeus ainda interpretavam a Festa dos Tabernáculos "como uma imagem das coisas que aconteceriam no Milênio" (veja Danièlou, 1964a, 6). Mesmo atualmente, a liturgia judaica para a Festa dos Tabernáculos combina orações pela ressurreição dos mortos com súplicas pelas chuvas.

Isto significa que a genialidade do autor do Apocalipse *não* estava em seu uso dos Tabernáculos para ensinar escatologia, pois a ligação entre os dois já estava bastante estabelecida. Sua genialidade está na maneira como usou essa festa para ajudar sua primeira audiência a interpretar sua própria situação. Colocou suas dificuldades em perspectiva e os ajudou a ver seu lugar no grande plano de Deus para os séculos vindouros.

A própria popularidade da Festa dos Tabernáculos e de sua escatologia no primeiro século torna o entendimento do Apocalipse mais difícil aos cristãos modernos. A Igreja Cristã afastou-se gradualmente de suas raízes judaicas e, por fim, desenvolveu uma aversão aos judeus que rapidamente se transformou em um anti-semitismo atuante. O conhecimento dos Tabernáculos e da mensagem de sua escatologia foi perdido, e com ele o preciso entendimento da mensagem do Apocalipse. Em seus dias, João podia presumir que sua audiência estava familiarizada com os vários rituais, com as Escrituras e com o tema da festa; atualmente, a Igreja pouco sabe a esse respeito, desconhecendo sua liturgia.

Entretanto, parece que a Igreja atingiu um ponto crítico nos últimos anos. O ecumenismo, ao lado de um diálogo franco, tem permitido aos estudiosos da Bíblia compartilhar seus recursos e conhecimentos. Jovens eruditos, judeus e cristãos, iniciaram um trabalho conjunto para recuperar essa herança comum do primeiro século. O judaísmo messiânico contemporâneo, embora às vezes analítico e até mesmo responsável por divisões, fez com que ela se tornasse mais aceitável tanto para os judeus como para os cristãos. Estes judeus aceitaram Jesus como seu Messias, porém retiveram sua cultura distinta, modificando sua liturgia somente naquilo que a mensagem do evangelho o demandasse. Conseqüentemente, estão especialmente abertos a interpretações do Novo Testamento que utilizem o judaísmo.

Este comentário se beneficiou muito desta nova abertura demonstrada por estes estudiosos. Este é o primeiro comentário que utiliza os Tabernáculos como um cenário para todo o livro de Apocalipse, em muitos e muitos anos.[1] No entanto, existem alguns comentaristas que identificaram partes do livro de Apocalipse como tendo sido extraídas da liturgia dos Tabernáculos. Essas partes incluem Apocalipse 7 (mais recentemente por J. A. Draper e H. Ulfgard) e Apocalipse 21-22 (por exemplo, P. Burrows).

O que será que fez com que os Tabernáculos se tornassem um veículo tão adequado para transmitir a mensagem do Apocalipse?

A Festa dos Tabernáculos (ou Festa das Cabanas) era a festa mais popular do ano agrícola israelita (veja Josefo, *Ant.* 4.4.1; 15.3.3). Era uma comemoração do final da estação da colheita, especialmente da colheita das uvas, isto é, a última safra do ano. Sua popularidade e antiguidade são demonstradas através de seus diferentes títulos: "Festa do Senhor" (Lv 23.39,41), "Festa da Colheita" (Êx 23.16; 34.22), "solenidade" ou "reunião solene" (Lm 2.6,7; Os 12.9) ou simplesmente "festa" (1 Rs 8.2,65; 12.32). Os judeus contemporâneos muitas vezes se referem a ela com seu nome hebraico *Sukkot(h)* ou *Sucote*.

A antiga popularidade dos Tabernáculos se estendeu para além da Palestina. Entre os judeus da diáspora oriental ela representava a principal razão para peregrinações a Jerusalém (Harrison, 535), quando entregavam seus dízimos no Templo (Cícero, *Pro Flacco* 28.68; cf. Dt 14.22-27; 16.14). A festa também era popular entre os cristãos da Ásia Menor. Sem dúvida, muitos deles peregrinavam à festa que acontecia em Jerusalém, e talvez fossem conhecedores de sua celebração nas sinagogas da diáspora (veja a seção "Audiência").

A Festa dos Tabernáculos era uma festa da vindima, e como tal, tinha muito em comum com outras festas semelhantes que aconteciam na região. Era um momento de celebração. Agora que a safra havia sido colhida, as pessoas se reuniam em Jerusalém para descansar (Lv 23.39; Nm 29.12,35), alegrar-se (Lv 23.40; Dt 14.26; 16.14,15) e festejar. Na verdade, segundo Deuteronômio, durante uma única semana era consumido um décimo da safra anual, inclusive de vinho! (Dt 14.22-26; 16.16,17 cf. 2 Cr 31.5,6) Com galhos de árvores, os celebrantes construíam abrigos temporários (os "tabernáculos" ou "cabanas", que deram nome à festa) nos quais comiam e dormiam (Lv 23.40; Nm 8.14-17). Essas cabanas lembravam os abrigos temporários de seus ancestrais, usados durante o tempo em que peregrinaram pelo deserto (Lv 23.42,43).

Os Tabernáculos também tinham algumas características judaicas típicas. A festa de sete dias começava e terminava em um Sabbath (ou sábado judeu). Esta festa acontecia após duas outras celebrações judaicas, o Ano-Novo (Rosh Hashannah) e o Dia do Perdão (Yom Kippur; veja Lv 23.23-32; Nm 29.1-11). Logo depois desta acontecia a Simchat Torah, que comemorava a entrega da Lei no Sinai (às vezes chamada de oitavo dia dos Tabernáculos; veja Lv 23.36,39; Nm 29.35: 2 Cr 7.9; Ne 8.18). Os sacerdotes sacrificavam setenta bois pelos pecados das várias nações gentílicas e um, no final, pelo povo da aliança de Deus, os israelitas (Nm 29.13-38). Além disso, Moisés havia ordenado aos sacerdotes que lessem, a cada sete anos, a Lei de Deus em sua íntegra, durante essa festa (Dt 31.9-13; cf. Ne 8).

A Festa dos Tabernáculos foi o provável cenário de várias histórias do Antigo Testamento. Elas incluem os benjamitas raptando as mulheres de Siló (Jz 21.15-24), a oração de Ana para que concebesse um filho e o nascimento de Samuel (1 Sm 1.1-2.11), a consagração do Templo de Salomão (1 Rs 8.1,65,66; 2 Cr 6.3; 7.8-10) e a consagração do altar reconstruído após o exílio (Ne 8.1-18; cf. Ed 3.1-4; 1 Esdras 5.51). A festa também era, certamente, a ocasião em que muitos dos profetas do Antigo Testamento entregavam suas mensagens às multidões (por exemplo, Is 4; 30.29; Jr 31.12-14; Am 9.11; Ag 2.1; Zc 9.9; 14.16-19).

À medida que a Festa dos Tabernáculos crescia em popularidade sua comemoração adquiria algumas características fora das exigências da lei. O Mishnah judaico relaciona a iluminação de gigantescos menorás (candelabros) no pátio do Templo, danças ao som de flautas e à luz de tochas durante toda a noite, procissões ao amanhecer que terminavam com libações de água e vinho no altar de bronze, orações pela chuva e ressurreição dos mortos, sacerdotes marchando em volta do altar e o povo carregando frutas e agitando folhas de palmeira (*Moed. Sukkah*). As libações eram tão populares que quando um dos sumo sacerdotes, Alexandre Janneus, recusou-se a oferecê-las adequadamente (no ano 100 a.C.), a revolta que se seguiu resultou em seis mil mortes (Josefo, *Ant.* 13.372-73; m. *Sukk.* 4.9).

No primeiro século, a liturgia da Festa dos Tabernáculos também oferecia algumas noções sobre os temas associados a ela. Essa liturgia incluía a leitura diária do Grande Hallel (Sl 113-118), da maioria das passagens da Tora, que davam instruções para a festa (Êx 23.14-19; 34.22-24; Lv 23.33-36,39-43; Nm 29.12-38; Dt 16.16,17; 31.9-13), e outras passagens ligadas ao tempo ou às circunstâncias. As últimas incluíam a história da consagração do Templo de Salomão (1 Rs 8.2ss.), profecias a respeito do Dia do Senhor (Ez 38.18ss; Zc 14.1ss; Ml 3.1-5), advertências a respeito do dízimo (Ml 3.10ss.) e a comparação entre um homem abençoado por Deus e uma árvore bem regada (Jr 17.7ss).

A Festa dos Tabernáculos tornou-se o centro das esperanças judaicas de uma independência nacional e de um Messias da linhagem de Davi. Judas Macabeus a usou como modelo para o primeiro Hanukkah, no qual dedicou novamente o altar de Jerusalém em 164 a.C. (1 Mac 4.54-59; 2 Mac 1.1ss.). Seu irmão, Jônatas, quis ser o sumo sacerdote durante a Festa dos Tabernáculos em 152 a.C. (1 Mac 10.21) e outro irmão, Simão, expulsou as últimas tropas estrangeiras de Jerusalém em 141 a.C. A multidão aclamava sua vitória agitando folhas de palmeiras, cantando salmos e hinos de louvor (1 Mac 13.51; cf. 14.4-15) — todos esses elementos litúrgicos foram tirados dos Tabernáculos. Um século mais tarde (35 a.C.), durante a Festa dos Tabernáculos, os judeus espontaneamente proclamaram Aristóbulo (um descendente de Simão) como rei, a despeito do fato de Herodes, o Grande, já ser rei! Herodes, então, mandou executar o jovem (Josefo, *Ant.* 15.3.1-3).

Estes acontecimentos nos ajudam a compreender a entrada triunfal de Jesus em Jerusalém. Embora fosse época da Páscoa, o povo de Jerusalém saudou a Jesus com elementos da Festa dos Tabernáculos (Mt 21.1-11; Mc 11.1-11; Lc 19.28-38; Jo 2.12-16). Assim fizeram por causa de seu anseio pela independência judaica, exatamente como seus ancestrais haviam feito com os macabeus e seus sucessores. O corte e a agitação das folhas de palmeira, a citação do Grande Hallel (Sl 118.25,26) e até o título "Filho de Davi" (Mt 21.9) estavam intimamente ligados à Festa. O elo entre os Tabernáculos e a independência judaica não terminou, mesmo com a morte de Jesus. Os líderes das duas revoltas judaicas contra Roma (66-70 e 132-135 d.C.) cunhavam moedas em Jerusalém com a efígie e os slogans da festa (veja Ulfgard).

Assim, a Festa dos Tabernáculos foi uma excelente escolha para o cenário do Apocalipse. O problema imediato que sua audiência enfrentava era a adoração ao imperador (Ap 13.4-8,11-17; 20.4). Com sua ligação histórica ao reino do Messias davídico, a Festa dos Tabernáculos foi uma resposta litúrgica adequada. Foi uma forma apologética ritual que defendia a correta adoração, em contraste com a adoração imprópria e errônea ao imperador romano. O Apocalipse declara que essa adoração deve ser dirigida exclusivamente ao verdadeiro "REI DOS REIS E SENHOR DOS SENHORES" (19.16) e não ao usurpador que ocupava o trono de Roma.

4. Audiência

Não há razões para duvidar que sua mensagem tenha sido dirigida às sete igrejas da Ásia Menor: Éfeso, Esmirna, Pérgamo, Tiatira, Filadélfia, Laodicéia e Sardes (1.11). O uso da liturgia judaica e da Festa dos Tabernáculos é uma confirmação adicional destes destinatários. As igrejas da Ásia Menor eram mais judaicas do que o padrão típico das demais igrejas gentílicas, e esse caráter judaico permaneceu por muito tempo. Crisóstomo, no final do século IV, lamentava que muitos cristãos asiáticos ainda celebravam a Festa dos Tabernáculos juntamente com os judeus da região (*Adv. Jud.* 1.1.5). Eusébio também observou que essas igrejas haviam preservado, historicamente, tradições judaicas mais antigas relacionadas com a época da celebração da Páscoa (*Hist. Ecl.* 5.23-24).

A escatologia dos cristãos asiáticos era particularmente judaica e relacionada à Festa dos Tabernáculos. Danièlou traz essas evidências em sua obra *The Theology of Jewish Christianity*. De acordo com Ireneu, os anciãos receberam os ensinamentos do apóstolo João, que anteriormente os haviam recebido de Jesus (*Haer.* 5.33.3). Além disso, Papias, um dos discípulos de João, estava entre os anciãos que receberam essa tradição oral (ibid. 5.33.3-34); cf. Eusébio, *Hist. Ecl.* 3.39.11-12; cf. Danièlou, 1964b, 380-85). Metódio de Olimpo (do século III d.C.), um outro cristão asiático, também relacionou a escatologia aos Tabernáculos (*Conv.* 9.5). O uso de imagens da Festa dos Tabernáculos para transmitir a mensagem do Apocalipse se enquadra perfeitamente nesse ambiente.

5. Data e Ocasião

Embora o livro de Apocalipse não forneça a data específica de sua elaboração, nos dá algumas indicações. Apocalipse 17.9,10 diz: "As sete cabeças são sete montes, sobre os quais a mulher está assentada. E são também sete reis: cinco já caíram, e um existe; outro ainda não é vindo". A mais simples interpretação deste enigma é que esse verso esteja se referindo a sete imperadores romanos, cinco dos quais já haviam morrido. Em ordem cronológica, esses imperadores eram Augusto (27 a.C.-14 d.C.), Tibério (14-37 d.C.), Gaio (37-41), Cláudio (41-54) e Nero (54-68). Isso sugere que o livro pode ter sido escrito logo após a morte de Nero.

Os estudiosos modernos têm mostrado uma certa relutância em aceitar a interpretação acima, embora essa posição esteja, aos poucos, se modificando. Donald Guthrie, em seu livro *New Testament Introduction*, de 1970, menciona três escolas de pensamento. A maioria dos estudiosos dessa época considera que o Apocalipse tenha sido escrito nos últimos dias do reinado de Domiciano (90-95 d.C.), outros consideram que o período mais provável tenha sido imediatamente após o assassinato de Nero (68-70), e ainda outros pensam que a data mais provável seria durante o reinado de Vespasiano (70-80 d.C.; veja Guthrie, 949-61). Vinte anos depois, E. S. Fiorenza escreveu que a maioria dos estudiosos mais velhos estava sendo crescentemente influenciada a favor de uma data durante o período de Nero (Fiorenza, 1989, 415). Atualmente essa tendência entre os estudiosos prossegue, sendo em parte alimentada pelo maior conhecimento que se tem das condições das províncias romanas do Oriente.

A data neroniana (68-70 d.C.) parece ser realmente a melhor escolha. A história romana diz que Nero foi o primeiro imperador a perseguir os cristãos (Suetônio, *The Twelve Caesars* 6.16-38; Tácito, *The Annals of Tacitus* 15.38-43). Esta também parece ser a melhor opção em relação à "Besta que era e já não é" (Ap 17.8,11; veja "a Besta que sobe do mar" em 13.1), e seu nome também é a melhor solução para o enigmático número do nome da Besta, 666 (13.17,18). Finalmente, como já mencionamos, o próprio livro parece endossar essa dada.

À luz das evidências acima, poderíamos datar a composição desse livro no final do ano 68, ou no início de 69 d.C., durante o reinado de sete meses de Galba.[2] Essa data está situada após o incêndio de Roma em 64 d.C., e a subseqüente perseguição de Nero aos cristãos (inclusive com as tradicionais mortes de Pedro e Paulo). O livro também foi escrito após o retorno de Nero da Grécia e seu subseqüente assassinato. Nessa ocasião, a cidade de Roma estava em tumulto; Galba havia, pelo menos temporariamente, assegurado o trono. Vespasiano, em meio à instalação do cerco de Jerusalém, teve que abandonar seus planos a fim de contestar essa sucessão. Sua partida havia aliviado, embora brevemente, a pressão sobre essa cidade — um livramento aparentemente milagroso, de acordo com Zacarias 14. Esse foi o mesmo ano em que Jerusalém cunhava moedas com símbolos da Festa dos Tabernáculos de um lado e uma alusão a Zacarias 14.20 de outro (veja Ulfgard). Finalmente, aparece na Ásia Menor, nessa época, um impostor afirmando ser o próprio Nero, o que deixou o povo extremamente amedrontado (Tácito; *The Histories* 2.8; veja "a Besta que sobe do mar" em 13.1). Em nossa opinião, esse é exatamente o ambiente de tumultos e conflitos a que o livro de Apocalipse se refere.

Esses eventos devem ser entendidos à luz do conflito de maiores proporções que existia entre duas escatologias rivais, a romana e a cristã, cada uma com seus próprios rituais. Os cristãos tinham uma "escatologia não realizada" e aguardavam ansiosamente à volta de Jesus Cristo e a inauguração de seu reinado milenar, uma esperança que alimentavam em sua celebração anual da Festa dos Tabernáculos.

O Império Romano promulgava uma "escatologia realizada". Koester (11) escreve: "Desde o tempo de César até a vinda dos falsos Neros, na época de Domiciano, o mundo romano estava dominado por uma escatologia profética. Tratava-se de uma escatologia de ordem política e revolucionária, saturada de um sentimento de julgamento, condenação e expectativa do paraíso". Esta também proclamava que a nova era já havia chegado, inaugurada por César Augusto, o primeiro imperador de Roma. Apolo era seu deus, e Augusto era o vitorioso "salvador", o "filho de deus". A nova era tinha caráter universal — incluiria todas as nações, portanto cada César podia se intitular "rei dos reis e senhor dos senhores". A religião oficial dessa nova era consistia no culto ao Império Romano e na adoração ao seu imperador.

A adoração ao imperador romano pode ser demonstrada desde o tempo de Júlio César; mas provar que era uma manifestação *forçada*, quer em uma remota província ou na própria Roma, é uma outra questão. Sua recusa determinava a pena de morte. Observe, no entanto, que o imperador romano sempre parecia extremamente "divino" para aqueles que estavam a grandes distâncias de Roma, ao contrário daqueles acostumados com a política e as intrigas da capital. Considere, também, que o Egito e a Babilônia haviam adorado "príncipes divinos" durante séculos. Em outras palavras, a adoração ao imperador não era uma inovação *romana*, mas uma importação do Oriente Próximo, que se transportou até Roma através do helenismo. Era de se esperar que se mostrasse mais precoce e mais forte à medida que cada vez mais nos afastássemos de Roma em direção ao Oriente.

Este conflito colocava os cristãos da província romana da Ásia Oriental sob enorme pressão. Realmente, diz Koester (9-10): "Todos os movimentos de libertação, naturalmente, confrontariam uma escatologia realizada apoiada pelo Estado e pelos Césares". Os cristãos adoravam um homem que havia sido condenado à morte por Roma, por afirmar ser o Filho de Deus. Jesus foi "vítima de um estabelecido autoritarismo de ordem política". Os cristãos ainda acrescentavam que sua volta estabeleceria uma nova e verdadeira era e que Ele os introduziria em seu reino. Jesus, e não Roma, governaria as nações da terra. Obviamente, qualquer cristão que recusasse adorar o imperador seria considerado traidor, subversivo e revolucionário.

O autor do Apocalipse adota uma posição inflexível contra a adoração de qualquer pessoa (ou coisa) que não fosse Deus (13.4-8,11-17; 20.4) — isto é idolatria (2.14,20; 9.20; 21.8; 22.15) e nada menos. Os cristãos devem adorar o *verdadeiro* Deus e seu Messias, o verdadeiro "REI DOS REIS E SENHOR DOS SENHORES" (19.16). A oração e a adoração não são atos triviais, mas a segunda coisa mais importante que os cristãos podem oferecer a Deus (veja os tópicos relacionados às orações dos santos em 5.8 e à adoração no Apocalipse em 5.11). Somente o martírio pode ser considerado como uma oferta mais preciosa (14.13; 20.5,6; veja os tópicos relacionados aos vencedores em 2.7 e às almas das testemunhas em 6.9). No livro de Apocalipse, os numerosos cânticos de louvor reforçam esta mensagem (5.9-14; 7.10,12,15-17; 11.15-18, etc.).

Fica aparente, através do livro de Apocalipse, que alguma forma de perseguição já havia sido praticada e muitas mais estavam prestes a acontecer. Esse livro foi escrito durante o período de calmaria entre essas duas tempestades, e suas sete cartas servem para confirmá-lo.

Em todas as cartas às igrejas da Ásia Menor o livro cita apenas *um* mártir. Um homem chamado Antipas foi assassinado em Pérgamo (2.13); mesmo assim, o texto trata esse evento como se tivesse acontecido alguns anos antes. No entanto, a perseguição oficial estava gradativamente se mostrando no horizonte. Assim, João adverte a Igreja em Esmirna: "Eis que o diabo lançará (literalmente, está prestes a lançar) alguns de vós na prisão" (2.10) e a exorta dizendo: "Sê fiel até à morte" (2.10). Ele também encoraja os membros de cada igreja a estarem *dispostos* ao martírio (veja o tópico referente aos vencedores em 2.7).

O Apocalipse não descreve esses adversários de Deus e de seu povo como um grupo homogêneo ou igualmente culpável. O livro é específico a respeito de cada grupo e seus "crimes". Através de uma análise cuidadosa é possível destacar e identificar sete indivíduos ou grupos que se opuseram, estão se opondo ou ainda farão oposição à Igreja brevemente:

1) O próprio Satanás
2) Roma e seus habitantes
3) Um imperador romano
4) Um sacerdote da religião imperial na Ásia Menor, provavelmente em Pérgamo
5) Certos adversários judeus na Ásia Menor
6) Certos grupos de cristãos transigentes
7) Os que adoram a Besta e/ou a sua imagem

Ao longo deste comentário serão expostos artigos sobre cada uma destas pessoas ou grupos.

6. Gênero

O livro de Apocalipse pertence à categoria geral da literatura apocalíptica. A expressão *literatura apocalíptica*, no entanto, desagrada a alguns estudiosos por causa de sua ambigüidade. A própria expressão está baseada na palavra grega que significa "revelação" (*apokalypsis*). Um *apokalypse* é uma revelação recebida através de uma visão, de um sonho, de uma viagem celestial ou (em alguns casos) de um mensageiro angelical. Acompanhando esse conceito, o livro de Apocalipse é um *apokalypse*, isto é, contém uma série de visões (Ap 9.17; 13.1; 21.2; 22.8), uma viagem celestial (4.1) e um mensageiro angelical (1.12ss; 10.1,8,9; 17.3,7,15; 22.8,16). Contém, também, uma *escatologia apocalíptica*, como aparece em uma série de outras passagens bíblicas (por exemplo: Is 24-27; 55-66; Ez 37-48; Dn 7-12; Jl; Zc 14; Mt 24; Mc 13), mas o termo é demasiadamente controvertido e complicado para que possa ser definido através de uma ou duas frases.

Até pouco tempo, a escatologia apocalíptica era um campo de batalha dos estudiosos. Havia discordâncias praticamente a respeito de tudo aquilo que a rodeava, incluindo seus padrões, origens e funções. A lista de padrões variava amplamente de estudioso para estudioso, principalmente quando enumerava o que estava em primeiro plano e o que era secundário — até mesmo a lista daquilo que estava acontecendo poderia ser considerada como apocalíptica.

Outros basearam sua análise na origem do Apocalipse. A opinião da maioria era de que sua origem era posterior e resultara do fracasso das profecias. A minoria se dividiu em duas outras opiniões: a posição de Gerhard von Rad era que o estilo apocalíptico havia evoluído da literatura erudita (portanto, em uma época posterior) e F. M. Cross e Paul Hanson pensavam que esse estilo estava mais diretamente ligado às histórias do Oriente a respeito da criação (portanto em uma época anterior).

Esse campo parecia permanentemente dividido até que Hanson propôs uma solução sociológica. Ele argumentou que a escatologia apocalíptica devia ser identificada conforme sua *função* e não de acordo com suas características. Definiu esse estilo (1979, 28) como:

> Um sistema de pensamento produzido por movimentos visionários; este se desenvolve sobre uma perspectiva escatológica específica, gerando um universo simbólico oposto ao da sociedade dominante. Esse universo simbólico serve para estabelecer a identidade da comunidade visionária em relação a grupos rivais e à divindade, e para resolver as contradições entre esperanças religiosas e a experiência da alienação... o que confere um significado definitivo somente ao reino cósmico, do qual se espera uma libertação iminente.

Como essa definição pode ajudar em nosso estudo sobre o Apocalipse? A escatologia apocalíptica parece surgir em momentos de grande tensão social. Quando somos surpreendidos por calamidades, ou quando duas culturas radicalmente diferentes se chocam, o maior desastre não é a destruição das propriedades ou a perda da vida dos indivíduos — é a destruição de uma visão mundial da sociedade. O compartilhamento destes valores é que permite aos membros de uma determinada sociedade trabalhar coletiva e intuitivamente em direção a objetivos comuns, mesmo quando membros dessa sociedade têm seus próprios (e até adversos) objetivos pessoais. A escatologia apocalíptica é uma tentativa de restaurar ou manter essa visão global à luz (ou nas trevas!) de um mundo em rápida transformação. Na verdade, a escatologia apocalíptica procura colocar ordem no caos — exatamente como ocorria nas histórias da antiguidade.

O estilo apocalíptico agrada a indivíduos que se sentem ameaçados pelas rápidas mudanças que ocorrem a seu redor, e por um mundo que, aparentemente, está desprovido de quaisquer valores absolutos. Ele simplifica o caos das múltiplas gradações da obscuridade ética e moral, através da imposição de padrões definitivos. O mundo apocalíptico não tem uma tonalidade cinzenta, e também nenhum partido ou espectadores neutros. Sua característica principal, há muito identificada, porém muitas vezes mal compreendida, é o dualismo: tudo que existe na história, na criação, em cada pessoa e na vida em geral é bem ou mal; não existe meio termo.

Esse fenômeno também ajuda a explicar porque a escatologia apocalíptica inclui freqüentemente as listas semelhantes àquelas que são encontradas na literatura erudita. Essas listas podem conter sinais — os sinais das várias estações do ano, do movimento ordenado das estrelas, ou os nomes e as funções dos anjos celestiais. Qualquer que seja o seu conteúdo ou significado, sua função básica é promover um sentido de *ordem* e de *estabilidade*. Demonstram que Deus tem tudo sob controle, ao mesmo tempo em que transmitem esperança aos leitores ao ampliar sua perspectiva. Isso os ajuda a se reintegrar à sociedade e a viver no mundo real.

Isso não quer dizer que o estilo apocalíptico esteja confirmando o caos; ele não o faz. O caos é, simplesmente, uma condição temporária, uma oportunidade a mais para Deus revelar sua glória, o que sem dúvida fará brevemente, através da inversão. Inversão geralmente significa que Deus inverterá a posição das coisas: montanhas cairão, vales se elevarão, os pobres ficarão ricos e os ricos ficarão pobres, os oprimidos serão vitoriosos e seus perseguidores serão punidos; Deus restabelecerá a justiça onde a injustiça impera, a paz substituirá a guerra, há primeiros que serão os últimos e há últimos que serão os primeiros. Às vezes, a inversão pode significar que são as perspectivas da audiência que precisam ser invertidas: acreditam ser os senhores, mas esquecem que primeiro devem servir; pensam que viverão eternamente, sem perceber que existe vida além da morte; pensam que serão vitoriosos, mas não entendem que a maior vitória pode ser alcançada através do sofrimento pessoal. O Apocalipse ensina as duas formas de inversão.

Finalmente, a escatologia apocalíptica está dirigida àqueles que se julgam impotentes. Isso não requer uma revolução, mas revelação. Não banaliza o sofrimento dos leitores ao sugerir que ele transcende o plano terreno, nem exige que transformem a sociedade ao seu redor. Antes, devem transfigurar sua percepção e focalizar sua atenção na única coisa que lhes resta sob seu controle: suas próprias atitudes. Deus, ou o seu legítimo representante (isto é, o Messias) cuidará de todas as demais coisas.

Resumindo, as principais características da escatologia apocalíptica são o dualismo, a inversão, o restabelecimento da ordem por meio da vitória de Deus e/ou de seu representante pessoal sobre o caos, e um apelo aos leitores para reajustarem sua percepção e permanecerem fiéis à sua crença, a despeito do que possa estar ocorrendo ao seu redor. Qualquer outra característica será apenas secundária.

7. Mensagem e Propósito

Os livros da Bíblia são comunicações de Deus; portanto, devemos nos dedicar ao seu estudo com humildade. Deus tem assuntos específicos a nos ensinar e maneiras específicas pelas quais deseja que mudemos nossas atitudes, sentimentos e/ou nosso comportamento. Em nenhum outro lugar esses princípios básicos são mais importantes do que no estudo do Apocalipse.

Em geral as pessoas desejam saber algo a respeito de seu futuro, e os cristãos não são exceção. Infelizmente, muitos cristãos tentam forçar o Apocalipse a fornecer certas respostas que fogem ao seu propósito. Este livro foi escrito para nos ensinar a viver com Deus no presente e não para fornecer matéria-prima para vãs especulações sobre o futuro. Aprenderemos muito mais se deixarmos que esse livro organize nossa agenda, ao invés de tentarmos fazer com que se submeta a ela.

Muitos escritos proféticos e apocalípticos contêm retrospectos históricos, e isso também se aplica ao livro de Apocalipse. Esse prólogo histórico serve para lembrar aos leitores que Deus tem se mostrado atuante ao longo da história. Ele procura colocar a situação dentro do contexto atual, assim como encoraja os leitores a confiar em Deus. Afinal de contas, existem motivos para termos esperança: o Deus Todo-poderoso já demonstrou sua capacidade de libertar o povo e sua disposição de agir em seu benefício.

Embora os escritos proféticos e apocalípticos sejam semelhantes sob outros aspectos, ambos também tendem a enfocar o presente (isto é, a situação dos primeiros destinatários). A maior parte do Apocalipse está dirigida às necessidades de sua primeira audiência, interpretando sua situação, analisando seu comportamento e prescrevendo mudanças em suas atitudes. As sete cartas às igrejas da Ásia

Menor são um excelente exemplo do que acabamos de dizer. Os monumentais eventos que aconteciam em torno dessas igrejas haviam feito com que se desviassem de suas tarefas divinamente designadas. Essas cartas davam instruções a cada uma delas para que retornassem a essas tarefas, voltando a enfocar a única coisa que estava sob seu controle: seu comportamento.

Os escritos proféticos e apocalípticos dizem respeito ao futuro e isso é compreensível. O texto precisa atingir um delicado equilíbrio: descrever a futura graça de modo a encorajar os obedientes, e descrever o futuro castigo para desencorajar os desobedientes, mas não a ponto de desviar a atenção dos leitores e encorajar especulações indevidas sobre o futuro.

O cenário descrito pelo Apocalipse a respeito do futuro revela um impressionante exemplo de minimalismo. Embora seus detalhes sobre recompensas e castigos sejam extensos e imponentes apenas nos permitem ver um esboço superficial dos acontecimentos futuros. Na verdade, a visão de João sobre o futuro não é exclusiva. A maioria dos acontecimentos pode ser encontrada em vários profetas do Antigo Testamento, especialmente Isaías, Ezequiel e Zacarias. Talvez a maior contribuição desse livro à escatologia seja a forma como reúne as referências dispersas, sintetizando-as dentro de um todo coerente.

Então, o que o Apocalipse tem a nos ensinar? Sua mensagem pode ser resumida em sete temas simples, sendo todos capazes de influenciar e interferir na maneira como vivemos no presente:

1) Deus está no controle, não Satanás.
2) Espere pela volta do Cordeiro, e não pela Besta.
3) Combata todas as suas batalhas com as armas do espírito, e não com as do mundo.
4) Quando estiver em dúvida, adore a Deus! A adoração é a maior e a mais poderosa expressão de fé.
5) Você está sendo preparado para uma colheita, e tudo que é colhido morre. Tenha coragem!
6) A Noiva está quase pronta para as bodas com o Filho.
7) Os preparativos para o casamento já foram feitos, as festividades do final da colheita começaram, e nenhum outro sinal é necessário. Ouça... a última trombeta já vai soar.

O propósito geral do Apocalipse, como de todos os livros da Bíblia, é encorajarnos a viver uma vida santificada. Esse propósito pode ser resumido em sete mandamentos específicos, cada um deles estruturado de forma a facilitar sua memorização:

1) Desperte (3.2).
2) Não se preocupe com julgamentos futuros (2.10).
3) Espere pacientemente pela libertação que será concedida por Deus (3.10; 6.11).
4) Aguarde a vinda do Cordeiro (1.7).
5) Testemunhe, ainda que isso signifique o martírio (6.9; 11.7; 12.11).
6) Trabalhe pelo reino de Deus (2.2,9,23; 14.13; 19.8).
7) Adore somente a Deus (14.7,11; 15.4; 19.10; 22.8).

8. Organização

a. Os Elementos Literários

A estrutura do Apocalipse é extremamente complicada. Em uma única obra, seu autor teceu uma obra composta por quatro importantes estilos literários: (1) cartas com material epistolar, (2) descrição de objetos e cultos — os rituais, (3) uma narrativa alegórica e (4) a inclusão de várias interjeições do narrador.

(1) O Estilo Epistolar. O primeiro estilo dessa literatura é *epistolar*. Isso inclui as sete cartas às sete igrejas da Ásia Menor (2.1-3.22). Cartas (epístolas), por definição, constituem uma literatura ocasional. Referem-se a situações específicas e contemporâneas ao autor e ao(s) leitor(es), sem a confusão cronológica freqüentemente presente na escatologia apocalíptica. O material contido nas sete cartas é primordial para a reconstrução da ocasião e da data do livro. Além disso, o Apocalipse tem uma introdução epistolar (1.1-9) e uma conclusão (22.6-21).

(2) A Descrição dos Rituais. O segundo estilo de literatura encontrado no Apocalipse é o mais comum e aquele que confere ao livro seu caráter distinto, representado pelas várias descrições de rituais e suas interpretações. Esse material inclui as visões de Jesus Cristo entre as sete lâmpadas do menorá (1.12-20), a adoração em torno do trono celestial (capítulos 4 e 5), a abertura dos sete selos (5.1-6.17; 8.1-5), a celebração da multidão ressuscitada (7.1-17; 14.1-5; 19.1-9), o som das sete trombetas (8.6-9.21; 11.15-19) e o derramamento das sete libações da ira (15.1-21).

Todos esses rituais eram praticados pelos judeus e pelos cristãos em sua celebração da Festa dos Tabernáculos, durante o primeiro século. Segundo a visão do autor, cada um dos eventos históricos (passado, presente e futuro) encontra seu próprio lugar na liturgia dos Tabernáculos. A apresentação destes acontecimentos é determinada pela seqüência dos rituais da festa e não pela sua cronologia histórica.

(3) A Narrativa Alegórica. O terceiro estilo de literatura que aparece no Apocalipse pode ser melhor descrito como sendo uma única, extensa e alegórica narrativa que foi fragmentada em duas partes: as atividades do Dragão e de suas duas "Bestas" (12.1-13.18) e seu julgamento por Deus (17.1-20.15). A forma como o autor tece essa alegoria, através das várias descrições dos rituais, nos ajuda a interpretar o livro e a identificar a data de sua elaboração.

(4) As Interjeições do Autor. O quarto estilo é o menos freqüente nesse livro e está representado pelas próprias interjeições do autor, dispersas através da obra (por exemplo, 2.7a,11a,17a; 9.12; 11.14; 14.12; provavelmente também 9.20,21). Essas interjeições interrompem várias cenas e enfatizam certos pontos. Deste modo, servem como pontos de exclamação literários.

b. A Estrutura

A estrutura do Apocalipse é complexa. Tem duas introduções (Ap 1.1-8) e duas conclusões (22.6-21); cada uma delas tem subseções epistolares e apocalípticas. O corpo do livro (1.10-22.5) é formado por uma série de visões, a primeira das quais inclui uma carta para cada uma das sete igrejas da Ásia Menor (2.1-3.22). Logo após as cartas, João viaja ao céu, onde vê o trono de Deus e registra sua visão (capítulo 4), exatamente como Isaías (Is 6) e Ezequiel (Ez 1) fizeram antes dele.

A visão do trono transforma-se facilmente em um registro dos rituais de adoração que o rodeiam. O âmago do Apocalipse está nas descrições individuais desses três rituais: a abertura do livro selado com sete selos (5.1-6.17; 8.1-5), o som das sete trombetas (8.6-9.21; 11.15-19) e o derramamento das sete taças da ira de Deus (15.1-16.14,16-21). Cada um dos sete rituais é interrompido uma vez, entre o sexto e o sétimo de cada série. A adoração de 144.000 judeus e de uma multidão de gentios interrompe a abertura dos sete selos (Ap 7); a chamada do autor a profetizar (capítulo 10) e sua descrição das duas testemunhas (11.1-13) interrompe a série do toque das sete trombetas. As sete libações são interrompidas por uma exortação: "Eis que venho como ladrão. Bem-aventurado aquele que vigia e guarda as suas vestes, para que não ande nu, e não se vejam as suas vergonhas" (16.15).

Essas interrupções tornam muito difícil o esboço do Apocalipse, no entanto nos ajudam a entender o relacionamento entre as três séries de rituais. Esses rituais podem ser interpretados como sendo consecutivos (três conjuntos diferentes de julgamentos, um conjunto após o outro, em ordem cronológica), harmoniosos (três diferentes descrições dos mesmos julgamentos divinos, todos eles acontecendo em um único período de tempo) ou mesmo em alguma outra complicada disposição (por exemplo, séries que se sobrepõem, séries dentro de séries, etc.). Neste comentário assumimos que as interrupções sugerem que as três séries de sete sejam congruentes; cobrem o mesmo período de tempo, porém a partir de diferentes perspectivas. Existem pelo menos outras cinco semelhanças entre as séries que podem confirmar essa interpretação:

A Estrutura de Apocalipse 6.1—16.21

	#	Selos		Trombetas	Duas Narrações Alegóricas Ampliadas		Os Cálices
PASSADO HISTÓRICO	1	O cavalo branco, seu cavaleiro tem um arco e recebe uma coroa: ele parte para vencer (6.1,2).	TERRA	Saraiva, fogo e sangue foram lançados à terra; um terço da terra e de sua vegetação foi queimada (8.7).	O conflito entre Cristo e o dragão (Satanás) está descrito através de elaboradas imagens apocalípticas. O dragão está irado contra a Igreja porque foi vencido no céu e sabe que dispõe de pouco tempo na terra (12.1-8).	TERRA	São derramados sobre a terra; aqueles que adoram a besta são cobertos com chagas (16.1,2).
PASSADO HISTÓRICO	2	O cavalo vermelho brilhante, seu cavaleiro recebeu uma grande espada para que tirasse a paz da terra (vv.3,4).	ÁGUA SALGADA	O fogo foi lançado ao mar e um terço das criaturas que ali tinham vida morreu, e um terço das naus foi perdido (8.8,9).		ÁGUA SALGADA	São derramados sobre o mar; que se torna como sangue, e morre no mar toda alma vivente (v.3).
PASSADO HISTÓRICO	3	O cavalo preto, seu cavaleiro tem uma balança e traz a fome, mas não deve danificar o azeite e o vinho (vv.5,6).	ÁGUA DOCE	Caiu do céu uma grande estrela e a terça parte das águas tornou-se absinto, sendo fatal para aqueles que as ingerissem (8.10,11).		ÁGUA DOCE	São derramados sobre as águas doces, que se tornam em sangue; os anjos e o "altar" declaram que isso é justo (vv.4-7).
PASSADO HISTÓRICO	4	O cavalo amarelo, seu cavaleiro tinha por nome a Morte; e o Hades o segue: a eles foi dado o poder para matar a quarta parte da terra (vv.7,8).	CORPOS CELESTES	Um terço dos corpos celestes juntamente com o dia e a noite escureceram, e uma águia gritou "ai" (8.12,13).	A besta do mar aparece e os homens a adoram; ela vence os santos – uma exortação aos santos, para que resistam (13.1-10).	CORPOS CELESTES	São derramados sobre o sol; este se torna mais quente e abrasa os homens, mas eles não se arrependem (vv.8,9).
ÉPOCA DO LIVRO	5	Almas martirizadas sob o altar perguntam a Deus: "ATÉ QUANDO Ó VERDADEIRO E SANTO DOMINADOR, NÃO JULGAS E VINGAS O NOSSO SANGUE DOS QUE HABITAM SOBRE A TERRA?" e foi-lhes respondido "um pouco de tempo" (vv.9-11).	OS NÃO-CRISTÃOS	O PRIMEIRO "AI"; gafanhotos vieram do abismo para atormentar os homens impenitentes por cinco meses; seu rei é chamado "Destruidor" (9.1,2).	A besta da terra aparece; faz uma guerra econômica contra aqueles que não adoram a imagem da besta; seu número é 666 (13.11-18).	OS NÃO-CRISTÃOS	São derramados sobre o trono da besta; seu reino se fez tenebroso e os homens blasfemaram contra Deus (vv.10,11).
O FINAL DA ERA PRESENTE	6	SINAIS TRADICIONAIS DO FINAL DESTA ERA: o sol torna-se negro, a lua torna-se como sangue, as estrelas caem do céu etc. e os habitantes da terra dizem: "É VINDO O GRANDE DIA DA SUA IRA" (vv.12-17).	PODERES ORIENTAIS	O SEGUNDO "AI"; quatro anjos que estavam presos no Eufrates foram soltos para matar um terço da humanidade; os remanescentes ainda não se arrependeram (9.13-21).	São derramados sobre o rio Eufrates; sua água se secou para que o caminho dos "reis do Oriente" fosse preparado; a besta, o falso profeta e o dragão se congregam para a batalha (vv.12-14 [16]).	PODERES ORIENTAIS	
[INTERVALO] AS PRINCIPAIS ALUSÕES A SUCOTE	6	Os 144.000 mil assinalados, juntamente com uma multidão de mártires, VESTIDOS DE BRANCO E COM PALMAS EM SUAS MÃOS, prostram-se diante do trono e adoram a Deus (7.1-17).		Um anjo anuncia que não haverá mais demora; o autor do Apocalipse recorreu à profecia; aparecem DUAS OLIVEIRAS E OS DOIS CASTIÇAIS (10.1-11).	Os 144.000 [isoladamente, sem a multidão] adoram o Cordeiro (14.1-5); três anjos proclamam o juízo (14.6-11). Uma exortação aos santos, para que resistam (14.12,13); DUAS COLHEITAS ANGELICAIS (14.14-20).		"Eis que venho como ladrão. Bem-aventurado aquele que vigia e guarda as suas vestes, para que não ande nu, e não se vejam as suas vergonhas"! (v.15)
O INÍCIO DA NOVA ERA	7	Silêncio no CÉU por quase meia hora; apresentam-se sete anjos com trombetas; TROVÕES, RELÂMPAGOS E TERREMOTOS (8.1-5).	NOVA ERA	Deus assume o reinado sobre a terra; o templo celestial se abre; os anciãos adoram; RELÂMPAGOS, TROVÕES E TERREMOTOS (11.15-19).		NOVA ERA	São derramados sobre o ar; diz uma voz: "Está feito". Ocorrem RELÂMPAGOS, TROVÕES E TERREMOTOS (vv.17-21).

O PASSADO IMEDIATO E O CONFLITO PRESENTE

1) Cada ritual tem sete elementos. O número sete freqüentemente representa a plenitude ou a perfeição; aqui este representa o completo julgamento de Deus sobre toda a sua criação, ao longo da história da humanidade.
2) O primeiro quarteto de cada série tem poucos detalhes. A razão é que cada quarteto reproduz uma descrição geral do julgamento de Deus até a crise presente, durante o passado histórico (selos) ou sobre toda sua criação (trombetas e cálices). Os dois quartetos seguintes acompanham a mesma seqüência: terra, água salgada, água doce e corpos siderais.
3) As descrições do quinto e do sexto julgamento são as mais detalhadas em relação a quaisquer outras dentro de cada série. Esse é o método clássico pelo qual o escritor apocalíptico se posicionou em seus escritos. Ele dispensa a maior atenção ao passado recente, ao presente e ao futuro próximo. Isso faz sentido, porque seus leitores estavam muito preocupados com os acontecimentos que os afetaram e que ainda os afetariam.
4) O sétimo e último ato é sempre a adoração, seja em silêncio, acompanhada da queima de incenso (8.1-5) ou por meio de aclamação e louvor (11.15-19; 16.17,18).
5) Cada série termina da mesma maneira — com descrição de trovões, relâmpagos e terremotos. Quando os rituais terminam restam apenas aproximadamente cinco capítulos no corpo do Apocalipse. Estes nos dão detalhes do futuro castigo de Deus aos seus inimigos (18.1-20.15) e a eterna recompensa aos seus aliados (21.1-22.5).

O quadro a seguir, intitulado "A Estrutura de Apocalipse 6.1-16.21", representa graficamente os cinco tópicos acima.

ESBOÇO

1. **Introdução** (1.1-8)
    1.1. A Introdução Ligada à Revelação (1.1-3)
    1.1.1. A Origem Divina e o Mediador Angelical (1.1a)
    1.1.2. O Intermediário Humano (1.1b-2)
    1.1.3. Os Destinatários que em Breve Seriam Abençoados (1.3)
    1.2. A Introdução Epistolar (1.4-7)
    1.2.1. O Autor (1.4a)
    1.2.2. Os Destinatários (1.4b)
    1.2.3. A Saudação (1.4c,5a)
    1.2.3.1. Do Deus Eterno (1.4c)
    1.2.3.2. Do Espírito Santo (1.4d)
    1.2.3.3. De Jesus Cristo (1.5a)
    1.2.4. A Oração Litúrgica (1.5b,6)
    1.2.5. A Profecia Litúrgica (1.7)
    1.2.6. A Exortação Litúrgica (1.8)
2. **As Visões** (1.9-22.5)
    2.1. A Ocasião (1.9-11)
    2.2. A Primeira Visão: Jesus no Meio do Menorá (1.12-3.22)
    2.2.1. A Aparição de Jesus (1.12-16)
    2.2.2. As Instruções de Jesus (1.17-20)
    2.2.3. A Mensagem de Jesus: As Cartas às Sete Igrejas (2.1-3.22)
    2.2.3.1. A Carta à Igreja em Éfeso (2.1-7)
    2.2.3.2. A Carta à Igreja em Esmirna (2.8-11)
    2.2.3.3. A Carta à Igreja em Pérgamo (2.12-17)
    2.2.3.4. A Carta à Igreja em Tiatira (2.18-29)
    2.2.3.5. A Carta à Igreja em Sardes (3.1-6)
    2.2.3.6. A Carta à Igreja em Filadélfia (3.7-13)
    2.2.3.7. A Carta à Igreja em Laodicéia (3.14-22)
    2.3. A Segunda Visão: Cristo no Trono de Deus (4.1-13.18)
    2.3.1. O Convite ao Profeta: Ver e Predizer (4.1)
    2.3.2. O Ambiente do Trono Celestial (4.2-11)
    2.3.3. O Primeiro Ritual: A Abertura dos Sete Selos (5.1-6.17; 8.1-5)
    2.3.3.1. A Busca de Alguém Digno de Abrir o Livro (5.1-5)
    2.3.3.2. A Apresentação do Cordeiro (5.6-14)
    2.3.3.3. A Abertura do Livro (6.1-17; 8.1-5)
    2.3.3.3.1. Os Primeiros Quatro Selos: O Passado Histórico (6.1-8)
    2.3.3.3.2. O Quinto Selo: O Passado Imediato (6.9-11)
    2.3.3.3.3. O Sexto Selo: O Futuro Imediato (6.12-17)

APOCALIPSE

A. O Primeiro Intervalo: O Povo de Deus (7.1-17)
  A.1. Os Servos do Senhor São Selados (7.1-3)
  A.2. A Adoração dos Servos do Senhor (7.4-17)
    A.2.1. Os 144.000 (7.4-8)
    A.2.2. A Multidão dos Gentios (7.9-10)
    A.2.3. Os Anjos, os Anciãos e as Criaturas (7.11,12)
    A.2.4. A Identificação dos Servos de Deus (7.13-17)

2.3.3.3.4. O Sétimo Selo: O Futuro Imediato (8.1-5)
2.3.4. O Segundo Ritual: O Toque das Sete Trombetas (8.6-9; 11.15-19)
Interjeição do Narrador: Uma Águia — ou Anjo — Grita "Ai" (8.13)
2.3.4.1. Os Toques das Primeiras Quatro Trombetas (8.6-12)
2.3.4.2. Toque da Quinta Trombeta: Um Exército de Gafanhotos (9.1-11)
Interjeição do Narrador: O Primeiro "Ai" Já Passou (9.12)
2.3.4.3. O Toque da Sexta Trombeta: A Cavalaria de 200 Milhões (9.13-21)

B. Segundo Intervalo: Os Profetas de Deus (10.1-11.13)
  B.1. A Chamada Recebida pelo Autor para Profetizar (10.1-11)
    B.1.1. A Aparição de um Poderoso Anjo (10.1-4)
    B.1.2. A Proclamação do Anjo (10.5-7)
    B.1.3. A Profecia do Anjo (10.8-11)
  B.2. O Ministério das duas Testemunhas (11.1-13)
    B.2.1. Sua Descrição (11.1-6)
    B.2.2. Suas Mortes (11.7-10)
    B.2.3. Sua Ressurreição (11.11-13)
  Interjeição do Narrador: O Segundo "Ai" Já Passou (11.14)

2.3.4.4. O Toque da Sétima Trombeta: A Entronização de Deus (11.15-19)

2.3.4.4.1. Os Cânticos da Entronização de Deus (11.15-18)
2.3.4.4.2. O Local da Entronização de Deus (11.19)

C. Uma Narrativa Alegórica (12.1-13.18)
  C.1. As Derrotas Preliminares do Dragão (12.1-16)
    C.1.1. O Dragão não Consegue Matar um Recém-nascido (12.1-6)
    C.1.2. O Dragão não Consegue Vencer o Arcanjo Miguel (12.7-12)
      C.1.2.1. A Guerra no Céu (12.7-9)
      C.1.2.2. O Hino do Triunfo (12.10-12)
    C.1.3. O Dragão não Consegue Matar a Mãe do Recém-nascido (12.13-16)
  C.2. A Guerra do Dragão (12.17-13.18)
  C.2.1. A Última Presa do Dragão (12.17-13.1)
  C.2.2. Os Novos Aliados do Dragão (13.2-18)
    C.2.2.1. A Besta que Emerge do Mar (13.2-8)
    Interjeição do Narrador: "Se Alguém Tem Ouvidos, Ouça" (13.9,10)
    C.2.2.2. A Besta da Terra (13.11-17)
    Interjeição do Narrador: "O Número da Besta..." (13.18)

2.4. A Terceira Visão: Cristo no Monte Sião (14.1-16.21)
2.4.1. Seus 144.000 Companheiros (14.1-5)
2.4.2. As Três Proclamações dos Anjos (14.6-11)
2.4.2.1. Temer a Deus e Adorá-lo (14.6,7)
2.4.2.2. A Queda da Babilônia (14.8)
2.4.2.3. Aqueles que Adoram a Besta Serão Punidos (14.9-11)
Interjeição do Narrador: Os Santos Devem Perseverar (14.12)
2.4.3. A Divina Proclamação: Os Mártires São Abençoados (14.13)
2.4.4. A Colheita da Terra (14.14-20)
2.4.4.1. A Colheita dos Cereais (14.14-16)
2.4.4.2. A Colheita da Uva (14.17-20)
2.4.5. O Terceiro Ritual: O Derramamento das Sete Libações (15.1-16.21)
2.4.5.1. A Adoração dos Mártires (15.1-4)
2.4.5.2. Os Anjos Recebem os Cálices (15.5-16.1)
2.4.5.3. As Primeiras Quatro Libações (16.2-9)
2.4.5.4. A Quinta Libação (16.10,11)
2.4.5.5. A Sexta Libação (16.12-14)

D. O Terceiro Intervalo: "Eis que Venho como Ladrão" (16.15)
2.4.5.5. A Sexta Libação (Continuação) (16.16)
2.4.5.6. A Sétima Libação (16.17-21)

C.3. A Narrativa Alegórica (Continuação) (17.1-20.15)
  C.3.1. A Prostituta que Cavalga sobre a Besta da Terra (17.1-6)
  C.3.2. A Interpretação da Alegoria (17.7-18)
    C.3.2.1. A Besta (17.7,8)
    C.3.2.2. Os Sete Montes (17.9-11)
    C.3.2.3. Os Dez Chifres (17.12-14)
    C.3.2.4. A Grande Prostituta (17.15-18)
  C.3.3. O Futuro Julgamento do Dragão e seus Aliados (18.1-20.15)
    C.3.3.1. Sobre a Grande Prostituta, Babilônia, a Cidade de Roma (18.1-19.10)
      C.3.3.1.1. A Proclamação de seus Pecados (18.1-3)
      C.3.3.1.2. Exortação para Abandoná-la ao seu Próprio Destino (18.4-8)
      C.3.3.1.3. A Descrição da Lamentação (18.9-19)
        C.3.3.1.3.1. De seus Amantes (18.9-10)
        C.3.3.1.3.2. De seus Fornecedores (18.11-17a)
        C.3.3.1.3.3. De seus Armadores (18.17b-19)
      Interjeição do Narrador: "Alegra-te (18.20)
      C.3.3.1.4. A Proclamação de seu Destino (18.21-24)
      C.3.3.1.5. Descrição da Celebração: O Maior Hallel de Todos os Tempos (19.1-9)
        C.3.3.1.5.1. Louvor a Deus pelo seu Julgamento (19.1-5)
        C.3.3.1.5.2. Louvor a Deus por suas Bênçãos (19.6-9)
      C.3.3.1.6. Advertência para Adorar Somente a Deus (19.10)
    C.3.3.2. Sobre as Bestas e seus Exércitos — O Armagedom (19.11-21)
      C.3.3.2.1. O Cavaleiro do Cavalo Branco (19.11-16)
      C.3.3.2.2. O Convite ao Banquete das Aves (19.17,18)
      C.3.3.2.3. O Destino das Bestas e seus Exércitos (19.19-21)
    C.3.3.3. Sobre o Dragão e seu Exército (20.1-10)
      C.3.3.3.1. O Dragão É Preso por Mil Anos (20.1-3)
      C.3.3.3.2. Os Mártires Reinam com Cristo (20.4-6)
      C.3.3.3.3. O Dragão É Libertado para sua Própria Destruição (20.7-10)
    C.3.3.4. Sobre a Morte dos Iníquos (20.11-15)

2.5. A Quarta Visão: A Noiva de Cristo, a Nova Jerusalém (21.1-22.5)
  2.5.1. Seu Cenário: Novos Céus e uma Nova Terra (21.1)
  2.5.2. Sua Apresentação (21.2)
  2.5.3. As Proclamações de seu Esposo (21.3-8)
    2.5.3.1. "Viveremos Felizes para Sempre" (21.3,4)
    2.5.3.2. "Eis que Faço Novas Todas as Coisas" (21.5,6a)
    2.5.3.3. "Recompensei os Fiéis" (21.6b,7)
    2.5.3.4. "Castiguei os Rebeldes" (21.8)
  2.5.4. Seu Retrato (21.9-27)
  2.5.5. Seu Lar: um Novo Paraíso na Terra (22.1-5)

3. **A Conclusão** (22.6-21)
  3.1. A Conclusão Apocalíptica (22.6-17)
    3.1.1. O Mediador Angelical e a Quarta Bênção (22.6,7)
    3.1.2. O Intermediário Humano (22.8-11)
    3.1.3. A Doxologia (22.12,13)
    3.1.4. A Quinta Bênção (22.14,15)
    3.1.5. A Fonte Divina (22.16)
    3.1.6. O Convite a Todos (22.17)
  3.2. A Conclusão Epistolar (22.18-21)
    3.2.1. A Exortação Final (22.18)
    3.2.2. A Bênção Litúrgica (22.20)
    3.2.3. A Saudação Apostólica Final (22.21)

COMENTÁRIO

O Apocalipse é a combinação de uma carta (uma carta-circular a várias igrejas diferentes) e uma revelação. Possui duas introduções e duas conclusões: uma introdução e uma conclusão para a carta, e uma introdução e uma conclusão para a revelação.

1. Introdução (1.1-8)

1.1. A Introdução Ligada à Revelação (1.1-3)

A primeira introdução do Apocalipse está relacionada à revelação e é dividida em três seções distintas: a origem da visão, os intermediários (angelical e humano), e a audiência a quem é dirigida.

1.1.1. A Origem Divina e o Mediador Angelical (1.1a).
A palavra grega, que foi traduzida como "revelação" (v.1), deve ser interpretada como "apocalipse". O apocalipse é uma forma de literatura que registra visões, sonhos ou viagens celestiais (At 2.17; 9.10; 10.3). João usa essa palavra no início do livro para permitir que os leitores reconheçam o seu teor. Como o apocalipse geralmente apresenta revelações, a palavra "revelação" também é apropriada. A melhor escolha seria, provavelmente, traduzir essa palavra como "revelação por meio de visões".

A próxima frase, "de Jesus Cristo", é ambígua. Pode significar "revelação a respeito de Cristo" ou "revelação que veio através de Cristo". Embora ambas sejam verdadeiras, a frase que a qualifica "a qual Deus lhe deu" (v.1) enfatiza a segunda hipótese: Jesus Cristo é a origem dessa revelação (ou "apocalipse"). Ele tem mais autoridade para falar a respeito de Deus, o Pai, e das coisas celestiais, do que qualquer outro ser, inclusive Moisés (Jo 1.17,18; cf. Êx 33.1-34.1). Assim, podemos confiar nessa revelação.

A questão da autoridade é muito importante. A capacidade de falar com autoridade a respeito de assuntos espirituais vem de um íntimo relacionamento pessoal com Deus, e não do tamanho do ministério de alguém, do peso de seus títulos acadêmicos ou da habilidade de governar ou dirigir uma multidão (cf. Jo 3.10-12). Muitos apocalipses diferentes circularam na igreja primitiva. A autoria de cada um deles foi atribuída a importantes personagens do Antigo Testamento: Enoque, Esdras, Abraão, Baruque e assim por diante. Mas por quê? Porque a assinatura de qualquer um destes personagens acrescentaria credibilidade a tais escritos. Muitos escritores fizeram exatamente isso, e nunca admitiriam que as palavras eram suas. Atualmente, chamamos esses livros de pseudônimos (literalmente, "falsamente atribuído a determinado autor").

1.1.2. O Intermediário Humano (1.1b,2).
O Apocalipse é diferente de outros apocalipses, e essa é a razão por que consta de nossa Bíblia. João não esconde sua identidade. Ele é uma boa testemunha, como lembra à sua audiência (1.2). Foi escolhido por Deus para atestar a primeira vinda de Jesus, o Verbo de Deus (Jo 1.1ss; 1Jo 1.1-4). A maioria dos estudiosos entende que somente ele, dentre os discípulos, viu a crucificação (Jo 19.25-27), tornando-se assim a fiel "testemunha" de Jesus (Ap 1.3; veja o tópico relacionado a testemunhar em 6.9). Embora seu papel aqui seja apenas o de um escriba, não há dúvida de que ele assume pessoalmente a responsabilidade por seus escritos.

1.1.3. Os Destinatários que em Breve Seriam Abençoados (1.3).
O autor não menciona, de início, o nome de seus primeiros leitores, deixando para fazê-lo no verso 4. Ao invés disto, a bênção é primeiramente pronunciada àquele que lê, àqueles que ouvem, e especialmente àqueles que obedecem à Palavra.

Podemos observar aqui algumas diferenças culturais em relação aos nossos dias. No início, existia apenas uma cópia desse apocalipse, e um único mensageiro para levá-la desde João até às sete igrejas que estavam na Ásia Menor (v.4). Este mensageiro tinha a responsabilidade de ler a carta em cada uma das igrejas. Os primeiros destinatários ouviram, e não leram pessoalmente sua mensagem. Somente mais tarde foram feitas cópias para cada igreja cristã. Mesmo assim passar-se-iam mais de mil anos até que cada um dos crentes pudesse ter a sua própria cópia. Aquele mensageiro foi o portador de algo verdadeiramente precioso.

1.2. A Introdução Epistolar (1.4-7)

A segunda introdução do Apocalipse é a de uma carta. Assim como as cartas modernas, as antigas também tinham certos elementos que geralmente apareciam em uma ordem específica: autor, destinatário, saudação e oração. O Apocalipse segue essa estrutura geral.

1.2.1. O Autor (1.4a). O autor se identifica simplesmente como João. O fato de se identificar de uma maneira tão simples indica que ele acredita que as igrejas o reconheceriam facilmente (para maiores informações sobre sua identidade, veja o tópico relacionado ao autor na introdução deste comentário).

1.2.2. Os Destinatários (1.4b). O Apocalipse foi dirigido a sete antigas igrejas específicas. Os romanos chamavam a Ásia Menor de "província da Ásia"; todas as sete igrejas estavam localizadas nesta região. Os destinatários originais deste livro eram os membros dessas igrejas e não os cristãos contemporâneos. Devemos ser suficientemente humildes para admitir que estamos simplesmente compartilhando a mensagem de Deus que lhes foi enviada. Através do Apocalipse, Deus continua a falar aos cristãos de nossos dias, mas devemos honestamente considerar em primeiro lugar o que este livro dizia à sua audiência original. Somente depois disso poderemos perguntar o que Deus tem a nos dizer através dele.

Esse ponto é particularmente importante ao interpretar esta obra. Mais do que a qualquer outro livro da Bíblia, os cristãos deram ao Apocalipse várias interpretações discutíveis, se não incorretas. A cada ano é editada uma nova "compreensão", mais sensacional do que a anterior. A interpretação do ano anterior (muitas vezes pelo mesmo autor) é muitas vezes esquecida em meio à onda da promoção organizada para a última publicação. A instabilidade dessa espécie de livros deve nos prevenir de que estes são o resultado de esforços humanos e não da orientação de Deus. Não devemos nos deixar levar por estes (Ef 4.14).

Como Deus é eterno e imutável (Tg 1.16,17), devemos esperar que o mesmo seja verdade em relação à sua Palavra (Mt 5.18). Sua mensagem à sua Igreja é confiável e fidedigna e não desordenada e instável. Quando consideramos o que esse livro disse à sua audiência original, nossa interpretação passa a ser mais firme e equilibrada. Com muita freqüência torcemos o sentido do Apocalipse, forçando-o a responder questões sobre as manchetes de cada dia — mesmo que o livro nada tenha a dizer sobre elas. Devemos aprender a nos importar mais com aquilo que Deus deseja dizer, do que com aquilo que desejamos ouvir — muitas vezes trata-se de algo bastante diferente! Essa atitude de submissão é agradável a Deus e afina nossos ouvidos para que possamos compreender a sua voz.

1.2.3. A Saudação (1.4c,5a). A saudação de João começa com a tradicional frase "graça e paz", muito conhecida dos leitores de Pedro e de Paulo (por exemplo, 1 Co 1.3; 1 Ts 1.1; 1 Pe 1.2). Como as cartas da Bíblia são inspiradas por Deus, as saudações geralmente incluem os nomes de cada membro da Trindade. Seus títulos são modificados à luz da situação da audiência. No Apocalipse, o título enfatiza a eternidade do Pai, a onipresença do Espírito e o martírio de Jesus, o Filho de Deus — tudo isso prenunciando a principal mensagem do livro. Os leitores deverão se lembrar dessa verdade se desejam resistir às provações futuras.

O Apocalipse Vem:

1.2.3.1. Do Deus Eterno (1.4c). Deus, o Pai, é aquEle "que é, e que era, e que há de vir" (v.4; cf. v.8). Esse é um dos versos da Bíblia mais erroneamente citados. A ordem não é cronológica, como poderíamos esperar ("é, era, e há de vir") e, deliberadamente, coloca o presente antes do passado e do futuro, enfatizando que Deus, o Pai, é o Deus "que é".

Esse título:
1) Lembra-nos do nome de Deus no pacto do Antigo Testamento, quando Ele se revelou como Yahweh (ou Jeová,) cujo significado em hebraico é "Eu sou" (Êx 3.14).
2) Também prenuncia a verdadeira importância da "Besta" (Ap 17), que os primeiros cristãos consideraram tão ameaçadora. O livro descreve essa Besta como "a Besta que era e já não é, mas que virá" (17.8,11). Por esse motivo, esses cristãos reconheciam que essa Besta não era um Deus eterno e

imutável e nem poderia jamais ser comparada a Yahweh, o Deus "que é".

1.2.3.2. Do Espírito Santo (1.4d). O Espírito Santo é descrito como os "sete espíritos" ou, melhor dizendo, o "Espírito Sétuplo" diante do trono de Deus. Posteriormente, Ele é descrito como as "sete lâmpadas de fogo" (4.5), uma imagem que certamente se origina do menorá judeu, isto é, um candelabro com sete braços e sete chamas. Sua posição em frente ao trono lembra o interior de um tabernáculo ou templo, onde o menorá queimava continuamente em frente à Arca da Aliança, ou trono de Deus no Antigo Testamento (Êx 25.37; 37.23). Ele lembrava aos israelitas que Deus nunca dorme, nem sequer tira um dia de folga. Deus está sempre "trabalhando" e é capaz de defender seu povo (Sl 121; cf. 1 Rs 18.27). Da mesma forma, as chamas que apareceram sobre cada crente no dia de Pentecostes, após a ressurreição, eram um símbolo visível da presença do Espírito Santo (At 2).

Não deixa de ser coincidência o fato de existirem sete chamas — uma chama para cada uma das sete igrejas mencionadas no Apocalipse. O interessante é que a presença do Espírito continua a queimar entre elas (1 Co 3.16; 6.19). Deus não as esqueceu, nem ignorou o seu sofrimento. A visão que João teve de Cristo caminhando entre os castiçais (Ap 1.12,13) vem reforçar essa mensagem.

1.2.3.3. De Jesus Cristo (1.5a). Jesus tem uma relação de títulos pouco comum. Poderíamos esperar, por exemplo, "Messias" ou "Filho de Deus", mas a lista abaixo nos lembra de sua vida terrena. Jesus foi a "fiel testemunha"; testemunhou fielmente a respeito de Deus, a ponto de entregar a sua própria vida. Foi o "primogênito dos mortos" e Deus o ressuscitou no terceiro dia. Portanto, agora Ele é o "príncipe dos reis da terra" (v.5); Ele reina com supremacia no céu.

Se desejarmos analisar esses títulos, precisamos lembrar que os primeiros seguidores de Jesus eram chamados de seguidores do "Caminho" (At 9.2; 19.9,23; 24.14,22; cf. Jo 14.4-6). Os títulos aqui descrevem o "Caminho" para a vida eterna, em ordem cronológica. Em primeiro lugar, devemos viver fielmente e testificar a respeito de Deus, mesmo que isso signifique a morte. Somente depois experimentaremos a ressurreição e a glorificação. Esse é o caminho em que todos os seguidores de Jesus devem andar.

Infelizmente, muitos membros dessas primeiras igrejas tentaram seguir por um atalho. Não queriam viver na prática a parte que falava a respeito de uma vida de perseverança, e até mesmo da morte, mas gostariam de encaminhar-se diretamente para o estágio da glorificação. Essa mudança em sua teologia havia sido influenciada por uma florescente economia. A Ásia Menor estava desfrutando uma prosperidade regional sem precedentes. Eles haviam sido seduzidos pelo "triunfalismo" (cf. 1 Co 4.8ss), uma teologia um pouco parecida com a doutrina contemporânea do "Reino Agora". Alguns deles podem ter acreditado até mesmo que jamais experimentariam a morte (cf. 1 Ts 4.13-18). Convencidos de que Jesus retornaria imediatamente e estabeleceria seu reino, foram surpreendidos por uma implacável perseguição por parte de Roma.

O primeiro passo era aquele que os primeiros cristãos não queriam dar, isto é, a morte. "Fiel mártir" é uma tradução muito melhor da frase grega, do que "fiel testemunha". Ela não só significa a morte para o próprio eu ("abnegação"), mas também a morte física por amor ao Evangelho ("martírio"; veja o tópico relacionado a testemunhar em 6.9). Essa tradução também nos ajuda a entender melhor por que gostariam de evitar a morte e chegar logo ao estágio onde seriam "reis e sacerdotes" (1.6). O martírio é geralmente doloroso. Quem não gostaria de fugir do martírio se este pudesse ser evitado?

O Apocalipse, de certa forma, é uma chamada ao martírio cristão. Através de inúmeras imagens fantásticas, sua mensagem mais importante reproduz exatamente o que Jesus disse enquanto ainda estava na terra: 'Se alguém quiser vir após mim, renuncie-se a si mesmo, tome sobre si a sua cruz e siga-me" (Mt 16.24; cf. Lc 9.23). Paulo também precisou lembrar essa verdade aos filipenses, por meio de um hino que foi registrado em Filipenses 2.6-11.

O apóstolo lhes disse que sua atitude deve ser a mesma de Jesus Cristo:

Que, sendo em forma de Deus, não teve por usurpação ser igual a Deus.
Mas aniquilou-se a si mesmo, tomando a forma de servo, fazendo-se semelhante aos homens;
e, achado na forma de homem, humilhou-se a si mesmo, sendo obediente até à morte e morte de cruz.
Pelo que também Deus o exaltou soberanamente e lhe deu um nome que é sobre todo o nome,
para que ao nome de Jesus se dobre todo joelho dos que estão nos céus, e na terra, e debaixo da terra,
e toda língua confesse que Jesus Cristo é o Senhor, para glória de Deus Pai.

E nos versos 12 e 13 o apóstolo diz: De sorte que, meus amados, assim como sempre obedecestes, não só na minha presença, mas muito mais agora na minha ausência, assim também operai a vossa salvação com temor e tremor; porque Deus é o que opera em vós tanto o querer como o efetuar, segundo a sua boa vontade.

A cruz de Cristo continua a desafiar todos os cristãos através dos séculos. Muitos cristãos contemporâneos, adeptos da "Teologia da Prosperidade", freqüentemente se esquecem de que, assim como hoje, o sofrimento era uma realidade para muitos cristãos do período bíblico. Faríamos bem em lembrar que nossa experiência é atípica. Não devemos nunca nos deixar seduzir pelas riquezas que nos rodeiam ou por aqueles que são coniventes com o poder e a glória deste mundo. Devemos nos humilhar e obedecer a Deus. O primeiro passo no "Caminho" de Cristo ainda é a humildade e a abnegação, muitas vezes acompanhadas pelo sofrimento e até pelo martírio. Participaremos do poder e da glória como "reis e sacerdotes" após nossa morte e ressurreição (Mt 20.21-23; 2 Tm 2.12).

Os maiores escritores devocionais contemporâneos estão conscientes desta verdade, e relacionam suas alegorias sobre a vida cristã a esse tema. A leitura de suas obras nos fará lembrar dessa grande verdade (veja, por exemplo, o livro de Hannah Haurnard, chamado *Hinds' Feet in High Places*, ou *O Peregrino*, de John Bunyan). Eles também nos ajudarão a desenvolver uma saudável teologia, imune às mudanças de nossa economia.

1.2.4. A Oração Litúrgica (1.5b,6). Caso se tratasse de uma carta comum, neste ponto poderíamos esperar por uma oração. Considerando a perseguição às sete igrejas, provavelmente os cristãos estariam esperando uma oração por sua libertação, pela derrota dos inimigos da Igreja e pela volta imediata de Jesus Cristo. João não pediu nada disso, implicando tacitamente que tudo estava ocorrendo de acordo com o plano de Deus.

Ao invés de pedir a melhoria da situação, João ora para que, através dela, Deus seja glorificado. Sua oração também encoraja as igrejas a se manterem obedientes, lembrando o passado: Jesus amou-os de tal maneira que sacrificou sua vida a seu favor. Lembra-lhes também a respeito de seu futuro: se obedecerem, receberão o reino eterno e o sacerdócio de Deus. A antiga promessa feita a Israel (Êx 19.6) havia sido recentemente expandida para incluir a Igreja (1 Pe 2.5,9; cf. Ap 5.10).

A oração, nesse ponto, é mais formal e mais litúrgica do que nas outras cartas do Novo Testamento. Sob esse aspecto, esta acompanha as descrições dos rituais solenes da Igreja, que mais tarde aparecem no livro. João termina a oração com o tradicional "Amém", embora esse termo possa ser parte de um jogo de palavras com um dos títulos de Jesus (veja "O Amém" em 3.14).

1.2.5. A Profecia Litúrgica (1.7). Nas cartas comuns do Novo Testamento, o corpo da carta vinha logo após a oração. Aqui João incluiu mais dois elementos litúrgicos: uma profecia (v.7) e uma exortação (v.8), que podem muito bem representar os elementos dos cultos dessas sete igrejas antigas, além de estabelecer o cenário para os futuros rituais do livro.

A profecia da vinda de Jesus representa uma mistura de duas profecias do Antigo Testamento. Uma delas diz respeito à vinda do Filho do Homem com as nuvens (Dn 7.13; cf. Mt 26.64; Mc 13.26; Lc 21.27; At 1.9-11; 1 Ts 4.17), e a outra prediz o lamento daqueles que virem aquEle a quem trespassaram (Zc 12.10; cf. Jo 19.34).

O Apocalipse proclama que Jesus "vem com as nuvens" (v.7). A associação de Deus com as nuvens é muito antiga. Um arco-íris nas nuvens nos lembra o pacto com Noé (Gn 9.13-16), e Deus também mostrou sua presença entre os israelitas no deserto, por meio de uma nuvem durante o dia (Êx 13.21; veja "O Pálio de *Shekinah*" em 7.15). O Antigo Testamento descreve Deus como "aquele que vai sobre os céus" ou, "cavalga sobre as nuvens" (Sl 68.4; cf. 104.3), e as nuvens que se tornam mais notáveis quando Ele vier para julgar no Dia do Senhor (Ez 30.3; Dn 7.13; Jl 2.2; Sf 1.15). Da mesma forma, Jesus voltará "com as nuvens" no Dia do Senhor.

O emprego da expressão "com as nuvens", ao invés de "nas nuvens" como fez João, é bastante incomum (somente o texto em hebraico de Daniel 7.13 traz esta expressão). A profecia pode estar se referindo às nuvens tempestuosas que precedem as chuvas de outono em Israel. Os sumo sacerdotes pediam essas chuvas, assim como faziam em relação à ressurreição dos mortos, quando ofereciam as libações diárias ao pôr-do-sol, durante a Festa anual dos Tabernáculos (Jo 7).

1.2.6. A Exortação Litúrgica (1.8). último elemento litúrgico que aparece na introdução é a exortação, que enfatiza a eternidade de Deus, sua presença e seu poder. "Alfa" é a primeira letra do alfabeto grego e "Ômega" é a última. "O Alfa e o Ômega" (1.8; 21.6; 22.13) é uma outra forma de dizer que Deus é "o Primeiro e o Último" (1.17; 22.13; cf. Is 44.6; 48.12) ou "o Princípio e o Fim" (Ap 21.6; 22.13; cf. Hb 7.3). Essas duas últimas frases aparecem nas profecias de Isaías que descrevem a singularidade e a presciência de Deus (veja Is 44.6-8; 46.10):

"Assim diz o Senhor, Rei de Israel e seu
    Redentor, o Senhor dos Exércitos:
Eu sou o primeiro e eu sou o último, e
    fora de mim não há Deus.
E quem chamará como eu, e anunciará
    isso, e o porá em ordem perante mim,
    desde que ordenei um povo eterno?
Este que anuncie as coisas futuras e
    as que ainda hão de vir.
Não vos assombreis, nem temais; porventura, desde então, não vo-lo fiz
    ouvir e não vo-lo anunciei?
Porque vós sois as minhas testemunhas.
    Há outro Deus além de mim? Não! Não
    há outra Rocha que eu conheça"...
"Anuncio o fim desde o princípio e, desde
    a antiguidade, as coisas que ainda
    não sucederam;
que digo: o meu conselho será firme, e
    farei toda a minha vontade".

Os títulos lembram ao leitor de Apocalipse que Deus tinha tudo planejado, até o menor detalhe, durante muito, muito tempo. O Alfa e o Ômega que aparecem aqui se referem ao Pai, não ao Filho, como podemos ver comparando a frase do verso 8 "que é e que era, e que há de vir" com o verso 4. As duas frases se ajustam e encerram essa introdução epistolar.

2. As Visões (1.9-22.5)

No livro de Apocalipse encontramos o registro das visões de João a respeito dos rituais celestiais. Após um breve resumo da ocasião (1.9-11), João tem quatro dessas visões (ou talvez uma visão com quatro cenas). As primeiras três são de Cristo: (1) no menorá (1.12-3.22), (2) no trono de Deus (4.1-13.18) e (3) no monte Sião (14.1-16.21). A quarta visão é a da Noiva de Cristo, a Igreja (21.1-22.5). Essa visão descreve, com minuciosos detalhes, a Noiva e seu ambiente, porém não mostra o próprio ritual, isto é, a cerimônia de casamento.

2.1. A Ocasião (1.9-11)

Assim como as sete igrejas, João também estava sofrendo perseguições por causa de sua fé. Ele estava exilado na ilha de

Patmos "por causa da palavra de Deus e pelo testemunho de Jesus Cristo" (v.9). Da mesma forma que as igrejas, ele também sofreria pacientemente até a volta de Jesus Cristo. Em outras palavras, tanto o profeta como sua audiência compartilhavam a mesma situação, exatamente como compartilhavam a mesma fé em Deus.

João estava entre aqueles que foram batizados com o Espírito Santo no dia de Pentecostes (At 2). Agora ele está novamente "em Espírito". A trombeta soa (veja o tópico que se refere à trombeta em 8.2) alertando-o que Deus está prestes a falar. Deus lhe dá uma visão. As visões, como os sonhos, são uma característica dos últimos dias (Jl 2.28-31; cf. At 2.16-21). Provérbios 29.18 diz: "Não havendo profecia, o povo se corrompe" ou "Onde não há revelação, o povo fica sem freio". As sete igrejas (e João) precisavam dessas visões, a fim de serem pacientes e perseverantes.

Aqueles que procuram entender o Apocalipse devem lembrar-se de que a maior parte do livro é constituída pelo registro de uma visão. Ele registra o que João viu, mais do que aquilo que João ouviu, e essa perspectiva é muito importante. A maneira como os objetos aparecem e como os indivíduos agem em uma visão é, muitas vezes, mais importante do que aquilo que é falado. Por outro lado, Deus poderia ter simplesmente comunicado o que desejava através de palavras e não através de imagens.

As interpretações modernas do livro de Apocalipse podem ser classificadas em três categorias gerais, baseadas no tipo de atitudes que os crentes preferem adotar; transformar, transcender ou transfigurar:
1) Alguns consideram o livro como uma exortação às armas, à revolta e à revolução. Pretendem "transformar" a sociedade. Isso está em conformidade com aqueles que se consideram poderosos e capazes de assumir ações efetivas e reais. Os fanáticos, os membros de milícias e os adeptos do "Reino Agora" podem ser classificados dentro dessa categoria.
2) Outros afirmam que a resposta correta é "transcender". Essa poderia ser uma forma "cristianizada" de meditação transcendental: isto é, negar a realidade da carne a fim de se elevar acima da dor, do sofrimento ou da perseguição. Estes simplesmente ignoram a realidade ou se desprendem do mundo como um todo. Isso está muito próximo do que fez a igreja evangélica dos Estados Unidos na primeira metade do século XX. Retirando-se da sociedade em geral, erigiu sua própria contracultura, uma espécie de "gueto" cristão, com sua própria cultura, música, lojas, escolas e universidades. Decidiram simplesmente esperar a volta de Jesus, abandonando o mundo à sua própria sorte. As comunidades fundamentalistas cristãs representam a versão mais extrema dessa atitude.
3) A atitude mais difícil é a "transfiguração". Nesse sentido, transfiguração significa a reinterpretação de uma situação, sem nunca procurarmos negá-la ou transformá-la. Implica reconhecer que o sofrimento é doloroso, porém necessário ao amadurecimento cristão. Deve-se apenas suportá-lo. Significa, também, continuar suficientemente engajado com a sociedade para alcançar alguma influência, sem acreditar que a Igreja prevalecerá nesta vida. É a Igreja que está "no mundo", mas que não é "do mundo" (Jo 17.11-14), pela qual Jesus intercedeu junto ao Pai. Este é o paciente sofrimento a que os leitores são exortados pelo Apocalipse.

Artigo: O "Dia do Senhor" (1.10)

A palavra hebraica "dia" significa um período de tempo, não necessariamente de doze ou vinte e quatro horas. Os estudiosos discordam de que a frase "Dia do Senhor" possa significar o sábado judeu, o domingo cristão, ou simplesmente o Dia do Senhor do fim dos tempos. Este autor acredita que ela se refira principalmente à Festa dos Tabernáculos, o cenário litúrgico para o Apocalipse, talvez exatamente a ocasião em que João teve essa visão.

Isso não quer dizer necessariamente que quaisquer outras opções estejam descartadas. A visão poderia ter ocorrido em qualquer sábado da festa judaica, um dos sábados especialmente festivos com o qual a festa se iniciava ou terminava, ou no domingo que acontecia durante a festa, ou mesmo em um sábado especialmente festivo que também poderia coincidir com um domingo cristão (em quaisquer desses casos, todos estariam corretos!).

Para essa interpretação, seria muito importante que a visão de João coincidisse com a Festa dos Tabernáculos, pois está repleta de cânticos, rituais, citações, alusões e uma simbologia voltada às Escrituras. Se essas imagens tivessem sido extraídas da Festa dos Tabernáculos, nossas chances de entendê-las seriam bem maiores. Quanto mais aprendermos a respeito da Festa dos Tabernáculos, especialmente como era celebrada na época de João, melhor entenderemos o Apocalipse.

As provas de que havia um cenário da Festa dos Tabernáculos na ocasião em que João escreveu o Apocalipse são extensas, porém complicadas. Ao invés de mostrá-las como um conjunto, serão mencionadas ao longo deste comentário. Dessa forma, as observações surgirão onde forem mais úteis. A introdução deste comentário traz um resumo e uma pesquisa bíblica feitos por estudiosos que reconheceram nesse livro o ambiente da Festa dos Tabernáculos como o seu cenário litúrgico.

Essa passagem contém uma pista bastante importante para o cenário dos Tabernáculos. João emprega um nome antigo para essa Festa, o "Dia do Senhor" (v.10). Além disso, o autor usa posteriormente dois sinônimos no livro. Na ocasião do julgamento, os reis e os tribunos exclamarão: "É vindo o grande dia da sua ira" (6.17). Mais tarde, esse mesmo período é chamado de "grande dia do Deus Todo-poderoso" (16.14), o dia em que ocorrerá a batalha do Armagedom (v.16).

A Festa dos Tabernáculos era a maior festa do período do Antigo Testamento (veja, por exemplo, Josefo, *Ant.* 4.4.1; 15.3.3). Era chamada por vários nomes, "solenidade (ou festa) do Senhor" (Jz 21.19; cf. 1 Sm 1.20),

As Sete Igrejas da Ásia

João escreveu o livro do Apocalipse às sete igrejas localizadas na província da Ásia Menor. Depois de deixar a ilha de Patmos, ele viveu seus últimos dias em Éfeso.

"reunião solene" (Os 12.9) ou simplesmente "festa ao Senhor" (Nm 29.12). Por ser a festa maior, ela se torna, por extensão, o "Dia do Senhor". "Que fareis vós no dia da solenidade e no dia da festa do Senhor?" (Os 9.5, tradução literal)

A celebração dos Tabernáculos incluía a leitura diária de certas passagens das Escrituras. Essas passagens revelam alguns dos temas ligados à festa. Além das instruções para a sua celebração encontradas na Lei, as leituras incluíam 1 Reis 8.2-66; Jeremias 17.7ss; Ezequiel 38.18ss; Zacarias 14.1-21; Malaquias 3.10-4.6 e o Grande Hallel (os Salmos 113-118 que eram lidos duas vezes ao dia).

A expressão "Dia do Senhor", ou qualquer outra equivalente, aparece muitas vezes inserida ou em torno dessas passagens. A passagem em Zacarias 14, por exemplo, é um pequeno resumo do Apocalipse; ela começa com o "dia do Senhor" (Zc 14.1; cf. Ap 1.10) e termina com uma cidade santa onde todas as nações se reúnem para adorar a Deus na Festa dos Tabernáculos (Zc 14.16-21; cf. Ap 21-22). Malaquias menciona o "dia da sua vinda" (Ml 3.2) ou "o dia em que Eu [o Senhor] agirei" ou ainda "naquele dia que farei" (v.17, veja nota da NIV), e o "grande e terrível dia do Senhor" (4.5). O profeta Ezequiel prevê o dia de sua vinda (Ez 39.8), enquanto Jeremias adverte a respeito do "dia de aflição" (Jr 17.16,17). O salmista lembra ao povo que este é o dia que o Senhor fez (Sl 118.24). Outras referências das Escrituras incluem "aquele dia" (Ez 38.18,19; 39.11; Zc 14.4,6,8,9,13,20,21) e "o dia" (Ez 39.8; Ml 4.1,3; cf. "o dia em que eu tirei o meu povo de Israel do Egito" [1 Rs 8.16]).

Muitos estudiosos modernos reconhecem que o conceito profético de um futuro "Dia do Senhor" evoluiu da liturgia da Festa dos Tabernáculos (Gray 4-5, 14; Cross, 111). Danièlou vai mais longe, pois em sua obra *Primitive Christian Symbols* diz que o Apocalipse contém o primeiro "simbolismo escatológico cristão dos Tabernáculos"(6).

A liturgia dos Tabernáculos também explica o uso de outras passagens no livro de Apocalipse. Ela está repleta de citações e alusões às principais passagens do Antigo Testamento que descrevem o Dia do Senhor (Is 2.12; 13.6,9; 22.5; 34.8; Ez 7.10; 13.5; 30.3; Jl 1.15; 2.1,11,31; 3.14; Am 5.18-20; Ob 15; Sf 1.7,8,14-18). Numerosas passagens do Apocalipse contêm descrições semelhantes do Sol, da Lua e das estrelas sendo estremecidos (ou escurecidos), e terremotos na terra (Ap 6.12-14; 8.5,7-12; 9.2; 11.13,19; 12.4; 16.8-11,18-21; 20.11), eventos particularmente relacionados a esse "dia" na literatura profética.

De alguma forma, somos o oposto dos primeiros leitores desse livro. Eles sabiam muito a respeito da Festa dos Tabernáculos e sobre sua própria condição; o livro de Apocalipse era uma novidade para eles. Nós, ao contrário, conhecemos bem esse livro, mas somos muitas vezes ignorantes a respeito das dificuldades enfrentadas pela Igreja do primeiro século e dos detalhes da Festa dos Tabernáculos.

Se pudéssemos considerar o livro de Apocalipse a partir do mesmo ponto de vista dos irmãos da igreja primitiva, reconheceríamos imediatamente sua ligação com os Tabernáculos. Ninguém que celebrasse essa festa, no primeiro século d.C., desconheceria essa ligação. A frase "Dia do Senhor" aparece com muita freqüência na liturgia dessa festa, e essa é a razão pela qual o autor do livro a emprega em sua declaração de abertura para atrair a atenção dos leitores, quando diz: "Eu fui arrebatado em espírito, no dia do Senhor" (Ap 1.10).

2.2. A Primeira Visão: Jesus no Meio do Menorá (1.12-3.22)

2.2.1. A Aparição de Jesus (1.12-16). A visão de Jesus no meio dos castiçais deve servir de encorajamento a cada cristão. Os sete castiçais simbolizam as sete igrejas sofredoras (v.20). Jesus não está longe; mas junto delas (Mt 18.20; Jo 14.18). Esses castiçais fazem parte do Menorá que está diante do trono de Deus (4.5).

Assim, não é apenas Jesus que está próximo, mas também o Pai (Hb 13.5). Ele não abandonou os israelitas quando se recusaram a entrar na Terra Prometida. Durante aqueles longos quarenta anos de peregrinação pelo deserto, o Senhor permaneceu no tabernáculo, no centro do acampamento dos israelitas. Em uma ocasião posterior, enviou seu povo ao exílio por causa dos pecados que cometeram. Porém, mesmo assim, não os abandonou, mas equipou seu trono com rodas para que pudesse ir ao exílio junto com eles (Ez 1). Na verdade, o verdadeiro trono de Deus está sempre no meio dos louvores de seu povo (Sl 22.3; Jo 4.21-24), onde quer que estejam, a despeito daquilo que estejam enfrentando.

Deus não sente prazer no nosso sofrimento. Ele não nos permite sofrer porque nos odeia, ou porque esteja tentando nos punir, ou mesmo porque aprecie nossa dor. Antes, Ele sofre o tempo todo conosco (Jr 4.18; 31.20). O sofrimento nos amadurece e nos fortalece: ele testa a qualidade de nosso compromisso e de nossa obediência a Deus. Nosso caráter não é mostrado quando obedecer a Deus é fácil e agradável; o nosso verdadeiro caráter se revela quando continuamos a obedecer, mesmo diante das maiores adversidades. O Senhor Jesus Cristo demonstrou o relacionamento entre a obediência e o sofrimento quando esteve na terra (Hb 5.8; cf. 12.1-11). Se Jesus não deixou de tomar parte no sofrimento, como poderemos esperar, sinceramente, evitá-lo? A tristeza e o sofrimento, como explica Hannah Haurnard, são as companhias constantes daqueles que esperam escalar as alturas com os pés das "corças".

A desolação causada pelo sofrimento dessa vida é contrabalançada com o quadro da glória inabalável do mundo vindouro, exatamente como Paulo escreveu em Romanos 8.17,18: "E, se nós somos filhos, somos, logo, herdeiros também, herdeiros de Deus e co-herdeiros de Cristo; se é certo que com ele padecermos, para que também com ele sejamos glorificados".

> Porque para mim tenho por certo que as aflições deste tempo presente não são para comparar com a glória que em nós há de ser revelada.

Nosso sofrimento nessa vida pode ser comparado ao de uma mulher em trabalho de parto. Enquanto espera a chegada do recém-nascido, o trabalho é doloroso e intenso, mas, logo que vê seu filho, a memória da dor se torna insignificante. O que representam duas ou três horas de trabalho (ou vinte e quatro, ou quarenta e oito) comparadas com a alegria que um filho irá trazer aos pais nos próximos quarenta ou cinqüenta anos? O mesmo acontece com os filhos de Deus, conforme a seqüência de Paulo (Rm 8.22-24a):

> Porque sabemos que toda a criação geme e está juntamente com dores de parto até agora. E não só ela, mas nós mesmos, que temos as primícias do Espírito, também gememos em nós mesmos, esperando a adoção, a saber, a redenção do nosso corpo. Porque, em esperança, somos salvos.

O aparecimento de Cristo com toda a sua glória serve para lembrar àqueles que o seguem o que devem esperar. Veremos, finalmente, face a face o Único que amamos à distância durante tantos anos, e com Ele viveremos para sempre. Como se isso não fosse suficiente, sabemos também que "seremos semelhantes a ele" (1 Jo 3.2). O retrato de Jesus no Apocalipse 1.11-16 não corresponde à sua aparência sobre a cruz (Is 53). Aqui Ele irradia vida e vitalidade (cf. Ez 8.2), é poderoso e está novamente em sua posição real. Ele é divino, o "Príncipe dos reis da terra" (Ap 15). Será que poderíamos reconhecê-lo como o mesmo Jesus, isto é, o "Cordeiro, que foi morto"? (Ap 5.6,9,12; 13.8)

Existe uma dramática incongruência entre a aparência de Cristo neste livro e sua aparência na terra. São completamente opostas, e o mesmo acontece com a Igreja. Não aparentamos o que realmente seremos e temos que escolher em qual "realidade" acreditaremos. Temos que decidir se seguiremos ou não o caminho de Jesus.

2.2.2. As Instruções de Jesus (1.17-20). Que choque deve ter sentido João ao ver Jesus em toda a sua glória! Como poderia ser a mesma pessoa com a qual havia caminhado na Palestina? Mesmo depois de sua ressurreição, Jesus nunca apareceu a seus discípulos na plenitude de sua realeza. Somente sua aparência durante a transfiguração no monte poderia se igualar a essa imagem. E até Pedro ficou chocado, como indicam os evangelhos sinópticos (Mt 17.1-7; Mc 9.2-8).

João foi muito prudente ao cair de joelhos ao ver Jesus. "O temor do Senhor é o princípio da sabedoria" (Sl 111.10). Somente aqueles que não conhecem a Deus não o temem. Então, por que Jesus disse a João que não temesse? É porque João havia sido lavado no sangue do Cordeiro.

Todo esse incidente é uma reminiscência de Isaías 43. Esse capítulo é demasiadamente longo para ser citado aqui, mas fala a respeito de temor (v.1), testemunhas (v.10), salvação (v. 11), redenção (v.14) e do castigo da Babilônia (v.14). Começa de maneira semelhante: "Não temas, porque eu te remi; chamei-te pelo teu nome; tu és meu" (v.1), e está ligado a esta passagem pelo conceito da eternidade de Jesus (cf. "o Primeiro e o Último", Ap 1.17; Is 43.10,11):

> "Vós sois as minhas testemunhas, diz o Senhor, e o meu servo, a quem escolhi;
> para que o saibais, e me creiais, e entendais que eu sou o mesmo,
> e que antes de mim deus nenhum se formou, e depois de mim nenhum haverá.
> Eu, eu sou o Senhor, e fora de mim não há Salvador".

Jesus coloca sua mão sobre João (v.17) e o tranqüiliza lembrando-o de sua morte e ressurreição (João havia testemunhado os dois eventos). Seu nome agora é "o que vive" (v.18).

Artigo: As Chaves (1.18)

Jesus também diz a João que tem "as chaves da morte e do hades". A palavra "hades" não deve ser confundida com o inferno ou o lago de fogo (20.14). Ela significa "túmulo", que equivale ao termo hebraico *sheol*. A ressurreição dos justos que morreram representa uma das grandes promessas feitas àqueles que seguem a Jesus. Ele, e somente Ele, tem as chaves para essa ressurreição (veja o tópico referente à ressurreição dos justos em 20.4).

Existem duas tradições rabínicas relacionadas a esse tema que podem nos ajudar a entender essas chaves. Uma tradição diz que elas são as chaves das primeiras e das últimas chuvas; a outra tradição afirma que se referem ao nascimento e à ressurreição dos mortos. Ambas ligam as chaves ao Messias e à Festa dos Tabernáculos (b. *Ta'anith* 2a-b; *Midr. Rabba Gênesis* 13.6; t. *Suk.* 3.10B). Em cada manhã, durante a festa, o sumo sacerdote orava pela chuva de outono (a última) e pela ressurreição dos mortos.

Uma interessante descoberta arqueológica, atualmente preservada no "Metropolitan Museum of Art" na cidade de Nova York, nos dá testemunho dessa ligação. Trata-se de uma garrafa de vidro sextavada e ornamentada em cada uma das faces com símbolos associados à Festa dos Tabernáculos. Os arqueólogos descobriram fragmentos de uma garrafa idêntica durante escavações feitas no lado antigo de Jerusalém. Engle sugeriu que essas garrafas eram manufaturadas em grande número e vendidas aos peregrinos durante as festas.[3]

Os símbolos que ornamentam a garrafa incluem duas chaves, um cântaro, uma flauta de bambu, um cacho de uvas e uma xícara ou tigela com duas alças. Engle supõe que a imagem do cântaro simboliza o cântaro de ouro usado na cerimônia das libações com água. O cálice de duas alças representa um recipiente de líquidos para as libações ou para o azeite dos menorás, erigidos para a festa no pátio do Templo. A flauta de bambu era tocada em volta do altar todos os dias, exceto no sábado judeu. A referência à colheita da uva é bastante clara, através do símbolo do cacho de uvas. Este autor acredita que a própria garrafa, com vinhas, ramos, fitas e abertura superior, se parece com uma das tendas nas quais os peregrinos viviam durante a Festa dos Tabernáculos (cf. Lv 23.42,43; Ne 8.14-17).

Artigo: A Tarefa de João (1.19)

Muitos leitores modernos cometem o erro de pensar que tudo no Apocalipse está no futuro, ou pelo menos, estava no futuro para João e as igrejas do primeiro século. Mas isso está longe de ser verdade. Jesus disse a João, especificamente, que ele devia escrever a respeito de seu passado, presente e futuro (v.19).

Isso é bastante normal no estilo apocalíptico e nas profecias, pois ambos se originam da estrutura do pacto. Primeiramente identificada por George E. Mendenhall, essa estrutura é a seguinte: identificação das partes, prólogo histórico, estipulações (mandamentos), provisões para a leitura pública e depósito, testemunhas do pacto, bênçãos e maldições (benefícios pela celebração do pacto e penalidades pela sua desobediência).[4]

O prólogo histórico é representado por um breve resumo do relacionamento entre as partes até aquele ponto (seu passado). Os mandamentos da lei são instruções para a vida diária (seu presente) e as bênçãos e maldições (seu futuro) representam incentivos para agir corretamente, acreditando que as partes desejavam ser abençoadas no futuro. Uma profecia ou oráculo profético

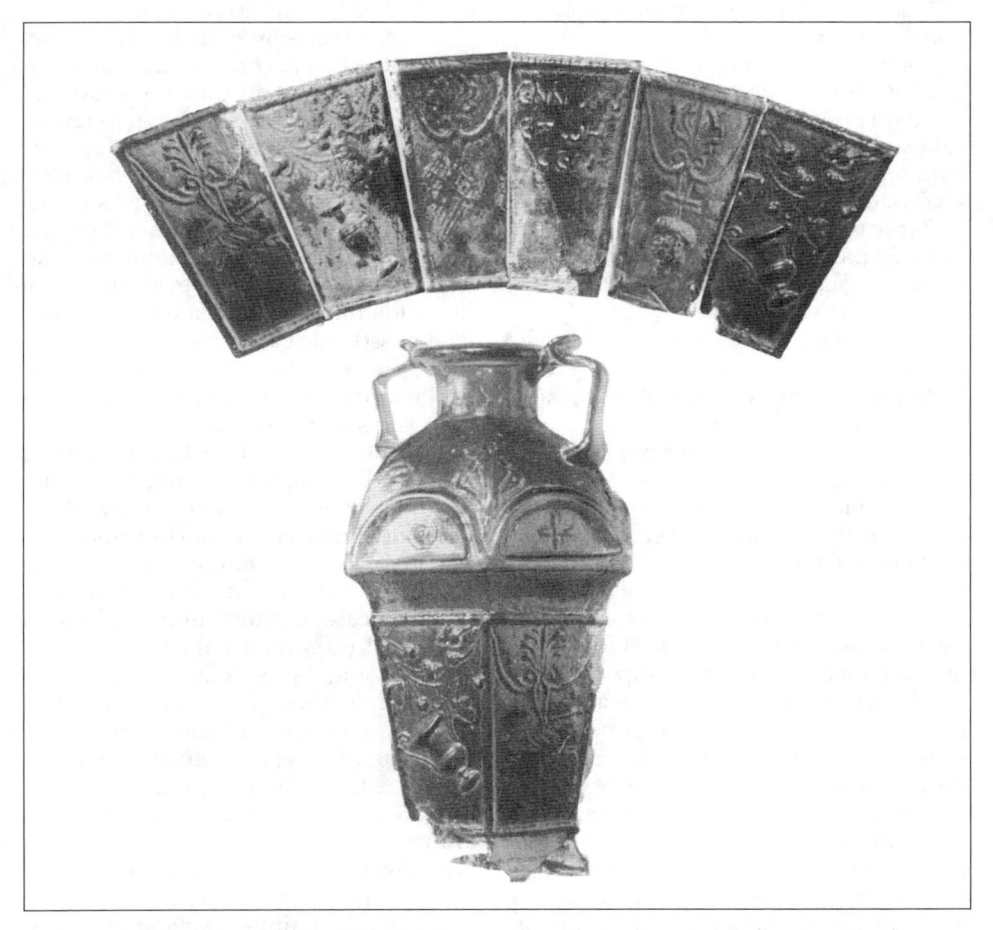

Esse modelo de garrafa sextavada, feito com vidro soprado, era vendido aos peregrinos durante a Festa dos Tabernáculos. Os símbolos sobre a garrafa incluem duas chaves, um cântaro, uma flauta de bambu, um cacho de uvas e uma xícara ou tigela com duas asas. *The Metropolitan Museum of Art*, doação de Henry G. Marquand, 1881 (81.10.224). Uso autorizado.

tem, muitas vezes, a mesma forma, isto é, revê o passado, critica os atos presentes das pessoas e, em seguida, adverte ou faz promessas para o futuro. Na verdade, não estaríamos exagerando ao afirmar que as previsões sobre o futuro existem, principalmente para motivar as pessoas a viverem corretamente no presente!

Muitos apocalipses diferentes, da época do Apocalipse, acompanham esse padrão como os pactos ou oráculos proféticos: o passado, o presente e o futuro. Esse instrumento literário ajuda os leitores a lembrarem-se de que Deus está no controle, e que Ele tem tudo planejado há muito, muito tempo.

Esse entendimento é profundamente importante para a interpretação do Apocalipse. Esse livro não só descreve acontecimentos que estão em nosso passado, mas os que estão no passado do próprio autor! Apocalipse 12 é um excelente exemplo disso com seus detalhes sobre o nascimento e ascensão de Jesus.

Existe uma fórmula simples, composta por três partes, para a interpretação do estilo apocalíptico e das profecias:

1) O que era passado para o autor é passado para nós.
2) O que era presente para o autor é passado para nós.
3) O que era futuro para o autor pode ser nosso passado (profecias cumpridas), nosso presente (profecias que estão se cumprindo) ou ainda nosso futuro (profecias que ainda não se cumpriram).

Obviamente, isso torna muito difícil estabelecer a data da visão do autor. Felizmente, os autores da literatura apocalíptica geralmente deixam duas pistas aos seus leitores. (1) Participam diretamente de seus escritos a fim de estabelecerem sua própria posição histórica no contexto. (2) Descrições de seu presente tendem a ser muito mais detalhadas do que as de seu passado ou futuro. Isso se deve ao fato de sua principal preocupação, assim como a dos profetas, continuar a ser como as pessoas devem agir no presente. Como veremos adiante, João deixa as duas pistas acima em seu Apocalipse.

Mesmo com essas sugestões, a parte futura da profecia permanece a mais difícil de ser interpretada. Seu cumprimento ainda não havia acontecido antes da Bíblia ser terminada, portanto, não temos como descobrir se tudo já havia se cumprido nesse momento. Mas somente poderemos ter certeza através do estudo da história da Igreja, da leitura diária dos jornais e da procura de Deus com a mente e o coração abertos. Mesmo assim, a Bíblia nos adverte contra obsessões doentias e vãs especulações (1 Tm 1.3,4; Tt 3.9). Em nosso estudo do Apocalipse nunca devemos nos envolver tanto com o futuro a ponto de deixarmos de viver para Deus no presente.

2.2.3. A Mensagem de Jesus: As Cartas às Sete Igrejas (2.1-3.22). Nenhuma outra seção do Apocalipse foi tão mal interpretada como as sete cartas às igrejas da Ásia Menor. Alguns argumentam que cada igreja representa um período de tempo na "história" da Igreja, outros dizem que cada carta representa um estágio na vida de qualquer igreja ou denominação individual e, ainda há outros que dizem que cada uma representa um estágio na vida pessoal de cada cristão.

A opinião mais simples, e adotada por nós, é que eram cartas reais para igrejas reais situadas na Ásia Menor. Não foram organizadas da melhor (Éfeso) para a pior (Laodicéia), nem da pior para a melhor, mas geograficamente — a partir do porto de Éfeso, em sentido anti-horário, ao longo das principais estradas da Ásia Menor, retornando a Éfeso. Além disso, cada carta contém alguma alusão a eventos locais ou à cultura da época. Sem dúvida, esses detalhes garantiam às congregações que João, e Jesus que ditou as cartas, entendiam perfeitamente a sua situação (veja os comentários sobre 1.12-3.22). Finalmente, as cartas têm um tom pastoral — mensagens de um Deus amoroso, através de um bispo santo, às congregações sob sua supervisão.

Essas igrejas realmente existiram — e realmente lutaram — exatamente como as cartas descrevem. Outros esquemas de interpretação são desnecessários e podem prejudicar a mensagem do Apocalipse.

Esses esquemas geralmente vulgarizam, ou até ignoram, o verdadeiro sofrimento dessas igrejas na esperança de tornar o Apocalipse mais relevante aos leitores modernos (estamos a favor da motivação, mas fazemos objeção ao método).

Como deveríamos interpretar essas sete cartas? Exatamente da mesma forma como interpretamos Gálatas, Tessalonicenses ou qualquer outra carta do Novo Testamento. Considere o seguinte: os nomes ou títulos de Jesus, um dos quais inicia cada uma das sete cartas, não estão limitados a apenas um período de tempo ou a uma cidade: Ele tem atualmente os mesmos títulos em todos os lugares. As bênçãos aos vencedores, na conclusão de cada carta, também pertencem a todos os vencedores, em todas as épocas e em todos os lugares. Não estão restritas aos "campeões espirituais" do primeiro século. Além disso, quando Deus diz que odeia a imoralidade (2.20) ou a idolatria (2.14), podemos ter certeza de que Ele ainda sente o mesmo em relação àqueles que praticam tais pecados.

Igreja por igreja, essas cartas descrevem a situação histórica na época em que o livro de Apocalipse foi escrito. Sua leitura cuidadosa nos ajudará a compreender o restante do livro — e a razão pela qual Deus deu a João esta grande visão: encorajar cada uma delas.

Cada uma das sete cartas do Apocalipse tem algo em comum com as demais. Todas têm os mesmos cinco elementos, e na mesma ordem: destinatário específico, autor, corpo da carta (que está dividido em duas seções, afirmação e exortação), interjeições narrativas e bênção final.

1) Cada carta está endereçada a um leitor humano ("anjo", que traduzido do grego também significa "mensageiro") da congregação local. Seres realmente angelicais, como poderíamos supor, não precisariam de uma carta que os informasse a respeito da vontade de Deus!
2) O autor de cada carta é Jesus Cristo. Os títulos que usa referindo-se a si mesmo são diferentes para cada igreja e, em cada caso, esse título ou nome é o mais relevante para as necessidades de cada igreja. Os títulos ajudam a tornar a mensagem mais clara àqueles que lêem o texto do Apocalipse pela primeira vez; leitores contemporâneos perceberão que esses mesmos títulos revelam importantes evidências a respeito da situação de cada igreja.
3) Embora curto, o corpo de cada carta avalia as condições de cada igreja. Geralmente, a primeira seção é positiva e a segunda é uma exortação (muitas vezes dentro do contexto de uma crítica). Existem três exceções: Sardes, a quinta igreja, não recebe qualquer elogio, enquanto Esmirna (a segunda) e Filadélfia (a sexta) não recebem críticas. Laodicéia, a sétima e última igreja, é caracterizada, muitas vezes, como a pior de todas. Ainda assim ela recebe um elogio, embora um tanto tíbio.
4) A interjeição narrativa, "Quem tem ouvidos, ouça o que o Espírito diz às igrejas" é a mesma em todas as cartas. Seria uma exortação litúrgica habitual?
5) As bênçãos são diferentes, porém compartilham certas características.
a) Não são universais, mas condicionais; somente os "vencedores" em cada congregação receberão estas futuras recompensas (veja o tópico referente aos vencedores em 2.7).
b) As bênçãos parecem ter sido selecionadas de acordo com a cultura local de cada congregação. Em outras palavras, para entendê-las será necessário um conhecimento tanto das fontes bíblicas do Apocalipse como do contexto histórico e cultural de cada igreja. Consideramos que até o momento a melhor obra sobre esse contexto foi escrita por Colin J. Hemer, *The Letters to the Seven Churches of Asia in Their Local Setting*. Muitas das análises a seguir estão relacionadas a esta obra.

2.2.3.1. A Carta à Igreja em Éfeso (2.1-7). A primeira carta do Apocalipse está dirigida à congregação que se reunia no porto de Éfeso (cf. At 18.18; 19.41). Lar de Priscila e Áquila (18.27), essa cidade foi provavelmente o lugar aonde chegou o portador do livro de Apocalipse. Paulo e Apolo também haviam ajudado a estabelecer a Igreja nesse local. O ministério de Paulo havia sido particularmente acompanhado pelo que Lucas chama de "maravilhas extraordinárias" (19.11). A comunidade cristã local também estava enfrentando uma terrível oposição, liderada pela associação dos ourives, cujos membros eram os artífices das lucrativas imagens de Ártemis (a mesma deusa Diana) (19.23-40; cf. 2 Tm 4.14-17). Paulo havia deixado a cidade pouco antes da rebelião que ali se instalou, instigada por esse grupo de artesãos.

Essa carta descreve Jesus como alguém que "caminha entre" suas igrejas e "segura" seus pastores em sua mão direita (2.1b; cf. 1.12,20). Assim, Ele está, ao mesmo tempo, presente e dando apoio aos seus servos. Essa imagem faz a ligação entre a primeira carta e a visão do capítulo anterior (1.12ss.), talvez de uma forma positiva, tendo também em vista a importante indústria de metais preciosos de Éfeso (At 19.23-40).

Jesus ordena à igreja de Éfeso que adote uma posição firme contra os falsos apóstolos (v.2,6). O mal-entendido anterior de Apolo, a respeito do batismo cristão (At 18.25,26; 19.1-3), prognosticava o problema que Éfeso enfrentaria com os falsos mestres e seus ensinos (Ap 2.2; cf. Ef 4.21; 1 Tm 1.3; 2 Tm 3.1-9; 4.3,4). Em suas cartas, Paulo menciona especificamente três diferentes falsas doutrinas: a proibição do casamento (1 Tm 4.3); a proibição da ingestão de certos alimentos (4.3) e o ensino de que a ressurreição corpórea já havia acontecido (2 Tm 2.18). Aparentemente, a igreja local havia resistido a esses ensinos e também aos nicolaítas (Ap 2.6; veja o tópico referente aos nicolaítas, aos balaamitas e jezabelitas em 2.6).

Infelizmente, a igreja de Éfeso não agiu bem nas áreas de seu comportamento e paixão por Cristo (v.4,5). Seus primeiros anos foram caracterizados por milagres e por um grande crescimento (At 19.11-20), mas dessa época em diante ela havia "descido" desse nível (Ap 2.5). Ainda faziam sacrifícios pelo reino de Deus e trabalhavam diligentemente (v.3), mas seu fervor já não era o mesmo (v.4). A igreja estava condenada — a não ser que se arrependesse e voltasse às primeiras obras que haviam-na tornado tão grande (v.5).

Essa carta indica que uma correta doutrina não é suficiente para fazer uma igreja se tornar forte, nem mesmo quando seus membros desempenham um grande trabalho. Um passado glorioso não é a garantia de um futuro brilhante. Grandes igrejas nascem de uma grande paixão por Jesus Cristo (por exemplo, Sl 42.1; Lc 24.32). Nesse clima, o evangelho é proclamado (At 19.10), os doentes são curados e os demônios são expulsos (v.12). Os pecados são confessados (v.18) e o mal é vencido (v.19). Resumindo, o reino de Deus se manifesta através de seu poder.

Artigo: Os Nicolaítas, os Balaamitas e os Jezabelitas (2.6)

Assim como as igrejas de hoje, as primeiras igrejas também tinham problemas internos e externos. Em Pérgamo, os adversários do verdadeiro cristianismo são descritos como seguidores de Balaão e/ou Nicolaítas, que comiam do alimento oferecido aos ídolos e praticavam imoralidades (2.14,15). Em Tiatira, os profetas de Jezabel estavam ensinando seus adeptos a fazerem as mesmas coisas (vv.20-22), intituladas pelo autor como "as profundezas de Satanás" (v.24). Quer fossem ou não formalmente participantes do mesmo sectarismo, devido à semelhança de seus atos parece-nos melhor reunir essas pessoas dentro de um único grupo.

Provavelmente, o problema básico era a adoração aos ídolos, ou qualquer outra atividade equivalente. Ritos festivos em frente a um ídolo, assim como relações sexuais praticadas com prostitutas de uma seita religiosa, eram práticas comuns em muitas religiões dispersas em todo o Império Romano. Essa pode até ser uma referência a algumas práticas do culto ao imperador a que nos referimos anteriormente. No entanto, ainda não dispomos de provas suficientes que nos permitam fazer uma afirmação definitiva, mas as que dispomos nos levam a estabelecer uma hipótese experimental.

No entanto, este autor acredita que exista uma forte possibilidade de que alguns cristãos em Pérgamo e Tiatira, ao lado de alguns judeus em Filadélfia e Esmirna, *já estivessem* participando da adoração ao imperador na época em que esse livro foi escrito. Se estivermos corretos em nossa suspeita, as terríveis exortações neste livro contra aqueles que adoravam o imperador ou a sua imagem (14.9-11; 16.2; 20.4) assumem um aspecto muito diferente, pois não seriam então apenas destinadas a manter as pessoas longe dessa prática, mas também a trazer o temor àqueles que *já estivessem* participando dela.

A interjeição "quem tem ouvidos..." é comum a todas as sete cartas (2.7,11,17,29; 3.6,13,22) e também ocorre novamente mais tarde nesse livro (13.9). Nas três primeiras cartas, a interjeição do narrador aparece antes da bênção, mas a ordem é invertida nas quatro últimas cartas. A freqüência com que aparece uma interjeição semelhante em outras passagens das Escrituras (Mt 11.15; 13.9,43; Mc 4.9,23; Lc 8.8; 14.35) sugere que esta pode ter sido parte da liturgia dos primeiros cristãos.

A condenação daqueles que "têm ouvidos, mas não ouvem" era uma crítica comum aos ídolos (por exemplo, veja Sl 115.1-6; 135.17). As pessoas que adoram ídolos ao final se tornam exatamente como seu "deus". Embora tenham ouvidos, elas também se tornam incapazes de "ouvir" a voz de Deus (Dt 29.4; Is 6.10; Jr 6.10; Ez 12.2). Essa caracterização é gradualmente estendida àqueles que se recusam a obedecer a Deus (Mt 13.15; Mc 8.18; Rm 11.8).

A bênção aos crentes efésios vencedores é a vida eterna. A estes, especificamente, será conferido o direito de comer o fruto da árvore da vida (veja o tópico referente à árvore da vida em 2.7).

Artigo: Vencedores (2.7)

A palavra grega *nikao* aparece dezessete vezes no Apocalipse e representa uma chave importante para a abertura da mensagem deste livro. Infelizmente, seu significado e importância ficaram obscurecidos pelas diferentes formas como foi traduzida pela NIV. Ela aparece não apenas como "vencerá" (17.14), "vencer" (2.7,11,17,26; 3.5,12,21; 21.7) e "venceram" (12.11), mas também como "que venceu" ou "triunfou" (5.5), "saiu vitorioso" (6.2), "as vencerá" (11.7), "vencê-los" (13.7), "saíram vitoriosos" (15.2) e "saiu vitorioso e para vencer" (6.2).

O verbo grego significa simplesmente "vencer", porém no Apocalipse seu significado é mais complexo e depende do contexto. O livro descreve não apenas uma guerra entre dois lados opostos, mas uma guerra entre duas estratégias opostas. A estratégia do Dragão é "vencer" através das armas convencionais de uma guerra terrena, isto é, do poder político e militar, dos assassinatos e das intrigas (6.2; cf.11.7; 13.7; 19.19; 20.7-9; e capítulos 12 e 13). A estratégia do Cordeiro, ao contrário, já demonstrada pela sua vida e morte (5.5; cf. Jo 16.33), não é comum: "vencer" através do ensino da verdade e do sacrifício da própria vida (Ap 11.7; 12.11; 15.2; 17.14).

Assim, o próprio significado de "vencer" sofre uma inversão apocalíptica nesse livro. Os seguidores do Cordeiro são ensinados a "testemunhar" a verdade de Jesus Cristo e até a submeter-se a um martírio voluntário pela fé (12.11; 14.13; 20.6; veja o tópico relacionado a testemunhar em 6.9). Aqueles que realmente testemunham dessa maneira, e especialmente aqueles que morrem (6.9-11), são os "vencedores" que receberão as bênçãos especiais de Deus (2.7,11,17,26; 3.5,12,21; 21.7). Espiritualmente falando, isso faz muito sentido, pois afinal de contas a morte para o cristão significa a suprema derrota do mundo e de suas tentações. Alguém disse uma vez que todos vivem e morrem — a única diferença é a maneira como vivem e morrem. A mensagem do Apocalipse é que os cristãos devem escolher viver e morrer, e viver novamente para a glória de Deus.

Alguns podem imaginar que tudo estaria excelente e perfeitamente adequado para os cristãos individualmente, mas ainda conjecturam sobre o efeito que essa estratégia teria sobre o conflito como um todo. Como pode alguém derrotar o inimigo ao morrer? Imagine um jogo de damas como analogia. As pedras que chegam ao final de sua viagem, à oitava fila, não são eliminadas do jogo e sim "coroadas". Imediatamente se tornam mais poderosas e capazes de se moverem em outras diferentes direções.

O mesmo acontece com os mártires. Tendo alcançado o fim de sua jornada na terra (a morte do corpo), não passam a ser seres inativos e, assim como as pedras do jogo de damas, também são "coroados" (Ap 2.10), e se tornam mais poderosos (Mc 8.35; Jo 12.24). Estando livres das tentações do mundo, estas armas não podem mais atingi-los. Eles trocaram seus corpos terrenos por corpos indestrutíveis e glorificados (1 Co 15; Ap 19.14; 20.4), e jamais poderão ser mortos novamente!

Artigo: A Árvore da Vida (2.7)

O direito de comer da árvore da vida representa uma bênção especialmente prometida na primeira carta àqueles que vencerem (2.7). De fato, todo o povo de Deus gozará desse privilégio (22.14). Antigamente, a árvore da vida ficava no jardim do Éden (Gn 2.9) e acompanhará as margens do rio da vida no futuro Paraíso de Deus (Ap 22.2,14,19). Seus frutos, disponíveis durante todo o ano, transmitiam a vida eterna àqueles que os comessem (Gn 3.22,24; Ap 22.2) e suas folhas curavam (Ap 22.2). Em outras passagens ela aparece como um símbolo de esperança, cura e vida eterna (Pv 3.18; 11.30; 13.12; 15.4). Pouco mais se sabe a seu respeito, embora possamos imaginar que ela florescesse somente onde existisse suficiente suprimento de "água viva". Hemer (42,44-50) sugere que os efésios provavelmente comparavam essa árvore aos imensos bosques do templo de Ártemis em sua cidade.

Assim como o evangelho de João, o livro de Apocalipse compara a imagem de Jesus na cruz com a árvore da vida (Jo 19.34-37) que se ergue no meio de um rio de águas vivas (Ez 47.12; Zc 14.8-10 [ambas são leituras litúrgicas na Festa dos Tabernáculos]; Ap 22.2). Seu trespasse era o cumprimento da profecia (Jo 19.34,37; cf. Zc 12.10) pela qual seria produzida "uma fonte... para a casa de Davi e para os habitantes de Jerusalém, contra o pecado e contra a impureza" (Zc 13.1; veja o tópico referente à água viva [ou água da vida] em 7.17). A mesma imagem aparece no Apocalipse, onde o rio da vida é descrito como fluindo "do trono de Deus e do Cordeiro" (Ap 22.1; cf. Jr 2.13; 17.13); o trono de Jesus está natural e diretamente relacionado à cruz, onde Ele foi "levantado" (Jo 3.14; 8.28; 12.32; cf. Is 52.13-15) e "glorificado" (Jo 7.39; 11.4; 12.16,23; 13.31,32) para que todos o vissem.

Assim como o corpo de Jesus foi o supremo Cordeiro Pascal (Jo 1.29,36; 19.33,36; cf. Êx 12.46; Nm 9.12), o sangue e a água que verteram de seu lado foram a suprema libação do tabernáculo (Jo 19.34; cf. 7.37-39; veja o tópico relacionado a libações em 15.1). O sumo sacerdote oferecia libações juntamente com orações pelas chuvas de outono (as "últimas") e pela ressurreição dos mortos. A morte de Jesus trouxe a ressurreição (Jo 11.24,25; veja o tópico referente à ressurreição dos mortos em 20.4) e a "chuva" (Is 45.8; Os 6.3; Jl 2.23-32) — ou rio — do Espírito Santo (Jo 7.39; 20.22; At 2).

2.2.3.2. A Carta à Igreja em Esmirna (2.8-11). Ao contrário de Éfeso, a igreja de Esmirna não é mencionada em qualquer outro livro do Novo Testamento e isso é um pouco estranho, pois a antiga Esmirna era famosa pela sua beleza (Hemer 59-60). Na antiguidade, seu nome estava ligado à palavra grega mirra, pois a cidade enfrentou sofrimentos, com os quais a mirra está associada. Certamente os cristãos teriam feito a conexão entre mirra e os sofrimentos de Cristo (Mt 2.11; Mc 15.23; Jo 19.39; cf. Ap 18.13). Portanto, o livro de Apocalipse fala das "tribulações" ou "aflições" da cidade (Ap 2.9).

Nessa carta, a descrição de Jesus enfatiza o martírio e a subseqüente ressurreição (2.8b), parafraseando sua proclamação desde o primeiro capítulo (1.17,18). Essa descrição seria particularmente significativa para os cristãos que em breve enfrentariam sua própria perseguição e martírio (v.10). Enfocar o sucesso de Jesus e seu futuro eterno tornaria mais fácil fazê-los suportar as provações terrenas, por mais dolorosas que fossem nesse intervalo (Hb 12.2,3).

Essa carta não faz nenhuma crítica à congregação em Esmirna, uma das únicas duas igrejas assim honradas no Apocalipse (veja também a carta á igreja em Filadélfia, 3.7-13). Jesus elogia sua espiritualidade diante das calúnias (veja o tópico referente à sinagoga de Satanás em 2.9) e da pobreza. Ele previne os cristãos de que a perseguição aumentará por algum tempo, mas os encoraja a não temerem e a permanecerem fiéis (v.10). Satanás está por trás dessa conspiração, e Deus a permite apenas para testar sua fé (cf. Tg 1.2-4,12; 1 Pe 4.12-19). Ao final, conquistarão a "coroa da vida" (Ap 2.10) na qual Hemer (59-60) vê uma alusão à magnífica arquitetura que "coroava" Esmirna. Entretanto, essa coroa era uma coroa de louros, que era e ainda permanece como o símbolo da vitória, assim como nos jogos olímpicos. Na sociedade judaica, ela fazia parte da indumentária festiva para a Festa dos Tabernáculos (veja o tópico relacionado a coroas, lauréis e diademas em 4.10).

A igreja de Esmirna era, sob muitos aspectos, o oposto da congregação de Laodicéia. Embora fossem pobres, em termos materiais, esses cristãos gozavam de grande riqueza espiritual (Ap 2.9) ao contrário de Laodicéia onde os bens materiais haviam cegado os cristãos em relação à sua pobreza espiritual (3.14-17). Aqueles que ensinam que a espiritualidade traz riqueza, freqüentemente, esquecem de mencionar que a riqueza muitas vezes produz a decadência espiritual (Mt 6.24; Lc 16.13; 1 Tm 6.10). As Escrituras ensinam que a riqueza pode levar à soberba e ao egoísmo, ao invés da dependência de Deus (Mt 19.23; Lc 6.24; 1 Tm 6.9-18; Hb 13.5).

Como podemos escapar dessa armadilha? É muito simples. Devemos distribuir o (excesso de) dinheiro logo que o ganhamos (Mt 19.21), investindo no reino de Deus (At 4.34,35; 1 Tm 6,18). Deixemos que a nossa fé esteja na capacidade que Deus tem de prover diariamente aquilo que precisamos (Mt 6.11; Lc 11.3), e não em nossa capacidade de economizar quantias cada vez maiores (Sl 73; Lc 12.13-34).

Artigo: As Sinagogas de Satanás (2.9)

A expressão "sinagoga de Satanás" (2.9; 3.9) é intrigante. O livro de Apocalipse não é, em geral, anti-semítico; antes, pinta um quadro do reino de Deus onde se encontram judeus e gentios. Aqueles vinte e quatro anciãos, dispostos ao redor do trono (4.4,10; 11.16; 19.4), representam provavelmente doze anciãos da Igreja e doze anciãos de Israel (veja o tópico referente aos vinte e quatro anciãos em 4.10). A arquitetura da Nova Jerusalém também é muito significativa, pois tem doze portas onde estão escritos os nomes das tribos de Israel (21.12) e doze alicerces com os nomes dos doze apóstolos do Cordeiro (v.14). Tanto judeus como gentios adoram a Deus no céu (7.1-17). De fato, os 144.000 judeus foram escolhidos para receber privilégios especiais: serão os constantes companheiros do Cordeiro (14.1-5).

Por que, então, esse livro usa uma linguagem tão ríspida para descrever as sinagogas de Esmirna e Filadélfia? Embora não tenhamos certeza, sabemos, no entanto, que nos primeiros anos os processos legais dos romanos contra os cristãos eram muitas vezes iniciados pelos judeus. Se aqui o problema específico era a adoração ao imperador romano, sem dúvida os cristãos esperavam que a comunidade judaica os apoiasse. Seria possível que os judeus dessas duas cidades tivessem encontrado alguma razão técnica que permitisse que participassem dessa manifestação, enfraquecendo os cristãos em sua atitude de rejeição?

É de se notar que esses grupos de judeus haviam sido acusados apenas de caluniar (2.9) e mentir (3.9) a respeito das igrejas. Isso se torna bastante significativo quando analisamos a descrição dos 144.000 judeus justos: "E na sua boca não se achou engano" (14.5) e eles "não estão contaminados com mulheres" (v.4). De certa forma, esses judeus são o oposto dos judeus de Esmirna e Filadélfia; será que essa afirmação está implicando que os membros dessas sinagogas também participavam da imoralidade sexual? Será que essa "contaminação" ocorre dentro de algum contexto ritualístico, talvez até na adoração ao imperador romano? Não existe, simplesmente, qualquer prova que nos permita fazer um julgamento a esse respeito.

Mas podemos estar certos de uma coisa: Deus não discrimina conforme a raça, o gênero ou a etnia (Jl 2.28,32; At 2.17,18,21; Gl 3.28). O autor do Apocalipse não condena os judeus de Esmirna e Filadélfia simplesmente por serem judeus, mas pelos seus atos imorais. Na verdade, as duas sinagogas parecem ter sido exceções, pois nenhuma das outras cinco cartas menciona esse problema.

Sobre a expressão "quem tem ouvidos..." veja comentários sobre 2.7. A bênção para aqueles que vencem em Esmirna (veja o tópico referente a vencedores em 2.7) é, simplesmente, a vida eterna, embora a linguagem seja pouco comum. Ao chamar o castigo eterno de "segunda morte" (veja maiores detalhes a seguir) o autor está fazendo um contraste com a morte física do corpo. Ele nos desafia a mudar nossa perspectiva, a valorizar mais a vida da alma do que a vida do corpo. Muitas pessoas dedicam demasiada atenção à saúde de seu corpo e pouca atenção à saúde de sua alma. É por isso que os médicos, em geral, ganham mais que os pastores, embora seu trabalho seja semelhante: os médicos ajudam as pessoas a evitar (ou ao menos a adiar) a morte do corpo (a *primeira* morte); enquanto os pastores ajudam as pessoas a escapar do castigo eterno da alma (a *segunda* morte).

Artigo: A Segunda Morte (2.11)

A "segunda morte" (2.11; 20.6,14; 21.8; cf. Hb 9.27) é o castigo eterno no lago de fogo (Ap 20.14; 21.8; cf. Mt 5.22; 18.8,9; Jd 23). Originalmente preparado como castigo para Satanás e seus anjos (Mt 25.41), esse lago de fogo também será o lar eterno daqueles que preferem segui-los, isto é, "porque o salário do pecado é a morte" (Rm 6.23; cf. Gn 2.17; 3.3). A história do homem rico e de Lázaro nos dá uma idéia muito clara de seus tormentos (Lc 16.19-31). Outras passagens do Novo Testamento nos proporcionam mais detalhes. É um lugar de trevas (2 Pe 2.17; Jd 6,13) onde as pessoas chorarão e rangerão os dentes (Mt 8.12; 22.13; 25.30).

2.2.3.3. A Carta à Igreja em Pérgamo (2.12-17).

A Igreja em Pérgamo existia, literalmente, à sombra do culto imperial. A cidade, no primeiro século, era um importante centro político e religioso da Ásia Menor, e as moedas desse período mostram o imperador romano sendo coroado como príncipe da província, no templo de Pérgamo (Hemer, 83). A cidade era, também, a sede de um dos primeiros templos dedicados ao imperador romano César Augusto (inaugurado em 29 a.C.). Hemer (84) observa que o templo "servia como um precedente para o culto em outras províncias", além de ser também o local onde Antipas, o único mártir cristão mencionado nominalmente no livro de Apocalipse, foi assassinado (Ap 2.13).

Provavelmente a importância política e religiosa de Pérgamo seja suficiente para explicar a enigmática descrição da cidade como sendo o lugar onde está "o trono de Satanás" (v.13). No entanto, os estudiosos sugerem outras três possibilidades que podem reforçar essa imagem:

1) A acrópole da cidade tinha a aparência de um "trono" quando se olhava em direção a Esmirna;
2) na cidade havia um altar a Zeus Soter (Júpiter, para os romanos) que tinha a aparência de um trono e era decorado com a figura de uma mulher que lutava contra uma serpente (os primeiros cristãos podem ter interpretado essa figura como a imagem da Igreja lutando contra Satanás); e
3) a seita de Asclépio (o deus grego da medicina), de Pérgamo, também celebrava seu deus como "Soter" (*soter* é a palavra grega para "salvador") e o identificava por meio da figura de uma serpente (Hemer, 84-85).

Jesus é descrito aqui como aquEle que maneja uma "espada aguda de dois fios" (2.12), uma imagem que também relaciona outra carta à visão do primeiro capítulo (1.16). Como essa espada sai da boca de Jesus (19.15), deve ser provavelmente identificada com a Palavra de Deus (Hb 4.12). No entanto, devemos observar que, com ela, Jesus *matará* os infiéis ao retornar (Ap 19.15,21; cf. Sl 149), e não tentará convertê-los.

A carta continua a recomendar à igreja de Pérgamo que permaneça fiel, apesar de sua exposição aos riscos. Entretanto, alguns membros da congregação continuam a participar de atividades idólatras e imorais (veja o tópico que se refere aos nicolaítas, aos balaamitas e aos jezabelitas em 2.6). Devem se arrepender (2.16), caso contrário aquEle que tem "a espada aguda de dois fios" também lutará contra eles (v.12,16).

Sobre a frase "quem tem ouvidos..." veja comentários sobre 2.7. Aqueles moradores de Pérgamo que vencerem (veja o tópico referente aos vencedores em 2.7) receberão o direito de comer do "maná escondido". Essa referência foi primeiramente feita ao maná que Deus concedeu ao seu povo no deserto (Êx 16; Nm 11.7-9; Dt 8.3,16), um pouco do qual Arão colocou em um jarro que foi mantido na Arca da Aliança (Êx 16.33,34; Hb 9.4). Os milagres do maná e da água vieram a simbolizar a provisão que Deus concedeu ao seu povo no deserto (Ne 9.20; Sl 78.15-25). Alguns judeus argumentaram que se o Messias fosse alguém como Moisés (Dt 18.15), também lhes daria o maná (Jo 6; cf. 2 Baruque 29.4-7) — o "pão dos anjos" ou o "pão dos poderosos" (Sl 78.25), para acompanhar "as melhores comidas e os vinhos mais finos [puros]" (Is 25.6).

A promessa de um "novo nome" (2.17) faz alusão às profecias de Isaías onde Deus promete que Jerusalém terá um "novo nome" (Is 62.2) e será ornamentada como uma noiva em seu casamento (61.10), e que Ele se regozijará com sua noiva (62.5). Resumindo, essa é uma promessa de que os vencedores de Pérgamo serão incluídos no povo de Deus (veja o tópico referente à Nova Jerusalém em Ap 21.10).

A referência à "pedra branca" é mais intrigante, e Hemer (96ss.) apresenta algumas sugestões. Entre as mais plausíveis, poderia ser um símbolo de admissão a um evento, ou de participação como membro em um grupo privilegiado, ou uma das jóias que teriam vindo do céu junto com o maná (de acordo com a tradição rabínica), ou mesmo um voto jurídico de libertação (portanto a proclamação da inocência ou da justiça). Embora todas essas opções sejam atraentes, o livro de Apocalipse não nos proporciona evidências suficientes para que qualquer uma delas seja escolhida com segurança.

2.2.3.4. A Carta à Igreja em Tiatira (2.18-29).

A cidade de Tiatira estava localizada a aproximadamente sessenta quilômetros a nordeste de Pérgamo. Era um importante centro industrial e comercial da região de Lídia. Na época em que o livro de Apocalipse foi elaborado, essa cidade estava em grande desenvolvimento e ainda viriam dias mais prósperos (Hemer, 107). Era também a sede de um grande número de associações de mercadores, inclusive daqueles que trabalhavam com vários metais. O nome da cidade aparece apenas uma outra vez no Novo Testamento, como a cidade natal de Lídia, uma cristã vendedora de tecidos de púrpura na cidade de Filipos (At 16.14).

A descrição de Jesus, com "os olhos como chama de fogo e os pés semelhantes ao latão reluzente" (2.18) tem sido, há muito, entendida como uma referência à florescente indústria de metais de Tiatira. Uma descrição semelhante aparece duas outras vezes no Apocalipse (1.14,15; 19.12; cf. Dn 7.9). Essa impressionante imagem lembra o quarto homem, "semelhante ao filho dos deuses" que se colocou no fogo, ao lado de Sadraque, Mesaque e Abede-Nego (Dn 3.25). O leitor se lembrará que esses três homens se recusaram a inclinar-se perante a estátua de um outro imperador com alusões à divindade — e que Deus os livrou.

A carta faz elogios à igreja de Tiatira por suas atitudes, ações e ardente paixão por Cristo (2.19), mas reprova sua tolerância para com os falsos ensinos (veja o tópico referente aos nicolaítas, aos balaamitas e aos jezebelitas em 2.6). A carta dirige específica atenção a uma mulher chamada Jezabel (2.20) — provavelmente um pseudônimo, uma alusão à rainha Jezabel, mulher de Acabe, que promovia a adoração a Baal no antigo Israel, e que morreu de forma ignóbil (1 Rs 16.31; 18.4; 2 Rs 9.30-37). Jesus profetiza que trocará o leito de adúltera desta Jezabel por um "leito de sofrimento", ao lado dos amantes que ela tem ou teve (Ap 2.22). Esta havia aparentemente seduzido alguns a participarem de suas luxúrias, chamando seus ensinos de "profundos segredos" (que são classificados como "as profundezas de Satanás" v.24). Essa frase implica uma conexão com o gnosticismo e com as misteriosas religiões prevalecentes no mudo helenístico. Seu futuro julgamento mostrará que Deus ainda conhece os mais profundos pensamentos e desejos de cada um (v.23; cf. 1 Cr 28.9; Sl 7.9; 139.23) e recompensa aqueles que merecem (Sl 4.1-4; Jr 17.10).

As bênçãos para os vencedores de Tiatira (veja o tópico referente a vencedores em 2.7) contêm requisitos adicionais sobre o que deveriam ter feito, como "guardar até ao fim" as obras de Deus (v.26). Essa ênfase nas ações fortalece a provável ligação entre o gnosticismo e os "segredos profundos" de Jezabel (v.24). Alguns tipos de gnosticismo ensinam a salvação da alma, mas não a ressurreição do corpo. Raciocinando que o corpo é inerentemente mau, seus adeptos vão além e sugerem que o que o corpo faz é irrelevante — abrindo, portanto, a porta a toda espécie de comportamento imoral. Essa doutrina devia ter sido muito agradável a Jezabel e seus seguidores, fornecendo-lhes uma desculpa para sua imoralidade.

A bênção para aqueles que escolherem obedecer à vontade de Deus será reinar com Cristo sobre as nações (Ap 2.27; 5.10; 20.6; 22.5; cf. 2 Tm 2.12) e serão seus co-herdeiros (Rm 8.17; Gl 3.29). Jesus é aquEle que reina com vara de ferro (Ap 2.27; 12.5; 19.15; cf. Sl 2.9; veja o tópico referente ao Filho de Davi em 5.5).

A referência a dar a "estrela da manhã" é menos clara. Ela se refere, definitivamente, a receber a Cristo, pois Jesus é "a resplandecente estrela da manhã" em outra passagem do Apocalipse, e este título está ligado ao seu messianato (Ap 22.16; cf. Nm 24.17). O que não está claro nessa frase é seu significado dentro de um contexto cultural mais amplo. Ela aparece tantas vezes (Is 14.12; Mt 2.2-9; 2 Pe 1.19) que deveria ser fácil recordá-la; porém devem ser realizados estudos mais profundos sobre esse conceito. Quanto à frase "quem tem ouvidos..." veja os comentários sobre 2.7.

2.2.3.5. A Carta à Igreja em Sardes (3.1-6). A cidade de Sardes havia tido um longo e glorioso passado. Embora ainda fosse um importante centro comercial na época do Novo Testamento, seus dias de glória haviam terminado. A riqueza dessa cidade se originava, em parte, das minas de ouro da região (Hemer, 131), mas era conhecida, também, pela produção de tecidos e roupas ricamente tingidos (146). A cidade, destruída por um terremoto no ano 17 d.C. (que também afetou a cidade de Filadélfia), foi rapidamente reconstruída com a ajuda de uma generosa verba cedida pelo imperador Tibério (Hemer, 134).

Como na carta a Éfeso, Jesus é descrito como aquEle que tem "as sete estrelas" (isto é, os pastores, 3.1; cf. 2.1). A adição da frase "os sete espíritos de Deus" é única entre as sete cartas, embora a mesma frase esteja dispersa ao longo do livro de Apocalipse (1.4; 3.1; 4.5; 5.6; veja os comentários sobre 1.4).

É bastante plausível que a localização da igreja, em uma cidade tão rica e ilustre, viesse a aumentar a sua reputação (3.1). Infelizmente, a realidade era diferente. A carta exorta a igreja local a despertar (v.2). Nem tudo está perdido, porém seu trabalho ainda não foi terminado e sua vitalidade espiritual está quase extinta. O problema aqui não é doutrinário; não existe qualquer menção aos falsos mestres e seus ensinos. Ao contrário, o problema é a obediência (v.3). Conhecem a verdade, mas aparentemente foram seduzidos pela complacência, pelo conforto e pela prosperidade que os cercava. Somente alguns poucos membros dessa congregação trajavam vestes brancas, que simbolizam os atos justos (v.4; veja o tópico referente a vestes brancas em 7.9).

Assim como a riqueza de uma pessoa pode ser roubada em uma única noite, ou uma cidade pode ser repentinamente destruída por um inesperado terremoto, a vinda do Senhor também será repentina e inesperada, "como um ladrão" de noite (3.3; 16.15; cf. Mt 24.43; Lc 12.39,40; 1 Ts 5.2; 2 Pe 3.10). Enquanto a riqueza pode afastar uma pessoa das inúmeras crises que afligem os pobres, ela não oferece proteção contra a vinda do Senhor (Ap 6.15,16).

Os vencedores de Sardes (veja o tópico referente aos vencedores em 2.7), aqueles que "não contaminaram suas vestes" (3.4), receberão duas bênçãos.

1) Serão vestidos com "vestes brancas" no mundo vindouro (v.5). Como o símbolo da "justiça dos santos" (19.8), essa cor também é apropriada à celebração de um dia festivo ou de um casamento (veja o tópico referente às vestes brancas em 7.9).

2) Seus nomes nunca serão removidos da relação do povo de Deus (3.5; veja o tópico referente ao livro da vida abaixo). Sobre a frase "quem tem ouvidos..." veja comentários sobre 2.7.

Artigo: O Livro da Vida (3.5)

O livro de Apocalipse menciona, repetidamente, "o livro da vida" (3.5; 13.8; 17.8; 20.12,15; 21.27; cf. Êx 32.32; Sl 69.28; Fp 4.3). Este é um livro que relaciona os nomes de todos os justos. Diz-se geralmente que os iníquos nunca foram mencionados nele (Ap 13.8) ou, de forma mais simples, que foram riscados dele (Êx 32.32; Ap 3.5). Jesus promete à igreja de Sardes não riscar do livro da vida "ao que vencer" (3.5; veja o tópico referente aos vencedores em 2.7). Aqueles cujos nomes estão escritos no livro não se encantarão com a Besta nem a adorarão — ao contrário daqueles crentes contados com "os que habitam sobre a terra" (13.8; 17.8). Além disso, Deus conhece de antemão o nome de cada um desses indivíduos, pois estão escritos "desde a fundação do mundo" (13.8, nota da NIV; cf. 17.8).

Esse "livro da vida" registra o nome daqueles que escaparão do "lago de fogo" (20.15), com base naquelas ações que foram registradas também em outros livros (20.12,13). Aqueles cujos nomes não incluem a prática de coisa alguma "que contamine e cometa abominação e mentira" são puros e terão o direito de entrar na Nova Jerusalém (21.27).

A expressão "livro da vida", ou outra equivalente, aparece muitas vezes no Antigo Testamento, especialmente em passagens relacionadas à celebração da Festa dos Tabernáculos (Êx 32.32,33; Is 4.3; Ml 3.16; cf. Dn 12.1; 1 Enoque 104.1; 4 Esdras 2.40; 6.20. Os dois últimos não pertencem ao Cânon Sagrado, são considerados pseudoepígráficos, ou apócrifos, pela Igreja, mas servem como fonte de informação histórica sobre certos eventos da cultura judaica da época. Também não fazem parte das Escrituras inspiradas do Cânon hebraico). Como essa festa era também a ocasião de muitos casamentos, talvez fosse a data em que algum registro oficial dos israelitas fosse atualizado. Infelizmente, não dispomos de detalhes que possam melhor identificar essa prática.

A ameaça feita pelo Apocalipse, de remover o nome da pessoa do livro da vida (3.5; 13.8,9; 17.8), lembra a primeira ocorrência dessa frase em Êxodo 32.32,33, com o mesmo propósito. Nessa passagem, Deus diz aos israelitas que adoraram o bezerro de ouro que riscaria seus nomes de seu livro. O Apocalipse faz a mesma afirmação àqueles que adoram a Besta, e ambas as frases mostram o mesmo pecado: a adoração imprópria; ambas estão no mesmo contexto, a Festa dos Tabernáculos.

2.2.3.6. A Carta à Igreja em Filadélfia (3.7-13). Aproximadamente 48 quilômetros a sudoeste de Sardes situava-se a cidade de Filadélfia (Hemer, 153). O nome da cidade (que significa "Amor Fraternal") celebrava a lealdade dos dois irmãos que a fundaram (155). A cidade havia sido construída no entroncamento de três importantes rotas comerciais, duas das quais levavam à região da Frígia (154), o que permitia atender a interesses militares e comerciais. Além disso, seu solo era extremamente fértil e apropriado a vinhedos, pois era enriquecido com vários depósitos vulcânicos.

O terremoto do ano 17 d.C., que havia destruído Sardes, também devastou Filadélfia. A cidade sofreu vários tremores menores ainda durante muitos anos, obrigando muitos de seus habitantes a se mudarem permanentemente para fora dos muros da cidade (Hemer, 156-57).

Jesus é apresentado nessa carta como o legítimo herdeiro de Davi: Ele "tem a chave de Davi" (3.7; cf. 1.18; veja o tópico referente ao Filho de Davi em 5.5). Essa é uma alusão a Isaías 22.22, assim como a descrição dessa chave: "O que abre, e ninguém fecha, e fecha, e ninguém abre" (Ap 3.7). Não há dúvida que isso representa um grande encorajamento para uma igreja mais fraca (3.8), e que se sentia atormentada pela sinagoga judaica local (v.9; veja o tópico referente à sinagoga de Satanás em 2.9). Certamente o forte conflito entre a igreja local e a sinagoga, filhas e descendentes da mesma religião, trazia um constrangimento à comunidade que se orgulhava de ser a cidade do "amor fraternal".

A carta à igreja de Filadélfia elogia os crentes por suas obras (3.8) e por sua paciência (v.10) a despeito de sua fraqueza (v.8). Além de suportar as mesmas provações econômicas que o resto da população da cidade, a igreja sofria também o ônus dos ataques da sinagoga judaica local (v.9). Porém, sua fidelidade durante esse período será logo recompensada: Deus lhes concederá uma proteção especial por ocasião das tribulações que enviará aos habitantes da terra (v.10; veja o tópico referente aos habitantes da terra em 6.10).

Particularmente, Jesus promete forçar "os que se dizem judeus e não são, mas mentem" (v.9; veja o tópico referente à relação dos pecados no Apocalipse em 9.20) a admitirem o amor que Ele (e seu Pai) têm pela Igreja (veja o tópico referente ao mistério de Deus em 10.7). O emprego da palavra "reconhecer" provoca uma interessante reviravolta em algumas passagens do Antigo Testamento (por exemplo, Sl 79.6; Is 61.9), especialmente em um dos oráculos proféticos de Isaías:

"Mas tu és nosso Pai, ainda que Abraão nos não conhece, e Israel não nos reconhece. Tu, ó Senhor, és nosso Pai; nosso Redentor desde a antiguidade é o teu nome" (Is 63.16).

O corpo da carta termina com uma promessa de que Jesus retornará sem demora (3.11) e uma exortação para que, nesse ínterim, guardem aquilo que têm. A "coroa" (v.11) que devem proteger é mais uma referência à Festa dos Tabernáculos (veja o tópico referente a coroas, lauréis e diademas em 4.10). As grinaldas de folhas de vinha, conquistadas durante a festa, tinham especial importância para um povo cuja economia era extremamente dependente da produção de seus vinhedos.

Em Filadélfia, as bênçãos aos vencedores (veja o tópico relacionado aos vencedores em 2.7) prometiam estabilidade — uma preciosa promessa para um povo que convivia diariamente com a insegurança da exposição a terremotos, tremores e desmoronamento de paredes e prédios. Eles serão as "colunas" do templo de Deus (3.12) — as do Templo de Salomão eram de bronze com mais de 8,5 metros de altura e 5,5 metros de diâmetro (1 Rs 7.15,21). Nunca mais terão que abandonar a segurança dos muros (Ap 3.12), levarão o nome de Deus (v.12; 14.1; 22.4; terão seu "selo", 7.2; 9.4; veja os comentários sobre 7.1-3; veja também o tópico referente ao sinal da Besta em 14.9). Trarão consigo o nome de uma nova e celestial cidade, a Nova Jerusalém; sua cidade terrena havia recentemente se tornado inabitável (v.12; veja o tópico referente à Nova Jerusalém em 21.10). Assim como os vencedores de Pérgamo, também receberão novos nomes (3.12; cf. 2.17). Sobre a frase "quem tem ouvidos..." veja os comentários sobre 2.7.

2.2.3.7. A Carta à Igreja em Laodicéia (3.14-22). A sétima e última carta é dirigida à Igreja em Laodicéia, cidade situada na interseção de duas importantes estradas: a primeira de Éfeso até a Síria e a segunda de Pérgamo e Sardo em direção à costa do Sul (Hemer, 180). A cidade devia sua considerável riqueza a uma combinação de comércio, bancos, manufaturas e à produção de uma fina e lustrosa lã preta, assim como à produção de bálsamo para os olhos (181-82, 196-99). Ao lado das cidades irmãs de Colosso e Hierápolis (Cl 4.12-16), situava-se em um vale formado pelo rio Lico, afluente do Meander. O caráter vulcânico desse vale era responsável pelas famosas fontes de águas quentes existentes nessa área, assim como pela suscetibilidade da região a terremotos, sendo que um deles, extremamente devastador, ocorreu no ano 60 d.C., exatamente nove anos antes da elaboração do livro de Apocalipse. Nessa ocasião, a riqueza da cidade era tamanha que recusaram a ajuda imperial e reconstruíram-na por sua própria conta (Hemer, 191-95).

Quando Paulo escreveu a Carta aos Colossenses ainda não havia visitado Laodicéia (Cl 2.1), embora mencione uma outra carta de sua autoria que estava com essa igreja (4.16). Ele ainda se preocupa em transmitir saudações de Epafras, um nativo daquela região, que havia trabalhado muito em benefício das três igrejas do vale do rio Lico (v.12).

A descrição de Jesus em Apocalipse 3.14 é a mais majestosa de todas as sete: Ele é "o Amém, a testemunha fiel e verdadeira, o princípio da criação de Deus" (3.14). O título que vem em segundo lugar está em conformidade com o tema geral do Apocalipse: Jesus é aquEle que triunfou através do martírio (cf. 1.5; 2.13; 19.11; veja o tópico relacionado a testemunhar em 6.9).

Os outros dois nomes de Jesus "Amém" e "princípio da criação de Deus" parecem ter alguma ligação entre si, porém essa afirmação é apenas técnica. A passagem em Provérbios 8 representa *a sabedoria* como a primeira obra de Deus, e sua assistente na criação (Pv 8.22-31; cf. "Façamos o homem à nossa imagem"; Gn 1.26); esta sabedoria não se refere necessariamente a Jesus, pois Ele jamais foi "criado" e, sendo Deus, é o próprio criador da sabedoria. O livro de Provérbios chama a sabedoria de Deus de "artífice" (do hebraico, *'amon*, Pv 8.30); *Bereshith Rabbah* 1.1. interpreta a palavra como "verdade" de Deus (em hebraico, *'amen*; Burch 23-27; Hemer, 185). A ligação entre "Amém" e a criação também aparece nas profecias de Isaías, onde foi prometido que o "Deus da verdade" (em hebraico, *'elohe 'amen*, Is 65.16) criará "novos céus e nova terra" (v.17). Em qualquer dos casos, o Apocalipse não foi a única obra a afirmar a presença de Jesus

A sétima e última carta está endereçada a Laodicéia, uma rica cidade localizada no cruzamento de duas principais rotas comerciais. O povo dessa cidade foi advertido de que sua riqueza os havia cegado, e assim não percebiam que sua fé havia se tornado "morna". Essa região ainda é famosa por suas fontes de águas quentes.

na criação (veja Cl 1.15,16; Hb 1.2,10; cf. Jo 1.4-9 com Gn 1.3) ou sua autoridade sobre ela (Mt 28.18; Cl 1.16-18; Hb 2.8).

Provavelmente mais do que nas outras cartas, a de Laodicéia está permeada de referências à cultura local da cidade. Ao contrário de seu famoso suprimento de água quente e fria, os atos dos laodicenses são apenas "mornos" (3.16). Algumas dessas águas estavam saturadas de minerais sendo, portanto, intragáveis; assim também Jesus considera indigesta a mediocridade de sua fé. As riquezas materiais os haviam cegado, trazendo pobreza espiritual (v.17). Portanto, a carta os aconselha a comprar um "colírio" celestial a fim de corrigir essa situação (v.18). Essa mesma cegueira espiritual fez com que confundissem suas ricas vestes negras com a elegante roupagem celestial e não percebessem que estavam nus e despidos das vestes brancas exigidas de todo o povo de Deus (v.18; 7.13,14; cf. Mt 22.11-14; veja o tópico relacionado às vestes brancas em 7.9).

Finalmente, o retrato de Jesus batendo à sua porta é comovente, e lembra sua declaração de que não havia na terra um lugar onde pudesse descansar: "As raposas têm covis, e as aves do céu têm ninhos, mas o Filho do Homem não tem onde reclinar a cabeça" (Mt 8.20; Lc 9.58). Sua humildade (Mt 11.29) mostra um agudo contraste com os vários governantes terrenos de Laodicéia (Hemer, 202-7). Os laodicenses deveriam escolher o tipo de liderança a que desejavam obedecer.

Por mais rica que a igreja de Laodicéia pudesse ser, nenhum de seus membros tinha direito a reivindicar um lugar no trono, e esta é a promessa de Jesus àqueles que vencerem, assim como Ele venceu (v. 21; veja "vencedores" em 2.7). É aí que reside o problema. Se o trono celestial pudesse ser comprado com riquezas ou influência, os laodicenses estariam em ótima situação. Entretanto, esse trono só pode ser conquistado através do sofrimento e do martírio (3.19; 5.5-10; 20.6; 22.5; cf. At 3.18; 5.41; Rm 8.17,18; Fp 3.10,11; Hb 2.9,10; 1 Pe 4.12,13) — um estilo de vida muito distante das normas laodicenses. Porém, esse é o "caminho" de Jesus e daqueles que desejam obedecê-lo (Jo 14.4-6; At 9.2; veja os comentários sobre Ap 1.5a). Sobre a frase "quem tem ouvidos..." veja os comentários sobre 2.7.

2.3. A Segunda Visão: Cristo no Trono de Deus (4.1-13.18)

2.3.1. O Convite ao Profeta: Ver e Predizer (4.1). Uma das principais características de um apocalipse é a maneira pela qual Deus revela as informações a seu mensageiro. Enquanto a profecia transmite as palavras de Deus, o apocalipse é verdadeiramente audiovisual: ele envolve a visão e também a audição. Assim sendo, um apocalipse pode descrever uma visão, um sonho ou (como neste caso) uma viagem celestial.

A visão que João teve do céu começa através de um convite de Jesus dizendo-lhe, "Sobe aqui" (v.1; veja também o tópico relacionado às trombetas em 8.2). Tradicionalmente, uma viagem celestial é a forma mais precisa de se revelar um apocalipse, porque quanto mais alguém se aproxima de Deus, a fonte de toda sabedoria e conhecimento, maior será sua precisão ao falar. Isso está no centro das afirmações de Gabriel (Lc 1.19) e de Paulo (2 Co 12.1-5; cf. Gl 1.11ss.) quando dizem ser capazes de falar com autoridade. A expressão moderna a respeito de ouvir "de fonte fidedigna" transmite uma idéia semelhante: a informação precisa vem daquele que está mais próximo da fonte.

2.3.2. O Ambiente do Trono Celestial (4.2-11). João começa descrevendo a corte celestial de Deus. Até uma leitura superficial do Antigo Testamento teria reconhecido nessa descrição a realidade celestial na qual estavam baseados o Tabernáculo do deserto e o Templo de Jerusalém (e até as sinagogas judaicas). Moisés construiu o tabernáculo terreno de acordo com o "modelo" celestial que Deus lhe mostrou (Êx 25.9,40; Nm 8.4; At 7.44). Infelizmente, Moisés não podia construir uma "cópia" ou "sombra" do original celeste (Hb 8.5). Feito por seres humanos imperfeitos e com materiais terrenos, ele não suportou tanto quanto as pirâmides do Egito.

Embora o tabernáculo terreno e o templo não existam mais, o templo celestial ainda permanece. O próprio Senhor o construiu (Hb 8.2) e é eterno, pois Deus reina nele (Ap 4.2). Ele é o santuário onde Jesus serve como nosso sumo sacerdote (Hb 8.1,2) e é também aquele que foi visto por João. Através de sua descrição, sabemos que Jesus está em pé em frente ao lugar celestial que é equivalente ao Lugar Santíssimo.

Artigo: O Trono de Deus (4.2)

A primeira coisa que João viu no céu foi o trono de Deus (v.2; cf. visões semelhantes em Is 6; Ez 1; Dn 7). Embora ele não descreva o próprio trono, temos certamente a descrição de sua "cópia" terrena, a Arca da Aliança (2 Sm 6.2; 1 Cr 13.6; Sl 99.1). Essa arca era um baú de madeira revestido de ouro, e fechado por uma tampa de ouro puro, "o tampo da reconciliação". Essa arca havia sido construída de madeira, provavelmente por razões mais práticas que teológicas, pois uma arca desse tamanho, de puro ouro maciço, seria muito difícil de transportar. A madeira não só a tornava mais leve, como também suficientemente forte para que o espaço interior pudesse ser utilizado para guardar objetos preciosos.

A Arca da Aliança não tinha encosto, porém havia sido dotada de um pálio, formado pelas asas abertas de dois querubins sentados de cada lado da cobertura, um de frente para o outro (Êx 25.10-22). A arca tinha quatro pés com quatro argolas de ouro, inseridas em cada um deles. Varas de madeira atravessavam essas argolas para que a arca pudesse ser transportada até as batalhas (Js 6.6ss; 1 Sm 4) e durante as festas em que o povo saía em procissão (2 Sm 6; 1 Rs 8; 2 Cr 35.3). No restante do tempo a arca repousava no Lugar Santíssimo, separada do Lugar Santo por um pesado véu de cor púrpura, azul e escarlate, com desenhos de querubins (Êx 26.31,32).

Os tronos antigos eram muitas vezes circundados e ornamentados com imagens que lembravam aos suplicantes a fonte e a medida do poder do rei. Isso também acontece com o trono de Deus, no Apocalipse. O poder de Deus não se origina de suas ordens sobre grandes exércitos, embora Ele seja o Senhor dos Exércitos (Sl 48.8; Is 6.3; Zc 14.16,17). Este poder também não vem do controle sobre alguma rota comercial, produto agrícola ou monopólio de minérios.

W. F. Albright escreveu uma vez que, de forma geral, a visão que Israel tem de Yahweh (Jeová) pode "ter adquirido certas características dos dois mais majestosos espetáculos proporcionados à humanidade: uma tempestade subtropical e uma erupção vulcânica". Essa é uma forma pitoresca de descrever o controle de Deus sobre o universo, em seu nível mais fundamental: terra, fogo e água. Esses elementos são a fonte dos símbolos que rodeiam esse trono, os símbolos do poder divino.

Terra. O Apocalipse enfatiza o controle que Deus tem sobre a terra de duas maneiras. (1) Lembrando-nos que Deus criou a terra (Ap 3.14; 4.11; 10.6; 17.8; cf. Gn 1.1; Sl 24.1). A ameaça implícita é bastante clara: o Deus que criou o mundo também tem o poder de destruí-lo (veja os comentários sobre 21.1). (2) Mesmo as pedras inanimadas e o pó reconhecem seu verdadeiro Senhor (Lc 19.40). A terra treme na presença de Deus, especialmente quando Ele está irado (Ap 6.12; 8.5; 11.13; 16.18; cf. Jz 5.5; 2 Sm 22.8; Sl 18.7; Na 1.5). Os terremotos têm um terrível poder de destruição; na literatura apocalíptica eles representam um perfeito paralelo físico para a sublevação no reino espiritual.

Fogo. Deus também controla o fogo, uma categoria que inclui luz, relâmpagos e até arco-íris (a luz forma um arco-íris quando os componentes individuais de suas cores sofrem uma refração através da água, geralmente da chuva). Um arco-íris de 360 graus, como aquele que circunda o trono de Deus (Ap 4.3), é chamado de "glória". Como os terremotos, o fogo e o relâmpago têm um terrível poder de destruição quando, sem controle, a tudo assolam. Entretanto, quando estão sob controle, podem proporcionar calor para aquecer as noites frias e os alimentos ou iluminar tochas e lâmpadas. Deus controla o fogo e decide quando deve usá-lo como bênção ou castigo.

Isaías, Daniel, Ezequiel e o Apocalipse descrevem Deus e seu trono rodeados pelo fogo (Ap 1.14; 2.18; 8.5; 10.1; 11.5; 14.18; 15.2; 18.8; 20.9,14; 21.8) e/ou suas várias outras formas: relâmpago (Ap 4.5; 8.5; 11.19; 16.18; cf. Êx 19.16; Jó 36.32; 37.15; Sl 97.4; cf. Ez 1.4,13,14; Dn 10.6), luz (Ap 8.12; 21.23; 22.5) ou arco-íris (Ap 4.3; cf. 10.1; Gn 9.13; Ez 1.28). Além disso, sete chamas, representando os "sete espíritos de Deus", queimam em frente ao trono (Ap 4.5; cf. 1.12,13; 2.1). Finalmente, o templo celestial foi cheio da fumaça "da glória de Deus e do seu poder" (Ap 15.8; cf. Êx 13.20-22; 14.19,20; 1 Rs 8.10,11; Is 6,4).

Água. A água é o último dos três elementos sob o controle de Deus, seja ela das nuvens (Ap 1.7; cf. Sl 135.7; Jr 10.13), dos céus (chuva) (Ap 11.6; cf. Lv 26.4; Dt 11.11,14; Zc 14.17,18; Mt 5.45), da terra (fontes) (Gn 2.5,6), dos rios ou do mar. Isso também inclui a água em sua forma destrutiva, como as enchentes (Gn 7.7; cf. Sl 19.10) ou chuva de granizo (Êx 9.18; Sl 105.32; Ap 11.19; 16.21). O rio que corre em frente ao trono (Ap 4.6) lembra a água que brotava da rocha no deserto (Êx 17.5-7; Nm 20.8-13; 21.17-20) e a profecia de Ezequiel a respeito do novo templo (Ez 47). O "mar de vidro" (Ap 4.6; 15.2; cf. 21.11; 22.1) é idêntico ao rio da "água da vida" (21.6; 22.1,17). O fato de fluir do trono é uma outra forma de indicar que Deus é a *fonte* dessa água que dá vida. A mesma espécie de imagens aparece quando as multidões celestiais se regozijam pela destruição de Babilônia: "E ouvi como que a voz de uma grande multidão, e como que a voz de muitas águas, e como que a voz de grandes trovões" (19.6; veja também o tópico relacionado ao rio celestial ou mar de cristal em 22.1 e água da vida ou água viva em 7.17).

Resumo final: O Rei Davi reuniu todos esses símbolos poderosos quando descreveu a natureza da vingança de Deus (veja 2 Sm 22.8-16 e Sl 2.10-12):

"Então, se abalou e tremeu a terra, os fundamentos dos céus se moveram e abalaram, porque ele se irou.
Subiu a fumaça de seus narizes, e, da sua boca, um fogo devorador; carvões se incenderam dele.
E abaixou os céus, e desceu, e uma escuridão havia debaixo de seus pés.
E subiu um querubim, e voou; e foi visto sobre as asas do vento.
E por tendas pôs as trevas ao redor de si, ajuntamento de águas, nuvens dos céus.
Pelo resplendor da sua presença, brasas de fogo se acendem.
Trovejou desde os céus o Senhor e o Altíssimo fez soar a sua voz.
E disparou flechas e os dissipou; raios, e os perturbou.
E apareceram as profundezas do mar, os fundamentos do mundo se descobriram, pela repreensão do Senhor, pelo sopro do vento dos seus narizes".
"Agora, pois, ó reis, sede prudentes; deixai-vos instruir, juízes da terra.
Servi ao Senhor com temor e alegrai-vos com tremor.
Beijai o Filho, para que se não ire, e pereçais no caminho, quando em breve se inflamar a sua ira.
Bem-aventurados todos aqueles que nele confiam".

Artigo: Os Quatro Seres Viventes (4.6-9)

Ao redor do trono de Deus estão quatro seres viventes (v.6). Eles são os querubins (Ez 1.13; 10.15,20), às vezes também chamados serafins (literalmente, "seres ardentes"; veja Is 6.2). Existem na Bíblia quatro descrições desses seres viventes (Is 6; Ez 1.10; Ap 4). Os detalhes variam de visão para visão, embora as descrições possam ser facilmente comparadas.

Todos os querubins têm aparência quase humana e brilham como fogo (Ez 1.5,13). Têm pernas retas e seus pés parecem o casco de uma bezerra, porém são feitos de bronze polido (Ez 1.7). Cada um tem quatro faces: de um ser humano, um leão, uma águia e um boi (Ez 1.10; 10.14; Ap 4.7), permanecendo de costas um para o outro e olhando sempre em direção aos quatro pontos cardeais (João descreve apenas o que vê, omitindo o outro lado de cada querubim). Esses seres sempre se movem para frente, e nunca se viram (Ez 10.11).

Ezequiel descreve cada querubim com quatro asas, duas para voar e duas para cobrir seu corpo. Sob cada asa há uma mão (Ez 1.8; 10.8,21). Isaías e João estão de acordo a respeito do uso das quatro asas, mas mencionam outras duas com as quais os querubins cobrem a face (provavelmente a face voltada para o trono de Deus; Is 6.2; cf. Ap 4.8). As asas e o corpo estão cobertos de olhos (Ez 10.12; Ap 4.6).

Além das referências ao trono de Deus e ao templo, os querubins raramente aparecem no Apocalipse. Gênesis descreve como Deus colocou um querubim de guarda na entrada do jardim do Éden, e em seu cântico Davi descreve Deus voando sobre um querubim para sua libertação (2 Sm 22.11; Sl 18.10). Ezequiel fala de um antigo "querubim ungido" que havia sido expulso da presença de Deus pelo seu orgulho (Ez 28.14-16); muitas pessoas acreditam que Satanás (Lúcifer) seja esse anjo caído.

Artigo: O Estribilho (Santo, Santo, Santo) (4.8)

Os quatros seres viventes cantam, sem cessar, uma única canção, uma eterna celebração de louvor: "Santo, Santo, Santo". Esse estribilho tem sido entoado nos céus desde o início do mundo e foi ouvido por Isaías há muito tempo (Is 6.3). Os seres viventes ainda continuavam cantando quando João visitou o céu.

Deus não é egotista a ponto de criar bajuladores para sentarem-se ao seu lado e entoar-lhe louvores. Se assim fosse, teria feito esses seres fracos e dependentes. No entanto, temos a impressão de que Deus criou esses quatro seres tão poderosos e ferozes quanto possível. Apesar disso, estão tão perto do trono de Deus, que se sentem completamente envolvidos por sua presença. Gozando eternamente de sua glória, nada lhes resta a não ser adorá-lo.

Mas o que existe em Deus capaz de envolvê-los ou dominá-los? É a sua santidade e não a sua sabedoria, poder ou glória. A santidade de sua presença é tão poderosa que aniquila os impuros que se aproximam (Êx 28.35,43; 30.20,21; cf. o Dia da Expiação [Lv 16] e o homem que tocou a arca e morreu [1 Cr 13.9,10]). Talvez C. S. Lewis tenha expressado melhor essa idéia quando disse que nosso corpo mortal é demasiadamente fraco para suportar uma simples fração da presença de Deus. Certamente nos desfaríamos caso experimentássemos um pouco mais dessa presença. Os nossos corpos não serão glorificados para que estejam protegidos do sofrimento, mas para que sejamos fortalecidos e assim possamos estar na presença de Deus.

Artigo: Os Vinte e Quatro Anciãos (4.10)

Ao lado dos quatro seres viventes, que são os adoradores mais próximos do trono de Deus, estão os vinte e quatro anciãos. Vinte e quatro anciãos (Ap 4.4,10; 5.5,6,11; 14.3) representam duas vezes o número que poderíamos esperar, pois na literatura apocalíptica o número doze muitas vezes representa a plenitude. Embora em nenhum lugar isso seja mencionado, esses anciãos provavelmente sejam doze judeus (Sl 122.4; cf. Mt 19.28; Lc 22.30) e doze gentios, cada um governando seu respectivo grupo. O autor do Apocalipse se empenha em encontrar lugar no céu para ambos os grupos ao representá-los como um único povo de Deus (veja os comentários sobre 7.1-17).

Esses anciãos vestem trajes brancos (veja o tópico relacionado às vestes brancas em 7.9) e coroas douradas que depositam aos pés de Deus (4.4,10). Eles têm privilégios especiais, como o de serem os seres humanos mais próximos do trono de Deus e de ter tronos próprios para se sentar (4.4). Estão prostrados em adoração (5.14; 7.11; 11.16; 19.4) e seguram harpas e salvas douradas com incenso (5.8).

Artigo: Coroas, Lauréis e Diademas (4.10)

Os vinte e quatro anciãos têm "coroas de ouro" que depositam perante o trono em adoração (4.4,10). Na verdade, a maioria das "coroas" (*stephanos*) do Apocalipse é de flores, como as coroas usadas pelos antigos atletas, os campeões olímpicos (1 Co 9.25; 2 Tm 2:5). Essa é a espécie de "coroa" que Jesus usava na cruz: uma coroa de espinhos (Mt 27.29; Mc 15.17; Jo 19.2,5; cf. Hb 2.7,9). Infelizmente a NIV somente traduz essa palavra grega "lauréis" em Atos 14.13, e emprega a palavra "coroas" em todo o restante do Novo Testamento. Geralmente imaginamos a palavra coroa relacionada ao reinado, enquanto laurel nos dá a idéia de vitória em uma disputa, e é esse último sentido que queremos enfatizar aqui.

Muitos celebrantes do primeiro século usavam coroas na Festa dos Tabernáculos, além dos festivos vestuários brancos (veja o tópico relacionado às vestes brancas em 7.9). A coroa de flores era uma antiga tradição dessa festa (Is 28.1-5; Lm 5.16; Zc 9.16). Era uma prática tão comum que foi mencionada por escritores romanos e judeus não canônicos (por exemplo, Jubileus 16.30; 4 Esdras 2.42-48; 2 Baruque 15.8; Salmos de Salomão 2.20,21; Tácito, *Hist.* 5.5).

Jesus prometeu a todos os crentes fiéis uma coroa de vitória na vida por vir (cf. Ap 2.11; 3.11) — feita de ouro, não de plantas, para que nunca pereça. Esse laurel é chamado, muitas vezes, de "coroa da justiça" (2 Tm 4.8), "coroa da vida" (Ap 2.10; Tg 1.12) ou "coroa de glória" (1 Pe 5.4). Lauréis semelhantes adornam o cavaleiro do cavalo branco que sai para vencer (Ap 6.2), a mulher majestosa do capítulo 12 (12.1) e o anjo da colheita (14.14). Curiosamente, os gafanhotos da praga usam algo que parece ser semelhante a um laurel (9.7).

A segunda espécie de coroa encontrada no Apocalipse é do tipo geralmente associado a reis e rainhas, e é chamada de "diadema" (do grego, *diadema*). Somente três pessoas usam essa coroa no Apocalipse: o Dragão (12.3), a Besta do mar (13.1) e o Senhor Jesus Cristo (19.12).

Sabemos, historicamente, que os imperadores de Roma reivindicavam para si o título de "rei dos reis e senhor dos senhores", e aceitavam adoração e honras divinas. Nero chegou até a intitular-se "príncipe dos habitantes da terra". Seu orgulho e pretensão somente podem ser igualados ao do próprio Satanás, que pensava elevar seu trono acima do Deus Todo-poderoso (Ap 12.3-5; cf. Ez 28.1-20). Essa é a razão pela qual a adoração aos imperadores romanos representava um pecado tão terrível (veja o tópico relacionado à adoração da Besta em 13.4). O primeiro hino do Apocalipse (4.11) menciona exatamente a primeira das inúmeras razões pelas quais a adoração deve ser dirigida a Deus, e não à Besta: Ele é o Criador, a fonte permanente da vida de cada pessoa (veja o tópico relacionado à adoração no Apocalipse em 5.11).

Existe apenas uma pessoa, em todo o universo, que pode usar o título de "Rei dos reis e Senhor dos senhores" por direito divino: Jesus Cristo (19.2; cf. 17.14; Fp 2.9; 1 Tm 6.15). O Apocalipse é a história da aniquilação desses usurpadores humanos — e o restabelecimento da correta adoração.

2.3.3. O Primeiro Ritual: A Abertura dos Sete Selos (5.1-6.17; 8.1-5).

Esse é o primeiro dos três rituais que aparecem no Apocalipse. Em cada caso, o ritual determina o que e quando acontece sobre a terra. Esta é a forma do livro responder às perguntas: "Será que Deus conhece as coisas que estão acontecendo na terra?" e também "Será que é capaz de interagir com elas?" Deus não só está ciente das coisas que acontecem na terra como também as controla. Na verdade, os acontecimentos são moldados e instalados pela adoração em volta do trono. Não podemos deixar de reconhecer que existe uma poderosa teologia da adoração!

Artigo: A Estrutura Ritualística do Apocalipse (5.1)

A organização do corpo interno do Apocalipse (capítulos 5 a 16) é bastante incomum. O livro não organiza os acontecimentos de forma geográfica, cronológica (isto é, histórica) ou mesmo alfabética, mas litúrgica. Isso está em conformidade com sua grande mensagem: a adoração prescreve, regula e controla o universo.

No centro do livro existem três grandes rituais que aparecem sete vezes: a abertura dos setes pergaminhos selados do Tora (5.1-6.17; 8.1-5), o toque das sete trombetas (provavelmente feitas com chifres de carneiro) (8.6-9.21; 11.14-19) e o derramamento dos sete sacrifícios líquidos, chamados de libações (15.1-16.14,16-21). A descrição de cada um desses rituais tem uma pausa depois da sexta e antes da sétima, que é a trombeta final de cada série. A descrição do povo de Deus e de sua adoração celestial (capítulo 7) forma a primeira pausa, que aparece entre a abertura do sexto e sétimo selos. A segunda pausa, depois do toque da sexta trombeta e antes da sétima, narra a história da chamada do autor à profecia e o destino das duas testemunhas (10.1-11.13). A pausa final, que é a mais curta, aparece em um único verso: "Eis que venho como ladrão. Bem-aventurado aquele que vigia e guarda as suas vestes, para que não ande nu, e não se vejam as suas vergonhas" (16.15). As pausas, assim como os intervalos comerciais na transmissão dos jogos olímpicos pela televisão, ajudam a aumentar a expectativa dos telespectadores sobre a conclusão de cada série.

O primeiro ritual é o da abertura do livro, que está escrito por dentro e por fora. O ritual está dividido em três partes, cada uma com uma descrição, uma ação e uma resposta. As três partes são
1) a busca de alguém digno de abrir o livro (5.1-5),
2) o aparecimento do Cordeiro (5.6-14) e
3) a abertura do livro (6.1-17; 8.1-5).

2.3.3.1. A Busca de Alguém Digno de Abrir o Livro (5.1-5). Em uma visão tipicamente apocalíptica, os pergaminhos (ou livros) contêm conhecimentos secretos que os visionários transmitirão à sua audiência e que, muitas vezes, são previsões sobre futuros acontecimentos. O enfoque desses apocalipses está no conteúdo desses pergaminhos, mas isso não acontece no Apocalipse. De fato, esse livro nunca registra a leitura do pergaminho, apenas a abertura dos sete selos que protegem seu conteúdo.

Na verdade, o enfoque do Apocalipse não é o conteúdo do pergaminho, mas o caráter daquEle que é digno de abri-lo: Jesus Cristo. Ele é o único, em todo o reino, que é suficientemente digno (5.3-5; cf. Is 29.10-18). Mas quais são as qualificações que permitem a Jesus abrir o livro? Não é sua divindade, eternidade, onisciência, onipresença ou qualquer outra característica divina. Esse descendente de Davi é digno de abrir o livro porque "venceu" (na NIV, "triunfou") de uma forma totalmente inesperada. Ele deu sua vida pelo povo que amava (5.9,12; veja o tópico relacionado a vencedores em 2.7 e ao Cordeiro sacrificado em 5.6).

Artigo: O Filho de Davi (5.5)

O livro de Apocalipse reitera constantemente que Jesus é o prometido descendente de Davi cujo trono e reino permanecem para sempre (2 Sm 7.12,13; cf. Is 16.5; Ez 34.23-25; Os 3.5). Ele é o Cristo (isto é, o Messias) (Ap 1.1,5; 11.15; 12.10; 20.4,6; cf. 1 Sm 2.10; Sl 18.50). Ele é a "raiz de Davi" (Ap 5.5; cf. 22.16; Is 11.10; 53.2) e a geração de Davi (Ap 22.16; cf. Mt 21.9,15; 22.43-45; Lc 1.32). Ele é o "Leão da tribo de Judá" (Ap 5.5; cf. Gn 49.9; Mq 5.8). Jesus tem a chave de Davi (Ap 3.7; cf. Is 22.22) e a vara de ferro de Judá (Ap 2.27; 12.5; 19.15; cf. Gn 49.10; Nm 24.17; Sl 2.9; 45.6; 60.7; 110.2; Hb 1.8).

2.3.3.2. A Apresentação do Cordeiro (5.6-14). Assim que o Cordeiro se apresenta, aqueles que estão em volta do trono o adoram (5.8-14). Sua aparência era a de um "Cordeiro, como havendo sido morto" (v.6) por uma boa causa: e realmente foi. Seu sacrifício fez com que pudesse limpar o seu povo dos pecados que praticaram (v.9; cf. 7.9-14; veja o tópico que fala da multidão de gentios em 7.9). Estes herdarão a terra (Mt 5.5) e reinarão sobre ela (Ap 5.10).

Artigo: O Cordeiro que Foi Morto (5.6)

Existe um acentuado contraste entre as imagens de Jesus nos versos 5 e 6. Enquanto a descrição de Jesus como um leão ocorre apenas uma vez (v.5, mas cf. 10.3), o Apocalipse se refere a Jesus como o Cordeiro trinta e uma vezes (5.6,8,12,13; 6.1,3,5,7,16; 7.9,10,14,17; 12.11; 13.8; 14.1,4 [2 vezes],10; 15.3; 17.14 [2 vezes]; 19.7,9; 21.9,14,22,23,27; 21.1,3). Ele não é apenas retratado como um cordeiro, mas como um cordeiro que foi sacrificado (5.12; 13.8) e cujo sangue foi derramado (7.14; 12.11).

Os primeiros leitores do Apocalipse nunca poderiam imaginar algo semelhante. Na literatura apocalíptica, os símbolos messiânicos geralmente são fortes e poderosos, e o Messias é retratado como um grande líder militar, muitas vezes dotado com poderes divinos de destruição. Quando imagens de animais são usadas, como no livro de Enoque, o Messias está representado por um dos maiores animais — o touro (Enoque 85ss). Como se poderia esperar, a imagem de um leão deveria ser mais comum do que a de um cordeiro.

Afinal de contas, deve-se considerar que o adversário de Jesus é uma Besta. Como um cordeiro poderia vencer uma Besta? A Besta é um animal carnívoro, o cordeiro é herbívoro. A Besta é um predador e o cordeiro a sua presa natural. Será que um cordeiro selvagem poderia atacar a Besta com suas patas e unhas afiadas? Mas ele não as tem. Será que um cordeiro poderia estraçalhar a garganta da Besta com suas presas? Sinto muito, os cordeiros também não as têm. Ou será que o cordeiro poderia esmagar a Besta com seu grande peso? Não, os cordeiros são animais de pequeno porte, e seu peso é muito baixo. Na verdade nem conseguem mover-se de modo suficientemente rápido para fugir de um predador! Na verdade, os cordeiros são desprovidos de qualquer defesa natural; não têm quaisquer armas de guerra. Quando um cordeiro e uma Besta se enfrentam, invariavelmente o cordeiro morre. O Cordeiro Jesus derrotou a Besta, assim como seus seguidores devem fazê-lo: Ele morreu.

O Apocalipse nos conta como o Dragão foi/será vencido: "E eles o venceram pelo sangue do Cordeiro e pela palavra do seu testemunho; e não amaram a sua vida até à morte" (Ap 12.11), e mais uma vez: "E nela se achou o sangue dos profetas, e dos santos, e de todos os que foram mortos [literalmente, *assassinados*] na terra" (18.24). Essa é a razão pela qual o Cordeiro triunfante aparece aqui "como havendo sido morto" (5.6).

A guerra contra a Besta e seus asseclas não será travada com tropas e armamentos físicos, mas espirituais. A principal arma do arsenal cristão é o martírio, que frustra totalmente a Besta por nos colocar além de seu alcance. Jesus, na cruz, foi o exemplo do martírio para os seus seguidores. Ele também disse: "Tome sobre si a sua cruz e siga-me" (Mt 16.24). O poder, a glória e as aclamações encontram-se além da sepultura.

Artigo: As Orações dos Santos (5.8)

Como conseqüência da primeira destruição de Jerusalém, os judeus que desejassem adorar a Deus não poderiam mais oferecer sacrifícios com animais de acordo com a lei mosaica, pois não havia altares consagrados. Com o decorrer do tempo, concordaram em usar três equivalentes, que foram chamados as três grandes obras do judaísmo: a oração (o sacrifício do tempo), o jejum (o sacrifício do corpo) e a distribuição de esmolas (o sacrifício da riqueza). Veja os ensinos de Jesus a respeito dessas obras em Mateus 6.1 e seguintes.

No Apocalipse, muitas vezes as orações dos santos são comparadas ao incenso que queimava em frente ao Lugar Santíssimo (5.8; 8.3,4). Esse incenso, uma mistura nas exatas proporções de especiarias preciosas, era destinado somente a Deus e em um lugar específico. Caso fosse usado de forma imprópria, o transgressor, como castigo, seria excluído do povo de Deus (Êx 30.34-38).

Os mesmos princípios se aplicam às orações dos cristãos. A oração é um ato de adoração e como tal só pode ser oferecida a Deus, que lhe confere um grande valor e a considera como o incenso da antiguidade. As orações não devem ser dirigidas ao imperador romano, à sua imagem ou a qualquer outro ser — qualquer que seja o dever cívico que alguém possa reclamar. Isso significa a "adoração da Besta" (veja o tópico relacionado à adoração da Besta em 13.4). A violação desse princípio resultará exatamente no mesmo castigo imposto por Deus aos israelitas: o transgressor deverá ser excluído para sempre (14.9-11; cf. 20.4).

Artigo: A Adoração no Apocalipse (5.11)

O grande tema do Apocalipse é a adoração; é um livro de adoração, que fala sobre adoração. Infelizmente, poucas pessoas parecem reconhecê-lo. O interesse de alguns leitores desse livro está limitado à tentativa de calcular a data exata da volta de Jesus (embora Ele próprio tenha dito que ninguém, exceto o Pai, conhece essa data — veja Mt 24.36; Mc 13.32), a identidade da Besta e o significado de vários eventos da atualidade. Como o Apocalipse não foi escrito para responder a essas questões, não é de admirar que essas pessoas se sintam frustradas e que suas previsões se modifiquem tantas vezes como as manchetes dos jornais. Enquanto isso, essas pessoas deixam de lado os louvores, lêem às pressas as passagens relacionadas à magnífica adoração a Deus e ao Cordeiro e olham de soslaio o que resta, em favor de suas próprias predileções.

Aqueles que estão obcecados com a idéia do fim do mundo não precisam de um cronograma, mas da revelação de Deus que fará com que aceitem os acontecimentos. Como cristãos, nossa segurança começa pelo conhecimento de quem é o responsável, e não da espécie ou data em que cada evento ocorrerá. A adoração fortalece nosso relacionamento com Deus e nos permite ver as coisas sob essa perspectiva.

Qualquer que seja o modelo, o enfoque do Apocalipse é a adoração. A palavra "adoração" (em grego, *proskyneo*) aparece apenas sessenta vezes em todo o Novo Testamento, sendo que mais de um terço delas em um único livro: no Apocalipse (3.9; 4.10; 5.14; 7.11; 9.20; 11.1,16 13.4 [2 vezes],8,12,15; 14.7; 15.4; 16.2; 19.4,10 [2 vezes],20; 20.4; 22.8,9). A palavra "*Hallelujah*" (do hebraico, "Louvai ao Senhor!") aparece apenas quatro vezes no Novo Testamento, todas elas no Apocalipse (19.1,3,4,6). Quatro das seis referências do Novo Testamento ao incenso (5.8; 8.3,4; 18.13) e as únicas duas referências ao "incensário" estão nesse livro (8.3,5). Se isso não bastasse, o livro de Apocalipse contém mais cânticos do que todo o restante do Novo Testamento, e um rápido folhear de suas páginas poderá confirmar esse levantamento. Mas se procurarmos poesia, a NIV extrai e expõe linhas poéticas (por exemplo, 5.9,10) para que possam ser facilmente reconhecidas.

Os atuais estudiosos geralmente concordam que a maioria desses trechos de poesia é formada por cânticos do início da Igreja. No livro de Apocalipse, os cânticos aparecem em 1.7; 4.8,11; 5.9,10,12,13; 7.10,12,15-17; 11.15,17,18; 12.10-12; 15.3,4; 16.5-7; 18.2-8,10,16,19-24; 19.1-8. Esses cânticos incluem o cântico de Moisés e do Cordeiro (15.3) e também vários "cânticos novos" (5.9; 14.3). Freqüentemente, os cânticos são acompanhados pela música das harpas (5.8; 14.2; 15.2). Muitos versos do Apocalipse continuam a ser usados em canções modernas para a adoração: com diferentes ritmos, instrumentos e tonalidades, mas com a mesma imutável adoração dirigida ao eterno Deus.

Por que o Apocalipse dedicou tanto tempo à adoração? A crise que assolava as sete igrejas da Ásia Menor era de ordem litúrgica, isto é, "quem merece ser adorado, e por quê?" (para uma detalhada descrição da questão, veja o tópico relacionado à adoração da Besta em 13.4). Como o problema era litúrgico, a solução também teria que ser litúrgica. Assim, o Apocalipse não só condena a falsa adoração (13.4,8,12,15; 14.9,11; 16.2; 19.10,20; 20.4; 22.9) como também oferece o modelo para que esta seja oferecida corretamente. Um estudo

desse tema mostrou que a correta adoração tem três elementos essenciais:
1) enfoque correto,
2) conteúdo correto e
3) origem correta.

1) O enfoque correto: Deus e o Cordeiro são o único enfoque correto da adoração (4.10; 5.13; 7.11; 11.15,16; 12.10; 14.7; 19.4; cf. 21.22; 22.3). Nenhum anjo é digno de adoração (19.10; 22.9) e muito menos um mero (e pecador!) ser humano. A adoração a qualquer "Besta" representa uma passagem certa para a eterna condenação (14.9-11; cf. Rm 1.18-32).

2) O conteúdo correto: o conteúdo da adoração é importante, pois deve transmitir a verdade. Ainda estando na terra, Jesus disse que aqueles que desejassem adorar a Deus deveriam fazê-lo em espírito e em verdade (Jo 4.23,24). No Apocalipse, os cânticos louvam especificamente a Deus, o Pai, pelo seu caráter e suas obras: sua santidade (4.8), sua criação (4.11), sua justiça (16.5-7), seu julgamento da prostituta (19.2), sua vingança dos servos (19.2) assim como outros atos de justiça e grandes obras que Ele realizou (15.3-5). Jesus foi adorado pela sua morte e por purificar a multidão para que ela pudesse servir a Deus (5.9-12). Tanto o Pai como Jesus são adorados por sua participação conjunta no plano da salvação (7.10) e pelo seu legítimo reinado sobre a terra (11.15-18; 19.6). Isso não significa que a adoração deva se limitar apenas a esses temas específicos, mas que deve ser sempre bíblica e teologicamente correta.

3) A origem correta: a mais bíblica e teologicamente correta adoração não terá qualquer significado para Deus se for apenas uma expressão sem sentimentos ou apenas "com os lábios" (Is 29.13; Jr 7.1-16; Am 5.21-24). No Apocalipse, os verdadeiros adoradores de Deus são compostos por quatro seres viventes (veja o tópico relacionado aos quatro seres viventes em 4.6-9), por vinte e quatro anciãos (veja o tópico relacionado aos vinte e quatro anciãos em 4.10), pela hoste angelical (5.11; 7.11), pelos 144.000 (veja o tópico relacionado aos 144.000 judeus em 7.4) e pela "grande multidão" de gentios (veja o tópico relacionado à multidão de gentios em 7.9). No final, entretanto, "toda criatura que está no céu, e na terra, e debaixo da terra, e que está no mar, e todas as coisas que neles há" se curvarão perante a autoridade de Deus (5.13; cf. Is 45.23; Rm 14.11; Fp 2.10).

No livro de Apocalipse, todos os seres humanos que decidem adorar a Deus têm algumas características em comum. Eles "lavaram as suas vestes e as branquearam no sangue do Cordeiro" (7.14; cf. 22.14) e alguns derramaram seu próprio sangue para que o inimigo pudesse ser derrotado (12.11). Quer sejam judeus (7.4) ou gentios (7.9), obedeceram aos mandamentos de Deus e mantiveram-se firmes no testemunho de Jesus (12.17). São puros e incontaminados (14.4; 21.27) e têm obras justas (19.8). Eles "venceram" o mundo (veja o tópico relacionado aos vencedores em 2.7) e assim se parecem com "uma esposa ataviada para o seu marido" (21.2) (veja o tópico relacionado à Noiva de Cristo em 21.9).

Esses crentes representam o perfeito exemplo do antigo significado da adoração. A Bíblia nunca limita a adoração apenas aos cânticos, mas inclui todos os atos que são feitos para Deus. O povo de Deus tem uma harmonia entre suas expressões de louvor e sua vida cotidiana. Suas escolhas e seus louvores são perfeitamente compatíveis, e não existe qualquer dissonância entre suas palavras e suas ações, pois ambas são orquestradas pelo Espírito Santo (Rm 8.5-9; Jo 5.19; 12.49,50; 14.9-11).

2.3.3.3. A Abertura do Livro (6.1-17; 8.1-5). A descrição da abertura dos sete selos do livro tem um certo ritmo — como se fosse uma contagem regressiva. De acordo com uma seqüência ordenada, a abertura de cada selo se dá início a um acontecimento na terra e cada selo reforça a realidade de que Deus está no comando.

2.3.3.3.1. Os Primeiros Quatro Selos: O Passado Histórico (6.1-8). Em nossa opinião, aqueles quatro cavaleiros dos primeiros quatro selos representam o passado histórico, repleto de conflitos da primeira audiência (e da nossa também). Nos tempos bíblicos, os cavalos eram instrumentos de guerra e aqui representam as "guerras e rumores de guerras" (Mt 24.6; Mc 13.7; cf. Lc 21.9) que têm caracterizado a história humana como um todo.

Eles distribuem as conquistas (Ap 6.2), a guerra (v.4), a fome (v.6), as pragas e as feras selvagens (v.8).

A falta de detalhes de cada uma das cenas é deliberada, para que possam ser aplicadas a qualquer guerra ou tragédia humana (por exemplo, Ez 14.13-22) e, ao mesmo tempo, uma garantia de que esses selos não distrairão a atenção da audiência do verdadeiro enfoque do autor, isto é, do quinto e sexto selos.

2.3.3.3.2. O Quinto Selo: O Passado Imediato (6.9-11). A descrição do quinto selo é totalmente diferente das anteriores. É significativamente mais longa que as precedentes — uma indicação de sua importância. Também não tem cavalos, o que torna esse selo ainda mais diferente dos anteriores. Ao invés de problemas globais ou internacionais, aqui se trata do problema pessoal imposto pelo martírio cristão: "Quando Deus nos vingará?"

Em nossa opinião, o quinto selo descreve a época em que este livro foi escrito. Os cristãos haviam sido mortos por causa de sua fé, e sua posição "debaixo do altar" implica em uma morte sacrificial. Estes, assim como os outros membros de suas igrejas, queriam saber quanto teriam que esperar pela vingança de Deus sobre seus assassinos.

O conteúdo e a seqüência desses cinco selos é surpreendentemente semelhante aos ensinos de Jesus sobre o fim dos tempos em Mateus 24.6-9:

> Selos 1-4: "E ouvireis de guerras e de rumores de guerras; olhai; não vos assusteis, porque é mister que isso tudo aconteça, mas ainda não é o fim. Porquanto se levantará nação contra nação, e reino contra reino, e haverá fomes, e pestes, e terremotos, em vários lugares. Mas todas essas coisas são o princípio das dores".
>
> Selo 5: "Então, vos hão de entregar para serdes atormentados e matar-vos-ão; e sereis odiados de todas as gentes por causa do meu nome".

A resposta de Deus à pergunta, "Até quando?", provocou um desapontamento inesperado entre os primeiros destinatários. Embora tivessem que esperar "ainda um pouco de tempo", isto significava que mais cristãos seriam martirizados. Na verdade, o julgamento de Deus em relação à terra será iniciado quando o número de mártires estiver completo (veja também o tópico relacionado às vestes brancas em 7.9).

Artigo: Testemunhar, Testificar, Testemunha (6.9)

Um dos temas mais importantes do Apocalipse é seu apelo ao martírio cristão. O livro ensina que os verdadeiros crentes terão que renunciar à vida a fim de serem fiéis a Jesus. A raiz grega *martyr* está no cerne desse ensinamento. Originalmente, o verbo derivado dessa raiz significava simplesmente "testemunhar ou testificar", porém esse significado foi ampliado para "ser um mártir". O Apocalipse registra a importante transição dessa palavra onde "testemunhar" passa a significar "testemunhar até dar a própria vida", isto é, o "martírio". Tanto Jesus como a igreja primitiva atribuíam grande valor ao martírio (Mc 8.34; 1 Co 13.1).

As várias formas da raiz dessa palavra foram traduzidas para o português como "testemunhar", "testificar", "testemunha" (a última tem o sentido de "aquele que testemunha"). O exemplo supremo desse grande sacrifício pessoal é Jesus, como foi constatado por sua própria crucificação. No Apocalipse, Jesus é a "fiel testemunha" (veja 1.5; cf. 3.14), que ainda "testifica" (22.20) como faz seu apocalipse (22.16). Sua morte foi a maneira pela qual Ele "venceu" o mundo (5.1-9; veja o tópico relacionado aos vencedores em 2.7). Antipas, o mártir de Pérgamo, é a única outra pessoa a ser chamada de "fiel testemunha" (2.13).

A existência de outros mártires cristãos é comprovada pelas almas "debaixo do altar", cujo sangue clama a Deus por vingança (6.9-10; cf. 16.7; Gn 4.10), e haveria ainda outras que se uniriam a estas (Ap 6.11). As duas "testemunhas" também serão (ou terão sido) martirizadas (11.3,7). Embora o martírio seja um tópico bastante assustador, os mártires cristãos, entretanto, assegurarão a vitória sobre as forças do mal (12.11) e receberão recompensas especiais no mundo vindouro (20.4-6). Na verdade, até a ocasião da volta de Cristo parece ser controlada pelo número de cristãos martirizados (6.11).

O livro de Apocalipse atribui a culpa por estas mortes diretamente ao império romano, e isto está claramente demonstrado em várias passagens:
1) na referência à decapitação, a antiga penalidade por traição cometida por um cidadão romano (20.4);
2) na grande prostituta (a cidade de Roma) que segura uma taça transbordante do sangue desses mártires cristãos (17.4-6) e
3) em uma referência talvez inexplicável a Roma como sendo a cidade onde de fato se tomou a decisão de matar Jesus (11.8).

Artigo: Os Habitantes da Terra (6.10)

A frase "os que habitam na terra" aparece sete vezes no Apocalipse (6.10; 8.13; 11.10; 13.8,14; 17.2,8) e se refere àqueles que sentem que a terra é o seu próprio lar; além disso, ela é sempre moralmente negativa. Estes martirizaram os cristãos (6.10) e se regozijaram com sua morte (11.10). Mas a Besta os enganará (13.14; 17.2,8) e eles a adorarão (17.8), portanto, serão julgados por Deus (6.10; 8.13).

Esses "que habitam na terra" são o oposto dos cristãos, que são apenas "estrangeiros e peregrinos na terra" (Hb 11.13; cf. 1 Pe 1.1,17; 2.11), porém eles são, ao mesmo tempo, "concidadãos" dos céus (Ef 2.19; cf. Fp 3.20). Seu lar é ao lado de Deus (Ap 7.15; 12.12; 13.6; 21.3).

Nero cunhava moedas com sua própria imagem e nelas estava inscrito o seu título "Príncipe dos habitantes da terra". Ao usar essa frase para descrever os adversários de Deus, o Apocalipse estabelece claramente o cenário para a desobediência civil por parte dos cristãos. Quando as leis humanas estão em conflito com as leis de Deus, os cristãos devem obedecer à mais alta autoridade que é Deus e, ao fazê-lo, estão demonstrando a qual reino seu coração realmente pertence.

2.3.3.3.3. O Sexto Selo: O Futuro Imediato (6.12-17). O sexto selo tem a descrição mais longa do Apocalipse. Geralmente, os intérpretes do Apocalipse consideram que a narração mais longa e mais detalhada reproduz o momento presente da audiência original — sua preocupação imediata. Concordamos que isso é exatamente o que acontece aqui. Além disso, trata-se também do *nosso* presente. Assim como as sete igrejas da Ásia Menor, nós também aguardamos que o Cordeiro abra o último selo.

Além do fato da descrição do sexto selo ser a mais longa, existem outras boas razões para considerá-lo como sendo o presente histórico.
1) A seqüência da abertura dos selos pára no sexto selo, e é interrompida pelo capítulo 7. Nesse capítulo, Deus diz aos anjos para se certificarem de que todo seu povo foi identificado antes do julgamento da terra (o julgamento prefigurado em 6.12). Essa tarefa de identificar o povo de Deus representa a proclamação do Evangelho a todo o mundo, uma tarefa da qual a Igreja tem se ocupado nos últimos dois mil anos. Assim, a longa pausa entre o sexto e o sétimo selo permitiu que outros milhões de pessoas pedissem perdão a Deus, assegurando que Ele será adorado por toda a eternidade, por multidões "de todas as nações, e tribos, e povos, e línguas" (7.9), assim como por um remanescente de Israel (v.4). Com certeza, esse objetivo merece uma interrupção momentânea!
2) Uma revisão dos últimos dois milênios da história humana demonstrará que o dia do Juízo Final de Deus ainda não chegou. Jesus ensinou claramente que esse evento seria inconfundível (Mt 24.27-31) e até o momento não existe qualquer reconhecimento universal a esse respeito, nenhuma fuga dos povos do mundo em direção às montanhas e colinas e nenhuma súplica em uníssono por clemência.
3) Os sinais dos astros previamente anunciados ainda não ocorreram, ou pelo menos não ao mesmo tempo. A descrição feita por Mateus sobre a crucificação de Jesus menciona que "houve trevas sobre toda a terra" (27.45) e um violento terremoto

(v.51), mas ele nada diz sobre a lua tornando-se vermelha ou as estrelas caindo do céu. Muitos outros eclipses ocorreram desde essa época e o sol e a lua já foram escurecidos pela fumaça de muitas guerras. No entanto, esses fenômenos não foram acompanhados por estrelas (cometas?) caindo do céu ou pelo céu se enrolando "como um pergaminho".

Portanto, entendemos que a audiência original do Apocalipse e os leitores contemporâneos estão posicionados no início do sexto selo, e antes dos sinais astrais, no interlúdio detalhado no capítulo seguinte. Como muitos dos eventos descritos no sexto selo ainda estão por acontecer, eu o intitulei como "O Futuro Imediato" e não como "O Momento Presente".

Artigo: Os Sinais no Céu (6.12)

O sexto selo contém os sinais dos astros, há muito preditos pelos profetas, os arautos do Dia do Juízo Final. Esses sinais incluem o escurecimento do sol e da lua (Ap 6.12; 8.12; cf. Is 13.10; 24.23; Ez 32.7; Jl 2.10; 3.15; Mt 24.29; Mc 13.24) ou ainda os mesmos tornando-se vermelhos (Jl 2.31; At 2.20), as estrelas caindo do céu e este se enrolando como um pergaminho (Is 34.4; cf. Mt 24.29; Mc 13.25). Essa inversão da ordem natural celeste reflete o caos que se instalou no reino da terra.

O *Sukkah* 2.6, do Tosephta judaico, sobre a Festa dos Tabernáculos, contém uma dolorosa explicação de alguns desses sinais:

A. O escurecimento dos luminares será um mau presságio para todo o mundo.

B. Isso pode ser comparado a um rei mortal que construiu um palácio, organizou um banquete e recebeu os convidados. Mas irou-se com eles e disse ao servo: "Deixe-os no escuro"; então todos ficaram em trevas.

C. Foi dito por R. Meir: "Quando as luzes do céu estiverem em um eclipse, será um mau presságio para Israel, pois estão habituados com as calamidades".

D. Isso pode ser comparado a um professor que entra na escola e diz: "Tragam-me a correia". Quem se assustará? Aquele que está acostumado a apanhar com ela!

E. Quando o sol escurecer, isso será um mau presságio para as nações do mundo.

F. Quando a lua escurecer, isso será um mau presságio para Israel,

G. Pois os gentios calculam seu calendário pelo sol, e Israel pela lua.

H. Quando houver eclipse no Oeste, isso será um mau presságio para aqueles que vivem no Oeste.

I. Quando o eclipse estiver no Leste, isso será um mau presságio para aqueles que vivem no Leste.

J. Quando o eclipse estiver entre os dois, isso será um mau presságio para todo o mundo.

K. Quando for como uma aniagem, será o sinal da punição pela pestilência e fome tomando conta do mundo.

Artigo: "Quem Poderá Subsistir?" (6.17)

Os que lucraram sob o reinado do mal são aqueles que estarão mais ameaçados por sua deposição. Levados a acreditar que a presente situação durará para sempre, essas pessoas acumularam toda espécie de poder terreno: político (os reis e príncipes), militar (os generais) e econômico (os ricos e poderosos). Quando o Rei aparecer, esses fantoches terão sua primeira visão do verdadeiro poder. Ele mostrará como são insignificantes e impotentes e, amedrontados, liderarão uma fuga generalizada às regiões mais remotas. Tendo adorado por muito tempo deuses de pedra e minerais, implorarão às montanhas e rochedos para protegê-los contra o julgamento de Deus. Mas implorarão em vão, pois as montanhas e rochedos se negarão a responder. Esses objetos inanimados mostrarão mais juízo que qualquer um dos reis da terra. Reconhecerão seu Criador e tremerão, pois a justiça está próxima (Os 10.8; cf. Sl 114; Ez 38.20; Am 4.13; Mq 1.4; 6.1).

"Quem poderá subsistir" ao dia da ira do Cordeiro? O próximo capítulo revela a resposta. Somente um grupo escapará, somente um grupo será capaz de subsistir: o povo de Deus, os salvos; os judeus (7.4-8) e também os gentios (7.9-17) subsistirão junto com os anjos (7.1), adorando ao redor do trono.

Veja que a solução para sobreviver à próxima atribulação não é a fuga ou a mudança para uma remota localidade, a compra de armas de fogo ou o estoque de alimentos. A única forma de escapar à destruição é lavar as vestes e branqueá-las "no sangue do Cordeiro" (7.14).

A. O Primeiro Intervalo: O Povo de Deus (7.1-17)

A.1. Os Servos do Senhor São Selados (7.1-3)

Em Apocalipse 7, a cena da multidão celestial estabelece uma pausa, ou intervalo, entre a abertura do sexto e do sétimo selo. Esse intervalo serve a várias finalidades.
1) É o equivalente literário de uma inserção em um desenho. Essa inserção contém uma visão ampliada de uma das menores partes do desenho e exibe os detalhes mais intrincados que não podem ser observados por uma visão normal. Esse capítulo, da mesma forma, contém uma imagem expandida do pequeno espaço entre a abertura do sexto selo e os sinais astrais, isto é, do presente histórico da audiência original.
2) Esse intervalo eleva a tensão do livro ao adiar a conclusão do capítulo — da mesma forma que um bom livro de mistério prolonga o capítulo final, antes de expor o enredo. Até essa altura, tudo havia prosseguido rapidamente, mas agora as coisas estão em seu lugar. De fato, os anjos têm que conter as forças destruidoras antes que se desencadeiem precocemente (7.1).

Mas, por que as séries não terminaram? Por que essa pausa? Essa tensão extremamente elevada se assemelha à tensão desesperada que a audiência original deve ter experimentado enquanto aguardava a volta de Jesus Cristo.
3) Finalmente, os detalhes dessa cena ajudam a explicar por que a volta de Jesus Cristo foi protelada para muito além do que a audiência esperava. Porém, Deus não é tardio nem negligente. Ele esperou porque não quer "que alguns se percam" (2 Pe 3.9). O golpe final não será desferido até que "nós" tenhamos identificado todos os servos de Deus (Ap 7.3). A palavra "nós" (implícita em 7.3), sem qualquer outra explicação anterior, deve se referir à Igreja e à sua Grande Comissão (Mt 28.18-20).

A.2. A Adoração dos Servos do Senhor (7.4-17)

A.2.1. Os 144.000 (7.4-8). Agora, João observa 144.000 judeus em sua visão, 12.000 de cada tribo, e que fazem parte dos "servos do nosso Deus" (7.3).

Artigo: Os 144.000 Judeus (7.4)

No Apocalipse, o grupo de 144.000 pessoas é formado pela etnia judaica. O autor enfatiza essa etnia identificando-os como membros das doze tribos de Israel (7.5-8). Sua presença, neste ponto, testemunha a fidelidade de Deus e a certeza do cumprimento de suas promessas.

No Antigo Testamento, Deus prometeu preservar da destruição um "remanescente" (uma pequena fração) de Israel (Is 28.5; 37.31; Jr 23.3; 50.20; cf. Rm 11.1-5), a despeito dos pecados que a nação praticou. Ele não só os salvará da destruição como também lhes prometeu uma nova aliança (Jr 31.31-33) e um novo relacionamento com Ele (Os 2.14-23; cf. Ap 21.3). Sua promessa incluía as dez tribos do Norte, Israel (Is 11.16; Jr 3.11,12,18; 23.8) e também as duas tribos do Sul, Judá (O mito popular das dez tribos perdidas de Israel é apenas isso — um mito; Deus nunca as perdeu).

Esses judeus não estão aqui por causa de sua qualificação étnica, mas pelo seu caráter. O livro diz que foram assinalados com "o nome dele e o de seu Pai" (14.1; cf. 7.3), para que pudessem ser reconhecidos por Deus, o Pai e Jesus, o Messias; foram "comprados" ou "remidos" (14.3). Também haviam evitado os pecados de muitos de seus companheiros judeus, pois não mentiram a respeito dos cristãos (14.5; cf. 3.9) e nem se deixaram envolver pela imoralidade sexual (14.4; cf. 2.14,20; 9.21; 17.2; 21.8; 22.15). Sua recompensa será tornarem-se a companhia constante do Cordeiro (14.4) e conhecerem uma canção de adoração que somente eles poderão cantar (14.3).

O número 144.000 (Ap 7.4; 14.1,3) não estabelece um limite ao número de judeus que serão admitidos no céu, mas exatamente o oposto. Ele atesta a magnanimidade de Deus, pois se Ele tivesse preservado apenas um único membro de cada tribo, isso já seria suficiente para realizar sua antiga promessa. Esse número enorme representa milhares de vezes um remanescente de *cada* uma das doze tribos, que totalizaria apenas doze pessoas!

A.2.2. A Multidão dos Gentios (7.9,10).
O número de gentios entre o povo de Deus claramente eclipsa o número de judeus. Alguém pode imaginar como os primeiros seguidores judeus de Jesus reagiram diante do imenso número de gentios que também desejavam seguir ao Messias.

Artigo: A Multidão dos Gentios (7.9)

Apesar da perplexidade dos crentes circuncisos, de que o Espírito Santo havia sido derramado "também sobre os gentios" (At 10.45), o Antigo Testamento contém muitas passagens que descrevem um tempo quando os gentios adorarão ao único e verdadeiro Deus (Sl 22.27,28; 86.9; Jr 3.17; Ez 38.23; Mq 4.2; Zc 2.11; 8.22,23; 14.16; Ml 1.11). Provavelmente, a mais conhecida delas é a de Isaías 45.20-23 (Rm 14.11; Fp 2.10):

> Congregai-vos e vinde; chegai-vos juntos, vós que escapastes das nações...
> Olhai para mim e sereis salvos, vós, todos os termos da terra; porque eu sou Deus, e não há outro.
> Por mim mesmo tenho jurado; saiu da minha boca a palavra de justiça e não tornará atrás: que diante de mim se dobrará todo joelho, e por mim jurará toda língua.

Os incontáveis gentios dessa multidão celestial (7.9) são o cumprimento visível dessas profecias; as "outras línguas" de Pentecostes (At 2.4,11) prenunciavam sua diversidade (Ap 5.9). A Nova Aliança de Deus, através de Jesus Cristo, oferecia perdão a quem quisesse se aproximar (At 2.38,39; cf. Mc 8.34), independentemente de sua nacionalidade, etnia, riqueza ou posição social (At 10.34; Gl 3.28). Eles vieram e o tamanho dessa multidão é o testemunho do sucesso que a missão do Evangelho teria entre os gentios.

Deus declarou que esses gentios eram justos pela sua fé nas promessas, exatamente como fez por Abraão (Gn 15.6; cf. Rm 3.21-24). Assim, Abraão tornou-se um "bem-aventurado" e o "pai" de muitas nações (Gn 17.4; Rm 4.7,8). O conselho da primeira igreja, em Atos 11, estava correto: "Na verdade, até aos gentios deu Deus o arrependimento para a vida" (At 11.18).

Artigo: "As Vestes Brancas" (7.9)

A expressão "vestes brancas" aparece apenas dezesseis vezes no Novo Testamento, nove das quais no livro de Apocalipse, onde o povo de Deus se veste com vestes brancas (7.9,13,14; cf. 16.15; 22.14). Jesus prometeu às igrejas de Sardes e Laodicéia que os fiéis seriam vestidos com vestes brancas (3.4,5,18). Aqueles que pelo seu martírio já demonstraram sua fidelidade receberão vestes brancas na abertura do quinto selo (6.11). Os vinte e quatro anciãos que estão no céu (4.4), o exército e o cavaleiro do cavalo branco que segue para a guerra também estarão vestidos de branco (19.14), assim como a Noiva de Cristo (19.8). Todas as outras sete referências do Novo Testamento estão associadas à transfiguração de Cristo (Mt 17.2; Mc 9.3; Lc 9.29), à sua ressurreição (Mt 28.3; Mc 16.5; Jo 20.12) ou à sua ascensão (At 1.10).

As imagens proféticas, que descrevem as faces e vestimentas brilhantes dos justos ressuscitados (Ap 7.9; cf. Mt 17.2; Lc 9.29; 1 Enoque 38.4; 62.15,16; 104.2; 2 Baruque 51.3,10; 4 Esdras 7.97,124), parecem ter sido retiradas das multidões da Festa dos Tabernáculos. Talvez essas multidões estivessem vestidas de branco antecipando sua inclusão na ressurreição dos justos.

Aparentemente, muitos participantes da Festa dos Tabernáculos se ungiam com óleos perfumados e se vestiam com linho branco (cf. 2 Sm 6.14; Is 61.2,3). Essas vestes não seriam para uso cotidiano, pois facilmente poderiam se sujar nos campos ou nas ruas poeirentas das cidades antigas. Eram vestimentas especiais para os dias em que não estivessem trabalhando, isto é, nos dias festivos. Portanto, as vestes brancas passaram a representar as ocasiões em que não se trabalhava e a ausência de sujeira, e essa imagem estava associada à pureza e à alegria das festas ou até dos casamentos. As mesmas multidões usavam coroas de louro (lauréis) e levavam folhas de palmeira, sendo que ambas aparecem no Apocalipse (veja o tópico relacionado a coroas, lauréis e diademas em 4.10 e a folhas de palmeira abaixo).

Artigo: Folhas de Palmeira (7.9)

No livro de Apocalipse, a alusão mais comumente relacionada à Festa dos Tabernáculos é o aparecimento de folhas de palmeira, no capítulo 7. O grupo dos 144.000 judeus, assim como uma grande e mista multidão, vestia trajes brancos em 7.9 e acenava com folhas de palmeira (cf. Lv 23.40; Ne 8.15; 4 Esdras 2.45,46; Jubileus 16.30,31; m. Suk 3.1-4.7). As palmas eram carregadas pelos celebrantes dos Tabernáculos durante as comemorações da festa que duravam sete dias. Elas eram acenadas durante a leitura diária do Grande Hallel (Sl 115-118), no início e no final do Salmo 118: "Louvai ao Senhor, porque ele é bom, porque a sua benignidade é para sempre" (Sl 118.1,29) e "Oh! Salva, Senhor, nós te pedimos; ó Senhor, nós te pedimos, prospera!" (v.25)

Por duas vezes a história registra ocasiões em que a multidão de judeus espontaneamente acenou aos vitoriosos com folhas de palmeira, mesmo não sendo a ocasião da Festa dos Tabernáculos. A primeira delas foi quando Simão Macabeu conquistou Acra, em 141 a.C., a antiga fortaleza dos selêucidas em Jerusalém. O povo festejou essa vitória acenando com folhas de palmeira e cantando salmos e cânticos de louvor (1 Mac 13.51; cf. 14.4-15). A segunda vez foi durante a entrada triunfal de Jesus em Jerusalém (Mt 21.1-11; Mc 11.1-11; Lc 19.28-38; Jo 12.12-16), quando as pessoas cortaram galhos (de palmeiras, cf. Jo 12.13) e acenavam com eles, gritando frases do Hallel (Sl 118.25,26).

No livro de Apocalipse, a multidão acenava com as palmas para celebrar a vitória, não para chamar a atenção de Deus ao seu pedido de salvação. Gritavam: "Salvação ao nosso Deus, que está assentado no trono, e ao Cordeiro" (Ap 7.10), e não "Oh! Salva, Senhor" (Sl 118.25).

A.2.3. Os Anjos, os Anciãos e as Criaturas (7.11-12). O retrato de família não estaria completo sem os demais servos do Senhor: os anjos, os anciãos e os quatro seres viventes (v.11). Sem qualquer distinção de idade, experiência, número ou natureza, adoravam juntamente a Deus, ao redor de seu trono (v.12), e não há dúvida de que seu cântico era perfeitamente harmônico.

A.2.4. A Identificação dos Servos de Deus (7.13-17). Esses cinco versos nos oferecem um excelente exemplo de um dos princípios mais importantes da interpretação bíblica. Ao interpretar passagens aparentemente difíceis, devemos verificar se estas interpretações já não existem, antes de criar a nossa própria interpretação. Os versos 14 e 15 nos dão a interpretação da grande multidão. Um dos anciãos explica a João que essas pessoas pertencem a Deus (v.15), que elas se arrependeram dos pecados que praticaram e foram perdoadas (v.14). Suportaram grandes perseguições (v.14) e agora receberão grandes recompensas (vv.15,17). Esses judeus e gentios representam a totalidade do povo de Deus, e não uma simples fração dele (veja o tópico referente à Grande Tribulação, a seguir).

Artigo: A Grande Tribulação (7.14)

É um grande erro entender a frase "grande tribulação" (7.14) como se ela se referisse a um período específico de tempo (por exemplo, sete anos ou mesmo três anos e meio), ao invés da grande e intensa perseguição que os cristãos sofreram ao longo da história. A palavra grega traduzida como "tribulação" (th*lipsis, v.*14) aparece quatro outras vezes no Apocalipse. A primeira descreve o "sofrimento" histórico pelo qual João e suas igrejas estavam passando quando escreveu o Apocalipse (1.9). A segunda e terceira referem-se às "aflições" ou "tribulações" que a igreja de Esmirna estava experimentando naquela ocasião (2.9,10). A quarta é uma ameaça: Deus trará uma "grande tribulação" (literalmente, um *grande sofrimento)* àqueles que seguem a profetiza Jezabel, em Tiatira, a não ser que se arrependam (2.22).

A expressão "grande atribulação" não é muito específica; ela aparece quatro vezes no Novo Testamento, inclusive em Apocalipse 7.14. Estêvão a empregou ao descrever o grande sofrimento que a fome causou a Jacó e à sua família em Canaã (At 7.11). Jesus usou essa frase quando preveniu seus discípulos que um tempo de "grande aflição" (Mt 24.21) alcançaria a Igreja, mas que seria imediatamente acompanhado pelos sinais celestiais do sexto selo do Apocalipse (Mt 24.29; cf. Ap 6.12-14). A última ocorrência dessa frase, já mencionada anteriormente, está na ameaça de Deus de fazer com que a certos cristãos em Tiatira sobrevenha "grande tribulação", a não ser que mudem seu comportamento (Ap 2.22).

Assim, a "grande atribulação" não está localizada em um período futuro, e de algum modo separado da "era da Igreja", mas incluído em sua experiência ao longo da história. Ela não se refere ao que Deus fará ao mundo, mas àquilo que o mundo fez à Igreja — e à razão pela qual Deus está tão irado.

Se isso for verdade, então Apocalipse 7 não está descrevendo apenas uma pequena parte do povo de Deus, resgatado no último instante de um mundo sitiado. Todo o povo de Deus está aqui, com seu caráter fortalecido pela perseguição com que Satanás esperava destruí-lo. Tiago sabia muito bem disso quando escreveu:

> Meus irmãos, tende grande gozo quando cairdes em várias tentações, sabendo que a prova da vossa fé produz a paciência. Tenha, porém, a paciência a sua obra perfeita, para que sejais perfeitos e completos, sem faltar em coisa alguma (Tg 1.2-4).

Artigo: As Bênçãos do Mundo Vindouro (7.15)

Qual será a eterna recompensa para aqueles que serviram a Deus na terra? Continuarão a servir a Deus, e Ele lhes concederá tudo que necessitam para sua felicidade na vida eterna. Eles e todos nós teremos abundância de comida e bebida (v.16) e nunca mais ficaremos sem um lar (v.15) ou tristes (v.17) ou separados de nosso Salvador (v.15). Deus nos assegura que haverá uma sombra para nos proteger do calor do sol (uma bênção peculiar do Oriente) (v.16; veja o tópico referente ao Pálio da *Shekinah* a seguir). De fato, as bênçãos de 7.15-17 parecem as do Salmo 23, com uma diferença: o Cordeiro apascentará os homens, ao invés da situação comum onde um homem apascenta os cordeiros! (v.17) Na verdade, somos "povo seu e ovelhas do seu pasto" (Sl 100.3).

Artigo: O Pálio da Shekinah (7.15)

Uma das promessas mais interessantes de Deus que aparecem no Apocalipse é que Ele nos "cobrirá com a sua sombra" (ou como em outras traduções: "Estenderá o seu tabernáculo" sobre nós ou nos "protegerá com a sua presença", 7.15). Essa promessa diz mais do que simplesmente oferecer abrigo: também inclui a oferta de uma eterna comunhão.

O antigo entendimento israelita da *Shekinah* (a "glória" de Deus e sua presença "visível") está no centro dessa promessa. Quando Deus conduziu os israelitas para fora do Egito Ele os guiava através de uma nuvem durante o dia e de uma coluna de fogo durante a noite (Êx 13.21). Além de ser visível somente durante o dia, a nuvem resguardava os israelitas do intenso sol do deserto e a coluna de fogo fornecia iluminação e calor para espantar o frio da noite. A *Shekinah* tornava-se visível sobre o tabernáculo todas as vezes que acampavam (Êx 40.38; Nm 9.15,16). Mais tarde, os israelitas se lembravam com saudade de sua viagem pelo deserto como um tempo em que estavam muito próximos de Deus (Jr 2.2; Os 13.4-6). Embora vivessem em tendas, foi uma época em que, literalmente, Deus vivia entre eles (Êx 29.45,46) e, durante as Festas dos Tabernáculos, eles também viviam em tendas como lembrança de sua experiência no deserto (Lv 23.42,43).

Isaías profetizou que em algum momento do futuro Deus habitaria novamente com o seu povo (Is 4.5,6):

> Criará o Senhor sobre toda a habitação do monte de Sião e sobre as suas congregações uma nuvem de dia, e uma fumaça, e um resplendor de fogo chamejante de noite; porque sobre toda a glória haverá proteção. E haverá um tabernáculo para sombra contra o calor do dia, e para refúgio e esconderijo contra a tempestade e contra a chuva.

Nessa passagem, a palavra hebraica para "pálio" (*chuppah*) é usada significando um abrigo móvel para cerimônias de casamento. Assim, a comunhão que Deus nos promete é retratada através de um pálio, e está relacionada ao mais íntimo dos relacionamentos humanos.

Durante sua vitoriosa entronização, o Cordeiro desposará sua Noiva, a Igreja, a Nova Jerusalém. Ela será pura (Ap 21.27; cf. v.8). Seu casamento com o Messias será celebrado com um grande banquete (19.7; cf. Mt 22.1-14) e uma imensa alegria (Ap 19.7-9; veja o tópico relacionado à Noiva de Cristo em 21.9).

Artigo: A Água Viva (ou A Água da Vida) (7.17)

A água viva é a água que flui, seja de um rio, nascente ou fonte. O conceito hebraico de "vivo" significa simplesmente algo que se move por si próprio, porém é bastante apropriado nesse contexto, de várias maneiras.

1) A água que se move tem mais oxigênio, portanto pode suportar uma população maior de seres aquáticos por metro cúbico do que a água parada. Uma maior quantidade de peixes significa mais alimento para as pessoas que habitam às suas margens.
2) A água que se move é mais saudável que a água estagnada. O movimento na superfície da água permite uma melhor troca de resíduos e gases e, portanto, é um ambiente desfavorável à proliferação de bactérias anaeróbicas que causam doenças e morte.
3) Finalmente, e de acordo com o código mosaico, a "água viva" é a única espécie de água que não pode ser contaminada, independentemente da quantidade de impurezas que venha a remover (Lv 11.32-36). Ela tem esse poder porque está sendo constantemente renovada através de uma fonte oculta.

A "água viva" representa uma imagem poderosa da vida saudável e santa que flui de um adequado relacionamento com o Deus vivo (Ap 7.17; cf. Is 49.9,10) e é sua dádiva para nós (Is 55.1ss; cf. Ap 21.6; 22.17). Ele é a fonte ou a origem, quer seja retratado como uma nascente, um rio ou uma fonte (Sl 36.7-9; 46.3; Is 44.3; Jr 2.13; 17.13; Ez 47; cf. Jo 4.10,11; 7.38). A água viva flui de sua casa (Ez 47.1; Jl 3.18; Zc 14.8) e de seu trono (Ap

22.1; cf. Jo 7.38; e provavelmente 19.34-37). Uma vez que seu fluxo seja livre, esta água será suficiente para purificar a terra (Is 35.5-10; Zc 14.20,21; cf. Gn 7.11ss). Então, mais uma vez a glória de Deus encherá a terra (Sl 57; 108.5; Is 6.3) e todos conhecerão ao Senhor (Is 11.9; Hc 2.14; Zc 14.9) (veja o tópico relacionado ao rio celestial ou ao mar de cristal em 22.1).

2.3.3.3.4. O Sétimo Selo: O Futuro Imediato (8.1-5).

O sétimo selo completa a primeira série de rituais. Este inclui um intervalo de silêncio (8.1) e uma oferta de incenso (vv.3-5) e introduz os sete anjos com trombetas (veja o tópico relacionado às trombetas em 8.2), que convocarão as próximas sete pragas (8.6ss).

No antigo Israel, o altar do incenso ficava dentro do tabernáculo e do templo, diretamente em frente à Arca da Aliança (Êx 30.1-6; Hb 9.4). Somente um tipo de incenso poderia ser oferecido no altar; sua fórmula exigia uma combinação exata de especiarias preciosas e o mais fino óleo de oliva. Deus proibia seu uso para qualquer outra finalidade. Era santo e consagrado ao Senhor (Êx 30.31-38). Aqui no Apocalipse o incenso é oferecido a Deus, associado às igualmente consagradas orações dos santos (Ap 8.3,4; veja o tópico referente às orações dos santos em 5.8).

Em Salmos 141.1,2, Davi orava da seguinte maneira:

> Senhor, a ti clamo! Escuta-me! Inclina os teus ouvidos à minha voz, quando a ti clamar.
> Suba a minha oração perante a tua face como incenso, e seja o levantar das minhas mãos como o sacrifício da tarde.

Como Davi, os santos da Ásia Menor também devem ter clamado a Deus (Ap 6.9), e a presente cena indica que Deus ouviu seu clamor. Muitas vezes Ele expressou a condenação pelo pecado através do fogo (Gn 19.28; Nm 11; 16; Dt 29.33; 2 Rs 1.10,12) e podemos ter certeza de que o fará novamente (Ap 8.5,7; 9.18; 11.5; 16.8; 18.8; 19.20; 20.9,15; 21.8; cf. 2 Pe 3.10,12). Deus ouve as orações de seus servos (Tg 5.16).

Como acontece com os demais grupos de sete rituais, essa cena termina com trovões, relâmpagos e terremotos (8.5; 11.19; 16.18). Esses são os símbolos elementares do poder de Deus (4.5; veja o tópico relacionado ao trono de Deus em 4.2). Sua presença no sétimo selo, na sétima trombeta e no sétimo cálice nos encoraja a interpretar as três séries de rituais como sendo congruentes e não consecutivas (veja o tópico relacionado à estrutura ritualística do Apocalipse em 5.1).

Artigo: As Trombetas (8.2)

As trombetas são encontradas ao longo de todo o livro de Apocalipse (1.10; 4.1; 8.2-13; 9.1,13; 10.7; 11.15). Feitas com chifres de carneiro (Js 6.4), as trombetas judaicas eram chamadas de *shophar* (Êx 19.16-20). Como eram desprovidas de válvulas, não eram instrumentos melódicos, porém com seu som agudo e forte eram perfeitas para organizar as tropas durante a batalha (Jz 3.27; 6.34; 7.18-22; 2 Sm 18.16; Jr 4.19-21; 42.14; 1 Co 14.8). Como esta era sua função principal, desde os tempos bíblicos as pessoas associam esse instrumento às guerras.

As outras ocasiões em que as trombetas eram usadas devem ser interpretadas como uma extensão de seu uso nas guerras. Os israelitas tocavam trombetas no Dia da Expiação, nas várias festas do Senhor, inclusive na Festa dos Tabernáculos (Lv 25.9; Sl 81.3; Jl 2.15; veja o tópico relacionado à procissão dos Tabernáculos ao alvorecer em 11.19) e na entronização dos reis israelitas (1 Rs 1.34).

A presença de inúmeras trombetas nesse livro pode ser explicada através das extensas descrições das guerras, de seu uso simbólico na Festa dos Tabernáculos e na descrição da entronização de Deus e de seu Messias. Todos estes três temas fazem parte de um único evento que será anunciado pelo toque da trombeta, como um arauto da segunda vinda do Senhor Jesus (Jl 2.1; Zc 9.9-14; Mt 24.31; 1 Co 15.52; 1 Ts 4.16; Ap 11.15).

2.3.4. O Segundo Ritual: O Toque das Sete Trombetas (8.6-9; 11.15-19)

2.3.4.1. Os Toques das Primeiras Quatro Trombetas (8.6-12).

Os primeiros quatro selos descrevem o julgamento de Deus ao longo de toda a história da humanidade (6.1-8); agora, os toques das primeiras quatro trombetas (8.6-12) revelam o julgamento de Deus sobre toda a criação. Os dois quartetos têm uma outra semelhança; ambos são deliberadamente esparsos e, portanto, mais universalmente aplicáveis (veja a seção 2.3.3.3.1 [Ap 6.1-8]).

Posteriormente, um anjo descreverá Deus como "aquele que fez o céu, e a terra, e o mar, e as fontes das águas" (14.7). A divisão da criação de Deus nessas quatro categorias revela uma cosmologia comum à maior parte do antigo Oriente. Além disso, o emprego de opostos polares para descrever o todo é típico do semitismo (por exemplo, a expressão "desde Dã até Berseba", em 2 Sm 17.11, é uma expressão que engloba toda a terra de Israel. Ou "a árvore do conhecimento do bem e do mal", em Gn 2.9,17, significa a árvore do conhecimento de todas as coisas). Assim, o anjo está simplesmente dizendo que Deus foi o criador de tudo. De forma semelhante, os toques das quatro primeiras trombetas revelam o julgamento de Deus sobre todas as coisas, isto é, sobre tudo aquilo que Ele criou.

Depois do Dilúvio, Deus prometeu que nunca mais destruiria a terra por meio da água (Gn 9.11-15), portanto esse julgamento será pelo fogo (Gn 19.24; Dt 32.22; 2 Rs 1.10; Lc 3.17; Hb 10.27; 2 Pe 3.7). Cada território da criação responde de maneira diferente ao fogo celestial.

1) Quando soar a primeira trombeta, a erva verde responderá de um modo natural, queimando-se (Ap 8.7).
2) A resposta do mar é mais inesperada: ele se tornará em sangue (v.8). Essa resposta é semelhante à das pragas do Egito (Êx 7.20), isto é, a mesma condenação aos opressores do povo de Deus.
3) Ao toque da terceira trombeta, a água doce se tornará amarga quando tocada pelo fogo (v.11), uma inversão apocalíptica do milagre que Deus realizou para seu povo no deserto. Nesta ocasião, Ele transformou as águas amargas em água doce usando um pedaço de madeira (Êx 15.23-25), ao passo que agora tornará a água doce em amarga através de uma estrela chamada Absinto (Ap 8.11).
4) Finalmente, Deus fará escurecer um terço da luz do sol, da lua e das estrelas quando a quarta trombeta soar (Ap 8.12; cf. Jl 2.31; 3.15; Am 8.9). Essa não será uma inversão total dos corpos celestes que criou (Gn 1), porém certamente indica que seu fim está próximo (cf. Gn 1.16). Esse acontecimento também lembra as pragas do Egito, a ocasião em que a praga da escuridão cobriu a terra por três dias (Êx 10.21-23).

Esta segunda seqüência de sete reafirma o controle de Deus sobre todas as coisas. Ele sempre esteve no comando; Ele não reage às crises, mas antecipa-se a elas. Mais uma vez, a adoração controla a criação física.

Interjeição do Narrador: Uma Águia —ou Anjo— Grita "Ai" (8.13). Quando ouvimos a palavra "águia" automaticamente pensamos no que ela simboliza: ela representa liberdade, majestade, coragem e a beleza das regiões selvagens incólumes. Mas esse significado era totalmente diferente nos tempos bíblicos. A Bíblia faz apenas uma pequena distinção entre as várias espécies de aves de rapina: águias, abutres, falcões, gaivotas e assim por diante. Todos esses pássaros eram considerados impuros (Lv 11.13-20; Dt 14.12) porque se alimentavam de carne podre, inclusive de carne humana (veja o tópico relacionado às duas grandes festas escatológicas em Ap 19.7-9,17-21). Portanto, dentro da ótica bíblica, esses pássaros simbolizavam a morte e a desolação (Dt 28.49; Jr 49.22; Lm 4.19; Os 8.1). Na verdade, a palavra grega, traduzida como "Ai" (Ap 8.13), é pronunciada como *ouai,* isto é, o som que os pássaros fazem enquanto sobrevoam os mortos no campo de batalha.

Nessa passagem, a águia grita *"ouai"* três vezes, e cada grito representa um dos seguintes três toques da trombeta: o quinto, um exército de gafanhotos (ou um exército tão numeroso como uma nuvem de gafanhotos, 9.1-12); o sexto, um exército de dois milhões de cavaleiros do Oriente (9.13-21; 11.14); e o sétimo, a proclamação de que "os reinos do mundo vieram a ser de nosso Senhor e do seu Cristo, e ele reinará para todo o sempre" (11.15).

2.3.4.2. O Quinto Toque da Trombeta: Um Exército de Gafanhotos (9.1-11).

O quinto toque anuncia a chegada de um grande exército de "gafanhotos". Esse exército não devora as plantas verdes (v.3), mas aflige os habitantes do mundo durante cinco meses com ferroadas semelhantes às dos escorpiões. Embora sua picada não seja fatal, aqueles que a sofrerem desejarão a morte (vv.4,5).

Às vezes o autor caracteriza esse exército como humano, descrevendo faces e cabelos (vv.7,8), dentes afiados (v.8), armamento de ferro (v.9) e sons de batalha como aqueles que são produzidos por cavalos e carruagens (v.9). Outras vezes, ele o descreve como um exército de insetos com asas (v.9), caudas e aguilhões (v.10). Com base nessas informações é difícil concluir se esse exército é, literalmente, uma praga de gafanhotos ou um exército tão grande que parece uma praga de gafanhotos; isto é, uma metáfora. Estou inclinado a interpretá-lo como um exército humano, composto por homens de cabelos crescidos, como os partos (os habitantes da Pártia). No entanto, no passado Deus usou tanto pessoas como insetos para realizar seus planos, portanto, ambos são igualmente possíveis.

Vemos na Bíblia que várias vezes Deus usou insetos para alcançar seus propósitos. Ele enviou uma praga de gafanhotos ao Egito quando faraó se recusou a libertar os israelitas, e os insetos devoraram todas as folhas da terra (Êx 10.4-20). Da mesma forma, Deus prometeu usar vespões para expulsar os habitantes de Canaã, preparando assim o caminho para os israelitas se instalarem nessa região (Dt 7.17-21; cf. Is 7.18). Mas Deus também usou exércitos: Ele castigou Jerusalém enviando o exército de Nabucodonosor para destruir a cidade (Jr 25.9; 27.6-8). Muitas vezes os profetas descreveram grandes exércitos, como o de Nabucodonosor, com termos geralmente reservados para desastres naturais: uma praga de gafanhotos (Jz 6.5), o bramido das ondas do mar (Jr 6.23) ou uma tempestade (Ez 38.9,16). A passagem mais interessante para os estudiosos do Apocalipse é a linguagem que Deus emprega na profecia da destruição da Babilônia (Jr 51.14,27-29):

> Jurou o Senhor dos Exércitos por si mesmo, dizendo:
> Certamente, te encherei de homens, como de pulgão,
> e eles cantarão com júbilo sobre ti...
> Arvorai um estandarte na terra, tocai a buzina entre as nações,
> santificai as nações contra ela e convocai contra ela os reinos de Ararate, Mini e Asquenaz;
> ordenai contra ela um capitão, fazei subir cavalos, como pulgão agitado.
> Santificai contra ela as nações,
> os reis da Média, os seus capitães, todos os seus magistrados e toda a terra do seu domínio.
> Então, tremerá a terra e doer-se-á, porque cada um dos desígnios do Senhor está firme contra Babilônia,
> para fazer da terra de Babilônia uma assolação, sem habitantes.

Podemos não saber exatamente que espécie de praga está sendo anunciada pela quinta trombeta, mas de uma coisa podemos estar certos: o Deus que vingou o povo da aliança mosaica com tamanho vigor não fará menos por aqueles que pertencem a Jesus.

Artigo: O Abismo (9.1)

A palavra "abismo" (em grego, *abyssos*) e seu equivalente "profundeza" (em hebraico, *tehom*) não aparece com freqüência na Bíblia. Ela faz parte da linguagem da criação (Gn 1.2) e do Dilúvio (7.11). Evoca imagens das profundezas do oceano, das profundezas primordiais, da sepultura e do mundo subterrâneo (Jó 36.16; Ez 31.15; Jn 2.5). Refere-se a um lugar de trevas, localizado fora do mundo físico, e normalmente acessível apenas através da morte.

O termo "abismo" aparece oito vezes no Apocalipse (Ap 9.1,2 [2 vezes],11; 11.7; 17.8; 20.1,3) e somente uma vez em outra passagem do Novo Testamento (Lc 8.31). O exército de gafanhotos vem de lá (Ap 9.1,2), assim como a Besta (do mar) (11.7; 17.8). O anjo encarregado do abismo chama-se Apoliom (uma palavra grega que significa "destruição", 9.11), e é lá que Satanás será acorrentado por mil anos (20.1-3). Portanto, esse abismo é diferente do lago de fogo, que muitas pessoas chamam de "inferno", o lugar de tomentos eternos preparado para Satanás, seus demônios, e aqueles que os seguem (20.14,15).

Aquelas pessoas ou coisas que estão associadas ao abismo trazem consigo o cheiro da morte e, às vezes, até o odor do maligno. A expressão moderna "poço do abismo" transmite o mesmo significado que "abismo", embora com uma conotação ainda mais negativa. Semelhantemente, o significado da expressão "poço do abismo" pode ser literal (como o lugar onde uma pessoa está confinada) ou figurado (seus atos indicam que este é o lugar a que ela realmente pertence).

Interjeição do Narrador: O Primeiro "Ai" Já Passou (9.12). Nesse ponto, a interjeição do narrador evita que nos percamos nos detalhes da quinta praga, lembrando-nos que mais dois "ais" ainda estão por vir.

2.3.4.3. O Toque da Sexta Trombeta: A Cavalaria de 200 Milhões (9.13-21). O toque da sexta trombeta é acompanhado por uma voz que sai das quatro pontas do altar de ouro (v.13). Esse altar de ouro é o altar do incenso (Êx 40.5; Hb 9.4) sobre o qual eram anteriormente oferecidas as orações dos santos (Ap 8.3). Sua menção aqui parece indicar que essa praga veio em resposta às orações dos santos, e uma ligação semelhante pode ser encontrada entre a terceira praga dos cálices (16.4-7) e o apelo dos santos martirizados sob o altar (6.9-11). Deus sabia de antemão a respeito de suas orações, portanto já havia estabelecido o momento em que os anjos seriam soltos (9.15).

Essa sexta praga das trombetas (9.13-21) parece ser idêntica à sexta praga dos cálices (16.12-16). Os quatro anjos do rio Eufrates (9.15) estavam segurando os quatro ventos da terra (7.1) e esses ventos, uma vez libertados, se dispersarão e farão com que a água do rio Eufrates se evapore, para que as tropas possam atravessá-lo (9.16; 16.12; cf. Is 11.15). Isso estabelecerá o cenário para a batalha do Armagedom (Ap 16.16), uma grande matança na qual um terço dos seres humanos morrerá (9.15; 19.17-21; veja o tópico relacionado às duas grandes festas escatológicas em 19.7-9; 17-21).

A "Nação do norte" (por exemplo, Jr 25.9; 46.2-10; Ez 26.7) não é a Rússia, mas os países do lado oriental do Eufrates. A frase é literalmente verdadeira. Essas tropas tinham que subir e circundar o deserto a fim de invadir a Palestina, portanto elas sempre entravam em Jerusalém pelo lado norte. Nos tempos bíblicos, os impérios assírio e babilônico estavam situados do outro lado do rio (onde se localizam atualmente o Irã e o Iraque).

Como as pragas do sexto selo (6.12-17) e do sexto cálice (16.12-16), essa praga também está situada no tempo futuro. Foi profetizada por João no primeiro século, e ainda não se cumpriu. Então, não devemos nos preocupar muito se seus detalhes não puderem ser identificados com grande precisão. Não há dúvida de que os sobreviventes dessa grande batalha futura, constatarão que a descrição contida no Apocalipse é mais que adequada.

Artigo: Uma Lista de Pecados no Apocalipse (9.20)

Os dois últimos versos do capítulo 9 concluem a relação das seis pragas com uma "lista de pecados" (9.20,21). A "lista de pecados", encontrada também em 21.8 e 22.15, nos permite uma visão dos problemas específicos da Ásia Menor analisados pelo livro: eles tratam, principalmente, do comportamento e não da doutrina ou das atitudes. Quando comparamos essas três listas, como fazemos no quadro seguinte, vemos que esse livro condena sete tipos diferentes de comportamento: homicídios, imoralidade sexual, vilezas, prática de

AS TRÊS "LISTAS DE PECADOS" CONTIDAS NO APOCALIPSE

Ap 9.20,21	Ap 21.8	Ap 22.15	Gl 5.19-21
	Covardia		
	Descrença (falta de fé)		
	Vilezas		Impureza e devassidão
Homicídios	Homicídios	Homicídios	
A imoralidade sexual	Aqueles que são sexualmente imorais	Aqueles que são sexualmente imorais	Imoralidade e orgias
Magia	Praticantes da magia	Praticantes da magia	Feitiçaria
Adoração a demônios e ídolos	Idólatras	Idólatras	Idolatria
	Todos os mentirosos	Todos aqueles que amam e praticam a mentira	
Roubos			Ausentes do Apocalipse: inimizades, porfias, emulações, iras, pelejas, dissensões, invejas, bebedices e glutonarias

magia (ou feitiçaria), idolatria, mentira e roubo. Dois outros pecados estão relacionados às atitudes: covardia e descrença, que se revelam muitas vezes pelo modo como uma pessoa se comporta quando é exposta a uma grande pressão.

Não é de admirar que a Bíblia relacione essas atividades como pecado. A surpresa é que as três relações se limitam às mesmas espécies de pecado e omitem aqueles que são mais comuns: ódio, discórdia, inveja, ira e assim por diante (por exemplo, Gl 5.19-21). A razão é que essas listas estão dirigidas a pecados específicos abordados pelo Apocalipse: as atividades de sete indivíduos ou grupos diferentes que se opõem a Deus:
1) Satanás (a Serpente ou o Dragão),
2) um imperador romano (a Besta do "mar"),
3) o líder da religião imperial na Ásia Menor (o Falso Profeta ou a Besta da "terra"),
4) a cidade de Roma e seus habitantes (a Grande Prostituta ou Babilônia),
5) certos adversários judeus (especialmente em Esmirna e Filadélfia),
6) certos cristãos que transigiram sua fé e
7) aqueles que adoram a Besta (os habitantes da terra). Isto não significa que o Apocalipse pretenda limitar o julgamento divino a esses grupos, mas sim enfatizá-lo.

Assim, "covardia", "descrença" e "idolatria" provavelmente refiram-se àqueles que haviam adorado a Besta, especialmente aqueles que afirmavam ser cristãos (13.8,12; 14.11). O termo "mentirosos" refere-se aos judeus caluniadores (2.9; 3.9; cf. 14.5), provavelmente aqueles que haviam iniciado um processo jurídico contra os cristãos nos tribunais romanos. Embora não restem dúvidas de que muitos no mundo antigo fossem "imorais" ou "fornicadores", o autor do Apocalipse está especialmente preocupado com os cristãos (2.14,21,22) ou judeus (14.4) imorais. Essa atitude provavelmente fosse reforçada pelo fato de que a prática de sexo ilícito envolvia muitas vezes as prostitutas dos templos pagãos, estando, portanto, ligada à idolatria. Portanto, não é por coincidência que esta lista também menciona a idolatria. O termo "homicidas", certamente, se refere àqueles que matam os mártires cristãos (no passado, no presente ou no futuro; 6.9; 11.7; 13.15). Quanto às "feitiçarias" e "ladroíces" (ou roubos) a situação não está muito clara, sendo que o primeiro pecado pode se referir aos sinais mágicos executados pelo falso profeta (13.16,17; cf. 2 Ts 2.9), enquanto o último pode indicar aqueles que se aproveitavam da falta de habilidade daqueles que não tinham o sinal da Besta para comprar ou vender (13.15; 19.20).

Por que um Deus tão bondoso traria esses tipos de pragas ao povo? Porque Ele espera que todos os pecadores se arrependam (2 Pe 3.9), pois sabe que o salário do pecado é a morte (Gn 2.17; Rm 6.23). No entanto, essas pessoas haviam rejeitado a generosa oferta feita por Deus, de misericórdia e perdão (Jo 1.9; 3.16). O que Ele poderia fazer? Talvez uma demonstração de sua ira e poder pudesse convencê-los a mudar de idéia. Na verdade, as pragas revelam a maldade e a obstinação dessas pessoas; além de não se arrependerem (Ap 9.20) amaldiçoam a Deus em sua cólera (16.9,11). Deus não terá escolha a não ser impedir, para sempre, sua entrada na cidade santa (21.15), condenando-as à eternidade no lago de fogo (21.8).

B. Segundo Intervalo: Os Profetas de Deus (10.1-11.13)

O primeiro interlúdio do Apocalipse transmite à audiência uma explicação pela demora da volta de Jesus (alguns dos servos de Deus ainda não haviam sido selados, 7.1-3) e uma razão para a esperança desse retorno (como os servos de Deus seriam numerosos e diversos após terem sido selados, 7.4-10). O Apocalipse também rompe o relacionamento único desta interpretação com o presente da audiência original, posicionando-o em uma estrutura histórica. Estavam no sexto dos sete selos, esperando apenas pelos sinais astrais que anunciariam o Dia do Juízo (6.12) e a abertura do sétimo selo (8.1).

O segundo interlúdio (10.1-11.13) aparece mais uma vez entre a sexta e a sétima série. Como no primeiro (capítulo 7), o segundo interlúdio também abrange o presente histórico da audiência original. Este inclui a exortação profética do próprio João (10.1-11.3), e os ministérios das duas maiores figuras do início do cristianismo entre os gentios: Pedro e Paulo (11.4-13) e também introduz o servo do Dragão, a Besta que emerge do mar (11.7). Simultaneamente, ele minimizará a importância dessa Besta contrastando-a com os servos do Deus Altíssimo, que são divinamente capacitados: João, Pedro e Paulo.

B.1. A Chamada Recebida pelo Autor para Profetizar (10.1-11)

B.1.1. A Aparição de Um Poderoso Anjo (10.1-4).
Quem entregou esta profecia (isto é, o livro de Apocalipse) a João? A reposta pode ser Jesus ou um anjo muito poderoso (10.1-4; cf. Dn 12.6,7). Este autor está inclinado a aceitar a segunda opção. Em primeiro lugar, esse ser é chamado de "*outro* anjo forte" (10.1), o que é uma clara referência ao primeiro "anjo forte" do Apocalipse, aquele que clamou por alguém que fosse digno de desatar os selos e abrir o livro (5.2). O Cordeiro também aparece nessa cena anterior e se mostra completamente diferente do anjo. Como o livro de Apocalipse acentua a singularidade do Cordeiro, parece improvável que, posteriormente, viesse a apresentá-lo simplesmente como "*outro* anjo forte", isto é, um dentre muitos.

Além disso, a conclusão desse apocalipse estabelece três ocasiões distintas em que um anjo faz revelações a João. Na primeira, o anjo é identificado como aquele enviado pelo "Senhor, o Deus dos santos [ou dos espíritos dos] profetas" (22.6). Na última, Jesus pessoalmente o identifica como sendo o "meu anjo" (22.16) e, entre as duas, João se ajoelha para adorar esse mesmo anjo, mas este recusa essa adoração dizendo: "Olha, não faças tal, porque eu sou conservo teu e de teus irmãos, os profetas, e dos que guardam as palavras deste livro. Adora a Deus" (22.9). Está claro que este anjo não é Jesus.

Então, por que esse anjo parece ter tantas características divinas? Na literatura judaica, quanto mais alta for a posição hierárquica de um anjo, mais próximo ele se encontra do trono de Deus e mais atributos divinos possui. Na verdade, esse anjo tem uma posição bastante elevada. Ele se veste com uma nuvem e tem um arco-íris sobre a sua cabeça, os dois elementos que circundam o trono de Deus (4.3-5). Seu rosto e suas pernas refulgem como os de Jesus (10.1; cf. 1.13-16). A voz deste anjo é como o rugido de um leão (10.3), assim como a de Jesus, o Leão da Tribo de Judá (5.5). De fato, à luz dessas últimas características, que parecem ser exclusivas de Jesus, talvez pudéssemos ir mais longe e afirmar que esse anjo é seu mensageiro pessoal (22.16).

B.1.2. A Proclamação do Anjo (10.5-7).
A mensagem do anjo tem duas partes, ambas celebradas e asseguradas de modo solene pelo seu juramento ao Criador (vv.5,6). A primeira parte é que não haverá mais demora (v.6) e a segunda é que o "mistério" ou "segredo" de Deus está prestes a ser consumado.

Artigo: O Mistério de Deus (10.7)

O que é o "mistério" ou o "segredo" de Deus (10.7) e quando será consumado? Paulo falou a esse respeito muitas vezes (Cl 1.27; 2.2; 4.3) e descreveu-o com detalhes quando escreveu à igreja de Éfeso (uma das sete igrejas às quais o Apocalipse foi endereçado). Ele disse: "Podeis perceber a minha compreensão *do mistério de Cristo*, o qual, noutros séculos, não foi manifestado aos filhos dos homens, como, agora, tem sido revelado pelo Espírito aos seus santos apóstolos e profetas, a saber, que os gentios são co-herdeiros, e de um mesmo corpo, e participantes da promessa em Cristo pelo evangelho" (Ef 3.4-6).

Essa interpretação do "mistério" como sendo o Evangelho é confirmada através de uma leitura cuidadosa do texto grego. A palavra "anunciou" (Ap 10.7) recebeu uma tradução pobre e uma opção melhor seria "proclamou as boas novas" (em grego, *euangelizomai*). Essa clara referência está dirigida à mensagem do evangelho, exatamente como em 14.6, onde aparece essa mesma palavra.

Deus revelou seu evangelho, pelo menos em parte, a seus profetas (Is 40.9; 52.7; 60.6; 61.1; Jl 2.32; Na 1.15), embora a única vez em que seja chamado especificamente de "mistério" ou "segredo" é no livro de Daniel (Dn 2.18,19,27,30,47). Nessa passagem, Nabucodonosor tem a visão de um grande ídolo que é destroçado por uma grande rocha, que "foi cortada" do monte sem o auxílio de mãos humanas (2.45). Deus ainda revela que através dela Ele "levantará um reino que não será jamais destruído; e esse reino não passará a outro povo; esmiuçará e consumirá todos esses reinos e será estabelecido para sempre" (v.44).

Mas quando esse mistério se cumprirá? Um entendimento apropriado desse momento é crucial. Será nos dias seguintes ao toque da sexta trombeta, exatamente antes do sétimo e último toque (Ap 10.7). Em outras palavras, o mistério de Deus será consumado no período do toque da sexta trombeta. A sétima trombeta simplesmente anuncia o seu término.

Resumindo, a mensagem desse anjo é semelhante àquela do anjo que aparece em Apocalipse 7. Deus não está atrasado; Ele jamais se atrasa! Está concluindo o maior dos planos de todas as épocas. Está concluindo a identificação de seus últimos servos (7.1-3) e estabelecendo um reino que permanecerá para sempre (10.7). E muito pouco restará para ser feito antes que a história finalmente alcance a eternidade.

B.1.3. A Profecia do Anjo (10.8-11).
É óbvio que João compreende que sua chamada é igual à de Ezequiel. Ele foi chamado a profetizar (Ap 10.11; cf. Ez 2.1-5) e recebeu um livrinho para comer (Ap 10.8,9; Ez 3.1), que tem o gosto do mel (Ap 10.9; cf. Ez 3.3). Como Ezequiel, ele escreverá um livro que começa com a revelação do trono de Deus (Ap 4; cf. Ez 1) e termina com a descrição da Nova Jerusalém (Ap 21.22; cf. Ez 40.48). Ezequiel, entretanto, foi chamado a profetizar para Israel (Ez 3.1) enquanto as profecias de João são dirigidas a (e falam a respeito de) "muitos povos, e nações, e línguas, e reis" (Ap 10.11).

B.2. O Ministério das Duas Testemunhas (11.1-13)

B.2.1. Sua Descrição (11.1-6).
O livro de Ezequiel contém a minuciosa descrição de um templo futuro e completo, com a medida exata de suas dimensões (Ez 40.1ss), e provavelmente a audiência original de João esperasse algo semelhante. João recebe até uma vara para medir (Ap 11.1), porém não detalha tais medidas. Na verdade, as únicas medidas desse livro são as da Nova Jerusalém (Ap 21.16,17), encontradas no final desse livro e foram obtidas com uma vara diferente (21.15; cf. 11.1). A visão de João não é uma réplica da de Ezequiel, mas a complementa. Ezequiel profetizou a respeito de edifícios, mas João profetizou sobre os fiéis que irão usá-los (11.1; cf. capítulos 7, 21 e 22).

O anjo direciona o enfoque de João para o átrio exterior que será dado aos gentios "durante 42 meses" (veja o tópico relacionado aos 1.260 dias, 42 meses, ou 3 anos e meio, em 12.6) onde ele vê dois castiçais do menorá (com 7 lâmpadas; veja Êx 25.31-36; cf. Zc 4.1-14). Na maioria das ocasiões seria muito raro encontrar castiçais no átrio exterior. As descrições dos tabernáculos e do Templo colocam apenas um único menorá no Lugar Santíssimo (Êx 26.34,35; Nm 8.2-4; 2 Cr 4.20; Hb 9.2) e não dois fora do edifício e no átrio exterior. A única vez em que os menorás aparecem no átrio exterior é durante a Festa dos Tabernáculos. O livro de Apocalipse relaciona os menorás a essa festa por causa de seu fogo (aqui, o poder para destruir, v.5), sua capacidade de deter a chuva e seu poder de enviar pragas à terra (v.6; cf. também 15.1; 16.1-21). Tudo isso pode ser encontrado em Zacarias 14 (especialmente nos versos 12 a 19), que descreve a celebração escatológica dos Tabernáculos e constituiu-se uma das tradicionais leituras para essa festa no decorrer do primeiro século depois de Cristo.

Artigo: Os Dois Castiçais (11.4)

O Mishnah judaico nos proporciona a descrição mais completa dos menorás da Festa dos Tabernáculos, e como eram usados a cada noite. Também admite que eram "melhorias" (uma característica ou prática adicional não prescrita pela lei mosaica), portanto, aqueles que estivessem familiarizados com a Bíblia, mas não com a literatura judaica desse período, geralmente não a reconheceriam no contexto desta festividade.

O *Mishnah* (*Suk* 5.1- 4a) diz:

> Ao final do primeiro dia da festividade, eles foram até a Corte das Mulheres onde elas haviam feito uma grande melhoria. Havia castiçais de ouro com quatro taças douradas no topo de cada um deles, e quatro escadas para cada castiçal, e quatro jovens da congregação, segurando nas mãos jarros de óleo, que guardavam cento e vinte *medidas*, as quais eles derramavam sobre todas as taças... Elas haviam feito os pavios com tecidos usados e cintos dos sacerdotes e com eles acenderam os castiçais, e não havia em Jerusalém sequer uma corte que não refletisse a luz dos menorás...
>
> Homens piedosos e de boas obras [*hasidim*] costumavam dançar perante eles, com tochas acesas em suas mãos, cantando cânticos e louvores. Inúmeros levitas tocavam harpas, liras, címbalos, trombetas, e instrumentos musicais nos quinze degraus que levavam do pátio dos israelitas ao pátio das mulheres, e que correspondem às *Quinze Canções da Ascensão* nos Salmos; sobre eles os levitas costumavam se deter com instrumentos musicais para produzir melodias.

O Tosephta judaico acrescenta vários detalhes. Primeiramente diz que o rabino Simeon b. Gamaliel (mentor do apóstolo Paulo, cf. At 22.3; cf. 5.34) muitas vezes se juntava àqueles que dançavam com as tochas; de acordo com esta literatura ele era capaz de fazer malabarismos com oito tochas sem deixar cair sequer uma (t. *Suk* 4.4). Estes textos fornecem a letra das canções mais freqüentemente entoadas (t. *Suk* 4.2-9):

O povo cantava: "*Feliz é aquele que não pecou, mas ele perdoará a todos os que pecaram*".

Aqueles que receberam milagres cantavam: "*Feliz foi minha juventude, porque não trouxe vergonha à minha velhice*".

Os penitentes cantavam: "*Afortunado sois vós, anos de minha velhice, pois repararão os anos de minha juventude*".

Os levitas cantavam o Salmo da Ascensão: "*Eis aqui, bendizei ao Senhor todos vós, servos do Senhor, que assistis na Casa do Senhor todas as noites*" (Sl 134.1) e "*Levantai as mãos no santuário e bendizei ao Senhor*" (Sl 134.2).

A multidão cantava, ao partir: "*O Senhor, que fez o céu e a terra, te abençoe desde Sião!*" (Sl 134.3)

O cenário da festa no Apocalipse é idêntico, porém as emoções associadas a ele são diferentes. Não existem danças nem cantos ao redor dos menorás. Na verdade, não existe perdão, pois a cena é de julgamento. O único júbilo ocorre entre aqueles que comemoram a morte dos dois profetas (Ap 11.10). Mas é uma morte de pouca duração, pois os profetas serão ressuscitados, a terra tremerá, uma parte da cidade será destruída e a população remanescente, então, ficará muito atemorizada e dará "glória ao Deus do céu" (vv.11-13).

Artigo: As Duas Testemunhas (11.6)

Mas, quem são essas duas testemunhas? Como João não as identifica, muitas teorias podem ser apresentadas: alguns afirmam que são Enoque e Elias, porque a Escritura não menciona a morte de nenhum deles (Gn 5.24; 2 Rs 2.11) e "aos homens está ordenado morrerem uma vez" (Hb 9.27). Portanto, devem voltar à terra para morrer. Outros procuram uma pista na transfiguração de Jesus (Mt 17.3; Mc 9.4; Lc 9.30) identificando essas testemunhas como Moisés e Elias, representantes da Lei e dos Profetas. Além disso, segundo afirmam, as circunstâncias da morte de Moisés foram muito incomuns (Dt 34.5; Jd 9) e os profetas disseram que Elias voltaria novamente (Ml 4.5; cf. Mt 17.10-12; Mc 9.11-13).

Este autor acredita que os melhores candidatos a essas testemunhas seriam Pedro e Paulo, os dois apóstolos do cristianismo gentio. Quando Lucas escreve a história da expansão do cristianismo no mundo gentílico, divide o livro entre as biografias desses dois homens: Pedro (At 1-8,10-12) e Paulo (At 9,13-28). Os gentios ouviram o evangelho primeiramente através de Pedro (At 10; 15.7), embora Paulo tenha sido considerado o apóstolo dos gentios (Gl 2.7-9, cf. At 13.46; 15.12; 18.6; 21.19; Ef 3.1). Paulo fundou muitas igrejas na Ásia Menor, inclusive muitas delas às quais o Apocalipse foi especificamente dirigido (Éfeso [At 18.19; 19.1] e Tiatira [At 16.14]); ele também havia escrito à igreja de Laodicéia (Cl 2.1; 4.13,15). Pedro associou-se à igreja de Roma, capital do Império Romano. De acordo com a tradição da Igreja, Nero mandou executar os dois no ano 65 d.C. (veja o tópico relacionado à Besta que emerge do mar em 13.1).

B.2.2. Suas Mortes (11.7-10). A Besta (do mar) só poderá sacrificar as duas testemunhas (ou "profetas", 11.10) quando estas tiverem terminado a tarefa que lhes foi divinamente ordenada (11.7). Não contente com uma simples morte, os habitantes da cidade fazem delas um espetáculo público ao recusarem sepultarem-nas (v.9), e até comemoram suas mortes, trocando presentes entre si (v.10). Não sabemos se as duas testemunhas foram realmente Pedro e Paulo, pois não existem registros desses detalhes. Entretanto, essa espécie de obscenidade era típica de Roma nessa época (veja o tópico relacionado às duas testemunhas em 11.6).

Roma era a cidade em que as testemunhas morreram e o Apocalipse muitas vezes se refere a ela como a "grande cidade" (11.8; 16.19; 17.18; 18.10,16,18,21). O livro também usa algumas metáforas para descrever Roma, a maioria delas tiradas do Antigo Testamento. Assim como Sodoma (Ap 11.8; cf. Gn 19) Roma era imoral e inóspita aos forasteiros e era também como o faraó do Egito "que não conhecera a José" (Êx 1.8; cf. Ap 11.8). O imperador romano oprimia e escravizava o povo de Deus. Como a Babilônia de Nabucodonosor (cf. Jr 50 e 51; Ap 11.9), Roma era uma imensa cidade com uma grande diversidade de pessoas, e que governava muitas nações da terra (veja o tópico relacionado à Grande Babilônia em 17.5). Entende-se que foi, também, a cidade responsável pela morte de Jesus (11.8), pois foi o imperador romano que nomeou Pôncio Pilatos para aquele cargo. Não há dúvida de que esse mesmo imperador foi o responsável pela determinação das políticas e procedimentos do império, que levaram Jesus Cristo à morte. Portanto, pode-se admitir que a decisão de crucificar Jesus foi, em última análise, tomada em Roma, e não em Jerusalém.

B.2.3. Sua Ressurreição (11.11-13). A história dessas duas testemunhas termina com uma inversão de proporções apocalípticas. Os dois mortos foram ressuscitados (vv.11,12) enquanto muitos daqueles que estavam vivos foram mortos (v.13). Parte da cidade que ainda resistia desmoronou, gerando uma nuvem de poeira (v.13), enquanto as testemunhas que haviam morrido são agora levadas ao céu em nuvens (v.12). Aqueles que se regozijaram com a morte das duas testemunhas de Deus (v.10) estão agora aterrorizados (v.13). Aqueles que se alegraram pelo silêncio das duas testemunhas de Deus (v.10) agora usam seus prrios lábios para dar glória ao Deus do Céu (v.13).

Certamente essa conclusão prenuncia o fim de toda vida cristã. A balança da justiça fará o julgamento vindouro, os pobres serão ricos, os famintos saciados, os que choram sorrirão (Lc 6.20,21), os fracos se tornarão fortes (Ez 34.16), os cegos enxergarão e aqueles que eram escravos serão libertados (Is 61.1-4). Ana sabia disso e celebrou esses acontecimentos em seu cântico de louvor (1 Sm 2.1-10), exatamente como fez Maria (Lc 1.46-55). Nós, que desejamos perseverar até o fim, não podemos nos esquecer disso.

Interjeição do Narrador: O Segundo "Ai" Já Passou (11.14)

2.3.4.4. O Toque da Sétima Trombeta: A Entronização de Deus (11.15-19). A sétima trombeta é a única que até agora não tocou; trata-se daquela que há muito é esperada pelo povo de Deus. Será como Paulo disse (1 Co 15.51,52; cf. Is 27.13; Mt 24.31; 1 Ts 4.16):

> Eis aqui vos digo um mistério: Na verdade, nem todos dormiremos, mas todos seremos transformados, num momento, num abrir e fechar de olhos, ante a última trombeta; porque a trombeta soará, e os mortos ressuscitarão incorruptíveis, e nós seremos transformados.

O som da trombeta convocava os antigos exércitos à guerra; o toque desta trombeta chamará os mortos em Cristo para reunirem-se à hoste celestial na batalha do Armagedom (Ap 16.15-17; 19.14; veja também Jl 2.1-11; Zc 9.15 [cf. Mt 24.27; Lc 17.24]; Mt 24.31). Ali o Messias destruirá "os que destroem a terra" (Ap 11.18) e iniciará seu reinado de mil anos sobre a terra (11.15; 20.1-6; cf. Zc 14). Nessa ocasião, os seguidores de Jesus receberão sua recompensa (Ap 11.18; cf. 20.1-6), inclusive um convite para a ceia das bodas do Cordeiro (19.9; cf. Is 25.6).

2.3.4.4.1. Os Cânticos da Entronização de Deus (11.15-18). O triunfo mais recente de Deus proporcionou uma nova oportunidade para a reafirmação de seu poder (11.17,18). Esses cânticos suavizam e harmonizam o reinado de Deus e seu Messias (11.15; cf. 7.15-17; 12.10; 22.1,3) da mesma forma como os antigos israelitas devem ter associado Yahweh (Jeová) como seu Rei (Is 6.1-3; cf. Ap 4.8). Deus, especificamente, cumpriu a promessa feita no Salmo 2. Ele deu seu Filho às nações como sua herança (2.8; cf. Sl 110); seu reino será eterno (Ap. 19.6).

Artigo: A Entronização de Deus e seu Messias (11.15)

Essa última parte de Apocalipse 11 contém uma cerimônia de entronização, ou pelo menos o suficiente dela para que pudesse ser reconhecida pela primeira audiência desse livro. A cerimônia não registra o início do reinado de Deus, mas a reafirmação de sua continuidade. Deus sempre reinou sobre toda a criação, inclusive sobre o planeta Terra. Seu reinado pode ser desafiado de tempos em tempos, mas nunca é ou foi ameaçado.

Esse aspecto é entendido com mais clareza ao examinarmos a antiga cerimônia de entronização da festa israelita dos Tabernáculos. Muito antes de Davi ter tomado Jerusalém, os israelitas já sabiam que Yahweh (Jeová) era seu Rei (Nm 23.2; Dt 17.14; 1 Sm 8.7). Todo ano eles deveriam se reunir na Festa dos Tabernáculos e celebrar sua libertação (Lv 23.33-44; especialmente o verso 43). E a cada sete anos deveriam recitar todas as suas leis nessa mesma festa (Dt 31.9-13).

Os israelitas acreditavam que as obras de Deus representavam um modelo fundamental e imutável, encontrado inúmeras vezes nas histórias da criação, no Dilúvio, em seu próprio Êxodo do Egito e na conquista da Palestina (assim como em alguns mitos orientais). Em essência, através desse modelo Deus os havia afirmado como sendo o seu povo, portanto podiam confiar nEle para livrá-los de suas tribulações. Como contrapartida, a responsabilidade desse povo era celebrá-lo como Rei, suas vitórias e sua opção de habitar entre eles nesse santuário (por exemplo, Êx 15; Dt 33; Sl 68; 113-118).

Durante a monarquia, os israelitas mantiveram uma comemoração anual do reinado de seus reis durante a Festa dos Tabernáculos. Esse "ritual de entronização" marcava a posse de um novo rei ou a reafirmação do reinado do rei atual, dependendo da situação política vigente. Também celebrava o reinado de Yahweh (Jeová) e reforçava o seu relacionamento com os seus reis terrenos (Sl 68; 95; 145; cf. 1 Rs 8.14-20). A escolha de Deus, tanto de Davi como da cidade de Jerusalém, eram temas importantes desse ritual e muitos salmos da Bíblia foram provavelmente escritos e executados para essa ocasião (por exemplo, Sl 2; 45; 68; 72; 110).[6]

Quando a monarquia terminou, os israelitas continuaram crendo em um Messias divino que viria para livrá-los de suas tribulações (Jr 33.17-22; Ez 34.23,24; 37.24,25; Zc 12.7-10) e também continuaram a associar sua chegada com a Festa dos Tabernáculos (Zc 14). Essa é a razão pela qual Jônatas foi consagrado como sumo sacerdote durante essa festa (1 Mac 10.21) e a razão pela qual a multidão decidiu aclamar Aristóbulo III como rei, durante uma outra Festa dos Tabernáculos (Josefo, An*t*. 15.3.3). Esta foi também a razão pela qual a multidão usava símbolos e Escrituras dessa festa para aclamar Jesus de Nazaré em sua "entrada triunfal" (Mt 21.1-11; Mc 11.7-11; Jo 12.12-15).

O Apocalipse aplica o antigo modelo celebrado na Festa dos Tabernáculos à situação dos cristãos na Ásia Menor. Esse livro descreve o julgamento de Deus sobre as nações rebeldes, a libertação de seu povo, e a subseqüente coroação e bodas do Messias davídico, assim como a reafirmação do reinado de Deus. Uma vez que Deus havia afirmado que esses cristãos formavam o seu povo, podiam confiar nEle para livrá-los de suas tribulações — exatamente como havia prometido aos israelitas no passado. Assim como no caso dos israelitas, a principal responsabilidade desses crentes era, através da adoração, celebrar o reinado de Deus, suas vitórias e sua permanente presença entre eles.

2.3.4.4.2. O Local da Entronização de Deus (11.19). A conclusão dramática da série de toques das sete trombetas é a visão da Arca da Aliança. Ela aparece no templo celestial, no Lugar Santíssimo (11.19; cf. Hb 8.2-5). Essa arca é o trono de Deus, o lugar onde repousa sua presença (veja o tópico relacionado ao trono de Deus em 4.2). O Lugar Santíssimo é a sala do trono e o lugar onde a arca deveria ser colocada após a caminhada da entronização, nos anos em que os sacerdotes a conduziam à frente das caminhadas (2 Cr 35.3; cf. Êx 37.5; Dt 10.8; Js 3.8; 6.4-6).

Os símbolos da presença de Deus (relâmpagos, trovões, etc.) aparecem aqui (11.19; cf. 4.5). O Apocalipse também usa esses símbolos como um recurso literário. O término de cada série de sete, com símbolos semelhantes (8.1-5; 11.19; 16.17-21), nos encoraja a interpretá-las como sendo congruentes. Cada série cobre a história da humanidade (itens 1-6 de cada série) e é concluída com a visão da adoramção ao eterno Deus (item 7). A mensagem é clara: o conflito atual, isto é, de toda a história da humanidade, culminará com uma abundante adoração a Deus.

Artigo: A Caminhada da Festa dos Tabernáculos ao Alvorecer (11.19)

Nesse ponto, o Apocalipse faz um outro paralelo com uma das cerimônias da Festa dos Tabernáculos, isto é, a caminhada ao amanhecer. Provavelmente, a entronização anual do rei israelita deu origem a essa caminhada. Na época do Novo Testamento, Israel tinha estado sem um rei davídico por cerca de seiscentos anos; no entanto, essa esperança ainda era alimentada pela caminhada ao amanhecer, que era feita a cada manhã durante a Festa dos Tabernáculos.

Mais uma vez, o Mishnah judaico nos dá uma descrição dessa cerimônia, que não foi prescrita pela lei mosaica, nem descrita detalhadamente pelos escritores do Antigo Testamento. O Mishnah diz (m. *Suk* 5.4,5a):

Dois sacerdotes postavam-se no portão superior que levava do pátio dos israelitas ao pátio das mulheres, com duas trombetas em suas mãos. Ao cantar do galo, eles emitiam um toque contínuo, um toque com a duração de uma colcheia e outro toque contínuo. Quando alcançavam o décimo degrau repetiam novamente a série de toques. E assim continuavam até alcançar o portão que levava para o Leste, e então viravam seus rostos para o Oeste e diziam: "*Nossos pais, quando estiveram nesse lugar, davam suas costas ao Templo do Senhor e voltavam seus rostos em direção a oeste e adoravam o sol em direção a leste*; mas, quanto a nós, nossos olhos estão voltados para o Senhor". R. Judah diz: "Costumavam repetir as palavras: 'Somos do Senhor e nossos olhos estão voltados a Ele'. Nunca tocavam menos que vinte e uma vezes [isto é, repetindo sete vezes as séries de um toque contínuo, um toque com a duração de uma colcheia e outro toque contínuo] no Templo, em um dia".

Observe quantos paralelos existem na descrição das sete trombetas feita pelo Apocalipse:
1) O chifre usado nos Tabernáculos é o mesmo do Apocalipse: o *shophar*, feito com chifre de carneiro.
2) O número de toques de trombeta é idêntico: sete (8.2-9.21; 11.15-19). Este era exatamente o número mínimo de toques para a Festa dos Tabernáculos (m. *Suk* 5.5a).
3) Os dois menorás aparecem tanto no átrio exterior no Apocalipse como na Festa dos Tabernáculos (veja o tópico relacionado aos dois castiçais em 11.4).
4) Tanto o Apocalipse como o Mishnah relacionam sua descrição dos menorás da festa com a caminhada ao amanhecer.

Na figura acima vemos um shophar (traduzido normalmente na Bíblia Sagrada como trombeta ou buzina) feito com chifre de carneiro, e um menorá; ambos são mencionados no Apocalipse. Estão ao lado de uma pá de incenso nesse entalhe de pedra que foi encontrado em Golã, em Israel.

5) Finalmente, a própria perspectiva do autor do Apocalipse se move como se ele mesmo estivesse participando dessa caminhada.

Essa última semelhança, ou paralelo, exige uma explicação mais detalhada. Os sete anjos aparecem primeiramente diante do trono de Deus e próximos ao altar do incenso (8.2-5), portanto parece razoável presumir que o primeiro toque de trombeta tenha sido feito nesse mesmo local. Não existe qualquer movimento perceptível durante os próximos cinco toques das trombetas, porém, por ocasião do sexto toque João se encontra no átrio exterior (11.1,2), onde vê dois menorás (v.3ss). A última trombeta toca exatamente antes de João ver a Arca da Aliança no templo celestial (v.19).

Portanto, a Arca da Aliança só poderia ser vista do lado de fora do referido templo se alguém estivesse *a leste do templo olhando para a direção oeste*. Esta é *exatamente* a posição e o ponto onde os levitas terminavam cada procissão ao amanhecer: no portão leste e olhando para o oeste (m. *Suk* 4b). E é nesse ponto que, durante a cerimônia, eles repudiavam a adoração que seus pais ofereceram a outros deuses, e mais uma vez se comprometiam com Yahweh (Jeová).

Isso é exatamente o que a audiência do Apocalipse deve fazer: repudiar a adoração a outros "deuses" e comprometer-se novamente com Yahweh (Jeová) e Jesus, o Messias. Afinal de contas, estão prestes a serem submetidos a um teste; as seis trombetas já soaram, e eles devem decidir que caminho escolher quando a sétima e última trombeta soar.

C. Uma Narrativa Alegórica (12.1-13.13)

C.1. As Derrotas Preliminares do Dragão (12.1-16)

Até este ponto, o livro de Apocalipse já identificou, por duas vezes, seu presente histórico e estabeleceu seu respectivo cenário (Ap 7.11,12). Embora brevemente, a Besta também já apareceu nesse mesmo cenário histórico, somente como um personagem pouco importante (11.7-10). Como seu papel era realmente pouco significativo, o retrato feito pelo Apocalipse ajudou a primeira audiência do livro a ajustar sua perspectiva. Existe aqui um claro princípio para a Igreja: os problemas atuais, por mais graves que sejam, devem ser sempre mantidos dentro de uma perspectiva adequada, e esta "perspectiva adequada" é o grande plano de Deus para nós.

O capítulo 13 trata das duas Bestas que causaram uma terrível destruição às igrejas da Ásia Menor. O capítulo 12 nos fornece informações sobre os acontecimentos anteriores, essenciais à sua avaliação, isto é, a história das derrotas do Dragão. Ele não só identifica o poder que existe por trás do trono da Besta (Satanás), como o caracteriza como um contumaz derrotado. O reinado da Besta representa apenas a última tentativa de Satanás para impedir o plano de Deus, porém ela está destinada a fracassar, exatamente como aconteceu em todas as tentativas anteriores.

C.1.1. O Dragão não Consegue Matar Um Recém-nascido (12.1-6). A primeira das façanhas mencionadas aqui, sobre o passado do Dragão, descreve sua tentativa fracassada de assassinar Jesus quando era um recém-nascido (12.1-6). A referência a uma "vara de ferro" prova que a criança deve ser identificada como Jesus. O Salmo 2 profetizou que o Messias reinará sobre as nações com uma "vara de ferro" (Sl 2.9; cf. Hb 1.5). Em outras passagens, o Apocalipse faz referência a Jesus usando essa mesma frase (Ap 2.27; 19.15; veja também o tópico relacionado ao Filho de Davi em 5.5).

Na verdade, Jesus escapou de Satanás pelo menos duas vezes. Na primeira tentativa de assassinar Jesus, Satanás usou Herodes (outro governante depravado investido de autoridade romana) quando Jesus ainda era um recém-nascido (Ap 12.4,5; cf. Mt 2.1-18). Os planos de Satanás foram frustrados quando Deus enviou um anjo para aconselhar José a fugir para o Egito com a criança (Mt 2.13). Então, tendo triunfado na cruz sobre Satanás (um instrumento romano para punição capital, Ap 11.8), Jesus escapou novamente das garras do Dragão quando ressuscitou dentre os mortos e ascendeu aos céus (12.5).

É claro que Jesus morreu na cruz antes de sua ressurreição e ascensão, um aspecto que não passaria desapercebido dos primeiros leitores do Apocalipse (1.5; 5.6). Portanto, é possível que eles também tenham que morrer a fim de derrotar o Dragão (12.11).

Artigo: A Mulher (12.1)

A Mulher que aparece em Apocalipse 12 não pode ser identificada com absoluta certeza, pois não existem provas suficientes. O que realmente temos são dois fatos concretos: (1) ela deu "à luz" ao Cristo (v.5) e (2) em seguida fugiu para o deserto (v.6).

Os estudiosos da Bíblia encontram-se divididos em relação a três teorias diferentes.

1) A Mulher representa Israel. Uma mulher de Israel (Maria) dá à luz a Jesus; também sabemos que os judeus, os descendentes de Israel, realmente fugiram para o deserto antes da queda de Jerusalém no ano 70 d.C.
2) A Mulher representa a Igreja. Maria acreditava em Jesus e o seguiu, portanto ela era parte da Igreja. De fato, alguns chegam a afirmar que ela foi o primeiro membro da Igreja. Assim, alguém poderia dizer que foi a Igreja que deu à luz a Jesus. Também havia outros membros da Igreja que fugiram para o deserto antes da destruição de Jerusalém.
3) Alguns pensam que essa Mulher representa a própria Maria. Embora não exista uma tradição independente sobre uma fuga de Maria para o deserto, é possível que o tenha feito; João teria condições de sabê-lo ao certo (Jo 19.26,27).

De qualquer modo, não devemos deixar que a questão da identidade da Mulher nos afaste de um ponto importante da história. A fuga do filho dessa Mulher ocupa o primeiro lugar na lista das derrotas do Dragão em Apocalipse 12.

Artigo: O Dragão (12.3)

No livro de Apocalipse, o Dragão está especificamente identificado como "a antiga serpente, chamada o diabo e Satanás" (12.9;

cf. 20.2), retratado na cor vermelha, com sete cabeças, dez chifres e sete coroas (12.3), e com "três espíritos imundos, semelhantes a rãs" saindo de sua boca (16.13).

Embora sua imagem seja poderosa, seu sucesso resume-se apenas a um fato: "Sua cauda levou após si a terça parte das estrelas do céu" (12.4). O restante de sua vida é um fracasso desanimador. Tenta destruir o Messias em seu nascimento, mas não consegue (v.4). É derrotado no céu pelo arcanjo Miguel e os demais anjos (v.7), e é expulso para a terra com seus asseclas (v.9). Em seguida, tenta destruir a mulher do capítulo 12, mas fracassa novamente (vv.13-16). Finalmente, encolerizado, tenta declarar guerra contra o resto dos filhos de Deus (v.17), mas nem essa sua tentativa será vitoriosa!

A fim de combater os filhos de Deus, o Dragão convoca os serviços de duas outras Bestas — uma do mar (13.1,2) e outra da terra (13.11). Em conjunto, e através de suas mentiras, arregimentarão os reis da terra e seus exércitos para combater as forças do céu. Serão completamente derrotados pelo Messias e por sua hoste celestial (19.20,21). O Dragão será acorrentado por mil anos (20.2) e depois libertado por pouco tempo para que possa voltar a enganar as nações, convencendo-as a travar novas guerras inúteis (20.7-9). Mas desse conflito ele também sairá derrotado (v.9) e, finalmente, será lançado no lago de fogo, onde permanecerá para sempre, em tormentos e sofrimentos eternos (v.10).

O encarceramento do Dragão merece alguma reflexão. Deus não precisa fazê-lo pessoalmente; não precisa sequer levantar-se de seu trono. Nem o próprio Messias terá que aprisionar Satanás pessoalmente; essa tarefa não é suficientemente difícil a ponto de exigir os serviços de um arcanjo. Basta apenas um único anjo do céu, tão comum que seu nome nem é mencionado, para agrilhoar Satanás e lançá-lo no abismo (20.1-3).

Embora para os que vivem na terra esta seja uma figura amedrontadora, o Dragão não representa qualquer ameaça ao céu. Está representado como um cão louco com uma pequena e temporária utilidade para seu dono.

Artigo: 1.260 Dias, 42 Meses ou 3 Anos e Meio (12.6)

Existem três números que aparecem no Apocalipse informando o mesmo período de tempo: 1.260 dias (11.3; 12.6), 42 meses (11.2; 13.5) e 3 anos e meio ("um tempo, e tempos, e metade de um tempo" em 12.14; cf. Dn 7.25; 12.7). Numerosas coisas aconteceram durante este período: os gentios arrasaram a cidade de Jerusalém (Ap 11.2), a Besta blasfemou (13.5), as duas Testemunhas profetizaram (11.3) e Deus protegeu a Mulher no deserto (12.6,14).

A pergunta é até que ponto considerar, literalmente, esses números. A literatura apocalíptica judaica usa, muitas vezes, modelos e paradigmas para interpretar a história, modelos que poderão depois ser aplicados a acontecimentos futuros. A menção de uma frase característica de um deles trará à memória do leitor o seu modelo. O Apocalipse está repleto desses exemplos como chamar Roma de "Babilônia" ou "Sodoma" (um fenômeno semelhante pode ser observado atualmente pela forma como uma mulher sensualmente vestida é chamada de "Jezabel", ou quando um poderoso líder cristão se torna conhecido como "Pedro" ou "Paulo").

O único outro livro no qual aparecem essas frases numéricas na Bíblia é o livro de Daniel, onde elas aparecem duas vezes.

1) A primeira referência está em uma descrição sobre como o reino de Deus derrotará o quarto reino humano, geralmente identificado como Roma (Dn 7.23-27):

"O quarto animal será o quarto reino na terra, o qual será diferente de todos os reinos; e devorará toda a terra, e a pisará aos pés, e a fará em pedaços. E, quanto às dez pontas, daquele mesmo reino se levantarão dez reis; e depois deles se levantará outro, o qual será diferente dos primeiros e abaterá a três reis. *E proferirá palavras contra o Altíssimo, e destruirá os santos do Altíssimo, e cuidará em mudar os tempos e a lei;*

e eles serão entregues nas suas mãos por um tempo, e tempos, e metade de um tempo.
  Mas o juízo estabelecer-se-á, *e eles tirarão o seu domínio, para o destruir e para o desfazer até ao fim. E o reino, e o domínio, e a majestade dos reinos debaixo de todo o céu serão dados ao povo dos santos do Altíssimo; o seu reino será um reino eterno, e todos os domínios o servirão e lhe obedecerão"* (ênfases adicionadas pelo autor).

2) A segunda referência está em uma passagem geralmente identificada como descrevendo Antíoco Epifânio IV, o governante selêucida que profanou o altar do Templo de Jerusalém (isto é, a "abominação desoladora", Dn 11.31). Quando Daniel pergunta: "Que tempo haverá até ao fim das maravilhas?", o anjo lhe responde: "Depois de um tempo, de tempos e metade de um tempo, e quando tiverem acabado de destruir o poder do povo santo, todas essas coisas serão cumpridas" (12.6,7).
  Essa segunda passagem de Daniel é demasiadamente longa para ser totalmente citada, porém a seção mais relevante para o Apocalipse diz o seguinte (Dn 11.29-12.3):

"No tempo determinado [o rei do Norte], tornará a vir contra o do Sul; mas não será na última vez como foi na primeira. Porque virão contra ele navios de Quitim, que lhe causarão tristeza; e voltará, e se indignará contra o santo concerto, e fará como lhe apraz; e ainda voltará e atenderá aos que tiverem desamparado o santo concerto. E sairão a ele uns braços, que profanarão o santuário e a fortaleza, *e tirarão o contínuo sacrifício, estabelecendo a abominação desoladora.* E aos violadores do concerto ele, com lisonjas, perverterá, *mas o povo que conhece ao seu Deus* [lhe resistirá] *se esforçará e fará proezas.* E os sábios entre o povo ensinarão a muitos; todavia, cairão pela espada, e pelo fogo, e pelo cativeiro, e pelo roubo, por muitos dias. E, caindo eles, serão ajudados com pequeno socorro; mas muitos se ajuntarão a eles com lisonjas. *E alguns dos sábios cairão para serem provados, e purificados, e embranquecidos, até ao fim do tempo, porque será ainda no tempo determinado.* E esse rei fará conforme a sua vontade, e se levantará, e se engrandecerá sobre todo deus; e contra o Deus dos deuses falará coisas incríveis e será próspero, até que a ira se complete; porque aquilo que está determinado será feito... E não terá respeito aos deuses de seus pais, nem terá respeito ao amor das mulheres, nem a qualquer deus, porque sobre tudo se engrandecerá. Mas ao deus das fortalezas honrará em seu lugar; e a um deus a quem seus pais não conheceram honrará com ouro, e com prata, e com pedras preciosas, e com coisas agradáveis... E armará as tendas do seu palácio entre o mar grande e o monte santo e glorioso; mas virá ao seu fim, e não haverá quem o socorra... E, naquele tempo, se levantará Miguel, o grande príncipe, que se levanta pelos filhos do teu povo, e haverá um tempo de angústia, qual nunca houve, desde que houve nação até àquele tempo; *mas, naquele tempo, livrar-se-á o teu povo, todo aquele que se achar escrito no livro. E muitos dos que dormem no pó da terra ressuscitarão, uns para a vida eterna, e outros para vergonha e desprezo eterno. Os entendidos, pois, resplandecerão como o resplendor do firmamento; e os que a muitos ensinam a justiça refulgirão como as estrelas, sempre e eternamente"* (as ênfases foram acrescentadas pelo autor).

Se a primeira passagem se refere a Roma, e a segunda a Antíoco IV, então está claro que não estão se referindo ao mesmo acontecimento. A maioria dos historiadores reconhece duas "abominações desoladoras"; uma na época de Antíoco IV (165/164 a.C.) e outra em Roma, durante a destruição de Jerusalém no ano 70 d.C. (Mt 24.15; Mc 13.14).
  Se esta interpretação estiver correta, então João estava invocando um dos

paradigmas que mencionamos anteriormente. E ele o faz a fim de ajudar sua audiência a compreender a natureza de seu conflito e a reinterpretá-lo. Eles precisavam lembrar que essa não era a primeira vez que Deus usou um governante cruel para levar adiante seu propósito divino. Esses governantes cruéis nunca duram muito, nem seus partidários (Ap 12.12), porém enquanto estiverem aqui Deus se servirá deles. Como os santos do tempo antigo, os leitores desse livro estão sendo purificados como o ouro (Dn 11.35) e, após ressuscitarem, sua recompensa será grandiosa. O reino de Deus, de modo diferente dos reinos terrenos, durará para sempre (Dn 7.27; 12.1-3). Assim, os crentes devem ser fiéis até à morte.

C.1.2. O Dragão não Consegue Vencer o Arcanjo Miguel (12.7-12)

C.1.2.1. A Guerra no Céu (12.7-9). O segundo fracasso do Dragão aconteceu em sua tentativa de usurpar o trono de Deus. Satanás, aparentemente, nunca foi muito longe, pois o livro de Apocalipse não o retrata combatendo contra o Deus Todo-poderoso, ou mesmo contra o Messias. Ele e seus asseclas não são suficientemente fortes para derrotar Miguel e seus anjos (vv.7,8). Após serem derrotados, Satanás e suas forças são expulsos do céu e lançados à terra (vv.9-13; veja especialmente vv.10,11):

> E ouvi uma grande voz no céu, que dizia: Agora chegada está a salvação, e a força, e o reino do nosso Deus, e o poder do seu Cristo; porque já o acusador de nossos irmãos é derribado, o qual diante do nosso Deus os acusava de dia e de noite.
> E eles o venceram pelo sangue do Cordeiro e pela palavra do seu testemunho; e não amaram a sua vida até à morte.

C.1.2.2. O Hino do Triunfo (12.10-12). O hino de triunfo celestial faz uma ponte entre a derrota do Dragão no céu e a sua prevista derrota na terra. Ele se refere a Satanás como o "acusador de nossos irmãos" (12.10), talvez fazendo referência à fonte das tribulações de Jó (Jó 1.6-12). A mesma frase prenuncia o último alvo de Satanás: os irmãos e irmãs de Jesus Cristo (veja 12.10; cf. v.17). Esse hino também comemora a maneira como eles o vencerão (ou nós o venceremos): "Pelo sangue do Cordeiro e pela palavra do seu testemunho" (literalmente, *pelo registro de seu martírio*; veja o tópico relacionado a testemunhar em 6.9 e ao sacrifício do Cordeiro em 5.6).

O martírio é a arma por excelência em nossa guerra contra Satanás, afinal foi a forma como Jesus o derrotou. Aqueles que seguem a Jesus devem também "tomar a sua cruz" se desejam vencer Satanás (Mt 10.38; 16.24; Mc 8.34; Lc 9.23). A vitória absoluta só pode ser alcançada após a morte (1 Co 15.54-57).

C.1.3. O Dragão não Consegue Matar a Mãe do Recém-nascido (12.13-16).

O terceiro fracasso do Dragão foi sua tentativa de capturar a mulher celestial (12.1,13). Deus lhe concede as asas de uma águia (cf. Êx 19.4; Is 40.31; Ez 17.1-7) para que ela possa voar até o santuário no deserto (a voz passiva "foram dadas à mulher duas asas" [v.14] é uma forma típica da língua judaica para expressar um ato divino). A linguagem usada aqui é igual àquela que foi usada em Êxodo (Êx 19.4), porém não ficou claro se ela está se referindo ao verdadeiro Êxodo ou a um resgate posterior do povo de Deus que foi reproduzido nesse livro (como por exemplo em Ez 17.1). Da mesma forma, a descrição de um rio tragado pela terra (Ap 12.16) pode ser uma forma poética de se referir à passagem de Israel pelo meio do mar Vermelho, embora se este for o caso, a linguagem empregada é certamente incomum.

Como esse episódio acompanha a história do nascimento do Messias (12.5) este comentarista está inclinado a procurar um evento histórico que faça essa comprovação, possivelmente a fuga dos judeus ou cristãos da sitiada Jerusalém, antes do ano 70 d.C. Nesse caso, a referência à terra tragando o rio, para que as pessoas pudessem fugir, ainda permanece um mistério.

C.2. A Guerra do Dragão (12.17-13.18)

O ataque mais recente do Dragão, pelo menos na época em que o livro de Apocalipse foi escrito, está dirigido aos outros filhos da Mulher (v.17). Essa é a razão desse livro, isto é, o problema específico que inspirou a realização dessa obra. Frustrado, três vezes derrotado, mas ainda cheio de voracidade, o Dragão volta sua atenção para a última presa possível na terra: os filhos de Deus.

C.2.1. A Última Presa do Dragão (12.17-13.1). As últimas investidas do Dragão são dirigidas "ao resto da... semente" da mulher (12.17). Estes representam os demais filhos de Deus, os irmãos e irmãs de Jesus Cristo (cf. Mt 12.46; 28.10; Jo 20.17; Rm 8.29; Hb 2.11,12,17). A frase "filhos de Deus" é uma das favoritas de João (Jo 1.12,13; 11.52; 1 Jo 3.2,10; 4.4; 5.2,19), embora ocasionalmente também apareça nos escritos de Paulo (Rm 8.14-17; Fp 2.15).

Os membros das sete igrejas da Ásia Menor certamente estavam entre esses filhos; eles eram, assim como nós, o único alvo remanescente para um Dragão que foi precipitado à terra e perdeu o poder de voar (12.9). Tão certo como havia anteriormente atacado os cristãos da Ásia Menor, ele não nos ignorará (cf. 2 Co 2.11; 11.14; 1 Pe 5.8). Devemos ser diligentes em nossa guarda contra ele (Ef 6.10-18; 1 Jo 4.4).

Artigo: A Besta que Emerge do Mar (13.1)

O principal adversário que aparece no Apocalipse, o maior dos servos do Dragão, é a Besta que subiu do mar. O Apocalipse a descreve como um animal carnívoro, um predador (13.1-3), e, como tal, de acordo com a lei judaica, é imundo (Lv 11.1,10,27). Também é totalmente estranho e contrário às leis da natureza, pois é formado por detalhes e partes de vários animais (leão, urso e leopardo). Além disso, seu aspecto esquisito é acentuado pelo fato de que, embora tenha vindo do mar (Ap 13.1; cf. Dn 7.3), obviamente não é adequado a este ambiente, pois não tem barbatanas, escamas, guelras ou tentáculos.

A Besta do Apocalipse não pode ser identificada com nenhuma das quatro Bestas de Daniel 7. Não tem as asas dos pássaros ou das águias, nenhuma costela na boca ou nenhum dente de ferro ameaçador (Dn 7.4-7); tem sete cabeças e não quatro (Ap 13.1; cf. Dn 7.6). Além disso, cada um dos animais no livro de Daniel representava um reino (Dn 7.17,23) e a Besta atual representa um rei específico (Ap 13.18; 17.8-11). João, entretanto, usa características de todos os quatro animais mostrados no livro de Daniel, em sua descrição desse último horror. A Besta que emerge do mar tem boca de leão (como a primeira Besta de Daniel), pés de urso (como a segunda) corpo de leopardo (como a terceira) e dez chifres (como a quarta; veja Ap 13.1-3; cf. Dn 7.4-7). A verdadeira perversão que acontece no contexto do livro de Apocalipse é revelada por essa inversão da ordem divina. Deus fez Adão como rei de todos os animais da terra (Gn 1.28); agora, as Bestas (ou animais) estão reinando sobre as pessoas (Ap 13; 17; cf. Dn 7).

O livro de Apocalipse identifica a Besta do mar como um "rei" (17.11); além disso, ele é alguém "que era e já não é, e há de vir" (v.8; cf. v.11). Em outras palavras, ele havia reinado no passado, não está reinando no momento em que o livro de Apocalipse foi elaborado e se espera que volte ao trono em algum momento futuro, e esse trono foi-lhe dado pelo Dragão (13.2). Ele tem coroas (13.1), e está vestido com roupas de cor escarlate (17.3) que é a cor da realeza; além disso, como reina sobre "a grande cidade que reina sobre os reis da terra" (17.18), que tem sete colinas (v.9), e está habitada por vários "povos, e multidões, e nações, e línguas" (v.15), sendo claramente visível a partir do mar (Ap 18), certamente será um imperador *romano*. Essa descrição está de acordo com a descrição do autor como tendo vindo do mar (13.1), pois um imperador romano provavelmente viajaria de barco à Ásia Menor.

O problema é *qual* imperador romano está sendo representado pela Besta. Felizmente, as extensas descrições do

Apocalipse a respeito de cada um deles são suficientes para identificar o imperador correto. Os candidatos, todos os imperadores romanos durante os anos do primeiro século d.C., são os seguintes:

Augusto (Otaviano)	27 a.C. – 14 d.C.
Tibério	14-37 d.C.
Gaio	37-41 d.C.
Cláudio	41-54 d.C.
Nero	54-68 d.C.
Galba	68 d.C.
Otto	69 d.C.
Vitélio	69 d.C.
Vespasiano	69-79 d.C.
Tito	79-81 d.C.
Domiciano	81-96 d.C.
Nerva	96-98 d.C.
Trajano	98- 117 d.C.

O número de candidatos ainda pode ser mais restrito. A interpretação mais simples da Besta do mar nos diz que ela representa um dos sete reis (17.10). Esse animal que representa um imperador, e que foi caracterizado três vezes como o "que era e já não é" (17.8-11), deve ser um dos *cinco* imperadores que já haviam reinado até a época em que o Apocalipse foi escrito (v.10; esse é um ponto crucial para estabelecer a data da elaboração desse livro) e, além disso, o número de candidatos fica restrito a Augusto, Tibério, Gaio, Cláudio e Nero.

A opinião deste autor é que a Besta do mar era Nero, o quinto imperador romano. Sabemos que, de acordo com um fato histórico, ele foi o primeiro a perseguir os cristãos, um fato que o historiador romano Suetônio aprovou na obra *The Twelve Caesars* 6.16. Outro historiador romano, Tácito, descreve essa perseguição com grandes detalhes em sua obra *The Annals of Tacitus* 15.44:

> Mas nenhum esforço humano, nenhuma generosidade do imperador, nenhuma súplica ao céu, conseguiu fazer qualquer coisa que eliminasse a impressão de que o incêndio (de Roma) havia sido deliberadamente iniciado. Nero procurou achar um bode expiatório para culpá-lo pelo incêndio, e infringiu as mais cruéis torturas a um grupo de pessoas já odiadas pelo povo por seus crimes. Esse grupo de pessoas pertencia a uma seita conhecida pelo nome de Cristãos. Um certo Cristo, seu fundador, havia sido condenado à morte pelo procurador Pôncio Pilatos, durante o reinado de Tibério. Durante algum tempo, sua morte conseguiu reprimir a abominação, mas ela irrompeu novamente e se espalhou, não apenas através da Judéia, de onde havia se originado, mas até a própria Roma, que era o grande reservatório e terreno coletivo para toda espécie de depravação e corrupção. Aqueles que confessavam ser cristãos eram imediatamente presos. Com base em seu testemunho, um grande número de pessoas foi condenado, não só pela acusação de serem incendiários, mas pelo ódio de toda a raça humana. Eram executadas sob toda espécie de zombarias: vestidas com peles de animais selvagens, eram estraçalhadas por cães, crucificadas ou queimadas vivas. Quando a noite chegou, tornaram-se tochas humanas servindo como fonte de iluminação... Esses cristãos eram culpados e bem mereceram seu destino, mas por outro lado provocaram uma espécie de compaixão porque estavam sendo destruídos para satisfazer a crueldade de um único homem e sem qualquer finalidade pública.

Como se torna aparente através desse texto, Nero não perseguiu os cristãos especificamente por causa de sua fé, mas por um crime do qual ele mesmo estava sendo acusado: o de incendiar Roma (Suetônio, *The Twelve Caesars* 6.38; Tácito, *Annals*, 15.38-43; cf. Ap 17.16).

Sob inúmeros aspectos, esse acontecimento está de acordo com a descrição da Besta do mar feita pelo Apocalipse.
1) O livro *não* descreve esse imperador massacrando os cristãos por se recusarem a adorar sua imagem, um detalhe muitas vezes desapercebido em leituras superficiais do livro. Antes, a segunda Besta (a "Besta da terra") é a responsável por essas

formas de sacrifício (13.15), e o Apocalipse insiste em que a Besta do mar matou as duas "testemunhas" (11.7; veja o tópico relacionado às duas Testemunhas em 11.6), mas observe que o texto não afirma que suas mortes resultaram de seu testemunho, simplesmente que a Besta não tinha permissão para matá-las enquanto não acabassem "seu testemunho" (11.7). A Besta é acusada, inúmeras vezes, de blasfemar contra Deus (13.1,5,6; 17.3) e de receber seu poder diretamente de Satanás (13.2,4). Essa poderia muito bem ser a avaliação dos cristãos a respeito de Nero.

2) Além de sua perseguição aos cristãos, Nero é um excelente candidato a ser "a Besta" porque suas práticas sexuais podem ser descritas como "bestiais". Nenhum dos imperadores romanos foi casto, mas Nero desceu a novos abismos, particularmente espantosos para judeus e cristãos. Até os historiadores romanos desse período parecem repugnar seus atos. Tácito revela, por exemplo, seu relacionamento incestuoso com a mãe, Agripina (na obra *Annals*, 14.2), e sua homossexualidade pública (15.37). Ele resume sua opinião dizendo que após uma noite de particular orgia, "Nero experimentou todo tipo de prazer, lícitos e ilícitos. Parece que não havia mais abismos de degradação nos quais pudesse se lançar" (15.37; cf. 14.14,15).

Suetônio relata o estupro da virgem vestal Rubria, por Nero. Ele conta sobre sua castração e subseqüente casamento com Esporo em *The Twelve Caesars*, 6.27,28. O historiador ainda acrescenta que Nero chegou ao ponto de inventar novas formas de depravação: "Nero praticava toda forma de obscenidades e, por fim, inventou um novo jogo: ele saía de uma caverna, vestindo peles de animais selvagens, e atacava as partes íntimas de homens e mulheres que tinham sido amarrados a estacas (6.29)". Certamente, dos cinco imperadores romanos entre os quais devemos escolher, Nero é aquele que melhor se enquadra na descrição do livro de Apocalipse. Em todos os sentidos da palavra, ele foi uma verdadeira *Besta*.

3) O registro histórico da aparência física de Nero se assemelha à descrição feita pelo Apocalipse. Suetônio descreve Nero como um homem de altura média, com o corpo cheio de "pústulas" (marcado por vesículas de outra cor e infectadas com pus) e "mal-cheiroso". Seu abdômen era protuberante, seu pescoço "curto e grosso", e suas pernas "finas e delgadas". Além disso, seus olhos eram azuis e seu cabelo "loiro claro", que usava longo e "embaraçado", como o de um condutor de bigas (*The Twelve Caesars*, 6.51). Sua barba também tinha uma cor bastante incomum para aquele local e época: a cor bronze.

A descrição física da Besta identifica três semelhanças. Superficialmente, são descrições que agradariam a qualquer imperador romano: são Bestas predadoras e agressivas, isto é, um leopardo, um urso e um leão (Ap 13.2). Isso *poderia* indicar que esse imperador tinha a agilidade e a velocidade de um leopardo, a estabilidade de um urso e a ferocidade de um leão. Mas também poderia indicar que seu corpo tinha as manchas de um leopardo e que sua boca era circundada por uma cabeleira dourada, como a do leão. (A referência adicional aos pés do urso foge à interpretação do autor. Existem certos fungos que infectam as unhas dos pés das pessoas, fazendo com que elas adquiram a aparência de garras. Esses fungos são geralmente encontrados em ambientes onde as condições sanitárias são insatisfatórias, como aqueles onde Nero organizava suas orgias. No entanto, não existe qualquer referência histórica a respeito de Nero ter sofrido desse problema, além daquela existente em Ap 13.2.)

Mas onde o autor do Apocalipse foi encontrar esses detalhes tão pessoais sobre os hábitos de Nero? O que não era do conhecimento público sobre esse imperador (e parece ter sido muito pouco) poderia ter sido facilmente informado por pessoas como aquelas que Paulo mencionou em Filipenses 4.22: "Todos os santos vos saúdam, *mas principalmente os que são da casa de César*" (ênfases acrescentadas).

4) Temos agora o enigmático "número" do nome da Besta: 666 (13.18). Os estudiosos sabem, há muito tempo, que esse número

pode ser conseguido ao se transliterar o nome e o título de Nero ("Nero, César") em letras hebraicas e, em seguida, acrescentar seu valor numérico. Uma antiga variação textual nos proporciona uma forma estranha de confirmação. O manuscrito que recebe o título de "Manuscrito C" (*Codex Ephraemi Rescriptus*), elaborado em letra "uncial", tem o número 616 ao invés de 666. Esse número resulta da conversão das palavras "Nero César" do latim para letras hebraicas, acrescentando-se, em seguida, o valor numérico das letras (veja Guthrie, 959-60).

5) Finalmente, a história nos informa a existência da crença de que após sua morte, causada por um ferimento mortal, Nero retornaria à vida (cf. Ap 13.3,12,14). Essa crença foi bastante difundida na antiguidade, contudo somente muito depois desse período poderia ser incluída na elaboração desse livro. Portanto, ela é geralmente usada como um argumento na defesa de que o Apocalipse foi escrito durante o reinado de Domiciano ou mesmo mais tarde.

Entretanto, existe uma possibilidade melhor, isto é, que esse livro não tenha sido escrito como resultado dessa crença, mas em vista de um acontecimento real. E esse acontecimento seria a presença de uma pessoa que apareceu logo após a morte de Nero e que afirmava ser o próprio imperador! Tácito, em sua obra *Histories,* 2.8, ao cobrir os eventos entre março e abril do ano 69 d.C., escreve a respeito de uma certa pessoa que chamou sua atenção:

"Nessa época, as regiões de Acaia e Ásia Menor se aterrorizaram com a falsa notícia de que Nero estava por perto. Embora vários rumores tivessem circulado a respeito de sua morte, muitos pareciam acreditar que ele ainda estivesse vivo, e alguns chegavam a fingir que eram o próprio Nero. Nesse caso, o embusteiro era um escravo do Ponto ou, de acordo com alguns relatos, um escravo liberto vindo da Itália, um habilidoso cantor e tocador de harpa, qualidades que ao lado da semelhança facial com o imperador, permitiam uma enganadora plausibilidade às suas pretensões. Após conseguir angariar a companhia de alguns desertores, simples vagabundos necessitados a quem subornava com grandes ofertas, puseram-se ao mar. Levados pelas forças da natureza à ilha de "Cinto", induziu certos soldados que estavam retornando do Oriente a juntarem-se a eles e mandou executar os que se recusaram. Também roubava os comerciantes e dava armas aos escravos fisicamente mais capazes. O centurião Sisena, que introduziu a característica do aperto da mão direita e se tornou o emblema usual de amizade desde os exércitos pretorianos aos da Síria, foi atacado por ele através de vários artifícios, até que foi obrigado a deixar a ilha secretamente, fugindo a toda pressa, com medo de alguma violência maior. Daí em diante, esse acontecimento espalhou-se por toda parte e muitos se animavam perante o famoso nome, "Nero", ansiosos por uma mudança, por detestarem a situação presente. As notícias estavam ganhando cada vez mais crédito quando um acidente colocou um ponto final a tudo isto".

Será que essa pessoa poderia ser aquela que as sete igrejas temiam ser a Besta que voltaria? Observe que de acordo com Tácito, o povo da Acaia e da Ásia Menor estava especialmente atemorizado. Além disso, essa pessoa poderia facilmente ter aparecido na Ásia Menor enquanto Galba (o sexto imperador = "um que ainda existe", Ap 17.10) ainda era imperador e que somente despertou a atenção de Tácito algum tempo depois que Sisena havia fugido levando consigo tudo que sabia. Quando Vespasiano voltasse de Jerusalém, ele poderia ser o próximo a ocupar o trono (o "sétimo" = "outro ainda não é vindo; e, quando vier, convém que dure um pouco de tempo" v.10). Talvez a audiência original do Apocalipse acreditasse que esse falso Nero seria o "oitavo", que "é dos sete" (v.11). Mas, ele "foi e já não é, e há de subir do abismo" (v.8), porque acreditavam que fosse o próprio Nero, vivo, mas que ainda não havia retomado seu trono.

De qualquer forma, o livro de Apocalipse predisse que esse imperador em forma de animal de algum modo retornaria após a queda do sétimo imperador romano (17.10,11). Então, ele e os "dez reis que ainda não receberam o reino", mas que "receberão o poder como reis por uma hora", conspirarão juntamente (a ação está representada no futuro, veja 17.12,13). Eles farão guerra contra os santos e os matarão (17.14), exatamente como fez a Besta em sua primeira aparição (13.7). Na sua volta futura, essa Besta também destruirá Roma pelo fogo (17.16-18), assim como Nero tentou fazer no passado (veja os tópicos relacionados aos seguintes temas: à Besta que virá, em 19.19; aos habitantes da terra, em 6.10; ao Cordeiro que foi morto, em 5.6; aos 1.260 dias, 42 meses ou 3 anos e meio, em 12.6; e à marca da Besta, em 14.9).

C.2.2. Os Novos Aliados do Dragão (13.2-18). Existe nesse capítulo um certo alívio, até mesmo cômico, para aqueles que são capazes de percebê-lo. A história prova que o Dragão é tão fraco que não consegue matar um recém-nascido (12.1-6). E também tão lento que não consegue capturar uma Mulher que acabou de dar à luz uma criança (12.13-16). Além disso, é um líder tão incompetente que ele e seu exército são derrotados por um único arcanjo e pela tropa que estava a seu comando (12.7-12). Portanto, quais seriam as chances de ser capaz de alcançar a vitória usando somente um par de Bestas?

C.2.2.1. A Besta que Emerge do Mar (13.2-8). Existem duas Bestas, e não apenas uma, no livro de Apocalipse. A primeira Besta, a Besta que emerge do mar (13.1-10), é aquela geralmente identificada como "a Besta" ou "o Anticristo". João a descreve exercendo dois períodos separados de atividade sobre a terra (17.8-11). O primeiro já havia acontecido quando esse livro foi escrito (veja o tópico relacionado à Besta que emerge do mar, adiante). O segundo período terá seu acontecimento no futuro, tanto para sua audiência original como para nós atualmente (veja o tópico relacionado à Besta que virá em 19.19).

Artigo: A Adoração da Besta (13.4)

O que será que o livro de Apocalipse quer dizer quando se refere à "adoração à Besta" (13.8,12,15; 14.11) ou à sua imagem? (13.15; 14.11) Paulo ensina que todo cristão deve sujeitar-se às "autoridades superiores; porque não há autoridade que não venha de Deus; e as autoridades que há foram ordenadas por Deus" (Rm 13.1; cf. Tt 3.1). Ele também diz que devem ser feitas orações por todos, inclusive "pelos reis e por todos os que estão em eminência" (1 Tm 2.1,2).

A questão é a forma como essas orações devem ser feitas. Sabemos que os judeus ofereciam incenso e sacrifícios para Yahweh (Jeová) no Templo de Jerusalém a favor do imperador romano, pelo menos até o início da Primeira Revolta dos Judeus. Não há dúvida de que, nesse mesmo período, outros grupos religiosos fizeram o mesmo perante seus próprios deuses em seus templos.

S. R. F. Price nos oferece uma análise convincente do culto imperial na Ásia Menor. Suas origens estão calcadas nos cultos helenísticos aos reis, e se iniciaram nessa área no quarto século antes de Cristo. No começo, várias cidades helenísticas estabeleceram cultos em agradecimento por certos favores políticos. Esses cultos simplesmente prestavam homenagem aos reis como heróis, embora Alexandre, o Grande, tivesse recebido honras divinas durante sua vida. Com o passar do tempo, segundo Price (21-26), "como as figuras a serem homenageadas se tornaram muito importantes, foi feita uma mudança de honras heróicas para honras divinas. As maiores honras eram reservadas para as pessoas mais importantes". Depois de vários séculos de conflitos, o triunfo do cristianismo pôs um fim definitivo ao culto ao imperador.

O aspecto primordial, pelo qual o cristianismo conflitava com o culto ao imperador, foi a transição de conceder honras por heroísmo, para a atribuição de honras divinas ao imperador. Na primeira forma, havia a oferta de incenso (5.8; 8.3,4), ou um sacrifício a um deus em particular, em honra ao imperador. Mas, na última, havia uma oferta diretamente endereçada ao imperador ou à sua estátua. Parece que os cristãos entendiam que a primeira era uma forma legítima de praticar os ensinamentos de Paulo, enquanto a última, pelo menos de acordo com o Apocalipse, era idolatria (9.20; 21.8; 22.15).

Price descreve um interessante exemplo que acentua as diferenças entre honras heróicas e divinas. Filo de Alexandria viajava na companhia de uma delegação de judeus, ao encontro do imperador Gaio (37-41 d.C.). Quando chegaram ao seu destino, o imperador acusou os judeus de não reconhecerem a sua divindade. Uma delegação adversária também se aliou ao ataque e acusou-os de terem se recusado a oferecer sacrifícios a Gaio. Os judeus responderam que haviam feito exatamente isso, em três ocasiões distintas. A resposta de Gaio é muito instrutiva; "Muito bem", ele disse, "isso é bem possível, mas vocês ofereceram sacrifícios a outro, embora a meu favor. Mas qual será o benefício se vocês não ofereceram os sacrifícios a mim?" (Filo, *Legat.* 357; veja Price, 209).

Obviamente, a delegação de judeus estava disposta a oferecer sacrifícios a Yahweh (Jeová), a favor de Gaio. E também não se sentiam muito à vontade oferecendo sacrifícios diretamente ao imperador, e tanto Gaio, como a delegação adversária, sabiam muito bem disso.

À luz dessa evidência, parece razoável identificar no Apocalipse a adoração da Besta como sendo a oferta de honras divinas ao imperador romano. Essa mesma questão se tornaria a origem dos conflitos entre os cristãos e Roma até o final do terceiro século. Quando o cristianismo se tornou a religião oficial do Império Romano, o culto ao imperador foi rapidamente abolido.

Interjeição do Narrador: "Se Alguém Tem Ouvidos, Ouça" (13.9,10). Nesse ponto, João interrompe a narrativa para enfatizar sua importância. Com a frase "quem tem ouvidos ouça" (2.7,11,17,29; 3.6,13,22) ele lembra à sua audiência as recompensas prometidas nas sete cartas a todos aqueles que "vencerem" (veja o tópico relacionado aos vencedores em 2.7). Em seguida, ele faz uma paráfrase do profeta Jeremias (13.10; cf. Jr 15.2; 43.11). Deus concedeu à Besta somente um poder temporário sobre os santos (Ap 13.7). Alguns deles serão mortos e outros escravizados (v.10). Mas devem permanecer "fiéis", no sentido de confiarem e dependerem somente de Deus.

C.2.2.2. A Besta da Terra (13.11-17). O outro adepto do Dragão, em sua última campanha, também é uma Besta. Essa segunda Besta vem da terra, não do mar (13.11; cf. v.1). Também como a primeira Besta, ela parece ter dois períodos de atividade: um no passado (13.11-18) e outro que ainda acontecerá no futuro (16.13-16; 19.17-21).

Artigo: A Besta da Terra (13.11)

A segunda Besta do Apocalipse é chamada "a Besta que sobe da terra", e ela comete o crime mais abominável do livro (14.11-17). Os candidatos mais prováveis à Besta da "terra" são os chefes políticos da província da Ásia e/ou o sacerdote da religião oficial em Pérgamo.

A descrição que João faz dessa Besta é singular, sem mencionar Daniel ou qualquer outro profeta. Essa Besta tem "dois chifres semelhantes aos de um cordeiro (um jovem carneiro?), todavia fala como um "Dragão" (v.11). Seu relacionamento com o Dragão é óbvio: ela se opõe ao povo de Deus. Da mesma forma, o número e o tamanho relativo de seus chifres parecem bastante claros: ela é menos poderosa que o imperador romano. Mas é o animal que nosso autor escolheu para comunicar seu último ponto, que é o mais intrigante: ele tem chifres como um "cordeiro" — um símbolo até agora reservado para Cristo, nesse livro. No mínimo, essa Besta é enganadora, como um lobo em pele de cordeiro; em outro local ela é identificada como "falso profeta" (16.13; 19.20; 20.10). No máximo, nosso autor está procurando deixar claro que essa Besta tinha alguma ligação anterior com o cristianismo (essa última possibilidade deve ser considerada *extremamente* especulativa, pois não existe nenhuma outra evidência que possa dar-lhe sustentação).

As pessoas que adoram a Besta (do mar) o fazem por inúmeras razões. Talvez a falsa notícia da recuperação milagrosa e da volta de Nero (e assim alguns o identificaram com a palavra verdadeira que consta em Ap 13.3,12,14) tenha levado alguns a se convencerem da sua divindade. Outros podem ter acreditado no falso Nero sobre quem Tácito escreveu (veja o tópico relacionado à Besta que emerge do mar em 13.1). Em qualquer uma destas hipóteses, o sacerdote da religião oficial em Pérgamo era um dos maiores beneficiados pela situação, aproveitando-se dela. Ele constrói uma imagem do imperador, procurando fazer com que esta tivesse a aparência e emitisse sons, como se o próprio imperador estivesse falando. A imagem executa outros sinais, como se fogo estivesse caindo do céu (v.13). Por fim, convence e obriga a todos a adorar a estátua do imperador (v.12). Ele mata aqueles que se recusam a fazê-lo (v.15) e assinala aqueles que obedeceram para que recebam benefícios especiais (v.16; veja o tópico relacionado ao sinal da Besta em 14.9).

Quando a Besta (do mar) retornar, ela estará acompanhada pelo "Falso Profeta". Juntos, o Dragão, a Besta e o Falso Profeta conspirarão para travar uma futura batalha contra o Deus Todo-poderoso (16.13-16). Então, eles e seu exército serão derrotados com a chegada do Messias (19.17-21; veja o tópico relacionado à Besta que virá em 19.19).

Interjeição do Narrador: "O Número da Besta..." (13.18). Sobre o número da Besta, veja o tópico relacionado à Besta que sobe do mar em 13.1, especialmente a quarta razão para identificá-la como sendo Nero.

2.4. A Terceira Visão: Cristo no Monte Sião (14.1-16.21)

A terceira visão de Cristo coloca-o no monte Sião (Sl 2.6; 110.2; 125.1; Is 24.23), o local do Templo de Jerusalém. Isaías profetizou que esse seria o local onde aqueles que proclamaram a mensagem do Evangelho veriam o Senhor (Is 52.7,8):

> Quão suaves são sobre os montes os pés do que anuncia as boas-novas, que faz ouvir a paz, que anuncia o bem, que faz ouvir a salvação, que diz a Sião: O teu Deus reina!
> Eis a voz dos teus atalaias! Eles alçam a voz, juntamente exultam, porque olho a olho verão, quando o Senhor voltar a Sião.

Esse é o mesmo cenário onde, no capítulo 15, a multidão de justos cantará o cântico de Moisés (15.3,4). Desse modo, tanto os judeus (144.000) como os gentios (a multidão) adorarão a Deus nesse lugar e nesse tempo. As descrições de sua adoração estão separadas apenas por cinco pequenas proclamações (14.6-13) e pelo quadro da colheita na terra (14.14-20).

2.4.1. Seus 144.000 Companheiros (14.1-5). Os 144.000 estão com o Cordeiro nesta ocasião e também por toda a eternidade (14.4). O cântico que entoam pertence somente a eles (v.3; veja o tópico relacionado aos 144.000 judeus em 7.4). Ao adorar a Deus com um "novo cântico" estão cumprindo a profecia de Isaías (Is 42.10) e os conselhos do salmista (Sl 33.3; 40.3; 96.1; 98.1; 144.9; 149.1).

O texto caracteriza esses 144.000 judeus como sinceros e sexualmente puros (14.4,5). O fato de não serem mentirosos (v.5) significa que não estavam entre aqueles que caluniaram as igrejas cristãs da Ásia (2.9; 3.9). O comentário a respeito da pureza sexual é muito intrigante, especialmente porque o texto grego usa uma palavra que significa "virgens". Isso não pode ser interpretado como uma discriminação sexual, pois o Novo Testamento não classifica a relação sexual lícita, dentro do matrimônio, como uma contaminação pessoal (cf. 14.4). Além disso, em nenhum lugar o livro de Apocalipse menciona o celibato como virtude. A melhor interpretação seria, provavelmente, que esta passagem seja uma referência à abstenção da idolatria (inclusive da adoração à Besta) e da prostituição que freqüentemente a acompanha. Esta seria mais uma forma pela qual esses judeus se diferenciariam daqueles que freqüentavam as sinagogas de Esmirna e Filadélfia (2.9; 3.9).

2.4.2. As Três Proclamações dos Anjos (14.6-11). Cinco pequenas frases estabelecem a ligação entre a visão dos 144.000 e a colheita na terra, e levam o leitor à imagem de uma glória futura (os 144.000) e aos meios pelos quais ela pode ser alcançada (na "colheita").

As três primeiras dentre as cinco frases reproduzem as proclamações dos anjos (14.6-11) e são seguidas por uma interjeição do narrador do Apocalipse (v.12) e por uma proclamação divina (v.13). As três proclamações dos anjos estão relacionadas com o juízo e com a forma de enfatizar a morte dos mártires. O primeiro anjo anuncia que "vinda é a hora do seu juízo [de Deus]" (v.7). O segundo prefigura a destruição da Babilônia (v.8), e o terceiro descreve a futura penalidade que aguarda todos aqueles que adoram a Besta (vv.10,11).

2.4.2.1. Temer a Deus e Adorá-lo (14.6,7). A primeira proclamação é uma ordem a temer a Deus e adorá-lo. Ele é digno de adoração porque é o Criador (v.7) da própria terra que essas pessoas tanto valorizam (v.6). A divisão da criação em quatro partes — "céus, terra, mar e fontes de águas" — prenuncia os julgamentos das quatro primeiras trombetas e dos primeiros quatro cálices. Uma trombeta e um cálice agem sobre cada uma dessas partes, e na mesma ordem (8.7-12; 16.2-9).

2.4.2.2. A Queda da Babilônia (14.8). A segunda proclamação pressagia a destruição de Roma, a "Babilônia" do livro de Apocalipse (Ap 18). O emprego do verbo no passado, isto é, "caiu", é uma típica forma semítica de descrever um evento futuro como sendo tão infalível que pode até ser considerado como já tendo acontecido. O pecado da Babilônia, cometido ao fazer com que as nações se embriagassem com o "vinho da ira da sua prostituição" (v.8), tem essa descrição a fim de relacioná-lo à colheita das uvas que vem em seguida (14.17-20).

2.4.2.3. Aqueles que Adoram a Besta Serão Punidos (14.9-11). A terceira proclamação é uma advertência àqueles que adoram a Besta e não a Deus. Assim como o segundo anúncio (v.8), o vocabulário aqui está ligado à próxima colheita da uva (14.17-20). Os pecadores beberão do "vinho da ira de Deus" (v.10; cf. o "grande lagar da ira de Deus"). Eles beberão o "cálice da sua ira" (v.10; cf. 16.1,19).

Artigo: O Sinal da Besta (14.9)

Além da própria identificação da Besta, nada provocou tanta controvérsia no Apocalipse como o "sinal da Besta" (13.17; 14.9,11; 16.2; 19.20; 20.4). Mas podemos estar certos de muitas coisas: esse sinal identifica aqueles que adoram a Besta (14.9,11 19.20; 20.4), exatamente como o selo de Deus identifica os seus servos (7.2-8; 9.4). Esse sinal, que pode ser o nome da Besta ou seu número, 666 (13.17,18), está colocado na testa ou na mão do adorador (14.9) e, em certas circunstâncias, esse sinal permite às pessoas comprar ou vender (13.17).

Além desses poucos fatos, o Apocalipse nada mais comenta sobre o assunto, embora alguns assim chamados "professores de profecia" tenham apresentado extravagantes especulações. Alguns afirmam que o sinal da Besta (impressões de patas?) são ou serão tatuagens, marcas, códigos de barra ou chips intradérmicos de computador. Geralmente, essas teorias são apresentadas como parte de uma maior e suspeita conspiração mundial, mas a verdade é que simplesmente não sabemos. Tais especulações somente se alimentam dos temores e inseguranças das pessoas, distraindo-as do verdadeiro enfoque do Apocalipse: o retorno do Cordeiro. Aqueles que adoram a Deus nada têm a temer "porque maior é o que está em vós do que o que está no mundo" (1 Jo 4.4) e "não temais os que matam [somente] o corpo e não podem matar a alma" (Mt 10.28; cf. Lc 12.4).

A opinião deste autor é que o sinal da Besta foi algo que realmente existiu, usado na Ásia Menor para o culto ao imperador durante o primeiro século. Como a história não nos deixou qualquer registro sobre esse sinal, devemos limitar as especulações às tecnologias disponíveis durante o tempo da vida de Nero. Melhor ainda, devemos adorar a Deus e nos esforçar para alcançar o "selo" de aprovação (Ap 7.2-8; 9.4; cf. Jo 6.27).

Interjeição do Narrador: Os Santos Devem Perseverar (14.12). Os anos que se seguiram à elaboração do livro de Apocalipse representariam um desafio aos filhos de Deus, irmãos e irmãs de Jesus (14.12; cf. 12.17). A Igreja suportaria sofrimento e morte pela sua fé (14.13), não apenas uma vez, mas periodicamente, e por centenas de anos. João nos aconselha a ter paciência e a suportar essas provações (v.12). A frase "paciência dos santos" ou "no reino e na paciência" (que tem o sentido de "paciente resignação") aparece três vezes nesse livro, cada uma delas associada ao sofrimento e martírio por Cristo (1.9; 13.10; 14.12).

O sofrimento representa uma experiência essencial para aqueles que anseiam assemelhar-se à imagem de Cristo (Rm 8.28-39), pois ele forma o caráter (Hb 12.11). Se o próprio Senhor Jesus demonstrou sua obediência através do sofrimento (5.8), nós podemos imitá-lo. Além disso, é um privilégio sofrer em nome do evangelho e um privilégio ainda maior ser um mártir. Pedro e Paulo, as "duas testemunhas" de Apocalipse 10 (na opinião deste autor), estavam cientes desse princípio do reino (Rm 8.17,18; Fp 1.29; 3.10; 1 Pe 4.12,13; 5.11).

Considere o que as mulheres estão dispostas a suportar hoje em dia em nome da beleza física. Têm todo cuidado com o que, e quanto comem, fazem exercícios regularmente, levantam cedo para lavar e escovar os cabelos e suportam a dor de desembaraçá-los pela manhã. Elas se depilam, e cuidam de sua pele — tudo isso apenas para enfeitar o aspecto físico de seus corpos. Algumas estão dispostas até a suportar (e pagar!) cirurgias plásticas e complicados e extensos tratamentos dentários para melhorar sua beleza natural. Se essas mulheres estão dispostas a suportar tanto por tanto tempo para alcançar a beleza física, quanto mais a Igreja deveria estar disposta a sofrer pela beleza espiritual! Devemos ser pacientes e suportar, para estarmos prontos para a vinda do nosso noivo. Queremos estar belos para Ele no dia de nosso casamento.

2.4.3. A Divina Proclamação: Os Mártires São Abençoados (14.13). Em 14.13, a divina proclamação torna ainda mais explícita a mensagem do verso 12. Deus não é descuidado em relação ao nosso sofrimento por Ele, nem considera pouco importante a morte de seus santos. O Grande Hallel (cf.19.1-8) diz: "Preciosa é à vista do Senhor a morte dos seus santos" (Sl 116.15). O martírio, isto é, o maior sacrifício pessoal, traz a vantagem adicional de nos permitir entrar em seu "repouso" (Ap 14.13; cf. Hb 4.10,11) o mais rápido possível (veja também o tópico relacionado a testemunhar em 6.9; e a vencedores em 2.7). O trabalho, dos quais os israelitas repousavam na Festa dos Tabernáculos, referia-se à colheita. O trabalho do qual esses mártires repousam (14.13) também é o da colheita — só que eles são os colhidos e não os colhedores. A passagem seguinte (14.14-20) descreverá essa colheita.

2.4.4. A Colheita da Terra (14.14-20). Os habitantes da área agrícola da Palestina estavam bem familiarizados com a concepção da colheita (cf. a "terra que mana leite e mel", Êx 3.8; Jr 32.22; Ez 20.6,15; veja o tópico relacionado ao rio celestial ou mar de cristal em 22.1) e suas lições eram proverbiais: o trabalho diligente e fiel resultava em bênçãos e recompensas; a preguiça não produzia nada de valor (Pv 6.6-11; 10.5; 12.24; 14.23; 20.4; 24.27). Portanto, pode-se entender por que os profetas israelitas já há muito usavam a imagem da colheita para ilustrar o futuro juízo de Deus em outras áreas da vida (Is 17.5,6; 24.13; Jr 12.13; Os 6.11; Jl 3.13). Jesus também usou essa imagem (por exemplo, Mt 9.37,38; 13.30,39; 21.33-41; cf. Is 5.1-7), assim como Paulo (Rm 1.13; 1 Co 9.10; Gl 6.9), Tiago (Tg 3.18; 5.4) e o escritor de Hebreus (Hb 12.11).

A pessoa que estava assentada "sobre a nuvem" é Jesus Cristo (14.14) e a frase "semelhante ao Filho do Homem" tem a finalidade de lembrar aos leitores o que Daniel disse em 7.13,14. Sua coroa (em grego, *stephanos*) não é o diadema que poderíamos esperar (em grego, *diadema*, por exemplo, Ap 19.12), mas um laurel — a palavra que o Evangelho utiliza para referir-se à coroa de espinhos de Jesus (Mt 27.29; Mc 15.17; Jo 19.2,5; veja o tópico relacionado a coroas, lauréis e diademas em 4.10). Essa palavra destaca a cena como se fosse um martírio, assim como o contexto mais amplo o faz.

O escritor descreve duas colheitas dos anjos, uma de grãos (14.15,16) e outra de uvas (vv.18,19). Enfatiza tanto a última (vv.19,20; 15.7; 16 e 17) que nos leva a imaginar por que teria mencionado a outra. Pode ser que esteja indicando que essa colheita representa o fim de todo o trabalho agrícola do ano (a colheita *final*), assim como Deuteronômio ensina os israelitas a celebrarem a Festa dos Tabernáculos: "[durante] sete dias, quando colheres da tua eira e do teu lagar" (Dt 16.13).

2.4.4.1. A Colheita dos Cereais (14.14-16). A questão fundamental, na interpretação das duas colheitas, é o que (ou quem) está sendo colhido. A colheita pode se referir a colher uma safra, ou a arrancar as ervas daninhas para serem queimadas. Na verdade, é somente através da colheita que algumas espécies podem ser facilmente identificadas (Mt 13.30). Em outras palavras, são os santos ou os pecadores que estão sendo colhidos?

Não há como dizê-lo nesta primeira colheita: o autor não fornece detalhes suficientes para que possamos decidir. A segunda colheita, a das uvas, é uma história diferente. Nesse caso, ele descreve através dos detalhes que o anjo está colhendo cristãos. São representados pelas uvas colhidas e deles é o sangue que mancha os freios dos cavalos (v.20). Os cristãos da Ásia Menor haviam se esquecido (e ouso dizer, hoje, também, muitos cristãos no mundo inteiro se esquecem) de uma das mais importantes lições da colheita: tudo o que é colhido — grãos, vegetais e frutas — morre. O mesmo acontece com os santos: colheita significa morte. E, nesse caso, o grande volume de sangue indica a severidade de sua perseguição — e o número daqueles que morrerão (v.20; cf. 6.9-11).

A colheita será abundante (Mt 13.3-9,18-23). Nesse momento, ela será um assunto doloroso e sangrento, mas logo, tanto eles como nós, repousaremos (Ap 14.13). A colheita estará terminada e as celebrações começarão. Por enquanto, nós, os cristãos, devemos olhar para além do sofrimento passageiro, em direção à eterna alegria que se seguirá (Hb 12.2; cf. Lv 23.40). Assim como o Cordeiro (Ap 5.5,6,9,12; 12.11) devemos vencer (2.26; veja o tópico relacionado aos vencedores em 2.7).

2.4.4.2. A Colheita da Uva (14.17-20). Essa última parte do Apocalipse gira em torno do vinho dessa escatológica colheita da uva, da mesma forma que a Festa dos Tabernáculos gira em torno do vinho dessas uvas.

1) Observe que o livro dedica mais espaço à colheita da uva do que à colheita anterior.
2) O livro não se preocupa em mencionar a safra da primeira colheita, mas identifica a segunda como sendo uma safra de uvas (v.18).
3) Esta safra, acompanhada da prensa das uvas, introduzirá as sete libações com vinho (15.1-16.21), e a outra colheita não tem uma presença constante nesse livro.
4) O vinho, produto principal da uva, representa um importante símbolo no Apocalipse. Em vista da maneira como é produzido (matando e espremendo as uvas), ele tem a cor vermelha, e, por ser um líquido, muitas vezes representa o sangue. Jesus usou o vinho como símbolo de seu próprio sangue, quando instituiu a Santa Ceia (Mt 26.27-29). O vinho lembrava às sete igrejas da Ásia o sacrifício de Jesus, enquanto se preparavam para enfrentar a sua própria e rigorosa perseguição (e possivelmente fatal). A "grande prostituta" está embriagada com este vinho, com o sangue dos santos de Deus (17.2,6; 18.3,24).

Deus estabeleceu o momento dessa colheita, ela não foi apressada por causa da guerra ou adiada até que a batalha tivesse terminado. Essas uvas foram colhidas porque estavam maduras (v.18) e a prova disso é a quantidade de vinho que produziram: transbordou do lagar, localizado fora da cidade, onde Jesus também morreu (v.20; cf. Hb 13.12,13), e inundou toda a região à sua volta (v.20).

Existe uma certa resistência humana à noção do martírio pessoal, que é ainda maior entre aqueles que, ao sentirem-se perseguidos, buscam conforto no livro de Apocalipse. Talvez isso possa explicar por que, inconscientemente, tantos grupos transformaram o apelo desse livro, para se apresentar e morrer, em uma espécie de licença para matar. É certo que a presença da violência atrai os violentos: um impressionante número de assassinos contumazes, fanáticos, organizações paramilitares e maníacos aficionados pela sobrevivência agregaram a mensagem do Apocalipse ao seu uso particular. Cada um desses indivíduos, ou grupos, imagina ser o agente da ira de Deus na terra: pensam que corrigirão o que está errado, se necessário até mesmo pela força, e ao final equilibrarão os pratos da balança da justiça. São demasiadamente orgulhosos para se curvarem perante o inevitável, excessivamente impacientes para esperar pelo julgamento de Deus sobre o mundo e absolutamente indignados, ultrapassando os limites do ódio.

Paulo, um dos cristãos assassinados por Nero, escreveu extensivamente sobre a ira de Deus em sua Carta aos Romanos. É verdade que existem pessoas que merecem esta ira (Rm 2.5-8), assim como nós, antes de nos arrependermos e implorarmos por misericórdia (5.9). A despeito de todo o mal que sofrermos nas mãos daqueles que não se arrependerão, devemos nos lembrar que Deus tem o supremo direito sobre tudo e todos. Ele nos ordena a não revidar, mas ceder ao seu julgamento (12.19). Ele é paciente e podemos confiar que concluirá aquilo que começou (9.22,28) e, realmente, já podemos ver algumas das conseqüências de sua ira (1.18). Enquanto isso, o mal não deve ser retribuído com o mal, e devemos obedecer à lei e nos submetermos às autoridades que Deus colocou em seu lugar (13.1-8). Sejamos pacientes.

Artigo: O Lagar da Ira de Deus (14.19)

A frase "lagar da ira de Deus" (cf. Is 63.2,3; Lm 1.15; Jl 3.9-17) levou alguns a concluírem que o sangue pertence aos perseguidores e não aos perseguidos. Afinal de contas, raciocinam, por que Deus estaria irado com seu próprio povo?

Sua confusão é compreensível. A frase grega é ambígua e difícil de ser traduzida para o português. Em essência, ela não diz que o lagar pertence a Deus (embora estejamos certos que sim) e nem é possível que, de alguma forma, seja possuído pela ira de Deus (somente pessoas, e não emoções, possuem algo). A questão é saber se o lagar é a *razão* da ira de Deus (isto é, o crime) ou o *resultado* dessa ira (isto é, seu julgamento).[7] O contexto, especialmente a proclamação: "Bem-aventurados os mortos que, desde agora, morrem no Senhor" (v.13) indica claramente que o lagar é a *razão* pela qual Deus está irado. Este representa a matança (o martírio) de seus próprios filhos.

O martírio faz parte do plano de Deus, e a descrição dos anjos fazendo a colheita é uma confirmação desse fato (vv.14-19). No entanto, esses assassinos não têm qualquer desculpa, pois assassinaram os filhos de Deus, não por obediência, mas movidos pelo ódio a Ele. Como punição, em breve, Deus os fará beber do mesmo sangue que derramaram (16.6).

2.4.5. O Terceiro Ritual: O Derramamento das Sete Libações (15.1-16.21). O terceiro e último ritual que aparece no livro de Apocalipse é o derramamento dos sete cálices de sangue sobre a terra. Essas sete libações dão início às diferentes pragas que assolarão os seus habitantes, especialmente aqueles que preferiram seguir a Besta. As pragas colocarão um fim ao juízo de Deus, à sua "ira" escatológica (15.1; cf. 6.16; Rm 1.18; 2.5).

Artigo: As Libações (15.1)

A palavra "libação" é desconhecida para muitos leitores do Novo Testamento, da mesma forma que a frase equivalente, isto é, "oferta líquida". Ambas são encontradas na lei mosaica, que prescreve um certo número de diferentes tipos de sacrifícios (a carne de vários animais), de oferta de grãos (diferentes tipos de farinha ou sementes torradas) e libações (oferta de líquidos, como vinho, água, sangue, etc.). Provavelmente os cristãos estejam mais familiarizados com os sacrifícios do Antigo Testamento pelo pecado, a oferta queimada, devido à sua relação com o sacrifício de Jesus pelo pecado, na cruz (Lv 4; cf. Rm 8.3; também Lv 16; cf. Hb 9.7-10.13). Também reconhecemos a descrição que João fez de Jesus como o perfeito Cordeiro Pascal (Jo 19.33,36; cf. Êx 12.46; Sl 34.20), mas não percebemos sua importante representação de Jesus como a suprema libação da Festa dos Tabernáculos (Jo 19.34,37; cf. 7.38; Ez 47; Zc 12.10; 14.8,16; Ap 1.7).

Existem muitas espécies de libações, ou ofertas líquidas, no Antigo Testamento. No tabernáculo e no Templo, as ofertas diárias sempre incluíam libações e, a cada manhã e noite, os sacerdotes preparavam uma "refeição" consagrada ao Senhor. Ela consistia de carne assada (cordeiro), pão assado (pão asmo feito de grãos misturados com azeite e um pouco de sal) e uma bebida (geralmente vinho; veja Nm 28.3-7; cf. Lv 2.13). A bebida que acompanhava essa refeição era chamada de "oferta líquida" ou libação (Êx 37.16; Nm 28.10; Os 9.4). Como uma libação, os sacerdotes também derramavam o sangue das ofertas pelo pecado sobre a base do altar de bronze (Lv 4.25,30,34; cf. Ap 6.9). Davi ofereceu a Deus o sacrifício da água do poço de Belém, que seus homens haviam conquistado com o risco da própria vida (2 Sm 23.15,16). Elias ofereceu a Deus doze grandes jarros de água em sacrifício, quando enfrentou os profetas de Baal no monte Carmelo. É certo que esse ato teria sido a causa de sua morte se Deus não tivesse respondido. Mas por quê? Na verdade, Israel estava atravessando o terceiro ano de seca, portanto esses jarros de água eram muito preciosos — a diferença entre a vida e a morte para uma família inteira (1 Rs 18.32-35; veja também o tópico relacionado às libações de água e vinho nos Tabernáculos em Ap 16.1).

Portanto, judeus e gentios do primeiro século conheciam bem as libações, e o livro de Apocalipse transformou esse ato familiar de adoração em um ato de julgamento. O sangue de Abel clamava a Deus por vingança (Gn 4.10) e no futuro o sangue de milhares, talvez de milhões de cristãos mártires, clamaria a Deus pela vingança de sua morte (Ap 15.5). Esse sangue, derramado sobre a terra, testemunhará contra os inimigos de Deus, e apressará a vinda das sete pragas que os vingarão.

2.4.5.1. A Adoração dos Mártires (15.1-4).

Aqueles que "venceram" a Besta ("saíram vitoriosos", 15.2; veja o tópico relacionado aos vencedores em 2.7 e a testemunhar em 6.9) adoraram a Deus, cantando e tocando harpas no capítulo 15. A "Besta", Nero, também gostava de tocar lira. Suetônio diz que ele tocava a música *"Fall of Ilium"* inteira, enquanto Roma ardia em chamas, no ano 64 d.C. (*The Twelve Caesars*, 6.38). Agora, os mártires tocam harpas (5.8; 14.2; 15.2) enquanto Deus julga a Besta e seu reino — uma inversão completa, de proporções apocalípticas!

Artigo: O Cântico de Moisés (15.3)

Os mártires cantarão "o cântico de Moisés... e o cântico do Cordeiro". As palavras do cântico do Cordeiro foram mencionadas pelo autor (vv.3,4), que aparentemente espera que nos lembremos do cântico de Moisés no Antigo Testamento. A pergunta é "a qual dos cânticos de Moisés ele está se referindo?"

Para os cristãos de nossos dias, um dos cânticos mais conhecidos provavelmente seja o do cavalo e seu cavaleiro, que se tornou popular sob a forma de um coro. Esse cântico celebra a vitória de Deus sobre o exército egípcio durante o Êxodo (Êx 15.1-21) e louva-o pela sua salvação (15.2), pela sua bravura como guerreiro (v.3), sua supremacia (v.11), sua força (v.13) e sua promessa de levar Israel à

Terra Prometida (vv.13,17). Embora essas coisas sejam importantes, não estão especificamente relacionadas ao martírio, ou aos demais temas do Apocalipse.

Existe, entretanto, um outro cântico de Moisés no Pentateuco (cf. Dt 31.22,30; 32.44) que nos parece ser uma melhor escolha, embora seja pouco conhecido da maioria dos cristãos. Esse cântico é encontrado em Deuteronômio 32.1-43, logo após a lei que foi escrita por Moisés (31.9). Essa lei (poderíamos supor), e o cântico que a acompanha, deveriam ser pronunciados a cada sete anos, na Festa dos Tabernáculos (31.10-13). Deus ensinou esse cântico a Moisés para que servisse de testemunho a seu povo, quando inúmeras adversidades os alcançassem por causa da idolatria em que se envolviam (Dt 31.16,20).

Esse cântico estabelece o contraste entre a fidelidade de Deus e a tendência de seu povo à perversidade (Dt 32.1-18). Ele prediz que Deus fará com que Israel tenha ciúmes por Ele ter escolhido um povo "que não era povo" ou "nação" (isto é, os gentios; veja v.21; cf. Sl 2.8). Por fim, Deus os libertará para que os seus adversários não sejam capazes de reivindicar a vitória ou ignorar a mão de Deus nesse assunto (Dt 32.26,27), mas isso não acontecerá até "quando vir que o seu poder se foi, e já não há nem escravo nem livre" (v.36).

As imagens dos Tabernáculos estão presentes nas músicas que descrevem os inimigos de Deus, assim como no livro de Apocalipse. Sua "videira" vem de Sodoma e Gomorra (Dt 32.32; cf. Ap 11.8). Suas uvas "são uvas de fel [cheias de veneno]", e seus cachos são "amargosos" (Dt 32.32). Seu "vinho" (cf. Ap 14.8,10; 16.19; 17.2; 18.3) é "ardente veneno de dragões e peçonha cruel de víboras" (Dt 32.33; cf. Ap 12.9,15; 20.2).

O cântico entra em detalhes primorosos a respeito da futura ira de Deus. Ela acenderá um fogo que "arderá até ao mais profundo do inferno, e consumirá a terra com a sua novidade, e abrasará os fundamentos dos montes" (Dt 32.22; cf. Ap 16.8; 17.16; 18.8; 19.12; 20.9,14,15). Deus enviará calamidades, fome e pragas sobre a terra (Dt 32.23-25; cf. Ap 15.1,6,8, etc.). Ele se vingará dos adversários com uma "espada reluzente" (Dt 32.41; cf. Ap 1.16; 2.12,16; 19.15,21) e "setas embriagadas com sangue" (Dt 32.42).

Talvez o mais fascinante a respeito desse cântico seja o fato de os samaritanos terem baseado a maior parte de sua escatologia em uma única passagem nele contida. Deuteronômio 32.34,35 diz: "Não está isso encerrado comigo, selado nos meus tesouros? Minha é a vingança e a recompensa, ao tempo em que resvalar o seu pé; porque o dia da sua ruína está próximo, e as coisas que lhes hão de suceder se apressam a chegar". A versão samaritana do verso 43 diz: "Não mantive eu estas coisas reservadas e seladas nos meus tesouros contra o dia da vingança e da recompensa?" O livro de Apocalipse descreve esse "dia" com muitos detalhes (Ap 6.17; 16.14), assim como os diferentes castigos e recompensas da parte de Deus (por exemplo, 7.15-17; 20.12-15).

Finalmente, o cântico de Moisés afirma a capacidade de Deus de curar os feridos e ressuscitar os mortos (Dt 32.39; cf. Ap 20.5,12,13). Ele promete que Deus vingará o "sangue dos seus servos" (Dt 32.43; cf. Ap 19.2), esperando um tempo em que esses servos incluirão gentios e israelitas: "Jubilai, ó nações [ó gentios], com o seu povo [os israelitas]" (Dt 32.43). Essa afirmação está perfeitamente de acordo com a representação que o Apocalipse faz do povo de Deus, quando inclui judeus ("144.000", veja Ap 7.3-8) e gentios (a "grande multidão", 7.9).

Artigo: O Cântico do Cordeiro (15.3)

O livro de Apocalipse fornece a letra do "cântico do Cordeiro", porém deixa ao nosso encargo descobrir a razão desse título. A letra não faz menção a Jesus ou à sua morte. Também não existe qualquer registro de Jesus ter cantado alguma canção semelhante nos evangelhos (mas veja Mc 14.26). Por que, então, o nome "cântico do Cordeiro"?

O cântico, em 15.3,4, parece ter sido livremente baseado no Salmo 86. Ambos afirmam que as obras de Deus são "grandes e maravilhosas" (Sl 86.10; cf. Ap 15.3) e profetizam: "Todas as nações que fizeste virão e se prostrarão perante a tua face, Senhor, e glorificarão o teu nome" (Sl 86.9; cf. Ap 15.4).

Entretanto, o Salmo 86 contém ainda outros versos que, na verdade, só podem ser cantados por apenas um dos descendentes de Davi: o Messias. Assim, ele pode ser chamado de cântico do Cordeiro. Talvez o que encontramos no Apocalipse tenha o propósito de evocar a memória do Salmo 86, que contém o texto completo desse cântico. Esse Salmo descreve a súplica de Jesus a Deus, no seu dia de tormento (Sl 86.5,6) e testemunha que Deus o ouviu e o salvou da morte (86.13,16; cf. Hb 5.7). Ele também promete que seus inimigos o verão e se envergonharão (Sl 86.17; cf. Zc 12.10; Ap 1.7). Finalmente, o milagre da concepção de Jesus, pela virgem Maria, através do Espírito Santo, nos desafia a reconsiderar nossa interpretação de outras frases ali contidas. Somente Jesus realmente corresponde à descrição do salmista como sendo, Ele próprio, o "servo" do Senhor e o "filho da tua serva" (Sl 86.16; cf. Lc 1.48).

2.4.5.2. Os Anjos Recebem os Cálices (15.5-16.1). Cada um dos sete anjos de Apocalipse 15 recebe um cálice de ouro, uma lembrança do jarro de ouro com o qual o sacerdote oferecia a libação de água todas as manhãs na Festa dos Tabernáculos. Entretanto, esses cálices não estão cheios de água, mas do sangue dos mártires cristãos. Este sangue, derramado sobre a terra, irá cobri-la com as mais terríveis pragas.

O texto nunca diz, especificamente, que os cálices estão cheios do sangue dos mártires, mas podemos facilmente deduzir esse detalhe através de várias indicações.

1) O aparecimento desses cálices, logo após a colheita da uva (14.17-20), implica que seu conteúdo está relacionado a ela.
2) O texto diz que os cálices estão repletos com a "ira de Deus" (15.7), isto é, uma clara referência ao "lagar da ira de Deus" anteriormente mencionado (14.19). Isso é especialmente revelador porque quando as "uvas" são prensadas nesse lugar elas produzem sangue, não vinho (14.20).
3) Então existe uma associação dos cálices com o templo, o "tabernáculo do testemunho" (15.5). O "tabernáculo do testemunho" é uma outra forma de traduzir "tendas (ou boxes) do martírio" (veja o tópico relacionado ao tabernáculo do testemunho em 15.5).

Contudo, o conteúdo dos cálices fica mais claramente revelado pelas conseqüências das libações. O segundo cálice, esvaziado sobre o mar, faz com que ele se torne "sangue como de um morto" (16.3). Da mesma forma, quando o terceiro cálice é esvaziado sobre a água doce irá transformá-la em sangue (v.4). Um anjo, ao lado das almas dos mártires sob o altar, louva a Deus por essas pragas, relacionando-as ao sangue dos mártires (16.5-7).

Dessa forma, as sete libações (capítulos 15 e 16) completam a imagem da colheita/matança no final dos tempos (14.17-20). Essas "uvas humanas" são prensadas no grande "lagar do vinho do furor e da ira do Deus Todo-poderoso" (19.15) — seu "suco" é o "sangue" (14.20), simbolizado pelo "vinho" ao longo da maior parte desse livro ou, pela metonímia, pelos cálices (cf. 14.8; 18.3, 6) ou "salvas" (15.7; 16.1ss.) usados para guardá-lo.

Mas, o que podemos dizer sobre a "ecoteologia" do Apocalipse? Aqueles que perseguem os servos de Deus são responsáveis pelas condições da terra. Embora afirmem ser habitantes dessa terra (8.13; 11.10[2 vezes]; 13.14; 17.2,8), na verdade são seus destruidores (11.18). As pragas são o resultado do julgamento de Deus sobre aqueles que perseguem seus servos e seus filhos (Dt 32.43). Esses habitantes recusam-se a reconhecer Deus como Criador, ou seu direito à propriedade da terra e de seus produtos (Ap 14.7; cf. 16.8,11), mas seus atos denunciam sua falta de conhecimento a respeito dele. Por que então perseguiriam seus profetas, atormentariam seus servos e sacrificariam seu Filho se não fosse para reclamar a terra para si próprios? (Is 5.1-7; Mt 21.33-41).

Artigo: O Tabernáculo do Testemunho (15.5)

O "tabernáculo do testemunho" é um dos vários sinônimos do tabernáculo israelita (Êx 38.21; Nm 1.50,53). O uso desse título, pelo livro de Apocalipse, é particularmente apropriado aqui em vista de sua associação com o martírio dos cristãos. A única pessoa a usar essa frase no Novo Testamento foi Estêvão, o primeiro mártir cristão (At 7.44). Assim, essa frase recorda sua morte e lembra aos leitores que, desde o início, o martírio fez parte do cristianismo.

Além disso, esse título deveria ser traduzido como o "tabernáculo do martírio". A própria palavra "testemunho" significa martírio, como já vimos em outras passagens do Apocalipse (veja o tópico relacionado a testemunhar em 6.9). O nome do edifício relaciona a cena precedente (a colheita das uvas, 14.18-20) com o ritual que se segue (o derramamento do sangue dos mártires como libações, 15.6-16.21).

2.4.5.2. Os Anjos Recebem os Cálices (Continuação) (15.5-16.1). O capítulo 16 de Apocalipse começa com a ordem para derramar o conteúdo dos cálices sobre a terra. De várias maneiras, essas libações se assemelham às libações com vinho na Festa dos Tabernáculos. Tanto o Apocalipse como a Festa dos Tabernáculos têm o mesmo número de libações: sete. Ambas ocorrem depois da colheita da uva (Dt 16.13; Ap 14) e usam o novo vinho. Ambas exigem o julgamento daqueles que não adoram a Deus, e fazem referências específicas às pragas do Egito (Zc 14.12-19; Ap 16.1ss).

Artigo: As Libações com Água e Vinho nos Tabernáculos (16.1)

A libação diária, com água e vinho, representava um dos pontos altos da Festa dos Tabernáculos (veja o tópico relacionado a libações em 15.1). Em cada um dos sete dias, o sacerdote enchia um jarro de ouro no tanque de Siloé e liderava uma caminhada de volta ao Templo, enquanto outros tocavam as trombetas na Porta das Águas. Em seguida, o sacerdote subia a rampa do altar, onde haviam sido colocados dois cálices cor de prata. Simultaneamente, ele despejava as duas libações nos cálices, o do Leste para o vinho e o do Oeste para a água. Cada cálice tinha um orifício, com tamanho diferente, para que o vinho e a água esvaziassem ao mesmo tempo. Os líquidos fluíam de dentro dos cálices até a base do altar e eram posteriormente lançados no Vale de Cedrom (m. *Suk.* 4).

Durante as libações, o sacerdote orava pedindo a bênção das chuvas para Israel (1 Rs 8.35,36; 2 Cr 6.26,27; t. *Suk* 3:18E; Ps.-Filo. 13.7) e a maldição sobre as nações que não celebravam a festa (Zc 14.17,18; cf. t. *Suk* 3.18G); e também pedia a ressurreição dos mortos (t. *Suk* 3.15C). Muitos estudiosos acreditam que esse foi o momento em que Jesus interrompeu o festival, dizendo: "Se alguém tem sede, venha a mim e beba. Quem crê em mim, como diz a Escritura, rios de água viva correrão do seu ventre" (Jo 7.37,38).

O Tosephta judaico desenvolve o relacionamento entre a libação, a chuva e a ressurreição dos mortos e liga esse ritual a Ezequiel 47.1-10 (o rio que flui do novo templo), a Zacarias 14.8 (o rio de água viva que brota de Jerusalém na chegada do Senhor) e a Zacarias 13.1 (a fonte aberta para limpar a casa de Davi e os habitantes de Jerusalém do pecado e da impureza). A conclusão é que "todas as águas criadas por ocasião da Criação foram destinadas a fluir a partir deste" (t. *Suk* 3.3C-3.10A).

A discussão continua, ligando a libação hídrica dos Tabernáculos à rocha que acompanhou os israelitas no deserto, fornecendo-lhes água em qualquer lugar que estivessem (t. *Suk* 3.11A-D; cf. Nm 20.1-13; Dt 2.7). Além disso, ela relaciona essa rocha ao cântico que se inicia com as seguintes palavras: "Sobe, poço..." (Nm 21.17,18). A natureza inexaurível da água está demonstrada em vários versos (vv.19,20) que enumeram as regiões por onde os israelitas viajaram e conclui: "No cume de Pisga, à vista do deserto" (v.20). A interpretação dos rabinos é que essa rocha fornecia água a todo o deserto (t. *Suk* 3.12B) e que dela sobrou o bastante para dar origem a poderosos caudais, como é mencionado nos Salmos 78.20 e 105.41. Esse estudo prossegue para descrever as libações de água e vinho (t. *Suk* 3.14) e diz que a água fluía para dentro "do poço" e de lá para o abismo (onde, se presume que os mortos aguardavam a ressurreição; t. *Suk* 3.15A-F).

No livro de Apocalipse, os cálices não estão cheios de água ou vinho, mas com o sangue dos mártires. A Babilônia se embriagou com "o vinho da ira da sua prostituição" que a "todas as nações deu a beber" (14.8; 18.3). O "cálice de ouro" do qual ela bebe, e que é caracterizado como "cheio das abominações e da imundícia da sua prostituição" (17.4), está na verdade repleto do sangue dos cristãos martirizados (17.6; 18.24; cf. Zc 12.2). Assim, o "vinho da ira da sua prostituição" representa o "sangue dos santos e... das testemunhas de Jesus", derramado pelas abominações e perversões (17.6).

Uma vez que esta mulher e as nações se embriagaram com o sangue dos santos (17.6), o juízo de Deus é muito apropriado: Ele as *obrigará* a beber sangue. Assim, a lua se transforma em sangue (6.12) para pressagiar esta punição. Um terço da terra, quando tocado pelo fogo e granizo, misturados com sangue, arderá ao som da primeira trombeta (8.7) e a segunda trombeta transformará a terça parte do mar em sangue (v.8). Também é bastante apropriado que as duas testemunhas tenham o poder de transformar a água em sangue (11.6). O grande transbordamento da ira é representado pelos sete cálices de sangue (capítulo 16).

Embora os cálices de sangue tenham sido derramados sobre a terra, o seu julgamento ainda não terminou. Uma outra voz do céu pede a Deus para retribuir-lhe "em dobro conforme as suas obras" (18.6) e a hoste celestial só ficará satisfeita depois que a cidade for totalmente destruída pelo fogo (18.1-19).

Então, o autor profere a seguinte declaração: "Alegra-te sobre ela, ó céu, e vós, santos apóstolos e profetas, porque já Deus julgou a vossa causa quanto a ela" (18.20). E a multidão celestial completa: "Aleluia! Salvação, e glória, e honra, e poder pertencem ao Senhor, nosso Deus, porque verdadeiros e justos são os seus juízos, pois julgou a grande prostituta, que havia corrompido a terra com a sua prostituição, e das mãos dela vingou o sangue dos seus servos" (19.1,2; cf. 6.10).

2.4.5.3. As Primeiras Quatro Libações (16.2-9). As primeiras quatro libações foram organizadas e seqüenciadas exatamente como os quatro primeiros toques das trombetas. Os anjos derramam as libações sobre a terra, o mar, a água doce e os céus, um de cada vez. Como no ritual das trombetas, esses quatro domínios representam a totalidade da criação de Deus. Aqui, entretanto, o foco está no povo que vive e usa esses quatro domínios.

As pragas caem sobre os habitantes da terra, isto é, sobre aqueles que se recusam a adorar a Deus. Isso representa a resposta às orações de inúmeros sacerdotes que oficiam nas libações dos Tabernáculos e o cumprimento de uma das profecias de Zacarias, o qual profetizou que esta série de pragas cairia exatamente sobre aqueles que se recusassem a adorar "o Rei, o Senhor dos Exércitos" na Festa dos Tabernáculos, escolhendo o Egito como sua menção especial (Zc 14.12,17-19).

Seis das sete pragas desse capítulo do Apocalipse também estão relacionadas às pragas do Egito. A primeira libação, derramada sobre o solo, produz feridas nos adoradores da Besta (16.2); isso lembra a praga de pó que provocou tumores nos egípcios (Êx 9.8-12).

A segunda e a terceira libação transformam o mar e a água doce em sangue (Ap 16.3,4), exatamente como aconteceu com as águas do rio Nilo (Êx 7.14-21).

A quarta libação, quando derramada sobre o sol, torna-o sete vezes mais quente (Ap 16.8). Essa é a única praga, entre as demais, que não está relacionada com as pragas do Egito e parece ter sido tirada de uma passagem dos Tabernáculos, nas profecias de Isaías (Is 30.26-29).

Esse conjunto de quatro punições tem duas diferenças do primeiro quarteto de selos e de trombetas.

1) Essa série de punições é particularmente apropriada. Um anjo marca o ponto em que, brevemente, interrompe o quarteto entre a terceira e a quarta libação (Ap 16.5,6). Os habitantes da terra ansiavam ardentemente pelo sangue do povo de Deus (v.6; cf. 17.6), portanto, Deus lhes deu sangue para beber. Essa é uma justiça equânime em seu mais alto nível (6.11; cf. Dt 32.35,43; Rm 12.19; Hb 10.30). A voz (dos mártires) sob o altar (v.7) nos lembra que Deus prometeu vingar sua morte (6.9-11) e está agora no processo de cumprimento desta promessa.
2) Outro aspecto pelo qual esse quarteto é diferente dos outros selos e trombetas é que mostra como o coração dos habitantes da terra tornou-se endurecido. Devemos nos lembrar que, na Festa dos Tabernáculos, Deus fez uma promessa que marcou a dedicação do Templo de Salomão. Ele preveniu Israel de que enviaria pragas de tempos em tempos, mas também prometeu interrompê-las se e quando o seu povo orasse (2 Cr 7.13,14):

> Se eu cerrar os céus, e não houver chuva, ou se ordenar aos gafanhotos que consumam a terra, ou se enviar a peste entre o meu povo; e se o meu povo, que se chama pelo meu nome, se humilhar, e orar, e buscar a minha face, e se converter dos seus maus caminhos, então, eu ouvirei dos céus, e perdoarei os seus pecados, e sararei a sua terra.

Essas quatro pragas foram terríveis. O faraó do Egito, na época do Êxodo, experimentou-as e cedeu, embora de modo passageiro; mas essas pessoas não desistem. Antes, recusam-se a arrepender-se, persistindo em seus pecados. Aqueles de quem poderíamos esperar um clamor por misericórdia proferem blasfêmias (16.9). Seus atos não deixam qualquer recurso a Deus que não seja continuar com as próximas três pragas.

2.4.5.4. A Quinta Libação (16.10,11). A quinta libação traz as trevas ao reino da Besta, exatamente como Deus havia coberto de trevas outro reino opressor (Êx 10.21-29). O povo ainda se recusa a arrepender-se (Ap 16.11; cf. Êx 10.24-29) e prossegue em suas blasfêmias contra o Deus vivo (Ap 16.11).

2.4.5.5. A Sexta Libação (16.12-14). Por duas vezes já vimos que o sexto ritual, em uma série de sete, representa a situação presente da audiência original do Apocalipse. Pois agora ela chegou. A sexta libação prepara o caminho para "os reis do Oriente" (v.12). O esvaziamento do rio Eufrates não aparece no Êxodo, e sim o do mar Vermelho (Êx 14.21ss). Entretanto, o livro de Êxodo descreve a praga das rãs que cobriram a terra (Êx 8.1-6). O livro de Apocalipse menciona poucas rãs (somente três), mas elas vão mais longe, isto é, alcançam o mundo todo. Elas são representadas pelos espíritos malignos semelhantes a rãs nas bocas das Bestas, do falso profeta e do Dragão (Ap 16.13; cf. Êx 8.2-15). Elas convencerão os exércitos da terra a se unirem para pelejar contra Deus no Armagedom (Ap 16.14).

D. O Terceiro Intervalo: "Eis que Venho como Ladrão" (16.15)

Com a maior precisão, o terceiro intervalo identifica a posição do autor e de sua audiência original. Ele separa a sexta libação em duas partes (16.12-14 e 16) e conclama a Igreja a esperar a volta do Cordeiro (v.15). Isso coloca a elaboração desse livro após o começo da sexta libação de cada série. Portanto, o presente histórico foi determinado pelo *sexto* [selo], pela *sexta* [trombeta] e pelo *sexto* [cálice], o que nos faz lembrar do número 666 (Ap 13.18).

Ao menos algumas das condições presentes aqui podem ser retiradas do êxodo do povo de Deus: eles também deveriam se manter alertas nas trevas, vestidos com suas roupas e prontos para deixar a terra dos seus opressores (Êx 12.11). Nos dois exemplos, o cordeiro da Páscoa já havia sido sacrificado (Jo 1.29; 19.36; cf. Êx 12.6,46).

2.4.5.5. A Sexta Libação (Continuação) (16.16). Não há dúvida de que a batalha do Armagedom recebe esse nome por ser travada no vale da "montanha de Megido" (em hebraico, *harmegiddo*), um importante desfiladeiro há cerca de 88 km ao norte de Jerusalém e cenário de muitas batalhas da antiguidade. Foi ali que morreu o rei Josias, assassinado pelo exército egípcio comandado pelo faraó Neco (para maiores informações sobre a futura batalha do Armagedom veja Ap 19.11-21).

2.4.5.6. A Sétima Libação (16.17-21). A sétima e última libação trouxe uma grande tempestade e o maior terremoto jamais visto sobre a terra. Essa combinação de desastres naturais incluiu maciça saraiva, trovões e relâmpagos, em uma versão ainda mais intensa de uma das antigas pragas do Egito (16.17-21; cf. Êx 9.18-35). A calamidade destrói as cidades dos gentios e divide Roma ("Babilônia") em três partes (Ap 16.19). Mesmo esse nível de destruição não convenceu os inimigos de Deus a se arrependerem, e continuaram a blasfemar (16.21).

C.3. A Narrativa Alegórica (Continuação) (17.1-20.15)

C.3.1. A Prostituta que Cavalga sobre a Besta (da Terra) (17.1-6). De várias maneiras, esse capítulo nos proporciona a chave para interpretar a mensagem do Apocalipse. O anjo não só mostra a João o castigo da Prostituta, mas também nos dá a interpretação (do "mistério", vv.5,7) da Prostituta, da Besta que monta, de suas sete cabeças e de seus dez chifres.

A extensa descrição feita por João sobre "a condenação da grande prostituta" (17.1; cf. v.16; 18.1-24) tem a finalidade de encorajar seus leitores, e não distraí-los. O número de seus detalhes, da mesma forma que todas as medidas específicas de Ezequiel, relacionadas ao novo templo, serviram para aumentar sua credibilidade (Ez 40.1ss).

Artigo: A Grande Prostituta (17.1)

Nos tempos bíblicos, as prostitutas não eram apenas imorais, mas também idólatras. Muitas vezes, serviam nos templos de vários deuses (Gn 38.21,22; Êx 34.15,16; Dt 23.17,18), e essa é a razão pela qual as Escrituras tão freqüentemente relacionam o adultério à idolatria (Lv 17.7; Dt 31.16; Jr 2.20), e também ajuda a explicar por que os israelitas estavam tão inclinados a adorar ídolos.

Além disso, na literatura histórica a prostituição representa uma vida de dissipação pecaminosa e de indolência (Pv 7); o caminho da justiça é representado por uma mulher jovem e virgem chamada Sabedoria (Pv 4-8). O contraste entre esses dois estilos de vida era particularmente apropriado aos homens jovens, cujo comportamento era direcionado pelos provérbios. No Apocalipse, essas mesmas duas figuras são usadas para pessoas que adotavam esses dois estilos: os habitantes idólatras da terra (veja o tópico relacionado aos habitantes da terra em 6.10), embriagados e imorais, são "a grande prostituta", enquanto aqueles que "vencem o mundo" por terem seguido a Jesus Cristo (veja o tópico relacionado aos vencedores em 2.7) são representados pela noiva pura, casta e virgem (veja o tópico relacionado à Noiva de Cristo em 21.9).

Qualquer que seja o padrão terreno, a prostituta do Apocalipse é uma figura imponente. Ela é "grande" (v.1,5,18), o que pode, provavelmente, ser melhor traduzido como "enorme" ou mesmo "voluptuosa". Ela não é uma meretriz vulgar, mas uma "prostituta de alta classe", uma "prostituta real", como está indicado pelo manto de cor púrpura e pelas vestes escarlates, além de suas jóias de alto preço (v.4). Seu comércio tornou-a tão rica que pode se dar ao luxo de beber em taças de ouro (v.4). Ela está no auge de sua profissão.

A própria existência de Roma deve ter desafiado a visão que esses primeiros cristãos tinham do mundo, pois era difícil não invejar sua riqueza e seu confortável estilo de vida (Sl 73.1-12). Talvez até pensassem, como o salmista: "Em vão tenho purificado o meu coração e lavado as minhas mãos na inocência" (v.13). Ninguém que julgasse pelos padrões desse mundo poderia imaginar quão transitório seria a sucesso dessa mulher, e o salmista conseguiu descrevê-lo muito bem (vv.18-20):

Certamente, tu os puseste em lugares escorregadios; tu os lanças em destruição. Como caem na desolação, quase num momento!
Ficam totalmente consumidos de terrores.
Como faz com um sonho o que acorda, assim, ó Senhor, quando acordares, desprezarás a aparência deles.

Essa queda da Prostituta será igualmente repentina, e acontecerá em "um dia" (Ap 18.8) e "em uma hora" (v.19). O autor do Apocalipse descreve seu castigo com um certo humor negro. Os reis da terra deram-lhe, certa vez, presentes preciosos de roupas e jóias, mas logo os exigirão de volta. Ela preferiu ganhar a vida com a nudez, logo não terá outra escolha a não ser continuar despida. Os membros da realeza chegaram a pagar-lhe grandes somas de dinheiro para que pudessem sentir o "gosto" da carne que ela alimentava com tanto cuidado; agora eles assarão essa carne no fogo e a devorarão. Ela pensou que pudesse usar uma Besta feroz para levá-la onde quisesse, quando na verdade estava apenas levando-a para servir-lhe de pasto. Ela ficará totalmente sozinha, arruinada e desolada (v.6). Se ela tivesse ao menos se esforçado para agradar ao Rei do céu (12.17; 19.16), ao invés dos reis da terra (17.2), seu fim poderia ter sido muito diferente (17.2).

Artigo: Babilônia, a Grande (17.5)

A segunda figura que representa os "habitantes da terra" (veja o tópico relacionado aos habitantes da terra em 6.10) é a cidade de Babilônia (14.8; 16.19; 17.5; 18.2,10,21), também chamada de "a grande cidade" (11.8; 16.19; 17.18; 18.10,16,18,19,21) e que "espiritualmente, se chama Sodoma e Egito" (11.8). Seu oposto é a Nova Jerusalém (3.12; 21.2). Nenhuma delas é uma cidade na acepção da palavra. A Nova Jerusalém representa o povo de Deus (veja o tópico relacionado à Nova Jerusalém em 21.10) e a Babilônia representa os habitantes do mundo, os moradores da maior cidade daquele tempo, Roma. Em sua primeira carta, Pedro também chama Roma de "Babilônia" (1 Pe 5.13).

No livro de Apocalipse, Roma é a única cidade que preenche todos os critérios de uma "grande cidade". Foi a capital do Império Romano, que reinou "sobre os reis da terra" (17.18) e estava assentada sobre "sete montes" (v.9). A cidade mencionada no Apocalipse não poderia, literalmente, ser a Babilônia, pois essa última estava localizada entre "muitas águas" (v.1), nem os navios no mar seriam capazes de ver a fumaça de sua destruição (18.11-20). Roma, pelo menos, estava suficientemente próxima do mar para que isso fosse possível. Em relação à expressão "muitas águas" ela descreve tanto o domínio do mar, exercido por Roma nesse período, como sua dependência das importações, pois, incapaz de alimentar seu povo, tinha que importar os alimentos necessários para satisfazer a fome de seus cidadãos.

Cada um dos diferentes nomes das várias cidades, atribuídos a Roma pelo Apocalipse, evoca histórias do Antigo Testamento e ajuda o leitor a ajustar Roma de acordo com o padrão das obras de Deus através da história (veja o tópico relacionado aos 1.260 dias, 42 meses, ou 3 anos e meio em 12.6). O nome Babilônia relaciona essa visão com aquela de Zacarias em 5.5-11. Roma também ameaçou destruir a cidade de Jerusalém e seu Templo (Jo 11.47-51), exatamente como fez a cidade de Babilônia em 586 a.C. A imoralidade de Roma (e particularmente a de Nero) também fez com que a cidade ficasse caracterizada como a nova "Sodoma" (11.8), aquela cidade do Antigo Testamento que foi destruída pelo fogo de Deus em vista de sua imoralidade e maldade (Gn 19). A perseguição aos santos transformou-a em um novo "Egito" (11.8) de onde "chamei o meu Filho" (Mt 2.15; cf. Os 11.1; veja também Ap 18.4,5).

O aspecto intrigante nessa descrição do autor é a assertiva de que Roma estava "onde o seu Senhor também foi crucificado" (11.8). De acordo com os fatos históricos, Jesus foi crucificado nas cercanias de Jerusalém e não de Roma. No entanto, Pôncio Pilatos, governador nomeado por Roma, ordenou a crucificação. Como sua autoridade provinha de Roma e seus atos estavam de acordo com as políticas estabelecidas por Roma, então não foi ela mesma a responsável pela morte de Jesus? Essa interpretação permitiu ao autor estabelecer paralelos entre o martírio das duas testemunhas em Roma, no ano 65 d.C., com o martírio de Jesus, cerca de trinta anos antes.

O livro de Apocalipse descreve Roma como uma cidade extremamente imoral (18.3,9) e abastada (18.11-17), mas não lhe faz a acusação de ser uma assassina. Apenas se regozijou quando as duas testemunhas morreram (seus habitantes trocaram presentes), e não permitiu que seus corpos fossem decentemente enterrados (11.9,10). Quanto à morte de outros mártires, ela é culpada por sua associação a cada episódio. As imagens do Apocalipse mostram-na "bebendo" o sangue dos mártires e não os matando (cf. 17.4,6; 18.24).

Estes pecados também merecem o julgamento por parte de Deus. Assim como a Babilônia que a antecedeu (Jr 50; 52), Roma pagará por seus crimes. A descrição da queda de Roma, essa última "Babilônia", é a mais detalhada desse livro; o capítulo 18 é inteiramente dedicado a esse acontecimento. A imagem do incêndio é particularmente forte e freqüente (17.16; 18.8,9,18; 19.3) e foi, provavelmente, inspirada pelo fato verídico do grande incêndio ocorrido no ano 64 d.C., e ainda mais ampliado. Além disso, os habitantes de Roma seriam assolados por pragas, pestilência, sofrimento e fome (18.8). A grande cidade, localizada sobre os sete montes, seria rápida e violentamente arrasada (18.21).

C.3.2. A Interpretação da Alegoria (17.7-18). Encontramos aqui a informação mais importante para interpretar todo o livro de Apocalipse: procure uma explicação no livro antes de inventar a sua própria (v.7).

C.3.2.1. A Besta (17.7,8). A Besta escarlate (17.3), sobre a qual a Prostituta está assentada, é a mesma Besta do mar (13.1), e aquela que "há de subir do abismo" (17.8; cf. 11.7). Com suas "sete cabeças", "dez chifres" e "nomes de blasfêmia" (17.3; cf. 13.1,5), esta Besta era, provavelmente, Nero, o imperador romano (veja o tópico relacionado à Besta do mar em 13.1). Ele, ou mais possivelmente alguém como ele, liderará as nações contra as hostes celestiais na futura batalha do Armagedom (17.14; veja o tópico relacionado à Besta que virá em 19.19). Seus seguidores incluirão todos aqueles cujo tesouro está nesse mundo (Mt 6.19-21), "os que habitam na terra" (17.8, veja o tópico relacionado aos habitantes da terra em 6.10), e aqueles cujos nomes "não estão escritos no livro da vida" (17.8, veja o tópico relacionado ao livro da vida em 3.5).

C.3.2.2. Os Sete Montes (17.9-11). As sete cabeças da Besta representam dois fatos diferentes: um fato geográfico e um fato histórico. O primeiro identifica a mulher como sendo a cidade de Roma; as sete cabeças são as famosas sete colinas sobre as quais Roma foi construída (v.9; cf. v.18). As cabeças também representam sete reis diferentes (isto é, "imperadores romanos", 17.9-11; veja o tópico relacionado à Besta do mar em 13.1). Esses detalhes são importantes, pois nos permitem entender o Apocalipse em seu cenário histórico e nos ajudam a interpretar sua mensagem com toda a precisão.

C.3.2.3. Os Dez Chifres (17.12-14). A interpretação dos dez chifres da Besta (do mar), que lhe servem durante seu reinado, (17.12; cf. Dn 7.7, 20,24), baseia-se em grande parte na interpretação sobre a própria Besta. Podem ter sido os históricos "reis clientes" que viveram durante o período de Nero (de acordo com a opinião da maioria dos estudiosos), mas que na época em que o livro de Apocalipse foi escrito (por volta do ano 69 d.C.) ainda não haviam recebido o reino (v.12). O anjo diz, também, que esses dez reis ajudarão a Besta em sua guerra contra o Messias (v.14). Se a guerra a que o anjo estava se referindo era o Armagedom (v.14; cf. 16.16), então é possível que esses reis servirão à Besta que ainda virá (17.8,11; veja o tópico relacionado à Besta que virá em 19.19) e não a Nero, "a Besta que já não é" (17.8,11; veja o tópico relacionado à Besta do mar em 13.1). O futuro, sem dúvida, nos esclarecerá.

C.3.2.4. A Grande Prostituta (17.15-18).

A Prostituta (v.15, veja o tópico relacionado à grande prostituta em 17.1) está assentada "sobre muitas águas" (17.1; cf. v.15). Aqui, essas águas são comparadas aos diversos povos sobre os quais Roma governou (v.15). A descrição do anjo estabelece um contraste entre esses povos e a grande multidão de gentios (v.15; cf. 7.9; 19.1,6). De fato, esse é o único momento em que o Apocalipse usa a palavra "multidão" (do grego, *ochlos*) para descrever um outro povo que não era o povo de Deus. Essa multidão sofrerá todas as pragas do próximo capítulo.

C.3.3. O Futuro Julgamento do Dragão e seus Aliados (18.1-20.15).

A terceira e última seção da grande narrativa alegórica do Apocalipse é dedicada ao futuro julgamento dos inimigos de Deus. Esses inimigos incluem a cidade de Roma (a Grande Prostituta), o cruel governante civil e o falso profeta que ainda virão (as duas Bestas), Satanás (o Dragão) e todos os "habitantes da terra" que preferiram segui-los (os pecadores mortos).

O Apocalipse não nos encoraja a nos regozijarmos pelo castigo dos outros, mas pela introdução da justiça de Deus na terra. Devemos nos lembrar que nós também merecíamos ser castigados (Rm 3.23; cf. 2 Pe 1.9), mas aceitamos a bondosa oferta do perdão de Deus (Rm 6.23; 1 Jo 2.12). Por terem rejeitado a oferta da misericórdia de Deus nesta seção do Apocalipse, tais pessoas experimentarão a sua ira (Jo 3.36; Rm 1.18).

C.3.3.1. Sobre a Grande Prostituta, Babilônia, a Cidade de Roma (18.1-19.10)

C.3.3.1.1. A Proclamação de seus Pecados (18.1-3).

O primeiro inimigo de Deus a ser castigado será a cidade de Roma (veja o tópico relacionado à grande prostituta em 17.1 e à Babilônia, a grande, em 17.5). A proclamação do anjo, nos versos 2 e 3, reitera seus pecados. Deu abrigo a tudo que era impuro e iníquo, cometeu adultério com todos os reis e com todas as nações da terra e, finalmente, regozijou-se em sua vida de ostentação. Embora somente mencionado mais tarde (18.13,24; cf. 17.6), também foi responsável pela morte de muitos santos e profetas.

C.3.3.1.2. Exortação para Abandoná-la ao seu Próprio Destino (18.4-8).

O castigo de Roma terá uma intensidade igual ao dobro de seus crimes (v.6). Pagará por sua vida de luxúria e orgulho com tormento e pranto (v.7). Deus a cobrirá de pragas em um único dia: morte, sofrimento, fome e um fogo consumidor (vv.7,8). Entretanto, existem pessoas inocentes na cidade de Roma, ou ao menos pessoas que pertencem a Deus (v.4). Essa mensagem os encoraja a fugir da cidade para que não compartilhem seus pecados nem sua punição (v.4).

Essa passagem é (ou deveria ser) bastante desconfortável para muitos dos cristãos americanos. Nosso país, os Estados Unidos da América, (*o autor é norte-americano*) é a "Roma" do século XX. Não existe nenhuma impureza ou iniqüidade no mundo que não tenha encontrado abrigo aqui, muitas vezes sob o pretexto de "liberdade de expressão" ou "separação entre a Igreja e o Estado". Nosso padrão de vida é muito, muito mais elevado do que o da maioria das outras nações do mundo, e raramente consideramos a riqueza que desfrutamos em comparação com a condição de muitas outras nações. E, quando o fazemos, muitas vezes nos vangloriamos de que ela é o resultado de nosso trabalho diligente, ou ainda pior, de nossa grande espiritualidade. Esse mesmo farisaísmo arrogante nos encoraja a ser tolerantes a respeito da imoralidade sexual e outros pecados, até mesmo na Igreja. Deus é justo, e por esta razão castigará os Estados Unidos da América, assim como fez com Roma.

Mas o que os cristãos da nossa pátria deveriam fazer? Deveríamos, com certeza, interceder em favor de nosso país e de seus líderes (1 Tm 2.1,2). Assim, talvez nosso país se voltasse novamente a Deus, e Ele o poupasse (Jn 3.5-10). Deveríamos também nos esforçar para manter a nós mesmos e às nossas igrejas livres de pecados, se desejarmos ser o sal e a luz da terra (Mt 5.13-16). Não devemos participar dos pecados da nossa cultura, por mais aceitáveis que possam ser para a população em geral.

E, se tudo o mais falhar, devemos estar preparados para partir antes que aconteça o julgamento de Deus. Existe, nas Escrituras, um nítido padrão dessa possibilidade. Deus enviou dois anjos para advertir a Ló e à sua família a abandonar Sodoma e Gomorra antes de sua destruição (Gn 19.12,13). Jesus aconselhou seus seguidores a abandonarem Jerusalém quando vissem a "abominação da desolação" (Mt 24.15; Mc 13.14). Aqui, no Apocalipse, Deus aconselha seu povo a fugir de Roma (Ap 18.4). Devemos estar preparados para fazer o mesmo quando Deus falar, sem levar nada conosco.

C.3.3.1.3. A Descrição da Lamentação (18.9-19). É possível saber muito a respeito de uma pessoa, apenas observando por quem e por que ela é pranteada ao morrer (por exemplo, Dorcas, At 9.36-41). Mas ninguém chora por Roma no Apocalipse, somente pelas coisas que não mais receberão dela.

C.3.3.1.3.1. De seus Amantes (18.9,10). Os reis da terra sentirão falta do adultério que cometiam com ela e da riqueza que compartilhavam (v.9). No entanto, seu anseio por essas coisas não será suficientemente forte a ponto de vencer o medo perante sua destruição. Estes "estarão de longe" e não farão sequer o menor esforço para ajudá-la (v.10).

C.3.3.1.3.2. De seus Fornecedores (18.11-17a). Outros se aproveitaram de sua associação com Roma para enriquecer como, por exemplo, aqueles que comercializavam escravos e mercadorias luxuosas (vv.12,13). Estes também se lamentarão, não pela destruição da cidade, mas pela perda de um valioso cliente (v.11). E estremecerão ao ver tamanha riqueza destruída tão rapidamente (vv.16,17), porque sua própria vulnerabilidade ficou exposta à destruição. Obviamente, as grandes fortunas não serão suficientes para isolar alguém do fogo consumidor de Deus. Assim como os reis, esses mercadores também "estarão de longe" e não farão sequer o menor esforço para ajudá-la (v.15).

C.3.3.1.3.3. De seus Armadores (18.17b-19). Aqueles que ganhavam a vida despachando mercadorias para Roma também se lamentarão, porque agora terão que procurar novos empregos, já que esse porto não será mais lucrativo. Estes também não farão qualquer esforço para ajudar Roma, ou diminuir seu sofrimento. Como os demais, também "estarão de longe" apenas observando (v.17b). Apesar de toda a sua aparente popularidade, Roma morrerá sozinha.

Interjeição do Narrador: "Alegra-te" (18.20). Existe um ditado que diz: "As rodas da justiça giram devagar, porém moem bem". Deus adiou o julgamento de Roma por muitos anos, não querendo que alguns se perdessem (2 Pe 3.9). Deve ter sido, e continua a ser muito difícil para os cristãos esperarem. No entanto, no final Deus equilibrará os pratos da balança da justiça, castigando aqueles que maltrataram os seus servos (Ap 18.20,14; cf. Mt 21.33-41).

C.3.3.1.4. A Proclamação de seu Destino (18.21-24). Jesus disse certa vez que seria melhor que uma pessoa se afogasse no mar, com uma pedra amarrada ao pescoço, do que escandalizar o menor dos "pequeninos" que criam nEle (Mt 18.6; Mc 9.42; Lc 17.2). Roma fez muito, muito pior, e a muitos crentes. Assim, sua destruição será rápida, violenta e irrecuperável, exatamente como uma pedra de moinho que é lançada ao mar (v.21).

As palavras proclamadas por esse anjo reforçam as semelhanças entre o julgamento da Babilônia no passado e o futuro julgamento de Roma. Em alguns casos, as palavras são retiradas diretamente da profecia de Jeremias contra a Babilônia. Em outros, as imagens representam uma expansão dessas mesmas profecias. O paralelo mais próximo a Apocalipse 18.21-23 é a passagem em Jeremias 25.8-12:

> Portanto, assim diz o Senhor dos Exércitos: Visto que não escutastes as minhas palavras, eis que eu enviarei, e tomarei a todas as gerações do Norte, diz o Senhor,

como também a Nabucodonosor, rei da Babilônia, meu servo, e os trarei sobre esta terra, e sobre os seus moradores, e sobre todas estas nações em redor, e os destruirei totalmente, e pô-los-ei em espanto, e em assobio, e em perpétuos desertos. E farei perecer, entre eles, a voz de folguedo, e a voz de alegria, e a voz do esposo, e a voz da esposa, e o som das mós, e a luz do candeeiro. E toda esta terra virá a ser um deserto e um espanto, e estas nações servirão ao rei da Babilônia setenta anos. Acontecerá, porém, que, quando se cumprirem os setenta anos, visitarei o rei da Babilônia, e esta nação, diz o Senhor, castigando a sua iniqüidade, e a da terra dos caldeus; farei deles um deserto perpétuo.

O livro de Apocalipse intitulou, de forma consistente, a cidade de Roma como a "Babilônia", lembrando aos seus leitores as semelhanças existentes entre as duas. Ambas as cidades foram capitais de imensos impérios em seus dias. Os governantes de cada uma delas perseguiram o povo de Deus: a Babilônia oprimiu a antiga Jerusalém e Roma atormentou a cidade de Jerusalém de sua época. Deus permitiu que ambas o fizessem, durante um certo período, então, julgou severamente a Babilônia e prometeu que ela seria devastada para sempre (Jr 25.12; 50 e 51). Mas Roma também não escapará do julgamento eterno; Deus também a julgará.

C.3.3.1.5. Descrição da Celebração: O Maior Hallel de Todos os Tempos (19.1-9).

A destruição de Roma leva os santos a oferecerem a Deus um dos mais entusiasmados gestos de adoração encontrados nas Escrituras. Este gesto de adoração está baseado em uma série de salmos que os judeus chamam de "Grande Hallel" (Sl 113-118). Esse título provém da palavra "aleluia", uma expressão hebraica que significa "Louvai ao Senhor". Essa expressão aparece por cinco vezes nos salmos do Grande Hallel (113.1,9; 117.2; 115.18; 116.19) de forma semelhante às quatro vezes em que aparece no Apocalipse (Ap 19.1,3,4,6). Essa semelhança parece mais surpreendente quando se percebe que essa expressão não aparece em nenhuma outra passagem do Novo Testamento. Embora essa alusão seja a mais precisa do Grande Hallel, existente no livro de Apocalipse, esse livro contém seis outras citações em outras passagens (Ap 9.20; cf. Sl 115.4-7; Ap 11.18; cf. Sl 115.13; Ap 19.7; Sl 118.24; Ap 20.11; cf. Sl 114.3; Ap 22.14; cf. Sl 118.19).

Como o movimento das folhas de palmeira (Ap 7.9; cf. Sl 118-27), a recitação diária do Grande Hallel representava uma característica distinta da celebração da Festa dos Tabernáculos. Os termos "aleluia" ou "louvai ao Senhor" (Sl 113.1,9; 115.18; 116.19; 117.2) e "sua benignidade dura [é] para sempre" (118.1-4,29; cf. 117.2) aparecem freqüentemente nestes salmos. O salmista exorta os servos de Deus a adorarem-no por seu amor (115.1), por sua fidelidade (115.1) e por suas bênçãos sobre eles (115.12-15). Ele lembra que Deus libertou seu povo do Egito (114.1-7) e deu-lhes a beber água de uma rocha (v.8). Esse povo foi resgata pelo próprio Deus (116.1-9; 118.5-16), portanto o salmista encoraja os demais a confiarem que Deus também os salvará (115.9,10). Afinal de contas, ele escreve, Yahweh (Jeová) é poderoso e muito superior aos ídolos das nações (115.4-7). A terra se estremece em sua presença (1143-7). Ele é o Senhor de todas as nações (113.4; 117.1), mas também é suficientemente misericordioso para elevar os oprimidos (113.7-9). Portanto, todos os servos de Deus devem agradecer-lhe (118.17-29).

Esses temas seriam suficientes para que os santos do Apocalipse escolhessem o Grande Hallel, mas existe uma outra razão para essa preferência: o Salmo 118 era um salmo muito importante no ministério de Jesus. Nosso Senhor aplicou um de seus versos a si mesmo: "A pedra que os edificadores rejeitaram tornou-se cabeça de esquina" (Sl 118.22; Mt 21.42; Mc 12.10; Lc 20.17), e seus seguidores também o aplicaram ao Senhor (1 Pe 2.7; cf. At 4.11). As multidões saudavam a Jesus com outro de seus versos: "Bendito aquele que vem em nome do Senhor" (Sl 118.26) durante sua entrada triunfal em Jerusalém (Mt 21.9; Mc 11.9; Jo 12.13). Jesus disse que eles não o

INTERPRETAÇÕES DO APOCALIPSE

	1-3	4-19	20-22
Preterista	Igrejas Históricas	Simbolismo de condições contemporâneas	Simbolismo do céu e da vitória
Idealista	Igrejas Históricas	Simbolismo do conflito entre o bem e o mal	Vitória do bem
Historicista	Igrejas Históricas	Simbolismo de eventos históricos: queda de Roma, Islamismo, Papado, Reforma	Juízo final, Milênio (?), o estado eterno
Futurista	Igrejas Históricas e/ou sete estágios da história da Igreja	Futura tribulação: julgamentos concentrados na igreja apóstata e no Anticristo; a vinda de Jesus Cristo	Reino milenial; julgamento dos mortos iníquos; o estado eterno

PERSPECTIVAS TEOLÓGICAS SOBRE O APOCALIPSE

	1-3	4-19	20-22
Pós-milenial	Igrejas Históricas	Historicidade generalizada	Vitória do Cristianismo sobre o mundo
Amilenial	Igrejas Históricas	Historicidade generalizada	Vinda de Cristo; juízo; o estado eterno
Pré-milenial	Igrejas Históricas representando os estágios históricos	Futurismo generalizado	Reinado milenial literal; o juízo do grande trono branco; a Nova Jerusalém
Apocalíptica	Igrejas Históricas	Preterismo generalizado	O simbolismo do céu e da vitória

Este quadro foi extraído da obra: *Chronological and Background Charts of the New Testament*, publicada por Wayne House (Grand Rapids: Zondervan, 1978). Utilizado sob permissão.

veriam novamente, até que pronunciassem esta frase (Mt 23.39; Lc 13.35).

C.**3.3.1.5.1. Louvor a Deus pelo seu Julgamento (19.1-5).** Nesse capítulo, os santos proclamam "aleluia" a Deus, por dois fatos específicos: pelo julgamento do pecado da prostituta (vv.1-5) e pela bênção à noiva escolhida (vv.6-9). Os pecados da prostituta eram tão grandes e tão numerosos que ela havia literalmente "corrompido a terra" (v.2). Assassinou os servos de Deus (v.2; cf. 11.7-10) e agora, Deus vingou estas mortes, exatamente como havia prometido (19.2; cf. 6.9-11). Deus escolheu a vingança pelo fogo (19.3; cf. 17.16), e esse castigo foi apropriado porque Nero, um dos imperadores romanos, também assassinou muitos cristãos sob a falsa acusação de terem incendiado Roma, o que na realidade foi um crime praticado por ele mesmo (veja o tópico relacionado à Besta do mar em 13.1). A futura divina destruição ígnea de Roma equilibrará os pratos da justiça (Sl 79.10).

C.**3.3.1.5.2. Louvor a Deus por suas Bênçãos (19.6-9).** A segunda razão pela qual os santos proclamam "aleluia" em Apocalipse 19 é porque Deus abençoou sua Noiva, a Igreja (v.7). Ele a redimiu, vestiu-a com linho puro e deu-lhe jóias e declarou que ela era sua (veja o tópico relacionado à Noiva de Cristo em 21.9). A noiva esperou muito tempo pela volta de seus esposo e agora, finalmente o momento de suas bodas havia chegado (19.7). Ela está pronta, adornada com vestes brancas (v.8, veja o tópico relacionado às vestes brancas em 7.9), símbolo das obras justas que praticou em meio a um mundo corrupto (19.9,14; cf. 3.4,18; 4.4; 7.14). Agora, ela irá ao banquete de seu próprio casamento (19.9).

Artigo: As Duas Grandes Festas Escatológicas (19.7-9,17-21)

Ao contrário do que diz a crença popular, haverá dois grandes banquetes no final dos tempos (19.7-9,17-21), e não apenas um. Todas as criaturas vivas participarão de um deles, e os seres humanos podem fazer uma escolha: podem escolher entre ser um daqueles que participarão do jantar, ou serem o próprio jantar; um convidado ou o prato principal deste banquete. Esse é um outro exemplo de humor negro no Apocalipse.

O Deus vivo será o anfitrião de ambos banquetes; Ele já elaborou a lista de convidados e determinou o cardápio para cada um. O código do vestuário também já foi estabelecido: aqueles que desejarem comparecer ao banquete do casamento devec@rão vestir trajes a rigor na cor branca (19.8; cf. 7.9-14; 22.14; também Mt 22.11-14). Os que comparecerem à outra festa poderão vestir o que quiserem, poderão até estar despidos (3.17; 16.15; 17.16). Deus já estabeleceu a data para os dois banquetes; porém é um segredo cuidadosamente guardado. Ninguém o conhece; nem os anjos, nem mesmo o Filho (Mt 24.36; Mc 13.32) e, certamente, muito menos o Dragão.

Os dois banquetes serão radicalmente diferentes. O "livro da vida" contém a lista completa dos convidados para o banquete do casamento (cf. Êx 32.33; Sl 69.28; Dn 12.1; veja o tópico relacionado ao livro da vida em 3.5). Essa lista de convidados será uma demonstração de "quem é quem" em meio aos santos. Abraão estará presente com seu filho Isaque e seu neto Jacó; Davi também estará presente, assim como Noé e Sete, Moisés e Enoque. Pedro e Paulo juntar-se-ão a Mateus, o antigo coletor de impostos, a Naamã, que foi leproso, e a Raabe, a ex-prostituta. A diaconisa Priscila, a juíza Débora, e as profetizas Hulda e Ana juntar-se-ão à costureira Tabita, a Ana, mãe de Samuel, e a Maria, mãe de Jesus. Pobres ou ricos, escravos ou livres, homens ou mulheres, os convidados desse banquete serão todos aqueles que amam a Deus e foram purificados pelo sangue do Cordeiro.

Os pratos desse banquete serão servidos pelos anjos, que também se encarregarão da limpeza posterior. A refeição será "uma festa com animais gordos, uma festa com vinhos puros, com tutanos gordos e com vinhos puros, bem purificados" (Is 25.6). Jesus mencionou, especificamente, que haverá entradas feitas com carne assada de boi, e gordos bezerros (Mt 22.4); os rabinos acreditavam que a refeição incluiria a carne de leviatã (Is 27.1) e Beemote (Jó 40.15) — uma espécie de alimento celestial. Certamente haverá abundância de água doce (Ap 22.1) e de frutas frescas (22.2). Finalmente, assim como Moisés (cf. Dt 18.15), Jesus proverá o maná celestial para todos os seus seguidores (Ap 2.17; cf. 78.24; Jo 6.31 e seguintes).

Os convidados do segundo banquete serão as Bestas e os pássaros impuros: abutres, corvos e gaivotas, doninhas, ratos e lagartos, hienas, cães selvagens e chacais (Lv 11.13-30; cf. Ez 39.4). Como animais impuros não serão exigentes em relação à comida, e isso é bom porque esses animais impuros estarão se alimentando de pessoas impuras — carne de reis e generais, pequenos e grandes (Ap 19.18; cf. Ez 39.18). Alguns serão alcoviteiros e prostitutas, outros serão aqueles que se consideram "pessoas moralmente corretas", "boas", que não precisam de perdão. Alguns serão até ministros e membros da Igreja, que sucumbiram aos pecados do orgulho e do farisaísmo. Somente aqueles que purificaram suas vestes no sangue do Cordeiro subsistirão ao dia de sua ira (Ap 6.17; cf. 7.9).

Os que caírem naquele dia servirão de alimento às aves de rapina, animais carnívoros e toda espécie de animais que se alimentam de carniça. Não haverá necessidade de limpeza posterior, pois os animais extrairão a carne dos ossos e o sol os tornará brancos. Os pássaros e os animais selvagens terão um grande jantar (19.21; cf. Ez 39.17-20). Embora repugnante esse é outro exemplo de uma justiça equânime. Essa é a maneira como o mundo tratou o povo de Deus (Sl 79.1-4) e agora Deus o vingará (v.10). Oh, que coisas terríveis o mundo acumulou para si no Dia do Juízo!

C.3.3.1.6. Advertência para Adorar Somente a Deus (19.10).

João está tão maravilhado pela visão, que cai de joelhos para adorar o anjo (19.10; cf. 22.9). Embora sua atitude seja compreensível, o anjo repreende-o severa e imediatamente. A adoração deve ser dirigida a Deus, e somente a Ele, e nunca a seres humanos ou anjos, e certamente jamais a um animal de rapina ou à sua imagem (13.8,12,15; 14.11, veja o tópico relacionado à adoração da Besta em 13.4).

C.3.3.2. Sobre as Bestas e seus Exércitos — O Armagedom (19.11-21).

A quantidade de espaço reservado em um livro para cada um de seus assuntos nos diz algo sobre sua relativa importância. O livro de Apocalipse gasta pouco tempo com tópicos como o Armagedom, o Milênio, e Gogue e Magogue, a despeito de sua popularidade entre os grupos cristãos contemporâneos. Isto não significa que esses fatos tenham pouca importância; são apenas irrelevantes diante das provas imediatas da Igreja.

Vamos considerar o tratamento que esse livro dá à batalha do Armagedom. Ela está resumida em apenas onze versos, o que revela uma limitação de sua importância. Destes onze, cinco versos descrevem o líder das hostes celestiais: Jesus Cristo (v.11-13,15-16). Quatro descrevem o castigo que foi aplicado às Bestas e aos seus seguidores (vv.17,18,20.21), e o livro dedica apenas um único verso para descrever o exército celestial (v.14) e outro para as Bestas e seus exércitos (v.19). Não há qualquer descrição da batalha propriamente dita.

Então, o que poderíamos apreender dessa análise?

1) Os ensinamentos sobre o final dos tempos devem usar proporções semelhantes, se realmente forem bíblicos. Devemos estar atentos ao retorno do Cordeiro e não da Besta. Jesus Cristo deve ocupar o centro de nossa atenção, exatamente como acontece nesse livro.

2) Os ensinamentos sobre o final dos tempos devem estar sempre permeados de advertências sobre o salário do pecado, isto é, a morte (Ap 19.17-21; 20.11-15; cf. Rm 3.23), e assuntos como, por exemplo, o Armagedom raramente merecem mais que uma nota de rodapé. Afinal de contas, a "batalha" será tão desigual que, aparentemente, não vale a pena ser descrita. Na verdade, o livro de Apocalipse descreve mais uma matança do que uma batalha. Lembremo-nos de como o Dragão e seus demônios foram vencidos por Miguel e seus anjos em Apocalipse 11. Assim, quais seriam as chances que essa Besta e seu exército humano teriam contra o Filho de Deus e todos os seus exércitos celestiais?

C.3.3.2.1. O Cavaleiro do Cavalo Branco (19.11-16).

Aquele que monta o cavalo branco é Jesus, e não pode ser mais ninguém. Ele é "Fiel" (v.11; cf. 1.5; 3.14) e "Verdadeiro" (v.11; cf. 3.7,14; 6.10; também Jo 14.16; 1 Jo 5.20). Ele julgará e travará uma batalha justa (Ap 19.11; cf. Sl 9.8; 72.2; Is 11.4; At 17.31). Seus olhos são "como chama de fogo" (Ap 19.12; cf. 1.14; 2.18). Ele está coroado com muitas coroas, pois seu nome é "REI DOS REIS E SENHOR DOS SENHORES" (19.16; cf. 1.5; 3.14; 17.14). Ele reinará sobre as nações com um cetro de ferro (Ap 19.15; cf. 2.17; 12.5; Sl 2.9). Suas vestes estão cobertas com sangue (Ap 19.13), pois Ele pisa o lagar da ira de Deus (Ap 19.15; cf. 14.19; Is 63.1-6), e uma aguda espada sai de sua boca (Ap 19.15,21; cf. 1.16; 2.16; Is 49). Ele é a Palavra de Deus (Ap 19.13; cf. Jo 1.1,14).

Obviamente, a segunda vinda de Jesus será muito diferente da primeira em Jerusalém. Naquele tempo Ele veio "humilde e assentado sobre uma jumenta e sobre um jumentinho, filho de animal de carga" (Mt 21.4,5; cf. Jo 12.15; cf. Zc 9.9). O jumento era um sinal de paz, de tranqüilidade doméstica. Porém, por ocasião de sua segunda vinda, montará um cavalo, que também pode ser considerado um animal de guerra. E essa é exatamente a razão de sua volta; o estabelecimento da justiça à força.

Talvez a melhor maneira de visualizar o nosso planeta seja compará-lo a uma pequenina, atrasada e rebelde província de um grande império, onde o imperador acabou de comunicar que em breve seu Filho se casará. Ele deseja que todos participem das celebrações, portanto fez uma oferta extraordinária. Qualquer rebelde, a despeito da gravidade de seu crime, poderá receber clemência, e tudo que precisa fazer é apresentar-se perante o trono, implorar por perdão e jurar obediência a seu Filho. Embora a oferta seja generosa, ela também é limitada e expirará no futuro, em uma data ainda desconhecida. Aqueles que até então não tiverem jurado obediência serão eliminados, até o último homem, mulher ou criança. Quando o casamento de seu Filho se realizar haverá descanso, pois governarão um reino que finalmente estará em paz.

Artigo: Os Exércitos Celestiais (19.14)

Mas, quais são os soldados celestes que acompanham o cavaleiro do cavalo branco? (19.14,19) Seriam os anjos de Deus, os justos ressuscitados, ou membros dos dois grupos? O problema se apresenta porque o termo "santos" (Is 13.1-6; Zc 14.5; 1 Ts 3.13; Jd 1,14) se aplica, igualmente, tanto aos anjos de Deus como ao seu povo. O significado literal da palavra que foi traduzida como "santos" (*hagioi*), no Novo Testamento, corresponde a "santificados", e foi assim traduzida devido à nossa cultura, já que o contexto se refere claramente aos "cristãos".

Jesus disse que voltará com seus santos anjos (Mt 25.31; Mc 8.38; Lc 9.26); portanto podemos estar certos de que eles estarão presentes. Ele não nos disse se seu exército celestial incluiria os justos ressuscitados. Penso que não o saberemos até aquele grande dia.

C.3.3.2.2. O Convite ao Banquete das Aves (19.17,18). Esse é o segundo dos dois banquetes mencionados no Apocalipse (também em 19.21) e é aquele de que, definitivamente, não desejamos participar (veja o tópico relacionado às duas grandes festas escatológicas em Ap 19.7-9,17-21).

C.3.3.2.3. O Destino das Bestas e seus Exércitos (19.19-21). Quando o momento finalmente chegar, Jesus e seu exército celestial rapidamente derrotarão as Bestas e os seus exércitos. Os dois líderes serão imediatamente lançados no lago de fogo (19.20; cf. Nm 16.30-33); seus seguidores serão mortos e seus corpos deixados para as aves de rapina e as feras (Ap 19.21).

Artigo: A Besta que Virá (19.19)

Como a Besta do mar pode ser Nero (veja o tópico relacionado à Besta do mar em 13.1) e ainda estar viva por ocasião da segunda volta de Jesus Cristo? O Apocalipse profetiza que esse "animal" fará parte de um poderoso grupo, e retornará em algum momento no futuro (cf. 17.10,11). Conspirará, então, para que o poder real seja dado a outros dez reis durante uma única hora (17.12,13). Travarão uma guerra contra os santos e os matarão (17.14), exatamente como Nero fez anteriormente (13.7). Essa "nova" Besta também destruirá Roma pelo fogo (17.16-18) exatamente como Nero tentou fazer no passado.

A figura dessa "Besta que virá", mais do que qualquer outro personagem da Bíblia, provavelmente tenha causado entre os cristãos o maior número de infecundas especulações. Não há um só ano em que não surja um novo livro identificando uma ou outra figura contemporânea como sendo essa Besta: Adolf Hitler, Mussolini, Henry Kissinger, Mikael Gorbachov, Sadam Hussein, e outros — a lista é aparentemente infinita. Mesmo assim, devotos cristãos continuam a comprar tais livros, o que torna esse tipo de especulação altamente rentável. Quem dera estivéssemos igualmente ansiosos por aprender a respeito do Cordeiro!

Mas o que sabemos ao certo? Para começar, o Cordeiro deve aparecer antes da Besta, pois se fosse o contrário (a Besta aparecendo antes do Cordeiro), Satanás se mostraria tolo por enviá-la. Adiaria seu castigo para sempre, simplesmente por não fazer nada. Ele, e não Deus, estaria no controle; mas isso é totalmente falso. Aqueles que estão esperando pela Besta, e não pelo Cordeiro, provavelmente terão uma surpresa desagradável.

Mas se ninguém, a não ser o Pai, sabe quando Jesus retornará (Mt 24.36; Mc 13.32) Satanás também não deve ter qualquer informação. Porém, como somente Deus está no controle desse momento, Satanás terá que reagir aos acontecimentos à medida que se desenvolvem e, provavelmente, deve ter planejado as coisas para que, quando a trombeta soar, ele possa colocar sua "Besta" em ação.

Parece pouco provável que o Diabo tenha o poder de ressuscitar Nero dos mortos, e que tenha selecionado alguém "com o espírito e o poder de Nero" para desempenhar esse papel de liderança. Como não sabe quando Jesus retornará, provavelmente acumulou uma lista de candidatos no decorrer desses dois mil anos. Algum dia, quando Jesus voltar, aquele que vier a ocupar esta posição subordinada a Satanás verdadeiramente assumirá esse papel, mas durante um breve período de glória ("por uma hora", Ap 17.12,13), seguida de um longo período de punição.

C.3.3.3. Sobre o Dragão e seu Exército (20.1-10)

C.3.3.3.1. O Dragão É Preso por Mil Anos (20.1-3).
"Milênio" foi o nome dado ao período de mil anos em que Jesus reinará sobre a terra a partir da cidade de Jerusalém (Ap 20.4; cf. Jr 3.17; Zc 14.9). O Milênio virá após a ressurreição dos justos (Ap 20.4,5) e a batalha do Armagedom (19.17-21) e precederá a batalha de Gogue e Magogue (20.7-10), e a subseqüente destruição e recriação do céu e da terra (21.1,2).

Muitas profecias do Antigo Testamento a respeito de Israel se cumprirão durante o Milênio. Satanás ficará preso e incapacitado de tentar e enganar a humanidade (Ap 20 2,3; veja o tópico relacionado ao abismo em 9.1). Portanto, o Milênio será um tempo de paz (Is 11.5-9) mesmo entre os animais (65.25). As pessoas viverão mais tempo (65.20), o Templo será reconstruído (Ez 40-48), a própria cidade de Jerusalém será santa (Zc 14.20,21) e o lugar onde todos os peregrinos, de todas as nações, adorarão ao Senhor (14.16-19).

Embora incrivelmente importante para Israel, a promessa do Milênio não era tão relevante diante das lutas que as sete igrejas da Ásia estavam enfrentando. Conseqüentemente, o livro de Apocalipse dedica-lhe um espaço muito pequeno. Dentro desse espaço, o foco do livro está limitado às coisas que teriam sido importantes para estas igrejas: a promessa da ressurreição e os subseqüentes privilégios dos justos (20.4-6). Essas coisas eram, e continuam a ser, tão importantes para os cristãos como a restauração de Jerusalém era para os israelitas daquela época. Muitas profecias do Antigo Testamento fornecem detalhes adicionais sobre o Milênio (por exemplo, Is 11,12; 25-27; Jr 33.15-22; Ez 36,37; 40-48; Mq 4; Zc 8; 14.9-21).

C.3.3.3.2. Os Mártires Reinam com Cristo (20.4-6).
Os mártires, que foram anteriormente atormentados pelos reis da terra, irão por sua vez governá-la (vv.4,5). Administrarão o reino de Deus sob a autoridade de Jesus Cristo (v.6). Com suas vestes brancas, suas faces resplendentes e seus corpos indestrutíveis (v.6; cf. 1 Co 15.53,54) provavelmente parecerão estranhos àqueles sobre quem estiverem reinando. Entretanto, esses corpos glorificados representarão a maravilhosa transformação dos corpos que foram anteriormente dilacerados, destruídos, e que sofreram abusos por causa de Cristo. Esses santos certamente testemunharão dizendo: "Pelas suas pisaduras, fomos sarados" (Is 53.5).

Artigo: A Ressurreição dos Justos (20.4)

A ressurreição dos justos é outro tema do Apocalipse que está relacionado à Festa dos Tabernáculos. Todos os dias, durante a festa, o sacerdote derramava água e vinho sobre o altar de bronze, enquanto pedia a Deus que mandasse a chuva suficiente no ano seguinte, e que ressuscitasse os mortos. No livro de Apocalipse, a promessa da ressurreição serve como um encorajamento aos justos (20.4-6; cf. 2.7,10,11,26; 3.5; 11.11; veja também Rm 8.11), enquanto ao lado do juízo que se segue também serve como uma ameaça aos inimigos de Deus (Ap 20.11-15). Esse livro sempre retrata a condição dos crentes que ressuscitam com termos entusiásticos (7.1-17; 14.1-5; 15.2,3; 19.1-9; 20.4-6; 21.1-22.6,14). Por outro lado, os pecadores mortos são ressuscitados apenas para serem consignados ao castigo eterno (20.11-15; 21.8; 22.15), ou à "segunda morte" (2.11; 20.6).

Quem fará parte da primeira ressurreição? (20.5) O Apocalipse descreve aqueles que ressuscitaram aqui como "aqueles que foram degolados" (v.4). No Império Romano, a decapitação era o castigo pela traição cometida por um cidadão. Uma interpretação estritamente literal limitaria a primeira ressurreição apenas àqueles que foram martirizados dessa forma (omitindo, assim, aqueles que morreram pela espada, animais selvagens, crucificação, etc.). Porém outros argumentam que a frase é apenas uma figura de retórica, uma metonímia, na qual apenas a referência a uma parte indica o conjunto (por exemplo, a frase "dez cabeças de gado" indica, geralmente, dez animais inteiros, e não apenas suas cabeças). Se essa frase for uma metonímia, ela pode significar "todos os mártires" ou "qualquer um que tenha dado a vida por Deus", através do martírio ou não. Atualmente, estudiosos em geral entendem essa frase conforme esse último sentido, onde os mártires representam, simplesmente, o exemplo ideal e mais elevado de uma morte virtuosa. "Os outros mortos" (v.5) serão julgados como os pecadores.

E o que acontecerá com os justos que ainda estiverem vivos quando o Senhor retornar? Esse livro (o Apocalipse) não trata dessa questão, provavelmente porque sua principal preocupação seja preparar os cristãos para o martírio. Muitos acreditam que os justos que ainda estiverem vivos quando Jesus retornar serão elevados para recebê-lo. Uma descrição desse acontecimento, muitas vezes chamado de "arrebatamento", aparece em 1 Tessalonicenses 4.16,17:

> Porque o mesmo Senhor descerá do céu com alarido, e com voz de arcanjo, e com a trombeta de Deus; e os que morreram em Cristo ressuscitarão primeiro; depois, nós, os que ficarmos vivos, seremos arrebatados juntamente com eles nas nuvens, a encontrar o Senhor nos ares, e assim estaremos sempre com o Senhor.

Infelizmente, o livro de Apocalipse não posiciona esse evento claramente dentro das profecias. Certamente, os justos deverão ressuscitar antes de poderem reinar com Cristo por mil anos (Ap 20.4-6) e é por isso que muitos cristãos conservadores (aqueles que geralmente interpretam a Bíblia literalmente) acreditam que o arrebatamento será um evento "pré-milenial".

Além desse consenso generalizado, existe um acirrado debate, especialmente entre aqueles que são conhecidos como "dispensacionalistas". Essas pessoas acreditam que a "Era da Igreja" e o "Milênio" serão separados por um período de sete anos chamado de "Tribulação" (algumas vezes referido como a "Semana perdida de Daniel"). Seu problema torna-se ainda mais difícil porque o livro de Apocalipse não faz nenhuma referência a qualquer período de sete anos.

Entretanto, o debate continua. Alguns vêem uma alusão ao arrebatamento quando uma voz vinda do céu convida João, dizendo "sobe aqui" (Ap 4.1), e acreditam que esse arrebatamento ocorrerá antes da tribulação. Outros acreditam que o arrebatamento ocorrerá na metade do período da tribulação, lembrando-se de uma passagem semelhante onde a mesma voz celestial diz às duas Testemunhas: "Subi para cá" (11.12). De forma exegética, se essa frase se refere ao arrebatamento, então deve haver dois arrebatamentos e não apenas um. Porém, nenhum desses grupos acredita nisso. Acreditam, contudo, que o arrebatamento e a segunda vinda de Jesus Cristo sejam dois eventos completamente diferentes.

Outros acreditam que o arrebatamento ocorrerá simultaneamente à segunda vinda de Jesus. Os mortos serão ressuscitados e os vivos serão transformados; pensam que todos se elevarão nos ares para acompanhar a volta de Jesus à terra, e algumas dessas pessoas acreditam em um período intermediário de sete anos de tribulação. Este autor interpreta essa posição como sendo muito curiosa, pois nesse caso Jesus não poderia vir "como o ladrão de noite" (1 Ts 5.2) porque "não sabeis a que hora há de vir o vosso Senhor" (Mt 24.42-44; Lc 12.40-42).

Entretanto, o problema fica excluído se a tribulação não for um período intermediário de sete anos (uma opinião dos não dispensacionalistas). Se o "tempo da tribulação" for o mesmo da "purificação da Igreja" de Deus (veja o tópico relacionado à grande tribulação em 7.14), então o Apocalipse se ajusta perfeitamente ao restante do Novo Testamento. A volta de Jesus pode ser iminente e inesperada e ainda finalizar a tribulação. Assim, a segunda vinda de Cristo incluiria o arrebatamento e aconteceria imediatamente antes da batalha do Armagedom e do Milênio. Essa opinião, às vezes chamada de "tribulacionismo" ou "iminente pós-tribulacionismo", é compartilhada por este autor.

Finalmente, existem aqueles que adotam uma abordagem mais leve e divertida e intitulam-se "pan-tribulacionistas". Essas pessoas, cansadas de todo esse debate, acreditam que Jesus retornará quando Ele mesmo decidir e que tudo o mais "se desenvolverá" corretamente. E estes têm alguma razão. Ser doutrinariamente "correto" é menos importante do que adotar atitudes e prioridades santificadas. Quando esse tipo de debate interminável nos desvia das coisas que Deus claramente nos exorta a fazer, causando sérias divisões no Corpo de Cristo, ele se transforma em pecado. Quando finalmente acontecer a ressurreição dos justos e o arrebatamento dos santos esta situação será patente a todos nós. Nesse meio tempo, vivamos de forma a estarmos prontos para a volta de Jesus, que pode ocorrer a qualquer momento.

C.3.3.3.3. O Dragão É Libertado para sua Própria Destruição (20.7-10).

O Milênio terminará com uma batalha, a última batalha da terra, para todo o sempre (v.8). Essa batalha é muitas vezes chamada erroneamente de "Gogue e Magogue" (v.8). Na verdade, "Gogue" era uma pessoa, um príncipe e chefe de Meseque e Tubal (Ez 38.1-3) e "Magogue" era o nome de uma nação. A expressão "Gogue e Magogue" passou a representar os líderes e as nações dos mais longínquos "cantos da terra" (Ap 20.8). Entretanto, as pessoas insistem em utilizar erradamente esse título.

Deus libertará Satanás por um breve período (20.7). Embora sua causa já não tenha mais qualquer esperança, ainda tentará enganar as nações e liderá-las em uma batalha contra o Deus Todo-poderoso (v.8). Eles se reunirão em Jerusalém, pretendendo destruir o trono do reino de Deus, mas serão miseravelmente derrotados; Deus enviará fogo do céu sobre eles (v.9; Ez 38.17-23). Deus ordenará que Satanás seja lançado no lago de fogo, onde o Dragão se juntará à Besta e ao Falso Profeta em seu castigo eterno (Ap 20.10).

C.3.3.4. Sobre a Morte dos Iníquos (20.11-15).

Após a batalha final, Deus julgará os mortos (v.12). Os anjos registraram suas obras; elas foram escritas em livros no céu. Esses livros serão abertos e seu conteúdo será lido (v.12). Deus punirá aqueles cujos nomes não constem do "livro da vida" (veja o tópico relacionado ao livro da vida em 3.5). Estes nunca entrarão na Nova Jerusalém, onde está a "árvore da vida" e o rio "da água da vida" (22.1,2), e serão eternamente atormentados pelo fogo (20.14,15).

João escreve de forma bastante específica para não nos enganarmos com as intenções de Deus. Embora "seol" e "hades" possam significar tanto o túmulo como o inferno, a frase "lago de fogo" (20.14,15; cf. 21.8) é inconfundível. João não deseja nos fazer acreditar que Deus simplesmente deixaria os pecadores viverem como sombras no inferno ou que os enviaria de volta ao túmulo. Serão castigados, lançados no mesmo tormento ardente onde serão lançados o Dragão, a Besta e o Falso Profeta (vv.14-15). O fogo conterá suas impurezas, evitando que voltem a corromper a criação de Deus.

Para muitos de nós é difícil imaginar um Deus tão amoroso e bondoso infligindo um tormento tão terrível. Talvez fosse mais fácil aceitá-lo se tivéssemos em mente que as recompensas que Ele prometeu são igualmente inimagináveis. Curiosamente, nunca ouvimos ninguém se queixar que o céu será demasiadamente agradável ou que os santos serão tratados bem demais. Embora sejam extremos, o castigo e a bênção são equivalentes.

Talvez nós simplesmente não reconheçamos nosso verdadeiro potencial, mas ele é enorme, tanto para o bem como para o mal, e Deus tem padrões incrivelmente altos. Seremos como o ouro purificado pelo fogo (1 Pe 1.7; Ap 3.18), ou como a escória que é lançada à pilha de refugos. Seremos filhos de Deus, coherdeiros do universo juntamente com Cristo (Jo 1.12; Gl 3.28,29; 2 Tm 2.12; Ap 5.10), ou cães eternamente abandonados do lado de fora dos portões da cidade (Ap 22.15). Viveremos em uma cidade com um infinito suprimento de água viva (22.1-5) ou sentiremos constantemente a sensação da morte no fumegante monturo do lado de fora dos muros da cidade (cf. Mt 5.22,29,30; 23.33; Mc 9.43-47). Deus permite que escolhamos nosso destino; o que poderia ser ainda mais justo?

2.5. A Quarta Visão: A Noiva de Cristo, a Nova Jerusalém (21.1-22.5)

A quarta visão de João é a revelação da Noiva de Cristo, a Igreja, em toda a sua glória. Esse quadro da Igreja, como a noiva perfeita do futuro, é bastante confortador e se apresenta como um maravilhoso contraste com a primeira visão das sete igrejas sitiadas da Ásia Menor (Ap 1.12-20; cf. capítulos 2,3). Ela nos dá a esperança e a certeza de sermos agradáveis a Cristo quando Ele aparecer. Ao mesmo tempo, ela afirma a necessidade das provas e das tribulações que servem para aperfeiçoá-la — as mesmas descritas nos capítulos intervenientes.

2.5.1. Seu Cenário: Novos Céus e uma Nova Terra (21.1).

A Festa judaica dos Tabernáculos era seguida por um dia de comemorações chamado *Simchat Torah*. Esse festival celebrava a entrega da lei no Sinai e era o dia em que os judeus começavam o ciclo anual das leituras da Tora, começando com Gênesis 1 e a história da criação.

Da mesma forma, os temas da colheita da Festa dos Tabernáculos (e de Ap 14.14ss.) abrem caminho para a história da recriação nos capítulos finais desse livro. Na primeira criação (Gn 1) Deus primeiramente instituiu o ambiente e a população humana por último; na recriação Ele começa com a população humana e termina com a transformação do ambiente (veja o tópico relacionado à Noiva de Cristo em 21.9 e à Nova Jerusalém em 21.10).

Deus havia prometido há muito tempo, através de seus profetas, que faria muitas coisas novas (Is 42.9). Ele disse que faria uma nova aliança com seu povo para substituir a antiga que haviam quebrado (Jr 31.31) e que daria a cada pessoa um novo nome (Is 62.2; cf. Ap 2.17; 3.12), um novo coração e um novo espírito (Ez 36.26). Deus também prometeu criar novos céus e uma nova terra (Is 66.22; cf. 2 Pe 3.13) na qual esse "novo povo" pudesse habitar. Ele prometeu que: "Naquele dia, os montes destilarão mosto, e dos outeiros manará leite, e todos os rios de Judá estarão cheios de águas; e sairá uma fonte da Casa do Senhor..." (Jl 3.18). Em ação de graças, o povo de Deus cantará novos cânticos de louvor (Sl 33.3; cf. Ap 5.9; 14.3).

De acordo com o conceito judaico do período do Novo Testamento, a chegada do Messias marcou o início de uma nova era. Quando Jesus veio à terra, introduziu um novo ensinamento (Mc 1.27) que comparou a um novo vinho sendo colocado em novos odres (Mt 9.17). Sua morte introduziu a nova aliança da qual os profetas falaram (Lc 22.20; Hb 8.13; cf. Jr 31.31).

Aqueles que aceitaram a generosa oferta de Deus para a salvação, através de Jesus, já experimentaram, desde esse tempo, um novo nascimento (1 Pe 1.3). Agora, devemos viver uma nova vida (Rm 6.4), no novo caminho do Espírito (Rm 7.6), porque somos novas criaturas de Deus (2 Co 5.17; cf. Cl 3.10). Nossas atitudes devem refletir esta novidade de vida (Ef 4.23) em antecipação à nova ordem (Hb 9.10; cf. Ap 21.4) que Deus estabelecerá.

O ato final da recriação de Deus é a criação de novos céus e de uma nova terra. Antes disso, os antigos céus e a antiga terra serão destruídos pelo fogo (2 Pe 3.7-13; cf. Is 65.17), e Deus irá substituí-los por novos (Ap 21.1; cf. Is 66.22). A palavra "céus" está no plural porque os israelitas imaginavam que ele fosse dividido em seções, embora não haja uma perfeita concordância a respeito do número dessas seções.

A palavra hebraica para "céus", *shamayim*, tem um sentido duplo que implica duas seções. Essas seções eram (1) o ar em que voam os pássaros (Gn 1.20) e (2) o reino acima do firmamento onde Deus habita (Ez 1.26; 10.1). Uma expansão ("firmamento", KJV) separava as seções, dando lugar ao sol, à lua e às estrelas (por exemplo, Gn 1.6). Aparentemente, o apóstolo Paulo incluiu essa expansão em sua enumeração, quando falou a respeito de viajar para o "terceiro céu" (2 Co 2.12). Entretanto, havia alguns autores antigos que realmente acreditavam em mais seções, por exemplo, o livro não canônico, intertestamentário, denominado *Ascensão de Isaías* descreve o céu com sete diferentes níveis! (Ascensão de Isaías 7.21,22; 8.7).

No entanto, muitos "céus" ou "seções de céus" realmente existem, e Deus recriará todos eles. Nós ainda não os vimos, nem a nova terra que Deus prometeu. Mas sabemos que Ele é fiel e que podemos confiar que fará nascer um novo mundo no momento exato. Afinal de contas, nosso Senhor sempre cumpriu suas promessas e, nesse meio tempo, nossos pensamentos, emoções e ações devem demonstrar se pertencemos ao novo mundo que está chegando ou ao antigo que está se desvanecendo.

2.5.2. Sua Apresentação (21.2). Os casamentos sempre giram em torno da noiva. Quando ela aparece, tudo o mais que está acontecendo em volta pára e todos os olhares se voltam a ela, pois esse é o seu dia especial. Isso também acontece no livro de Apocalipse. Aqui, o próprio Deus apresenta a noiva e declara que ela e seu marido "viverão felizes para todo o sempre" (cf. vv.2-4).

No íntimo da alegria da noiva está sua renovada comunhão com Deus. No início, Deus caminhava com Adão e Eva no frescor da tarde (Gn 3.8), mas o pecado pôs fim a esse relacionamento. Deus sente falta deste relacionamento e, novamente, viverá (literalmente, "montará seu tabernáculo") no meio do seu povo (Ap 21.3; cf. Êx 29.45; Ez 37.27; Os 2.14-23; Zc 8.3).

2.5.3. As Proclamações de seu Esposo (21.3-8)

2.5.3.1. "Viveremos Felizes para Sempre" (21.3,4). Em um casamento contemporâneo, diríamos que esses dois versos representam o momento em que noivo e a noiva se comprometem a viver felizes para sempre. O esposo divino e sua noiva perfeita viverão juntos (v.3) e em perfeita alegria por toda a eternidade (v.4). Não haverá mais lágrimas ou outras expressões de dor (veja o tópico relacionado às bênçãos do mundo vindouro em 7.15).

2.5.3.2. "Eis que Faço Novas Todas as Coisas" (21.5,6a). O tempo presente do verbo, tal como foi usado aqui, é muito importante no verso 5. Não significa que Deus, em algum dia no futuro, tornará todas as coisas novas. Ao contrário, Ele já começou a fazê-lo e o lembrete de que "estas palavras são verdadeiras e fiéis" (v.5; cf. Mt 5.18; 24.35; Mc 13.31; Lc 16.17; 21.33) tem a finalidade de nos dar a esperança de que: "Aquele que em vós começou a boa obra a aperfeiçoará até ao dia de Jesus Cristo" (Fp 1.6; cf. 1 Jo 3.2,3; veja os comentários sobre Ap 1.8).

2.5.3.3. "Recompensei os Fiéis" (21. 6b,7). Nós, seres humanos, temos um grande potencial e, se seguirmos a Deus, nossa recompensa será maior do que possivelmente poderíamos imaginar. Da mesma forma, aqueles que se rebelam contra Deus enfrentam um castigo demasiadamente horrível para a nossa compreensão. Não existe meio-termo: ou nos tornamos filhos de Deus e reis de toda a criação ou seus rejeitados, sem serventia alguma, exceto para sermos lançados no fumegante depósito de lixo universal. A escolha é nossa.

A única exigência para iniciar um relacionamento com Deus é a sede pelas coisas espirituais (Ap 21.6; cf. Sl 42.1; Is 12.3; 55.1; Mt 5.6; Jo 4.14; 7.38). Aqueles que seguem a Deus, através de sua vida, vencerão o mundo (veja o tópico relacionado aos vencedores em 2.7). Sua recompensa para essas pessoas será adotá-las como seus próprios filhos e herdeiros (Ap 21.7; cf. Jo 1.12,13; Rm 8.16,17; Gl 3.26-29).

2.5.3.4. "Castiguei os Rebeldes" (2.8). Assim como os filhos de Deus dão testemunho de sua natureza espiritual ao expor os frutos do Espírito (Gl 5.22,23), aqueles que se rebelam contra Ele demonstram sua natureza através das obras da carne (5.19-21). Os pecados específicos, listados no livro de Apocalipse, estão ligados às atividades dos adversários da Igreja, aqui detalhados (veja o tópico relacionado à lista de pecados no Apocalipse em 9.20). Assim, por exemplo, a "timidez" ou a "covardia" certamente significa negar a Jesus Cristo. Mas não significa que aqueles que sempre tiveram medo de alguma coisa (por exemplo, da escuridão, do barulho exagerado ou de uma situação desconhecida) serão sentenciados ao castigo eterno.

2.5.4. Seu Retrato (21.9-27). No restante do capítulo 21, João tem uma detalhada visão da Nova Jerusalém, a Noiva de Cristo.

Artigo: A Noiva de Cristo (21.9)

A Noiva de Cristo (19.7; 21.2,9; 22.17) é a Igreja (Jo 3.29; Ef 5.22-32). A imagem de um povo comprometido com Deus, através da aliança do casamento, é bastante antiga. Nos tempos do Antigo Testamento, por várias vezes Deus se refere a Israel como sua noiva ou esposa. Os exemplos mais longos são o Cântico dos Cânticos e Ezequiel 16, mas esse conceito aparece freqüentemente em outras passagens (Is 49.18; 54.6; 61.10; 62.5; Jr 2.2,32; Os 2.16).

Mas onde a Noiva de Cristo é descrita no livro de Apocalipse? Por que o anjo promete apresentá-la e depois se ocupa, usando muitos detalhes, com a própria cidade? Porque a Nova Jerusalém não é apenas o lugar onde a Noiva irá morar, mas o símbolo da própria Noiva.

Essa espécie de simbolismo não é nova no Apocalipse. Já foi mencionada "a grande prostituta" (17.1-4), que também é chamada de cidade da Babilônia (v.5). Ela representa os "habitantes da terra" (veja o tópico relacionado aos habitantes da terra em 6.10) em geral e, especificamente, o povo de Roma (veja o tópico relacionado à Grande Prostituta em 17.1). A Noiva de Cristo, virgem e pura, a Nova Jerusalém, é exatamente o oposto. Ela representa o povo da aliança com Deus.

Era costume, em algumas culturas do Oriente, que as mulheres viessem para seu casamento trazendo o dote exposto sobre seu corpo. Mulheres abastadas teciam moedas de ouro e prata, pérolas e pedras preciosas em seus trajes de casamento. Mulheres extremamente abastadas poderiam cobrir-se com tantos metais e jóias valiosos que chegavam a parecer mais uma cidade ambulante do que um ser humano (Sl 45.9-15).

A Noiva de Cristo terá essa espécie de riqueza em seu casamento. A grande prostituta era muito rica, mas sua riqueza foi acumulada por meio do sangue dos santos (17.6). Nossa riqueza também foi comprada com sangue; a diferença é que em nosso caso trata-se do sangue de Cristo, que foi oferecido gratuitamente.

Deus dá muito valor àquilo que lhe oferecemos com nosso esforço, suor, sangue e lágrimas. Para Ele são como ouro, prata e pedras preciosas (1 Co 3.11-16; cf. Ap 20.13) ou coroas de glória (1 Ts 2.19; Ap 4.10). No entanto, a dádiva mais preciosa que podemos oferecer é o nosso próprio martírio (Ap 14.13). O Grande Hallel, recitado durante milênios na Festa dos Tabernáculos, afirma que: "Preciosa é à vista do Senhor a morte dos seus santos" (Sl 116.15). Cuidemos para que não nos apresentemos de mãos vazias perante nosso Senhor naquele dia!

Observe que a cidade inclui todo o povo de Deus:
1) os judeus, que observaram a aliança do Antigo Testamento, membros das "doze tribos de Israel" (21.12), e
2) os membros de todas as nações que aceitaram a aliança com Jesus Cristo no Novo Testamento, aqueles cuja fé foi transmitida pelos "doze apóstolos do Cordeiro" (v.14). Cada um tem seu lugar e cada um contribui com alguma coisa para a beleza da cidade que compartilham.

Este retrato da Noiva de Cristo estabelece um maravilhoso contraste com a revisão das sete igrejas da Ásia Menor, feita anteriormente por Jesus (Ap 2,3). Este retrato afirma a nossa esperança de que seremos puros (Ef 5.22-32; 1 Jo 3.2,3; cf. Ap 7.14) e a necessidade da tribulação. A tribulação e as provações aperfeiçoam e purificam nossa fé (Tg 1.2; 1 Pe 1.6,7; Ap 3.18), para que nosso Noivo celestial fique orgulhoso de sua Noiva. Aqueles que labutam na Igreja deverão, nesse meio tempo, manter esses dois retratos em equilíbrio: não somos o que éramos, nem o que ainda seremos.

Artigo: A Nova Jerusalém (21.10)

1) *Sua Arquitetura*. As cidades antigas eram modestas, se não francamente sujas. Tinham paredes de pedra, construídas sobre leitos de rochas ou montes de terra batida. Os portões eram feitos de madeira grossa e suportados por barras de ferro. As estradas eram sujas, apenas pavimentadas com pedras em casos excepcionais. Os melhores edifícios eram feitos de pedra, e os menores com tijolo cozido ao sol. Sem nenhum sistema de saúde pública e de remoção regular de lixo, a maioria delas estava assolada por moléstias e maus odores.

A Nova Jerusalém será totalmente diferente. Sua descrição nesse livro enfatiza sua pureza e perfeição. Os limites da cidade formam um perfeito cubo, exatamente como o Lugar Santíssimo no Templo de Jerusalém. Suas dimensões são em números múltiplos de doze, um número associado à perfeição, desde as doze tribos de Israel. As fundações da cidade são de pedras semipreciosas ao invés de barro, jaspe ao invés de rochas em suas paredes e edifícios feitos de ouro, e não de madeira ou pedras.

O ouro, com o qual a cidade e sua grande avenida são feitas, é tão puro quanto o "vidro transparente" (v.21). O ouro puramente refinado terá um acabamento tão liso que refletirá a imagem das pessoas, como se fosse um espelho, mas será ainda mais puro e tão livre de imperfeições que poderá ser trabalhado até ficar virtualmente transparente.

As doze fundações [possivelmente enfileiradas] dos muros da cidade são feitas com pedras preciosas. Infelizmente, a antiga gemologia era demasiadamente imprecisa para identificar precisamente essas pedras com algum nível de segurança. Mas podemos confiar que eram todas preciosas ou semipreciosas, e selecionadas por sua beleza. Sua variedade e número lembram as pedras do peitoral do sumo sacerdote de Israel (Êx 28.20; 39.13) e o manto resplandecente usado pelo "rei de Tiro" (Ez 28.11ss.) antes de sua deposição. Os doze portões, cada um deles uma pérola gigante, completam o quadro dessa riqueza fabulosa, eternamente pura, cidade de luz — uma noiva perfeita para um noivo que é absolutamente divino (Ap 21.2).

A descrição da Nova Jerusalém no Apocalipse é semelhante à de Isaías 60. O profeta do Antigo Testamento mencionou um extenso uso de metais e materiais preciosos (60.5-9,17) e da luz eterna vinda do Senhor (vv. 1,2,20) — não do sol, lua ou estrelas (v.19,20) — portões que nunca se fecham (v.11), a justiça de cada habitante (v.21) e os reis das nações estrangeiras que vêm à cidade para adorar a Deus (vv.11-14).

2) *Sua Iluminação.* A Nova Jerusalém não precisa de um sistema sofisticado de tochas ou lâmpadas para afastar a escuridão, pois ali nunca haverá noite (Ap 21.25). Não necessita nem da luz do sol, da lua ou das estrelas que Deus criou, por ocasião da criação da luz (Gn 1.3; cf. Jo 1.4-8). A Nova Jerusalém é iluminada do interior para o exterior pela presença de Deus e do Cordeiro (Ap 21.23; cf. Êx 13.21; Sl 43.3; 118.27; Is 9.1,2; 60; Zc 14.6). De acordo com Isaías, o esplendor de sua luz atrairá os reis e as nações (Is 60.3).

Alguns podem indagar se essa luz é física ou espiritual, mas essa dúvida não é fundamental. Ela apenas testemunha nossa origem terrena, de onde os aspectos físico e espiritual foram separados para sempre desde a queda do homem. Na Nova Jerusalém o físico e o espiritual serão uma única entidade, não duas — eternamente!

3) *Sua População.* Em última análise, a pureza da cidade depende de seus habitantes. A população da Nova Jerusalém será radicalmente diferente da antiga Jerusalém, antes de sua destruição em 586 a.C. Naquele tempo, Deus disse a Jeremias: "Dai voltas às ruas de Jerusalém, e vede agora, e informai-vos, e buscai pelas suas praças, a ver se achais alguém ou se há um homem que pratique a justiça ou busque a verdade; e eu lhe perdoarei" (Jr 5.1). A clara implicação dessa passagem é que, na véspera de sua destruição, Jerusalém era muito mais pecadora que Sodoma e Gomorra (Gn 18.32).

Todos os habitantes da Nova Jerusalém serão puros (Ap 21.27; cf. vv.7,8; veja o tópico relacionado à lista de pecados no Apocalipse em 9.20). Foram purificados por Deus e lavados no sangue do Cordeiro (veja o tópico relacionado ao livro da vida em 3.5). Cumprirão as profecias que há muito tempo são preciosas para Israel (Is 4.2-6; 52.1ss; Mq 4.1-7; Zc 13.1; 14.8,21).

4) *Seu Abastecimento de Água.* As muralhas de Jerusalém, e sua localização estratégica fizeram dela uma formidável cidade-fortaleza no mundo antigo. Sua única fraqueza era o suprimento de água, que precisava ser enviado de fora das muralhas. Davi usou o canal de águas quando originalmente conquistou a cidade (2 Sm 5.6-9). Posteriormente, o rei Ezequias construiu um elaborado sistema de túneis para garantir o suprimento de água e melhorar as defesas da cidade (2 Rs 20.20). Ainda hoje, os turistas que visitam Jerusalém podem ver as ruínas desse canal. Entretanto, a Nova Jerusalém não precisará de qualquer sistema semelhante, nem terá essa fraqueza. Seu suprimento de água viva é inexaurível, vindo do rio celestial (veja o tópico relacionado ao rio celestial ou mar de cristal em 22.1).

5) *Seu Rei.* Há muito tempo Jerusalém (em hebraico, "cidade da paz") era governada por um rei sacerdote. Seu nome era Melquisedeque (em hebraico, "rei da justiça") que era, também, o sumo sacerdote do *El Elyon* (em hebraico, o "Deus Altíssimo"). Esse sistema de governo parece ter sido o ideal de Deus, pois o rei Davi escreveu um salmo desejando o tempo em que isso aconteceria novamente (Sl 110; cf. Lc 20.41-44).

O Senhor Jesus Cristo é o cumprimento daquela profecia (2 Sm 7; Sl 132; Ez 34.23; 37.24; Os 3.5; Zc 12.7,8; Hb 6.20-7.24; Ap 3.7; 5.5). Ele é o Leão de Judá (Ap 5.5) e o prometido descendente de Davi (22.16). Ele conserva as chaves de Davi (3.7), e tanto seu reino, como seu sacerdócio, serão eternos (2 Sm 7.13; Hb 7.17-24). Ele é a Raiz (2 Rs 19.30; Is 11.1,10; 37.31; 53.2) e o Renovo (Is 4.2; 11.1; Jr 23.5) da casa de Davi (veja também o tópico relacionado ao Filho de Davi em Ap 5.5). Na testa deles "estará o seu nome" (22.4; veja os comentários sobre 7.1-3).

2.5.5. Seu Lar: um Novo Paraíso na Terra (22.1-5). O que seria de uma nova terra sem um jardim do Éden? De acordo com o Apocalipse, a Nova Jerusalém (a Noiva de Cristo) viverá no Paraíso, onde Deus replantará a "árvore da vida" (Ap 22.14,19), da qual aqueles que "venceram" terão o direito de participar (2.7; 21.6,7; cf. 22.17). A água que brota do trono de Deus é a fonte da "água viva" da qual Zacarias diz: "Correrão de Jerusalém águas vivas, metade delas para o mar oriental" (Zc 14.8). Estas águas surgirão por ocasião do seguinte evento: "O monte das Oliveiras será fendido pelo meio, para o oriente e para o ocidente, e haverá um vale muito grande; e metade do monte se apartará para o norte, e a outra metade dele, para o sul" (14.4). Junto com o ribeiro de Cedrom, esse novo vale formará quatro canais que se cruzarão em Jerusalém.

A última vez que quatro rios se cruzaram na terra foi no Éden, de onde corria um rio para irrigar o jardim e de onde ele se dividia para formar outros quatro rios. "O nome do primeiro é Pisom; este é o que rodeia toda a terra de Havilá, onde há ouro. E o ouro dessa terra é bom; ali há o délio e a pedra sardônica. E o nome do segundo rio é Giom; este é o que rodeia toda a terra de Cuxe. E o nome do terceiro rio é Hidéquel; este é o que vai para a banda do oriente da Assíria; e o quarto rio é o Eufrates" (Gn 2.11-14).

Artigo: O Rio Celestial ou Mar de Cristal (22.1)

O rio celestial representa o cumprimento da promessa de água límpida e abundante que fluía através dos profetas do Antigo Testamento. Seu sonho associa elementos do Éden, da provisão divina de água no deserto e da Terra Prometida. A terra da Palestina era ideal para os agricultores e pastores de Israel. Era uma terra de leite (grama verde para os carneiros e para o gado) e mel (flores para as abelhas; Êx 3.8; Jr 32.22; Ez 20.6,15). O único elemento que faltava era a água. Sem nenhum lago suficientemente grande e profundo, os fazendeiros da Palestina tinham que depender de Deus para lhes garantir suficientes chuvas anuais para suas colheitas (Zc 10.1). Da mesma forma, os sacerdotes e o povo precisavam de água limpa para as habituais purificações cerimoniais, que permitiam que entrassem na presença de Deus (Lv 14).

A visão profética era de água suficiente para assegurar a fertilidade das colheitas, a saúde dos fazendeiros e a santidade dos penitentes. Suas profecias aguardavam ansiosamente a volta do paraíso, o Éden (Gn 1,2; cf. Is 51.3; Ez 36.35) com seus múltiplos rios (Gn 2.10-14; cf. Ez 47; Zc 14.8). Então, os seres humanos viveriam em perfeita harmonia com a terra (Gn 1.29,30; 2.9) e com os animais (Gn 1.26; 2.19,20; cf. Is 11.6-8; 65.25). Tinham comunhão com Deus (Gn 3.8). Deus observou e aprovou as obras de suas próprias mãos: "E viu Deus tudo quanto tinha feito, e eis que era muito bom" (Gn 1.31). Os profetas prometiam que algum dia a vida voltaria a ser assim. De fato o paraíso retornará e a maldição sobre a terra será retirada (Ap 22.3).

O povo de Israel havia experimentado um pouco desse paraíso durante sua experiência no deserto. Os profetas lhes lembraram da provisão de água que Deus havia concedido no deserto (Nm 20.8-11; 21.16-18; Sl 105.41; 114.8; 1 Co 10.1-4). Durante essa peregrinação, Deus cuidou de Israel como um esposo cuida de sua esposa (Jr 31.32; Os 2.15-20). Ele os abrigou com sua presença (Êx 33.14) e não lhes faltou nada (Dt 29.5).

Esse rio, que aparece em Apocalipse 22, corre da casa do Senhor e de seu trono (Ap 4.6; 15.2; 22.1; cf. Is 35.7,8; Ez 47; Jl 3.18; Zc 13.1; 14.8); ele alimenta as grandes árvores que acompanham as margens — um sinal de sua consistência. Cada uma dessas árvores é a "árvore da vida" (veja o tópico relacionado à árvore da vida em 2.7); elas fornecem alimento para os famintos e cura para os doentes (Ap 22.2; cf. Ez 47.7,12), que são sinais da potência do rio. O livro de Ezequiel nos dá mais detalhes: o rio torna-se mais profundo e largo à medida que flui do trono de Deus, até se tornar uma torrente poderosa que ninguém consegue controlar (47.1-5) e, por onde passa, traz vida. Traz consigo um número incrível de peixes (47.9) e de pescadores (v.10; veja também o tópico relacionado à água viva ou água da vida, em 7.17).

3. A Conclusão (22.6-21)

O livro de Apocalipse termina como começou; com uma conclusão apocalíptica e outra epistolar. A primeira delas, a apocalíptica, está dividida em seis seções:

o mediador angelical (vv.6,7), o intermediário humano (vv.8-11), uma doxologia (vv.12,13), a quinta bênção (vv.14,15), a fonte divina (v.16) e um convite aberto a todos para o casamento do noivo e da noiva (v.17).

3.1. A Conclusão Apocalíptica (22.6-17)

3.1.1. O Mediador Angelical e a Quarta Bênção (22.6,7). O prefácio do anjo enfatiza a continuidade que existe entre as visões do Apocalipse e as revelações de Deus aos profetas da antiguidade. Neste comentário, um simples exame cuidadoso das muitas referências cruzadas com os livros proféticos pode dar testemunho desta realidade. O livro de Apocalipse contém poucas informações que poderiam ser desconhecidas de seus primeiros leitores; ele confirma as profecias que foram expressas por Isaías, Daniel, Ezequiel, Zacarias e outros. A singularidade do Apocalipse se revela através de sua apresentação incomum e no fato de que todo o material está condensado em um único livro.

A quarta bênção é concedida àqueles que lêem, que ouvem as palavras desta profecia, *e guardam* as coisas que nela estão escritas, isto é, aqueles que obedecem as palavras da profecia deste livro, e não apenas as lêem (22.7; cf. 1.3). Isso está em conformidade com a ênfase do Apocalipse no fato de que a fé salvadora deve resultar em atitudes corretas. Essa exortação à obediência torna-se mais fácil à luz do breve retorno de Jesus.

Mas, como devemos viver à luz do Apocalipse? O que devemos fazer? Nenhuma passagem desse livro sugere aos crentes que devam se preparar para enfrentar as tribulações com reservas de ração C, água potável, armas de fogo ou munição, construindo remotos abrigos e fortalezas, ou até mesmo recebendo treinamento paramilitar. É estranho que aqueles que fazem essas coisas freqüentemente recorram ao Apocalipse em busca de apoio. Podemos imaginar que essas pessoas ou grupos acreditam nas profecias do Apocalipse a respeito das futuras provações e tribulações, mas não crêem que Deus os preservará. Isso é triste, pois esse livro registra, especificamente, a promessa de Deus: "Eu te guardarei [a Igreja] da hora da tentação que há de vir sobre todo o mundo, para tentar os que habitam na terra" (3.10; cf. 9.4).

Portanto, este Apocalipse convida os crentes a viverem de acordo com os seguintes conselhos:

- Vigiar (3.2)
- Não se preocupar com as futuras provas (2.10)
- Esperar pacientemente pelo livramento concedido por Deus (3.10; 6.11)
- Aguardar a vinda do Cordeiro (1.7)
- Testemunhar, mesmo que isso signifique o martírio (6.9; 11.7; 12.11)
- Trabalhar pelo reino de Deus (2.2,19,23; 14.13; 19.8)
- Adorar a Deus e somente a Ele (14.7,11; 15.4; 19.10; 22.8)

3.1.2. O Intermediário Humano (22.8-11). Mais uma vez, João é testemunha ocular de grandes acontecimentos (22.8; cf. Jo 1.14; 19.25-27; 1 Jo 1.1-3). Ele está tão impressionado pela visão que cai de joelhos para adorar, esquecendo-se que seu companheiro é apenas um anjo. Felizmente, o anjo o detém, lembrando que somente Deus é digno de adoração.

Essa cena serviu como um lembrete final aos primeiros leitores para não adorarem o imperador romano (ou qualquer ser humano). Embora o menor dos anjos seja maior que o mais alto dos mortais, nem o mais alto dos anjos merece adoração. Felizmente, esse anjo era muito mais sábio que Nero, ou que muitos outros que se proclamaram deuses, seguindo seu exemplo. Nosso Deus é um "Deus zeloso" que insiste que seu povo adore exclusivamente a Ele (Êx 34.14).

O anjo continua a instruir João para não selar esse livro, e assim impedir sua leitura, em contraste direto com as instruções que foram dadas a Daniel (Dn 12.4,9). A razão para a mudança nas instruções é que "o tempo está próximo" (Ap 22.10; cf. vv.7,12). As palavras desse livro não convencerão aqueles que estão determinados a cometer pecados, assim como Jeremias não foi capaz de convencer o povo de seus dias. O livro de Apocalipse tem a finalidade de encorajar aqueles que vivem de forma santificada a não desanimar ou desistir (Ap 2.3; cf. Gl 6.9; Hb 12.3). João deve se contentar com isso.

3.1.3. A Doxologia (22.12,13).
À medida que o livro se aproxima de seu término, retorna a um estilo litúrgico mais formal. A expressão "Eu sou o Alfa e o Omega" em 21.6 e 22.13 equilibra sua aparência em 1.8, formando uma agradável simetria. O Apocalipse não é um livro apenas dedicado a mostrar a importância da adoração correta, mas seu próprio formato leva os leitores e os ouvintes à experiência da adoração (veja os comentários sobre 1.8).

3.1.4. A Quinta Bênção (22.14,15).
A quinta bênção do Apocalipse é para aqueles que lavam suas vestes. Mais uma vez, a bênção é o resultado das ações dos crentes (22.12,14) e não apenas de sua concordância intelectual ou de seus sentimentos virtuosos. Jesus comprou nossa salvação na cruz: e é o seu sangue que torna tanto a nós, como as nossas vestes, mais brancos que a neve (7.14, cf. Sl 51.7). Entretanto, também temos um papel a desempenhar em nossa salvação; devemos aceitar a mensagem do Evangelho, arrependendo-nos de nossos pecados e obedecendo aos mandamentos de Jesus (At 2.37-41).

Aqueles que não o fizerem continuarão impuros e morrerão em seus próprios pecados. Eles permanecerão eternamente fora da Nova Jerusalém como "cães" selvagens (22.15), como animais

O ANTIGO TESTAMENTO NO NOVO TESTAMENTO

NT	AT	ASSUNTO	NT	AT	ASSUNTO
Ap 1.7	Zc 12.10	A visão de um período futuro	Ap 12.14	Dn 7.25; 12.7	Três vezes e meia
			Ap 13.1-2	Dn 7.3-7	Bestas saídas do mar
Ap 1.13	Dn 7.13	A Vinda do Filho do Homem	Ap 13.6	Dn 11.36	Blasfemando contra Deus
Ap 1.13-15	Dn 10.5,6	Visão de um homem	Ap 13.7	Dn 7.21	Guerra contra os santos
Ap 1.15	Ez 43.2	Voz de muitas águas	Ap 14.14	Dn 7.13	A Vinda do Filho do Homem
Ap 2.27	Sl 2.9	Governando as nações	Ap 17.12	Dn 7.24	Dez chifres representando dez reis
Ap 4.6-8	Ez 1.4-10	Os quatro seres viventes	Ap 18.13-19	Ez 27.27-32	Destruição de uma cidade pecadora
Ap 4.8	Is 6.3	Santo, Santo, Santo	Ap 19.15	Sl 2.9	Governando as nações
Ap 5.6	Zc 4.10	Os sete olhos de Deus	Ap 19.17-21	Ez 39.17-20	Alimento para as aves
Ap 6.2-8	Zc 6.1-6	Quatro cavalos de cores diferentes	Ap 20.8,9	Ez 38.1-39; 16	Gogue e Magogue
Ap 6.8	Ez 14.21	Quatro terríveis julgamentos	Ap 20.12	Dn 7.10	Abertura dos livros no julgamento
Ap 7.3	Ez 9.4	O sinal na testa	Ap 21.4	Is 25.8	Deus enxugará toda lágrima
Ap 7.16	Is 49.10	Bênçãos eternas	Ap 21.7	1 Cr 17.13	O Pai e o Filho
Ap 7.17	Is 25.8	Deus enxugará toda lágrima	Ap 21.10	Ez 40.1,2	Visão da Nova Jerusalém
Ap 10.4	Dn 12.4	Palavras seladas			
Ap 10.9,10	Ez 3.1-3	Comendo o livrinho	Ap 21.12,13	Ez 48.30-35	As doze portas da cidade
Ap 11.1	Ez 40.3	Medindo o templo			
Ap 11.4	Zc 4.1,2	Castiçais e oliveiras	Ap 22.1,2	Ez 47.1,12	Águas correntes e árvores frutíferas
Ap 11.15	Dn 7.27	O reino eterno			

impuros que se alimentam de carniça e do lixo acumulado fora dos portões da cidade (os judeus não gostavam de cães, pois consideravam-nos como animais cerimonialmente impuros; veja o tópico relacionado à relação dos pecados no Apocalipse em 9.20).

3.1.5. A Fonte Divina (22.16). O livro afirma, novamente, que sua fonte é divina (22.16; cf. 1.1). Jesus entregou as informações a um anjo instruindo-o a levá-las até João. Agora, João deve escrevê-las e transmiti-las à Igreja. O fato de termos o Apocalipse em nossa Bíblia atualmente significa que ele completou sua missão com sucesso. Agora, só nos resta prestar atenção à sua mensagem!

Jesus recita alguns de seus títulos para nos lembrar da sua autoridade (veja o tópico relacionado ao Filho de Davi em 5.5, à Nova Jerusalém e seu Rei em 21.10, e à Estrela da Manhã em 2.28). Esses títulos devem também nos lembrar que Deus trabalhou durante milhares de anos para fazer com que essas coisas acontecessem, e não desistirá de concluí-las.

3.1.6. O Convite a Todos (22.17). Em uma carta que descreve uma cerimônia de casamento, poderíamos esperar um convite para as festividades. O livro de Apocalipse contém esse convite, que não é simplesmente para comparecer, e sim participar. Essa noiva não é uma pessoa, mas uma comunidade; uma comunidade que ainda tem lugar para todo aquele que desejar fazer parte dela.

Há muito tempo, Deus falou através de Isaías (Is 55.1-3):

> Ó vós todos os que tendes sede, vinde às águas,
> e vós que não tendes dinheiro, vinde, comprai e comei; sim, vinde e comprai, sem dinheiro e sem preço, vinho e leite.
> Por que gastais o dinheiro naquilo que não é pão?
> E o produto do vosso trabalho naquilo que não pode satisfazer?
> Ouvi-me atentamente e comei o que é bom, e a vossa alma se deleite com a gordura.
> Inclinai os ouvidos e vinde a mim; ouvi, e a vossa alma viverá; porque convosco farei um concerto perpétuo, dando-vos as firmes beneficências de Davi.

Deus estendeu esse convite da salvação a todos, a despeito de idade, de gênero, de raça ou de classe social (At 2.16-21). A única exigência é que o destinatário esteja sedento (Ap 21.6; 22.17; cf. Is 44.3; Jo 4.13,14; 7.38; veja o tópico relacionado à água viva ou água da vida em 7.17).

3.2. A Conclusão Epistolar (22.18-21)

A segunda e última conclusão do livro de Apocalipse é epistolar. Ela tem três breves seções, uma exortação (vv.18,19), uma bênção litúrgica (v.20) e uma saudação apostólica final (v.21).

3.2.1. A Exortação Final (22.18). Embora tenhamos falado aqui a respeito dos "primeiros leitores", como uma simplificação, na verdade a primeira audiência do livro de Apocalipse "ouviu" o livro à medida que o mensageiro de João o lia para cada uma das sete congregações. Somente mais tarde o livro foi copiado para que as diversas igrejas e seus membros pudessem lê-lo.

Muitos outros trabalhos apocalípticos conhecidos se desenvolveram no decorrer dos anos, à medida que um autor após outro lhes fazia adições. Os versos do Apocalipse contêm uma severa advertência de que esse livro está absolutamente completo, e que aqueles que procurarem suplementá-lo ou revisá-lo enfrentarão muitas pragas (22.18; cf. 9.18,20; 15.1; 16.9; 18.4,8) e a perda da vida eterna (22.2,14,19; cf. 2.7).

3.2.2. A Bênção Litúrgica (22.20). A bênção litúrgica tem a forma antifônica. Jesus é aquEle que "testifica" (isto é, o mártir; veja o tópico relacionado a testemunhar em 6.9), colocando-se na posição de líder da congregação, e reafirmando que voltará brevemente. João, representando a congregação dos santos, responde positivamente: "Amém! Ora, vem, Senhor Jesus!"

3.2.3. A Saudação Apostólica Final (22.21).

A bênção pastoral que conclui o livro de Apocalipse parece especialmente apropriada. Somos o povo de Deus porque aceitamos sua misericórdia e graça. Precisaremos muito delas para suportar e vencer pacientemente as dificuldades até a volta de Jesus. Assim seja! Amém!

NOTAS

[1] O único outro que conheço é o de V. Burch, *Anthropology in the Apocalypse* publicado em 1939. Infelizmente, ele não desenvolveu essa tese com suficiente atenção aos detalhes, a fim de reunir o necessário suporte.

[2] Assim concordamos com C. C. Torrey, 58ss. Mais recentemente, outros concordaram com Torrey, inclusive A. A. Bell em "The Date of John's Apocalypse: The Evidence of Some Roman Historians Reconsidered", *NTS* 25 (1979): 93-102; J. A. T. Robinson, *Redating the New Testament* (1976).

[3] Veja "Amphorisk of the Second Temple Period". *Palestinian Exploration Quarterly*, 109 (1977): 117-22.

[4] Veja a obra de Mendenhall, *Law and Covenant in Israel and the Ancient Near East* (reedição de 1955).

[5] Veja sua obra, *From the Stone Age to Christianity* (1940), 263.

[6] A obra de Patrick D. Miller, "Israelite Religion", em *"The Hebrew Bible and Its Modern Interpreters"* (1985), 221-22.

[7] A questão gramatical, que não deve ser incluída em comentários desse tipo, é se a expressão deve ser compreendida como um genitivo objetivo ou subjetivo. A maioria dos estudiosos concorda que deve ser tomada uma decisão que se baseie no contexto.

BIBLIOGRAFIA

O leitor que desejar se aprofundar em qualquer dos assuntos dessa introdução poderá consultar a bibliografia abaixo. Existem, literalmente, milhares de livros sobre o Apocalipse, e separar o joio do trigo não deixa de ser uma tarefa assustadora, mesmo para especialistas. Essa bibliografia inclui livros importantes e alguns artigos criteriosos publicados em jornais e revistas, todos em inglês. Embora seja apresentado um considerável espectro de opiniões, todas são fruto de muito estudo e dignas de consideração.

Infelizmente, tais obras tendem a manter um nível relativamente alto de argumentação (eruditos escrevendo para eruditos) e nenhuma delas dedica muito espaço para as aplicações práticas. É triste observar que não temos comentários devocionais a respeito do Apocalipse. Este autor espera, em oração, que este comentário possa ajudar a preencher essa lacuna.

Literatura Apocalíptica

R. P. Carrol, *When Prophecy Failed: Cognitive Dissonance in the Prophetic Traditions of the Old Testament* (1979); J. H. Charlesworth, ed., *Apocalyptic Literature and Testaments*, 2 vols. (1983, 1985); A. Y. Collins, ed., *Early Christian Apocalypticism: Genre and Social Setting*, Semeia 36 (1986); P. D. Hanson, "Apocalyptic Literature" em *The New Testament and Its Modern Interpreters* (1989), 465-88; idem, *The Dawn of Apocalyptic* (ed. rev., 1979); idem, "Apocalypticism", *IDBSup*, 29-34; E. Hellholm, ed., *Apocalypticism in the Mediterranean World and the Near East* (1979); E. Hennecke e W. Schneemelcher, eds., *New Testament Apocrypha*, 2 vols. (1963, 1965); R. McL. Wilson, "New Testament Apocrypha" em *The New Testament and Its Modern Interpreters* (1989).

A Festa dos Tabernáculos

P. Burrows, "The Feast of Sukkoth in Rabbinic and Related Literature" (Ph.D. diss., 1974); J. Daniélou, *Primitive Christian Symbols* (1964a); J. Gray, *The Biblical Doctrine of the Reign of God* (1979); W. Harrelson, "The Celebration of the Feast of Booths According to Zech. xiv. 16-21", em *Religions in Antiquity* (1968), 88-96; R. P. K. Harrison, "Booths, Feast of", *ISBE* (1979) 1:535; W. A. Heidel, *The Day of Yahweh* (1929); T. P. Jenney, "Tabernacles, Feast of," em *Eerdmans Bible Dictionary* (prestes a ser lançado); idem, "The Harvest of the Earth: The Feast of Sukkoth in the Book of Revelation" (Ph.D. diss., 1993); I. Mandelbaum, "Yerushalmi Sukkah (Notas e Tradução)" em *In the Margins of the Yerushalmi* (1983), 7-15; P. D. Miller, "Israelite Religion", na obra *The Hebrew Bible and Its Modern Interpreters* (1985), 201-37; J. C. de Moor, *New Year With Canaanites and Israelites*, 2 vols. (1972); S. Mowinckel, *He That Cometh* (1954); J. Neusner, ed., *Sukkah*, vol. 17 da obra *The Talmud of the Land of Israel: A Preliminay Translation and Explanation* (1988); idem, ed., *The Tosephta Translated From the Hebrew. Second Division: Moed: The Order of Appointed Times* (1981); J. J. M. Roberts, "The Ancient Near Eastern Environment", na obra *The Hebrew Bible and Its Modern Interpreters* (1985), 75-121; A. J. Wensinck, *Arabic New-Year and the Feast of Tabernacles* (1917); G. Widengren, "Israelite-Jewish Religion", na obra *Religions of the Past*" (1969), 222-317.

Apocalipse: Questões Introdutórias e Comentários

D. E, Aune, *The Cultic Setting of Realized Eschatology in Early Christianity*, NovTSup 28 (1972); idem, *The Book of Revelation*, WBC (1998); J. W. Bowman, *The Drama of the Book of Revelation* (1955); V. Burch, *Anthropology and the Apocalypse* (1939; reimpr., 1977); R. H. Charles, *A Critical and Exegetical Commentary on the Revelation of St. John*, ICC, 2 vols. (1920); A. Y. Collins, *Crisis and Catharsis: The Power of the Apocalypse* (1984); F. M. Cross, *Canaanite Myth and Hebrew Epic* (1973); J. Danièlou, *The Theology of Jewish Christianity* (1964b); J. A. Draper, "The Heavenly Feast of Tabernacles: Revelation 7.1-17", *JSNT* 19 (1983): 133-47; E. S. Fiorenza, *Book of Revelation: Justice and Judgment* (1985); idem, "Revelation", na obra *The New Testament and Its Modern Interpreters* (1989), 407-28; idem, "Revelation, Book of", *IDB-Sup.*, 744-46; idem, *Revelation: Vision of a Just World* (1991); D. Guthrie, *New Testament Introduction*, 3ª ed. (1970); C. J. Hemer, *The Letters to the Seven Churches of Asia in Their Local Setting*, JSNTSup 11 (1986); H. Koester, "Jesus the Victim", *JBL* 111 (1992), 3-15; G. E. Ladd, *A Commentary on the Revelation of John* (1972); R. H. Mounce, *The Book of Revelation*, NICNT (1977); S. R. F. Price, *Rituals and Power: The Roman Imperial Cult in Asia Minor* (1984); J. A. T. Robinson, *Redating the New Testament* (1976); M. H. Shepherd Jr., *The Paschal Liturgy and the Apocalypse* (1960); L. L. Thompson, *The Book of Revelation: Apocalypse and Empire* (1989); C. C. Torrey, *The Apocalypse of John* (1959); H. Ulfgard, *Feast and Future: Revelation 7:9-17 and the Feast of Tabernacles* (1989).

ÍNDICE

O índice abaixo oferece uma rápida visão de onde os vários temas, que discutem os diferentes elementos do livro de Apocalipse, podem ser encontrados:

1.260 dias, 42 meses ou 3 anos e meio	12.6
144.000 judeus	7.4
3 anos e meio, veja 1.260 dias, 42 meses, ou 3 anos e meio	12.6
42 meses, veja 1.260 dias, 42 meses ou 3 anos e meio	12.6
Abismo	9.1
Adoração da Besta	13.8
Adoração no Apocalipse	5.11
Água viva (ou água da vida)	7.17
Árvore da vida	2.7
Babilônia, a Grande	17.5
Balaamitas, veja os nicolaitas, os balaamitas e os jezebelitas	2.6
Banquete de casamento, veja as duas grandes festas escatológicas	19.7-9, 17-21
Bênçãos do mundo vindouro	7.15
A Besta da terra	13.11
A Besta do mar	13.1
O sinal da Besta	14.9
A Besta que virá	19.19
Cálices, veja Libações	15.1
Caminhada dos Tabernáculos ao alvorecer	11.19
Cântico do Cordeiro	15.3
Cântico de Davi	5.5
Cântico de Moisés	15.3
Os dois castiçais	11.4

APOCALIPSE

Chaves	1.18
O Cordeiro que foi morto	5.6
Coroas, lauréis e diademas	4.10
O Dia do Senhor	1.10
O Dragão	12.3
Os dois castiçais	11.4
As duas grandes festas escatológicas	19.7-9,17-21
As duas Testemunhas	11.6
Entronização de Deus e seu Messias	11.15
Estribilho (Santo, Santo, Santo)	4.8
Estrutura do ritual do Apocalipse	5.1
Exércitos do céu	19.14
Festas: As duas grandes festas escatológicas	19.7-9,17-21
Filho de Davi	5.5
Folhas de palmeira	7.9
A Grande Tribulação	7.14
A Grande Prostituta	17.1
Habitantes da Terra	6.10
Jezabelitas, veja os nicolaitas, balaamitas e jezebelitas	2.6
O lagar da ira de Deus	14.19
Libações	15.1
Libações com água e vinho nos Tabernáculos	16.1
O livro da vida	3.5
O mar de cristal, veja o rio celestial (ou mar de cristal)	22.1
Mistério de Deus	10.7
A mulher celestial	12.1
A multidão de gentios	7.9
Nicolaitas, balaamitas e jezebelitas	2.6
A Noiva de Cristo	21.9
A Nova Jerusalém	21.10
Orações dos Santos	5.8
O pálio de *Shekinah*	7.15
Os quatro seres viventes	4.6-9
"Quem poderá subsistir?"	6.17
Lista dos pecados no Apocalipse	9.20
Ressurreição dos justos	20.4
O rio celestial (ou mar de cristal)	22.1
Satanás, veja O Dragão	12.3
A segunda morte	2.11
Os quatro seres viventes	4.6-9
Sinagogas de Satanás	2.9
O sinal da Besta	14.9
Sinais do céu	6.12
O tabernáculo do testemunho	15.5
A tarefa de João	1.19
Testemunhar, testificar, testemunha	6.9
Testificar, veja testemunhar, testificar, testemunha	6.9
O trono de Deus	4.2
As trombetas	8.2
Vencedores	2.7
Vestes brancas	7.9
Os vinte e quatro anciãos	4.10